আল কুরআন

সহজ বাংলা অনুবাদ

AL QURAN: EASY & LUCID BANGLA TRANSLATION

ترجمة معاني القرآن الكريم باللغة البنغالية

Trasnlated by

মাওলানা আবদুস শহীদ নাসিম

Maulana Abdus Shaheed Naseem

এতে আছে

- আল কুরআনের সহজ ও সাবলীল বাংলা অনুবাদ
- প্রতিটি সূরার আয়াতভিত্তিক আলোচ্যসূচি
- কুরআন জানা ও মানার জরুরত প্রসঙ্গ
- আল কুরআনের বিষয় নির্দেশিকা
- আল কুরআনের পরিভাষা কোষ
- কুরআনে বর্ণিত কুরআনের নামসমূহ
- কুরআনের কয়েকটি গুরুত্বপূর্ণ তথ্য
- কুরআন তিলাওয়াতের আদব

আল কুরআন দা'ওয়াহ সেন্টার, ইউ এস এ

Al Quran Da'wah Center, U S A

আল কুরআন: সহজ বাংলা অনুবাদ

মাওলানা আবদুস শহীদ নাসিম

প্রকাশক

আল কুরআন দা'ওয়াহ সেন্টার, ইন্‌ক.

একটি অলাভজনক 501 (c)3 প্রতিষ্ঠান

১০৩৩ গ্ল্যানমোর এ্যাভেনিও, ব্রুকলিন

নিউইয়র্ক ১১২০৮, ইউ এস এ

ফোন: (৭১৮) ২৩৫-৩৩০০, (৩৪৭) ৯৫১-৬৮২৯, (৯১৭) ২৯৪-৪৯৬৬

Email: alqurandc@gmail.com ● www.alqurandc.org

প্রকাশকাল

আল কুরআন দাওয়াহ সেন্টার ৫ম মুদ্রণ: জানুয়ারি ২০২৪

আল কুরআন দাওয়াহ সেন্টার ১ম মুদ্রণ: ফেব্রুয়ারি ২০২০

. . . .

AL QURAN: EASY & LUCID BANGLA TRANSLATION

Translated by

Maulana Abdus Shaheed Naseem

Published by

Al Quran Da'wah Center Inc.

A non-profit 501(c)3 institution

1033 Glenmore Avenue, Brooklyn, NY 11208, USA

Phone: (718) 235-3300, (347) 951-6829, (917) 294-4966

Email: alqurandc@gmail.com

www.alqurandc.org

Published

Al Quran Dawah Center 5th Print: January 2024

Al Quran Dawah Center 1st Print: February 2020

ফ্রি কুরআন বিতরণ প্রজেক্ট

আল কুরআন দা'ওয়াহ সেন্টার ইউএসএ একটি অলাভজনক 501(c)3 প্রতিষ্ঠান, যা মহান আল্লাহ সুবহানাহু ওয়া তা'য়ালার সর্বশেষ নাযিলকৃত বাণী মহাগ্রন্থ **আল কুরআন** যুক্তরাষ্ট্রের প্রতিটি ঘর, প্রতিটি হাসপাতাল ও জেলখানায় বিভিন্ন ভাষাভাষী ধর্ম-বর্ণ নির্বিশেষে সবার কাছে পৌঁছানোর মিশন নিয়ে কাজ করে যাচ্ছে।

"Our plan is to deliver the Quran to every household of The United States of America"

তারই অংশ হিসেবে প্রাথমিকভাবে ইংরেজি, স্প্যানিশ, চাইনিজ ও বাংলা ভাষায় আল কুরআন ও অন্যান্য দা'ওয়াহ সামগ্রি বিতরণের কাজ এগিয়ে চলছে। বাংলাভাষাভাষীদের চাহিদার দিকে লক্ষ্য রেখে মূল আরবিসহ ডাবল ডিমাই সাইজে সহজ বাংলায় অনুবাদকৃত **আল কুরআন** প্রকাশের উদ্যোগ নেয়া হয়েছে। এ উদ্যোগটি আমেরিকায় বসবাসরত বাংলাভাষাভাষীদের মধ্যে মহাগ্রন্থ আল কুরআনের বাণী পৌঁছানোর মাধ্যমে দা'ওয়াহ কার্যক্রমকে সম্প্রসারিত করতে মাইলস্টোনের ভূমিকা রাখবে, ইনশাআল্লাহ।

মহানবী সাল্লাল্লাহু আলাইহি ওয়াসাল্লাম এ কাজের গুরুত্ব ও তাৎপর্য বর্ণনা করে ইরশাদ ফরমান: "তোমাদের মধ্যে সে-ই উত্তম যে কুরআন শিখে (অধ্যায়ন করে) এবং অন্যদের কুরআন শিখায়।" (সহিহ বুখারি)

মহানবী সাল্লাল্লাহু ওয়াসাল্লাম আরো বলেন: "যখন মানুষ মারা যায় তখন তার সকল কাজের ধারাবাহিকতা বিচ্ছিন্ন হয়ে যায়। তবে তিনটি কাজের সওয়াব মৃত্যুর পরও অব্যাহত থাকে:

১. সাদাকাহ্ জারিয়াহ,
২. মানবকল্যাণমূলক জ্ঞান যার দ্বারা সবাই উপকৃত হয়,
৩. অথবা নেক সন্তান যারা বাবা-মা'র জন্যে আল্লাহ সুবহানাহু ওয়া তা'য়ালার কাছে দোয়া করে।" (সহিহ মুসলিম)

আল কুরআনের বাণীকে বিভিন্ন ভাষায় মুসলিম-অমুসলিম নির্বিশেষে আমেরিকার জমিনে সবার কাছে পৌঁছানোর মিশন নিঃসন্দেহে মৃত্যুর পর সবার জন্যে মহানবী সাল্লাল্লাহু আলাইহি ওয়াসাল্লাম প্রদর্শিত আমল

'সাদাকাহ্ জারিয়াহ্র' অন্যতম সর্বোৎকৃষ্ট পথ। সে লক্ষ্যে আল কুরআন দা'ওয়াহ সেন্টার ইউএসএ বিনামূল্যে কুরআন বিতরণের জন্যে আল কুরআন আরবিসহ বাংলা অনুবাদ পাঁচ ডলার ($5.00) এবং ইংরেজি, স্প্যানিশ ও চায়নিজ ভাষাসহ অন্যান্য ভাষায় তিন ডলার ($3.00) স্পন্সরশীপের সুবর্ণ সুযোগ প্রদান করছে। তাই, আসুন আমরা মৃত্যুর পর অনন্তকালীন জীবনের জন্যে life insurance হিসেবে উক্ত সেন্টারের 'Al Quran for every household of USA'-এর এই প্রজেক্টে নিজে সহযোগিতা করি এবং অন্যকে সহযোগিতা প্রদানে উৎসাহিত করি। আপনার আমার প্রচেষ্টায় যাঁরা এই প্রজেক্টে সংযুক্ত হবেন এবং বিনামূল্যে বিভিন্ন ভাষায় কুরআন বিতরণে স্পন্সর হবেন, তাঁদের সমপরিমাণ সওয়াব আপনার-আমার আমলনামায় লিপিবদ্ধ হয়ে যাবে।

সুবহানাল্লাহ্!!!

অতএব, আসুন, আর একটি মুহূর্তও বিলম্ব না করে আমরা আমাদের আখিরাতের জন্যে কুরআন বিতরণের এই প্রজেক্টে সর্বোচ্চ বিনিয়োগ করি এবং আত্মীয়-স্বজন ও বন্ধু-বান্ধবকেও উৎসাহিত করি।

আরবিসহ বাংলা অনুবাদ	প্রতি কপি		$5
	৫০টি	50 x $5 =	$250
	১০০টি	100 x $5 =	$500
	১০০০টি	1000 x $5 =	$5,000

ইংরেজি/স্প্যানিশ/ চায়নিজ ও অন্যান্য ভাষায়	প্রতি কপি		$3
	৫০টি	50 x $3 =	$150
	১০০টি	100 x $3 =	$300
	১০০০টি	1000 x $3 =	$3,000

আল্লাহ সুবহানাহু তায়ালা আমাদের ডোনেশন ও স্পন্সরশীপ কবুল করুন। দাওয়াহ কার্যক্রমের মাধ্যমে ইসলামের সৌন্দর্যকে ধর্ম-বর্ণ নির্বিশেষে সবার কাছে পৌঁছানোর এই মহান দীনি অবশ্য কর্তব্য দায়িত্ব আঞ্জাম দেবার তাওফিক দান করুন। আমিন। ইয়া রাব্বাল আলামিন।

আপনার কপি সংগ্রহ করতে অনুগ্রহ করে যোগাযোগ করুন

Phone

(718) 235-3300
(347) 951-6829
(917) 294-4966

Email alqurandc@gmail.com

বিস্তারিত জানার জন্যে ভিজিট করুন
www.alqurandc.org

ডোনেশন পাঠানোর ঠিকানা

SCAN ME

Point your phone's camera

Al Quran Da'wah Center Inc.
1033 Glenmore Avenue, Brooklyn
NY 11208, USA

Donate by Quick Pay

Zelle/PayPal alqurandc@gmail.com
or
Pay directly AlQuranForAll.com

All donations are tax-deductible

আল কুরআন দাওয়াহ্ সেন্টারের ফ্রি কুরআন বিতরণে নিজে স্পন্সর হোন এবং অন্যকে স্পন্সর হতে উৎসাহিত করুন।

Availability

MICHIGAN

AL-QURAN ACADEMY OF MICHIGAN
12500 McDougall St.
Detroit, MI 48212,
Phone: (313) 368-5308

NEW JERSEY

MCSJ Masjid As-Salam
400 Erial Road
Pine Hill, NJ 08021
Phone: (856) 669-8796

CALIFORNIA

4430 Fountain Ave.
Unit # 3
Los Angeles, CA 90029
Phone: (213) 926-2959

NEW YORK

BAITUL MAMUR MASJID & COMMUNITY CENTER
&
MUNA BOOK SERVICE
1033 Glenmore Ave
Brooklyn, NY 11208
Phone: (917) 355-4538

সূচিপত্র ও সূরার তালিকা

ক্রমিক	সূরা	নাযিল	আয়াত	রুকু	পৃষ্ঠা
৮৩	আল মুতাফ্‌ফিফীন	মক্কায়	৩৬	০১	৭০৭
৮৪	আল ইনশিকাক	মক্কায়	২৫	০১	৭০৯
৮৫	আল বুরূজ	মক্কায়	২২	০১	৭১১
৮৬	আত তারিক	মক্কায়	১৭	০১	৭১২
৮৭	আল আলা	মক্কায়	১৯	০১	৭১৩
৮৮	আল গাশিয়া	মক্কায়	২৬	০১	৭১৪
৮৯	আল ফজ্‌র	মক্কায়	৩০	০১	৭১৬
৯০	আল বালাদ	মক্কায়	২০	০১	৭১৮
৯১	আশ্‌ শামস	মক্কায়	১৫	০১	৭১৯
৯২	আল লাইল	মক্কায়	২১	০১	৭২০
৯৩	আদ্‌ দোহা	মক্কায়	১১	০১	৭২১
৯৪	ইনশিরাহ্‌	মক্কায়	০৮	০১	৭২২
৯৫	আত্‌ তীন	মক্কায়	০৮	০১	৭২৩
৯৬	আল আলাক	মক্কায়	১৯	০১	৭২৩
৯৭	আল কাদর	মক্কায়	০৫	০১	৭২৫
৯৮	আল বাইয়্যেনা	মদিনায়	০৮	০১	৭২৫
৯৯	যিলযাল	মদিনায়	০৮	০১	৭২৬
১০০	আল আদিয়াত	মক্কায়	১১	০১	৭২৭
১০১	আল কারিয়া	মক্কায়	১১	০১	৭২৮
১০২	আত্‌ তাকাসুর	মক্কায়	০৮	০১	৭২৯
১০৩	আল আস্‌র	মক্কায়	০৩	০১	৭২৯
১০৪	আল হুমাযা	মক্কায়	০৯	০১	৭৩০
১০৫	আল ফীল	মক্কায়	০৫	০১	৭৩০
১০৬	আল কুরাইশ	মক্কায়	০৪	০১	৭৩১
১০৭	আল মাউন	মক্কায়	০৭	০১	৭৩১
১০৮	আল কাওসার	মক্কায়	০৩	০১	৭৩২
১০৯	আল কাফিরূন	মক্কায়	০৬	০১	৭৩২
১১০	আন্‌ নসর	মদিনায়	০৩	০১	৭৩৩
১১১	আল লাহাব	মক্কায়	০৫	০১	৭৩৩
১১২	আল ইখলাস	মক্কায়	০৪	০১	৭৩৪
১১৩	আল ফালাক	মক্কায়	০৫	০১	৭৩৪
১১৪	আন্‌ নাস	মক্কায়	০৬	০১	৭৩৫

❖ ❖

বিসমিল্লাহির রাহমানির রাহিম

অনুবাদকের আরয

আলহামদুলিল্লাহ, মহান রাব্বুল আলামিন আল্লাহ পাককে জানাই অজুত শোকরিয়া, যিনি মানব সমাজের সর্বাঙ্গীন কল্যাণ ও মুক্তির উদ্দেশ্যে কিতাব ও রসূল পাঠিয়েছেন। যিনি তাঁর এ বিনত বান্দাকে তাঁর অনুপম মুজিযা মহাকল্যাণময় বাণী আল কুরআনের সহজ বাংলা অনুবাদ সম্পন্ন করার তৌফিক দান করেছেন।

সালাত ও সালাম মুহাম্মদ রসূলুল্লাহ্‌র প্রতি, যিনি প্রাণান্তকর সাধনা ও চেষ্টা-সংগ্রামের মাধ্যমে মানব সমাজের সামনে আল কুরআন পেশ করেছেন, এ কিতাব তাদের বুঝিয়ে দিয়েছেন, এর মাধ্যমে অসংখ্য মানুষকে অন্ধকার থেকে আলোতে নিয়ে এসেছেন এবং আল্লাহ পাকের সাহায্যে তাঁর এই বাণী ও বিধানকে প্রবর্তিত ও প্রতিষ্ঠিত করে গেছেন।

আমরা স্বয়ং আল কুরআন পাঠ করে জানতে পেরেছি, আল্লাহ পাক মানুষের প্রতি তাঁর এই মহাকল্যাণময় কিতাব নাযিল করেছেন এটি পড়ার ও বুঝার জন্যে, জানার ও মানার জন্যে, অনুধাবন ও অনুসরণ করার জন্যে এবং এর ভিত্তিতে মানব সমাজকে আলোকিত ও বিকশিত করার জন্যে।

এই চেতনাই আমার মধ্যে বাংলাভাষীদের কাছে তাদের যবানে আল কুরআনের মর্মবার্তা পেশ করার অদম্য আকাংখা জাগ্রত করে। তাই লেখনীর মাধ্যমে ও মৌখিকভাবে কুরআনের মর্মবাণী প্রচারের সাথে সাথে বাংলা ভাষায় আল কুরআনের অনুবাদ এবং সংক্ষিপ্ত তফসির করারও সংকল্প করি। প্রথমেই আল কুরআনের একটি সহজ বাংলা অনুবাদ উপস্থাপনের এরাদা করি এবং আল্লাহ আমাকে সময়েরও ব্যবস্থা করে দেন।

অন্যান্য চিন্তা থেকে মুক্ত হয়ে এক মনে এক ধ্যানে কুরআন মজিদের অনুবাদ করার সুযোগ পেয়ে যাই। প্রতিটি সূরার আয়াত ভিত্তিক আলোচ্যসূচিও তৈরি করে ফেলি। কুরআন মজিদের একটি সংক্ষিপ্ত বিষয় নির্দেশিকাও তৈরি করি এবং তৈরি করি বাংলায় প্রচলিত কুরআনের একটি পরিভাষা কোষ। এগুলো সবই কুরআনের এই অনুবাদ গ্রন্থে সংযুক্ত হয়েছে। আশা করি কুরআন মজিদ বুঝার ক্ষেত্রে এগুলো সাহায্যকারী হবে।

এই অনুবাদটির বৈশিষ্ট্য

কুরআন মজিদের বেশ কিছু অনুবাদ বাংলা ভাষায় রয়েছে। তবে আমরা আশা করি আমাদের এই অনুবাদটি বাংলা ভাষায় কুরআনের অনুবাদের ক্ষেত্রে একটি নতুন ধরনের সংযোজন। এই অনুবাদটির কয়েকটি বিশেষ বৈশিষ্ট্য হলো :

০১. এই অনুবাদটি করা হয়েছে যারা কুরআন বুঝতে চান বিশেষভাবে তাদের জন্যে, তাদের প্রয়োজনকে সামনে রেখে।

০২. 'জানার জন্যে কুরআন পড়ুন, মানার জন্যে কুরআন পড়ুন' এই শ্লোগানটিকে সামনে রেখেই করা হয়েছে এই অনুবাদ।

০৩. অনুবাদে অর্থ গ্রহণের ক্ষেত্রে বিশুদ্ধ তফসির গ্রন্থসমূহের অনুসরণ করা হয়েছে।

০৪. অনুবাদে সহজ, সরল ও প্রাঞ্জল (lucid) বাংলা ভাষা ব্যবহার করা হয়েছে।

০৫. অনুবাদে আধুনিক বাংলা বানানরীতি ব্যবহার করা হয়েছে এবং ভাষা সাবলীল করার চেষ্টা করা হয়েছে।

০৬. কুরআনের যেসব শব্দ ও পরিভাষা বাংলা ভাষায় চালু আছে, সেগুলোর অনুবাদ না করে সেগুলো হুবহু ব্যবহার করা হয়েছে। যেমন: ঈমান, অহি, সালাত, যাকাত, যিকির, দোয়া, আমল, এলেম, ইবাদত, ইত্তেবা, কওম, উম্মত ইত্যাদি।

০৭. তবে, বাংলা ভাষায় চালু থাকা যেসব আরবি শব্দ কম প্রচলিত, ব্রেকেটে সেগুলোর অর্থ লিখে দেয়া হয়েছে।

০৮. একান্ত জরুরি মনে করায় কোথাও কোথাও দুয়েকটি টীকা দেয়া হয়েছে।

০৯. প্রতিটি সূরার শুরুতে সেই সূরার আয়াত ভিত্তিক আলোচ্য বিষয় উল্লেখ করা হয়েছে। ফলে সূরাটি পড়তে শুরু করার আগেই পাঠক জেনে নিতে পারবেন সূরাটিতে কী কী বিষয়ে আলোচনা হয়েছে এবং কোন্ আয়াত থেকে কোন্ আয়াত পর্যন্ত কী বিষয়ে আলোচনা হয়েছে?

১০. বাংলা ভাষায় প্রচলিত কুরআনের গুরুত্বপূর্ণ পরিভাষাগুলোর অর্থ ও মর্মার্থ উল্লেখ করে একটি পরিভাষা কোষ দেয়া হয়েছে। আশা করি কুরআন বুঝার ক্ষেত্রে এটা পাঠকদের জন্যে দারুণ সুবিধাজনক হবে।

১১. কুরআনের একটি সংক্ষিপ্ত বিষয় নির্দেশিকাও দেয়া হয়েছে। কিছু কিছু গুরুত্বপূর্ণ বিষয় বাছাই করে নিয়ে সেগুলো কুরআনের কোন্ কোন্ সূরার কোন্ কোন্ আয়াতে আলোচিত হয়েছে তা উল্লেখ করা হয়েছে।

১২. এক বচনে 'আমরা' ব্যবহার: মহান আল্লাহ কুরআন মজিদে কর্তৃবাচ্য ও কর্মবাচ্যে নিজের ক্ষেত্রে ব্যাপকভাবে বহুবচন সর্বনাম অর্থাৎ 'আমরা' ও 'আমাদের' ব্যবহার করেছেন। কেউ কেউ প্রশ্ন করেন, আল্লাহ তো এক। তিনি কেন নিজের জন্যে বহুবচন ব্যবহার করেন?

এর জবাব হলো, আল্লাহ শুধু একই নন, বরং সেই সাথে তিনি মহাবিশ্বের মালিক, সম্রাট এবং মহামর্যাদাবানও। পৃথিবীর প্রায় সব ভাষাতেই রাজা, সম্রাট এবং মর্যাদাবান ব্যক্তির জন্যে সম্মানার্থে বহুবচন ব্যবহার করা হয়। এটাকে বলা হয় 'রাজকীয় বহুবচন' (Royal Plural)। সে হিসেবে মহাবিশ্বের মালিক ও সম্রাট মহামর্যাদাবান আল্লাহ্র জন্যে এই সম্মানসূচক ও মর্যাদাব্যঞ্জক বহুবচন সবার আগেই প্রযোজ্য।

এই বহুবচনটি বহুত্বব্যঞ্জক নয়, মর্যাদাব্যঞ্জক। এটা বহুত্বব্যঞ্জক হলে সবার আগে আরবের মুশরিকরাই তাওহীদের বিরুদ্ধে নিজেদের শিরকের পক্ষে এটাকে প্রমাণ হিসেবে গ্রহণ করতো।

আল্লাহ পাক তাঁর কালামে পাকের এই অনুবাদটি কবুল করুন এবং এর মাধ্যমে সমাজকে তাঁর কিতাবের আলোতে উদ্ভাসিত করুন। এর উসিলায় এই অনুবাদকের ভুলত্রুটি ও গুনাহ্ খাতা মাফ করে দিন এবং এটিকে তার আখিরাতের মুক্তির উপায় বানিয়ে দিন। আমিন ॥

আবদুস শহীদ নাসিম
জুন ৩, ২০১২ ঈসায়ী

আল কুরআনের কয়েকটি গুরুত্বপূর্ণ তথ্য

০১. 'কুরআন' শব্দের অর্থ : সার্বজনীন পাঠ্য, অধিক অধিক পাঠ্য।
০২. কুরআন কোথায় সংরক্ষিত আছে? : আল্লাহ্‌র কাছে উম্মুল কিতাবে (সূরা ৪৩: আয়াত ০৪)।
০৩. কুরআন কিসে রক্ষিত আছে? : লওহে মাহফুযে (সুরক্ষিত ফলকে)।
০৪. কুরআনের মর্যাদা কী? : মহাবিশ্বের মালিক মহান আল্লাহ্‌র বাণী।
০৫. কুরআন কার বাণী? : মহাবিশ্বের মালিক মহান আল্লাহ্‌র বাণী।
০৬. কুরআন কার প্রতি নাযিল হয়েছে? : মুহাম্মদ রসূলুল্লাহ সা.-এর প্রতি।
০৭. রসূলের নিকট কুরআনের বাহক কে? : জিবরিল আমিন।
০৮. কুরআন নাযিল হয়েছে যাদের জন্যে : সমগ্র মানবজাতির জন্যে।
০৯. কুরআনের মূল বিষয়বস্তু কী? : মানুষ।
১০. কুরআন নাযিলের উদ্দেশ্য কী : মানুষকে মুক্তি ও সাফল্যের পথ দেখানো।
১১. আল কুরআনের ভাষা : আরবি।
১২. কুরআন কেন আরবিতে নাযিল হলো? : যেহেতু রসূল এবং রসূলের প্রথম শ্রোতারা ছিলেন আরব।
১৩. কুরআন নাযিলের পদ্ধতির নাম : অহি।
১৪. কুরআন কোন্ ধরণের অহি : অহি মাতলু (তিলাওয়াতকৃত অহি)।
১৫. প্রথম অবতীর্ণ অহি : সূরা ৯৬ আল আলাক: আয়াত ১-৫।
১৬. শেষ অবতীর্ণ অহি : সূরা ০২ আল বাকারা: আয়াত ২৮১।
১৭. কুরআন নাযিলের সূচনা কোন্ মাসে : রমযান মাসে।
১৮. কুরআন নাযিলের সূচনা সাল : ৬১০ খৃষ্টাব্দ, আগস্ট মাস।
১৯. কুরআন নাযিলের সমাপ্তি সাল : ৬৩২ খৃষ্টাব্দ।
২০. কুরআন নাযিলের সূচনা যেখানে : জাবালুন নূরের হেরা গুহায়।
২১. কুরআন নাযিলের সূচনা যে শহরে : মক্কা শহরে।
২২. কুরআন নাযিলের রাতকে বলা হয় : লাইলাতুল কদর (মর্যাদাবান রাত)
২৩. কুরআনের মূল উপাদান কয়টি : দুইটি। ভাষা ও বক্তব্য (বিষয়)।
২৪. কুরআন অবতীর্ণের প্রথম শব্দ : 'ইকরা' বা 'পড়ো'।
২৫. আল কুরআনের সূরা সংখ্যা : ১১৪ (একশত চৌদ্দ)।
২৬. আল কুরআনের আয়াত সংখ্যা : ৬২৩৬ (ছয় হাজার দুইশত ছত্রিশ)।
২৭. আল কুরআনের পারা সংখ্যা : ৩০ (ত্রিশ)।
২৮. আল কুরআনের রুকু সংখ্যা : ৫৪০ (পাঁচশত চল্লিশ)।
২৯. আল কুরআনের সাজদা সংখ্যা : ১৫ (পনেরো)।
৩০. আল কুরআনের প্রথম সূরা : আল ফাতিহা।
৩১. আল কুরআনের শেষ সূরা : আন নাস।

৩২. কুরআনের সবচাইতে বড় সূরা : আল বাকারা, আয়াত সংখ্যা ২৮৬।
৩৩. কুরআনের মূল তফসির কোন্‌টি : স্বয়ং আল কুরআন।
৩৪. কুরআনের দায়িত্বপ্রাপ্ত ব্যাখ্যাতা কে : মুহাম্মদ রসূলুল্লাহ সা.।
৩৫. কুরআন হিফাযতের দায়িত্ব : স্বয়ং আল্লাহ গ্রহণ করেছেন।
৩৬. কুরআনের প্রথম বাহক কারা? : সাহাবায়ে কিরাম রা.।
৩৭. কুরআনের প্রতি মুসলিমদের দায়িত্ব : জানা, মানা ও পৌঁছে দেয়া।
৩৮. কুরআনের প্রতি প্রথম ঈমান আনেন : পৃথিবীর শ্রেষ্ঠ নারী খাদিজা রা.।
৩৯. কুরআন গ্রন্থাকারে সংকলন করান : প্রথম খলিফা আবু বকর রা.।
৪০. কুরআনে 'আল্লাহ' নামটি কতোবার : ২৬৯৭ বার।
৪১. প্রতি আয়াতে আল্লাহ্‌র নাম আছে : সূরা ৫৮ আল মুজাদালায়।
৪২. কুরআনে নবী রসূলের নাম আছে : ২৫ জনের।
৪৩. কুরআনে মুহাম্মদ সা.-এর নাম : ৫ বার।
৪৪. কুরআনে সাহাবীর নাম আছে : ১ জনের, যায়েদ রা.।
৪৫. কুরআনে মহিলার নাম আছে : ১ জনের, মরিয়ম।
৪৬. কুরআনে ভালো মানুষের নাম : ৭জন: লুকমান, উযায়ের, তালুত, ইমরান, মরিয়ম, যায়েদ, যুলকারনাইন।
৪৭. কুরআনে মন্দ মানুষের নাম : ৭জন: আযর, ফেরাউন, হামান, কারূণ, সামেরি, জালুত, আবু লাহাব।
৪৮. কুরআনে শহরের নাম আছে : ৭টি: মক্কা, মদিনা, মিশর, মাদায়েন, রোম, বেবিলন, সাবা।
৪৯. কুরআন আল্লাহ্‌র বাণী হবার প্রমাণ : স্বয়ং কুরআনই এর প্রমাণ।
৫০. কুরআনে কুরআনের কয়টি নাম আছে? : ৯১টি।
৫১. আয়াতুল কুরসি কোন্ সূরায় : সূরা বাকারা, আয়াত ২৫৫।
৫২. মেরাজের উপহার কোন্ সূরা : সূরা ১৭ ইসরা (বনি ইসরাঈল)
৫৩. প্রথম অবতীর্ণ পূর্ণ সূরা : সূরা আল ফাতিহা।
৫৪. কুরআন যিনি মুখস্ত করেন : হাফিয।
৫৫. কুরআনের যিনি তফসির করেন : মুফাস্‌সির।
৫৬. কুরআন যারা সুন্দরভাবে পড়েন : কারী, কারীউল কুরআন।
৫৭. কোন্ সূরার শুরুতে বিসমিল্লাহ নেই : সূরা ৯ আত তাওবা।
৫৮. কোন্ সূরায় দুইবার বিসমিল্লাহ : সূরা ২৭ আন নাম্‌ল।

❖ ❖

কুরআন জানা ও মানা জরুরি

কুরআন সত্য শাশ্বত

কুরআন সর্বজয়ী সর্বজ্ঞানী মহান আল্লাহ্র বাণী। কুরআনের ভাষা ও বক্তব্য চিরন্তন, চির শাশ্বত ও চিরঞ্জীব। বিশ্ববাসীর কাছে কুরআন এক জীবন্ত মু'জিযা। মানব সমাজের সাফল্য কিংবা ব্যর্থতা শুধুমাত্র আল কুরআনের অনুবর্তন কিংবা প্রত্যাখ্যানের মধ্যেই নিহিত। এই মহাগ্রন্থ আল কুরআন-

১. অদৃশ্য স্রষ্টার দৃশ্য বাণী: মানুষ তার স্রষ্টা মহান আল্লাহ্কে দেখেনা, তিনি অদৃশ্য, তিনি অনুভবের। কিন্তু আমরা তাঁর বাণী পড়ি, দেখি, শুনি। তাঁর বাণী পড়ে আমরা আবেগ আপ্লুত হই। কুরআন আমাদেরকে অনুভব ও বিশ্বাসে আল্লাহ্র সান্নিধ্যে পৌঁছে দেয়। আমরা কথা বলি আমাদের প্রিয় প্রভুর সাথে কুরআনের ভাষায়।

২. অফুরন্ত জ্ঞান ভান্ডার: মহাগ্রন্থ আল কুরআন জ্ঞানের এক অফুরন্ত ফল্গুধারা যা কখনো ফুরায়না। এর জ্ঞান ভান্ডার কখনো অতীতের গর্ভে বিলীন হয়না এবং ভবিষ্যতের আগমনে অকেজো হয়না। সূর্যোলোকের মতো প্রতিদিনই ঘটে এর জ্ঞানের নবোদয়।

৩. সত্য অনির্বাণ: একদিকে অবতীর্ণের সূচনা থেকেই কুরআনের সত্যতা ছিলো অনাবিল স্বচ্ছ। অপরদিকে মানব জ্ঞানের পরিধি যতোই বাড়ছে, ততোই প্রকাশিত ও বিকশিত হচ্ছে আল কুরআনের বিস্ময় ও সত্যতা।

৪. সার্বজনীন: আল কুরআনের আরেক বিস্ময় হলো এর সার্বজনীনতা। কুরআন বলছে তাকে অবতীর্ণ করা হয়েছে সমগ্র মানবজাতির জন্যে। বিগত দেড় হাজার বছরের ইতিহাস সাক্ষী, বিশ্বের সর্বগোত্র, সর্বজাতি, সর্বধর্ম, সর্বভাষা, সর্ববর্ণ এবং সর্বশ্রেণীর নারী কিংবা নর যে-ই কুরআন শুনেছে, পাঠ করেছে এবং হৃদয়ঙ্গম করেছে, সে-ই কুরআনকে হৃদয় দিয়েছে, এর প্রতি ঈমান এনেছে এবং এটিকে গ্রহণ করেছে জীবন যাপনের গাইড বুক হিসেবে।

৫. কুরআন কাঁপিয়ে দেয় পাষাণের হৃদয়: আরব কি অনারব, যে-ই মনোযোগ দিয়ে কুরআন পড়ে, বুঝার চেষ্টা করে কুরআনের বক্তব্য, যতোই হোক পাষাণ হৃদয়, কুরআন কাঁপিয়ে তোলে তার সত্তাকে। তারপর বিগলিত করে দেয় তার হৃদয় মন। উমর থেকে নিয়ে আহমদ দীদাত এবং হাজারো আধুনিক মানুষ এর সাক্ষী।

৬. কুরআন শত্রুকে করে দেয় আপন: আল্লাহর রসূলের যারা ছিলো জানের শত্রু, কুরআন শুনে কিংবা কুরআন পড়ে তারা হয়ে যায় তাঁর প্রাণের বন্ধু। উমর, আমর, আকরামা এবং খালিদের (রাদিয়াল্লাহু আনহুম) ইতিহাস তো আর ইতিহাস থেকে মুছে যায়নি। আজো চলছে সেই ধারা। চলবে চিরকাল। এ এক মহাবিস্ময়।

৭. ভাষাবিশারদ মহাপন্ডিতেরা সব কুপোকাত: যারা ধারণা করেছিল, কিংবা শত্রুতার বশে বা বিদ্বেষ বশে বলেছিল, কুরআন স্রষ্টার বাণী নয়। এগুলো কোনো কবির শিখিয়ে দেয়া বুলি, কিংবা জিনেরা শিখিয়ে দেয়, কিংবা কোনো ভাষাবিশারদ রাতে এসে মুখস্ত করিয়ে দেয়, কিংবা সবই ম্যাজিক, কিংবা অতীতের কাহিনী; কুরআন তাদেরকে

অনুরূপ একটি কুরআন, কিংবা অন্তত একটি সূরা তৈরি করার চ্যালেঞ্জ প্রদান করে। এ চ্যালেঞ্জের সামনে আরবি ভাষার রথি মহারথি কবি পন্ডিতেরা সবাই কুপোকাত।

৮. অবিকৃত: কুরআন যেভাবে অবতীর্ণ হয়েছে, আজো হুবহু সেভাবে বর্তমান রয়েছে। দেড় হাজার বছরে এর একটি অক্ষরও বিকৃত হবার প্রমাণ নেই। প্রয়োজন পড়েনি এর একটি বক্তব্যও সম্পাদনা করার, কিংবা সংস্কার করার।

৯. সর্বাধিক পঠিত গ্রন্থ: কুরআন পৃথিবীর সর্বাধিক পঠিত গ্রন্থ। প্রতি মুহূর্তে পৃথিবীর কোটি কোটি মানুষ কুরআন পাঠ করে। কেউ সালাতে পাঠ করে, কেউ তেলাওয়াত করে, কেউ শিক্ষাদান করে, কেউ অধ্যয়ন করে, কেউ এর দাওয়াত ও প্রচারের কাজ করে, কেউ এর তফসির করে, কেউ গবেষণা করে, কেউ মুখস্ত করে। কুরআনের মতো এতো অধিক পঠিত গ্রন্থ পৃথিবীতে আর নেই।

১০. অসংখ্য হাফেযে কুরআন: পৃথিবীতে আল কুরআনই একমাত্র গ্রন্থ যেটিকে প্রতি যুগে হাজার হাজার, লক্ষ লক্ষ, এমনকি কোটি কোটি মানুষ পূর্ণরূপে স্মৃতিপটে ধারণ করেছেন এবং করছেন। এমনকি শিশুরাও। এই দৃষ্টান্ত অনন্য, অনুপম।

১১. সর্বাধিক প্রিয় গ্রন্থ: কুরআন বিশ্বের সর্বাধিক মানুষের সবচেয়ে প্রিয় গ্রন্থ। পৃথিবীতে অনেক পপুলার গ্রন্থ আছে। কিন্তু সেটিকে হুবহু অক্ষরে অক্ষরে নিজের স্মৃতিতে ধারণ করে ক'জনে? কোন্ গ্রন্থের উপর এতো বেশি আলোচনা, গবেষণা হয়? কোন্ গ্রন্থ কুরআনের মতো সারা জীবন বার বার পড়া হয়? একমাত্র কুরআনই সবচেয়ে বেশি মানুষের প্রিয় গ্রন্থ এবং সর্বাধিক প্রিয় গ্রন্থ।

১২. সবচেয়ে মর্যাদাবান গ্রন্থ: বিশ্বাসী লোকেরা কুরআনকে যতোবেশি মর্যাদা দেয়, আর কোনো গ্রন্থের প্রেমিক লোকেরা সেই গ্রন্থকে এতোবেশি মর্যাদা দেয়না। পড়া, বুঝা, জানা, মানা, অনুসরণ করা, শিক্ষা দান করা, প্রচার করা, কার্যকর করা এবং এর আলোকে জীবন ও সমাজ গড়ার কাজ করা -এগুলোই হচ্ছে এ গ্রন্থের প্রতি মর্যাদা দেয়ার উপায়। এরকম মর্যাদা এতো বিপুল মানুষ কর্তৃক আর কোনো গ্রন্থকেই দেয়া হয়না।

১৩. সুসামঞ্জস্যপূর্ণ পুনারাবৃত্ত বক্তব্য: কুরআনে বিভিন্ন তথ্যপূর্ণ অসংখ্য বক্তব্য দেয়া হয়েছে। তেইশ বছর ধরে কুরআন অবতীর্ণ হয়েছে। কিন্তু শুরু থেকে শেষ পর্যন্ত এ গ্রন্থে কোনো প্রকার অসামঞ্জস্যপূর্ণ তথ্য, বক্তব্য, মতামত ও নির্দেশনা নেই। এ এক মহা বিস্ময়কর!

১৪. শাশ্বত ও সংস্কারমুক্ত: কালের প্রেক্ষাপটে প্রাচীন গ্রন্থাবলি সংস্কার ও সম্পাদনা করা জরুরি হয়ে পড়ে। সংশোধন ও সংযোজন করার প্রয়োজন দেখা দেয়। এর একমাত্র ব্যতিক্রম আল কুরআন। আজ পর্যন্ত বিস্ময়কর ভাবে এর ভাষা ও বক্তব্যে কোনো প্রকার সংস্কার, সংযোজনের প্রয়োজন দেখা দেয়নি।

১৫. শাশ্বত জীবনের অকাট্য ধারণা উপস্থাপক: কুরআন মানব জীবন সম্পর্কে বস্তুবাদী ধারণা ভেঙ্গে চূরমার করে দিয়েছে। কুরআন মানব জীবনকে এক অটুট পূর্ণাঙ্গ ও শাশ্বত জীবন হিসেবে পেশ করেছে। কুরআন বলছে, পার্থিব জীবনে মানুষের যে মৃত্যু হয় তা তার জীবনের মৃত্যু নয়, দৈহিক মৃত্যু। এই মৃত্যুর পরে সে আবার দৈহিকভাবে পুনর্জীবন লাভ করবে। কুরআন আরো বলছে, মানুষের এই পার্থিব জীবনই তার পরকালীন জীবনের সাফল্য ও ব্যর্থতার ভিত্তি।

কুরআন প্রদত্ত এই ধারণায় বিশ্বাসীরা তাদের পার্থিব জীবনকে পরকালীন সাফল্যের জন্যে নিয়োজিত করে। বিশ্বাসীরা বিস্ময়করভাবে পারলৌকিক সাফল্যের জন্যে ইহলৌকিক স্বার্থকে ত্যাগ করতে সদা প্রস্তুত।

১৬. সব সমস্যার সমাধান: মহাগ্রন্থ আল কুরআন সব সমস্যার সমাধান। গবেষণার পর গবেষণা চালিয়ে এবং গ্রন্থের পর গ্রন্থ রচনা করে মানুষ তাদের যেসব সমস্যার সমাধান করতে পারেনি, এই মহাগ্রন্থ মাত্র দুচারটি বাক্যে সেসব সমস্যার সমাধান পেশ করে দিয়েছে।

১৭. সৃষ্টি যার বিধান তার: মানুষকে যিনি সৃষ্টি করেছেন, তিনিই মানুষকে আল কুরআন দিয়েছেন জীবন যাপনের ম্যানুয়েল হিসেবে। সুতরাং একমাত্র আল কুরআনই মানুষের জীবন যাপনের সঠিক ব্যবস্থা। কারণ এটা হলো 'সৃষ্টি যার বিধান তার।'

১৮. শান্তির পথ মুক্তির পথ: মানবজাতির শান্তি ও কল্যাণের এবং মুক্তি ও সাফল্যের সত্যিকার ফর্মূলা কেবলমাত্র কুরআনেই রয়েছে। কারণ, এটি মানুষের স্রষ্টা সর্বজ্ঞানী মহান আল্লাহ্‌র অনির্বাণ আলো। দুনিয়া ও আখিরাতের সমস্ত সাফল্য এর মধ্যেই রয়েছে নিহিত।

কুরআন মহাসত্যের আলো

পরম করুণাময় আল্লাহ মানুষের জীবন-দর্শন ও জীবন-যাপন পদ্ধতি হিসেবে নাযিল করেছেন আল কুরআন। এ কুরআনই মহাসত্যের আলো এবং মানুষের শান্তি, মুক্তি ও কল্যাণের একমাত্র গ্যারান্টি। মহান আল্লাহ বলেন:

"আল্লাহর পক্ষ থেকে তোমাদের কাছে এসেছে এক আলো (নবী মুহাম্মদ সা.) এবং একটি সত্য ও সঠিক পথ প্রকাশকারী কিতাব, যার দ্বারা আল্লাহ তাঁর সন্তোষ সন্ধানকারীদের শান্তি ও নিরাপত্তার পথ দেখান এবং নিজের ইচ্ছায় তিনি তাদের বের করে আনেন অন্ধকাররাশি থেকে আলোর দিকে, আর তাদের পরিচালিত করেন সরল - সঠিক পথে।" (সূরা ৫ আল মায়িদা: আয়াত ১৫-১৬)

"হে মুহাম্মদ! এটি একটি কিতাব। আমরা এটি তোমার প্রতি নাযিল করেছি, যাতে করে তুমি মানুষকে অন্ধকাররাশি থেকে নিয়ে আসো আলোতে।" (সূরা ১৪ ইবরাহিম: আয়াত ১)

কুরআন বুঝা ফরয এবং সহজ

কিন্তু, যে ব্যক্তি কুরআন জানলোনা, বুঝলোনা, তার কাছে তো আলো আর অন্ধকার দুটোই সমান। সুতরাং আলো দেখতে হলে কুরআন বুঝতে হবে। কুরআন না বুঝলে আলোতে আসার সুযোগ কোথায়? আর কুরআন তো বুঝার জন্যে সহজ করেই নাযিল করা হয়েছে। মহান আল্লাহ বলেন:

"তারা কি কুরআন নিয়ে চিন্তাভাবনা করেনা? নাকি তাদের অন্তরগুলোতে তালা লাগানো রয়েছে?" (সূরা ৪৭ মুহাম্মদ: আয়াত ২৪)

"অবশ্যি আমরা এ কুরআন বুঝার জন্যে সহজ করে নাযিল করেছি। অতএব কে আছে এ থেকে উপদেশ গ্রহণ করবে? (সূরা ৫৪ আল কামার: আয়াত ৪০)

কুরআন মানা ও অনুসরণ করা অত্যাবশ্যক

যে কোনো বাণীর মতোই কুরআন জানা ও বুঝার সাথে সাথে মানাও জরুরি। মূলত মানা, অনুসরণ করা ও বাস্তবায়ন করার জন্যেই নাযিল করা হয়েছে আল কুরআন। আল্লাহ্ পাক বলেন:

“আর আমাদের অবতীর্ণ এ কিতাব সৌভাগ্যের চাবিকাঠি। তাই তোমরা এটিকে অনুসরণ করো, মেনে চলো এবং (এতে প্রদত্ত) নির্দেশ অমান্য করাকে ভয় করো। আশা করা যায় এভাবেই তোমরা (আল্লাহর) অনুকম্পা লাভ করতে সক্ষম হবে।’ (সূরা ৬ আল আনআম: আয়াত ১৫৫)

“(হে মুহাম্মদ!) আমরা এ মহাসত্য কিতাব তোমার প্রতি অবতীর্ণ করেছি গোটা মানব সমাজের জন্যে। এখন যে ব্যক্তিই এতে প্রদর্শিত পথের অনুসরণ করবে, তাতে সে নিজেরই কল্যাণ করবে।” (সূরা ৩৯ যুমার: আয়াত ৪১)

আপনার বিবেক কী বলে?

আপনি পুরুষ হোন কিংবা মহিলা, আপনার কাজের জন্যে আপনাকে ব্যক্তিগতভাবেই জবাবদিহি করতে হবে আল্লাহর কাছে। আপনি যে কোনো দৃষ্টিভংগিই পোষণ করুন না কেন, একবার কুরআন পড়ে দেখুন। মুক্ত ও নিরপেক্ষ মনে এ গ্রন্থটিকে অধ্যয়ন করুন। আপনার বিবেক, নিরপেক্ষ মন আর নৈতিক যুক্তি যদি এ মহাগ্রন্থকে সত্য বলে গ্রহণ করে, তবে আসুন, আপনি এ গ্রন্থকে আঁকড়ে ধরুন। বিবেক ও যুক্তিকে সম্মান দিন।

আপনার বিবেক যদি এটিকে সত্য ও বাস্তব বলে গ্রহণ করে, তবে কি আপনার বিবেকের বিরুদ্ধে যাওয়া ঠিক হবে?

পৃথিবীতে যতো বই পুস্তক ও যতো গ্রন্থই লেখা হয়, সেটা যে কোনো বিষয়েই লেখা হয়ে থাকনা কেন, তা মূলত লেখা হয় অনুসরণ, বাস্তবায়ন ও কার্যকর করার জন্যে। ব্যক্তিগত চিঠি থেকে আরম্ভ করে পত্র-পত্রিকা পর্যন্ত সবকিছু থেকেই মানুষ সংবাদ, তথ্য, তত্ত্ব, উপদেশ, সতর্কতা, কর্মনীতি, কর্মপন্থা ও নির্দেশিকা গ্রহণ করে। কিন্তু কুরআনের ব্যাপারটি? কী আচরণ করা হয় কুরআনের সাথে?

আল কুরআন তো মানুষের স্রষ্টা, মালিক ও প্রতিপালক মহান আল্লাহ্‌র বাণী। এ বাণীতে তিনি গোটা মানবজাতির জন্যে জীবন যাপনের নির্দেশিকা প্রদান করেছেন। তাই মানুষের কি উচিত নয়, যে কোনো গ্রন্থের চাইতে আল কুরআনকে অধিক গুরুত্ব দেয়া? এটিকে অতীব গুরুত্বপূর্ণ মনে করা? অপরিহার্য বিধান হিসেবে গ্রহণ করে এটি পাঠ করা, বুঝা এবং এর মর্ম উপলব্ধি করা? সেই সাথে জীবনের সকল ক্ষেত্রে আল কুরআনের নির্দেশ পালন ও বাস্তবায়ন করা?

কুরআনে আল কুরআনের নামসমূহ

মহান আল্লাহ আল কুরআন প্রদান করেছেন। কুরআনের বিভিন্ন বৈশিষ্ট্য অনুযায়ী মহান আল্লাহ নিজেই আল কুরআনে কুরআনকে বিভিন্ন বৈশিষ্ট্য প্রকাশক নামে অভিহিত করেছেন। এখানে কুরআনের ৭২টি নাম উল্লেখ করা হলো। তবে আমরা আমাদের লেখা 'আল কুরআন আত তাফসির' গ্রন্থে সূত্রসহ ৯১টি নাম উল্লেখ করেছি। এগুলোর অর্থ ও মর্ম জেনে নিলে কুরআন কী, তা বুঝতে খুবই সহজ হবে।

ক্রম.	নাম	উচ্চারণ	অর্থ	১টি সূত্র
১	اَلْكِتَابُ	আল কিতাব	মহাগ্রন্থ	০২:০২
২	كِتَابُ اللهِ	কিতাবুল্লাহ	আল্লাহর কিতাব	০৩:২৩
৩	اَلْقُرْاٰنُ	আল কুরআন	অধিক পঠিত	০২:১৮৫
৪	اَلْفُرْقَانُ	আল ফুরকান	মানদন্ড	০২:১৮৫
৫	اَلنُّوْرُ	আন নূর	আলো, জ্যোতি	০৭:১৫৭
৬	اَلْهُدٰى	আল হুদা	পথনির্দেশ	০৯:৩৩
৭	اَلذِّكْرُ	আয্ যিকর	স্মারক	৪১:৪১
৮	اَلْقَوْلُ	আল কওল	কথা, বাণী	৮৬:১৩
৯	كَلَامُ اللهِ	কালামুল্লাহ	আল্লাহর বাণী	০৯:০৬
১০	مُبَارَكٌ	মুবারক	মহিমান্বিত	২১:৫০
১১	رَحْمَةٌ	রাহমাহ্	অনুকম্পা	১০:৫৭
১২	حِكْمَةٌ بَالِغَةٌ	হিকমাতুম বালিগাহ	পরিপূর্ণ জ্ঞান	৫৪:০৫
১৩	اَلْحَكِيْمُ	আল হাকিম	প্রজ্ঞাময়	১০:০১
১৪	حَبْلُ اللهِ	হাবলুল্লাহ	আল্লাহর রজ্জু	০৩:১০৩
১৫	رُوْحٌ	রূহ	প্রত্যাদেশ/প্রেরণা	৪২:৫২
১৬	اَلْوَحْيِ	আল অহি	প্রত্যাদেশ	২১:৪৫
১৭	اَلْعِلْمُ	আল ইল্‌ম	মহাজ্ঞান	০২:১৪৫
১৮	اَلْحَقُّ	আল হক্ক	মহাসত্য	০৩:৬২
১৯	اَلْبَشِيْرُ	আল বাশীর	সুসংবাদদাতা	৪১:০৪
২০	اَلنَّذِيْرُ	আন নাযীর	সতর্ককারী	৪১:০৪

২১	اَلْمَجِيْدُ	আল মাজীদ	মর্যাদাবান	৮৫:২১
২২	عَدْلٌ	আদল	সুষম, ন্যায্য	০৬:১১৫
২৩	اَمْرُ اللهِ	আমরুল্লাহ	আল্লাহর নির্দেশ	৬৫:০৫
২৪	مُهَيْمِنٌ	মুহাইমিন	সংরক্ষক	০৫:৪৮
২৫	بُرْهَانٌ	বুরহান	প্রমাণপত্র	০৪:১৭৪
২৬	مُبِيْنٌ	মুবীন	সুস্পষ্ট (কিতাব)	৪৪:০২
২৭	شِفَاءٌ	শিফা	নিরাময়	১০:৫৭
২৮	مَوْعِظَةٌ	মাওয়িযা	উত্তম উপদেশ	১০:৫৭
২৯	عَلِيٌّ	আ'লী	উচ্চ মর্যাদাবান	৪৩:০৪
৩০	رِسَالَةُ اللهِ	রিসালাতুল্লাহ	আল্লাহর বার্তা	৩৩:৩৯
৩১	حُجَّةُ اللهِ الْبَالِغَةُ	হুজ্জাতুল্লাহিল বালিগাহ	আল্লাহর পূর্ণ প্রমাণ	০৬:১৪৯
৩২	اَلْمُصَدِّقُ	আল মুসাদ্দিক	সত্যায়নকারী	০৫:৪৮
৩৩	اَلْعَزِيْزُ	আল আযীয	মহাশক্তিধর	৪১:৪১
৩৪	صِرَاطٌ مُّسْتَقِيْمٌ	সিরাতুম মুস্‌তাকীম	সোজা পথ	০৬:১৫৩
৩৫	قَيِّمٌ	কাইয়্যিম	সঠিক-সুদৃঢ়	১৮:০২
৩৬	اَلْفَصْلُ	আল ফাস্‌ল	স্পষ্ট, ফায়সালা	৮৬:১৩
৩৭	اَلْحَدِيْثُ	আল হাদিস	বাণী	১৮:০৬
৩৮	اَحْسَنُ الْحَدِيْثُ	আহসানুল হাদিস	সর্বোত্তম বাণী	৩৯:২৩
৩৯	نَبَأُ الْعَظِيْمِ	নাবাউল আযীম	মহাসংবাদ	৭৮:০২
৪০	مُتَشَابِهٌ	মুতাশাবিহ	সাদৃশ্যপূর্ণ	৩৯:২৩
৪১	مَثَانِىَ	মাছানি	পুনরাবৃত্ত	৩৯:২৩
৪২	تَنْزِيْلٌ	তানযীল	অবতীর্ণ	৫৬:৮০
৪৩	عَرَبِىٌّ	আরাবি	আরবি ভাষার	১২:০২
৪৪	بَصَائِرُ	বাসায়ির	প্রমাণ	০৭:২০৩
৪৫	بَيَانٌ	বায়ান	স্পষ্ট বার্তা	০৩:১৩৮
৪৬	اٰيٰتُ اللهِ	আয়াতুল্লাহ	আল্লাহর আয়াত	০২:২৫২

৪৭	عَجَبٌ	আজব	চমৎকার	৭২:০১
৪৮	تَذْكِرَةٌ	তাযকিরাহ	উপদেশবার্তা	৮০:১১
৪৯	عُرْوَةُ الْوُثْقى	উরওয়াতুল উস্‌কা	মজবুত অবলম্বন	০২:২৫৬
৫০	اَلصِّدْقُ	আস সিদ্‌ক	মহাসত্য	৩৯:৩৩
৫১	مُنَادِىْ	মুনাদি	আহবায়ক	০৩:১৯৩
৫২	اَلْبُشْرى	আল বুশরা	সুসংবাদ	২৭:০২
৫৩	بَيِّنٰتٌ	বায়্যিনাত	সুস্পষ্ট প্রমাণ	০২:১৮৫
৫৪	بَلٰغٌ	বালাগ	বার্তা	১৪:৫২
৫৫	اَلْقَصَصُ	আল কাসাস	বৃত্তান্ত	০৩:৬২
৫৬	اَلْكَرِيْمُ	আল কারিম	উচ্চ মর্যাদাবান	৫৬:৭৭
৫৭	اَلْمِيْزَانُ	আল মীযান	সুষম বিধান	৪২:১৭
৫৮	نِعْمَةُ اللهِ	নে'মাতুল্লাহ	আল্লাহর অনুগ্রহ	০৫:০৩
৫৯	هُدَى اللهِ	হুদাল্লাহ	আল্লাহর গাইডেন্স	০২:১২০
৬০	كِتَابٌ مُبِيْنٌ	কিতাবুন মুবিন	সুস্পষ্ট কিতাব	০৫:১৫
৬১	كِتَابٌ حَكِيْمٌ	কিতাবুন হাকিম	বিজ্ঞানময় কিতাব	১০:০১
৬২	قُرْاٰنٌ مُبِيْنٌ	কুরআনুম মুবিন	সুস্পষ্ট কুরআন	১৫:০১
৬৩	كِتَابٌ مَّسْطُوْرٌ	কিতাবুম মাস্‌তূর	ছত্রে লেখা কিতাব	৫২:০২
৬৪	كِتَابٌ عِزِيْزٌ	কিতাবুন আযীয	শক্তিধর কিতাব	৪১:৪১
৬৫	ذِكْرُ الْحَكِيْمُ	যিকরুল হাকিম	বিজ্ঞানময় উপদেশ	০৩:৫৮
৬৬	مَتْلُوْا	মাতলু	তেলাওয়াতকৃত	০৩:১০৮
৬৭	هُدًى لِّلنَّاسِ	হুদাল্লিন্নাস	মানবজাতির দিশারি	০২:১৮৫
৬৮	ذِكْرُ اللهِ	যিকরুল্লাহ	আল্লাহর উপদেশ	৩৯:২৩
৬৯	ذِكْرٌ لِلْعَالَمِيْنَ	যিকরুল্লিল আলামিন	জগদ্বাসীর জন্যে উপদেশ	৩৮:৮৭
৭০	نُوْرُ اللهِ	নূরুল্লাহ	আল্লাহর আলো	০৯:৩২
৭১	نُوْرٌ مُّبِيْنٌ	নূরুম মুবিন	সুস্পষ্ট আলো	০৪:১৭৪
৭২	كَلِمَةُ اللهِ	কালেমাতুল্লাহ	আল্লাহর কথা	০৯:৪০

কুরআনের পরিভাষা

অলিঃ বন্ধু, অভিভাবক, পৃষ্ঠপোষক, সাহায্যকারী। আল্লাহর একটি গুণবাচক নাম। বহুবচনঃ আওলিয়া।

অস্‌অসাঃ কুমন্ত্রণা দেয়া।

অসিয়তঃ নির্দেশ, উপদেশ।

অহিঃ ইশারা, ইংগিত, সুক্ষ ইংগিত, নবী রসূলদের কাছে আল্লাহর বার্তা প্রেরণ পদ্ধতি। নবী রসূলদের কাছে আল্লাহর প্রেরিত বার্তা।

আওলাদঃ সন্তান সন্ততি, ছেলে মেয়ে, বংশধর।

আকলঃ বুঝ, বুদ্ধি, জ্ঞান, সচেতনতা, বিবেক, বিবেচনা, যাচাই ক্ষমতা।

আখিরাতঃ পরজগত, পরকাল। মৃত্যুপরবর্তী জীবন। দুনিয়ার বিপরীত।

আজবঃ বিস্ময়কর।

আদঃ প্রাচীন শক্তিশালী জাতি। সালেহ আ. এর জাতি। আল্লাহর রসূলকে প্রত্যাখান করার কারণে আল্লাহ তাদের ধ্বংস করে দিয়েছিলেন।

আদলঃ সুবিচার, ন্যায়বিচার, ইনসাফ (justice), ন্যায্য ও সুষম নীতি (balance)।

আনসারঃ সাহায্যকারী। মুহাজিরদের সাহায্যকারী।

আব্‌দঃ অনুগত, দাস, বান্দা, উপাসক।

আবদুল্লাহ্‌ঃ আল্লাহর দাস, আল্লাহর বান্দা।

আমলঃ কর্ম, কার্যক্রম, কর্মকান্ড, আচরণ; চিন্তা ও কর্ম। ইবাদত।

আমলে সালেহ্‌ঃ পুণ্যকর্ম, নিখুঁত কর্ম, সংশোধিত কাজ, মধ্যপন্থা অবলম্বনকারী কাজ, যোগ্যতার সাথে সম্পাদিত নিখুঁত কাজ। ঈমান ভিত্তিক আমল। আল্লাহর কিতাব ও বিধানের অনুসারী কাজ, রসূলের অনুসরণ ভিত্তিক কাজ।

আমানতঃ নিরাপত্তা, নিরাপত্তায় রাখা, নিরাপত্তায় থাকা বা রাখা বস্তু।

আযাবঃ শাস্তি, দন্ড, পরকালীন শাস্তি।

আরশঃ উঁচু আসন, ক্ষমতা, কর্তৃত্ব, আল্লাহর আরশ।

আল কিতাবঃ আল্লাহর কিতাব, আল কুরআন।

আল্লাহঃ এটি মহাবিশ্বের, পৃথিবীর এবং সবার ও সবকিছুর স্রষ্টা, মালিক, প্রভু ও পরিচালকের মূল নাম।

আল হামদুলিল্লাহঃ সমস্ত প্রশংসা আল্লাহর, সমস্ত কৃতজ্ঞতা আল্লাহ্‌র।

আলেমুল গায়েবঃ অদৃশ্যের জ্ঞানী, সর্বজ্ঞানী। আল্লাহ্‌র একটি সিফত।

আস্‌হাবুন্‌ নার : আগুনের (জাহান্নামের) সাথিরা, জাহান্নামের অধিবাসী, জাহান্নামবাসী, জাহান্নামওয়ালা লোকেরা।

আস্‌হাবুল ইয়ামিনঃ ডান পাশের লোকেরা, ডানের সাথিরা, ডানদিকের লোকেরা, সত্যপন্থীরা। সৌভাগ্যবান লোকেরা।

আস্‌হাবুল কাহাফঃ গুহার সাথিরা, গুহার লোকেরা, গুহায় অবস্থান কারীরা, গুহার অধিবাসিরা।

আস্‌হাবুল জান্নাতঃ জান্নাতের সাথিরা, জান্নাতের অধিবাসী, জান্নাতবাসী, জান্নাতওয়ালা লোকেরা।

আস্‌হাবুস্‌ শিমাল: বাম পাশের লোকেরা, বাম দিকের লোকেরা। পথভ্রষ্ট লোকেরা। ভ্রান্ত পথের অনুসারীরা। দুর্ভাগারা।

আয়াত: নিদর্শন। কুরআনের বাক্য।

আয়াতুল কুরসি: এটি সূরা বাকারার ২৫৫ নম্বর আয়াত। এ আয়াতটিকে আয়াতুল কুরসি বলা হয়। এটি মহান আল্লাহর হামদ ও প্রশংসা সম্বলিত শ্রেষ্ঠ আয়াত। মুমিনদের কর্তব্য এটি মুখস্ত করা এবং সব সময় পাঠ করা।

আহলে বাইত: ঘরবাসী, নবীর পরিবার।

ইকামত: দাঁড়ানো, দাঁড় করানো, প্রতিষ্ঠা করা।

ইখ্‌লাস্‌: বিশ্বাস ও সংকল্পের নিষ্ঠা।

ইছার: প্রাধান্য দেয়া, আত্মত্যাগ করা। অপরকে অগ্রাধিকার দেয়া।

ইদ্দত: তালাকপ্রাপ্তা এবং স্বামী মরে যাওয়া নারীদের পরবর্তী বিয়ের জন্যে অপেক্ষার মেয়াদকাল।

ইন্‌জিল: ঈসা আ. এর প্রতি অবতীর্ণ আল্লাহর কিতাব।

ইনশাল্লাহ: যদি আল্লাহ ইচ্ছা করেন। আল্লাহ চাইলে হবে।

ইবলিস: নিরাশ ও হতাশ ব্যক্তি, শয়তান। অভিশপ্ত ও নিরাশ শয়তান।

ইবাদত: এটি ব্যাপক অর্থবোধক শব্দ। এর মৌলিক অর্থ হলো: প্রার্থনা করা, দোয়া করা; ভক্তি ও বিনয় প্রকাশ করা; উপাসনা করা, পূজা করা; আনুগত্য করা, হুকুম পালন করা; দাসত্ব করা।

ইল্‌হাম: অন্তরগত করা, অনুভূতি সৃষ্টি করা, মনে উদ্রেক করা, অন্তরে নিক্ষেপ করা, অহি করা।

ইলাহ্‌: আইন ও বিধানদাতা। হুকুমকর্তা। ত্রাণকর্তা। উদ্ধারকারী। প্রার্থনা শ্রবণকারী। বিনয়, আনুগত্য, ভক্তি-শ্রদ্ধা, উপাসনা ও প্রার্থনা লাভের মালিক, উপাস্য। সার্বভৌম সত্তা।

ইল্লিয়্যিন: ইল্লিয়্যিন-এর আভিধানিক অর্থ উচ্চ মর্যাদাবানদের দফতর। কুরআনে সেই স্থানকে ইল্লিয়্যিন বলা হয়েছে, যেখানে সৎ ও সত্যপন্থী লোকদের তালিকা, কৃতকর্মের রেকর্ড এবং মৃত্যুর পর তাদের রূহ সংরক্ষণ করা হয়।

ইসলাম: আভিধানিক অর্থ: আনুগত্য ও বাধ্যতা স্বীকার করা, হুকুম পালন করা। আত্মসমর্পণ করা। পারিভাষিক অর্থ: আল্লাহ প্রদত্ত জীবন ব্যবস্থা। আল্লাহর আনুগত্যের ভিত্তিতে জীবন যাপনের বিধান। আল্লাহ প্রদত্ত দীন।

ইস্‌লাহ: সংশোধন হওয়া, সংশোধন করা, সংস্কার করা, পরিশুদ্ধ করা।

ইস্তিগফার: ক্ষমা প্রার্থনা করা, ক্ষমা চাওয়া।

ইহ্‌সান: কল্যাণপরায়ণতা, পরোপকার, দায়িত্বের চাইতেও অধিক কর্তব্যবোধ।

ইহুদি: ইয়াহুদ নামক ব্যক্তির অনুসারী, ইহুদি গোষ্ঠী। তাওরাত কিতাবের অনুসারী হবার দাবিদার গোষ্ঠী।

ঈমান: বিশ্বাস, প্রত্যয়। এক আল্লাহর প্রতি বিশ্বাস ভিত্তিক দৃষ্টিভংগি। আল্লাহর অস্তিত্ব, একত্ব ও তাঁর নিরংকুশ ক্ষমতার প্রতি বিশ্বাস স্থাপন করা। সেই সাথে রিসালাত এবং আখিরাতের প্রতি বিশ্বাস স্থাপন করা।

উকিল: কর্মসম্পাদক, কার্যনির্বাহী, তত্ত্বাবধায়ক, দায়িত্বশীল। আল্লাহর গুণবাচক নাম।

উম্মত: দল, আদর্শিক দল, সম বিশ্বাসী দল, জাতি, সম্প্রদায়।

উমরা: উমরা হলো হজ্জের দিনগুলো ছাড়া অন্য সময় ইহরাম করে কাবা তাওয়াফ করা, সাফা মারওয়ায় সায়ী করা মাথা কামানো বা চুলছাঁটা ইত্যাদি কার্যক্রম সম্পাদন করা।

ওফাত: তুলে নেয়া, মৃত্যু।

ওযর: আপত্তি, অজুহাত।

এরাদা: ইচ্ছা করা, চাওয়া, সংকল্প করা, সিদ্ধান্ত নেয়া। উদ্দেশ্য।

এলেম: জ্ঞান, কুরআন সুন্নাহর জ্ঞান, দীনি জ্ঞান।

ওয়ায: উপদেশ, কল্যাণকর উপদেশ।

ওয়ারিশ: মালিক, উত্তরাধিকারী। আইনগত উত্তরাধিকারী।

কওম: ব্যক্তি, জনগণ, লোকজন, জাতি, গোষ্ঠী, সম্প্রদায়।

কফিল: তত্ত্বাবধানকারী। দায়িত্বশীল।

কলেমা: কথা, বাণী, বাক্য।

কসর: কর্তন করা, সংক্ষিপ্ত করা। সফরের সময়কালে চার রাকাতের ফরয নামায কর্তন করে দুই রাকাত পড়া।

কাফির: আল্লাহকে অস্বীকারকারী, আল্লাহর রসূল ও আল্লাহর বাণী প্রত্যাখ্যানকারী, আল্লাহর হুকুম অমান্যকারী, সত্য প্রত্যাখ্যানকারী। অমুসলিম। অবিশ্বাসী।

কাবা: মক্কায় অবস্থিত আল্লাহর ঘর। মুসলিমদের কিবলা।

কায়েম: প্রতিষ্ঠিত, প্রতিষ্ঠা।

কুফর: সত্যকে ঢেকে রাখা। সত্য অস্বীকার করা, আল্লাহকে অস্বীকার করা। ইসলামকে অস্বীকার করা। মুহাম্মদ সা.-কে আল্লাহর রসূল এবং শেষ রসূল হিসেবে অস্বীকার করা। আখিরাতে অবিশ্বাস করা।

কুরআন: আল্লাহর কিতাব, আল্লাহর বাণী। আভিধানিক অর্থ: অতি পঠিত, অধিক অধিক পঠিত।

কিবলা: সেই ঘর যাকে সম্মুখে রেখে ইবাদত করতে হয়। কাবা মুসলিমদের কিবলা।

কিরাত: পাঠ করা, অধ্যয়ন করা, অনুধাবন করা। কুরআন পাঠ করা।

কিসাস: 'কিসাস' ইসলামি দন্ডবিধির একটি পরিভাষা। অর্থ: অপরাধের আনুপাতিক শাস্তি বিধান, বা অপরাধীকে সমপরিমাণ শাস্তি প্রদান করা।

কিয়ামত: পুনরুত্থান দিবস। মহাদিবস।

খলিফা: উত্তরাধিকারী, স্থলাভিষিক্ত। পরবর্তী প্রজন্ম। প্রতিনিধি। শাসক।

খয়রাত: কল্যাণ, কল্যাণকর, কল্যাণকর কাজ, জনকল্যাণের কাজ।

খালিস্: বিশুদ্ধ, অনাবিল, একনিষ্ঠ, নিষ্ঠাবান।

খিমার: মুসলিম মহিলাদের মাথা ও গণ্ডদেশ ঢেকে রাখার কাপড়, ওড়না।

খিয়ানত: বিশ্বাস ভঙ্গ করা, আমানতের খিয়ানত করা। গাদ্দারি করা।

গজব: ক্রোধ, রোষ।

গাফিল: অচেতন, অসচেতন, অমনোযোগী।

গীবত: কারো অনুপস্থিতিতে তার নিন্দা করা।

জয়ীফ: দুর্বল, অক্ষম।

জানাবত: বীর্যপাত জনিত অপবিত্রতা।

জান্নাত: বাগান, বাগ বাগিচা, উদ্যান, বেহেশ্‌ত, জান্নাত। পরজীবনে মুমিনদের আবাসস্থল। মুমিনদের পুরস্কার।

জান্নাতুন নায়ীম: নিয়ামতে ভরা জান্নাত। উপভোগ্য সামগ্রীতে ভরপুর জান্নাত।

জান্নাতুল ফেরদাউস: সর্বোচ্চ জান্নাত। সর্বাধিক মর্যাদাপূর্ণ জান্নাত।

জাহান্নাম: অগ্নি গহবর। কাফিরদের শাস্তির স্থল। কাফিরদের প্রতিদান ও প্রতিফল।

জাহিল: মুর্খ, অজ্ঞ, অন্ধ, অন্ধ বিশ্বাসী।

জিন: জিন জাতি। এরা আগুনের তৈরি। মানুষের পূর্বে পৃথিবী ব্যবস্থাপনার দায়িত্ব তাদের উপর ন্যস্ত ছিলো।

জিহাদ: ইসলামের কাজে প্রাণান্ত প্রচেষ্টা চালানো।

জুনুবি: বীর্যপাত জনিত অপবিত্র ব্যক্তি।

তওবা: অনুতপ্ত হওয়া। অনুতপ্ত হয়ে ফিরে আসা, অনুশোচনা করা। ফিরে আসা। অনুতপ্ত হয়ে ক্ষমা প্রার্থনা করা।

তকদির: নির্ধারণ করা, নির্দিষ্ট করা, নির্ধারিত।

তরক: ছেড়ে দেয়া, ত্যাগ করা, ছেড়ে যাওয়া।

তস্‌বিহ্‌: সাঁতার কাটা, গতিশীল হওয়া, চলা। ত্রুটিহীনতা ও পবিত্রতা ঘোষণা করা, মহানত্ব ঘোষণা করা।

তাওরাত: মূসা আ. এর প্রতি অবতীর্ণ আল্লাহর কিতাব।

তাওহীদ: একত্ব, আল্লাহর একত্ব। আল্লাহর সত্তা, ক্ষমতা, অধিকার ও সকল গুণাবলিতে আল্লাহকে এক, অদ্বিতীয় বলে জানা ও মানা। শিরকের বিপরীত।

তাওয়াফ: আল্লাহকে স্মরণ করা অবস্থায় কাবার চারদিকে সাতবার ঘোরা।

তাকওয়া: আভিধানিক অর্থ- সতর্কতা, সচেতনতা। পারিভাষিক অর্থ: মন্দ ও অনিষ্ট থেকে আত্মরক্ষা করে চলা; আল্লাহভীতি; নিজেকে আল্লাহর আযাব থেকে রক্ষার জন্যে সতর্ক হয়ে চলা। আল্লাহর নিষিদ্ধ কাজ পরিত্যাগ করে চলা।

তাগুত: বিদ্রোহী, আল্লাদ্রোহী, অবাধ্য, সীমালংঘনকারী।

তাবিল: ব্যাখ্যা বিশ্লেষণ। মর্মার্থ বের করা।

তামান্না: আশা করা, আকাংখা করা, ইচ্ছা করা।

তালাক: বিবাহ বন্ধন থেকে স্ত্রীকে বিচ্ছেদ করা, বা মুক্ত করা।

তালিম: শিক্ষা দান করা।

তিলাওয়াত: পাঠ করা, আবৃত্তি করা। অর্থ উদ্ধার করা, উপলব্ধি করা। অধ্যয়ন করা। শিক্ষাদান করা, আলো গ্রহণ করা। আলোকিত ও উদ্ভাসিত হওয়া। মেনে চলা, অনুসরণ করা, পিছে পিছে চলা।

দরস: পাঠ।

দীন: এটি ব্যাপক অর্থবোধক শব্দ। এর অর্থ: জীবন ব্যবস্থা। আনুগত্য। আনুগত্যের বিধান। আইন। রাষ্ট্র ব্যবস্থা। প্রতিদান, প্রতিফল।

দুনিয়া: নিকটের, ইহজগত, ইহকাল।

দোয়া: প্রার্থনা, ডাকা, আহবান করা, নিবেদন করা, ফরিয়াদ করা, চাওয়া, আশা করা, আকাংখা করা।

নফল: আবশ্যিক নয় এমন। আবশ্যিক -এর অতিরিক্ত। যেমন নফল ইবাদত।

নফ্‌স: নিজ, আত্মা, মন, ব্যক্তি।

নফসে মুতমায়িন্না: প্রশান্ত ব্যক্তি বা প্রশান্ত আত্মা। এর মর্মার্থ হলো: সেই ব্যক্তি, যে নি:সংশয়ে এক আল্লাহ্‌র প্রতি ঈমান এনে অটল-অবিচল হয়ে প্রশান্ত হৃদয়ে শুধুমাত্র তাঁরই হুকুম ও বিধান মতো জীবন যাপন করে।
নবী: নবী মানে সংবাদ বাহক, আল্লাহর পক্ষ থেকে সংবাদ ও বাণী বাহক।
নবুয়্যত: নবী প্রসঙ্গ।
নহর: নদ-নদী।
নাজাত: মুক্তি, উদ্ধার।
নাযিল: অবতীর্ণ হওয়া, অবতরণ করা।
নাসারা: খৃষ্টান। যীশু খৃষ্টের অনুসারী হবার দাবিদার গোষ্ঠী।
নূর: আলো, জ্যোতি। আল্লাহর গুণবাচক নাম। এটি কুরআনেরও একটি গুণবাচক নাম।
ফকির: নি:স্ব, অসহায়, অভাবী, সাহায্যের মুখাপেক্ষী। সাহায্যপ্রার্থী।
ফাসাদ: বিশৃংখলা, বিপর্যয়, অশান্তি।
ফাসিক: সীমালংঘনকারী, পাপাচারী। আল্লাহর আইন ও ইসলামের সীমালংঘনকারী ব্যক্তি। আল্লাহর হুকুম ও বিধান অমান্যকারী।
ফাহেশা: অশ্লীল কাজ, পাপকাজ, জিনা ব্যাভিচার, নোংরা কাজ।
ফিতনা: পরীক্ষা, পরীক্ষারস্থল, পরীক্ষার বস্তু, বিশৃংখলা, অশান্তি।
ফিতরাত: স্বভাব, প্রকৃতি, বৈশিষ্ট্য।
ফিদিয়া: ওযর বশত শরিয়তের কোনো বিধান পালন করতে অক্ষম হলে কিংবা কোনো বিধি ভঙ্গ হলে তার পরিবর্তে করণীয় বিধানকে ফিদিয়া বলা হয়।
ফিরকা: বিচ্ছিন্ন দল, উপদল, বিচ্ছিন্নতা।
ফী সাবিলিল্লাহ: আল্লাহর পথে, আল্লাহ্‌র সন্তুষ্টির পথে। আল্লাহ্‌র জন্যে।
ফুরকান: মানদন্ড, পার্থক্যকারী। সত্যমিথ্যার পার্থক্যকারী।
বনি: সন্তান বা বংশধর। বনি আদম- আদমের বংশধর। বনি ইসরাঈল- ইসরাঈলের বংশধর।
বাতিল: মিথ্যা, ভিত্তিহীন।
বয়ান: বর্ণনা, বার্তা, ব্যাখ্যা, বিস্তারিত ব্যাখ্যা।
বুহতান: অপবাদ। কারো প্রতি মিথ্যা দোষারোপ করা।
মউত: মৃত্যু।
মকর: চক্রান্ত, ষড়যন্ত্র।
মদদ: সাহায্য করা, শক্তিশালী করা।
মসজিদ: সাজদার স্থান, সালাত আদায়ের স্থান। এক আল্লাহর ইবাদতের স্থান।
মসজিদুল হারাম: আভিধানিক অর্থ- মহাসম্মানিত মসজিদ। কিন্তু এটি একটি পরিভাষা। এর দ্বারা সেই মসজিদকে বুঝানো হয় যা কাবা ঘরকে কেন্দ্র করে কাবার চারদিকে নির্মাণ করা হয়েছে।
মাইয়্যেত: মৃত, মৃত ব্যক্তি।
মাওলা: অভিভাবক, পৃষ্ঠপোষক, সাহায্যকারী। আল্লাহর একটি গুণবাচক নাম।
মাকরূহ: অপছন্দনীয়। ঘৃণ্য।
মাগফিরত: ক্ষমা।
মানাসিক: ইবাদতের নিয়ম পদ্ধতি।

মান্না সালওয়া: মান্না ও সালওয়া ছিলো আল্লাহর পক্ষ থেকে বনি ইসরাঈলের জন্যে অবতীর্ণ প্রাকৃতিক খাদ্য। মান্না ছিলো ধনিয়ার বীজের মতো দেখতে। এটা ছিলো মিষ্টিখাদ্য, কুয়াশার মতো মাটিতে পড়ে জমে থাকতো। আর সালওয়া হলো কোয়েল জাতীয় পাখি।

মাবুদ: প্রভু, উপাস্য। আল্লাহ্‌র একটি সিফত।

মাশাআল্লাহ্‌: আল্লাহ যা চেয়েছেন তাই হয়েছে।

মাসেহ্‌: মুছে নেয়া। গোসল ও অযুর বিকল্প হিসেবে মুখমন্ডল এবং দুই হাত কুনুই পর্যন্ত পরিচ্ছন্ন মাটি দিয়ে মুছে নেয়া। অযুর ক্ষেত্রে মাথা মুছে নেয়া, মোজার উপর দিয়ে পা মুছে নেয়া।

মিজান: ওজনের যন্ত্র, পরিমাপ যন্ত্র, দাঁড়িপাল্লা, মাপকাঠি। পরকালে মানুষের পার্থিব জীবনের ভালো মন্দ কর্মকান্ড পরিমাপ করার মানদণ্ড।

মিরাস্‌: মালিকানা, ওয়ারিশি।

মিল্লাত: ধর্ম, আদর্শ, বিশ্বাস।

মিসকিন: অভাবী, দরিদ্র।

মুখলিস: নিষ্ঠাবান; তৌহিদবাদী।

মুত্তাকি: সৎ, সতর্কব্যক্তি, কর্তব্যপরায়ণ ব্যক্তি, আল্লাহভীরু, নিজেকে আল্লাহর আযাব থেকে রক্ষার ব্যাপারে সতর্ক ব্যক্তি। নিজেকে মন্দ ও অনিষ্ট থেকে রক্ষায় সচেতন ব্যক্তি। আল্লাহর নিষিদ্ধ কাজ পরিত্যাগকারী।

মুনাফিক: দ্বিমুখী ব্যক্তি। যে নিজেকে মুসলিম বলে প্রকাশ করে, আবার কাফিরদের সাথে এবং কুফুরির সাথে সম্পর্ক রাখে এমন ব্যক্তি। যার কথায় এবং কাজে মিল নেই।

মুমিন: ঈমানি দৃষ্টিভংগির ধারক ও বাহক ব্যক্তি।

মুশরিক: বহুত্ববাদী। আল্লাহর অংশীদার, সমকক্ষ, সন্তান, স্ত্রী ও পিতা মাতা সাব্যস্তকারী। ত্রিত্ববাদী।

মুসলিম: ঈমানের সাথে আল্লাহর প্রতি আত্মসমর্পণকারী। আল্লাহর হুকুম পালনকারী। আল্লাহর আনুগত্য ও বাধ্যতা মেনে নিয়ে জীবন যাপনকারী। আল্লাহর আনুগত্যের জীবন যাপনকারী। আল্লাহ প্রদত্ত বিধানের অনুসারী।

মুসল্লি: সালাত আদায়কারী।

মুসাল্লা: সালাত আদায়ের স্থান।

মুহাজির: হিজরতকারী, পরিত্যাগকারী, আল্লাহর সন্তুষ্টির উদ্দেশ্যে নিজের ঘরবাড়ি ত্যাগকারী, দেশ ত্যাগকারী, জন্মভূমি ত্যাগকারী।

মুবারক: কল্যাণময়।

মুস্‌তাহাব: পছন্দনীয়, প্রিয়।

যবুর: দাউদ আ.-এর প্রতি অবতীর্ণ আল্লাহ্‌র কিতাব।

যাকাত: যাকাত অর্থ: সম্পদ পবিত্র ও প্রবৃদ্ধ করা। সম্পদ থেকে আল্লাহর নির্ধারিত অংশ নির্দিষ্ট প্রাপকদের উদ্দেশ্যে বের করে দেয়া। আভিধানিক অর্থ: সাদা ও শুদ্ধ করা, বৃদ্ধি ও বিকশিত করা।

যালিম: অন্যায়কারী, অবিচারক, সীমালংঘনকারী, অধিকারহরণকারী, নির্যাতনকারী। ন্যায়নীতি লংঘনকারী।

যিকির: আলোচনা করা, স্মরণ করা, উপদেশ ও শিক্ষা গ্রহণ করা, সতর্ক করা, কুরআন তিলাওয়াত করা, সালাত আদায় করা, আল্লাহর প্রশংসা করা, আল্লাহ্‌র একত্ব ও শ্রেষ্ঠত্ব ঘোষণা করা।

যুলুম: অন্যায়, অবিচার, সীমালংঘন, নির্যাতন, অধিকার হরণ। ন্যায়ের বিপরীত কাজ। শিরক।

রসূল: বার্তা বাহক, দূত, মানুষের কাছে আল্লাহর মনোনীত বার্তা বাহক।

রসূলুল্লাহ: আল্লাহর রসূল, আল্লাহর বার্তাবাহক, আল্লাহ্‌র দূত। মুহাম্মদ সা.।

রিযিক: জীবিকা, জীবনোপকরণ, খাদ্য, জীবন যাপনের প্রয়োজনীয় উপকরণ বা সামগ্রী।

রিবা: 'রিবা' কে বাংলায় বলা হয় সুদ এবং ইংরেজিতে বলা হয় usury এবং interest। পারিভাষিক অর্থে আরবরা 'রিবা' বলে এমন বর্ধিত অংকের অর্থ আদায়কে, যা ঋণদাতা ঋণগ্রহিতার নিকট থেকে একটি ধার্যকৃত হারে মূল অর্থের (পুজির) অতিরিক্ত হিসাবে আদায় করে।

রিসালাত: রসূল প্রসঙ্গ।

রুকু: নত হওয়া, সালাতে রুকু করা। কুরআনের কয়েকটি আয়াত সম্বলিত অংশ।

রূহ: আত্মা, জীবন, প্রেরণা, জিবরিল।

লওহে মাহফুয: সুরক্ষিত ফলক, যাতে আল্লাহ্‌র কিতাব লিপিবদ্ধ রয়েছে।

লা-ইলাহা ইল্লাল্লাহ: আল্লাহ ছাড়া কোনো ইলাহ্ নেই।

লাইলাতুল কদর: মর্যাদাপূর্ণ রাত, ফায়সালার রাত, কুরআন নাযিলের রাত।

লোকমান: প্রাচীন আরবের একজন জ্ঞানী ব্যক্তি।

শরিয়ত, শরিয়া: বিধি ব্যবস্থা, বিধিবদ্ধ নিয়ম পদ্ধতি, আইন কানুন, সীমারেখা।

শয়তান: জিন জাতির সদস্য। হযরত আদমকে সাজদা করার ব্যাপারে আল্লাহর আদেশ অমান্য করে অভিশপ্ত হয়। ইবলিস্।

শহীদ: সাক্ষী, প্রত্যক্ষ দর্শী, আল্লাহর পথে নিহত ব্যক্তি। সত্যের সাক্ষী।

শাহাদত: প্রত্যক্ষ দর্শন, সাক্ষ্য দেয়া, আল্লাহর পথে নিহত হওয়া।

শাহাদাহ: সাক্ষ্য, ঈমানের সাক্ষ্য, ঈমান আনার ঘোষণা।

শিরক: শিরক হলো তাওহীদের বিপরীত। এর অর্থ বহুত্ববাদ। আল্লাহর অংশীদার সাব্যস্ত করা; কাউকেও বা কোনো কিছুকে আল্লাহর অংশীদার বা সমকক্ষ সাব্যস্ত করা। আল্লাহর স্ত্রী পুত্র সাব্যস্ত করা, ত্রিত্ববাদে বিশ্বাস করা।

সওয়াল: প্রশ্ন, জিজ্ঞাসা। জানতে চাওয়া।

সওয়াব: পুরস্কার। প্রতিদান, প্রতিফল।

সহিফা: গ্রন্থ, কিতাব, ছোট কিতাব। অতীত রসূলদের প্রতি অবতীর্ণ আল্লাহর কিতাব।

সাওম: রোযা পালন করা, চুপ থাকা।

সাদাকা: সদকা, দান, মানতের প্রদেয়, যাকাত।

সাজদা: অবনত হওয়া, সাজদা করা।

সাফা মারওয়া: সাফা এবং মারওয়া মক্কার দুটি পাহাড়। সাফা কাবা ঘরের নিকট দক্ষিণ-পূর্ব এবং মারওয়া উত্তর-পূর্ব কোণের দিকে অবস্থিত। পাহাড় দুটি উত্তর দক্ষিণে সোজাসুজি পরস্পর থেকে ৪২০ মিটার দূরত্বে অবস্থিত। ইবরাহিম আলাহিস সালামের স্ত্রী হাজেরা পানির সন্ধানে এ দুটি পাহাড়ের মাঝে সায়ী (দোড়াদৌড়ি) করেছিলেন। তাঁরই স্মৃতি বিজড়িত সেই সায়ী মুসলমানদের জন্যে আল্লাহ পাক কল্যাণের কাজ বলে ঘোষণা দিয়েছেন।

সাবিলিল্লাহ্ঃ আল্লাহর পথ। আল্লাহর সন্তুষ্টির পথ।

সাবীঃ পিতৃ পুরুষের ধর্মত্যাগ করে ভিন্ন ধর্ম, কিংবা উন্নততর ধর্ম গ্রহণকারী।

সামুদঃ প্রাচীন শক্তিশালী জাতি। হুদ আ. -এর জাতি। আল্লাহর রসূলকে প্রত্যাখ্যান করার কারণে আল্লাহ তাদের ধ্বংস করে দিয়েছিলেন।

সালাতঃ নামায, দোয়া, অনুগ্রহ প্রার্থনা করা, ক্ষমা প্রার্থনা করা, অনুকম্পা করা, মর্যাদা দান করা।

সালামঃ শান্তি, নিরাপত্তা। ইসলামি সম্বোধন।

সালেহ্ঃ সৎ, যোগ্য, শুদ্ধ, পরিশুদ্ধ, মধ্যপন্থী, নিখুঁতভাবে কর্ম সম্পাদনকারী, উন্নত কর্ম সম্পাদনকারী।

সিজ্জীনঃ সিজ্জীনের আভিধানিক অর্থ- কয়েদ খানা। কুরআনে সেই স্থানকে সিজ্জীন বলা হয়েছে, যেখানে পাপীদের তালিকা, তাদের কৃতকর্মের রেকর্ড এবং মৃত্যুর পর তাদের আত্মা সংরক্ষণ করা হয়।

সিরাতুল মুসতাকিমঃ সুদৃঢ় পথ, সরল পথ, সঠিক পথ। আল্লাহর নির্দেশিত পথ, মুক্তির পথ, জান্নাতের পথ।

সুন্নতঃ নিয়ম, নীতি, রীতি, কর্মপদ্ধতি। রসূল সা. -এর কর্মপদ্ধতি বা রীতি। রসূল সা. -এর আদর্শ বা নীতি।

সুবহানাল্লাহঃ সব কিছুর নিখুঁত পরিচালক। ত্রুটিমুক্ত পবিত্র মহান আল্লাহ।

সূরাঃ কুরআনের একটি নির্দিষ্ট অধ্যায়।

হজ্জঃ হজ্জ হলো যিলহজ্জ মাসের ৮ থেকে ১৩ তারিখে ইহরাম করে মক্কায় অবস্থিত কাবা ঘর তাওয়াফ, আরাফায় অবস্থান, মুজদালিফায় অবস্থান, মিনায় অবস্থান, কুরবানি করা, মাথা কামানো বা চুলছাঁটা, সাফা মারওয়ায় সায়ী করা ইত্যাদি বিধিবদ্ধ কার্যক্রম সম্পাদন করা।

হাজিরঃ উপস্থিত, সাক্ষী।

হাবিয়াঃ 'হাবিয়া' মানে সেই গভীর গর্ত, যেখানে উপর থেকে কিছু পড়ে যায়। পাপীদের শাস্তির জন্যে যে হাবিয়া (গর্ত) হবে, তাতে জ্বলন্ত আগুন প্রচন্ড উত্তপ্ত করে রাখা হবে।

হারামঃ নিষিদ্ধ। পবিত্র, সম্মানিত, মর্যাদাপূর্ণ।

হালাকঃ মৃত্যু, ধ্বংস।

হালালঃ বৈধ। হারাম নয়।

হাশরঃ সমবেত হওয়া, পুনরুত্থানের পর বিচারের জন্য একত্রিত হওয়া বা করা।

হায়াতঃ জীবন।

হিজরতঃ ত্যাগ করা, আল্লাহর সন্তুষ্টির উদ্দেশ্যে নিজের ঘরবাড়ি ত্যাগ করা বা দেশ ত্যাগ করা।

হিজাবঃ মুসলিম মহিলাদের দেহ আবৃতকারী শালীন পোশাক।

হিদায়াতঃ আল্লাহর নির্দেশিত পথ, সত্যের পথ। আল্লাহর নির্দেশিত পথ দেখানো, সত্যের পথে পরিচালিত করা।

হুদুদঃ সীমা, আইন, বিধান, দন্ড আইন।

হুরঃ সুন্দরী নারীকুল। হুর শব্দটি 'হাওরাউন' শব্দের বহুবচন। হাওরাউন মানে- সুন্দরী নারী।

❖ ❖

কুরআনের কতিপয় গুরুত্বপূর্ণ বিষয় নির্দেশিকা

কোন্ বিষয়টি কুরআনের কোন্ জায়গায় আছে ?

অন্তর: কলব দ্রষ্টব্য।

অনুমতি প্রার্থনা: কারো ঘরে প্রবেশের জন্যে অনুমতি প্রার্থনা ২৪:২৭-২৯। কক্ষে প্রবেশের জন্যে তিন সময় খাদেম এবং বাচ্চাদেরও অনুমতি নিতে হবে ২৪:৫৮-৫৯।

অপব্যয়: অপব্যয়কারীরা শয়তানের ভাই ১৭:২৬-২৭।

অভিবাদন: ইসলামি অভিবাদনের পদ্ধতি ৪:৮৬।

অযু: অযুর বিধান সূরা ৫: আয়াত ৬।

অর্থনৈতিক নির্দেশনা: সমস্ত সম্পদের মালিক আল্লাহ ২:২৮৪। ৭:১২৮। ৪২:১২। ৩০:২৮। মানুষ সম্পদের মালিক নয় প্রতিনিধি ৬:১৬৫। ৪৩:৩২। ১৭:৩০। ১৬:৭১। ৩৪:৩৯। ২:২৯। ১৪:৩২-৩৪। ৭:১০। ৫৬:৬৩-৬৪।

সম্পদ দুই প্রকার: হালাল ও হারাম ৭:১৫৭। ২:২৭৫। ৪:২৯। ১১:৮৭। সম্পদ উপার্জনের তাকিদ ৬২:১০। ৬৭:১৫। ২:২৯। ৭:১০,৩২। ৫৬:৬৩-৬৪। হালাল (বৈধ) সম্পদ উপার্জনের তাকিদ ৫:৮৭-৮৮। ২:১৬৮। ব্যবসা হালাল ২:২৭৫। ৪:২৯। সুদী উপার্জন নিষিদ্ধ ২:২৭৫। সম্পদ চুরি নিষিদ্ধ ৫:৩৮।

আত্মসাত নিষিদ্ধ ৩:১৬১। জুয়া, ভাগ্যগণনা, লটারি ইত্যাদির উপার্জন নিষিদ্ধ ৫:৯০। প্রতারণা, জবর দখল ও ক্ষমতাবলে দখল নিষিদ্ধ ২:১৮৮। এতিমের সম্পদ ভক্ষণ নিষিদ্ধ ৪:১০। দেহ বিক্রয়ের উপার্জন নিষিদ্ধ ২৪:৩৩। ১৭:৩২। হারাম পণ্যের ব্যবসা নিষিদ্ধ ৫:৯০। ওজনে হেরফেরের উপার্জন নিষিদ্ধ ৮৩:১-৩। ঘুষ ও অন্যায় উপার্জন নিষিদ্ধ ৫:৩৩। অপব্যয় নিষেধ ৬:১৪১। ৭:৩১। অপচয় নিষিদ্ধ ১৭:২৬-২৭। অর্থপূজা নিষিদ্ধ ২৮:৫৮। ১০২:১-৩। ১০৪:১-৩। কৃপণতা নিষিদ্ধ ৩:১৮০। ৯:৩৪,৭৬। ৯২:৮। ৪৭:৩৮। ৪:৩৭। ৫৭:২৪। অর্থব্যয়ে মধ্যপন্থা অবলম্বনের নির্দেশ ১৭:২৯। ২৫:৬৭। জনকল্যাণে অর্থদানের নির্দেশ ২৮:৭৭। ২:১৭৭। ৪:৩৬-৩৮। ৭৬:৮-৯। ৭০:২৪-২৫। ২:১৯৫। ২:২৭২। ৩৫:২৯-৩০।

অর্থ-সম্পদ আল্লাহ্‌র পথে দানের নির্দেশ ২:১৯৫, ২৬১,২৬২,২৬৫। ৮:৬০। ৫৭:১০।

অলি: ঈমানদার নেক লোকদের অলি হলেন আল্লাহ ২:১০৭, ২৫৭। ৩:৬৮। ৯:১১৬। ২৯:২২। ৩২:৪। ৪২:৯,৩১। ৪৫:১৯। ৪:৪৫,১২৩। ৬:১৪,১২৭। ৭:৩,১৫৫। ৩৪:৪১। ৭:১৯৬। ১২:১০১। ২৫:১৮।

মুমিনদের অলি রসূল এবং মুমিনরা ৫:১৫৫। ৩:২৮। ৪:১৪৪। ৮:৭২। ৯:৭১। কাফিরদের অলি শয়তান ও তাগুত ৭:২৭। ২:৫৭। আল্লাহ ছাড়া কাউকেও অলি বানাবেনা ৭:৩। ৪২:৬। ৪৬:৩২।

অলি আল্লাহ: অলি আল্লাহ্ কারা? ৯:৭১। ১০:৬২-৬৪।

অসিয়ত: অসিয়তের বিধান ২:১৮০-১৮২। অসিয়তে সাক্ষী: ৫:১০৬-১০৮।

অহংকার: অহংকার ঈমানের পথে প্রতিবন্ধক ১৬:২২। ৪৬:১০। ১০:৭৫। ৭:১৪৬।

ধ্বংস থেকে রক্ষা পাওয়ার উপায় আমলে সালেহ ১০৩:৩। আমলে সালেহ্ আলোকিত জীবন লাভের উপায় ৬৫:১১। আমলে সালেহ্ ক্ষমা লাভের শর্ত ৪৮:২৯। ২৯:৭। আমলে সালেহ করলে আল্লাহ রাষ্ট্র ক্ষমতা দান করেন ২৪:৫৫।

যারা আমলে সালেহ করে তারা সন্ত্রাসী নয় ৩৮:২৮। আমল ওজন করা হবে ৭:৮-৯। ১০১:৬-৯। ১৮:১০৫। ২১:৪৭। ২৩:১০২-১০৩।

আমলনামা: আমলনামা কেমন রেকর্ড ১৮:৪৯। আমলনামা সত্য ও বাস্তব রেকর্ড ২৩:৬২। অণুপরিমাণ আমলও দেখা যাবে ৯৯:৭-৮। আমলনামা সত্য কথা বলবে ৪৫:২৯। আমলনামা ডান হাতে দেয়া হলে সফল ৮৪:৮।

আল্লাহ্: আল্লাহ্ ছাড়া কোনো ইলাহ্ নেই ৩:১৮। আল্লাহ্র সন্তান নেই ৫:১৭-১৮। আল্লাহ্র গুণাবলি এবং মানুষের প্রতি তাঁর অনুগ্রহরাজি ৬:৯৫-১০৫। ১৩:২-৪। ১৪:৩২-৩৪। ১৬:৪-২১, ৭৮-৮৩। ৩০:১৭-৩০, ৪৬-৫৪। আল্লাহ্কে যিকির করার পদ্ধতি ৭:২০৫। মহাকাশ ও পৃথিবীর সবাই ও সবকিছু তাঁকে সাজদা করে: ১৬:৪৯-৫০। ১৭:৪৪। আল্লাহ্র গুণাবলি সীমাহীন ১৮:১০৯। আল্লাহ এক ১১২:১-২। আল্লাহ্র একত্বের যুক্তি ২৭:৫৯-৭৫। পাঁচটি বিষয়ের জ্ঞান কেবল আল্লাহ্র কাছে ৩১:৩৪। মানুষের প্রতি আল্লাহ্র অনুগ্রহ সীমাহীন ৩১:২৭-৩৩। ৭৮:৬-১৬। ৫৬:৫৭-৯৬। আল্লাহ্র কোনো আত্মীয় এবং সমকক্ষ নেই ১১২: ৩-৪। আল্লাহ্র কোনো উপমা নেই ৩০:২৭। ৪২:১১-১২। আল্লাহ্ই ইহ্কাল এবং পরকালের মালিক ৫৩:২৫।

আল্লাহ্র কিতাব: মুমিনরা আল্লাহ্র সব কিতাবের প্রতি ঈমান আনবে ২:২৮৫, ৪। ৪:১৩৬। আল্লাহ্র কিতাব নাযিলের উদ্দেশ্য ২:২১৩। ৩:৩-৪। ৫৭:২৫। কিতাব আংশিক নয়, পূর্ণ মানতে হবে ২:৮৫। কিতাবের প্রতি ঈমান রাখে কারা ২:২২১। আল্লাহ্র কিতাব গোপন করার পরিণতি ২:১৫৯, ১৭৪।

আল্লাহ্র সাহায্য: মুমিনদের সাহায্য করা আল্লাহ্র দায়িত্ব ৩০:৪৭। আল্লাহ অবশ্যি প্রকৃত মুমিনদের সাহায্য করেন ৪০:৫১। আল্লাহকে সাহায্য করলে তিনিও সাহায্য করবেন ৪৭:৭। ২২:৪০। আল্লাহ্র সাহায্য কখন আসবে ২:২১৪। তোমরা আল্লাহ্র সাহায্যকারী হও ৬১:১৪। আল্লাহ্র সাহায্য মুমিনদের প্রিয় ৬১:১৩।

আরশ: মহান আরশের মালিক আল্লাহ ৯:১২৯। ২১:২২। ২৩:৮৬-৮৭। ৪০:১৫। ৮৫:১৫। আল্লাহ আরশের উপর সমাসীন ২৫:৫৯। ৭:৫৪। ১০:৩। ২০:৫। ৫৭:৪। মহাবিশ্ব সৃষ্টির পূর্বে আল্লাহ্র আরশ ছিলো পানির উপর ১১:৭। কিয়ামতের দিন আটজন ফেরেশতা আল্লাহ্র আরশ বহন করবে ৬৯:১৭।

আসহাবুল কাহাফ: প্রকৃত ঘটনাবলি ১৮:৯-২৭

আহযাব যুদ্ধ: এ যুদ্ধের পর্যালোচনা ৩৩:৯-২৫।

আয়াত: আয়াতুল কুরসি ২:২৫৫।

ইউনুস আ.: ইউনুস আ.-এর ঘটনাবলি ২১:৮৭-৮৮। ৩৭:১৩৯-১৪৮। মাছের পেটে ইউনুস আ. ৩৭:১৪২-১৪৬। ২১:৮৭। মাছের পেটে ইউনুস আ.-এর প্রার্থনা ৬৮:৪৮। ২১:৮৭-৮৮। ইউনুসের কওম যখন ঈমান আনে ১০:৯৮।

ইউসুফ: ইউসুফ আ.-এর ইতিহাস ১২:৩-১০৪

ইকামতে দীন: দীন কায়েম করো ৪২:১৩। দীন বিজয়ী করার জন্যে আল্লাহ তার রসূলকে

পাঠিয়েছেন ৯:৩৩। ৪৮:২৮। ৬১:৯। দীন কায়েমের অর্থ ৩:১০৩, ১০৪, ১১০, ১১৩-১১৪। ২:১৪৩, ১৫১, ১৫৯-১৬০, ১৭৭। ২২:৪১। ৫৭:২৫।

ইদ্দত: তালাক প্রাপ্তার ইদ্দতকাল ২:২২৮। স্বামীর মৃত্যুর পর ইদ্দতকাল ২:২৩৪। মাসিক বন্ধ হয়ে যাওয়া নারীর ইদ্দতকাল ৬৫:৪। মাসিক শুরু হয়নি এমন নারীর ইদ্দতকাল ৬৫:৪। গর্ভবতীর ইদ্দতকাল ৬৫:৪।

ইদরিস আ.: তাঁর উচ্চ মর্যাদা ১৯:৫৬-৫৭। ২১:৮৫-৮৬।

ইনজিল: ইনজিল নাযিল করা হয় মানুষকে হিদায়াতের উদ্দেশ্যে ৩:৩-৪। ৫:৪৬। ইনজিল দেয়া হয়েছিল ঈসা আ.-কে ৫৮:২৭। ইনজিল ও তাওরাতে মুহাম্মদ সা.- এর উল্লেখ ছিলো ৭:১৫৭। ৬১:৬। ইনজিলে মুহাম্মদ সা.-এর সাথিদের উপমা ৪৮:২৯। ইনজিল, তাওরাত ও কুরআনে মুমিনদের একই গুণাবলী উল্লেখ ৯:১১১।

ইফ্কের ঘটনা: উম্মুল মুমিনীন আয়েশা রাদিয়াল্লাহু আনহা-এর প্রতি অপবাদ আরোপের ঘটনা ২৪:১১-২৬।

ইবাদত: মানুষ সৃষ্টি করা হয়েছে আল্লাহ্‌র ইবাদতের জন্যে ৫১:৫৬। এক আল্লাহ্‌র ইবাদতই 'সিরাতুল মুস্তাকিম' ৩৬:৬০-৬১। ইবাদত করতে হবে শুধুমাত্র আল্লাহ্‌র ১:৪। ২:২১। ৩:৬৪। ৪:৩৬। ৫:৭৬। ৬:১০২। ৭:৫৯, ৬৫, ৮৫। ৯:৩১। ২১:৯২। ২৩:২৩, ৩২। ৪৬:২১। ৫৩:৬২। ৯৮:৫।

ইবরাহিম আ.: ইবরাহিম কিভাবে সত্যে উপনীত হন ৬:৭৪-৮৪। তাঁর পিতা ও জাতির সাথে বিরোধের কারণ ১৯:৪১-৫০। ২১:৫১-৭৩। ২৬:৬৯-৮৯। তাঁর কাছে ফেরেশ্‌তার আগমন ও সুসংবাদ দান ১৫:৫১-৬০। মক্কা নগরীতে বসতি স্থাপনের সূচনা ১৪:২৫-৪১। ইবরাহিম আ.-এর ইতিহাস ৩৭:৮৩-১১৩।

ইবলিস: ইবলিস আদম আ.-কে সাজদা করতে অস্বীকার করে ২:৩৪। ৭:১১। ২০:১১৬। ১৫:৩১-৩২। ১৭:৬১। ১৮:৫০। ইবলিস অহংকার করে আল্লাহ্‌র অবাধ্য হয় ২:৩৪। ১৫:৩২। ৩৮:৭৪-৭৫। মানুষের উপর জোর খাটানোর শক্তি ইবলিসের নেই ৩৪:২১।

ইলম (জ্ঞান): জ্ঞানের উৎস মহান আল্লাহ ৪৬:২৩। ৬৭:২৬। আল্লাহ সর্বজ্ঞানী ৫৯:২২। ৬৫:১২। ৭:৮৯। ৯:৭৮। ৬:৮০। ২:২৬৮। ২৭:৬। জ্ঞান ও মেধা আল্লাহ প্রদত্ত ২:২৬৮-৬৯। ৯৬:৫। মানুষের ইল্‌ম সীমিত ১৭:৮৫।

জ্ঞানীরা আর অজ্ঞরা সমান নয় ৩৯:৯। জ্ঞানীরা উচ্চ মর্যাদার অধিকারী ৫৮:১১। জ্ঞানীরা আল্লাহভীরু হয় ৩৫:২৮। জ্ঞানীরা ন্যায়বান হয় ৩:১৮। জ্ঞানীরা শুভ পরিণতির কথা ভাবে ২৮:৮০। জ্ঞানীরাই বিজ্ঞানী হয় ২৭:৪০। জ্ঞানীরা সত্য উপলব্ধি করে ২৯:৪৯। শাসকদের জ্ঞান থাকতে হবে ২:২৪৭। যে বিষয়ের জ্ঞান নেই তা সমর্থন করোনা ১৭:৩৬। জ্ঞান বৃদ্ধির দোয়া ২০:১১৪। জ্ঞানীরাই ঈমান আনে ৩:৭-৯। জ্ঞানীদের থেকে জ্ঞানার্জন করো ১৬:৪৩।

ইলাহ: আল্লাহ্‌ই একমাত্র ইলাহ এবং তিনি ছাড়া কোনো ইলাহ্ নেই, তাঁর কোনো শরিক নেই ২:১৬৩, ২৫৫। ৩:২, ৬, ১৮, ৬২। ৪:১৭১। ৫:৭৩। ৬:১৯, ১০২, ১০৬। ৭:৫৯, ৬৫, ৭৩, ৮৫, ১৫৮। ৯:৩১। ১১:১৪, ৫০, ৬১, ৮৪। ২০:৮, ১৪, ৯৮। ২১:২৫, ২৯, ৮৭, ১০৮। ২৩:৯১, ১১৬।

ইসলাম: ইসলাম আল্লাহ্‌র দীন ৩:১৯। ৫:৩। ইসলাম ছাড়া অন্য দীন গ্রহণযোগ্য নয় ৩:৮৫। ৬১:৭। ইসলাম গ্রহণের জন্যে প্রয়োজন উন্মুক্ত হৃদয় ৬:১২৫। ৩৯:২২। ইসলাম

মানে আত্মসমর্পণ ২:১১২। ৩:৮৩। ৪:১২৫। ৩৭:১০৩। ২:১৩১। ৩:২০। ৪০: ৬৬। ১৬:৮১। ৩১:২২। ৩৯:৪৫।

ইসলামে নারীর মর্যাদাঃ ২:৮৩, ২২৮, ২৩১, ২৩২, ২৩৩, ২৩৬, ২৩৭, ২৪০, ২৪১, ৪:১, ৪, ৭, ১১, ১৯-২০, ২২-২৫, ৩২, ৩৪, ৩৫। ৩৩:২৯, ৩১-৩৫, ৫৩,৫৮,৫৯। ৪০:৪০। ৬৬:১১-১২। ৯:৭১।

ইসলামি সমাজঃ ইসলামি সমাজের আদর্শ রীতিনীতি ৪৯:১১-১২। কতিপয় গুরুত্বপূর্ণ আদর্শিক ও সামাজিক নীতিমালা: ১৭:২২-৪০

ইসলামি রাষ্ট্রঃ ইসলামি রাষ্ট্রের কর্মসূচি ২২:৪১। ৫৭:২৫।

ইসহাক আলাইহিস সালামঃ কুরআনে তাঁর উল্লেখ,তাঁর জীবনাদর্শ ও চরিত্র বৈশিষ্ট্য ১২:৬, ৩৭-৩৮। ১৪:৩৯-৪০। ২১:৭২। ৩৮:৪৫-৪৮। ৩৭:১১২-১১৩। ৫১:২৮।

ইহ্‌রামঃ ইহ্‌রাম অবস্থায় শিকার ও জীব হত্যার বিধান ৫:৯৫-৯৬।

ইহ্‌সানঃ ইহ্‌সান করার নির্দেশ ১৬:৯০। ২:১৯৫। ২৮:৭৭। ৫৫:৬০। যাদের প্রতি সর্বাধিক ইহ্‌সান করতে হবে ৪:৩৬-৪০। ১৭:২৩। ৪৬:১৫।

ইয়াকুব আ.: তাঁর ইতিহাস, পরিবার ও আদর্শ ২:১৩২-১৪০। ৩:১৮৪। ৪:১৬৩। ৬:৮৪। ১১:৭১। ১২:৩-১০৪। ১৯:৬।

ইয়াজুজ মা'জুজঃ কিয়ামতের আগে তাদের আবির্ভাব ঘটবে ২১:৯৬-৯৭।

ইয়াহ্‌ইয়া আ.: কুরআনে তাঁর জন্ম ও গুণাবলির উল্লেখ ১৯:১-১৫। ২১:৮৯-৯০। ৩:৩৯।

ঈমানঃ ঈমানের বিষয়বস্তু ২:৩-৫, ১৭৭, ২৮৫। ৪:১৩৬-১৩৭। ঈমানের পার্থিব সুফল ৭:৯৬। ঈমানের পরীক্ষা দিতে হবে ২:২১৪, ২৯:২-১৩। ঈমানের ভিত্তিতে চললে সন্তানরা পিতা-মাতার সাথে জান্নাতে থাকবে ৫২:২১, ১৩:২৩। ঈমান ও আমলে সালেহ্‌র শুভ পরিণাম ৪:১২২-১২৫।

ঈসা আ.: তাঁকে হত্যাও করা হয়নি ক্রুশবিদ্ধও করা হয়নি ৪:১৫৭। আল্লাহ্ তাঁকে উঠিয়ে নিয়েছেন ৪:১৫৮। ঈসার প্রতি আল্লাহ্‌র অনুগ্রহ ৫:১১০-১১৮। জন্ম বৃত্তান্ত ও নবুয়্যতি জীবন ৩:৪৮-৬২। ১৯:১৬-৩৭। উপদেশ ১৯:৩৬।

উসিলাঃ ভ্রান্ত উসিলা ১৭:৫৬-৫৭। সঠিক উসিলা আল্লাহ্‌র ভয় এবং আল্লাহ্‌র পথে জিহাদ ৫:৩৫।

এতিমঃ তাদের অধিকার এবং তাদের প্রতি কর্তব্য ৪:২-৬, ৮-১০, ১২৭। ১৭:৩৪। ৮৯:১৮। ১০৭-২।

ওয়ায়েরঃ কুরআনে তাঁর উল্লেখ ৯:৩০।

ওয়ারিশিঃ ওয়ারিশি কারা পাবে ৪:৭। কে কতটুকু পাবে ৪:১১-১৪, ১৭৬।

কদরঃ কদর রাতের মর্যাদা, সূরা ৯৭।

কবিঃ মন্দ কবি, ভালো কবি ২৬:২২৪-২২৭।

কলব (অন্তর, হৃদয়): কলবে সালিম (বিশুদ্ধ প্রশান্ত হৃদয়) ২৬:৮৯, ৩৭:৮৪। কঠোর হৃদয় ৩:১৫৯, ৩৯:২২, ২২:৫৩, ২:৭৪, ৬:৪৩, ৫৭:১৬। বিনয়ী হৃদয় ৫০:৩৩। কুরআন বুঝবে সে, যার কলব (হৃদয়) আছে ৫০:৩৭। অপরাধী অন্তর ২:২৮৩। ঈমানের উপর অটল হৃদয়

১৬:১০৬। গাফিল হৃদয় ১৮:২৮। রোগাক্রান্ত অন্তর ২:১০। ৩৩:৩২। ৫:৫২। ৯:১২৫। ২২:৫৩। ৩৩:৬০। ৭৪:৩১। হিদায়াতলাভকারী হৃদয় ৬৪:১১। হৃদয় প্রশান্তি লাভ করে কিভাবে? ১৩:২৮। ৩:১২৬। ৮:১০। অন্তরের তাকওয়া ২২:৩২। অন্তরের অন্ধতা ২২:৪৬। তালাবদ্ধ অন্তর কুরআন বুঝেনা ৪৭:২৪। মুমিনদের অন্তরে আল্লাহ প্রশান্তি নাযিল করেন ৪৮:৪। অন্তরের সৌন্দর্য হলো ঈমান ৪৯:৭। ৫৮:২২। অন্তরের বক্রতা ৩:৭,৮। ৬১:৫। মৌখিক ঈমান, অন্তরের ঈমান ৫:৪১। আল্লাহ্‌র স্মরণে মুমিনদের হৃদয় কেঁপে উঠে ৮:২। ২২:৩৫। ৫৭:১৬।

কলেমা: কলেমা তাইয়েবা ও কলেমা খবিছার উপমা ১৪:২৪-২৭।

কাবা: কাবার চারপাশ হারাম (মর্যাদাপূর্ণ) ও নিরাপদ ২৯:৬৭। কাবা আক্রমণের ঘটনা সূরা ১০৫।

কাফ্‌ফারা: ভুল বশত মুমিন হত্যার কাফ্‌ফারা ৪:৯২। কাফ্‌ফারা হিসেবে সাদাকা ৫:৪৫। ইহরাম অবস্থায় শিকার করার কাফ্‌ফারা ৫:৯৫। যিহারের কাফ্‌ফারা ৫৮:৩-৪।

কারূণ: অহংকার তাকে এবং তার সম্পদকে দাবিয়ে দিলো: ২৮:৭৬-৮২। ২৯:৩৯।

কিবলা: মসজিদুল হারাম মুসলিমদের কিবলা ২:১১৪, ১৪৯,১৫০। মুসলিমদের কিবলা কা'বা-মসজিদুল হারাম ২:১৪৪। ১৫০।

কিয়ামত: কিয়ামত কখন অনুষ্ঠিত হবে? ৭:১৮৭। কিয়ামতের দৃশ্য ৫৬:১-৭।

কিসাস: কিসাসের বিধান ২:১৭৮-১৭৯।

কুকুর: কুকুরের চরিত্র ৭:১৭৬। পাহারাদার কুকুর ১৮:১৮। শিকারী কুকুর ৫:৪।

কুরআন: কুরআন নাযিল হয়েছে জীবন্ত লোকদের সতর্ক করার উদ্দেশ্যে: ৩৬:৬৯-৭০। কুরআনের বৈশিষ্ট্য ৩৯:২৩, ২৭-২৮। কুরআন নাযিল হয়েছে সমগ্র মানবজাতির জন্যে ৩৯:৪১। কুরআনের অনুসরণ করো ৩৯:৫৫-৫৯। কুরআন প্রচারে কাফিররা বাধা দেয় ৪১:২৬-২৮। বিশ্ববাসীর কাছে কুরআনের সত্যতা ক্রমেই স্পষ্ট হবে ৪১:৫৩। কুরআন কেন আরবি ভাষায় নাযিল করা হয়েছে? ১৪:৪। ৪১:৪৪। ৪২:৭৪৩:৩। ৪৪:৫৮। কুরআন উম্মুল কিতাবে সংরক্ষিত আছে ৪৩:৪। কুরআন নাযিলের রাতের মর্যাদা ৪৪:২-৫। ৯৭:১-৫। কুরআন বুঝার ও মানার জন্যে সহজ ৪৪:৫৮। ৫৪:১৭, ২২, ৩২, ৪০। কুরআন সঠিক পথের দিশারি ৪৫:১১, ২০। কুরআন ম্যাজিকও নয়, নবীর রচিত ও নয় ৪৬:৭-৯। কুরআন নিয়ে চিন্তা গবেষণা করো ৪৭:২৪। কুরআনের তিলাওয়াত ঈমান বৃদ্ধি করে ৮:২। কুরআনের সাহায্যে উপদেশ দাও ৫০:৪৫। তারতিলের সাথে কুরআন পাঠ করো ৭৩:৪। সর্বপ্রথম অবতীর্ণ পাঁচ আয়াত ৯৬:১-৫। সর্বশেষ অবতীর্ণ আয়াত ২:২৮১। কুরআন নাযিলের রাতের মর্যাদা সূরা ৯৭। কুরআন অনুধাবন করা ৪:৮২। আয়াত দুই প্রকার ৩:৭। কাদের জন্যে এবং কী উদ্দেশ্যে নাযিল করা হয়েছে? ২:১৮৫। কুরআন গোপন করার মন্দ পরিণতি ২:১৪০, ১৫৯-১৬০। কুরআন কেমন কিতাব? ৬:৯২। ২০:২-৮। 'তোমরা এর অনুসরণ করো' ৬:১৫৫-১৫৭। কুরআন নাযিলের উদ্দেশ্য ৪:১০৫। ৬:২-৩। ১৪:১। ১৬:৬৪।

কুরআন পাঠের আদব ৭:২০৪। ১৬:৯৮। এটি রচনা করার ক্ষমতা আল্লাহ্ ছাড়া কারো নেই ৯:৩৭-৪০। ১১:১৩-১৪। কুরআন (আয্ যিক্‌র) হিফাযত করার দায়িত্ব আল্লাহ্‌র ১৫:৯। কুরআন মুমিনদের জন্যে শেফা ও রহমত ১৭:৮২। কুরআন সঠিক পথ দেখায় ১৭:৯। কুরআনের শ্রেষ্ঠত্ব ১৭:৮৮-৮৯। কুরআন আস্তে আস্তে নাযিলের কারণ ১৭:১০৬-১০৭।

কুরআনকে কেন সহজ করা হয়েছে? ১৯:৯৭।

এক কল্যাণময় কিতাব ২১:৫০। কুরআন পরিত্যাগকারীদের বিরুদ্ধে কিয়ামতের দিন রসূলের অভিযোগ ২৫:৩০। কুরআন একবারে নাযিল হয়নি কেন? ২৫:৩২-৩৩। কুরআনের সত্যতার যৌক্তিকতা প্রমাণ ২৬:১৯৬-২০১, ২১০-২১২। ২৭:৬। ২৯:৪৭-৫১। কুরআনে সবকিছুর দৃষ্টান্ত দেয়া হয়েছে ৩০:৫৮।

খতমে নবুয়্যত: মুহাম্মদ সা. শেষ নবী ৩৩:৪০।

ক্ষতিগ্রস্ত: আমলের দিক থেকে সবচেয়ে ক্ষতিগ্রস্ত লোক কারা? ১৮:১০৩-১০৬।

গণীমত: গণীমতের মাল কারা পাবে? ৮:৪১।

গীবত: গীবত নিষিদ্ধ ৪৯:১২

গুনাহ্: কবিরা গুনাহ্ বর্জন করতে পারলে সগিরা গুনাহ্ মাফ ৪: ৩১। ৫৩:৩২। গুনাহ্ ক্ষমা লাভের উপায় ৪:১১০-১১২। ২:২৫।

গোপন পরামর্শ: ৫৮:৭-১০।

গোসল: গোসল ও অযু ফরয হলে পানির বিকল্প তাইয়াম্মুম ৪:৪৩। ৫:৬।

ঘুষ: ঘুষ নিষিদ্ধ ২:১৮৮।

জান্নাত ও জাহান্নাম: জান্নাতি লোকদের গুনাবলি ৩:১৩২-১৩৬। ২৩:১-১১। ২৫:৬৩-৭৬। ৭৬:৫-১২। ৭০:২২-৩৫। ৩৩:৩৫। জান্নাতের বিশালত্ব এবং উত্তরাধিকারী ৫৭:২১। জান্নাত ও জাহান্নামে কারা যাবে ৭৯:৩৭-৪১। জান্নাত ও জাহান্নামের পার্থক্য ৪৭:১৫। জান্নাতে যেতে হলে পরীক্ষা দিতে হবে ২:২১৪।

জিন: একদল জিন নবীর কাছে কুরআন শুনে তাদের জাতির কাছে গিয়ে দাওয়াত দিয়েছিল ৪৬:২৯-৩১। ৭২:১-১৫।

জিনা: জিনার প্রাথমিক বিধান ৪:১৫-১৬। জিনার দণ্ড (অবিবাহিতদের) ২৪:২-৩। জিনার অপবাদ আরোপকারীর শাস্তি ২৪:৪।

স্বামী স্ত্রী পরস্পরের বিরুদ্ধে জিনার অভিযোগ উত্থাপন করলে তার বিধান ২৪:৬-৯।

জিবরিল: জিবরিল সম্মানিত ও বিশ্বস্ত বার্তাবাহক ৬৯:৪০। ৮১:১৯-২১। জিবরিলের অন্যান্য নাম রূহ, রূহুল কুদ্দুস এবং রূহুল আমিন ৭৮:৩৮। ২:৮৭,২৫৩। ৭৯:৪। ৫:১১০। ১৬:২, ১০২। ২৬:১৯৩। ৪০:১৫। ৭০:৪। জিবরিলের গুণাবলি ৫৩:৫-৬। জিবরিল কুরআন বহন করে এনেছেন ২:৯৭। ১৬:১০২। জিবরিল রসুল সা.-এর নিকটবর্তী হন ৫৩:৭-১৪। রসূল জিবরিলকে তার আসল আকৃতিতে দেখেছেন ৮১:২৩। ৫৩:১৩-১৪।

জিহাদ: জিহাদের গুরুত্ব ও মর্যাদা ৯:১৯-২৪।

জীবন: জীবন সম্পর্কে কালবাদীদের ভ্রান্ত ধারণা ৪৫:২৪। জীবনের উপমা ৫৭:২০। ১৮:৪৫-৪৬। জীবন সম্পর্কে কাফিরদের ধারণা ২৩:৩৩-৪১।

জীবিকা: জীবিকা ও জীবনোপকরণ আল্লাহ্ কাউকে বেশি এবং কাউকেও কম দিয়েছেন এবং তার কারণ ৪৩:৩২।

জুমা: জুমার সালাত আদায়ের নির্দেশ ৬:৯-১০।

জুলকিফল আ.: ২১:৮৫। ৩৮:৪৮।

জুয়াঃ জুয়া সম্পর্কে প্রাথমিক নির্দেশ ২:২১৯। জুয়াকে হারাম ঘোষণা ৫:৯০। জুয়া হারাম করার কারণ ৫:৯১।

জোড়াঃ আল্লাহ্ সবকিছু জোড়া জোড়া সৃষ্টি করেছেন ৩৬:৩৬। ৪৩:১২। ৫১:৪৯। ৫৩:৪৫। ১৩:৩। ২০:৫৩।

জ্ঞানঃ প্রকৃত জ্ঞান আল্লাহ্র কাছে ৪৬:২৩।

তাওয়াক্কুলঃ আল্লাহ্র উপর তাওয়াক্কুল করা ঈমানের দাবি ৮:২। ১০:৮৪। ২৫:৫৮। ৩৩:৪৮। ৪২: ৩৬। যে আল্লাহ্র উপর তাওয়াক্কুল করে আল্লাহ্ই তাঁর জন্যে যথেষ্ট ৬৫:৩। তাওয়াক্কুলের সুফল ৭:৮৯। ৮:৬৬। ১০:৭১। ১১:৮৮, ১২৩। ১৩:৩০। ৯:৫১, ১২৯। ১৬:৯৮-৯৯। ৩৯:৩৮। ৪০:২৮, ৪৪, ৫৫। ৪১:৩৬।

তাওবাঃ আল্লাহ্ তাঁর বান্দাদের তাওবা কবুল করেন এবং অনুগ্রহ বাড়িয়ে দেন ৯:১০৪। ৪২:২৫-২৬। তাওবার নিয়ম: ৪:১৭-১৮। ৬৬:৮। ২:১৬০।

তাকওয়াঃ তাকওয়ার সুফল ৮:২৯। ৬৫:২-৫। ৭৮:৩১।

তাযকিয়ায়ে নাফ্স (আত্মশুদ্ধি): ৮৭:১৪। ৯১:৯-১০। ২:১২৯।

তালাক সংক্রান্ত বিধানঃ তালাক, ইদ্দত, তালাকের ধরন ২:২২৭-২৩২। তালাক প্রাপ্তার ইদ্দত ৬৫:৪। যাদের স্বামী মারা যায় তাদের ইদ্দতকাল ২:২৩৪। স্পর্শের আগেই তালাক দিলে তার বিধান ২:২৩৬-২৩৭। তালাক প্রাপ্তার খোরপোষ ২:২৪১। যে তালাক প্রাপ্তার ইদ্দত নেই ৩৩:৪৯। তালাক দেয়ার পদ্ধতি ৬৫:১-২। তালাক প্রাপ্তার আবাস ও খোরপোষ ৬৫:৬-৭।

তায়াম্মুমঃ তায়াম্মুমের বিধান ৪:৪৩। ৫:৬।

দণ্ডঃ হত্যার দণ্ড ২:১৭৮-৭৯। অঙ্গহানি ও আহত করার দণ্ড ৫:৪৫। আল্লাহ ও রসূলের (বিধানের) বিরুদ্ধে যুদ্ধকারীদের দণ্ড ৫:৩৩। দেশে বিশৃংখলা ও অশান্তি সৃষ্টিকারীদের দণ্ড ৫:৩৩। ব্যভিচারী ও ব্যভিচারিণীর দণ্ড (অবিবাহিত হলে) ২৪:২-৩। চুরির দণ্ড ৫:৩৮-৩৯।

দাউদ ও সুলাইমানঃ তাঁদের প্রতি আল্লাহ্র অনুগ্রহ ৩৪:১০-১৪। ৩৮:১৭-৪০।

দাওয়াতঃ দাওয়াতের পদ্ধতি ১৬:১২৫-১২৮। দাওয়াত দানকারীর বৈশিষ্ট্য ৩৩:৪৫-৪৮। ৪১:৩৩-৩৬।

দানঃ দান লাভের হকদার কারা ২:২১৫। ৪:৩৬। আল্লাহ্র পথে দানের মর্যাদা ২:১৭৭। ৫৭:১০-১১, ১৮। ৬৪:১৭-১৮। দানের মর্যাদা ও দানের হিফাযত ২:২৬১-২৭৪। ৪:৩৬-৪০।

দাম্পত্য জীবনঃ পুরুষ হবে কর্তা ৪:৩৪। স্ত্রী অবাধ্য হলে করণীয় ৪:৩৪। দাম্পত্য কলহ দেখা দিলে করণীয় ৪:৩৫। স্ত্রী কর্তৃক স্বামীর সাথে আপোস করা ৪:১২৮। একাধিক স্ত্রী থাকলে কাউকেও ঝুলিয়ে রাখা এবং কারো দিকে পুরোপুরি ঝুঁকে পড়া যাবেনা ৪:১২৯। স্বামী স্ত্রীর মিলনের নিয়ম পদ্ধতি ২:২২২-২২৩। ঈলা, ঈলার বিধান ২:২২৬। যিহারের বিধান ৫৮:১-৪।

দুধপানঃ বাচ্চাদের বুকের দুধ পান করানোর বিধান ২:২৩৩। ৪৬:১৫-১৭। ৬৫:০৬-০৭।

দুনিয়া ও আখিরাতঃ তুলনা ২৯:৬৪।

দীনঃ সব নবীর দীন ছিলো একটাই ৪২:১৩। দীন-এর মধ্যে মতভেদ সৃষ্টি করা নিষেধ

৪২:১৩-১৪। দীন পাঠানোর উদ্দেশ্য ৬১:৯। ৪২:১৩। ইসলামই একমাত্র দীন ৩:১৯। ২:২৩৩। ৪৬:১৫-১৭।

দোয়া: দোয়ার পদ্ধতি ৭:৫৫-৫৬। আল্লাহ দোয়ায় সাড়া দেন ৪০:৬০। ২:১৮৬। ৩:৩৮। ১৪:৩৯।

নফস: নফসে লাওয়ামাহ ৭৫:২। নফসে আম্মারা ১২:৫৩। নফসে মুতমায়িন্নাহ ৮৯:২৭-৩০।

নারী: জাহেলি যুগের নারীর অমর্যাদা ১৬:৫৮-৫৯। ৪৩:১৭। ৮১:৮-৯।

নেকি: নেকি অর্জনের পথ ২:১৭৭। প্রতিটি নেকির জন্যে দশগুণ পাওয়া যাবে ৬:১৬০।

নেতা: নেতার পাথেয় ৮:৬৪। আদর্শ নেতার গুণাবলি: ৯:১২৭-১২৮। ২৬:২১৩-২২০। ২৭:৯১-৯২। জাগতিক নেতার নেতৃত্বে মানুষের হাশর হবে ১৭:৭১।

নাসারা (খৃষ্টান): ঈসা আ.-এর অনুসারীরা ছিলেন মুসলিম এবং আনসারুল্লাহ (আল্লাহ্‌র সাহায্যকারী) ৩:৫২। পরবর্তীতে তারা নাসারা হয় ২:১৩৫। ৫:১৪। তাদের ত্রীত্ববাদ শিরক এবং কুফুরি ৫:৭৩। আল্লাহ্‌র একত্বের বিশ্বাস থেকে তাদের বিচ্যুতি ৯:৩০-৩১। তাদের পাদ্রীরা বৈরাগ্যবাদ আবিষ্কার করে ৫৭:২৭। ঈসা আ. তাদেরকে কী দাওয়াত দিয়েছিলেন ৩:৫১। ১৯:৩৬। ৪৩:৬৪। ৫:১১৭। প্রথমদিকে তাদের মধ্যে ঈমানদার লোকও ছিলেন ৫:২৭। মুমিনদের সাথে খৃষ্টানদের সৎ লোকদের আচরণ ৫:৮২।

নূহ আ.: নূহ আ. এর দাওয়াত ও তাঁর কওমের আচরণ: ৭:৫৯-৬৪। ১০:৭১-৭৩। ১১:২৫-৪৯। ২৩:২৩-৩০। ২৬:১০৫-১২২। ৭১:১-২৮

নৈতিক চরিত্র: মুমিনদের প্রশংসনীয় গুণাবলী ২:১৭৭, ১০৯-১১০। ৯:১১-১২, ৭১। ১৩:২০-২৪। ১৬:৯০। ১৮:২৩-২৪। ২০:৮১-৮২। ২৩:১-১০, ৫৭-৬১। ২৫:৬৩-৭৬। ৩৩:৩৫। ২৮:১৭, ৫৪-৫৫, ৭৭, ৮৩-৮৪। ২৯:৭, ৪৫, ৫৬-৫৯। ৭০:২৩-৩৫। ৭৯:৪০-৪১। ৯১:৯। ৭৩:৭-১১। ৭৪:২-৭। ৭৬:৭-১২। ৮৯:২৭। ৯০:১০-১৮। ৮৭:১৪-১৭। ৯১:৯। ৯২:৫-৭, ১৮-২১। ৯৩:৯-১১। ৯৮:৫। ১০৩:১-৩।

ন্যায়বিচার: ন্যায়বিচার করা ৪:১৩৫। ১৬:৯০।

পোশাক: পোশাক হবে শরীর আচ্ছাদনকারী শোভাবর্ধক ও নৈতিক মান সম্পন্ন ৭:২৬। নগ্নতা ও উলঙ্গপনা শয়তানি কাজ ৭:২৭। পোশাক শিল্পের সূচনা ২১:৮০। জান্নাতের পোশাক ২২:২৩। ৩৫:৩৩। স্বামী স্ত্রী পরস্পরের পোশাক ২:১৮৭।

পোষ্য পুত্র: পোষ্য পুত্ররা পুত্র নয় ৩৩:৫। পোষ্য পুত্রের তালাক দেয়া স্ত্রীকে বিয়ে করা বৈধ ৩৩:৩৭।

পৃথিবী: পৃথিবীর সবকিছু কেন সৃষ্টি করা হয়েছে ১৮:৭-৮। পৃথিবীর উত্তরাধিকারী হবে নেক লোকেরা ২১:১০৫। পৃথিবী বিপর্যস্ত হবার কারণ মানুষের অপকর্ম ৩০:৪১। হাশর ও বিচার অনুষ্ঠিত হবে পরিবর্তিত পৃথিবীতে ১৪:৪৮-৫১।

ফাসিক: ফাসিকি মানে অবাধ্যতা ও সীমালংঘন ১৭:১৬। ৪৬:২০। ৬:৪৯। ৭:১৬৫। ২:৫৯। ফাসিকদের বৈশিষ্ট্য ২:২৬-২৭। যারা আল্লাহ্‌র আয়াত অস্বীকার করে ২:৯৯। যারা মিথ্যা সংবাদ প্রচার করে ৪৯:৬। যারা আল্লাহ্‌র বিধান অনুযায়ী ফায়সালা করেনা ৫:৪৭। মুনাফিকরা ফাসিক ৯:৬৭। ফাসিক সাক্ষী হতে পারবেনা ২৪:৪। আল্লাহ মুমিনদের জন্যে ফাসিকি পছন্দ করেননা ৪৯:৭।

ফেরাউন: কুরআনে তার উল্লেখ হয়েছে ৭৪ বার। মূসা আ.-এর সাথে ফেরাউনের সংঘাত ৭:১০৩-১৪১। ১০:৭৫-৯২। ১১:৯৬-৯৯। ১৭: ১০১-১০৩। ২০:২৪-৭৯। ২৬:১০-৬৭। ২৮:৩-৪২। ৪০:২৩-৫০।

ফেরেশতা: ফেরেশতারা আল্লাহ্র দাস ৪৩:১৯। তারা নারীও নয়, পুরুষও নয় ৪৩:১৯। তারা আল্লাহ্র তসবীহ করছে ১৩:১৩। ৪০:৭। ৪১:৩৮। ৪২:৫। তারা অহি বহন করে ১৬:২। ২২:৭৫। ৪২:৫১। তারা নিঁখুতভাবে আল্লাহ্র নির্দেশ পালন করে ১৬:৫০। ৬৬:৬। তারা আল্লাহ্র ভয়ে ভীত থাকে ১৬:৫০। তারা জান কবজ করে ৪:৯৭। ৬:৬১। ৭:৩৭। ৮:৫০।

বদর যুদ্ধ: বদর যুদ্ধের বিস্তারিত আলোচনা ৮:৫-৭৫।

বন্ধু ও শত্রু: অসৎ বন্ধু গ্রহণের ভয়াবহ পরিণতি ২৫:২৬-২৯। ৩:২৮। মুত্তাকিরা ছাড়া দুনিয়ার সব বন্ধু পরকালে শত্রু হয়ে যাবে ৪৩:৬৭-৮২। শত্রুদের সাথে দ্বন্দ্ব সংঘাতে সাফল্য অর্জনের উপায় ৮:৪৫-৪৬।

বরযখ: বরযখ জীবনের দলিল ২৩:১০০।

বায়াত: হুদাইবিয়ায় সাহাবীগণের বায়াতে রিদওয়ান ৪৮:১০,১৮।

বিধবা: স্বামীর মৃত্যুর কারণে বিধবা হলে তার প্রসঙ্গ ২:২৪০।

বিয়ে: যাদের বিয়ে করা নিষিদ্ধ ২:২২১। ৪:২২-২৪। বিয়ের প্রস্তাব প্রসঙ্গ ২:২৩৪-২৩৫। বিয়ের সংখ্যা ৪:৩। মোহরানা ৪:৪। নবীর জন্যে চার-এর অধিক বিয়ে বৈধ ৩৩:৫০-৫১।

বোঝা: কেউ কারো পাপের বোঝা বইবেনা ৩৫:১৮। ৫৩:৩৮।

মক্কা: কুরআনে মক্কার উল্লেখ ৪৮:২৪। মক্কার পূর্বের নাম ছিলো বক্কা ৩:৯৬।

মজলিস : মজলিসের আদব ২৪:৬২। ৫৮:১১।

মন্দ চরিত্র: ১৩:২৫। ২৪:১৯। ২:৮-২০, ৮৪-৮৫, ৮৬, ৯৩, ৯৬, ১০১, ১১৪, ১৩৯, ১৫৯, ১৭৪-১৭৫, ২১২। ৯:৩১-৩২, ৬৭, ৮১। ৬৯:২৫-৩৭। ৭৪:৪১-৫৩। ৭৫:৩১-৩২। ৭৯:৩৭-৩৯। ৮৩:১-৬। ৮৪:১০-১৫। ৮৫:৪-১০। ৮৭:১৬-১৭। ৮৯:১৫-২০। ৯১:১০।

মরিয়ম: জন্ম ও প্রতিপালন ৩:৩৫-৩৭, ৪২-৪৪। মরিয়মের পুত্র জন্মদান ১৯:১৬-৩৪। মরিয়ম মুমিনদের আদর্শ ৬৬:১১-১২।

মসজিদ: মসজিদের তত্ত্বাবধান করবে কারা? ৯:১৮। মসজিদুল হারাম মুসলিমদের কিবলা ২:১১৪, ১৪৯,১৫০।

মসিবত: মসিবত আসে মানুষের কর্মের ফলে ৪২:৩০। মসিবত পূর্বলিখিত এবং মসিবত দেয়ার কারণ ৫৭:২২-২৩। ৬৪:১১।

মহাকাশ ও মহাবিশ্ব: মহাকাশ বিজ্ঞান ৩৬:৩৭-৪০। আল্লাহ্ মহাবিশ্ব কিভাবে সৃষ্টি করেছেন ৪১:৯-১২। ৬৭:৩-৫। মহাবিশ্ব সম্প্রসারিত হচ্ছে ৫১:৪৭। আল্লাহ্র মহাবিশ্ব পরিচালন পদ্ধতি ৬৫:১২। সাত আকাশ ও তাদের দায়িত্ব বন্টন ৪১:১২। মহাবিশ্ব সৃষ্টি করেছেন ছয়কালে ১১:৭। মহাবিশ্ব সৃষ্টির সূচনা কিভাবে হয়? ২১:৩০-৩৩। ২৫:৬১-৬২। মহাবিশ্ব আল্লাহ্র কর্তৃত্বাধীন ২:২৫৫। ৫:১৭। মহাবিশ্বের সবাই এবং সবকিছু আল্লাহ্র অনুগত ৩:৮৩।

মুমিন ও কাফির: তাদের পরিণাম পরিণতি ও উপমা ১১:১৯-২৪।

মুশরিক: তাদের দেবদেবীকে গালি দিওনা ৬:১০৮। মুশরিকদের বিয়ে করোনা ২:২১১। মুশরিকরা অপবিত্র ৯:২৮। ঈমানদার হয়েও অনেকে মুশরিক ১২:১০৬।

মুসল্লি: মুসল্লিদের বৈশিষ্ট্য ৭০:২২-৩৫।

মূসা আ.: মূসা আ.-এর দাওয়াত ও ফেরাউনের বাধার ইতিহাস: ৭:১০৩-১৩৬। ১০:৭৫-৯২। ২০:৯-৭৯। ২৬:১০-৬৮। ২৭:৭-১৪। ২৮:৩-৪৬। ৪০:২৩-২৭। মূসা ও তাঁর জ্ঞানী সাথি ১৮:৬০-৮২।

মৃত্যু: প্রত্যেকের মৃত্যু অবধারিত ৩:১৮৫। ২৯:৫৭। ২১:৩৫। মৃত্যু থেকে রক্ষা পাবেনা কেউ ৪:৭৮। ৬২:৮। মালাকুল মউত জান কবজ করে ৩২:১১। মৃত্যু যন্ত্রণা ৫০:১৯। মৃত্যু ও জীবন সৃষ্টির উদ্দেশ্য ৬৭:২।

মে'রাজ: মুহাম্মদ সা.-কে রাত্রে ভ্রমন করানো হয়েছে ১৭:১।

মৌমাছি: মধুমাছি বাসা বানায় ১৬:৬৮। মৌমাছি ফুল থেকে মধু সংগ্রহ করে ১৬:৬৯। মধু বের হয় মৌমাছির পেট থেকে ১৬:৬৯। মধুতে রয়েছে মানুষের জন্যে নিরাময় ১৬:৬৯।

যাকাত: যাকাত (সাদাকা) কারা পাবে ৯:৬০।

যাকাত অর্থনৈতিক পবিত্রতা ও সমৃদ্ধি দান করে ৯:১০৩-১০৪।

যাকারিয়া: তাঁর পুত্র ইয়াহিয়ার জন্ম কথা ১৯:২-১৫।

যালিম: যালিমদের মৃত্যুকালীন অবস্থা ১৬:২৮-২৯।

যুদ্ধ: বদর যুদ্ধের পর্যালোচনা ৮:৫-১৯। উহুদ যুদ্ধের পর্যালোচনা ৩: ১২১-২০০। তবুক যুদ্ধের পর্যালোচনা ৯: ৮১-১২৯।

যুলকারনাইন: যুলকারনাইনের ইতিহাস ১৮:৮৩-৯৮।

রসূল: প্রত্যেক জাতির কাছেই রসূল এসেছিল ৯:৪৭, ১৬:৩৬। রসূল মুহাম্মদ সা. ছিলেন একজন মানুষ ১৮:১১০। ৪১:৬। রসূলুল্লাহ্‌র মধ্যে মুমিনদের জন্যে রয়েছে উত্তম আদর্শ ৩৩:২১। তাঁর স্ত্রীগণের শ্রেষ্ঠত্ব ৩৩:৩২-৩৪। রসূল মরণশীল অন্য লোকদের মতোই ৩৯:৩০-৩১। সব রসূলের কথা কুরআনে উল্লেখ করা হয়নি ৪০:৭৮। রসূলের দায়িত্ব ও কর্তব্য ৪৮:৮-৯। রসূলের প্রটোকল ৪৯:১-৫। রসূল সা. মনগড়া কথা বলেননি ৫৩:২-১৮। রসূল ও কিতাব পাঠানোর উদ্দেশ্য ৫৭:২৫।

রাষ্ট্র ও সরকার: সরকারের উদ্দেশ্য ও কর্মসূচি ১৬:৯০। ৩৮:২৬। ৫:৪৪,৪৮। ২২:৪১। ৫৭:২৫। আল্লাহ্‌র অনুগত সরকারের আনুগত্য ৪:৫৯। জনমতের গুরুত্ব ৪২:৩৮। ৩:১৫৯। আদর্শ প্রতিষ্ঠা ৪২:১৩। ৪৮:২৮। ২৪:৫৫। ১১০:১-২। সৎ নেতৃত্ব প্রতিষ্ঠা ২৬:১৫০-৫২।

রূহ: রূহ কী? ১৭:৮৫।

রেকর্ড: ছোট বড় সবকিছু রেকর্ড করা হয় ৫৪:৫৩।

লুত আ.: লুত আ. এর দাওয়াত ও তাঁর কওমের আচরণ ৭:৮০-৮৪। ১১:৭৭-৮৩। ১৫:৬১-৭৭। ২৬:১৬০-১৭৫। ২৭:৫৪-৫৮

লেনদেন: ঋণ ও লেনদেনের সঠিক পদ্ধতি ২:২৮২-২৮৩।

লোকমান: ছেলের প্রতি লোকমান হাকিমের উপদেশ ৩১:১২-১৯।

লোহা: ৫৭:২৫।

শপথ: শপথের কাফফারা ৫:৮৯।

শয়তান: সে মানুষকে কিসের নির্দেশ দেয় ? ২:২৬৮-২৬৯। শয়তান ও মানুষের চিরন্তন দ্বন্দ্ব ১৭:৬১-৬৫। শয়তানের কুমন্ত্রণা অনুভব করলে করণীয় ৭:২০০-২০১। কিয়ামতের দিন বিচারের পর শয়তানের বক্তৃতা ১৪:২২।

শিরক: শিরকের পাপের ক্ষমা নেই ৪:৪৮। শিরক মহাযুলুম ৩১:১৩। ইবাদতে শিরক করোনা ৪:৩৬।

শহীদ: শহীদরা জীবিত ২:১৫৪। ৩:১৬৯। শহীদরা ক্ষমাপ্রাপ্ত হন ৩:১৫৭।

শাফায়াত: আল্লাহ্র অনুমতি ছাড়া কেউ শাফায়াত করতে পারবেনা ২:২৫৫। ২০:১০৯। ২১:২৮। ৯৮:৩৯।

শিক্ষা: পড়ো ৯৬:১। পড়া আরম্ভ করো মহান স্রষ্টা আল্লাহ্র নামে ৯৬:১। রসূলের অন্যতম দায়িত্ব ছিলো শিক্ষাদান ২:১২৯, ১৫১। ৩:১৬৪। ৬২:২। প্রথম মানুষকে শিক্ষিত করেই পাঠানো হয়েছে ২:৩১। মানুষের শিক্ষার ব্যবস্থা করেছেন আল্লাহ ৯৬:৫। লেখা শিখিয়েছেন আল্লাহ ৯৬:৪। পড়তে শিখিয়েছেন আল্লাহ ৫৫:২। কথা বলতে শিখিয়েছেন আল্লাহ ৫৫:৪। দীনি শিক্ষা অর্জন করা জরুরি ৯:১২২। প্রকৃত জ্ঞানীর নিকট শিক্ষা অর্জন করো ১৮:৬৬। শেখার জন্যে প্রয়োজন ধৈর্য ও আনুগত্য ১৮:৬৯। শিক্ষার্জন পদ্ধতি ৭৫:১৮। ৩৮:২৯। ৭:২০৪। ১৬:৪৩। ২৭:৯৮। শিক্ষাদান পদ্ধতি ৮৭:৮৯। ৩৩:৪৫-৪৬। ১৭:১০৬। শিক্ষার উদ্দেশ্য ৯:১২২। ৩:৭৯। ৩:২৮। ৭৬:২৫। ২৮:৮০।

শুয়াইব আ.: শুয়াইব আ.-এর দাওয়াত ও তাঁর কওমের আচরণ: ৭:৮৫-৯৩। ১১:৮৪-৯৫। ২৬:১৭৬-১৯১।

শূরা: ৪২:৩৮।

শোকর: ২৭:১৯, ৪০। ১৪:৭। ৪৬:১৫। ৩৯:৭। ৩১:১২। ২:১৫২, ১৭২। ১৬:১১৪। ২৯:১৭। ৪:১৪৭। ২১:৮০। ৩:১৪৪-১৪৫। ৬:৫৩। ৩৯:৬৬।

সবর: ২:৪৫, ১৫৩, ২৫০, ১৫৫, ১৭৭, ২৪৯। ১৬:১২৭। ১৮:২৮। ৩৮:১৭। ৩:২০০। ৮:৪৬। ৩৯:১০। ৪৭:৩১। ১২:১৮, ৮৩।

সম্পদ ও সন্তান: সম্পদ ও সন্তান পরীক্ষার বিষয় ৮:২৮। ৬৪:১৫। ৩:১৪-১৫। ৬৩:৯।

সংবাদ: ফাসিকের সংবাদ ৪৯:৬।

সাক্ষ্য: ন্যায্য সাক্ষ্য দেবে ৫:৮। ২:২৮২।

সার্বভৌমত্ব: সার্বভৌম কর্তৃত্ব আল্লাহ্র ২:২৫৫,২২৯। ৩:২৬, ১৮০, ১৮৯। ৬৭:১। ৩:৬২। ৪:১২৬। ৫:১৭, ১৬০। ২৩:১১৬। ৬:৫৭। ১২:৪০, ৬৭। ৬:৬২। ১১:১২৩। ১৩:১৫। ৩১:২৬। ৪৫:২৭, ৩৬। ৪২:৪৯। ৪৮:১৪। ৫৭:৫, ১০।

সালাত: সময় মতো সালাত আদায় করা ফরয ৪:১০৩। সালাতের সময় ১৭:৭৮। সালাত সৎ মানুষ বানায় ২৯:৪৫।

সালাত (দরূদ): নবীর প্রতি সালাত প্রেরণের নির্দেশ ৩৩:৫৬।

সালাম: মুসলিমদের সম্বোধন পদ্ধতি হলো সালাম ৬:৫৪। সালামের জবাবও হবে সালাম ৪:৮৬। সালামের জবাব হতে হবে অধিকতর উত্তম ৪:৮৬। অমুসলিমদেরকেও সালাম বলেই

সম্বোধন করবে ১৯:৪৬-৪৭। অপরিচিতদের মধ্যেও সালাম বিনিময় করবে ৫১:২৫। কারো ঘরে প্রবেশ করতে চাইলে সালাম বলবে ২৪:২৭। জান্নাতের সম্বোধনও হবে সালাম ৩৩:৪৪। ৭:৪৬। ১০:১০। ১৩:২৪। ১৬:৩২। ৫০:৩৪। ১৪:২৩। ২৫:৭৫। ৩৯:৭৩।

সালেহ্ আ.: সালেহ্ আ. এর দাওয়াত ও তাঁর কওমের আচরণ ৭:৭৩-৭৯। ১১:৬১-৬৮। ২৬:১৪১-১৫৯। ২৭:৪৫-৫৩।

সিয়াম: সিয়ামের বিধান ২:১৮৩-১৮৭।

সুদ: সুদ হারাম, সুদের অপকারিতা ২:২৭৫-২৮০। ৩০:৩৯। সুদ সংক্রান্ত প্রাথমিক নির্দেশনা ৩:১৩০-১৩২।

সুবিচার: সুবিচারের নির্দেশ ১৬:৯০। সুবিচার থেকে বিচ্যুত হয়োনা ৫:৮

সুলাইমান: সুলাইমান ও রাণী বিলকিসের ঘটনা ২৭:১৫-৪৪।

হত্যা: ভুলবশত কোনো মুমিনকে হত্যা করলে তার বিধান ৪:৯২। ইচ্ছাকৃত কোনো মুমিন হত্যা করার শাস্তি ৪:৯৩

হজ্জ: হজ্জের সূচনা কখন এবং কিভাবে হয় ২২:২৬-৩৭। হজ্জের বিধান ২:১৯৬-২০৩

হালাল হারাম: কি কি হালাল ৫:৪-৫। হালাল ও হারাম: ৭:৩২-৩৩। কি কি হারাম করা হয়েছে?: ৬:১৫১-১৫৩। ১৬:১১৪-১১৬। ২:১৭৩। ৫:৩, ৯০-৯১। হারাম উপার্জন ৪:২৯।

হায়াত মউত: দুটোই আল্লাহ্‌র হাতে ৫৩:৪৪। কাফিরদের মউতের সময়কার অবস্থা ৪৭:২৭-২৮। ৮:৫০-৫১। ১৬:২৮-২৯। মউত নিশ্চিত এবং সময় মতো আসবেই ৪:৭৮।

হিজাব: হিজাবের কিছু বিধান ৩৩:৫৩-৫৪, ৫৯। হিজাবের বিস্তারিত বিধান ২৪:২৭-৩১, ৫৮-৬০।

হুদ আ.: হুদ আ.-এর দাওয়াত ও তাঁর কওমের আচরণ ৭:৬৫-৭২। ১১:৫০-৬০। ২৬:১২৩-১৪০।

কুরআন তিলাওয়াতের আদব

কুরআন তিলাওয়াত করা তথা কুরআন পড়া, কুরআন অধ্যয়ন করা, কুরআনের কথা শুনা এবং কুরআন বুঝার ক্ষেত্রে নিম্নোক্ত আদব মেনে চলা আবশ্যক :

এক. শয়তানের ধোকা প্রতারণা থেকে আল্লাহ্‌র আশ্রয় চেয়ে আরম্ভ করুন। মহান আল্লাহ বলেন: 'যখন তুমি কুরআন পাঠ করবে, তখন অভিশপ্ত শয়তান থেকে আল্লাহ্‌র আশ্রয় প্রার্থনা করে নাও।' (সূরা ১৬ আন নহল: আয়াত ৯৮)

সূতরাং, কুরআন পাঠ করার শুরুতে বলুন: আউযুবিল্লাহি মিনাশ শাইতানির রাজিম। অর্থাৎ 'আমি আল্লাহ্‌র কাছে আশ্রয় চাই অভিশপ্ত শয়তান থেকে।'

দুই. দয়াময় সৃষ্টিকর্তা মহান আল্লাহ্‌র নামে আরম্ভ করুন। মহান আল্লাহ বলেন: 'পড়ো তোমার প্রভুর নামে যিনি সৃষ্টি করেছেন।' (সূরা ৯৬ আলাক: আয়াত ১)

সুতরাং 'বিসমিল্লাহির রাহমানির রাহিম' বলে কুরআন পড়া আরম্ভ করুন।

তিন. পূর্ণ মনোযোগী হয়ে কুরআন তিলাওয়াত করুন। মহান আল্লাহ বলেন: 'যখন কুরআন পাঠ করা হয় তখন মনোযোগের সাথে শুনবে এবং নিরবতা অবলম্বন করবে, যাতে করে তোমরা রহমত লাভ করো।' (সূরা ৭ আরাফ: আয়াত ২০৪)

চার. তারতিলের সাথে বুঝে বুঝে ভাব প্রকাশ করে পাঠ করুন। মহান আল্লাহ বলেন: 'ধীরস্থিরভাবে বুঝে বুঝে ভাব প্রকাশের ভঙ্গিতে কুরআন পাঠ করো।' (সূরা ৭৩ মুয্যাম্মিল: আয়াত ৪)

পাঁচ. কুরআনের মর্ম উপলব্ধি করে এবং চিন্তাভাবনা করে কুরআন পাঠ করুন।

ছয়. চিন্তাভাবনা করার এবং উপদেশ গ্রহণ করার সংকল্প নিয়ে পাঠ করুন। মহান আল্লাহ বলেন: 'আমরা তোমার প্রতি নাযিল করেছি এক কল্যাণময় কিতাব, যাতে করে মানুষ এর আয়াতসমূহ নিয়ে চিন্তাভাবনা করে এবং বিবেক-বুদ্ধি সম্পন্ন লোকেরা যেনো তা থেকে উপদেশ গ্রহণ করে।' (সূরা ৩৮ সোয়াদ: আয়াত ২৯)

সাত. অনুসরণ ও মেনে চলার সংকল্প নিয়ে পাঠ করুন। মহান আল্লাহ বলেন: 'আমরা অবতীর্ণ করেছি এক কল্যাণময় কিতাব, সুতরাং তোমরা এর অনুসরণ করো।' (সূরা ৬ আনআম: আয়াত ১৫৫)

আট. অল্প অল্প করে অধ্যয়ন করুন এবং শিক্ষাদান করুন। মহান আল্লাহ বলেন: 'এ কুরআন আমরা অল্প অল্প করে নাযিল করেছি, যাতে করে তুমি তা মানুষকে পাঠ দিতে পারো বিরতি দিয়ে দিয়ে। এ উদ্দেশ্যে আমরা এটাকে পর্যায়ক্রমে নাযিল করেছি।' (সূরা ১৭ ইসরা: আয়াত ১০৬)

নয়. পাঠকালে হৃদয় বিগলিত হওয়া এবং হৃদয়ে আল্লাহ্‌র ভয় জাগ্রত হওয়া দরকার। কুরআন বলছে: 'ঈমানদারদের কি এখনো হৃদয় বিগলিত হবার সময় হয়নি আল্লাহ্‌র স্মরণে এবং তিনি যে সত্য নাযিল করেছেন তার পাঠে?' (সূরা ৫৭ আল হাদিদ: আয়াত ১৬)

দশ. কুরআন অধ্যয়ন ও অনুধাবনের মাধ্যমে ঈমান তাজা করুন। আল্লাহ তায়ালা বলেন: 'আর যখন তাদের প্রতি তিলাওয়াত করা হয় আল্লাহ্‌র আয়াত, তখন তা বৃদ্ধি করে দেয় তাদের ঈমান।' (সূরা ৮ আনফাল: আয়াত ২)

এগারো. দয়াময় প্রভুর দরবারে কালামে পাকের জ্ঞান বৃদ্ধির জন্যে দোয়া করুন:

رَبِّ زِدْنِىْ عِلْمًا: "প্রভু! আমাকে জ্ঞানের উন্নতি দান করো।"

আল কুরআন

সহজ বাংলা অনুবাদ

অনুবাদ

মাওলানা আবদুস শহীদ নাসিম

كِتٰبٌ اَنۡزَلۡنٰهُ اِلَيۡكَ لِتُخۡرِجَ النَّاسَ مِنَ الظُّلُمٰتِ اِلَى النُّوۡرِ

بِاِذۡنِ رَبِّهِمۡ اِلٰى صِرَاطِ الۡعَزِيۡزِ الۡحَمِيۡدِ

এই কিতাব আমরা তোমার প্রতি নাযিল করেছি, যাতে করে তুমি মানব সমাজকে বের করে আনো অন্ধকাররাশি থেকে আলোতে, তাদের প্রভুর অনুমতিক্রমে মহাপরাক্রমশালী সপ্রশংসিত আল্লাহ্‌র পথে।

সূরা ১৪ ইবরাহিম: আয়াত ১

আল কুরআন

সহজ বাংলা অনুবাদ

সূরা ১ আল ফাতিহা (ভূমিকা)

মক্কায় অবতীর্ণ ॥ আয়াত সংখ্যা: ৭, রুকু সংখ্যা: ১

প্রথম পূর্ণাঙ্গ সূরা

সূরা আল ফাতিহা অহি নাযিলের প্রাথমিককালে অবতীর্ণ হয়। এ সূরাটিই প্রথম পূর্ণাঙ্গ সূরা হিসেবে নাযিল হয়। এর আগে নাযিল হয় কেবল কিছু বিচ্ছিন্ন আয়াত।

সূরা ফাতিহার কয়েকটি নাম

সূরাটি 'আল ফাতিহা' নামেই পরিচিত। তবে হাদিসে আরো কয়েকটি নাম রয়েছে:

০১. ফাতিহাতুল কিতাব। অর্থ: আল কিতাব বা আল কুরআনের মুখবন্ধ, ভূমিকা, সূচনা।

০২. উম্মুল কিতাব। অর্থ: আল কিতাব বা আল কুরআনের মূল বা মূল ভিত্তি।

০৩. উম্মুল কুরআন। অর্থ: আল কুরআনের ভিত্তি বা মূল।

০৪. আস্ সাব্উল মাছানি। অর্থ: বার বার পঠিত সাত (আয়াত)।

০৫. আল কুরআনুল আযিম। অর্থ: মহাপঠিত, মহাপাঠ্য, শ্রেষ্ঠ পাঠ।

০৬. সূরাতুল হামদ। অর্থ: আল্লাহর প্রশংসার সূরা।

০৭. সূরাতুস্ সালাত। অর্থ: সালাতে পাঠ্য সূরা।

এই সূরার আলোচ্যসূচি (আয়াত ভিত্তিক আলোচ্য বিষয়)

০১-০৪: আল্লাহ্র মহোত্তম গুণাবলির বর্ণনা।

০৫: আল্লাহ্র সাথে মানুষের সম্পর্ক কিসের ?

০৬-০৭: আল্লাহ্র কাছে মানুষের সর্বোত্তম প্রার্থনা (কী হওয়া উচিত?)

সূরা আল ফাতিহা	سُوۡرَةُ الۡفَاتِحَةِ
১. পরম করুণাময় পরম দয়াবান আল্লাহর নামে	بِسۡمِ اللّٰهِ الرَّحۡمٰنِ الرَّحِیۡمِ ①
২. সমস্ত প্রশংসা ও কৃতজ্ঞতা শুধুমাত্র আল্লাহর, যিনি গোটা সৃষ্টি জগতের রব।	اَلۡحَمۡدُ لِلّٰهِ رَبِّ الۡعٰلَمِیۡنَ ②
৩. যিনি পরম করুণাময়, পরম দয়াবান,	الرَّحۡمٰنِ الرَّحِیۡمِ ③
৪. (যিনি) প্রতিফল দিবসের মালিক।	مٰلِكِ یَوۡمِ الدِّیۡنِ ④
৫. আমরা শুধুমাত্র তোমারই ইবাদত করি এবং শুধুমাত্র তোমারই সাহায্য চাই।	اِیَّاكَ نَعۡبُدُ وَ اِیَّاكَ نَسۡتَعِیۡنُ ⑤
৬. তুমি আমাদের পরিচালিত করো সরল, সোজা, সঠিক পথের দিকে।	اِهۡدِنَا الصِّرَاطَ الۡمُسۡتَقِیۡمَ ⑥
৭. তাদের পথে, যাদের প্রতি তুমি অনুগ্রহ করেছো। তাদের পথে নয়, যারা তোমার গজবে (ক্রোধে) পড়েছে। আর তাদের পথেও নয়, যারা হয়ে গেছে পথভ্রষ্ট।	صِرَاطَ الَّذِیۡنَ اَنۡعَمۡتَ عَلَیۡهِمۡ ۬ۙ غَیۡرِ الۡمَغۡضُوۡبِ عَلَیۡهِمۡ وَ لَا الضَّآلِّیۡنَ ⑦

রুকু ০১

সূরা ২ আল বাকারা (গরু/গাভি)

মদিনায় অবতীর্ণ ॥ আয়াত সংখ্যা: ২৮৬, রুকু সংখ্যা: ৪০

এই সূরার আলোচ্যসূচি (আয়াত ভিত্তিক আলোচ্য বিষয়)

০১-০২: কুরআন কাদেরকে সঠিক পথ দেখায়?
০৩-০৫: সঠিক পথের পথিক সফল লোক কারা?
০৬-০৭: সঠিক পথ লাভ করবেনা কারা? তাদের পরিণতি।
০৮-২০: মুনাফিকদের বৈশিষ্ট্য।
২১-২২: মানব জাতিকে এক আল্লাহ্র দাসত্ব করার আহ্বান।
২৩-২৪: কুরআন আল্লাহর কিতাব হওয়ার ব্যাপারে সন্দেহ পোষণকারীদের প্রতি চ্যালেঞ্জ।
২৫: ঈমান ও ইবাদতের পথ অবলম্বনকারীদের জন্য সুসংবাদ।
২৬-২৯: অবিশ্বাসীদের প্রতি উপদেশ।
৩০-৩৯: মানুষ সৃষ্টির উদ্দেশ্য ও ইতিহাস।
৪০-১৪১: বনি ইসরাঈলের প্রতি আল্লাহ্র বিপুল অনুগ্রহ এবং তাদের অবাধ্যতা ও হঠকারিতার ইতিহাস।
১৪২-১৫০: বায়তুল মাকদাস এর পরিবর্তে কাবাকে কিবলা নির্ধারণ।
১৫১-১৬৭: মুসলিমদের প্রতি আল্লাহ্র অনুগ্রহ। আল্লাহ্র প্রতি মানুষের কর্তব্য।
১৬৮-১৭৩: হালাল খাদ্য গ্রহণ ও হারাম খাদ্য বর্জনের নির্দেশ।
১৭৪-১৭৬: আল্লাহ্র কিতাব ও কিতাবের বিধান গোপন করার কঠিন পরিণতি।
১৭৭: মুত্তাকি কারা?
১৭৮-১৭৯: কিসাসের আইন।
১৮০-১৮২: অসিয়ত ও অসিয়তের বিধান।
১৮৩-১৮৭: রমযান মাসের সিয়াম ও ইতিকাফের বিধান।
১৮৮-১৮৯: অন্যায়ভাবে পরের সম্পদ ভক্ষণের নিষেধাজ্ঞা। নতুন চাঁদের বিধান।
১৯০-১৯৫: যুদ্ধের বিধান।
১৯৬-২০৩: হজ্জের বিধান।
২০৪-২০৬: মুনাফিকদের বৈশিষ্ট্য।
২০৭-২১০: মুমিনদের বৈশিষ্ট্য।
২১১-২২০: মুমিনদের জন্যে উপদেশ ও বিধান।
২২১-২৪২: বিয়ে, তালাক, বুকের দুধপান, খোরপোষ ও ইদ্দতের বিধান।
২৪৩-২৫২: আল্লাহ্র পথে সংগ্রাম ও ত্যাগ তিতিক্ষার দৃষ্টান্ত।
২৫৩-২৬০: মুমিনদের প্রতি আল্লাহ্র উপদেশ। আয়াতুল কুরসি। আল্লাহ্ মৃতকে কিভাবে জীবিত করেন?
২৬১-২৭৪: আল্লাহ্র পথে দানের মর্যাদা। দান কিভাবে নষ্ট হয়ে যায়?
২৭৫-২৮১: সুদ নিষিদ্ধের ঘোষণা। যাকাত প্রদানের নির্দেশ।
২৮২-২৮৩: ঋণ আদান প্রদানের নিয়ম ও বিধান।
২৮৪-২৮৬: মহাবিশ্বের সবকিছু আল্লাহ্র। ঈমানের বিষয়বস্তু। দোয়া।

এই সূরার কয়েকটি বৈশিষ্ট্য

০১. এটি কুরআনের সবচেয়ে বড় সূরা। এর আয়াত সংখ্যা ২৮৬।
০২. কুরআনের সবচেয়ে বড় আয়াত এ সূরার ২৮২ নম্বর আয়াত।
০৩. কুরআনের সর্বশেষ অবতীর্ণ আয়াত এই সূরার ২৮১ নম্বর আয়াত।

০৪. রসূল সা. এই সূরার শেষ দুই আয়াতকে অতীব মর্যাদাবান বলেছেন।
০৫. এই সূরাতেই রয়েছে আয়াতুল কুরসি। আয়াত নম্বর ২৫৫।

সূরা আল বাকারা পরম করুণাময় পরম দয়াবান আল্লাহ্‌র নামে	سُوْرَةُ الْبَقَرَةِ بِسْمِ اللّٰهِ الرَّحْمٰنِ الرَّحِيْمِ
১. আলিফ লাম মিম।	الٓمّٓ ۚ ①
২. এটি একমাত্র কিতাব, যাতে কোনো প্রকার সন্দেহ নেই, মুত্তাকিদের জন্যে জীবন যাপন পদ্ধতি।	ذٰلِكَ الْكِتٰبُ لَا رَيْبَ ۛۚ فِيْهِ ۛۚ هُدًى لِّلْمُتَّقِيْنَ ②
৩. যারা ঈমান আনে গায়েব-এর প্রতি, সালাত কায়েম করে এবং আমরা যে রিযিক তাদের দিয়েছি তা থেকে ব্যয় করে (নিজের এবং অন্যদের জন্যে এবং যাকাত প্রদান করে);	الَّذِيْنَ يُؤْمِنُوْنَ بِالْغَيْبِ وَيُقِيْمُوْنَ الصَّلٰوةَ وَمِمَّا رَزَقْنٰهُمْ يُنْفِقُوْنَ ③
৪. যারা ঈমান রাখে তোমার প্রতি নাযিলকৃত কিতাব (আল কুরআন)-এর প্রতি এবং তোমার পূর্বে অবতীর্ণ কিতাবসমূহের প্রতি, আর যারা নিশ্চিত বিশ্বাস রাখে আখিরাতের প্রতি;	وَالَّذِيْنَ يُؤْمِنُوْنَ بِمَآ اُنْزِلَ اِلَيْكَ وَمَآ اُنْزِلَ مِنْ قَبْلِكَ ۚ وَبِالْاٰخِرَةِ هُمْ يُوْقِنُوْنَ ④
৫. তারাই তাদের প্রভুর পক্ষ থেকে অবতীর্ণ হিদায়াতের উপর প্রতিষ্ঠিত, আর তারাই হবে সফলকাম।	اُولٰٓئِكَ عَلٰى هُدًى مِّنْ رَّبِّهِمْ ۚ وَاُولٰٓئِكَ هُمُ الْمُفْلِحُوْنَ ⑤
৬. যেসব লোক (একথাগুলো মেনে নিতে) অস্বীকার করে, তাদের তুমি সতর্ক করো আর নাই করো, তাদের জন্যে উভয়টাই সমান, তারা ঈমান আনবেনা।	اِنَّ الَّذِيْنَ كَفَرُوْا سَوَآءٌ عَلَيْهِمْ ءَاَنْذَرْتَهُمْ اَمْ لَمْ تُنْذِرْهُمْ لَا يُؤْمِنُوْنَ ⑥
৭. আল্লাহ সীলমোহর মেরে দিয়েছেন তাদের কলবসমূহের উপর এবং তাদের শ্রবণ ইন্দ্রিয়ের উপর, আর তাদের চক্ষুরাজির উপর পড়ে আছে আবরণ। তাই তাদের জন্যে রয়েছে বিরাট আযাব।	خَتَمَ اللّٰهُ عَلٰى قُلُوْبِهِمْ وَعَلٰى سَمْعِهِمْ ۚ وَعَلٰٓى اَبْصَارِهِمْ غِشَاوَةٌ ۫ وَّلَهُمْ عَذَابٌ عَظِيْمٌ ⑦ (রুকু ০১)
৮. মানুষের মধ্যে কিছু লোক আছে (মুনাফিক), যারা বলে: আমরা ঈমান এনেছি আল্লাহ্‌র প্রতি এবং শেষ দিনের (বিচার দিবসের) প্রতি, অথচ তারা মুমিন নয়।	وَمِنَ النَّاسِ مَنْ يَّقُوْلُ اٰمَنَّا بِاللّٰهِ وَبِالْيَوْمِ الْاٰخِرِ وَمَا هُمْ بِمُؤْمِنِيْنَ ⑧
৯. তারা (মনে করে তারা) ধোকাবাজি করছে আল্লাহ্‌র সাথে এবং মুমিনদের সাথেও। অথচ তারা যে নিজেদের ছাড়া আর কাউকেও ধোকা দিচ্ছেনা, একথাটা তারা উপলব্ধি করেনা।	يُخٰدِعُوْنَ اللّٰهَ وَالَّذِيْنَ اٰمَنُوْا ۚ وَمَا يَخْدَعُوْنَ اِلَّآ اَنْفُسَهُمْ وَمَا يَشْعُرُوْنَ ⑨
১০. তাদের কলব (অন্তর) সমূহে রয়েছে (সন্দেহ ও মুনাফিকির) রোগ। তাই, আল্লাহ তাদের (এ) রোগকে আরো বাড়িয়ে দিয়েছেন। তাদের জন্যে রয়েছে যন্ত্রণাদায়ক আযাব, কারণ তারা মিথ্যা বলে।	فِيْ قُلُوْبِهِمْ مَّرَضٌ ۙ فَزَادَهُمُ اللّٰهُ مَرَضًا ۚ وَلَهُمْ عَذَابٌ اَلِيْمٌ ۢ ۙ بِمَا كَانُوْا يَكْذِبُوْنَ ⑩

১১. আর যখন তাদের বলা হয়: দেশে অশান্তি সৃষ্টি করোনা, তখন তারা বলে: আমরাই তো কেবল সংস্কার সংশোধন করে চলেছি।	وَإِذَا قِيلَ لَهُمْ لَا تُفْسِدُوا فِي الْأَرْضِ قَالُوٓا إِنَّمَا نَحْنُ مُصْلِحُونَ ⑪
১২. সতর্ক থাকো, এরাই আসল ফাসাদ সৃষ্টিকারী, কিন্তু তারা তা উপলব্ধি করেনা।	أَلَآ إِنَّهُمْ هُمُ الْمُفْسِدُونَ وَلٰكِنْ لَّا يَشْعُرُونَ ⑫
১৩. যখন তাদের বলা হয়: তোমরা (সেভাবে) ঈমান আনো, অন্য লোকেরা যে রকম (নিষ্ঠার সাথে) ঈমান এনেছে। তখন তারা বলে: 'আমরা কি (সে রকম) ঈমান আনবো, যেরকম ঈমান এনেছে বোকা লোকেরা?' -আসলে তারা নিজেরাই যে বোকা তা তারা জানেনা।	وَإِذَا قِيلَ لَهُمْ اٰمِنُوا كَمَآ اٰمَنَ النَّاسُ قَالُوٓا أَنُؤْمِنُ كَمَآ اٰمَنَ السُّفَهَآءُ ۗ أَلَآ إِنَّهُمْ هُمُ السُّفَهَآءُ وَلٰكِنْ لَّا يَعْلَمُونَ ⑬
১৪. তারা যখন মুমিনদের সাথে সাক্ষাত করে, তখন তাদের বলে: 'আমরা তো ঈমান এনেছি।' আর যখন তারা তাদের শয়তানদের কাছে একান্তে থাকে, তখন তাদের বলে: আমরা তো তোমাদের সাথেই আছি, ওদের কাছে গিয়ে তো আমরা কেবল ঠাট্টা-বিদ্রুপ করে আসি।	وَإِذَا لَقُوا الَّذِينَ اٰمَنُوا قَالُوٓا اٰمَنَّا ۚ وَإِذَا خَلَوْا إِلٰى شَيٰطِينِهِمْ ۙ قَالُوٓا إِنَّا مَعَكُمْ ۙ إِنَّمَا نَحْنُ مُسْتَهْزِءُونَ ⑭
১৫. আল্লাহ তাদের সাথে বিদ্রুপ করেন এবং তাদেরকে তাদের বিদ্রোহী ভূমিকায় অন্ধভাবে ঘুরে বেড়াবার অবকাশ দেন।	اللّٰهُ يَسْتَهْزِئُ بِهِمْ وَيَمُدُّهُمْ فِي طُغْيَانِهِمْ يَعْمَهُونَ ⑮
১৬. এরা সওদা করছে হিদায়াতের বিনিময়ে গোমরাহির। সুতরাং তাদের ব্যবসা লাভজনক হয়নি এবং তারা হিদায়াতও লাভ করেনি।	أُولٰٓئِكَ الَّذِينَ اشْتَرَوُا الضَّلٰلَةَ بِالْهُدٰى فَمَا رَبِحَتْ تِّجَارَتُهُمْ وَمَا كَانُوا مُهْتَدِينَ ⑯
১৭. তাদের উপমা হলো এরকম, যেমন এক ব্যক্তি আগুন জ্বালালো। আগুন যখন তার চারপাশ আলোকিত করে তুললো, তখন আল্লাহ তাদের (চোখের) জ্যোতি নিয়ে নিলেন এবং তাদের ছেড়ে দিলেন অন্ধকার রাশিতে, তাই কিছুই দেখতে পায়না তাদের দৃষ্টি।	مَثَلُهُمْ كَمَثَلِ الَّذِي اسْتَوْقَدَ نَارًا ۚ فَلَمَّآ أَضَآءَتْ مَا حَوْلَهُ ذَهَبَ اللّٰهُ بِنُورِهِمْ وَتَرَكَهُمْ فِي ظُلُمٰتٍ لَّا يُبْصِرُونَ ⑰
১৮. তারা বধির, বোবা, অন্ধ, তাই তারা (হিদায়াতের পথে) ফিরে আসবেনা।	صُمٌّۢ بُكْمٌ عُمْيٌ فَهُمْ لَا يَرْجِعُونَ ⑱
১৯. অথবা (তাদের উপমা হচ্ছে) আকাশ থেকে বর্ষণমুখী মেঘ। তার মধ্যে রয়েছে ঘনঘোর অন্ধকার, বজ্রধ্বনি আর বিদ্যুতের চমকানি। বজ্রপাতের মৃত্যুভয়ে তারা তাদের কানে আংগুল ঢুকিয়ে রাখে। (এভাবেই) আল্লাহ সব দিক থেকে ঘিরে রেখেছেন কাফিরদের।	أَوْ كَصَيِّبٍ مِّنَ السَّمَآءِ فِيهِ ظُلُمٰتٌ وَّرَعْدٌ وَّبَرْقٌ ۚ يَجْعَلُونَ أَصَابِعَهُمْ فِيٓ اٰذَانِهِمْ مِّنَ الصَّوَاعِقِ حَذَرَ الْمَوْتِ ۗ وَاللّٰهُ مُحِيطٌۢ بِالْكٰفِرِينَ ⑲
২০. বিদ্যুতের চমকানি তাদের দৃষ্টিশক্তি কেড়ে নেয়ার মতো অবস্থা। (বিদ্যুতের চমকে) যখন তারা আলোর ঝিলিক দেখতে পায়, তখন কিছুটা পথ চলে। আবার যখন অন্ধকার ছেয়ে	يَكَادُ الْبَرْقُ يَخْطَفُ أَبْصَارَهُمْ ۗ كُلَّمَآ أَضَآءَ لَهُمْ مَّشَوْا فِيهِ ۙ وَإِذَآ أَظْلَمَ عَلَيْهِمْ قَامُوا ۗ وَ

যায় তখন দাঁড়িয়ে পড়ে। আল্লাহ চাইলে তাদের শ্রবণশক্তি এবং দৃষ্টিশক্তি নিয়ে নিতে পারেন। নিশ্চয়ই আল্লাহ সকল বিষয়ে সর্বশক্তিমান।	لَوْ شَآءَ اللّٰهُ لَذَهَبَ بِسَمْعِهِمْ وَ اَبْصَارِهِمْ ؕ اِنَّ اللّٰهَ عَلٰى كُلِّ شَیْءٍ قَدِیْرٌ ﴿۲۰﴾ (রুকু ০২)
২১. হে মানবজাতি! তোমরা ইবাদত করো তোমাদের রবের, যিনি তোমাদের সৃষ্টি করেছেন এবং তোমাদের পূর্বের লোকদেরও। এভাবেই তোমরা রক্ষা পেতে পারো।	یٰۤاَیُّهَا النَّاسُ اعْبُدُوْا رَبَّكُمُ الَّذِیْ خَلَقَكُمْ وَالَّذِیْنَ مِنْ قَبْلِكُمْ لَعَلَّكُمْ تَتَّقُوْنَ ﴿۲۱﴾
২২. (তিনি তোমাদের সেই মহান রব) যিনি পৃথিবীকে তোমাদের জন্যে বানিয়ে দিয়েছেন বিছানা আর আকাশকে বানিয়েছেন ছাদ এবং তিনি আকাশ থেকে পানি বর্ষণ করেছেন আর তার সাহায্যে উৎপন্ন করেছেন নানা রকম ফলফলারি, যা তোমাদের জন্যে জীবিকা। সুতরাং তোমরা আল্লাহ্‌র জন্যে কাউকেও প্রতিপক্ষ (সমকক্ষ) সাব্যস্ত করোনা। কারণ, তোমরা তো জানো (তিনি এক এবং একক)।	اَلَّذِیْ جَعَلَ لَكُمُ الْاَرْضَ فِرَاشًا وَّ السَّمَآءَ بِنَآءً ۪ وَّ اَنْزَلَ مِنَ السَّمَآءِ مَآءً فَاَخْرَجَ بِهٖ مِنَ الثَّمَرٰتِ رِزْقًا لَّكُمْ ۚ فَلَا تَجْعَلُوْا لِلّٰهِ اَنْدَادًا وَّ اَنْتُمْ تَعْلَمُوْنَ ﴿۲۲﴾
২৩. আমরা আমাদের দাস (মুহাম্মদ)-এর প্রতি যা নাযিল করেছি সে বিষয়ে যদি তোমরা সন্দেহে থেকে থাকো, তবে সেটির অনুরূপ একটি সূরা তোমরা তৈরি করে আনো; এবং আল্লাহ ছাড়া তোমাদের সাক্ষী-সমর্থকদেরকেও ডেকে আনো, যদি তোমরা সত্যবাদী হয়ে থাকো।	وَاِنْ كُنْتُمْ فِیْ رَیْبٍ مِّمَّا نَزَّلْنَا عَلٰی عَبْدِنَا فَاْتُوْا بِسُوْرَةٍ مِّنْ مِّثْلِهٖ ۪ وَادْعُوْا شُهَدَآءَكُمْ مِّنْ دُوْنِ اللّٰهِ اِنْ كُنْتُمْ صٰدِقِیْنَ ﴿۲۳﴾
২৪. যদি তোমরা (কুরআনের অনুরূপ একটি সূরা) তৈরি করে আনতে না পারো, আর বাস্তব ব্যাপার হলো, তোমরা তা কখনো পারবেনা, তবে নিজেদের রক্ষা করো সেই আগুন থেকে যার জ্বালানি হবে মানুষ আর পাথর। সে আগুন তৈরি করে রাখা হয়েছে কাফিরদের জন্যে।	فَاِنْ لَّمْ تَفْعَلُوْا وَ لَنْ تَفْعَلُوْا فَاتَّقُوا النَّارَ الَّتِیْ وَ قُوْدُهَا النَّاسُ وَ الْحِجَارَةُ ۖۚ اُعِدَّتْ لِلْكٰفِرِیْنَ ﴿۲۴﴾
২৫. শুভ সংবাদ দাও তাদেরকে, যারা ঈমান আনবে এবং আমলে সালেহ্ করবে: তাদের জন্যে রয়েছে বাগান আর উদ্যানসমূহ, যেগুলোর নিচে দিয়ে বহমান থাকবে নদ-নদী-নহর। যখনই সেসব বাগানের ফলফলারি তাদের খেতে দেয়া হবে, তারা বলবে: এ ধরণের ফলই ইতোপূর্বে আমাদের দেয়া হয়েছে। সেসব ফলফলারি দেখতে হবে দুনিয়ার ফলের মতোই। সেখানে থাকবে তাদের জন্যে পবিত্র জুড়ি এবং সেখানে থাকবে তারা চিরকাল।	وَبَشِّرِ الَّذِیْنَ اٰمَنُوْا وَعَمِلُوا الصّٰلِحٰتِ اَنَّ لَهُمْ جَنّٰتٍ تَجْرِیْ مِنْ تَحْتِهَا الْاَنْهٰرُ ؕ كُلَّمَا رُزِقُوْا مِنْهَا مِنْ ثَمَرَةٍ رِّزْقًا ۙ قَالُوْا هٰذَا الَّذِیْ رُزِقْنَا مِنْ قَبْلُ ۙ وَاُتُوْا بِهٖ مُتَشَابِهًا ؕ وَلَهُمْ فِیْهَاۤ اَزْوَاجٌ مُّطَهَّرَةٌ ۙۗ وَّهُمْ فِیْهَا خٰلِدُوْنَ ﴿۲۵﴾
২৬. আল্লাহ লজ্জাবোধ করেননা মশা বা তার চাইতেও ক্ষুদ্র কোনো প্রাণীর উপমা দিতে। তবে যারা ঈমান এনেছে তারা জানে, নিঃসন্দেহে এটা তাদের প্রভুর পক্ষ থেকে আসা মহাসত্য। আর যারা কুফুরির পথ অবলম্বন করেছে তারা বলে:	اِنَّ اللّٰهَ لَا یَسْتَحْیٖۤ اَنْ یَّضْرِبَ مَثَلًا مَّا بَعُوْضَةً فَمَا فَوْقَهَا ؕ فَاَمَّا الَّذِیْنَ اٰمَنُوْا فَیَعْلَمُوْنَ اَنَّهُ الْحَقُّ مِنْ رَّبِّهِمْ ۚ وَاَمَّا

'এ উপমা দ্বারা আল্লাহ্র উদ্দেশ্য কী?' এভাবে আল্লাহ একটি উপমা দ্বারা অনেককে বিপথগামী করেন, আবার অনেককে প্রদর্শন করেন সঠিক পথ। মূলত এর দ্বারা তিনি ফাসিকদের ছাড়া আর কাউকে বিপথগামী করেননা।	الَّذِيْنَ كَفَرُوْا فَيَقُوْلُوْنَ مَا ذَآ اَرَادَ اللّٰهُ بِهٰذَا مَثَلًا ۘ يُضِلُّ بِهٖ كَثِيْرًا ۙ وَّ يَهْدِىْ بِهٖ كَثِيْرًا ؕ وَمَا يُضِلُّ بِهٖٓ اِلَّا الْفٰسِقِيْنَ ﴿٢٦﴾
২৭. যারা আল্লাহ্র সাথে শক্ত অংগীকার করার পরও তা ভেঙ্গে ফেলে এবং যেসব সম্পর্ক অক্ষুন্ন রাখার নির্দেশ আল্লাহ দিয়েছেন, সেগুলো ছিন্ন করে, আর দেশে সৃষ্টি করে অশান্তি, বিশৃংখলা, তারাই আসল ব্যর্থ-ক্ষতিগ্রস্ত।	الَّذِيْنَ يَنْقُضُوْنَ عَهْدَ اللّٰهِ مِنْۢ بَعْدِ مِيْثَاقِهٖ ۪ وَيَقْطَعُوْنَ مَآ اَمَرَ اللّٰهُ بِهٖٓ اَنْ يُّوْصَلَ وَيُفْسِدُوْنَ فِى الْاَرْضِ ؕ اُولٰٓئِكَ هُمُ الْخٰسِرُوْنَ ﴿٢٧﴾
২৮. তোমরা কী করে আল্লাহ্র প্রতি কুফুরি করছো, অথচ তোমরা ছিলে মৃত, তারপর তিনিই তোমাদের হায়াত দান করেছেন। পুনরায় তিনিই তোমাদের মউত দেবেন, তারপর আবার তোমাদের হায়াত দান করবেন এবং সবশেষে তোমাদের ফিরিয়ে নেবেন তাঁর কাছে।	كَيْفَ تَكْفُرُوْنَ بِاللّٰهِ وَ كُنْتُمْ اَمْوَاتًا فَاَحْيَاكُمْ ۚ ثُمَّ يُمِيْتُكُمْ ثُمَّ يُحْيِيْكُمْ ثُمَّ اِلَيْهِ تُرْجَعُوْنَ ﴿٢٨﴾
২৯. তিনিই তো তোমাদের জন্যে সৃষ্টি করেছেন পৃথিবীর সবকিছু। তারপর তিনি উপরের দিকে নজর দেন এবং সেগুলোকে বানিয়ে দেন সপ্তাকাশ। আর প্রতিটি বিষয়ে তিনি অতীব জ্ঞানী।	هُوَ الَّذِىْ خَلَقَ لَكُمْ مَّا فِى الْاَرْضِ جَمِيْعًا ۗ ثُمَّ اسْتَوٰٓى اِلَى السَّمَآءِ فَسَوّٰىهُنَّ سَبْعَ سَمٰوٰتٍ ؕ وَهُوَ بِكُلِّ شَىْءٍ عَلِيْمٌ ﴿٢٩﴾
৩০. আর (স্মরণ করো), যখন তোমার প্রভু ফেরেশতাদের বলেছিলেন: 'আমি পৃথিবীতে প্রতিনিধি নিয়োগ করতে যাচ্ছি।' তারা বলেছিল: 'আপনি কি সেখানে এমন কাউকেও নিয়োগ করবেন, যারা সেখানে ফাসাদ সৃষ্টি করবে এবং রক্তপাত করবে? আমরাই তো আপনার প্রশংসা এবং কৃতজ্ঞতা প্রকাশ করে তাসবিহ করছি আর আপনার পবিত্রতা ঘোষণা করছি।' (তাদের একথার জবাবে) তিনি বলেছিলেন: 'আমি জানি যা তোমরা জানোনা।'	وَ اِذْ قَالَ رَبُّكَ لِلْمَلٰٓئِكَةِ اِنِّىْ جَاعِلٌ فِى الْاَرْضِ خَلِيْفَةً ؕ قَالُوْٓا اَتَجْعَلُ فِيْهَا مَنْ يُّفْسِدُ فِيْهَا وَ يَسْفِكُ الدِّمَآءَ ۚ وَ نَحْنُ نُسَبِّحُ بِحَمْدِكَ وَ نُقَدِّسُ لَكَ ؕ قَالَ اِنِّىْٓ اَعْلَمُ مَا لَا تَعْلَمُوْنَ ﴿٣٠﴾
৩১. আর তিনি শিক্ষা দিলেন আদমকে সব কিছুর নাম। আর সেগুলো উপস্থাপন করলেন ফেরেশতাদের সামনে। তাদের বললেন: এই জিনিসগুলোর নাম (পরিচয়) আমাকে বলো যদি তোমরা সত্য বলে থাকো।	وَعَلَّمَ اٰدَمَ الْاَسْمَآءَ كُلَّهَا ثُمَّ عَرَضَهُمْ عَلَى الْمَلٰٓئِكَةِ ۙ فَقَالَ اَنْۢبِـُٔوْنِىْ بِاَسْمَآءِ هٰٓؤُلَآءِ اِنْ كُنْتُمْ صٰدِقِيْنَ ﴿٣١﴾
৩২. তারা (ফেরেশতারা) বললো: আপনি মহান, আমাদের তো কোনো এলেম নেই আপনি যা তালিম দিয়েছেন-তা ছাড়া। নিশ্চয়ই আপনি মহাজ্ঞানী এবং মহা প্রজ্ঞাময়।	قَالُوْا سُبْحٰنَكَ لَا عِلْمَ لَنَآ اِلَّا مَا عَلَّمْتَنَا ؕ اِنَّكَ اَنْتَ الْعَلِيْمُ الْحَكِيْمُ ﴿٣٢﴾
৩৩. তিনি বললেন: 'হে আদম! এদের নাম (পরিচয়) সম্পর্কে তাদের অবহিত করো।'	قَالَ يٰٓاٰدَمُ اَنْۢبِئْهُمْ بِاَسْمَآئِهِمْ ۚ فَلَمَّا

রুকু ০৩

তারপর সে যখন তাদের নাম সম্পর্কে তাদের অবহিত করলো, তখন তিনি বললেন: 'আমি কি তোমাদের বলিনি, আমি জানি মহাকাশ এবং পৃথিবীর অদৃশ্য বিষয়সমূহ, আর যা কিছু তোমরা ব্যক্ত করো এবং যা কিছু রাখো অব্যক্ত?	أَنۢبَأَهُم بِأَسْمَآئِهِمْ ۙ قَالَ أَلَمْ أَقُل لَّكُمْ إِنِّىٓ أَعْلَمُ غَيْبَ ٱلسَّمٰوٰتِ وَٱلْأَرْضِ ۙ وَأَعْلَمُ مَا تُبْدُونَ وَمَا كُنتُمْ تَكْتُمُونَ ٣٣
৩৪. (আরো স্মরণ করো) যখন আমরা ফেরেশতাদের বলেছিলাম: 'সাজদা করো আদমকে', তখন তারা সবাই সাজদা করলো ইবলিস্ ছাড়া। সে (সাজদা করতে) অস্বীকার করলো, অহংকার করলো এবং সে অন্তরভুক্ত হয়ে গেলো কাফিরদের।	وَإِذْ قُلْنَا لِلْمَلٰٓئِكَةِ ٱسْجُدُوا۟ لِءَادَمَ فَسَجَدُوٓا۟ إِلَّآ إِبْلِيسَ ۖ أَبَىٰ وَٱسْتَكْبَرَ ۫ وَكَانَ مِنَ ٱلْكٰفِرِينَ ٣٤
৩৫. আর তখন আমরা আদমকে বললাম: হে আদম! তুমি এবং তোমার স্ত্রী বসবাস করো জান্নাতে এবং সেখান থেকে যা খুশি আনন্দের সাথে খাও; তবে নিকটেও যেয়োনা এই গাছটির, তাহলে অন্তরভুক্ত হয়ে পড়বে যালিমদের।	وَقُلْنَا يٰٓـَٔادَمُ ٱسْكُنْ أَنتَ وَزَوْجُكَ ٱلْجَنَّةَ وَكُلَا مِنْهَا رَغَدًا حَيْثُ شِئْتُمَا ۖ وَلَا تَقْرَبَا هٰذِهِ ٱلشَّجَرَةَ فَتَكُونَا مِنَ ٱلظّٰلِمِينَ ٣٥
৩৬. তারপর শয়তান তাদের দুজনকেই (আমার হুকুম পালন থেকে) পদস্খলন ঘটায় এবং যে অবস্থার মধ্যে তারা ছিলো তা থেকে বের করে ছাড়ে। তখন আমরা (আদম এবং শয়তানকে) বললাম: তোমরা সবাই বেরিয়ে যাও। (জেনে রাখবে) তোমরা একে অপরের শত্রু। তোমাদের জন্যে পৃথিবীতে একটা সময় পর্যন্ত অবস্থান এবং জীবনোপকরণ নির্ধারণ করে দেয়া হয়েছে।	فَأَزَلَّهُمَا ٱلشَّيْطٰنُ عَنْهَا فَأَخْرَجَهُمَا مِمَّا كَانَا فِيهِ ۖ وَقُلْنَا ٱهْبِطُوا۟ بَعْضُكُمْ لِبَعْضٍ عَدُوٌّ ۖ وَلَكُمْ فِى ٱلْأَرْضِ مُسْتَقَرٌّ وَمَتٰعٌ إِلَىٰ حِينٍ ٣٦
৩৭. সে সময় আদম তার রবের কাছ থেকে কয়েকটি কথা (ক্ষমা চাওয়া ও তওবা কবুল করার জন্যে) লাভ করেছিল। তখন তিনি তার তওবা কবুল করে নেন। কারণ তিনিই তো তওবা কবুলকারী অতীব দয়াময়।	فَتَلَقَّىٰٓ ءَادَمُ مِن رَّبِّهِۦ كَلِمٰتٍ فَتَابَ عَلَيْهِ ۚ إِنَّهُۥ هُوَ ٱلتَّوَّابُ ٱلرَّحِيمُ ٣٧
৩৮. আমরা বললাম: 'তোমরা সবাই এখান (জান্নাত) থেকে নেমে যাও, তারপর যখনই আমার কাছ থেকে তোমাদের কাছে 'হুদা' (নবী ও কিতাব) আসবে, তখন যারাই আমার 'হুদার' অনুসরণ করবে,তাদের কোনো ভয়ও থাকবেনা, দুশ্চিন্তাও থাকবেনা।	قُلْنَا ٱهْبِطُوا۟ مِنْهَا جَمِيعًا ۖ فَإِمَّا يَأْتِيَنَّكُم مِّنِّى هُدًى فَمَن تَبِعَ هُدَاىَ فَلَا خَوْفٌ عَلَيْهِمْ وَلَا هُمْ يَحْزَنُونَ ٣٨
৩৯. আর যারা (আমার হুদার প্রতি) কুফুরি করবে এবং অস্বীকার করবে আমার আয়াত (নিদর্শন)সমূহ, তারা হবে আগুনের অধিবাসী, সেখানে থাকবে তারা চিরকাল।	وَٱلَّذِينَ كَفَرُوا۟ وَكَذَّبُوا۟ بِـَٔايٰتِنَآ أُو۟لٰٓئِكَ أَصْحٰبُ ٱلنَّارِ ۖ هُمْ فِيهَا خٰلِدُونَ ٣٩ (রুকু ০৪)
৪০. হে বনি ইসরাঈল! স্মরণ করো আমার নিয়ামত-এর (অনুগ্রহের) কথা, যা আমি দান করেছিলাম তোমাদের, আর পূর্ণ করো আমার সাথে করা তোমাদের অংগীকার, তাহলে আমিও	يٰبَنِىٓ إِسْرٰٓءِيلَ ٱذْكُرُوا۟ نِعْمَتِىَ ٱلَّتِىٓ أَنْعَمْتُ عَلَيْكُمْ وَأَوْفُوا۟ بِعَهْدِىٓ أُوفِ

তোমাদের সাথে আমার অংগীকার পূর্ণ করবো। আর শুধুমাত্র আমাকেই ভয় করো।	بِعَهۡدِكُمۡ ۚ وَاِيَّایَ فَارۡهَبُوۡنِ ﴿۴۰﴾
৪১. তোমরা ঈমান আনো আমার নাযিল করা এ কিতাবের (কুরআনের) প্রতি, যা তোমাদের সাথে থাকা (তাওরাত ও ইনজিল) কিতাবের সত্যায়নকারী। এর প্রতি তোমরাই প্রথম কাফির (অস্বীকারকারী) হয়োনা। আর আমার আয়াত সমূহের বিনিময়ে তুচ্ছ মূল্য গ্রহণ করোনা। আর আমাকে এবং কেবল আমাকেই ভয় করো।	وَاٰمِنُوۡا بِمَاۤ اَنۡزَلۡتُ مُصَدِّقًا لِّمَا مَعَكُمۡ وَلَا تَكُوۡنُوۡۤا اَوَّلَ كَافِرٍۭ بِهٖ ۪ وَلَا تَشۡتَرُوۡا بِاٰيٰتِىۡ ثَمَنًا قَلِيۡلًا ۫ وَّاِيَّایَ فَاتَّقُوۡنِ ﴿۴۱﴾
৪২. মিশিয়ে ফেলোনা হক (সত্য)কে বাতিলের সাথে এবং সত্য কথা গোপন করোনা। অথচ তোমরা জানো (সত্য বিষয়টি কী)?	وَ لَا تَلۡبِسُوا الۡحَقَّ بِالۡبَاطِلِ وَ تَكۡتُمُوا الۡحَقَّ وَاَنۡتُمۡ تَعۡلَمُوۡنَ ﴿۴۲﴾
৪৩. তোমরা সালাত কায়েম করো, যাকাত দিয়ে দাও এবং রুকু করো রুকুকারীদের সাথে।	وَاَقِيۡمُوا الصَّلٰوةَ وَاٰتُوا الزَّكٰوةَ وَارۡكَعُوۡا مَعَ الرّٰكِعِيۡنَ ﴿۴۳﴾
৪৪. তোমরা মানুষকে ভালো ও ন্যায় কাজের আদেশ দেবে আর ভুলে যাবে নিজেদের কথা? অথচ তোমরা তিলাওয়াত করছো কিতাব। তোমাদের কি আকল-বিবেক বলতে কিছুই নেই?	اَتَاۡمُرُوۡنَ النَّاسَ بِالۡبِرِّ وَتَنۡسَوۡنَ اَنۡفُسَكُمۡ وَاَنۡتُمۡ تَتۡلُوۡنَ الۡكِتٰبَ ؕ اَفَلَا تَعۡقِلُوۡنَ ﴿۴۴﴾
৪৫. তোমরা সাহায্য চাও সবর ও সালাতের মাধ্যমে। কিন্তু এটা বড়ই কঠিন কাজ; তবে তাদের জন্যে (কঠিন) নয়, যারা আল্লাহ্‌র প্রতি বিনীত-অনুগত,	وَ اسۡتَعِيۡنُوۡا بِالصَّبۡرِ وَ الصَّلٰوةِ ؕ وَ اِنَّهَا لَكَبِيۡرَةٌ اِلَّا عَلَى الۡخٰشِعِيۡنَ ﴿۴۵﴾
৪৬. যারা বিশ্বাস করে, তাদের প্রভুর সাথে তাদের অবশ্যি মোলাকাত (সাক্ষাত) হবে এবং তারা তাঁরই কাছে ফিরে যাবে।	الَّذِيۡنَ يَظُنُّوۡنَ اَنَّهُمۡ مُّلٰقُوۡا رَبِّهِمۡ وَ اَنَّهُمۡ اِلَيۡهِ رٰجِعُوۡنَ ﴿۴۶﴾
৪৭. হে বনি ইসরাঈল! স্মরণ করো আমার নিয়ামতের কথা, যা আমি দান করেছিলাম তোমাদের, আর সেই (কথাটাও স্মরণ করো) যে, আমি তোমাদের শ্রেষ্ঠত্ব প্রদান করেছিলাম বিশ্ববাসীর উপর।	يٰبَنِىۡۤ اِسۡرَآءِيۡلَ اذۡكُرُوۡا نِعۡمَتِىَ الَّتِىۡۤ اَنۡعَمۡتُ عَلَيۡكُمۡ وَ اَنِّىۡ فَضَّلۡتُكُمۡ عَلَى الۡعٰلَمِيۡنَ ﴿۴۷﴾
৪৮. আর সতর্ক হও সেই দিনটির ব্যাপারে, যেদিন কেউ কারো কিছুমাত্র কাজে আসবেনা, যেদিন কারো শাফায়াত কবুল করা হবেনা, যেদিন কারো কাছ থেকে কোনো বিনিময় গ্রহণ করা হবেনা এবং যেদিন (পাপিষ্ঠদের) কোনো প্রকার সাহায্যও করা হবেনা।	وَاتَّقُوۡا يَوۡمًا لَّا تَجۡزِىۡ نَفۡسٌ عَنۡ نَّفۡسٍ شَيۡـًٔا وَّ لَا يُقۡبَلُ مِنۡهَا شَفَاعَةٌ وَّلَا يُؤۡخَذُ مِنۡهَا عَدۡلٌ وَّلَا هُمۡ يُنۡصَرُوۡنَ ﴿۴۸﴾
৪৯. আরো স্মরণ করো, আমি যখন তোমাদের নাজাত দিয়েছিলাম ফেরাউনের লোকদের (দাসত্বের কবল) থেকে। যারা তোমাদের নিমজ্জিত করে রেখেছিল কঠিন আযাবে, জবাই করে ফেলছিল তোমাদের পুত্র সন্তানদের, আর জীবিত রাখছিল তোমাদের কন্যা সন্তানদের।	وَاِذۡ نَجَّيۡنٰكُمۡ مِّنۡ اٰلِ فِرۡعَوۡنَ يَسُوۡمُوۡنَكُمۡ سُوۡٓءَ الۡعَذَابِ يُذَبِّحُوۡنَ اَبۡنَآءَكُمۡ وَ يَسۡتَحۡيُوۡنَ نِسَآءَكُمۡ ؕ وَفِىۡ

রুকু ০৫

বাংলা অনুবাদ	
তোমাদের এই অবস্থাটা ছিলো তোমাদের প্রভুর পক্ষ থেকে একটা বড় পরীক্ষা।	ذٰلِكُمْ بَلَآءٌ مِّنْ رَّبِّكُمْ عَظِيْمٌ ﴿٤٩﴾
৫০. আরো স্মরণ করো সেই সময়ের কথা, যখন আমরা ফারাক (ভাগ) করে দিয়েছিলাম তোমাদের জন্যে সাগরকে এবং এভাবেই নাজাত (মুক্ত) করে এনেছিলাম তোমাদের, আর ডুবিয়ে দিয়েছিলাম ফেরাউনের লোকদের তোমাদের চোখের সামনেই।	وَاِذْ فَرَقْنَا بِكُمُ الْبَحْرَ فَاَنْجَيْنٰكُمْ وَاَغْرَقْنَاۤ اٰلَ فِرْعَوْنَ وَاَنْتُمْ تَنْظُرُوْنَ ﴿٥٠﴾
৫১. আরো স্মরণ করো সেই সময়ের কথা, যখন আমি মূসাকে চল্লিশ রাতের (দিবা-রাতের) জন্যে ডেকে নিয়েছিলাম, তখন তোমরা তার ওখানে চলে যাবার পর গো-বাছুরকে নিজেদের উপাস্য বানিয়ে নিলে, তখন তোমরা হয়ে পড়েছিলে যালিম।	وَاِذْ وٰعَدْنَا مُوْسٰۤى اَرْبَعِيْنَ لَيْلَةً ثُمَّ اتَّخَذْتُمُ الْعِجْلَ مِنْۢ بَعْدِهٖ وَ اَنْتُمْ ظٰلِمُوْنَ ﴿٥١﴾
৫২. এতো বড় অপরাধ করার পরও আমি তোমাদের ক্ষমা করে দিয়েছিলাম, যাতে করে তোমরা কৃতজ্ঞ হয়ে চলো।	ثُمَّ عَفَوْنَا عَنْكُمْ مِّنْۢ بَعْدِ ذٰلِكَ لَعَلَّكُمْ تَشْكُرُوْنَ ﴿٥٢﴾
৫৩. স্মরণ করো, (তোমরা যখন গো-বাছুর পূজার যুলুমে লিপ্ত ছিলে) ঠিক সেসময় আমি মূসাকে কিতাব (তাওরাত) এবং ফুরকান (দীন ও শরীয়ার সুস্পষ্ট নির্দেশাবলি) দিয়ে পাঠালাম, যাতে করে তোমরা হিদায়াতের পথে আসো।	وَ اِذْ اٰتَيْنَا مُوْسَى الْكِتٰبَ وَ الْفُرْقَانَ لَعَلَّكُمْ تَهْتَدُوْنَ ﴿٥٣﴾
৫৪. স্মরণ করো, মূসা (ফিরে এসে) যখন তোমাদের বলেছিল: হে আমার কওম (জাতি)! নিঃসন্দেহে গো-বাছুরকে উপাস্য বানিয়ে তোমরা নিজেদের প্রতি বিরাট যুলুম করেছো, তাই তোমরা তোমাদের স্রষ্টার কাছে অনুতপ্ত হয়ে ক্ষমা চাও এবং নিজেদের হত্যা করো। এরি মধ্যে তোমাদের জন্যে কল্যাণ রয়েছে তোমাদের স্রষ্টার কাছে। তখন তিনি তোমাদের তওবা কবুল করে নিয়েছিলেন। কারণ তিনি তো তওবা কবুলকারী-ক্ষমাশীল দয়াময়।	وَ اِذْ قَالَ مُوْسٰى لِقَوْمِهٖ يٰقَوْمِ اِنَّكُمْ ظَلَمْتُمْ اَنْفُسَكُمْ بِاتِّخَاذِكُمُ الْعِجْلَ فَتُوْبُوْۤا اِلٰى بَارِئِكُمْ فَاقْتُلُوْۤا اَنْفُسَكُمْ ذٰلِكُمْ خَيْرٌ لَّكُمْ عِنْدَ بَارِئِكُمْ ؕ فَتَابَ عَلَيْكُمْ ؕ اِنَّهٗ هُوَ التَّوَّابُ الرَّحِيْمُ ﴿٥٤﴾
৫৫. স্মরণ করো, তোমরা যখন বলেছিলে: 'হে মূসা! আমরা আল্লাহ্‌কে সচক্ষে (তোমার সাথে কথা বলতে) না দেখলে বিশ্বাস করবোনা (যে, তিনি তোমার সাথে কথা বলেন।)' তখন আকস্মিক বজ্রপাত তোমাদের মৃত্যু ঘটিয়ে দিয়েছিল-তোমাদের চোখের সামনেই।	وَ اِذْ قُلْتُمْ يٰمُوْسٰى لَنْ نُّؤْمِنَ لَكَ حَتّٰى نَرَى اللّٰهَ جَهْرَةً فَاَخَذَتْكُمُ الصّٰعِقَةُ وَ اَنْتُمْ تَنْظُرُوْنَ ﴿٥٥﴾
৫৬. তোমাদের সেই মৃত্যুর পর পুনরায় আমরা তোমাদের বে'ছত (পুনর্জীবন) দান করি, যাতে করে তোমরা শোকরগুজার হও।	ثُمَّ بَعَثْنٰكُمْ مِّنْۢ بَعْدِ مَوْتِكُمْ لَعَلَّكُمْ تَشْكُرُوْنَ ﴿٥٦﴾
৫৭. তাছাড়া, আমরা তোমাদের ছায়ার ব্যবস্থা	وَ ظَلَّلْنَا عَلَيْكُمُ الْغَمَامَ وَ اَنْزَلْنَا عَلَيْكُمُ

করে দিয়েছিলাম মেঘমালা দিয়ে এবং তোমাদের জন্যে নাযিল করেছিলাম মান্না আর সালওয়া। বলেছিলাম: আমরা যে উত্তম পবিত্র জীবিকা তোমাদের দিয়েছি, তা থেকে খাও। তবে তারা আমাদের প্রতি যুলুম করেনি, বরং যুলুম তারা নিজেদের প্রতিই করেছে।	الْمَنَّ وَ السَّلْوٰى ؕ كُلُوْا مِنْ طَيِّبٰتِ مَا رَزَقْنٰكُمْ ؕ وَ مَا ظَلَمُوْنَا وَ لٰكِنْ كَانُوْٓا اَنْفُسَهُمْ يَظْلِمُوْنَ ﴿٥٧﴾
৫৮. স্মরণ করো, আমরা যখন বলেছিলাম: তোমরা এই জনপদে (জেরুজালেম-এ) প্রবেশ করো, আর সেখানকার যেখান থেকে ইচ্ছে খাও আনন্দচিত্তে। তবে শহরের মূলগেইট দিয়ে ঢুকবে সাজদা করে এবং (ঢোকার সময়) বলবে: 'হিত্তাতুন হিত্তাতুন'। তাহলেই আমরা তোমাদের অপরাধ ক্ষমা করে দেবো এবং কল্যাণকামীদের প্রতি আমাদের অনুগ্রহের মাত্রা বাড়িয়ে দেবো।	وَاِذْ قُلْنَا ادْخُلُوْا هٰذِهِ الْقَرْيَةَ فَكُلُوْا مِنْهَا حَيْثُ شِئْتُمْ رَغَدًا وَّادْخُلُوا الْبَابَ سُجَّدًا وَّقُوْلُوْا حِطَّةٌ نَّغْفِرْ لَكُمْ خَطٰيٰكُمْ ؕ وَسَنَزِيْدُ الْمُحْسِنِيْنَ ﴿٥٨﴾
৫৯. কিন্তু যারা (সেখানে ঢুকে) যুলুম (অত্যাচার)-এ লিপ্ত হয়, তারা তাদেরকে শিখিয়ে দেয়া কথাটি বদল করে তার স্থলে অন্যকথা বলছিল। ফলে যারা যুলুম করলো, আমরা আকাশ থেকে তাদের উপর নাযিল করলাম আযাব, কারণ তারা করেছিল সীমালংঘন।	فَبَدَّلَ الَّذِيْنَ ظَلَمُوْا قَوْلًا غَيْرَ الَّذِىْ قِيْلَ لَهُمْ فَاَنْزَلْنَا عَلَى الَّذِيْنَ ظَلَمُوْا رِجْزًا مِّنَ السَّمَآءِ بِمَا كَانُوْا يَفْسُقُوْنَ ﴿٥٩﴾
৬০. আরো স্মরণ করো সেই সময়ের কথা, যখন মূসা (তীহের মরু প্রান্তরে) তার কওমের জন্যে পানি প্রার্থনা করেছিল, তখন আমরা তাকে বলেছিলাম: 'তোমার লাঠি দিয়ে এই পাথরটিতে আঘাত করো।' (মূসার আঘাতের) ফলে তা (পাথরটি) থেকে প্রবাহিত হয়ে পড়ে বারটি ঝর্ণাধারা। প্রত্যেক (গোত্রের) লোকেরা চিনে নেয় নিজেদের পানি গ্রহণের স্থান (নিজস্ব ঝর্ণা)। আমি তাদের বললাম: 'পানাহার করো আল্লাহ্‌র দেয়া রিযিক থেকে এবং দেশে অশান্তি সৃষ্টি করোনা দুষ্কৃতকারীদের মতো।'	وَاِذِ اسْتَسْقٰى مُوْسٰى لِقَوْمِهٖ فَقُلْنَا اضْرِبْ بِّعَصَاكَ الْحَجَرَ ؕ فَانْفَجَرَتْ مِنْهُ اثْنَتَا عَشْرَةَ عَيْنًا ؕ قَدْ عَلِمَ كُلُّ اُنَاسٍ مَّشْرَبَهُمْ ؕ كُلُوْا وَ اشْرَبُوْا مِنْ رِّزْقِ اللّٰهِ وَلَا تَعْثَوْا فِى الْاَرْضِ مُفْسِدِيْنَ ﴿٦٠﴾
৬১. আর (স্মরণ করো) যখন তোমরা বলেছিলে: 'হে মূসা! আমরা তো (দীর্ঘদিন) এক ধরণের খাদ্যের উপর সবর করে থাকতে পারিনা। সুতরাং, তুমি তোমার রবের কাছে আমাদের জন্যে দোয়া করো, তিনি যেনো আমাদের জন্যে জমিন থেকে উৎপন্ন শাক-সবজি, শশা, গম (বা রসূন), পেয়াজ ও ডালের ব্যবস্থা করে দেন।' (তখন মূসা তোমাদের) বলেছিল: 'তোমরা কি একটা উত্তম খাদ্যকে নিম্ন মানের খাদ্যের সাথে বদল করতে চাও? তবে কোনো শহরে চলে যাও, তোমরা যা চাইছো, সেখানে গেলে সেগুলো পাবে।' শেষ পর্যন্ত তারা হীনতা ও দারিদ্রে	وَاِذْ قُلْتُمْ يٰمُوْسٰى لَنْ نَّصْبِرَ عَلٰى طَعَامٍ وَّاحِدٍ فَادْعُ لَنَا رَبَّكَ يُخْرِجْ لَنَا مِمَّا تُنْۢبِتُ الْاَرْضُ مِنْۢ بَقْلِهَا وَ قِثَّآئِهَا وَ فُوْمِهَا وَ عَدَسِهَا وَ بَصَلِهَا ؕ قَالَ اَتَسْتَبْدِلُوْنَ الَّذِىْ هُوَ اَدْنٰى بِالَّذِىْ هُوَ خَيْرٌ ؕ اِهْبِطُوْا مِصْرًا فَاِنَّ لَكُمْ مَّا سَاَلْتُمْ ؕ وَ ضُرِبَتْ عَلَيْهِمُ الذِّلَّةُ وَ الْمَسْكَنَةُ ۗ وَ بَآءُوْ بِغَضَبٍ مِّنَ اللّٰهِ ؕ ذٰلِكَ بِاَنَّهُمْ كَانُوْا

রুকু ০৬

নিমজ্জিত হলো এবং কামাই করলো আল্লাহ্‌র গজব। তাদের এই (লাঞ্ছনার) কারণ ছিলো এটা, তারা কুফুরি করেছিল আল্লাহ্‌র আয়াতসমূহের প্রতি এবং নবীদের কতল করছিল না হকভাবে। এই ধরণের অবাধ্যতা আর সীমালংঘনের কারণেই তারা পতিত হয়েছিল এই অবস্থায়।	يَكْفُرُوْنَ بِاٰيٰتِ اللّٰهِ وَ يَقْتُلُوْنَ النَّبِيّٖنَ بِغَيْرِ الْحَقِّ ؕ ذٰلِكَ بِمَا عَصَوْا وَّ كَانُوْا يَعْتَدُوْنَ ﴿٦١﴾
৬২. নিশ্চয়ই যারা ঈমান এনেছে, আর যারা ইহুদি হয়েছে এবং যারা নাসারা ও সাবি, তাদের মধ্য থেকে যারাই ঈমান আনবে আল্লাহ্‌র প্রতি, পরকালের প্রতি এবং আমলে সালেহ্ করবে, তাদের জন্যে পুরস্কার রয়েছে তাদের রবের কাছে। তাদের কোনো ভয় নেই এবং তারা মনোকষ্টও পাবেনা।	اِنَّ الَّذِيْنَ اٰمَنُوْا وَ الَّذِيْنَ هَادُوْا وَ النَّصٰرٰى وَ الصّٰبِـِٕيْنَ مَنْ اٰمَنَ بِاللّٰهِ وَ الْيَوْمِ الْاٰخِرِ وَ عَمِلَ صَالِحًا فَلَهُمْ اَجْرُهُمْ عِنْدَ رَبِّهِمْ ۚ وَلَا خَوْفٌ عَلَيْهِمْ وَلَا هُمْ يَحْزَنُوْنَ ﴿٦٢﴾
৬৩. আরো স্মরণ করো, আমরা যখন তোমাদের উপর তুরপাহাড় তুলে ধরে তোমাদের থেকে পাকা অংগীকার গ্রহণ করেছিলাম, বলেছিলাম: আমরা তোমাদের যে কিতাব দিয়েছি তা শক্ত করে আঁকড়ে ধরো এবং তাতে যেসব বিধি বিধান রয়েছে সেগুলো আলোচনা, অনুশীলন ও অনুবর্তন করো, তবেই তোমরা রক্ষা পাবে।	وَاِذْ اَخَذْنَا مِيْثَاقَكُمْ وَرَفَعْنَا فَوْقَكُمُ الطُّوْرَ ؕ خُذُوْا مَاۤ اٰتَيْنٰكُمْ بِقُوَّةٍ وَّ اذْكُرُوْا مَا فِيْهِ لَعَلَّكُمْ تَتَّقُوْنَ ﴿٦٣﴾
৬৪. কিন্তু এরপরও তোমরা তোমাদের অংগীকার ভংগ করলে। তোমাদের প্রতি যদি আল্লাহ্‌র ফযল এবং রহমত না হতো, তাহলে অবশ্যি তোমরা ধ্বংস হয়ে যেতে।	ثُمَّ تَوَلَّيْتُمْ مِّنْۢ بَعْدِ ذٰلِكَ ۚ فَلَوْلَا فَضْلُ اللّٰهِ عَلَيْكُمْ وَرَحْمَتُهٗ لَكُنْتُمْ مِّنَ الْخٰسِرِيْنَ ﴿٦٤﴾
৬৫. তোমাদের মধ্যে যারা শনিবারের ব্যাপারে সীমালংঘন করেছিল, তাদের বিষয়টা তোমরা অবশ্যি জানো। আমরা তাদের বলেছিলাম: 'তোমরা হীন-ঘৃণিত বানর হয়ে যাও।'	وَ لَقَدْ عَلِمْتُمُ الَّذِيْنَ اعْتَدَوْا مِنْكُمْ فِي السَّبْتِ فَقُلْنَا لَهُمْ كُوْنُوْا قِرَدَةً خٰسِـِٕيْنَ ﴿٦٥﴾
৬৬. এই ঘটনাকে আমরা একটা উদাহরণ বানিয়ে দিয়েছি তাদের সমকালীন এবং পরবর্তী প্রজন্মের জন্যে এবং এটাকে শিক্ষা ও উপদেশ গ্রহণের বিষয় বানিয়ে দিয়েছি সচেতন লোকদের জন্যে।	فَجَعَلْنٰهَا نَكَالًا لِّمَا بَيْنَ يَدَيْهَا وَ مَا خَلْفَهَا وَ مَوْعِظَةً لِّلْمُتَّقِيْنَ ﴿٦٦﴾
৬৭. স্মরণ করো, যখন মূসা তার কওমকে বলেছিল: 'আল্লাহ তোমাদের নির্দেশ দিচ্ছেন একটি গরু যবেহ করতে।' তারা বললো: 'তুমি কি আমাদের সাথে বিদ্রুপ করছো?' সে বললো: 'আমি আল্লাহ্‌র আশ্রয় চাই জাহিলদের মতো কথা বলা থেকে।'	وَاِذْ قَالَ مُوْسٰى لِقَوْمِهٖۤ اِنَّ اللّٰهَ يَاْمُرُكُمْ اَنْ تَذْبَحُوْا بَقَرَةً ؕ قَالُوْۤا اَتَتَّخِذُنَا هُزُوًا ؕ قَالَ اَعُوْذُ بِاللّٰهِ اَنْ اَكُوْنَ مِنَ الْجٰهِلِيْنَ ﴿٦٧﴾
৬৮. তারা বললো: 'তোমার প্রভুর কাছে আমাদের জন্যে দোয়া করো, তিনি যেনো পরিষ্কার করে বলে দেন গরুটা কেমন হবে?' সে বললো: 'তিনি (আল্লাহ) বলেছেন, সেটি হবে এমন একটি গরু যা বুড়াও নয়, কচি	قَالُوا ادْعُ لَنَا رَبَّكَ يُبَيِّنْ لَّنَا مَا هِيَ ؕ قَالَ اِنَّهٗ يَقُوْلُ اِنَّهَا بَقَرَةٌ لَّا فَارِضٌ وَّلَا بِكْرٌ ؕ

রুকু ০৭

বাছুরও নয়, বরং এ উভয়ের মাঝামাঝি মধ্য বয়সের। সুতরাং তোমাদের যা আদেশ করা হয়েছে তা পালন করো।’

عَوَانٌۢ بَيۡنَ ذٰلِكَ ؕ فَافۡعَلُوۡا مَا تُؤۡمَرُوۡنَ ﴿۶۸﴾

৬৯. তারা বললো: ‘(হে মূসা!) তোমার প্রভুর কাছে আমাদের জন্যে দোয়া করো, তিনি যেনো বলে দেন, গরুটির রঙ কি হবে?’ সে (মূসা) বললো: ‘তিনি বলেছেন সেটি হতে হবে হলুদ রঙের গাঢ় উজ্জ্বল বর্ণের যা মুগ্ধ করবে দর্শকদের।

قَالُوا ادۡعُ لَنَا رَبَّكَ يُبَيِّنۡ لَّنَا مَا لَوۡنُهَا ؕ قَالَ اِنَّهٗ يَقُوۡلُ اِنَّهَا بَقَرَةٌ صَفۡرَآءُ ۙ فَاقِعٌ لَّوۡنُهَا تَسُرُّ النّٰظِرِيۡنَ ﴿۶۹﴾

৭০. তারা বললো: ‘আমাদের জন্যে দোয়া করো তোমার প্রভুর কাছে, তিনি যেনো বলে দেন-আসলে গরুটি কেমন হবে? আমরা গরুটির ধরণ সম্পর্কে সংশয়ে আছি। তবে ইনশাল্লাহ আমরা সঠিক (গরু) টির সন্ধান অবশ্যি পেয়ে যাবো।’

قَالُوا ادۡعُ لَنَا رَبَّكَ يُبَيِّنۡ لَّنَا مَا هِيَ ۙ اِنَّ الۡبَقَرَ تَشٰبَهَ عَلَيۡنَا ؕ وَاِنَّاۤ اِنۡ شَآءَ اللّٰهُ لَمُهۡتَدُوۡنَ ﴿۷۰﴾

৭১. সে বললো: ‘তিনি (আল্লাহ) বলেছেন, সেটি হবে এমন একটি গরু যেটি কোনো কাজে ব্যবহৃত হয়নি, না জমি চাষে, আর না পানি সেচে, সুস্থ-সবল নিখুঁত গরু।’ তারা বললো: ‘এবার তুমি সঠিক বর্ণনা নিয়ে এসেছো।’ অতপর তারা সেটি যবেহ করলো, যদিও তারা তা (গরু যবেহ) করতে সহজে প্রস্তুত ছিলোনা।

রুকু ০৮

قَالَ اِنَّهٗ يَقُوۡلُ اِنَّهَا بَقَرَةٌ لَّا ذَلُوۡلٌ تُثِيۡرُ الۡاَرۡضَ وَلَا تَسۡقِى الۡحَرۡثَ ۚ مُسَلَّمَةٌ لَّا شِيَةَ فِيۡهَا ؕ قَالُوا الۡـٰٔنَ جِئۡتَ بِالۡحَقِّ ؕ فَذَبَحُوۡهَا وَمَا كَادُوۡا يَفۡعَلُوۡنَ ﴿۷۱﴾

৭২. আরো স্মরণ করো, তোমরা যখন এক ব্যক্তিকে হত্যা করেছিলে, অতপর পরস্পরের বিরুদ্ধে হত্যার অভিযোগ করছিলে। অথচ আল্লাহ (তা) বের করে আনার (প্রকাশ করার) সিদ্ধান্ত নেন, তোমরা যা গোপন করছিলে।

وَاِذۡ قَتَلۡتُمۡ نَفۡسًا فَادّٰرَءۡتُمۡ فِيۡهَا ؕ وَاللّٰهُ مُخۡرِجٌ مَّا كُنۡتُمۡ تَكۡتُمُوۡنَ ﴿۷۲﴾

৭৩. তখন আমরা বলেছিলাম: ‘ওকে (মৃত ব্যক্তির লাশকে) আঘাত করো এটির (যবেহ করা গরুটির) কোনো অংশ দিয়ে।’ এভাবেই আল্লাহ জীবিত করবেন মৃতকে এবং তোমাদের দেখাবেন তাঁর নিদর্শন যাতে করে তোমরা আকল খাটিয়ে চলতে পারো।

فَقُلۡنَا اضۡرِبُوۡهُ بِبَعۡضِهَا ؕ كَذٰلِكَ يُحۡىِ اللّٰهُ الۡمَوۡتٰى ۙ وَيُرِيۡكُمۡ اٰيٰتِهٖ لَعَلَّكُمۡ تَعۡقِلُوۡنَ ﴿۷۳﴾

৭৪. এর পরেও কঠিন হয়ে গেলো তোমাদের হৃদয়গুলো। সেগুলো কঠিন হয়ে গেলো পাথরের মতো, কিংবা তার চাইতেও কঠিন। আর নিশ্চয়ই এমন অনেক পাথর আছে, যেগুলো থেকে প্রবাহিত হয় নহর। এমনও অনেক পাথর আছে, যেগুলো ফেটে যায় এবং সেগুলো থেকে বেরিয়ে আসে পানি। এমন পাথরও আছে যেগুলো আল্লাহ্‌র ভয়ে (কাঁপতে কাঁপতে) নিচের দিকে ধ্বসে পড়ে। আল্লাহ মোটেও গাফিল নন তোমাদের কর্মকান্ড সম্পর্কে।

ثُمَّ قَسَتۡ قُلُوۡبُكُمۡ مِّنۡۢ بَعۡدِ ذٰلِكَ فَهِىَ كَالۡحِجَارَةِ اَوۡ اَشَدُّ قَسۡوَةً ؕ وَاِنَّ مِنَ الۡحِجَارَةِ لَمَا يَتَفَجَّرُ مِنۡهُ الۡاَنۡهٰرُ ؕ وَاِنَّ مِنۡهَا لَمَا يَشَّقَّقُ فَيَخۡرُجُ مِنۡهُ الۡمَآءُ ؕ وَاِنَّ مِنۡهَا لَمَا يَهۡبِطُ مِنۡ خَشۡيَةِ اللّٰهِ ؕ وَمَا اللّٰهُ بِغَافِلٍ عَمَّا تَعۡمَلُوۡنَ ﴿۷۴﴾

৭৫. (হে মুসলিম উম্মাহ!) এখন বলো, এই লোকদের ব্যাপারেই কি তোমরা আশা করো যে, তারা তোমাদের দাওয়াতের প্রতি ঈমান আনবে? অথচ এদের অবস্থা হলো, এদেরই একটি গ্রুপ আল্লাহ্‌র কালাম শুনতো, তারপর বুঝে শুনে তা তাহরিফ (বিকৃত) করতো। অথচ তারা জানতো (এটা আল্লাহ্‌র কালাম)।

اَفَتَطۡمَعُوۡنَ اَنۡ یُّؤۡمِنُوۡا لَکُمۡ وَ قَدۡ کَانَ فَرِیۡقٌ مِّنۡهُمۡ یَسۡمَعُوۡنَ کَلٰمَ اللّٰهِ ثُمَّ یُحَرِّفُوۡنَهٗ مِنۡۢ بَعۡدِ مَا عَقَلُوۡهُ وَ هُمۡ یَعۡلَمُوۡنَ ﴿۷۵﴾

৭৬. তারা (ইহুদিরা) যখন মোলাকাত করে মুমিনদের সাথে, তখন বলে: 'আমরা ঈমান এনেছি।' আবার যখন তারা একে অপরের সাথে একান্তে মিলিত হয়, তখন বলে: 'যে বিষয়গুলো আল্লাহ তোমাদের কাছে উন্মুক্ত করেছেন সেগুলো কি তোমরা ওদের (মুসলিমদের) বলে দিচ্ছো? - এতে করে তো ওরা তোমাদের প্রভুর সামনে তোমাদের বিরুদ্ধে হুজ্জত (প্রমাণ) দাঁড় করাবে, তোমরা কি আকল খাটাওনা?'

وَ اِذَا لَقُوا الَّذِیۡنَ اٰمَنُوۡا قَالُوۡۤا اٰمَنَّا ۚۖ وَ اِذَا خَلَا بَعۡضُهُمۡ اِلٰی بَعۡضٍ قَالُوۡۤا اَتُحَدِّثُوۡنَهُمۡ بِمَا فَتَحَ اللّٰهُ عَلَیۡکُمۡ لِیُحَآجُّوۡکُمۡ بِهٖ عِنۡدَ رَبِّکُمۡ ؕ اَفَلَا تَعۡقِلُوۡنَ ﴿۷۶﴾

৭৭. তারা কি জানেনা যে, নিশ্চয়ই আল্লাহ জানেন, যা তারা গোপন করে এবং যা তারা এলান (ঘোষণা) করে?

اَوَ لَا یَعۡلَمُوۡنَ اَنَّ اللّٰهَ یَعۡلَمُ مَا یُسِرُّوۡنَ وَ مَا یُعۡلِنُوۡنَ ﴿۷۷﴾

৭৮. তাদের মধ্যে আরেকদল লোক আছে, যারা উম্মি (নিরক্ষর), তারা কিতাবের এলেম রাখেনা, ভিত্তিহীন আশা ভরসা নিয়ে তারা চলে। নিছক ধারণা অনুমানই তাদের পথ প্রদর্শক।

وَ مِنۡهُمۡ اُمِّیُّوۡنَ لَا یَعۡلَمُوۡنَ الۡکِتٰبَ اِلَّاۤ اَمَانِیَّ وَ اِنۡ هُمۡ اِلَّا یَظُنُّوۡنَ ﴿۷۸﴾

৭৯. তাই, ঐসব লোকদের জন্যে ধ্বংস-দুর্ভোগ অবধারিত, যারা নিজেদের হাতে কিতাব লেখে, তারপর লোকদের বলে: 'এ (বিধান) আল্লাহ্‌র কাছ থেকে এসেছে।' সামান্য মূল্যের স্বার্থ ক্রয়ের জন্যে তারা একাজ করে। সুতরাং তাদের জন্যে 'ওয়াইল' তারা নিজেদের হাতে যা রচনা করেছে সেটার জন্যে এবং তাদের জন্যে 'ওয়াইল' এর মাধ্যমে তারা যা কামাই করে সেটার জন্যে।

فَوَیۡلٌ لِّلَّذِیۡنَ یَکۡتُبُوۡنَ الۡکِتٰبَ بِاَیۡدِیۡهِمۡ ٭ ثُمَّ یَقُوۡلُوۡنَ هٰذَا مِنۡ عِنۡدِ اللّٰهِ لِیَشۡتَرُوۡا بِهٖ ثَمَنًا قَلِیۡلًا ؕ فَوَیۡلٌ لَّهُمۡ مِّمَّا کَتَبَتۡ اَیۡدِیۡهِمۡ وَ وَیۡلٌ لَّهُمۡ مِّمَّا یَکۡسِبُوۡنَ ﴿۷۹﴾

৮০. তারা বলে: 'আগুন (জাহান্নাম) কখনো আমাদের স্পর্শ করবেনা, করলেও তা করবে মাত্র কয়েক দিনের জন্যে।' (হে নবী) এদের জিজ্ঞাসা করো: 'তোমরা কি (এব্যাপারে) আল্লাহ্‌র কাছ থেকে কোনো অংগীকার আদায় করে নিয়েছো, যে অংগীকারের আল্লাহ কখনো খেলাফ করবেন না? নাকি তোমরা আল্লাহ্‌র প্রতি আরোপ করছো এমন কথা (অপবাদ), যার এলেম তোমাদের নেই?'

وَ قَالُوۡا لَنۡ تَمَسَّنَا النَّارُ اِلَّاۤ اَیَّامًا مَّعۡدُوۡدَةً ؕ قُلۡ اَتَّخَذۡتُمۡ عِنۡدَ اللّٰهِ عَهۡدًا فَلَنۡ یُّخۡلِفَ اللّٰهُ عَهۡدَهٗۤ اَمۡ تَقُوۡلُوۡنَ عَلَی اللّٰهِ مَا لَا تَعۡلَمُوۡنَ ﴿۸۰﴾

৮১. হ্যা, যারাই কামাই করে পাপকর্ম এবং তাদের ঘেরাও করে ফেলে তাদের পাপরাশি,

بَلٰی مَنۡ کَسَبَ سَیِّئَةً وَّ اَحَاطَتۡ بِهٖ خَطِیۡٓـَٔتُهٗ

তারাই হবে আগুনের অধিবাসী, সেখানে (আগুনের মধ্যে) থাকবে তারা চিরকাল।	فَاُولٰٓئِكَ اَصۡحٰبُ النَّارِ ۚ هُمۡ فِيۡهَا خٰلِدُوۡنَ ﴿۸۱﴾
৮২. অন্যদিকে, যারা ঈমান আনে এবং আমলে সালেহ্ করে, তারা হবে জান্নাতের অধিবাসী, সেখানে থাকবে তারা চিরকাল। (রুকু ০৯)	وَالَّذِيۡنَ اٰمَنُوۡا وَعَمِلُوا الصّٰلِحٰتِ اُولٰٓئِكَ اَصۡحٰبُ الۡجَنَّةِ ۚ هُمۡ فِيۡهَا خٰلِدُوۡنَ ﴿۸۲﴾
৮৩. আরো স্মরণ করো, (এ কথাগুলোর উপর) আমরা যখন বনি ইসরাঈল থেকে পাকা অংগীকার নিয়েছিলাম যে: 'তোমরা আল্লাহ ছাড়া আর কারো ইবাদত করবেনা; পিতা-মাতা, আত্মীয় স্বজন এবং এতিম ও মিসকিনদের সাথে উত্তম ও সদয় আচরণ করবে; মানুষের সাথে ভালো কথা বলবে; সালাত কায়েম করবে এবং যাকাত প্রদান করবে,' তখনো অল্প কিছু লোক ছাড়া তোমরা সবাই সেই অংগীকার ভংগ করেছিলে এবং এখনো তা থেকে মুখ ফিরিয়েই চলেছো।	وَاِذۡ اَخَذۡنَا مِيۡثَاقَ بَنِىۡٓ اِسۡرَآءِيۡلَ لَا تَعۡبُدُوۡنَ اِلَّا اللّٰهَ ۟ وَبِالۡوَالِدَيۡنِ اِحۡسَانًا وَّذِى الۡقُرۡبٰى وَالۡيَتٰمٰى وَالۡمَسٰكِيۡنِ وَقُوۡلُوۡا لِلنَّاسِ حُسۡنًا وَّاَقِيۡمُوا الصَّلٰوةَ وَ اٰتُوا الزَّكٰوةَ ؕ ثُمَّ تَوَلَّيۡتُمۡ اِلَّا قَلِيۡلًا مِّنۡكُمۡ وَاَنۡتُمۡ مُّعۡرِضُوۡنَ ﴿۸۳﴾
৮৪. আরো স্মরণ করো, যখন আমরা তোমাদের থেকে পাকা অংগীকার নিয়েছিলাম: 'তোমরা নিজেদের ভেতর রক্তপাত করবেনা এবং নিজেদের লোকজনদের স্বদেশ থেকে বের করে দেবেনা।' এই (অংগীকারের) কথাগুলো তোমরা স্বীকার করে নিয়েছিলে এবং এর সাক্ষী তোমরা নিজেরাই।	وَاِذۡ اَخَذۡنَا مِيۡثَاقَكُمۡ لَا تَسۡفِكُوۡنَ دِمَآءَكُمۡ وَ لَا تُخۡرِجُوۡنَ اَنۡفُسَكُمۡ مِّنۡ دِيَارِكُمۡ ثُمَّ اَقۡرَرۡتُمۡ وَاَنۡتُمۡ تَشۡهَدُوۡنَ ﴿۸۴﴾
৮৫. এই পাকা অংগীকার করার পরও সেই তোমরাই তো আজ নিজেদের পরস্পরকে হত্যা করছো, একদল আরেকদলকে তাদের ঘর বাড়ি-স্বদেশ থেকে বহিষ্কার করছো, তাদের বিরুদ্ধে (তাদের শত্রুদের) সাহায্য করছো পাপকর্ম এবং সীমালংঘনের মাধ্যমে। তারা যুদ্ধবন্দী হয়ে তোমাদের কাছে এলে তাদের মুক্তির জন্যে মুক্তিপণ লেনদেন করছো, অথচ তাদেরকে তাদের ঘরবাড়ি থেকে বহিষ্কার করাটাই ছিলো তোমাদের জন্যে হারাম। তবে কি তোমরা (আল্লাহ্‌র) কিতাবের কিছু অংশের প্রতি বিশ্বাস রাখো আর কিছু অংশ করো অস্বীকার-অমান্য? তোমাদের মধ্যে যারাই এমনটি করে, তাদের প্রতিদান এছাড়া আর কিছুই নয় যে, দুনিয়ার জীবনে তাদের গ্রাস করবে হীনতা-লাঞ্ছনা-গঞ্জনা, আর কিয়ামতের দিন তাদের নিক্ষেপ করা হবে কঠিনতম আযাবে। আল্লাহ মোটেও গাফিল নন তোমাদের কর্মকান্ডের ব্যাপারে।	ثُمَّ اَنۡتُمۡ هٰٓؤُلَآءِ تَقۡتُلُوۡنَ اَنۡفُسَكُمۡ وَتُخۡرِجُوۡنَ فَرِيۡقًا مِّنۡكُمۡ مِّنۡ دِيَارِهِمۡ ۫ تَظٰهَرُوۡنَ عَلَيۡهِمۡ بِالۡاِثۡمِ وَ الۡعُدۡوَانِ ؕ وَاِنۡ يَّاۡتُوۡكُمۡ اُسٰرٰى تُفٰدُوۡهُمۡ وَهُوَ مُحَرَّمٌ عَلَيۡكُمۡ اِخۡرَاجُهُمۡ ؕ اَفَتُؤۡمِنُوۡنَ بِبَعۡضِ الۡكِتٰبِ وَ تَكۡفُرُوۡنَ بِبَعۡضٍ ۚ فَمَا جَزَآءُ مَنۡ يَّفۡعَلُ ذٰلِكَ مِنۡكُمۡ اِلَّا خِزۡىٌ فِى الۡحَيٰوةِ الدُّنۡيَا ۚ وَيَوۡمَ الۡقِيٰمَةِ يُرَدُّوۡنَ اِلٰٓى اَشَدِّ الۡعَذَابِ ؕ وَ مَا اللّٰهُ بِغَافِلٍ عَمَّا تَعۡمَلُوۡنَ ﴿۸۵﴾
৮৬. এরাই সেইসব লোক, যারা ক্রয় করেছে দুনিয়ার জীবনকে আখিরাতের (সাফল্যের) বিনিময়ে। সুতরাং তাদের থেকে মোটেও হালকা (লাঘব) করা হবেনা আযাব এবং কোনো প্রকার সাহায্যও করা হবেনা তাদের। (রুকু ১০)	اُولٰٓئِكَ الَّذِيۡنَ اشۡتَرَوُا الۡحَيٰوةَ الدُّنۡيَا بِالۡاٰخِرَةِ ۫ فَلَا يُخَفَّفُ عَنۡهُمُ الۡعَذَابُ وَلَا هُمۡ يُنۡصَرُوۡنَ ﴿۸۶﴾

৮৭. আমরা মূসাকে কিতাব দিয়েছিলাম, তার পরে পর্যায়ক্রমে রসূলদের পাঠিয়েছি আর মরিয়মের পুত্র ঈসাকে সুস্পষ্ট প্রমাণ ও নিদর্শনসমূহ দিয়েছি এবং তাকে সাহায্য করেছি রূহুল কুদুস-কে দিয়ে। তোমরা তো এমনটিই করে এসেছো, যখনই কোনো রসূল তোমাদের ইচ্ছার বিরুদ্ধ কোনো বিধান নিয়ে তোমাদের কাছে এসেছে, তোমরা তার সাথে দাম্ভিকতা প্রদর্শন করেছো, তাদের কিছু (রসূল)-কে তোমরা অস্বীকার করেছো, আর কিছু (রসূল)-কে করেছো কতল।	وَلَقَدْ اٰتَيْنَا مُوْسَى الْكِتٰبَ وَقَفَّيْنَا مِنْۢ بَعْدِهٖ بِالرُّسُلِ ۫ وَاٰتَيْنَا عِيْسَى ابْنَ مَرْيَمَ الْبَيِّنٰتِ وَاَيَّدْنٰهُ بِرُوْحِ الْقُدُسِ ؕ اَفَكُلَّمَا جَآءَكُمْ رَسُوْلٌۢ بِمَا لَا تَهْوٰۤى اَنْفُسُكُمُ اسْتَكْبَرْتُمْ ۚ فَفَرِيْقًا كَذَّبْتُمْ ۫ وَفَرِيْقًا تَقْتُلُوْنَ ﴿۸۷﴾
৮৮. তারা বলে: 'আমাদের কলবসমূহ সংরক্ষিত।' না (ব্যাপার তা নয়), বরং আল্লাহ তাদের লানত করেছেন তাদের কুফুরির কারণে। সুতরাং, অতি অল্পই তারা ঈমান আনে।	وَقَالُوْا قُلُوْبُنَا غُلْفٌ ؕ بَلْ لَّعَنَهُمُ اللّٰهُ بِكُفْرِهِمْ فَقَلِيْلًا مَّا يُؤْمِنُوْنَ ﴿۸۸﴾
৮৯. যখন তাদের কাছে আল্লাহ্‌র নিকট থেকে এমন একটি কিতাব (আল কুরআন) আসলো, যেটি সত্যায়িত করে সেই কিতাবকে যেটি পূর্ব থেকেই রয়েছে তাদের কাছে। যদিও ইতোপূর্বে তারা কাফিরদের উপর বিজয়ের জন্যে শেষ (নবীর) আগমনের প্রার্থনা করতো; কিন্তু যখনই সে আসলো, যার পরিচয় তাদের কাছে জানা ছিলো পরিষ্কারভাবে, তারা তাকে প্রত্যাখ্যান করলো। সুতরাং এই কাফিরদের উপর আল্লাহ্‌র লানত।	وَلَمَّا جَآءَهُمْ كِتٰبٌ مِّنْ عِنْدِ اللّٰهِ مُصَدِّقٌ لِّمَا مَعَهُمْ ۙ وَكَانُوْا مِنْ قَبْلُ يَسْتَفْتِحُوْنَ عَلَى الَّذِيْنَ كَفَرُوْا ۚ فَلَمَّا جَآءَهُمْ مَّا عَرَفُوْا كَفَرُوْا بِهٖ ۫ فَلَعْنَةُ اللّٰهِ عَلَى الْكٰفِرِيْنَ ﴿۸۹﴾
৯০. কতোইনা মন্দ সেই জিনিসটি যার বিনিময়ে তারা বিক্রয় করছে নিজেদেরকে। তাহলো, আল্লাহ যা (যে কুরআন) নাযিল করেছেন, শুধু এই জিদের বশবর্তী হয়ে তারা তার প্রতি কুফুরি করছে যে, আল্লাহ তাঁর দাসদের মধ্যে যাকে (মুহাম্মদকে) চেয়েছেন তার প্রতি সেই অনুগ্রহ নাযিল করেছেন। ফলে তারা অর্জন করলো গজবের উপর গজব। আর কাফিরদের জন্যে তো অপমানকর আযাব রয়েছেই।	بِئْسَمَا اشْتَرَوْا بِهٖۤ اَنْفُسَهُمْ اَنْ يَّكْفُرُوْا بِمَاۤ اَنْزَلَ اللّٰهُ بَغْيًا اَنْ يُّنَزِّلَ اللّٰهُ مِنْ فَضْلِهٖ عَلٰى مَنْ يَّشَآءُ مِنْ عِبَادِهٖ ۚ فَبَآءُوْ بِغَضَبٍ عَلٰى غَضَبٍ ؕ وَلِلْكٰفِرِيْنَ عَذَابٌ مُّهِيْنٌ ﴿۹۰﴾
৯১. আর যখন তাদের বলা হয়: 'তোমরা ঈমান আনো সেই জিনিসের (কুরআনের) প্রতি যা আল্লাহ নাযিল করেছেন', তখন তারা বলে: 'আমরা তো শুধু ঈমান রাখি সেই জিনিসের প্রতি যা নাযিল হয়েছে আমাদের উপর।' -এর বাইরে যা (যে কুরআন) নাযিল হয়েছে তা তারা প্রত্যাখ্যান করছে। অথচ তা মহাসত্য কিতাব, তাদের কাছে যা (তাওরাত) আছে, সেটাকেও এ কিতাব আল্লাহ্‌র কিতাব বলে সত্যায়ন করে। (হে মুহাম্মদ) তাদের জিজ্ঞেস করো: 'তোমরা যদি মুমিনই হয়ে থাকো তবে কেন ইতোপূর্বে আল্লাহ্‌র নবীগণকে কতল করেছিলে?'	وَاِذَا قِيْلَ لَهُمْ اٰمِنُوْا بِمَاۤ اَنْزَلَ اللّٰهُ قَالُوْا نُؤْمِنُ بِمَاۤ اُنْزِلَ عَلَيْنَا وَيَكْفُرُوْنَ بِمَا وَرَآءَهٗ ۗ وَهُوَ الْحَقُّ مُصَدِّقًا لِّمَا مَعَهُمْ ؕ قُلْ فَلِمَ تَقْتُلُوْنَ اَنْۢبِيَآءَ اللّٰهِ مِنْ قَبْلُ اِنْ كُنْتُمْ مُّؤْمِنِيْنَ ﴿۹۱﴾

৯২. অবশ্যি মূসা তোমাদের কাছে সুস্পষ্ট প্রমাণ নিয়ে এসেছিল, তারপরেও তোমরা গো-বাছুর বানিয়ে সেটাকে উপাস্য হিসেবে গ্রহণ করেছিলে। এতো বড় যালিম ছিলে তোমরা।	وَلَقَدْ جَآءَكُمْ مُّوْسٰى بِالْبَيِّنٰتِ ثُمَّ اتَّخَذْتُمُ الْعِجْلَ مِنْۢ بَعْدِهٖ وَاَنْتُمْ ظٰلِمُوْنَ ﴿৯২﴾
৯৩. স্মরণ করো সেই সময়ের কথা, যখন আমরা তোমাদের মাথার উপর তুর পাহাড় উঠিয়ে ধরে তোমাদের থেকে পাকা অংগীকার গ্রহণ করেছিলাম, বলেছিলাম: 'আমরা তোমাদের যা (যে কিতাব ও বিধান) দিলাম তা মজবুতভাবে ধারণ করো এবং (আমার বাণী) শোনো।' তারা বলেছিল: 'আমরা শুনলাম এবং অমান্য করলাম।' আসলে তাদের কুফুরির কারণে তাদের অন্তরে গো-বাছুর পূজার শরাবই প্রবেশ করেছিল। বলো (হে মুহাম্মদ): 'তোমরা যদি মুমিন হয়ে থাকো, তবে তোমাদের ঈমান যার নির্দেশ তোমাদের দেয়, তা কতোইনা নিকৃষ্ট।'	وَاِذْ اَخَذْنَا مِيْثَاقَكُمْ وَرَفَعْنَا فَوْقَكُمُ الطُّوْرَ ؕ خُذُوْا مَآ اٰتَيْنٰكُمْ بِقُوَّةٍ وَّاسْمَعُوْا ؕ قَالُوْا سَمِعْنَا وَعَصَيْنَا ۗ وَاُشْرِبُوْا فِىْ قُلُوْبِهِمُ الْعِجْلَ بِكُفْرِهِمْ ؕ قُلْ بِئْسَمَا يَاْمُرُكُمْ بِهٖۤ اِيْمَانُكُمْ اِنْ كُنْتُمْ مُّؤْمِنِيْنَ ﴿৯৩﴾
৯৪. (হে মুহাম্মদ) বলো: 'আল্লাহ্‌র কাছে আখিরাতের ঘর যদি গোটা মানবজাতিকে বাদ দিয়ে শুধুমাত্র তোমাদের জন্যেই নির্ধারিত হয়ে থাকে, তবে তোমরা (দ্রুত সেখানে যাওয়ার জন্যে) মৃত্যু কামনা করো, যদি তোমরা সত্যবাদী হয়ে থাকো।'	قُلْ اِنْ كَانَتْ لَكُمُ الدَّارُ الْاٰخِرَةُ عِنْدَ اللّٰهِ خَالِصَةً مِّنْ دُوْنِ النَّاسِ فَتَمَنَّوُا الْمَوْتَ اِنْ كُنْتُمْ صٰدِقِيْنَ ﴿৯৪﴾
৯৫. কিন্তু কখনো তারা তা (মৃত্যু) কামনা করবেনা, কারণ তাদের দুহাত যা কামাই করে সেখানে (আখিরাতের জন্যে) পাঠিয়েছে (তা খুবই ভয়ানক)। আল্লাহ খুব ভালোভাবেই জানেন এই যালিমদের অবস্থা।	وَلَنْ يَّتَمَنَّوْهُ اَبَدًاۢ بِمَا قَدَّمَتْ اَيْدِيْهِمْ ؕ وَاللّٰهُ عَلِيْمٌۢ بِالظّٰلِمِيْنَ ﴿৯৫﴾
৯৬. তুমি তাদেরকে পাবে জীবনের প্রতি সমস্ত মানুষের চাইতে অধিক লোভী, এমনকি মুশরিকদের চাইতেও। তাদের প্রত্যেকেরই আকাংখা, তাকে যদি হাজার বছর বয়েস দেয়া হতো! কিন্তু দীর্ঘ বয়েস তাকে কিছুতেই আযাব থেকে দূরে রাখতে পারবেনা। তারা যা যেসব কর্মকান্ড করছে, তা আল্লাহ্‌র দৃষ্টিতে রয়েছে।	وَلَتَجِدَنَّهُمْ اَحْرَصَ النَّاسِ عَلٰى حَيٰوةٍ ۚ وَمِنَ الَّذِيْنَ اَشْرَكُوْا ۚ يَوَدُّ اَحَدُهُمْ لَوْ يُعَمَّرُ اَلْفَ سَنَةٍ ۚ وَمَا هُوَ بِمُزَحْزِحِهٖ مِنَ الْعَذَابِ اَنْ يُّعَمَّرَ ؕ وَاللّٰهُ بَصِيْرٌۢ بِمَا يَعْمَلُوْنَ ﴿৯৬﴾
৯৭. বলো (হে মুহাম্মদ): যে কেউ শত্রুতা করবে জিবরিলের সাথে, তার জেনে রাখা উচিত, জিবরিল তা (এই কুরআন) আল্লাহ্‌র হুকুমেই তোমার কলবে নাযিল করছে। এ গ্রন্থ তোমার পূর্বে অবতীর্ণ কিতাব সমূহের সত্যায়নকারী এবং সত্যপথ প্রদর্শক ও সুসংবাদ মুমিনদের জন্যে।	قُلْ مَنْ كَانَ عَدُوًّا لِّجِبْرِيْلَ فَاِنَّهٗ نَزَّلَهٗ عَلٰى قَلْبِكَ بِاِذْنِ اللّٰهِ مُصَدِّقًا لِّمَا بَيْنَ يَدَيْهِ وَهُدًى وَّبُشْرٰى لِلْمُؤْمِنِيْنَ ﴿৯৭﴾
৯৮. যে কেউ শত্রু হবে আল্লাহ্‌র, তাঁর ফেরেশতাদের, তাঁর রসূলদের এবং জিবরিল ও	مَنْ كَانَ عَدُوًّا لِّلّٰهِ وَمَلٰٓئِكَتِهٖ وَرُسُلِهٖ وَجِبْرِيْلَ

রুকু ১১

মিকালের, অবশ্যি আল্লাহ্ও হবেন সেই কাফিরদের শত্রু।	وَمِيْكٰىلَ فَاِنَّ اللّٰهَ عَدُوٌّ لِّلْكٰفِرِيْنَ ﴿٩٨﴾
৯৯. নিশ্চয়ই আমি তোমার প্রতি নাযিল করেছি সুস্পষ্ট আয়াতসমূহ। ফাসিকরা ছাড়া আর কেউই এগুলোকে অস্বীকার করেনা।	وَلَقَدْ اَنْزَلْنَآ اِلَيْكَ اٰيٰتٍۢ بَيِّنٰتٍ ۚ وَمَا يَكْفُرُ بِهَآ اِلَّا الْفٰسِقُوْنَ ﴿٩٩﴾
১০০. ব্যাপার কি এ নয় যে, তারা যখনই কোনো বিষয়ে অংগীকার করেছে, তাদের একদল লোক অবশ্যি তা ভংগ করেছে? বরং তাদের অধিকাংশই ঈমান রাখেনা।	اَوَكُلَّمَا عٰهَدُوْا عَهْدًا نَّبَذَهٗ فَرِيْقٌ مِّنْهُمْ ؕ بَلْ اَكْثَرُهُمْ لَا يُؤْمِنُوْنَ ﴿١٠٠﴾
১০১. আর যখন তাদের কাছে আল্লাহ্র পক্ষ থেকে একজন রসূল এলো, যে তাদের কাছে থাকা কিতাবের সত্যায়নকারী, তখন পূর্বে কিতাব দেয়া লোকদের একটি দল আল্লাহ্র এ কিতাবটিকে তাদের পেছনে নিক্ষেপ করলো, যেনো তারা এ সম্পর্কে কিছুই জানতোনা!	وَلَمَّا جَآءَهُمْ رَسُوْلٌ مِّنْ عِنْدِ اللّٰهِ مُصَدِّقٌ لِّمَا مَعَهُمْ نَبَذَ فَرِيْقٌ مِّنَ الَّذِيْنَ اُوْتُوا الْكِتٰبَ ۙ كِتٰبَ اللّٰهِ وَرَآءَ ظُهُوْرِهِمْ كَاَنَّهُمْ لَا يَعْلَمُوْنَ ﴿١٠١﴾
১০২. পক্ষান্তরে, তারা অনুকরণ করতে থাকলো সেইসব জিনিসের, সুলাইমানের রাজত্বকালে শয়তানরা যেসব (ম্যাজিক-মন্ত্র) পাঠ করতো। সুলাইমান কুফুরি করেনি, কুফুরি করেছিল শয়তানরা। তারা মানুষকে ম্যাজিক শিক্ষা দিতো এবং বেবিলনে দুই ফেরেশতা হারূত ও মারূতের প্রতি যা কিছু অবতীর্ণ হয়েছিল। তারা (হারূত ও মারূত) কোনো ব্যক্তিকে কিছুই শিক্ষা দিতোনা একথা পরিষ্কার করে বলে দেয়া ছাড়া যে: 'দেখো, আমরা কিন্তু অবশ্যি পরীক্ষা স্বরূপ, সুতরাং তুমি কুফুরিতে নিমজ্জিত হয়োনা।' তা সত্ত্বেও তারা তাদের দুজন থেকে এমন জিনিস শিখতো, যা স্বামী-স্ত্রীর মধ্যে বিচ্ছেদ ঘটাতো। অথচ এর দ্বারা আল্লাহ্র অনুমতি ছাড়া তারা কারো কোনো ক্ষতি করতে পারতোনা। তারা যা শিখতো তা তাদেরই ক্ষতি করতো, কোনো উপকার করতোনা। তারা এ কথা ভালো করেই জানতো, এর ক্রেতাদের জন্যে আখিরাতে কোনো অংশ নেই। ওটা কতোইনা নিকৃষ্ট জিনিস, যার বিনিময়ে তারা বিক্রি করে দিয়েছে নিজেদের জীবন। হায়, এ বিষয়টা যদি তারা জানতো!	وَاتَّبَعُوْا مَا تَتْلُوا الشَّيٰطِيْنُ عَلٰى مُلْكِ سُلَيْمٰنَ ۚ وَمَا كَفَرَ سُلَيْمٰنُ وَلٰكِنَّ الشَّيٰطِيْنَ كَفَرُوْا يُعَلِّمُوْنَ النَّاسَ السِّحْرَ ۗ وَمَآ اُنْزِلَ عَلَى الْمَلَكَيْنِ بِبَابِلَ هَارُوْتَ وَمَارُوْتَ ؕ وَمَا يُعَلِّمٰنِ مِنْ اَحَدٍ حَتّٰى يَقُوْلَآ اِنَّمَا نَحْنُ فِتْنَةٌ فَلَا تَكْفُرْ ؕ فَيَتَعَلَّمُوْنَ مِنْهُمَا مَا يُفَرِّقُوْنَ بِهٖ بَيْنَ الْمَرْءِ وَزَوْجِهٖ ؕ وَمَا هُمْ بِضَآرِّيْنَ بِهٖ مِنْ اَحَدٍ اِلَّا بِاِذْنِ اللّٰهِ ؕ وَيَتَعَلَّمُوْنَ مَا يَضُرُّهُمْ وَلَا يَنْفَعُهُمْ ؕ وَلَقَدْ عَلِمُوْا لَمَنِ اشْتَرٰىهُ مَا لَهٗ فِى الْاٰخِرَةِ مِنْ خَلَاقٍ ؕ وَلَبِئْسَ مَا شَرَوْا بِهٖٓ اَنْفُسَهُمْ ؕ لَوْ كَانُوْا يَعْلَمُوْنَ ﴿١٠٢﴾
১০৩. হায়, তারা যদি ঈমানের পথে চলতো এবং এসব মন্দ কাজ থেকে নিজেদের রক্ষা করতো, তবে আল্লাহ্র কাছে কতো উত্তম প্রতিফলই না তারা লাভ করতো; হায় যদি তারা এলেম রাখতো!	وَلَوْ اَنَّهُمْ اٰمَنُوْا وَاتَّقَوْا لَمَثُوْبَةٌ مِّنْ عِنْدِ اللّٰهِ خَيْرٌ ؕ لَوْ كَانُوْا يَعْلَمُوْنَ ﴿١٠٣﴾ রুকু ১২
১০৪. হে ঈমানদার লোকেরা! তোমরা (আল্লাহ্র রসূলকে) 'রায়েনা' বলোনা, বরং	يٰٓاَيُّهَا الَّذِيْنَ اٰمَنُوْا لَا تَقُوْلُوْا رَاعِنَا وَ

'উনযুরনা' (আমাদের প্রতি দৃষ্টি দিন) বলো এবং মনোযোগ সহকারে (নবীর কথা) শোনো। যারা (এটা) অমান্য করবে, তাদের জন্যে রয়েছে যন্ত্রণাদায়ক আযাব।	قُوْلُوا انْظُرْنَا وَ اسْمَعُوْا ؕ وَ لِلْكٰفِرِيْنَ عَذَابٌ اَلِيْمٌ ۝١٠٤
১০৫. আহলে কিতাবের (ইহুদি-খৃষ্টানদের) মধ্যে যারা কুফুরি করেছে, তারা এবং মুশরিকরা চায়না তোমাদের প্রতি তোমাদের প্রভুর পক্ষ থেকে কোনো কল্যাণ নাযিল হোক। অথচ (এটা সম্পূর্ণ আল্লাহ্‌র বিষয়), আল্লাহ যাকে চান, নিজের রহমত প্রদানের জন্যে মনোনীত করেন এবং আল্লাহ্‌ই মহানুগ্রহের মালিক।	مَا يَوَدُّ الَّذِيْنَ كَفَرُوْا مِنْ اَهْلِ الْكِتٰبِ وَ لَا الْمُشْرِكِيْنَ اَنْ يُّنَزَّلَ عَلَيْكُمْ مِّنْ خَيْرٍ مِّنْ رَّبِّكُمْ ؕ وَ اللّٰهُ يَخْتَصُّ بِرَحْمَتِهٖ مَنْ يَّشَآءُ ؕ وَ اللّٰهُ ذُو الْفَضْلِ الْعَظِيْمِ ۝١٠٥
১০৬. আমরা যে আয়াতকে নসখ্ করি, কিংবা ভুলিয়ে দিই, তার স্থলে তার চাইতে উত্তম কিংবা অনুরূপ (আয়াত) নিয়ে আসি। তুমি কি জানোনা, নিশ্চয়ই আল্লাহ সবকিছু করতে সক্ষম?	مَا نَنْسَخْ مِنْ اٰيَةٍ اَوْ نُنْسِهَا نَاْتِ بِخَيْرٍ مِّنْهَاۤ اَوْ مِثْلِهَا ؕ اَلَمْ تَعْلَمْ اَنَّ اللّٰهَ عَلٰى كُلِّ شَیْءٍ قَدِيْرٌ ۝١٠٦
১০৭. তুমি কি জানোনা, মহাকাশ এবং পৃথিবীর রাজত্ব-কর্তৃত্ব শুধুমাত্র আল্লাহ্‌র? এবং তিনি ছাড়া তোমাদের কোনো অলিও নেই, সাহায্যকারী নেই।	اَلَمْ تَعْلَمْ اَنَّ اللّٰهَ لَهٗ مُلْكُ السَّمٰوٰتِ وَ الْاَرْضِ ؕ وَ مَا لَكُمْ مِّنْ دُوْنِ اللّٰهِ مِنْ وَّلِیٍّ وَّلَا نَصِيْرٍ ۝١٠٧
১০৮. তোমরা কি এরাদা (ইচ্ছা) করেছো, তোমাদের রসূলকে সেরকম সওয়াল করতে, যেরকম সওয়াল করা হয়েছিল ইতোপূর্বে মূসাকে? আর যে কেউ ঈমান বদল করে কুফুরি গ্রহণ করবে, সে অবশ্যি সঠিক সোজা পথ হারিয়ে ফেলবে।	اَمْ تُرِيْدُوْنَ اَنْ تَسْـَٔلُوْا رَسُوْلَكُمْ كَمَا سُئِلَ مُوْسٰى مِنْ قَبْلُ ؕ وَ مَنْ يَّتَبَدَّلِ الْكُفْرَ بِالْاِيْمَانِ فَقَدْ ضَلَّ سَوَآءَ السَّبِيْلِ ۝١٠٨
১০৯. আহলে কিতাবের অনেকেই তোমরা ঈমান আনার পর তোমাদের পুনরায় কুফুরিতে ফিরিয়ে নিতে চায়। হক (সত্য) তাদের কাছে পরিষ্কার হয়ে যাবার পরও শুধু তাদের মনের ভেতরের বিদ্বেষের কারণে তারা এমনটি কামনা করে। তবে তোমরা তাদের সাথে ক্ষমা সুন্দর আচরণ করো এবং তাদের (এসব অপরাধ) উপেক্ষা (overlook) করে চলো, যতোক্ষণ না আল্লাহ কোনো নির্দেশ প্রদান করেন। নিশ্চয়ই আল্লাহ প্রত্যেক বিষয়ে শক্তিমান।	وَدَّ كَثِيْرٌ مِّنْ اَهْلِ الْكِتٰبِ لَوْ يَرُدُّوْنَكُمْ مِّنْۢ بَعْدِ اِيْمَانِكُمْ كُفَّارًا ۚۖ حَسَدًا مِّنْ عِنْدِ اَنْفُسِهِمْ مِّنْۢ بَعْدِ مَا تَبَيَّنَ لَهُمُ الْحَقُّ ۚ فَاعْفُوْا وَ اصْفَحُوْا حَتّٰى يَاْتِیَ اللّٰهُ بِاَمْرِهٖ ؕ اِنَّ اللّٰهَ عَلٰى كُلِّ شَیْءٍ قَدِيْرٌ ۝١٠٩
১১০. এবং সালাত কায়েম করো আর যাকাত পরিশোধ করো। তোমাদের নিজেদের (আখিরাতের) জন্যে যে কোনো ভালো কাজই অগ্রিম পাঠাবে, তা অবশ্যি ওখানে গিয়ে আল্লাহ্‌র কাছে পাবে। তোমরা যে আমলই করোনা কেন, অবশ্যি তা আল্লাহ্‌র দৃষ্টিতে রয়েছে।	وَ اَقِيْمُوا الصَّلٰوةَ وَ اٰتُوا الزَّكٰوةَ ؕ وَ مَا تُقَدِّمُوْا لِاَنْفُسِكُمْ مِّنْ خَيْرٍ تَجِدُوْهُ عِنْدَ اللّٰهِ ؕ اِنَّ اللّٰهَ بِمَا تَعْمَلُوْنَ بَصِيْرٌ ۝١١٠

১১১. তারা আরো বলে: ‘কখনো দাখিল হবেনা জান্নাতে ইহুদি বা খৃষ্টান ছাড়া অন্য কেউ।’ আসলে এটা তাদের কামনা মাত্র। তুমি তাদের বলো: ‘এ দাবির ব্যাপারে তোমরা সত্যবাদী হয়ে থাকলে দাবির পক্ষে প্রমাণ দেখাও।’	وَ قَالُوْا لَنْ يَّدْخُلَ الْجَنَّةَ اِلَّا مَنْ كَانَ هُوْدًا اَوْ نَصٰرٰى ؕ تِلْكَ اَمَانِيُّهُمْ ؕ قُلْ هَاتُوْا بُرْهَانَكُمْ اِنْ كُنْتُمْ صٰدِقِيْنَ ﴿۱۱۱﴾
১১২. হ্যাঁ (জেনে রাখো, জান্নাতে কেবল সে-ই যাবে) যে নিজেকে পূর্ণরূপে সঁপে দিয়েছে আল্লাহ্‌র জন্যে এবং বাস্তবেও অবলম্বন করেছে সুন্দর ও কল্যাণের পথ। তার প্রভুর কাছে অবশ্যি রয়েছে তার পুরস্কার। তাছাড়া এ ধরণের লোকদের কোনো ভয়ও থাকবেনা এবং তারা দু:খও পাবেনা।	بَلٰى ۚ مَنْ اَسْلَمَ وَجْهَهٗ لِلّٰهِ وَ هُوَ مُحْسِنٌ فَلَهٗۤ اَجْرُهٗ عِنْدَ رَبِّهٖ ۪ وَلَا خَوْفٌ عَلَيْهِمْ وَ لَا هُمْ يَحْزَنُوْنَ ﴿۱۱۲﴾
১১৩. ইহুদিরা বলে: ‘নাসারাদের (খৃষ্টানদের) কোনো ভিত্তি নাই।’ আর নাসারারা বলে: ‘ইহুদিদের কোনো ভিত্তি নেই।’ অথচ তারা (উভয়েই) তিলাওয়াত করে আল কিতাব। একইভাবে যাদের কাছে (কিতাবের) এলেমই নেই, তারাও (সেই মুশরিকরাও) বলে এদের অনুরূপ কথা। আল্লাহ তাদের মাঝে ফায়সালা প্রদান করবেন কিয়ামতের দিন, যে বিষয়ে (পৃথিবীতে) তারা এখতেলাফ করছে।	وَ قَالَتِ الْيَهُوْدُ لَيْسَتِ النَّصٰرٰى عَلٰى شَیْءٍ ۪ وَّقَالَتِ النَّصٰرٰى لَيْسَتِ الْيَهُوْدُ عَلٰى شَیْءٍ ۙ وَّهُمْ يَتْلُوْنَ الْكِتٰبَ ؕ كَذٰلِكَ قَالَ الَّذِيْنَ لَا يَعْلَمُوْنَ مِثْلَ قَوْلِهِمْ ۚ فَاللّٰهُ يَحْكُمُ بَيْنَهُمْ يَوْمَ الْقِيٰمَةِ فِيْمَا كَانُوْا فِيْهِ يَخْتَلِفُوْنَ ﴿۱۱۳﴾
১১৪. ঐ ব্যক্তির চাইতে বড় যালিম আর কে, যে মানুষকে আল্লাহ্‌র মসজিদ সমূহে তাঁর নাম উচ্চারণ-আলোচনা করতে বাধা প্রদান করে এবং সেগুলোর ধ্বংসের কাজে তৎপর হয়? এসব লোকেরা সেগুলোতে (আল্লাহ্‌র মসজিদসমূহে) প্রবেশ করার অধিকার রাখেনা ভীত ও বিনয়ী হওয়া ছাড়া। দুনিয়াতে তাদের জন্যে রয়েছে লাঞ্ছনা-অমর্যাদা, আর আখিরাতেও তাদের জন্যে রয়েছে বড় আযাব।	وَ مَنْ اَظْلَمُ مِمَّنْ مَّنَعَ مَسٰجِدَ اللّٰهِ اَنْ يُّذْكَرَ فِيْهَا اسْمُهٗ وَ سَعٰى فِیْ خَرَابِهَا ؕ اُولٰٓئِكَ مَا كَانَ لَهُمْ اَنْ يَّدْخُلُوْهَاۤ اِلَّا خَآئِفِيْنَ ؕ لَهُمْ فِی الدُّنْيَا خِزْیٌ وَّلَهُمْ فِی الْاٰخِرَةِ عَذَابٌ عَظِيْمٌ ﴿۱۱۴﴾
১১৫. আল্লাহ্‌ই মালিক পূর্ব এবং পশ্চিমের। সুতরাং তোমরা যে দিকেই মুখ ফিরাওনা কেন, সেদিকই আল্লাহ্‌র। নিশ্চয়ই আল্লাহ সর্বব্যাপী বিরাজমান এবং সর্ব বিষয়ে জ্ঞানী।	وَ لِلّٰهِ الْمَشْرِقُ وَ الْمَغْرِبُ ۚ فَاَيْنَمَا تُوَلُّوْا فَثَمَّ وَجْهُ اللّٰهِ ؕ اِنَّ اللّٰهَ وَاسِعٌ عَلِيْمٌ ﴿۱۱۵﴾
১১৬. তারা বলে: ‘আল্লাহ সন্তান গ্রহণ করেছেন।’ তিনি পবিত্র (এসব অপবাদ থেকে)। বরং মহাকাশ এবং পৃথিবীতে যা কিছু আছে সবই তাঁর, এবং সবাই তাঁর অনুগত।	وَقَالُوا اتَّخَذَ اللّٰهُ وَلَدًا ۙ سُبْحٰنَهٗ ؕ بَلْ لَّهٗ مَا فِی السَّمٰوٰتِ وَالْاَرْضِ ؕ كُلٌّ لَّهٗ قٰنِتُوْنَ ﴿۱۱۶﴾
১১৭. তিনিই মহাকাশ ও পৃথিবীর অস্তিত্বদানকারী। তিনি যখন কোনো কিছু সৃচনা করার সিদ্ধান্ত নেন, তখন শুধু সেটার উদ্দেশ্যে বলেন: ‘হও’, আর সংগে সংগে তা হয়ে যায়।	بَدِيْعُ السَّمٰوٰتِ وَ الْاَرْضِ ؕ وَ اِذَا قَضٰۤى اَمْرًا فَاِنَّمَا يَقُوْلُ لَهٗ كُنْ فَيَكُوْنُ ﴿۱۱۷﴾

রুকু ১৩

وَ قَالَ الَّذِيۡنَ لَا يَعۡلَمُوۡنَ لَوۡ لَا يُكَلِّمُنَا اللّٰهُ اَوۡ تَاۡتِيۡنَاۤ اٰيَةٌ ؕ كَذٰلِكَ قَالَ الَّذِيۡنَ مِنۡ قَبۡلِهِمۡ مِّثۡلَ قَوۡلِهِمۡ ؕ تَشَابَهَتۡ قُلُوۡبُهُمۡ ؕ قَدۡ بَيَّنَّا الۡاٰيٰتِ لِقَوۡمٍ يُّوۡقِنُوۡنَ ﴿۱۱۸﴾

১১৮. আর যাদের কোনো এলেম নেই, তারা বলে: 'আল্লাহ (সরাসরি) আমাদের সাথে কথা বলেন না কেন? অথবা আমাদের কাছে কোনো নিদর্শন আসেনা কেন?' এই একই ধরণের কথা বলতো এদের পূর্বেকার (অজ্ঞ-পথভ্রষ্ট) লোকেরা। তাদের সকলের কলবসমূহ (মানসিকতা) একই রকম। আমরা নিদর্শনসমূহ পরিষ্কারভাবে বয়ান করে দিয়েছি সেইসব লোকদের জন্যে যারা একিন রাখে।

اِنَّاۤ اَرۡسَلۡنٰكَ بِالۡحَقِّ بَشِيۡرًا وَّنَذِيۡرًا ۙ وَّلَا تُسۡـَٔلُ عَنۡ اَصۡحٰبِ الۡجَحِيۡمِ ﴿۱۱۹﴾

১১৯. (হে মুহাম্মদ! এটাও তাদের জন্যে একটা সুস্পষ্ট নিদর্শন যে,) আমরা তোমাকে মহাসত্য (আল কুরআন ও ইসলাম) দিয়ে পাঠিয়েছি সুসংবাদদাতা এবং সতর্ককারী হিসেবে। জাহিমের (প্রজ্জ্বলিত আগুনের) অধিবাসীদের ব্যাপারে তোমাকে জিজ্ঞাসাবাদ করা হবেনা।

وَ لَنۡ تَرۡضٰى عَنۡكَ الۡيَهُوۡدُ وَ لَا النَّصٰرٰى حَتّٰى تَتَّبِعَ مِلَّتَهُمۡ ؕ قُلۡ اِنَّ هُدَى اللّٰهِ هُوَ الۡهُدٰى ؕ وَ لَئِنِ اتَّبَعۡتَ اَهۡوَآءَهُمۡ بَعۡدَ الَّذِىۡ جَآءَكَ مِنَ الۡعِلۡمِ ۙ مَا لَكَ مِنَ اللّٰهِ مِنۡ وَّلِىٍّ وَّلَا نَصِيۡرٍ ﴿۱۲۰﴾

১২০. ইহুদি এবং খৃষ্টানরা তোমার প্রতি কখনো রাজি খুশি হবেনা, যতোক্ষণ না তুমি তাদের ধর্ম পথের অনুসরণ করো। তুমি তাদের বলো: 'আল্লাহ্‌র দেয়া জীবন যাপন পদ্ধতিই একমাত্র সঠিক হুদা।' তোমার কাছে মহাসত্য জ্ঞান আল কুরআন আসার পরও যদি তুমি তাদের খেয়াল খুশির এত্তেবা করো, তবে আল্লাহ্‌র পাকড়াও থেকে উদ্ধার পাওয়ার জন্যে তুমি কোনো অলিও পাবেনা, আর কোনো সাহায্যকারীও পাবেনা।

اَلَّذِيۡنَ اٰتَيۡنٰهُمُ الۡكِتٰبَ يَتۡلُوۡنَهٗ حَقَّ تِلَاوَتِهٖ ؕ اُولٰٓئِكَ يُؤۡمِنُوۡنَ بِهٖ ؕ وَمَنۡ يَّكۡفُرۡ بِهٖ فَاُولٰٓئِكَ هُمُ الۡخٰسِرُوۡنَ ﴿۱۲۱﴾

রুকু ১৪

১২১. আমরা যাদের কিতাব দিয়েছি তারা তা তিলাওয়াত করে তিলাওয়াতের হক আদায় করে। এরাই তার (অর্থাৎ কিতাবের) প্রতি ঈমান রাখে। আর যারা এটির (কুরআনের) প্রতি কুফুরি করে তারাই ক্ষতিগ্রস্ত।

يٰبَنِىۡٓ اِسۡرَآءِيۡلَ اذۡكُرُوۡا نِعۡمَتِىَ الَّتِىۡٓ اَنۡعَمۡتُ عَلَيۡكُمۡ وَاَنِّىۡ فَضَّلۡتُكُمۡ عَلَى الۡعٰلَمِيۡنَ ﴿۱۲۲﴾

১২২. হে বনি ইসরাঈল! স্মরণ করো আমার সেই নিয়ামতের কথা, যার দ্বারা আমি তোমাদের অনুগৃহীত করেছিলাম এবং (একসময়) তোমাদের শ্রেষ্ঠত্ব প্রদান করেছিলাম বিশ্ববাসীর উপর।

وَاتَّقُوۡا يَوۡمًا لَّا تَجۡزِىۡ نَفۡسٌ عَنۡ نَّفۡسٍ شَيۡـًٔا وَّلَا يُقۡبَلُ مِنۡهَا عَدۡلٌ وَّلَا تَنۡفَعُهَا شَفَاعَةٌ وَّلَا هُمۡ يُنۡصَرُوۡنَ ﴿۱۲۳﴾

১২৩. আর সতর্ক হও সেই দিনটির ব্যাপারে, যেদিন কোনো ব্যক্তি অপর কোনো ব্যক্তির কোনো কাজে আসবেনা, যেদিন কোনো বিনিময় বা ক্ষতিপূরণ গ্রহণ করা হবেনা এবং কোনো শাফায়াতও কিছুমাত্র কাজে লাগবেনা এবং যেদিন কাউকেও কোনো প্রকার সাহায্যও করা হবেনা।

وَ اِذِ ابۡتَلٰٓى اِبۡرٰهٖمَ رَبُّهٗ بِكَلِمٰتٍ فَاَتَمَّهُنَّ ؕ قَالَ اِنِّىۡ جَاعِلُكَ لِلنَّاسِ اِمَامًا ؕ قَالَ وَ مِنۡ

১২৪. স্মরণ করো, যখন ইবরাহিমকে তার প্রভু কয়েকটি নির্দেশের মাধ্যমে পরীক্ষা করেছিলেন এবং সেগুলো সে পরিপূর্ণ করেছিল, তখন তার প্রভু তাকে বলেছিলেন: 'আমি তোমাকে

মানবজাতির একজন নেতা মনোনীত করছি।' সে বললো: 'আমার সন্তানদের ব্যাপারেও কি এই সিদ্ধান্ত?' তিনি বললেন: 'আমার প্রতিশ্রুতি যালিমদের ব্যাপারে প্রযোজ্য নয়।'	ذُرِّيَّتِيْ ؕ قَالَ لَا يَنَالُ عَهْدِی الظّٰلِمِيْنَ ﴿١٢٤﴾
১২৫. আর সেই সময়কার কথা স্মরণ করো, যখন আমরা এই (কাবা) ঘরকে মানবজাতির মিলনকেন্দ্র এবং নিরাপত্তার স্থল বানিয়ে দিয়েছিলাম, আর (মানুষকে বলেছিলাম:) 'তোমরা মাকামে ইবরাহিমকে নামাযের স্থান বানাও।' ইবরাহিম আর ইসমাঈলকে নির্দেশ দিয়েছিলাম: 'তোমরা আমার (কা'বা) ঘরকে পবিত্র করো তাওয়াফকারী, ইতিকাফকারী এবং রুকু সাজদাকারীদের জন্যে।'	وَ اِذْ جَعَلْنَا الْبَيْتَ مَثَابَةً لِّلنَّاسِ وَ اَمْنًا ؕ وَ اتَّخِذُوْا مِنْ مَّقَامِ اِبْرٰهٖمَ مُصَلًّى ؕ وَ عَهِدْنَاۤ اِلٰۤى اِبْرٰهٖمَ وَ اِسْمٰعِيْلَ اَنْ طَهِّرَا بَيْتِيَ لِلطَّآئِفِيْنَ وَ الْعٰكِفِيْنَ وَ الرُّكَّعِ السُّجُوْدِ ﴿١٢٥﴾
১২৬. আরো স্মরণ করো, যখন ইবরাহিম (দোয়া করে) বলেছিল: 'আমার প্রভু! এই মক্কা নগরকে নিরাপদ নগর বানিয়ে দাও এবং এর অধিবাসীদের যারা আল্লাহ ও শেষ দিবসের প্রতি ঈমান আনবে, ফল ফলারি দিয়ে তাদের জীবন ধারণের উপকরণ সরবরাহ করো।' তিনি বললেন: আর যে কুফুরি করবে তাকেও অল্প কিছুকাল জীবন সামগ্রী সরবরাহ করবো, তারপর আমি তাকে বাধ্য করবো আগুনের আযাব ভোগ করতে, আর খুবই নিকৃষ্ট গন্তব্যস্থল সেটা।	وَ اِذْ قَالَ اِبْرٰهٖمُ رَبِّ اجْعَلْ هٰذَا بَلَدًا اٰمِنًا وَّارْزُقْ اَهْلَهٗ مِنَ الثَّمَرٰتِ مَنْ اٰمَنَ مِنْهُمْ بِاللّٰهِ وَ الْيَوْمِ الْاٰخِرِ ؕ قَالَ وَ مَنْ كَفَرَ فَاُمَتِّعُهٗ قَلِيْلًا ثُمَّ اَضْطَرُّهٗۤ اِلٰى عَذَابِ النَّارِ ؕ وَ بِئْسَ الْمَصِيْرُ ﴿١٢٦﴾
১২৭. আর স্মরণ করো, ইবরাহিম এবং (তার পুত্র) ইসমাঈল যখন এই ঘরের ভিত উঠাচ্ছিল, তখন তারা (দোয়া করে) বলেছিল: "আমাদের প্রভু! আমাদের পক্ষ থেকে আমাদের এ কাজ কবুল করো। নিশ্চয়ই তুমি সবকিছু শোনো, সবকিছু জানো।	وَاِذْ يَرْفَعُ اِبْرٰهٖمُ الْقَوَاعِدَ مِنَ الْبَيْتِ وَ اِسْمٰعِيْلُ ؕ رَبَّنَا تَقَبَّلْ مِنَّا ؕ اِنَّكَ اَنْتَ السَّمِيْعُ الْعَلِيْمُ ﴿١٢٧﴾
১২৮. আমাদের প্রভু! আমাদের দু'জনকেই তোমার প্রতি 'মুসলিম' (অনুগত-আত্মসমর্পিত) বানাও, আর আমাদের বংশধরদের থেকেও তোমার প্রতি একটি 'মুসলিম উম্মাহ' (অনুগত জাতি) বানাও। আমাদেরকে আমাদের ইবাদত পদ্ধতি শিখিয়ে দাও এবং আমাদের অনুশোচনা গ্রহণ করে আমাদের ক্ষমা করো। নিশ্চয়ই তুমি অনুশোচনা গ্রহণকারী অতীব ক্ষমাশীল, দয়াময়।	رَبَّنَا وَ اجْعَلْنَا مُسْلِمَيْنِ لَكَ وَ مِنْ ذُرِّيَّتِنَاۤ اُمَّةً مُّسْلِمَةً لَّكَ ۪ وَ اَرِنَا مَنَاسِكَنَا وَ تُبْ عَلَيْنَا ۚ اِنَّكَ اَنْتَ التَّوَّابُ الرَّحِيْمُ ﴿١٢٨﴾
১২৯. আমাদের প্রভু! এদের (আমাদের বংশধরদের) কাছে তাদের মধ্য থেকেই একজন রসূল পাঠিয়ো, যিনি তাদের কাছে তোমার আয়াতসমূহ তিলাওয়াত করবেন, তাদেরকে (তোমার) কিতাব এবং হিকমা শিক্ষা দেবেন আর তাদেরকে তাযকিয়া করবেন। নিশ্চয়ই তুমি সর্বশক্তিমান সর্বজ্ঞানী।"	رَبَّنَا وَ ابْعَثْ فِيْهِمْ رَسُوْلًا مِّنْهُمْ يَتْلُوْا عَلَيْهِمْ اٰيٰتِكَ وَيُعَلِّمُهُمُ الْكِتٰبَ وَالْحِكْمَةَ وَيُزَكِّيْهِمْ ؕ اِنَّكَ اَنْتَ الْعَزِيْزُ الْحَكِيْمُ ﴿١٢٩﴾

রুকু ১৫

وَمَنْ يَّرْغَبُ عَنْ مِّلَّةِ اِبْرٰهٖمَ اِلَّا مَنْ سَفِهَ نَفْسَهٗ ؕ وَلَقَدِ اصْطَفَيْنٰهُ فِي الدُّنْيَا ۚ وَاِنَّهٗ فِي الْاٰخِرَةِ لَمِنَ الصّٰلِحِيْنَ ﴿١٣٠﴾

১৩০. যে নিজেকে বোকা-নির্বোধ বানিয়েছে, সে ছাড়া ‘মিল্লাতে ইবরাহিম’ (ইবরাহিমের আদর্শ ও জীবন পদ্ধতি) থেকে মুখ ফিরাবে কে? দুনিয়াতে আমি তাকে বাছাই করেছি আর আখিরাতে সে হবে ন্যায়পরায়ণদের অন্তরভুক্ত।

اِذْ قَالَ لَهٗ رَبُّهٗٓ اَسْلِمْ ۙ قَالَ اَسْلَمْتُ لِرَبِّ الْعٰلَمِيْنَ ﴿١٣١﴾

১৩১. যখন তার প্রভু তাকে বলেছিল: ‘আত্মসমর্পণ করো।’ সে বলেছিল: ‘আমি আত্মসমর্পণ করলাম রাব্বুল আলামিনের উদ্দেশ্যে।’

وَوَصّٰى بِهَآ اِبْرٰهٖمُ بَنِيْهِ وَيَعْقُوْبُ ؕ يٰبَنِيَّ اِنَّ اللّٰهَ اصْطَفٰى لَكُمُ الدِّيْنَ فَلَا تَمُوْتُنَّ اِلَّا وَاَنْتُمْ مُّسْلِمُوْنَ ؕ﴿١٣٢﴾

১৩২. এই একই বিষয়ের অসিয়ত করেছিল ইবরাহিম তার সন্তানদের এবং (তার নাতি) ইয়াকুব (নিজের সন্তানদের)। (তারা বলেছিল:) ‘হে আমার সন্তানেরা! আল্লাহ তোমাদের জন্যে মনোনীত করেছেন ‘আদ্ দীন’। সুতরাং আমৃত্যু তোমরা আল্লাহ্‌র অনুগত হয়ে থাকবে।’

اَمْ كُنْتُمْ شُهَدَآءَ اِذْ حَضَرَ يَعْقُوْبَ الْمَوْتُ ۙ اِذْ قَالَ لِبَنِيْهِ مَا تَعْبُدُوْنَ مِنْۢ بَعْدِيْ ؕ قَالُوْا نَعْبُدُ اِلٰهَكَ وَاِلٰهَ اٰبَآئِكَ اِبْرٰهٖمَ وَاِسْمٰعِيْلَ وَاِسْحٰقَ اِلٰهًا وَّاحِدًا ۚۖ وَّنَحْنُ لَهٗ مُسْلِمُوْنَ ﴿١٣٣﴾

১৩৩. তোমরা কি সাক্ষী (উপস্থিত) ছিলে, যখন হাজির হয়েছিল ইয়াকুবের মৃত্যু (সময়)? যখন সে তার সন্তানদের বলেছিল: ‘আমার পরে তোমরা কিসের ইবাদত করবে?’ তারা বলেছিল: ‘আমরা ইবাদত করবো আপনার ইলাহ্‌র এবং আপনার পিতৃপুরুষ ইবরাহিম, ইসমাঈল আর ইসহাকের ইলাহ্‌র। তিনিই একমাত্র ইলাহ্। আমরা তাঁর প্রতি ‘মুসলিম’ (অনুগত-আত্মসমর্পিত) হয়ে থাকবো।’

تِلْكَ اُمَّةٌ قَدْ خَلَتْ ۚ لَهَا مَا كَسَبَتْ وَلَكُمْ مَّا كَسَبْتُمْ ۚ وَلَا تُسْـَٔلُوْنَ عَمَّا كَانُوْا يَعْمَلُوْنَ ﴿١٣٤﴾

১৩৪. সেটি ছিলো একটি উম্মাহ, তারা অতীত হয়ে গেছে। তারা যা উপার্জন (আমল) করেছে তা-ই (তার প্রতিফলই) তারা পাবে। আর তোমরা পাবে তোমাদের উপার্জনের প্রতিফল। তারা যা আমল করে গেছে সে সম্পর্কে তোমাদের সওয়াল (জিজ্ঞাসাবাদ) করা হবেনা।

وَقَالُوْا كُوْنُوْا هُوْدًا اَوْ نَصٰرٰى تَهْتَدُوْا ؕ قُلْ بَلْ مِلَّةَ اِبْرٰهٖمَ حَنِيْفًا ؕ وَمَا كَانَ مِنَ الْمُشْرِكِيْنَ ﴿١٣٥﴾

১৩৫. আর তারা বলে: ‘ইহুদি হয়ে যাও, কিংবা খৃষ্টান হয়ে যাও, তবেই হিদায়াত (ঠিক পথ) লাভ করবে।’ (হে মুহাম্মদ) তুমি বলো: ‘বরং, তোমরা সব কিছু ত্যাগ করে ইবরাহিমের আদর্শ গ্রহণ করো। আর তিনি মুশরিকদের অন্তরভুক্ত ছিলেন না।’

قُوْلُوْٓا اٰمَنَّا بِاللّٰهِ وَمَآ اُنْزِلَ اِلَيْنَا وَمَآ اُنْزِلَ اِلٰٓى اِبْرٰهٖمَ وَاِسْمٰعِيْلَ وَاِسْحٰقَ وَيَعْقُوْبَ وَالْاَسْبَاطِ وَمَآ اُوْتِيَ مُوْسٰى وَ

১৩৬. (হে মুসলিমরা!) তোমরা বলো: ‘আমরা ঈমান এনেছি আল্লাহ্‌র প্রতি। তাছাড়া আমরা ঈমান রাখি তার প্রতি, যা নাযিল হয়েছে আমাদের প্রতি এবং যা নাযিল হয়েছিল ইবরাহিম, ইসমাঈল, ইসহাক এবং ইয়াকুব ও তার সন্তানদের প্রতি; আর যা নাযিল হয়েছিল

মূসা আর ঈসার প্রতি; আর যা প্রদান করা হয়েছিল অন্যান্য নবীগণকে তাদের প্রভুর পক্ষ থেকে। আমরা তাদের (নবী-রসূলগণের) কারো মধ্যে কোনো প্রকার পার্থক্য করিনা। আমরা তো শুধু তাঁরই (আল্লাহ্‌রই) জন্যে মুসলিম।'	عِيْسٰى وَ مَاۤ اُوْتِيَ النَّبِيُّوْنَ مِنْ رَّبِّهِمْ ۚ لَا نُفَرِّقُ بَيْنَ اَحَدٍ مِّنْهُمْ ۖ وَنَحْنُ لَهٗ مُسْلِمُوْنَ ﴿١٣٦﴾
১৩৭. তোমরা যে যে বিষয়ে ঈমান এনেছো, তারা যদি তোমাদের মতো সেরকম ঈমান আনে, তাহলেই তারা সঠিক পথ প্রাপ্ত হবে। আর যদি তারা পৃষ্ঠ প্রদর্শন করে, তবে তারা অবশ্যি বিরুদ্ধবাদী। তাদের বিরুদ্ধে আল্লাহ্‌ই তোমার জন্যে যথেষ্ট। তিনি সর্বশ্রোতা, সর্বজ্ঞানী।	فَاِنْ اٰمَنُوْا بِمِثْلِ مَاۤ اٰمَنْتُمْ بِهٖ فَقَدِ اهْتَدَوْا ۚ وَ اِنْ تَوَلَّوْا فَاِنَّمَا هُمْ فِيْ شِقَاقٍ ۚ فَسَيَكْفِيْكَهُمُ اللّٰهُ ۚ وَ هُوَ السَّمِيْعُ الْعَلِيْمُ ﴿١٣٧﴾
১৩৮. (বলো:) 'আমাদের রঙ (ধর্ম) হলো আল্লাহ্‌র রঙ (ইসলাম)। এবং রঙের দিক থেকে আল্লাহ্‌র চেয়ে সুন্দর আর কে? আমরা তাঁরই ইবাদতকারী (অনুগত ও হুকুমপালনকারী)।'	صِبْغَةَ اللّٰهِ ۚ وَمَنْ اَحْسَنُ مِنَ اللّٰهِ صِبْغَةً ۫ وَّنَحْنُ لَهٗ عٰبِدُوْنَ ﴿١٣٨﴾
১৩৯. বলো (হে মুহাম্মদ!): 'তোমরা কি আমাদের সাথে বিবাদে লিপ্ত হতে চাও আল্লাহ্‌র ব্যাপারে? অথচ তিনি আমাদেরও রব এবং তোমাদেরও রব। আমাদের আমল (-এর প্রতিফল) আমাদের, আর তোমাদের আমল (-এর প্রতিফল) তোমাদের। আর আমরা তাঁর (আল্লাহ্‌র) জন্যে নিষ্ঠাবান।'	قُلْ اَتُحَآجُّوْنَنَا فِي اللّٰهِ وَهُوَ رَبُّنَا وَرَبُّكُمْ ۚ وَلَنَاۤ اَعْمَالُنَا وَلَكُمْ اَعْمَالُكُمْ ۚ وَنَحْنُ لَهٗ مُخْلِصُوْنَ ﴿١٣٩﴾
১৪০. নাকি তোমরা বলতে চাও যে, ইবরাহিম, ইসমাঈল, ইসহাক এবং ইয়াকুব ও তার বংশধররা ইহুদি কিংবা নাসারা ছিলো? (হে মুহাম্মদ! তাদের) বলো: 'তোমরাই কি বেশি জানো, নাকি আল্লাহ? ঐ ব্যক্তির চাইতে বড় যালিম আর কে হতে পারে, যার কাছে আল্লাহ্‌র নিকট থেকে আসা প্রমাণ বর্তমান থাকা সত্ত্বেও সে তা গোপন করে? আল্লাহ মোটেও গাফিল নন তোমাদের আমল (কর্মকান্ড)-এর ব্যাপারে।	اَمْ تَقُوْلُوْنَ اِنَّ اِبْرٰهٖمَ وَ اِسْمٰعِيْلَ وَ اِسْحٰقَ وَ يَعْقُوْبَ وَ الْاَسْبَاطَ كَانُوْا هُوْدًا اَوْ نَصٰرٰى ؕ قُلْ ءَاَنْتُمْ اَعْلَمُ اَمِ اللّٰهُ ؕ وَ مَنْ اَظْلَمُ مِمَّنْ كَتَمَ شَهَادَةً عِنْدَهٗ مِنَ اللّٰهِ ؕ وَمَا اللّٰهُ بِغَافِلٍ عَمَّا تَعْمَلُوْنَ ﴿١٤٠﴾
১৪১. সেটি ছিলো একটি উম্মাহ, তারা অতীত হয়ে গেছে। তারা যা উপার্জন করেছে তার প্রতিফলই তারা পাবে। আর তোমরা পাবে তোমাদের উপার্জন-এর প্রতিফল। তোমাদের সওয়াল (জিজ্ঞাসাবাদ) করা হবেনা তাদের আমল সম্পর্কে।	تِلْكَ اُمَّةٌ قَدْ خَلَتْ ۚ لَهَا مَا كَسَبَتْ وَ لَكُمْ مَّا كَسَبْتُمْ ۚ وَلَا تُسْـَٔلُوْنَ عَمَّا كَانُوْا يَعْمَلُوْنَ ﴿١٤١﴾

রুকু ১৬

سَيَقُوْلُ السُّفَهَآءُ مِنَ النَّاسِ مَا وَلّٰىهُمْ عَنْ قِبْلَتِهِمُ الَّتِىْ كَانُوْا عَلَيْهَا ؕ قُلْ لِّلّٰهِ الْمَشْرِقُ وَ الْمَغْرِبُ ؕ يَهْدِىْ مَنْ يَّشَآءُ اِلٰى صِرَاطٍ مُّسْتَقِيْمٍ ﴿۱۴۲﴾

১৪২. বোকা নির্বোধ লোকেরা অচিরেই বলবে: 'কী জিনিস তাদের (মুসলিমদের) ফিরিয়ে নিয়েছে তাদের সেই কিবলা (বায়তুল মাকদাস) থেকে, যার দিকে ফিরে তারা সালাত আদায় করে আসছিল?' বলো (হে মুহাম্মদ!): পূর্ব পশ্চিম উভয়টার মালিকই আল্লাহ। তিনি যাকে ইচ্ছা সোজা পথ প্রদর্শন করেন।

وَكَذٰلِكَ جَعَلْنٰكُمْ اُمَّةً وَّسَطًا لِّتَكُوْنُوْا شُهَدَآءَ عَلَى النَّاسِ وَيَكُوْنَ الرَّسُوْلُ عَلَيْكُمْ شَهِيْدًا ؕ وَمَا جَعَلْنَا الْقِبْلَةَ الَّتِىْ كُنْتَ عَلَيْهَآ اِلَّا لِنَعْلَمَ مَنْ يَّتَّبِعُ الرَّسُوْلَ مِمَّنْ يَّنْقَلِبُ عَلٰى عَقِبَيْهِ ؕ وَاِنْ كَانَتْ لَكَبِيْرَةً اِلَّا عَلَى الَّذِيْنَ هَدَى اللّٰهُ ؕ وَمَا كَانَ اللّٰهُ لِيُضِيْعَ اِيْمَانَكُمْ ؕ اِنَّ اللّٰهَ بِالنَّاسِ لَرَءُوْفٌ رَّحِيْمٌ ﴿۱۴۳﴾

১৪৩. এভাবে আমরা তোমাদের বানিয়েছি একটি 'মধ্যপন্থী উম্মাহ'- যাতে করে তোমরা বিশ্ববাসীর জন্যে সাক্ষী হতে পারো এবং রসূল হতে পারে তোমাদের জন্যে সাক্ষী। তুমি এ যাবত যেটিকে কিবলা বানিয়ে সালাত আদায় করে আসছিলে, সেটিকে তো আমরা এজন্যে কিবলা নির্ধারণ করে দিয়েছিলাম, যাতে করে আমরা জানতে পারি, কে আমার রসূলের অনুসরণ করে, আর কে তার থেকে পৃষ্ঠ প্রদর্শন করে? নি:সন্দেহে এটা (পরিবর্তিত কিবলা মেনে নেয়া) ছিলো একটা বড় কঠিন কাজ; কিন্তু তাদের জন্যে (মোটেও কঠিন) ছিলনা, আল্লাহ যাদেরকে সঠিক পথে পরিচালিত করেছেন। অবশ্যি আল্লাহ এমন নন যে, তিনি তোমাদের ঈমান বিনষ্ট করে দেবেন। নিশ্চয়ই আল্লাহ মানুষের প্রতি পরম স্নেহপরায়ণ, পরম দয়ালু।

قَدْ نَرٰى تَقَلُّبَ وَجْهِكَ فِى السَّمَآءِ ۚ فَلَنُوَلِّيَنَّكَ قِبْلَةً تَرْضٰىهَا ۪ فَوَلِّ وَجْهَكَ شَطْرَ الْمَسْجِدِ الْحَرَامِ ؕ وَحَيْثُ مَا كُنْتُمْ فَوَلُّوْا وُجُوْهَكُمْ شَطْرَهٗ ؕ وَاِنَّ الَّذِيْنَ اُوْتُوا الْكِتٰبَ لَيَعْلَمُوْنَ اَنَّهُ الْحَقُّ مِنْ رَّبِّهِمْ ؕ وَ مَا اللّٰهُ بِغَافِلٍ عَمَّا يَعْمَلُوْنَ ﴿۱۴۴﴾

১৪৪. বার বার তোমার আকাশের দিকে (কিবলা পরিবর্তনের নির্দেশ পাওয়ার জন্যে) তাকানোর বিষয়টি আমরা লক্ষ্য করছি। আমরা অবশ্যি তোমাকে এমন একটি কিবলার (কাবার) দিকে ফিরিয়ে দেবো, যা তোমাকে সন্তুষ্ট করবে। হ্যাঁ, 'মসজিদুল হারামের' দিকে মুখ ফিরিয়ে নাও। তোমরা যেখানেই থাকোনা কেন সেটির দিকে মুখ ফিরিয়ে নাও। আর যাদেরকে ইতোপূর্বে কিতাব দেয়া হয়েছে, তারা নিশ্চিতভাবেই জানে তাদের প্রভুর পক্ষ থেকে এটা সঠিক নির্দেশ। তারা যা করছে, সে সম্পর্কে আল্লাহ গাফিল নন।

وَلَئِنْ اَتَيْتَ الَّذِيْنَ اُوْتُوا الْكِتٰبَ بِكُلِّ اٰيَةٍ مَّا تَبِعُوْا قِبْلَتَكَ ۚ وَمَآ اَنْتَ بِتَابِعٍ قِبْلَتَهُمْ ۚ وَمَا بَعْضُهُمْ بِتَابِعٍ قِبْلَةَ بَعْضٍ ؕ وَلَئِنِ اتَّبَعْتَ اَهْوَآءَهُمْ مِّنْۢ بَعْدِ مَا جَآءَكَ مِنَ الْعِلْمِ ۙ اِنَّكَ اِذًا لَّمِنَ الظّٰلِمِيْنَ ﴿۱۴۵﴾

১৪৫. যাদেরকে ইতোপূর্বে কিতাব দেয়া হয়েছে, তুমি যদি তাদেরকে সমস্ত দলিল-প্রমাণ নিদর্শনও দেখাও, তবু তারা তোমার কিবলার অনুসরণ করবেনা (কাবাকে কিবলা মেনে নেবেনা)। আর তুমিও তাদের কিবলার অনুসারী নও এবং তারাও তাদের পরস্পরের কিবলার অনুসারী নয়। তোমার কাছে 'আল এলেম' (সত্যজ্ঞান) এসে যাবার পরও যদি তুমি তাদের ইচ্ছা-আকাংখার অনুসরণ করো, তবে অবশ্যি তুমি যালিমদের অন্তরভুক্ত হবে।

১৪৬. যাদেরকে আমরা ইতোপূর্বে কিতাব দিয়েছি তারা এটিকে (কাবাকে) ঠিক সেরকমই চেনে, যেমন চেনে নিজেদের ছেলে মেয়েদেরকে। কিন্তু তাদের একটি দল জেনে বুঝে সত্য গোপন করে চলেছে।	اَلَّذِيْنَ اٰتَيْنٰهُمُ الْكِتٰبَ يَعْرِفُوْنَهٗ كَمَا يَعْرِفُوْنَ اَبْنَآءَهُمْ ؕ وَاِنَّ فَرِيْقًا مِّنْهُمْ لَيَكْتُمُوْنَ الْحَقَّ وَهُمْ يَعْلَمُوْنَ ﴿۱۴۶﴾
১৪৭. এটাই তোমার প্রভুর পক্ষ থেকে আসা অনিবার্য সত্য। সুতরাং তুমি সংশয়ীদের অন্তরভুক্ত হয়োনা।	اَلْحَقُّ مِنْ رَّبِّكَ فَلَا تَكُوْنَنَّ مِنَ الْمُمْتَرِيْنَ ﴿۱۴۷﴾
১৪৮. প্রত্যেকেরই (প্রত্যেক জাতি-গোষ্ঠীরই) একটি দিক (কিবলা) আছে, যে দিকে সে ফিরে (প্রার্থনা করে)। সুতরাং প্রতিযোগিতা করে এগিয়ে যাও সকল কল্যাণকর কাজে। যেখানেই তোমরা থাকোনা কেন, আল্লাহ অবশ্যি তোমাদের সবাইকে একত্র করবেন। অবশ্যি আল্লাহ্ সকল বিষয়ে শক্তিমান।	وَ لِكُلٍّ وِّجْهَةٌ هُوَ مُوَلِّيْهَا فَاسْتَبِقُوا الْخَيْرٰتِ ؕ اَيْنَ مَا تَكُوْنُوْا يَاْتِ بِكُمُ اللّٰهُ جَمِيْعًا ؕ اِنَّ اللّٰهَ عَلٰى كُلِّ شَیْءٍ قَدِيْرٌ ﴿۱۴۸﴾
১৪৯. যেখান থেকেই তুমি যাত্রা করোনা কেন, সেখান থেকেই (সালাত আদায়ের সময়) তুমি মসজিদুল হারামের দিকে মুখ ফিরাও। তোমার রবের পক্ষ থেকে এ (কিবলা) অবশ্যি সত্য ও বাস্তব ভিত্তিক ফায়সালা। তোমাদের আমল সম্পর্কে আল্লাহ গাফিল নন।	وَ مِنْ حَيْثُ خَرَجْتَ فَوَلِّ وَجْهَكَ شَطْرَ الْمَسْجِدِ الْحَرَامِ ؕ وَاِنَّهٗ لَلْحَقُّ مِنْ رَّبِّكَ ؕ وَمَا اللّٰهُ بِغَافِلٍ عَمَّا تَعْمَلُوْنَ ﴿۱۴۹﴾
১৫০. আর যেখান থেকেই তুমি যাত্রা শুরু করোনা কেন (সালাত আদায়ের সময়) মসজিদুল হারামের দিকে মুখ ফিরাও। আর তোমরাও যে যেখানেই থাকো তার (মসজিদুল হারামের) দিকে মুখ ফিরাও, যাতে করে লোকেরা তোমাদের বিরুদ্ধে কোনো প্রমাণ দাঁড় করাতে না পারে। তবে যালিমদের কথা ভিন্ন (তারা সর্বাবস্থায়ই কুতর্কে লিপ্ত হয়)। সুতরাং তাদেরকে ভয় পেয়োনা, ভয় করো শুধু আমাকে -আর (আমার ফায়সালা মতো চলো), যাতে করে আমি তোমাদের প্রতি পূর্ণ করে দিতে পারি আমার নিয়ামত (দীন ও কিতাব) এবং যাতে করে তোমরা পরিচালিত হতে পারো সঠিক পথে।	وَ مِنْ حَيْثُ خَرَجْتَ فَوَلِّ وَجْهَكَ شَطْرَ الْمَسْجِدِ الْحَرَامِ ؕ وَ حَيْثُ مَا كُنْتُمْ فَوَلُّوْا وُجُوْهَكُمْ شَطْرَهٗ ۙ لِئَلَّا يَكُوْنَ لِلنَّاسِ عَلَيْكُمْ حُجَّةٌ ۗ اِلَّا الَّذِيْنَ ظَلَمُوْا مِنْهُمْ ۗ فَلَا تَخْشَوْهُمْ وَ اخْشَوْنِيْ ۗ وَ لِاُتِمَّ نِعْمَتِيْ عَلَيْكُمْ وَلَعَلَّكُمْ تَهْتَدُوْنَ ﴿۱۵۰﴾
১৫১. এমনিভাবে (তোমাদের প্রতি আমার নিয়ামত পূর্ণ করার উদ্দেশ্যে) আমি তোমাদের থেকেই তোমাদের মাঝে একজন রসূল পাঠিয়েছি, যে তোমাদের কাছে আমার আয়াতসমূহ তিলাওয়াত করে, তোমাদের সংশোধন ও উন্নত করে, তোমাদের আল কিতাব (কুরআন) ও হিকমা শিক্ষা দেয় এবং তোমরা যা কিছু জানতে না, সেগুলো তোমাদের শিখায়।	كَمَآ اَرْسَلْنَا فِيْكُمْ رَسُوْلًا مِّنْكُمْ يَتْلُوْا عَلَيْكُمْ اٰيٰتِنَا وَ يُزَكِّيْكُمْ وَ يُعَلِّمُكُمُ الْكِتٰبَ وَ الْحِكْمَةَ وَ يُعَلِّمُكُمْ مَّا لَمْ تَكُوْنُوْا تَعْلَمُوْنَ ﴿۱۵۱﴾

রুকু ১৭

১৫২. অতএব, তোমরা আমার যিকির করো (আমার নিয়ামতের কথা আলোচনা করো), তাহলে আমি তোমাদের যিকির করবো। আর তোমরা আমার শোকরগুজার হয়ে থাকো এবং (আমার নিয়ামতসমূহ) অস্বীকার করোনা।	فَاذْكُرُوْنِيْٓ اَذْكُرْكُمْ وَ اشْكُرُوْا لِيْ وَ لَا تَكْفُرُوْنِ ﴿١٥٢﴾
১৫৩. হে ঐ সমস্ত লোকেরা, যারা ঈমান এনেছো! তোমরা সবর এবং সালাত দ্বারা সাহায্য (শক্তি) অর্জন করো। নিশ্চয়ই আল্লাহ সবরকারীদের সাথে থাকেন।	يٰٓاَيُّهَا الَّذِيْنَ اٰمَنُوا اسْتَعِيْنُوْا بِالصَّبْرِ وَالصَّلٰوةِ ؕ اِنَّ اللّٰهَ مَعَ الصّٰبِرِيْنَ ﴿١٥٣﴾
১৫৪. যারা আল্লাহ্‌র পথে নিহত হয়, তোমরা তাদের মৃত বলোনা; প্রকৃত পক্ষে তারা জীবিত। কিন্তু তোমরা (তা) বুঝতে পারোনা।	وَ لَا تَقُوْلُوْا لِمَنْ يُّقْتَلُ فِيْ سَبِيْلِ اللّٰهِ اَمْوَاتٌ ؕ بَلْ اَحْيَآءٌ وَّلٰكِنْ لَّا تَشْعُرُوْنَ ﴿١٥٤﴾
১৫৫. আর অবশ্য অবশ্যি আমি তোমাদের পরীক্ষা নেবো ভয়-ভীতি দিয়ে, ক্ষুধা-অনাহার দিয়ে এবং অর্থ-সম্পদ, জান-প্রাণ ও ফল ফসলের ক্ষয় ক্ষতি দিয়ে। তবে সুসংবাদ দাও 'সবর' অবলম্বনকারীদের,	وَلَنَبْلُوَنَّكُمْ بِشَيْءٍ مِّنَ الْخَوْفِ وَ الْجُوْعِ وَنَقْصٍ مِّنَ الْاَمْوَالِ وَالْاَنْفُسِ وَالثَّمَرٰتِ ؕ وَبَشِّرِ الصّٰبِرِيْنَ ﴿١٥٥﴾
১৫৬. যারা বিপদ-মসিবতে আক্রান্ত হলে বলে: 'নিশ্চয়ই আমরা আল্লাহ্‌র এবং নিশ্চয়ই আমরা তাঁরই কাছে ফিরে যাবো।'	الَّذِيْنَ اِذَآ اَصَابَتْهُمْ مُّصِيْبَةٌ ۙ قَالُوْٓا اِنَّا لِلّٰهِ وَاِنَّآ اِلَيْهِ رٰجِعُوْنَ ﴿١٥٦﴾
১৫৭. এরাই সেইসব লোক, যাদের প্রতি তাদের প্রভুর পক্ষ থেকে বর্ষিত হয় সালাত (ক্ষমা ও করুণা) এবং রহমত। আর তারাই (তাঁর পক্ষ থেকে) হিদায়াত প্রাপ্ত।	اُولٰٓئِكَ عَلَيْهِمْ صَلَوٰتٌ مِّنْ رَّبِّهِمْ وَ رَحْمَةٌ ۫ وَاُولٰٓئِكَ هُمُ الْمُهْتَدُوْنَ ﴿١٥٧﴾
১৫৮. নিশ্চয়ই সাফা ও মারওয়া পাহাড়দ্বয় আল্লাহ্‌র নিদর্শনসমূহের অন্তরভুক্ত। সুতরাং যে কেউ আল্লাহ্‌র ঘরে হজ্জ করবে, কিংবা উমরা করবে, তার জন্যে এই দুই (পাহাড়ের) মাঝে সা'য়ী করাতে কোনো দোষ নাই। আর যে কেউ স্বেচ্ছায় কল্যাণকর কাজ করবে, সে জেনে রাখুক, আল্লাহ অবশ্যি স্বেচ্ছা-কল্যাণ কাজের স্বীকৃতি ও মর্যাদা প্রদানকারী, সর্বজ্ঞানী।	اِنَّ الصَّفَا وَ الْمَرْوَةَ مِنْ شَعَآئِرِ اللّٰهِ ۚ فَمَنْ حَجَّ الْبَيْتَ اَوِ اعْتَمَرَ فَلَا جُنَاحَ عَلَيْهِ اَنْ يَّطَّوَّفَ بِهِمَا ؕ وَ مَنْ تَطَوَّعَ خَيْرًا ۙ فَاِنَّ اللّٰهَ شَاكِرٌ عَلِيْمٌ ﴿١٥٨﴾
১৫৯. আমাদের নাযিল করা সুস্পষ্ট প্রমাণসমূহ এবং 'হুদা' (কিতাব ও জীবন বিধান) যারা গোপন করে, যেগুলো মানবজাতিকে সত্যের সন্ধান দেয়ার জন্যে আমরা কিতাবে পরিষ্কারভাবে বর্ণনা করে দিয়েছি, তাদের প্রতি লা'নত (অভিশাপ) বর্ষণ করেন স্বয়ং আল্লাহ এবং সকল লা'নত বর্ষণকারীরা (যারা এর উপকার ও কল্যাণ থেকে বঞ্চিত)।	اِنَّ الَّذِيْنَ يَكْتُمُوْنَ مَآ اَنْزَلْنَا مِنَ الْبَيِّنٰتِ وَ الْهُدٰى مِنْۢ بَعْدِ مَا بَيَّنّٰهُ لِلنَّاسِ فِي الْكِتٰبِ ۙ اُولٰٓئِكَ يَلْعَنُهُمُ اللّٰهُ وَ يَلْعَنُهُمُ اللّٰعِنُوْنَ ﴿١٥٩﴾
১৬০. তবে যারা অনুতপ্ত হয়ে (আমার কিতাব ও কিতাবে প্রদত্ত বিধান গোপন করার কাজ পরিত্যাগ করে) ফিরে আসে এবং নিজেদেরকে	اِلَّا الَّذِيْنَ تَابُوْا وَ اَصْلَحُوْا وَ بَيَّنُوْا

রুকু ১৮

সংশোধন করে নেয়, আর (যা গোপন করে আসছিল তা) প্রচার-প্রকাশ করার কাজে আত্মনিয়োগ করে, আমি তাদের তওবা কবুল করি, আর একমাত্র আমিই তো তওবা কবুলকারী, পরম দয়াবান।	فَأُولٰٓئِكَ أَتُوبُ عَلَيْهِمْ ۚ وَأَنَا التَّوَّابُ الرَّحِيمُ ١٦٠
১৬১. কিন্তু যারা কুফুরি করবে (সত্যকে গোপন করার কাজ অব্যাহত রাখবে) এবং সত্য গোপনকারী অবস্থাতেই মারা যাবে, তাদের প্রতি আল্লাহ্‌র লা'নত এবং ফেরেশতাকুল ও সমস্ত মানুষের লা'নত।	إِنَّ الَّذِينَ كَفَرُوا وَمَاتُوا وَهُمْ كُفَّارٌ أُولٰٓئِكَ عَلَيْهِمْ لَعْنَةُ اللّٰهِ وَالْمَلٰٓئِكَةِ وَالنَّاسِ أَجْمَعِينَ ١٦١
১৬২. তাতেই (জাহান্নামে) থাকবে তারা চিরকাল। তাদের থেকে আযাবকে কখনো হালকা করা হবেনা এবং কোনো প্রকার অবকাশও তাদের দেয়া হবেনা।	خٰلِدِينَ فِيهَا ۚ لَا يُخَفَّفُ عَنْهُمُ الْعَذَابُ وَلَا هُمْ يُنْظَرُونَ ١٦٢
১৬৩. তোমাদের ইলাহ্‌ এক ও একক ইলাহ্‌। কোনো ইলাহ্‌ নেই তিনি ছাড়া। তিনি রহমানুর রহিম (মহা দয়াবান-পরমকরুণাময়)।	وَإِلٰهُكُمْ إِلٰهٌ وَّاحِدٌ ۚ لَآ إِلٰهَ إِلَّا هُوَ الرَّحْمٰنُ الرَّحِيمُ ١٦٣
১৬৪. মহাকাশ এবং পৃথিবীর সৃষ্টির মধ্যে, রাত আর দিনের আবর্তনের মধ্যে, মানুষের ব্যবহার্য ও উপকারী পণ্য সামগ্রী নিয়ে সমুদ্রে চলমান নৌযানসমূহের মধ্যে, আল্লাহ আকাশ থেকে যে পানি বর্ষণ করেন আর তা দ্বারা যে মৃত্যুর পর জমিনকে জীবিত করেন তার মধ্যে, তিনি যে পৃথিবীতে সব ধরণের জীব জন্তুর বিস্তার সাধন করছেন তার মধ্যে, বায়ু প্রবাহের মধ্যে এবং আসমান ও জমিনের মাঝখানে আল্লাহ্‌র নির্দেশের অধীন চলাচলকারী (ছায়াদার) মেঘমালার মধ্যে রয়েছে অসংখ্য প্রমাণ আর নিদর্শন সেইসব লোকদের জন্যে, যারা বিবেক-বুদ্ধি ও চিন্তাশক্তিকে কাজে লাগায়।	إِنَّ فِي خَلْقِ السَّمٰوٰتِ وَالْأَرْضِ وَاخْتِلَافِ الَّيْلِ وَالنَّهَارِ وَالْفُلْكِ الَّتِي تَجْرِي فِي الْبَحْرِ بِمَا يَنْفَعُ النَّاسَ وَمَآ أَنْزَلَ اللّٰهُ مِنَ السَّمَآءِ مِنْ مَّآءٍ فَأَحْيَا بِهِ الْأَرْضَ بَعْدَ مَوْتِهَا وَبَثَّ فِيهَا مِنْ كُلِّ دَآبَّةٍ ۪ وَّتَصْرِيفِ الرِّيٰحِ وَالسَّحَابِ الْمُسَخَّرِ بَيْنَ السَّمَآءِ وَالْأَرْضِ لَاٰيٰتٍ لِّقَوْمٍ يَّعْقِلُونَ ١٦٤
১৬৫. একদল লোক আল্লাহ ছাড়া অন্যদেরকে আল্লাহ্‌র সমকক্ষ ও প্রতিপক্ষ হিসেবে গ্রহণ করে। তারা তাদেরকে এমনভাবে ভালোবাসে যেমন ভালোবাসা উচিত শুধুমাত্র আল্লাহ্‌কে। পক্ষান্তরে যারা ঈমান এনেছে, আল্লাহ্‌র জন্যে তাদের ভালোবাসা সবার এবং সবকিছুর উপরে অতি মজবুত-অবিচল। হায়, আযাব সচক্ষে দেখার পর এইসব যালিমরা যেভাবে বুঝবে, এখনই যদি সেভাবে অনুধাবন করতো যে, সমস্ত ক্ষমতা শুধুমাত্র আল্লাহ্‌র এবং অবশ্যি আল্লাহ সাংঘাতিক আযাব দাতা!	وَمِنَ النَّاسِ مَنْ يَّتَّخِذُ مِنْ دُونِ اللّٰهِ أَنْدَادًا يُّحِبُّونَهُمْ كَحُبِّ اللّٰهِ ۖ وَالَّذِينَ اٰمَنُوٓا أَشَدُّ حُبًّا لِّلّٰهِ ۗ وَلَوْ يَرَى الَّذِينَ ظَلَمُوٓا إِذْ يَرَوْنَ الْعَذَابَ ۙ أَنَّ الْقُوَّةَ لِلّٰهِ جَمِيعًا ۙ وَّأَنَّ اللّٰهَ شَدِيدُ الْعَذَابِ ١٦٥
১৬৬. যখন (পথভ্রষ্ট) আনুগত্যলাভকারী নেতারা তাদের অনুসারী-আনুগত্যকারীদের সাথে	إِذْ تَبَرَّأَ الَّذِينَ اتُّبِعُوا مِنَ الَّذِينَ

রুকু ১৯

সম্পর্কহীনতা ঘোষণা করবে এবং সম্মুখীন হয়ে পড়বে আযাবের, আর ছিন্ন হয়ে যাবে তাদের মধ্যকার সম্পর্ক,

اتَّبَعُوْا وَرَاَوُا الْعَذَابَ وَتَقَطَّعَتْ بِهِمُ الْاَسْبَابُ ﴿١٦٦﴾

১৬৭. (পৃথিবীতে) যারা তাদের অনুসরণ-আনুগত্য করতো, তখন তারা বলবে: 'হায়, একবার যদি আমাদের পৃথিবীর জীবনে ফেরত পাঠানো হতো, তবে আমরাও এদের সাথে ঠিক তেমনি সম্পর্ক ছিন্ন করতাম, যেভাবে তারা আজ আমাদের সাথে সম্পর্ক ছিন্ন করেছে। এভাবেই আল্লাহ তাদের (উভয় গ্রুপকে) তাদের আমল দেখাবেন হতাশা নিরাশা আর দুঃখের কারণ হিসেবে। আর তারা কখনো বের হতে পারবেনা আগুন থেকে।

وَ قَالَ الَّذِيْنَ اتَّبَعُوْا لَوْ اَنَّ لَنَا كَرَّةً فَنَتَبَرَّاَ مِنْهُمْ كَمَا تَبَرَّءُوْا مِنَّا ؕ كَذٰلِكَ يُرِيْهِمُ اللّٰهُ اَعْمَالَهُمْ حَسَرٰتٍ عَلَيْهِمْ ؕ وَ مَا هُمْ بِخٰرِجِيْنَ مِنَ النَّارِ ﴿١٦٧﴾

রুকু ২০

১৬৮. হে মানবকুল! তোমরা পৃথিবীর সেসব খাদ্য আহার করো, যেগুলো হালাল এবং ভালো। তোমরা শয়তানের পদাংক অনুসরণ করোনা। কারণ, সে তোমাদের সুস্পষ্ট শত্রু।

يٰۤاَيُّهَا النَّاسُ كُلُوْا مِمَّا فِی الْاَرْضِ حَلٰلًا طَيِّبًا ۖ وَّلَا تَتَّبِعُوْا خُطُوٰتِ الشَّيْطٰنِ ؕ اِنَّهٗ لَكُمْ عَدُوٌّ مُّبِيْنٌ ﴿١٦٨﴾

১৬৯. সে তো তোমাদের নির্দেশ দেয় কেবল নিকৃষ্ট-নোংরা এবং ফাহেশা কাজ করার। সে আরো নির্দেশ দেয়, তোমরা যেনো আল্লাহ্‌র প্রতি এমন সব কথা আরোপ করো, যেগুলোর জ্ঞান তোমাদের নেই।

اِنَّمَا يَاْمُرُكُمْ بِالسُّوْٓءِ وَ الْفَحْشَآءِ وَ اَنْ تَقُوْلُوْا عَلَى اللّٰهِ مَا لَا تَعْلَمُوْنَ ﴿١٦٩﴾

১৭০. যখন তাদের বলা হয়: 'অনুসরণ-আনুগত্য করো আল্লাহ্‌র নাযিল করা বিধানের, তখন তারা বলে: 'না, বরং আমরা চলবো সে পথে, যে পথে চলেছেন আমাদের বাপ-দাদারা।' (এ কেমন ব্যাপার!) তাদের বাপ-দাদারা যদি কোনো প্রকার আকল খাটিয়ে না থাকে এবং হিদায়াতের পথে চলে না থাকে, তারপরও কি তারা তাদেরই অনুসরণ করবে?

وَ اِذَا قِيْلَ لَهُمُ اتَّبِعُوْا مَاۤ اَنْزَلَ اللّٰهُ قَالُوْا بَلْ نَتَّبِعُ مَاۤ اَلْفَيْنَا عَلَيْهِ اٰبَآءَنَا ؕ اَوَ لَوْ كَانَ اٰبَآؤُهُمْ لَا يَعْقِلُوْنَ شَيْـًٔا وَّلَا يَهْتَدُوْنَ ﴿١٧٠﴾

১৭১. যারা আল্লাহ্‌র নাযিল করা বিধান মেনে নিতে অস্বীকার করে, তাদের উপমা হলো ঠিক তেমনি, যেমন একজন রাখাল (তার পশুদের কিছু নির্দেশ দিয়ে) ডাকে, অথচ তারা হাঁক-ডাক ছাড়া আর কিছুই শুনতে পায়না। আসলে এরা বধির, বোবা, অন্ধ, তাই তাদের আকল-বুদ্ধি কাজ করেনা।

وَ مَثَلُ الَّذِيْنَ كَفَرُوْا كَمَثَلِ الَّذِیْ يَنْعِقُ بِمَا لَا يَسْمَعُ اِلَّا دُعَآءً وَّنِدَآءً ؕ صُمٌّۢ بُكْمٌ عُمْیٌ فَهُمْ لَا يَعْقِلُوْنَ ﴿١٧١﴾

১৭২. হে লোকেরা! যারা ঈমান এনেছো! আমি তোমাদের যেসব ভালো-পবিত্র রিযিক দিয়েছি তোমরা (শুধুমাত্র) সেগুলো থেকেই খাও এবং আল্লাহ্‌র শোকর আদায় করো, যদি তোমরা একমাত্র তাঁরই ইবাদত করে থাকো।

يٰۤاَيُّهَا الَّذِيْنَ اٰمَنُوْا كُلُوْا مِنْ طَيِّبٰتِ مَا رَزَقْنٰكُمْ وَ اشْكُرُوْا لِلّٰهِ اِنْ كُنْتُمْ اِيَّاهُ تَعْبُدُوْنَ ﴿١٧٢﴾

১৭৩. তিনি তোমাদের জন্যে হারাম করে দিয়েছেন: মৃত (পশুপাখি), (প্রবাহিত) রক্ত, শুয়োরের মাংস এবং যেসব (পশু-পাখি) আল্লাহ ছাড়া অন্য কারো উদ্দেশ্যে যবেহ্ (বলি) করা হয়েছে সেগুলো। তবে কেউ যদি (প্রয়োজনের তাকিদে) বাধ্য হয়ে (এ ধরণের কিছু খায়) ইচ্ছাকৃত অবাধ্যতা ছাড়া এবং সীমালংঘন না করে, তবে তার পাপ হবেনা। নিশ্চয়ই আল্লাহ পরম ক্ষমাশীল অতীব দয়াবান।	اِنَّمَا حَرَّمَ عَلَيْكُمُ الْمَيْتَةَ وَ الدَّمَ وَ لَحْمَ الْخِنْزِيْرِ وَ مَآ اُهِلَّ بِهٖ لِغَيْرِ اللّٰهِ ۚ فَمَنِ اضْطُرَّ غَيْرَ بَاغٍ وَّلَا عَادٍ فَلَآ اِثْمَ عَلَيْهِ ؕ اِنَّ اللّٰهَ غَفُوْرٌ رَّحِيْمٌ ﴿١٧٣﴾
১৭৪. আল্লাহ যে কিতাব নাযিল করেছেন, যারা তা গোপন করে এবং তার বিনিময়ে সামান্য (পার্থিব) স্বার্থ ক্রয় করে, তারা নিজেদের পেটে আগুন ছাড়া আর কিছুই ভক্ষণ করেনা। কিয়ামতের দিন আল্লাহ তাদের সাথে কথাও বলবেন না এবং তাদের পবিত্রও করবেন না। আর তাদের জন্যে রয়েছে যন্ত্রণাদায়ক আযাব।	اِنَّ الَّذِيْنَ يَكْتُمُوْنَ مَآ اَنْزَلَ اللّٰهُ مِنَ الْكِتٰبِ وَ يَشْتَرُوْنَ بِهٖ ثَمَنًا قَلِيْلًا ۙ اُولٰٓئِكَ مَا يَاْكُلُوْنَ فِىْ بُطُوْنِهِمْ اِلَّا النَّارَ وَ لَا يُكَلِّمُهُمُ اللّٰهُ يَوْمَ الْقِيٰمَةِ وَ لَا يُزَكِّيْهِمْ ۖۚ وَلَهُمْ عَذَابٌ اَلِيْمٌ ﴿١٧٤﴾
১৭৫. এরাই তারা, যারা সঠিক জীবন পদ্ধতির বিনিময়ে ক্রয় করেছে ভ্রান্ত জীবন পদ্ধতি এবং মাগফিরাতের বিনিময়ে আযাব। আগুনের আযাব সইবার ব্যাপারে কতো দৃঢ় প্রতিজ্ঞ তারা!	اُولٰٓئِكَ الَّذِيْنَ اشْتَرَوُا الضَّلٰلَةَ بِالْهُدٰى وَالْعَذَابَ بِالْمَغْفِرَةِ ۚ فَمَآ اَصْبَرَهُمْ عَلَى النَّارِ ﴿١٧٥﴾
১৭৬. এসব কিছুর কারণ হলো, আল্লাহ সত্য ও বাস্তবতা সহকারে আল কিতাব পাঠিয়েছেন, আর সেই কিতাব নিয়ে যারা মতভেদ সৃষ্টি করেছে, তারা কিতাবের সাথে বিরোধে লিপ্ত হয়ে অনেক দূরে সরে গেছে (সত্য থেকে)।	ذٰلِكَ بِاَنَّ اللّٰهَ نَزَّلَ الْكِتٰبَ بِالْحَقِّ ؕ وَاِنَّ الَّذِيْنَ اخْتَلَفُوْا فِى الْكِتٰبِ لَفِىْ شِقَاقٍۭ بَعِيْدٍ ﴿١٧٦﴾
১৭৭. পূর্ব এবং পশ্চিম দিকে মুখ ফেরানোর মধ্যে (প্রকৃত পক্ষে) কোনো পুণ্য নেই। বরং পুণ্য তো হলো: মানুষ ঈমান আনবে এক আল্লাহ্র প্রতি, শেষ দিবসের (আখিরাতের) প্রতি, ফেরেশতাদের প্রতি, আল্লাহ্র কিতাব এবং নবীদের প্রতি; আর তাঁর (আল্লাহ্র) ভালোবাসায় মাল-সম্পদ দান করবে আত্নীয়-স্বজনদের, এতিমদের, মিসকিনদের, পথিক-পর্যটকদের, সাহায্যপ্রার্থীদের এবং মানুষকে দাসত্ব থেকে মুক্তির কাজে; আর সালাত কায়েম করবে, যাকাত প্রদান (পরিশোধ) করবে; তাছাড়া প্রতিশ্রুতি দিলে তা পূর্ণকারী হবে এবং অর্থসংকট, দুঃখ-কষ্ট ও সত্য মিথ্যার সংগ্রামে সবর অবলম্বনকারী হবে। -মূলত এরাই (তাদের ঈমান ও ইসলামের দিক থেকে) সত্যবাদী এবং এরাই (প্রকৃত) মুত্তাকি।	لَيْسَ الْبِرَّ اَنْ تُوَلُّوْا وُجُوْهَكُمْ قِبَلَ الْمَشْرِقِ وَ الْمَغْرِبِ وَلٰكِنَّ الْبِرَّ مَنْ اٰمَنَ بِاللّٰهِ وَ الْيَوْمِ الْاٰخِرِ وَ الْمَلٰٓئِكَةِ وَ الْكِتٰبِ وَ النَّبِيّٖنَ ۚ وَ اٰتَى الْمَالَ عَلٰى حُبِّهٖ ذَوِى الْقُرْبٰى وَ الْيَتٰمٰى وَ الْمَسٰكِيْنَ وَ ابْنَ السَّبِيْلِ ۙ وَ السَّآئِلِيْنَ وَ فِى الرِّقَابِ ۚ وَ اَقَامَ الصَّلٰوةَ وَ اٰتَى الزَّكٰوةَ ۚ وَ الْمُوْفُوْنَ بِعَهْدِهِمْ اِذَا عٰهَدُوْا ۚ وَ الصّٰبِرِيْنَ فِى الْبَاْسَآءِ وَالضَّرَّآءِ وَحِيْنَ الْبَاْسِ ؕ اُولٰٓئِكَ الَّذِيْنَ صَدَقُوْا ؕ وَاُولٰٓئِكَ هُمُ الْمُتَّقُوْنَ ﴿١٧٧﴾

রুকু ২১

১৭৮. হে ঈমানদার লোকেরা! তোমাদের জন্যে হত্যা (মামলার) বিধান লিখে দেয়া হলো কিসাস। স্বাধীন ব্যক্তি হত্যা করে থাকলে সেই ব্যক্তিরই মৃত্যুদন্ড হবে। কোনো দাস হত্যাকারী (প্রমাণিত) হলে মৃত্যুদন্ড সেই দাসেরই হবে। কোনো নারী হত্যাকারী (প্রমাণিত) হলে মৃত্যুদন্ড সেই নারীকেই দিতে হবে। তবে কোনো (হত্যাকারী) ব্যক্তির সাথে তার ভাইয়ের (নিহত ব্যক্তির উত্তরাধিকারীর) পক্ষ থেকে কোমল ব্যবহার (মৃত্যুদন্ড ক্ষমা) করা হলে তার (হত্যাকারীর) জন্যে অপরিহার্য হবে প্রচলিত নিয়ম অনুযায়ী (ধার্যকৃত/দাবিকৃত) রক্তপণ সততার সাথে তাকে প্রদান করা। তোমাদের প্রভুর পক্ষ থেকে এটা একটা লাঘব এবং অনুকম্পা। কিন্তু এরপরও যদি কেউ সীমালংঘন করে, তার জন্যে রয়েছে যন্ত্রণাদায়ক আযাব।	يَٰٓأَيُّهَا ٱلَّذِينَ ءَامَنُوا۟ كُتِبَ عَلَيْكُمُ ٱلْقِصَاصُ فِى ٱلْقَتْلَى ۖ ٱلْحُرُّ بِٱلْحُرِّ وَٱلْعَبْدُ بِٱلْعَبْدِ وَٱلْأُنثَىٰ بِٱلْأُنثَىٰ ۚ فَمَنْ عُفِىَ لَهُۥ مِنْ أَخِيهِ شَىْءٌ فَٱتِّبَاعٌۢ بِٱلْمَعْرُوفِ وَأَدَآءٌ إِلَيْهِ بِإِحْسَٰنٍ ۗ ذَٰلِكَ تَخْفِيفٌ مِّن رَّبِّكُمْ وَرَحْمَةٌ ۗ فَمَنِ ٱعْتَدَىٰ بَعْدَ ذَٰلِكَ فَلَهُۥ عَذَابٌ أَلِيمٌ ﴿١٧٨﴾
১৭৯. তোমাদের জন্যে কিসাস (বিধান)-এর মধ্যেই রয়েছে জীবন (-এর নিরাপত্তা) হে বুদ্ধি বিবেক ওয়ালা লোকেরা! আশা করা যায়, তোমরা (এ আইনের প্রতি অবজ্ঞা করা থেকে) বিরত থাকবে।	وَلَكُمْ فِى ٱلْقِصَاصِ حَيَوٰةٌ يَٰٓأُو۟لِى ٱلْأَلْبَٰبِ لَعَلَّكُمْ تَتَّقُونَ ﴿١٧٩﴾
১৮০. তোমাদের কোনো ব্যক্তির যখন মৃত্যুর সময় হাজির হয় এবং সে যদি অর্থ-সম্পদ রেখে যেতে থাকে, তাহলে বাবা-মা এবং আত্মীয়-স্বজনের জন্যে অসিয়ত করে যাবার বিধান তোমাদের জন্যে লিখে (ফরয করে) দেয়া হলো প্রচলিত যুক্তিসংগত নিয়মে। এটা মুত্তাকিদের একটা কর্তব্য।	كُتِبَ عَلَيْكُمْ إِذَا حَضَرَ أَحَدَكُمُ ٱلْمَوْتُ إِن تَرَكَ خَيْرًا ٱلْوَصِيَّةُ لِلْوَٰلِدَيْنِ وَٱلْأَقْرَبِينَ بِٱلْمَعْرُوفِ ۖ حَقًّا عَلَى ٱلْمُتَّقِينَ ﴿١٨٠﴾
১৮১. কোনো ব্যক্তি তা শ্রবণ করার পর যদি তাতে রদবদল করে, তবে যারা রদবদল করবে, এর পাপ তাদের উপরই বর্তাবে। আল্লাহ অবশ্যি সর্বশ্রোতা এবং সর্বজ্ঞানী।	فَمَنۢ بَدَّلَهُۥ بَعْدَمَا سَمِعَهُۥ فَإِنَّمَآ إِثْمُهُۥ عَلَى ٱلَّذِينَ يُبَدِّلُونَهُۥٓ ۚ إِنَّ ٱللَّهَ سَمِيعٌ عَلِيمٌ ﴿١٨١﴾
১৮২. তবে কেউ যদি অসিয়তকারীর পক্ষ থেকে (ইচ্ছাকৃত বা অনিচ্ছাকৃত) পক্ষপাতিত্ব বা অন্যায়ের আশংকা করে এবং সে কারণে সংশ্লিষ্ট পক্ষগুলোর মধ্যে সমঝোতা ও মীমাংসা করে দেয়, তাতে তার কোনো পাপ হবেনা। নিশ্চয়ই আল্লাহ অতীব ক্ষমাশীল পরম করুণাময়।	فَمَنْ خَافَ مِن مُّوصٍ جَنَفًا أَوْ إِثْمًا فَأَصْلَحَ بَيْنَهُمْ فَلَآ إِثْمَ عَلَيْهِ ۚ إِنَّ ٱللَّهَ غَفُورٌ رَّحِيمٌ ﴿١٨٢﴾
১৮৩. হে ঈমান আনা লোকেরা! তোমাদের জন্যে লিখে (ফরয করে) দেয়া হয়েছে সওম (রোযা), যেভাবে লিখে দেয়া হয়েছিল তোমাদের পূর্বেকার লোকেদের জন্যে, যাতে করে তোমাদের মধ্যে তাকওয়া সৃষ্টি হয়।	يَٰٓأَيُّهَا ٱلَّذِينَ ءَامَنُوا۟ كُتِبَ عَلَيْكُمُ ٱلصِّيَامُ كَمَا كُتِبَ عَلَى ٱلَّذِينَ مِن قَبْلِكُمْ لَعَلَّكُمْ تَتَّقُونَ ﴿١٨٣﴾

রুকু ২২

১৮৪. (সওম হলো) নির্দিষ্ট কয়েক দিনের (বিধান)। তোমাদের কেউ যদি রোগাক্রান্ত হয়, অথবা সফরে-ভ্রমণে থাকে, তাহলে সে যেনো অন্য সময় সেগুলো পূর্ণ করে দেয়। তবে এটা (সওম) যাদের অতিশয় কষ্ট দেয় (যেমন-বার্ধক্য, গর্ভাবস্থা বা চির রোগের কারণে), তাদের জন্যে (অবকাশ রয়েছে সওম পালন করার অথবা) সওমের পরিবর্তে 'ফিদিয়া' হিসেবে একজন মিসকিনকে আহার করানোর। তবে যে কেউ স্বেচ্ছায় অতিরিক্ত কল্যাণের কাজ করবে, তা তার জন্যে কল্যাণকর। আর তোমরা যদি সওম পালন করো, সেটাই তোমাদের জন্যে উত্তম, তোমরা যদি বিষয়টি অনুধাবন করতে!

اَيَّامًا مَّعۡدُوۡدٰتٍ ؕ فَمَنۡ كَانَ مِنۡكُمۡ مَّرِيۡضًا اَوۡ عَلٰى سَفَرٍ فَعِدَّةٌ مِّنۡ اَيَّامٍ اُخَرَ ؕ وَ عَلَى الَّذِيۡنَ يُطِيۡقُوۡنَهٗ فِدۡيَةٌ طَعَامُ مِسۡكِيۡنٍ ؕ فَمَنۡ تَطَوَّعَ خَيۡرًا فَهُوَ خَيۡرٌ لَّهٗ ؕ وَ اَنۡ تَصُوۡمُوۡا خَيۡرٌ لَّكُمۡ اِنۡ كُنۡتُمۡ تَعۡلَمُوۡنَ ﴿۱۸۴﴾

১৮৫. রমযান মাস হলো সেই মাস, যাতে নাযিল করা হয়েছে আল কুরআন, যা মানবজাতির জন্যে 'জীবন যাপনের ব্যবস্থা' এবং জীবন যাপন ব্যবস্থা হিসেবে সুস্পষ্ট, আর অকাট্য মানদন্ড। সুতরাং তোমাদের যে কেউ এ মাসের সাক্ষাত লাভ করবে, তাকে অবশ্যি পুরো (রমযান) মাসটিতে সওম পালন করতে হবে। তবে কেউ রোগাক্রান্ত হলে, অথবা সফরে-ভ্রমণে থাকলে তাকে অন্য সময় সংখ্যা পূরণ করতে হবে। আল্লাহ তোমাদের জন্যে (তাঁর বিধান) সহজ করে দিতে চান এবং তিনি তোমাদের জন্যে (তাঁর বিধান) কঠিন-কষ্টকর করতে চান না। (তিনি চান) তোমরা যেনো (সওমের) সংখ্যা পূর্ণ করো এবং তোমরা আল্লাহ্‌র শ্রেষ্ঠত্ব প্রকাশ করো আর তাঁর প্রতি কৃতজ্ঞতা জ্ঞাপন করো।

شَهۡرُ رَمَضَانَ الَّذِیۡۤ اُنۡزِلَ فِيۡهِ الۡقُرۡاٰنُ هُدًى لِّلنَّاسِ وَ بَيِّنٰتٍ مِّنَ الۡهُدٰى وَ الۡفُرۡقَانِ ۚ فَمَنۡ شَهِدَ مِنۡكُمُ الشَّهۡرَ فَلۡيَصُمۡهُ ؕ وَمَنۡ كَانَ مَرِيۡضًا اَوۡ عَلٰى سَفَرٍ فَعِدَّةٌ مِّنۡ اَيَّامٍ اُخَرَ ؕ يُرِيۡدُ اللّٰهُ بِكُمُ الۡيُسۡرَ وَلَا يُرِيۡدُ بِكُمُ الۡعُسۡرَ ۫ وَ لِتُكۡمِلُوا الۡعِدَّةَ وَ لِتُكَبِّرُوا اللّٰهَ عَلٰى مَا هَدٰىكُمۡ وَلَعَلَّكُمۡ تَشۡكُرُوۡنَ ﴿۱۸۵﴾

১৮৬. আমার দাসেরা যখন তোমাকে আমার সম্পর্কে সওয়াল (জিজ্ঞাসা) করে, (হে মুহাম্মদ! তুমি তখন তাদের বলো:) আমি তাদের নিকটেই আছি। কোনো আহবানকারী (বা) দোয়া-প্রার্থনাকারী যখন আমাকে ডাকে, আমি তার ডাক ও দোয়া-প্রার্থনা শুনি এবং তাতে সাড়া দেই। সুতরাং তারাও যেনো আমার আহবানে সাড়া দেয় (আমার হুকুম পালন করে) এবং আমার প্রতি ঈমান রাখে-যাতে করে তারা সঠিক পথে পরিচালিত হয়।

وَ اِذَا سَاَلَكَ عِبَادِیۡ عَنِّیۡ فَاِنِّیۡ قَرِيۡبٌ ؕ اُجِيۡبُ دَعۡوَةَ الدَّاعِ اِذَا دَعَانِ ۙ فَلۡيَسۡتَجِيۡبُوۡا لِیۡ وَ لۡيُؤۡمِنُوۡا بِیۡ لَعَلَّهُمۡ يَرۡشُدُوۡنَ ﴿۱۸۶﴾

১৮৭. সওম পালনের রাত্রে স্ত্রী সহবাস করা তোমাদের জন্যে হালাল করে দেয়া হলো। তারা তোমাদের পোশাক এবং তোমরা তাদের পোশাক। আল্লাহ জানেন, তোমরা নিজেরা নিজেদের সাথে খিয়ানত করেছিলে। এখন তিনি

اُحِلَّ لَكُمۡ لَيۡلَةَ الصِّيَامِ الرَّفَثُ اِلٰى نِسَآئِكُمۡ ؕ هُنَّ لِبَاسٌ لَّكُمۡ وَاَنۡتُمۡ لِبَاسٌ لَّهُنَّ ؕ عَلِمَ اللّٰهُ اَنَّكُمۡ كُنۡتُمۡ تَخۡتَانُوۡنَ

তোমাদের তওবা কবুল করে নিয়েছেন এবং তোমাদের অপরাধ ক্ষমা করে দিয়েছেন। সুতরাং এখন থেকে (সওমের রাত্রে) তোমরা তাদের সাথে সহবাস করো এবং আল্লাহ তোমাদের জন্যে যা বিধিবদ্ধ করেছেন তার সন্ধান করো। আর পানাহার করতে থাকো যতোক্ষণ না তোমাদের কাছে রাতের কালো রেখা থেকে ভোরের সাদা রেখা পরিষ্কারভাবে ফুটে উঠে। তারপর সওম পূর্ণ করো রাতের আগমন পর্যন্ত। আর মসজিদে ইতেকাফ অবস্থায় থাকাকালে তোমরা স্ত্রী সহবাস করোনা। এগুলো হলো আল্লাহ্‌র সীমারেখা। সুতরাং (লংঘনের উদ্দেশ্যে) এগুলোর কাছেও যেওনা। এভাবেই আল্লাহ তাঁর তাঁর আইন-বিধান ও হালাল-হারামের সীমারেখা বয়ান করেন মানুষের জন্যে, যাতে করে তারা সতর্কতা অবলম্বন করে।	اَنْفُسَكُمْ فَتَابَ عَلَيْكُمْ وَعَفَا عَنْكُمْ ۚ فَالْـٰٔنَ بَاشِرُوْهُنَّ وَابْتَغُوْا مَا كَتَبَ اللّٰهُ لَكُمْ ۪ وَكُلُوْا وَاشْرَبُوْا حَتّٰى يَتَبَيَّنَ لَكُمُ الْخَيْطُ الْاَبْيَضُ مِنَ الْخَيْطِ الْاَسْوَدِ مِنَ الْفَجْرِ ۪ ثُمَّ اَتِمُّوا الصِّيَامَ اِلَى الَّيْلِ ۚ وَلَا تُبَاشِرُوْهُنَّ وَاَنْتُمْ عٰكِفُوْنَ ۙ فِي الْمَسٰجِدِ ؕ تِلْكَ حُدُوْدُ اللّٰهِ فَلَا تَقْرَبُوْهَا ؕ كَذٰلِكَ يُبَيِّنُ اللّٰهُ اٰيٰتِهٖ لِلنَّاسِ لَعَلَّهُمْ يَتَّقُوْنَ ﴿۱۸۷﴾
১৮৮. তোমরা নিজেদের একে অপরের মাল-সম্পদ খেয়োনা বাতিল (অন্যায়-অবৈধ) প্রক্রিয়ায় এবং জেনে বুঝে মানুষের মাল সম্পদের কিছু অংশ অন্যায়ভাবে গ্রাস করার উদ্দেশ্যে শাসকদের সামনে উত্থাপন করোনা।	وَلَا تَاْكُلُوْۤا اَمْوَالَكُمْ بَيْنَكُمْ بِالْبَاطِلِ وَتُدْلُوْا بِهَاۤ اِلَى الْحُكَّامِ لِتَاْكُلُوْا فَرِيْقًا مِّنْ اَمْوَالِ النَّاسِ بِالْاِثْمِ وَاَنْتُمْ تَعْلَمُوْنَ ﴿۱۸۸﴾
১৮৯. তারা তোমাকে নতুন চাঁদ সম্পর্কে সওয়াল (প্রশ্ন) করছে। তুমি বলো: 'এগুলো (চাঁদের ছোট বড় হওয়া এবং নতুন করে উদিত হওয়া) সময়ের মেয়াদ নির্ধারক চিহ্ন মানুষের জন্যে এবং হজ্জের জন্যে।' আর তোমরা যে ঘরের পেছন দিয়ে ঘরে প্রবেশ করছো তাতে কোনো পুণ্য বা কল্যাণ নেই। বরং পুণ্য আর কল্যাণ তো রয়েছে ঐ ব্যক্তির জন্যে যে তাকওয়া অবলম্বন করে। সুতরাং তোমরা ঘরসমূহে প্রবেশ করো সেগুলোর (সদর) দরজা দিয়ে এবং আল্লাহ্‌কে ভয় করো, যাতে করে তোমরা সফলতা লাভ করতে পারো।	يَسْـَٔلُوْنَكَ عَنِ الْاَهِلَّةِ ؕ قُلْ هِيَ مَوَاقِيْتُ لِلنَّاسِ وَالْحَجِّ ؕ وَلَيْسَ الْبِرُّ بِاَنْ تَاْتُوا الْبُيُوْتَ مِنْ ظُهُوْرِهَا وَلٰكِنَّ الْبِرَّ مَنِ اتَّقٰى ۚ وَاْتُوا الْبُيُوْتَ مِنْ اَبْوَابِهَا ۪ وَاتَّقُوا اللّٰهَ لَعَلَّكُمْ تُفْلِحُوْنَ ﴿۱۸۹﴾
১৯০. আর তোমরা আল্লাহ্‌র পথে যুদ্ধ করো ঐসব লোকদের বিরুদ্ধে, যারা যুদ্ধ করছে তোমাদের বিরুদ্ধে। কিন্তু তোমরা সীমালংঘন করোনা। কারণ, আল্লাহ সীমা লংঘনকারীদের পছন্দ করেন না।	وَقَاتِلُوْا فِيْ سَبِيْلِ اللّٰهِ الَّذِيْنَ يُقَاتِلُوْنَكُمْ وَلَا تَعْتَدُوْا ؕ اِنَّ اللّٰهَ لَا يُحِبُّ الْمُعْتَدِيْنَ ﴿۱۹۰﴾
১৯১. যেখানেই তাদের সাথে মোকাবেলা হয় তাদের বিরুদ্ধে লড়ে যাও এবং তাদের বহিষ্কার করো যেখান থেকে তারা তোমাদের বহিষ্কার করেছে। ফেতনা সৃষ্টি করা হত্যার চাইতেও গুরুতর অপরাধ। মসজিদুল হারামের কাছে তোমরা তাদের সাথে যুদ্ধ করোনা, যতোক্ষণ না	وَاقْتُلُوْهُمْ حَيْثُ ثَقِفْتُمُوْهُمْ وَاَخْرِجُوْهُمْ مِّنْ حَيْثُ اَخْرَجُوْكُمْ وَالْفِتْنَةُ اَشَدُّ مِنَ الْقَتْلِ ۚ وَلَا تُقٰتِلُوْهُمْ عِنْدَ الْمَسْجِدِ الْحَرَامِ حَتّٰى يُقٰتِلُوْكُمْ فِيْهِ ۚ فَاِنْ قٰتَلُوْكُمْ

রুকু ২৩

তারা সেখানে তোমাদের বিরুদ্ধে যুদ্ধ করে। হ্যাঁ, তারা যদি (সেখানে) তোমাদের বিরুদ্ধে যুদ্ধ করে, তবে তোমরাও তাদের হত্যা করো। এভাবেই কাফিরদের যথোপযুক্ত শাস্তি দিতে হয়।	فَاقْتُلُوْهُمْ ؕ كَذٰلِكَ جَزَآءُ الْكٰفِرِيْنَ ﴿۱۹۱﴾
১৯২. কিন্তু তারা যদি বিরত থাকে, তবে অবশ্যি আল্লাহ ক্ষমাশীল পরম দয়াময়।	فَاِنِ انْتَهَوْا فَاِنَّ اللّٰهَ غَفُوْرٌ رَّحِيْمٌ ﴿۱۹۲﴾
১৯৩. তাদের বিরুদ্ধে যুদ্ধ চালিয়ে যাও যতোদিন না 'ফিতনা' বিলুপ্ত হয় এবং দীন (ইবাদত ও আনুগত্য) আল্লাহ্র জন্যে (একক ও নিরঙ্কুশভাবে) নির্দিষ্ট হয়ে যায়। তবে তারা যদি বিরত হয়, সেক্ষেত্রে শুধুমাত্র যালিমদের ছাড়া আর কারো বিরুদ্ধে হাত বাড়ানো সংগত নয়।	وَ قٰتِلُوْهُمْ حَتّٰى لَا تَكُوْنَ فِتْنَةٌ وَّ يَكُوْنَ الدِّيْنُ لِلّٰهِ ؕ فَاِنِ انْتَهَوْا فَلَا عُدْوَانَ اِلَّا عَلَى الظّٰلِمِيْنَ ﴿۱۹۳﴾
১৯৪. হারাম মাসের বিনিময় হারাম মাস এবং নিষিদ্ধ কাজের বিধান হলো কিসাস। সুতরাং কেউ যদি হারাম মাসসমূহের পবিত্রতা লংঘন করে তোমাদের আক্রমণ করে, তবে তোমরাও অনুরূপ আক্রমণ করো। তোমরা আল্লাহ্কে ভয় করবে আর জেনে রাখো, আল্লাহ মুত্তাকিদের পক্ষেই আছেন।	اَلشَّهْرُ الْحَرَامُ بِالشَّهْرِ الْحَرَامِ وَ الْحُرُمٰتُ قِصَاصٌ ؕ فَمَنِ اعْتَدٰى عَلَيْكُمْ فَاعْتَدُوْا عَلَيْهِ بِمِثْلِ مَا اعْتَدٰى عَلَيْكُمْ ۪ وَ اتَّقُوا اللّٰهَ وَ اعْلَمُوْۤا اَنَّ اللّٰهَ مَعَ الْمُتَّقِيْنَ ﴿۱۹۴﴾
১৯৫. তোমরা আল্লাহ্র পথে ব্যয় করো এবং নিজেদের হাতে নিজেদেরকে ধ্বংসের দিকে নিক্ষেপ করোনা। ভালো কাজ করো, যারা ভালো কাজ করে আল্লাহ তাদের ভালোবাসেন।	وَ اَنْفِقُوْا فِيْ سَبِيْلِ اللّٰهِ وَ لَا تُلْقُوْا بِاَيْدِيْكُمْ اِلَى التَّهْلُكَةِ ۛۚ وَ اَحْسِنُوْا ۛۚ اِنَّ اللّٰهَ يُحِبُّ الْمُحْسِنِيْنَ ﴿۱۹۵﴾
১৯৬. তোমরা যথাযথভাবে হজ্জ ও উমরা পালন করো আল্লাহ্র উদ্দেশ্যে। কিন্তু তোমরা যদি বাধাগ্রস্ত হও, তবে কুরবানি করো সহজ লভ্য পশু। কুরবানির পশু যথাস্থানে পৌঁছার আগ পর্যন্ত মাথা মুন্ডণ করোনা। তোমাদের কেউ যদি রোগাক্রান্ত হয়, কিংবা মাথায় কষ্ট অনুভব করে, তার কর্তব্য হলো সাওম, সাদকা বা কুরবানি দ্বারা ফিদিয়া প্রদান করা। অতপর তোমরা যখন নিরাপদ হবে, তখন তোমাদের কেউ যদি হজ্জের পূর্বে উমরা করতে চায়, সে যেনো সামর্থ অনুযায়ী কুরবানি করে। কিন্তু যদি সে কুরবানির ব্যবস্থা করতে না পারে, তবে সে হজ্জের সময় তিনদিন সাওম পালন করবে এবং হজ্জ থেকে ফেরার পর সাতদিন -এই দশটি সে পূর্ণ করবে। এই বিধান ঐ ব্যাক্তির জন্যে যার পরিবার পরিজন মসজিদুল হারামের বাসিন্দা নয়। তোমরা আল্লাহ্কে ভয় করো। অবশ্যি আল্লাহ কঠোর শাস্তিদাতা।	وَاَتِمُّوا الْحَجَّ وَالْعُمْرَةَ لِلّٰهِ ؕ فَاِنْ اُحْصِرْتُمْ فَمَا اسْتَيْسَرَ مِنَ الْهَدْيِ ۚ وَلَا تَحْلِقُوْا رُءُوْسَكُمْ حَتّٰى يَبْلُغَ الْهَدْيُ مَحِلَّهٗ ؕ فَمَنْ كَانَ مِنْكُمْ مَّرِيْضًا اَوْ بِهٖۤ اَذًى مِّنْ رَّاْسِهٖ فَفِدْيَةٌ مِّنْ صِيَامٍ اَوْ صَدَقَةٍ اَوْ نُسُكٍ ۚ فَاِذَاۤ اَمِنْتُمْ ٙ فَمَنْ تَمَتَّعَ بِالْعُمْرَةِ اِلَى الْحَجِّ فَمَا اسْتَيْسَرَ مِنَ الْهَدْيِ ۚ فَمَنْ لَّمْ يَجِدْ فَصِيَامُ ثَلٰثَةِ اَيَّامٍ فِي الْحَجِّ وَ سَبْعَةٍ اِذَا رَجَعْتُمْ ؕ تِلْكَ عَشَرَةٌ كَامِلَةٌ ؕ ذٰلِكَ لِمَنْ لَّمْ يَكُنْ اَهْلُهٗ حَاضِرِي الْمَسْجِدِ الْحَرَامِ ؕ وَ اتَّقُوا اللّٰهَ وَ اعْلَمُوْۤا اَنَّ اللّٰهَ شَدِيْدُ الْعِقَابِ ﴿۱۹۶﴾ রুকু ২৪
১৯৭. হজ্জের মাসগুলো সবারই জানা আছে। এ সময় যে ব্যক্তি হজ্জ করার ফায়সালা করবে, সে	اَلْحَجُّ اَشْهُرٌ مَّعْلُوْمٰتٌ ۚ فَمَنْ فَرَضَ

যেনো হজ্জের সময় স্ত্রী সহবাস করা, পাপ কর্ম করা এবং ঝগড়া বিবাদ করা থেকে বিরত থাকে। তোমরা যা কিছু কল্যাণের কাজই করো, আল্লাহ তা জানেন। আর তোমরা পাথেয় সাথে নিও, নি:সন্দেহে সর্বোত্তম পাথেয় হলো তাকওয়া। আর হে বুদ্ধি বিবেকের অধিকারী লোকেরা! তোমরা কেবল আমাকেই ভয় করো।	فِيۡهِنَّ الۡحَجَّ فَلَا رَفَثَ وَ لَا فُسُوۡقَ ۙ وَ لَا جِدَالَ فِى الۡحَجِّ ؕ وَ مَا تَفۡعَلُوۡا مِنۡ خَيۡرٍ يَّعۡلَمۡهُ اللّٰهُ ؕ وَ تَزَوَّدُوۡا فَاِنَّ خَيۡرَ الزَّادِ التَّقۡوٰى ۚ وَ اتَّقُوۡنِ يٰٓاُولِى الۡاَلۡبَابِ ﴿۱۹۷﴾
১৯৮. তোমাদের কোনো দোষ হবেনা (হজ্জের সময়) যদি তোমরা তোমাদের প্রভুর অনুগ্রহ (ব্যবসা বাণিজ্যের মাধ্যমে জীবিকার) সন্ধান করো। আরাফাত থেকে যখন তোমরা প্রত্যাবর্তণ করবে, তখন (পথিমধ্যে) মাশআরুল হারামের কাছে যাত্রা বিরতি করে আল্লাহ্‌কে স্মরণ করবে এবং যেভাবে তিনি তোমাদের নির্দেশ দিয়েছেন সেভাবে তাঁকে স্মরণ করবে। যদিও ইতোপূর্বে তোমরা ছিলে বিপথগামীদের অন্তরভুক্ত।	لَيۡسَ عَلَيۡكُمۡ جُنَاحٌ اَنۡ تَبۡتَغُوۡا فَضۡلًا مِّنۡ رَّبِّكُمۡ ؕ فَاِذَآ اَفَضۡتُمۡ مِّنۡ عَرَفٰتٍ فَاذۡكُرُوا اللّٰهَ عِنۡدَ الۡمَشۡعَرِ الۡحَرَامِ ۖ وَ اذۡكُرُوۡهُ كَمَا هَدٰٮكُمۡ ۚ وَ اِنۡ كُنۡتُمۡ مِّنۡ قَبۡلِهٖ لَمِنَ الضَّآلِّيۡنَ ﴿۱۹۸﴾
১৯৯. তারপর সেখান থেকে ফিরে আসো, যেখান থেকে ফিরে আসে অন্য সবমানুষ এবং আল্লাহ্‌র কাছে ক্ষমা প্রার্থনা করো। নিশ্চয়ই আল্লাহ অতিশয় ক্ষমাশীল পরম দয়ালু।	ثُمَّ اَفِيۡضُوۡا مِنۡ حَيۡثُ اَفَاضَ النَّاسُ وَ اسۡتَغۡفِرُوا اللّٰهَ ؕ اِنَّ اللّٰهَ غَفُوۡرٌ رَّحِيۡمٌ ﴿۱۹۹﴾
২০০. এরপর যখন (হজ্জের) অনুষ্ঠানসমূহ সম্পন্ন করবে, তখন আল্লাহ্‌র কথা যিকির করো, যেভাবে যিকির করে আসছিলে তোমাদের পূর্ব পুরষদের কথা, বরং তার চাইতে অধিকতর যিকির করো। মানুষের মধ্যে কিছু লোক আছে যারা বলে: 'প্রভু! আমাদেরকে এই দুনিয়াতেই (আমাদের যা প্রাপ্য) দিয়ে যাও।' -এ ধরণের লোকদের জন্যে আখিরাতে কোনো অংশ নেই।	فَاِذَا قَضَيۡتُمۡ مَّنَاسِكَكُمۡ فَاذۡكُرُوا اللّٰهَ كَذِكۡرِكُمۡ اٰبَآءَكُمۡ اَوۡ اَشَدَّ ذِكۡرًا ؕ فَمِنَ النَّاسِ مَنۡ يَّقُوۡلُ رَبَّنَآ اٰتِنَا فِى الدُّنۡيَا وَ مَا لَهٗ فِى الۡاٰخِرَةِ مِنۡ خَلَاقٍ ﴿۲۰۰﴾
২০১. তাদের মধ্যে আবার এমন লোকেরাও আছে, যারা বলে (প্রার্থনা করে): 'প্রভু! আমাদেরকে এই দুনিয়াতেও কল্যাণ দান করো এবং আখিরাতেও কল্যাণ দান করো, আর আমাদের রক্ষা করো আগুনের আযাব থেকে।'	وَ مِنۡهُمۡ مَّنۡ يَّقُوۡلُ رَبَّنَآ اٰتِنَا فِى الدُّنۡيَا حَسَنَةً وَّفِى الۡاٰخِرَةِ حَسَنَةً وَّقِنَا عَذَابَ النَّارِ ﴿۲۰۱﴾
২০২. এরাই হলো সেই সব (উত্তম) মানুষ, যাদের জন্যে তাদের উপার্জনের (কর্মের) ভিত্তিতে (উভয় স্থানেই) যথাযথ অংশ (প্রাপ্য) রয়েছে। আর আল্লাহ তো দ্রুত হিসাব সম্পন্নকারী।	اُولٰٓئِكَ لَهُمۡ نَصِيۡبٌ مِّمَّا كَسَبُوۡا ؕ وَ اللّٰهُ سَرِيۡعُ الۡحِسَابِ ﴿۲۰۲﴾
২০৩. আল্লাহ্‌কে যিকির করো নির্ধারিত দিনগুলোতে। তবে কেউ যদি তাড়াহুড়া করে (মিনা থেকে) দুইদিনের মধ্যে (মক্কায়) ফিরে আসে, তাতে তার পাপ হবেনা। আর যে বিলম্ব করবে তারও পাপ হবেনা। -এ অবকাশ তার জন্যে যে (আল্লাহ্‌র ভয়ে) নিজেকে মন্দ কাজ থেকে রক্ষা করে চলবে। তোমরা আল্লাহ্‌কে ভয়	وَ اذۡكُرُوا اللّٰهَ فِىۡۤ اَيَّامٍ مَّعۡدُوۡدٰتٍ ؕ فَمَنۡ تَعَجَّلَ فِىۡ يَوۡمَيۡنِ فَلَاۤ اِثۡمَ عَلَيۡهِ ۚ وَ مَنۡ تَاَخَّرَ فَلَاۤ اِثۡمَ عَلَيۡهِ ۙ لِمَنِ اتَّقٰى ؕ وَ اتَّقُوا

করো। জেনে রাখো, তাঁরই কাছে করা হবে তোমাদের হাশর (সমবেত)।	اللّٰهَ وَ اعۡلَمُوۡۤا اَنَّكُمۡ اِلَيۡهِ تُحۡشَرُوۡنَ ۝٢٠٣
২০৪. মানুষের মধ্যে এমন লোকও আছে, যার কথাবার্তা তোমাকে চমৎকৃত করে এই দুনিয়ার জীবনে, আর (কথা বলার সময়) সে নিজের আন্তরিকতার ব্যাপারে বারবার আল্লাহ্কে সাক্ষী বানায়, অথচ প্রকৃত ব্যাপার হলো, সে (তোমার) সব শত্রুর বড় শত্রু।	وَ مِنَ النَّاسِ مَنۡ يُّعۡجِبُكَ قَوۡلُهٗ فِى الۡحَيٰوةِ الدُّنۡيَا وَ يُشۡهِدُ اللّٰهَ عَلٰى مَا فِىۡ قَلۡبِهٖ ۙ وَهُوَ اَلَدُّ الۡخِصَامِ ۝٢٠٤
২০৫. সে যখন (তোমার নিকট থেকে) ফিরে যায়, জমিনে অশান্তি সৃষ্টির চেষ্টা করে এবং শস্য ক্ষেত আর মানুষ ও জীবজন্তুর বংশ নিপাতে তৎপর হয়। অথচ আল্লাহ অশান্তি সৃষ্টিকে মোটেও পছন্দ করেন না।	وَ اِذَا تَوَلّٰى سَعٰى فِى الۡاَرۡضِ لِيُفۡسِدَ فِيۡهَا وَ يُهۡلِكَ الۡحَرۡثَ وَ النَّسۡلَ ؕ وَ اللّٰهُ لَا يُحِبُّ الۡفَسَادَ ۝٢٠٥
২০৬. তাকে যখন বলা হয়: 'আল্লাহ্কে ভয় করো', তখন তার আত্মম্ভরিতা তাকে (অধিকতর) অপরাধে লিপ্ত করে। সুতরাং তার জন্যে জাহান্নামই যথেষ্ট এবং অতি নিকৃষ্ট বিশ্রামাগার সেটা।	وَ اِذَا قِيۡلَ لَهُ اتَّقِ اللّٰهَ اَخَذَتۡهُ الۡعِزَّةُ بِالۡاِثۡمِ فَحَسۡبُهٗ جَهَنَّمُ ؕ وَ لَبِئۡسَ الۡمِهَادُ ۝٢٠٦
২০৭. মানুষের মধ্যে এমন মানুষও আছে, যারা আল্লাহ সন্তুষ্টি কামনায় নিজের জান-প্রাণ বিক্রয় (সমর্পণ) করে দেয়। আল্লাহ্ তাঁর এই (ধরনের) দাসদের প্রতি অতিশয় কোমল-দয়াবান।	وَ مِنَ النَّاسِ مَنۡ يَّشۡرِىۡ نَفۡسَهُ ابۡتِغَآءَ مَرۡضَاتِ اللّٰهِ ؕ وَ اللّٰهُ رَءُوۡفٌۢ بِالۡعِبَادِ ۝٢٠٧
২০৮. হে ঈমান আনা লোকেরা! তোমরা (আত্মসমর্পণের মাধ্যমে) পরিপূর্ণভাবে প্রবেশ করো ইসলামে এবং (জীবনের কোনো ক্ষেত্রেই) শয়তানের পদাংক অনুসরণ করোনা। কারণ, সে তোমাদের সুস্পষ্ট শত্রু।	يٰۤاَيُّهَا الَّذِيۡنَ اٰمَنُوا ادۡخُلُوۡا فِى السِّلۡمِ كَآفَّةً ۖ وَّلَا تَتَّبِعُوۡا خُطُوٰتِ الشَّيۡطٰنِ ؕ اِنَّهٗ لَكُمۡ عَدُوٌّ مُّبِيۡنٌ ۝٢٠٨
২০৯. তোমাদের কাছে সুস্পষ্ট প্রমাণ ও নিদর্শনসমূহ (রসূল এবং কিতাব) আসার পরও যদি (ইসলামে পরিপূর্ণ প্রবেশের ক্ষেত্রে) তোমাদের ব্যত্যয় ঘটে, তবে জেনে রাখো, অবশ্যি আল্লাহ মহাশক্তিমান, মহাজ্ঞানী।	فَاِنۡ زَلَلۡتُمۡ مِّنۡۢ بَعۡدِ مَا جَآءَتۡكُمُ الۡبَيِّنٰتُ فَاعۡلَمُوۡۤا اَنَّ اللّٰهَ عَزِيۡزٌ حَكِيۡمٌ ۝٢٠٩
২১০. তারা কি এই অপেক্ষায় আছে যে, আল্লাহ মেঘমালার ছায়ায় ফেরেশতাদের সাথে নিয়ে তাদের কাছে আসবেন এবং তখন সবকিছুর মীমাংসা হয়ে যাবে? অথচ সকল বিষয় (সিদ্ধান্তের জন্যে) ফিরে আসবে আল্লাহ্র কাছেই।	هَلۡ يَنۡظُرُوۡنَ اِلَّاۤ اَنۡ يَّاۡتِيَهُمُ اللّٰهُ فِىۡ ظُلَلٍ مِّنَ الۡغَمَامِ وَ الۡمَلٰٓئِكَةُ وَ قُضِىَ الۡاَمۡرُ ؕ وَ اِلَى اللّٰهِ تُرۡجَعُ الۡاُمُوۡرُ ۝٢١٠
২১১. বনি ইসরাঈলকে জিজ্ঞেস করো, কতো যে সুস্পষ্ট প্রমাণ-নিদর্শন আমি তাদের দিয়েছিলাম! আল্লাহ্র নিয়ামত আসার পর যে (জাতি) তা বদল করে (কুফুরি গ্রহণ করে) তাকে আল্লাহ কঠোর শাস্তি প্রদান করে থাকেন।	سَلۡ بَنِىۡۤ اِسۡرَآءِيۡلَ كَمۡ اٰتَيۡنٰهُمۡ مِّنۡ اٰيَةٍۢ بَيِّنَةٍ ؕ وَمَنۡ يُّبَدِّلۡ نِعۡمَةَ اللّٰهِ مِنۡۢ بَعۡدِ مَا جَآءَتۡهُ فَاِنَّ اللّٰهَ شَدِيۡدُ الۡعِقَابِ ۝٢١١
২১২. যারা কুফুরির পথ অবলম্বন করে, তাদের	زُيِّنَ لِلَّذِيۡنَ كَفَرُوا الۡحَيٰوةُ الدُّنۡيَا وَ

রুকু ২৫

কাছে দুনিয়ার জীবনকে সুন্দর-মুগ্ধকর বানিয়ে দেয়া হয়। তারা মুমিনদের ঠাট্টা-বিদ্রুপ-তিরস্কার করে থাকে। কিন্তু যারা তাকওয়া অবলম্বন করে, কিয়ামতের দিন তারাই এদের মোকাবেলায় উঁচু ও শ্রেষ্ঠ মর্যাদা লাভ করবে। আল্লাহ যাকে চান অগণিত রিযিক দান করেন।	يَسْخَرُوْنَ مِنَ الَّذِيْنَ اٰمَنُوْا ۘ وَ الَّذِيْنَ اتَّقَوْا فَوْقَهُمْ يَوْمَ الْقِيٰمَةِ ؕ وَ اللّٰهُ يَرْزُقُ مَنْ يَّشَآءُ بِغَيْرِ حِسَابٍ ﴿۲۱۲﴾
২১৩. প্রথমে সব মানুষ ছিলো একই আদর্শের অনুসারী। অতপর আল্লাহ নবীদের পাঠাতে থাকেন সুসংবাদদাতা এবং সতর্ককারী হিসেবে। তাদের সাথে সত্য ও বাস্তবতাসহ কিতাব নাযিল করেন, যাতে করে মানুষের মাঝে ফায়সালা করে দেয়া যায়, যেসব বিষয়ে তারা লিপ্ত হয়েছে মতভেদে। যাদেরকে তা (কিতাব) দেয়া হয়েছিল তাদের কাছে সুস্পষ্ট প্রমাণ-নিদর্শন আসার পর কেবল পারস্পারিক বিদ্বেষ বশতই তারা সে বিষয়ে এখতেলাফ করেছে। তারপর তারা যে বিষয়ে এখতেলাফ (মতভেদ) করতো, সে বিষয়ে আল্লাহ নিজ অনুগ্রহে সঠিক পথ দেখিয়েছেন তাদেরকে, যারা ঈমান এনেছে। আল্লাহ যাকে চান, সরল-সঠিক পথে পরিচালিত করেন।	كَانَ النَّاسُ اُمَّةً وَّاحِدَةً ۟ فَبَعَثَ اللّٰهُ النَّبِيّٖنَ مُبَشِّرِيْنَ وَ مُنْذِرِيْنَ ۪ وَ اَنْزَلَ مَعَهُمُ الْكِتٰبَ بِالْحَقِّ لِيَحْكُمَ بَيْنَ النَّاسِ فِيْمَا اخْتَلَفُوْا فِيْهِ ؕ وَ مَا اخْتَلَفَ فِيْهِ اِلَّا الَّذِيْنَ اُوْتُوْهُ مِنْۢ بَعْدِ مَا جَآءَتْهُمُ الْبَيِّنٰتُ بَغْيًۢا بَيْنَهُمْ ۚ فَهَدَى اللّٰهُ الَّذِيْنَ اٰمَنُوْا لِمَا اخْتَلَفُوْا فِيْهِ مِنَ الْحَقِّ بِاِذْنِهٖ ؕ وَ اللّٰهُ يَهْدِيْ مَنْ يَّشَآءُ اِلٰى صِرَاطٍ مُّسْتَقِيْمٍ ﴿۲۱۳﴾
২১৪. নাকি তোমরা ধরে নিয়েছো, তোমরা (অতি সহজেই) জান্নাতে প্রবেশ করবে? অথচ তোমাদের পূর্বে যারা ঈমানের পথে চলেছিল, তাদের উপর দিয়ে যে অবস্থা অতিবাহিত হয়েছিল, সে অবস্থা এখনো তোমাদের উপর আসেনি। তাদের উপর নেমে এসেছিল ক্ষুধা-দারিদ্র, দুঃখ কষ্ট এবং তারা প্রকম্পিত ও বিচলিত হয়ে উঠেছিল। এমনকি রসূল এবং তাঁর ঈমানদার সাথিরা বলে উঠেছিল: 'মাতা নাসরুল্লাহ' -কখন আসবে আল্লাহ্‌র সাহায্য? (তখন তাদের বলা হয়েছিল:) 'জেনে রাখো, আল্লাহ্‌র সাহায্য খুবই নিকটে।'	اَمْ حَسِبْتُمْ اَنْ تَدْخُلُوا الْجَنَّةَ وَ لَمَّا يَاْتِكُمْ مَّثَلُ الَّذِيْنَ خَلَوْا مِنْ قَبْلِكُمْ ؕ مَسَّتْهُمُ الْبَاْسَآءُ وَ الضَّرَّآءُ وَ زُلْزِلُوْا حَتّٰى يَقُوْلَ الرَّسُوْلُ وَ الَّذِيْنَ اٰمَنُوْا مَعَهٗ مَتٰى نَصْرُ اللّٰهِ ؕ اَلَاۤ اِنَّ نَصْرَ اللّٰهِ قَرِيْبٌ ﴿۲۱۴﴾
২১৫. তারা তোমার কাছে জানতে চায়, তারা কী-ব্যয় করবে? তুমি বলো: তোমরা উত্তম যা কিছুই ব্যয় করবে, তা করো বাবা-মার জন্যে, আত্মীয়-স্বজনের জন্যে এবং এতিম, মিসকিন ও পথিক-পর্যটকদের জন্যে। আর তোমরা জনকল্যাণের যে কাজই করোনা কেন, আল্লাহ সে সম্পর্কে অবহিত।	يَسْـَٔلُوْنَكَ مَا ذَا يُنْفِقُوْنَ ؕ قُلْ مَاۤ اَنْفَقْتُمْ مِّنْ خَيْرٍ فَلِلْوَالِدَيْنِ وَ الْاَقْرَبِيْنَ وَ الْيَتٰمٰى وَ الْمَسٰكِيْنِ وَ ابْنِ السَّبِيْلِ ؕ وَ مَا تَفْعَلُوْا مِنْ خَيْرٍ فَاِنَّ اللّٰهَ بِهٖ عَلِيْمٌ ﴿۲۱۵﴾
২১৬. তোমাদের অপ্রিয় হলেও তোমাদের জন্যে যুদ্ধের বিধান লিখে (ফরয করে) দেয়া হলো। হতে পারে, তোমরা কোনো বিষয় অপছন্দ করো, অথচ (প্রকৃত পক্ষে) সেটা তোমাদের জন্যে	كُتِبَ عَلَيْكُمُ الْقِتَالُ وَ هُوَ كُرْهٌ لَّكُمْ ۚ وَ عَسٰۤى اَنْ تَكْرَهُوْا شَيْـًٔا وَّ هُوَ خَيْرٌ لَّكُمْ ۚ

কল্যাণকর। আবার এমনো হতে পারে, তোমরা কোনো কিছু পছন্দ করছো, অথচ (মূলত) সেটা তোমাদের জন্যে ক্ষতিকর। ব্যাপার হলো আল্লাহ তো সবকিছু জানেন, কিন্তু তোমরা জানোনা।	وَعَسٰۤى اَنْ تُحِبُّوْا شَيْـًٔا وَّهُوَ شَرٌّ لَّكُمْ ؕ وَاللّٰهُ يَعْلَمُ وَ اَنْتُمْ لَا تَعْلَمُوْنَ ﴿۲۱۶﴾
২১৭. হারাম মাসে যুদ্ধ করা সম্পর্কে তারা তোমার কাছে জানতে চায়। তুমি বলো: তাতে যুদ্ধ করা গুরুতর (অপরাধ)। কিন্তু আল্লাহ্‌র কাছে তার চাইতেও বড় অপরাধ হলো: মানুষকে আল্লাহ্‌র পথে বাধা দেয়া, আল্লাহ্‌র সাথে কুফুরি করা, (মুমিনদেরকে) মসজিদুল হারামে প্রবেশ করতে বাধা দেয়া এবং হারামের (মক্কার) অধিবাসীদেরকে (তাদের ভূমি ও আবাস থেকে) বহিষ্কার করা। আর জেনে রাখো, ফিতনা হত্যার চাইতেও গুরুতর অপরাধ। তারা তোমাদের বিরুদ্ধে অব্যাহতভাবে লড়াই চালিয়ে যাবেই, যতোদিন না তোমাদেরকে তোমাদের দীন থেকে ফিরিয়ে নিতে সক্ষম হয়। আর তোমাদের যে কেউ নিজের দীন (ইসলাম) ত্যাগ করে (কুফুরিতে) ফিরে যাবে এবং কাফির অবস্থায় মারা যাবে, দুনিয়া এবং আখিরাতে তার সমস্ত আমল হয়ে যাবে নিষ্ফল। তারা হবে আগুনের অধিবাসী, তাতেই থাকবে তারা চিরকাল।	يَسْـَٔلُوْنَكَ عَنِ الشَّهْرِ الْحَرَامِ قِتَالٍ فِيْهِ ؕ قُلْ قِتَالٌ فِيْهِ كَبِيْرٌ ؕ وَ صَدٌّ عَنْ سَبِيْلِ اللّٰهِ وَ كُفْرٌۢ بِهٖ وَ الْمَسْجِدِ الْحَرَامِ ۗ وَ اِخْرَاجُ اَهْلِهٖ مِنْهُ اَكْبَرُ عِنْدَ اللّٰهِ ۚ وَ الْفِتْنَةُ اَكْبَرُ مِنَ الْقَتْلِ ؕ وَ لَا يَزَالُوْنَ يُقَاتِلُوْنَكُمْ حَتّٰى يَرُدُّوْكُمْ عَنْ دِيْنِكُمْ اِنِ اسْتَطَاعُوْا ؕ وَ مَنْ يَّرْتَدِدْ مِنْكُمْ عَنْ دِيْنِهٖ فَيَمُتْ وَ هُوَ كَافِرٌ فَاُولٰٓئِكَ حَبِطَتْ اَعْمَالُهُمْ فِى الدُّنْيَا وَ الْاٰخِرَةِ ۚ وَ اُولٰٓئِكَ اَصْحٰبُ النَّارِ ۚ هُمْ فِيْهَا خٰلِدُوْنَ ﴿۲۱۷﴾
২১৮. (পক্ষান্তরে) যারা ঈমান এনেছে এবং যারা হিজরত করেছে আর জিহাদ করেছে আল্লাহ্‌র পথে, এরাই আশা করে (করতে পারে) আল্লাহ্‌র রহমত। আল্লাহ (তাদের ব্যাপারে) অতীব ক্ষমাশীল, পরম দয়াবান।	اِنَّ الَّذِيْنَ اٰمَنُوْا وَ الَّذِيْنَ هَاجَرُوْا وَ جٰهَدُوْا فِىْ سَبِيْلِ اللّٰهِ ۙ اُولٰٓئِكَ يَرْجُوْنَ رَحْمَتَ اللّٰهِ ؕ وَاللّٰهُ غَفُوْرٌ رَّحِيْمٌ ﴿۲۱۸﴾
২১৯. তারা তোমার কাছে জানতে চায় মদ এবং জুয়া সম্পর্কে। তুমি বলো: 'এ দুটোতেই রয়েছে মহাপাপ এবং মানুষের জন্যে (কিছু) উপকার। তবে এগুলোর উপকারের চাইতে পাপ গুরুতর। তারা তোমার কাছে আরো জানতে চায়, তারা (আল্লাহ্‌র পথে) কী ব্যয় করবে? তুমি বলো: 'প্রয়োজনের অতিরিক্তটা।' এভাবেই আল্লাহ তোমাদের জন্যে স্পষ্টভাবে বর্ণনা করেন তাঁর বিধানসমূহ, যাতে করে তোমরা চিন্তাভাবনা করো-	يَسْـَٔلُوْنَكَ عَنِ الْخَمْرِ وَ الْمَيْسِرِ ؕ قُلْ فِيْهِمَاۤ اِثْمٌ كَبِيْرٌ وَّمَنَافِعُ لِلنَّاسِ ۫ وَ اِثْمُهُمَاۤ اَكْبَرُ مِنْ نَّفْعِهِمَا ؕ وَ يَسْـَٔلُوْنَكَ مَاذَا يُنْفِقُوْنَ ؕ قُلِ الْعَفْوَ ؕ كَذٰلِكَ يُبَيِّنُ اللّٰهُ لَكُمُ الْاٰيٰتِ لَعَلَّكُمْ تَتَفَكَّرُوْنَ ﴿۲۱۹﴾
২২০. দুনিয়া এবং আখিরাতকে নিয়ে। তারা তোমার কাছে আরো জানতে চাইছে এতিমদের ব্যাপারে। তুমি বলো: তাদের অর্থ সম্পদের ক্ষেত্রে সংস্কারমূলক কর্মপন্থা গ্রহণ করাই উত্তম। তোমরা যদি তোমাদের সহায়-সম্পদের সাথে তাদের সহায়-সম্পদ যৌথ ব্যবস্থাপনায় নিয়ে আসো, তাতেও দোষ নেই। কারণ, তারা তো তোমাদেরই ভাই। আল্লাহ জানেন কে কল্যাণকামী আর কে	فِى الدُّنْيَا وَ الْاٰخِرَةِ ؕ وَ يَسْـَٔلُوْنَكَ عَنِ الْيَتٰمٰى ؕ قُلْ اِصْلَاحٌ لَّهُمْ خَيْرٌ ؕ وَ اِنْ تُخَالِطُوْهُمْ فَاِخْوَانُكُمْ ؕ وَ اللّٰهُ يَعْلَمُ الْمُفْسِدَ مِنَ الْمُصْلِحِ ؕ وَ لَوْ شَآءَ اللّٰهُ

রুকু ২৬

অনিষ্টকারী। আল্লাহ চাইলে এ ব্যাপারে তোমাদের অবশ্যি কষ্টে ফেলতে পারতেন। নিশ্চয়ই আল্লাহ পরাক্রমশালী প্রজ্ঞাময়।	لَاَعۡنَتَکُمۡ ؕ اِنَّ اللّٰهَ عَزِیۡزٌ حَکِیۡمٌ ﴿۲۲۰﴾
২২১. তোমরা নিকাহ (বিয়ে) করোনা মুশরিক নারীদের যতোক্ষণ না তারা ঈমান আনে। তোমাদের মুগ্ধকারী সম্ভ্রান্ত মুশরিক নারীর চাইতে একজন মুমিন দাসীও অনেক উত্তম। আর মুশরিক পুরুষদের কাছে তোমাদের মেয়েদের বিয়ে দিয়োনা যতোক্ষণ না তারা ঈমান আনে। তোমাদের মুগ্ধকারী সম্ভ্রান্ত মুশরিক পুরুষের চাইতে একজন মুমিন দাসও অনেক উত্তম। তারা (মুশরিকরা) তোমাদের আহবান জানায় আগুনের দিকে। আর আল্লাহ নিজ অনুগ্রহে তোমাদের আহবান জানাচ্ছেন জান্নাত আর মাগফিরাতের (ক্ষমার) দিকে। আর তিনি নিজের আয়াত সমূহ মানুষের জন্যে পরিষ্কার করে বয়ান (বর্ণনা) করেন, যাতে করে তারা উপদেশ ও শিক্ষা গ্রহণ করে।	وَ لَا تَنۡکِحُوا الۡمُشۡرِکٰتِ حَتّٰی یُؤۡمِنَّ ؕ وَ لَاَمَۃٌ مُّؤۡمِنَۃٌ خَیۡرٌ مِّنۡ مُّشۡرِکَۃٍ وَّ لَوۡ اَعۡجَبَتۡکُمۡ ۚ وَ لَا تُنۡکِحُوا الۡمُشۡرِکِیۡنَ حَتّٰی یُؤۡمِنُوۡا ؕ وَ لَعَبۡدٌ مُّؤۡمِنٌ خَیۡرٌ مِّنۡ مُّشۡرِکٍ وَّ لَوۡ اَعۡجَبَکُمۡ ؕ اُولٰٓئِکَ یَدۡعُوۡنَ اِلَی النَّارِ ۚۖ وَ اللّٰهُ یَدۡعُوۡۤا اِلَی الۡجَنَّۃِ وَ الۡمَغۡفِرَۃِ بِاِذۡنِهٖ ۚ وَ یُبَیِّنُ اٰیٰتِهٖ لِلنَّاسِ لَعَلَّهُمۡ یَتَذَکَّرُوۡنَ ﴿۲۲۱﴾
২২২. তারা তোমার কাছে জানতে চায়, হায়েয (নারীদের মাসিক ঋতুস্রাব) সম্পর্কে। তুমি বলো: এটা একটা অশুচি ও অহিতকর অবস্থা। সুতরাং হায়েয চলাকালে স্ত্রী সহবাস থেকে দূরে থাকো এবং যতোক্ষণ না তারা পবিত্র হয়, ততোক্ষণ পর্যন্ত তাদের সাথে সহবাস করোনা। অতপর তারা যখন পবিত্র-পরিচ্ছন্ন হয়ে যাবে, তখন তাদের কাছে আসবে ঠিক সেভাবে, যেভাবে আসতে আল্লাহ তোমাদের আদেশ দিয়েছেন। আল্লাহ তওবাকারীদের ভালোবাসেন, ভালোবাসেন পবিত্রতা-পরিচ্ছন্নতা অবলম্বনকারীদের।	وَ یَسۡـَٔلُوۡنَکَ عَنِ الۡمَحِیۡضِ ؕ قُلۡ هُوَ اَذًی ۙ فَاعۡتَزِلُوا النِّسَآءَ فِی الۡمَحِیۡضِ ۙ وَ لَا تَقۡرَبُوۡهُنَّ حَتّٰی یَطۡهُرۡنَ ۚ فَاِذَا تَطَهَّرۡنَ فَاۡتُوۡهُنَّ مِنۡ حَیۡثُ اَمَرَکُمُ اللّٰهُ ؕ اِنَّ اللّٰهَ یُحِبُّ التَّوَّابِیۡنَ وَ یُحِبُّ الۡمُتَطَهِّرِیۡنَ ﴿۲۲۲﴾
২২৩. তোমাদের স্ত্রীরা তোমাদের জন্যে শস্যক্ষেত, সুতরাং তোমরা তোমাদের শস্যক্ষেতে যাও যেভাবে ইচ্ছা। তোমরা অগ্রিম পাঠাও নিজেদের জন্যে (ভালো কাজ)। আর আল্লাহ্র অপছন্দনীয় কাজ থেকে বেঁচে থাকো। জেনে রাখো, অবশ্যি তোমরা তাঁর সাথে সাক্ষাত করবে। (হে নবী!) মুমিনদের সুসংবাদ দাও।	نِسَآؤُکُمۡ حَرۡثٌ لَّکُمۡ ۪ فَاۡتُوۡا حَرۡثَکُمۡ اَنّٰی شِئۡتُمۡ ۫ وَ قَدِّمُوۡا لِاَنۡفُسِکُمۡ ؕ وَ اتَّقُوا اللّٰهَ وَ اعۡلَمُوۡۤا اَنَّکُمۡ مُّلٰقُوۡهُ ؕ وَ بَشِّرِ الۡمُؤۡمِنِیۡنَ ﴿۲۲۳﴾
২২৪. ভালো কাজ না করা, মন্দ কাজ থেকে আত্মরক্ষা না করা এবং মানুষের মাঝে সন্ধি-সমঝোতা না করে দেয়ার শপথ করার সময় তোমরা আল্লাহ্র নাম ব্যবহার করোনা। আল্লাহ সবই শোনেন এবং সবই জানেন।	وَ لَا تَجۡعَلُوا اللّٰهَ عُرۡضَۃً لِّاَیۡمَانِکُمۡ اَنۡ تَبَرُّوۡا وَ تَتَّقُوۡا وَ تُصۡلِحُوۡا بَیۡنَ النَّاسِ ؕ وَ اللّٰهُ سَمِیۡعٌ عَلِیۡمٌ ﴿۲۲۴﴾
২২৫. তোমাদের (অনিচ্ছাকৃত) নিরর্থক শপথের জন্যে আল্লাহ তোমাদের পাকড়াও করবেন না।	لَا یُؤَاخِذُکُمُ اللّٰهُ بِاللَّغۡوِ فِیۡۤ اَیۡمَانِکُمۡ وَ

রুকু ২৭

কিন্তু তোমাদের অন্তরের সংকল্পের জন্যে (ইচ্ছাকৃত শপথের জন্যে) তোমাদের দায়ী করবেন। আল্লাহ অতীব ক্ষমাপরায়ণ, ধৈর্যশীল।	لٰكِنْ يُّؤَاخِذُكُمْ بِمَا كَسَبَتْ قُلُوْبُكُمْ ؕ وَ اللّٰهُ غَفُوْرٌ حَلِيْمٌ ﴿۲۲۵﴾
২২৬. যেসব লোক নিজ স্ত্রীর সাথে সম্পর্ক রাখবেনা বলে শপথ করে, তাদের অবকাশ চার মাস। কিন্তু (এর মধ্যে) যদি স্ত্রীকে ফিরিয়ে নেয়, তবে অবশ্যি আল্লাহ অতিশয় ক্ষমাশীল, পরম দয়াবান।	لِلَّذِيْنَ يُؤْلُوْنَ مِنْ نِّسَآئِهِمْ تَرَبُّصُ اَرْبَعَةِ اَشْهُرٍ ۚ فَاِنْ فَآءُوْ فَاِنَّ اللّٰهَ غَفُوْرٌ رَّحِيْمٌ ﴿۲۲۶﴾
২২৭. আর যদি তারা তালাক দেয়ার সিদ্ধান্তই নেয়, তবে (তারা জেনে রাখুক) অবশ্যি আল্লাহ সবকিছু শোনেন এবং সবকিছু জানেন।	وَاِنْ عَزَمُوا الطَّلَاقَ فَاِنَّ اللّٰهَ سَمِيْعٌ عَلِيْمٌ ﴿۲۲۷﴾
২২৮. তালাকপ্রাপ্ত নারী নিজেকে তিনটি মাসিক অতিবাহিত হওয়া পর্যন্ত (বিয়ে থেকে) বিরত রাখবে। তারা যদি আল্লাহ্‌র প্রতি এবং আখিরাতের প্রতি ঈমান রাখে, তবে তাদের গর্ভে আল্লাহ কোনো কিছু সৃষ্টি করে থাকলে তা গোপন করা তাদের জন্যে হালাল (বৈধ) নয়। তাদের স্বামীরাই বেশি অধিকার রাখে এই অবকাশ (ইদ্দত) কালে তাদের ফিরিয়ে নিতে, যদি তারা পুন সম্পর্ক স্থাপন করতে চায়। (স্বামীর) উপর নারীর তেমনি ন্যায়সংগত অধিকার রয়েছে, যেমন আছে তার উপর (তার স্বামীর)। তবে (দায়িত্ব-কর্তব্যের দিক থেকে) তাদের উপর পুরুষদের একটি মর্যাদা রয়েছে। আর আল্লাহ সর্বময় শক্তিমান মহাপ্রজ্ঞাময়।	وَالْمُطَلَّقٰتُ يَتَرَبَّصْنَ بِاَنْفُسِهِنَّ ثَلٰثَةَ قُرُوْٓءٍ ؕ وَ لَا يَحِلُّ لَهُنَّ اَنْ يَّكْتُمْنَ مَا خَلَقَ اللّٰهُ فِيْٓ اَرْحَامِهِنَّ اِنْ كُنَّ يُؤْمِنَّ بِاللّٰهِ وَ الْيَوْمِ الْاٰخِرِ ؕ وَ بُعُوْلَتُهُنَّ اَحَقُّ بِرَدِّهِنَّ فِيْ ذٰلِكَ اِنْ اَرَادُوْٓا اِصْلَاحًا ؕ وَلَهُنَّ مِثْلُ الَّذِيْ عَلَيْهِنَّ بِالْمَعْرُوْفِ ۪ وَلِلرِّجَالِ عَلَيْهِنَّ دَرَجَةٌ ؕ وَاللّٰهُ عَزِيْزٌ حَكِيْمٌ ﴿۲۲۸﴾
২২৯. তালাক দুইবার। তারপর হয় স্ত্রীকে প্রচলিত ন্যায়সংগত নিয়মে রাখবে, নতুবা বিদায় করলে সদয় পদ্ধতিতে বিদায় করবে। তোমরা তাদেরকে যা কিছু দিয়েছো, বিদায়কালে সেখান থেকে কোনো কিছু ফেরত গ্রহণ করা তোমাদের জন্যে বৈধ নয়, তবে তারা দুজনই যদি আশংকা করে যে, তারা আল্লাহ্‌র আইন মেনে একত্রে জীবন যাপন করতে পারবেনা। আর যদি স্বামী-স্ত্রী উভয়ে আশংকা করে তারা আল্লাহ্‌র নির্ধারিত সীমারেখা রক্ষা করে চলতে পারবেনা, সে ক্ষেত্রে স্ত্রী যদি কিছু বিনিময় দিয়ে স্বামীর থেকে বিচ্ছেদ লাভ করতে চায়, তাতে কোনো দোষ নেই। এগুলো আল্লাহ্‌র বেঁধে দেয়া সীমারেখা। তোমরা এগুলো লঙ্ঘন করোনা। যারা আল্লাহ্‌র নির্ধারণ করে দেয়া সীমারেখা লংঘন করে, তারা যালিম।	اَلطَّلَاقُ مَرَّتٰنِ ۪ فَاِمْسَاكٌۢ بِمَعْرُوْفٍ اَوْ تَسْرِيْحٌۢ بِاِحْسَانٍ ؕ وَ لَا يَحِلُّ لَكُمْ اَنْ تَاْخُذُوْا مِمَّآ اٰتَيْتُمُوْهُنَّ شَيْئًا اِلَّآ اَنْ يَّخَافَآ اَلَّا يُقِيْمَا حُدُوْدَ اللّٰهِ ؕ فَاِنْ خِفْتُمْ اَلَّا يُقِيْمَا حُدُوْدَ اللّٰهِ ۙ فَلَا جُنَاحَ عَلَيْهِمَا فِيْمَا افْتَدَتْ بِهٖ ؕ تِلْكَ حُدُوْدُ اللّٰهِ فَلَا تَعْتَدُوْهَا ۚ وَ مَنْ يَّتَعَدَّ حُدُوْدَ اللّٰهِ فَاُولٰٓئِكَ هُمُ الظّٰلِمُوْنَ ﴿۲۲۹﴾
২৩০. তারপর স্বামী যদি তার স্ত্রীকে (তৃতীয় বারও) তালাক দেয়, তবে ঐ স্ত্রী আর তার জন্যে হালাল হবেনা। অবশ্য সে (তালাকপ্রাপ্তা)	فَاِنْ طَلَّقَهَا فَلَا تَحِلُّ لَهٗ مِنْۢ بَعْدُ حَتّٰى تَنْكِحَ زَوْجًا غَيْرَهٗ ؕ فَاِنْ طَلَّقَهَا فَلَا جُنَاحَ

রুকু ২৮

যদি অন্য কোনো পুরুষকে বিয়ে করে এবং সে (পুরুষ) যদি তাকে তালাক দেয়, সেক্ষেত্রে তাদের পুন বিয়েতে দোষ নেই, যদি তারা মনে করে তারা আল্লাহ্‌র সীমারেখা রক্ষা করে চলতে পারবে। এগুলো আল্লাহ্‌র সীমারেখা, তিনি এগুলো বর্ণনা করছেন সেইসব লোকদের জন্যে যারা জ্ঞান রাখে।	عَلَيْهِمَآ اَنْ يَّتَرَاجَعَآ اِنْ ظَنَّآ اَنْ يُّقِيْمَا حُدُوْدَ اللّٰهِ ؕ وَ تِلْكَ حُدُوْدُ اللّٰهِ يُبَيِّنُهَا لِقَوْمٍ يَّعْلَمُوْنَ ﴿۲۳۰﴾
২৩১. তোমরা যখন স্ত্রীদের তালাক দেবে, তারপর তারা যখন ইদ্দত পূর্ণ করার কাছাকাছি পৌঁছুবে, তখন হয় ন্যায়সংগতভাবে তাদের (স্ত্রী হিসেবে) রেখে দাও, নয়তো ন্যায়সংগতভাবে মুক্ত করে দাও। কিন্তু ক্ষতি করা ও কষ্ট দেয়ার উদ্দেশ্যে তাদের আটকে রেখোনা। এমনটি করলে সেটা হবে তোমাদের সীমালংঘন। এমনটি যে করে সে নিজের প্রতিই যুলুম করে। তোমরা আল্লাহ্‌র আয়াত (বিধান) কে বিদ্রুপের বস্তু বানিয়োনা। তোমাদের প্রতি আল্লাহ্‌র অনুগ্রহের কথা স্মরণ করো। তিনি তোমাদের প্রতি যে কিতাব এবং হিকমা নাযিল করেছেন, তিনি তোমাদের তা মেনে চলার উপদেশ দিচ্ছেন। তোমরা আল্লাহ্‌কে ভয় করে চলো এবং জেনে রাখো, নিশ্চয়ই আল্লাহ সকল বিষয়ে জ্ঞাত।	وَ اِذَا طَلَّقْتُمُ النِّسَآءَ فَبَلَغْنَ اَجَلَهُنَّ فَاَمْسِكُوْهُنَّ بِمَعْرُوْفٍ اَوْ سَرِّحُوْهُنَّ بِمَعْرُوْفٍ ۪ وَّلَا تُمْسِكُوْهُنَّ ضِرَارًا لِّتَعْتَدُوْا ۚ وَ مَنْ يَّفْعَلْ ذٰلِكَ فَقَدْ ظَلَمَ نَفْسَهٗ ؕ وَ لَا تَتَّخِذُوْۤا اٰيٰتِ اللّٰهِ هُزُوًا ۫ وَّاذْكُرُوْا نِعْمَتَ اللّٰهِ عَلَيْكُمْ وَ مَاۤ اَنْزَلَ عَلَيْكُمْ مِّنَ الْكِتٰبِ وَ الْحِكْمَةِ يَعِظُكُمْ بِهٖ ؕ وَ اتَّقُوا اللّٰهَ وَ اعْلَمُوْۤا اَنَّ اللّٰهَ بِكُلِّ شَیْءٍ عَلِيْمٌ ﴿۲۳۱﴾
২৩২. তোমরা স্ত্রীদের (দুই) তালাক দেয়ার পর যখন তারা ইদ্দত পূর্ণ করে নেয়, তখন তাদেরকে তাদের স্বামীদের পুনরায় বিয়ে করতে বাধা দিয়োনা, যদি তারা ন্যায়সংগত পদ্ধতিতে পরস্পরকে বিয়ে করতে রাজি হয়। এগুলো সেই ব্যক্তির জন্যে উপদেশ, যে আল্লাহ্‌র প্রতি এবং শেষ দিনের প্রতি ঈমান রাখে। এটাই তোমাদের জন্যে সবচেয়ে বিশুদ্ধ ও পবিত্র পন্থা। আল্লাহ জানেন, তোমরা জানোনা।	وَ اِذَا طَلَّقْتُمُ النِّسَآءَ فَبَلَغْنَ اَجَلَهُنَّ فَلَا تَعْضُلُوْهُنَّ اَنْ يَّنْكِحْنَ اَزْوَاجَهُنَّ اِذَا تَرَاضَوْا بَيْنَهُمْ بِالْمَعْرُوْفِ ؕ ذٰلِكَ يُوْعَظُ بِهٖ مَنْ كَانَ مِنْكُمْ يُؤْمِنُ بِاللّٰهِ وَ الْيَوْمِ الْاٰخِرِ ؕ ذٰلِكُمْ اَزْكٰى لَكُمْ وَ اَطْهَرُ ؕ وَ اللّٰهُ يَعْلَمُ وَ اَنْتُمْ لَا تَعْلَمُوْنَ ﴿۲۳۲﴾
২৩৩. মায়েরা তাদের বাচ্চাদের বুকের দুধ পান করাবে পূর্ণ দুই বছর। এই বিধান তার জন্যে যে পিতা দুধ পানের মেয়াদ পূর্ণ করতে চায়। এক্ষেত্রে বাচ্চাদের পিতার দায়িত্ব হবে বাচ্চাদের মায়ের খাওয়া পরার ব্যয় ভার বহন করা ন্যায়সংগত পরিমাণে। কারো উপর তার সাধ্যের বাইরে বোঝা চাপানো ঠিক নয়। কোনো মাকে তার বাচ্চার কারণে কষ্ট দেয়া যাবেনা, কোনো পিতাকেও তার বাচ্চার কারণে কষ্ট দেয়া যাবেনা। (বাচ্চার পিতার অবর্তমানে স্তন্যদানকারী মায়ের প্রতি) ওয়ারিশদের দায়িত্ব কর্তব্য তার (পিতার)	وَ الْوَالِدٰتُ يُرْضِعْنَ اَوْلَادَهُنَّ حَوْلَيْنِ كَامِلَيْنِ لِمَنْ اَرَادَ اَنْ يُّتِمَّ الرَّضَاعَةَ ؕ وَ عَلَى الْمَوْلُوْدِ لَهٗ رِزْقُهُنَّ وَ كِسْوَتُهُنَّ بِالْمَعْرُوْفِ ؕ لَا تُكَلَّفُ نَفْسٌ اِلَّا وُسْعَهَا ۚ لَا تُضَآرَّ وَالِدَةٌۢ بِوَلَدِهَا وَ لَا مَوْلُوْدٌ لَّهٗ بِوَلَدِهٖ ۗ وَ عَلَى الْوَارِثِ مِثْلُ ذٰلِكَ ۚ فَاِنْ اَرَادَا فِصَالًا عَنْ تَرَاضٍ مِّنْهُمَا وَ تَشَاوُرٍ

রুকু ২৯

অনুরূপ। কিন্তু তারা উভয় পক্ষ যদি পারস্পারিক সম্মতি ও পরামর্শক্রমে স্তন্যপান বন্ধ করতে চায়, তবে তাতে তাদের কোনো অপরাধ হবেনা। আর তোমরা যদি দুধ মা দ্বারা তোমাদের বাচ্চাদের দুধ পান করাতে চাও, তাতেও তোমাদের কোনো দোষ হবেনা। তবে শর্ত হলো, পরস্পর সম্মত বিনিময় ন্যায়সংগতভাবে তাকে পরিশোধ করতে হবে। তোমরা আল্লাহ্‌কে ভয় করো এবং জেনে রাখো, অবশ্যি আল্লাহ তোমাদের কর্মের উপর দৃষ্টি রাখেন।	فَلَا جُنَاحَ عَلَيْهِمَا ۗ وَإِنْ أَرَدْتُمْ أَنْ تَسْتَرْضِعُوا أَوْلَادَكُمْ فَلَا جُنَاحَ عَلَيْكُمْ إِذَا سَلَّمْتُمْ مَا آتَيْتُمْ بِالْمَعْرُوفِ ۗ وَاتَّقُوا اللَّهَ وَاعْلَمُوا أَنَّ اللَّهَ بِمَا تَعْمَلُونَ بَصِيرٌ ﴿٢٣٣﴾
২৩৪. তোমাদের যারা স্ত্রী রেখে মারা যাবে, তাদের স্ত্রীরা (বিবাহ বন্ধনে আবদ্ধ হবার জন্যে) চারমাস দশদিন অপেক্ষা করবে। তারপর যখন তারা তাদের ইদ্দতকাল পূর্ণ করবে, তখন তারা প্রচলিত ন্যায়সংগত পন্থায় নিজেদের ব্যাপারে (বিয়ে করা বা না করার) যে সিদ্ধান্তই নিতে চায় নিতে পারবে, তাতে তোমাদের কোনো দোষ (দায়দায়িত্ব) নেই। আল্লাহ তোমাদের আমল সম্পর্কে খবর রাখেন।	وَالَّذِينَ يُتَوَفَّوْنَ مِنْكُمْ وَيَذَرُونَ أَزْوَاجًا يَتَرَبَّصْنَ بِأَنْفُسِهِنَّ أَرْبَعَةَ أَشْهُرٍ وَعَشْرًا ۖ فَإِذَا بَلَغْنَ أَجَلَهُنَّ فَلَا جُنَاحَ عَلَيْكُمْ فِيمَا فَعَلْنَ فِي أَنْفُسِهِنَّ بِالْمَعْرُوفِ ۗ وَاللَّهُ بِمَا تَعْمَلُونَ خَبِيرٌ ﴿٢٣٤﴾
২৩৫. (ইদ্দত চলাকালে বিধবা) নারীদের তোমরা ইশারা-ইংগিতে বিয়ের প্রস্তাব প্রদান করলে, কিংবা মনের ভেতরে তাদের বিয়ে করার কথা গোপন করে রাখলে তোমাদের কোনো দোষ হবেনা। আল্লাহ জানেন, তাদের কথা তোমাদের মনে উদয় হবেই। কিন্তু গোপনে তাদেরকে কোনো প্রতিশ্রুতি দিয়োনা। তবে প্রচলিত সমর্থিত পন্থায় কথাবার্তা বলতে পারবে। নির্দিষ্ট সময় (ইদ্দতকাল) পার না হওয়া পর্যন্ত বিয়ের আক্‌দ সম্পন্ন করার সিদ্ধান্ত নিয়োনা। জেনে রাখো, তোমাদের অন্তরে কী আছে তা আল্লাহ জানেন। তাই তাঁকে ভয় করে চলো। একথাও জেনে রাখো, কেউ ভুল করার পর ক্ষমা চাইলে অবশ্যি আল্লাহ পরম ক্ষমাশীল, সহিষ্ণু।	وَلَا جُنَاحَ عَلَيْكُمْ فِيمَا عَرَّضْتُمْ بِهِ مِنْ خِطْبَةِ النِّسَاءِ أَوْ أَكْنَنْتُمْ فِي أَنْفُسِكُمْ ۚ عَلِمَ اللَّهُ أَنَّكُمْ سَتَذْكُرُونَهُنَّ وَلَٰكِنْ لَا تُوَاعِدُوهُنَّ سِرًّا إِلَّا أَنْ تَقُولُوا قَوْلًا مَعْرُوفًا ۚ وَلَا تَعْزِمُوا عُقْدَةَ النِّكَاحِ حَتَّىٰ يَبْلُغَ الْكِتَابُ أَجَلَهُ ۚ وَاعْلَمُوا أَنَّ اللَّهَ يَعْلَمُ مَا فِي أَنْفُسِكُمْ فَاحْذَرُوهُ ۚ وَاعْلَمُوا أَنَّ اللَّهَ غَفُورٌ حَلِيمٌ ﴿٢٣٥﴾ রুকু ৩০
২৩৬. সহবাস করার পূর্বে এবং মোহরানা ধার্য না করা অবস্থায় স্ত্রীকে তালাক দিলে তোমাদের কোনো পাপ হবে না। কিন্তু (এ ধরণের তালাকের ক্ষেত্রে) অবশ্যি তাদেরকে কিছু অর্থ-সামগ্রী দেবে। সচ্ছল ব্যক্তি দেবে তার (আর্থিক) সচ্ছলতা অনুযায়ী, আর দরিদ্র ব্যক্তি দেবে তার সামর্থ অনুযায়ী প্রচলিত নিয়ম ও যুক্তি সংগত পরিমাণ। এটা কল্যাণপরায়নদের উপর আরোপিত একটা কর্তব্য।	لَا جُنَاحَ عَلَيْكُمْ إِنْ طَلَّقْتُمُ النِّسَاءَ مَا لَمْ تَمَسُّوهُنَّ أَوْ تَفْرِضُوا لَهُنَّ فَرِيضَةً ۚ وَمَتِّعُوهُنَّ ۚ عَلَى الْمُوسِعِ قَدَرُهُ وَعَلَى الْمُقْتِرِ قَدَرُهُ ۚ مَتَاعًا بِالْمَعْرُوفِ ۖ حَقًّا عَلَى الْمُحْسِنِينَ ﴿٢٣٦﴾
২৩৭. স্ত্রীর মোহরানা ধার্য করা হয়েছে, কিন্তু	وَإِنْ طَلَّقْتُمُوهُنَّ مِنْ قَبْلِ أَنْ تَمَسُّوهُنَّ

যদি সহবাস করার পূর্বেই তালাক দিয়ে ফেলে থাকো, সেক্ষেত্রে ধার্যকৃত মোহরানার অর্ধেক তাকে দিতে হবে যদি না স্ত্রী দয়াপরবশ হয় (ক্ষমা করে দেয়), কিংবা যার হাতে বিবাহের রশি সে (স্বামী) দয়াপরবশ হয় (অর্থাৎ পুরো মোহরানা দিয়ে দেয়)। তোমরা দয়াপরবশ হও, এটাই তাকওয়ার জন্যে নিকটতম। তোমরা পরস্পরের প্রতি দয়া-অনুগ্রহ ও সহৃদয়তার কথা ভুলে থেকোনা। আল্লাহ অবশ্যি তোমাদের কার্যক্রমের প্রতি দৃষ্টি রাখেন।	وَ قَدْ فَرَضْتُمْ لَهُنَّ فَرِيْضَةً فَنِصْفُ مَا فَرَضْتُمْ اِلَّآ اَنْ يَّعْفُوْنَ اَوْ يَعْفُوَا الَّذِىْ بِيَدِهٖ عُقْدَةُ النِّكَاحِ ؕ وَ اَنْ تَعْفُوْٓا اَقْرَبُ لِلتَّقْوٰى ؕ وَ لَا تَنْسَوُا الْفَضْلَ بَيْنَكُمْ ؕ اِنَّ اللّٰهَ بِمَا تَعْمَلُوْنَ بَصِيْرٌ ﴿۲۳۷﴾
২৩৮. তোমরা সালাতের প্রতি যত্নবান হও, বিশেষ করে মধ্যম সালাত (আদায়)-এর প্রতি, এবং আল্লাহ্‌র উদ্দেশ্যে দাঁড়াও বিনীত হয়ে।	حٰفِظُوْا عَلَى الصَّلَوٰتِ وَ الصَّلٰوةِ الْوُسْطٰى ۗ وَ قُوْمُوْا لِلّٰهِ قٰنِتِيْنَ ﴿۲۳۸﴾
২৩৯. তোমরা যদি ভয় ও আতংকের মধ্যে থাকো, সেক্ষেত্রে তোমরা পায়ে হাঁটা কিংবা যানবাহনে আরোহী অবস্থায় সালাত আদায় করো। আর যখন নিরাপদ অবস্থায় থাকবে, তখন আল্লাহ্‌কে যিকির (সালাত আদায়) করবে সেভাবে, যেভাবে করতে তিনি তোমাদের শিক্ষা দিয়েছেন এবং যে পদ্ধতি ইতোপূর্বে তোমাদের জানা ছিলনা।	فَاِنْ خِفْتُمْ فَرِجَالًا اَوْ رُكْبَانًا ۚ فَاِذَآ اَمِنْتُمْ فَاذْكُرُوا اللّٰهَ كَمَا عَلَّمَكُمْ مَّا لَمْ تَكُوْنُوْا تَعْلَمُوْنَ ﴿۲۳۹﴾
২৪০. তোমাদের মধ্যে যারা স্ত্রী রেখে যাচ্ছে অবস্থায় নিজের মৃত্যু আসন্ন অনুভব করবে, স্ত্রীদের জন্যে এক বছরের খোরপোষ ও বাসস্থানের অসিয়ত করে যাওয়া তাদের কর্তব্য তাদেরকে বের করে না দিয়ে। তবে তারা (স্ত্রীরা) নিজেরাই যদি চলে যায়, সেক্ষেত্রে তারা প্রচলিত বিধি মোতাবেক নিজেদের ব্যাপারে যা কিছু করুক, তাতে তোমাদের কোনো দোষ হবেনা। আল্লাহ সর্বময় কর্তৃত্বশালী, মহাবিজ্ঞ।	وَ الَّذِيْنَ يُتَوَفَّوْنَ مِنْكُمْ وَ يَذَرُوْنَ اَزْوَاجًا ۖۚ وَّصِيَّةً لِّاَزْوَاجِهِمْ مَّتَاعًا اِلَى الْحَوْلِ غَيْرَ اِخْرَاجٍ ۚ فَاِنْ خَرَجْنَ فَلَا جُنَاحَ عَلَيْكُمْ فِىْ مَا فَعَلْنَ فِىْٓ اَنْفُسِهِنَّ مِنْ مَّعْرُوْفٍ ؕ وَاللّٰهُ عَزِيْزٌ حَكِيْمٌ ﴿۲۴۰﴾
২৪১. আর যেসব নারীকে তালাক দেয়া হয়, তাদেরকেও প্রচলিত সংগত পরিমাণ অর্থ-সামগ্রী দেয়া উচিত। এটা মুত্তাকিদের একটা কর্তব্য।	وَ لِلْمُطَلَّقٰتِ مَتَاعٌۢ بِالْمَعْرُوْفِ ؕ حَقًّا عَلَى الْمُتَّقِيْنَ ﴿۲۴۱﴾
২৪২. এভাবেই আল্লাহ তাঁর আয়াত (আইন-বিধান) পরিষ্কার করে বলে দিচ্ছেন, যাতে করে তোমরা অনুধাবন করো।	كَذٰلِكَ يُبَيِّنُ اللّٰهُ لَكُمْ اٰيٰتِهٖ لَعَلَّكُمْ تَعْقِلُوْنَ ﴿۲۴۲﴾
২৪৩. ঐ লোকদের ব্যাপারে কি ভেবে দেখেছো, যারা হাজার হাজার লোক মৃত্যুর ভয়ে নিজেদের ঘর-বাড়ি ছেড়ে চলে গিয়েছিল? তারপর আল্লাহ তাদের বলেছিলেন: 'মরে যাও।' এর পর তিনি আবার তাদের জীবিত করেন। মূলত, আল্লাহ মানুষের প্রতি বড়ই অনুগ্রহপরায়ণ, কিন্তু অধিকাংশ মানুষ তাঁর শোকর আদায় করেনা।	اَلَمْ تَرَ اِلَى الَّذِيْنَ خَرَجُوْا مِنْ دِيَارِهِمْ وَ هُمْ اُلُوْفٌ حَذَرَ الْمَوْتِ ۪ فَقَالَ لَهُمُ اللّٰهُ مُوْتُوْا ۫ ثُمَّ اَحْيَاهُمْ ؕ اِنَّ اللّٰهَ لَذُوْ فَضْلٍ عَلَى النَّاسِ وَلٰكِنَّ اَكْثَرَ النَّاسِ لَا يَشْكُرُوْنَ ﴿۲۴۳﴾

রুকু ৩১

২৪৪. তোমরা আল্লাহ্‌র পথে যুদ্ধ করো আর জেনে রাখো, অবশ্যি আল্লাহ সর্বশ্রোতা, সর্বজ্ঞানী।	وَ قَاتِلُوْا فِيْ سَبِيْلِ اللّٰهِ وَ اعْلَمُوْٓا اَنَّ اللّٰهَ سَمِيْعٌ عَلِيْمٌ ﴿٢٤٤﴾
২৪৫. কে আছে আল্লাহ্‌কে 'করযে হাসানা' (উত্তম নি:স্বার্থ ঋণ) প্রদান করবে, তারপর তিনি তা বহুগুণ বৃদ্ধি করে তাকে ফেরত দেবেন? আল্লাহ্‌ই (কারো অর্থনৈতিক অবস্থা) সম্প্রসারিত করেন আর (কারো অবস্থা) সংকুচিত করেন এবং তাঁর কাছেই তোমাদের ফিরিয়ে নেয়া হবে।	مَنْ ذَا الَّذِيْ يُقْرِضُ اللّٰهَ قَرْضًا حَسَنًا فَيُضٰعِفَهٗ لَهٗٓ اَضْعَافًا كَثِيْرَةً ؕ وَ اللّٰهُ يَقْبِضُ وَ يَبْصُۜطُ ۪ وَ اِلَيْهِ تُرْجَعُوْنَ ﴿٢٤٥﴾
২৪৬. তুমি কি মূসার পরবর্তী বনি ইসরাঈল সরদারদের আচরণটা ভেবে দেখেছো? তারা যখন তাদের একজন নবীকে বলেছিল: 'আমাদের জন্যে একজন রাজা নিযুক্ত করুন যাতে করে আমরা (তার নেতৃত্বে) আল্লাহ্‌র পথে লড়াই করতে পারি।' সে বললো: 'এমনটি তো হবেনা যে, তোমাদের প্রতি যুদ্ধ ফরয হলো, অথচ তোমরা যুদ্ধে গেলেনা?' তারা বললো: 'কেন আমরা আল্লাহর পথে যুদ্ধে যাবোনা, অথচ আমাদেরকে আমাদের ঘরবাড়ি এবং সন্তান সন্ততি থেকে বের করে দেয়া হয়েছে?' তারপর যখন তাদের উপর যুদ্ধ ফরয করে দেয়া হলো, তখন তাদের অল্প কিছু লোক ছাড়া বাকি সবাই পৃষ্ঠ প্রদর্শন করলো। আল্লাহ যালিমদের অবস্থা বিশেষভাবে অবহিত।	اَلَمْ تَرَ اِلَى الْمَلَاِ مِنْۢ بَنِيْٓ اِسْرَآءِيْلَ مِنْۢ بَعْدِ مُوْسٰى ۘ اِذْ قَالُوْا لِنَبِيٍّ لَّهُمُ ابْعَثْ لَنَا مَلِكًا نُّقَاتِلْ فِيْ سَبِيْلِ اللّٰهِ ؕ قَالَ هَلْ عَسَيْتُمْ اِنْ كُتِبَ عَلَيْكُمُ الْقِتَالُ اَلَّا تُقَاتِلُوْا ؕ قَالُوْا وَ مَا لَنَآ اَلَّا نُقَاتِلَ فِيْ سَبِيْلِ اللّٰهِ وَقَدْ اُخْرِجْنَا مِنْ دِيَارِنَا وَاَبْنَآئِنَا ؕ فَلَمَّا كُتِبَ عَلَيْهِمُ الْقِتَالُ تَوَلَّوْا اِلَّا قَلِيْلًا مِّنْهُمْ ؕ وَاللّٰهُ عَلِيْمٌۢ بِالظّٰلِمِيْنَ ﴿٢٤٦﴾
২৪৭. তাদের নবী (শামাবিল) তাদের বলেছিল: 'আল্লাহ তালুতকে তোমাদের রাজা নিযুক্ত করেছেন।' তারা বললো: 'আমাদের উপর সে কিভাবে রাজত্ব লাভ করবে? তার চাইতে রাজত্ব লাভের অধিক হকদার তো আমরা। তাছাড়া সেতো অর্থনৈতিক ভাবেও সামর্থবান নয়।' সে (শামাবিল) বললো: 'আল্লাহ তোমাদের উপর তাকেই (রাজা) মনোনীত করেছেন এবং তিনি তাকে জ্ঞানগত ও দৈহিকভাবে সমৃদ্ধ করেছেন। আল্লাহ যাকে চান তাকে তাঁর রাজত্ব প্রদান করেন। আর আল্লাহ নিজ সৃষ্টির প্রয়োজন পূরণের জন্যে যথেষ্ট ও সর্বজ্ঞানী।'	وَقَالَ لَهُمْ نَبِيُّهُمْ اِنَّ اللّٰهَ قَدْ بَعَثَ لَكُمْ طَالُوْتَ مَلِكًا ؕ قَالُوْٓا اَنّٰى يَكُوْنُ لَهُ الْمُلْكُ عَلَيْنَا وَ نَحْنُ اَحَقُّ بِالْمُلْكِ مِنْهُ وَلَمْ يُؤْتَ سَعَةً مِّنَ الْمَالِ ؕ قَالَ اِنَّ اللّٰهَ اصْطَفٰهُ عَلَيْكُمْ وَزَادَهٗ بَسْطَةً فِي الْعِلْمِ وَالْجِسْمِ ؕ وَاللّٰهُ يُؤْتِيْ مُلْكَهٗ مَنْ يَّشَآءُ ؕ وَاللّٰهُ وَاسِعٌ عَلِيْمٌ ﴿٢٤٧﴾
২৪৮. তাদের নবী (শামাবিল) তাদের আরো বলেছিল: তার (তালুতের) রাজত্ব লাভের নিদর্শন হলো: 'তার রাজত্বকালে তোমরা সেই সিন্ধুকটি ফেরত পাবে, যাতে রয়েছে তোমাদের প্রভুর পক্ষ থেকে তোমাদের জন্যে প্রশান্তি, রয়েছে মূসা ও হারূণের পরিবারের পরিত্যক্ত	وَقَالَ لَهُمْ نَبِيُّهُمْ اِنَّ اٰيَةَ مُلْكِهٖٓ اَنْ يَّاْتِيَكُمُ التَّابُوْتُ فِيْهِ سَكِيْنَةٌ مِّنْ رَّبِّكُمْ وَ بَقِيَّةٌ مِّمَّا تَرَكَ اٰلُ مُوْسٰى وَ اٰلُ هٰرُوْنَ تَحْمِلُهُ الْمَلٰٓئِكَةُ ؕ اِنَّ فِيْ ذٰلِكَ لَاٰيَةً

রুকু ৩২

বরকতময় আসবাব পত্র। সেটি বহন করে আনবে ফেরেশতারা। তোমরা মুমিন হয়ে থাকলে এটা তোমাদের জন্যে অবশ্যি নিদর্শন।'	لَّكُمْ اِنْ كُنْتُمْ مُّؤْمِنِيْنَ ﴿٢٤٨﴾
২৪৯. তারপর তালুত যখন সেনাবাহিনী নিয়ে (জেরুজালেম বিজয়ের উদ্দেশ্যে) বের হলো, তাদের বললো: 'আল্লাহ (সামনেই) একটি নদীতে তোমাদের পরীক্ষা করবেন। যে তার পানি পান করবে, সে আমার দলভুক্ত থাকবেনা; আর যে তার পানি দিয়ে পিপাসা নিবৃত করবেনা, সে-ই থাকবে আমার দলভুক্ত; তবে কেউ শুধু এক আধ আঁজলা পান করলে সেও থাকতে পারবে আমার দলভুক্ত।' কিন্তু তাদের অল্প কিছু লোক ছাড়া বাকিরা আকণ্ঠ পান করলো নদীর পানি। তারপর সে এবং তার ঈমানের দাবিদার সাথিরা যখন নদী পার হয়ে এলো, তারা (তালুতকে) বললো: 'আজ জালুত এবং তার সেনাদলের সাথে যুদ্ধ করার শক্তি আমাদের নেই।' কিন্তু আল্লাহ্‌র সাথে একদিন তো সাক্ষাত হবেই- এ বিশ্বাস যাদের ছিলো, তারা বললো: 'আল্লাহ্‌র হুকুমে ক্ষুদ্র সেনাদল শক্তিশালী বৃহৎ সেনাদলকে পরাজিত করেছে - এমন ঘটনা বহুবারই ঘটেছে।' আল্লাহ সবর (দৃঢ়তা) অবলম্বনকারীদের সাথেই থাকেন।	فَلَمَّا فَصَلَ طَالُوْتُ بِالْجُنُوْدِ ۙ قَالَ اِنَّ اللّٰهَ مُبْتَلِيْكُمْ بِنَهَرٍ ۚ فَمَنْ شَرِبَ مِنْهُ فَلَيْسَ مِنِّيْ ۚ وَمَنْ لَّمْ يَطْعَمْهُ فَاِنَّهٗ مِنِّيْۤ اِلَّا مَنِ اغْتَرَفَ غُرْفَةًۢ بِيَدِهٖ ۚ فَشَرِبُوْا مِنْهُ اِلَّا قَلِيْلًا مِّنْهُمْ ؕ فَلَمَّا جَاوَزَهٗ هُوَ وَالَّذِيْنَ اٰمَنُوْا مَعَهٗ ۙ قَالُوْا لَا طَاقَةَ لَنَا الْيَوْمَ بِجَالُوْتَ وَ جُنُوْدِهٖ ؕ قَالَ الَّذِيْنَ يَظُنُّوْنَ اَنَّهُمْ مُّلٰقُوا اللّٰهِ ۙ كَمْ مِّنْ فِئَةٍ قَلِيْلَةٍ غَلَبَتْ فِئَةً كَثِيْرَةًۢ بِاِذْنِ اللّٰهِ ؕ وَ اللّٰهُ مَعَ الصّٰبِرِيْنَ ﴿٢٤٩﴾
২৫০. আর তারা যখন যুদ্ধের জন্যে জালুত এবং তার সেনাবাহিনীর মুখোমুখি হলো, দোয়া করলো: 'আমাদের প্রভু! আমাদের দৃঢ়তা দান করো, আমাদের কদমকে মজবুত রাখো এবং এই কাফির লোকদের বিরুদ্ধে আমাদের সাহায্য করো।'	وَلَمَّا بَرَزُوْا لِجَالُوْتَ وَ جُنُوْدِهٖ قَالُوْا رَبَّنَاۤ اَفْرِغْ عَلَيْنَا صَبْرًا وَّثَبِّتْ اَقْدَامَنَا وَ انْصُرْنَا عَلَى الْقَوْمِ الْكٰفِرِيْنَ ﴿٢٥٠﴾
২৫১. অতএব, তারা আল্লাহ্‌র হুকুমে তাদের পরাস্ত করলো এবং দাউদ হত্যা করলো জালুতকে। আর আল্লাহ তাকে (দাউদকে) দান করলেন রাজত্ব আর হিকমা (প্রজ্ঞা) এবং তাকে শিক্ষা দিলেন যা ইচ্ছা করলেন। আল্লাহ যদি মানব জাতির একটি দলকে আরেকটি দলের হাতে দমন না করতেন, তাহলে তো পৃথিবীতে বিপর্যয় ঘটে যেতো। কিন্তু আল্লাহ জগতবাসীর প্রতি বড়ই অনুগ্রহশীল।	فَهَزَمُوْهُمْ بِاِذْنِ اللّٰهِ ۙ۬ وَ قَتَلَ دَاوٗدُ جَالُوْتَ وَ اٰتٰىهُ اللّٰهُ الْمُلْكَ وَ الْحِكْمَةَ وَ عَلَّمَهٗ مِمَّا يَشَآءُ ؕ وَلَوْ لَا دَفْعُ اللّٰهِ النَّاسَ بَعْضَهُمْ بِبَعْضٍ ۙ لَّفَسَدَتِ الْاَرْضُ وَ لٰكِنَّ اللّٰهَ ذُوْ فَضْلٍ عَلَى الْعٰلَمِيْنَ ﴿٢٥١﴾
২৫২. এগুলো আল্লাহ্‌র আয়াত (বাণী) আমরা তিলাওয়াত করছি যথাযথভাবে তোমার প্রতি এবং অবশ্যি তুমি রসূলদের একজন।	تِلْكَ اٰيٰتُ اللّٰهِ نَتْلُوْهَا عَلَيْكَ بِالْحَقِّ ؕ وَ اِنَّكَ لَمِنَ الْمُرْسَلِيْنَ ﴿٢٥٢﴾

পারা ০৩

تِلْكَ الرُّسُلُ فَضَّلْنَا بَعْضَهُمْ عَلٰى بَعْضٍ ۘ مِنْهُمْ مَّنْ كَلَّمَ اللّٰهُ وَ رَفَعَ بَعْضَهُمْ دَرَجٰتٍ ؕ وَ اٰتَيْنَا عِيْسَى ابْنَ مَرْيَمَ الْبَيِّنٰتِ وَ اَيَّدْنٰهُ بِرُوْحِ الْقُدُسِ ؕ وَ لَوْ شَآءَ اللّٰهُ مَا اقْتَتَلَ الَّذِيْنَ مِنْۢ بَعْدِهِمْ مِّنْۢ بَعْدِ مَا جَآءَتْهُمُ الْبَيِّنٰتُ وَ لٰكِنِ اخْتَلَفُوْا فَمِنْهُمْ مَّنْ اٰمَنَ وَ مِنْهُمْ مَّنْ كَفَرَ ؕ وَ لَوْ شَآءَ اللّٰهُ مَا اقْتَتَلُوْا ۟ وَ لٰكِنَّ اللّٰهَ يَفْعَلُ مَا يُرِيْدُ ﴿۲۵۳﴾

২৫৩. সেইসব রসূল, তাদের কিছু রসূলকে অন্য কিছু রসূলের উপর আমরা মর্যাদা দিয়েছি। তাদের মধ্যে এমন (রসূল)ও আছে, যে আল্লাহ্‌র সাথে কথা বলেছে, আবার কাউকেও তিনি মর্যাদার দিক থেকে উপরে উঠিয়েছেন। এছাড়া মরিয়মের পুত্র ঈসাকে আমরা প্রদান করেছি সুস্পষ্ট নিদর্শনসমূহ এবং তাকে সাহায্য করেছি 'রুহুল কুদুস' (জিবরাঈল) এর মাধ্যমে। আল্লাহ চাইলে রসূলদের পরের লোকেরা সুস্পষ্ট প্রমাণ সমূহ বর্তমান থাকা সত্ত্বেও যুদ্ধ বিগ্রহে লিপ্ত হতোনা। কিন্তু (আল্লাহ জোরপূর্বক মানুষের মত এবং বিশ্বাস পরিবর্তন করেননা, তাই) তারা মতভেদে লিপ্ত হয়। ফলে তাদের কিছু লোক ঈমান আনে, আর কিছু লোক কুফুরির পথ অবলম্বন করে। আল্লাহ চাইলে তারা পারস্পারিক লড়াইতে লিপ্ত হতোনা। কিন্তু আল্লাহ তাই করেন, যা তিনি চান।

রুকু ৩৩

يٰۤاَيُّهَا الَّذِيْنَ اٰمَنُوْۤا اَنْفِقُوْا مِمَّا رَزَقْنٰكُمْ مِّنْ قَبْلِ اَنْ يَّاْتِيَ يَوْمٌ لَّا بَيْعٌ فِيْهِ وَ لَا خُلَّةٌ وَّلَا شَفَاعَةٌ ؕ وَ الْكٰفِرُوْنَ هُمُ الظّٰلِمُوْنَ ﴿۲۵۴﴾

২৫৪. হে ঐ সমস্ত লোক যারা ঈমান এনেছো! তোমরা (আল্লাহ্‌র পথে) ব্যয় করো সেই সম্পদ থেকে, যা আমরা তোমাদের দান করেছি, (ব্যয় করো) সেই দিনটি আসার আগেই যেদিন অর্থের কোনো আদান-প্রদান থাকবেনা, বন্ধুতা থাকবেনা এবং থাকবেনা সুপারিশও। মূলত কাফিররাই হলো যালিম।

اَللّٰهُ لَاۤ اِلٰهَ اِلَّا هُوَ ۚ اَلْحَیُّ الْقَیُّوْمُ ۬ۚ لَا تَاْخُذُهٗ سِنَةٌ وَّلَا نَوْمٌ ؕ لَهٗ مَا فِی السَّمٰوٰتِ وَ مَا فِی الْاَرْضِ ؕ مَنْ ذَا الَّذِیْ یَشْفَعُ عِنْدَهٗۤ اِلَّا بِاِذْنِهٖ ؕ یَعْلَمُ مَا بَیْنَ اَیْدِیْهِمْ وَ مَا خَلْفَهُمْ ۚ وَ لَا یُحِیْطُوْنَ بِشَیْءٍ مِّنْ عِلْمِهٖۤ اِلَّا بِمَا شَآءَ ۚ وَسِعَ كُرْسِیُّهُ السَّمٰوٰتِ وَ الْاَرْضَ ۚ وَ لَا یَـُٔوْدُهٗ حِفْظُهُمَا ۚ وَ هُوَ الْعَلِیُّ الْعَظِیْمُ ﴿۲۵۵﴾

২৫৫. আল্লাহ, নাই কোনো ইলাহ তিনি ছাড়া। তিনি চিরঞ্জীব, তিনি অনন্তকাল সর্বসৃষ্টির ধারক ও রক্ষক। ঘুম কিংবা তন্দ্রা তাঁকে স্পর্শ করেনা কখনো। মহাকাশ এবং এই পৃথিবীতে যা কিছু আছে সবই তাঁর। এমন কে আছে, যে তাঁর অনুমতি ছাড়া তাঁর সম্মুখে শাফায়াত করার সাধ্য রাখে? তিনি জানেন তাদের (মানুষের) সামনে-পেছনে (গোচরে-অগোচরে কিংবা ইহকালে-পরকালে) যা কিছু ঘটে এবং ঘটবে। তারা তিনি যতোটুকু চান তাছাড়া তাঁর জ্ঞানের কিছুই আয়ত্ব করতে পারেনা। তাঁর কুরসি পরিব্যাপ্ত মহাকাশ এবং পৃথিবীতে। এগুলোর হিফাযত (ধারণ ও রক্ষণ) তাঁকে ক্লান্ত করেনা। তিনি সর্বশ্রেষ্ঠ এবং সর্বমহান।

لَاۤ اِكْرَاهَ فِی الدِّیْنِ ۙ۫ قَدْ تَّبَیَّنَ الرُّشْدُ مِنَ الْغَیِّ ۚ فَمَنْ یَّكْفُرْ بِالطَّاغُوْتِ وَ یُؤْمِنْۢ بِاللّٰهِ فَقَدِ اسْتَمْسَكَ بِالْعُرْوَةِ الْوُثْقٰی ۗ لَا انْفِصَامَ لَهَا ؕ وَ اللّٰهُ سَمِیْعٌ عَلِیْمٌ ﴿۲۵۶﴾

২৫৬. দীন গ্রহণের ক্ষেত্রে বাধ্যবাধকতা ও বল প্রয়োগ নেই। সঠিক পথকে উজ্জ্বল-পরিষ্কার করে দেয়া হয়েছে ভ্রান্ত পথ থেকে। এখন যে কেউ তাগুতকে অস্বীকার করে এক আল্লাহ্‌র প্রতি ঈমান আনবে, সে সবচে মজবুত বিশ্বস্ত হাতলটিই আঁকড়ে ধরবে, যা কখনো ভেঙ্গে যাবার নয়। আর আল্লাহ তো সর্বশ্রোতা, সর্বজ্ঞানী।

اَللّٰهُ وَلِيُّ الَّذِيْنَ اٰمَنُوْا ۙ يُخْرِجُهُمْ مِّنَ الظُّلُمٰتِ اِلَى النُّوْرِ ؕ وَ الَّذِيْنَ كَفَرُوْۤا اَوْلِيٰٓـُٔهُمُ الطَّاغُوْتُ ۙ يُخْرِجُوْنَهُمْ مِّنَ النُّوْرِ اِلَى الظُّلُمٰتِ ؕ اُولٰٓئِكَ اَصْحٰبُ النَّارِ ۚ هُمْ فِيْهَا خٰلِدُوْنَ ﴿۲۵۷﴾

২৫৭. যারা ঈমান আনে তাদের অলি হলেন আল্লাহ। তিনি তাদের বের করে আনেন অন্ধকাররাশি থেকে আলোতে। আর যারা কুফুরির পথ অবলম্বন করে, তাগুতরা হলো তাদের অলি। তারা তাদেরকে টেনে নিয়ে আসে আলো থেকে অন্ধকাররাশিতে। মূলত এরাই হবে আসহাবুন নার (আগুনের অধিবাসী), সেখানে থাকবে তারা চিরকাল।

রুকু ৩৪

اَلَمْ تَرَ اِلَى الَّذِيْ حَآجَّ اِبْرٰهٖمَ فِيْ رَبِّهٖۤ اَنْ اٰتٰىهُ اللّٰهُ الْمُلْكَ ۘ اِذْ قَالَ اِبْرٰهٖمُ رَبِّيَ الَّذِيْ يُحْيٖ وَ يُمِيْتُ ۙ قَالَ اَنَا اُحْيٖ وَ اُمِيْتُ ؕ قَالَ اِبْرٰهٖمُ فَاِنَّ اللّٰهَ يَاْتِيْ بِالشَّمْسِ مِنَ الْمَشْرِقِ فَاْتِ بِهَا مِنَ الْمَغْرِبِ فَبُهِتَ الَّذِيْ كَفَرَ ؕ وَ اللّٰهُ لَا يَهْدِي الْقَوْمَ الظّٰلِمِيْنَ ﴿۲۵۸﴾

২৫৮. তুমি কি ঐ ব্যাক্তির বিষয়টি লক্ষ্য করোনি, যে ইবরাহিমের সাথে বিতর্ক করছিল সে (ইবরাহিম) কাকে প্রভু মানে, তা নিয়ে? আর আল্লাহ তাকে রাষ্ট্র ক্ষমতা দিয়েছিলেন বলেই সে এ বিতর্কে লিপ্ত হয়। (ইবরাহিম কাকে প্রভু মানে -এ প্রশ্নের জবাবে) ইবরাহিম যখন বলেছিল: 'আমার প্রভু তিনি, যিনি জীবন দান করেন এবং মৃত্যু ঘটান।' সে (নমরূদ) বললো: ('আমার রাজ্যে তো) আমিই জীবন (ভিক্ষা) দেই এবং মৃত্যু (দন্ড) দেই।' ইবরাহিম বললো: '(আমার প্রভু) আল্লাহ সূর্যকে (ইরাকের) পূর্ব দিক থেকে উদিত করেন, তুমি সেটিকে পশ্চিম দিক থেকে উদিত করো দেখি।' একথা শুনে কাফিরটি হতভম্ব হয়ে গেলো। আল্লাহ সঠিক পথ দেখান না যালিম লোকদের।

اَوْ كَالَّذِيْ مَرَّ عَلٰى قَرْيَةٍ وَّ هِيَ خَاوِيَةٌ عَلٰى عُرُوْشِهَا ۚ قَالَ اَنّٰى يُحْيٖ هٰذِهِ اللّٰهُ بَعْدَ مَوْتِهَا ۚ فَاَمَاتَهُ اللّٰهُ مِائَةَ عَامٍ ثُمَّ بَعَثَهٗ ؕ قَالَ كَمْ لَبِثْتَ ؕ قَالَ لَبِثْتُ يَوْمًا اَوْ بَعْضَ يَوْمٍ ؕ قَالَ بَلْ لَّبِثْتَ مِائَةَ عَامٍ فَانْظُرْ اِلٰى طَعَامِكَ وَ شَرَابِكَ لَمْ يَتَسَنَّهْ ۚ وَ انْظُرْ اِلٰى حِمَارِكَ وَ لِنَجْعَلَكَ اٰيَةً لِّلنَّاسِ وَ انْظُرْ اِلَى الْعِظَامِ كَيْفَ نُنْشِزُهَا ثُمَّ نَكْسُوْهَا لَحْمًا ؕ فَلَمَّا تَبَيَّنَ لَهٗ ۙ قَالَ اَعْلَمُ اَنَّ اللّٰهَ عَلٰى كُلِّ شَيْءٍ قَدِيْرٌ ﴿۲۵۹﴾

২৫৯. কিংবা ঐ ব্যাক্তির বিষয়টি কি তুমি লক্ষ্য করোনি, যে অতিক্রম করছিল এমন একটি শহর যা ধ্বংস স্তুপে পরিণত হয়ে পড়েছিল? (শহরটি দেখে) সে বললো: 'হায়, এমন ধ্বংসের পর আল্লাহ কীভাবে এ (শহর) কে জীবিত করবেন?' সুতরাং আল্লাহ তার মৃত্যু ঘটান এবং একশ বছর অতিবাহিত হবার পর তাকে পুনর্জীবিত করেন। তিনি (আল্লাহ) তাকে জিজ্ঞেস করেন: 'বলতো কতো বছর (মৃত) পড়েছিলে?' সে বললো: 'একদিন বা একদিনের কিছু অংশ'। তিনি বললেন: 'না, বরং তুমি (এখানে মৃত) পড়েছিলে একশ বছর! তাকিয়ে দেখো, তোমার খাদ্য ও পানীয়ের দিকে, সেগুলো বিকৃত হয়নি আর তোমার গাধাটির প্রতিও তাকিয়ে দেখো। আমি এটা এজন্যে করেছি যে, আমি তোমাকে মানুষের পুনর্জীবন সম্পর্কে একটি নিদর্শন বানাতে চাই। আর হাড়গুলোর প্রতি তাকিয়ে দেখো, কিভাবে আমরা সেগুলোকে (পুন:) সংযোজিত করি এবং মাংস দিয়ে ঢেকে দেই?' তারপর তার কাছে যখন সবকিছু স্পষ্ট হলো, তখন সে বলে উঠলো: 'আমি জানি, অবশ্যি আল্লাহ সবকিছু করতেই সক্ষম সর্বশক্তিমান।

২৬০. আর স্মরণ করো, ইবরাহিম যখন বলেছিল: 'আমার প্রভু! তুমি কিভাবে মৃতকে জীবিত করো, তা আমাকে দেখাও।' তিনি জিজ্ঞেস করলেন: 'তুমি কি বিশ্বাস করোনা?' সে বললো: 'জী হ্যাঁ, তবে (তা বাস্তবে দেখতে চাই) আমার মনের প্রশান্তি অর্জনের জন্যে।' তিনি বললেন: 'তাহলে চারটি পাখি সংগ্রহ করে নাও এবং সেগুলোকে (পোষ মানিয়ে) তোমার প্রতি অনুরক্ত বানিয়ে নাও। (তারপর সেগুলোকে টুকরা টুকরা করে কেটে) এককেটি অংশ এককে পাহাড়ে রেখে আসো। এবার তাদের ডাক দাও, দেখবে, তারা দ্রুত তোমার কাছে (উড়ে) আসবে। আর জেনে রাখো, অবশ্যি আল্লাহ সর্বশক্তিমান, সর্বজ্ঞানী।	وَ اِذْ قَالَ اِبْرٰهٖمُ رَبِّ اَرِنِیْ كَیْفَ تُحْیِ الْمَوْتٰی ؕ قَالَ اَوَ لَمْ تُؤْمِنْ ؕ قَالَ بَلٰی وَ لٰكِنْ لِّیَطْمَىِٕنَّ قَلْبِیْ ؕ قَالَ فَخُذْ اَرْبَعَةً مِّنَ الطَّیْرِ فَصُرْهُنَّ اِلَیْكَ ثُمَّ اجْعَلْ عَلٰی كُلِّ جَبَلٍ مِّنْهُنَّ جُزْءًا ثُمَّ ادْعُهُنَّ یَاْتِیْنَكَ سَعْیًا ؕ وَ اعْلَمْ اَنَّ اللّٰهَ عَزِیْزٌ حَكِیْمٌ ﴿۲۶۰﴾ (রুকু ৩৫)
২৬১. যারা আল্লাহ্‌র পথে নিজেদের মাল-সম্পদ ব্যয় করে, তাদের উপমা হলো এরকম, যেমন, একটি (শষ্য) বীজ (বপন করা হলো), সেটি বের করলো সাতটি শীষ, আর প্রতিটা শীষে উৎপন্ন হলো শত শস্যদানা। আল্লাহ যাকে চান এমনি করে বহুগুণে বৃদ্ধি করে দেন। আল্লাহ তাঁর সকল সৃষ্টির প্রয়োজন পূরণে একাই যথেষ্ট, সর্বজ্ঞানী।	مَثَلُ الَّذِیْنَ یُنْفِقُوْنَ اَمْوَالَهُمْ فِیْ سَبِیْلِ اللّٰهِ كَمَثَلِ حَبَّةٍ اَنْۢبَتَتْ سَبْعَ سَنَابِلَ فِیْ كُلِّ سُنْۢبُلَةٍ مِّائَةُ حَبَّةٍ ؕ وَ اللّٰهُ یُضٰعِفُ لِمَنْ یَّشَآءُ ؕ وَ اللّٰهُ وَاسِعٌ عَلِیْمٌ ﴿۲۶۱﴾
২৬২. যারা আল্লাহ্‌র পথে তাদের অর্থ-সম্পদ ব্যয় করে, তারপর সে ব্যয়ের (অনুগ্রহের) কথা বলে বেড়ায়না এবং এর দ্বারা কারো মনেও কষ্ট দেয়না, তাদের পুরষ্কার (সংরক্ষিত) রয়েছে তাদের প্রভুর কাছে। তাদের কোনো ভয়ও থাকবেনা এবং দুঃখ-বেদনাও থাকবেনা।	اَلَّذِیْنَ یُنْفِقُوْنَ اَمْوَالَهُمْ فِیْ سَبِیْلِ اللّٰهِ ثُمَّ لَا یُتْبِعُوْنَ مَاۤ اَنْفَقُوْا مَنًّا وَّ لَاۤ اَذًی ۙ لَّهُمْ اَجْرُهُمْ عِنْدَ رَبِّهِمْ ۚ وَ لَا خَوْفٌ عَلَیْهِمْ وَ لَا هُمْ یَحْزَنُوْنَ ﴿۲۶۲﴾
২৬৩. একটি সুন্দর কথা এবং ক্ষমা, দান করে দুঃখ দেয়ার চাইতে উত্তম। আল্লাহ সম্পদশালী এবং সহনশীল।	قَوْلٌ مَّعْرُوْفٌ وَّ مَغْفِرَةٌ خَیْرٌ مِّنْ صَدَقَةٍ یَّتْبَعُهَاۤ اَذًی ؕ وَ اللّٰهُ غَنِیٌّ حَلِیْمٌ ﴿۲۶۳﴾
২৬৪. হে ঈমানওয়ালা লোকেরা! দান করার পর খোটা দিয়ে এবং দুঃখ দিয়ে তোমরা তোমাদের দানকে ঐ ব্যক্তির মতো নষ্ট নিষ্ফল করোনা, যে দান করে লোক দেখানোর জন্যে এবং আল্লাহ্‌র প্রতি ও পরকালের প্রতি ঈমান রাখেনা। এ ধরণের দানকারীর উপমা হলো মসৃন পাথর, যার উপর সামান্য মাটির আস্তর জমে, তারপর প্রবল বৃষ্টিপাত পাথরটিকে ধুয়ে মুছে পরিষ্কার করে রেখে যায়। এধরণের লোকেরা (দান খয়রাত করে) যে নেকি উপার্জন করে তার কিছুই ধরে রাখতে পারেনা। আর আল্লাহ অকৃতজ্ঞ লোকদের সঠিক পথে পরিচালিত করেন না।	یٰۤاَیُّهَا الَّذِیْنَ اٰمَنُوْا لَا تُبْطِلُوْا صَدَقٰتِكُمْ بِالْمَنِّ وَ الْاَذٰی ۙ كَالَّذِیْ یُنْفِقُ مَالَهٗ رِئَآءَ النَّاسِ وَ لَا یُؤْمِنُ بِاللّٰهِ وَ الْیَوْمِ الْاٰخِرِ ؕ فَمَثَلُهٗ كَمَثَلِ صَفْوَانٍ عَلَیْهِ تُرَابٌ فَاَصَابَهٗ وَابِلٌ فَتَرَكَهٗ صَلْدًا ؕ لَا یَقْدِرُوْنَ عَلٰی شَیْءٍ مِّمَّا كَسَبُوْا ؕ وَ اللّٰهُ لَا یَهْدِی الْقَوْمَ الْكٰفِرِیْنَ ﴿۲۶۴﴾

২৬৫. পক্ষান্তরে যারা আল্লাহ্‌র সন্তুষ্টির লক্ষ্যে তাঁর পুরস্কার লাভের আত্মবিশ্বাস নিয়ে তাদের অর্থ-সম্পদ ব্যয় করে, তাদের উপমা হলো এ রকম, যেমন কোনো উঁচু ভূমিতে অবস্থিত একটি বাগান! তাতে বৃষ্টি হলো মূষলধারে এবং তার ফলে তার ফলন হলো দ্বিগুণ। আর মূষলধারে বৃষ্টিপাত না হলেও হালকা বৃষ্টিপাতই (তার ভালো ফলনের জন্যে) যথেষ্ট। আল্লাহ তোমাদের কর্মের প্রতি দৃষ্টি রাখেন।	وَمَثَلُ الَّذِيْنَ يُنْفِقُوْنَ اَمْوَالَهُمُ ابْتِغَآءَ مَرْضَاتِ اللّٰهِ وَتَثْبِيْتًا مِّنْ اَنْفُسِهِمْ كَمَثَلِ جَنَّةٍۭ بِرَبْوَةٍ اَصَابَهَا وَابِلٌ فَاٰتَتْ اُكُلَهَا ضِعْفَيْنِ ۚ فَاِنْ لَّمْ يُصِبْهَا وَابِلٌ فَطَلٌّ ؕ وَاللّٰهُ بِمَا تَعْمَلُوْنَ بَصِيْرٌ ﴿٢٦٥﴾
২৬৬. তোমাদের কেউ কি এমনটি পছন্দ করবে যে তার থাকবে একটি সুফলা বাগান, সেটি পরিপূর্ণ থাকবে খেজুর আর আংগুরে, তাতে প্রবাহিত থাকবে অনেকগুলো ঝর্ণাধারা, থাকবে সব রকমের ফল ফ্রুট। তারপর এমন এক সময়ে অগ্নিবায়ু প্রবাহিত হয়ে বাগানটি জ্বলে পুড়ে ছাই হয়ে যাবে, যখন সে বৃদ্ধ বয়সে উপনীত আর তার সন্তানগুলো দুর্বল-অপ্রাপ্ত বয়স্ক? আল্লাহ এভাবেই তোমাদের জন্যে তাঁর আয়াত সমূহ বর্ণনা করেন, যাতে করে তোমরা চিন্তা ফিকির করে উপলব্ধি করতে পারো।	اَيَوَدُّ اَحَدُكُمْ اَنْ تَكُوْنَ لَهٗ جَنَّةٌ مِّنْ نَّخِيْلٍ وَّاَعْنَابٍ تَجْرِيْ مِنْ تَحْتِهَا الْاَنْهٰرُ ۙ لَهٗ فِيْهَا مِنْ كُلِّ الثَّمَرٰتِ ۙ وَاَصَابَهُ الْكِبَرُ وَلَهٗ ذُرِّيَّةٌ ضُعَفَآءُ ۚۖ فَاَصَابَهَآ اِعْصَارٌ فِيْهِ نَارٌ فَاحْتَرَقَتْ ؕ كَذٰلِكَ يُبَيِّنُ اللّٰهُ لَكُمُ الْاٰيٰتِ لَعَلَّكُمْ تَتَفَكَّرُوْنَ ﴿٢٦٦﴾
২৬৭. হে ঈমানওয়ালা লোকেরা! তোমরা ভালোটা ব্যয় করো তা থেকে, যা তোমরা উপার্জন করো এবং তা থেকেও যা আমরা ভূমি থেকে তোমাদের উৎপন্ন করে দেই। তোমরা তা থেকে নিকৃষ্ট অংশ ব্যয় করার সংকল্প করোনা। অথচ (নিকৃষ্ট অংশ) তোমাদের দেয়া হলেও তোমরা তা গ্রহণ করবেনা, তবে (নেয়ার সময়) তোমরা চোখ বন্ধ করে থাকলে ভিন্ন কথা। জেনে রাখো, নিশ্চয়ই আল্লাহ প্রাচুর্যময় সপ্রশংসিত।	يٰٓاَيُّهَا الَّذِيْنَ اٰمَنُوْٓا اَنْفِقُوْا مِنْ طَيِّبٰتِ مَا كَسَبْتُمْ وَمِمَّآ اَخْرَجْنَا لَكُمْ مِّنَ الْاَرْضِ ۪ وَلَا تَيَمَّمُوا الْخَبِيْثَ مِنْهُ تُنْفِقُوْنَ وَلَسْتُمْ بِاٰخِذِيْهِ اِلَّآ اَنْ تُغْمِضُوْا فِيْهِ ؕ وَاعْلَمُوْٓا اَنَّ اللّٰهَ غَنِيٌّ حَمِيْدٌ ﴿٢٦٧﴾
২৬৮. শয়তান তোমাদের অভাব ও দারিদ্রের ভয় দেখায় এবং ফাহেশা কাজ করার নির্দেশ দেয়। অথচ আল্লাহ তোমাদের প্রতিশ্রুতি দেন তাঁর পক্ষ থেকে ক্ষমা ও অনুগ্রহের। আল্লাহ সমস্ত সৃষ্টির অভাব পূরণকারী, সর্বজ্ঞানী।	اَلشَّيْطٰنُ يَعِدُكُمُ الْفَقْرَ وَيَاْمُرُكُمْ بِالْفَحْشَآءِ ۚ وَاللّٰهُ يَعِدُكُمْ مَّغْفِرَةً مِّنْهُ وَفَضْلًا ؕ وَاللّٰهُ وَاسِعٌ عَلِيْمٌ ۖۙ ﴿٢٦٨﴾
২৬৯. তিনি জ্ঞান ও প্রজ্ঞা দান করেন যাকে ইচ্ছা; আর যাকে হিকমা প্রদান করা হয়, তাকে দান করা হয় অবারিত কল্যাণ। তবে বুঝ-বুদ্ধিওয়ালা লোকেরা ছাড়া উপদেশ গ্রহণ করেনা।	يُّؤْتِى الْحِكْمَةَ مَنْ يَّشَآءُ ۚ وَمَنْ يُّؤْتَ الْحِكْمَةَ فَقَدْ اُوْتِيَ خَيْرًا كَثِيْرًا ؕ وَمَا يَذَّكَّرُ اِلَّآ اُولُوا الْاَلْبَابِ ﴿٢٦٩﴾
২৭০. তোমরা যা কিছু ব্যয় করো এবং যা কিছু মানত করো (কী উদ্দেশ্যে করো), আল্লাহ অবশ্যি তা জানেন। আর (জেনে রাখো) যালিমদের জন্যে কোনো সাহায্যকারী নেই।	وَمَآ اَنْفَقْتُمْ مِّنْ نَّفَقَةٍ اَوْ نَذَرْتُمْ مِّنْ نَّذْرٍ فَاِنَّ اللّٰهَ يَعْلَمُهٗ ؕ وَمَا لِلظّٰلِمِيْنَ مِنْ اَنْصَارٍ ﴿٢٧٠﴾

রুকু ৩৬

২৭১. তোমরা যদি প্রকাশ্যে দান করো, তবে তা ভালো। কিন্তু যদি দান করো গোপনে আর তা যদি দাও অভাবী লোকদের, তবে তা তোমাদের নিজেদের জন্যেই কল্যাণকর। আর তিনি তোমাদের কিছু পাপ মোচন করে দেবেন। তোমরা যা করো, তিনি তার খবর রাখেন।	إِنْ تُبْدُوا الصَّدَقٰتِ فَنِعِمَّا هِيَ ۚ وَ إِنْ تُخْفُوْهَا وَ تُؤْتُوْهَا الْفُقَرَآءَ فَهُوَ خَيْرٌ لَّكُمْ ؕ وَ يُكَفِّرُ عَنْكُمْ مِّنْ سَيِّاٰتِكُمْ ؕ وَ اللّٰهُ بِمَا تَعْمَلُوْنَ خَبِيْرٌ ﴿۲۷۱﴾
২৭২. মানুষকে সঠিক পথে নিয়ে আসার দায়িত্ব তোমার নয়; বরং আল্লাহ যাকে চান, সঠিক পথে পরিচালিত করেন। তোমরা যে অর্থসম্পদ দান করো, তা তোমাদের নিজেদের জন্যেই কল্যাণকর। আর তোমরা তো আল্লাহ্‌র সন্তুষ্টি কামনা ছাড়া অন্য কোনো উদ্দেশ্যে দান করোনা। তোমরা (আল্লাহ্‌র সন্তোষ কামনায়) যে অর্থ-সম্পদই ব্যয় করোনা কেন, তার পূর্ণ প্রতিদান তোমাদের প্রদান করা হবে এবং তোমাদের প্রতি কোনো প্রকার অবিচার করা হবেনা।	لَيْسَ عَلَيْكَ هُدٰىهُمْ وَ لٰكِنَّ اللّٰهَ يَهْدِيْ مَنْ يَّشَآءُ ؕ وَمَا تُنْفِقُوْا مِنْ خَيْرٍ فَلِاَنْفُسِكُمْ ؕ وَمَا تُنْفِقُوْنَ اِلَّا ابْتِغَآءَ وَجْهِ اللّٰهِ ؕ وَمَا تُنْفِقُوْا مِنْ خَيْرٍ يُّوَفَّ اِلَيْكُمْ وَاَنْتُمْ لَا تُظْلَمُوْنَ ﴿۲۷۲﴾
২৭৩. সেইসব নিঃস্ব-অভাবী লোকেরা তোমাদের দান পাওয়ার অধিকারী, যারা আল্লাহ্‌র পথে নিজেদের পুরোপুরি ব্যাপৃত করে রেখেছে, জমিনে ঘুরাঘুরি করে অর্থ উপার্জন করার সুযোগ পায়না। তাদের আত্মসম্মানবোধ দেখে অজ্ঞ লোকেরা মনে করে তারা সচ্ছল। তাদের চেহারা দেখলেই তুমি তাদের প্রকৃত অবস্থা বুঝতে পারবে। তারা কিছুতেই মানুষের কাছে হাত পাতেনা। মানব কল্যাণে তোমরা যা কিছুই ব্যয় করবে, তা অবশ্যি আল্লাহ্‌র এলেমে থাকবে।	لِلْفُقَرَآءِ الَّذِيْنَ اُحْصِرُوْا فِيْ سَبِيْلِ اللّٰهِ لَا يَسْتَطِيْعُوْنَ ضَرْبًا فِي الْاَرْضِ ۫ يَحْسَبُهُمُ الْجَاهِلُ اَغْنِيَآءَ مِنَ التَّعَفُّفِ ۚ تَعْرِفُهُمْ بِسِيْمٰهُمْ ۚ لَا يَسْـَٔلُوْنَ النَّاسَ اِلْحَافًا ؕ وَمَا تُنْفِقُوْا مِنْ خَيْرٍ فَاِنَّ اللّٰهَ بِهٖ عَلِيْمٌ ﴿۲۷۳﴾ রুকু ৩৭
২৭৪. যারা ব্যয় করে নিজেদের মাল সম্পদ (আল্লাহ্‌র পথে) রাত্রে এবং দিনে, গোপনে এবং প্রকাশ্যে, তাদের প্রতিদান রয়েছে তাদের প্রভুর কাছে। তাদের কোনো ভয়ও থাকবেনা, দুঃখ-বেদনাও থাকবেনা।	اَلَّذِيْنَ يُنْفِقُوْنَ اَمْوَالَهُمْ بِالَّيْلِ وَالنَّهَارِ سِرًّا وَّعَلَانِيَةً فَلَهُمْ اَجْرُهُمْ عِنْدَ رَبِّهِمْ ۚ وَلَا خَوْفٌ عَلَيْهِمْ وَلَا هُمْ يَحْزَنُوْنَ ﴿۲۷۴﴾
২৭৫. যারা সুদ (usury) খায়, (কিয়ামতের দিন) তারা দাঁড়াতে পারবেনা, তবে দাঁড়াবে ঐ ব্যক্তির মতো যে শয়তানের থাবায় পাগলামিতে উন্মত্ত। তাদের অবস্থা এরকম হবার কারণ, তারা বলে: 'ব্যবসাও তো রিবার মতোই।' অথচ আল্লাহ ব্যবসাকে করেছেন হালাল, আর রিবাকে করেছেন হারাম। যার কাছে তার প্রভুর (সুদ থেকে বিরত হবার) উপদেশ পৌঁছেছে এবং সে (সুদ থেকে) বিরত হয়েছে, সে ক্ষেত্রে সে অতীতে যা খেয়েছে, তাতো খেয়েছেই। তার বিষয়টি দেখার দায়িত্ব আল্লাহ্‌র। কিন্তু যারা (সুদের) পুনরাবৃত্তি করবে, তারা হবে আগুনের অধিবাসী, সেখানে থাকবে তারা চিরকাল।	اَلَّذِيْنَ يَاْكُلُوْنَ الرِّبٰوا لَا يَقُوْمُوْنَ اِلَّا كَمَا يَقُوْمُ الَّذِيْ يَتَخَبَّطُهُ الشَّيْطٰنُ مِنَ الْمَسِّ ؕ ذٰلِكَ بِاَنَّهُمْ قَالُوْۤا اِنَّمَا الْبَيْعُ مِثْلُ الرِّبٰوا ۘ وَ اَحَلَّ اللّٰهُ الْبَيْعَ وَ حَرَّمَ الرِّبٰوا ؕ فَمَنْ جَآءَهٗ مَوْعِظَةٌ مِّنْ رَّبِّهٖ فَانْتَهٰى فَلَهٗ مَا سَلَفَ ؕ وَ اَمْرُهٗۤ اِلَى اللّٰهِ ؕ وَ مَنْ عَادَ فَاُولٰٓئِكَ اَصْحٰبُ النَّارِ ۚ هُمْ فِيْهَا خٰلِدُوْنَ ﴿۲۷۵﴾

২৭৬. আল্লাহ সুদকে ধ্বংস করেন এবং বৃদ্ধি ও বিকাশ করেন সাদাকা কে। আল্লাহ পছন্দ করেননা কোনো অকৃতজ্ঞ দুর্নীতিবাজ পাপিষ্ঠকে।	يَمْحَقُ اللّٰهُ الرِّبٰوا وَ يُرْبِي الصَّدَقٰتِ ؕ وَ اللّٰهُ لَا يُحِبُّ كُلَّ كَفَّارٍ اَثِيْمٍ ﴿۲۷۶﴾
২৭৭. যারা ঈমান আনে, আমলে সালেহ্ করে, সালাত কায়েম করে এবং যাকাত প্রদান করে, তাদের প্রতিদান রয়েছে তাদের প্রভুর কাছে। তাদের কোনো ভয়ও থাকবেনা, দুঃখ বেদনাও থাকবেনা।	اِنَّ الَّذِيْنَ اٰمَنُوْا وَعَمِلُوا الصّٰلِحٰتِ وَاَقَامُوا الصَّلٰوةَ وَاٰتَوُا الزَّكٰوةَ لَهُمْ اَجْرُهُمْ عِنْدَ رَبِّهِمْ ۚ وَلَا خَوْفٌ عَلَيْهِمْ وَلَا هُمْ يَحْزَنُوْنَ ﴿۲۷۷﴾
২৭৮. হে ঈমানওয়ালা লোকেরা! আল্লাহ্‌কে ভয় করো এবং মানুষের কাছে তোমাদের যে সুদ পাওনা (বাকি) রয়ে গেছে, তা পরিত্যাগ করো, যদি তোমরা (সত্যিকার) মুমিন হয়ে থাকো।	يٰۤاَيُّهَا الَّذِيْنَ اٰمَنُوا اتَّقُوا اللّٰهَ وَ ذَرُوْا مَا بَقِيَ مِنَ الرِّبٰوۤا اِنْ كُنْتُمْ مُّؤْمِنِيْنَ ﴿۲۷۸﴾
২৭৯. তোমরা যদি তা (পরিত্যাগ) না করো, তাহলে আল্লাহ এবং তাঁর রসূলের পক্ষ থেকে যুদ্ধের ঘোষণা গ্রহণ করো। আর যদি অনুতপ্ত হয়ে (সুদ) পরিত্যাগ করো, তবে মূলধন ফেরত নেয়া তোমাদের জন্যে বৈধ। তোমরা যুলুম করোনা এবং যুলুমের শিকারও হয়োনা।	فَاِنْ لَّمْ تَفْعَلُوْا فَاْذَنُوْا بِحَرْبٍ مِّنَ اللّٰهِ وَ رَسُوْلِهٖ ۚ وَ اِنْ تُبْتُمْ فَلَكُمْ رُءُوْسُ اَمْوَالِكُمْ ۚ لَا تَظْلِمُوْنَ وَ لَا تُظْلَمُوْنَ ﴿۲۷۹﴾
২৮০. ঋণগ্রহীতা যদি অভাবে থাকে, তবে সচ্ছলতা লাভ করা পর্যন্ত তাকে সময় দাও। কিন্তু অভাবী ঋণ গ্রহীতাকে যদি দান করে দাও, তবে সেটা তোমাদের জন্যেই কল্যাণকর, প্রকৃত ব্যাপার যদি তোমরা জানতে!	وَاِنْ كَانَ ذُوْ عُسْرَةٍ فَنَظِرَةٌ اِلٰى مَيْسَرَةٍ ؕ وَ اَنْ تَصَدَّقُوْا خَيْرٌ لَّكُمْ اِنْ كُنْتُمْ تَعْلَمُوْنَ ﴿۲۸۰﴾
২৮১. তোমরা সেই দিনটিকে ভয় করো, যেদিন তোমাদের আল্লাহ্‌র কাছে ফিরিয়ে আনা হবে এবং প্রত্যেককেই তার উপার্জনের (কৃতকর্মের) প্রতিদান পুরোপুরি প্রদান করা হবে এবং তাদের প্রতি করা হবেনা কোনো প্রকার অবিচার!	وَاتَّقُوْا يَوْمًا تُرْجَعُوْنَ فِيْهِ اِلَى اللّٰهِ ۗ ثُمَّ تُوَفّٰى كُلُّ نَفْسٍ مَّا كَسَبَتْ وَ هُمْ لَا يُظْلَمُوْنَ ﴿۲۸۱﴾
২৮২. হে ঈমানদার লোকেরা! তোমরা যখন কোনো নির্দিষ্ট সময়ের জন্যে পরস্পরের মধ্যে ঋণ লেনদেন (চুক্তি) করবে, তা লিখিত করবে। তোমাদের কোনো লেখক যেনো তোমাদের মাঝে ন্যায়সংগত ভাবে তা লিখে দেয়। কোনো লেখক যেনো তা লিখতে অস্বীকার না করে, যেমন আল্লাহ তাকে (লিখতে) শিখিয়েছেন। সুতরাং সে যেনো লিখে দেয়। লেখার বিষয়বস্তু বলে দেবে ঋণের দায়িত্ব বহনকারী (ঋণগ্রহীতা)। সে যেনো তার প্রভু আল্লাহ্‌কে ভয় করে এবং স্থিরকৃত কোনো কিছুই যেনো কমবেশি (কারচুপি) না করে। তবে ঋণ গ্রহীতা যদি নির্বোধ কিংবা দুর্বল হয়ে থাকে এবং লেখার বিষয়বস্তু বলে দেয়ার যোগ্যতা না রাখে, তবে যেনো তার অভিভাবক ন্যায়সংগতভাবে বিষয়বস্তু বলে দেয়। আর (এই লেনদেন চুক্তিতে) তোমাদের মধ্য থেকে দু'জন	يٰۤاَيُّهَا الَّذِيْنَ اٰمَنُوْۤا اِذَا تَدَايَنْتُمْ بِدَيْنٍ اِلٰۤى اَجَلٍ مُّسَمًّى فَاكْتُبُوْهُ ؕ وَ لْيَكْتُبْ بَّيْنَكُمْ كَاتِبٌۢ بِالْعَدْلِ ۪ وَ لَا يَاْبَ كَاتِبٌ اَنْ يَّكْتُبَ كَمَا عَلَّمَهُ اللّٰهُ فَلْيَكْتُبْ ۚ وَ لْيُمْلِلِ الَّذِيْ عَلَيْهِ الْحَقُّ وَ لْيَتَّقِ اللّٰهَ رَبَّهٗ وَ لَا يَبْخَسْ مِنْهُ شَيْـًٔا ؕ فَاِنْ كَانَ الَّذِيْ عَلَيْهِ الْحَقُّ سَفِيْهًا اَوْ ضَعِيْفًا اَوْ لَا يَسْتَطِيْعُ اَنْ يُّمِلَّ هُوَ فَلْيُمْلِلْ وَلِيُّهٗ بِالْعَدْلِ ؕ وَ اسْتَشْهِدُوْا شَهِيْدَيْنِ مِنْ

রুকু ৩৮

رِّجَالِكُمْ ۚ فَاِنْ لَّمْ يَكُوْنَا رَجُلَيْنِ فَرَجُلٌ وَّامْرَاَتٰنِ مِمَّنْ تَرْضَوْنَ مِنَ الشُّهَدَآءِ اَنْ تَضِلَّ اِحْدٰىهُمَا فَتُذَكِّرَ اِحْدٰىهُمَا الْاُخْرٰى ؕ وَلَا يَاْبَ الشُّهَدَآءُ اِذَا مَا دُعُوْا ؕ وَلَا تَسْـَٔمُوْٓا اَنْ تَكْتُبُوْهُ صَغِيْرًا اَوْ كَبِيْرًا اِلٰٓى اَجَلِهٖ ؕ ذٰلِكُمْ اَقْسَطُ عِنْدَ اللّٰهِ وَاَقْوَمُ لِلشَّهَادَةِ وَاَدْنٰٓى اَلَّا تَرْتَابُوْٓا اِلَّآ اَنْ تَكُوْنَ تِجَارَةً حَاضِرَةً تُدِيْرُوْنَهَا بَيْنَكُمْ فَلَيْسَ عَلَيْكُمْ جُنَاحٌ اَلَّا تَكْتُبُوْهَا ؕ وَاَشْهِدُوْٓا اِذَا تَبَايَعْتُمْ ۪ وَلَا يُضَآرَّ كَاتِبٌ وَّلَا شَهِيْدٌ ؕ وَاِنْ تَفْعَلُوْا فَاِنَّهٗ فُسُوْقٌۢ بِكُمْ ؕ وَاتَّقُوا اللّٰهَ ؕ وَيُعَلِّمُكُمُ اللّٰهُ ؕ وَاللّٰهُ بِكُلِّ شَیْءٍ عَلِيْمٌ ﴿۲۸۲﴾

পুরুষকে সাক্ষী রাখো। দুইজন পুরুষ পাওয়া না গেলে (সাক্ষী রাখো) একজন পুরুষ আর দুইজন নারীকে -যাতে (নারীদের) একজন ভুলে গেলে আরেকজন স্মরণ করিয়ে দিতে পারে। সাক্ষী রাখবে এমন লোকদের, যাদের সাক্ষ্য তোমাদের (উভয় পক্ষের) নিকট গ্রহণযোগ্য। সাক্ষীদের যখন (সাক্ষ্য প্রদানের জন্যে) ডাকা হবে, তখন তারা যেনো (সাক্ষ্য দিতে) অস্বীকার না করে। এই ঋণ ছোট বা বড় (পরিমাণের) হোক, তোমরা মেয়াদসহ তার (চুক্তিপত্র) লিখে রাখতে ক্লান্ত-বিরক্ত হয়োনা। আল্লাহ্‌র কাছে (ধার এবং বাকি ক্রয়বিক্রয় ও ব্যবসা-বাণিজ্যের) এটাই সবচে ন্যায়সংগত পদ্ধতি, প্রমাণের দিক থেকেও এ পদ্ধতি সবচেয়ে নিখাদ, আর (পরস্পরের ব্যাপারে) সন্দেহ-সংশয় উদ্রেক না হবার ক্ষেত্রেও সবচেয়ে সহায়ক। তবে তোমরা পরস্পরের মধ্যে নগদ যে বেচাকেনা বা ব্যবসা করো, তা লিখে না রাখলে তোমাদের পাপ হবেনা। তোমাদের কেনা বেচার ক্ষেত্রে সাক্ষী রাখো, আর চুক্তি (বা দলিল) লেখক এবং সাক্ষীকে যেনো কোনো ক্ষতি বা কষ্ট ভোগ করতে না হয়। যদি তাদের ক্ষতিগ্রস্ত করো তবে এটা হবে তোমাদের জন্যে সীমালংঘন-পাপ। আল্লাহ্‌কে ভয় করো। জেনে রাখো, তিনি তোমাদের (কর্মপদ্ধতি) শিক্ষা দিচ্ছেন। আর আল্লাহ সকল বিষয়ে জ্ঞানী।

وَاِنْ كُنْتُمْ عَلٰى سَفَرٍ وَّلَمْ تَجِدُوْا كَاتِبًا فَرِهٰنٌ مَّقْبُوْضَةٌ ؕ فَاِنْ اَمِنَ بَعْضُكُمْ بَعْضًا فَلْيُؤَدِّ الَّذِى اؤْتُمِنَ اَمَانَتَهٗ وَلْيَتَّقِ اللّٰهَ رَبَّهٗ ؕ وَلَا تَكْتُمُوا الشَّهَادَةَ ؕ وَمَنْ يَّكْتُمْهَا فَاِنَّهٗۤ اٰثِمٌ قَلْبُهٗ ؕ وَاللّٰهُ بِمَا تَعْمَلُوْنَ عَلِيْمٌ ﴿۲۸۳﴾

রুকু ৩৯

২৮৩. তবে তোমরা যদি সফর অবস্থায় থাকো এবং (চুক্তি বা দলিল) লেখক (scribe) না পাও, সেক্ষেত্রে বন্ধক হস্তান্তর করে কার্য সম্পাদন করো। তোমরা যদি একে অপরের প্রতি বিশ্বাস স্থাপন করো, তবে যার প্রতি বিশ্বাস স্থাপন করা (যার কাছে আমানত রাখা) হয়, সে যেনো (বিশ্বস্ততার সাথে) আমানত ফেরত দেয় এবং যেনো তার প্রভু আল্লাহ্‌কে ভয় করে। (হে সাক্ষীরা!) তোমরা সাক্ষ্য গোপন করোনা। যে সাক্ষ্য গোপন করে তার অন্তর অবশ্যি পাপী। তোমরা যা-ই করোনা কেন, আল্লাহ সে সম্পর্কে অবহিত।

لِلّٰهِ مَا فِى السَّمٰوٰتِ وَمَا فِى الْاَرْضِ ؕ وَاِنْ تُبْدُوْا مَا فِىْۤ اَنْفُسِكُمْ اَوْ تُخْفُوْهُ يُحَاسِبْكُمْ بِهِ اللّٰهُ ؕ فَيَغْفِرُ لِمَنْ يَّشَآءُ وَيُعَذِّبُ مَنْ يَّشَآءُ ؕ وَاللّٰهُ عَلٰى كُلِّ شَیْءٍ قَدِيْرٌ ﴿۲۸۴﴾

২৮৪. একমাত্র আল্লাহ্‌ই মালিক যা কিছু রয়েছে মহাকাশে আর যা কিছু রয়েছে এই পৃথিবীতে। তোমাদের মনে যা কিছু আছে তা তোমরা প্রকাশ করো কিংবা গোপন রাখো, আল্লাহ অবশ্যি তোমাদের থেকে তার হিসাব গ্রহণ করবেন। তারপর যাকে ইচ্ছে ক্ষমা করে দেবেন, যাকে ইচ্ছে আযাবে নিক্ষেপ করবেন। আর আল্লাহ সকল কাজে সর্বশক্তিমান।

اٰمَنَ الرَّسُوۡلُ بِمَاۤ اُنۡزِلَ اِلَیۡهِ مِنۡ رَّبِّهٖ وَ الۡمُؤۡمِنُوۡنَ ؕ كُلٌّ اٰمَنَ بِاللّٰهِ وَ مَلٰٓئِكَتِهٖ وَ كُتُبِهٖ وَ رُسُلِهٖ ۟ لَا نُفَرِّقُ بَیۡنَ اَحَدٍ مِّنۡ رُّسُلِهٖ ۟ وَ قَالُوۡا سَمِعۡنَا وَ اَطَعۡنَا ٭۫ غُفۡرَانَكَ رَبَّنَا وَ اِلَیۡكَ الۡمَصِیۡرُ ﴿۲۸۵﴾

২৮৫. এই রসূল (মুহাম্মদ) ঈমান এনেছে তাতে, যা নাযিল হয়েছে তার প্রতি তার প্রভুর পক্ষ থেকে এবং মুমিনরাও (ঈমান এনেছে)। তাদের প্রত্যেকেই ঈমান এনেছে আল্লাহ্‌র প্রতি, তাঁর ফেরেশতাদের প্রতি, তাঁর কিতাবসমূহের প্রতি এবং তাঁর রসূলদের প্রতি। (তারা বলে:) 'আমরা তাঁর রসূলদের মধ্যে কোনো প্রকার তারতম্য করিনা।' তারা আরো বলে: 'আমরা নির্দেশ শুনি এবং আনুগত্য করি। হে প্রভু! আমরা তোমার কাছে ক্ষমা প্রার্থনা করছি আর তোমার কাছেই ফিরে যেতে হবে (সবাইকে)।'

لَا یُكَلِّفُ اللّٰهُ نَفۡسًا اِلَّا وُسۡعَهَا ؕ لَهَا مَا كَسَبَتۡ وَ عَلَیۡهَا مَا اكۡتَسَبَتۡ ؕ رَبَّنَا لَا تُؤَاخِذۡنَاۤ اِنۡ نَّسِیۡنَاۤ اَوۡ اَخۡطَاۡنَا ۚ رَبَّنَا وَ لَا تَحۡمِلۡ عَلَیۡنَاۤ اِصۡرًا كَمَا حَمَلۡتَهٗ عَلَی الَّذِیۡنَ مِنۡ قَبۡلِنَا ۚ رَبَّنَا وَ لَا تُحَمِّلۡنَا مَا لَا طَاقَةَ لَنَا بِهٖ ۚ وَ اعۡفُ عَنَّا ٝ وَ اغۡفِرۡ لَنَا ٝ وَ ارۡحَمۡنَا ٝ اَنۡتَ مَوۡلٰىنَا فَانۡصُرۡنَا عَلَی الۡقَوۡمِ الۡكٰفِرِیۡنَ ﴿۲۸۶﴾

২৮৬. আল্লাহ কোনো ব্যক্তির উপর তার সাধ্যাতীত বোঝা চাপাননা। তার ভালো উপার্জনের (কৃতকর্মের) প্রতিফল সে-ই পাবে, আর তার মন্দ উপার্জনের (কৃতকর্মের) প্রতিফলও তাকেই ভোগ করতে হবে। (তোমরা এভাবে দোয়া করো:) 'আমাদের প্রভু! আমাদের শাস্তি দিওনা যদি আমরা ভুল করি, কিংবা করে ফেলি যদি অন্যায়! আমাদের প্রভু! আমাদের প্রতি এমন গুরুদায়িত্ব অর্পণ করোনা যেমনটি অর্পণ করেছিলে আমাদের পূর্ববর্তীদের উপর। আমাদের প্রভু! আমাদের উপর এমন বোঝা অর্পণ করোনা যা বহন করার শক্তি আমাদের নেই। আমাদের গুনাহ-খাতা মুছে দাও, আমাদের ক্ষমা করে দাও, আমাদের প্রতি রহম করো, তুমিই তো আমাদের মাওলা (অভিভাবক, সাহায্যকারী), তাই তুমি আমাদের বিজয় দান করো অবিশ্বাসীদের উপর।

রুকু ৪০

সূরা ৩ আলে ইমরান

মদিনায় অবতীর্ণ ॥ আয়াত সংখ্যা: ২০০, রুকু সংখ্যা: ২০

এই সূরার আলোচ্যসূচি (আয়াত ভিত্তিক আলোচ্য বিষয়)

০১-০৬ : চিরঞ্জীব আল্লাহ্‌র পক্ষ থেকে কিতাব নাযিলের ঘোষণা।
০৭-০৯: কুরআনের আয়াতের প্রকারভেদ। কুরআন থেকে কারা উপদেশ লাভ করবে এবং কারা করবে না।
১০-১২: অস্বীকারকারীদের পরিণতি।
১৩-১৮: আল্লাহ্‌র পথে সংগ্রামকারী, মুত্তাকি ও জ্ঞানীদের গুণাবলি।
১৯-২০: সব নবীর দীনই ছিলো ইসলাম।
২১-২৫: ইহুদিদের সীমালঙ্ঘন ও ভ্রান্ত ধারণা।
২৬-৩২: আল্লাহ্‌র সার্বভৌম কর্তৃত্ব। মুমিনদের চলার পথ।
৩৩-৬৩: মরিয়মের জন্ম ও লালন পালন। ঈসার জন্ম, আহ্বান, মুজিযা এবং বনি ইসরাঈলিদের হঠকারিতা।
৬৪-৮০: ইহুদি-খৃষ্টানদের প্রতি নসিহত, তাদের বিচ্যুতিসমূহ।

৮১-৮৪: নবীদের থেকে আল্লাহ্‌র অঙ্গীকার গ্রহণ।
৮৫-৯১: ইসলাম ছাড়া অন্য কোনো দীন (মতবাদ) আল্লাহ্‌ গ্রহণ করবেন না।
৯২: কোন্‌ ধরনের দান থেকে পুণ্য লাভ করা যাবে।
৯৩-১০১: আহলে কিতাবদের প্রতি উপদেশ। ইহুদিদের অনুসরণ না করতে মুমিনদের প্রতি উপদেশ।
১০২-১১৫: মুসলিম উম্মাহর দায়িত্ব ও কর্তব্য।
১১৬-১২০: কাফিরদের সাথে মুমিনদের আচরণের ধরণ কি হবে?
১২১-১২৯: বদর যুদ্ধে আল্লাহ্‌ মুমিনদের সাহায্য করেছেন।
১৩০-১৩২: মুমিনদের প্রতি সুদ গ্রহণের নিষেধাজ্ঞা।
১৩৩-১৩৮: মুমিনদের অর্জনীয় মহোত্তম গুণাবলি।
১৩৯-১৮৯: উহুদ যুদ্ধের পর্যালোচনা।
১৯০-২০০: বিশ্ব প্রকৃতি নিয়ে চিন্তা-ভাবনা করার আহ্বান। মুমিনদের বৈশিষ্ট্য। মুমিনদের সাফল্যের পথ।

সূরা আলে ইমরান (ইমরানের বংশধর) পরম করুণাময় পরম দয়াবান আল্লাহ্‌র নামে	سُوْرَةُ اٰلِ عِمْرٰنَ بِسْمِ اللّٰهِ الرَّحْمٰنِ الرَّحِیْمِ
০১. আলিফ লাম মিম।	الٓمّٓ ۟ۙ (١)
০২. আল্লাহ্‌! নেই কোনো ইলাহ্‌ তিনি ছাড়া, তিনি চিরঞ্জীব, সমগ্র সৃষ্টির ধারক।	اللّٰهُ لَاۤ اِلٰهَ اِلَّا هُوَ ۙ الْحَیُّ الْقَیُّوْمُ ؕ (٢)
০৩. তিনি নাযিল করেছেন তোমার প্রতি আল কিতাব, যা মহাসত্য এবং তার পূর্বের (কিতাবের) সত্যায়নকারী। আর তিনিই নাযিল করেছেন তাওরাত এবং ইনজিল-	نَزَّلَ عَلَیْكَ الْكِتٰبَ بِالْحَقِّ مُصَدِّقًا لِّمَا بَیْنَ یَدَیْهِ وَ اَنْزَلَ التَّوْرٰىةَ وَ الْاِنْجِیْلَ (٣)
০৪. ইতোপূর্বে, মানুষের জন্যে পথ প্রদর্শনকারী হিসেবে। অতপর তিনি নাযিল করলেন আল ফুরকান (আল কুরআন)। নিশ্চয়ই যারা অমান্য করে আল্লাহ্‌র আয়াত (এই কুরআন), তাদের জন্যে রয়েছে শক্ত আযাব। আল্লাহ অসীম ক্ষমতাশালী, (অপরাধের) দন্ডদাতা।	مِنْ قَبْلُ هُدًى لِّلنَّاسِ وَ اَنْزَلَ الْفُرْقَانَ ؕ۬ اِنَّ الَّذِیْنَ كَفَرُوْا بِاٰیٰتِ اللّٰهِ لَهُمْ عَذَابٌ شَدِیْدٌ ؕ وَ اللّٰهُ عَزِیْزٌ ذُو انْتِقَامٍ (٤)
০৫. নিশ্চয়ই আল্লাহ (এমন সত্তা যে), তাঁর কাছে গোপন থাকেনা কিছুই, না পাতালে, না আকাশে।	اِنَّ اللّٰهَ لَا یَخْفٰى عَلَیْهِ شَیْءٌ فِی الْاَرْضِ وَ لَا فِی السَّمَآءِ ؕ (٥)
০৬. তিনিই সেই সত্তা, যিনি তোমাদের সুরত গঠন করেন রেহেমে (মাতৃগর্ভে) যেভাবে তিনি চান। নেই কোনো ইলাহ্‌ তিনি ছাড়া, অসীম ক্ষমতাধর মহা প্রজ্ঞাবান তিনি।	هُوَ الَّذِیْ یُصَوِّرُكُمْ فِی الْاَرْحَامِ كَیْفَ یَشَآءُ ؕ لَاۤ اِلٰهَ اِلَّا هُوَ الْعَزِیْزُ الْحَكِیْمُ (٦)
০৭. তিনি সেই সত্তা, যিনি নাযিল করেছেন তোমার প্রতি আল কিতাব, যার কিছু আয়াত মুহকাম, সেগুলোই এ কিতাবের মূল; বাকিগুলো মুতাশাবিহ্‌। যাদের অন্তরে বক্রতা আছে ফিতনা সৃষ্টির উদ্দেশ্যে তারা পিছু নেয় মুতাশাবিহ্‌ আয়াত সমূহের এবং সেগুলোর তা'বিল (ব্যাখ্যা) সন্ধানের কাজে নিয়োজিত হয়। অথচ	هُوَ الَّذِیْۤ اَنْزَلَ عَلَیْكَ الْكِتٰبَ مِنْهُ اٰیٰتٌ مُّحْكَمٰتٌ هُنَّ اُمُّ الْكِتٰبِ وَ اُخَرُ مُتَشٰبِهٰتٌ ؕ فَاَمَّا الَّذِیْنَ فِیْ قُلُوْبِهِمْ زَیْغٌ فَیَتَّبِعُوْنَ مَا تَشَابَهَ مِنْهُ ابْتِغَآءَ

কেউ জানেনা সেগুলোর তা'বিল আল্লাহ ছাড়া। যারা জ্ঞানের গভীরতা রাখে, তারা বলে: "আমরা এর প্রতি ঈমান এনেছি, সবগুলোই আমাদের রব -এর নিকট থেকে (অবতীর্ণ)। আসলে বুঝের লোকেরা ছাড়া কেউ উপদেশ গ্রহণ করেনা।	الْفِتْنَةِ وَ ابْتِغَآءَ تَاْوِيْلِهٖ ۚ وَ مَا يَعْلَمُ تَاْوِيْلَهٗۤ اِلَّا اللّٰهُ ۘ وَ الرّٰسِخُوْنَ فِى الْعِلْمِ يَقُوْلُوْنَ اٰمَنَّا بِهٖ ۙ كُلٌّ مِّنْ عِنْدِ رَبِّنَا ۚ وَ مَا يَذَّكَّرُ اِلَّاۤ اُولُوا الْاَلْبَابِ ۞
০৮. আমাদের রব! বক্র করোনা আমাদের হৃদয়গুলোকে আমাদেরকে হিদায়াত দান করার পর, আর আমাদের দান করো তোমার নিকট থেকে রহমত। নিশ্চয়ই তুমি মহান দাতা।	رَبَّنَا لَا تُزِغْ قُلُوْبَنَا بَعْدَ اِذْ هَدَيْتَنَا وَ هَبْ لَنَا مِنْ لَّدُنْكَ رَحْمَةً ۚ اِنَّكَ اَنْتَ الْوَهَّابُ ۞
০৯. আমাদের প্রভু! নিশ্চয়ই তুমি জমা করবে সকল মানুষকে সেদিন, যে দিনটির (আগমনের ব্যাপারে) কোনো সন্দেহ নাই। নিশ্চয়ই আল্লাহ খেলাফ করেননা ওয়াদা।"	رَبَّنَاۤ اِنَّكَ جَامِعُ النَّاسِ لِيَوْمٍ لَّا رَيْبَ فِيْهِ ؕ اِنَّ اللّٰهَ لَا يُخْلِفُ الْمِيْعَادَ ۞
১০. যারা কুফুরি করে তাদের মাল সম্পদ ও সন্তান সন্ততি আল্লাহ্‌র কাছে (তাদের) কোনোই কাজে আসবে না। তারা হবে জাহান্নামের জ্বালানি।	اِنَّ الَّذِيْنَ كَفَرُوْا لَنْ تُغْنِىَ عَنْهُمْ اَمْوَالُهُمْ وَ لَاۤ اَوْلَادُهُمْ مِّنَ اللّٰهِ شَيْـًٔا ؕ وَ اُولٰٓئِكَ هُمْ وَ قُوْدُ النَّارِ ۞
১১. তাদের স্বভাব চরিত্র ফেরাউন সম্প্রদায় এবং তাদের পূর্ববর্তীদের স্বভাব চরিত্রেরই মতো। তারা প্রত্যাখ্যান করেছিল আমাদের আয়াত। ফলে তাদের পাপের কারণে আল্লাহ তাদের পাকড়াও করেন এবং শাস্তি প্রদানে আল্লাহ খুবই কঠোর।	كَدَاْبِ اٰلِ فِرْعَوْنَ ۙ وَ الَّذِيْنَ مِنْ قَبْلِهِمْ ؕ كَذَّبُوْا بِاٰيٰتِنَا ۚ فَاَخَذَهُمُ اللّٰهُ بِذُنُوْبِهِمْ ؕ وَ اللّٰهُ شَدِيْدُ الْعِقَابِ ۞
১২. যারা কুফুরি করে তাদের বলো: তোমরা অচিরেই পরাজিত হবে এবং তোমাদের হাশর করা হবে জাহান্নামে, আর তা কতো যে নিকৃষ্ট আবাস!	قُلْ لِّلَّذِيْنَ كَفَرُوْا سَتُغْلَبُوْنَ وَ تُحْشَرُوْنَ اِلٰى جَهَنَّمَ ؕ وَ بِئْسَ الْمِهَادُ ۞
১৩. (বদর যুদ্ধে) দুই বাহিনীর সম্মুখীন হবার মধ্যে তোমাদের জন্যে রয়েছে একটি নিদর্শন। একটি দল লড়াই করছিল আল্লাহ্‌র পথে আর অপর দল ছিলো কাফির, তারা তাদেরকে (মুসলিম বাহিনীকে) চোখের দেখায় দেখছিল দ্বিগুণ। আল্লাহ যাকে ইচ্ছা শক্তিশালী করেন তাঁর সাহায্য দিয়ে। নিশ্চয়ই এতে শিক্ষণীয় রয়েছে অন্তরদৃষ্টি সম্পন্ন লোকদের জন্যে।	قَدْ كَانَ لَكُمْ اٰيَةٌ فِىْ فِئَتَيْنِ الْتَقَتَا ؕ فِئَةٌ تُقَاتِلُ فِىْ سَبِيْلِ اللّٰهِ وَ اُخْرٰى كَافِرَةٌ يَّرَوْنَهُمْ مِّثْلَيْهِمْ رَاْىَ الْعَيْنِ ؕ وَ اللّٰهُ يُؤَيِّدُ بِنَصْرِهٖ مَنْ يَّشَآءُ ؕ اِنَّ فِىْ ذٰلِكَ لَعِبْرَةً لِّاُولِى الْاَبْصَارِ ۞
১৪. নারী (স্ত্রী), সন্তান, সোনা-রুপার স্তূপ, চিহ্নধারী ঘোড়া, গবাদি পশু এবং ক্ষেত খামারের প্রতি ভালোবাসা ও আসক্তি মানুষের জন্যে সুশোভিত করে দেয়া হয়েছে। এসবই দুনিয়ার জীবনের ভোগ্য বস্তু। আর উত্তম আশ্রয়স্থল তো রয়েছে আল্লাহ্‌র কাছেই।	زُيِّنَ لِلنَّاسِ حُبُّ الشَّهَوٰتِ مِنَ النِّسَآءِ وَ الْبَنِيْنَ وَ الْقَنَاطِيْرِ الْمُقَنْطَرَةِ مِنَ الذَّهَبِ وَ الْفِضَّةِ وَ الْخَيْلِ الْمُسَوَّمَةِ وَ الْاَنْعَامِ وَ الْحَرْثِ ؕ ذٰلِكَ مَتَاعُ الْحَيٰوةِ الدُّنْيَا ۚ وَ اللّٰهُ عِنْدَهٗ حُسْنُ الْمَاٰبِ ۞

রুকু ০১

১৫. তাদের বলো: “আমি কি তোমাদের এসব জিনিস থেকে উত্তম জিনিসের সংবাদ দেবো? তাহলো, যারা তাকওয়ার পথ অবলম্বন করবে তাদের জন্যে রয়েছে জান্নাতসমূহ। যেগুলোর নিচে দিয়ে বহমান রয়েছে নদ-নদী-নহর। সেখানে থাকবে তারা চিরকাল। সেখানে তাদের জন্যে মওজুদ রয়েছে পবিত্র জীবন-সাথিরা, আরো রয়েছে আল্লাহ্‌র রেজামন্দি। আর আল্লাহ তো তাঁর দাসদের প্রতি দৃষ্টি রাখবেনই।”	قُلۡ اَؤُنَبِّئُكُمۡ بِخَيۡرٍ مِّنۡ ذٰلِكُمۡ ؕ لِلَّذِيۡنَ اتَّقَوۡا عِنۡدَ رَبِّهِمۡ جَنّٰتٌ تَجۡرِىۡ مِنۡ تَحۡتِهَا الۡاَنۡهٰرُ خٰلِدِيۡنَ فِيۡهَا وَ اَزۡوَاجٌ مُّطَهَّرَةٌ وَّرِضۡوَانٌ مِّنَ اللّٰهِ ؕ وَ اللّٰهُ بَصِيۡرٌۢ بِالۡعِبَادِ ۚ﴿۱۵﴾
১৬. যারা বলে: ‘আমাদের প্রভু! আমরা ঈমান এনেছি। অতএব, ক্ষমা করে দাও আমাদের সমস্ত পাপ আর রক্ষা করো আমাদের আগুনের আযাব থেকে।’	اَلَّذِيۡنَ يَقُوۡلُوۡنَ رَبَّنَاۤ اِنَّنَاۤ اٰمَنَّا فَاغۡفِرۡ لَنَا ذُنُوۡبَنَا وَقِنَا عَذَابَ النَّارِ ۚ﴿۱۶﴾
১৭. তাদের বৈশিষ্ট্য হলো: তারা ধৈর্যশীল, সত্যপন্থী, বিনত, (আল্লাহ্‌র পথে) দানকারী এবং শেষ রাতে ক্ষমা প্রার্থনাকারী।	اَلصّٰبِرِيۡنَ وَالصّٰدِقِيۡنَ وَالۡقٰنِتِيۡنَ وَالۡمُنۡفِقِيۡنَ وَالۡمُسۡتَغۡفِرِيۡنَ بِالۡاَسۡحَارِ ﴿۱۷﴾
১৮. আল্লাহ সাক্ষ্য দিচ্ছেন, নিশ্চয়ই কোনো ইলাহ্ নেই তিনি ছাড়া। ফেরেশতা এবং জ্ঞানীরাও এই সাক্ষ্য দেয়। আল্লাহ ন্যায় ও ইনসাফের উপর প্রতিষ্ঠিত। কোনো ইলাহ নেই তিনি ছাড়া। তিনি মহাশক্তিমান মহাবিজ্ঞানী।	شَهِدَ اللّٰهُ اَنَّهٗ لَاۤ اِلٰهَ اِلَّا هُوَ ۙ وَ الۡمَلٰٓئِكَةُ وَ اُولُوا الۡعِلۡمِ قَآئِمًۢا بِالۡقِسۡطِ ؕ لَاۤ اِلٰهَ اِلَّا هُوَ الۡعَزِيۡزُ الۡحَكِيۡمُ ﴿۱۸﴾
১৯. নিশ্চয়ই দীন আল্লাহ্‌র কাছে একমাত্র ইসলাম। ইতোপূর্বে যাদের কিতাব দেয়া হয়েছিল তারা তাদের পরস্পর বিদ্বেষবশত তাদের কাছে এলেম আসার পর ইখতেলাফে লিপ্ত হয়। যারাই কুফুরি করবে আল্লাহ্‌র আয়াতের প্রতি, তাদের জেনে রাখা উচিত আল্লাহ হিসাব গ্রহণে অত্যন্ত দ্রুতগামী।	اِنَّ الدِّيۡنَ عِنۡدَ اللّٰهِ الۡاِسۡلَامُ ۗ وَمَا اخۡتَلَفَ الَّذِيۡنَ اُوۡتُوا الۡكِتٰبَ اِلَّا مِنۡۢ بَعۡدِ مَا جَآءَهُمُ الۡعِلۡمُ بَغۡيًۢا بَيۡنَهُمۡ ؕ وَمَنۡ يَّكۡفُرۡ بِاٰيٰتِ اللّٰهِ فَاِنَّ اللّٰهَ سَرِيۡعُ الۡحِسَابِ ﴿۱۹﴾
২০. যদি তারা তোমার সাথে বিতর্কে লিপ্ত হতে চায়, তবে তাদের বলে দাও: ‘আমি আল্লাহ্‌র জন্যে আত্মসমর্পণ করেছি এবং যারা আমার অনুসরণ করে তারাও।’ যাদের ইতোপূর্বে কিতাব দেয়া হয়েছিল তাদের এবং উম্মিদের জিজ্ঞেস করো: ‘তোমরা কি ইসলাম কবুল (আত্মসমর্পণ) করবে?’ যদি তারা ইসলাম কবুল (আত্মসমর্পণ) করে তবেই হিদায়াত (সঠিক পথ) লাভ করবে। আর যদি মুখ ফিরিয়ে নেয়, তবে তোমার দায়িত্ব তো কেবল (আমার বার্তা) পৌঁছে দেয়া। আল্লাহ তো তাঁর বান্দাদের প্রতি দৃষ্টি রাখছেনই।	فَاِنۡ حَآجُّوۡكَ فَقُلۡ اَسۡلَمۡتُ وَجۡهِىَ لِلّٰهِ وَ مَنِ اتَّبَعَنِ ؕ وَ قُلۡ لِّلَّذِيۡنَ اُوۡتُوا الۡكِتٰبَ وَ الۡاُمِّيّٖنَ ءَاَسۡلَمۡتُمۡ ؕ فَاِنۡ اَسۡلَمُوۡا فَقَدِ اهۡتَدَوۡا ۚ وَ اِنۡ تَوَلَّوۡا فَاِنَّمَا عَلَيۡكَ الۡبَلٰغُ ؕ وَاللّٰهُ بَصِيۡرٌۢ بِالۡعِبَادِ ﴿۲۰﴾
২১. যারা কুফুরি করে আল্লাহ্‌র আয়াতের প্রতি, নবীদের কতল করে নাহকভাবে এবং মানুষের মধ্যে যারা ন্যায় ও ইনসাফের আদেশ করে তাদেরকেও হত্যা করে, তুমি এসব লোকদের	اِنَّ الَّذِيۡنَ يَكۡفُرُوۡنَ بِاٰيٰتِ اللّٰهِ وَ يَقۡتُلُوۡنَ النَّبِيّٖنَ بِغَيۡرِ حَقٍّ ۙ وَّ يَقۡتُلُوۡنَ الَّذِيۡنَ يَاۡمُرُوۡنَ بِالۡقِسۡطِ مِنَ النَّاسِ ۙ

রুকু ০২

সংবাদ দাও বেদনাদায়ক আযাবের।	فَبَشِّرْهُمْ بِعَذَابٍ اَلِيْمٍ ﴿٢١﴾
২২. দুনিয়া ও আখিরাতে তাদের সমস্ত আমল নিষ্ফল হয়ে যাবে, আর তাদের কোনো সাহায্যকারী থাকবেনা।	اُولٰٓئِكَ الَّذِيْنَ حَبِطَتْ اَعْمَالُهُمْ فِى الدُّنْيَا وَالْاٰخِرَةِ ۫ وَمَا لَهُمْ مِّنْ نّٰصِرِيْنَ ﴿٢٢﴾
২৩. তুমি কি ঐসব লোকদের দেখোনি, যাদের কিতাবের অংশ বিশেষ দেয়া হয়েছিল? তাদের আহবান করা হয়েছিল আল্লাহ্‌র কিতাবের দিকে, যাতে করে তা তাদের মাঝে ফায়সালা করে দেয়। তারপর তাদের একটি পক্ষ মুখ ফিরিয়ে নেয়, মূলত তারা মুখ ফিরিয়ে নেয়ারই লোক।	اَلَمْ تَرَ اِلَى الَّذِيْنَ اُوْتُوْا نَصِيْبًا مِّنَ الْكِتٰبِ يُدْعَوْنَ اِلٰى كِتٰبِ اللّٰهِ لِيَحْكُمَ بَيْنَهُمْ ثُمَّ يَتَوَلّٰى فَرِيْقٌ مِّنْهُمْ وَ هُمْ مُّعْرِضُوْنَ ﴿٢٣﴾
২৪. এর কারণ হলো, তারা বলে বেড়ায়: 'মাত্র কয়েকটা দিন ছাড়া আমাদেরকে জাহান্নামের আগুন স্পর্শই করবেনা।' তাদের দীন সম্পর্কে তাদের প্রতারিত করে রেখেছে তাদের এই মিথ্যা রচনা।	ذٰلِكَ بِاَنَّهُمْ قَالُوْا لَنْ تَمَسَّنَا النَّارُ اِلَّآ اَيَّامًا مَّعْدُوْدٰتٍ ۪ وَّ غَرَّهُمْ فِىْ دِيْنِهِمْ مَّا كَانُوْا يَفْتَرُوْنَ ﴿٢٤﴾
২৫. ঐ দিন তাদের কী অবস্থা হবে, যে সন্দেহাতীত দিনে আমরা তাদের জমা করবো এবং প্রত্যেককেই তার উপার্জিত কর্মের পূর্ণ প্রতিদান দেয়া হবে এবং তাদের প্রতি কোনো প্রকার যুলুম (অবিচার) করা হবেনা?	فَكَيْفَ اِذَا جَمَعْنٰهُمْ لِيَوْمٍ لَّا رَيْبَ فِيْهِ ۟ وَ وُفِّيَتْ كُلُّ نَفْسٍ مَّا كَسَبَتْ وَ هُمْ لَا يُظْلَمُوْنَ ﴿٢٥﴾
২৬. (হে নবী!) বলো: 'হে আল্লাহ! সমস্ত কর্তৃত্বের মালিক তুমি। যাকে ইচ্ছা তুমি ক্ষমতা দান করো এবং যার থেকে ইচ্ছা তুমি ক্ষমতা কেড়ে নাও। যাকে ইচ্ছা তুমি ইয্‌যত দাও এবং যাকে ইচ্ছা লাঞ্ছিত করো। সমস্ত কল্যাণ তোমারই হাতে। নিশ্চয়ই তুমি সব বিষয়ে সর্বশক্তিমান।'	قُلِ اللّٰهُمَّ مٰلِكَ الْمُلْكِ تُؤْتِى الْمُلْكَ مَنْ تَشَآءُ وَ تَنْزِعُ الْمُلْكَ مِمَّنْ تَشَآءُ ۫ وَ تُعِزُّ مَنْ تَشَآءُ وَ تُذِلُّ مَنْ تَشَآءُ ؕ بِيَدِكَ الْخَيْرُ ؕ اِنَّكَ عَلٰى كُلِّ شَىْءٍ قَدِيْرٌ ﴿٢٦﴾
২৭. তুমিই রাতকে দিনে রূপান্তরিত করো এবং দিনকে রূপান্তরিত করো রাতে। তুমি জীবন্তকে বের করে আনো মৃত থেকে এবং মৃতকে বের করে আনো জীবন্তের থেকে। আর যাকে ইচ্ছা তুমি রিযিক দান করো বেহিসাব।	تُوْلِجُ الَّيْلَ فِى النَّهَارِ وَ تُوْلِجُ النَّهَارَ فِى الَّيْلِ ۫ وَ تُخْرِجُ الْحَىَّ مِنَ الْمَيِّتِ وَ تُخْرِجُ الْمَيِّتَ مِنَ الْحَىِّ ۫ وَتَرْزُقُ مَنْ تَشَآءُ بِغَيْرِ حِسَابٍ ﴿٢٧﴾
২৮. মুমিনরা মুমিনদের ছাড়া কাফিরদের অলি (বন্ধু, অভিভাবক, পৃষ্ঠপোষক) হিসেবে গ্রহণ করবেনা। যে কেউ তা করবে, আল্লাহ্‌র সাথে সম্পর্ক থাকার কোনো ভিত্তি তার থাকবেনা। তবে ব্যতিক্রম হলো, যদি তোমরা তাদের থেকে আত্মরক্ষার জন্যে সতর্কতা অবলম্বন করো, সেক্ষেত্রে আল্লাহ তোমাদের সতর্ক করছেন তাঁর নিজের সম্পর্কে আর আল্লাহ্‌র কাছেই (হবে সবার) প্রত্যাবর্তন।	لَا يَتَّخِذِ الْمُؤْمِنُوْنَ الْكٰفِرِيْنَ اَوْلِيَآءَ مِنْ دُوْنِ الْمُؤْمِنِيْنَ ۚ وَ مَنْ يَّفْعَلْ ذٰلِكَ فَلَيْسَ مِنَ اللّٰهِ فِىْ شَىْءٍ اِلَّآ اَنْ تَتَّقُوْا مِنْهُمْ تُقٰىةً ؕ وَيُحَذِّرُكُمُ اللّٰهُ نَفْسَهٗ ؕ وَاِلَى اللّٰهِ الْمَصِيْرُ ﴿٢٨﴾
২৯. (হে নবী!) তাদের বলো: 'তোমাদের মনে	قُلْ اِنْ تُخْفُوْا مَا فِىْ صُدُوْرِكُمْ اَوْ تُبْدُوْهُ

যা আছে, তা যদি গোপন রাখো, অথবা যদি প্রকাশ করো (সর্বাবস্থায়ই) আল্লাহ তা জানেন। তিনি জানেন যা কিছু আছে মহাকাশে আর যা কিছু আছে এই পৃথিবীতে। আর আল্লাহ সব বিষয়ে সর্ব শক্তিমান।'	يَعْلَمْهُ اللّٰهُ ؕ وَ يَعْلَمُ مَا فِي السَّمٰوٰتِ وَ مَا فِي الْاَرْضِ ؕ وَ اللّٰهُ عَلٰى كُلِّ شَيْءٍ قَدِيْرٌ ﴿۲۹﴾
৩০. যেদিন প্রত্যেক ব্যক্তি হাজির পাবে সে যা ভালো কাজ করেছে তা, এবং সে যা মন্দ করেছে তাও। সেদিন সে (যে মন্দ কাজ করেছে) তার ও তার মন্দ কাজের মধ্যে দূর ব্যবধান কামনা করবে। আল্লাহ তোমাদের সাবধান করছেন তাঁর নিজের সম্পর্কে। আল্লাহ তাঁর দাসদের প্রতি পরম কোমল- দয়া পরবশ।	يَوْمَ تَجِدُ كُلُّ نَفْسٍ مَّا عَمِلَتْ مِنْ خَيْرٍ مُّحْضَرًا ۚۖ وَّمَا عَمِلَتْ مِنْ سُوْٓءٍ ۚ تَوَدُّ لَوْ اَنَّ بَيْنَهَا وَبَيْنَهٗۤ اَمَدًۢا بَعِيْدًا ؕ وَيُحَذِّرُكُمُ اللّٰهُ نَفْسَهٗ ؕ وَاللّٰهُ رَءُوْفٌۢ بِالْعِبَادِ ﴿۳۰﴾ (রুকু ০৩)
৩১. (হে নবী!) তাদের বলো: 'যদি তোমরা আল্লাহকে ভালোবাসো, তাহলে আমার অনুসরণ করো, তবেই আল্লাহ তোমাদের ভালোবাসবেন এবং তোমাদের পাপ ক্ষমা করে দেবেন। আল্লাহ অতীব ক্ষমাশীল পরম দয়াবান।'	قُلْ اِنْ كُنْتُمْ تُحِبُّوْنَ اللّٰهَ فَاتَّبِعُوْنِيْ يُحْبِبْكُمُ اللّٰهُ وَ يَغْفِرْ لَكُمْ ذُنُوْبَكُمْ ؕ وَاللّٰهُ غَفُوْرٌ رَّحِيْمٌ ﴿۳۱﴾
৩২. তাদের বলো: 'তোমরা আল্লাহর আনুগত্য করো এবং তাঁর রসূলের।' যদি তারা (এ কথা থেকে) মুখ ফিরিয়ে নেয়, তবে জেনে রাখো, আল্লাহ কাফিরদের পছন্দ করেন না।	قُلْ اَطِيْعُوا اللّٰهَ وَ الرَّسُوْلَ ۚ فَاِنْ تَوَلَّوْا فَاِنَّ اللّٰهَ لَا يُحِبُّ الْكٰفِرِيْنَ ﴿۳۲﴾
৩৩. আল্লাহ বিশ্ববাসীর মধ্যে বাছাই করেছেন আদম, নূহ, ইবরাহিমের বংশধর এবং ইমরানের বংশধরকে।	اِنَّ اللّٰهَ اصْطَفٰۤى اٰدَمَ وَ نُوْحًا وَّاٰلَ اِبْرٰهِيْمَ وَاٰلَ عِمْرٰنَ عَلَى الْعٰلَمِيْنَ ﴿۳۳﴾
৩৪. তারা পরস্পরের বংশধর। আল্লাহ সব শুনেন, সব দেখেন।	ذُرِّيَّةًۢ بَعْضُهَا مِنْۢ بَعْضٍ ؕ وَاللّٰهُ سَمِيْعٌ عَلِيْمٌ ﴿۳۴﴾
৩৫. স্মরণ করো, ইমরানের স্ত্রী বলেছিল: 'আমার প্রভু! আমার গর্ভে যা (যে সন্তান) আছে, তাকে একান্তভাবে তোমার জন্যে উৎসর্গ করলাম। সুতরাং তুমি আমার পক্ষ থেকে তাকে কবুল করো। নিশ্চয়ই তুমি সব শুনো, সব জানো।'	اِذْ قَالَتِ امْرَاَتُ عِمْرٰنَ رَبِّ اِنِّيْ نَذَرْتُ لَكَ مَا فِيْ بَطْنِيْ مُحَرَّرًا فَتَقَبَّلْ مِنِّيْ ۚ اِنَّكَ اَنْتَ السَّمِيْعُ الْعَلِيْمُ ﴿۳۵﴾
৩৬. পরে যখন সে তাকে প্রসব করলো, বললো: 'আমার প্রভু! আমি তো কন্যা সন্তান প্রসব করেছি।' সে যা প্রসব করেছিল সে সম্পর্কে আল্লাহ সর্বাধিক জানতেন। (সে আরো বললো:) 'আর ছেলে তো এই মেয়ের মতো নয়, আমি তার নাম রেখেছি মরিয়ম এবং তাকে ও তার বংশধরদেরকে তোমার আশ্রয়ে দিচ্ছি অভিশপ্ত শয়তান থেকে।'	فَلَمَّا وَضَعَتْهَا قَالَتْ رَبِّ اِنِّيْ وَضَعْتُهَاۤ اُنْثٰى ؕ وَ اللّٰهُ اَعْلَمُ بِمَا وَضَعَتْ ؕ وَ لَيْسَ الذَّكَرُ كَالْاُنْثٰى ۚ وَ اِنِّيْ سَمَّيْتُهَا مَرْيَمَ وَ اِنِّيْۤ اُعِيْذُهَا بِكَ وَ ذُرِّيَّتَهَا مِنَ الشَّيْطٰنِ الرَّجِيْمِ ﴿۳۶﴾
৩৭. ফলে তার প্রভু তাকে কবুল করে নিলেন উত্তম কবুল, আর তাকে গড়ে তুললেন উত্তমভাবে এবং তার তত্ত্বাবধায়ক নিযুক্ত	فَتَقَبَّلَهَا رَبُّهَا بِقَبُوْلٍ حَسَنٍ وَّاَنْۢبَتَهَا نَبَاتًا حَسَنًا ۙ وَّ كَفَّلَهَا زَكَرِيَّا ؕ كُلَّمَا دَخَلَ

করলেন যাকারিয়াকে। যাকারিয়া যখনই তার কাছে মেহরাবে প্রবেশ করতো তার কাছে খাবার সামগ্রী দেখতে পেতো। সে বলতো: 'মরিয়ম! এসব তুমি কোথায় পেলে?' সে বলতো: 'তা আল্লাহ্‌র পক্ষ থেকে। নিশ্চয়ই আল্লাহ যাকে চান রিযিক দেন বেহিসাব।'	عَلَيْهَا زَكَرِيَّا الْمِحْرَابَ ۙ وَجَدَ عِنْدَهَا رِزْقًا ۚ قَالَ يٰمَرْيَمُ اَنّٰى لَكِ هٰذَا ؕ قَالَتْ هُوَ مِنْ عِنْدِ اللّٰهِ ؕ اِنَّ اللّٰهَ يَرْزُقُ مَنْ يَّشَآءُ بِغَيْرِ حِسَابٍ ﴿٣٧﴾
৩৮. ওখানেই যাকারিয়া তার প্রভুর কাছে দোয়া করলো: 'আমার প্রভু! তোমার পক্ষ থেকে তুমি আমাকে একটি উত্তম বংশধর দাও। নিশ্চয়ই তুমি দোয়া শুনে (কবুল করে) থাকো।'	هُنَالِكَ دَعَا زَكَرِيَّا رَبَّهٗ ۚ قَالَ رَبِّ هَبْ لِيْ مِنْ لَّدُنْكَ ذُرِّيَّةً طَيِّبَةً ۚ اِنَّكَ سَمِيْعُ الدُّعَآءِ ﴿٣٨﴾
৩৯. ফলে যাকারিয়া যখন মেহরাবে সালাতে দাঁড়িয়েছিল, তখন ফেরেশতারা এসে তাকে ডেকে বললো: 'আল্লাহ আপনাকে সুসংবাদ দিচ্ছেন ইয়াহিয়ার, তিনি হবেন আল্লাহ্‌র 'কালেমার' সত্যায়নকারী, সাইয়েদ, নারী বিরাগী এবং সালেহ্ নবীদের একজন।'	فَنَادَتْهُ الْمَلٰٓئِكَةُ وَهُوَ قَآئِمٌ يُّصَلِّيْ فِي الْمِحْرَابِ ۙ اَنَّ اللّٰهَ يُبَشِّرُكَ بِيَحْيٰى مُصَدِّقًا بِكَلِمَةٍ مِّنَ اللّٰهِ وَسَيِّدًا وَّحَصُوْرًا وَّنَبِيًّا مِّنَ الصّٰلِحِيْنَ ﴿٣٩﴾
৪০. সে বললো: 'হে আমার প্রভু! কী করে ছেলে হবে আমার? আমার তো বার্ধক্য এসেছে, তাছাড়া আমার স্ত্রী বন্ধ্যা।' তিনি বললেন: 'এভাবেই আল্লাহ যা চান করে থাকেন।'	قَالَ رَبِّ اَنّٰى يَكُوْنُ لِيْ غُلٰمٌ وَّقَدْ بَلَغَنِيَ الْكِبَرُ وَامْرَاَتِيْ عَاقِرٌ ؕ قَالَ كَذٰلِكَ اللّٰهُ يَفْعَلُ مَا يَشَآءُ ﴿٤٠﴾
৪১. সে বললো: 'আমার প্রভু! আমাকে (এর) একটা নিদর্শন দাও।' তিনি বললেন: 'তোমার নিদর্শন হলো, তুমি তিনদিন আকারে ইংগিতে ছাড়া কথা বলবেনা এবং তোমার প্রভুর বেশি বেশি যিকির করবে, আর তাসবিহ্ করবে সকাল ও সন্ধ্যায়।'	قَالَ رَبِّ اجْعَلْ لِّيْٓ اٰيَةً ؕ قَالَ اٰيَتُكَ اَلَّا تُكَلِّمَ النَّاسَ ثَلٰثَةَ اَيَّامٍ اِلَّا رَمْزًا ؕ وَاذْكُرْ رَّبَّكَ كَثِيْرًا وَّسَبِّحْ بِالْعَشِيِّ وَالْاِبْكَارِ ﴿٤١﴾
৪২. স্মরণ করো, ফেরেশতারা বলেছিল: "হে মরিয়ম! আল্লাহ আপনাকে মনোনীত ও পবিত্র করেছেন এবং বিশ্বনারীদের মধ্যে আপনাকে বাছাই করেছেন।	وَاِذْ قَالَتِ الْمَلٰٓئِكَةُ يٰمَرْيَمُ اِنَّ اللّٰهَ اصْطَفٰىكِ وَطَهَّرَكِ وَاصْطَفٰىكِ عَلٰى نِسَآءِ الْعٰلَمِيْنَ ﴿٤٢﴾
৪৩. হে মরিয়ম! আপনার প্রভুর প্রতি অনুগত ও বিনয়ী হোন, সাজদা করুন এবং যারা রুকু করে, তাদের সাথে রুকু করুন।"	يٰمَرْيَمُ اقْنُتِيْ لِرَبِّكِ وَاسْجُدِيْ وَارْكَعِيْ مَعَ الرّٰكِعِيْنَ ﴿٤٣﴾
৪৪. এগুলো গায়েব-এর সংবাদ আমরা অহি করছি তোমার প্রতি। তুমি তখন তাদের কাছে উপস্থিত ছিলেনা যখন তাদের মধ্যে মরিয়মের কফিল (তত্ত্বাবধায়ক) কে হবে তা নির্ণয়ের উদ্দেশ্যে তারা কলম নিক্ষেপ করেছিল, আর তখনো তুমি তাদের কাছে ছিলেনা যখন তারা এ নিয়ে বিবাদে লিপ্ত হয়েছিল।	ذٰلِكَ مِنْ اَنْۢبَآءِ الْغَيْبِ نُوْحِيْهِ اِلَيْكَ ؕ وَمَا كُنْتَ لَدَيْهِمْ اِذْ يُلْقُوْنَ اَقْلَامَهُمْ اَيُّهُمْ يَكْفُلُ مَرْيَمَ ۪ وَمَا كُنْتَ لَدَيْهِمْ اِذْ يَخْتَصِمُوْنَ ﴿٤٤﴾
৪৫. স্মরণ করো, ফেরেশতারা বলেছিল: "হে	اِذْ قَالَتِ الْمَلٰٓئِكَةُ يٰمَرْيَمُ اِنَّ اللّٰهَ

রুকু ০৪

মরিয়ম! আল্লাহ আপনাকে সুসংবাদ দিচ্ছেন তাঁর পক্ষ থেকে একটি কলেমার, তার নাম হবে মসিহ্ ঈসা ইবনে মরিয়ম, সে হবে দুনিয়া এবং আখিরাতে সম্মানিত এবং নৈকট্য লাভকারীদের একজন।	يُبَشِّرُكِ بِكَلِمَةٍ مِّنْهُ ۖ اسْمُهُ الْمَسِيحُ عِيسَى ابْنُ مَرْيَمَ وَجِيهًا فِي الدُّنْيَا وَ الْآخِرَةِ وَمِنَ الْمُقَرَّبِينَ ﴿٤٥﴾
৪৬. দোলনায় থাকা অবস্থায় সে মানুষের সাথে কথা বলবে এবং পরিণত বয়সেও এবং সে হবে ন্যায়বানদের একজন।”	وَ يُكَلِّمُ النَّاسَ فِي الْمَهْدِ وَ كَهْلًا وَّمِنَ الصّٰلِحِينَ ﴿٤٦﴾
৪৭. সে বললো: ‘আমার প্রভু! কেমন করে ছেলে হবে আমার, আমাকে তো স্পর্শ করেনি কোনো পুরুষ?’ তিনি বললেন: “এভাবেই আল্লাহ যা চান সৃষ্টি করেন। তিনি যখন কোনো সিদ্ধান্ত নেন, তখন বলেন: ‘হও’ এবং তা হয়ে যায়।	قَالَتْ رَبِّ أَنّٰى يَكُونُ لِي وَلَدٌ وَّلَمْ يَمْسَسْنِي بَشَرٌ ۖ قَالَ كَذٰلِكِ اللّٰهُ يَخْلُقُ مَا يَشَاءُ ۚ إِذَا قَضٰى أَمْرًا فَإِنَّمَا يَقُولُ لَهُ كُنْ فَيَكُونُ ﴿٤٧﴾
৪৮. এবং তিনি তাকে তালিম দেবেন আল কিতাব, হিকমাহ, তাওরাত ও ইনজিল।	وَيُعَلِّمُهُ الْكِتٰبَ وَالْحِكْمَةَ وَالتَّوْرٰىةَ وَ الْإِنْجِيلَ ﴿٤٨﴾
৪৯. আর তাকে রসূল হিসেবে পাঠাবেন বনি ইসরাঈলের কাছে।” সে তাদের বলবে: “আমি তোমাদের প্রভুর পক্ষ থেকে তোমাদের কাছে নিদর্শন নিয়ে এসেছি। (তাহলো) আমি কাদামাটি দিয়ে পাখির আকৃতি তৈরি করবো, তারপর তাতে ফুঁ দেবো, সাথে সাথে আল্লাহ্‌র অনুমতিক্রমে তা হয়ে যাবে পাখি। আমি জন্মান্ধ ও কুষ্ঠ রোগীদের নিরাময় করবো। আমি মৃতকে জীবিত করবো আল্লাহ্‌র অনুমতিক্রমে। তাছাড়া তোমরা তোমাদের ঘরে যা খাও এবং যা সঞ্চয় করো তা তোমাদের বলে দেবো। এতে তোমাদের জন্যে রয়েছে নিদর্শন যদি তোমরা মুমিন হয়ে থাকো।	وَ رَسُولًا إِلٰى بَنِي إِسْرَاءِيلَ ۙ أَنِّي قَدْ جِئْتُكُمْ بِاٰيَةٍ مِّنْ رَّبِّكُمْ ۙ أَنِّي أَخْلُقُ لَكُمْ مِّنَ الطِّينِ كَهَيْئَةِ الطَّيْرِ فَأَنْفُخُ فِيهِ فَيَكُونُ طَيْرًا بِإِذْنِ اللّٰهِ ۚ وَ أُبْرِئُ الْأَكْمَهَ وَ الْأَبْرَصَ وَ أُحْيِ الْمَوْتٰى بِإِذْنِ اللّٰهِ ۚ وَأُنَبِّئُكُمْ بِمَا تَأْكُلُونَ وَمَا تَدَّخِرُونَ ۙ فِي بُيُوتِكُمْ ۗ إِنَّ فِي ذٰلِكَ لَاٰيَةً لَّكُمْ إِنْ كُنْتُمْ مُّؤْمِنِينَ ﴿٤٩﴾
৫০. আর আমার সামনে তাওরাতের যা রয়েছে আমি তার সত্যায়নকারী, আর তোমাদের জন্যে যেসব জিনিস হারাম করা হয়েছিল আমি তার কিছু হালাল করবো। আমি তোমাদের প্রভুর পক্ষ থেকে তোমাদের কাছে নিদর্শন নিয়ে এসেছি। সুতরাং আল্লাহকে ভয় করো এবং আমার আনুগত্য করো।	وَ مُصَدِّقًا لِّمَا بَيْنَ يَدَيَّ مِنَ التَّوْرٰىةِ وَ لِأُحِلَّ لَكُمْ بَعْضَ الَّذِي حُرِّمَ عَلَيْكُمْ وَ جِئْتُكُمْ بِاٰيَةٍ مِّنْ رَّبِّكُمْ ۟ فَاتَّقُوا اللّٰهَ وَ أَطِيعُونِ ﴿٥٠﴾
৫১. আল্লাহ্‌ই আমার রব এবং তোমাদেরও রব, সুতরাং কেবল তাঁরই ইবাদত করো- এটাই সরল সঠিক পথ।”	إِنَّ اللّٰهَ رَبِّي وَ رَبُّكُمْ فَاعْبُدُوهُ ۗ هٰذَا صِرَاطٌ مُّسْتَقِيمٌ ﴿٥١﴾
৫২. অতপর ঈসা যখন তাদের থেকে কুফুরি অনুভব করলো, তখন তাদের বললো: ‘আল্লাহ্‌র পথে কারা হবে আমার সাহায্যকারী? তখন হাওয়ারীরা বললো: “আমরা হবো আল্লাহ্‌র পথে	فَلَمَّا أَحَسَّ عِيسٰى مِنْهُمُ الْكُفْرَ قَالَ مَنْ أَنْصَارِي إِلَى اللّٰهِ ۖ قَالَ الْحَوَارِيُّونَ

نَحْنُ اَنْصَارُ اللّٰهِ ۚ اٰمَنَّا بِاللّٰهِ ۚ وَ اشْهَدْ بِاَنَّا مُسْلِمُوْنَ ﴿۵۲﴾

সাহায্যকারী। আমরা আল্লাহ্‌র প্রতি ঈমান আনলাম। তুমি সাক্ষী থাকো, আমরা আত্মসমর্পণকারী- মুসলিম।

رَبَّنَاۤ اٰمَنَّا بِمَاۤ اَنْزَلْتَ وَ اتَّبَعْنَا الرَّسُوْلَ فَاكْتُبْنَا مَعَ الشّٰهِدِيْنَ ﴿۵۳﴾

৫৩. আমাদের প্রভু! তুমি যা নাযিল করেছো আমরা তার (সেই কিতাবের) প্রতি ঈমান এনেছি এবং তোমার এই রসূলের ইত্তেবা (অনুসরণ) করেছি, তাই তুমি আমাদের (নাম) লিখে নাও সাক্ষ্যদানকারীদের সাথে।"

রুকু ০৫

وَمَكَرُوْا وَمَكَرَ اللّٰهُ ؕ وَاللّٰهُ خَيْرُ الْمٰكِرِيْنَ ﴿۵۴﴾

৫৪. ওরা ষড়যন্ত্র করেছিল আর আল্লাহ্‌ও কৌশল করেছিলেন। আল্লাহ্‌ই সর্বোত্তম কৌশলী।

اِذْ قَالَ اللّٰهُ يٰعِيْسٰۤى اِنِّىْ مُتَوَفِّيْكَ وَ رَافِعُكَ اِلَىَّ وَمُطَهِّرُكَ مِنَ الَّذِيْنَ كَفَرُوْا وَجَاعِلُ الَّذِيْنَ اتَّبَعُوْكَ فَوْقَ الَّذِيْنَ كَفَرُوْۤا اِلٰى يَوْمِ الْقِيٰمَةِ ۚ ثُمَّ اِلَىَّ مَرْجِعُكُمْ فَاَحْكُمُ بَيْنَكُمْ فِيْمَا كُنْتُمْ فِيْهِ تَخْتَلِفُوْنَ ﴿۵۵﴾

৫৫. স্মরণ করো, আল্লাহ বলেছিলেন: "হে ঈসা! আমি তোমার সময়কাল পূর্ণ করছি, তোমাকে আমার কাছে উঠিয়ে নিচ্ছি, যারা কুফুরিতে লিপ্ত হয়েছে তাদের থেকে তোমাকে পবিত্র করছি এবং তোমার অনুসারীদের কাফিরদের উপর কিয়ামতকাল পর্যন্ত শ্রেষ্ঠত্ব দিচ্ছি। অতপর আমার কাছেই হবে তোমাদের প্রত্যাবর্তন। তখন আমি তোমাদের মাঝে ফায়সালা করে দেবো যে বিষয়ে তোমরা ইখতেলাফ করছিলে।

فَاَمَّا الَّذِيْنَ كَفَرُوْا فَاُعَذِّبُهُمْ عَذَابًا شَدِيْدًا فِى الدُّنْيَا وَ الْاٰخِرَةِ ۫ وَ مَا لَهُمْ مِّنْ نّٰصِرِيْنَ ﴿۵۶﴾

৫৬. তবে, যারা কুফুরিতে লিপ্ত হবে, তাদেরকে আমি আযাব দেবো কঠিন আযাব দুনিয়ায় এবং আখিরাতে এবং তাদের কোনো সাহায্যকারী থাকবেনা।"

وَاَمَّا الَّذِيْنَ اٰمَنُوْا وَعَمِلُوا الصّٰلِحٰتِ فَيُوَفِّيْهِمْ اُجُوْرَهُمْ ؕ وَاللّٰهُ لَا يُحِبُّ الظّٰلِمِيْنَ ﴿۵۷﴾

৫৭. আর যারা ঈমান আনবে এবং আমলে সালেহ করবে, তিনি তাদের পুরোপুরি দিয়ে দেবেন তাদের প্রতিফল। আল্লাহ যালিমদের পছন্দ করেননা।

ذٰلِكَ نَتْلُوْهُ عَلَيْكَ مِنَ الْاٰيٰتِ وَ الذِّكْرِ الْحَكِيْمِ ﴿۵۸﴾

৫৮. এগুলো হলো আয়াত এবং বিজ্ঞানময় উপদেশ, যা আমরা তোমার প্রতি তিলাওয়াত করছি।

اِنَّ مَثَلَ عِيْسٰى عِنْدَ اللّٰهِ كَمَثَلِ اٰدَمَ ؕ خَلَقَهٗ مِنْ تُرَابٍ ثُمَّ قَالَ لَهٗ كُنْ فَيَكُوْنُ ﴿۵۹﴾

৫৯. আল্লাহ্‌র কাছে ঈসার দৃষ্টান্ত আদমের অনুরূপ। আল্লাহ তাকে সৃষ্টি করেছেন মাটি থেকে, তারপর তাকে বলেছেন: 'হও' ফলে সে হয়ে গেলো।

اَلْحَقُّ مِنْ رَّبِّكَ فَلَا تَكُنْ مِّنَ الْمُمْتَرِيْنَ ﴿۶۰﴾

৬০. সত্য (এসেছে) তোমার প্রভুর নিকট থেকে, সুতরাং তুমি সন্দেহ পোষণকারীদের অন্তর্ভুক্ত হয়োনা।

فَمَنْ حَآجَّكَ فِيْهِ مِنْۢ بَعْدِ مَا جَآءَكَ مِنَ الْعِلْمِ فَقُلْ تَعَالَوْا نَدْعُ اَبْنَآءَنَا وَ اَبْنَآءَكُمْ وَ نِسَآءَنَا وَ نِسَآءَكُمْ وَ

৬১. তোমার কাছে (সত্য) এলেম আসার পর যারা তোমার সাথে বিতর্ক করে, তুমি তাদের বলো: "এসো আমরা ডাকি আমাদের পুত্রদের এবং তোমাদের পুত্রদের, আমাদের নারীদের

এবং তোমাদের নারীদের, আমাদের নিজেদের এবং তোমাদের নিজেদের, তারপর বিনীত আবেদন করি এবং মিথ্যাবাদীদের উপর দেই আল্লাহ্‌র লা'নত।"	اَنۡفُسَنَا وَ اَنۡفُسَكُمۡ ۟ ثُمَّ نَبۡتَهِلۡ فَنَجۡعَلۡ لَّعۡنَتَ اللّٰهِ عَلَى الۡكٰذِبِيۡنَ ﴿۶۱﴾
৬২. এ এক অতীব সত্য বিবরণ। কোনো ইলাহ্ নেই আল্লাহ ছাড়া। আর নিশ্চয়ই আল্লাহ মহাশক্তিমান মহা বিজ্ঞানী।	اِنَّ هٰذَا لَهُوَ الۡقَصَصُ الۡحَقُّ ۚ وَ مَا مِنۡ اِلٰهٍ اِلَّا اللّٰهُ ؕ وَاِنَّ اللّٰهَ لَهُوَ الۡعَزِيۡزُ الۡحَكِيۡمُ ﴿۶۲﴾
৬৩. তারপরও তোমরা যদি মুখ ফিরিয়ে নাও, তবে জেনে রাখো, আল্লাহ ফাসাদ সৃষ্টিকারীদের ভালোভাবেই জানেন।	فَاِنۡ تَوَلَّوۡا فَاِنَّ اللّٰهَ عَلِيۡمٌۢ بِالۡمُفۡسِدِيۡنَ ﴿۶۳﴾
৬৪. হে নবী! তুমি তাদের বলো: 'হে আহলে কিতাব! এসো, এই কথাটিতে আমরা একমত হয়ে যাই, যা আমাদের ও তোমাদের মাঝে একই রকম। তাহলো: আমরা আল্লাহ ছাড়া আর কারো ইবাদত করবোনা। আমরা তাঁর সাথে কোনো কিছুকেই শরিক করবোনা এবং আমরা আল্লাহ ছাড়া আমাদের পরস্পরকে রব হিসেবে গ্রহণ করবোনা।' যদি তারা (এ প্রস্তাব) গ্রহণ করতে অস্বীকার করে, তবে তাদের বলো: 'তোমরা সাক্ষী থাকো, আমরা মুসলিম।'	قُلۡ يٰۤاَهۡلَ الۡكِتٰبِ تَعَالَوۡا اِلٰى كَلِمَةٍ سَوَآءٍۢ بَيۡنَنَا وَ بَيۡنَكُمۡ اَلَّا نَعۡبُدَ اِلَّا اللّٰهَ وَ لَا نُشۡرِكَ بِهٖ شَيۡـًٔا وَّلَا يَتَّخِذَ بَعۡضُنَا بَعۡضًا اَرۡبَابًا مِّنۡ دُوۡنِ اللّٰهِ ؕ فَاِنۡ تَوَلَّوۡا فَقُوۡلُوا اشۡهَدُوۡا بِاَنَّا مُسۡلِمُوۡنَ ﴿۶۴﴾
৬৫. হে আহলে কিতাব! তোমরা ইবরাহিমকে নিয়ে কেন তর্ক করো? অথচ তাওরাত এবং ইনজিল তো তার পরে নাযিল হয়েছে। তোমরা কি আকল রাখোনা?	يٰۤاَهۡلَ الۡكِتٰبِ لِمَ تُحَآجُّوۡنَ فِىۡۤ اِبۡرٰهِيۡمَ وَمَاۤ اُنۡزِلَتِ التَّوۡرٰىةُ وَالۡاِنۡجِيۡلُ اِلَّا مِنۡۢ بَعۡدِهٖ ؕ اَفَلَا تَعۡقِلُوۡنَ ﴿۶۵﴾
৬৬. হাঁ, তোমরা তো ঐসব লোক, যারা তর্ক করেছো যে বিষয়ে তোমাদের একটুখানি জ্ঞান আছে, কিন্তু যে বিষয়ে তোমাদের কোনো জ্ঞানই নেই, সে বিষয়ে কেন তোমরা তর্ক করছো? আল্লাহ জানেন, তোমরা জানোনা।	هٰۤاَنۡتُمۡ هٰٓؤُلَآءِ حَاجَجۡتُمۡ فِيۡمَا لَـكُمۡ بِهٖ عِلۡمٌ فَلِمَ تُحَآجُّوۡنَ فِيۡمَا لَيۡسَ لَـكُمۡ بِهٖ عِلۡمٌ ؕ وَاللّٰهُ يَعۡلَمُ وَ اَنۡتُمۡ لَا تَعۡلَمُوۡنَ ﴿۶۶﴾
৬৭. ইবরাহিম ইহুদিও ছিলনা নাসারাও (খৃষ্টান) ছিলনা, বরং সে ছিলো একনিষ্ঠ মুসলিম। আর সে মুশরিকদেরও অন্তর্ভুক্ত ছিলনা।	مَا كَانَ اِبۡرٰهِيۡمُ يَهُوۡدِيًّا وَّلَا نَصۡرَانِيًّا وَّلٰكِنۡ كَانَ حَنِيۡفًا مُّسۡلِمًا ؕ وَمَا كَانَ مِنَ الۡمُشۡرِكِيۡنَ ﴿۶۷﴾
৬৮. জেনে রাখো, মানুষের মাঝে ইবরাহিমের নিকটতম লোক হলো তারা, যারা তার অনুসরণ করেছে এবং এই নবী (মুহাম্মদ), আর যারা ঈমান এনেছে তারা। আল্লাহ্‌ই মুমিনদের অলি।	اِنَّ اَوۡلَى النَّاسِ بِاِبۡرٰهِيۡمَ لَـلَّذِيۡنَ اتَّبَعُوۡهُ وَ هٰذَا النَّبِىُّ وَ الَّذِيۡنَ اٰمَنُوۡا ؕ وَ اللّٰهُ وَلِىُّ الۡمُؤۡمِنِيۡنَ ﴿۶۸﴾
৬৯. আহলে কিতাবদের একদল লোক চায় যেনো তোমাদের পথভ্রষ্ট করতে পারে। আসলে তারা কেবল নিজেদেরই পথভ্রষ্ট করে, কিন্তু তারা তা বুঝতে পারেনা।	وَدَّتۡ طَّآئِفَةٌ مِّنۡ اَهۡلِ الۡكِتٰبِ لَوۡ يُضِلُّوۡنَـكُمۡ ؕ وَمَا يُضِلُّوۡنَ اِلَّاۤ اَنۡفُسَهُمۡ وَمَا يَشۡعُرُوۡنَ ﴿۶۹﴾

রুকু ০৬

৭০. হে আহলে কিতাব! তোমরা কেন আল্লাহ্‌র আয়াতকে (আল কুরআন ও শেষ নবীকে) অস্বীকার করছো, অথচ (তা সত্য হবার ব্যাপারে) তোমরাই সাক্ষী।	یٰۤاَهۡلَ الۡكِتٰبِ لِمَ تَكۡفُرُوۡنَ بِاٰیٰتِ اللّٰهِ وَ اَنۡتُمۡ تَشۡهَدُوۡنَ ﴿۷۰﴾
৭১. হে আহলে কিতাব! তোমরা কেন সত্যের গায়ে মিথ্যা লেপে দিচ্ছো আর জেনে শুনে সত্যকে করছো গোপন?	یٰۤاَهۡلَ الۡكِتٰبِ لِمَ تَلۡبِسُوۡنَ الۡحَقَّ بِالۡبَاطِلِ وَ تَكۡتُمُوۡنَ الۡحَقَّ وَ اَنۡتُمۡ تَعۡلَمُوۡنَ ﴿۷۱﴾

রুকু ০৭

৭২. আহলে কিতাবদের মধ্যে একদল লোক বলছিল: 'মুমিনদের প্রতি যা নাযিল হয়েছে তার প্রতি দিনের শুরুতে ঈমান আনো, আর দিনের শেষে কুফুরি করো, তাতে হয়তো তারা (তাদের ঈমান থেকে) ফিরে আসবে।'	وَ قَالَتۡ طَّآئِفَةٌ مِّنۡ اَهۡلِ الۡكِتٰبِ اٰمِنُوۡا بِالَّذِیۡۤ اُنۡزِلَ عَلَی الَّذِیۡنَ اٰمَنُوۡا وَجۡهَ النَّهَارِ وَ اكۡفُرُوۡۤا اٰخِرَهٗ لَعَلَّهُمۡ یَرۡجِعُوۡنَ ﴿۷۲﴾
৭৩. (তারা নিজেদের মধ্যে আরো বলাবলি করে:) 'আর কাউকেও বিশ্বাস করবেনা তাকে ছাড়া, যে তোমাদের ধর্মের অনুসরণ করে।' হে নবী! তাদের বলো: 'আল্লাহ্‌র দেখানো পথই একমাত্র হিদায়াতের পথ।' এটা এজন্যে যে, এক সময় তোমাদের যা দেয়া হয়েছে অনুরূপ অন্য কাউকেও দেয়া হবে, অথবা তোমাদের প্রভুর সামনে তারা তোমাদের যুক্তিতে পরাস্ত করবে। বলো: অনুগ্রহ অবশ্যি আল্লাহ্‌র হাতে, তিনি যাকে ইচ্ছা তা দান করেন। আল্লাহ অতীব উদার, অতীব জ্ঞানী।	وَ لَا تُؤۡمِنُوۡۤا اِلَّا لِمَنۡ تَبِعَ دِیۡنَكُمۡ ؕ قُلۡ اِنَّ الۡهُدٰی هُدَی اللّٰهِ ۙ اَنۡ یُّؤۡتٰۤی اَحَدٌ مِّثۡلَ مَاۤ اُوۡتِیۡتُمۡ اَوۡ یُحَآجُّوۡكُمۡ عِنۡدَ رَبِّكُمۡ ؕ قُلۡ اِنَّ الۡفَضۡلَ بِیَدِ اللّٰهِ ۚ یُؤۡتِیۡهِ مَنۡ یَّشَآءُ ؕ وَ اللّٰهُ وَاسِعٌ عَلِیۡمٌ ﴿۷۳﴾
৭৪. নিজ রহমতের জন্যে যাকে ইচ্ছা তিনি খাস করে বেছে নেন। মহা অনুগ্রহের মালিক আল্লাহ।	یَّخۡتَصُّ بِرَحۡمَتِهٖ مَنۡ یَّشَآءُ ؕ وَ اللّٰهُ ذُو الۡفَضۡلِ الۡعَظِیۡمِ ﴿۷۴﴾
৭৫. আহলে কিতাবদের (ইহুদি খৃষ্টানদের) মধ্যে এমন লোকও আছে, যার কাছে প্রচুর পরিমাণ সম্পদ আমানত রাখলেও সে তোমাকে ফেরত দেবে, আবার এমন লোকও আছে যার কাছে একটি দিনার আমানত রাখলেও তার পিছে লেগে না থাকলে সে ফেরত দেবেনা। এর কারণ হলো, তারা বলে: 'উম্মিদের প্রতি আমাদের কোনো দায় দায়িত্ব নেই।' তারা জেনে শুনেই আল্লাহ্‌র সম্পর্কে মিথ্যা বলে।	وَ مِنۡ اَهۡلِ الۡكِتٰبِ مَنۡ اِنۡ تَاۡمَنۡهُ بِقِنۡطَارٍ یُّؤَدِّهٖۤ اِلَیۡكَ ۚ وَ مِنۡهُمۡ مَّنۡ اِنۡ تَاۡمَنۡهُ بِدِیۡنَارٍ لَّا یُؤَدِّهٖۤ اِلَیۡكَ اِلَّا مَا دُمۡتَ عَلَیۡهِ قَآئِمًا ؕ ذٰلِكَ بِاَنَّهُمۡ قَالُوۡا لَیۡسَ عَلَیۡنَا فِی الۡاُمِّیّٖنَ سَبِیۡلٌ ۚ وَ یَقُوۡلُوۡنَ عَلَی اللّٰهِ الۡكَذِبَ وَ هُمۡ یَعۡلَمُوۡنَ ﴿۷۵﴾
৭৬. হ্যাঁ, কেউ যদি তার অংগীকার পুরণ করে এবং তাকওয়া অবলম্বন করে, তারা জেনে রাখুক, আল্লাহ মুত্তাকিদের ভালোবাসেন।	بَلٰی مَنۡ اَوۡفٰی بِعَهۡدِهٖ وَ اتَّقٰی فَاِنَّ اللّٰهَ یُحِبُّ الۡمُتَّقِیۡنَ ﴿۷۶﴾
৭৭. যারা বিক্রয় করে আল্লাহ্‌র সাথে করা অংগীকার এবং নিজেদের শপথকে তুচ্ছ মূল্যে, আখিরাতে তাদের কোনো অংশ নেই। কিয়ামতের দিন আল্লাহ তাদের সাথে কথা	اِنَّ الَّذِیۡنَ یَشۡتَرُوۡنَ بِعَهۡدِ اللّٰهِ وَ اَیۡمَانِهِمۡ ثَمَنًا قَلِیۡلًا اُولٰٓئِكَ لَا خَلَاقَ لَهُمۡ فِی الۡاٰخِرَةِ وَ لَا یُكَلِّمُهُمُ اللّٰهُ وَ لَا

বলবেন না এবং তাদের দিকে তাকাবেনও না, আর তাদের পবিত্রও করবেন না। তাদের জন্যে রয়েছে বেদনাদায়ক আযাব।	يَنْظُرُ اِلَيْهِمْ يَوْمَ الْقِيٰمَةِ وَ لَا يُزَكِّيْهِمْ وَلَهُمْ عَذَابٌ اَلِيْمٌ ﴿٧٧﴾
৭৮. অবশ্যি তাদের মধ্যে এমন একদল লোক আছে যারা আল্লাহ্‌র কিতাবকে জিহ্বা দিয়ে বিকৃত করে, যাতে করে তোমরা সেটাকে আল্লাহ্‌র কিতাবের অংশ মনে করো। অথচ তা কিতাবের অংশ নয়। তারা বলে: 'ওটা আল্লাহ্‌র পক্ষ থেকেই এসেছে।' অথচ সেটা আল্লাহ্‌র পক্ষ থেকে নয়। তারা জেনে বুঝে আল্লাহ্‌র ব্যাপারে মিথ্যা বলে।	وَ اِنَّ مِنْهُمْ لَفَرِيْقًا يَّلْوٗنَ اَلْسِنَتَهُمْ بِالْكِتٰبِ لِتَحْسَبُوْهُ مِنَ الْكِتٰبِ وَ مَا هُوَ مِنَ الْكِتٰبِ ۚ وَ يَقُوْلُوْنَ هُوَ مِنْ عِنْدِ اللّٰهِ وَ مَا هُوَ مِنْ عِنْدِ اللّٰهِ ۚ وَ يَقُوْلُوْنَ عَلَى اللّٰهِ الْكَذِبَ وَ هُمْ يَعْلَمُوْنَ ﴿٧٨﴾
৭৯. কোনো ব্যক্তির জন্যে এটা সংগত নয় যে, আল্লাহ তাকে কিতাব, হিকমাহ ও নবুয়্যত দেবেন, অতপর সে মানুষকে বলবে: 'তোমরা আল্লাহ্‌র বদলে আমার দাস হয়ে যাও।' বরং সে বলবে: 'তোমরা আল্লাহওয়ালা হয়ে যাও।' এর কারণ, তোমরা তো কিতাব শিক্ষাদান করতে এবং তা অধ্যয়ন করতে।	مَا كَانَ لِبَشَرٍ اَنْ يُّؤْتِيَهُ اللّٰهُ الْكِتٰبَ وَ الْحُكْمَ وَ النُّبُوَّةَ ثُمَّ يَقُوْلَ لِلنَّاسِ كُوْنُوْا عِبَادًا لِّيْ مِنْ دُوْنِ اللّٰهِ وَ لٰكِنْ كُوْنُوْا رَبّٰنِيّٖنَ بِمَا كُنْتُمْ تُعَلِّمُوْنَ الْكِتٰبَ وَ بِمَا كُنْتُمْ تَدْرُسُوْنَ ﴿٧٩﴾
৮০. ফেরেশতা এবং নবীদেরকে রব হিসেবে গ্রহণ করার নির্দেশ সে তোমাদের দিতে পারেনা। তোমরা মুসলিম হবার পর সে কি তোমাদের কুফুরির নির্দেশ দেবে?	وَ لَا يَاْمُرَكُمْ اَنْ تَتَّخِذُوا الْمَلٰٓئِكَةَ وَ النَّبِيّٖنَ اَرْبَابًا ؕ اَيَاْمُرُكُمْ بِالْكُفْرِ بَعْدَ اِذْ اَنْتُمْ مُّسْلِمُوْنَ ﴿٨٠﴾
৮১. স্মরণ করো, আল্লাহ একথার উপর নবীদের অংগীকার নিয়েছিলেন যে: আমি তোমাদের যে কিতাব ও হিকমাহ্ দিয়েছি তোমরা তা গ্রহণ করো, তারপর তোমাদের কাছে একজন রসূল (মুহাম্মদ) আসবে, তোমাদের সাথে যা আছে তার সত্যায়নকারী হিসেবে, তখন তোমরা অবশ্যি তার প্রতি ঈমান আনবে এবং তাকে সাহায্য করবে।' তিনি জিজ্ঞেস করলেন: 'তোমরা কি স্বীকার করলে? এবং এ ব্যাপারে আমার প্রতিশ্রুতি কি গ্রহণ করলে?' তারা বলেছিল: 'আমরা স্বীকার করলাম।' তিনি বললেন: 'তোমরা সাক্ষী থাকো এবং আমিও তোমাদের সাথে সাক্ষী থাকলাম।'	وَ اِذْ اَخَذَ اللّٰهُ مِيْثَاقَ النَّبِيّٖنَ لَمَآ اٰتَيْتُكُمْ مِّنْ كِتٰبٍ وَّ حِكْمَةٍ ثُمَّ جَآءَكُمْ رَسُوْلٌ مُّصَدِّقٌ لِّمَا مَعَكُمْ لَتُؤْمِنُنَّ بِهٖ وَ لَتَنْصُرُنَّهٗ ؕ قَالَ ءَاَقْرَرْتُمْ وَ اَخَذْتُمْ عَلٰى ذٰلِكُمْ اِصْرِيْ ؕ قَالُوْٓا اَقْرَرْنَا ؕ قَالَ فَاشْهَدُوْا وَ اَنَا مَعَكُمْ مِّنَ الشّٰهِدِيْنَ ﴿٨١﴾
৮২. এরপর যারা (প্রতিশ্রুতি থেকে) সরে যাবে, তারা ফাসিক (সত্যত্যাগী) বলে গণ্য হবে।	فَمَنْ تَوَلّٰى بَعْدَ ذٰلِكَ فَاُولٰٓئِكَ هُمُ الْفٰسِقُوْنَ ﴿٨٢﴾
৮৩. তারা কি আল্লাহ্‌র দীনের পরিবর্তে অন্য দীন সন্ধান করছে? অথচ মহাকাশ এবং পৃথিবীতে যারাই আছে সবাই ইচ্ছায় হোক কিংবা অনিচ্ছায় তাঁর প্রতি আত্মসমর্পণ করেছে। আর তাদের ফেরত নেয়া হবে তাঁরই কাছে।	اَفَغَيْرَ دِيْنِ اللّٰهِ يَبْغُوْنَ وَ لَهٗٓ اَسْلَمَ مَنْ فِي السَّمٰوٰتِ وَ الْاَرْضِ طَوْعًا وَّ كَرْهًا وَّ اِلَيْهِ يُرْجَعُوْنَ ﴿٨٣﴾

রুকু ০৮

৮৪. হে নবী বলোঃ "আমরা ঈমান এনেছি আল্লাহ্‌র প্রতি, আমাদের প্রতি যা (যে কিতাব) নাযিল করা হয়েছে তার প্রতি এবং যা নাযিল করা হয়েছে ইবরাহিম, ইসমাঈল, ইসহাক, ইয়াকুব ও তার বংশধরদের কাছে তার প্রতি, আর যা দেয়া হয়েছে মূসা, ঈসা ও অন্যান্য নবীদেরকে তাদের প্রভুর পক্ষ থেকে তার প্রতিও। আমরা তাদের কারো মধ্যে কোনো প্রকার পার্থক্য করিনা। আমরা আল্লাহ্‌র প্রতি মুসলিম (আত্মসমর্পণকারী)।"	قُلْ اٰمَنَّا بِاللّٰهِ وَ مَاۤ اُنْزِلَ عَلَيْنَا وَ مَاۤ اُنْزِلَ عَلٰۤى اِبْرٰهِيْمَ وَ اِسْمٰعِيْلَ وَ اِسْحٰقَ وَ يَعْقُوْبَ وَ الْاَسْبَاطِ وَ مَاۤ اُوْتِيَ مُوْسٰى وَ عِيْسٰى وَ النَّبِيُّوْنَ مِنْ رَّبِّهِمْ ۪ لَا نُفَرِّقُ بَيْنَ اَحَدٍ مِّنْهُمْ ۫ وَ نَحْنُ لَهٗ مُسْلِمُوْنَ ﴿٨٤﴾
৮৫. যে কেউ ইসলাম ছাড়া কোনো দীন (ধর্ম, মতাদর্শ) গ্রহণ করতে চাইবে, তার থেকে তা কখনো গ্রহণ করা হবেনা। আখিরাতে সে হবে ক্ষতিগ্রস্তদের একজন।	وَ مَنْ يَّبْتَغِ غَيْرَ الْاِسْلَامِ دِيْنًا فَلَنْ يُّقْبَلَ مِنْهُ ۚ وَ هُوَ فِي الْاٰخِرَةِ مِنَ الْخٰسِرِيْنَ ﴿٨٥﴾
৮৬. আল্লাহ কেমন করে এমন লোকদের হিদায়াত করবেন, যারা ঈমান আনার পর, আল্লাহ্‌র রসূলকে সত্য বলে সাক্ষ্য দেয়ার পর এবং তাদের কাছে স্পষ্ট প্রমাণ ও নিদর্শনাদি আসার পরও কুফুরিতে নিমজ্জিত থাকে? আল্লাহ যালিম লোকদের হিদায়াত করেন না।	كَيْفَ يَهْدِي اللّٰهُ قَوْمًا كَفَرُوْا بَعْدَ اِيْمَانِهِمْ وَ شَهِدُوْۤا اَنَّ الرَّسُوْلَ حَقٌّ وَّ جَآءَهُمُ الْبَيِّنٰتُ ؕ وَ اللّٰهُ لَا يَهْدِي الْقَوْمَ الظّٰلِمِيْنَ ﴿٨٦﴾
৮৭. আসলে এরা হলো সেইসব লোক যাদের উপর আল্লাহ্‌র, ফেরেশতাদের এবং সমস্ত মানুষের লা'নত বর্ষিত হচ্ছে, এটাই তাদের কর্মের পরিণাম ফল।	اُولٰٓئِكَ جَزَآؤُهُمْ اَنَّ عَلَيْهِمْ لَعْنَةَ اللّٰهِ وَ الْمَلٰٓئِكَةِ وَ النَّاسِ اَجْمَعِيْنَ ﴿٨٧﴾
৮৮. চিরকাল থাকবে তারা এরি মধ্যে, তাদের উপর থেকে আযাব হালকা করা হবেনা এবং তাদেরকে কোনো বিরতিও দেয়া হবেনা।	خٰلِدِيْنَ فِيْهَا ۚ لَا يُخَفَّفُ عَنْهُمُ الْعَذَابُ وَ لَا هُمْ يُنْظَرُوْنَ ﴿٨٨﴾
৮৯. তবে, এরপরও যারা তাওবা করবে এবং নিজেদের ইস্‌লাহ (সংশোধন) করে নেবে, তারা জেনে রাখুক, নিশ্চয়ই আল্লাহ পরম ক্ষমাশীল পরম দয়াবান।	اِلَّا الَّذِيْنَ تَابُوْا مِنْۢ بَعْدِ ذٰلِكَ وَ اَصْلَحُوْا ۟ فَاِنَّ اللّٰهَ غَفُوْرٌ رَّحِيْمٌ ﴿٨٩﴾
৯০. কিন্তু, যারা ঈমান আনার পর কুফুরিতে লিপ্ত হয়, তারপর তাদের কুফুরি বৃদ্ধি পেতে থাকে, তাদের তওবা কখনো কবুল করা হবেনা। তারা চরম বিপথগামী।	اِنَّ الَّذِيْنَ كَفَرُوْا بَعْدَ اِيْمَانِهِمْ ثُمَّ ازْدَادُوْا كُفْرًا لَّنْ تُقْبَلَ تَوْبَتُهُمْ ۚ وَ اُولٰٓئِكَ هُمُ الضَّآلُّوْنَ ﴿٩٠﴾
৯১. যারা কুফুরি করে এবং কাফির অবস্থায়ই তাদের মৃত্যু হয়, কিছুতেই তাদের কারো (তওবা) কবুল করা হবেনা, এর বিনিময়ে পূর্ণ পৃথিবী সমান সোনা মুক্তিপণ হিসেবে দিলেও নয়। এদের জন্যে রয়েছে বেদনাদায়ক আযাব এবং তাদের কোনো সাহায্যকারী থাকবেনা।	اِنَّ الَّذِيْنَ كَفَرُوْا وَ مَاتُوْا وَ هُمْ كُفَّارٌ فَلَنْ يُّقْبَلَ مِنْ اَحَدِهِمْ مِّلْءُ الْاَرْضِ ذَهَبًا وَّ لَوِ افْتَدٰى بِهٖ ؕ اُولٰٓئِكَ لَهُمْ عَذَابٌ اَلِيْمٌ وَّ مَا لَهُمْ مِّنْ نّٰصِرِيْنَ ﴿٩١﴾

রুকু ০৯

৯২. তোমাদের ভালোবাসার সম্পদ থেকে ব্যয় (দান) না করলে তোমরা কখনো পুণ্য লাভ করবেনা। আর তোমরা যা কিছু ব্যয় করো আল্লাহ সে বিষয়ে বিশেষভাবে অবহিত।	**لَنْ تَنَالُوا الْبِرَّ حَتّٰى تُنْفِقُوْا مِمَّا تُحِبُّوْنَ** وَمَا تُنْفِقُوْا مِنْ شَيْءٍ فَاِنَّ اللّٰهَ بِهٖ عَلِيْمٌ ﴿٩٢﴾
৯৩. তাওরাত নাযিল হওয়ার আগে বনি ইসরাঈলের জন্যে প্রতিটি খাবারই হালাল ছিলো, তবে ইসরাঈল (ইয়াকুব) নিজের জন্যে যা হারাম করে নিয়েছিল সেটা ভিন্ন বিষয়। (হে নবী!) বলো: 'তোমরা সত্যবাদী হয়ে থাকলে তাওরাত নিয়ে এসো এবং তা তিলাওয়াত করে দেখো।'	كُلُّ الطَّعَامِ كَانَ حِلًّا لِّبَنِيْٓ اِسْرَآءِيْلَ اِلَّا مَا حَرَّمَ اِسْرَآءِيْلُ عَلٰى نَفْسِهٖ مِنْ قَبْلِ اَنْ تُنَزَّلَ التَّوْرٰىةُ ۗ قُلْ فَاْتُوْا بِالتَّوْرٰىةِ فَاتْلُوْهَآ اِنْ كُنْتُمْ صٰدِقِيْنَ ﴿٩٣﴾
৯৪. এর পরও যারা আল্লাহ্‌র প্রতি মিথ্যারোপ করবে, তারা যালিম।	فَمَنِ افْتَرٰى عَلَى اللّٰهِ الْكَذِبَ مِنْۢ بَعْدِ ذٰلِكَ فَاُولٰٓئِكَ هُمُ الظّٰلِمُوْنَ ﴿٩٤﴾
৯৫. হে নবী! বলো: আল্লাহ সত্য বলেছেন, সুতরাং তোমরা নিষ্ঠাবান ইবরাহিমের মিল্লাতের অনুসরণ করো। সে মুশরিক ছিলনা।	قُلْ صَدَقَ اللّٰهُ ۗ فَاتَّبِعُوْا مِلَّةَ اِبْرٰهِيْمَ حَنِيْفًا ۗ وَمَا كَانَ مِنَ الْمُشْرِكِيْنَ ﴿٩٥﴾
৯৬. জেনে রাখো, মানবজাতির জন্যে প্রথম যে ঘর নির্মাণ করা হয়েছিল, সেটি বাক্কায় (মক্কায়)। সেটি একটি মুবারক (কল্যাণময়) ঘর এবং বিশ্ববাসীর জন্যে দিশারি।	اِنَّ اَوَّلَ بَيْتٍ وُّضِعَ لِلنَّاسِ لَلَّذِيْ بِبَكَّةَ مُبٰرَكًا وَّهُدًى لِّلْعٰلَمِيْنَ ﴿٩٦﴾
৯৭. তাতে রয়েছে অনেক সুস্পষ্ট নিদর্শন। তন্মধ্যে একটি হলো 'মাকামে ইবরাহিম।' যে কেউ সে ঘরে দাখিল হবে সে নিরাপদ। যে কোনো ব্যক্তির (পথ পাড়ি দিয়ে) সেখানে পৌঁছার সামর্থ আছে, সে ঘরে আল্লাহ্‌র জন্যে হজ্জ করা তার কর্তব্য। আর যে অস্বীকার করবে, সে জেনে রাখুক, আল্লাহ বিশ্ববাসী থেকে মুখাপেক্ষাহীন।	فِيْهِ اٰيٰتٌۢ بَيِّنٰتٌ مَّقَامُ اِبْرٰهِيْمَ ۚ وَمَنْ دَخَلَهٗ كَانَ اٰمِنًا ۗ وَلِلّٰهِ عَلَى النَّاسِ حِجُّ الْبَيْتِ مَنِ اسْتَطَاعَ اِلَيْهِ سَبِيْلًا ۗ وَمَنْ كَفَرَ فَاِنَّ اللّٰهَ غَنِيٌّ عَنِ الْعٰلَمِيْنَ ﴿٩٧﴾
৯৮. (হে নবী!) বলো: 'হে আহলে কিতাব! তোমরা কেন কুফুরি করছো আল্লাহ্‌র নিদর্শনের প্রতি? অথচ আল্লাহ তোমাদের কর্মকান্ডের সাক্ষী।'	قُلْ يٰٓاَهْلَ الْكِتٰبِ لِمَ تَكْفُرُوْنَ بِاٰيٰتِ اللّٰهِ ۖ وَاللّٰهُ شَهِيْدٌ عَلٰى مَا تَعْمَلُوْنَ ﴿٩٨﴾
৯৯. (হে নবী!) বলো: 'হে আহলে কিতাব! তোমরা বক্রতা সন্ধান করে কেন ঐ ব্যক্তিকে আল্লাহ্‌র পথ থেকে বাধা দিচ্ছো, যে ঈমান এনেছে? অথচ তোমরা (তার সত্যতার) সাক্ষী। তোমাদের কর্মকান্ড থেকে আল্লাহ গাফিল নন।	قُلْ يٰٓاَهْلَ الْكِتٰبِ لِمَ تَصُدُّوْنَ عَنْ سَبِيْلِ اللّٰهِ مَنْ اٰمَنَ تَبْغُوْنَهَا عِوَجًا وَّاَنْتُمْ شُهَدَآءُ ۗ وَمَا اللّٰهُ بِغَافِلٍ عَمَّا تَعْمَلُوْنَ ﴿٩٩﴾
১০০. হে ঈমানদার লোকেরা! যাদের ইতোপূর্বে কিতাব দেয়া হয়েছিল তোমরা যদি তাদের একটি দলেরও আনুগত্য করো, তারা তোমাদের ঈমানের পথ থেকে বিচ্যুত করে কাফির বানিয়ে ছাড়বে।	يٰٓاَيُّهَا الَّذِيْنَ اٰمَنُوْٓا اِنْ تُطِيْعُوْا فَرِيْقًا مِّنَ الَّذِيْنَ اُوْتُوا الْكِتٰبَ يَرُدُّوْكُمْ بَعْدَ اِيْمَانِكُمْ كٰفِرِيْنَ ﴿١٠٠﴾
১০১. কী করে তোমরা কুফুরিতে নিমজ্জিত হতে পারো, যখন তোমাদের প্রতি আল্লাহ্‌র আয়াত তিলাওয়াত করা হচ্ছে এবং তোমাদের মাঝে	وَكَيْفَ تَكْفُرُوْنَ وَاَنْتُمْ تُتْلٰى عَلَيْكُمْ اٰيٰتُ اللّٰهِ وَفِيْكُمْ رَسُوْلُهٗ ۗ وَمَنْ يَّعْتَصِمْ بِاللّٰهِ

রুকু ১০

বর্তমান রয়েছে আল্লাহ্‌র রসূল? যে শক্ত করে ধরবে আল্লাহ্‌কে, তাকে অবশ্যি পরিচালিত করা হবে সিরাতুল মুস্তাকিমের উপর।	فَقَدۡ هُدِیَ اِلٰی صِرَاطٍ مُّسۡتَقِیۡمٍ ﴿۱۰۱﴾
১০২. হে ঐসব লোক যারা ঈমান এনেছো! তোমরা আল্লাহকে ভয় করো তাঁকে ভয় করার হক আদায় করে এবং মুসলিম (আল্লাহ্‌র প্রতি পূর্ণ আত্মসমর্পণকারী) না হয়ে মরোনা।	یٰۤاَیُّهَا الَّذِیۡنَ اٰمَنُوا اتَّقُوا اللّٰهَ حَقَّ تُقٰتِهٖ وَلَا تَمُوۡتُنَّ اِلَّا وَاَنۡتُمۡ مُّسۡلِمُوۡنَ ﴿۱۰۲﴾
১০৩. তোমরা সবাই মিলে শক্ত করে আঁকড়ে ধরো আল্লাহ্‌র রজ্জুকে (কুরআনকে) এবং বিচ্ছিন্ন- ভাগ ভাগ হয়ে থেকোনা। স্মরণ করো তোমাদের প্রতি আল্লাহ্‌র নিয়ামতের কথা! তোমরা ছিলে পরস্পরের দুশমন, আর তিনিই তোমাদের অন্তরে তোমাদের পরস্পরের জন্যে সম্প্রীতি সঞ্চার করে দিয়েছেন। ফলে তোমরা তাঁরই অনুগ্রহে পরস্পরের ভাই হয়ে গিয়েছো। (আরো স্মরণ করো,) তোমরা ছিলে অগ্নিকুণ্ডের কিনারে, তারপর সেখান থেকেও তিনিই তোমাদের রক্ষা করেছেন। এভাবেই আল্লাহ তোমাদের জন্যে বয়ান করেন তাঁর আয়াত, যাতে করে তোমরা পরিচালিত হও হিদায়াতের পথে।	وَاعۡتَصِمُوۡا بِحَبۡلِ اللّٰهِ جَمِیۡعًا وَّلَا تَفَرَّقُوۡا ۪ وَاذۡكُرُوۡا نِعۡمَتَ اللّٰهِ عَلَیۡكُمۡ اِذۡ كُنۡتُمۡ اَعۡدَآءً فَاَلَّفَ بَیۡنَ قُلُوۡبِكُمۡ فَاَصۡبَحۡتُمۡ بِنِعۡمَتِهٖۤ اِخۡوَانًا ۚ وَكُنۡتُمۡ عَلٰی شَفَا حُفۡرَةٍ مِّنَ النَّارِ فَاَنۡقَذَكُمۡ مِّنۡهَا ؕ كَذٰلِكَ یُبَیِّنُ اللّٰهُ لَكُمۡ اٰیٰتِهٖ لَعَلَّكُمۡ تَهۡتَدُوۡنَ ﴿۱۰۳﴾
১০৪. তোমাদের মধ্যে অবশ্যি এমন একদল লোক থাকা উচিত, যারা (মানুষকে) আহবান করবে কল্যাণের দিকে, নির্দেশ দেবে ভালো কাজের এবং নিষেধ করবে মন্দ কাজ থেকে। আর তারাই হবে সফলকাম।	وَلۡتَكُنۡ مِّنۡكُمۡ اُمَّةٌ یَّدۡعُوۡنَ اِلَی الۡخَیۡرِ وَیَاۡمُرُوۡنَ بِالۡمَعۡرُوۡفِ وَیَنۡهَوۡنَ عَنِ الۡمُنۡكَرِ ؕ وَاُولٰٓئِكَ هُمُ الۡمُفۡلِحُوۡنَ ﴿۱۰۴﴾
১০৫. তোমরা ওদের মতো হয়োনা, যাদের কাছে সুস্পষ্ট নিদর্শন আসার পরও তারা পরস্পর বিচ্ছিন্ন হয়ে পড়েছিল এবং লিপ্ত হয়েছিল ইখতিলাফে। এরা হলো সেইসব লোক যাদের জন্যে রয়েছে বিরাট আযাব।	وَلَا تَكُوۡنُوۡا كَالَّذِیۡنَ تَفَرَّقُوۡا وَاخۡتَلَفُوۡا مِنۡۢ بَعۡدِ مَا جَآءَهُمُ الۡبَیِّنٰتُ ؕ وَاُولٰٓئِكَ لَهُمۡ عَذَابٌ عَظِیۡمٌ ﴿۱۰۵﴾
১০৬. সেদিন কিছু চেহারা হবে উজ্জ্বল আর কিছু চেহারা হবে কালো। যাদের চেহারা হবে কালো, তাদের বলা হবে: 'তোমরা কি ঈমান আনার পর কুফুরিতে লিপ্ত হয়েছিলে? সুতরাং তোমাদের কুফুরির কারণে স্বাদ গ্রহণ করো আযাবের।'	یَّوۡمَ تَبۡیَضُّ وُجُوۡهٌ وَّتَسۡوَدُّ وُجُوۡهٌ ۚ فَاَمَّا الَّذِیۡنَ اسۡوَدَّتۡ وُجُوۡهُهُمۡ ۟ اَكَفَرۡتُمۡ بَعۡدَ اِیۡمَانِكُمۡ فَذُوۡقُوا الۡعَذَابَ بِمَا كُنۡتُمۡ تَكۡفُرُوۡنَ ﴿۱۰۶﴾
১০৭. পক্ষান্তরে যাদের চেহারা হবে উজ্জ্বল, তারা থাকবে আল্লাহ্‌র রহমতের (জান্নাতের) মধ্যে। সেখানে থাকবে তারা চিরকাল।	وَاَمَّا الَّذِیۡنَ ابۡیَضَّتۡ وُجُوۡهُهُمۡ فَفِیۡ رَحۡمَةِ اللّٰهِ ؕ هُمۡ فِیۡهَا خٰلِدُوۡنَ ﴿۱۰۷﴾
১০৮. এগুলো আল্লাহ্‌র আয়াত, আমরা তোমার প্রতি তিলাওয়াত করছি, যা মহাসত্য। আল্লাহ বিশ্ববাসীর প্রতি যুলুম করতে চান না।	تِلۡكَ اٰیٰتُ اللّٰهِ نَتۡلُوۡهَا عَلَیۡكَ بِالۡحَقِّ ؕ وَمَا اللّٰهُ یُرِیۡدُ ظُلۡمًا لِّلۡعٰلَمِیۡنَ ﴿۱۰۸﴾

১০৯. মহাকাশ এবং পৃথিবীতে যা কিছু আছে সবই আল্লাহ্‌র, আর আল্লাহ্‌র কাছেই ফিরে যাবে সব বিষয়।	وَ لِلّٰهِ مَا فِی السَّمٰوٰتِ وَ مَا فِی الْاَرْضِ ؕ وَ اِلَی اللّٰهِ تُرْجَعُ الْاُمُوْرُ ﴿۱۰۹﴾ রুকু ১১
১১০. তোমরা হলে সর্বোত্তম উম্মত, তোমাদের আবির্ভাব ঘটানো হয়েছে মানবজাতির (কল্যাণের) উদ্দেশ্যে। (তোমাদের দায়িত্ব হলো:) তোমরা ভালো কাজের আদেশ করবে, মন্দ কাজ থেকে বারণ করবে এবং আল্লাহ্‌র প্রতি অবিচল আস্থা রাখবে। আহলে কিতাব যদি ঈমান আনে তবে সেটা হবে তাদের জন্যে কল্যাণকর। তাদের মধ্যে কিছু সংখ্যক মুমিন আছে বটে, তবে তাদের অধিকাংশই ফাসিক (সত্য বিচ্যুত, সীমালংঘনকারী)।	كُنْتُمْ خَیْرَ اُمَّةٍ اُخْرِجَتْ لِلنَّاسِ تَاْمُرُوْنَ بِالْمَعْرُوْفِ وَ تَنْهَوْنَ عَنِ الْمُنْكَرِ وَ تُؤْمِنُوْنَ بِاللّٰهِ ؕ وَ لَوْ اٰمَنَ اَهْلُ الْكِتٰبِ لَكَانَ خَیْرًا لَّهُمْ ؕ مِنْهُمُ الْمُؤْمِنُوْنَ وَ اَكْثَرُهُمُ الْفٰسِقُوْنَ ﴿۱۱۰﴾
১১১. তারা কখনো তোমাদের ক্ষতি করতে পারবেনা, তবে (সাময়িক) কিছু কষ্ট দিতে পারবে মাত্র। তারা তোমাদের বিরুদ্ধে যুদ্ধ করলে পিছে ফিরে পালাবে। তারপর তারা আর সাহায্য লাভ করবেনা।	لَنْ یَّضُرُّوْكُمْ اِلَّاۤ اَذًی ؕ وَ اِنْ یُّقَاتِلُوْكُمْ یُوَلُّوْكُمُ الْاَدْبَارَ ۟ ثُمَّ لَا یُنْصَرُوْنَ ﴿۱۱۱﴾
১১২. আল্লাহ্‌র প্রতিশ্রুতির বাইরে এবং মানুষের প্রতিশ্রুতির বাইরে যেখানেই তাদের পাওয়া গেছে, তারা লাঞ্ছিত হয়েছে। তারা আল্লাহ্‌র গজব কামাই করেছে এবং তাদের গ্রাস করেছে হীনতা ও দীনতা। এর কারণ তারা আল্লাহ্‌র আয়াতের প্রতি কুফুরি করে আসছিল এবং হত্যা করে আসছিল আল্লাহ্‌র নবীদের না হকভাবে। তাছাড়া তারা অবাধ্যতার পথ অবলম্বন করছিল এবং সীমালংঘন করে আসছিল।	ضُرِبَتْ عَلَیْهِمُ الذِّلَّةُ اَیْنَ مَا ثُقِفُوْۤا اِلَّا بِحَبْلٍ مِّنَ اللّٰهِ وَ حَبْلٍ مِّنَ النَّاسِ وَ بَآءُوْ بِغَضَبٍ مِّنَ اللّٰهِ وَ ضُرِبَتْ عَلَیْهِمُ الْمَسْكَنَةُ ؕ ذٰلِكَ بِاَنَّهُمْ كَانُوْا یَكْفُرُوْنَ بِاٰیٰتِ اللّٰهِ وَ یَقْتُلُوْنَ الْاَنْۢبِیَآءَ بِغَیْرِ حَقٍّ ؕ ذٰلِكَ بِمَا عَصَوْا وَّ كَانُوْا یَعْتَدُوْنَ ﴿۱۱۲﴾
১১৩. তাদের সবার অবস্থা এক রকম নয়। আহলে কিতাবদের মধ্যে একদল লোক (সত্যের উপর) কায়েম আছে, যারা রাতে আল্লাহ্‌র আয়াত তিলাওয়াত করে এবং সাজদারত থাকে।	لَیْسُوْا سَوَآءً ؕ مِنْ اَهْلِ الْكِتٰبِ اُمَّةٌ قَآئِمَةٌ یَّتْلُوْنَ اٰیٰتِ اللّٰهِ اٰنَآءَ الَّیْلِ وَ هُمْ یَسْجُدُوْنَ ﴿۱۱۳﴾
১১৪. তারা ঈমান রাখে আল্লাহ্‌র প্রতি ও শেষ দিনের প্রতি এবং তারা ভালো কাজের আদেশ করে, মন্দ কাজ থেকে বারণ করে এবং মানব কল্যাণে তৎপর থাকে। এরা সালেহ্ লোকদের অন্তরভুক্ত।	یُؤْمِنُوْنَ بِاللّٰهِ وَ الْیَوْمِ الْاٰخِرِ وَ یَاْمُرُوْنَ بِالْمَعْرُوْفِ وَ یَنْهَوْنَ عَنِ الْمُنْكَرِ وَ یُسَارِعُوْنَ فِی الْخَیْرٰتِ ؕ وَ اُولٰٓئِكَ مِنَ الصّٰلِحِیْنَ ﴿۱۱۴﴾
১১৫. তারা ভালো কাজ যা কিছুই করে তার প্রতিদান থেকে তাদের কখনো বঞ্চিত করা হবেনা। আল্লাহ মুত্তাকিদের ব্যাপারে ভালোভাবে জানেন।	وَ مَا یَفْعَلُوْا مِنْ خَیْرٍ فَلَنْ یُّكْفَرُوْهُ ؕ وَ اللّٰهُ عَلِیْمٌۢ بِالْمُتَّقِیْنَ ﴿۱۱۵﴾
১১৬. যারা কুফুরির পথ অবলম্বন করেছে তাদের মাল-সম্পদ এবং আওলাদ ফরযন্দ আল্লাহ্‌র	اِنَّ الَّذِیْنَ كَفَرُوْا لَنْ تُغْنِیَ عَنْهُمْ

কাছে (তাদের) কোনোই কাজে আসবেনা। তারা হবে আগুনের অধিবাসী, সেখানেই থাকবে তারা চিরকাল।	اَمْوَالُهُمْ وَ لَآ اَوْلَادُهُمْ مِّنَ اللّٰهِ شَيْـًٔا ؕ وَ اُولٰٓئِكَ اَصْحٰبُ النَّارِ ۚ هُمْ فِيْهَا خٰلِدُوْنَ ﴿۱۱۶﴾
১১৭. তারা দুনিয়ার জীবনে যা ব্যয় করে তার উপমা হলো চরম ঠান্ডা বায়ু। তা ঐ লোকদের ফসলের উপর দিয়ে বয়ে গেলো এবং তা ধ্বংস করে রেখে গেলো যারা নিজেদের উপর যুলুম করেছে। তাদের প্রতি আল্লাহ যুলুম করেননি, বরং তারা নিজেরাই নিজেদের প্রতি যুলুম করেছে।	مَثَلُ مَا يُنْفِقُوْنَ فِيْ هٰذِهِ الْحَيٰوةِ الدُّنْيَا كَمَثَلِ رِيْحٍ فِيْهَا صِرٌّ اَصَابَتْ حَرْثَ قَوْمٍ ظَلَمُوْٓا اَنْفُسَهُمْ فَاَهْلَكَتْهُ ؕ وَ مَا ظَلَمَهُمُ اللّٰهُ وَ لٰكِنْ اَنْفُسَهُمْ يَظْلِمُوْنَ ﴿۱۱۷﴾
১১৮. হে ঈমানদার লোকেরা! তোমরা নিজেদের লোক ছাড়া অন্য কাউকেও অন্তরঙ্গ বন্ধু হিসেবে গ্রহণ করোনা। তারা তোমাদের ক্ষতি করতে ত্রুটি করবেনা। তারা তাই কামনা করে যা তোমাদের কষ্ট দেয়। তাদের মুখ থেকে বিদ্বেষ প্রকাশ হয়েছে, আর তারা মনের মধ্যে যা লুকিয়ে রেখেছে তা এর চাইতেও গুরুতর। আমরা তোমাদের জন্যে আয়াত সমূহ বর্ণনা করলাম যাতে করে তোমরা বুঝতে পারো।	يٰٓاَيُّهَا الَّذِيْنَ اٰمَنُوْا لَا تَتَّخِذُوْا بِطَانَةً مِّنْ دُوْنِكُمْ لَا يَاْلُوْنَكُمْ خَبَالًا ؕ وَدُّوْا مَا عَنِتُّمْ ۚ قَدْ بَدَتِ الْبَغْضَآءُ مِنْ اَفْوَاهِهِمْ ۚۖ وَ مَا تُخْفِيْ صُدُوْرُهُمْ اَكْبَرُ ؕ قَدْ بَيَّنَّا لَكُمُ الْاٰيٰتِ اِنْ كُنْتُمْ تَعْقِلُوْنَ ﴿۱۱۸﴾
১১৯. হ্যাঁ, তোমরা তাদের ভালোবাসো বটে, কিন্তু তারা তোমাদের ভালোবাসেনা। তাছাড়া তোমরা তো সবগুলো (আসমানি) কিতাবের প্রতিই ঈমান রাখো। তারা যখন তোমাদের সাথে মোলাকাত করে তখন বলে: আমরা তো ঈমান এনেছি, কিন্তু যখন তারা (নিজেরা) একান্তে মিলিত হয়, তখন তোমাদের বিরুদ্ধে আক্রোশে নিজেদের আংগুল কামড়ায়। তাদের বলো: 'তোমাদের ক্রোধের আগুনে তোমরা জ্বলে পুড়ে মরো।' অবশ্যি আল্লাহ (মানুষের) মনের খবর অবহিত।	هٰٓاَنْتُمْ اُولَآءِ تُحِبُّوْنَهُمْ وَ لَا يُحِبُّوْنَكُمْ وَ تُؤْمِنُوْنَ بِالْكِتٰبِ كُلِّهٖ ۚ وَ اِذَا لَقُوْكُمْ قَالُوْٓا اٰمَنَّا ۖۚ وَ اِذَا خَلَوْا عَضُّوْا عَلَيْكُمُ الْاَنَامِلَ مِنَ الْغَيْظِ ؕ قُلْ مُوْتُوْا بِغَيْظِكُمْ ؕ اِنَّ اللّٰهَ عَلِيْمٌۢ بِذَاتِ الصُّدُوْرِ ﴿۱۱۹﴾
১২০. তোমাদের ভালো কিছু হলে তা তাদের মনে কষ্ট দেয়, আর তোমাদের মন্দ কিছু হলে তা তাদের আনন্দিত করে। হ্যাঁ, তোমরা যদি সবর অবলম্বন করো এবং আল্লাহকে ভয় করো, তবে তাদের ষড়যন্ত্র তোমাদের কোনোই ক্ষতি করতে পারবেনা। আল্লাহ তাদের কর্মকান্ড পরিবেষ্টন করে আছেন।	اِنْ تَمْسَسْكُمْ حَسَنَةٌ تَسُؤْهُمْ ۫ وَ اِنْ تُصِبْكُمْ سَيِّئَةٌ يَّفْرَحُوْا بِهَا ؕ وَ اِنْ تَصْبِرُوْا وَ تَتَّقُوْا لَا يَضُرُّكُمْ كَيْدُهُمْ شَيْـًٔا ؕ اِنَّ اللّٰهَ بِمَا يَعْمَلُوْنَ مُحِيْطٌ ﴿۱۲۰﴾ ع
১২১. স্মরণ করো, তুমি ভোর বেলা তোমার পরিবার পরিজনের কাছ থেকে বের হয়ে যুদ্ধের জন্যে ঘাটিতে মুমিনদের বিন্যাস করছিলে। আল্লাহ সব শুনেন, সব জানেন।	وَ اِذْ غَدَوْتَ مِنْ اَهْلِكَ تُبَوِّئُ الْمُؤْمِنِيْنَ مَقَاعِدَ لِلْقِتَالِ ؕ وَ اللّٰهُ سَمِيْعٌ عَلِيْمٌ ﴿۱۲۱﴾ ۙ
১২২. তখন তোমাদের মধ্যকার দুটি উপদল সাহস হারিয়ে ফেলেছিল, অথচ তাদের অলি (অভিভাবক) ছিলেন আল্লাহ, আর মুমিনরা তো তাওয়াক্কুল করে আল্লাহ্র উপরই।	اِذْ هَمَّتْ طَّآئِفَتٰنِ مِنْكُمْ اَنْ تَفْشَلَا ۙ وَ اللّٰهُ وَلِيُّهُمَا ؕ وَ عَلَى اللّٰهِ فَلْيَتَوَكَّلِ الْمُؤْمِنُوْنَ ﴿۱۲۲﴾

রুকু ১২

১২৩. এই তো বদর (প্রান্তরেই তো) আল্লাহ তোমাদের সাহায্য করেছিলেন, যখন তোমরা ছিলে দুর্বল। সুতরাং আল্লাহকে ভয় করো, যাতে তোমরা শোকর আদায় করতে পারো।	وَ لَقَدْ نَصَرَكُمُ اللّٰهُ بِبَدْرٍ وَّاَنْتُمْ اَذِلَّةٌ ۚ فَاتَّقُوا اللّٰهَ لَعَلَّكُمْ تَشْكُرُوْنَ ۝١٢٣
১২৪. স্মরণ করো, তখন তুমি মুমিনদের বলছিলে: এটা কি তোমাদের জন্যে যথেষ্ট নয় যে, তোমাদের প্রভু তিন হাজার ফেরেশতা পাঠিয়ে তোমাদের সাহায্য করবেন?	اِذْ تَقُوْلُ لِلْمُؤْمِنِيْنَ اَلَنْ يَّكْفِيَكُمْ اَنْ يُّمِدَّكُمْ رَبُّكُمْ بِثَلٰثَةِ اٰلٰفٍ مِّنَ الْمَلٰٓئِكَةِ مُنْزَلِيْنَ ۝١٢٤
১২৫. হ্যাঁ, তোমরা যদি সবর করো (অটল থাকো) এবং সতর্ক থাকো, তবে তারা আকস্মিক তোমাদের উপর হামলা করলে আল্লাহ পাঁচ হাজার চিহ্নিত ফেরেশতা দিয়ে তোমাদের সাহায্য করবেন।	بَلٰٓى ۙ اِنْ تَصْبِرُوْا وَ تَتَّقُوْا وَ يَاْتُوْكُمْ مِّنْ فَوْرِهِمْ هٰذَا يُمْدِدْكُمْ رَبُّكُمْ بِخَمْسَةِ اٰلٰفٍ مِّنَ الْمَلٰٓئِكَةِ مُسَوِّمِيْنَ ۝١٢٥
১২৬. আল্লাহ এ ব্যবস্থা করেছেন কেবল তোমাদের জন্যে সুসংবাদ হিসেবে এবং তোমাদের মনের প্রশান্তির জন্যে। সাহায্য তো কেবল মহাপরাক্রমশালী ও মহাবিজ্ঞানী আল্লাহ্‌র কাছ থেকেই আসে,	وَ مَا جَعَلَهُ اللّٰهُ اِلَّا بُشْرٰى لَكُمْ وَ لِتَطْمَئِنَّ قُلُوْبُكُمْ بِهٖ ؕ وَمَا النَّصْرُ اِلَّا مِنْ عِنْدِ اللّٰهِ الْعَزِيْزِ الْحَكِيْمِ ۝١٢٦
১২৭. কাফিরদের এক অংশকে নিশ্চিহ্ন কিংবা লাঞ্ছিত করার জন্যে, যাতে করে তারা নিরাশ হয়ে ফিরে যায়।	لِيَقْطَعَ طَرَفًا مِّنَ الَّذِيْنَ كَفَرُوْٓا اَوْ يَكْبِتَهُمْ فَيَنْقَلِبُوْا خَآئِبِيْنَ ۝١٢٧
১২৮. এ ব্যাপারে তোমার কিছুমাত্র কর্তৃত্ব নেই আল্লাহ তাদের ক্ষমা করুন কিংবা শাস্তি প্রদান করুন, কারণ তারা যালিম।	لَيْسَ لَكَ مِنَ الْاَمْرِ شَيْءٌ اَوْ يَتُوْبَ عَلَيْهِمْ اَوْ يُعَذِّبَهُمْ فَاِنَّهُمْ ظٰلِمُوْنَ ۝١٢٨
১২৯. মহাকাশ এবং পৃথিবীতে যা কিছু আছে সবই আল্লাহ্‌র, তিনি যাকে ইচ্ছা ক্ষমা করে দেন এবং যাকে চান শাস্তি দিয়ে থাকেন। আল্লাহ পরম ক্ষমাশীল দয়াময়।	وَ لِلّٰهِ مَا فِي السَّمٰوٰتِ وَ مَا فِي الْاَرْضِ ؕ يَغْفِرُ لِمَنْ يَّشَآءُ وَ يُعَذِّبُ مَنْ يَّشَآءُ ؕ وَ اللّٰهُ غَفُوْرٌ رَّحِيْمٌ ۝١٢٩
১৩০. হে ঈমানদার লোকেরা! তোমরা সুদ খেয়োনা ক্রমবর্ধমান হারে। আল্লাহকে ভয় করো, আশা করা যায় তোমরা সফলকাম হবে।	يٰٓاَيُّهَا الَّذِيْنَ اٰمَنُوْا لَا تَاْكُلُوا الرِّبٰوٓا اَضْعَافًا مُّضٰعَفَةً ۪ وَّ اتَّقُوا اللّٰهَ لَعَلَّكُمْ تُفْلِحُوْنَ ۝١٣٠
১৩১. তোমরা ভয় করো সেই আগুনকে যা তৈরি করে রাখা হয়েছে কাফিরদের জন্যে।	وَ اتَّقُوا النَّارَ الَّتِيْٓ اُعِدَّتْ لِلْكٰفِرِيْنَ ۝١٣١
১৩২. তোমরা আল্লাহ্‌র আনুগত্য করো এবং এই রসূলের, অবশ্যি তোমাদের রহম (অনুকম্পা) করা হবে।	وَاَطِيْعُوا اللّٰهَ وَالرَّسُوْلَ لَعَلَّكُمْ تُرْحَمُوْنَ ۝١٣٢
১৩৩. তোমরা দৌড়ে এসো তোমাদের প্রভুর ক্ষমার দিকে এবং সেই জান্নাতের দিকে যার প্রশস্ততা মহাকাশ এবং পৃথিবীর মতো। তা প্রস্তুত রাখা হয়েছে মুত্তাকিদের জন্যে,	وَسَارِعُوْٓا اِلٰى مَغْفِرَةٍ مِّنْ رَّبِّكُمْ وَ جَنَّةٍ عَرْضُهَا السَّمٰوٰتُ وَالْاَرْضُ ۙ اُعِدَّتْ لِلْمُتَّقِيْنَ ۝١٣٣

রুকু ১৩

১৩৪. যারা ব্যয় (দান) করে সচ্ছল ও অসচ্ছল অবস্থায়, যারা রাগ সংবরণকারী এবং মানুষের প্রতি ক্ষমাশীল-কোমল। আর আল্লাহ তো কল্যাণকামীদেরই ভালোবাসেন,	الَّذِيْنَ يُنْفِقُوْنَ فِي السَّرَّآءِ وَ الضَّرَّآءِ وَ الْكٰظِمِيْنَ الْغَيْظَ وَ الْعَافِيْنَ عَنِ النَّاسِ ؕ وَاللّٰهُ يُحِبُّ الْمُحْسِنِيْنَ ۚ﴿۱۳۴﴾
১৩৫. এবং তারা যখনই কোনো ফাহেশা কাজ করে ফেলে, কিংবা নিজেদের প্রতি যুলুম করে বসে, সাথে সাথে আল্লাহকে স্মরণ করে এবং নিজেদের গুনাহের জন্যে আল্লাহ্‌র কাছে ক্ষমা প্রার্থনা করে, আর আল্লাহ ছাড়া কে আছে গুনাহ্ মাফ করার? এবং তারা যা করে ফেলেছে জেনে শুনে পুনরায় আর তাতে লিপ্ত হয়না।	وَالَّذِيْنَ اِذَا فَعَلُوْا فَاحِشَةً اَوْ ظَلَمُوْۤا اَنْفُسَهُمْ ذَكَرُوا اللّٰهَ فَاسْتَغْفَرُوْا لِذُنُوْبِهِمْ ۪ وَ مَنْ يَّغْفِرُ الذُّنُوْبَ اِلَّا اللّٰهُ ۪۟ وَلَمْ يُصِرُّوْا عَلٰى مَا فَعَلُوْا وَهُمْ يَعْلَمُوْنَ ﴿۱۳۵﴾
১৩৬. এরা সেইসব লোক, যাদের পুরস্কার তাদের প্রভুর পক্ষ থেকে ক্ষমা, আর সেইসব জান্নাত যেগুলোর নিচে দিয়ে জারি রয়েছে নদ নদী নহর। চিরকাল থাকবে তারা সেখানে। পুণ্য আমলকারীদের পুরস্কার কতোইনা উত্তম!	اُولٰٓئِكَ جَزَآؤُهُمْ مَّغْفِرَةٌ مِّنْ رَّبِّهِمْ وَ جَنّٰتٌ تَجْرِيْ مِنْ تَحْتِهَا الْاَنْهٰرُ خٰلِدِيْنَ فِيْهَا ؕ وَ نِعْمَ اَجْرُ الْعٰمِلِيْنَ ﴿۱۳۶﴾
১৩৭. তোমাদের পূর্বে বহু সুন্নত (নিয়ম পন্থা) বিগত হয়েছে। সুতরাং পৃথিবীতে ভ্রমণ করে দেখো (আল্লাহ্‌র নিয়ম বিধানকে) অস্বীকারকারীদের পরিণতি কী হয়েছে?	قَدْ خَلَتْ مِنْ قَبْلِكُمْ سُنَنٌ ۙ فَسِيْرُوْا فِي الْاَرْضِ فَانْظُرُوْا كَيْفَ كَانَ عَاقِبَةُ الْمُكَذِّبِيْنَ ﴿۱۳۷﴾
১৩৮. এই (কুরআন) মানবজাতির জন্যে একটি সুস্পষ্ট বার্তা এবং সতর্ক লোকদের জন্যে জীবন পদ্ধতি ও উপদেশ।	هٰذَا بَيَانٌ لِّلنَّاسِ وَهُدًى وَّمَوْعِظَةٌ لِّلْمُتَّقِيْنَ ﴿۱۳۸﴾
১৩৯. তোমরা দুর্বল হয়োনা এবং দুঃখ করোনা, তোমরাই বিজয়ী হবে যদি তোমরা মুমিন হও।	وَلَا تَهِنُوْا وَلَا تَحْزَنُوْا وَاَنْتُمُ الْاَعْلَوْنَ اِنْ كُنْتُمْ مُّؤْمِنِيْنَ ﴿۱۳۹﴾
১৪০. তোমরা যদি আঘাত পেয়ে থাকো, তবে অনুরূপ আঘাত তো তোমাদের (প্রতিপক্ষ) লোকেরাও পেয়েছে। মানুষের মাঝে সেই (ভালো মন্দ) দিনগুলোর আমরা আবর্তন ঘটাই, যাতে আল্লাহ সাচ্চা ঈমানদারদের জানতে পারেন এবং তোমাদের মধ্যে থেকে কিছু লোককে শহীদ (সাক্ষী) হিসেবে গ্রহণ করতে পারেন। আল্লাহ যালিমদের পছন্দ করেন না।	اِنْ يَّمْسَسْكُمْ قَرْحٌ فَقَدْ مَسَّ الْقَوْمَ قَرْحٌ مِّثْلُهٗ ؕ وَ تِلْكَ الْاَيَّامُ نُدَاوِلُهَا بَيْنَ النَّاسِ ۚ وَلِيَعْلَمَ اللّٰهُ الَّذِيْنَ اٰمَنُوْا وَ يَتَّخِذَ مِنْكُمْ شُهَدَآءَ ؕ وَاللّٰهُ لَا يُحِبُّ الظّٰلِمِيْنَ ۙ﴿۱۴۰﴾
১৪১. আর এ কারণেও যে, আল্লাহ মুমিনদের পরিশুদ্ধ করতে চান এবং কাফিরদের চান নিশ্চিহ্ন করতে।	وَ لِيُمَحِّصَ اللّٰهُ الَّذِيْنَ اٰمَنُوْا وَ يَمْحَقَ الْكٰفِرِيْنَ ﴿۱۴۱﴾
১৪২. তোমরা কি মনে করে নিয়েছো যে, তোমরা জান্নাতে দাখিল হয়ে যাবে, অথচ আল্লাহ এখনো বাস্তবে দেখে নেননি তোমাদের মধ্যে কারা জিহাদ করেছে আর কারা অটল অবিচল থেকেছে।	اَمْ حَسِبْتُمْ اَنْ تَدْخُلُوا الْجَنَّةَ وَ لَمَّا يَعْلَمِ اللّٰهُ الَّذِيْنَ جٰهَدُوْا مِنْكُمْ وَيَعْلَمَ الصّٰبِرِيْنَ ﴿۱۴۲﴾

১৪৩. মউতের সাথে সাক্ষাত হবার আগেই তোমরা তা তামান্না (কামনা) করছিলে। এখন তো বাস্তবেই তা দেখে নিলে।	وَلَقَدْ كُنْتُمْ تَمَنَّوْنَ الْمَوْتَ مِنْ قَبْلِ اَنْ تَلْقَوْهُ ۖ فَقَدْ رَاَيْتُمُوْهُ وَاَنْتُمْ تَنْظُرُوْنَ ﴿١٤٣﴾	রুকু ১৪
১৪৪. মুহাম্মদ একজন রসূল ছাড়া আর কিছুই নয়, তার আগেও অনেক রসূল অতীত হয়েছে। সুতরাং সে যদি মরে যায়, কিংবা নিহত হয়, তবে কি তোমরা (ইসলাম ত্যাগ করে) পেছনে ফিরে যাবে? যে কেউ পেছনে ফিরে যাবে সে আল্লাহ্‌র কোনোই ক্ষতি করবেনা। আল্লাহ্‌ অচিরেই শোকরগুজার লোকদের পুরস্কার প্রদান করবেন।	وَمَا مُحَمَّدٌ اِلَّا رَسُوْلٌ ۚ قَدْ خَلَتْ مِنْ قَبْلِهِ الرُّسُلُ ؕ اَفَائِنْ مَّاتَ اَوْ قُتِلَ انْقَلَبْتُمْ عَلٰۤى اَعْقَابِكُمْ ؕ وَمَنْ يَّنْقَلِبْ عَلٰى عَقِبَيْهِ فَلَنْ يَّضُرَّ اللّٰهَ شَيْـًٔا ؕ وَسَيَجْزِى اللّٰهُ الشّٰكِرِيْنَ ﴿١٤٤﴾	
১৪৫. আল্লাহ্‌র অনুমতি ছাড়া কোনো ব্যক্তিই মরতে পারেনা। কারণ মৃত্যুর সময় নির্ধারিত। যে দুনিয়ার সওয়াব (পুরস্কার) চায়, আমরা তাকে তা থেকে কিছু দিই, আর যে আখিরাতের সওয়াব চায় আমরা তাকে সেখান থেকে দেবো আর শোকরগুজারদের আমরা অচিরেই পুরস্কার প্রদান করবো।	وَمَا كَانَ لِنَفْسٍ اَنْ تَمُوْتَ اِلَّا بِاِذْنِ اللّٰهِ كِتٰبًا مُّؤَجَّلًا ؕ وَمَنْ يُّرِدْ ثَوَابَ الدُّنْيَا نُؤْتِهٖ مِنْهَا ۚ وَمَنْ يُّرِدْ ثَوَابَ الْاٰخِرَةِ نُؤْتِهٖ مِنْهَا ؕ وَسَنَجْزِى الشّٰكِرِيْنَ ﴿١٤٥﴾	
১৪৬. বহু নবী কিতাল (যুদ্ধ) করেছে, তাদের সাথে ছিলো অনেক আল্লাহওয়ালা লোক। আল্লাহ্‌র পথে তাদের যেসব বিপদ মসিবত ঘটেছিল তাতে তাদের মন ভেঙ্গে পড়েনি তারা দুর্বলতাও দেখায়নি এবং নতিও স্বীকার করেনি। আর আল্লাহ (ঈমানের উপর) অটল অবিচল থাকা লোকদেরই ভালোবাসেন।	وَكَاَيِّنْ مِّنْ نَّبِىٍّ قٰتَلَ ۙ مَعَهٗ رِبِّيُّوْنَ كَثِيْرٌ ۚ فَمَا وَهَنُوْا لِمَاۤ اَصَابَهُمْ فِىْ سَبِيْلِ اللّٰهِ وَمَا ضَعُفُوْا وَمَا اسْتَكَانُوْا ؕ وَاللّٰهُ يُحِبُّ الصّٰبِرِيْنَ ﴿١٤٦﴾	
১৪৭. তাদের একটিই কথা ছিলো: 'আমাদের প্রভু! আমাদের গুনাহ্‌খাতা মাফ করে দাও, আমাদের কার্যক্রমের সীমালংঘন তুমি ক্ষমা করে দাও, আমাদের কদমকে মজবুত রাখো এবং কাফির কওমের বিরুদ্ধে আমাদের সাহায্য করো।'	وَمَا كَانَ قَوْلَهُمْ اِلَّاۤ اَنْ قَالُوْا رَبَّنَا اغْفِرْ لَنَا ذُنُوْبَنَا وَاِسْرَافَنَا فِىْۤ اَمْرِنَا وَثَبِّتْ اَقْدَامَنَا وَانْصُرْنَا عَلَى الْقَوْمِ الْكٰفِرِيْنَ ﴿١٤٧﴾	
১৪৮. ফলে আল্লাহ তাদের দান করেন দুনিয়ার সওয়াব (পুরস্কার) এবং আখিরাতের উত্তম সওয়াব। আর আল্লাহ তো মুহ্‌সিন (কল্যাণকামী) লোকদেরই ভালোবাসেন।	فَاٰتٰىهُمُ اللّٰهُ ثَوَابَ الدُّنْيَا وَحُسْنَ ثَوَابِ الْاٰخِرَةِ ؕ وَاللّٰهُ يُحِبُّ الْمُحْسِنِيْنَ ﴿١٤٨﴾	রুকু ১৫
১৪৯. হে ঈমানদার লোকেরা! তোমরা কাফিরদের আনুগত্য করলে তারা তোমাদের পেছনে (কুফুরিতে) ফিরিয়ে নিয়ে যাবে। ফলে তোমরা ক্ষতিগ্রস্ত হয়ে পড়বে।	يٰۤاَيُّهَا الَّذِيْنَ اٰمَنُوْۤا اِنْ تُطِيْعُوا الَّذِيْنَ كَفَرُوْا يَرُدُّوْكُمْ عَلٰۤى اَعْقَابِكُمْ فَتَنْقَلِبُوْا خٰسِرِيْنَ ﴿١٤٩﴾	
১৫০. বরং, আল্লাহ্‌ই তোমাদের একমাত্র মাওলা (অভিভাবক) এবং তিনিই সর্বোত্তম সাহায্যকারী।	بَلِ اللّٰهُ مَوْلٰىكُمْ ۚ وَهُوَ خَيْرُ النّٰصِرِيْنَ ﴿١٥٠﴾	
১৫১. আমরা অচিরেই কাফিরদের মনে ভয় ও আতংক সৃষ্টি করে দেবো, কারণ তারা আল্লাহ্‌র	سَنُلْقِىْ فِىْ قُلُوْبِ الَّذِيْنَ كَفَرُوا الرُّعْبَ بِمَاۤ	

أَشْرَكُوا بِاللّٰهِ مَا لَمْ يُنَزِّلْ بِهٖ سُلْطٰنًا ۚ وَمَاْوٰىهُمُ النَّارُ ۖ وَبِئْسَ مَثْوَى الظّٰلِمِيْنَ ﴿١٥١﴾

সাথে শিরক করেছে, যার সপক্ষে আল্লাহ কোনো প্রমাণ নাযিল করেননি। আগুনই হবে তাদের আবাস। যালিমদের আবাসস্থল কতো যে নিকৃষ্ট!

وَلَقَدْ صَدَقَكُمُ اللّٰهُ وَعْدَهٗۤ اِذْ تَحُسُّوْنَهُمْ بِاِذْنِهٖ ۚ حَتّٰۤى اِذَا فَشِلْتُمْ وَ تَنَازَعْتُمْ فِى الْاَمْرِ وَ عَصَيْتُمْ مِّنْۢ بَعْدِ مَاۤ اَرٰىكُمْ مَّا تُحِبُّوْنَ ۖ مِنْكُمْ مَّنْ يُّرِيْدُ الدُّنْيَا وَ مِنْكُمْ مَّنْ يُّرِيْدُ الْاٰخِرَةَ ۚ ثُمَّ صَرَفَكُمْ عَنْهُمْ لِيَبْتَلِيَكُمْ ۚ وَ لَقَدْ عَفَا عَنْكُمْ ۖ وَاللّٰهُ ذُوْ فَضْلٍ عَلَى الْمُؤْمِنِيْنَ ﴿١٥٢﴾

১৫২. আল্লাহ তাঁর ওয়াদা সত্যে পরিণত করেছিলেন যখন তোমরা তাঁর অনুমতিক্রমে ওদের নিপাত করছিলে- যে পর্যন্ত না তোমরা সাহস হারিয়েছিলে এবং নির্দেশ নিয়ে বিতর্কে লিপ্ত হয়েছিলে এবং যা তোমরা চাইছিলে তা তোমাদের দেখানোর পর তোমরা অবাধ্য হয়েছিলে। তোমাদের কিছুলোক দুনিয়া চাইছিল আর কিছু লোক চাইছিল আখিরাত। তারপর আল্লাহ তোমাদের পরীক্ষা করার উদ্দেশ্যে তোমাদের ফিরিয়ে দিলেন তাদের থেকে। অবশ্য আল্লাহ তোমাদের ক্ষমা করে দিয়েছেন। আল্লাহ মুমিনদের প্রতি বড়ই অনুগ্রহশীল।

اِذْ تُصْعِدُوْنَ وَلَا تَلْوٗنَ عَلٰۤى اَحَدٍ وَّالرَّسُوْلُ يَدْعُوْكُمْ فِيْۤ اُخْرٰىكُمْ فَاَثَابَكُمْ غَمًّۢا بِغَمٍّ لِّكَيْلَا تَحْزَنُوْا عَلٰى مَا فَاتَكُمْ وَلَا مَاۤ اَصَابَكُمْ ۖ وَاللّٰهُ خَبِيْرٌۢ بِمَا تَعْمَلُوْنَ ﴿١٥٣﴾

১৫৩. স্মরণ করো, তোমরা দৌড়ে উপরে উঠছিলে এবং পেছনে ফিরে কারো দিকে লক্ষ্য করছিলে না, অথচ আল্লাহ্‌র রসূল তোমাদের পেছন থেকে ডাকছিল। ফলে তিনি তোমাদের বিপদের উপর বিপদ চাপিয়ে দিলেন, যাতে করে তোমরা যা হারিয়েছো কিংবা যে বিপদ তোমাদের উপর এসেছে তার জন্যে দুঃখিত না হও। তোমাদের আমল সম্পর্কে আল্লাহ বিশেষভাবে খবর রাখেন।

ثُمَّ اَنْزَلَ عَلَيْكُمْ مِّنْۢ بَعْدِ الْغَمِّ اَمَنَةً نُّعَاسًا يَّغْشٰى طَآئِفَةً مِّنْكُمْ ۙ وَ طَآئِفَةٌ قَدْ اَهَمَّتْهُمْ اَنْفُسُهُمْ يَظُنُّوْنَ بِاللّٰهِ غَيْرَ الْحَقِّ ظَنَّ الْجَاهِلِيَّةِ ۖ يَقُوْلُوْنَ هَلْ لَّنَا مِنَ الْاَمْرِ مِنْ شَیْءٍ ۖ قُلْ اِنَّ الْاَمْرَ كُلَّهٗ لِلّٰهِ ۖ يُخْفُوْنَ فِيْۤ اَنْفُسِهِمْ مَّا لَا يُبْدُوْنَ لَكَ ۖ يَقُوْلُوْنَ لَوْ كَانَ لَنَا مِنَ الْاَمْرِ شَیْءٌ مَّا قُتِلْنَا هٰهُنَا ۖ قُلْ لَّوْ كُنْتُمْ فِيْ بُيُوْتِكُمْ لَبَرَزَ الَّذِيْنَ كُتِبَ عَلَيْهِمُ الْقَتْلُ اِلٰى مَضَاجِعِهِمْ ۚ وَ لِيَبْتَلِيَ اللّٰهُ مَا فِيْ صُدُوْرِكُمْ وَ لِيُمَحِّصَ مَا فِيْ قُلُوْبِكُمْ ۖ وَ اللّٰهُ عَلِيْمٌۢ بِذَاتِ الصُّدُوْرِ ﴿١٥٤﴾

১৫৪. তারপর দুঃখ দুশ্চিন্তার পর তিনি তোমাদের প্রতি নাযিল করলেন প্রশান্তি তন্দ্রা আকারে, যা তোমাদের একদল লোককে আচ্ছন্ন করে নিয়েছিল। কিন্তু আরেকদল জাহেলি যুগের অজ্ঞদের মতো আল্লাহ সম্পর্কে অবাস্তব ধারণা করে নিজেরাই নিজেদের এই বলে উদ্বিগ্ন করছিল: 'আমাদের কি (ক্ষমতায়) কোনো অধিকার আছে?' (হে নবী!) তাদের বলো: 'হুকুম দানের ক্ষমতা পুরোটাই আল্লাহ্‌র।' তারা এমন বিষয় তাদের অন্তরে গোপন রাখে যা তোমার কাছে প্রকাশ করেনা। তারা বলে: 'নির্দেশ প্রদানে যদি আমাদের অধিকার থাকতো, তবে আমাদের (লোকদের) এখানে নিহত হতে হতোনা।' হে নবী! তাদের বলো: 'তোমরা যদি তোমাদের ঘরেও অবস্থান করতে, তারপরও নিহত হওয়া যাদের জন্যে নির্ধারিত ছিলো তারা অবশ্যি নিজেদের মরণের জায়গায় বেরিয়ে আসতো।' এর কারণ হলো, আল্লাহ তোমাদের মনে যা আছে তা পরীক্ষা করতে চান এবং তোমাদের সংশোধন ও পরিশুদ্ধ করতে চান। আল্লাহ অন্তরের খবর বিশেষভাবে জানেন।

১৫৫. তোমাদের মধ্য থেকে যারা দুই দলের পরস্পর সম্মুখীন হবার দিন পলায়ন করে চলে গিয়েছিল, নিশ্চয়ই শয়তান তাদের কোনো কৃতকর্মের জন্যে তাদের পদস্খলন ঘটিয়েছিল। অবশ্য আল্লাহ তোমাদের মাফ করে দিয়েছেন। নিশ্চয়ই আল্লাহ পরম ক্ষমাশীল ও সহনশীল।	اِنَّ الَّذِيْنَ تَوَلَّوْا مِنْكُمْ يَوْمَ الْتَقَى الْجَمْعٰنِ ۙ اِنَّمَا اسْتَزَلَّهُمُ الشَّيْطٰنُ بِبَعْضِ مَا كَسَبُوْا ۚ وَلَقَدْ عَفَا اللّٰهُ عَنْهُمْ ۗ اِنَّ اللّٰهَ غَفُوْرٌ حَلِيْمٌ ﴿١٥٥﴾ (রুকু ১৬)
১৫৬. হে ঈমানদার লোকেরা! তোমরা ঐসব লোকদের মতো হয়োনা যারা কুফুরি করে এবং তাদের ভাইদের বলে যখন তারা বিভিন্ন দেশে ভ্রমণ করে কিংবা যুদ্ধরত থাকে: 'তারা যদি আমাদের কাছে থাকতো, তাহলে মরতোওনা এবং নিহতও হতোনা।' আল্লাহ এসব কথাকে তাদের মনস্তাপের কারণ বানিয়ে দেন। আল্লাহ্ই তো জীবন দান করেন এবং মৃত্যু দান করেন। তোমরা যা করো সে বিষয়ে আল্লাহ দৃষ্টি রাখছেন।	يٰۤاَيُّهَا الَّذِيْنَ اٰمَنُوْا لَا تَكُوْنُوْا كَالَّذِيْنَ كَفَرُوْا وَقَالُوْا لِاِخْوَانِهِمْ اِذَا ضَرَبُوْا فِى الْاَرْضِ اَوْ كَانُوْا غُزًّى لَّوْ كَانُوْا عِنْدَنَا مَا مَاتُوْا وَمَا قُتِلُوْا ۚ لِيَجْعَلَ اللّٰهُ ذٰلِكَ حَسْرَةً فِىْ قُلُوْبِهِمْ ۗ وَاللّٰهُ يُحْىٖ وَيُمِيْتُ ۗ وَاللّٰهُ بِمَا تَعْمَلُوْنَ بَصِيْرٌ ﴿١٥٦﴾
১৫৭. তোমরা যদি আল্লাহ্‌র পথে নিহত হও কিংবা মৃত্যুবরণ করো, তবে জেনে রেখো, ওরা যা জমা করে তা থেকে আল্লাহ্‌র ক্ষমা এবং রহমত অনেক ভালো।	وَلَئِنْ قُتِلْتُمْ فِىْ سَبِيْلِ اللّٰهِ اَوْ مُتُّمْ لَمَغْفِرَةٌ مِّنَ اللّٰهِ وَرَحْمَةٌ خَيْرٌ مِّمَّا يَجْمَعُوْنَ ﴿١٥٧﴾
১৫৮. তোমরা যদি আল্লাহ্‌র পথে মৃত্যুবরণ করো কিংবা নিহত হও, তবে জেনে রাখো, আল্লাহ্‌র কাছেই তোমাদের হাশর করা হবে।	وَلَئِنْ مُّتُّمْ اَوْ قُتِلْتُمْ لَاِلَى اللّٰهِ تُحْشَرُوْنَ ﴿١٥٨﴾
১৫৯. (হে মুহাম্মদ!) এটা আল্লাহ্‌রই রহমত যে, তুমি তাদের প্রতি কোমল! তুমি যদি তাদের প্রতি কঠোর-হৃদয় হতে, তবে তারা তোমার চারপাশ থেকে সরে পড়তো। সুতরাং তাদের ক্ষমা করে দাও এবং তাদের জন্যে (আল্লাহ্‌র কাছে) ক্ষমা প্রার্থনা করো, আর কার্য পরিচালনায় তাদের সাথে পরামর্শ করো। অতপর যখন সংকল্প (সিদ্ধান্ত) গ্রহণ করবে আল্লাহ্‌র উপর তাওয়াক্কুল করবে, নিশ্চয়ই আল্লাহ তাওয়াক্কুলকারীদের পছন্দ করেন।	فَبِمَا رَحْمَةٍ مِّنَ اللّٰهِ لِنْتَ لَهُمْ ۚ وَلَوْ كُنْتَ فَظًّا غَلِيْظَ الْقَلْبِ لَانْفَضُّوْا مِنْ حَوْلِكَ ۠ فَاعْفُ عَنْهُمْ وَاسْتَغْفِرْ لَهُمْ وَشَاوِرْهُمْ فِى الْاَمْرِ ۚ فَاِذَا عَزَمْتَ فَتَوَكَّلْ عَلَى اللّٰهِ ۗ اِنَّ اللّٰهَ يُحِبُّ الْمُتَوَكِّلِيْنَ ﴿١٥٩﴾
১৬০. আল্লাহ তোমাদের সাহায্য করলে তোমাদের উপর জয়ী হবার কেউই থাকবেনা, আর তিনি যদি তোমাদের সাহায্য না করেন, তবে তিনি ছাড়া কে আছে তোমাদের সাহায্য করবে? মুমিনরা কেবল আল্লাহ্‌র উপরই তাওয়াক্কুল করুক।	اِنْ يَّنْصُرْكُمُ اللّٰهُ فَلَا غَالِبَ لَكُمْ ۚ وَاِنْ يَّخْذُلْكُمْ فَمَنْ ذَا الَّذِىْ يَنْصُرُكُمْ مِّنْ بَعْدِهٖ ۗ وَعَلَى اللّٰهِ فَلْيَتَوَكَّلِ الْمُؤْمِنُوْنَ ﴿١٦٠﴾
১৬১. কোনো নবীর পক্ষে অন্যায়ভাবে কোনো কিছু গোপন করা অসম্ভব। যে কেউ অন্যায়ভাবে কিছু গোপন করবে সে কিয়ামতের দিন তা নিয়ে উপস্থিত হবে। অতপর প্রত্যেক ব্যক্তিকে সে যা উপার্জন করেছে তার প্রতিদান পুরোপুরি দেয়া হবে এবং তাদের প্রতি কোনো প্রকার যুলুম করা হবেনা।	وَمَا كَانَ لِنَبِىٍّ اَنْ يَّغُلَّ ۗ وَمَنْ يَّغْلُلْ يَاْتِ بِمَا غَلَّ يَوْمَ الْقِيٰمَةِ ۚ ثُمَّ تُوَفّٰى كُلُّ نَفْسٍ مَّا كَسَبَتْ وَهُمْ لَا يُظْلَمُوْنَ ﴿١٦١﴾

১৬২. যে ব্যক্তি আল্লাহ্‌র সন্তুষ্টির অনুসরণ করে সে কি ঐ ব্যক্তির মতো যে আল্লাহ্‌র ক্রোধ ও অসন্তুষ্টির পাত্র হয়েছে এবং যার আবাস হবে জাহান্নাম? -যা খুবই নিকৃষ্ট ফিরে আসার জায়গা।	أَفَمَنِ اتَّبَعَ رِضْوَانَ اللّٰهِ كَمَنْ بَآءَ بِسَخَطٍ مِّنَ اللّٰهِ وَمَاْوٰىهُ جَهَنَّمُ ۚ وَبِئْسَ الْمَصِيْرُ ﴿١٦٢﴾
১৬৩. আল্লাহ্‌র কাছে তাদের স্তর বিভিন্ন। তারা যা করে তা আল্লাহ্‌র দৃষ্টিতেই রয়েছে।	هُمْ دَرَجٰتٌ عِنْدَ اللّٰهِ ۚ وَاللّٰهُ بَصِيْرٌۢ بِمَا يَعْمَلُوْنَ ﴿١٦٣﴾
১৬৪. আল্লাহ মুমিনদের প্রতি বড়ই অনুগ্রহ করেছেন, তিনি তাদের নিজেদের মধ্য থেকেই তাদের কাছে একজন রসূল পাঠিয়েছেন, সে তাদের প্রতি তিলাওয়াত করে তাঁর আয়াতসমূহ, তাদের তাযকিয়া (পবিত্র ও পরিশুদ্ধ) করে, তাদের শিক্ষা দান করে আল কিতাব (আল কুরআন) এবং হিকমাহ, যদিও ইতোপূর্বে তারা নিমজ্জিত ছিলো সুস্পষ্ট গোমরাহিতে।	لَقَدْ مَنَّ اللّٰهُ عَلَى الْمُؤْمِنِيْنَ اِذْ بَعَثَ فِيْهِمْ رَسُوْلًا مِّنْ اَنْفُسِهِمْ يَتْلُوْا عَلَيْهِمْ اٰيٰتِهٖ وَيُزَكِّيْهِمْ وَيُعَلِّمُهُمُ الْكِتٰبَ وَالْحِكْمَةَ ۚ وَاِنْ كَانُوْا مِنْ قَبْلُ لَفِيْ ضَلٰلٍ مُّبِيْنٍ ﴿١٦٤﴾
১৬৫. তোমাদের উপর যখন বিপদ এসেছিল তখন তোমরা বলেছিলে: 'কোত্থেকে এলো এ বিপদ?' অথচ তোমরা তো (উহুদের দিন) দ্বিগুণ বিপদ ঘটিয়েছিলে। হে নবী তাদের বলো: এটা তোমাদের নিজেদের থেকেই। নিশ্চয়ই আল্লাহ সব বিষয়ে সর্বশক্তিমান।	اَوَلَمَّآ اَصَابَتْكُمْ مُّصِيْبَةٌ قَدْ اَصَبْتُمْ مِّثْلَيْهَا ۙ قُلْتُمْ اَنّٰى هٰذَا ۚ قُلْ هُوَ مِنْ عِنْدِ اَنْفُسِكُمْ ۚ اِنَّ اللّٰهَ عَلٰى كُلِّ شَيْءٍ قَدِيْرٌ ﴿١٦٥﴾
১৬৬. দুই দলের মোকাবেলার দিন তোমাদের যে বিপর্যয় ঘটেছিল, তা আল্লাহ্‌র অনুমতিক্রমেই ঘটেছিল যাতে করে তিনি মুমিনদের অবস্থা জেনে নেন।	وَمَآ اَصَابَكُمْ يَوْمَ الْتَقَى الْجَمْعٰنِ فَبِاِذْنِ اللّٰهِ وَلِيَعْلَمَ الْمُؤْمِنِيْنَ ﴿١٦٦﴾
১৬৭. এটা এ জন্যেও যে, তিনি যেনো মুনাফিকদের (বাস্তবে) জেনে নেন। তাদের বলা হয়েছিল, এসো আল্লাহ্‌র পথে লড়াই করো অথবা প্রতিরোধ করো। তারা বললো: 'যুদ্ধ হবে যদি জানতাম তবে অবশ্যি তোমাদের অনুসরণ করতাম।' সেদিন তারা ছিলো ঈমানের চাইতে কুফুরির অধিকতর নিকটে। তারা মুখে এমন কথা বলে যা তাদের অন্তরে নেই। আল্লাহ ভালো করেই জানেন যা তারা গোপন করে।	وَلِيَعْلَمَ الَّذِيْنَ نَافَقُوْا ۖ وَقِيْلَ لَهُمْ تَعَالَوْا قَاتِلُوْا فِيْ سَبِيْلِ اللّٰهِ اَوِ ادْفَعُوْا ۚ قَالُوْا لَوْ نَعْلَمُ قِتَالًا لَّاتَّبَعْنٰكُمْ ۚ هُمْ لِلْكُفْرِ يَوْمَئِذٍ اَقْرَبُ مِنْهُمْ لِلْاِيْمَانِ ۚ يَقُوْلُوْنَ بِاَفْوَاهِهِمْ مَّا لَيْسَ فِيْ قُلُوْبِهِمْ ۚ وَاللّٰهُ اَعْلَمُ بِمَا يَكْتُمُوْنَ ﴿١٦٧﴾
১৬৮. যারা (যুদ্ধে না গিয়ে) তাদের ভাইদের সম্পর্কে বলেছিল, তারা যদি আমাদের কথা শুনতো তবে নিহত হতোনা। তাদের বলো: 'তোমরা যদি সত্যবাদী হও তবে নিজেদেরকে মরণ থেকে রক্ষা করো।'	اَلَّذِيْنَ قَالُوْا لِاِخْوَانِهِمْ وَقَعَدُوْا لَوْ اَطَاعُوْنَا مَا قُتِلُوْا ۚ قُلْ فَادْرَءُوْا عَنْ اَنْفُسِكُمُ الْمَوْتَ اِنْ كُنْتُمْ صٰدِقِيْنَ ﴿١٦٨﴾
১৬৯. যারা আল্লাহ্‌র পথে নিহত হয়েছে তাদের মৃত বলোনা; বরং তারা জীবিত এবং তাদের প্রভুর নিকট থেকে জীবিকাপ্রাপ্ত।	وَلَا تَحْسَبَنَّ الَّذِيْنَ قُتِلُوْا فِيْ سَبِيْلِ اللّٰهِ اَمْوَاتًا ۚ بَلْ اَحْيَآءٌ عِنْدَ رَبِّهِمْ يُرْزَقُوْنَ ﴿١٦٩﴾

১৭০. আল্লাহ তাঁর অনুগ্রহে তাদের যা দিয়েছেন তাতে তারা আনন্দিত এবং তাদের পেছনে যারা এখনো তাদের সাথে মিলিত হয়নি তাদের সুসংবাদ প্রদান করছে যে: 'তাদের কোনো ভয় নেই এবং কোনো দুঃখও তাদের থাকবেনা।'	فَرِحِيْنَ بِمَآ اٰتٰىهُمُ اللّٰهُ مِنْ فَضْلِهٖ ۙ وَ يَسْتَبْشِرُوْنَ بِالَّذِيْنَ لَمْ يَلْحَقُوْا بِهِمْ مِّنْ خَلْفِهِمْ ۙ اَلَّا خَوْفٌ عَلَيْهِمْ وَ لَا هُمْ يَحْزَنُوْنَ ﴿١٧٠﴾
১৭১. আল্লাহ্‌র নিয়ামত ও ফজল করমের (অনুগ্রহের) জন্যে তারা খুশি ও আনন্দ প্রকাশ করে এবং এটা জেনে যে, আল্লাহ মুমিনদের কর্মফল বিনষ্ট করেননা।	يَسْتَبْشِرُوْنَ بِنِعْمَةٍ مِّنَ اللّٰهِ وَ فَضْلٍ ۙ وَّ اَنَّ اللّٰهَ لَا يُضِيْعُ اَجْرَ الْمُؤْمِنِيْنَ ﴿١٧١﴾ (রুকু ১৭)
১৭২. যারা আহত হবার পরও আল্লাহ এবং তাঁর রসূলের ডাকে সাড়া দিয়েছে, যারা ইহ্‌সান এবং তাকওয়া অবলম্বন করেছে, তাদের জন্যে রয়েছে বিরাট পুরস্কার।	اَلَّذِيْنَ اسْتَجَابُوْا لِلّٰهِ وَ الرَّسُوْلِ مِنْۢ بَعْدِ مَآ اَصَابَهُمُ الْقَرْحُ ۛؕ لِلَّذِيْنَ اَحْسَنُوْا مِنْهُمْ وَ اتَّقَوْا اَجْرٌ عَظِيْمٌ ﴿١٧٢﴾
১৭৩. লোকেরা তাদের বলেছিল: 'তোমাদের বিরুদ্ধে বিরাট বাহিনী সমবেত হয়েছে তাদের ভয় করো।' -একথা শুনে তাদের ঈমান বেড়ে গিয়েছিল এবং তারা বলেছিল: 'হাসবুনাল্লাহু অনি'মাল অকিল- আমাদের জন্যে আল্লাহ্‌ই যথেষ্ট, তিনিই সর্বোত্তম কর্মসম্পাদনকারী।'	اَلَّذِيْنَ قَالَ لَهُمُ النَّاسُ اِنَّ النَّاسَ قَدْ جَمَعُوْا لَكُمْ فَاخْشَوْهُمْ فَزَادَهُمْ اِيْمَانًا ۖۗ وَّ قَالُوْا حَسْبُنَا اللّٰهُ وَنِعْمَ الْوَكِيْلُ ﴿١٧٣﴾
১৭৪. ফলে তারা আল্লাহ্‌র নিয়ামত ও ফজল-করম সহ (যুদ্ধ থেকে) ফিরে আসে। তাদের স্পর্শ করেনি কোনো মন্দ। তারা অনুসরণ করেছিল আল্লাহ্‌র রেজামন্দির। আর আল্লাহ বড় ফজল-করম ওয়ালা।	فَانْقَلَبُوْا بِنِعْمَةٍ مِّنَ اللّٰهِ وَ فَضْلٍ لَّمْ يَمْسَسْهُمْ سُوْٓءٌ ۙ وَّ اتَّبَعُوْا رِضْوَانَ اللّٰهِ ؕ وَ اللّٰهُ ذُوْ فَضْلٍ عَظِيْمٍ ﴿١٧٤﴾
১৭৫. এটা ছিলো শয়তানেরই কাজ, সে ভয় দেখায় তার বন্ধুদের। কখনো তাদের ভয় করোনা। মুমিন হয়ে থাকলে তোমরা কেবল আমাকেই ভয় করো।	اِنَّمَا ذٰلِكُمُ الشَّيْطٰنُ يُخَوِّفُ اَوْلِيَآءَهٗ ۪ فَلَا تَخَافُوْهُمْ وَ خَافُوْنِ اِنْ كُنْتُمْ مُّؤْمِنِيْنَ ﴿١٧٥﴾
১৭৬. তোমরা দুঃখিত হয়োনা ওদের আচরণে, যারা দ্রুত ধাবিত হয় কুফুরির দিকে। তারা আল্লাহ্‌র কোনোই ক্ষতি করতে পারবেনা। আখিরাতে আল্লাহ ওদের কোনো অংশ দেয়ার এরাদা করেন না। সেখানে তাদের জন্যে থাকবে বিশাল আযাব।	وَلَا يَحْزُنْكَ الَّذِيْنَ يُسَارِعُوْنَ فِي الْكُفْرِ ۚ اِنَّهُمْ لَنْ يَّضُرُّوا اللّٰهَ شَيْـًٔا ؕ يُرِيْدُ اللّٰهُ اَلَّا يَجْعَلَ لَهُمْ حَظًّا فِي الْاٰخِرَةِ ۚ وَلَهُمْ عَذَابٌ عَظِيْمٌ ﴿١٧٦﴾
১৭৭. যারা ঈমানের বিনিময়ে কুফুরি ক্রয় করেছে, তারা আল্লাহ্‌র কোনো ক্ষতি করতে পারবেনা। তাদের জন্যে রয়েছে বেদনাদায়ক আযাব।	اِنَّ الَّذِيْنَ اشْتَرَوُا الْكُفْرَ بِالْاِيْمَانِ لَنْ يَّضُرُّوا اللّٰهَ شَيْـًٔا ۚ وَلَهُمْ عَذَابٌ اَلِيْمٌ ﴿١٧٧﴾
১৭৮. কাফিররা যেনো এ ধারণা না করে যে, আমরা অবকাশ দিচ্ছি তাদের কল্যাণের জন্যে, বরং আমরা অবকাশ দিচ্ছি এজন্যে, যেনো তারা	وَ لَا يَحْسَبَنَّ الَّذِيْنَ كَفَرُوْٓا اَنَّمَا نُمْلِيْ لَهُمْ خَيْرٌ لِّاَنْفُسِهِمْ ؕ اِنَّمَا نُمْلِيْ لَهُمْ

তাদের পাপ বাড়িয়ে নেয়। আর তাদের জন্যে রয়েছে অপমানকর আযাব।	لِيَزْدَادُوْٓا اِثْمًا ۚ وَ لَهُمْ عَذَابٌ مُّهِيْنٌ ﴿١٧٨﴾
১৭৯. তোমরা এখন যে অবস্থায় আছো আল্লাহ মুমিনদের এ অবস্থায় রেখে দেবেন না, তিনি খবিছ লোকদেরকে ভালো লোকদের থেকে আলাদা করেই ছাড়বেন। তোমাদের কাছে গায়েব প্রকাশ করা আল্লাহ্‌র কাজ নয়, তবে (এ জন্যে) আল্লাহ তাঁর রসূলদের মধ্যে যাকে ইচ্ছা মনোনীত করেন। সুতরাং তোমরা ঈমান আনো আল্লাহ্‌র প্রতি এবং তাঁর রসূলদের প্রতি। তোমরা যদি ঈমান আনো এবং তাকওয়া অবলম্বন করো, তবে তোমাদের জন্যে রয়েছে বিশাল পুরস্কার।	مَا كَانَ اللّٰهُ لِيَذَرَ الْمُؤْمِنِيْنَ عَلٰى مَآ اَنْتُمْ عَلَيْهِ حَتّٰى يَمِيْزَ الْخَبِيْثَ مِنَ الطَّيِّبِ ؕ وَ مَا كَانَ اللّٰهُ لِيُطْلِعَكُمْ عَلَى الْغَيْبِ وَ لٰكِنَّ اللّٰهَ يَجْتَبِيْ مِنْ رُّسُلِهٖ مَنْ يَّشَآءُ ۪ فَاٰمِنُوْا بِاللّٰهِ وَ رُسُلِهٖ ۚ وَ اِنْ تُؤْمِنُوْا وَ تَتَّقُوْا فَلَكُمْ اَجْرٌ عَظِيْمٌ ﴿١٧٩﴾
১৮০. যারা বখিলি করে আল্লাহ নিজ অনুগ্রহ থেকে তাদের যা দিয়েছেন তার ব্যাপারে, তারা যেনো মনে না করে যে এটা তাদের জন্যে ভালো। বরং এতে রয়েছে তাদের জন্যে অনিষ্ট। যা নিয়ে তারা কৃপণতা করে, কিয়ামতের দিন তাই হবে তাদের গলার বেড়ি। মহাকাশ এবং এই পৃথিবীর স্বত্বাধিকার একমাত্র আল্লাহ্‌র। তোমাদের আমল সম্পর্কে আল্লাহ বিশেষভাবে খবর রাখেন।	وَلَا يَحْسَبَنَّ الَّذِيْنَ يَبْخَلُوْنَ بِمَآ اٰتٰىهُمُ اللّٰهُ مِنْ فَضْلِهٖ هُوَ خَيْرًا لَّهُمْ ؕ بَلْ هُوَ شَرٌّ لَّهُمْ ؕ سَيُطَوَّقُوْنَ مَا بَخِلُوْا بِهٖ يَوْمَ الْقِيٰمَةِ ؕ وَ لِلّٰهِ مِيْرَاثُ السَّمٰوٰتِ وَ الْاَرْضِ ؕ وَ اللّٰهُ بِمَا تَعْمَلُوْنَ خَبِيْرٌ ﴿١٨٠﴾ রুকু ১৮
১৮১. আল্লাহ তাদের কথা শুনেছেন যারা বলে: 'আল্লাহ হলেন ফকির আর আমরা ধনী।' তারা যা বলে এবং তাদের না হকভাবে নবীদের হত্যার বিষয়টি আমরা লিখে রাখবো। (কিয়ামতের দিন) আমরা তাদের বলবো: 'স্বাদ গ্রহণ করো দগ্ধ হবার আযাবের।'	لَقَدْ سَمِعَ اللّٰهُ قَوْلَ الَّذِيْنَ قَالُوْٓا اِنَّ اللّٰهَ فَقِيْرٌ وَّنَحْنُ اَغْنِيَآءُ ۘ سَنَكْتُبُ مَا قَالُوْا وَ قَتْلَهُمُ الْاَنْۢبِيَآءَ بِغَيْرِ حَقٍّ ۙ وَّ نَقُوْلُ ذُوْقُوْا عَذَابَ الْحَرِيْقِ ﴿١٨١﴾
১৮২. এটা তোমাদেরই কৃতকর্মের প্রতিফল। এর কারণ এটাও যে, আল্লাহ তাঁর বান্দাদের প্রতি যালিম (অবিচারক) নন।	ذٰلِكَ بِمَا قَدَّمَتْ اَيْدِيْكُمْ وَ اَنَّ اللّٰهَ لَيْسَ بِظَلَّامٍ لِّلْعَبِيْدِ ﴿١٨٢﴾
১৮৩. যারা বলে: 'আল্লাহ আমাদের আদেশ দিয়েছেন, আমরা যেনো ততোক্ষণ পর্যন্ত কোনো রসূলের প্রতি ঈমান না আনি, যতোক্ষণ না সে আমাদের কাছে এমন এক কুরবানি হাজির করবে যাকে আগুন গ্রাস করে নেবে।' (হে মুহাম্মদ!) তাদের বলো: আমার আগে তো তোমাদের কাছে অনেক রসূল এসেছিলেন সুস্পষ্ট প্রমাণ ও নিদর্শন সমূহ নিয়ে এবং তোমরা যা বলছো তা নিয়ে, তারপরও কেন তোমরা তাদের হত্যা করেছিলে যদি তোমরা সত্যবাদী হয়ে থাকো?	اَلَّذِيْنَ قَالُوْٓا اِنَّ اللّٰهَ عَهِدَ اِلَيْنَآ اَلَّا نُؤْمِنَ لِرَسُوْلٍ حَتّٰى يَاْتِيَنَا بِقُرْبَانٍ تَاْكُلُهُ النَّارُ ؕ قُلْ قَدْ جَآءَكُمْ رُسُلٌ مِّنْ قَبْلِيْ بِالْبَيِّنٰتِ وَ بِالَّذِيْ قُلْتُمْ فَلِمَ قَتَلْتُمُوْهُمْ اِنْ كُنْتُمْ صٰدِقِيْنَ ﴿١٨٣﴾
১৮৪. (হে মুহাম্মদ!) তারা যদি তোমাকে মিথ্যা আখ্যায়িত করে অস্বীকার করেই, তবে তোমার পূর্বেও তারা বহু রসূলকে অস্বীকার করেছিল	فَاِنْ كَذَّبُوْكَ فَقَدْ كُذِّبَ رُسُلٌ مِّنْ قَبْلِكَ

যারা সুস্পষ্ট প্রমাণসমূহ, যবুর (ছোট কিতাব) এবং আলো বিতরণকারী কিতাব নিয়ে (তাদের কাছে) এসেছিল।	جَآءُوْ بِالْبَيِّنٰتِ وَالزُّبُرِ وَالْكِتٰبِ الْمُنِيْرِ ﴿١٨٤﴾
১৮৫. প্রত্যেক ব্যক্তিই মউতের স্বাদ গ্রহণ করবে। কিয়ামতকালে তোমাদের কাজের প্রতিদান তোমাদের পুরোপুরি দেয়া হবে। তখন যাকে রক্ষা করা হবে জাহান্নাম থেকে এবং দাখিল করা হবে জান্নাতে, সে-ই হবে সফলকাম। দুনিয়ার হায়াতটা প্রতারণার বস্তু ছাড়া আর কিছুই নয়।	كُلُّ نَفْسٍ ذَآئِقَةُ الْمَوْتِ ؕ وَاِنَّمَا تُوَفَّوْنَ اُجُوْرَكُمْ يَوْمَ الْقِيٰمَةِ ؕ فَمَنْ زُحْزِحَ عَنِ النَّارِ وَاُدْخِلَ الْجَنَّةَ فَقَدْ فَازَ ؕ وَمَا الْحَيٰوةُ الدُّنْيَآ اِلَّا مَتَاعُ الْغُرُوْرِ ﴿١٨٥﴾
১৮৬. তোমাদের মাল-সম্পদ এবং তোমাদের জীবন সম্পর্কে অবশ্য অবশ্যি তোমাদের পরীক্ষা নেয়া হবে। তাছাড়া তোমাদের আগে যাদের কিতাব দেয়া হয়েছিল তাদের থেকে এবং মুশরিকদের থেকে তোমরা অবশ্য অবশ্যি অনেক কষ্টদায়ক কথা শুনবে। তবে তোমরা যদি (তোমাদের আদর্শের উপর) অটল থাকো এবং সতর্কতা অবলম্বন করো তবে এটাই হবে মজবুত সংকল্পের কাজ।	لَتُبْلَوُنَّ فِیْۤ اَمْوَالِكُمْ وَاَنْفُسِكُمْ ۫ وَلَتَسْمَعُنَّ مِنَ الَّذِیْنَ اُوْتُوا الْكِتٰبَ مِنْ قَبْلِكُمْ وَمِنَ الَّذِیْنَ اَشْرَكُوْۤا اَذًى كَثِیْرًا ؕ وَاِنْ تَصْبِرُوْا وَتَتَّقُوْا فَاِنَّ ذٰلِكَ مِنْ عَزْمِ الْاُمُوْرِ ﴿١٨٦﴾
১৮৭. স্মরণ করো, যাদের কিতাব দেয়া হয়েছিল আল্লাহ তাদের থেকে এই অংগীকার নিয়েছিলেন: ‘তোমরা তা (তোমাদেরকে প্রদত্ত কিতাব) মানুষের জন্যে প্রকাশ করবে এবং তা গোপন করবেনা।’ কিন্তু তা সত্ত্বেও তারা তা অগ্রাহ্য করে এবং এর বিনিময়ে তারা ক্রয় করে নগণ্য স্বার্থ। তারা যা ক্রয় করে তা কতো যে নিকৃষ্ট!	وَاِذْ اَخَذَ اللّٰهُ مِیْثَاقَ الَّذِیْنَ اُوْتُوا الْكِتٰبَ لَتُبَیِّنُنَّهٗ لِلنَّاسِ وَلَا تَكْتُمُوْنَهٗ ۫ فَنَبَذُوْهُ وَرَآءَ ظُهُوْرِهِمْ وَاشْتَرَوْا بِهٖ ثَمَنًا قَلِیْلًا ؕ فَبِئْسَ مَا یَشْتَرُوْنَ ﴿١٨٧﴾
১৮৮. তারা যা করেছে তাতে আনন্দ প্রকাশ করে, আর যা করেনি তার জন্যে প্রশংসার পাত্র হতে চায়। তারা আযাব থেকে রক্ষা পাবে- এমন ধারণা করোনা। তাদের জন্যে রয়েছে বেদনাদায়ক আযাব।	لَا تَحْسَبَنَّ الَّذِیْنَ یَفْرَحُوْنَ بِمَاۤ اَتَوْا وَّیُحِبُّوْنَ اَنْ یُّحْمَدُوْا بِمَا لَمْ یَفْعَلُوْا فَلَا تَحْسَبَنَّهُمْ بِمَفَازَةٍ مِّنَ الْعَذَابِ ۚ وَلَهُمْ عَذَابٌ اَلِیْمٌ ﴿١٨٨﴾
১৮৯. মহাকাশ এবং এই পৃথিবীর কর্তৃত্ব একমাত্র আল্লাহ্‌র, আর আল্লাহ প্রত্যেক বিষয়ে শক্তিমান।	وَلِلّٰهِ مُلْكُ السَّمٰوٰتِ وَالْاَرْضِ ؕ وَاللّٰهُ عَلٰى كُلِّ شَیْءٍ قَدِیْرٌ ﴿١٨٩﴾ রুকু ১৯
১৯০. মহাকাশ ও পৃথিবীর সৃষ্টিতে এবং রাত ও দিনের আবর্তনের মধ্যে রয়েছে জ্ঞান-বুদ্ধি সম্পন্ন লোকদের জন্যে অনেক নিদর্শন,	اِنَّ فِیْ خَلْقِ السَّمٰوٰتِ وَالْاَرْضِ وَاخْتِلَافِ الَّیْلِ وَالنَّهَارِ لَاٰیٰتٍ لِّاُولِی الْاَلْبَابِ ﴿١٩٠﴾
১৯১. যারা আল্লাহকে যিকির করে দাঁড়িয়ে, বসে ও শুয়ে এবং যারা চিন্তা ফিকির করে মহাকাশ ও পৃথিবীর সৃষ্টি নিয়ে আর বলে: “আমাদের প্রভু! তুমি এসব অকারণে সৃষ্টি করোনি, তুমি সব	الَّذِیْنَ یَذْكُرُوْنَ اللّٰهَ قِیٰمًا وَّقُعُوْدًا وَّعَلٰى جُنُوْبِهِمْ وَیَتَفَكَّرُوْنَ فِیْ خَلْقِ السَّمٰوٰتِ وَالْاَرْضِ ۚ رَبَّنَا مَا خَلَقْتَ هٰذَا بَاطِلًا

কিছুর ত্রুটিমুক্ত নিখুঁত পরিচালক। অতএব তুমি আমাদের রক্ষা করো আগুনের আযাব থেকে।	سُبۡحٰنَكَ فَقِنَا عَذَابَ النَّارِ ﴿١٩١﴾
১৯২. আমাদের প্রভু! নিশ্চয়ই তুমি যাকে দাখিল করবে আগুনে, তাকে অবশ্যি লাঞ্ছিত করে ছাড়বে, আর যালিমদের জন্যে থাকবেনা কোনোই সাহায্যকারী।	رَبَّنَاۤ اِنَّكَ مَنۡ تُدۡخِلِ النَّارَ فَقَدۡ اَخۡزَيۡتَهٗ ؕ وَمَا لِلظّٰلِمِيۡنَ مِنۡ اَنۡصَارٍ ﴿١٩٢﴾
১৯৩. আমাদের প্রভু! আমরা শুনেছি একজন আহবায়ককে আহবান করছেন ঈমানের দিকে (এই বলে:) 'তোমরা ঈমান আনো তোমাদের প্রভুর প্রতি'। (তাঁর আহবানে সাড়া দিয়ে) আমরা ঈমান এনেছি। আমাদের প্রভু! অতএব তুমি ক্ষমা করে দাও আমাদের সমস্ত পাপ, আমাদের থেকে ঢেকে মুছে দাও আমাদের সমস্ত মন্দকর্ম ও ত্রুটি বিচ্যুতি, আর আমাদের ওফাত দান করো পুণ্যবানদের সাথে।	رَبَّنَاۤ اِنَّنَا سَمِعۡنَا مُنَادِيًا يُّنَادِىۡ لِلۡاِيۡمَانِ اَنۡ اٰمِنُوۡا بِرَبِّكُمۡ فَاٰمَنَّا ۖ رَبَّنَا فَاغۡفِرۡ لَنَا ذُنُوۡبَنَا وَكَفِّرۡ عَنَّا سَيِّاٰتِنَا وَتَوَفَّنَا مَعَ الۡاَبۡرَارِ ﴿١٩٣﴾
১৯৪. আমাদের প্রভু! তোমার রসূলদের মাধ্যমে আমাদের যা দেবে বলে ওয়াদা দিয়েছো তা আমাদের দাও আর কিয়ামতের দিন আমাদের অপমানিত করোনা। নিশ্চয়ই তুমি খেলাফ করোনা ওয়াদা।"	رَبَّنَا وَاٰتِنَا مَا وَعَدۡتَّنَا عَلٰى رُسُلِكَ وَلَا تُخۡزِنَا يَوۡمَ الۡقِيٰمَةِ ؕ اِنَّكَ لَا تُخۡلِفُ الۡمِيۡعَادَ ﴿١٩٤﴾
১৯৫. ফলে তাদের প্রভু তাদের দোয়ার জওয়াব দিয়েছেন এই বলে: 'আমি তোমাদের কোনো পুরুষ বা নারী আমলকারীর আমল বিনষ্ট করিনা। তোমরা একই দলের সদস্য। তাই যারাই আমার জন্যে হিজরত করেছে এবং যাদেরকে নিজেদের ঘরবাড়ি থেকে বের করে দেয়া হয়েছে, আমার পথে কষ্ট দেয়া হয়েছে, নির্যাতন করা হয়েছে এবং যারা যুদ্ধ করেছে ও নিহত হয়েছে, আমি অবশ্য অবশ্যি তাদের থেকে মুছে দেবো তাদের পাপ ও দোষত্রুটি এবং অবশ্য অবশ্যি তাদের দাখিল করবো সেইসব জান্নাতে, যেগুলোর নিচে দিয়ে জারি থাকবে নদ-নদী-নহর। এগুলো তারা পাবে আল্লাহ্‌র পক্ষ থেকে পুরস্কার হিসেবে আর উত্তম পুরস্কার তো আল্লাহ্‌র কাছেই রয়েছে।'	فَاسۡتَجَابَ لَهُمۡ رَبُّهُمۡ اَنِّىۡ لَاۤ اُضِيۡعُ عَمَلَ عَامِلٍ مِّنۡكُمۡ مِّنۡ ذَكَرٍ اَوۡ اُنۡثٰى ۚ بَعۡضُكُمۡ مِّنۡۢ بَعۡضٍ ۚ فَالَّذِيۡنَ هَاجَرُوۡا وَاُخۡرِجُوۡا مِنۡ دِيَارِهِمۡ وَاُوۡذُوۡا فِىۡ سَبِيۡلِىۡ وَقٰتَلُوۡا وَقُتِلُوۡا لَاُكَفِّرَنَّ عَنۡهُمۡ سَيِّاٰتِهِمۡ وَلَاُدۡخِلَنَّهُمۡ جَنّٰتٍ تَجۡرِىۡ مِنۡ تَحۡتِهَا الۡاَنۡهٰرُ ۚ ثَوَابًا مِّنۡ عِنۡدِ اللّٰهِ ؕ وَاللّٰهُ عِنۡدَهٗ حُسۡنُ الثَّوَابِ ﴿١٩٥﴾
১৯৬. যারা কুফুরি করেছে, বিশ্বের বুকে তাদের অবাধ বিচরণ যেনো তোমাদের প্রতারিত না করে।	لَا يَغُرَّنَّكَ تَقَلُّبُ الَّذِيۡنَ كَفَرُوۡا فِى الۡبِلَادِ ﴿١٩٦﴾
১৯৭. এ তো স্বল্পকালীন ভোগমাত্র। তারপরই তাদের আবাস হবে জাহান্নাম, আর তা যে কতো নিকৃষ্ট ঠিকানা!	مَتَاعٌ قَلِيۡلٌ ثُمَّ مَاۡوٰٮهُمۡ جَهَنَّمُ ؕ وَبِئۡسَ الۡمِهَادُ ﴿١٩٧﴾
১৯৮. তবে যারা তাদের প্রভুকে ভয় করবে, তাদের জন্যে থাকবে জান্নাতসমূহ, যেগুলোর নিচে দিয়ে বহমান থাকবে নদ নদী নহর। চিরকাল	لٰكِنِ الَّذِيۡنَ اتَّقَوۡا رَبَّهُمۡ لَهُمۡ جَنّٰتٌ تَجۡرِىۡ مِنۡ تَحۡتِهَا الۡاَنۡهٰرُ خٰلِدِيۡنَ فِيۡهَا

থাকবে তারা সেখানে। এ হবে তাদের প্রভুর পক্ষ থেকে মেহমানদারি। আর আল্লাহ্‌র কাছে যা রয়েছে পুণ্যবানদের জন্যে তাই সর্বোত্তম।	نُزُلًا مِّنْ عِنْدِ اللّٰهِ ؕ وَ مَا عِنْدَ اللّٰهِ خَيْرٌ لِّلْاَبْرَارِ ﴿۱۹۸﴾
১৯৯. আহলে কিতাবদের মধ্যে অবশ্যি এমন লোকও আছে যারা আল্লাহ্‌র প্রতি বিনয়ী হয়ে ঈমান আনে, এবং ঈমান আনে তোমাদের কাছে যা (যে কিতাব) নাযিল হয়েছে তার প্রতি এবং তাদের কাছে যা (যে কিতাব) নাযিল হয়েছে তার প্রতি; আর তারা নগণ্য মূল্যে বিক্রয় করেনা আল্লাহ্‌র আয়াত। এরা সেইসব লোক যাদের জন্যে তাদের প্রভুর কাছে রয়েছে তাদের পুরস্কার। অবশ্যি আল্লাহ দ্রুত হিসাব গ্রহণকারী।	وَ اِنَّ مِنْ اَهْلِ الْكِتٰبِ لَمَنْ يُّؤْمِنُ بِاللّٰهِ وَ مَآ اُنْزِلَ اِلَيْكُمْ وَ مَآ اُنْزِلَ اِلَيْهِمْ خٰشِعِيْنَ لِلّٰهِ ۙ لَا يَشْتَرُوْنَ بِاٰيٰتِ اللّٰهِ ثَمَنًا قَلِيْلًا ؕ اُولٰٓئِكَ لَهُمْ اَجْرُهُمْ عِنْدَ رَبِّهِمْ ؕ اِنَّ اللّٰهَ سَرِيْعُ الْحِسَابِ ﴿۱۹۹﴾
২০০. হে ঈমানদার লোকেরা! তোমরা সবর অবলম্বন করো, সবরের প্রতিযোগিতা করো এবং ঐক্যবদ্ধ থাকো, আর ভয় করো আল্লাহকে, অবশ্যি তোমরা সফলকাম হবে।	يٰٓاَيُّهَا الَّذِيْنَ اٰمَنُوا اصْبِرُوْا وَ صَابِرُوْا وَ رَابِطُوْا ۟ وَ اتَّقُوا اللّٰهَ لَعَلَّكُمْ تُفْلِحُوْنَ ﴿۲۰۰﴾

রুকু ২০

সূরা ৪ আন নিসা

মদিনায় অবতীর্ণ, আয়াত সংখ্যা: ১৭৬, রুকু সংখ্যা: ২৪

এই সূরার আলোচ্যসূচি (আয়াত ভিত্তিক আলোচ্য বিষয়)

- ০০১ : একটি আত্মা থেকে মানব বংশের সূচনা ও বিস্তার হয়েছে। রক্ত সম্পর্কের অধিকার রক্ষার ব্যাপারে জিজ্ঞাসা করা হবে।
- ০২-১০ : এতিম এবং এতিমদের সম্পদ তত্ত্বাবধানের বিষয়ে উপদেশ ও নির্দেশাবলি। একত্রে কতজন স্ত্রী রাখা যাবে?
- ১১-১৪ : ওয়ারিশি পাবে কারা এবং কে কতটুকু পাবে? আল্লাহ্‌র দেয়া ওয়ারিশি আইন না মানার বেদনাদায়ক পরিণতি।
- ১৫-১৮ : কারো স্ত্রী ব্যভিচার করলে তার বিধান। তাওবার নিয়ম।
- ১৯-২১ : স্ত্রী গ্রহণ ও বর্জন সংক্রান্ত বিধান।
- ২২-২৮ : কাদেরকে বিয়ে করা হারাম? বিয়ের পন্থা।
- ২৯-৩৩ : মুমিনদের প্রতি গুরুত্বপূর্ণ নির্দেশাবলি।
- ৩৪-৩৫ : পারিবারিক জীবনে পুরুষের কর্তৃত্ব।
- ৩৬-৪২ : মুমিনদের প্রতি গুরুত্বপূর্ণ নির্দেশাবলি।
- ৪৩ : সালাতের জন্যে পবিত্রতা অর্জনের পদ্ধতি।
- ৪৪-৫৭ : ইহুদিদের সীমালঙ্ঘন। শিরকের গুণাহ্‌ মাফ করা হবেনা।
- ৫৮-৭৬ : মুমিনদের জন্যে গুরুত্বপূর্ণ নির্দেশাবলি।
- ৭৭-৯১ : মুনাফিকি আচরণ। মুমিনদের প্রতি উপদেশ।
- ৯২-৯৩ : মুমিনকে হত্যা করা নিষিদ্ধ। ভুলবশত হত্যা করলে তার বিধান।
- ৯৪-১০০ : যুদ্ধ, জিহাদ ও হিজরত।
- ১০১-১০৪ : কসর ও ভয়কালীন সালাত।
- ১০৫-১১৫ : নবীর প্রতি কিতাবের বিধান অনুযায়ী ফায়সালা দেয়ার নির্দেশ। নবীর বিরোধিতাকারীরা জাহান্নামি।

১১৬-১২৬	:	শিরকমুক্ত ঈমানের পথে আমল করার আহ্বান।
১২৭-১৩০	:	কতিপয় দাম্পত্য বিধান।
১৩১-১৪১	:	মুমিনদের প্রতি উপদেশ ও নির্দেশাবলি।
১৪২-১৫২	:	মুনাফিকদের বৈশিষ্ট্য।
১৫৩-১৬২	:	ইহুদি-খৃষ্টানদের হঠকারিতা ও বাহুল্য দাবি-দাওয়া।
১৬৩-১৭৫	:	মুহাম্মদ সা. তাঁর পূর্ববর্তী রসূলদের মতোই অহি লাভ করেছেন। সব নবীরা একই দীন প্রচার করেছেন।
১৭৬	:	ওয়ারিশি সংক্রান্ত অবশিষ্ট বিধান।

সূরা আন নিসা (নারী)

পরম করুণাময় পরম দয়াবান আল্লাহ্‌র নামে

سُوْرَةُ النِّسَاءِ

بِسْمِ اللّٰهِ الرَّحْمٰنِ الرَّحِيْمِ

০১. হে মানুষ! তোমরা সতর্ক হও তোমাদের রবের প্রতি, যিনি তোমাদের সৃষ্টি করেছেন একটি আত্মা থেকে। আর তা থেকেই সৃষ্টি করেছেন তার জুড়ি। অত:পর তাদের দু'জন থেকে সৃষ্টি করেছেন অসংখ্য পুরুষ ও নারী। তোমরা ভয় করো আল্লাহ্‌কে, যাঁর দোহাই দিয়ে তোমরা (পরস্পর থেকে) তোমাদের অধিকার দাবি করো। আর সতর্ক হও রক্ত সম্পর্কের নিকটাত্মীয়দের (অধিকারের) ব্যাপারে। নিশ্চয়ই আল্লাহ্ তোমাদের উপর তত্ত্বাবধানকারী পাহারাদার।

يٰٓاَيُّهَا النَّاسُ اتَّقُوْا رَبَّكُمُ الَّذِىْ خَلَقَكُمْ مِّنْ نَّفْسٍ وَّاحِدَةٍ وَّخَلَقَ مِنْهَا زَوْجَهَا وَ بَثَّ مِنْهُمَا رِجَالًا كَثِيْرًا وَّنِسَآءً ۚ وَ اتَّقُوا اللّٰهَ الَّذِىْ تَسَآءَلُوْنَ بِهٖ وَ الْاَرْحَامَ ؕ اِنَّ اللّٰهَ كَانَ عَلَيْكُمْ رَقِيْبًا ﴿١﴾

০২. দিয়ে দাও এতিমদেরকে তাদের মাল-সম্পদ। ভালো সম্পদের সাথে মন্দ সম্পদ বদল করোনা। তোমরা গ্রাস করোনা তাদের মাল-সম্পদ তোমাদের মাল-সম্পদের সাথে মিশিয়ে নিয়ে। কারণ, এটা একটা কবিরা গুনাহ্।

وَ اٰتُوا الْيَتٰمٰۤى اَمْوَالَهُمْ وَ لَا تَتَبَدَّلُوا الْخَبِيْثَ بِالطَّيِّبِ ۪ وَ لَا تَاْكُلُوْۤا اَمْوَالَهُمْ اِلٰۤى اَمْوَالِكُمْ ؕ اِنَّهٗ كَانَ حُوْبًا كَبِيْرًا ﴿٢﴾

০৩. আর তোমরা যদি আশংকা করো, এতিম-মেয়েদের প্রতি সুবিচার করতে পারবে না, তবে যেসব নারীদের তোমরা পছন্দ করো, তাদের মধ্য থেকে বিয়ে করে নাও দুই, তিন, বা চারজনকে। কিন্তু, যদি আশংকা করো (একাধিক বিয়ে করলে) স্ত্রীদের মধ্যে ইনসাফ করতে পারবেনা, সে ক্ষেত্রে একটি বিয়ে করো, অথবা তোমাদের অধিকারভুক্ত মেয়ে। বেইনসাফি থেকে বাঁচার জন্যে এ ব্যবস্থাই অধিকতর সঠিক।

وَ اِنْ خِفْتُمْ اَلَّا تُقْسِطُوْا فِى الْيَتٰمٰى فَانْكِحُوْا مَا طَابَ لَكُمْ مِّنَ النِّسَآءِ مَثْنٰى وَ ثُلٰثَ وَ رُبٰعَ ۚ فَاِنْ خِفْتُمْ اَلَّا تَعْدِلُوْا فَوَاحِدَةً اَوْ مَا مَلَكَتْ اَيْمَانُكُمْ ؕ ذٰلِكَ اَدْنٰۤى اَلَّا تَعُوْلُوْا ﴿٣﴾

০৪. আর তোমরা (যাদের বিয়ে করবে তাদের অর্থাৎ) স্ত্রীদের মোহর খোলামনে আনন্দচিত্তে দিয়ে দাও। তবে তারা নিজেরাই যদি সন্তুষ্টচিত্তে (মোহরানার) কিছু অংশ মাফ করে দেয়, তবে তোমরাও সানন্দে তা গ্রহণ করতে পারো।

وَ اٰتُوا النِّسَآءَ صَدُقٰتِهِنَّ نِحْلَةً ؕ فَاِنْ طِبْنَ لَكُمْ عَنْ شَیْءٍ مِّنْهُ نَفْسًا فَكُلُوْهُ هَنِیْٓــًٔا مَّرِیْٓــًٔا ﴿٤﴾

০৫. তোমরা নির্বোধদের হাতে তোমাদের মাল-সম্পদ তুলে দিওনা, যা আল্লাহ্ তোমাদের জীবন

وَ لَا تُؤْتُوا السُّفَهَآءَ اَمْوَالَكُمُ الَّتِىْ

ধারণের মাধ্যম বানিয়েছেন। তবে তা থেকে তাদের খাওয়া পরার ব্যবস্থা করবে এবং তাদের সাথে উত্তম-উপদেশমূলক কথা বলবে।	جَعَلَ اللّٰهُ لَكُمْ قِيٰمًا وَّارْزُقُوْهُمْ فِيْهَا وَاكْسُوْهُمْ وَقُوْلُوْا لَهُمْ قَوْلًا مَّعْرُوْفًا ۝٥
০৬. আর তোমরা এতিমদের যাচাই-পরীক্ষা করতে থাকো, যতোদিন তারা বিবাহযোগ্য-বালেগ না হয়। অত:পর যদি তোমরা তাদের মধ্যে ভালোমন্দ যাচাই করার মতো যোগ্যতার সন্ধান পাও, তখন তাদের মাল-সম্পদ তাদের হাতে সোপর্দ করে দাও। তারা বড় হয়ে তাদের সম্পদ ফিরিয়ে নিয়ে যাবে এই ভয়ে অপচয় করে তাদের সম্পদ তাড়াতাড়ি খেয়ে ফেলোনা। যে (এতিমের যে তত্ত্বাবধানকারী) সম্পদশালী, সে যেনো (এতিমদের সম্পদ থেকে তত্ত্বাবধানের খরচ নেয়া থেকে) বিরত থাকে। তবে অভাবী হলে প্রচলিত সঙ্গত পরিমাণ গ্রহণ করবে। যখন তাদের সম্পদ তাদের হাতে সোপর্দ করবে, তখন তাতে সাক্ষী রাখবে। আর হিসাব নেয়ার জন্যে আল্লাহ্ই কাফী (যথেষ্ট)।	وَابْتَلُوا الْيَتٰمٰى حَتّٰۤى اِذَا بَلَغُوا النِّكَاحَ ۚ فَاِنْ اٰنَسْتُمْ مِّنْهُمْ رُشْدًا فَادْفَعُوْۤا اِلَيْهِمْ اَمْوَالَهُمْ ۚ وَلَا تَاْكُلُوْهَاۤ اِسْرَافًا وَّبِدَارًا اَنْ يَّكْبَرُوْا ؕ وَمَنْ كَانَ غَنِيًّا فَلْيَسْتَعْفِفْ ۚ وَمَنْ كَانَ فَقِيْرًا فَلْيَاْكُلْ بِالْمَعْرُوْفِ ؕ فَاِذَا دَفَعْتُمْ اِلَيْهِمْ اَمْوَالَهُمْ فَاَشْهِدُوْا عَلَيْهِمْ ؕ وَكَفٰى بِاللّٰهِ حَسِيْبًا ۝٦
০৭. বাবা-মা ও আত্মীয়-স্বজনের রেখে যাওয়া অর্থ-সম্পদে পুরুষ (ওয়ারিশদের) অংশ রয়েছে, আর আর বাবা-মা ও আত্মীয়-স্বজনের রেখে যাওয়া অর্থ সম্পদে নারী (ওয়ারিশদের)ও অংশ রয়েছে, তা কমই হোক কিংবা বেশি। (উভয়ের) প্রাপ্য নির্ধারিত ও বিধিবদ্ধ।	لِلرِّجَالِ نَصِيْبٌ مِّمَّا تَرَكَ الْوَالِدٰنِ وَالْاَقْرَبُوْنَ ۪ وَلِلنِّسَآءِ نَصِيْبٌ مِّمَّا تَرَكَ الْوَالِدٰنِ وَالْاَقْرَبُوْنَ مِمَّا قَلَّ مِنْهُ اَوْ كَثُرَ ؕ نَصِيْبًا مَّفْرُوْضًا ۝٧
০৮. (ওয়ারিশি অর্থ-সম্পদ) বণ্টনকালে (ওয়ারিশ নয় এমন) আত্মীয় এবং এতিম ও অভাবী লোক উপস্থিত থাকলে তাদেরকে তা থেকে কিছু দেবে এবং তাদের সাথে উত্তমভাবে কথা বলবে।	وَاِذَا حَضَرَ الْقِسْمَةَ اُولُوا الْقُرْبٰى وَالْيَتٰمٰى وَالْمَسٰكِيْنُ فَارْزُقُوْهُمْ مِّنْهُ وَقُوْلُوْا لَهُمْ قَوْلًا مَّعْرُوْفًا ۝٨
০৯. একথা ভেবে সবারই ভয় করা উচিত যে, তারাও যদি অসহায় সন্তান রেখে (মারা) যেতো, তবে (মৃত্যুর সময়) তারা কতো যে উদ্বিগ্ন হতো! সুতরাং তারা যেনো আল্লাহ্কে ভয় করে এবং সরল-সঠিক কথা বলে।	وَلْيَخْشَ الَّذِيْنَ لَوْ تَرَكُوْا مِنْ خَلْفِهِمْ ذُرِّيَّةً ضِعٰفًا خَافُوْا عَلَيْهِمْ ۪ فَلْيَتَّقُوا اللّٰهَ وَلْيَقُوْلُوْا قَوْلًا سَدِيْدًا ۝٩
১০. নিশ্চয়ই যারা যুলুম করে (অন্যায়ভাবে) এতিমদের মাল-সম্পদ গ্রাস করে, তারা ভক্ষণ করে তাদের উদরে আগুন এবং তাদেরকে দগ্ধ করা হবে জ্বলন্ত আগুনে।	اِنَّ الَّذِيْنَ يَاْكُلُوْنَ اَمْوَالَ الْيَتٰمٰى ظُلْمًا اِنَّمَا يَاْكُلُوْنَ فِيْ بُطُوْنِهِمْ نَارًا ؕ وَسَيَصْلَوْنَ سَعِيْرًا ۝١٠
১১. আল্লাহ্ তোমাদের অসিয়ত (নির্দেশ) করছেন তোমাদের সন্তানদের (উত্তরাধিকার) সম্পর্কে: এক ছেলে সন্তান পাবে দুই মেয়ে সন্তানের সমান। কিন্তু তারা (ওয়ারিশরা) যদি শুধু মেয়ে সন্তান হয় এবং তারা যদি দুয়ের অধিক হয়, তবে তারা পরিত্যক্ত	يُوْصِيْكُمُ اللّٰهُ فِيْۤ اَوْلَادِكُمْ ۗ لِلذَّكَرِ مِثْلُ حَظِّ الْاُنْثَيَيْنِ ۚ فَاِنْ كُنَّ نِسَآءً فَوْقَ اثْنَتَيْنِ فَلَهُنَّ ثُلُثَا مَا تَرَكَ ۚ وَاِنْ

রুকু ০১

كَانَتْ وَاحِدَةً فَلَهَا النِّصْفُ ۚ وَلِأَبَوَيْهِ لِكُلِّ وَاحِدٍ مِّنْهُمَا السُّدُسُ مِمَّا تَرَكَ إِن كَانَ لَهُ وَلَدٌ ۚ فَإِن لَّمْ يَكُن لَّهُ وَلَدٌ وَوَرِثَهُ أَبَوَاهُ فَلِأُمِّهِ الثُّلُثُ ۚ فَإِن كَانَ لَهُ إِخْوَةٌ فَلِأُمِّهِ السُّدُسُ مِن بَعْدِ وَصِيَّةٍ يُوصِي بِهَا أَوْ دَيْنٍ ۗ آبَاؤُكُمْ وَأَبْنَاؤُكُمْ لَا تَدْرُونَ أَيُّهُمْ أَقْرَبُ لَكُمْ نَفْعًا ۚ فَرِيضَةً مِّنَ اللَّهِ ۗ إِنَّ اللَّهَ كَانَ عَلِيمًا حَكِيمًا ﴿١١﴾

অর্থ-সম্পদের তিনভাগের দুইভাগ পাবে। কিন্তু কেউ যদি একমাত্র কন্যা রেখে যায়, তবে সে (পরিত্যক্ত সম্পদের) অর্ধেক পাবে। কেউ যদি সন্তান (এবং পিতা-মাতা) রেখে মারা যায়, তাহলে তার বাবা-মা প্রত্যেকেই ছয় ভাগের একভাগ করে পাবে। কিন্তু সে যদি নিঃসন্তান হয় এবং ওয়ারিশ হিসেবে বাবা-মা দু'জনকেই রেখে যায়, তবে তার মা পাবে তিনভাগের একভাগ। তবে সে যদি ভাইবোনও রেখে যায়, তবে তার মা পাবে ছয় ভাগের এক ভাগ। এভাবে ওয়ারিশি বণ্টন করতে হবে মৃত ব্যক্তি যদি কোনো অসিয়ত করে যায় কিংবা কোনো দেনা রেখে যায়, সেগুলো পরিশোধ করার পর। তোমরা তো জানো না, তোমাদের বাবা-মা এবং সন্তানের মধ্যে তোমাদের জন্য লাভের দিক থেকে কে বেশি নিকটবর্তী? (উত্তরাধিকার বণ্টন এবং বণ্টনের এই হার) আল্লাহ্ কর্তৃক নির্ধারিত আইন। নিশ্চয়ই আল্লাহ্ সর্বজ্ঞানী এবং পরিপূর্ণ প্রজ্ঞার অধিকারী।

وَلَكُمْ نِصْفُ مَا تَرَكَ أَزْوَاجُكُمْ إِن لَّمْ يَكُن لَّهُنَّ وَلَدٌ ۚ فَإِن كَانَ لَهُنَّ وَلَدٌ فَلَكُمُ الرُّبُعُ مِمَّا تَرَكْنَ مِن بَعْدِ وَصِيَّةٍ يُوصِينَ بِهَا أَوْ دَيْنٍ ۚ وَلَهُنَّ الرُّبُعُ مِمَّا تَرَكْتُمْ إِن لَّمْ يَكُن لَّكُمْ وَلَدٌ ۚ فَإِن كَانَ لَكُمْ وَلَدٌ فَلَهُنَّ الثُّمُنُ مِمَّا تَرَكْتُم مِّن بَعْدِ وَصِيَّةٍ تُوصُونَ بِهَا أَوْ دَيْنٍ ۗ وَإِن كَانَ رَجُلٌ يُورَثُ كَلَالَةً أَوِ امْرَأَةٌ وَلَهُ أَخٌ أَوْ أُخْتٌ فَلِكُلِّ وَاحِدٍ مِّنْهُمَا السُّدُسُ ۚ فَإِن كَانُوا أَكْثَرَ مِن ذَٰلِكَ فَهُمْ شُرَكَاءُ فِي الثُّلُثِ مِن بَعْدِ وَصِيَّةٍ يُوصَىٰ بِهَا أَوْ دَيْنٍ غَيْرَ مُضَارٍّ ۚ وَصِيَّةً مِّنَ اللَّهِ ۗ وَاللَّهُ عَلِيمٌ حَلِيمٌ ﴿١٢﴾

১২. তোমাদের স্ত্রীরা যদি সন্তান না রেখে মারা যায়, তবে তাদের পরিত্যক্ত অর্থ-সম্পদের অর্ধেক তোমরা (স্বামীরা) পাবে। কিন্তু তারা যদি সন্তান রেখে যায়, তবে তাদের পরিত্যাক্ত অর্থ-সম্পদের চার ভাগের এক ভাগ তোমরা (স্বামীরা) পাবে, অসিয়ত এবং দেনা পরিশোধ করার পর। তোমাদের (স্বামীদের) পরিত্যক্ত অর্থ-সম্পদের চার ভাগের এক ভাগ তারা (স্ত্রীরা) পাবে, যদি তোমাদের কোনো সন্তান না থাকে। কিন্তু তোমাদের সন্তান থাকলে তোমাদের পরিত্যক্ত অর্থ-সম্পদের আট ভাগের এক ভাগ তারা পাবে, তোমাদের অসিয়ত এবং দেনা পরিশোধের পর। যদি এমন কোনো পুরুষ বা নারী মারা যায়, যার (ওয়ারিশি পাওয়ার জন্যে) সন্তান নেই, বাবা-মাও বেঁচে নেই, তবে একজন ভাই এবং একজন বোন আছে, সে ক্ষেত্রে উভয়ের প্রত্যেকেই ছয় ভাগের একভাগ পাবে। কিন্তু (তার ওয়ারিশ) এর চাইতে বেশি হলে তারা প্রত্যেকেই এক তৃতীয়াংশ (তিন ভাগের এক ভাগে) সমান অংশীদার হবে। এসব বণ্টনই অসিয়ত এবং ঋণ পরিশোধের পর করতে হবে, যদি তা ক্ষতিকর না হয়। (ওয়ারিশি বণ্টন বিষয়ে) এগুলো হলো আল্লাহ্‌র অসিয়ত (নির্দেশ, আইন, বিধান)। আর আল্লাহ্ মহাজ্ঞানী, মহাধৈর্যশীল।

تِلْكَ حُدُودُ اللَّهِ ۚ وَمَن يُطِعِ اللَّهَ وَرَسُولَهُ يُدْخِلْهُ جَنَّاتٍ تَجْرِي مِن تَحْتِهَا الْأَنْهَارُ

১৩. এগুলো (ওয়ারিশি বিষয়ে) আল্লাহ্‌র নির্ধারিত সীমানা। যে কেউ আল্লাহ্ এবং তাঁর রসূলের আনুগত্য করবে, তিনি তাকে দাখিল করবেন

জান্নাতসমূহের মধ্যে, যেগুলোর নিচে দিয়ে প্রবাহিত রয়েছে নদ-নদী নহর। সেগুলোর মধ্যে তারা থাকবে চিরকাল। আর এটাই মহাসাফল্য।	خٰلِدِيْنَ فِيْهَا ؕ وَ ذٰلِكَ الْفَوْزُ الْعَظِيْمُ ⑬
১৪. কিন্তু যে কেউ অমান্য করবে আল্লাহ্ এবং তাঁর রসূলের নির্দেশ এবং লংঘন করবে তাঁর (আল্লাহ্‌র নির্ধারিত) সীমানা, তিনি তাকে দাখিল করবেন আগুনে (জাহান্নামে)। সেখানেই সে থাকবে চিরকাল। তা ছাড়া তার জন্যে রয়েছে অপমানকর আযাব।	وَ مَنْ يَّعْصِ اللّٰهَ وَ رَسُوْلَهٗ وَ يَتَعَدَّ حُدُوْدَهٗ يُدْخِلْهُ نَارًا خَالِدًا فِيْهَا ۪ وَ لَهٗ عَذَابٌ مُّهِيْنٌ ⑭
১৫. তোমাদের যেসব নারী ফাহেশা কাজে (ব্যভিচারে) লিপ্ত হয় (বলে অভিযোগ উঠে), তাদের বিরুদ্ধে তোমাদের মধ্য থেকে চারজন সাক্ষী উপস্থিত করাও। তারা (চারজনই) যদি তার বিরুদ্ধে সাক্ষ্য দেয়, তবে তাকে গৃহবন্দী করে রাখো যতোদিন না তার মৃত্যু হয়, অথবা আল্লাহ্ এ ধরনের নারীদের বিষয়ে কোনো বিধান নাযিল করেন।	وَالّٰتِيْ يَاْتِيْنَ الْفَاحِشَةَ مِنْ نِّسَآئِكُمْ فَاسْتَشْهِدُوْا عَلَيْهِنَّ اَرْبَعَةً مِّنْكُمْ ۚ فَاِنْ شَهِدُوْا فَاَمْسِكُوْهُنَّ فِي الْبُيُوْتِ حَتّٰى يَتَوَفّٰهُنَّ الْمَوْتُ اَوْ يَجْعَلَ اللّٰهُ لَهُنَّ سَبِيْلًا ⑮
১৬. তোমাদের মধ্যে যে দুইজন ঐ কর্মে (ব্যভিচারে) লিপ্ত হবে, (প্রমাণিত হলে) তাদের দণ্ড দাও। আর তারা যদি তওবা করে এবং নিজেদের ইস্‌লাহ্ করে নেয়, তবে তাদের (শাস্তি) উপেক্ষা করো। নিশ্চয়ই আল্লাহ্ তওবা কবুলকারী পরম দয়াবান।	وَ الَّذٰنِ يَاْتِيٰنِهَا مِنْكُمْ فَاٰذُوْهُمَا ۚ فَاِنْ تَابَا وَ اَصْلَحَا فَاَعْرِضُوْا عَنْهُمَا ؕ اِنَّ اللّٰهَ كَانَ تَوَّابًا رَّحِيْمًا ⑯
১৭. জেনে রাখো, আল্লাহ্ সেই সব লোকদের তওবাই কবুল করেন, যারা অজ্ঞতা বা ভুলবশত মন্দ কর্ম করে ফেলে এবং পরক্ষণেই ভীষণ অনুতপ্ত হয় ও তওবা করে। এরাই সেইসব লোক আল্লাহ্ যাদের তওবা কবুল করেন। আর আল্লাহ্ তো সর্বজ্ঞানী প্রজ্ঞাময়।	اِنَّمَا التَّوْبَةُ عَلَى اللّٰهِ لِلَّذِيْنَ يَعْمَلُوْنَ السُّوْٓءَ بِجَهَالَةٍ ثُمَّ يَتُوْبُوْنَ مِنْ قَرِيْبٍ فَاُولٰٓئِكَ يَتُوْبُ اللّٰهُ عَلَيْهِمْ ؕ وَ كَانَ اللّٰهُ عَلِيْمًا حَكِيْمًا ⑰
১৮. ঐসব লোকদের অনুতপ্ত হওয়া বা তওবা করা নিষ্ফল, যারা মন্দ কর্ম চালিয়ে যেতেই থাকে। অত:পর যখন তাদের কারো মউত এসে হাজির হয়, তখন সে বলে: 'আমি এখন তওবা করছি'। আর ঐসব লোকদের তওবাও নিষ্ফল, যাদের মউত হয় কুফুরিতে নিমজ্জিত থাকা অবস্থায়। এসব লোকদের জন্যেই আমরা প্রস্তুত রেখেছি বেদনাদায়ক আযাব (Painful torment)।	وَ لَيْسَتِ التَّوْبَةُ لِلَّذِيْنَ يَعْمَلُوْنَ السَّيِّاٰتِ ۚ حَتّٰٓى اِذَا حَضَرَ اَحَدَهُمُ الْمَوْتُ قَالَ اِنِّيْ تُبْتُ الْـٰٔنَ وَ لَا الَّذِيْنَ يَمُوْتُوْنَ وَ هُمْ كُفَّارٌ ؕ اُولٰٓئِكَ اَعْتَدْنَا لَهُمْ عَذَابًا اَلِيْمًا ⑱
১৯. হে ঐসব লোক যারা ঈমান এনেছো! তোমাদের জন্যে হালাল নয় নারীদের ওয়ারিশ হয়ে বসা তাদের ইচ্ছার বিরুদ্ধে। আর তোমরা তাদের হয়রানি করো না তাদেরকে দেয়া সম্পদের	يٰٓاَيُّهَا الَّذِيْنَ اٰمَنُوْا لَا يَحِلُّ لَكُمْ اَنْ تَرِثُوا النِّسَآءَ كَرْهًا ؕ وَ لَا تَعْضُلُوْهُنَّ لِتَذْهَبُوْا

রুকু ০২

(মোহরানার) কিছু অংশ আত্মসাৎ করার উদ্দেশ্যে। তবে তারা প্রমাণিত ফাহেশা কাজে (ব্যভিচারে) লিপ্ত হয়ে থাকলে ভিন্ন কথা। তাদের সাথে ভদ্রোচিত ও সম্মানজনকভাবে বাস করো। তোমরা যদি তাদের (স্ত্রীদের) অপছন্দ করো, তবে এমনো হতে পারে যে, তোমরা কোনো কিছু অপছন্দ করছো, অথচ আল্লাহ্ তাতে দান করবেন প্রভূত কল্যাণ।	بِبَعْضِ مَآ اٰتَيْتُمُوْهُنَّ اِلَّآ اَنْ يَّاْتِيْنَ بِفَاحِشَةٍ مُّبَيِّنَةٍ ۚ وَعَاشِرُوْهُنَّ بِالْمَعْرُوْفِ ۚ فَاِنْ كَرِهْتُمُوْهُنَّ فَعَسٰٓى اَنْ تَكْرَهُوْا شَيْـًٔا وَّيَجْعَلَ اللّٰهُ فِيْهِ خَيْرًا كَثِيْرًا ﴿١٩﴾
২০. তোমরা যদি একজন স্ত্রী বাদ দিয়ে তার জায়গায় আরেকজন স্ত্রী গ্রহণ করার এরাদা করো, এবং (যাকে বাদ দেবে) তাকে যদি প্রচুর অর্থ-সম্পদও দিয়ে থাকো, তবে তা থেকে কিছুই ফেরত নিওনা। তোমরা কি অপবাদ দিয়ে এবং সুস্পষ্ট পাপ কাজ করে তা ফেরত নেবে?	وَاِنْ اَرَدْتُّمُ اسْتِبْدَالَ زَوْجٍ مَّكَانَ زَوْجٍ ۙ وَّاٰتَيْتُمْ اِحْدٰىهُنَّ قِنْطَارًا فَلَا تَاْخُذُوْا مِنْهُ شَيْـًٔا ؕ اَتَاْخُذُوْنَهٗ بُهْتَانًا وَّاِثْمًا مُّبِيْنًا ﴿٢٠﴾
২১. তোমরা কী করে তা ফেরত নিতে পারো, অথচ তোমরা একজন আরেকজনের থেকে স্বাদ গ্রহণ করেছো এবং তারা (স্ত্রীরা) তোমাদের থেকে পাকা প্রতিশ্রুতি গ্রহণ করেছে?	وَكَيْفَ تَاْخُذُوْنَهٗ وَقَدْ اَفْضٰى بَعْضُكُمْ اِلٰى بَعْضٍ وَّاَخَذْنَ مِنْكُمْ مِّيْثَاقًا غَلِيْظًا ﴿٢١﴾
২২. তোমরা তাদের নিকাহ (বিয়ে) করোনা, যাদের নিকাহ করেছে তোমাদের পিতা ও পিতামহ। তবে অতীতে যা হবার হয়েছে। কারণ এ কাজ একটি ফাহেশা ও ঘৃণ্য কাজ এবং চরম নিকৃষ্ট পন্থা।	وَلَا تَنْكِحُوْا مَا نَكَحَ اٰبَآؤُكُمْ مِّنَ النِّسَآءِ اِلَّا مَا قَدْ سَلَفَ ؕ اِنَّهٗ كَانَ فَاحِشَةً وَّمَقْتًا ؕ وَسَآءَ سَبِيْلًا ﴿٢٢﴾
২৩. তোমাদের জন্যে (বিয়ে করা) হারাম করা হলো: তোমাদের মা, কন্যা, বোন, ফুফু, খালা, ভাইয়ের মেয়ে, বোনের মেয়ে, দুধ-মা, দুধ বোন, শাশুড়ী। আর তোমাদের স্ত্রীদের যাদের সাথে তোমরা সহবাস করেছো তাদের পূর্ব স্বামীর ঔরসজাত কন্যা, যারা তোমাদের অভিভাবকত্বে আছে। তবে যে স্ত্রীর সাথে সহবাস করোনি (অর্থাৎ সহবাস করার পূর্বেই যাদের তালাক দিয়েছো) তাদের পূর্ব স্বামীর ঔরসজাত কন্যাকে বিয়ে করতে বাধা নেই। এছাড়া তোমাদের জন্যে হারাম তোমাদের ঔরসজাত পুত্রের (তালাক দেয়া) স্ত্রী। হারাম দুই বোনকে একত্রে বিবাহাধীন করা, তবে পূর্বে (জাহেলি যুগে) যা হবার হয়েছে। নিশ্চয়ই আল্লাহ্ পরম ক্ষমাশীল, পরম দয়াবান।	حُرِّمَتْ عَلَيْكُمْ اُمَّهٰتُكُمْ وَبَنٰتُكُمْ وَاَخَوٰتُكُمْ وَعَمّٰتُكُمْ وَخٰلٰتُكُمْ وَبَنٰتُ الْاَخِ وَبَنٰتُ الْاُخْتِ وَاُمَّهٰتُكُمُ الّٰتِيْٓ اَرْضَعْنَكُمْ وَاَخَوٰتُكُمْ مِّنَ الرَّضَاعَةِ وَاُمَّهٰتُ نِسَآئِكُمْ وَرَبَآئِبُكُمُ الّٰتِيْ فِيْ حُجُوْرِكُمْ مِّنْ نِّسَآئِكُمُ الّٰتِيْ دَخَلْتُمْ بِهِنَّ ۫ فَاِنْ لَّمْ تَكُوْنُوْا دَخَلْتُمْ بِهِنَّ فَلَا جُنَاحَ عَلَيْكُمْ ۫ وَحَلَآئِلُ اَبْنَآئِكُمُ الَّذِيْنَ مِنْ اَصْلَابِكُمْ ۙ وَاَنْ تَجْمَعُوْا بَيْنَ الْاُخْتَيْنِ اِلَّا مَا قَدْ سَلَفَ ؕ اِنَّ اللّٰهَ كَانَ غَفُوْرًا رَّحِيْمًا ﴿٢٣﴾

রুকু ০৩

পারা ০৫

وَّ الْمُحْصَنٰتُ مِنَ النِّسَآءِ اِلَّا مَا مَلَكَتْ اَيْمَانُكُمْ ۚ كِتٰبَ اللّٰهِ عَلَيْكُمْ ۚ وَ اُحِلَّ لَكُمْ مَّا وَرَآءَ ذٰلِكُمْ اَنْ تَبْتَغُوْا بِاَمْوَالِكُمْ مُّحْصِنِيْنَ غَيْرَ مُسٰفِحِيْنَ ؕ فَمَا اسْتَمْتَعْتُمْ بِهٖ مِنْهُنَّ فَاٰتُوْهُنَّ اُجُوْرَهُنَّ فَرِيْضَةً ؕ وَ لَا جُنَاحَ عَلَيْكُمْ فِيْمَا تَرٰضَيْتُمْ بِهٖ مِنْۢ بَعْدِ الْفَرِيْضَةِ ؕ اِنَّ اللّٰهَ كَانَ عَلِيْمًا حَكِيْمًا ﴿۲۴﴾

২৪. তাছাড়া বিবাহ বন্ধনে আবদ্ধ সব নারীই তোমাদের জন্যে হারাম। তবে তোমাদের অধিকারভুক্ত দাসীদের বিয়ে করতে পারো। এগুলো তোমাদের জন্যে আল্লাহ্‌র দেয়া অবশ্য মান্য বিধান। উল্লেখিত নারীদের বাইরে যতো নারী আছে নিজেদের অর্থ-সম্পদের (মোহরানার) বিনিময়ে তাদের (যাকে চাও) বিবাহ বন্ধনে আবদ্ধ করা তোমাদের জন্যে হালাল করা হলো। তবে বিবাহ বহির্ভূত যৌন লালসা তৃপ্ত করার জন্যে কিছুতেই নয়। (বিয়ে করে) তাদের থেকে তোমরা যে যৌন স্বাদ আস্বাদন করো, তার বিনিময়ে তাদের মোহরানা ফরয হিসেবে পরিশোধ করে দাও। মোহরানা নির্ধারণের পর তোমরা যদি কোনো বিষয়ে (নির্ধারিত পরিমাণের চাইতে বেশি প্রদান করতে) রাজি হয়ে যাও, তাতে তোমাদের কোনো দোষ হবেনা। নিশ্চয়ই আল্লাহ্ সর্বজ্ঞানী, প্রজ্ঞাময়।

وَ مَنْ لَّمْ يَسْتَطِعْ مِنْكُمْ طَوْلًا اَنْ يَّنْكِحَ الْمُحْصَنٰتِ الْمُؤْمِنٰتِ فَمِنْ مَّا مَلَكَتْ اَيْمَانُكُمْ مِّنْ فَتَيٰتِكُمُ الْمُؤْمِنٰتِ ؕ وَ اللّٰهُ اَعْلَمُ بِاِيْمَانِكُمْ ؕ بَعْضُكُمْ مِّنْۢ بَعْضٍ ۚ فَانْكِحُوْهُنَّ بِاِذْنِ اَهْلِهِنَّ وَ اٰتُوْهُنَّ اُجُوْرَهُنَّ بِالْمَعْرُوْفِ مُحْصَنٰتٍ غَيْرَ مُسٰفِحٰتٍ وَّلَا مُتَّخِذٰتِ اَخْدَانٍ ۚ فَاِذَاۤ اُحْصِنَّ فَاِنْ اَتَيْنَ بِفَاحِشَةٍ فَعَلَيْهِنَّ نِصْفُ مَا عَلَى الْمُحْصَنٰتِ مِنَ الْعَذَابِ ؕ ذٰلِكَ لِمَنْ خَشِيَ الْعَنَتَ مِنْكُمْ ؕ وَاَنْ تَصْبِرُوْا خَيْرٌ لَّكُمْ ؕ وَاللّٰهُ غَفُوْرٌ رَّحِيْمٌ ﴿۲۵﴾

রুকু ০৪

২৫. তোমাদের মধ্যে যে সম্ভ্রান্ত পরিবারের মুমিন নারীদের বিয়ে করার সামর্থ রাখেনা, সে তোমাদের অধিকারভুক্ত মুমিন দাসীদের কাউকেও বিয়ে করবে। তোমাদের ঈমান সম্পর্কে আল্লাহ্ পুরোপুরি অবহিত। তোমরা একজন আরেকজন থেকে (অর্থাৎ তোমরা একই আদর্শ ও একই উম্মতভুক্ত)। সুতরাং তাদের বিয়ে করো তাদের অভিভাবকদের অনুমতি সাপেক্ষে এবং পরিশোধ করে দাও তাদের মোহরানা প্রচলিত ন্যায্য নিয়মে। তারা হবে সতী-সুরক্ষিত, অবৈধ যৌন নিবেদিতা নয় এবং ছেলে-বন্ধু গ্রহণকারিণীও নয়। তারা যখন বিবাহের দুর্গে আবদ্ধ হবে, তখন যদি ফাহেশা কাজে (ব্যভিচারে) লিপ্ত হয়, তখন তাদের দণ্ড হবে স্বাধীন সম্ভ্রান্ত নারীদের দণ্ডের অর্ধেক। (বিয়ের) এই বিধানটি দেয়া হলো তোমাদের মধ্যকার সেসব লোকদের জন্যে যারা (বিয়ে না করলে) দীনের বিধান লংঘন এবং স্বাস্থ্যহানির আশংকা করে। তবে সবর অবলম্বন করা তোমাদের জন্যে উত্তম। আল্লাহ্ পরম ক্ষমাশীল পরম দয়াবান।

يُرِيْدُ اللّٰهُ لِيُبَيِّنَ لَكُمْ وَ يَهْدِيَكُمْ سُنَنَ الَّذِيْنَ مِنْ قَبْلِكُمْ وَ يَتُوْبَ عَلَيْكُمْ ؕ وَاللّٰهُ عَلِيْمٌ حَكِيْمٌ ﴿۲۶﴾

২৬. আল্লাহ্ তোমাদের জন্যে বয়ান করে দেয়ার এরাদা করেছেন (হালাল এবং হারামের বিধান) এবং তোমাদের পরিচালিত করতে চাইছেন তোমাদের পূর্ববর্তী ভালো লোকদের নীতি ও আদর্শের ভিত্তিতে। আর তিনি কবুল করে নিতে চাইছেন তোমাদের তওবা-অনুশোচনা। আল্লাহ্ তো আলিমুল হাকিম (সর্বজান্তা সর্বজ্ঞানী)।

২৭. আল্লাহ্ এরাদা করেছেন তোমাদের তওবা ও অনুশোচনা কবুল করতে। অপরদিকে যারা কুপ্রবৃত্তির এত্তেবা (অনুসরণ) করে, তারা চায় তোমরা যেনো সত্যের পথ থেকে চরমভাবে বিচ্যুত হও।	وَاللّٰهُ يُرِيْدُ اَنْ يَّتُوْبَ عَلَيْكُمْ ۟ وَيُرِيْدُ الَّذِيْنَ يَتَّبِعُوْنَ الشَّهَوٰتِ اَنْ تَمِيْلُوْا مَيْلًا عَظِيْمًا ﴿۲۷﴾
২৮. আল্লাহ্ এরাদা করেছেন তোমাদের উপর থেকে (বিধি নিষেধের) বোঝা হালকা করতে। কারণ, মানুষকে তো সৃষ্টি করা হয়েছে জয়ীফ (দুর্বল) করে।	يُرِيْدُ اللّٰهُ اَنْ يُّخَفِّفَ عَنْكُمْ ۚ وَخُلِقَ الْاِنْسَانُ ضَعِيْفًا ﴿۲۸﴾
২৯. হে ঐসব লোক যারা ঈমান এনেছো! তোমরা তোমাদের পরস্পরের মাল-সম্পদ গ্রাস করোনা বাতিল পন্থায়। তবে পরস্পরের রাজি খুশির ভিত্তিতে তেজারত (ব্যবসা) করার মধ্যে দোষ নেই। তোমরা নিজেদের হত্যা করোনা। নিশ্চয়ই আল্লাহ্ তোমাদের প্রতি দয়াবান।	يٰۤاَيُّهَا الَّذِيْنَ اٰمَنُوْا لَا تَاْكُلُوْۤا اَمْوَالَكُمْ بَيْنَكُمْ بِالْبَاطِلِ اِلَّاۤ اَنْ تَكُوْنَ تِجَارَةً عَنْ تَرَاضٍ مِّنْكُمْ ۟ وَلَا تَقْتُلُوْۤا اَنْفُسَكُمْ ؕ اِنَّ اللّٰهَ كَانَ بِكُمْ رَحِيْمًا ﴿۲۹﴾
৩০. যে কেউ সীমা লঙ্ঘনের মাধ্যমে এবং যুলুম করে তা করবে, আমরা তাকে নিক্ষেপ করবো আগুনে। আর এ কাজ করা আল্লাহ্‌র জন্যে একেবারেই সহজ।	وَمَنْ يَّفْعَلْ ذٰلِكَ عُدْوَانًا وَّظُلْمًا فَسَوْفَ نُصْلِيْهِ نَارًا ؕ وَكَانَ ذٰلِكَ عَلَى اللّٰهِ يَسِيْرًا ﴿۳۰﴾
৩১. তোমরা যদি কবিরা গুনাহ্সমূহ পরিহার করে চলো, যেগুলো করতে তোমাদের নিষেধ করা হয়েছে, তাহলে আমরা তোমাদের ছোট খাটো সব গুনাহ্খাতা মুছে (expiate) দেবো এবং তোমাদের দাখিল করবো অতীব সম্মান ও মর্যাদার জায়গায় (জান্নাতে)।	اِنْ تَجْتَنِبُوْا كَبَآئِرَ مَا تُنْهَوْنَ عَنْهُ نُكَفِّرْ عَنْكُمْ سَيِّاٰتِكُمْ وَنُدْخِلْكُمْ مُّدْخَلًا كَرِيْمًا ﴿۳۱﴾
৩২. আল্লাহ্ তাঁর যেসব (অনুগ্রহ) দান করে তোমাদের একজনকে আরেকজনের উপর শ্রেষ্ঠত্ব প্রদান করেছেন, তোমরা সেগুলোর লালসা করোনা। পুরুষ যা উপার্জন করে, তার অংশ হবে সে অনুযায়ী, আর নারী যা উপার্জন করে তার অংশ সে অনুযায়ী। আল্লাহর কাছে প্রার্থনা করো তাঁর অনুগ্রহ থেকে। নিশ্চয়ই আল্লাহ্ প্রতিটি বিষয়ে অবহিত।	وَلَا تَتَمَنَّوْا مَا فَضَّلَ اللّٰهُ بِهٖ بَعْضَكُمْ عَلٰى بَعْضٍ ؕ لِلرِّجَالِ نَصِيْبٌ مِّمَّا اكْتَسَبُوْا ؕ وَلِلنِّسَآءِ نَصِيْبٌ مِّمَّا اكْتَسَبْنَ ؕ وَسْـَٔلُوا اللّٰهَ مِنْ فَضْلِهٖ ؕ اِنَّ اللّٰهَ كَانَ بِكُلِّ شَيْءٍ عَلِيْمًا ﴿۳۲﴾
৩৩. পিতা-মাতা ও আত্মীয় স্বজনের রেখে যাওয়া প্রতিটি অর্থ-সম্পদের জন্যে আমরা উত্তরাধিকারী নির্ধারণ করে দিয়েছি। আর যাদের সাথে তোমরা অঙ্গীকারাবদ্ধ তাদেরকে তাদের অংশ দিয়ে দেবে। নিশ্চয়ই আল্লাহ্ প্রতিটি বিষয়ের সাক্ষী।	وَلِكُلٍّ جَعَلْنَا مَوَالِيَ مِمَّا تَرَكَ الْوَالِدٰنِ وَالْاَقْرَبُوْنَ ؕ وَالَّذِيْنَ عَقَدَتْ اَيْمَانُكُمْ فَاٰتُوْهُمْ نَصِيْبَهُمْ ؕ اِنَّ اللّٰهَ كَانَ عَلٰى كُلِّ شَيْءٍ شَهِيْدًا ﴿۳۳﴾
৩৪. পুরুষরা নারীদের অভিভাবক ও ব্যবস্থাপক। কারণ, আল্লাহ্ তাদের একের উপর অপরকে শ্রেষ্ঠত্ব দিয়েই সৃষ্টি করেছেন। তাছাড়া পুরুষরা তাদের (নারীদের) জন্যে নিজেদের মাল-সম্পদ	اَلرِّجَالُ قَوّٰمُوْنَ عَلَى النِّسَآءِ بِمَا فَضَّلَ اللّٰهُ بَعْضَهُمْ عَلٰى بَعْضٍ وَّبِمَاۤ اَنْفَقُوْا مِنْ

রুকু ০৫

ব্যয় করবে। সতী সাধ্বী স্ত্রীরা হয়ে থাকে অনুগত এবং তারা স্বামীর অনুপস্থিতিতে হেফাযত করে আল্লাহ্ তাদের যা হেফাযত করার নির্দেশ দিয়েছেন। তোমরা যেসব স্ত্রীর ব্যাপারে অবাধ্যতার আশংকা করো তাদেরকে (প্রথমে) বুঝাও উপদেশ দাও, (দ্বিতীয় পর্যায়ে) তাদের সাথে শয্যা গ্রহণ করতে অস্বীকার করো, (তাতেও সুপথে না এলে অবশেষে) প্রহার করো (হালকাভাবে, যদি তা উপকারী হয়)। যে কোনো পর্যায়ে যখন তারা তোমাদের অনুগত হয়ে যাবে, তখন আর তাদের উপর নির্যাতন চালাবার বাহানা তালাশ করোনা। নিশ্চয়ই আল্লাহ্ মহান এবং শ্রেষ্ঠ।	اَمْوَالِهِمْ ؕ فَالصّٰلِحٰتُ قٰنِتٰتٌ حٰفِظٰتٌ لِّلْغَيْبِ بِمَا حَفِظَ اللّٰهُ ؕ وَ الّٰتِیْ تَخَافُوْنَ نُشُوْزَهُنَّ فَعِظُوْهُنَّ وَ اهْجُرُوْهُنَّ فِی الْمَضَاجِعِ وَ اضْرِبُوْهُنَّ ۚ فَاِنْ اَطَعْنَكُمْ فَلَا تَبْغُوْا عَلَیْهِنَّ سَبِیْلًا ؕ اِنَّ اللّٰهَ كَانَ عَلِیًّا كَبِیْرًا ﴿۳۴﴾
৩৫. তোমরা যদি তাদের (অর্থাৎ স্বামী-স্ত্রী) দুইজনের মাঝে সম্পর্ক ফাটল-এর আশংকা করো, তবে স্বামীর পরিবার থেকে একজন সালিশ এবং স্ত্রীর পরিবার থেকে একজন সালিশ (মোট দুইজন সালিশ) নিযুক্ত করো। তারা উভয়ে শান্তি চাইলে আল্লাহ্ তাদের মাঝে মীমাংসার তৌফিক দান করবেন। নিশ্চয়ই আল্লাহ্ সর্বজ্ঞানী, সর্ববিষয়ে অবহিত।	وَ اِنْ خِفْتُمْ شِقَاقَ بَیْنِهِمَا فَابْعَثُوْا حَكَمًا مِّنْ اَهْلِهٖ وَ حَكَمًا مِّنْ اَهْلِهَا ۚ اِنْ یُّرِیْدَاۤ اِصْلَاحًا یُّوَفِّقِ اللّٰهُ بَیْنَهُمَا ؕ اِنَّ اللّٰهَ كَانَ عَلِیْمًا خَبِیْرًا ﴿۳۵﴾
৩৬. তোমরা সবাই এক আল্লাহ্‌র ইবাদত করো এবং তাঁর সাথে কোনো কিছুকে শরিক করোনা। পিতা-মাতার প্রতি ইহ্‌সান করো এবং আত্মীয়-স্বজন, এতিম, মিসকিন, আত্মীয় প্রতিবেশী, অনাত্মীয় প্রতিবেশী, পার্শ্ব সাথি, ভ্রমণ পথের সাক্ষাত লাভকারী পথিক এবং তোমাদের অধিকারভুক্ত দাস-দাসীদের প্রতিও ইহ্‌সান করো। নিশ্চয়ই আল্লাহ্ অহংকারী দাম্ভিকদের পছন্দ করেননা।	وَاعْبُدُوا اللّٰهَ وَلَا تُشْرِكُوْا بِهٖ شَیْـًٔا وَّبِالْوَالِدَیْنِ اِحْسَانًا وَّبِذِی الْقُرْبٰی وَالْیَتٰمٰی وَالْمَسٰكِیْنِ وَالْجَارِ ذِی الْقُرْبٰی وَالْجَارِ الْجُنُبِ وَالصَّاحِبِ بِالْجَنْۢبِ وَابْنِ السَّبِیْلِ ۙ وَمَا مَلَكَتْ اَیْمَانُكُمْ ؕ اِنَّ اللّٰهَ لَا یُحِبُّ مَنْ كَانَ مُخْتَالًا فَخُوْرَا ۙ﴿۳۶﴾
৩৭. (এবং তিনি এমন লোকদেরও পছন্দ করেননা,) যারা নিজেরা বখিলি করে, মানুষকেও বখিলি করার আদেশ করে এবং আল্লাহ্ নিজ অনুগ্রহ ভাণ্ডার থেকে তাদের যা দিয়েছেন সেগুলো গোপন করে। আমরা অকৃতজ্ঞদের জন্যে প্রস্তুত করে রেখেছি অবমাননাকর আযাব।	الَّذِیْنَ یَبْخَلُوْنَ وَیَاْمُرُوْنَ النَّاسَ بِالْبُخْلِ وَیَكْتُمُوْنَ مَاۤ اٰتٰىهُمُ اللّٰهُ مِنْ فَضْلِهٖ ؕ وَاَعْتَدْنَا لِلْكٰفِرِیْنَ عَذَابًا مُّهِیْنًا ۚ﴿۳۷﴾
৩৮. আর যারা নিজেদের মাল-সম্পদ ব্যয় করে লোক দেখাবার উদ্দেশ্যে এবং (প্রকৃতপক্ষে) আল্লাহ্ ও পরকালের প্রতি বিশ্বাস রাখেনা (আল্লাহ্ তাদেরও পছন্দ করেন না)। মূলত শয়তান যার সাথি, তার সাথি বড়ই নিকৃষ্ট!	وَ الَّذِیْنَ یُنْفِقُوْنَ اَمْوَالَهُمْ رِئَآءَ النَّاسِ وَ لَا یُؤْمِنُوْنَ بِاللّٰهِ وَ لَا بِالْیَوْمِ الْاٰخِرِ ؕ وَ مَنْ یَّكُنِ الشَّیْطٰنُ لَهٗ قَرِیْنًا فَسَآءَ قَرِیْنًا ﴿۳۸﴾
৩৯. তাদের কী ক্ষতি হতো, যদি তারা আল্লাহ্ ও পরকালের প্রতি আস্থা রাখতো এবং আল্লাহ্ তাদের যে সম্পদ দান করেছেন তা	وَ مَا ذَا عَلَیْهِمْ لَوْ اٰمَنُوْا بِاللّٰهِ وَ الْیَوْمِ الْاٰخِرِ وَ اَنْفَقُوْا مِمَّا رَزَقَهُمُ اللّٰهُ ؕ وَ كَانَ

থেকে ব্যয় করতো? আল্লাহ্ তাদের সম্পর্কে ভালোভাবেই জানেন।	اللّٰهُ بِهِمۡ عَلِيۡمًا ﴿٣٩﴾
৪০. আল্লাহ্ কারো প্রতি অণু পরিমাণ যুলুম করেন না। আর কেউ যদি একটি পুণ্যের কাজও করে, তিনি সেটাকে দ্বিগুণ করে দেন এবং নিজের পক্ষ থেকে তাকে মহাপুরস্কার প্রদান করেন।	اِنَّ اللّٰهَ لَا يَظۡلِمُ مِثۡقَالَ ذَرَّةٍ ۚ وَ اِنۡ تَكُ حَسَنَةً يُّضٰعِفۡهَا وَ يُؤۡتِ مِنۡ لَّدُنۡهُ اَجۡرًا عَظِيۡمًا ﴿٤٠﴾
৪১. ভেবে দেখো, সে সময় ব্যাপারটা কী গুরুতর হবে, যখন আমরা প্রত্যেক উম্মত থেকে একজন সাক্ষী দাঁড় করাবো এবং তোমাকে তাদের বিরুদ্ধে সাক্ষী হিসেবে হাজির করবো?	فَكَيۡفَ اِذَا جِئۡنَا مِنۡ كُلِّ اُمَّةٍ بِشَهِيۡدٍ وَّجِئۡنَا بِكَ عَلٰى هٰۤؤُلَآءِ شَهِيۡدًا ﴿٤١﴾
৪২. যারা কুফুরির পথ অবলম্বন করেছে এবং এই রসূলের অবাধ্য হয়েছে, সেদিন তারা কামনা করবে, হায়, মাটি যদি তাদেরকে তার গর্ভে ঢুকিয়ে নিতো! সেদিন তারা আল্লাহ্র নিকট থেকে কোনো কথাই গোপন করতে পারবে না।	يَوۡمَئِذٍ يَّوَدُّ الَّذِيۡنَ كَفَرُوۡا وَ عَصَوُا الرَّسُوۡلَ لَوۡ تُسَوّٰى بِهِمُ الۡاَرۡضُ ؕ وَ لَا يَكۡتُمُوۡنَ اللّٰهَ حَدِيۡثًا ﴿٤٢﴾
৪৩. হে ঈমানদার লোকেরা! তোমরা সালাতের নিকটবর্তীও হয়োনা নেশাগ্রস্ত অবস্থায় যতোক্ষণ না তোমরা যা বলো তা বুঝতে পারো। অনুরূপ জুনুবি (গোসল ফরয) অবস্থায়ও গোসল না করা পর্যন্ত সালাতের কাছে যেয়ো না; তবে ভ্রমণরত (মুসাফির অবস্থায়) থাকলে ভিন্ন কথা। আর তোমরা যদি পীড়িত-অসুস্থ হও, অথবা সফরে থাকো, কিংবা তোমাদের কেউ প্রকৃতির ডাকে সাড়া দিয়ে এসে থাকে, অথবা যদি তোমরা নারী সহবাস করে থাকো এবং এসব অবস্থায় পানি না পাও, তবে পাক মাটি দিয়ে তাইয়াম্মুম করে নিও, (এভাবে যারা) মাসেহ্ করবে নিজেদের মুখমণ্ডল এবং হাত, নিশ্চয়ই আল্লাহ্ (তাদের ব্যাপারে) অতীব পাপমোচনকারী এবং পরম ক্ষমাশীল।	يٰۤاَيُّهَا الَّذِيۡنَ اٰمَنُوۡا لَا تَقۡرَبُوا الصَّلٰوةَ وَ اَنۡتُمۡ سُكٰرٰى حَتّٰى تَعۡلَمُوۡا مَا تَقُوۡلُوۡنَ وَ لَا جُنُبًا اِلَّا عَابِرِىۡ سَبِيۡلٍ حَتّٰى تَغۡتَسِلُوۡا ؕ وَ اِنۡ كُنۡتُمۡ مَّرۡضٰۤى اَوۡ عَلٰى سَفَرٍ اَوۡ جَآءَ اَحَدٌ مِّنۡكُمۡ مِّنَ الۡغَآئِطِ اَوۡ لٰمَسۡتُمُ النِّسَآءَ فَلَمۡ تَجِدُوۡا مَآءً فَتَيَمَّمُوۡا صَعِيۡدًا طَيِّبًا فَامۡسَحُوۡا بِوُجُوۡهِكُمۡ وَ اَيۡدِيۡكُمۡ ؕ اِنَّ اللّٰهَ كَانَ عَفُوًّا غَفُوۡرًا ﴿٤٣﴾
৪৪. তুমি কি তাদের দেখোনি, যাদের আল কিতাবের অংশ বিশেষ দেয়া হয়েছে? তারা ক্রয় করে ভ্রান্ত পথ এবং এরাদা করে: তোমরাও যেনো হও বিপথগামী।	اَلَمۡ تَرَ اِلَى الَّذِيۡنَ اُوۡتُوۡا نَصِيۡبًا مِّنَ الۡكِتٰبِ يَشۡتَرُوۡنَ الضَّلٰلَةَ وَ يُرِيۡدُوۡنَ اَنۡ تَضِلُّوا السَّبِيۡلَ ﴿٤٤﴾
৪৫. আল্লাহ্ তোমাদের দুশমনদের সম্পর্কে ভালোভাবেই জানেন। তোমাদের অলি হিসেবে আল্লাহ্ই কাফী (যথেষ্ট) এবং সাহায্যকারী হিসেবেও আল্লাহ্ই কাফী।	وَ اللّٰهُ اَعۡلَمُ بِاَعۡدَآئِكُمۡ ؕ وَ كَفٰى بِاللّٰهِ وَلِيًّا ۙ وَّ كَفٰى بِاللّٰهِ نَصِيۡرًا ﴿٤٥﴾
৪৬. যারা ইহুদি হয়েছে তাদের মধ্যে কিছু লোক আছে যারা কথাকে স্থানচ্যুত করে বিকৃত করে। তারা বলে: ‘আমরা তোমার কথা শুনলাম এবং	مِنَ الَّذِيۡنَ هَادُوۡا يُحَرِّفُوۡنَ الۡكَلِمَ عَنۡ مَّوَاضِعِهٖ وَ يَقُوۡلُوۡنَ سَمِعۡنَا وَ عَصَيۡنَا وَ

রুকু ০৬

অমান্য করলাম'; আর শুনে, না শুনার মতো; নিজেদের জিহ্বা কুঞ্চিত করে দীনের প্রতি তাচ্ছিল্য প্রকাশ করে তারা আরো বলে: 'রায়েনা'। অথচ তারা যদি বলতো: 'আমরা শুনলাম এবং মেনে নিলাম', 'শুনুন' এবং 'আমাদের প্রতি লক্ষ্য করুন', তবে সেটাই তাদের জন্যে উত্তম ও সঙ্গত হতো। কিন্তু আল্লাহ্ তাদের অবিশ্বাসের জন্যে তাদেরকে অভিশপ্ত করেছেন। সুতরাং স্বল্প সংখ্যক ছাড়া তারা ঈমান আনবেনা।	اسْمَعْ غَيْرَ مُسْمَعٍ وَّرَاعِنَا لَيًّا بِاَلْسِنَتِهِمْ وَ طَعْنًا فِي الدِّيْنِ ؕ وَ لَوْ اَنَّهُمْ قَالُوْا سَمِعْنَا وَ اَطَعْنَا وَ اسْمَعْ وَ انْظُرْنَا لَكَانَ خَيْرًا لَّهُمْ وَ اَقْوَمَ ۙ وَ لٰكِنْ لَّعَنَهُمُ اللّٰهُ بِكُفْرِهِمْ فَلَا يُؤْمِنُوْنَ اِلَّا قَلِيْلًا ﴿٤٦﴾
৪৭. হে ঐসব লোক, যাদেরকে ইতোপূর্বে কিতাব দেয়া হয়েছে! তোমাদের কাছে যা আছে (অর্থাৎ তাওরাত ও ইনজিল) তার সত্যায়নকারী যে কিতাব আমরা (মুহাম্মদের প্রতি) নাযিল করেছি, তোমরা তার প্রতি ঈমান আনো আমরা চেহারাগুলোকে বিকৃত করে পেছনের দিকে ফিরিয়ে দেয়ার পূর্বেই, অথবা শনিবার ওয়ালাদের যেমন অভিশপ্ত করেছি, সেরকম অভিশপ্ত করার পূর্বেই। আল্লাহ্‌র নির্দেশ কার্যকর হয়েই থাকে।	يٰۤاَيُّهَا الَّذِيْنَ اُوْتُوا الْكِتٰبَ اٰمِنُوْا بِمَا نَزَّلْنَا مُصَدِّقًا لِّمَا مَعَكُمْ مِّنْ قَبْلِ اَنْ نَّطْمِسَ وُجُوْهًا فَنَرُدَّهَا عَلٰۤى اَدْبَارِهَاۤ اَوْ نَلْعَنَهُمْ كَمَا لَعَنَّاۤ اَصْحٰبَ السَّبْتِ ؕ وَ كَانَ اَمْرُ اللّٰهِ مَفْعُوْلًا ﴿٤٧﴾
৪৮. আল্লাহ্‌র সাথে শিরক করা হলে (সে পাপ) আল্লাহ্ ক্ষমা করবেননা। এছাড়া অন্য পাপসমূহ যাকে ইচ্ছা তিনি ক্ষমা করে দেবেন। যে আল্লাহ্‌র সাথে শিরক করে, সে তো উদ্ভাবন করে নেয় এক মহাপাপ।	اِنَّ اللّٰهَ لَا يَغْفِرُ اَنْ يُّشْرَكَ بِهٖ وَ يَغْفِرُ مَا دُوْنَ ذٰلِكَ لِمَنْ يَّشَآءُ ۚ وَ مَنْ يُّشْرِكْ بِاللّٰهِ فَقَدِ افْتَرٰۤى اِثْمًا عَظِيْمًا ﴿٤٨﴾
৪৯. তুমি কি তাদের (ইহুদি ও খৃস্টানদের) দেখোনি, যাঁরা নিজেরাই নিজেদেরকে পূত-পবিত্রতার সার্টিফিকেট দেয়? বরং আল্লাহ্ যাকে চান, শুদ্ধ ও পবিত্র করে দেন। তিনি কারো প্রতি বিন্দু পরিমাণ যুলুম করেন না।	اَلَمْ تَرَ اِلَى الَّذِيْنَ يُزَكُّوْنَ اَنْفُسَهُمْ ؕ بَلِ اللّٰهُ يُزَكِّيْ مَنْ يَّشَآءُ وَ لَا يُظْلَمُوْنَ فَتِيْلًا ﴿٤٩﴾
৫০. দেখো তাদের ঔদ্ধত্য, তারা স্বয়ং আল্লাহ্‌র বিরুদ্ধে মিথ্যা রচনা করে। সুস্পষ্ট পাপ হিসেবে এটাই যথেষ্ট।	اُنْظُرْ كَيْفَ يَفْتَرُوْنَ عَلَى اللّٰهِ الْكَذِبَ ؕ وَ كَفٰى بِهٖۤ اِثْمًا مُّبِيْنًا ﴿٥٠﴾ রুকু ০৭
৫১. তুমি কি তাদের দেখোনি যাদের কিতাবের অংশ বিশেষ দেয়া হয়েছে? তারা জিবত্ ও তাগুতের প্রতি বিশ্বাস রাখে। তারা কাফিরদের সম্পর্কে বলে: 'যারা ঈমানের পথে চলে তাদের চাইতে এদের পথই অধিকতর সঠিক।'	اَلَمْ تَرَ اِلَى الَّذِيْنَ اُوْتُوْا نَصِيْبًا مِّنَ الْكِتٰبِ يُؤْمِنُوْنَ بِالْجِبْتِ وَ الطَّاغُوْتِ وَ يَقُوْلُوْنَ لِلَّذِيْنَ كَفَرُوْا هٰۤؤُلَآءِ اَهْدٰى مِنَ الَّذِيْنَ اٰمَنُوْا سَبِيْلًا ﴿٥١﴾
৫২. এরাই সেসব লোক যাদের প্রতি আল্লাহ্ লানত বর্ষণ করেছেন। আর আল্লাহ্ যাকে লানত বর্ষণ করেন, তুমি কখনো তার জন্যে কোনো সাহায্যকারী পাবেনা।	اُولٰٓئِكَ الَّذِيْنَ لَعَنَهُمُ اللّٰهُ ؕ وَ مَنْ يَّلْعَنِ اللّٰهُ فَلَنْ تَجِدَ لَهٗ نَصِيْرًا ﴿٥٢﴾

৫৩. নাকি (আল্লাহ্‌র) সাম্রাজ্যে তাদের কোনো অংশ আছে? তেমনটি হলেও তারা মানুষকে একটি কানাকড়িও দেবেনা।	أَمْ لَهُمْ نَصِيبٌ مِّنَ الْمُلْكِ فَإِذًا لَّا يُؤْتُونَ النَّاسَ نَقِيرًا ﴿٥٣﴾
৫৪. নাকি আল্লাহ্‌ তাঁর অনুগ্রহ-ভাণ্ডার থেকে মানুষকে (মুহাম্মদ সা. ও তার অনুসারীদেরকে) যা দিয়েছেন, সে কারণে তারা তাদের প্রতি হিংসায় জ্বলে পুড়ে মরছে? যদি তাই হয়, তবে তো আমরা ইবরাহিমের বংশধরদের (বনি ইসরাঈলকেও) কিতাব এবং হিকমাহ্‌ দিয়েছিলাম। আরো দিয়েছিলাম এক বিশাল সাম্রাজ্য।	أَمْ يَحْسُدُونَ النَّاسَ عَلَىٰ مَا آتَاهُمُ اللَّهُ مِن فَضْلِهِ ۖ فَقَدْ آتَيْنَا آلَ إِبْرَاهِيمَ الْكِتَابَ وَالْحِكْمَةَ وَآتَيْنَاهُم مُّلْكًا عَظِيمًا ﴿٥٤﴾
৫৫. কিন্তু (সে ক্ষেত্রেও তো তাদের সবাই ঈমান আনেনি) তাদের কিছু লোক ঈমান এনেছিল আর কিছু লোক মুখ ফিরিয়ে নিয়েছিল। তাদের দগ্ধ করার জন্যে তো জাহান্নামই যথেষ্ট।	فَمِنْهُم مَّنْ آمَنَ بِهِ وَمِنْهُم مَّن صَدَّ عَنْهُ ۚ وَكَفَىٰ بِجَهَنَّمَ سَعِيرًا ﴿٥٥﴾
৫৬. যারা আমার আয়াত মেনে নিতে অস্বীকার করে, অচিরেই আমরা তাদের দগ্ধ করবো আগুনে। যখনই তাদের চামড়া দগ্ধ হয়ে যাবে, তখনই নতুন চামড়া দিয়ে তা বদল করে দেবো, যাতে করে তারা (লাগাতার) আযাবের স্বাদ গ্রহণ করতে পারে। নিশ্চয়ই আল্লাহ্‌ মহাপরাক্রমশালী, প্রজ্ঞাবান।	إِنَّ الَّذِينَ كَفَرُوا بِآيَاتِنَا سَوْفَ نُصْلِيهِمْ نَارًا ۖ كُلَّمَا نَضِجَتْ جُلُودُهُم بَدَّلْنَاهُمْ جُلُودًا غَيْرَهَا لِيَذُوقُوا الْعَذَابَ ۗ إِنَّ اللَّهَ كَانَ عَزِيزًا حَكِيمًا ﴿٥٦﴾
৫৭. যারা ঈমান আনে এবং আমলে সালেহ্‌ (উত্তম, ন্যায় ও পুণ্যের কাজ) করে, অচিরেই আমরা তাদের দাখিল করবো জান্নাতে, যার নিচে দিয়ে বহমান থাকবে নদ-নদী-নহর। চিরকাল থাকবে তারা সেখানে। তাছাড়া সেখানে তারা পাবে পবিত্র স্বামী এবং স্ত্রী। আর আমরা তাদের দাখিল করবো সুবিস্তৃত চিরস্নিগ্ধ ছায়ায়।	وَالَّذِينَ آمَنُوا وَعَمِلُوا الصَّالِحَاتِ سَنُدْخِلُهُمْ جَنَّاتٍ تَجْرِي مِن تَحْتِهَا الْأَنْهَارُ خَالِدِينَ فِيهَا أَبَدًا ۖ لَّهُمْ فِيهَا أَزْوَاجٌ مُّطَهَّرَةٌ ۖ وَنُدْخِلُهُمْ ظِلًّا ظَلِيلًا ﴿٥٧﴾
৫৮. নিশ্চয়ই আল্লাহ্‌ তোমাদের নির্দেশ দিয়েছেন আমানত তার হকদারকে দিয়ে দিতে। তিনি আরো নির্দেশ দিচ্ছেন, তোমরা যখন মানুষের মাঝে বিচার ফায়সালা করবে, ন্যায় ও ইনসাফের সাথে সুবিচার করবে। আল্লাহ্‌ তোমাদের অতি উত্তম উপদেশ দিচ্ছেন। নিশ্চয়ই আল্লাহ্‌ সর্বশ্রোতা, সর্বদ্রষ্টা।	إِنَّ اللَّهَ يَأْمُرُكُمْ أَن تُؤَدُّوا الْأَمَانَاتِ إِلَىٰ أَهْلِهَا وَإِذَا حَكَمْتُم بَيْنَ النَّاسِ أَن تَحْكُمُوا بِالْعَدْلِ ۚ إِنَّ اللَّهَ نِعِمَّا يَعِظُكُم بِهِ ۗ إِنَّ اللَّهَ كَانَ سَمِيعًا بَصِيرًا ﴿٥٨﴾
৫৯. হে লোকেরা যারা ঈমান এনেছো! তোমরা আল্লাহ্‌র আনুগত্য করো, আনুগত্য করো এই রসূলের, আর তোমাদের (মুসলিমদের) মধ্যকার সেইসব লোকদের যারা দায়িত্বশীল ও ক্ষমতাপ্রাপ্ত। আর তোমরা যখনই কোনো বিষয়ে মতভেদ ও মতবিরোধ করবে, তা (ফায়সালার জন্যে) উপস্থাপন করো আল্লাহ্‌ ও রসূলের নিকট,	يَا أَيُّهَا الَّذِينَ آمَنُوا أَطِيعُوا اللَّهَ وَأَطِيعُوا الرَّسُولَ وَأُولِي الْأَمْرِ مِنكُمْ ۖ فَإِن تَنَازَعْتُمْ فِي شَيْءٍ فَرُدُّوهُ إِلَى اللَّهِ وَالرَّسُولِ إِن كُنتُمْ تُؤْمِنُونَ بِاللَّهِ وَالْيَوْمِ

রুকু ০৮

যদি তোমরা আল্লাহ্ ও শেষ দিনের প্রতি ঈমান রাখো। এটিই কল্যাণকর পন্থা এবং পরিণতির দিক থেকেও সর্বোত্তম।	الْاٰخِرِ ؕ ذٰلِكَ خَيْرٌ وَّ اَحْسَنُ تَاْوِيْلًا ﴿٥٩﴾
৬০. তুমি কি তাদের দেখোনি, যারা (অর্থাৎ মুনাফিকরা) দাবি করে, তারা তোমার প্রতি যা নাযিল হয়েছে এবং তোমার পূর্বে যা নাযিল করা হয়েছে, সে সবগুলোর প্রতি বিশ্বাস স্থাপন করেছে; কিন্তু তারা বিচার ফায়সালার জন্যে তাগুতের দ্বারস্থ হয়, অথচ তাদের নির্দেশ দেয়া হয়েছে তাগুতকে প্রত্যাখ্যান করতে। মূলত শয়তান তাদের বিপথগামী করে নিয়ে যেতে চায় বহুদূর।	اَلَمْ تَرَ اِلَى الَّذِيْنَ يَزْعُمُوْنَ اَنَّهُمْ اٰمَنُوْا بِمَاۤ اُنْزِلَ اِلَيْكَ وَ مَاۤ اُنْزِلَ مِنْ قَبْلِكَ يُرِيْدُوْنَ اَنْ يَّتَحَاكَمُوْۤا اِلَى الطَّاغُوْتِ وَ قَدْ اُمِرُوْۤا اَنْ يَّكْفُرُوْا بِهٖ ؕ وَ يُرِيْدُ الشَّيْطٰنُ اَنْ يُّضِلَّهُمْ ضَلٰلًۢا بَعِيْدًا ﴿٦٠﴾
৬১. যখন তাদের বলা হয়: 'আল্লাহ্‌র নাযিলকৃত কিতাব এবং রসূলের দিকে আসো,' তখন তুমি দেখতে পাও, মুনাফিকরা তোমার থেকে মুখ ফিরিয়ে পেছনে হটে যায়।	وَ اِذَا قِيْلَ لَهُمْ تَعَالَوْا اِلٰى مَاۤ اَنْزَلَ اللّٰهُ وَ اِلَى الرَّسُوْلِ رَاَيْتَ الْمُنٰفِقِيْنَ يَصُدُّوْنَ عَنْكَ صُدُوْدًا ﴿٦١﴾
৬২. তাদের কৃতকর্মের জন্যে যখন তাদের উপর কোনো মসিবত আপতিত হবে, তখন কী অবস্থা দাঁড়াবে? তখন তারা তোমার কাছে এসে হলফ করে বলবে: আল্লাহ্‌র কসম, আমরা কল্যাণ এবং সম্প্রীতি ছাড়া আর অন্য কিছু চাইনি।'	فَكَيْفَ اِذَاۤ اَصَابَتْهُمْ مُّصِيْبَةٌۢ بِمَا قَدَّمَتْ اَيْدِيْهِمْ ثُمَّ جَآءُوْكَ يَحْلِفُوْنَ ۖۗ بِاللّٰهِ اِنْ اَرَدْنَاۤ اِلَّاۤ اِحْسَانًا وَّ تَوْفِيْقًا ﴿٦٢﴾
৬৩. তারা (মুনাফিক), তাদের মনের খবর আল্লাহ্ ভালো করেই জানেন। সুতরাং তাদের উপেক্ষা করো, আর তাদের ওয়ায (উপদেশ দান) করো এবং তাদের উদ্দেশ্যে এমনভাবে কথা বলো, যেনো তাদের মর্ম স্পর্শ করে।	اُولٰٓئِكَ الَّذِيْنَ يَعْلَمُ اللّٰهُ مَا فِيْ قُلُوْبِهِمْ ۗ فَاَعْرِضْ عَنْهُمْ وَ عِظْهُمْ وَ قُلْ لَّهُمْ فِيْۤ اَنْفُسِهِمْ قَوْلًۢا بَلِيْغًا ﴿٦٣﴾
৬৪. আল্লাহ্‌র নির্দেশে তাঁর আনুগত্য করা হবে- এ উদ্দেশ্য ছাড়া আমরা একজন রসূলও পাঠাইনি। তারা (মুনাফিকরা) নিজেদের প্রতি কোনো যুলুম করার পর যদি এ পন্থা অবলম্বন করতো যে, তোমার কাছে ছুটে আসতো, আল্লাহ্‌র কাছে ক্ষমা প্রার্থনা করতো এবং রসূলও তাদের জন্যে ক্ষমা প্রার্থনা করতো, তাহলে অবশ্যি তারা আল্লাহ্‌কে পরম ক্ষমাশীল ও পরম দায়াবান পেতো।	وَ مَاۤ اَرْسَلْنَا مِنْ رَّسُوْلٍ اِلَّا لِيُطَاعَ بِاِذْنِ اللّٰهِ ؕ وَ لَوْ اَنَّهُمْ اِذْ ظَّلَمُوْۤا اَنْفُسَهُمْ جَآءُوْكَ فَاسْتَغْفَرُوا اللّٰهَ وَ اسْتَغْفَرَ لَهُمُ الرَّسُوْلُ لَوَجَدُوا اللّٰهَ تَوَّابًا رَّحِيْمًا ﴿٦٤﴾
৬৫. কিন্তু না (তাদের অবস্থা তা নয়), তোমার প্রভুর শপথ, এরা কখনো ঈমানদার হতে পারবেনা, যতোক্ষণনা তারা তাদের পারস্পরিক বিবাদ বিসম্বাদে তোমাকে হাকিম (Judge) নিযুক্ত করে, অত:পর তোমার ফায়সালা সম্পর্কে তাদের মনে কোনো দ্বিধা না থাকে এবং বিনীতভাবে তোমার ফায়সালা তসলিম (গ্রহণ) করে নেয়।	فَلَا وَ رَبِّكَ لَا يُؤْمِنُوْنَ حَتّٰى يُحَكِّمُوْكَ فِيْمَا شَجَرَ بَيْنَهُمْ ثُمَّ لَا يَجِدُوْا فِيْۤ اَنْفُسِهِمْ حَرَجًا مِّمَّا قَضَيْتَ وَ يُسَلِّمُوْا تَسْلِيْمًا ﴿٦٥﴾

৬৬. (এমন কি স্বয়ং) আমরাও যদি তাদের নির্দেশ দিতাম: 'তোমার নিজেদের হত্যা করো অথবা নিজেদের গৃহ ত্যাগ করো', তবে অল্প কিছু লোক ছাড়া তারা তা করতো না। তাদেরকে যে ওয়ায (উপদেশ দান) করা হয়েছে তারা যদি তা পালন করতো, তবে তা হতো তাদের জন্যে কল্যাণকর এবং তাদের ঈমানের দৃঢ়তা সাধনকারী।	وَ لَوْ اَنَّا كَتَبْنَا عَلَيْهِمْ اَنِ اقْتُلُوْٓا اَنْفُسَكُمْ اَوِ اخْرُجُوْا مِنْ دِيَارِكُمْ مَّا فَعَلُوْهُ اِلَّا قَلِيْلٌ مِّنْهُمْ ؕ وَ لَوْ اَنَّهُمْ فَعَلُوْا مَا يُوْعَظُوْنَ بِهٖ لَكَانَ خَيْرًا لَّهُمْ وَ اَشَدَّ تَثْبِيْتًا ﴿٦٦﴾
৬৭. আর তখন অবশ্যি আমরা আমাদের পক্ষ থেকে তাদের দান করতাম মহাপুরস্কার।	وَّ اِذًا لَّاٰتَيْنٰهُمْ مِّنْ لَّدُنَّاۤ اَجْرًا عَظِيْمًا ﴿٦٧﴾
৬৮. এবং অবশ্যি আমরা তাদের পরিচালিত করতাম সিরাতুল মুসতাকিমে।	وَّ لَهَدَيْنٰهُمْ صِرَاطًا مُّسْتَقِيْمًا ﴿٦٨﴾
৬৯. আর যে কেউ আনুগত্য করবে আল্লাহ্‌র এবং এই রসূলের, তারা সঙ্গি হবে আল্লাহ্‌র অনুগ্রহপ্রাপ্ত নবী, সিদ্দিক, শহীদ এবং পুণ্যবানদের। সঙ্গি হিসেবে এরা কতোইনা উত্তম!	وَ مَنْ يُّطِعِ اللّٰهَ وَ الرَّسُوْلَ فَاُولٰٓئِكَ مَعَ الَّذِيْنَ اَنْعَمَ اللّٰهُ عَلَيْهِمْ مِّنَ النَّبِيّٖنَ وَ الصِّدِّيْقِيْنَ وَ الشُّهَدَآءِ وَ الصّٰلِحِيْنَ ۚ وَ حَسُنَ اُولٰٓئِكَ رَفِيْقًا ﴿٦٩﴾
(রুকু ০৯) ৭০. এটা (এমনটি লাভ করা) আল্লাহ্‌র বিরাট অনুগ্রহ। সর্বজ্ঞানী হিসেবে আল্লাহ্‌ই যথেষ্ট।	ذٰلِكَ الْفَضْلُ مِنَ اللّٰهِ ؕ وَ كَفٰى بِاللّٰهِ عَلِيْمًا ﴿٧٠﴾
৭১. হে ঈমানদার লোকেরা! তোমরা সতর্কতা গ্রহণ করো, তারপর দলে দলে ভাগ হয়ে সামনে অগ্রসর হও, অথবা একত্রে অগ্রসর হও।	يٰۤاَيُّهَا الَّذِيْنَ اٰمَنُوْا خُذُوْا حِذْرَكُمْ فَانْفِرُوْا ثُبَاتٍ اَوِ انْفِرُوْا جَمِيْعًا ﴿٧١﴾
৭২. তোমাদের মধ্যে এমন লোকও আছে, যে (যুদ্ধে যেতে) গড়িমসি করে। তারপর তোমাদের কোনো মসিবত স্পর্শ করলে সে বলে: 'আল্লাহ্ আমার প্রতি অনুগ্রহ করেছেন যে, আমি তাদের সাথে যাইনি।'	وَ اِنَّ مِنْكُمْ لَمَنْ لَّيُبَطِّئَنَّ ۚ فَاِنْ اَصَابَتْكُمْ مُّصِيْبَةٌ قَالَ قَدْ اَنْعَمَ اللّٰهُ عَلَيَّ اِذْ لَمْ اَكُنْ مَّعَهُمْ شَهِيْدًا ﴿٧٢﴾
৭৩. আর তোমরা যদি আল্লাহ্‌র পক্ষ থেকে কোনো অনুগ্রহ লাভ করো, তখন তোমাদের ও তার মধ্যে যেনো কোনো সম্পর্ক নেই এমন ভাব দেখিয়ে সে অবশ্যি বলবে: 'হায়, আমি যদি তাদের সাথে থাকতাম, তবে আমিও বিরাট সাফল্য লাভ করতাম।'	وَ لَئِنْ اَصَابَكُمْ فَضْلٌ مِّنَ اللّٰهِ لَيَقُوْلَنَّ كَاَنْ لَّمْ تَكُنْۢ بَيْنَكُمْ وَ بَيْنَهٗ مَوَدَّةٌ يّٰلَيْتَنِيْ كُنْتُ مَعَهُمْ فَاَفُوْزَ فَوْزًا عَظِيْمًا ﴿٧٣﴾
৭৪. সুতরাং যারা আখিরাতের (সাফল্যের) বিনিময়ে দুনিয়ার জীবনকে বিক্রয় করে দেয়ার সাহস রাখে, তারাই আল্লাহ্‌র পথে লড়াই করুক। যে কেউ আল্লাহ্‌র পথে লড়াই করবে, সে নিহত হোক, কিংবা বিজয়ী হোক, আমরা অচিরেই তাকে প্রদান করবো মহাপুরস্কার।	فَلْيُقَاتِلْ فِيْ سَبِيْلِ اللّٰهِ الَّذِيْنَ يَشْرُوْنَ الْحَيٰوةَ الدُّنْيَا بِالْاٰخِرَةِ ؕ وَ مَنْ يُّقَاتِلْ فِيْ سَبِيْلِ اللّٰهِ فَيُقْتَلْ اَوْ يَغْلِبْ فَسَوْفَ نُؤْتِيْهِ اَجْرًا عَظِيْمًا ﴿٧٤﴾
৭৫. তোমাদের কী হয়েছে, কেন তোমরা লড়াই করছোনা আল্লাহ্‌র পথে! সেইসব দুর্বল অসহায় নর, নারী ও শিশুদের জন্যে, যারা ফরিয়াদ করে	وَ مَا لَكُمْ لَا تُقَاتِلُوْنَ فِيْ سَبِيْلِ اللّٰهِ وَ الْمُسْتَضْعَفِيْنَ مِنَ الرِّجَالِ وَ النِّسَآءِ وَ

বলছে: 'আমাদের প্রভু! আমাদের বের করে নাও এই জনপদ থেকে। এর অধিবাসীরা যালিম। আর তোমার পক্ষ থেকে আমাদের জন্যে একজন অলির (অভিভাবকের) ব্যবস্থা করে দাও এবং ব্যবস্থা করে দাও একজন সাহায্যকারীর।'	الْوِلْدَانِ الَّذِينَ يَقُولُونَ رَبَّنَآ اَخْرِجْنَا مِنْ هٰذِهِ الْقَرْيَةِ الظَّالِمِ اَهْلُهَا ۚ وَاجْعَلْ لَّنَا مِنْ لَّدُنْكَ وَلِيًّا ۚ وَّ اجْعَلْ لَّنَا مِنْ لَّدُنْكَ نَصِيرًا ۝٧٥
৭৬. যারা ঈমান এনেছে তারা লড়াই করে আল্লাহ্‌র পথে, আর যারা কুফুরি করেছে তারা লড়াই করে তাগুতের পথে। সুতরাং তোমরা লড়াই করো শয়তানের বন্ধুদের বিরুদ্ধে। অবশ্যই শয়তানের চক্রান্ত দুর্বল।	اَلَّذِينَ اٰمَنُوا يُقَاتِلُونَ فِي سَبِيلِ اللّٰهِ ۚ وَ الَّذِينَ كَفَرُوا يُقَاتِلُونَ فِي سَبِيلِ الطَّاغُوتِ فَقَاتِلُوٓا اَوْلِيَآءَ الشَّيْطٰنِ ۚ اِنَّ كَيْدَ الشَّيْطٰنِ كَانَ ضَعِيفًا ۝٧٦
৭৭. তুমি কি তাদের অবস্থা দেখছোনা, যাদের বলা হয়েছিল: 'তোমাদের হাত সংবরণ করো, সালাত কায়েম করো এবং যাকাত প্রদান করো।' তারপর যখন তাদের জন্যে যুদ্ধের নির্দেশ দেয়া হলো, তখন তাদেরই একটি দল মানুষকে ভয় করতে থাকলো আল্লাহ্‌কে ভয় করার মতো, কিংবা তার চেয়েও বেশি ভয়। তারা বলতে থাকলো: 'আমাদের প্রভু! আমাদের কেন যুদ্ধের নির্দেশ দিলে? প্রভু! আমাদেরকে কিছুকালের অবকাশ দাও।' হে নবী! বলো: 'পার্থিব ভোগ-সম্ভার তো সামান্য। মুত্তাকিদের জন্যে আখিরাতই সর্বোত্তম। তোমাদের প্রতি বিন্দু পরিমাণও যুলুম করা হবেনা।'	اَلَمْ تَرَ اِلَى الَّذِينَ قِيلَ لَهُمْ كُفُّوٓا اَيْدِيَكُمْ وَ اَقِيمُوا الصَّلٰوةَ وَ اٰتُوا الزَّكٰوةَ ۚ فَلَمَّا كُتِبَ عَلَيْهِمُ الْقِتَالُ اِذَا فَرِيقٌ مِّنْهُمْ يَخْشَوْنَ النَّاسَ كَخَشْيَةِ اللّٰهِ اَوْ اَشَدَّ خَشْيَةً ۚ وَ قَالُوْا رَبَّنَا لِمَ كَتَبْتَ عَلَيْنَا الْقِتَالَ ۚ لَوْلَآ اَخَّرْتَنَآ اِلٰٓى اَجَلٍ قَرِيبٍ ۗ قُلْ مَتَاعُ الدُّنْيَا قَلِيلٌ ۚ وَ الْاٰخِرَةُ خَيْرٌ لِّمَنِ اتَّقٰى ۗ وَ لَا تُظْلَمُونَ فَتِيلًا ۝٧٧
৭৮. তোমরা যেখানেই অবস্থান করো না কেন, মউত তোমাদের নাগাল পাবেই, এমনকি তোমরা উঁচু মজবুত দুর্গে অবস্থান করলেও। তাদের কোনো কল্যাণ হলে তারা বলে: 'এটা হয়েছে আল্লাহ্‌র পক্ষ থেকে। আর কোনো অকল্যাণ হলে বলে: এটা হয়েছে তোমার কারণে।' তুমি বলো: 'সবই আল্লাহ্‌র পক্ষ থেকে।' এই লোকদের কী হলো, তারা যে কোনো কথাই বুঝেনা!	اَيْنَ مَا تَكُونُوا يُدْرِكْكُّمُ الْمَوْتُ وَ لَوْ كُنْتُمْ فِي بُرُوجٍ مُّشَيَّدَةٍ ۗ وَ اِنْ تُصِبْهُمْ حَسَنَةٌ يَّقُولُوا هٰذِهٖ مِنْ عِنْدِ اللّٰهِ ۚ وَ اِنْ تُصِبْهُمْ سَيِّئَةٌ يَّقُولُوا هٰذِهٖ مِنْ عِنْدِكَ ۗ قُلْ كُلٌّ مِّنْ عِنْدِ اللّٰهِ ۗ فَمَالِ هٰٓؤُلَآءِ الْقَوْمِ لَا يَكَادُونَ يَفْقَهُونَ حَدِيثًا ۝٧٨
৭৯. তুমি যা কিছু কল্যাণ লাভ করো তা আল্লাহ্‌র পক্ষ থেকেই, আর তোমার যা কিছু অকল্যাণ হয়, তা হয় তোমার নিজের কারণে। আমরা তোমাকে মানুষের জন্যে পাঠিয়েছি একজন রসূল হিসেবে। আল্লাহ্‌ই যথেষ্ট সাক্ষী হিসেবে।	مَآ اَصَابَكَ مِنْ حَسَنَةٍ فَمِنَ اللّٰهِ ۫ وَمَآ اَصَابَكَ مِنْ سَيِّئَةٍ فَمِنْ نَّفْسِكَ ۗ وَاَرْسَلْنٰكَ لِلنَّاسِ رَسُولًا ۗ وَكَفٰى بِاللّٰهِ شَهِيدًا ۝٧٩
৮০. যে রসূলের আনুগত্য করলো, সে আল্লাহ্‌রই আনুগত্য করলো। আর যারা মুখ ফিরিয়ে নেয় আমরা তোমাকে তাদের উপর রক্ষক নিযুক্ত করিনি।	مَنْ يُّطِعِ الرَّسُولَ فَقَدْ اَطَاعَ اللّٰهَ ۚ وَ مَنْ تَوَلّٰى فَمَآ اَرْسَلْنٰكَ عَلَيْهِمْ حَفِيظًا ۝٨٠

রুকু ১০

৮১. তারা বলেঃ ‘আমরা আনুগত্য করি।’ তারপর তোমার কাছ থেকে চলে গেলে রাতে তাদের একদল লোক তাদের কথার বিপরীত পরামর্শ করে। তারা রাতে যা সলাপরামর্শ করে আল্লাহ্ তা লিখে রাখেন। সুতরাং তুমি তাদের উপেক্ষা করো এবং আল্লাহ্‌র উপর ভরসা করো। উকিল হিসেবে আল্লাহ্ই যথেষ্ট।	وَيَقُوْلُوْنَ طَاعَةٌ ۫ فَاِذَا بَرَزُوْا مِنْ عِنْدِكَ بَيَّتَ طَآئِفَةٌ مِّنْهُمْ غَيْرَ الَّذِىْ تَقُوْلُ ؕ وَ اللّٰهُ يَكْتُبُ مَا يُبَيِّتُوْنَ ۚ فَاَعْرِضْ عَنْهُمْ وَتَوَكَّلْ عَلَى اللّٰهِ ؕ وَكَفٰى بِاللّٰهِ وَكِيْلًا ﴿٨١﴾
৮২. তারা কি কুরআন সম্পর্কে চিন্তা-গবেষণা করেনা? এ কুরআন যদি আল্লাহ্ ছাড়া আর কারো পক্ষ থেকে আসতো, তবে অবশ্যি তারা এতে পেতো অনেক সাংঘর্ষিক কথা।	اَفَلَا يَتَدَبَّرُوْنَ الْقُرْاٰنَ ؕ وَلَوْ كَانَ مِنْ عِنْدِ غَيْرِ اللّٰهِ لَوَجَدُوْا فِيْهِ اخْتِلَافًا كَثِيْرًا ﴿٨٢﴾
৮৩. যখনই তাদের কাছে শান্তি বা ত্রাসের কোনো সংবাদ আসে, তারা তা প্রচার করে বেড়ায়। তারা যদি (তা না করে) সেটা রসূল বা তাদের দায়িত্বশীলদের গোচরে আনতো, তবে তাদের মাঝে যারা উদ্ভাবনী যোগ্যতার অধিকারী তারা এর যথার্থতা অনুধাবন করতে পারতো। তোমাদের প্রতি আল্লাহ্‌র অনুগ্রহ এবং রহমত না থাকলে তোমাদের স্বল্প সংখ্যক ছাড়া বাকিরা শয়তানের অনুসরণ করতো।	وَاِذَا جَآءَهُمْ اَمْرٌ مِّنَ الْاَمْنِ اَوِ الْخَوْفِ اَذَاعُوْا بِهٖ ؕ وَلَوْ رَدُّوْهُ اِلَى الرَّسُوْلِ وَ اِلٰۤى اُولِى الْاَمْرِ مِنْهُمْ لَعَلِمَهُ الَّذِيْنَ يَسْتَنْۢبِطُوْنَهٗ مِنْهُمْ ؕ وَلَوْ لَا فَضْلُ اللّٰهِ عَلَيْكُمْ وَرَحْمَتُهٗ لَاتَّبَعْتُمُ الشَّيْطٰنَ اِلَّا قَلِيْلًا ﴿٨٣﴾
৮৪. সুতরাং তোমরা লড়াই করো আল্লাহ্‌র পথে। তোমাকে দায়ী করা হবে শুধু তোমার নিজের জন্যে। মুমিনদের উৎসাহ দিয়ে যাও। হয়তো আল্লাহ্ কাফিরদের শক্তি নিবারণ করবেন। আল্লাহ্ই প্রবল শক্তিধর এবং কঠোরতর শাস্তিদাতা।	فَقَاتِلْ فِىْ سَبِيْلِ اللّٰهِ ۚ لَا تُكَلَّفُ اِلَّا نَفْسَكَ وَ حَرِّضِ الْمُؤْمِنِيْنَ ۚ عَسَى اللّٰهُ اَنْ يَّكُفَّ بَاْسَ الَّذِيْنَ كَفَرُوْا ؕ وَ اللّٰهُ اَشَدُّ بَاْسًا وَّاَشَدُّ تَنْكِيْلًا ﴿٨٤﴾
৮৫. যে কেউ ভালো কাজের সুপারিশ করবে, তার পুরস্কারে তার অংশ থাকবে। আর যে কেউ মন্দ কাজের সুপারিশ করবে, তাতেও তার অংশ থাকবে। প্রতিটি বিষয়ে আল্লাহ্ দৃষ্টি রাখেন।	مَنْ يَّشْفَعْ شَفَاعَةً حَسَنَةً يَّكُنْ لَّهٗ نَصِيْبٌ مِّنْهَا ۚ وَ مَنْ يَّشْفَعْ شَفَاعَةً سَيِّئَةً يَّكُنْ لَّهٗ كِفْلٌ مِّنْهَا ؕ وَ كَانَ اللّٰهُ عَلٰى كُلِّ شَىْءٍ مُّقِيْتًا ﴿٨٥﴾
৮৬. যখন তোমাদের অভিবাদন করা হয়, তখন তোমরাও তার চাইতে উত্তম অভিবাদনে তার জবাব দাও, অথবা অন্তত অনুরূপ জবাব দাও। নিশ্চয়ই আল্লাহ্ প্রতিটি বিষয়ের হিসাব গ্রহণ করবেন।	وَ اِذَا حُيِّيْتُمْ بِتَحِيَّةٍ فَحَيُّوْا بِاَحْسَنَ مِنْهَاۤ اَوْ رُدُّوْهَا ؕ اِنَّ اللّٰهَ كَانَ عَلٰى كُلِّ شَىْءٍ حَسِيْبًا ﴿٨٦﴾
৮৭. আল্লাহ্, তিনি ছাড়া আর কোনো ইলাহ্ নেই। তিনি কিয়ামতের দিন তোমাদের অবশ্যি জমা করবেন, এতে কোনো প্রকার সন্দেহ নেই। আল্লাহ্‌র চেয়ে বড় সত্যবাদী আর কে?	اَللّٰهُ لَاۤ اِلٰهَ اِلَّا هُوَ ؕ لَيَجْمَعَنَّكُمْ اِلٰى يَوْمِ الْقِيٰمَةِ لَا رَيْبَ فِيْهِ ؕ وَ مَنْ اَصْدَقُ مِنَ اللّٰهِ حَدِيْثًا ﴿٨٧﴾

রুকু ১১

৮৮. তোমাদের কী হলো, মুনাফিকদের ব্যাপারে যে তোমরা দুই দল হয়ে গেলে? অথচ আল্লাহ্ তাদের কৃতকর্মের জন্যে তাদেরকে পূর্বের অবস্থায় ফিরিয়ে নিয়েছেন। আল্লাহ্ যাকে গোমরাহ করেছেন, তোমরা কি তাকে হিদায়াতের পথে চালাতে চাও? আল্লাহ্ যাকে গোমরাহ্ করে দেন, তুমি তার জন্যে কখনো কোনো পথ পাবেনা।

فَمَا لَكُمْ فِي الْمُنٰفِقِيْنَ فِئَتَيْنِ وَ اللّٰهُ اَرْكَسَهُمْ بِمَا كَسَبُوْا ؕ اَتُرِيْدُوْنَ اَنْ تَهْدُوْا مَنْ اَضَلَّ اللّٰهُ ؕ وَ مَنْ يُّضْلِلِ اللّٰهُ فَلَنْ تَجِدَ لَهٗ سَبِيْلًا ﴿۸۸﴾

৮৯. তারা কামনা করে তোমরা যেনো কুফুরি করো, যেমন তারা কুফুরি করেছে, যাতে করে তোমরা তাদের বরাবর হয়ে যাও। সুতরাং আল্লাহ্‌র পথে হিজরত না করা পর্যন্ত তাদের কাউকেও অলি (বন্ধু) হিসেবে গ্রহণ করোনা। তারা যদি অস্বীকার করে, তবে তাদের যেখানে পাবে, গ্রেফতার করবে এবং হত্যা করবে। আর তাদের কাউকেও বন্ধু এবং সাহায্যকারী হিসেবে গ্রহণ করোনা।

وَدُّوْا لَوْ تَكْفُرُوْنَ كَمَا كَفَرُوْا فَتَكُوْنُوْنَ سَوَآءً فَلَا تَتَّخِذُوْا مِنْهُمْ اَوْلِيَآءَ حَتّٰى يُهَاجِرُوْا فِيْ سَبِيْلِ اللّٰهِ ؕ فَاِنْ تَوَلَّوْا فَخُذُوْهُمْ وَ اقْتُلُوْهُمْ حَيْثُ وَجَدْتُّمُوْهُمْ ۪ وَلَا تَتَّخِذُوْا مِنْهُمْ وَلِيًّا وَّلَا نَصِيْرًا ﴿۸۹﴾

৯০. তবে তাদেরকে নয়, যারা এমন জনগোষ্ঠীর সাথে সম্পর্ক রাখে, যাদের সাথে তোমরা চুক্তিবদ্ধ, অথবা যারা তোমাদের কাছে এমন অবস্থায় আসে যখন তাদের মন থাকে তোমাদের সাথে, কিংবা তাদের সম্প্রদায়ের সাথে যুদ্ধ করতে তারা সংকোচ বোধ করে। আল্লাহ্ চাইলে তিনি তাদেরকে তোমাদের উপর ক্ষমতাবান করে দিতেন এবং তারা অবশ্যি তোমাদের বিরুদ্ধে যুদ্ধ করতো। এখন যদি তারা তোমাদের থেকে সরে দাঁড়ায়, তোমাদের বিরুদ্ধে যুদ্ধ না করে এবং তোমাদের কাছে শান্তির প্রস্তাব দেয়, তবে আল্লাহ্ তোমাদের জন্যে তাদের বিরুদ্ধে ব্যবস্থা গ্রহণের কোনো পথ রাখেননি।

اِلَّا الَّذِيْنَ يَصِلُوْنَ اِلٰى قَوْمٍۭ بَيْنَكُمْ وَ بَيْنَهُمْ مِّيْثَاقٌ اَوْ جَآءُوْكُمْ حَصِرَتْ صُدُوْرُهُمْ اَنْ يُّقَاتِلُوْكُمْ اَوْ يُقَاتِلُوْا قَوْمَهُمْ ؕ وَلَوْ شَآءَ اللّٰهُ لَسَلَّطَهُمْ عَلَيْكُمْ فَلَقٰتَلُوْكُمْ ۚ فَاِنِ اعْتَزَلُوْكُمْ فَلَمْ يُقَاتِلُوْكُمْ وَ اَلْقَوْا اِلَيْكُمُ السَّلَمَ ۙ فَمَا جَعَلَ اللّٰهُ لَكُمْ عَلَيْهِمْ سَبِيْلًا ﴿۹۰﴾

৯১. তোমরা অপর এমন কিছু লোক পাবে, যারা তোমাদের সাথে এবং তাদের সম্প্রদায়ের সাথে শান্তি চাইবে। যখন তাদেরকে ফিতনার দিকে আহ্বান করা হয়, তখনই তারা এ ব্যাপারে তাদের পূর্বাবস্থায় ফিরে যাবে। যদি তারা তোমাদের কাছ থেকে চলে না যায় এবং তোমাদের কাছে শান্তির প্রস্তাব না দেয় এবং তাদের হাত গুটিয়ে না রাখে, তবে তাদের যেখানেই পাবে গ্রেফতার করবে এবং হত্যা করবে। আমরা তোমাদেরকে এদের বিরুদ্ধে অবস্থানের সুস্পষ্ট অধিকার দিলাম।

سَتَجِدُوْنَ اٰخَرِيْنَ يُرِيْدُوْنَ اَنْ يَّاْمَنُوْكُمْ وَ يَاْمَنُوْا قَوْمَهُمْ ؕ كُلَّمَا رُدُّوْۤا اِلَى الْفِتْنَةِ اُرْكِسُوْا فِيْهَا ۚ فَاِنْ لَّمْ يَعْتَزِلُوْكُمْ وَ يُلْقُوْۤا اِلَيْكُمُ السَّلَمَ وَ يَكُفُّوْۤا اَيْدِيَهُمْ فَخُذُوْهُمْ وَ اقْتُلُوْهُمْ حَيْثُ ثَقِفْتُمُوْهُمْ ؕ وَ اُولٰٓئِكُمْ جَعَلْنَا لَكُمْ عَلَيْهِمْ سُلْطٰنًا مُّبِيْنًا ﴿۹۱﴾

রুকু ১২

৯২. কোনো মুমিনের জন্যে অপর মুমিনকে হত্যা করা বৈধ নয়, তবে ভুলবশত করলে ভিন্ন কথা।

وَ مَا كَانَ لِمُؤْمِنٍ اَنْ يَّقْتُلَ مُؤْمِنًا اِلَّا

خَطَـًٔا ۚ وَ مَنْ قَتَلَ مُؤْمِنًا خَطَـًٔا فَتَحْرِيْرُ رَقَبَةٍ مُّؤْمِنَةٍ وَّدِيَةٌ مُّسَلَّمَةٌ اِلٰۤى اَهْلِهٖۤ اِلَّاۤ اَنْ يَّصَّدَّقُوْا ؕ فَاِنْ كَانَ مِنْ قَوْمٍ عَدُوٍّ لَّـكُمْ وَ هُوَ مُؤْمِنٌ فَتَحْرِيْرُ رَقَبَةٍ مُّؤْمِنَةٍ ؕ وَ اِنْ كَانَ مِنْ قَوْمٍۭ بَيْنَكُمْ وَ بَيْنَهُمْ مِّيْثَاقٌ فَدِيَةٌ مُّسَلَّمَةٌ اِلٰۤى اَهْلِهٖ وَ تَحْرِيْرُ رَقَبَةٍ مُّؤْمِنَةٍ ۚ فَمَنْ لَّمْ يَجِدْ فَصِيَامُ شَهْرَيْنِ مُتَتَابِعَيْنِ ۫ تَوْبَةً مِّنَ اللّٰهِ ؕ وَ كَانَ اللّٰهُ عَلِيْمًا حَكِيْمًا ﴿٩٢﴾

কেউ যদি ভুলবশত কোনো মুমিনকে হত্যা করে, তাহলে এর বিধান হলো, একজন মুমিন দাসকে মুক্ত করা এবং নিহতের পরিবারবর্গকে গ্রহণযোগ্য মুক্তিপণ প্রদান করা, যদি তারা ক্ষমা করে না দেয়। আর যদি নিহত ব্যক্তি তোমাদের শত্রুপক্ষের লোক হয় এবং মুমিন হয় তবে এক মুমিন দাস মুক্ত করবে। আর যদি সে এমন কোনো সম্প্রদায়ের লোক হয় যাদের সাথে তোমরা চুক্তিবদ্ধ, তবে তাদের পরিবারবর্গকে গ্রহণযোগ্য মুক্তিপণ প্রদান করবে এবং একজন মুমিন দাস মুক্ত করবে। কিন্তু কারো যদি সঙ্গতি না থাকে তবে লাগাতার দুইমাস রোযা রাখবে। এটাই আল্লাহ্‌র পক্ষ থেকে তওবা করার ব্যবস্থা, আর আল্লাহ্‌ সর্বজ্ঞানী, প্রজ্ঞাবান।

وَ مَنْ يَّقْتُلْ مُؤْمِنًا مُّتَعَمِّدًا فَجَزَآؤُهٗ جَهَنَّمُ خٰلِدًا فِيْهَا وَ غَضِبَ اللّٰهُ عَلَيْهِ وَ لَعَنَهٗ وَ اَعَدَّ لَهٗ عَذَابًا عَظِيْمًا ﴿٩٣﴾

৯৩. আর কেউ যদি কোনো মুমিনকে ইচ্ছাকৃত হত্যা করে, তবে তার শাস্তি হলো জাহান্নাম, সে চিরকাল সেখানেই থাকবে। আল্লাহ্‌ তার প্রতি রুষ্ট এবং তিনি তাকে অভিশাপ দেন, আর তার জন্যে তিনি প্রস্তুত রেখেছেন বিশাল আযাব।

يٰۤاَيُّهَا الَّذِيْنَ اٰمَنُوْۤا اِذَا ضَرَبْتُمْ فِيْ سَبِيْلِ اللّٰهِ فَتَبَيَّنُوْا وَ لَا تَقُوْلُوْا لِمَنْ اَلْقٰۤى اِلَيْكُمُ السَّلٰمَ لَسْتَ مُؤْمِنًا ۚ تَبْتَغُوْنَ عَرَضَ الْحَيٰوةِ الدُّنْيَا ۫ فَعِنْدَ اللّٰهِ مَغَانِمُ كَثِيْرَةٌ ؕ كَذٰلِكَ كُنْتُمْ مِّنْ قَبْلُ فَمَنَّ اللّٰهُ عَلَيْكُمْ فَتَبَيَّنُوْا ؕ اِنَّ اللّٰهَ كَانَ بِمَا تَعْمَلُوْنَ خَبِيْرًا ﴿٩٤﴾

৯৪. হে ঈমানদার লোকেরা! তোমরা যখন আল্লাহ্‌র পথে রওয়ানা করবে, তখন পরীক্ষা করে নেবে (কে বন্ধু, কে শত্রু)। কেউ তোমাদের সালাম করলে দুনিয়ার স্বার্থ কামনায় তাকে বলো না: 'তুমি মুমিন নও।' তোমরা যদি পার্থিব জীবনের স্বার্থ হাসিল করতে চাও, তবে আল্লাহ্‌র কাছে রয়েছে অনেক গনিমত। তোমরাও তো আগে এরকমই ছিলে, তারপর আল্লাহ্‌ তোমাদের প্রতি অনুগ্রহ করেছেন। সুতরাং তোমরা পরীক্ষা করে নেবে। তোমরা যা করো, নিশ্চয়ই আল্লাহ্‌ সে বিষয়ে খবর রাখেন।

لَا يَسْتَوِي الْقٰعِدُوْنَ مِنَ الْمُؤْمِنِيْنَ غَيْرُ اُولِي الضَّرَرِ وَ الْمُجٰهِدُوْنَ فِيْ سَبِيْلِ اللّٰهِ بِاَمْوَالِهِمْ وَ اَنْفُسِهِمْ ؕ فَضَّلَ اللّٰهُ الْمُجٰهِدِيْنَ بِاَمْوَالِهِمْ وَ اَنْفُسِهِمْ عَلَى الْقٰعِدِيْنَ دَرَجَةً ؕ وَ كُلًّا وَّعَدَ اللّٰهُ الْحُسْنٰى ؕ وَ فَضَّلَ اللّٰهُ الْمُجٰهِدِيْنَ عَلَى الْقٰعِدِيْنَ اَجْرًا عَظِيْمًا ﴿٩٥﴾

৯৫. মুমিনদের মধ্যে যারা অক্ষম না হওয়া সত্ত্বেও ঘরে বসে থাকে, তারা আর যারা নিজেদের ধনমাল এবং জান প্রাণ দিয়ে আল্লাহ্‌র পথে জিহাদ করে তারা সমান নয়। যারা নিজেদের ধনমাল এবং জানপ্রাণ দিয়ে আল্লাহ্‌র পথে জিহাদ করে তাদেরকে আল্লাহ্‌ ঘরে বসে থাকাদের উপর মর্যাদা দিয়েছেন। তবে আল্লাহ্‌ প্রত্যেককেই কল্যাণের ওয়াদা দিয়েছেন। যারা ঘরে বসে থাকে, তাদের উপর আল্লাহ্‌ মুজাহিদদের মহাপুরস্কারের ক্ষেত্রে শ্রেষ্ঠত্ব দিয়েছেন।

دَرَجٰتٍ مِّنْهُ وَ مَغْفِرَةً وَّرَحْمَةً ؕ وَ كَانَ اللّٰهُ غَفُوْرًا رَّحِيْمًا ﴿٩٦﴾

৯৬. তাঁর পক্ষ থেকে তাদের জন্যে রয়েছে মর্যাদা, ক্ষমা ও রহমত। আর আল্লাহ্‌ তো পরম ক্ষমাশীল, পরম দয়াবান।

রুকু ১৩

৯৭. নিজেদের প্রতি যুলুম করতে থাকা লোকদের যখন ফেরেশতারা ওফাত ঘটাতে আসে, তারা বলে: 'তোমরা কী অবস্থার মধ্যে ছিলে?' তখন তারা বলে: 'আমরা দেশে দুর্বল অসহায় ছিলাম।' তখন তারা বলে: 'কেন আল্লাহ্‌র পৃথিবী কি প্রশস্ত ছিলনা যেখানে তোমরা হিজরত করতে পারতে?' এরাই সেইসব লোক যাদের আবাস হবে জাহান্নাম আর সেটা কতো যে নিকৃষ্ট আবাস!	اِنَّ الَّذِيْنَ تَوَفّٰىهُمُ الْمَلٰٓئِكَةُ ظَالِمِيْٓ اَنْفُسِهِمْ قَالُوْا فِيْمَ كُنْتُمْ ؕ قَالُوْا كُنَّا مُسْتَضْعَفِيْنَ فِي الْاَرْضِ ؕ قَالُوْٓا اَلَمْ تَكُنْ اَرْضُ اللّٰهِ وَاسِعَةً فَتُهَاجِرُوْا فِيْهَا ؕ فَاُولٰٓئِكَ مَاْوٰىهُمْ جَهَنَّمُ ؕ وَسَآءَتْ مَصِيْرًا ﴿۹۷﴾
৯৮. তবে সেসব লোকেরা নয়, যেসব দুর্বল পুরুষ, নারী ও শিশুরা কোনো উপায় অবলম্বনের সামর্থ রাখেনা এবং কোনো পথও খুঁজে পায়না।	اِلَّا الْمُسْتَضْعَفِيْنَ مِنَ الرِّجَالِ وَ النِّسَآءِ وَ الْوِلْدَانِ لَا يَسْتَطِيْعُوْنَ حِيْلَةً وَّلَا يَهْتَدُوْنَ سَبِيْلًا ﴿۹۸﴾
৯৯. তারা সেসব লোক, শীঘ্রি আল্লাহ্ যাদের পাপ মুছে দেবেন, কারণ আল্লাহ্ পাপ মোচনকারী, ক্ষমাশীল।	فَاُولٰٓئِكَ عَسَى اللّٰهُ اَنْ يَّعْفُوَ عَنْهُمْ ؕ وَ كَانَ اللّٰهُ عَفُوًّا غَفُوْرًا ﴿۹۹﴾
১০০. যে হিজরত করবে আল্লাহ্‌র পথে সে জগতে বহু আশ্রয়স্থল এবং প্রাচুর্য লাভ করবে। যে কেউ নিজের ঘর থেকে আল্লাহ্‌র ও তার রসূলের দিকে মুহাজির হিসেবে বের হবে, এ পথে তার মৃত্যু হলে তার পুরস্কারের দায়িত্ব আল্লাহ্‌র। আল্লাহ্ তো পরম ক্ষমাশীল পরম দয়াময়।	وَ مَنْ يُّهَاجِرْ فِيْ سَبِيْلِ اللّٰهِ يَجِدْ فِي الْاَرْضِ مُرٰغَمًا كَثِيْرًا وَّسَعَةً ؕ وَ مَنْ يَّخْرُجْ مِنْۢ بَيْتِهٖ مُهَاجِرًا اِلَى اللّٰهِ وَ رَسُوْلِهٖ ثُمَّ يُدْرِكْهُ الْمَوْتُ فَقَدْ وَقَعَ اَجْرُهٗ عَلَى اللّٰهِ ؕ وَ كَانَ اللّٰهُ غَفُوْرًا رَّحِيْمًا ﴿۱۰۰﴾
১০১. তোমরা যখন ভ্রমণে বের হও, তখন যদি তোমরা আশংকা করো যে, কাফিররা তোমাদের জন্যে ফিতনা সৃষ্টি করবে, তবে সালাত কসর করলে তোমাদের কোনো দোষ হবেনা। নিশ্চয়ই কাফিররা তোমাদের সুস্পষ্ট দুশমন।	وَ اِذَا ضَرَبْتُمْ فِي الْاَرْضِ فَلَيْسَ عَلَيْكُمْ جُنَاحٌ اَنْ تَقْصُرُوْا مِنَ الصَّلٰوةِ ۖ اِنْ خِفْتُمْ اَنْ يَّفْتِنَكُمُ الَّذِيْنَ كَفَرُوْا ؕ اِنَّ الْكٰفِرِيْنَ كَانُوْا لَكُمْ عَدُوًّا مُّبِيْنًا ﴿۱۰۱﴾
১০২. (হে নবী!) যখন তুমি তাদের মাঝে থাকো এবং (যুদ্ধ ও ত্রাস চলাকালে) তাদের সাথে নিয়ে সালাতে দাঁড়াও, তখন তাদের মধ্য থেকে একটি গ্রুপ তোমার সাথে সালাতে দাঁড়াবে এবং তারা তাদের অস্ত্রশস্ত্র সাথে রাখবে। তারপর তারা সাজদা করে নিলে পেছনে গিয়ে অবস্থান নেবে এবং অপর গ্রুপ-যারা এখনো সালাতে অংশ নেয়নি এসে তোমার সাথে সালাতে অংশ নেবে। তারাও সতর্কতা অবলম্বন করবে এবং নিজেদের অস্ত্রশস্ত্র সাথে রাখবে। কারণ, কাফিররা তো চায়, তোমরা তোমাদের অস্ত্রশস্ত্র এবং মাল সামানের ব্যাপারে সামান্য গাফিল হলেই তারা তোমাদের উপর ঝাঁপিয়ে পড়বে।	وَ اِذَا كُنْتَ فِيْهِمْ فَاَقَمْتَ لَهُمُ الصَّلٰوةَ فَلْتَقُمْ طَآئِفَةٌ مِّنْهُمْ مَّعَكَ وَ لْيَاْخُذُوْٓا اَسْلِحَتَهُمْ ۫ فَاِذَا سَجَدُوْا فَلْيَكُوْنُوْا مِنْ وَّرَآئِكُمْ ۪ وَ لْتَاْتِ طَآئِفَةٌ اُخْرٰى لَمْ يُصَلُّوْا فَلْيُصَلُّوْا مَعَكَ وَ لْيَاْخُذُوْا حِذْرَهُمْ وَ اَسْلِحَتَهُمْ ۚ وَدَّ الَّذِيْنَ كَفَرُوْا لَوْ تَغْفُلُوْنَ عَنْ اَسْلِحَتِكُمْ وَ اَمْتِعَتِكُمْ فَيَمِيْلُوْنَ عَلَيْكُمْ مَّيْلَةً وَّاحِدَةً ؕ وَ لَا جُنَاحَ عَلَيْكُمْ اِنْ كَانَ بِكُمْ اَذًى مِّنْ

রুকু ১৪

مَّطَرٍ اَوْ كُنْتُمْ مَّرْضٰٓى اَنْ تَضَعُوْٓا اَسْلِحَتَكُمْ ۚ وَ خُذُوْا حِذْرَكُمْ ؕ اِنَّ اللّٰهَ اَعَدَّ لِلْكٰفِرِيْنَ عَذَابًا مُّهِيْنًا ﴿١٠٢﴾

তবে, তোমরা যদি বৃষ্টির কারণে অসুবিধা বোধ করো, কিংবা অসুস্থ থাকো, তবে অস্ত্র রেখে দিলে কোনো অসুবিধা নেই, কিন্তু সতর্ক থাকবে। জেনে রাখো, আল্লাহ্ কাফিরদের জন্যে প্রস্তুত করে রেখেছেন অপমানকর আযাব।

فَاِذَا قَضَيْتُمُ الصَّلٰوةَ فَاذْكُرُوا اللّٰهَ قِيٰمًا وَّقُعُوْدًا وَّعَلٰى جُنُوْبِكُمْ ۚ فَاِذَا اطْمَاْنَنْتُمْ فَاَقِيْمُوا الصَّلٰوةَ ۚ اِنَّ الصَّلٰوةَ كَانَتْ عَلَى الْمُؤْمِنِيْنَ كِتٰبًا مَّوْقُوْتًا ﴿١٠٣﴾

১০৩. তারপর যখন তোমরা সালাত সমাপ্ত করবে, তখন দাঁড়িয়ে, বসে এবং শুয়ে আল্লাহ্‌র যিকির করবে। তারপর যখন নিরাপদ বোধ করবে, তখন যথা নিয়মে সালাত আদায় করবে। নির্ধারিত সময়ে সালাত কায়েম করা মুমিনদের জন্যে এক লিখিত বিধান।

وَلَا تَهِنُوْا فِى ابْتِغَآءِ الْقَوْمِ ؕ اِنْ تَكُوْنُوْا تَاْلَمُوْنَ فَاِنَّهُمْ يَاْلَمُوْنَ كَمَا تَاْلَمُوْنَ ۚ وَ تَرْجُوْنَ مِنَ اللّٰهِ مَا لَا يَرْجُوْنَ ؕ وَ كَانَ اللّٰهُ عَلِيْمًا حَكِيْمًا ﴿١٠٤﴾

১০৪. শত্রু কওমের সন্ধানে তোমরা দুর্বলতা প্রদর্শন করোনা, যদি তোমরা যন্ত্রণা ভোগ করে থাকো তবে তারাও তোমাদের মতোই যন্ত্রণা পায়। আল্লাহ্‌র কাছে তোমরা এমন জিনিস আশা করো, যা তারা আশা করেনা। আল্লাহ্ জ্ঞানী, প্রজ্ঞাবান।

রুকু ১৫

اِنَّآ اَنْزَلْنَآ اِلَيْكَ الْكِتٰبَ بِالْحَقِّ لِتَحْكُمَ بَيْنَ النَّاسِ بِمَآ اَرٰىكَ اللّٰهُ ؕ وَ لَا تَكُنْ لِّلْخَآئِنِيْنَ خَصِيْمًا ﴿١٠٥﴾

১০৫. আমরা তোমার প্রতি সত্যতা ও বাস্তবতার নিরিখে নাযিল করেছি এই কিতাব, যাতে আল্লাহ্ তোমাকে যে সঠিক পথ জানিয়েছেন সে অনুযায়ী মানুষের মাঝে বিচার ফায়সালা করে দিতে পারো। তুমি কখনো খিয়ানতকারীদের পক্ষে বিতর্ক করোনা।

وَّاسْتَغْفِرِ اللّٰهَ ؕ اِنَّ اللّٰهَ كَانَ غَفُوْرًا رَّحِيْمًا ﴿١٠٦﴾

১০৬. আল্লাহ্‌র কাছে ক্ষমা প্রার্থনা করো, কারণ আল্লাহ্ পরম ক্ষমাশীল, দয়াবান।

وَلَا تُجَادِلْ عَنِ الَّذِيْنَ يَخْتَانُوْنَ اَنْفُسَهُمْ ؕ اِنَّ اللّٰهَ لَا يُحِبُّ مَنْ كَانَ خَوَّانًا اَثِيْمًا ﴿١٠٧﴾

১০৭. যারা নিজেদের সাথে খিয়ানত করে, তুমি তাদের পক্ষে বিবাদে লিপ্ত হয়োনা। নিশ্চয়ই আল্লাহ্ কোনো খেয়ানতকারী পাপীকে পছন্দ করেন না।

يَّسْتَخْفُوْنَ مِنَ النَّاسِ وَ لَا يَسْتَخْفُوْنَ مِنَ اللّٰهِ وَ هُوَ مَعَهُمْ اِذْ يُبَيِّتُوْنَ مَا لَا يَرْضٰى مِنَ الْقَوْلِ ؕ وَ كَانَ اللّٰهُ بِمَا يَعْمَلُوْنَ مُحِيْطًا ﴿١٠٨﴾

১০৮. তারা মানুষ থেকে তাদের দুষ্কর্ম গোপন করতে চায়, কিন্তু আল্লাহ্‌র থেকে গোপন করতে পারেনা, তিনি তাদের সাথেই থাকেন রাত্রে যখন তারা তাঁর অপছন্দনীয় সলাপরামর্শ করে। তারা যা করে আল্লাহ্ তা পরিবেষ্টন করে আছেন।

هٰٓاَنْتُمْ هٰٓؤُلَآءِ جٰدَلْتُمْ عَنْهُمْ فِى الْحَيٰوةِ الدُّنْيَا ۟ فَمَنْ يُّجَادِلُ اللّٰهَ عَنْهُمْ يَوْمَ الْقِيٰمَةِ اَمْ مَّنْ يَّكُوْنُ عَلَيْهِمْ وَكِيْلًا ﴿١٠٩﴾

১০৯. হ্যাঁ, তোমরা ইহজীবনে তাদের পক্ষে বিতর্ক করছো, কিন্তু কিয়ামতের দিন আল্লাহ্‌র সামনে কে বিতর্ক করবে তাদের পক্ষে? কিংবা কে হবে তাদের পক্ষে উকিল?

وَ مَنْ يَّعْمَلْ سُوْٓءًا اَوْ يَظْلِمْ نَفْسَهٗ ثُمَّ يَسْتَغْفِرِ اللّٰهَ يَجِدِ اللّٰهَ غَفُوْرًا رَّحِيْمًا ﴿١١٠﴾

১১০. যে কেউ পাপ কাজ করে, কিংবা নিজের প্রতি যুলুম করে আল্লাহ্‌র কাছে ক্ষমা প্রার্থনা করবে, সে আল্লাহ্‌কে ক্ষমাশীল দয়াবানই পাবে।

১১১. যে কেউ কামাই করবে পাপ, সে তা কামাই করবে নিজেরই বিরুদ্ধে। আল্লাহ তো মহাজ্ঞানী প্রজ্ঞাবান।

وَ مَنۡ يَّكۡسِبۡ اِثۡمًا فَاِنَّمَا يَكۡسِبُهٗ عَلٰى نَفۡسِهٖ ؕ وَكَانَ اللّٰهُ عَلِيۡمًا حَكِيۡمًا ﴿۱۱۱﴾

১১২. যে কেউ উপার্জন করবে অপরাধ বা পাপ, পরে তা কোনো নির্দোষ ব্যক্তির প্রতি আরোপ করবে, সে তো বহন করবে মিথ্যা অপবাদ এবং সুস্পষ্ট পাপের বোঝা।

وَ مَنۡ يَّكۡسِبۡ خَطِيۡٓـئَةً اَوۡ اِثۡمًا ثُمَّ يَرۡمِ بِهٖ بَرِيۡٓــًٔا فَقَدِ احۡتَمَلَ بُهۡتَانًا وَّاِثۡمًا مُّبِيۡنًا ﴿۱۱۲﴾

রুকু ১৬

১১৩. তোমার প্রতি যদি আল্লাহ্‌র ফজল (অনুগ্রহ) এবং রহমত (দয়া) না হতো, তাহলে তাদের একটি দল তোমাকে বিপথগামী করতে চাইতো। আসলে তারা তো নিজেদের ছাড়া আর কাউকেও পথভ্রষ্ট করেনা। তারা তোমার কোনো ক্ষতি করতে পারবে না। আল্লাহ্‌ তো তোমার প্রতি নাযিল করেছেন আল কিতাব (আল কুরআন) এবং হিকমাহ (কর্মকৌশল ও কার্যনির্বাহী জ্ঞান) আর তোমাকে শিক্ষা দিয়েছেন যা তুমি জানতে না। তোমার প্রতি আল্লাহ্‌র ফজল বিরাট।

وَلَوۡلَا فَضۡلُ اللّٰهِ عَلَيۡكَ وَرَحۡمَتُهٗ لَهَمَّتۡ طَّآئِفَةٌ مِّنۡهُمۡ اَنۡ يُّضِلُّوۡكَ ؕ وَمَا يُضِلُّوۡنَ اِلَّاۤ اَنۡفُسَهُمۡ وَمَا يَضُرُّوۡنَكَ مِنۡ شَىۡءٍ ؕ وَاَنۡزَلَ اللّٰهُ عَلَيۡكَ الۡكِتٰبَ وَالۡحِكۡمَةَ وَعَلَّمَكَ مَا لَمۡ تَكُنۡ تَعۡلَمُ ؕ وَكَانَ فَضۡلُ اللّٰهِ عَلَيۡكَ عَظِيۡمًا ﴿۱۱۳﴾

১১৪. তাদের অধিকাংশ গোপন সলাপরামর্শে কোনো কল্যাণ নেই। তবে কল্যাণ থাকে (সেই ব্যক্তির গোপন পরামর্শে) যে নির্দেশ দেয় দান করার, ভালো কাজ করার কিংবা মানুষের মাঝে শান্তি স্থাপন করার। আল্লাহ্‌র সন্তোষ কামনায় কেউ যদি এসব কাজ করে, আমরা শীঘ্রি তাকে দান করবো মহা পুরস্কার।

لَا خَيۡرَ فِىۡ كَثِيۡرٍ مِّنۡ نَّجۡوٰٮهُمۡ اِلَّا مَنۡ اَمَرَ بِصَدَقَةٍ اَوۡ مَعۡرُوۡفٍ اَوۡ اِصۡلَاحٍۢ بَيۡنَ النَّاسِ ؕ وَمَنۡ يَّفۡعَلۡ ذٰلِكَ ابۡتِغَآءَ مَرۡضَاتِ اللّٰهِ فَسَوۡفَ نُـؤۡتِيۡهِ اَجۡرًا عَظِيۡمًا ﴿۱۱۴﴾

১১৫. কারো কাছে হিদায়াত (সত্যপথ) সুস্পষ্ট হবার পরও যদি সে রসূলের বিরুদ্ধাচরণ করে এবং মুমিনদের পথ ছাড়া অন্য পথ অবলম্বন করে, তাহলে সে যেদিকে মুখ ফিরিয়েছে আমরা তাকে সে দিকেই ফিরিয়ে দেবো এবং তাকে প্রবেশ করাবো জাহান্নামে, যা চরম নিকৃষ্ট আবাস।

وَمَنۡ يُّشَاقِقِ الرَّسُوۡلَ مِنۡۢ بَعۡدِ مَا تَبَيَّنَ لَهُ الۡهُدٰى وَيَتَّبِعۡ غَيۡرَ سَبِيۡلِ الۡمُؤۡمِنِيۡنَ نُوَلِّهٖ مَا تَوَلّٰى وَنُصۡلِهٖ جَهَنَّمَ ؕ وَسَآءَتۡ مَصِيۡرًا ﴿۱۱۵﴾

রুকু ১৭

১১৬. নিশ্চয়ই আল্লাহ্‌ তাঁর সাথে শিরক করার পাপ ক্ষমা করবেন না, এ ছাড়া অন্যগুলো ক্ষমা করে দেবেন যাকে ইচ্ছা করবেন। যে কেউ আল্লাহ্‌র সাথে শিরক করে সে তো পথহারা হয়ে চলে যায় বহু দূরে।

اِنَّ اللّٰهَ لَا يَغۡفِرُ اَنۡ يُّشۡرَكَ بِهٖ وَيَغۡفِرُ مَا دُوۡنَ ذٰلِكَ لِمَنۡ يَّشَآءُ ؕ وَمَنۡ يُّشۡرِكۡ بِاللّٰهِ فَقَدۡ ضَلَّ ضَلٰلًاۢ بَعِيۡدًا ﴿۱۱۶﴾

১১৭. তারা তো আল্লাহ্‌র পরিবর্তে দেবীর এবং বিদ্রোহী শয়তানেরই পূজা করে।

اِنۡ يَّدۡعُوۡنَ مِنۡ دُوۡنِهٖۤ اِلَّاۤ اِنٰـثًا ۚ وَاِنۡ يَّدۡعُوۡنَ اِلَّا شَيۡـطٰنًا مَّرِيۡدًا ﴿۱۱۷﴾

১১৮. তার প্রতি আল্লাহ্‌র লানত। সে বলে: "আমি অবশ্যি তোমার বান্দাদের একটি নির্দিষ্ট অংশকে আমার তাবেদার বানিয়ে নেবো।

لَّعَنَهُ اللّٰهُ ۘ وَقَالَ لَاَتَّخِذَنَّ مِنۡ عِبَادِكَ نَصِيۡبًا مَّفۡرُوۡضًا ﴿۱۱۸﴾

১১৯. আমি অবশ্যি তাদের পথভ্রষ্ট করবো, তাদের মনে মিথ্যা আকাংখা সৃষ্টি করবো, তারা

وَّلَاُضِلَّنَّهُمۡ وَلَاُمَنِّيَنَّهُمۡ وَلَاٰمُرَنَّهُمۡ

আমার নির্দেশ মতো পশুর কান ছিদ্র করবে এবং আমি তাদের নির্দেশ দিয়ে যাবোই এবং তারা অবশ্যি আল্লাহ্‌র সৃষ্টিকে বিকৃত করতে থাকবে।" যে কেউ আল্লাহ্‌র পরিবর্তে এই শয়তানকে অলি (বন্ধু ও পৃষ্ঠপোষক) হিসেবে গ্রহণ করবে, সে অবশ্যি নিমজ্জিত হবে সুস্পষ্ট ক্ষতির মধ্যে।	فَلَيُبَتِّكُنَّ اٰذَانَ الْاَنْعَامِ وَ لَاٰمُرَنَّهُمْ فَلَيُغَيِّرُنَّ خَلْقَ اللّٰهِ ؕ وَ مَنْ يَّتَّخِذِ الشَّيْطٰنَ وَلِيًّا مِّنْ دُوْنِ اللّٰهِ فَقَدْ خَسِرَ خُسْرَانًا مُّبِيْنًا ﴿۱۱۹﴾
১২০. সে তাদের ওয়াদা দেয় এবং তাদের মনে মিথ্যা বাসনা সৃষ্টি করে দেয়। আর শয়তানের ওয়াদা তো প্রতারণা ছাড়া আর কিছুই নয়।	يَعِدُهُمْ وَ يُمَنِّيْهِمْ ؕ وَ مَا يَعِدُهُمُ الشَّيْطٰنُ اِلَّا غُرُوْرًا ﴿۱۲۰﴾
১২১. এদের (শয়তানের অনুসারীদের) আবাস হবে জাহান্নাম এবং সেখান থেকে নিষ্কৃতির কোনো পথ তারা পাবেনা।	اُولٰٓئِكَ مَاْوٰىهُمْ جَهَنَّمُ ۫ وَ لَا يَجِدُوْنَ عَنْهَا مَحِيْصًا ﴿۱۲۱﴾
১২২. পক্ষান্তরে যারা ঈমান আনে এবং আমলে সালেহ্ করে, আমরা অবশ্যি তাদের দাখিল করবো জান্নাতে, যার নিচে দিয়ে বহমান থাকবে নদ নদী নহর। চিরকাল থাকবে তারা সেখানে। আল্লাহ্‌র ওয়াদা সত্য। কথার দিক থেকে আল্লাহ্‌র চাইতে সত্যবাদী আর কে?	وَ الَّذِيْنَ اٰمَنُوْا وَ عَمِلُوا الصّٰلِحٰتِ سَنُدْخِلُهُمْ جَنّٰتٍ تَجْرِيْ مِنْ تَحْتِهَا الْاَنْهٰرُ خٰلِدِيْنَ فِيْهَاۤ اَبَدًا ؕ وَعْدَ اللّٰهِ حَقًّا ؕ وَ مَنْ اَصْدَقُ مِنَ اللّٰهِ قِيْلًا ﴿۱۲۲﴾
১২৩. তোমাদের খেয়াল খুশি কিংবা আহলে কিতাবের খেয়াল খুশি মতো কাজ হবেনা। যে মন্দ কাজ করবে, তার প্রতিফল সে পাবেই এবং সে আল্লাহ্‌র পরিবর্তে কোনো অলি বা সাহায্যকারী পাবেনা।	لَيْسَ بِاَمَانِيِّكُمْ وَ لَاۤ اَمَانِيِّ اَهْلِ الْكِتٰبِ ؕ مَنْ يَّعْمَلْ سُوْٓءًا يُّجْزَ بِهٖ ۙ وَ لَا يَجِدْ لَهٗ مِنْ دُوْنِ اللّٰهِ وَلِيًّا وَّ لَا نَصِيْرًا ﴿۱۲۳﴾
১২৪. যে কোনো পুরুষ বা নারী মুমিন অবস্থায় আমলে সালেহ্ করবে, তারা অবশ্যি দাখিল হবে জান্নাতে এবং তাদের প্রতি কণা পরিমাণও অবিচার করা হবেনা।	وَ مَنْ يَّعْمَلْ مِنَ الصّٰلِحٰتِ مِنْ ذَكَرٍ اَوْ اُنْثٰى وَ هُوَ مُؤْمِنٌ فَاُولٰٓئِكَ يَدْخُلُوْنَ الْجَنَّةَ وَ لَا يُظْلَمُوْنَ نَقِيْرًا ﴿۱۲۴﴾
১২৫. দীনের দিক থেকে ঐ ব্যক্তির চেয়ে উত্তম কে আছে, যে মুহসিন (পুণ্যবান) অবস্থায় আল্লাহ্‌র বাধ্যতা স্বীকার করে নিয়েছে এবং একনিষ্ঠভাবে ইবরাহিমের মিল্লাত (আদর্শ) অনুসরণ করেছে? আর আল্লাহ্ তো ইবরাহিমকে নিজের বন্ধু হিসেবেই গ্রহণ করেছেন।	وَ مَنْ اَحْسَنُ دِيْنًا مِّمَّنْ اَسْلَمَ وَجْهَهٗ لِلّٰهِ وَ هُوَ مُحْسِنٌ وَّ اتَّبَعَ مِلَّةَ اِبْرٰهِيْمَ حَنِيْفًا ؕ وَ اتَّخَذَ اللّٰهُ اِبْرٰهِيْمَ خَلِيْلًا ﴿۱۲۵﴾
১২৬. মহাকাশ এবং পৃথিবীতে যা কিছু আছে সবই আল্লাহ্‌র, আর আল্লাহ্ প্রতিটি বস্তুকেই পরিবেষ্টন করে রেখেছেন। (রুকু ১৮)	وَ لِلّٰهِ مَا فِي السَّمٰوٰتِ وَ مَا فِي الْاَرْضِ ؕ وَ كَانَ اللّٰهُ بِكُلِّ شَيْءٍ مُّحِيْطًا ﴿۱۲۶﴾
১২৭. নারীদের ব্যাপারে তারা তোমার কাছে জানতে চাইছে। তুমি বলো আল্লাহ্ তাদের ব্যাপারে তোমাদের ফতোয়া দিচ্ছেন, আর এতিম নারীদের ব্যাপারে, যাদের প্রাপ্য তোমরা পরিশোধ করোনা, অথচ তোমরা তাদের বিয়ে করতে চাও এবং অসহায় শিশুদের ব্যাপারে	وَ يَسْتَفْتُوْنَكَ فِي النِّسَآءِ ؕ قُلِ اللّٰهُ يُفْتِيْكُمْ فِيْهِنَّ ۙ وَ مَا يُتْلٰى عَلَيْكُمْ فِي الْكِتٰبِ فِيْ يَتٰمَى النِّسَآءِ الّٰتِيْ لَا تُؤْتُوْنَهُنَّ مَا كُتِبَ لَهُنَّ وَ تَرْغَبُوْنَ اَنْ تَنْكِحُوْهُنَّ وَ

আর এতিমদের ব্যাপারে তোমাদের সুবিচার সম্পর্কে যা তোমাদের এই কিতাবে তিলাওয়াত করে শুনানো হয়, তা আল্লাহ্ পরিষ্কারভাবে জানিয়ে দিচ্ছেন। আর তোমরা যে কোনো কল্যাণকর কাজই করোনা কেন, আল্লাহ্ তা বিশেষভাবে জ্ঞাত।	الْمُسْتَضْعَفِيْنَ مِنَ الْوِلْدَانِ ۙ وَ اَنْ تَقُوْمُوْا لِلْيَتٰمٰى بِالْقِسْطِ ؕ وَمَا تَفْعَلُوْا مِنْ خَيْرٍ فَاِنَّ اللّٰهَ كَانَ بِهٖ عَلِيْمًا ﴿۱۲۷﴾
১২৮. কোনো নারী যদি তার স্বামীর দুর্ব্যবহার কিংবা উপেক্ষার আশংকা করে, তবে তারা আপোস মীমাংসা করতে চাইলে তাদের কোনো দোষ হবেনা। তাছাড়া আপোস-মীমাংসাই উত্তম। লোভের কারণে মানুষ স্বভাবত কৃপণ। তোমরা যদি ইহ্সান করো এবং আল্লাহ্কে ভয় করো, তবে জেনে রাখো, তোমরা যা করো আল্লাহ্ তার খবর রাখেন।	وَ اِنِ امْرَاَةٌ خَافَتْ مِنْۢ بَعْلِهَا نُشُوْزًا اَوْ اِعْرَاضًا فَلَا جُنَاحَ عَلَيْهِمَاۤ اَنْ يُّصْلِحَا بَيْنَهُمَا صُلْحًا ؕ وَ الصُّلْحُ خَيْرٌ ؕ وَ اُحْضِرَتِ الْاَنْفُسُ الشُّحَّ ؕ وَ اِنْ تُحْسِنُوْا وَ تَتَّقُوْا فَاِنَّ اللّٰهَ كَانَ بِمَا تَعْمَلُوْنَ خَبِيْرًا ﴿۱۲۸﴾
১২৯. তোমরা যতোই আকাংখা করোনা কেন, তোমরা কিছুতেই স্ত্রীদের মাঝে সমান ব্যবহার করতে পারবে না। সুতরাং তোমরা কোনো একজনের দিকে পুরোপুরি ঝুঁকে পড়োনা এবং অন্যকে ঝুলন্ত অবস্থায় রেখে দিওনা। তোমরা যদি সংশোধন করে নাও এবং আল্লাহ্কে ভয় করো, তবে নিশ্চয়ই আল্লাহ্ পরম ক্ষমাশীল দয়াবান।	وَ لَنْ تَسْتَطِيْعُوْۤا اَنْ تَعْدِلُوْا بَيْنَ النِّسَآءِ وَ لَوْ حَرَصْتُمْ فَلَا تَمِيْلُوْا كُلَّ الْمَيْلِ فَتَذَرُوْهَا كَالْمُعَلَّقَةِ ؕ وَ اِنْ تُصْلِحُوْا وَ تَتَّقُوْا فَاِنَّ اللّٰهَ كَانَ غَفُوْرًا رَّحِيْمًا ﴿۱۲۹﴾
১৩০. আর যদি তারা (স্বামী স্ত্রী) পরস্পর পৃথক হয়েই যায়, তবে আল্লাহ্ তাঁর অসীম ভাণ্ডার থেকে দান করে তাদের প্রত্যেককে অভাবমুক্ত করবেন। আর আল্লাহ্ তো প্রাচুর্যশালী প্রজ্ঞাবান।	وَ اِنْ يَّتَفَرَّقَا يُغْنِ اللّٰهُ كُلًّا مِّنْ سَعَتِهٖ ؕ وَ كَانَ اللّٰهُ وَاسِعًا حَكِيْمًا ﴿۱۳۰﴾
১৩১. মহাকাশ এবং পৃথিবীতে যা কিছু আছে সবই আল্লাহ্র। ইতোপূর্বে যাদের কিতাব দেয়া হয়েছে তাদেরকে এবং বিশেষভাবে তোমাদেরকে আমরা অসিয়ত (নির্দেশ) করছি: 'তোমরা আল্লাহ্কে ভয় করো।' তোমরা যদি এটা অস্বীকার করো, তবে জেনে রাখো, নিশ্চয়ই মহাকাশ এবং পৃথিবীতে যা কিছু আছে সবই আল্লাহ্র এবং আল্লাহ্ মুখাপেক্ষাহীন সপ্রশংসিত।	وَ لِلّٰهِ مَا فِی السَّمٰوٰتِ وَ مَا فِی الْاَرْضِ ؕ وَ لَقَدْ وَصَّيْنَا الَّذِيْنَ اُوْتُوا الْكِتٰبَ مِنْ قَبْلِكُمْ وَ اِيَّاكُمْ اَنِ اتَّقُوا اللّٰهَ ؕ وَ اِنْ تَكْفُرُوْا فَاِنَّ لِلّٰهِ مَا فِی السَّمٰوٰتِ وَ مَا فِی الْاَرْضِ ؕ وَ كَانَ اللّٰهُ غَنِيًّا حَمِيْدًا ﴿۱۳۱﴾
১৩২. মহাকাশ এবং পৃথিবীতে যা কিছু আছে সবই আল্লাহ্র, আর উকিল (কর্মসম্পাদক) হিসেবে আল্লাহ্ই কাফী (যথেষ্ট)।	وَ لِلّٰهِ مَا فِی السَّمٰوٰتِ وَ مَا فِی الْاَرْضِ ؕ وَ كَفٰى بِاللّٰهِ وَكِيْلًا ﴿۱۳۲﴾
১৩৩. হে মানুষ! তিনি চাইলে তোমাদের অপসারিত করে অন্যদের নিয়ে আসতে পারেন। একাজ করতে আল্লাহ্ সম্পূর্ণ সক্ষম।	اِنْ يَّشَاْ يُذْهِبْكُمْ اَيُّهَا النَّاسُ وَ يَاْتِ بِاٰخَرِيْنَ ؕ وَ كَانَ اللّٰهُ عَلٰى ذٰلِكَ قَدِيْرًا ﴿۱۳۳﴾
১৩৪. কেউ যদি (শুধু) দুনিয়ার সওয়াব (পুরস্কার) চায়, তবে সে জেনে রাখুক, আল্লাহ্র কাছে দুনিয়া এবং আখিরাত উভয় স্থানের সওয়াবই (পুরস্কারই) রয়েছে। আল্লাহ্ সব কিছু শুনেন, সব কিছু দেখেন।	مَنْ كَانَ يُرِيْدُ ثَوَابَ الدُّنْيَا فَعِنْدَ اللّٰهِ ثَوَابُ الدُّنْيَا وَ الْاٰخِرَةِ ؕ وَ كَانَ اللّٰهُ سَمِيْعًۢا بَصِيْرًا ﴿۱۳۴﴾

রুকু ১৯

১৩৫. হে ঈমানদার লোকেরা! তোমরা সুবিচারের উপর মজবুত হয়ে দাঁড়িয়ে থাকো আল্লাহ্‌র সাক্ষী হিসেবে, তা যদি তোমাদের নিজেদের, কিংবা তোমাদের পিতা-মাতা বা নিকটজনের বিরুদ্ধেও যায়। সে বিত্তবান হোক কিংবা অভাবী, আল্লাহ্ তাদের উভয়েরই ঘনিষ্ঠতর। সুতরাং তোমরা সুবিচার করতে গিয়ে খেয়াল খুশির অনুগামী হয়োনা। তোমরা যদি পেঁচালো কথা বলো, কিংবা পাশ কাটিয়ে যাও, তবে জেনে রাখো, তোমরা যা করো আল্লাহ্ সে বিষয়ে খবর রাখেন।	يٰۤاَيُّهَا الَّذِيۡنَ اٰمَنُوۡا كُوۡنُوۡا قَوّٰمِيۡنَ بِالۡقِسۡطِ شُهَدَآءَ لِلّٰهِ وَ لَوۡ عَلٰۤى اَنۡفُسِكُمۡ اَوِ الۡوَالِدَيۡنِ وَ الۡاَقۡرَبِيۡنَ ۚ اِنۡ يَّكُنۡ غَنِيًّا اَوۡ فَقِيۡرًا فَاللّٰهُ اَوۡلٰى بِهِمَا ۟ فَلَا تَتَّبِعُوا الۡهَوٰۤى اَنۡ تَعۡدِلُوۡا ۚ وَ اِنۡ تَلۡوٗۤا اَوۡ تُعۡرِضُوۡا فَاِنَّ اللّٰهَ كَانَ بِمَا تَعۡمَلُوۡنَ خَبِيۡرًا ﴿۱۳۵﴾
১৩৬. হে ঈমানদার লোকেরা! তোমরা ঈমান আনো আল্লাহ্‌র প্রতি এবং তাঁর রসূলের প্রতি, আর সেই কিতাবের প্রতি যা তিনি নাযিল করেছেন তাঁর রসূলের কাছে এবং ঐ কিতাবের প্রতিও যা তিনি নাযিল করেছেন তার পূর্বে। যে কেউ কুফুরি করবে আল্লাহ্‌র প্রতি, তাঁর ফেরেশতাদের প্রতি, তাঁর কিতাবসমূহের প্রতি, তাঁর রসূলদের প্রতি এবং পরকালের প্রতি, সে তো বিপথগামী হয়ে চলে যাবে বহু দূর।	يٰۤاَيُّهَا الَّذِيۡنَ اٰمَنُوۡۤا اٰمِنُوۡا بِاللّٰهِ وَ رَسُوۡلِهٖ وَ الۡكِتٰبِ الَّذِىۡ نَزَّلَ عَلٰى رَسُوۡلِهٖ وَ الۡكِتٰبِ الَّذِىۡۤ اَنۡزَلَ مِنۡ قَبۡلُ ؕ وَ مَنۡ يَّكۡفُرۡ بِاللّٰهِ وَ مَلٰٓئِكَتِهٖ وَ كُتُبِهٖ وَ رُسُلِهٖ وَ الۡيَوۡمِ الۡاٰخِرِ فَقَدۡ ضَلَّ ضَلٰلًاۢ بَعِيۡدًا ﴿۱۳۶﴾
১৩৭. যারা ঈমান এনেছে, তারপর কুফুরি করেছে, তারপর ঈমান এনেছে, তারপরও কুফুরি করেছে, তারপর কুফুরিতে অগ্রসর হয়েছে। আল্লাহ্ কিছুতেই তাদের ক্ষমা করবেন না এবং তাদেরকে সঠিক পথও দেখাবেন না।	اِنَّ الَّذِيۡنَ اٰمَنُوۡا ثُمَّ كَفَرُوۡا ثُمَّ اٰمَنُوۡا ثُمَّ كَفَرُوۡا ثُمَّ ازۡدَادُوۡا كُفۡرًا لَّمۡ يَكُنِ اللّٰهُ لِيَـغۡفِرَ لَهُمۡ وَ لَا لِيَـهۡدِيَهُمۡ سَبِيۡلًا ؕ ﴿۱۳۷﴾
১৩৮. মুনাফিকদের সুসংবাদ দাও, তাদের জন্যে রয়েছে বেদনাদায়ক আযাব।	بَشِّرِ الۡمُنٰفِقِيۡنَ بِاَنَّ لَهُمۡ عَذَابًا اَلِيۡمَا ۙ ﴿۱۳۸﴾
১৩৯. যারা মুমিনদের পরিবর্তে বন্ধু হিসেবে গ্রহণ করে কাফিরদের, তারা কি তাদের কাছে ইজ্জত চায়? অথচ ইজ্জত তো পুরোটাই আল্লাহ্‌র।	الَّذِيۡنَ يَتَّخِذُوۡنَ الۡـكٰفِرِيۡنَ اَوۡلِيَآءَ مِنۡ دُوۡنِ الۡمُؤۡمِنِيۡنَ ؕ اَيَبۡتَغُوۡنَ عِنۡدَهُمُ الۡعِزَّةَ فَاِنَّ الۡعِزَّةَ لِلّٰهِ جَمِيۡعًا ؕ ﴿۱۳۹﴾
১৪০. তিনি তো তোমাদের জন্যে কিতাবে একথা আগেই নাযিল করেছেন যে, তোমরা যখন শুনবে আল্লাহ্‌র আয়াত অস্বীকার করা হচ্ছে এবং তা নিয়ে বিদ্রূপ করা হচ্ছে, তখন তোমরা তাদের সাথে বসবেনা যতোক্ষণ না তারা অন্য প্রসঙ্গে চলে যাবে। তা না হলে তোমরাও তাদের অনুরূপ বলে গণ্য হবে। আল্লাহ্ মুনাফিক এবং কাফিরদের জাহান্নামে একত্র করবেন।	وَقَدۡ نَزَّلَ عَلَيۡكُمۡ فِى الۡكِتٰبِ اَنۡ اِذَا سَمِعۡتُمۡ اٰيٰتِ اللّٰهِ يُكۡفَرُ بِهَا وَ يُسۡتَهۡزَاُ بِهَا فَلَا تَقۡعُدُوۡا مَعَهُمۡ حَتّٰى يَخُوۡضُوۡا فِىۡ حَدِيۡثٍ غَيۡرِهٖۤ ۖ اِنَّكُمۡ اِذًا مِّثۡلُهُمۡ ؕ اِنَّ اللّٰهَ جَامِعُ الۡمُنٰفِقِيۡنَ وَالۡكٰفِرِيۡنَ فِىۡ جَهَنَّمَ جَمِيۡعَا ۙ ﴿۱۴۰﴾
১৪১. যারা তোমাদের অকল্যাণের অপেক্ষায়	الَّذِيۡنَ يَتَرَبَّصُوۡنَ بِكُمۡ ۚ فَاِنۡ كَانَ لَـكُمۡ

থাকে, তারপর যখনই আল্লাহ্‌র পক্ষ থেকে তোমাদের বিজয় অর্জিত হয়, তখন তারা বলে: 'আমরা কি তোমাদের সাথে ছিলাম না?' আর যদি কাফিরদের আংশিক বিজয় হয়, তখন তারা বলে: 'আমরা কি তোমাদের পরিবেষ্টন করে রাখিনি এবং মুমিনদের হাত থেকে রক্ষা করিনি?' কিয়ামতের দিনই আল্লাহ্‌ তোমাদের মাঝে ফয়সালা করে দেবেন। আল্লাহ্‌ কখনো মুমিনদের বিরুদ্ধে কাফিরদের কোনো পথ করে দেবেন না।	فَتْحٌ مِّنَ اللّٰهِ قَالُوْۤا اَلَمْ نَكُنْ مَّعَكُمْ ۖ٘ وَ اِنْ كَانَ لِلْكٰفِرِيْنَ نَصِيْبٌ ۙ قَالُوْۤا اَلَمْ نَسْتَحْوِذْ عَلَيْكُمْ وَ نَمْنَعْكُمْ مِّنَ الْمُؤْمِنِيْنَ ؕ فَاللّٰهُ يَحْكُمُ بَيْنَكُمْ يَوْمَ الْقِيٰمَةِ ؕ وَلَنْ يَّجْعَلَ اللّٰهُ لِلْكٰفِرِيْنَ عَلَى الْمُؤْمِنِيْنَ سَبِيْلًا ﴿١٤١﴾
১৪২. মুনাফিকরা আল্লাহ্‌র সাথে ধোঁকাবাজি করে। আসলে তিনিই তাদের ধোঁকায় ফেলে রেখেছেন। তারা যখন সালাতের উদ্দেশ্যে দাঁড়ায়, তখন আলস্যের সাথে দাঁড়ায়। তারা সালাতে আসে লোক দেখানোর জন্যে এবং খুব কমই তারা আল্লাহ্‌কে স্মরণ করে।	اِنَّ الْمُنٰفِقِيْنَ يُخٰدِعُوْنَ اللّٰهَ وَ هُوَ خَادِعُهُمْ ۚ وَ اِذَا قَامُوْۤا اِلَى الصَّلٰوةِ قَامُوْا كُسَالٰى ۙ يُرَآءُوْنَ النَّاسَ وَ لَا يَذْكُرُوْنَ اللّٰهَ اِلَّا قَلِيْلًا ۙ﴿١٤٢﴾
১৪৩. তারা দোটানায় দোদুল্যমান থাকে, না এদের দিকে, না ওদের দিকে। আল্লাহ্‌ যাকে গোমরাহ করে দেন, তুমি তার জন্যে কোনো পথ পাবেনা।	مُّذَبْذَبِيْنَ بَيْنَ ذٰلِكَ ۖ٘ لَاۤ اِلٰى هٰۤؤُلَآءِ وَ لَاۤ اِلٰى هٰۤؤُلَآءِ ؕ وَ مَنْ يُّضْلِلِ اللّٰهُ فَلَنْ تَجِدَ لَهٗ سَبِيْلًا ﴿١٤٣﴾
১৪৪. হে ঈমানদার লোকেরা! তোমরা মুমিনদের পরিবর্তে কাফিরদের অলি হিসেবে গ্রহণ করোনা। তোমরা কি আল্লাহ্‌কে তোমাদের বিরুদ্ধে সুস্পষ্ট প্রমাণ দিতে চাও?	يٰۤاَيُّهَا الَّذِيْنَ اٰمَنُوْا لَا تَتَّخِذُوا الْكٰفِرِيْنَ اَوْلِيَآءَ مِنْ دُوْنِ الْمُؤْمِنِيْنَ ؕ اَتُرِيْدُوْنَ اَنْ تَجْعَلُوْا لِلّٰهِ عَلَيْكُمْ سُلْطٰنًا مُّبِيْنًا ﴿١٤٤﴾
১৪৫. নিশ্চয়ই মুনাফিকরা থাকবে জাহান্নামের সর্বনিম্ন স্তরে। তুমি তাদের জন্যে কোনো সাহায্যকারী পাবেনা।	اِنَّ الْمُنٰفِقِيْنَ فِى الدَّرْكِ الْاَسْفَلِ مِنَ النَّارِ ۚ وَلَنْ تَجِدَ لَهُمْ نَصِيْرًا ۙ﴿١٤٥﴾
১৪৬. তবে যারা তওবা করে, নিজেদেরকে সংশোধন করে নেয়, আল্লাহ্‌কে দৃঢ়ভাবে আঁকড়ে ধরে এবং আল্লাহ্‌র জন্যে নিজেদের দীনকে একনিষ্ঠ করে নেয়, তারা মুমিনদের সাথে থাকবে। আল্লাহ্‌ শীঘ্রি মুমিনদের দান করবেন মহাপুরস্কার।	اِلَّا الَّذِيْنَ تَابُوْا وَ اَصْلَحُوْا وَ اعْتَصَمُوْا بِاللّٰهِ وَ اَخْلَصُوْا دِيْنَهُمْ لِلّٰهِ فَاُولٰٓئِكَ مَعَ الْمُؤْمِنِيْنَ ؕ وَ سَوْفَ يُؤْتِ اللّٰهُ الْمُؤْمِنِيْنَ اَجْرًا عَظِيْمًا ﴿١٤٦﴾
১৪৭. তোমরা যদি শোকর আদায় করো এবং ঈমান রাখো, তাহলে তোমাদের শাস্তি দিয়ে আল্লাহ্‌র কী কাজ? আল্লাহ্‌ তো কৃতজ্ঞতার মর্যাদাদানকারী সর্বজ্ঞানী।	مَا يَفْعَلُ اللّٰهُ بِعَذَابِكُمْ اِنْ شَكَرْتُمْ وَ اٰمَنْتُمْ ؕ وَكَانَ اللّٰهُ شَاكِرًا عَلِيْمًا ﴿١٤٧﴾

রুকু ২০

পারা ০৬

১৪৮. মন্দ ও পাপের কথার প্রচারণা আল্লাহ্ পছন্দ করেন না, তবে যার প্রতি যুলুম করা হয়েছে, তার কথা ভিন্ন। আল্লাহ্ সব শুনেন, সব জানেন।	لَا يُحِبُّ اللّٰهُ الْجَهْرَ بِالسُّوْٓءِ مِنَ الْقَوْلِ اِلَّا مَنْ ظُلِمَ ؕ وَكَانَ اللّٰهُ سَمِيْعًا عَلِيْمًا ﴿۱۴۸﴾
১৪৯. তোমরা যদি কল্যাণের কাজ প্রকাশ করো, কিংবা তা গোপন করো, অথবা যদি দোষ ক্ষমা করে দাও, তবে জেনে রাখো, আল্লাহ্ পাপ ক্ষমাকারী শক্তিমান।	اِنْ تُبْدُوْا خَيْرًا اَوْ تُخْفُوْهُ اَوْ تَعْفُوْا عَنْ سُوْٓءٍ فَاِنَّ اللّٰهَ كَانَ عَفُوًّا قَدِيْرًا ﴿۱۴۹﴾
১৫০. যারা কুফুরি করে আল্লাহ্‌র প্রতি, তাঁর রসূলদের প্রতি আর আল্লাহ্ ও তাঁর রসূলদের মধ্যে ফারাক সৃষ্টি করে দিতে চায় এবং বলে: 'আমরা কিছু মানি, আর কিছু মানি না' আর তারা এ দুয়ের মধ্যবর্তী কোনো পথ অবলম্বন করতে চায়,	اِنَّ الَّذِيْنَ يَكْفُرُوْنَ بِاللّٰهِ وَ رُسُلِهٖ وَيُرِيْدُوْنَ اَنْ يُّفَرِّقُوْا بَيْنَ اللّٰهِ وَ رُسُلِهٖ وَيَقُوْلُوْنَ نُؤْمِنُ بِبَعْضٍ وَّنَكْفُرُ بِبَعْضٍ ۙ وَّيُرِيْدُوْنَ اَنْ يَّتَّخِذُوْا بَيْنَ ذٰلِكَ سَبِيْلًا ﴿۱۵۰﴾
১৫১. তারাই আসল কাফির। আর আমরা কাফিরদের জন্যে প্রস্তুত করে রেখেছি অপমানকর আযাব।	اُولٰٓئِكَ هُمُ الْكٰفِرُوْنَ حَقًّا ۚ وَ اَعْتَدْنَا لِلْكٰفِرِيْنَ عَذَابًا مُّهِيْنًا ﴿۱۵۱﴾
১৫২. আর যারা ঈমান আনে আল্লাহ্‌র প্রতি, তাঁর রসূলদের প্রতি এবং তাদের কারো মধ্যে কোনো ফারাক করেনা, অচিরেই এদের তিনি পুরস্কার দেবেন তাদের প্রাপ্য পুরস্কার, এবং আল্লাহ্ ক্ষমাশীল দয়াময়।	وَ الَّذِيْنَ اٰمَنُوْا بِاللّٰهِ وَ رُسُلِهٖ وَ لَمْ يُفَرِّقُوْا بَيْنَ اَحَدٍ مِّنْهُمْ اُولٰٓئِكَ سَوْفَ يُؤْتِيْهِمْ اُجُوْرَهُمْ ؕ وَكَانَ اللّٰهُ غَفُوْرًا رَّحِيْمًا ﴿۱۵۲﴾
১৫৩. আহলে কিতাবের লোকেরা তোমার কাছে দাবি করে, তুমি যেনো আসমান থেকে তাদের জন্যে একটি কিতাব নাযিল করো। মূসার কাছে তারা এর চাইতেও বড় জিনিস দাবি করেছিল। তারা (মূসাকে) বলেছিল: 'আমাদেরকে প্রকাশ্যে আল্লাহ্‌কে দেখাও'। তাদের এই সীমালংঘনের কারণে বজ্রাঘাতে তারা মারা পড়েছিল। তারপরেও তারা গরুর বাছুরকে দেবতা হিসেবে গ্রহণ করেছিল তাদের কাছে সুস্পষ্ট প্রমাণাদি আসার পর। তারপরও আমরা তাদের ক্ষমা করে দিয়েছিলাম এবং মূসাকে প্রদান করেছিলাম সুস্পষ্ট প্রমাণ।	يَسْـَٔلُكَ اَهْلُ الْكِتٰبِ اَنْ تُنَزِّلَ عَلَيْهِمْ كِتٰبًا مِّنَ السَّمَآءِ فَقَدْ سَاَلُوْا مُوْسٰٓى اَكْبَرَ مِنْ ذٰلِكَ فَقَالُوْٓا اَرِنَا اللّٰهَ جَهْرَةً فَاَخَذَتْهُمُ الصّٰعِقَةُ بِظُلْمِهِمْ ۚ ثُمَّ اتَّخَذُوا الْعِجْلَ مِنْۢ بَعْدِ مَا جَآءَتْهُمُ الْبَيِّنٰتُ فَعَفَوْنَا عَنْ ذٰلِكَ ۚ وَ اٰتَيْنَا مُوْسٰى سُلْطٰنًا مُّبِيْنًا ﴿۱۵۳﴾
১৫৪. আমরা তাদের থেকে অঙ্গীকার নেয়ার জন্যে তুর পাহাড়কে তাদের উপরে তুলে ধরেছিলাম এবং তাদের বলেছিলাম: 'অবনত শিরে এই গেইট দিয়ে প্রবেশ করো।' আমরা তাদের আরো বলেছিলাম: 'শনিবারে বাড়াবাড়ি করোনা'। তাদের থেকে আমরা মজবুত অঙ্গীকার আদায় করেছিলাম।	وَ رَفَعْنَا فَوْقَهُمُ الطُّوْرَ بِمِيْثَاقِهِمْ وَ قُلْنَا لَهُمُ ادْخُلُوا الْبَابَ سُجَّدًا وَّقُلْنَا لَهُمْ لَا تَعْدُوْا فِى السَّبْتِ وَ اَخَذْنَا مِنْهُمْ مِّيْثَاقًا غَلِيْظًا ﴿۱۵۴﴾
১৫৫. তারা অভিশপ্ত হয়েছে তাদের অঙ্গীকার ভঙ্গের কারণে, আল্লাহ্‌র আয়াতসমূহ প্রত্যাখ্যান করার কারণে, অন্যায়ভাবে নবীদের হত্যা করার কারণে এবং তাদের এই কথার কারণে যে:	فَبِمَا نَقْضِهِمْ مِّيْثَاقَهُمْ وَ كُفْرِهِمْ بِاٰيٰتِ اللّٰهِ وَ قَتْلِهِمُ الْاَنْۢبِيَآءَ بِغَيْرِ حَقٍّ وَّقَوْلِهِمْ

রুকু ২১

'আমাদের অন্তর আচ্ছাদিত'। বরং তাদের কুফুরির কারণে আল্লাহ্ তাদের অন্তর সীলমোহর করে দিয়েছেন। ফলে তারা আর ঈমান আনবে না, স্বল্প সংখ্যক ছাড়া।	قُلُوْبُنَا غُلْفٌ ؕ بَلْ طَبَعَ اللّٰهُ عَلَيْهَا بِكُفْرِهِمْ فَلَا يُؤْمِنُوْنَ اِلَّا قَلِيْلًا ﴿۱۵۵﴾
১৫৬. তারা অভিশপ্ত হয়েছে তাদের কুফুরির কারণে এবং মরিয়মের উপর গুরুতর অপবাদ আরোপের কারণে।	وَّبِكُفْرِهِمْ وَ قَوْلِهِمْ عَلٰى مَرْيَمَ بُهْتَانًا عَظِيْمًا ﴿۱۵۶﴾
১৫৭. আর তাদের এ কথার কারণেও যে, 'আমরা আল্লাহ্র রসূল মরিয়মের পুত্র ঈসা মসিহ্কে হত্যা করেছি।' অথচ তারা তাকে হত্যা করেনি, ক্রুশবিদ্ধও করেনি, বরং তাদের এ রকম বিভ্রম হয়েছিল। যারা তার সম্পর্কে মতভেদ করেছিল, তারা অবশ্যি এ বিষয়ে সংশয়ের মধ্যে ছিলো। অনুমানের অনুগামী হওয়া ছাড়া এ বিষয়ে তাদের কোনো জ্ঞানই ছিলনা। তারা যে তাকে হত্যা করেনি, তা নিশ্চিত।	وَّقَوْلِهِمْ اِنَّا قَتَلْنَا الْمَسِيْحَ عِيْسَى ابْنَ مَرْيَمَ رَسُوْلَ اللّٰهِ ۚ وَمَا قَتَلُوْهُ وَمَا صَلَبُوْهُ وَلٰكِنْ شُبِّهَ لَهُمْ ؕ وَ اِنَّ الَّذِيْنَ اخْتَلَفُوْا فِيْهِ لَفِيْ شَكٍّ مِّنْهُ ؕ مَا لَهُمْ بِهٖ مِنْ عِلْمٍ اِلَّا اتِّبَاعَ الظَّنِّ ۚ وَمَا قَتَلُوْهُ يَقِيْنًا ﴿۱۵۷﴾
১৫৮. বরং আল্লাহ্ তাকে তাঁর কাছে উঠিয়ে নিয়েছেন এবং আল্লাহ্ মহাশক্তিধর, প্রজ্ঞাবান।	بَلْ رَّفَعَهُ اللّٰهُ اِلَيْهِ ؕ وَكَانَ اللّٰهُ عَزِيْزًا حَكِيْمًا ﴿۱۵۸﴾
১৫৯. আহলে কিতাবের প্রতিটি মানুষ অবশ্যি তার (ঈসার) প্রতি ঈমান আনবে তার মৃত্যুর আগে এবং কিয়ামতের দিন সে তাদের বিরুদ্ধে সাক্ষী হয়ে দাঁড়াবে।	وَاِنْ مِّنْ اَهْلِ الْكِتٰبِ اِلَّا لَيُؤْمِنَنَّ بِهٖ قَبْلَ مَوْتِهٖ ۚ وَيَوْمَ الْقِيٰمَةِ يَكُوْنُ عَلَيْهِمْ شَهِيْدًا ﴿۱۵۹﴾
১৬০. ইহুদিদের যুলুমের কারণে আমরা তাদের জন্যে হারাম করে দিয়েছি ভালো ভালো সেসব জিনিস, যা তাদের জন্যে হালাল ছিলো এবং আল্লাহ্র পথে যে তারা অনেককে বাধা দেয় সে কারণে।	فَبِظُلْمٍ مِّنَ الَّذِيْنَ هَادُوْا حَرَّمْنَا عَلَيْهِمْ طَيِّبٰتٍ اُحِلَّتْ لَهُمْ وَ بِصَدِّهِمْ عَنْ سَبِيْلِ اللّٰهِ كَثِيْرًا ﴿۱۶۰﴾
১৬১. তাছাড়া তাদের সুদ গ্রহণের কারণে, যা থেকে তাদের নিষেধ করা হয়েছিল। আর অন্যায়ভাবে মানুষের অর্থসম্পদ গ্রাস করার করণে। আমরা কাফিরদের জন্যে তৈরি করে রেখেছি বেদানাদায়ক আযাব।	وَّاَخْذِهِمُ الرِّبٰوا وَ قَدْ نُهُوْا عَنْهُ وَ اَكْلِهِمْ اَمْوَالَ النَّاسِ بِالْبَاطِلِ ؕ وَاَعْتَدْنَا لِلْكٰفِرِيْنَ مِنْهُمْ عَذَابًا اَلِيْمًا ﴿۱۶۱﴾
১৬২. তাদের মধ্যে যারা জ্ঞানে গভীরতা রাখে তারা এবং মুমিনরা ঈমান রাখে যা আমরা তোমার প্রতি নাযিল করেছি সেটার প্রতি এবং যা আমরা তোমার আগে নাযিল করেছি তার প্রতিও। তারা সালাত কায়েমকারী, যাকাত প্রদানকারী এবং আল্লাহ্ ও পরকালের প্রতি ঈমান পোষণকারী। আমরা এদের শীঘ্রি প্রদান করবো মহাপুরস্কার।	لٰكِنِ الرّٰسِخُوْنَ فِي الْعِلْمِ مِنْهُمْ وَالْمُؤْمِنُوْنَ يُؤْمِنُوْنَ بِمَاۤ اُنْزِلَ اِلَيْكَ وَمَاۤ اُنْزِلَ مِنْ قَبْلِكَ وَالْمُقِيْمِيْنَ الصَّلٰوةَ وَالْمُؤْتُوْنَ الزَّكٰوةَ وَالْمُؤْمِنُوْنَ بِاللّٰهِ وَالْيَوْمِ الْاٰخِرِ ؕ اُولٰٓئِكَ سَنُؤْتِيْهِمْ اَجْرًا عَظِيْمًا ﴿۱۶۲﴾ রুকু ২২
১৬৩. আমরা তোমার কাছে অহি পাঠিয়েছি, যেমন পাঠিয়েছিলাম নূহের কাছে এবং তার	اِنَّاۤ اَوْحَيْنَاۤ اِلَيْكَ كَمَاۤ اَوْحَيْنَاۤ اِلٰى نُوْحٍ

وَّالنَّبِيّٖنَ مِنْۢ بَعْدِهٖ ۚ وَ اَوْحَيْنَآ اِلٰٓى اِبْرٰهِيْمَ وَ اِسْمٰعِيْلَ وَ اِسْحٰقَ وَ يَعْقُوْبَ وَ الْاَسْبَاطِ وَ عِيْسٰى وَ اَيُّوْبَ وَ يُوْنُسَ وَ هٰرُوْنَ وَ سُلَيْمٰنَ ۚ وَاٰتَيْنَا دَاوٗدَ زَبُوْرًا ﴿١٦٣﴾

পরের নবীদের কাছে, ইবরাহিম, ইসমাঈল, ইসহাক, ইয়াকুব ও তার বংশধরদের কাছে এবং ঈসা, আইউব, ইউনুস, হারুণ ও সুলাইমানের কাছে, আর আমরা দাউদকে দিয়েছিলাম যবুর।

وَرُسُلًا قَدْ قَصَصْنٰهُمْ عَلَيْكَ مِنْ قَبْلُ وَرُسُلًا لَّمْ نَقْصُصْهُمْ عَلَيْكَ ؕ وَكَلَّمَ اللّٰهُ مُوْسٰى تَكْلِيْمًا ﴿١٦٤﴾

১৬৪. এছাড়া আরো অনেক রসূল। তাদের কথা আমরা আগেই তোমাকে জানিয়েছি আর অনেক রসূলের কথা আমরা তোমাকে বলিনি। এছাড়া আল্লাহ্ মূসার সাথে সরাসরি কথা বলেছেন।

رُسُلًا مُّبَشِّرِيْنَ وَمُنْذِرِيْنَ لِئَلَّا يَكُوْنَ لِلنَّاسِ عَلَى اللّٰهِ حُجَّةٌۢ بَعْدَ الرُّسُلِ ؕ وَكَانَ اللّٰهُ عَزِيْزًا حَكِيْمًا ﴿١٦٥﴾

১৬৫. তারা ছিলো সুসংবাদদাতা ও সতর্ককারী রসূল, যাতে করে রসূল আসার পর আল্লাহ্‌র বিরুদ্ধে মানুষের কোনো অভিযোগ করার সুযোগ না থাকে। আর আল্লাহ্ তো মহাশক্তিমান ও মহাপ্রজ্ঞাবান।

لٰكِنِ اللّٰهُ يَشْهَدُ بِمَآ اَنْزَلَ اِلَيْكَ اَنْزَلَهٗ بِعِلْمِهٖ ۚ وَالْمَلٰٓئِكَةُ يَشْهَدُوْنَ ؕ وَكَفٰى بِاللّٰهِ شَهِيْدًا ﴿١٦٦﴾

১৬৬. আল্লাহ্ সাক্ষ্য দিচ্ছেন তোমার প্রতি যা নাযিল করেছেন তার মাধ্যমে যে, তিনি তা নাযিল করেছেন নিজ জ্ঞানের ভিত্তিতে, ফেরেশতারাও এ সাক্ষ্য দেয়। আর সাক্ষী হিসেবে তো আল্লাহ্ই যথেষ্ট।

اِنَّ الَّذِيْنَ كَفَرُوْا وَ صَدُّوْا عَنْ سَبِيْلِ اللّٰهِ قَدْ ضَلُّوْا ضَلٰلًاۢ بَعِيْدًا ﴿١٦٧﴾

১৬৭. নিশ্চয়ই যারা কুফুরি করে এবং মানুষকে আল্লাহ্‌র পথে আসতে বাধা দেয়, তারা বিপথগামী হয়ে চলে গেছে বহু দূর।

اِنَّ الَّذِيْنَ كَفَرُوْا وَظَلَمُوْا لَمْ يَكُنِ اللّٰهُ لِيَغْفِرَ لَهُمْ وَلَا لِيَهْدِيَهُمْ طَرِيْقًا ﴿١٦٨﴾

১৬৮. নিশ্চয়ই যারা কুফুরি করেছে এবং যুলুম করেছে, আল্লাহ্ তাদের কখনো ক্ষমা করবেন না, আর তাদেরকে কোনো পথও দেখাবেন না।

اِلَّا طَرِيْقَ جَهَنَّمَ خٰلِدِيْنَ فِيْهَآ اَبَدًا ؕ وَكَانَ ذٰلِكَ عَلَى اللّٰهِ يَسِيْرًا ﴿١٦٩﴾

১৬৯. তবে জাহান্নামের পথ। সেখানেই থাকবে তারা চিরকাল। এটা আল্লাহ্‌র জন্যে খুবই সহজ।

يٰٓاَيُّهَا النَّاسُ قَدْ جَآءَكُمُ الرَّسُوْلُ بِالْحَقِّ مِنْ رَّبِّكُمْ فَاٰمِنُوْا خَيْرًا لَّكُمْ ؕ وَاِنْ تَكْفُرُوْا فَاِنَّ لِلّٰهِ مَا فِى السَّمٰوٰتِ وَالْاَرْضِ ؕ وَكَانَ اللّٰهُ عَلِيْمًا حَكِيْمًا ﴿١٧٠﴾

১৭০. হে মানুষ! এই রসূল তোমাদের প্রভুর পক্ষ থেকে এসেছে মহাসত্য নিয়ে। সুতরাং তোমরা তার প্রতি ঈমান আনো, এটাই হবে তোমাদের জন্যে কল্যাণবহ। কিন্তু তোমরা যদি অস্বীকার করো, তবে জেনে রাখো, মহাকাশ ও পৃথিবীতে যা কিছু আছে সবই আল্লাহ্‌র। আর আল্লাহ্ মহাজ্ঞানী, মহাপ্রজ্ঞাবান।

يٰٓاَهْلَ الْكِتٰبِ لَا تَغْلُوْا فِىْ دِيْنِكُمْ وَلَا تَقُوْلُوْا عَلَى اللّٰهِ اِلَّا الْحَقَّ ؕ اِنَّمَا الْمَسِيْحُ عِيْسَى ابْنُ مَرْيَمَ رَسُوْلُ اللّٰهِ وَكَلِمَتُهٗ ۚ اَلْقٰهَآ اِلٰى مَرْيَمَ وَ رُوْحٌ مِّنْهُ ۫ فَاٰمِنُوْا

১৭১. হে আহলে কিতাব! তোমরা তোমাদের দীনের ব্যাপারে বাড়াবাড়ি করোনা এবং আল্লাহ্‌র সম্পর্কে সত্য ছাড়া বলোনা। নিশ্চয়ই মরিয়মের পুত্র ঈসা মসিহ্ আল্লাহ্‌র একজন রসূল এবং তাঁর বাণী, যা তিনি নিক্ষেপ করেছিলেন মরিয়মের প্রতি, আর সে আল্লাহ্‌র একটি আদেশ। সুতরাং তোমরা ঈমান আনো আল্লাহ্‌র প্রতি এবং তাঁর

بِاللّٰهِ وَ رُسُلِهٖ ۚ وَلَا تَقُوْلُوْا ثَلٰثَةٌ ؕ اِنْتَهُوْا خَيْرًا لَّكُمْ ؕ اِنَّمَا اللّٰهُ اِلٰهٌ وَّاحِدٌ ؕ سُبْحٰنَهٗۤ اَنْ يَّكُوْنَ لَهٗ وَلَدٌ ۘ لَهٗ مَا فِى السَّمٰوٰتِ وَمَا فِى الْاَرْضِ ؕ وَكَفٰى بِاللّٰهِ وَكِيْلًا ﴿۱۷۱﴾

রসূলদের প্রতি, আর তোমরা তিন খোদা বলো না। তোমরা এ থেকে বিরত হও, এটাই তোমাদের জন্যে কল্যাণকর। নিশ্চয়ই আল্লাহ্ একমাত্র ইলাহ্। তাঁর সন্তান থাকবে- এমন বিষয় থেকে তিনি পবিত্র। মহাকাশ এবং পৃথিবীতে যা কিছু আছে সবই তো তাঁর। উকিল হিসেবে আল্লাহ্ই কাফী (যথেষ্ট)।

রুকু ২৩

لَنْ يَّسْتَنْكِفَ الْمَسِيْحُ اَنْ يَّكُوْنَ عَبْدًا لِّلّٰهِ وَلَا الْمَلٰٓئِكَةُ الْمُقَرَّبُوْنَ ؕ وَمَنْ يَّسْتَنْكِفْ عَنْ عِبَادَتِهٖ وَيَسْتَكْبِرْ فَسَيَحْشُرُهُمْ اِلَيْهِ جَمِيْعًا ﴿۱۷۲﴾

১৭২. মসিহ্ (ঈসা) আল্লাহ্র বান্দা হওয়াকে কখনো ছোট করে দেখেনি, নৈকট্য লাভকারী ফেরেশতারাও নয়। যে কেউ আল্লাহ্র দাসত্ব করাকে হেয় জ্ঞান করবে এবং অহংকার করবে, তিনি তাদের সবাইকে অবশ্যি তাঁর কাছে জমা করবেন।

فَاَمَّا الَّذِيْنَ اٰمَنُوْا وَعَمِلُوا الصّٰلِحٰتِ فَيُوَفِّيْهِمْ اُجُوْرَهُمْ وَيَزِيْدُهُمْ مِّنْ فَضْلِهٖ ۚ وَاَمَّا الَّذِيْنَ اسْتَنْكَفُوْا وَاسْتَكْبَرُوْا فَيُعَذِّبُهُمْ عَذَابًا اَلِيْمًا ۙ وَّلَا يَجِدُوْنَ لَهُمْ مِّنْ دُوْنِ اللّٰهِ وَلِيًّا وَّلَا نَصِيْرًا ﴿۱۷۳﴾

১৭৩. তবে যারা ঈমান আনবে এবং আমলে সালেহ্ করবে, তিনি তাদের পুরোপুরি দান করবেন তাদের পুরস্কার এবং নিজ অনুগ্রহ থেকে তাদের আরো বেশি করে দেবেন। কিন্তু যারা হেয় জ্ঞান করবে এবং অহংকার করবে তাদের তিনি আযাব দেবেন বেদনাদায়ক আযাব। তারা আল্লাহ্র পরিবর্তে কোনো পৃষ্ঠপোষক কিংবা সাহায্যকারী পাবেনা।

يٰۤاَيُّهَا النَّاسُ قَدْ جَآءَكُمْ بُرْهَانٌ مِّنْ رَّبِّكُمْ وَاَنْزَلْنَاۤ اِلَيْكُمْ نُوْرًا مُّبِيْنًا ﴿۱۷۴﴾

১৭৪. হে মানুষ! অবশ্যি তোমাদের প্রভুর পক্ষ থেকে তোমাদের কাছে এসেছে একটি প্রমাণ, (মুহাম্মদ রসূলুল্লাহ) আর আমরা তোমাদের কাছে পাঠিয়েছি একটি সুস্পষ্ট নূর (আল কুরআন)।

فَاَمَّا الَّذِيْنَ اٰمَنُوْا بِاللّٰهِ وَاعْتَصَمُوْا بِهٖ فَسَيُدْخِلُهُمْ فِىْ رَحْمَةٍ مِّنْهُ وَفَضْلٍ ۙ وَّيَهْدِيْهِمْ اِلَيْهِ صِرَاطًا مُّسْتَقِيْمًا ﴿۱۷۵﴾

১৭৫. তাই যারা ঈমান আনবে আল্লাহ্র প্রতি এবং মজবুতভাবে আঁকড়ে ধরবে তাঁকে, তিনি তাদের দাখিল করবেন তাঁর রহমত ও অনুগ্রহের মধ্যে এবং তাদের পরিচালিত করবেন তাঁর দিকে সিরাতুল মুসতাকিমে (সরল সঠিক পথে)।

يَسْتَفْتُوْنَكَ ؕ قُلِ اللّٰهُ يُفْتِيْكُمْ فِى الْكَلٰلَةِ ؕ اِنِ امْرُؤٌا هَلَكَ لَيْسَ لَهٗ وَلَدٌ وَّلَهٗۤ اُخْتٌ فَلَهَا نِصْفُ مَا تَرَكَ ۚ وَهُوَ يَرِثُهَاۤ اِنْ لَّمْ يَكُنْ لَّهَا وَلَدٌ ؕ فَاِنْ كَانَتَا اثْنَتَيْنِ فَلَهُمَا الثُّلُثٰنِ مِمَّا تَرَكَ ؕ وَاِنْ كَانُوْۤا اِخْوَةً رِّجَالًا وَّنِسَآءً فَلِلذَّكَرِ مِثْلُ حَظِّ الْاُنْثَيَيْنِ ؕ يُبَيِّنُ اللّٰهُ لَكُمْ اَنْ تَضِلُّوْا ؕ وَاللّٰهُ بِكُلِّ شَىْءٍ عَلِيْمٌ ﴿۱۷۶﴾

১৭৬. লোকেরা তোমার কাছে ফতোয়া চাইছে। তুমি বলো: আল্লাহ্ তোমাদের ফতোয়া দিচ্ছেন নিঃসন্তান পিতা-মাতাহীন ব্যক্তির ব্যাপারে: কোনো পুরুষ মারা গেলে তার যদি সন্তান না থাকে এবং থাকে যদি শুধু একজন বোন, তবে সে পাবে পরিত্যক্ত সম্পদের অর্ধেক। আর তার ঐ একক বোনটি যদি (তার আগে) মারা যায় তবে সে হবে তার ওয়ারিশ যদি তার কোনো সন্তান না থাকে। আর যদি দুই বোন থাকে, তবে তারা পাবে তার পরিত্যক্ত সম্পদের দুই তৃতীয়াংশ। কিন্তু যদি তারা একাধিক ভাই-বোন থাকে সে ক্ষেত্রে এক পুরুষের অংশ হবে দুই নারীর সমান। আল্লাহ্ তোমাদের জন্যে সুস্পষ্ট বিধান দিচ্ছেন, যাতে করে তোমরা বিভ্রান্ত না হও। আল্লাহ্ প্রতিটি বিষয়ে জ্ঞানী।

রুকু ২৪

সূরা ৫ আল মায়েদা (দস্তরখান)

মদিনার অবতীর্ণ, আয়াত সংখ্যা: ১২০, রুকু সংখ্যা: ১৬

এই সূরার আলোচ্যসূচি (আয়াত ভিত্তিক আলোচ্য বিষয়)

০১-০৫ : অঙ্গীকার পূর্ণ করো। ইহ্‌রাম অবস্থায় শিকার নিষেধ। যেসব প্রাণী খাওয়া নিষিদ্ধ। ইসলাম পূর্ণাঙ্গ। সব পবিত্র জিনিস হালাল। আহলে কিতাবের খাবার হালাল। আহলে কিতাবের সতী মেয়েদের বিয়ে করা হালাল। শিকারের বিধান।

০৬: সালাতের জন্য অযু ও তায়াম্মুমের বিধান।

০৭-১১: মুমিনদের প্রতি ন্যায়পরায়ণতা অবলম্বনের নির্দেশ।

১২-২৬: বনি ইসরাঈলের প্রতি উপদেশ এবং তাদের সীমালঙ্ঘনের ইতিহাস।

২৭-৩১: আদমের এক পুত্র কর্তৃক আরেক পুত্র হত্যার ঘটনা।

৩২: বনি ইসরাঈলিদের জন্যে হত্যার বিধান।

৩৩-৩৪: বিদ্রোহ ও বিশৃঙ্খলা সৃষ্টিকারীদের জন্যে বিধান।

৩৫-৩৭: তাকওয়া, উসিলা ও জিহাদের নির্দেশ।

৩৮-৪০: চোরের দণ্ড।

৪১-৫০: আল্লাহ্‌র অবতীর্ণ বিধান অনুযায়ী ফায়সালা করার নির্দেশ।

৫১-৮৬: ইহুদি এবং খ্রিষ্টানদেরকে অভিভাবক, পৃষ্ঠপোষক ও বন্ধু হিসেবে গ্রহণ করতে মুমিনদের প্রতি নিষেধাজ্ঞা। তারা তাওরাত ও ইঞ্জিল প্রতিষ্ঠিত করেনি। খ্রিষ্টানরা ত্রিত্ববাদে বিশ্বাস করে শিরকে নিমজ্জিত হয়েছে। ইসরাঈলিদেরকে তাদের নবীরাও অভিশাপ দিয়েছেন। মুমিনদের জঘন্য শত্রু ইহুদি ও মুশ্‌রিকরা, খ্রিষ্টানরা কিছুটা বন্ধুভাবাপন্ন, কারণ তাদের মধ্যে কিছু বিনয়ী ও সত্য সন্ধানী পাদ্রী আছে।

৮৭-১০৮: মুমিনদের জন্যে কতিপয় গুরুত্বপূর্ণ বিধান।

১০৯-১২০: ঈসা আ. এর রিসালাত, মুজিযা ও দাওয়াত। কিয়ামতের দিন তাঁকে আল্লাহ্‌র প্রশ্ন।

সূরা ৫ আল মায়েদা

পরম করুণাময় পরম দয়াবান আল্লাহ্‌র নামে

سُوْرَةُ الْمَآئِدَةِ

بِسْمِ اللّٰهِ الرَّحْمٰنِ الرَّحِيْمِ

০১. হে ঈমানদার লোকেরা! তোমাদের অংগীকার পূরণ করো। তোমাদের জন্যে হালাল করা হলো গৃহপালিত চতুস্পদ পশু, সেগুলো ছাড়া যেগুলো (সামনে) তিলাওয়াত করা হচ্ছে; তবে ইহ্‌রাম অবস্থায় তোমাদের জন্যে শিকার করা বৈধ নয়। নিশ্চয়ই আল্লাহ হুকুম প্রদান করেন যা তিনি চান।

يٰۤاَيُّهَا الَّذِيْنَ اٰمَنُوْۤا اَوْفُوْا بِالْعُقُوْدِ ۬ اُحِلَّتْ لَكُمْ بَهِيْمَةُ الْاَنْعَامِ اِلَّا مَا يُتْلٰى عَلَيْكُمْ غَيْرَ مُحِلِّي الصَّيْدِ وَ اَنْتُمْ حُرُمٌ ؕ اِنَّ اللّٰهَ يَحْكُمُ مَا يُرِيْدُ ①

০২. হে ঈমানদার লোকেরা! তোমরা আল্লাহর নিদর্শন সমূহকে, হারাম মাসকে, কাবায় প্রেরিত কুরবানির পশুকে, (কুরবানির) উদ্দেশ্যে গলায় চিহ্ন পরানো পশুকে এবং নিজেদের প্রভুর রেজামন্দি ও অনুগ্রহ সন্ধানে বায়তুল হারাম অভিমুখী যাত্রীদের অবমাননা করাকে হালাল করে নিয়োনা। যখন তোমরা ইহরাম থেকে হালাল হয়ে যাবে, তখন শিকার করো। মসজিদে হারামে প্রবেশ করতে তোমাদের বাধা দিয়েছে বলে কোনো কওমের প্রতি বিদ্বেষ যেনো তোমাদেরকে কিছুতেই সীমালংঘনে প্ররোচিত না করে। আর

يٰۤاَيُّهَا الَّذِيْنَ اٰمَنُوْا لَا تُحِلُّوْا شَعَآئِرَ اللّٰهِ وَ لَا الشَّهْرَ الْحَرَامَ وَ لَا الْهَدْيَ وَ لَا الْقَلَآئِدَ وَ لَاۤ اٰمِّيْنَ الْبَيْتَ الْحَرَامَ يَبْتَغُوْنَ فَضْلًا مِّنْ رَّبِّهِمْ وَ رِضْوَانًا ؕ وَ اِذَا حَلَلْتُمْ فَاصْطَادُوْا ؕ وَ لَا يَجْرِمَنَّكُمْ شَنَاٰنُ قَوْمٍ اَنْ صَدُّوْكُمْ عَنِ الْمَسْجِدِ الْحَرَامِ اَنْ تَعْتَدُوْا ۘ وَ تَعَاوَنُوْا عَلَى الْبِرِّ وَ التَّقْوٰى ۪

وَلَا تَعَاوَنُوْا عَلَى الْاِثْمِ وَالْعُدْوَانِ ۪ وَ اتَّقُوا اللّٰهَ ؕ اِنَّ اللّٰهَ شَدِيْدُ الْعِقَابِ ②

পুণ্য ও তাকওয়ার কাজে একে অপরকে সহযোগিতা করো, তবে পাপও সীমালংঘনের কাজে পরস্পরকে সহযোগিতা করোনা। আল্লাহকে ভয় করো। নিশ্চয়ই আল্লাহ কঠিন শাস্তি দাতা।

حُرِّمَتْ عَلَيْكُمُ الْمَيْتَةُ وَ الدَّمُ وَ لَحْمُ الْخِنْزِيْرِ وَ مَاۤ اُهِلَّ لِغَيْرِ اللّٰهِ بِهٖ وَ الْمُنْخَنِقَةُ وَ الْمَوْقُوْذَةُ وَ الْمُتَرَدِّيَةُ وَ النَّطِيْحَةُ وَ مَاۤ اَكَلَ السَّبُعُ اِلَّا مَا ذَكَّيْتُمْ ۟ وَمَا ذُبِحَ عَلَى النُّصُبِ وَاَنْ تَسْتَقْسِمُوْا بِالْاَزْلَامِ ؕ ذٰلِكُمْ فِسْقٌ ؕ اَلْيَوْمَ يَئِسَ الَّذِيْنَ كَفَرُوْا مِنْ دِيْنِكُمْ فَلَا تَخْشَوْهُمْ وَ اخْشَوْنِ ؕ اَلْيَوْمَ اَكْمَلْتُ لَكُمْ دِيْنَكُمْ وَ اَتْمَمْتُ عَلَيْكُمْ نِعْمَتِيْ وَ رَضِيْتُ لَكُمُ الْاِسْلَامَ دِيْنًا ؕ فَمَنِ اضْطُرَّ فِيْ مَخْمَصَةٍ غَيْرَ مُتَجَانِفٍ لِّاِثْمٍ ۙ فَاِنَّ اللّٰهَ غَفُوْرٌ رَّحِيْمٌ ③

০৩. হারাম করে দেয়া হলো তোমাদের জন্যে মৃত পশু, রক্ত, শুয়োরের মাংস, আল্লাহ ছাড়া অন্য কারো নামে যবেহ্ করা পশু। দমবন্ধ হয়ে মরে যাওয়া পশু, আঘাতে মৃত পশু, উপর থেকে পড়ে মরা পশু, সিং-এর গুতোয় মরা পশু এবং সেই পশু যাকে হিংস্র জানোয়ার ছিন্ন ভিন্ন করে খেয়েছে। তবে এর মধ্যে যেগুলোকে তোমরা যবেহ্ করার সুযোগ পাও (সেগুলো হালাল)। আর যেগুলো আস্তানা বা বেদিতে যবাই করা হয়েছে সেগুলোও হারাম। আরো হারাম করা হয়েছে জুয়ার তীরের (অর্থাৎ জুয়াবাজির) মাধ্যমে ভাগ্য নির্ণয় করা। এগুলো সবই ফাসেকি কাজ। আজ কাফিররা তোমাদের দীনের বিরোধিতার কাজে হতাশ হয়ে পড়েছে। সুতরাং তাদের ভয় পেয়োনা, কেবল আমাকে ভয় করো। আজ আমি তোমাদের জন্যে পূর্ণ করে দিলাম তোমাদের দীন, পরিপূর্ণ করে দিলাম তোমাদের প্রতি আমার নিয়ামত (আল কুরআন) এবং তোমাদের জন্যে দীন (জীবন ব্যবস্থা) মনোনীত করলাম ইসলামকে। কেউ পাপের প্রতি আকৃষ্ট না হয়ে ক্ষুধার তাড়নায় যদি বাধ্য হয়ে (হারামকৃত জিনিসগুলো থেকে কিছু খায়) তবে অবশ্যি আল্লাহ ক্ষমাশীল দয়াময়।

يَسْـَٔلُوْنَكَ مَا ذَاۤ اُحِلَّ لَهُمْ ؕ قُلْ اُحِلَّ لَكُمُ الطَّيِّبٰتُ ۙ وَ مَا عَلَّمْتُمْ مِّنَ الْجَوَارِحِ مُكَلِّبِيْنَ تُعَلِّمُوْنَهُنَّ مِمَّا عَلَّمَكُمُ اللّٰهُ ۫ فَكُلُوْا مِمَّاۤ اَمْسَكْنَ عَلَيْكُمْ وَ اذْكُرُوا اسْمَ اللّٰهِ عَلَيْهِ ۪ وَ اتَّقُوا اللّٰهَ ؕ اِنَّ اللّٰهَ سَرِيْعُ الْحِسَابِ ④

০৪. তারা তোমার কাছে জানতে চাইছে, তাদের জন্য কী হালাল করা হয়েছে? তুমি তাদের বলো: তোমাদের জন্য হালাল করা হয়েছে সব ভালো জিনিস। আল্লাহ তোমাদের যা শিক্ষা দিয়েছেন তার আলোকে তোমরা শিকারী পশু পাখিদের যা প্রশিক্ষণ দাও, তারা তোমাদের জন্য যা শিকার করে আনে সেগুলো খাও। তবে সেগুলোতে আল্লাহর নাম নেবে, আল্লাহকে ভয় করো। নিশ্চয়ই আল্লাহ দ্রুত হিসাব গ্রহণকারী।

اَلْيَوْمَ اُحِلَّ لَكُمُ الطَّيِّبٰتُ ؕ وَطَعَامُ الَّذِيْنَ اُوْتُوا الْكِتٰبَ حِلٌّ لَّكُمْ ۪ وَطَعَامُكُمْ حِلٌّ لَّهُمْ ۫ وَالْمُحْصَنٰتُ مِنَ الْمُؤْمِنٰتِ وَالْمُحْصَنٰتُ مِنَ الَّذِيْنَ اُوْتُوا الْكِتٰبَ مِنْ قَبْلِكُمْ اِذَاۤ اٰتَيْتُمُوْهُنَّ

০৫. আজ তোমাদের জন্য হালাল করা হলো সব ভালো-পবিত্র জিনিস। পূর্বে যাদেরকে কিতাব দেয়া হয়েছে তাদের খাদ্য দ্রব্য (যবাই করা পশু) তোমাদের জন্য হালাল এবং তোমাদের খাদ্য দ্রব্যও তাদের জন্য হালাল। তোমাদের জন্য (বিয়ে করা হালাল) সতী সাধ্বী মুমিন নারীদেরকে এবং তোমাদের পূর্বে যাদেরকে কিতাব দেয়া হয়েছে তাদের সতী সাধ্বী নারীদেরকে যদি

তোমরা তাদের মোহরানা প্রদান করো বিয়ে করার উদ্দেশ্যে, ব্যভিচার এবং গোপন প্রণয়িনী হিসেবে গ্রহণ করার উদ্দেশ্যে নয়। যে কেউ ঈমানের পথে আসতে অস্বীকার করবে, নিষ্ফল হয়ে যাবে তার আমল এবং আখিরাতে সে অন্তরভুক্ত হবে ক্ষতিগ্রস্ত লোকদের।	اُجُوْرَهُنَّ مُحْصِنِيْنَ غَيْرَ مُسٰفِحِيْنَ وَلَا مُتَّخِذِيْٓ اَخْدَانٍ ؕ وَمَنْ يَّكْفُرْ بِالْاِيْمَانِ فَقَدْ حَبِطَ عَمَلُهٗ ۫ وَهُوَ فِي الْاٰخِرَةِ مِنَ الْخٰسِرِيْنَ ۵
০৬. হে ঈমানদার লোকেরা! তোমরা যখন সালাতের জন্য উঠবে তখন ধুয়ে নেবে তোমাদের মুখমন্ডল এবং তোমাদের হাত কনুই পর্যন্ত, আর মাসেহ্ করে নেবে তোমাদের মাথা এবং ধুয়ে নেবে তোমাদের পা টাকনু পর্যন্ত। কিন্তু তোমরা যদি অপবিত্র থাকো তাহলে (আগেই) পবিত্র হয়ে নেবে। তবে যদি রোগাক্রান্ত হয়ে থাকো, কিংবা সফরে থাকো, অথবা তোমাদের কেউ যদি পায়খানায় গিয়ে আসো, কিংবা স্ত্রীর সাথে সংগম করে থাকো, অতঃপর যদি পানি না পাও, তবে তাইয়াম্মুম করে নাও ভালো মাটি দিয়ে। তা দিয়ে মাসেহ্ করে নেবে তোমাদের মুখমন্ডল এবং হাত। আল্লাহ্ তোমাদের কষ্টে ফেলতে চান না, বরং তিনি চান তোমাদের পবিত্র করতে এবং তোমাদের প্রতি তাঁর অনুগ্রহ পূর্ণ করতে, যাতে করে তোমরা হতে পারো শোকরগুজার।	يٰٓاَيُّهَا الَّذِيْنَ اٰمَنُوْٓا اِذَا قُمْتُمْ اِلَى الصَّلٰوةِ فَاغْسِلُوْا وُجُوْهَكُمْ وَ اَيْدِيَكُمْ اِلَى الْمَرَافِقِ وَ امْسَحُوْا بِرُءُوْسِكُمْ وَ اَرْجُلَكُمْ اِلَى الْكَعْبَيْنِ ؕ وَاِنْ كُنْتُمْ جُنُبًا فَاطَّهَّرُوْا ؕ وَاِنْ كُنْتُمْ مَّرْضٰٓى اَوْ عَلٰى سَفَرٍ اَوْ جَآءَ اَحَدٌ مِّنْكُمْ مِّنَ الْغَآئِطِ اَوْ لٰمَسْتُمُ النِّسَآءَ فَلَمْ تَجِدُوْا مَآءً فَتَيَمَّمُوْا صَعِيْدًا طَيِّبًا فَامْسَحُوْا بِوُجُوْهِكُمْ وَ اَيْدِيْكُمْ مِّنْهُ ؕ مَا يُرِيْدُ اللّٰهُ لِيَجْعَلَ عَلَيْكُمْ مِّنْ حَرَجٍ وَّلٰكِنْ يُّرِيْدُ لِيُطَهِّرَكُمْ وَ لِيُتِمَّ نِعْمَتَهٗ عَلَيْكُمْ لَعَلَّكُمْ تَشْكُرُوْنَ ۶
০৭. তোমাদের প্রতি আল্লাহর নিয়ামতের কথা স্মরণ করো আর সেই অংগীকারের কথা যার সাথে তিনি তোমাদের শক্তভাবে আবদ্ধ করেছিলেন, যখন তোমরা বলেছিলে: 'আমরা শুনলাম এবং মেনে নিলাম।' আল্লাহকে ভয় করো, নিশ্চয়ই আল্লাহ ভালোভাবে জানেন অন্তরের খবর।	وَ اذْكُرُوْا نِعْمَةَ اللّٰهِ عَلَيْكُمْ وَ مِيْثَاقَهُ الَّذِيْ وَاثَقَكُمْ بِهٖٓ ۙ اِذْ قُلْتُمْ سَمِعْنَا وَ اَطَعْنَا ۫ وَ اتَّقُوا اللّٰهَ ؕ اِنَّ اللّٰهَ عَلِيْمٌۢ بِذَاتِ الصُّدُوْرِ ۷
০৮. হে ঈমান আনা লোকেরা! তোমরা আল্লাহ্‌র উদ্দেশ্যে ন্যায় সাক্ষ্যদাতা হিসেবে অটল অবিচল থাকো। কোনো কওমের প্রতি বিদ্বেষ যেনো তোমাদেরকে ন্যায়নীতি বর্জনে প্ররোচিত না করে। তোমরা আদল ও ইনসাফের নীতি গ্রহণ করো। এটাই তাকওয়ার জন্যে নিকটতর। আল্লাহকে ভয় করো, নিশ্চয়ই আল্লাহ তোমাদের আমল (কর্মকাণ্ড) সম্পর্কে বিশেষভাবে খবর রাখেন।	يٰٓاَيُّهَا الَّذِيْنَ اٰمَنُوْا كُوْنُوْا قَوّٰمِيْنَ لِلّٰهِ شُهَدَآءَ بِالْقِسْطِ ۫ وَلَا يَجْرِمَنَّكُمْ شَنَاٰنُ قَوْمٍ عَلٰٓى اَلَّا تَعْدِلُوْا ؕ اِعْدِلُوْا ۟ هُوَ اَقْرَبُ لِلتَّقْوٰى ۫ وَ اتَّقُوا اللّٰهَ ؕ اِنَّ اللّٰهَ خَبِيْرٌۢ بِمَا تَعْمَلُوْنَ ۸
০৯. আল্লাহ ওয়াদা দিয়েছেন: যারা ঈমান আনে এবং আমলে সালেহ করে তাদের জন্যে রয়েছে মাগফিরাত এবং বিশাল পুরস্কার।	وَعَدَ اللّٰهُ الَّذِيْنَ اٰمَنُوْا وَعَمِلُوا الصّٰلِحٰتِ ۙ لَهُمْ مَّغْفِرَةٌ وَّاَجْرٌ عَظِيْمٌ ۹
১০. আর যারা কুফুরির পথ অবলম্বন করে এবং প্রত্যাখ্যান করে আমাদের আয়াত, তারা হবে জাহিমের (জ্বলন্ত আগুনের) অধিবাসী।	وَ الَّذِيْنَ كَفَرُوْا وَ كَذَّبُوْا بِاٰيٰتِنَآ اُولٰٓئِكَ اَصْحٰبُ الْجَحِيْمِ ۱۰

রুকু ০১

১১. হে ঈমানদার লোকেরা! তোমাদের প্রতি আল্লাহ্‌র সেই অনুগ্রহের কথা স্মরণ করো যখন একদল লোক তোমাদের উপর হাত উঠাতে চেয়েছিল, তখন তিনিই তোমাদের থেকে তাদের হাত গুটিয়ে রেখেছিলেন। তোমরা আল্লাহকে ভয় করো। আর মুমিনরা তাওয়াক্কুল করুক আল্লাহ্‌রই উপর।

يٰۤاَيُّهَا الَّذِيْنَ اٰمَنُوا اذْكُرُوْا نِعْمَتَ اللّٰهِ عَلَيْكُمْ اِذْ هَمَّ قَوْمٌ اَنْ يَّبْسُطُوْۤا اِلَيْكُمْ اَيْدِيَهُمْ فَكَفَّ اَيْدِيَهُمْ عَنْكُمْ ۚ وَاتَّقُوا اللّٰهَ ؕ وَعَلَى اللّٰهِ فَلْيَتَوَكَّلِ الْمُؤْمِنُوْنَ ﴿۱۱﴾

রুকু ০২

১২. (দেখো), আল্লাহ বনি ইসরাঈলের অংগীকার গ্রহণ করেছিলেন এবং আমরা তাদের মধ্য থেকে বারোজন নকিব (নেতা) নিয়োগ করেছিলাম। আল্লাহ তাদের বলেছিলেন: আমি তোমাদের সাথে আছি তোমরা যদি সালাত কায়েম করো, যাকাত প্রদান করো, আমার রসূলদের প্রতি ঈমান রাখো, তাদের প্রতি সম্মান প্রদর্শন করো এবং আল্লাহকে করযে হাসানা দাও। তাহলে অবশ্যি তোমাদের থেকে মুছে দেবো তোমাদের পাপসমূহ এবং অবশ্য অবশ্যি তোমাদের দাখিল করবো জান্নাতসমূহে, যেগুলোর নিচে দিয়ে জারি থাকবে নদ নদী নহর। এরপরও যদি (তোমাদের) কেউ কুফুরিতে নিমজ্জিত হয়, সে বিপথগামী হয়ে যাবে সোজা পথ থেকে।

وَلَقَدْ اَخَذَ اللّٰهُ مِيْثَاقَ بَنِيْۤ اِسْرَآءِيْلَ ۚ وَبَعَثْنَا مِنْهُمُ اثْنَيْ عَشَرَ نَقِيْبًا ؕ وَقَالَ اللّٰهُ اِنِّيْ مَعَكُمْ ؕ لَئِنْ اَقَمْتُمُ الصَّلٰوةَ وَاٰتَيْتُمُ الزَّكٰوةَ وَاٰمَنْتُمْ بِرُسُلِيْ وَعَزَّرْتُمُوْهُمْ وَاَقْرَضْتُمُ اللّٰهَ قَرْضًا حَسَنًا لَّاُكَفِّرَنَّ عَنْكُمْ سَيِّاٰتِكُمْ وَلَاُدْخِلَنَّكُمْ جَنّٰتٍ تَجْرِيْ مِنْ تَحْتِهَا الْاَنْهٰرُ ۚ فَمَنْ كَفَرَ بَعْدَ ذٰلِكَ مِنْكُمْ فَقَدْ ضَلَّ سَوَآءَ السَّبِيْلِ ﴿۱۲﴾

১৩. অংগীকার ভংগের কারণে আমরা তাদেরকে (বনি ইসরাঈলকে) লানত করেছি এবং তাদের অন্তরগুলোকে করে দিয়েছি কঠিন। তারা বিকৃত করতো কথাকে আসল অর্থ থেকে এবং তাদের যে উপদেশ দেয়া হয়েছিল তার একাংশ তারা ভুলে গিয়েছিল। সব সময় তুমি তাদের অল্প কিছু লোক ছাড়া বাকিদেরকে খিয়ানতকারী দেখতে পাবে। সুতরাং তুমি তাদের ক্ষমা করো এবং উপেক্ষা করো, নিশ্চয়ই আল্লাহ্‌ কল্যাণকামীদের মহব্বত করেন।

فَبِمَا نَقْضِهِمْ مِّيْثَاقَهُمْ لَعَنّٰهُمْ وَجَعَلْنَا قُلُوْبَهُمْ قٰسِيَةً ۚ يُحَرِّفُوْنَ الْكَلِمَ عَنْ مَّوَاضِعِهٖ ۙ وَنَسُوْا حَظًّا مِّمَّا ذُكِّرُوْا بِهٖ ۚ وَلَا تَزَالُ تَطَّلِعُ عَلٰى خَآئِنَةٍ مِّنْهُمْ اِلَّا قَلِيْلًا مِّنْهُمْ فَاعْفُ عَنْهُمْ وَاصْفَحْ ؕ اِنَّ اللّٰهَ يُحِبُّ الْمُحْسِنِيْنَ ﴿۱۳﴾

১৪. আমরা তাদের থেকেও অংগীকার গ্রহণ করেছিলাম যারা বলে আমরা নাসারা (খৃষ্টান)। কিন্তু তাদের যে উপদেশ দেয়া হয়েছিল তার একাংশ তারা ভুলে থেকেছিল। সুতরাং আমরা কিয়ামতকাল পর্যন্ত তাদের মধ্যে দুশমনি ও বিদ্বেষ জাগিয়ে রেখেছি। অচিরেই (বিচারের দিন) আল্লাহ তাদেরকে তাদের কৃতকর্ম অবহিত করবেন।

وَمِنَ الَّذِيْنَ قَالُوْۤا اِنَّا نَصٰرٰۤى اَخَذْنَا مِيْثَاقَهُمْ فَنَسُوْا حَظًّا مِّمَّا ذُكِّرُوْا بِهٖ ۪ فَاَغْرَيْنَا بَيْنَهُمُ الْعَدَاوَةَ وَالْبَغْضَآءَ اِلٰى يَوْمِ الْقِيٰمَةِ ؕ وَسَوْفَ يُنَبِّئُهُمُ اللّٰهُ بِمَا كَانُوْا يَصْنَعُوْنَ ﴿۱۴﴾

১৫. হে আহলে কিতাব! এখন তো তোমাদের কাছে আমাদের রসূল (মুহাম্মদ) এসে গেছে। সে আল কিতাবের এমন অনেক বিষয়ই তোমাদের কাছে প্রকাশ করেছে, যা তোমরা গোপন করে রাখছিলে, আর অনেক বিষয় সে ক্ষমার চোখেও দেখছে। তোমাদের কাছে তো এসে গেছে আল্লাহ্‌র

يٰۤاَهْلَ الْكِتٰبِ قَدْ جَآءَكُمْ رَسُوْلُنَا يُبَيِّنُ لَكُمْ كَثِيْرًا مِّمَّا كُنْتُمْ تُخْفُوْنَ مِنَ الْكِتٰبِ وَيَعْفُوْا عَنْ كَثِيْرٍ ؕ قَدْ جَآءَكُمْ

পক্ষ থেকে একটি আলো (অর্থাৎ রসূল মুহাম্মদ) এবং একটি সুস্পষ্ট কিতাব (আল কুরআন)।	مِّنَ اللّٰهِ نُوْرٌ وَّكِتٰبٌ مُّبِيْنٌ ﴿١٥﴾
১৬. এর মাধ্যমে আল্লাহ সেইসব লোকদের সালামের (শান্তি ও নিরাপত্তার) পথ দেখান, যারা তাঁর সন্তোষ লাভের আকাংখী, আর নিজ অনুমতিক্রমে তিনি তাদেরকে অন্ধকাররাশি থেকে বের করে নিয়ে আসেন আলোতে এবং তাদের পরিচালিত করেন সিরাতুল মুস্‌তাকিমের দিকে।	يَّهْدِيْ بِهِ اللّٰهُ مَنِ اتَّبَعَ رِضْوَانَهٗ سُبُلَ السَّلٰمِ وَيُخْرِجُهُمْ مِّنَ الظُّلُمٰتِ اِلَى النُّوْرِ بِاِذْنِهٖ وَيَهْدِيْهِمْ اِلٰى صِرَاطٍ مُّسْتَقِيْمٍ ﴿١٦﴾
১৭. যারা বলে, 'মসিহ ইবনে মরিয়মই আল্লাহ', তারা কুফুরি করেছে। বলো, আল্লাহ যদি মসিহ্ ইবনে মরিয়মকে, তার মাকে এবং বিশ্বের সব মানুষকে হালাক করে দিতে চান, তাহলে তাঁকে তাঁর এই এরাদা থেকে বিরত রাখার ক্ষমতা কার আছে? মহাকাশ, পৃথিবী এবং এদুয়ের মধ্যবর্তী সব কিছুর মালিক তো আল্লাহ। তিনি যা চান সৃষ্টি করেন। আর আল্লাহ সর্ব বিষয়ে সর্বশক্তিমান।	لَقَدْ كَفَرَ الَّذِيْنَ قَالُوْٓا اِنَّ اللّٰهَ هُوَ الْمَسِيْحُ ابْنُ مَرْيَمَ ؕ قُلْ فَمَنْ يَّمْلِكُ مِنَ اللّٰهِ شَيْـًٔا اِنْ اَرَادَ اَنْ يُّهْلِكَ الْمَسِيْحَ ابْنَ مَرْيَمَ وَاُمَّهٗ وَمَنْ فِى الْاَرْضِ جَمِيْعًا ؕ وَلِلّٰهِ مُلْكُ السَّمٰوٰتِ وَالْاَرْضِ وَمَا بَيْنَهُمَا ؕ يَخْلُقُ مَا يَشَآءُ ؕ وَاللّٰهُ عَلٰى كُلِّ شَيْءٍ قَدِيْرٌ ﴿١٧﴾
১৮. ইহুদি এবং নাসারারা বলে: 'আমরা আল্লাহ্‌র সন্তান এবং তাঁর প্রিয়পাত্র।' বলো: তাহলে তোমাদের অপরাধের জন্যে তিনি তোমাদের শাস্তি দেন কেন? বরং তোমরা তো সে রকমই মানুষ, যেমন তিনি অন্যান্য মানুষ সৃষ্টি করেছেন। তিনি ক্ষমা করে দেন যাকে ইচ্ছা এবং আযাব দেন যাকে ইচ্ছা। মহাকাশ, পৃথিবী এবং এ দুয়ের মাঝে যা কিছু আছে সবই আল্লাহ্‌র। সবাইকে ফিরে যেতে হবে তাঁরই কাছে।	وَقَالَتِ الْيَهُوْدُ وَالنَّصٰرٰى نَحْنُ اَبْنٰٓؤُا اللّٰهِ وَاَحِبَّآؤُهٗ ؕ قُلْ فَلِمَ يُعَذِّبُكُمْ بِذُنُوْبِكُمْ ؕ بَلْ اَنْتُمْ بَشَرٌ مِّمَّنْ خَلَقَ ؕ يَغْفِرُ لِمَنْ يَّشَآءُ وَيُعَذِّبُ مَنْ يَّشَآءُ ؕ وَلِلّٰهِ مُلْكُ السَّمٰوٰتِ وَالْاَرْضِ وَمَا بَيْنَهُمَا ؗ وَاِلَيْهِ الْمَصِيْرُ ﴿١٨﴾
১৯. হে আহলে কিতাব! এখন তো তোমাদের কাছে এসে গেছে আমার রসূল (মুহাম্মদ) দীনের সমস্ত বিষয় তোমাদের জন্যে সুস্পষ্ট করার জন্যে দীর্ঘকাল রসূলদের আসা বন্ধ থাকার পর, যাতে করে তোমরা বলতে না পারো যে: 'আমাদের কাছে তো কোনো সুসংবাদদাতা কিংবা সতর্ককারী আসেনি।' এখন তো তোমাদের কাছে সুসংবাদদাতা এবং সতর্ককারী এসে গেছে। আল্লাহ সব বিষয়ে সর্বশক্তিমান। (রুকু ০৩)	يٰٓاَهْلَ الْكِتٰبِ قَدْ جَآءَكُمْ رَسُوْلُنَا يُبَيِّنُ لَكُمْ عَلٰى فَتْرَةٍ مِّنَ الرُّسُلِ اَنْ تَقُوْلُوْا مَا جَآءَنَا مِنْۢ بَشِيْرٍ وَّلَا نَذِيْرٍ ؗ فَقَدْ جَآءَكُمْ بَشِيْرٌ وَّنَذِيْرٌ ؕ وَاللّٰهُ عَلٰى كُلِّ شَيْءٍ قَدِيْرٌ ﴿١٩﴾
২০. (স্মরণ করো) যখন মূসা তার কওমকে বলেছিল: "হে আমার কওম! তোমাদের প্রতি আল্লাহ্‌র সেই নিয়ামত-এর কথা স্মরণ করো, যখন তিনি তোমাদের মধ্যে অনেক নবী প্রেরণ করেছিলেন, তোমাদের বানিয়েছিলেন শাসক এবং তোমাদের দিয়েছিলেন (এতোসব) যা বিশ্বজগতের আর কাউকেও দেয়া হয়নি।	وَاِذْ قَالَ مُوْسٰى لِقَوْمِهٖ يٰقَوْمِ اذْكُرُوْا نِعْمَةَ اللّٰهِ عَلَيْكُمْ اِذْ جَعَلَ فِيْكُمْ اَنْۢبِيَآءَ وَجَعَلَكُمْ مُّلُوْكًا ۖۗ وَّاٰتٰىكُمْ مَّا لَمْ يُؤْتِ اَحَدًا مِّنَ الْعٰلَمِيْنَ ﴿٢٠﴾
২১. হে আমার কওম, দাখিল হও পবিত্র ভূমিতে (জেরুযালেমে) যা লিখে দিয়েছেন আল্লাহ	يٰقَوْمِ ادْخُلُوا الْاَرْضَ الْمُقَدَّسَةَ الَّتِيْ

তোমাদের জন্যে, পেছনে হটে যেয়োনা, তাহলে ক্ষতিগ্রস্ত হয়ে পড়বে।”	كَتَبَ اللّٰهُ لَكُمْ وَ لَا تَرْتَدُّوْا عَلٰٓى اَدْبَارِكُمْ فَتَنْقَلِبُوْا خٰسِرِيْنَ ﴿٢١﴾
২২. তারা বললো: ‘হে মূসা! সেখানে যে রয়েছে একটি দুর্ধর্ষ জাতি! আমরা কিছুতেই সেখানে দাখিল হবোনা, যদি না তারা সেখান থেকে বের হয়ে যায়। তারা যদি সেখান থেকে বের হয়ে যায়, তবেই আমরা দাখিল হবো সেখানে।’	قَالُوْا يٰمُوْسٰٓى اِنَّ فِيْهَا قَوْمًا جَبَّارِيْنَ ۖ وَ اِنَّا لَنْ نَّدْخُلَهَا حَتّٰى يَخْرُجُوْا مِنْهَا ۚ فَاِنْ يَّخْرُجُوْا مِنْهَا فَاِنَّا دٰخِلُوْنَ ﴿٢٢﴾
২৩. তবে (তাদের মধ্য থেকে) দুইজন লোক যারা ভয় করছিল এবং যাদের প্রতি আল্লাহ অনুগ্রহ করেছিলেন তারা বললো: ‘তোমরা (তাদের সাথে লড়াই করে) দরজা দিয়ে দাখিল হয়ে যাও। যখনই তোমরা দাখিল হয়ে যাবে তোমরাই গালিব (জয়ী) হবে। আর আল্লাহ্‌র উপর তাওয়াক্কুল করো যদি তোমরা মুমিন হয়ে থাকো।’	قَالَ رَجُلٰنِ مِنَ الَّذِيْنَ يَخَافُوْنَ اَنْعَمَ اللّٰهُ عَلَيْهِمَا ادْخُلُوْا عَلَيْهِمُ الْبَابَ ۚ فَاِذَا دَخَلْتُمُوْهُ فَاِنَّكُمْ غٰلِبُوْنَ ۚ وَ عَلَى اللّٰهِ فَتَوَكَّلُوْٓا اِنْ كُنْتُمْ مُّؤْمِنِيْنَ ﴿٢٣﴾
২৪. কিন্তু তারা একইভাবে বললো: ‘হে মূসা! আমরা ততোদিন সেখানে কিছুতেই দাখিল হবোনা যতোদিন তারা সেখানে অবস্থান করবে। সুতরাং তুমি আর তোমার রব গিয়ে (তাদের সাথে) যুদ্ধ করো, আমরা এখানেই বসে থাকবো।’	قَالُوْا يٰمُوْسٰٓى اِنَّا لَنْ نَّدْخُلَهَآ اَبَدًا مَّا دَامُوْا فِيْهَا فَاذْهَبْ اَنْتَ وَ رَبُّكَ فَقَاتِلَآ اِنَّا هٰهُنَا قٰعِدُوْنَ ﴿٢٤﴾
২৫. সে (মূসা) বললো: ‘আমার রব! আমার তো আমার নিজের এবং আমার ভাই (হারূণ)-এর ছাড়া আর কারো উপর কর্তৃত্ব নেই। সুতরাং তুমি আমাদের এবং এই ফাসিক (সীমালংঘনকারী) লোকদের মধ্যে ফায়সালা করে দাও।’	قَالَ رَبِّ اِنِّيْ لَآ اَمْلِكُ اِلَّا نَفْسِيْ وَ اَخِيْ فَافْرُقْ بَيْنَنَا وَ بَيْنَ الْقَوْمِ الْفٰسِقِيْنَ ﴿٢٥﴾
২৬. আল্লাহ বললেন: ‘যাও এখন থেকে চল্লিশ বছর তাদের জন্যে এই ভূ-খন্ড নিষিদ্ধ করে দেয়া হলো। তারা (মরু) ভূমিতে উদ্ভ্রান্তের মতো বেড়াবে। সুতরাং তুমি এই ফাসিকদের জন্যে ব্যথিত হয়োনা।’	قَالَ فَاِنَّهَا مُحَرَّمَةٌ عَلَيْهِمْ اَرْبَعِيْنَ سَنَةً ۚ يَتِيْهُوْنَ فِي الْاَرْضِ ؕ فَلَا تَاْسَ عَلَى الْقَوْمِ الْفٰسِقِيْنَ ﴿٢٦﴾ রুকু ০৪
২৭. তুমি তাদের প্রতি হকভাবে তিলাওয়াত করো আদমের দুই পুত্রের (হাবিল ও কাবিলের) সংবাদ। তারা যখন কুরবানি করেছিল, তখন একজনের (হাবিলের) কুরবানি কবুল করা হয়, আর অপর জনের (কাবিলের) কুরবানি কবুল করা হয়নি। সে বললো: ‘আমি অবশ্য অবশ্যি তোমাকে কতল করবো।’ অপরজন বললো: “আল্লাহ তো কেবল মুত্তাকিদের থেকেই (কুরবানি) কবুল করেন।	وَ اتْلُ عَلَيْهِمْ نَبَاَ ابْنَيْ اٰدَمَ بِالْحَقِّ ۘ اِذْ قَرَّبَا قُرْبَانًا فَتُقُبِّلَ مِنْ اَحَدِهِمَا وَ لَمْ يُتَقَبَّلْ مِنَ الْاٰخَرِ ؕ قَالَ لَاَقْتُلَنَّكَ ؕ قَالَ اِنَّمَا يَتَقَبَّلُ اللّٰهُ مِنَ الْمُتَّقِيْنَ ﴿٢٧﴾
২৮. তুমি যদি আমাকে কতল করার জন্যে হাত বাড়াও, আমি কিন্তু তোমাকে কতল করার জন্যে হাত বাড়াবোনা। আমি আল্লাহ রাব্বুল আলামিনকে ভয় করি।	لَئِنْۢ بَسَطْتَّ اِلَيَّ يَدَكَ لِتَقْتُلَنِيْ مَآ اَنَا بِبَاسِطٍ يَّدِيَ اِلَيْكَ لِاَقْتُلَكَ ۚ اِنِّيْٓ اَخَافُ اللّٰهَ رَبَّ الْعٰلَمِيْنَ ﴿٢٨﴾

২৯. আমি চাই তুমি আমার এবং তোমার পাপের ভার বহন করো এবং জাহান্নামের অধিবাসী হয়ে যাও, আর এটাই যালিমদের (সঠিক) জাযা (কর্মফল)।”	إِنِّيْ أُرِيْدُ أَنْ تَبُوْٓءَا بِإِثْمِيْ وَإِثْمِكَ فَتَكُوْنَ مِنْ أَصْحٰبِ النَّارِ ۚ وَذٰلِكَ جَزٰٓؤُا الظّٰلِمِيْنَ ﴿٢٩﴾
৩০. অতরপর তার নফস্ তার ভাইকে কতল করার কাজে তাকে প্ররোচিত করলো এবং সে তাকে কতল করলো আর ক্ষতিগ্রস্তদের অন্তরভুক্ত হয়ে গেলো।	فَطَوَّعَتْ لَهٗ نَفْسُهٗ قَتْلَ أَخِيْهِ فَقَتَلَهٗ فَأَصْبَحَ مِنَ الْخٰسِرِيْنَ ﴿٣٠﴾
৩১. তার ভাইয়ের লাশ কিভাবে ঢাকবে তা দেখানোর জন্যে আল্লাহ একটি কাক পাঠালেন। সে এসে মাটি খুঁড়তে থাকলো। এটা দেখে সে (হত্যাকারী কাবিল) বললো: হায়, আমার ভাইয়ের লাশ ঢাকার ব্যাপারে আমি কি এই কাকটির মতো হতেও অক্ষম। অতপর সে লজ্জিত-অনুতপ্ত হয়।	فَبَعَثَ اللّٰهُ غُرَابًا يَّبْحَثُ فِي الْأَرْضِ لِيُرِيَهٗ كَيْفَ يُوَارِيْ سَوْءَةَ أَخِيْهِ ۗ قَالَ يٰوَيْلَتٰٓى أَعَجَزْتُ أَنْ أَكُوْنَ مِثْلَ هٰذَا الْغُرَابِ فَأُوَارِيَ سَوْءَةَ أَخِيْ ۚ فَأَصْبَحَ مِنَ النّٰدِمِيْنَ ﴿٣١﴾
৩২. এ প্রেক্ষিতে আমরা বনি ইসরাঈলের জন্যে বিধান লিখে দিলাম: কাউকেও কতল করা বা জমিনে ফাসাদ সৃষ্টি করার মতো ঘটনা ঘটানো ছাড়াই যদি কেউ কাউকেও কতল করে, তবে সে যেনো সমস্ত মানুষকে কতল করলো। আর কেউ যদি কারো প্রাণ রক্ষা করে, তবে সে যেনো সমস্ত মানুষের প্রাণ রক্ষা করলো। তাদের কাছে তো আমাদের রসূলরা স্পষ্ট প্রমাণ নিয়ে এসেছিল। কিন্তু তারপরও তাদের অনেকেই পৃথিবীতে সীমালংঘনকারীই থেকে গেলো।	مِنْ أَجْلِ ذٰلِكَ ۛ كَتَبْنَا عَلٰى بَنِيْٓ إِسْرَآءِيْلَ أَنَّهٗ مَنْ قَتَلَ نَفْسًا بِغَيْرِ نَفْسٍ أَوْ فَسَادٍ فِي الْأَرْضِ فَكَأَنَّمَا قَتَلَ النَّاسَ جَمِيْعًا ۗ وَمَنْ أَحْيَاهَا فَكَأَنَّمَآ أَحْيَا النَّاسَ جَمِيْعًا ۗ وَلَقَدْ جَآءَتْهُمْ رُسُلُنَا بِالْبَيِّنٰتِ ۫ ثُمَّ إِنَّ كَثِيْرًا مِّنْهُمْ بَعْدَ ذٰلِكَ فِي الْأَرْضِ لَمُسْرِفُوْنَ ﴿٣٢﴾
৩৩. যারা আল্লাহ ও তাঁর রসূলের বিরুদ্ধে যুদ্ধ করে এবং পৃথিবীতে ফাসাদ সৃষ্টি করে বেড়ায়, তাদের এই কাজের শাস্তি হলো: তাদের হত্যা করা হবে, অথবা শূলবিদ্ধ করা হবে, কিংবা বিপরীত দিক থেকে তাদের হাত ও পা কেটে ফেলা হবে, নতুবা দেশ থেকে নির্বাসিত করা হবে। এ হলো তাদের দুনিয়ার লাঞ্ছনা, আর আখিরাতে তাদের জন্যে রয়েছে বিরাট আযাব।	إِنَّمَا جَزٰٓؤُا الَّذِيْنَ يُحَارِبُوْنَ اللّٰهَ وَرَسُوْلَهٗ وَيَسْعَوْنَ فِي الْأَرْضِ فَسَادًا أَنْ يُّقَتَّلُوْٓا أَوْ يُصَلَّبُوْٓا أَوْ تُقَطَّعَ أَيْدِيْهِمْ وَأَرْجُلُهُمْ مِّنْ خِلَافٍ أَوْ يُنْفَوْا مِنَ الْأَرْضِ ۗ ذٰلِكَ لَهُمْ خِزْيٌ فِي الدُّنْيَا وَلَهُمْ فِي الْأٰخِرَةِ عَذَابٌ عَظِيْمٌ ﴿٣٣﴾
৩৪. অবশ্য, যারা তোমাদের আয়ত্বে আসার আগেই তওবা করবে, (তাদের জন্যে এ শাস্তি প্রযোজ্য হবেনা)। জেনে রাখো, আল্লাহ ক্ষমাশীল দয়াময়।	إِلَّا الَّذِيْنَ تَابُوْا مِنْ قَبْلِ أَنْ تَقْدِرُوْا عَلَيْهِمْ ۚ فَاعْلَمُوْٓا أَنَّ اللّٰهَ غَفُوْرٌ رَّحِيْمٌ ﴿٣٤﴾
৩৫. হে ঈমান আনা লোকেরা! আল্লাহকে ভয় করো এবং আল্লাহ্‌র দিকে উসিলা তালাশ করো আর জিহাদ করো তাঁর পথে, অবশ্যি তোমরা সফলকাম হবে।	يٰٓأَيُّهَا الَّذِيْنَ أٰمَنُوا اتَّقُوا اللّٰهَ وَابْتَغُوْٓا إِلَيْهِ الْوَسِيْلَةَ وَجَاهِدُوْا فِيْ سَبِيْلِهٖ لَعَلَّكُمْ تُفْلِحُوْنَ ﴿٣٥﴾

রুকু ০৫

৩৬. যারা কুফুরিকে আঁকড়ে ধরবে, পৃথিবীর সব কিছু যদি তাদের হয় এবং সমপরিমাণ যদি আরো থাকে, কিয়ামত কালের আযাব থেকে মুক্তির জন্যে (তারা সবই মুক্তিপণ স্বরূপ দিয়ে দিতে চাইবে, কিন্তু) তাদের থেকে তা কবুল করা হবেনা। তাদের জন্যে রয়েছে বেদনাদায়ক আযাব।	إِنَّ الَّذِينَ كَفَرُوا لَوْ أَنَّ لَهُم مَّا فِي الْأَرْضِ جَمِيعًا وَمِثْلَهُ مَعَهُ لِيَفْتَدُوا بِهِ مِنْ عَذَابِ يَوْمِ الْقِيَامَةِ مَا تُقُبِّلَ مِنْهُمْ ۖ وَلَهُمْ عَذَابٌ أَلِيمٌ ﴿٣٦﴾
৩৭. তারা আগুন থেকে বের হতে চাইবে, কিন্তু তারা তা থেকে বেরুতে পারবেনা এবং তাদের জন্যে রয়েছে স্থায়ী আযাব।	يُرِيدُونَ أَن يَخْرُجُوا مِنَ النَّارِ وَمَا هُم بِخَارِجِينَ مِنْهَا ۖ وَلَهُمْ عَذَابٌ مُّقِيمٌ ﴿٣٧﴾
৩৮. চোর পুরুষ হোক আর নারী হোক, তাদের হাত কেটে দাও। এটা তাদের কৃতকর্মের জাযা (শাস্তি), আল্লাহ্‌র পক্ষ থেকে সঠিক দণ্ড, আল্লাহ দুর্জয় শক্তিমান মহাপ্রজ্ঞাময়।	وَالسَّارِقُ وَالسَّارِقَةُ فَاقْطَعُوا أَيْدِيَهُمَا جَزَاءً بِمَا كَسَبَا نَكَالًا مِّنَ اللَّهِ ۗ وَاللَّهُ عَزِيزٌ حَكِيمٌ ﴿٣٨﴾
৩৯. তবে যুলুম করার পর কেউ যদি তওবা করে এবং নিজেকে ইসলাহ্ করে নেয়, আল্লাহ তার তওবা কবুল করবেন। নিশ্চয়ই আল্লাহ পরম ক্ষমাশীল, পরম দয়াময়।	فَمَن تَابَ مِن بَعْدِ ظُلْمِهِ وَأَصْلَحَ فَإِنَّ اللَّهَ يَتُوبُ عَلَيْهِ ۗ إِنَّ اللَّهَ غَفُورٌ رَّحِيمٌ ﴿٣٩﴾
৪০. তুমি কি জানোনা যে, মহাকাশ এবং পৃথিবীর কর্তৃত্ব আল্লাহ্‌র? তিনি যাকে চান শাস্তি দেন এবং যাকে চান ক্ষমা করে দেন। আল্লাহ প্রতিটি বিষয়ে শক্তিমান।	أَلَمْ تَعْلَمْ أَنَّ اللَّهَ لَهُ مُلْكُ السَّمَاوَاتِ وَالْأَرْضِ ۗ يُعَذِّبُ مَن يَشَاءُ وَيَغْفِرُ لِمَن يَشَاءُ ۗ وَاللَّهُ عَلَىٰ كُلِّ شَيْءٍ قَدِيرٌ ﴿٤٠﴾
৪১. হে রসূল! তুমি মনে কষ্ট পেয়োনা ঐসব লোকদের কর্মকাণ্ডে, যারা দ্রুতবেগে কুফুরির দিকে অগ্রসর হয়, তারা সেইসব লোকদের অন্তরভুক্ত, যারা মুখে বলে: 'আমরা ঈমান এনেছি' অথচ তাদের অন্তর ঈমান আনেনি; আর সেইসব ইহুদির কর্মকাণ্ডে যারা অন্য এমন লোকদের মিথ্যা কথা শুনতে তৎপর যারা তোমার কাছে আসেনা। তারা সুবিন্যস্ত কথাকে তার সঠিক অর্থ থেকে সরিয়ে বিকৃত অর্থ করে। তারা বলে: 'এরকম বিধান দিলে গ্রহণ করো, সেরকম না দিলে বর্জন করো।' আল্লাহ যাকে ফিতনায় ফেলতে চান, তার জন্যে তোমার কিছুই করার ক্ষমতা নেই। এরা সেসব লোক, আল্লাহ যাদের অন্তরগুলোকে পবিত্র করতে চাননা। তাদের জন্যে দুনিয়ায় রয়েছে লাঞ্ছনা আর আখিরাতে তাদের জন্যে রয়েছে বিরাট আযাব।	يَا أَيُّهَا الرَّسُولُ لَا يَحْزُنكَ الَّذِينَ يُسَارِعُونَ فِي الْكُفْرِ مِنَ الَّذِينَ قَالُوا آمَنَّا بِأَفْوَاهِهِمْ وَلَمْ تُؤْمِن قُلُوبُهُمْ ۛ وَمِنَ الَّذِينَ هَادُوا ۛ سَمَّاعُونَ لِلْكَذِبِ سَمَّاعُونَ لِقَوْمٍ آخَرِينَ لَمْ يَأْتُوكَ ۖ يُحَرِّفُونَ الْكَلِمَ مِن بَعْدِ مَوَاضِعِهِ ۖ يَقُولُونَ إِنْ أُوتِيتُمْ هَٰذَا فَخُذُوهُ وَإِن لَّمْ تُؤْتَوْهُ فَاحْذَرُوا ۚ وَمَن يُرِدِ اللَّهُ فِتْنَتَهُ فَلَن تَمْلِكَ لَهُ مِنَ اللَّهِ شَيْئًا ۚ أُولَٰئِكَ الَّذِينَ لَمْ يُرِدِ اللَّهُ أَن يُطَهِّرَ قُلُوبَهُمْ ۚ لَهُمْ فِي الدُّنْيَا خِزْيٌ ۖ وَلَهُمْ فِي الْآخِرَةِ عَذَابٌ عَظِيمٌ ﴿٤١﴾
৪২. তারা মিথ্যা কথা শুনতে খুবই উৎসাহী, তারা হারাম (সুদ ঘুষ) খেতে আসক্ত। তারা (বিচার চাইতে) তোমার কাছে এলে তাদের মধ্যে ফায়সালা করে দিও, অথবা তাদের উপেক্ষা	سَمَّاعُونَ لِلْكَذِبِ أَكَّالُونَ لِلسُّحْتِ ۚ فَإِن جَاءُوكَ فَاحْكُم بَيْنَهُمْ أَوْ أَعْرِضْ عَنْهُمْ ۖ وَإِن تُعْرِضْ عَنْهُمْ فَلَن يَضُرُّوكَ شَيْئًا ۖ وَ

إِنْ حَكَمْتَ فَاحْكُمْ بَيْنَهُمْ بِالْقِسْطِ ۚ إِنَّ اللَّهَ يُحِبُّ الْمُقْسِطِينَ ﴿٤٢﴾

করবে। তুমি তাদের উপেক্ষা করলে তারা তোমার কোনোই ক্ষতি করতে পারবেনা। আর যদি তাদের মধ্যে ফায়সালা করো ন্যায় বিচার করবে। কারণ আল্লাহ ন্যায় বিচারকদের পছন্দ করেন।

وَكَيْفَ يُحَكِّمُونَكَ وَعِنْدَهُمُ التَّوْرَاةُ فِيهَا حُكْمُ اللَّهِ ثُمَّ يَتَوَلَّوْنَ مِنْ بَعْدِ ذَٰلِكَ ۚ وَمَا أُولَٰئِكَ بِالْمُؤْمِنِينَ ﴿٤٣﴾

৪৩. তারা কী করে তোমার উপর তাদের বিচার ফায়সালার দায়িত্ব অর্পণ করবে, কারণ তাদের কাছে তো তাওরাত রয়েছে আর তাতেই আল্লাহ্‌র আইন বিদ্যমান রয়েছে? তা সত্ত্বেও তারা তা থেকে মুখ ফিরিয়ে নেয়। আসলে তারা মুমিনই নয়।

রুকু ০৬

إِنَّا أَنْزَلْنَا التَّوْرَاةَ فِيهَا هُدًى وَنُورٌ ۚ يَحْكُمُ بِهَا النَّبِيُّونَ الَّذِينَ أَسْلَمُوا لِلَّذِينَ هَادُوا وَالرَّبَّانِيُّونَ وَالْأَحْبَارُ بِمَا اسْتُحْفِظُوا مِنْ كِتَابِ اللَّهِ وَكَانُوا عَلَيْهِ شُهَدَاءَ ۚ فَلَا تَخْشَوُا النَّاسَ وَاخْشَوْنِ وَلَا تَشْتَرُوا بِآيَاتِي ثَمَنًا قَلِيلًا ۚ وَمَنْ لَمْ يَحْكُمْ بِمَا أَنْزَلَ اللَّهُ فَأُولَٰئِكَ هُمُ الْكَافِرُونَ ﴿٤٤﴾

৪৪. আমরা তাওরাত নাযিল করেছিলাম, তাতে ছিলো হিদায়াত এবং নূর (জ্ঞান)। নবীরা, যারা ছিলো আল্লাহ্‌র প্রতি আত্মসমর্পিত তার ভিত্তিতে ইহুদিদের ফায়সালা দিতো, রাব্বি এবং জ্ঞানীরাও তার ভিত্তিতে তাদের ফায়সালা দিতো, কারণ তাদের বানানো হয়েছিল আল্লাহ্‌র কিতাবের হিফাযতকারী এবং তার (কিতাবের) সাক্ষী। সুতরাং মানুষকে ভয় পেয়োনা, আমাকে ভয় করো আর বিক্রয় করোনা আমার আয়াতকে তুচ্ছ মূল্যে। যারা আল্লাহ্‌র নাযিল করা বিধান অনুযায়ী ফায়সালা করেনা, তারা কাফির।

وَكَتَبْنَا عَلَيْهِمْ فِيهَا أَنَّ النَّفْسَ بِالنَّفْسِ وَالْعَيْنَ بِالْعَيْنِ وَالْأَنْفَ بِالْأَنْفِ وَالْأُذُنَ بِالْأُذُنِ وَالسِّنَّ بِالسِّنِّ وَالْجُرُوحَ قِصَاصٌ ۚ فَمَنْ تَصَدَّقَ بِهِ فَهُوَ كَفَّارَةٌ لَهُ ۚ وَمَنْ لَمْ يَحْكُمْ بِمَا أَنْزَلَ اللَّهُ فَأُولَٰئِكَ هُمُ الظَّالِمُونَ ﴿٤٥﴾

৪৫. আমরা তাতে (তাওরাতে এই বিধান) লিখে দিয়েছিলামঃ জীবনের বদলে জীবন, চোখের বদলে চোখ, নাকের বদলে নাক, কানের বদলে কান, দাঁতের বদলে দাঁত এবং জখমের বদলে কিসাস (অনুরূপ যখম)। আর কেউ যদি ক্ষমা করে দেয় তা তারই জন্যে কাফফারা (হবে)। যারা আল্লাহ্‌র নাযিল করা বিধান অনুযায়ী ফায়সালা করেনা, তারা যালিম।

وَقَفَّيْنَا عَلَىٰ آثَارِهِمْ بِعِيسَى ابْنِ مَرْيَمَ مُصَدِّقًا لِمَا بَيْنَ يَدَيْهِ مِنَ التَّوْرَاةِ ۖ وَآتَيْنَاهُ الْإِنْجِيلَ فِيهِ هُدًى وَنُورٌ وَمُصَدِّقًا لِمَا بَيْنَ يَدَيْهِ مِنَ التَّوْرَاةِ وَهُدًى وَمَوْعِظَةً لِلْمُتَّقِينَ ﴿٤٦﴾

৪৬. অতপর তাদেরই আদর্শের উপর আমরা পাঠিয়েছিলাম ঈসা ইবনে মরিয়মকে তার পূর্বে নাযিল করা তাওরাতের সত্যায়নকারী হিসেবে। আর আমরা তাকে দিয়েছিলাম ইনজিল, তাতে ছিলো হিদায়াত এবং নূর (জ্ঞান)। আর এ (ইনজিল) ছিলো তার পূর্বে অবতীর্ণ তাওরাতের সমর্থক এবং মুত্তাকিদের জন্যে হিদায়াত ও উপদেশ।

وَلْيَحْكُمْ أَهْلُ الْإِنْجِيلِ بِمَا أَنْزَلَ اللَّهُ فِيهِ ۚ وَمَنْ لَمْ يَحْكُمْ بِمَا أَنْزَلَ اللَّهُ فَأُولَٰئِكَ هُمُ الْفَاسِقُونَ ﴿٤٧﴾

৪৭. ইনজিলের বাহকরা যেনো ফায়সালা করে সে বিধান অনুযায়ী যা আল্লাহ তাতে নাযিল করেছেন। যারা আল্লাহ্‌র বিধান অনুযায়ী ফায়সালা করেনা তারা ফাসিক।

৪৮. আর আমরা তোমার প্রতি নাযিল করেছি আল কিতাব (আল কুরআন) বাস্তব সত্য বিধান দিয়ে ইতোপূর্বে নাযিলকৃত কিতাবের সত্যায়নকারী এবং সত্যের সংরক্ষণকারী হিসেবে। অতএব তাদের মাঝে ফায়সালা করো আল্লাহ্‌র নাযিল করা বিধান অনুযায়ী। তোমার কাছে যে সত্য বিধান এসেছে তা ত্যাগ করে তাদের ইচ্ছা বাসনার অনুসরণ করোনা। আমরা তোমাদের প্রত্যেকের জন্যে একটি (পৃথক) শরিয়ত ও একটি আলোকিত চলার পথ দিয়েছি। আল্লাহ চাইলে তোমাদের সবাইকে একটি উম্মতই বানাতে পারতেন। কিন্তু তিনি তোমাদের পরীক্ষা করতে চান তোমাদেরকে প্রদত্ত বিধানের ভিত্তিতে। সুতরাং কল্যাণের কাজে প্রতিযোগিতা করো। তোমাদের সবাইকে আল্লাহ্‌র কাছেই ফিরে যেতে হবে। তোমরা যেসব বিষয়ে মতভেদ করছিলে সেখানে তিনি তোমাদের সেগুলো অবহিত করবেন।	وَاَنْزَلْنَآ اِلَيْكَ الْكِتٰبَ بِالْحَقِّ مُصَدِّقًا لِّمَا بَيْنَ يَدَيْهِ مِنَ الْكِتٰبِ وَمُهَيْمِنًا عَلَيْهِ فَاحْكُمْ بَيْنَهُمْ بِمَآ اَنْزَلَ اللّٰهُ وَلَا تَتَّبِعْ اَهْوَآءَهُمْ عَمَّا جَآءَكَ مِنَ الْحَقِّ ؕ لِكُلٍّ جَعَلْنَا مِنْكُمْ شِرْعَةً وَّمِنْهَاجًا ؕ وَلَوْ شَآءَ اللّٰهُ لَجَعَلَكُمْ اُمَّةً وَّاحِدَةً وَّلٰكِنْ لِّيَبْلُوَكُمْ فِیْ مَآ اٰتٰىكُمْ فَاسْتَبِقُوا الْخَيْرٰتِ ؕ اِلَى اللّٰهِ مَرْجِعُكُمْ جَمِيْعًا فَيُنَبِّئُكُمْ بِمَا كُنْتُمْ فِيْهِ تَخْتَلِفُوْنَ ﴿۴۸﴾
৪৯. তাদের মাঝে ফায়সালা করো সেই বিধান দিয়ে যা আল্লাহ নাযিল করেছেন এবং তাদের ইচ্ছা বাসনার অনুসরণ করোনা। তাদের ব্যাপারে সতর্ক থাকো, তোমার প্রতি আল্লাহ যে বিধান নাযিল করেছেন তার কোনো অংশ থেকে যেনো তারা তোমাকে বিচ্যুত না করে। তারা যদি মুখ ফিরিয়ে নেয়, তবে জেনে রাখো, আল্লাহ তাদের কোনো কোনো পাপের জন্যে তাদের শাস্তি দিতে চান। নিশ্চয়ই মানুষের মধ্যে অনেকেই নিশ্চিত ফাসিক।	وَاَنِ احْكُمْ بَيْنَهُمْ بِمَآ اَنْزَلَ اللّٰهُ وَلَا تَتَّبِعْ اَهْوَآءَهُمْ وَاحْذَرْهُمْ اَنْ يَّفْتِنُوْكَ عَنْۢ بَعْضِ مَآ اَنْزَلَ اللّٰهُ اِلَيْكَ ؕ فَاِنْ تَوَلَّوْا فَاعْلَمْ اَنَّمَا يُرِيْدُ اللّٰهُ اَنْ يُّصِيْبَهُمْ بِبَعْضِ ذُنُوْبِهِمْ ؕ وَاِنَّ كَثِيْرًا مِّنَ النَّاسِ لَفٰسِقُوْنَ ﴿۴۹﴾
৫০. তবে কি তারা জাহেলি যুগের বিধান চায়? যারা আল্লাহ্‌র প্রতি একীন রাখে, তাদের কাছে বিধানদাতা হিসেবে আল্লাহ্‌র চাইতে অধিকতর কল্যাণকামী আর কে?	اَفَحُكْمَ الْجَاهِلِيَّةِ يَبْغُوْنَ ؕ وَمَنْ اَحْسَنُ مِنَ اللّٰهِ حُكْمًا لِّقَوْمٍ يُّوْقِنُوْنَ ﴿۵۰﴾
৫১. হে ঈমান ওয়ালা লোকেরা! তোমরা ইহুদি ও নাসারাদের অলি (বন্ধু, অভিভাবক, পৃষ্ঠপোষক) হিসেবে গ্রহণ করোনা। তারা নিজেরা পরস্পরের অলি। তোমাদের কেউ যদি তাদের অলি হিসেবে গ্রহণ করে, তবে সে হবে তাদেরই লোক। আল্লাহ্ যালিম লোকদের সঠিক পথ দেখান না।	يٰۤاَيُّهَا الَّذِيْنَ اٰمَنُوْا لَا تَتَّخِذُوا الْيَهُوْدَ وَالنَّصٰرٰۤى اَوْلِيَآءَ ؔ بَعْضُهُمْ اَوْلِيَآءُ بَعْضٍ ؕ وَمَنْ يَّتَوَلَّهُمْ مِّنْكُمْ فَاِنَّهٗ مِنْهُمْ ؕ اِنَّ اللّٰهَ لَا يَهْدِى الْقَوْمَ الظّٰلِمِيْنَ ﴿۵۱﴾
৫২. তুমি দেখতে পাবে, যাদের অন্তরে রোগ	فَتَرَى الَّذِيْنَ فِیْ قُلُوْبِهِمْ مَّرَضٌ

রুকু ০৭

يُسَارِعُوْنَ فِيْهِمْ يَقُوْلُوْنَ نَخْشٰٓى اَنْ تُصِيْبَنَا دَآئِرَةٌ ؕ فَعَسَى اللّٰهُ اَنْ يَّاْتِيَ بِالْفَتْحِ اَوْ اَمْرٍ مِّنْ عِنْدِهٖ فَيُصْبِحُوْا عَلٰى مَآ اَسَرُّوْا فِيْٓ اَنْفُسِهِمْ نٰدِمِيْنَ ٥٢

আছে তারা (মুনাফিকরা) অচিরেই তাদের (ইহুদি, খৃষ্টান ও মুশরিকদের) সাথে মিলবে-বন্ধুতা করবে। তারা বলবে: 'আমাদের আশংকা হয় আমাদের দুরাবস্থা সৃষ্টি হবে।' অচিরেই আল্লাহ হয়তো বিজয়, নয়তো এমন কিছু দেবেন যার ফলে তারা মনের মধ্যে যা গোপন করে রেখেছিল তার জন্যে লজ্জিত-অনুতপ্ত হবে।

وَيَقُوْلُ الَّذِيْنَ اٰمَنُوْٓا اَهٰٓؤُلَآءِ الَّذِيْنَ اَقْسَمُوْا بِاللّٰهِ جَهْدَ اَيْمَانِهِمْ ۙ اِنَّهُمْ لَمَعَكُمْ ؕ حَبِطَتْ اَعْمَالُهُمْ فَاَصْبَحُوْا خٰسِرِيْنَ ٥٣

৫৩. যারা ঈমান এনেছে তারা বলবে: এরাই কি তারা? যারা আল্লাহ্‌র নামে কঠিন শপথ গ্রহণ করেছিল যে, তারা তোমাদের সাথেই আছে? তাদের সমস্ত আমল নিষ্ফল হয়ে গেছে, ফলে তারা হয়ে পড়েছে ক্ষতিগ্রস্ত।

يٰٓاَيُّهَا الَّذِيْنَ اٰمَنُوْا مَنْ يَّرْتَدَّ مِنْكُمْ عَنْ دِيْنِهٖ فَسَوْفَ يَاْتِي اللّٰهُ بِقَوْمٍ يُّحِبُّهُمْ وَ يُحِبُّوْنَهٗٓ ۙ اَذِلَّةٍ عَلَى الْمُؤْمِنِيْنَ اَعِزَّةٍ عَلَى الْكٰفِرِيْنَ ۫ يُجَاهِدُوْنَ فِيْ سَبِيْلِ اللّٰهِ وَ لَا يَخَافُوْنَ لَوْمَةَ لَآئِمٍ ؕ ذٰلِكَ فَضْلُ اللّٰهِ يُؤْتِيْهِ مَنْ يَّشَآءُ ؕ وَاللّٰهُ وَاسِعٌ عَلِيْمٌ ٥٤

৫৪. হে ঈমানদার লোকেরা! তোমাদের মধ্য থেকে কেউ (বা কোনো গোষ্ঠী) তার দীন থেকে ফিরে গেলে অচিরেই আল্লাহ এমন একদল লোককে (দীনের মধ্যে) নিয়ে আসবেন, যাদের তিনি ভালোবাসবেন এবং তারাও তাঁকে ভালোবাসবে। তারা হবে মুমিনদের প্রতি কোমল, কাফিরদের প্রতি কঠোর। তারা জিহাদ করবে আল্লাহ্‌র পথে এবং ভয় করবেনা কোনো নিন্দুকের নিন্দা। এটা আল্লাহ্‌র অনুগ্রহ- যাকে ইচ্ছা তিনি দান করেন। আল্লাহ বড়ই প্রশস্ত-উদার ও মহাজ্ঞানী।

اِنَّمَا وَلِيُّكُمُ اللّٰهُ وَ رَسُوْلُهٗ وَ الَّذِيْنَ اٰمَنُوا الَّذِيْنَ يُقِيْمُوْنَ الصَّلٰوةَ وَ يُؤْتُوْنَ الزَّكٰوةَ وَ هُمْ رٰكِعُوْنَ ٥٥

৫৫. (জেনে রাখো) তোমাদের অলি (বন্ধু, অভিভাবক, পৃষ্ঠপোষক) তো আল্লাহ এবং তাঁর রসূল আর সেইসব লোক যারা ঈমান এনেছে, যারা সালাত কায়েম করে, যাকাত প্রদান করে এবং যারা (আল্লাহ্‌র প্রতি) সদা বিনত।

وَ مَنْ يَّتَوَلَّ اللّٰهَ وَ رَسُوْلَهٗ وَ الَّذِيْنَ اٰمَنُوْا فَاِنَّ حِزْبَ اللّٰهِ هُمُ الْغٰلِبُوْنَ ٥٦

৫৬. যারা আল্লাহকে এবং তাঁর রসূলকে আর ঈমানদার লোকদেরকে অলি হিসেবে গ্রহণ করে, তারা জেনে রাখুক, আল্লাহ্‌র দলই হবে বিজয়ী।

রুকু ০৮

يٰٓاَيُّهَا الَّذِيْنَ اٰمَنُوْا لَا تَتَّخِذُوا الَّذِيْنَ اتَّخَذُوْا دِيْنَكُمْ هُزُوًا وَّلَعِبًا مِّنَ الَّذِيْنَ اُوْتُوا الْكِتٰبَ مِنْ قَبْلِكُمْ وَ الْكُفَّارَ اَوْلِيَآءَ ۚ وَ اتَّقُوا اللّٰهَ اِنْ كُنْتُمْ مُّؤْمِنِيْنَ ٥٧

৫৭. হে ঈমানদার লোকেরা! ইতোপূর্ব যাদের কিতাব দেয়া হয়েছিল তাদের মধ্যে যারা তোমাদের দীনকে খেল তামাশার বস্তু বানিয়ে নিয়েছে, তাদেরকে এবং কাফিরদেরকে অলি হিসেবে গ্রহণ করোনা। আল্লাহ্‌কে ভয় করো যদি তোমরা মুমিন হয়ে থাকো।

وَ اِذَا نَادَيْتُمْ اِلَى الصَّلٰوةِ اتَّخَذُوْهَا هُزُوًا

৫৮. তোমরা যখন সালাতের আহবান করো তখন তারা সেটাকে খেল তামাশা হিসেবে গ্রহণ করে।

এর কারণ তারা বে-আকল।	وَّلَعِبًا ؕ ذٰلِكَ بِاَنَّهُمْ قَوْمٌ لَّا يَعْقِلُوْنَ ﴿٥٨﴾
৫৯. বলো: হে আহলে কিতাব! আমরা আল্লাহ্‌র প্রতি ঈমান এনেছি বলে এবং আমাদের প্রতি যা নাযিল করা হয়েছে তার প্রতি আর পূর্বে যা নাযিল করা হয়েছে তার প্রতি ঈমান এনেছি বলে কি তোমরা আমাদের থেকে প্রতিশোধ নেবে? আসলে তোমাদের অধিকাংশ লোকই সীমালংঘনকারী।	قُلْ يٰۤاَهْلَ الْكِتٰبِ هَلْ تَنْقِمُوْنَ مِنَّاۤ اِلَّاۤ اَنْ اٰمَنَّا بِاللّٰهِ وَ مَاۤ اُنْزِلَ اِلَيْنَا وَ مَاۤ اُنْزِلَ مِنْ قَبْلُ ۙ وَ اَنَّ اَكْثَرَكُمْ فٰسِقُوْنَ ﴿٥٩﴾
৬০. (হে নবী! তাদের) বলো: আমি তোমাদেরকে আল্লাহ্‌র কাছে এর চাইতেও নিকৃষ্ট পরিণতির সংবাদ জানাবো কি? (তা হলো) আল্লাহ যাদের লা'নত করেছেন, যাদের উপর গজব আপতিত করেছেন এবং যাদের কিছু লোককে বানর ও শূয়োর বানিয়েছেন আর যারা তাগুতের ইবাদত করে, মর্যাদার দিক থেকে তারাই নিকৃষ্ট এবং সরল সঠিক পথ থেকে তারাই অধিকতর বিপথগামী।	قُلْ هَلْ اُنَبِّئُكُمْ بِشَرٍّ مِّنْ ذٰلِكَ مَثُوْبَةً عِنْدَ اللّٰهِ ؕ مَنْ لَّعَنَهُ اللّٰهُ وَ غَضِبَ عَلَيْهِ وَ جَعَلَ مِنْهُمُ الْقِرَدَةَ وَ الْخَنَازِيْرَ وَ عَبَدَ الطَّاغُوْتَ ؕ اُولٰٓئِكَ شَرٌّ مَّكَانًا وَّاَضَلُّ عَنْ سَوَآءِ السَّبِيْلِ ﴿٦٠﴾
৬১. তারা তোমার কাছে এলে বলে: 'আমরা ঈমান এনেছি', অথচ তারা কুফুরি সাথে নিয়েই (তোমার কাছে) দাখিল হয় এবং তা নিয়েই খারিজ (বের) হয়। তারা যা গোপন করে তা আল্লাহ ভালোভাবেই জানেন।	وَ اِذَا جَآءُوْكُمْ قَالُوْۤا اٰمَنَّا وَ قَدْ دَّخَلُوْا بِالْكُفْرِ وَ هُمْ قَدْ خَرَجُوْا بِهٖ ؕ وَ اللّٰهُ اَعْلَمُ بِمَا كَانُوْا يَكْتُمُوْنَ ﴿٦١﴾
৬২. তুমি দেখবে, তাদের অনেকেই পাপ, সীমালংঘন ও হারামখুরিতে তৎপর। তাদের এই আমল বড়ই নিকৃষ্ট।	وَتَرٰى كَثِيْرًا مِّنْهُمْ يُسَارِعُوْنَ فِى الْاِثْمِ وَ الْعُدْوَانِ وَ اَكْلِهِمُ السُّحْتَ ؕ لَبِئْسَ مَا كَانُوْا يَعْمَلُوْنَ ﴿٦٢﴾
৬৩. তাদের রিব্বি ও যাজকরা তাদেরকে তাদের পাপ কথা এবং হারাম খুরি থেকে কেন নিষেধ করেনা? আসলে তাদের কর্ম বড়ই নিকৃষ্ট।	لَوْ لَا يَنْهٰىهُمُ الرَّبّٰنِيُّوْنَ وَ الْاَحْبَارُ عَنْ قَوْلِهِمُ الْاِثْمَ وَ اَكْلِهِمُ السُّحْتَ ؕ لَبِئْسَ مَا كَانُوْا يَصْنَعُوْنَ ﴿٦٣﴾
৬৪. ইহুদিরা বলে: 'আল্লাহ্‌র হাত বাঁধা (অর্থাৎ তিনি কৃপণ)।' মূলত তাদের হাতই আবদ্ধ এবং তারা যা বলে সে জন্যে তারা অভিশপ্ত। বরং আল্লাহ্‌র দুই হাত অবাধ প্রসারিত, তিনি যেভাবে চান দান করেন। তোমার প্রভুর পক্ষ থেকে তোমার প্রতি যা নাযিল হয়েছে তা তাদের অনেকেরই আল্লাহদ্রোহীতা ও কুফুরি বৃদ্ধির কারণ হয়ে দাঁড়িয়েছে। আমরা তাদের মধ্যে কিয়ামতকাল পর্যন্ত শত্রুতা ও বিদ্বেষ সৃষ্টি করে	وَ قَالَتِ الْيَهُوْدُ يَدُ اللّٰهِ مَغْلُوْلَةٌ ؕ غُلَّتْ اَيْدِيْهِمْ وَ لُعِنُوْا بِمَا قَالُوْا ۘ بَلْ يَدٰهُ مَبْسُوْطَتٰنِ ۙ يُنْفِقُ كَيْفَ يَشَآءُ ؕ وَلَيَزِيْدَنَّ كَثِيْرًا مِّنْهُمْ مَّاۤ اُنْزِلَ اِلَيْكَ مِنْ رَّبِّكَ طُغْيَانًا وَّكُفْرًا ؕ وَ اَلْقَيْنَا بَيْنَهُمُ الْعَدَاوَةَ وَ الْبَغْضَآءَ اِلٰى يَوْمِ الْقِيٰمَةِ ؕ كُلَّمَاۤ اَوْقَدُوْا نَارًا

দিয়েছি। তারা যখনই যুদ্ধের আগুন উস্কায়, তখনই আল্লাহ তা নিভিয়ে দেন। তারা বিশ্বে ফাসাদ সৃষ্টির কাজে তৎপর। অথচ আল্লাহ ফাসাদ সৃষ্টিকারীদের পছন্দ করেন না।	لِّلْحَرْبِ اَطْفَاَهَا اللّٰهُ ۙ وَ يَسْعَوْنَ فِي الْاَرْضِ فَسَادًا ؕ وَاللّٰهُ لَا يُحِبُّ الْمُفْسِدِيْنَ ﴿٦٤﴾
৬৫. আহলে কিতাবরা যদি ঈমান আনতো এবং তাকওয়া অবলম্বন করতো, আমরা তাদের থেকে মুছে দিতাম তাদের পাপ এবং তাদের দাখিল করতাম জান্নাতুন নায়ীমে।	وَ لَوْ اَنَّ اَهْلَ الْكِتٰبِ اٰمَنُوْا وَ اتَّقَوْا لَكَفَّرْنَا عَنْهُمْ سَيِّاٰتِهِمْ وَ لَاَدْخَلْنٰهُمْ جَنّٰتِ النَّعِيْمِ ﴿٦٥﴾
৬৬. তারা যদি তাওরাত, ইনজিল এবং (এখন) তাদের কাছে তাদের প্রভুর পক্ষ থেকে যা (যে কুরআন) নাযিল হয়েছে তা কায়েম ও প্রবর্তন করতো, তাহলে তারা তাদের উপর থেকে এবং নিচে থেকে আহার লাভ করতো। তাদের মধ্যে কিছু মধ্যপন্থী লোক আছে বটে, তবে তাদের অনেকেই যা করে তা নেহাতই নিকৃষ্ট।	وَلَوْ اَنَّهُمْ اَقَامُوا التَّوْرٰىةَ وَ الْاِنْجِيْلَ وَ مَآ اُنْزِلَ اِلَيْهِمْ مِّنْ رَّبِّهِمْ لَاَكَلُوْا مِنْ فَوْقِهِمْ وَ مِنْ تَحْتِ اَرْجُلِهِمْ ؕ مِنْهُمْ اُمَّةٌ مُّقْتَصِدَةٌ ؕ وَ كَثِيْرٌ مِّنْهُمْ سَآءَ مَا يَعْمَلُوْنَ ﴿٦٦﴾
৬৭. হে রসূল! তোমার প্রভুর পক্ষ থেকে তোমার কাছে যা নাযিল হয়েছে তা (মানুষের কাছে) পৌঁছে দাও। যদি তা না করো, তবে তুমি তাঁর বার্তা পৌঁছালেনা। আল্লাহ্ই তোমাকে রক্ষা করবেন মানুষের অনিষ্ট থেকে। নিশ্চয়ই আল্লাহ হিদায়াত করেন না কাফির লোকদেরকে।	يٰۤاَيُّهَا الرَّسُوْلُ بَلِّغْ مَآ اُنْزِلَ اِلَيْكَ مِنْ رَّبِّكَ ؕ وَ اِنْ لَّمْ تَفْعَلْ فَمَا بَلَّغْتَ رِسَالَتَهٗ ؕ وَ اللّٰهُ يَعْصِمُكَ مِنَ النَّاسِ ؕ اِنَّ اللّٰهَ لَا يَهْدِي الْقَوْمَ الْكٰفِرِيْنَ ﴿٦٧﴾
৬৮. হে নবী! বলো: হে আহলে কিতাব! তোমরা তাওরাত, ইনজিল এবং তোমাদের প্রভুর পক্ষ থেকে যা (যে কুরআন) নাযিল হয়েছে তা কায়েম ও প্রবর্তন না করা পর্যন্ত তোমাদের কোনো (ধর্মীয়) ভিত্তি নেই। তোমার প্রভুর পক্ষ থেকে তোমার প্রতি যা নাযিল হয়েছে তা তাদের অনেকের মধ্যেই আল্লাহদ্রোহীতা ও কুফুরি বাড়িয়ে দেয়ার কারণ হয়েছে। সুতরাং এই কাফির কওমের জন্যে দুঃখিত হয়োনা।	قُلْ يٰۤاَهْلَ الْكِتٰبِ لَسْتُمْ عَلٰى شَيْءٍ حَتّٰى تُقِيْمُوا التَّوْرٰىةَ وَ الْاِنْجِيْلَ وَ مَآ اُنْزِلَ اِلَيْكُمْ مِّنْ رَّبِّكُمْ ؕ وَ لَيَزِيْدَنَّ كَثِيْرًا مِّنْهُمْ مَّآ اُنْزِلَ اِلَيْكَ مِنْ رَّبِّكَ طُغْيَانًا وَّ كُفْرًا ۚ فَلَا تَاْسَ عَلَى الْقَوْمِ الْكٰفِرِيْنَ ﴿٦٨﴾
৬৯. নিশ্চয়ই যারা ঈমান এনেছে তাদের মধ্যে, যারা ইহুদি হয়েছে তাদের মধ্যে এবং সাবি ও নাসারাদের মধ্যে যারা আল্লাহ ও পরকালের প্রতি ঈমান আনবে এবং আমলে সালেহ করবে, তাদের কোনো ভয় নেই এবং দুশ্চিন্তাও নেই।	اِنَّ الَّذِيْنَ اٰمَنُوْا وَ الَّذِيْنَ هَادُوْا وَالصّٰبِئُوْنَ وَ النَّصٰرٰى مَنْ اٰمَنَ بِاللّٰهِ وَالْيَوْمِ الْاٰخِرِ وَ عَمِلَ صَالِحًا فَلَا خَوْفٌ عَلَيْهِمْ وَ لَا هُمْ يَحْزَنُوْنَ ﴿٦٩﴾
৭০. আমরা বনি ইসরাঈলের অংগীকার গ্রহণ করেছিলাম এবং তাদের প্রতি পাঠিয়েছিলাম অনেক	لَقَدْ اَخَذْنَا مِيْثَاقَ بَنِيْٓ اِسْرَآءِيْلَ وَ

রুকু ০৯

রসূল। যখনই তাদের কাছে কোনো রসূল এসেছিল এমন কিছু (বিধান) নিয়ে যা তাদের মনপূত হয়নি, তখনই তারা কিছু রসূলকে অস্বীকার করেছে এবং হত্যা করেছে কিছু রসূলকে।	اَرْسَلْنَآ اِلَيْهِمْ رُسُلًا ؕ كُلَّمَا جَآءَهُمْ رَسُوْلٌۢ بِمَا لَا تَهْوٰٓى اَنْفُسُهُمْ ۙ فَرِيْقًا كَذَّبُوْا وَفَرِيْقًا يَّقْتُلُوْنَ ﴿٧٠﴾
৭১. অথচ তারা ধরে নিয়েছিল তাদের কোনো ফিতনা (শাস্তি) হবেনা। ফলে তারা (তাদের বদ্ধমূল নীতি ও ধারণায়) অন্ধ ও বধির হয়ে পড়েছিল। তারপরও আল্লাহ তাদের প্রতি ক্ষমাশীল দৃষ্টি প্রদান করেন। কিন্তু এর পরেও তাদের অনেকেই অন্ধ ও বধির হয়ে যায়। তারা যা করছে আল্লাহ তার প্রতি দৃষ্টি রেখে চলেছেন।	وَحَسِبُوْٓا اَلَّا تَكُوْنَ فِتْنَةٌ فَعَمُوْا وَصَمُّوْا ثُمَّ تَابَ اللّٰهُ عَلَيْهِمْ ثُمَّ عَمُوْا وَصَمُّوْا كَثِيْرٌ مِّنْهُمْ ؕ وَاللّٰهُ بَصِيْرٌۢ بِمَا يَعْمَلُوْنَ ﴿٧١﴾
৭২. ওরা তো কুফুরি করেছেই যারা বলে: 'মসিহ্ ইবনে মরিয়মই আল্লাহ।' অথচ মসিহ্ তাদের বলেছিল: 'হে বনি ইসরাঈল! তোমরা আমার রব ও তোমাদের রব একমাত্র আল্লাহ্র ইবাদত করো। জেনে রাখো, যে কেউ আল্লাহ্র সাথে (কাউকেও) শরিক বানাবে, আল্লাহ তার জন্যে হারাম করে দেবেন জান্নাত এবং তার আবাস হবে জাহান্নাম। আর যালিমদের জন্যে থাকবেনা কোনো সাহায্যকারী।'	لَقَدْ كَفَرَ الَّذِيْنَ قَالُوْٓا اِنَّ اللّٰهَ هُوَ الْمَسِيْحُ ابْنُ مَرْيَمَ ؕ وَقَالَ الْمَسِيْحُ يٰبَنِيْٓ اِسْرَآءِيْلَ اعْبُدُوا اللّٰهَ رَبِّيْ وَرَبَّكُمْ ؕ اِنَّهٗ مَنْ يُّشْرِكْ بِاللّٰهِ فَقَدْ حَرَّمَ اللّٰهُ عَلَيْهِ الْجَنَّةَ وَمَاْوٰىهُ النَّارُ ؕ وَمَا لِلظّٰلِمِيْنَ مِنْ اَنْصَارٍ ﴿٧٢﴾
৭৩. ওরাও কুফুরি করেছে যারা বলে: 'আল্লাহ হলেন তিন জনের একজন।' অথচ এক ইলাহ্ (আল্লাহ) ছাড়া আর কোনো ইলাহ্ নেই। তারা যা বলে তা থেকে যদি বিরত না হয়, তাহলে তাদের মধ্যে যারা কুফুরি করবে, অবশ্যি তাদের স্পর্শ করবে যন্ত্রণাদায়ক আযাব।	لَقَدْ كَفَرَ الَّذِيْنَ قَالُوْٓا اِنَّ اللّٰهَ ثَالِثُ ثَلٰثَةٍ ۘ وَمَا مِنْ اِلٰهٍ اِلَّآ اِلٰهٌ وَّاحِدٌ ؕ وَاِنْ لَّمْ يَنْتَهُوْا عَمَّا يَقُوْلُوْنَ لَيَمَسَّنَّ الَّذِيْنَ كَفَرُوْا مِنْهُمْ عَذَابٌ اَلِيْمٌ ﴿٧٣﴾
৭৪. তারা কি ফিরে আসবেনা আল্লাহ্র দিকে এবং ক্ষমা প্রার্থনা করবেনা তাঁর কাছে? আল্লাহ তো পরম ক্ষমাশীল দয়াময়।	اَفَلَا يَتُوْبُوْنَ اِلَى اللّٰهِ وَيَسْتَغْفِرُوْنَهٗ ؕ وَاللّٰهُ غَفُوْرٌ رَّحِيْمٌ ﴿٧٤﴾
৭৫. মসিহ্ ইবনে মরিয়ম একজন রসূল ছাড়া আর কিছুই নয়। তার আগেও (তার মতো) বহু রসূল বিগত হয়েছে। তার মা ছিলো এক সত্যনিষ্ঠ নারী। তারা দুজনেই খাবার খেতো। দেখো কতো পরিষ্কার করে আমরা তাদের জন্যে নিদর্শনসমূহ বর্ণনা করছি। তারপর এটাও দেখো, কিভাবে তারা সত্যের প্রতি মিথ্যারোপ করছে।	مَا الْمَسِيْحُ ابْنُ مَرْيَمَ اِلَّا رَسُوْلٌ ۚ قَدْ خَلَتْ مِنْ قَبْلِهِ الرُّسُلُ ؕ وَاُمُّهٗ صِدِّيْقَةٌ ؕ كَانَا يَاْكُلٰنِ الطَّعَامَ ؕ اُنْظُرْ كَيْفَ نُبَيِّنُ لَهُمُ الْاٰيٰتِ ثُمَّ انْظُرْ اَنّٰى يُؤْفَكُوْنَ ﴿٧٥﴾
৭৬. (হে নবী!) তাদের বলো: তোমরা কি আল্লাহ ছাড়া এমন কারো ইবাদত করবে যার	قُلْ اَتَعْبُدُوْنَ مِنْ دُوْنِ اللّٰهِ مَا لَا يَمْلِكُ

কোনো ক্ষমতাই নেই তোমাদের কোনো ক্ষতি কিংবা উপকার করার? একমাত্র আল্লাহ্‌ই সবকিছু শুনেন এবং সব কিছু জানেন।	لَكُمْ ضَرًّا وَّ لَا نَفْعًا ؕ وَ اللّٰهُ هُوَ السَّمِيْعُ الْعَلِيْمُ ﴿٧٦﴾
৭৭. বলো: হে আহলে কিতাব! তোমরা সত্যের বিরুদ্ধে গিয়ে তোমাদের দীনের মধ্যে বাড়াবাড়ি করোনা এবং তোমরা এমন লোকদের মনগড়া বিষয়ের অনুসরণ করোনা ইতোপূর্বে যারা নিজেরাও হয়েছে বিপথগামী আর অনেক মানুষকেও করেছে পথভ্রষ্ট। আসলে তারা সরল সঠিক পথ থেকে বিচ্যুত হয়ে বিপথে চলে গেছে।	قُلْ يٰۤاَهْلَ الْكِتٰبِ لَا تَغْلُوْا فِيْ دِيْنِكُمْ غَيْرَ الْحَقِّ وَ لَا تَتَّبِعُوْۤا اَهْوَآءَ قَوْمٍ قَدْ ضَلُّوْا مِنْ قَبْلُ وَ اَضَلُّوْا كَثِيْرًا وَّ ضَلُّوْا عَنْ سَوَآءِ السَّبِيْلِ ﴿٧٧﴾
৭৮. বনি ইসরাঈলের যারা কুফুরি করেছিল, তাদের উপর লা'নত বর্ষিত হয়েছিল দাউদ এবং ঈসা ইবনে মরিয়মের যবানে। এর কারণ, তারা ছিলো নাফরমান এবং সীমালংঘনকারী।	لُعِنَ الَّذِيْنَ كَفَرُوْا مِنْۢ بَنِيْۤ اِسْرَآءِيْلَ عَلٰى لِسَانِ دَاوٗدَ وَ عِيْسَى ابْنِ مَرْيَمَ ؕ ذٰلِكَ بِمَا عَصَوْا وَّ كَانُوْا يَعْتَدُوْنَ ﴿٧٨﴾
৭৯. তারা যেসব মুনকার-মন্দ কাজ করতো, তা থেকে তারা পরস্পরকে নিষেধ করতোনা। তাদের কার্যক্রম ছিলো খুবই মন্দ-নিকৃষ্ট।	كَانُوْا لَا يَتَنَاهَوْنَ عَنْ مُّنْكَرٍ فَعَلُوْهُ ؕ لَبِئْسَ مَا كَانُوْا يَفْعَلُوْنَ ﴿٧٩﴾
৮০. তুমি দেখবে, তাদের অনেকেই কাফিরদের অলি (বন্ধু, অভিভাবক, পৃষ্ঠপোষক) বানিয়ে নিয়েছে। তাদের কর্মকান্ড এতোই নিকৃষ্ট, যার কারণে আল্লাহ তাদের প্রতি বিরূপ হয়েছেন আর আযাবের মধ্যেই থাকবে তারা চিরকাল।	تَرٰى كَثِيْرًا مِّنْهُمْ يَتَوَلَّوْنَ الَّذِيْنَ كَفَرُوْا ؕ لَبِئْسَ مَا قَدَّمَتْ لَهُمْ اَنْفُسُهُمْ اَنْ سَخِطَ اللّٰهُ عَلَيْهِمْ وَ فِي الْعَذَابِ هُمْ خٰلِدُوْنَ ﴿٨٠﴾
৮১. তারা আল্লাহ্‌র প্রতি, এই নবীর প্রতি এবং তার প্রতি যা নাযিল হয়েছে সেটার প্রতি যদি ঈমান আনতো তাহলে ওদেরকে অলি হিসেবে গ্রহণ করতো না। কিন্তু তাদের অনেকেই ফাসিক- সীমালংঘনকারী।	وَ لَوْ كَانُوْا يُؤْمِنُوْنَ بِاللّٰهِ وَ النَّبِيِّ وَ مَاۤ اُنْزِلَ اِلَيْهِ مَا اتَّخَذُوْهُمْ اَوْلِيَآءَ وَ لٰكِنَّ كَثِيْرًا مِّنْهُمْ فٰسِقُوْنَ ﴿٨١﴾
৮২. অবশ্যি তুমি মানুষের মাঝে মুমিনদের প্রতি শত্রুতার ক্ষেত্রে সবচে' শক্ত অবস্থানে পাবে ইহুদিদের, আর যারা শিরক করে তাদের। আর তাদের সাথে বন্ধুতার ক্ষেত্রে সবচে' নিকটে পাবে ঐ লোকদের যারা বলে আমরা নাসারা (খৃষ্টান)। এর কারণ, তাদের মধ্যে রয়েছে অনেক (সত্যনিষ্ঠ) পাদ্রী আর দুনিয়া বিমুখ ব্যক্তি এবং তারা অহংকার করে বেড়ায় না।	لَتَجِدَنَّ اَشَدَّ النَّاسِ عَدَاوَةً لِّلَّذِيْنَ اٰمَنُوا الْيَهُوْدَ وَ الَّذِيْنَ اَشْرَكُوْا ۚ وَ لَتَجِدَنَّ اَقْرَبَهُمْ مَّوَدَّةً لِّلَّذِيْنَ اٰمَنُوا الَّذِيْنَ قَالُوْۤا اِنَّا نَصٰرٰى ؕ ذٰلِكَ بِاَنَّ مِنْهُمْ قِسِّيْسِيْنَ وَ رُهْبَانًا وَّ اَنَّهُمْ لَا يَسْتَكْبِرُوْنَ ﴿٨٢﴾

রুকু ১০

পারা ০৭

৮৩. এই রসূলের কাছে যে কিতাব নাযিল হয়েছে তারা যখন তা শুনে, তুমি দেখবে তখন সত্য উপলব্ধির কারণে তাদের চোখ অশ্রুসিক্ত। তারা বলে: "আমাদের প্রভু! আমরা ঈমান আনলাম, আমাদেরকে সাক্ষীদের অন্তরভুক্ত করো।	وَاِذَا سَمِعُوۡا مَاۤ اُنۡزِلَ اِلَى الرَّسُوۡلِ تَرٰۤى اَعۡيُنَهُمۡ تَفِيۡضُ مِنَ الدَّمۡعِ مِمَّا عَرَفُوۡا مِنَ الۡحَـقِّ‌ ۚ يَقُوۡلُوۡنَ رَبَّنَاۤ اٰمَنَّا فَاكۡتُبۡنَا مَعَ الشّٰهِدِيۡنَ ۝٨٣
৮৪. আমাদের জন্যে আল্লাহ্‌র প্রতি এবং আমাদের কাছে যে মহাসত্য এসেছে তার প্রতি ঈমান না আনার কোনো কারণ নেই; যেহেতু আমাদের তীব্র আকাংখা তো হলো আমাদের প্রভু যেনো আমাদেরকে সালেহ্ লোকদের মধ্যে দাখিল করেন।"	وَمَا لَنَا لَا نُؤۡمِنُ بِاللّٰهِ وَمَا جَآءَنَا مِنَ الۡحَـقِّ ۙ وَنَطۡمَعُ اَنۡ يُّدۡخِلَنَا رَبُّنَا مَعَ الۡقَوۡمِ الصّٰلِحِيۡنَ ۝٨٤
৮৫. তাদের একথার জন্যে আল্লাহ তাদের পুরস্কার দিয়েছেন জান্নাতসমূহ, সেগুলোর নিচে দিয়ে বহমান রয়েছে নদ-নদী-নহর। চিরকাল থাকবে তারা সেখানে। কল্যাণকামীদের এটাই পুরস্কার।	فَاَثَابَهُمُ اللّٰهُ بِمَا قَالُوۡا جَنّٰتٍ تَجۡرِىۡ مِنۡ تَحۡتِهَا الۡاَنۡهٰرُ خٰلِدِيۡنَ فِيۡهَا‌ ؕ وَذٰلِكَ جَزَآءُ الۡمُحۡسِنِيۡنَ ۝٨٥
৮৬. অন্যদিকে যারা কুফুরি করে এবং অস্বীকার করে আমাদের আয়াতসমূহকে, তারা হবে জাহিমের (জাহান্নামের) অধিবাসী।	وَالَّذِيۡنَ كَفَرُوۡا وَكَذَّبُوۡا بِاٰيٰتِنَاۤ اُولٰۤـئِكَ اَصۡحٰبُ الۡجَحِيۡمِ ۝٨٦
৮৭. হে ঈমানদার লোকেরা! আল্লাহ তোমাদের জন্যে যেসব ভালো জিনিস হালাল করেছেন, তোমরা সেগুলোকে হারাম সাব্যস্ত করোনা এবং সীমালংঘন করোনা; কারণ আল্লাহ সীমালংঘনকারীদের পছন্দ করেন না।	يٰۤـاَيُّهَا الَّذِيۡنَ اٰمَنُوۡا لَا تُحَرِّمُوۡا طَيِّبٰتِ مَاۤ اَحَلَّ اللّٰهُ لَـكُمۡ وَلَا تَعۡتَدُوۡا‌ ؕ اِنَّ اللّٰهَ لَا يُحِبُّ الۡمُعۡتَدِيۡنَ ۝٨٧
৮৮. আল্লাহ তোমাদেরকে যেসব হালাল উত্তম জীবিকা দিয়েছেন সেগুলো থেকে খাও এবং সেই মহান আল্লাহকে ভয় করো, যাঁর প্রতি তোমরা মুমিন (বিশ্বাসী)।	وَكُلُوۡا مِمَّا رَزَقَكُمُ اللّٰهُ حَلٰلًا طَيِّبًا‌ ۖ وَّاتَّقُوا اللّٰهَ الَّذِىۡۤ اَنۡتُمۡ بِهٖ مُؤۡمِنُوۡنَ ۝٨٨
৮৯. তোমাদের অযথা শপথের জন্যে আল্লাহ তোমাদের পাকড়াও করবেন না। কিন্তু তোমাদের ইচ্ছাকৃত শপথের জন্যে তিনি তোমাদের পাকড়াও করবেন। এর কাফ্‌ফারা হলো দশজন মিসকিনকে আহার করানো মধ্যম ধরণের আহার, যে রকম তোমরা তোমাদের পরিবারকে খাইয়ে থাকো। অথবা তাদেরকে বস্ত্রদান করা, নতুবা একজন দাসমুক্ত করা। যে এগুলো করতে পারবেনা সে তিন দিন রোযা রাখবে। তোমরা যদি শপথ করো তবে এটাই তার কাফ্‌ফারা। তোমরা তোমাদের শপথ রক্ষা করো। এভাবেই আল্লাহ তোমাদের জন্যে ব্যাখ্যা করেন তাঁর আয়াত, যাতে করে তোমরা শোকর আদায় করো।	لَا يُؤَاخِذُكُمُ اللّٰهُ بِاللَّغۡوِ فِىۡۤ اَيۡمَانِكُمۡ وَلٰـكِنۡ يُّؤَاخِذُكُمۡ بِمَا عَقَّدْتُّمُ الۡاَيۡمَانَ‌ ۚ فَكَفَّارَتُهٗۤ اِطۡعَامُ عَشَرَةِ مَسٰكِيۡنَ مِنۡ اَوۡسَطِ مَا تُطۡعِمُوۡنَ اَهۡلِيۡكُمۡ اَوۡ كِسۡوَتُهُمۡ اَوۡ تَحۡرِيۡرُ رَقَبَةٍ‌ ؕ فَمَنۡ لَّمۡ يَجِدۡ فَصِيَامُ ثَلٰثَةِ اَيَّامٍ‌ ؕ ذٰلِكَ كَفَّارَةُ اَيۡمَانِكُمۡ اِذَا حَلَفۡتُمۡ‌ ؕ وَاحۡفَظُوۡۤا اَيۡمَانَكُمۡ‌ ؕ كَذٰلِكَ يُبَيِّنُ اللّٰهُ لَـكُمۡ اٰيٰتِهٖ لَعَلَّكُمۡ تَشۡكُرُوۡنَ ۝٨٩

রুকু ১১

৯০. হে ঈমানদার লোকেরা! জেনে রাখো, মদ, জুয়া, আস্তানা এবং ভাগ্য নির্ণয়ের শর-এগুলো সবই নোংরা শয়তানি কাজ। সুতরাং তোমরা এগুলো বর্জন করো, তবেই সফলকাম হবে।	يٰۤاَيُّهَا الَّذِيۡنَ اٰمَنُوۡۤا اِنَّمَا الۡخَمۡرُ وَ الۡمَيۡسِرُ وَ الۡاَنۡصَابُ وَ الۡاَزۡلَامُ رِجۡسٌ مِّنۡ عَمَلِ الشَّيۡطٰنِ فَاجۡتَنِبُوۡهُ لَعَلَّكُمۡ تُفۡلِحُوۡنَ ﴿۹۰﴾
৯১. শয়তান তো চায় মদ ও জুয়ার মাধ্যমে সে তোমাদের মাঝে শত্রুতা ও বিদ্বেষ ঘটাবে এবং তোমাদের বাধা দেবে আল্লাহ্‌র যিক্‌র ও সালাত থেকে। তারপরও কি তোমরা তা থেকে বিরত হবেনা?	اِنَّمَا يُرِيۡدُ الشَّيۡطٰنُ اَنۡ يُّوۡقِعَ بَيۡنَكُمُ الۡعَدَاوَةَ وَ الۡبَغۡضَآءَ فِى الۡخَمۡرِ وَ الۡمَيۡسِرِ وَ يَصُدَّكُمۡ عَنۡ ذِكۡرِ اللّٰهِ وَ عَنِ الصَّلٰوةِ ۚ فَهَلۡ اَنۡتُمۡ مُّنۡتَهُوۡنَ ﴿۹۱﴾
৯২. তোমরা আল্লাহ্‌র আনুগত্য করো এবং এই রসূলের আনুগত্য করো আর সতর্ক-সাবধান থাকো। কিন্তু তোমরা যদি মুখ ফিরিয়ে নাও তবে জেনে রাখো, আমাদের রসূলের দায়িত্ব তো কেবল পরিষ্কারভাবে বার্তা পৌঁছে দেয়া।	وَ اَطِيۡعُوا اللّٰهَ وَ اَطِيۡعُوا الرَّسُوۡلَ وَ احۡذَرُوۡا ۚ فَاِنۡ تَوَلَّيۡتُمۡ فَاعۡلَمُوۡۤا اَنَّمَا عَلٰى رَسُوۡلِنَا الۡبَلٰغُ الۡمُبِيۡنُ ﴿۹۲﴾
৯৩. যারা ঈমান আনে এবং আমলে সালেহ করে তারা পূর্বে যা-ই খেয়েছে তার গুনাহ্ ধরা হবেনা যদি তারা তাকওয়া অবলম্বন করে, ঈমানের উপর অটল থাকে এবং আমলে সালেহ করে। যদি তারা সতর্ক থাকে এবং ঈমানদার থাকে, তারপরও সতর্ক থাকে এবং কল্যাণের পথ অবলম্বন করে, আর আল্লাহ তো কল্যাণের পথ অবলম্বনকারীদেরই পছন্দ করেন।	لَيۡسَ عَلَى الَّذِيۡنَ اٰمَنُوۡا وَ عَمِلُوا الصّٰلِحٰتِ جُنَاحٌ فِيۡمَا طَعِمُوۡۤا اِذَا مَا اتَّقَوۡا وَّ اٰمَنُوۡا وَ عَمِلُوا الصّٰلِحٰتِ ثُمَّ اتَّقَوۡا وَّ اٰمَنُوۡا ثُمَّ اتَّقَوۡا وَّاَحۡسَنُوۡا ؕ وَاللّٰهُ يُحِبُّ الۡمُحۡسِنِيۡنَ ﴿۹۳﴾
৯৪. হে ঈমানদার লোকেরা! (ইহ্‌রাম অবস্থায়) তোমাদের হাত ও বর্শা যা শিকার করে সে বিষয়ে অবশ্যি আল্লাহ তোমাদের পরীক্ষা করবেন। কারণ, তিনি জানতে চান, না দেখেও কে আল্লাহকে ভয় করে চলে। এরপর থেকে যে কেউ সীমালংঘন করবে, তার জন্যে রয়েছে বেদনাদায়ক আযাব।	يٰۤاَيُّهَا الَّذِيۡنَ اٰمَنُوۡا لَيَبۡلُوَنَّكُمُ اللّٰهُ بِشَىۡءٍ مِّنَ الصَّيۡدِ تَنَالُهٗۤ اَيۡدِيۡكُمۡ وَ رِمَاحُكُمۡ لِيَعۡلَمَ اللّٰهُ مَنۡ يَّخَافُهٗ بِالۡغَيۡبِ ۚ فَمَنِ اعۡتَدٰى بَعۡدَ ذٰلِكَ فَلَهٗ عَذَابٌ اَلِيۡمٌ ﴿۹۴﴾
৯৫. হে ঈমানদার লোকেরা! ইহ্‌রাম অবস্থায় তোমরা শিকার (করে প্রাণী) হত্যা করোনা। তোমাদের কেউ যদি (এ অবস্থায়) ইচ্ছাকৃত তা হত্যা করে তবে তার বিনিময় হবে সমসংখ্যক গৃহপালিত জন্তু, যা কাবার উদ্দেশ্যে কুরবানির জন্যে পাঠাতে হবে, এ বিষয়টির ফায়সালা করে দেবে তোমাদের মধ্যকার দুইজন ন্যায়পরায়ন ব্যক্তি। অথবা এর কাফ্‌ফারা হবে মিসকিনদের খাবার দেয়া, অথবা সমসংখ্যক রোযা রাখা। (এই কাফ্‌ফারা নির্ধারণ করা হলো) যাতে করে সে তার কাজের ফল ভোগ করে। পূর্বে যা কিছু হয়েছে তা আল্লাহ মাফ করে দিয়েছেন। এরপরেও যদি কেউ অনুরূপ কাজ করে, তবে	يٰۤاَيُّهَا الَّذِيۡنَ اٰمَنُوۡا لَا تَقۡتُلُوا الصَّيۡدَ وَ اَنۡتُمۡ حُرُمٌ ؕ وَمَنۡ قَتَلَهٗ مِنۡكُمۡ مُّتَعَمِّدًا فَجَزَآءٌ مِّثۡلُ مَا قَتَلَ مِنَ النَّعَمِ يَحۡكُمُ بِهٖ ذَوَا عَدۡلٍ مِّنۡكُمۡ هَدۡيًاۢ بٰلِغَ الۡكَعۡبَةِ اَوۡ كَفَّارَةٌ طَعَامُ مَسٰكِيۡنَ اَوۡ عَدۡلُ ذٰلِكَ صِيَامًا لِّيَذُوۡقَ وَبَالَ اَمۡرِهٖ ؕ عَفَا اللّٰهُ عَمَّا سَلَفَ ؕ وَمَنۡ عَادَ فَيَنۡتَقِمُ اللّٰهُ مِنۡهُ ؕ وَ

রুকু ১২

আল্লাহ তাকে দন্ড প্রদান করবেন। আল্লাহ মহাপরাক্রমশালী, কঠোর শাস্তিদাতা।	اللّٰهُ عَزِيْزٌ ذُو انْتِقَامٍ ۝٩٥
৯৬. তোমাদের জন্যে সমুদ্রের শিকার এবং সেই শিকার খাওয়া হালাল করে দেয়া হলো- তোমাদের ও পর্যটকদের ভোগ্যসামগ্রী হিসেবে। আর তোমাদের জন্যে স্থলভাগের শিকার হারাম করে দেয়া হলো যতোদিন যতো সময় তোমরা ইহ্‌রাম অবস্থায় থাকবে। আল্লাহকে ভয় করো, তিনি তোমাদের সমবেত করবেন তাঁর কাছে।	اُحِلَّ لَكُمْ صَيْدُ الْبَحْرِ وَ طَعَامُهٗ مَتَاعًا لَّكُمْ وَ لِلسَّيَّارَةِ ۚ وَ حُرِّمَ عَلَيْكُمْ صَيْدُ الْبَرِّ مَا دُمْتُمْ حُرُمًا ؕ وَ اتَّقُوا اللّٰهَ الَّذِيْٓ اِلَيْهِ تُحْشَرُوْنَ ۝٩٦
৯৭. আল্লাহ তায়ালা মর্যাদাপূর্ণ কাবা ঘরকে, হারাম মাসকে, কুরবানির পশুকে এবং কুরবানি করার উদ্দেশ্যে মালা পরানো পশুকে মানুষের জন্যে কল্যাণকর নির্ধারণ করেছেন। এর কারণ হলো, যাতে করে তোমরা জানতে পারো মহাকাশ এবং পৃথিবীতে যা কিছু আছে আল্লাহ সবই জানেন এবং আল্লাহ সব বিষয়ে সর্বজ্ঞানী।	جَعَلَ اللّٰهُ الْكَعْبَةَ الْبَيْتَ الْحَرَامَ قِيٰمًا لِّلنَّاسِ وَالشَّهْرَ الْحَرَامَ وَالْهَدْيَ وَالْقَلَآئِدَ ؕ ذٰلِكَ لِتَعْلَمُوْٓا اَنَّ اللّٰهَ يَعْلَمُ مَا فِي السَّمٰوٰتِ وَ مَا فِي الْاَرْضِ وَ اَنَّ اللّٰهَ بِكُلِّ شَيْءٍ عَلِيْمٌ ۝٩٧
৯৮. জেনে রাখো, আল্লাহ কঠিন শাস্তিদাতা এবং তিনি পরম ক্ষমাশীল পরম দয়াময়।	اِعْلَمُوْٓا اَنَّ اللّٰهَ شَدِيْدُ الْعِقَابِ وَ اَنَّ اللّٰهَ غَفُوْرٌ رَّحِيْمٌ ؕ ۝٩٨
৯৯. আল্লাহ্‌র রসূলের উপর বার্তা পৌঁছে দেয়া ছাড়া আর কোনো দায়িত্ব নেই। তোমরা যা প্রকাশ করো আর যা গোপন করো, আল্লাহ সবই জানেন।	مَا عَلَى الرَّسُوْلِ اِلَّا الْبَلٰغُ ؕ وَ اللّٰهُ يَعْلَمُ مَا تُبْدُوْنَ وَ مَا تَكْتُمُوْنَ ۝٩٩
১০০. হে নবী! তাদের বলো: মন্দ আর ভালো এক নয়, যদিও মন্দের আধিক্য তোমাকে তাজ্জব করে। অতএব, আল্লাহকে ভয় করো হে বুঝ বুদ্ধি সম্পন্ন লোকেরা, অবশ্যি তোমরা সফলকাম হবে।	قُلْ لَّا يَسْتَوِي الْخَبِيْثُ وَ الطَّيِّبُ وَ لَوْ اَعْجَبَكَ كَثْرَةُ الْخَبِيْثِ ۚ فَاتَّقُوا اللّٰهَ يٰٓاُولِي الْاَلْبَابِ لَعَلَّكُمْ تُفْلِحُوْنَ ۝١٠٠
১০১. হে ঈমানদার লোকেরা! তোমরা এমন সব বিষয়ে প্রশ্ন করোনা, যেগুলো তোমাদের কাছে প্রকাশ হলে সেগুলো তোমাদের কষ্ট দেবে। কুরআন নাযিল হবার সময়কালেই যদি তোমরা ঐসব প্রশ্ন করো, তবে সেগুলো তোমাদের কাছে প্রকাশ করে দেয়া হবে। আল্লাহ সেগুলো ক্ষমা করে দিয়েছেন। আর আল্লাহ তো পরম ক্ষমাশীল পরম সহনশীল।	يٰٓاَيُّهَا الَّذِيْنَ اٰمَنُوْا لَا تَسْـَٔلُوْا عَنْ اَشْيَآءَ اِنْ تُبْدَ لَكُمْ تَسُؤْكُمْ ۚ وَ اِنْ تَسْـَٔلُوْا عَنْهَا حِيْنَ يُنَزَّلُ الْقُرْاٰنُ تُبْدَ لَكُمْ ؕ عَفَا اللّٰهُ عَنْهَا ؕ وَ اللّٰهُ غَفُوْرٌ حَلِيْمٌ ۝١٠١
১০২. তোমাদের আগে একটি কওম সেগুলো সম্পর্কে প্রশ্ন করেছিল, পরে তারা হয়ে যায় সেগুলো অস্বীকারকারী।	قَدْ سَاَلَهَا قَوْمٌ مِّنْ قَبْلِكُمْ ثُمَّ اَصْبَحُوْا بِهَا كٰفِرِيْنَ ۝١٠٢
১০৩. বাহিরা, সায়িবা, অসিলা এবং হাম আল্লাহ্‌র নির্ধারিত নয়। তবে যারা কুফুরি করে তারা আল্লাহ্‌র প্রতি মিথ্যারোপ করে। তাদের অধিকাংশই বে-আক্কেল।	مَا جَعَلَ اللّٰهُ مِنْۢ بَحِيْرَةٍ وَّ لَا سَآئِبَةٍ وَّ لَا وَصِيْلَةٍ وَّ لَا حَامٍ ۙ وَّ لٰكِنَّ الَّذِيْنَ كَفَرُوْا يَفْتَرُوْنَ عَلَى اللّٰهِ الْكَذِبَ ؕ وَ اَكْثَرُهُمْ لَا يَعْقِلُوْنَ ۝١٠٣

রুকু ১৩

১০৪. তাদের যখন বলা হয়: 'এসো আল্লাহ্‌র নাযিল করা কিতাবের দিকে এবং রসূলের দিকে (ফায়সালা গ্রহণ করার জন্যে)', তখন তারা বলে: 'আমরা আমাদের বাপ-দাদাদের যেসব নিয়ম-আচারের উপর পেয়েছি সেগুলোই আমাদের জন্যে যথেষ্ট।' তাদের বাপ-দাদারা যদিও কিছুই জানতোনা এবং হিদায়াত প্রাপ্তও ছিলনা, তারপরও কি তারা তাদেরই অনুসরণ করবে?	وَ اِذَا قِيْلَ لَهُمْ تَعَالَوْا اِلٰى مَآ اَنْزَلَ اللّٰهُ وَ اِلَى الرَّسُوْلِ قَالُوْا حَسْبُنَا مَا وَجَدْنَا عَلَيْهِ اٰبَآءَنَا ؕ اَوَ لَوْ كَانَ اٰبَآؤُهُمْ لَا يَعْلَمُوْنَ شَيْـًٔا وَّ لَا يَهْتَدُوْنَ ﴿۱۰۴﴾
১০৫. হে ঈমানদার লোকেরা! তোমাদের দায় দায়িত্ব তোমাদেরই উপর। যারা বিপথগামী হয়েছে তারা তোমাদের কোনোই ক্ষতি করতে পারবেনা যদি তোমরা হিদায়াতের (সঠিক পথের) উপর অটল থাকো। আল্লাহ্‌র কাছে তোমাদের সবারই ফিরে আসতে হবে। তারপর তিনি তোমাদের সংবাদ দেবেন তোমাদের আমল সম্পর্কে।	يٰۤاَيُّهَا الَّذِيْنَ اٰمَنُوْا عَلَيْكُمْ اَنْفُسَكُمْ ۚ لَا يَضُرُّكُمْ مَّنْ ضَلَّ اِذَا اهْتَدَيْتُمْ ؕ اِلَى اللّٰهِ مَرْجِعُكُمْ جَمِيْعًا فَيُنَبِّئُكُمْ بِمَا كُنْتُمْ تَعْمَلُوْنَ ﴿۱۰۵﴾
১০৬. হে ঈমানদার লোকেরা! তোমাদের কারো যখন মউতের সময় হাজির হয়, তখন অসিয়ত করার সময় দুইজন সুবিচারক লোককে সাক্ষী রাখবে। আর তোমরা যদি সফরে থাকা অবস্থায় মউতের মসিবতে পড়ো, তাহলে অন্য লোকদের মধ্য থেকে দুইজন সাক্ষী রাখো। তোমাদের সন্দেহ হলে সালাতের পর তাদেরকে অপেক্ষমান রাখবে, তারপর তারা আল্লাহ্‌র নামে শপথ করে বলবে: 'আমরা এর বিনিময়ে কোনো মূল্য গ্রহণ করবোনা যদি সে নিকটাত্মীয়ও হয় এবং আল্লাহ্‌র সাক্ষ্য গোপন রাখবোনা, রাখলে অবশ্যি আমরা পাপীদের মধ্যে গণ্য হবো।'	يٰۤاَيُّهَا الَّذِيْنَ اٰمَنُوْا شَهَادَةُ بَيْنِكُمْ اِذَا حَضَرَ اَحَدَكُمُ الْمَوْتُ حِيْنَ الْوَصِيَّةِ اثْنٰنِ ذَوَا عَدْلٍ مِّنْكُمْ اَوْ اٰخَرٰنِ مِنْ غَيْرِكُمْ اِنْ اَنْتُمْ ضَرَبْتُمْ فِى الْاَرْضِ فَاَصَابَتْكُمْ مُّصِيْبَةُ الْمَوْتِ ؕ تَحْبِسُوْنَهُمَا مِنْۢ بَعْدِ الصَّلٰوةِ فَيُقْسِمٰنِ بِاللّٰهِ اِنِ ارْتَبْتُمْ لَا نَشْتَرِىْ بِهٖ ثَمَنًا وَّ لَوْ كَانَ ذَا قُرْبٰى ۙ وَ لَا نَكْتُمُ شَهَادَةَ ۙ اللّٰهِ اِنَّاۤ اِذًا لَّمِنَ الْاٰثِمِيْنَ ﴿۱۰۶﴾
১০৭. তারা দুজন অপরাধে লিপ্ত হয়েছে বলে যদি প্রকাশ পায়, তবে যাদের স্বার্থহানি ঘটে তাদের মধ্য থেকে নিকটতম দু'জন ওদের স্থলাভিষিক্ত হবে এবং তারা আল্লাহ্‌র নামে শপথ করে বলবে: 'আমাদের সাক্ষ্য অবশ্যি তাদের দু'জনের সাক্ষ্য থেকে অধিকতর হক এবং আমরা সীমালংঘন করিনি। সীমালংঘন করলে অবশ্যি আমরা যালিম বলে গণ্য হবো।'	فَاِنْ عُثِرَ عَلٰۤى اَنَّهُمَا اسْتَحَقَّاۤ اِثْمًا فَاٰخَرٰنِ يَقُوْمٰنِ مَقَامَهُمَا مِنَ الَّذِيْنَ اسْتَحَقَّ عَلَيْهِمُ الْاَوْلَيٰنِ فَيُقْسِمٰنِ بِاللّٰهِ لَشَهَادَتُنَاۤ اَحَقُّ مِنْ شَهَادَتِهِمَا وَ مَا اعْتَدَيْنَاۤ ۖ اِنَّاۤ اِذًا لَّمِنَ الظّٰلِمِيْنَ ﴿۱۰۷﴾
১০৮. এ পদ্ধতিতেই সঠিক সাক্ষ্যদানের, অথবা শপথের পর তোমাদেরকে পুনরায় শপথ করানো হবে- এ ভয় থেকে বাঁচার অধিকতর সম্ভাবনা রয়েছে। আল্লাহকে ভয় করো এবং (আল্লাহ্‌র বাণী) শুনো। আল্লাহ ফাসিকদের সঠিক পথে পরিচালিত করেন না।	ذٰلِكَ اَدْنٰۤى اَنْ يَّاْتُوْا بِالشَّهَادَةِ عَلٰى وَجْهِهَاۤ اَوْ يَخَافُوْۤا اَنْ تُرَدَّ اَيْمَانٌۢ بَعْدَ اَيْمَانِهِمْ ؕ وَ اتَّقُوا اللّٰهَ وَ اسْمَعُوْا ؕ وَ اللّٰهُ لَا يَهْدِى الْقَوْمَ الْفٰسِقِيْنَ ﴿۱۰۸﴾

রুকু ১৪

১০৯. মনে রেখো, আল্লাহ যেদিন সব রসূলকে একত্র করবেন এবং তাদের জিজ্ঞেস করবেন: '(তোমরা আমার বাণী ও বিধান পৌঁছানোর পর) কী জবাব পেয়েছিলে?' তারা বলবে: 'এ বিষয়ে আমাদের কোনো এলেম নেই। সমস্ত গায়েব-এর ব্যাপারে কেবল তুমিই মহাজ্ঞানী।'	يَوْمَ يَجْمَعُ اللّٰهُ الرُّسُلَ فَيَقُوْلُ مَا ذَاۤ اُجِبْتُمْ ؕ قَالُوْا لَا عِلْمَ لَنَا ؕ اِنَّكَ اَنْتَ عَلَّامُ الْغُيُوْبِ ﴿۱۰۹﴾
১১০. স্মরণ করো, যখন আল্লাহ বলবেন: হে ঈসা ইবনে মরিয়ম! তোমার প্রতি এবং তোমার মায়ের প্রতি আমার নিয়ামতের কথা মনে করো: যখন আমি তোমাকে সহযোগিতা করেছিলাম রুহুল কুদুসকে (জিবরিলকে) দিয়ে, দোলনায় থাকা অবস্থায় এবং পরিণত বয়েসে তুমি কথা বলেছো, এবং আমি তোমাকে শিক্ষা দিয়েছিলাম আল কিতাব, আল হিক্‌মাহ্, তাওরাত ও ইন্‌জিল। তুমি আমার অনুমতিক্রমে কাদামাটি দিয়ে পাখির মতো আকৃতি তৈরি করতে এবং তাতে ফুঁ দিতে আর সাথে সাথে তা পাখি হয়ে যেতো। আমার অনুমতিক্রমে তুমি কুষ্ঠরোগী ও জন্মান্ধকে নিরাময় করতে, আর আমার অনুমতিক্রমে তুমি মৃতকে জীবিত করতে। আরো স্মরণ করো, আমিই তো বনি ইসরাঈলকে তোমার থেকে নিবৃত রেখেছিলাম যখন তুমি তাদের কাছে স্পষ্ট নিদর্শন নিয়ে এসেছিলে, তখন তাদের মধ্যে যারা কুফুরিতে লিপ্ত ছিলো তারা বলেছিল: 'এ তো এক স্পষ্ট ম্যাজিক ছাড়া কিছু নয়।'	اِذْ قَالَ اللّٰهُ يٰعِيْسَى ابْنَ مَرْيَمَ اذْكُرْ نِعْمَتِيْ عَلَيْكَ وَ عَلٰى وَالِدَتِكَ ۘ اِذْ اَيَّدْتُّكَ بِرُوْحِ الْقُدُسِ ۟ تُكَلِّمُ النَّاسَ فِي الْمَهْدِ وَ كَهْلًا ۚ وَ اِذْ عَلَّمْتُكَ الْكِتٰبَ وَ الْحِكْمَةَ وَ التَّوْرٰىةَ وَ الْاِنْجِيْلَ ۚ وَ اِذْ تَخْلُقُ مِنَ الطِّيْنِ كَهَيْـَٔةِ الطَّيْرِ بِاِذْنِيْ فَتَنْفُخُ فِيْهَا فَتَكُوْنُ طَيْرًۢا بِاِذْنِيْ وَ تُبْرِئُ الْاَكْمَهَ وَ الْاَبْرَصَ بِاِذْنِيْ ۚ وَ اِذْ تُخْرِجُ الْمَوْتٰى بِاِذْنِيْ ۚ وَ اِذْ كَفَفْتُ بَنِيْۤ اِسْرَآءِيْلَ عَنْكَ اِذْ جِئْتَهُمْ بِالْبَيِّنٰتِ فَقَالَ الَّذِيْنَ كَفَرُوْا مِنْهُمْ اِنْ هٰذَاۤ اِلَّا سِحْرٌ مُّبِيْنٌ ﴿۱۱۰﴾
১১১. আরো স্মরণ করো, যখন আমি হাওয়ারীদের অহি (আদেশ) করেছিলাম: 'তোমরা আমার প্রতি এবং আমার রসূলের প্রতি ঈমান আনো,' তখন তারা বলেছিল: 'আমরা ঈমান আনলাম এবং তুমি সাক্ষী থাকো আমরা মুসলিম (অনুগত, আত্মসমর্পিত)।'	وَ اِذْ اَوْحَيْتُ اِلَى الْحَوَارِيّٖنَ اَنْ اٰمِنُوْا بِيْ وَ بِرَسُوْلِيْ ۚ قَالُوْۤا اٰمَنَّا وَ اشْهَدْ بِاَنَّنَا مُسْلِمُوْنَ ﴿۱۱۱﴾
১১২. স্মরণ করো যখন হাওয়ারীরা বলেছিল: 'হে ঈসা ইবনে মরিয়ম! তোমার প্রভু কি আমাদের জন্যে আসমান থেকে খাবারে পূর্ণ একটি মায়েদা (খাঞ্চা) পাঠাতে পারবেন'? তখন সে বলেছিল: 'তোমরা মুমিন হয়ে থাকলে আল্লাহকে ভয় করো।'	اِذْ قَالَ الْحَوَارِيُّوْنَ يٰعِيْسَى ابْنَ مَرْيَمَ هَلْ يَسْتَطِيْعُ رَبُّكَ اَنْ يُّنَزِّلَ عَلَيْنَا مَآئِدَةً مِّنَ السَّمَآءِ ؕ قَالَ اتَّقُوا اللّٰهَ اِنْ كُنْتُمْ مُّؤْمِنِيْنَ ﴿۱۱۲﴾
১১৩. তারা বললো: 'আমাদের বাসনা, আমরা সেই মায়েদা (খাঞ্চা) থেকে খাবো এবং তাতে আমাদের হৃদয় প্রশান্তি লাভ করবে আর আমরা জানতে পারবো, আপনি আমাদের সত্য বলেছেন এবং আমরা এর সাক্ষী হয়ে থাকবো।'	قَالُوْا نُرِيْدُ اَنْ نَّاْكُلَ مِنْهَا وَ تَطْمَئِنَّ قُلُوْبُنَا وَ نَعْلَمَ اَنْ قَدْ صَدَقْتَنَا وَ نَكُوْنَ عَلَيْهَا مِنَ الشّٰهِدِيْنَ ﴿۱۱۳﴾

১১৪. তখন ঈসা ইবনে মরিয়ম বললো: 'হে আল্লাহ আমাদের প্রভু! তুমি আসমান থেকে আমাদের জন্যে একটি খাবারে পূর্ণ মায়েদা (খাঞ্চা) নাযিল করো। এটা আমাদের জন্যে এবং আমাদের পূর্ব ও পরবর্তী লোকদের জন্যে হবে আনন্দের কারণ এবং তোমার পক্ষ থেকে হবে একটি নিদর্শন। আর আমাদের রিযিক দান করো, কারণ তুমিই তো সর্বোত্তম রিযিক দাতা।'	قَالَ عِيسَى ابْنُ مَرْيَمَ اللّٰهُمَّ رَبَّنَآ اَنْزِلْ عَلَيْنَا مَآئِدَةً مِّنَ السَّمَآءِ تَكُوْنُ لَنَا عِيْدًا لِّاَوَّلِنَا وَاٰخِرِنَا وَاٰيَةً مِّنْكَ ۚ وَارْزُقْنَا وَاَنْتَ خَيْرُ الرّٰزِقِيْنَ ﴿١١٤﴾
১১৫. তখন আল্লাহ বললেন: 'আমি অবশ্যি তোমাদের জন্যে তা নাযিল করবো বটে, কিন্তু এরপর যদি তোমাদের কেউ কুফুরিতে নিমজ্জিত হয়, আমি তাকে আযাব দেবো এমন আযাব যা জগদ্বাসীর আর কাউকেও দিইনি।'	قَالَ اللّٰهُ اِنِّيْ مُنَزِّلُهَا عَلَيْكُمْ ۚ فَمَنْ يَّكْفُرْ بَعْدُ مِنْكُمْ فَاِنِّيْٓ اُعَذِّبُهٗ عَذَابًا لَّآ اُعَذِّبُهٗٓ اَحَدًا مِّنَ الْعٰلَمِيْنَ ﴿١١٥﴾
১১৬. যখন আল্লাহ বলবেন: 'হে ঈসা ইবনে মরিয়ম! তুমি কি মানুষকে বলেছিলে: তোমরা আল্লাহ ছাড়াও আমাকে এবং আমার মাকে দু'জন ইলাহ্ (উপাস্য) হিসেবে গ্রহণ করো?' সে বলবে: "তুমি মহামহিম, যা বলার অধিকার আমার নেই আমি তা বলতে পারিনা। আমি যদি তা বলতাম তবে অবশ্যি তুমি তা জানতে। আমার অন্তরে যা আছে তুমি তা জানো, কিন্তু তোমার অন্তরে যা আছে তা আমি জানিনা। নিশ্চয়ই তুমি গায়েব সম্পর্কে মহাজ্ঞানী।	وَاِذْ قَالَ اللّٰهُ يٰعِيْسَى ابْنَ مَرْيَمَ ءَاَنْتَ قُلْتَ لِلنَّاسِ اتَّخِذُوْنِيْ وَاُمِّيَ اِلٰهَيْنِ مِنْ دُوْنِ اللّٰهِ ۗ قَالَ سُبْحٰنَكَ مَا يَكُوْنُ لِيْٓ اَنْ اَقُوْلَ مَا لَيْسَ لِيْ ۗ بِحَقٍّ ۗ اِنْ كُنْتُ قُلْتُهٗ فَقَدْ عَلِمْتَهٗ ۗ تَعْلَمُ مَا فِيْ نَفْسِيْ وَلَآ اَعْلَمُ مَا فِيْ نَفْسِكَ ۗ اِنَّكَ اَنْتَ عَلَّامُ الْغُيُوْبِ ﴿١١٦﴾
১১৭. তুমি আমাকে যা আদেশ করেছো তা ছাড়া আমি তাদের আর কিছুই বলিনি এবং তাহলো: তোমরা এক আল্লাহ্‌র ইবাদত করো যিনি আমার প্রভু এবং তোমাদেরও প্রভু। যতোদিন আমি তাদের মাঝে ছিলাম ততোদিন আমি তাদের কার্যকলাপের সাক্ষী ছিলাম। আর যখন তুমি আমাকে উঠিয়ে নিয়েছো তখন তো তুমিই ছিলে তাদের কার্যকলাপের তত্ত্বাবধায়ক আর তুমিই সব বিষয়ের সাক্ষী।	مَا قُلْتُ لَهُمْ اِلَّا مَآ اَمَرْتَنِيْ بِهٖٓ اَنِ اعْبُدُوا اللّٰهَ رَبِّيْ وَرَبَّكُمْ ۚ وَكُنْتُ عَلَيْهِمْ شَهِيْدًا مَّا دُمْتُ فِيْهِمْ ۚ فَلَمَّا تَوَفَّيْتَنِيْ كُنْتَ اَنْتَ الرَّقِيْبَ عَلَيْهِمْ ۗ وَاَنْتَ عَلٰى كُلِّ شَيْءٍ شَهِيْدٌ ﴿١١٧﴾
১১৮. তুমি যদি তাদের শাস্তি দাও তবে তারা তো তোমারই দাস, আর তুমি যদি তাদের ক্ষমা করে দাও, তবে নিশ্চয়ই তুমি মহাশক্তিমান প্রজ্ঞাবান।"	اِنْ تُعَذِّبْهُمْ فَاِنَّهُمْ عِبَادُكَ ۚ وَاِنْ تَغْفِرْ لَهُمْ فَاِنَّكَ اَنْتَ الْعَزِيْزُ الْحَكِيْمُ ﴿١١٨﴾
১১৯. আল্লাহ বলবেন: আজ হলো সেইদিন যেদিন কেবল সত্যপন্থীরাই তাদের সত্যপন্থার জন্যে উপকৃত হবে। তাদের জন্যে রয়েছে জান্নাতসমূহ, যেগুলোর নিচে দিয়ে জারি থাকবে নদ-নদী-নহর। সেখানে থাকবে তারা চিরকাল চিরদিন। আল্লাহ তাদের প্রতি সন্তুষ্ট আর তারাও আল্লাহ্‌র প্রতি সন্তুষ্ট, আর এটাই মহাসাফল্য।	قَالَ اللّٰهُ هٰذَا يَوْمُ يَنْفَعُ الصّٰدِقِيْنَ صِدْقُهُمْ ۗ لَهُمْ جَنّٰتٌ تَجْرِيْ مِنْ تَحْتِهَا الْاَنْهٰرُ خٰلِدِيْنَ فِيْهَآ اَبَدًا ۗ رَضِيَ اللّٰهُ عَنْهُمْ وَرَضُوْا عَنْهُ ۗ ذٰلِكَ الْفَوْزُ الْعَظِيْمُ ﴿١١٩﴾

রুকু ১৫

১২০. মহাকাশ, পৃথিবী এবং এগুলোতে যা কিছু আছে সব কিছুর কর্তৃত্ব আল্লাহ্‌র এবং তিনি সর্ব বিষয়ে সর্বশক্তিমান।	لِلّٰهِ مُلْكُ السَّمٰوٰتِ وَ الْاَرْضِ وَ مَا فِيهِنَّ ۚ وَ هُوَ عَلٰى كُلِّ شَیْءٍ قَدِيْرٌ ﴿١٢٠﴾	রুকু ১৬

সূরা ৬ আল আন'আম

মক্কায় অবতীর্ণ, আয়াত সংখ্যা ১৬৫, রুকু সংখ্যা: ২০

এই সূরার আলোচ্যসূচি (আয়াত ভিত্তিক আলোচ্য বিষয়)

০১-৭৩: তাওহীদ, রিসালাত, কুরআন ও আখিরাতের সত্যতার পক্ষে যুক্তি ও প্রমাণ।
৭৪-৯০: ইবরাহিম কিভাবে শিরক থেকে মুক্ত হলেন এবং সত্যে উপনীত হলেন। নবীগণের পথই সিরাতুল মুস্‌তাকিম।
৯১-৯৪: আল্লাহ্‌র কিতাবের প্রতি অবিশ্বাসী ও সন্দেহপোষণকারীদের জন্যে সতর্কবার্তা।
৯৫-১১৭: তাওহীদের যুক্তি, মানুষের প্রতি আল্লাহ্‌র অনুগ্রহরাজি। অহির অনুসরণ করার নির্দেশ। কাফিরদের অন্ধতা ও হঠকারিতা।
১১৮-১২১: খাদ্য সম্পর্কে কতিপয় বিধান।
১২২-১২৯: আল্লাহ্ কাদেরকে সঠিক পথ দেখান?
১৩০-১৫০: জিন ও ইনসানের প্রতি তাওহীদের যুক্তি। প্রচলিত শিরকসমূহের খণ্ডণ। মনগড়া হালাল হারামের বাতুলতা।
১৫১-১৫৩: হারাম বিষয়সমূহের বিবরণ।
১৫৪-১৫৯: আল্লাহ্‌র কিতাব অনুসরণ করার আহ্বান। প্রতিবন্ধকতা সৃষ্টিকারীদের অশুভ পরিণতি।
১৬০-১৬৫: ভালো কাজের সুফল, সিরাতুল মুস্‌তাকিমের পরিচয়।

সূরা আল আন'আম (গবাদি পশু) পরম করুণাময় পরম দয়াবান আল্লাহ্‌র নামে	سُوْرَةُ الْاَنْعَامِ بِسْمِ اللّٰهِ الرَّحْمٰنِ الرَّحِيْمِ
০১. সব প্রশংসা আল্লাহ্‌র যিনি সৃষ্টি করেছেন মহাকাশ এবং এই পৃথিবী, যিনি তৈরি করেছেন অন্ধকাররাশি আর আলো। এরপরও কাফিররা তাদের রবের সাথে (তাঁর সৃষ্টিকে) তুলনা করে।	اَلْحَمْدُ لِلّٰهِ الَّذِیْ خَلَقَ السَّمٰوٰتِ وَالْاَرْضَ وَجَعَلَ الظُّلُمٰتِ وَالنُّوْرَ ۬ ثُمَّ الَّذِيْنَ كَفَرُوْا بِرَبِّهِمْ يَعْدِلُوْنَ ﴿١﴾
০২. তিনি সেই মহান সত্তা, যিনি তোমাদের সৃষ্টি করেছেন মাটি থেকে, তারপর নির্ধারণ করে দিয়েছেন একটি মেয়াদকাল, আর ঠিক করেছেন একটি নির্দিষ্ট সময় (কিয়ামত) যা কেবল তিনিই জানেন। তারপরও তোমরা সন্দেহ করছো।	هُوَ الَّذِیْ خَلَقَكُمْ مِّنْ طِيْنٍ ثُمَّ قَضٰۤى اَجَلًا ؕ وَاَجَلٌ مُّسَمًّى عِنْدَهٗ ثُمَّ اَنْتُمْ تَمْتَرُوْنَ ﴿٢﴾
০৩. মহাকাশে এবং পৃথিবীতে তিনিই আল্লাহ। তিনি তোমাদের গোপন ও প্রকাশ্য সবই জানেন। তোমরা যা কামাই করছো তাও তিনি জানেন।	وَهُوَ اللّٰهُ فِی السَّمٰوٰتِ وَفِی الْاَرْضِ ؕ يَعْلَمُ سِرَّكُمْ وَجَهْرَكُمْ وَيَعْلَمُ مَا تَكْسِبُوْنَ ﴿٣﴾
০৪. তাদের প্রভুর আয়াতসমূহের এমন কোনো আয়াত তাদের কাছে আসেনি, যা থেকে তারা মুখ ফিরিয়ে নেয়নি।	وَمَا تَاْتِيْهِمْ مِّنْ اٰيَةٍ مِّنْ اٰيٰتِ رَبِّهِمْ اِلَّا كَانُوْا عَنْهَا مُعْرِضِيْنَ ﴿٤﴾
০৫. তাদের কাছে মহাসত্য আসার পর তারা তা মিথ্যা বলে প্রত্যাখ্যান করেছে। তারা যা নিয়ে	فَقَدْ كَذَّبُوْا بِالْحَقِّ لَمَّا جَآءَهُمْ ؕ فَسَوْفَ

বিদ্রুপ করেছে, অচিরেই তার আসল সংবাদ তাদের কাছে এসে যাবে।	يَأْتِيهِمْ أَنْبَٰٓؤُا مَا كَانُوا بِهِۦ يَسْتَهْزِءُونَ ⑤
০৬. তারা কি দেখেনা, আমরা তাদের আগে কতো জনপদকে হালাক করে দিয়েছি। জমিনে তাদের এমন প্রতিষ্ঠা দিয়েছিলাম, যে রকম প্রতিষ্ঠা তোমাদেরকেও দেইনি। তাদের প্রতি আমরা মুষলধারে বৃষ্টিপাত করেছিলাম, তাদের জমিনে নদ নদী প্রবাহিত করে দিয়েছিলাম। তারপর তাদের পাপের কারণে আমরা তাদের হালাক করে দিয়েছি এবং তাদের পরে সৃষ্টি করেছি অপর একটি প্রজন্ম।	أَلَمْ يَرَوْا كَمْ أَهْلَكْنَا مِنْ قَبْلِهِمْ مِّنْ قَرْنٍ مَّكَّنَّٰهُمْ فِى الْأَرْضِ مَا لَمْ نُمَكِّنْ لَّكُمْ وَ أَرْسَلْنَا السَّمَآءَ عَلَيْهِمْ مِّدْرَارًا وَّ جَعَلْنَا الْأَنْهَٰرَ تَجْرِىْ مِنْ تَحْتِهِمْ فَأَهْلَكْنَٰهُمْ بِذُنُوبِهِمْ وَ أَنْشَأْنَا مِنْ بَعْدِهِمْ قَرْنًا اٰخَرِينَ ⑥
০৭. আমরা যদি তোমার কাছে কাগজে লেখা একটি কিতাব পাঠিয়ে দিতাম, আর তারা যদি তা নিজেদের হাতেও স্পর্শ করতো, তবু কাফিররা বলতো, এ তো এক সুস্পষ্ট ম্যাজিক ছাড়া আর কিছুই নয়।'	وَ لَوْ نَزَّلْنَا عَلَيْكَ كِتَٰبًا فِىْ قِرْطَاسٍ فَلَمَسُوهُ بِأَيْدِيهِمْ لَقَالَ الَّذِينَ كَفَرُوا إِنْ هَٰذَا إِلَّا سِحْرٌ مُّبِينٌ ⑦
০৮. তারা বলে: 'তার কাছে কোনো ফেরেশতা পাঠানো হলোনা কেন?' -আমরা যদি ফেরেশতা পাঠাতাম তবে তো চূড়ান্ত ফায়সালাই হয়ে যেতো, তারপর তাদেরকে আর কোনো অবকাশই দেয়া হতোনা।	وَ قَالُوا لَوْلَآ أُنْزِلَ عَلَيْهِ مَلَكٌ ؕ وَ لَوْ أَنْزَلْنَا مَلَكًا لَّقُضِىَ الْأَمْرُ ثُمَّ لَا يُنْظَرُونَ ⑧
০৯. তাকে যদি আমরা ফেরেশ্‌তাও বানাতাম, তারপরও তো তাকে একজন মানুষের আকৃতিতেই পাঠাতাম। তখনো তো তাদের সেরকম বিভ্রান্তিতেই ফেলতাম, যেরকম বিভ্রান্তিতে এখন তারা আছে।	وَ لَوْ جَعَلْنَٰهُ مَلَكًا لَّجَعَلْنَٰهُ رَجُلًا وَّ لَلَبَسْنَا عَلَيْهِمْ مَّا يَلْبِسُونَ ⑨
১০. তোমার আগেও বহু রসূলকেই বিদ্রুপ করা হয়েছে। তারা যা নিয়ে বিদ্রুপ করছিল, অবশেষে তা-ই বিদ্রুপকারীদের পরিবেষ্টন করে নেয়।	وَ لَقَدِ اسْتُهْزِئَ بِرُسُلٍ مِّنْ قَبْلِكَ فَحَاقَ بِالَّذِينَ سَخِرُوا مِنْهُمْ مَّا كَانُوا بِهِۦ يَسْتَهْزِءُونَ ⑩
১১. হে নবী! বলো: 'পৃথিবীতে ভ্রমণ করে দেখো, (রসূলদের প্রত্যাখ্যানকারীদের) কী পরিণতি হয়েছিল?'	قُلْ سِيرُوا فِى الْأَرْضِ ثُمَّ انْظُرُوا كَيْفَ كَانَ عَٰقِبَةُ الْمُكَذِّبِينَ ⑪
১২. তাদের জিজ্ঞেস করো: 'মহাকাশ আর এই পৃথিবীতে যা কিছু আছে সেগুলো কার?' বলো: 'আল্লাহ্‌র।' রহম (দয়া) করা তিনি তাঁর দায়িত্ব হিসেবে লিখে নিয়েছেন। অবশ্য অবশ্যি তিনি তোমাদের জমা করবেন কিয়ামতের দিন, এতে কোনোই সন্দেহ্‌ নেই। যারা নিজেরাই নিজেদের ক্ষতিগ্রস্ত করেছে, তারা আর ঈমান আনবেনা।	قُلْ لِّمَنْ مَّا فِى السَّمَٰوَٰتِ وَ الْأَرْضِ ؕ قُلْ لِّلّٰهِ ؕ كَتَبَ عَلَىٰ نَفْسِهِ الرَّحْمَةَ ؕ لَيَجْمَعَنَّكُمْ إِلَىٰ يَوْمِ الْقِيَٰمَةِ لَا رَيْبَ فِيهِ ؕ الَّذِينَ خَسِرُوا أَنْفُسَهُمْ فَهُمْ لَا يُؤْمِنُونَ ⑫
১৩. রাতে এবং দিনে যা কিছু বিরাজ করে সবই তাঁর। তিনি সর্বশ্রোতা, সর্বজ্ঞানী।	وَ لَهُۥ مَا سَكَنَ فِى الَّيْلِ وَ النَّهَارِ ؕ وَ هُوَ السَّمِيعُ الْعَلِيمُ ⑬

রুকু ০১

১৪. হে নবী! বলো: 'আমি কি মহাকাশ ও পৃথিবীর স্রষ্টা আল্লাহ্‌কে ছাড়া অন্য কাউকেও অলি হিসেবে গ্রহণ করবো? অথচ তিনিই আহার যোগান, কিন্তু তাকে তো কেউ আহার দেয়না।' হে নবী! বলো: 'আমাকে নির্দেশ দেয়া হয়েছে, আত্মসমর্পণকারীদের মধ্যে আমিই যেনো প্রথম ব্যক্তি হই।' আমাকে আরো নির্দেশ দেয়া হয়েছে: 'তুমি মুশরিকদের মধ্যে শামিল হয়োনা।'	قُلْ اَغَيْرَ اللّٰهِ اَتَّخِذُ وَلِيًّا فَاطِرِ السَّمٰوٰتِ وَ الْاَرْضِ وَ هُوَ يُطْعِمُ وَ لَا يُطْعَمُ ؕ قُلْ اِنِّيْۤ اُمِرْتُ اَنْ اَكُوْنَ اَوَّلَ مَنْ اَسْلَمَ وَ لَا تَكُوْنَنَّ مِنَ الْمُشْرِكِيْنَ ﴿١٤﴾
১৫. তুমি বলো: 'আমি যদি আমার প্রভুর নির্দেশ অমান্য করি, তবে আমি ভয় করি এক মহাদিনের আযাবের।'	قُلْ اِنِّيْۤ اَخَافُ اِنْ عَصَيْتُ رَبِّيْ عَذَابَ يَوْمٍ عَظِيْمٍ ﴿١٥﴾
১৬. যাকে সেদিনের আযাব থেকে রক্ষা করা হবে, তার প্রতি অবশ্যি তিনি রহম করবেন আর এটাই হবে সুস্পষ্ট সাফল্য।	مَنْ يُّصْرَفْ عَنْهُ يَوْمَئِذٍ فَقَدْ رَحِمَهٗ ؕ وَ ذٰلِكَ الْفَوْزُ الْمُبِيْنُ ﴿١٦﴾
১৭. আল্লাহ যদি তোমাকে কোনো কষ্টে ফেলেন, তবে তিনি ছাড়া তা দূর করার আর কেউই নেই। আর তিনি যদি তোমাকে কোনো কল্যাণ দান করেন, তবে অবশ্যি তিনি সব বিষয়ে শক্তিমান।	وَ اِنْ يَّمْسَسْكَ اللّٰهُ بِضُرٍّ فَلَا كَاشِفَ لَهٗۤ اِلَّا هُوَ ؕ وَ اِنْ يَّمْسَسْكَ بِخَيْرٍ فَهُوَ عَلٰى كُلِّ شَيْءٍ قَدِيْرٌ ﴿١٧﴾
১৮. তিনি নিজ বান্দাদের উপর প্রচণ্ড ক্ষমতাশালী। তিনি মহাপ্রজ্ঞাবান, সব বিষয়ে খবর রাখেন।	وَهُوَ الْقَاهِرُ فَوْقَ عِبَادِهٖ ؕ وَهُوَ الْحَكِيْمُ الْخَبِيْرُ ﴿١٨﴾
১৯. ওদের জিজ্ঞেস করো: 'সাক্ষ্য প্রদানে সর্বশ্রেষ্ঠ কে'? বলো: 'আল্লাহ'। তিনিই আমার ও তোমাদের মাঝে সাক্ষী। আর এ কুরআন আমার কাছে অহি করা হয়েছে যেনো আমি তোমাদেরকে এবং যাদের কাছে তা পৌঁছে তাদেরকে এর মাধ্যমে সতর্ক করি। তোমরা কি এ সাক্ষ্য দাও যে, আল্লাহ্‌র সাথে আরো ইলাহ্‌ আছে?' বলো: 'আমি এ সাক্ষ্য দেইনা।' বলো: 'অবশ্যি তিনি একমাত্র ইলাহ্‌; আর তোমরা (তাঁর সাথে) যে শরিক করছো আমি তা থেকে একেবারেই নিঃসম্পর্ক।'	قُلْ اَيُّ شَيْءٍ اَكْبَرُ شَهَادَةً ؕ قُلِ اللّٰهُ ۙ شَهِيْدٌۢ بَيْنِيْ وَ بَيْنَكُمْ ۚ وَ اُوْحِيَ اِلَيَّ هٰذَا الْقُرْاٰنُ لِاُنْذِرَكُمْ بِهٖ وَ مَنْۢ بَلَغَ ؕ اَئِنَّكُمْ لَتَشْهَدُوْنَ اَنَّ مَعَ اللّٰهِ اٰلِهَةً اُخْرٰى ؕ قُلْ لَّاۤ اَشْهَدُ ۚ قُلْ اِنَّمَا هُوَ اِلٰهٌ وَّاحِدٌ وَّ اِنَّنِيْ بَرِيْٓءٌ مِّمَّا تُشْرِكُوْنَ ﴿١٩﴾
২০. আমরা ইতোপূর্বে, যাদের কিতাব দিয়েছি, তারা (ইহুদি খৃষ্টানরা) তাকে (শেষ নবী মুহাম্মদকে) ঠিক সেরকমই চিনে যেমন চিনে তাদের নিজেদের সন্তানদের। যারা নিজেদের ক্ষতি করেছে তারা ঈমান আনবেনা।	اَلَّذِيْنَ اٰتَيْنٰهُمُ الْكِتٰبَ يَعْرِفُوْنَهٗ كَمَا يَعْرِفُوْنَ اَبْنَآءَهُمْ ۘ اَلَّذِيْنَ خَسِرُوْۤا اَنْفُسَهُمْ فَهُمْ لَا يُؤْمِنُوْنَ ﴿٢٠﴾
২১. ঐ ব্যক্তির চাইতে বড় যালিম আর কে, যে আল্লাহ্‌র ব্যাপারে মিথ্যা রচনা করে, অথবা আল্লাহ্‌র আয়াত অস্বীকার করে? নিশ্চয়ই যালিমরা সফল হয়না।	وَ مَنْ اَظْلَمُ مِمَّنِ افْتَرٰى عَلَى اللّٰهِ كَذِبًا اَوْ كَذَّبَ بِاٰيٰتِهٖ ؕ اِنَّهٗ لَا يُفْلِحُ الظّٰلِمُوْنَ ﴿٢١﴾

রুকু ০২

২২. যেদিন আমরা তাদের সবাইকে হাশর করবো, তারপর মুশরিকদের বলবো: 'তোমরা যাদেরকে আল্লাহ্‌র শরিক বলে ধারণা করতে তারা এখন কোথায়?	وَ يَوْمَ نَحْشُرُهُمْ جَمِيْعًا ثُمَّ نَقُوْلُ لِلَّذِيْنَ اَشْرَكُوْٓا اَيْنَ شُرَكَآؤُكُمُ الَّذِيْنَ كُنْتُمْ تَزْعُمُوْنَ ﴿٢٢﴾
২৩. তখন তাদের এছাড়া বলার মতো আর কোনো অজুহাতই থাকবেনা যে: 'আমাদের প্রভু আল্লাহ্‌র শপথ, আমরা মুশরিক ছিলামনা।'	ثُمَّ لَمْ تَكُنْ فِتْنَتُهُمْ اِلَّآ اَنْ قَالُوْا وَاللّٰهِ رَبِّنَا مَا كُنَّا مُشْرِكِيْنَ ﴿٢٣﴾
২৪. দেখো, তারা নিজেদের প্রতি কিভাবে মিথ্যারোপ করছে, আর তারা যে মিথ্যা রচনা করতো, তা (সেসব উপাস্যরা) কিভাবে তাদের থেকে উধাও হয়ে গেছে।	اُنْظُرْ كَيْفَ كَذَبُوْا عَلٰٓى اَنْفُسِهِمْ وَ ضَلَّ عَنْهُمْ مَّا كَانُوْا يَفْتَرُوْنَ ﴿٢٤﴾
২৫. তাদের কিছু লোক তোমার দিকে কান পেতে রাখে আর আমি কিন্তু তাদের অন্তরের উপর আবরণ ফেলে রেখেছি, যেনো তারা তা বুঝতে না পারে, এছাড়া তাদের কানেও পর্দা লাগিয়ে দিয়েছি। সব নিদর্শন দেখলেও তারা ঈমান আনবেনা। তারা যখন তোমার কাছে আসে, তোমার সাথে তর্কে লিপ্ত হয়। যারা কুফুরি করেছে তারা বলে: এতো পূর্ববর্তী লোকদের কাহিনী ছাড়া কিছুই নয়।	وَمِنْهُمْ مَّنْ يَّسْتَمِعُ اِلَيْكَ ۚ وَ جَعَلْنَا عَلٰى قُلُوْبِهِمْ اَكِنَّةً اَنْ يَّفْقَهُوْهُ وَ فِيْٓ اٰذَانِهِمْ وَقْرًا ؕ وَاِنْ يَّرَوْا كُلَّ اٰيَةٍ لَّا يُؤْمِنُوْا بِهَا ؕ حَتّٰٓى اِذَا جَآءُوْكَ يُجَادِلُوْنَكَ يَقُوْلُ الَّذِيْنَ كَفَرُوْٓا اِنْ هٰذَآ اِلَّآ اَسَاطِيْرُ الْاَوَّلِيْنَ ﴿٢٥﴾
২৬. তারা অন্যদেরকেও তা (কুরআন) শুনতে বাধা দেয় এবং নিজেরাও তা থেকে দূরে থাকে। তারা নিজেরাই নিজেদের ধ্বংস করছে, অথচ তারা তা বুঝতে পারছেনা।	وَهُمْ يَنْهَوْنَ عَنْهُ وَ يَنْئَوْنَ عَنْهُ ۚ وَ اِنْ يُّهْلِكُوْنَ اِلَّآ اَنْفُسَهُمْ وَمَا يَشْعُرُوْنَ ﴿٢٦﴾
২৭. তুমি যদি দেখতে, যখন তাদেরকে জাহান্নামের কিনারে দাঁড় করানো হবে আর তারা বলবে: 'হায়, যদি আমাদের পৃথিবীতে ফেরত পাঠানো হতো, তাহলে আমরা আর আমাদের প্রভুর আয়াতকে অস্বীকার করতামনা এবং আমরা মুমিনদের অন্তরভুক্ত হয়ে যেতাম।'	وَلَوْ تَرٰٓى اِذْ وُقِفُوْا عَلَى النَّارِ فَقَالُوْا يٰلَيْتَنَا نُرَدُّ وَلَا نُكَذِّبَ بِاٰيٰتِ رَبِّنَا وَ نَكُوْنَ مِنَ الْمُؤْمِنِيْنَ ﴿٢٧﴾
২৮. না, বরং তারা ইতোপূর্বে যা গোপন করতো তা প্রকাশ হয়ে গেছে। তাদেরকে যদি ফেরতও পাঠানো হয়, পুনরায় তারা তাই করবে, যা করতে তাদের নিষেধ করা হয়েছে। অবশ্যি তারা মিথ্যাবাদী।	بَلْ بَدَا لَهُمْ مَّا كَانُوْا يُخْفُوْنَ مِنْ قَبْلُ ؕ وَلَوْ رُدُّوْا لَعَادُوْا لِمَا نُهُوْا عَنْهُ وَ اِنَّهُمْ لَكٰذِبُوْنَ ﴿٢٨﴾
২৯. তারা বলে: 'আমাদের দুনিয়ার হায়াতটাই একমাত্র হায়াত, মরনের পর আর আমাদের উঠানো হবেনা।'	وَ قَالُوْٓا اِنْ هِيَ اِلَّا حَيَاتُنَا الدُّنْيَا وَ مَا نَحْنُ بِمَبْعُوْثِيْنَ ﴿٢٩﴾
৩০. তুমি যদি দেখতে তাদেরকে যখন তাদের প্রভুর সামনে দাঁড় করানো হবে এবং তিনি যখন তাদের বলবেন: 'এটা (পুনরুত্থান) কি সত্য নয়?' তারা	وَلَوْ تَرٰٓى اِذْ وُقِفُوْا عَلٰى رَبِّهِمْ ؕ قَالَ اَلَيْسَ هٰذَا بِالْحَقِّ ؕ قَالُوْا بَلٰى وَ رَبِّنَا

বলবে: 'নিশ্চয়ই আমাদের প্রভুর শপথ!' তখন তিনি তাদের বলবেন: 'তোমরা যে কুফুরি করতে তার কারণে এখন স্বাদ গ্রহণ করো আযাবের।'	قَالَ فَذُوْقُوا الْعَذَابَ بِمَا كُنْتُمْ تَكْفُرُوْنَ ۝٣٠
৩১. অবশ্যি ক্ষতিগ্রস্ত হয়েছে তারা, যারা আল্লাহ্‌র সাথে মোলাকাত হওয়ার বিষয়কে অস্বীকার করেছে। হঠাত যখন তাদের সামনে কিয়ামত উপস্থিত হয়ে যাবে তখন তারা বলবে: 'হায় আক্ষেপ, আমরা কেন এ জিনিসকে অবহেলা করেছিলাম।' তারা তাদের পিঠে করে পাপের বোঝা বহন করবে। তারা যা বহন করবে তা যে কতো নিকৃষ্ট!	قَدْ خَسِرَ الَّذِيْنَ كَذَّبُوْا بِلِقَآءِ اللّٰهِ ؕ حَتّٰٓى اِذَا جَآءَتْهُمُ السَّاعَةُ بَغْتَةً قَالُوْا يٰحَسْرَتَنَا عَلٰى مَا فَرَّطْنَا فِيْهَا ۙ وَ هُمْ يَحْمِلُوْنَ اَوْزَارَهُمْ عَلٰى ظُهُوْرِهِمْ ؕ اَلَا سَآءَ مَا يَزِرُوْنَ ۝٣١
৩২. এই দুনিয়ার হায়াতটা খেল-তামাশা ছাড়া আর কিছুই নয়। যারা তাকওয়া অবলম্বন করে তাদের জন্যে আখিরাতের ঘরই উত্তম। তারপরও তোমরা কি আকল খাটাবেনা?	وَ مَا الْحَيٰوةُ الدُّنْيَآ اِلَّا لَعِبٌ وَّ لَهْوٌ ؕ وَ لَلدَّارُ الْاٰخِرَةُ خَيْرٌ لِّلَّذِيْنَ يَتَّقُوْنَ ؕ اَفَلَا تَعْقِلُوْنَ ۝٣٢
৩৩. আমরা জানি, ওরা যা বলে তা অবশ্যি তোমাকে কষ্ট দেয়। আসলে তারা তো তোমাকে মিথ্যা বলছেনা, বরং এই যালিমরা আল্লাহ্‌র আয়াতকেই অস্বীকার করছে।	قَدْ نَعْلَمُ اِنَّهٗ لَيَحْزُنُكَ الَّذِيْ يَقُوْلُوْنَ فَاِنَّهُمْ لَا يُكَذِّبُوْنَكَ وَ لٰكِنَّ الظّٰلِمِيْنَ بِاٰيٰتِ اللّٰهِ يَجْحَدُوْنَ ۝٣٣
৩৪. তোমার আগে অনেক রসূলকেই মিথ্যাবাদী বলে অস্বীকার করা হয়েছিল। কিন্তু তাদেরকে অস্বীকার এবং কষ্ট দেয়া সত্ত্বেও তারা সবর অবলম্বন করেছিল। শেষ পর্যন্ত তাদের কাছে আমার সাহায্য এসে পৌঁছে। আল্লাহ্‌র আদেশ বদল হবার নয়। (অতীত) রসূলদের সংবাদ তো তোমার কাছে এসেছেই।	وَلَقَدْ كُذِّبَتْ رُسُلٌ مِّنْ قَبْلِكَ فَصَبَرُوْا عَلٰى مَا كُذِّبُوْا وَ اُوْذُوْا حَتّٰٓى اَتٰىهُمْ نَصْرُنَا ۚ وَ لَا مُبَدِّلَ لِكَلِمٰتِ اللّٰهِ ۚ وَلَقَدْ جَآءَكَ مِنْ نَّبَاِی الْمُرْسَلِيْنَ ۝٣٤
৩৫. (তোমার প্রতি) তাদের উপেক্ষা যদি তোমার কাছে অসহনীয় হয়, তবে যদি তোমার ক্ষমতা থাকে মাটির ভেতরে সুড়ঙ্গ খুঁজে নাও, কিংবা আকাশে উঠার মই খুঁজে নাও এবং তাদের জন্যে কোনো নিদর্শন নিয়ে এসো। আসলে আল্লাহ চাইলে অবশ্যি তাদের সবাইকে হিদায়াতের উপর একত্র করে দিতেন। সুতরাং তুমি অজ্ঞদের মধ্যে শামিল হয়োনা।	وَ اِنْ كَانَ كَبُرَ عَلَيْكَ اِعْرَاضُهُمْ فَاِنِ اسْتَطَعْتَ اَنْ تَبْتَغِيَ نَفَقًا فِي الْاَرْضِ اَوْ سُلَّمًا فِي السَّمَآءِ فَتَاْتِيَهُمْ بِاٰيَةٍ ؕ وَ لَوْ شَآءَ اللّٰهُ لَجَمَعَهُمْ عَلَى الْهُدٰى فَلَا تَكُوْنَنَّ مِنَ الْجٰهِلِيْنَ ۝٣٥
৩৬. তোমার আহবানে সাড়া দেয় তো তারা যারা তা (মনোযোগ সহকারে) শুনে। আর মৃতদের আল্লাহ পুনরুত্থিত করবেন এবং তাঁর কাছেই তাদের ফিরিয়ে নেয়া হবে।	اِنَّمَا يَسْتَجِيْبُ الَّذِيْنَ يَسْمَعُوْنَ ؕ وَالْمَوْتٰى يَبْعَثُهُمُ اللّٰهُ ثُمَّ اِلَيْهِ يُرْجَعُوْنَ ۝٣٦
৩৭. তারা বলে: 'তার প্রভুর পক্ষ থেকে তার কাছে কোনো নিদর্শন নাযিল করা হলোনা কেন? তুমি বলো: 'নিদর্শন নাযিল করতে আল্লাহ অবশ্যি	وَ قَالُوْا لَوْ لَا نُزِّلَ عَلَيْهِ اٰيَةٌ مِّنْ رَّبِّهٖ ؕ قُلْ اِنَّ اللّٰهَ قَادِرٌ عَلٰٓى اَنْ يُّنَزِّلَ اٰيَةً وَّ

রুকূ ০৩

সক্ষম, তবে তাদের অধিকাংশ লোকই জানেনা।'	لٰكِنَّ اَكْثَرَهُمْ لَا يَعْلَمُوْنَ ﴿٣٧﴾
৩৮. পৃথিবীর বুকে বিচরণশীল এমন কোনো প্রাণী নেই এবং ডানার সাহায্যে উড়ে এমন কোনো পাখি নেই, যারা তোমাদের মতোই বিভিন্ন সম্প্রদায় ছাড়া কিছু নয়। আমরা আল কিতাবে কোনো কিছুই বাদ দেইনি। অবশেষে তাদেরকে তাদের প্রভুর কাছে হাশর করা হবে।	وَمَا مِنْ دَآبَّةٍ فِى الْاَرْضِ وَلَا طٰٓئِرٍ يَّطِيْرُ بِجَنَاحَيْهِ اِلَّآ اُمَمٌ اَمْثَالُكُمْ ؕ مَا فَرَّطْنَا فِى الْكِتٰبِ مِنْ شَىْءٍ ثُمَّ اِلٰى رَبِّهِمْ يُحْشَرُوْنَ ﴿٣٨﴾
৩৯. যারা আমার আয়াতকে অস্বীকার করে তারা অন্ধকাররাশিতে বধির ও বোবা। আল্লাহ যাকে চান বিপথগামী করেন, আর যাকে চান তিনি সিরাতুল মুস্তাকিমের উপর প্রতিষ্ঠিত করেন।	وَالَّذِيْنَ كَذَّبُوْا بِاٰيٰتِنَا صُمٌّ وَّبُكْمٌ فِى الظُّلُمٰتِ ؕ مَنْ يَّشَاِ اللّٰهُ يُضْلِلْهُ ؕ وَمَنْ يَّشَاْ يَجْعَلْهُ عَلٰى صِرَاطٍ مُّسْتَقِيْمٍ ﴿٣٩﴾
৪০. হে নবী! বলো: 'তোমরা চিন্তা করে দেখো, তোমাদের উপর যদি (হঠাৎ) আল্লাহ্‌র আযাব এসে পড়ে, কিংবা এসে পড়ে কিয়ামত, তখন কি তোমরা আল্লাহ ছাড়া আর কাউকেও ডাকবে? সত্যবাদী হয়ে থাকলে বলো।'	قُلْ اَرَءَيْتَكُمْ اِنْ اَتٰىكُمْ عَذَابُ اللّٰهِ اَوْ اَتَتْكُمُ السَّاعَةُ اَغَيْرَ اللّٰهِ تَدْعُوْنَ ۚ اِنْ كُنْتُمْ صٰدِقِيْنَ ﴿٤٠﴾
৪১. 'না, বরং তোমরা তখন কেবল তাঁকেই ডাকবে। তারপর তোমরা যে কষ্টের জন্যে তাঁকে ডাকো তিনি চাইলে তা দূর করে দেন; আর তোমরা যাদেরকে (আল্লাহ্‌র সাথে) শরিক করো তখন তাদের কথা ভুলে থাকো।'	بَلْ اِيَّاهُ تَدْعُوْنَ فَيَكْشِفُ مَا تَدْعُوْنَ اِلَيْهِ اِنْ شَآءَ وَتَنْسَوْنَ مَا تُشْرِكُوْنَ ﴿٤١﴾
৪২. তোমাদের আগে বহু উম্মতের কাছে আমরা রসূল পাঠিয়েছি, তারপর তাদেরকে আমরা দুর্ভিক্ষ ও দুঃখ কষ্ট দিয়ে সাজা দিয়েছি যাতে করে তারা বিনয়ী হয়।	وَلَقَدْ اَرْسَلْنَآ اِلٰٓى اُمَمٍ مِّنْ قَبْلِكَ فَاَخَذْنٰهُمْ بِالْبَاْسَآءِ وَالضَّرَّآءِ لَعَلَّهُمْ يَتَضَرَّعُوْنَ ﴿٤٢﴾
৪৩. আমাদের সাজা তাদের উপর এসে পড়ার প্রাক্কালে কেন তারা বিনয়ী হলোনা? বরঞ্চ তাদের অন্তর কঠিন হয়ে গিয়েছিল আর শয়তান তাদের কর্মকান্ডকে তাদের কাছে মনোহরী করে তুলে ধরেছিল।	فَلَوْلَآ اِذْ جَآءَهُمْ بَاْسُنَا تَضَرَّعُوْا وَلٰكِنْ قَسَتْ قُلُوْبُهُمْ وَزَيَّنَ لَهُمُ الشَّيْطٰنُ مَا كَانُوْا يَعْمَلُوْنَ ﴿٤٣﴾
৪৪. তাদেরকে যে উপদেশ দেয়া হয়েছিল তারা যখন তা ভুলে গিয়েছিল, তখন আমরা তাদের জন্যে সবকিছুর দ্বার উন্মুক্ত করে দিয়েছিলাম। তাদের যা দেয়া হয়েছিল সেগুলোতে যখন তারা মত্ত হয়ে পড়েছিল, তখন আমরা আকস্মিক তাদের পাকড়াও করেছি, ফলে তারা হতাশ হয়ে পড়েছিল।	فَلَمَّا نَسُوْا مَا ذُكِّرُوْا بِهٖ فَتَحْنَا عَلَيْهِمْ اَبْوَابَ كُلِّ شَىْءٍ ؕ حَتّٰٓى اِذَا فَرِحُوْا بِمَآ اُوْتُوْٓا اَخَذْنٰهُمْ بَغْتَةً فَاِذَا هُمْ مُّبْلِسُوْنَ ﴿٤٤﴾
৪৫. অতপর যালিম কওমের শিকড় কেটে দেয়া হয়েছিল। মূলত, সব প্রশংসা আল্লাহ রাব্বুল আলামিনের।	فَقُطِعَ دَابِرُ الْقَوْمِ الَّذِيْنَ ظَلَمُوْا ؕ وَالْحَمْدُ لِلّٰهِ رَبِّ الْعٰلَمِيْنَ ﴿٤٥﴾

রুকু
০৪

৪৬. হে নবী! বলো: ‘তোমরা ভেবে দেখেছো কি, আল্লাহ যদি তোমাদের শ্রবণশক্তি ও দৃষ্টিশক্তি নিয়ে নেন এবং তোমাদের অন্তরে সীলগালা করে দেন, তবে আল্লাহ ছাড়া কোন্ ইলাহ আছে তোমাদের এগুলো ফিরিয়ে দেবে?’ দেখো, কিভাবে আমরা নিদর্শনসমূহ বিশদ বর্ণনা করছি। তা সত্ত্বেও তারা মুখ ফিরিয়ে নিচ্ছে।	قُلْ اَرَءَيْتُمْ اِنْ اَخَذَ اللّٰهُ سَمْعَكُمْ وَاَبْصَارَكُمْ وَ خَتَمَ عَلٰى قُلُوْبِكُمْ مَّنْ اِلٰهٌ غَيْرُ اللّٰهِ يَاْتِيْكُمْ بِهٖ ؕ اُنْظُرْ كَيْفَ نُصَرِّفُ الْاٰيٰتِ ثُمَّ هُمْ يَصْدِفُوْنَ ﴿٤٦﴾
৪৭. বলো: ‘তোমরা ভেবে দেখেছো কি, আল্লাহ্‌র আযাব যদি হঠাৎ, কিংবা প্রকাশ্যে এসে পড়ে, তখন যালিম কওম ছাড়া আর কেউ হালাক হবে কি?	قُلْ اَرَءَيْتَكُمْ اِنْ اَتٰىكُمْ عَذَابُ اللّٰهِ بَغْتَةً اَوْ جَهْرَةً هَلْ يُهْلَكُ اِلَّا الْقَوْمُ الظّٰلِمُوْنَ ﴿٤٧﴾
৪৮. আমরা রসূলদের পাঠাই তো সুসংবাদদাতা ও সতর্ককারী হিসেবে। অতপর যারা ঈমান আনবে এবং আমলে সালেহ্ করবে, তাদের কোনো ভয়ও থাকবেনা, দুঃখও থাকবেনা।	وَمَا نُرْسِلُ الْمُرْسَلِيْنَ اِلَّا مُبَشِّرِيْنَ وَمُنْذِرِيْنَ ۚ فَمَنْ اٰمَنَ وَ اَصْلَحَ فَلَا خَوْفٌ عَلَيْهِمْ وَ لَا هُمْ يَحْزَنُوْنَ ﴿٤٨﴾
৪৯. আর যারা আমাদের আয়াতকে মিথ্যা বলে প্রত্যাখ্যান করবে, তাদের সীমালংঘনের কারণে তারা নিমজ্জিত হবে আযাবে।	وَالَّذِيْنَ كَذَّبُوْا بِاٰيٰتِنَا يَمَسُّهُمُ الْعَذَابُ بِمَا كَانُوْا يَفْسُقُوْنَ ﴿٤٩﴾
৫০. বলো: ‘আমি তোমাদের বলছিনা যে, আমার কাছে আল্লাহ্‌র ধনভান্ডার রয়েছে! গায়েবের এলেমও আমার নেই। তাছাড়া আমি তোমাদের একথাও বলছিনা যে, আমি একজন ফেরেশ্‌তা। আমি তো কেবল তারই অনুসরণ করি যা অহি করা হয় আমার প্রতি।’ বলো: অন্ধ আর চক্ষুষ্মান কি সমান?’ তোমরা কি চিন্তা করে দেখবেনা?	قُلْ لَّاۤ اَقُوْلُ لَكُمْ عِنْدِيْ خَزَآئِنُ اللّٰهِ وَ لَاۤ اَعْلَمُ الْغَيْبَ وَ لَاۤ اَقُوْلُ لَكُمْ اِنِّيْ مَلَكٌ ۚ اِنْ اَتَّبِعُ اِلَّا مَا يُوْحٰۤى اِلَيَّ ؕ قُلْ هَلْ يَسْتَوِى الْاَعْمٰى وَ الْبَصِيْرُ ؕ اَفَلَا تَتَفَكَّرُوْنَ ﴿٥٠﴾ রুকু ০৫
৫১. তুমি তা (কুরআন) দিয়ে সেইসব লোকদের সতর্ক করো যারা তাদের প্রভুর কাছে হাশর হবার ভয়ে ভীত সন্ত্রস্ত থাকে। তিনি ছাড়া তাদের কোনো অলি কিংবা শাফায়াতকারী নেই। হয়তো তারা সতর্ক হবে।	وَاَنْذِرْ بِهِ الَّذِيْنَ يَخَافُوْنَ اَنْ يُّحْشَرُوْۤا اِلٰى رَبِّهِمْ لَيْسَ لَهُمْ مِّنْ دُوْنِهٖ وَلِيٌّ وَّلَا شَفِيْعٌ لَّعَلَّهُمْ يَتَّقُوْنَ ﴿٥١﴾
৫২. যারা তাদের প্রভুকে ডাকে সকাল ও সন্ধ্যায় তাঁর সন্তুষ্টি লাভের আশায়, তাদের তুমি তাড়িয়ে দিয়োনা। তাদের কাজের জবাবদিহির দায়িত্ব তোমার নয়, আর তোমার কোনো কাজের জবাবদিহির দায়িত্বও তাদের নয় যে, তুমি তাদের বিতাড়িত করবে। তা করলে তুমি যালিমদের মধ্যে শামিল হয়ে যাবে।	وَلَا تَطْرُدِ الَّذِيْنَ يَدْعُوْنَ رَبَّهُمْ بِالْغَدٰوةِ وَالْعَشِيِّ يُرِيْدُوْنَ وَجْهَهٗ ؕ مَا عَلَيْكَ مِنْ حِسَابِهِمْ مِّنْ شَيْءٍ وَّمَا مِنْ حِسَابِكَ عَلَيْهِمْ مِّنْ شَيْءٍ فَتَطْرُدَهُمْ فَتَكُوْنَ مِنَ الظّٰلِمِيْنَ ﴿٥٢﴾
৫৩. এভাবেই আমরা তাদের একদল লোককে দিয়ে আরেক দলকে পরীক্ষা করেছি যাতে করে তারা বলে: ‘আমাদের মধ্যে কি এদেরকেই আল্লাহ অনুগ্রহ করলেন?’ শোকরগুজার লোক কারা, তা কি আল্লাহ অধিক জানেন না?	وَ كَذٰلِكَ فَتَنَّا بَعْضَهُمْ بِبَعْضٍ لِّيَقُوْلُوْۤا اَهٰۤؤُلَآءِ مَنَّ اللّٰهُ عَلَيْهِمْ مِّنْۢ بَيْنِنَا ؕ اَلَيْسَ اللّٰهُ بِاَعْلَمَ بِالشّٰكِرِيْنَ ﴿٥٣﴾

৫৪. আমাদের আয়াতের প্রতি যারা ঈমান আনে তারা যখন তোমার কাছে আসে, তুমি তাদের বলবে: 'সালামুন আলাইকুম- তোমাদের প্রতি শান্তি বর্ষিত হোক।' তোমাদের প্রভু দয়া করাকে নিজের কর্তব্য বলে লিখে নিয়েছেন। তোমাদের কেউ যদি অজ্ঞতাবশত বদ আমল করে, তারপর তওবা করে এবং নিজেকে এসলাহ্ (সংশোধন) করে নেয়, তবে আল্লাহ (তার প্রতি) পরম ক্ষমাশীল দয়াময়।	وَ اِذَا جَآءَكَ الَّذِيْنَ يُؤْمِنُوْنَ بِاٰيٰتِنَا فَقُلْ سَلٰمٌ عَلَيْكُمْ كَتَبَ رَبُّكُمْ عَلٰى نَفْسِهِ الرَّحْمَةَ ۙ اَنَّهٗ مَنْ عَمِلَ مِنْكُمْ سُوْٓءًۢا بِجَهَالَةٍ ثُمَّ تَابَ مِنْۢ بَعْدِهٖ وَ اَصْلَحَ فَاَنَّهٗ غَفُوْرٌ رَّحِيْمٌ ﴿٥٤﴾
৫৫. এভাবেই আমরা তফসিল সহকারে বর্ণনা করি আয়াত, যাতে করে সুস্পষ্টভাবে প্রকাশ ও প্রমাণ হয়ে যায় অপরাধীদের পথ। (রুকু ০৬)	وَكَذٰلِكَ نُفَصِّلُ الْاٰيٰتِ وَلِتَسْتَبِيْنَ سَبِيْلُ الْمُجْرِمِيْنَ ﴿٥٥﴾
৫৬. হে নবী! বলো: 'তোমরা আল্লাহ ছাড়া আর যাদের ডাকো, আমাকে নিষেধ করা হয়েছে তাদের ইবাদত করতে।' বলো 'আমি অনুসরণ করিনা তোমাদের খেয়াল খুশির, তা করলে তো আমি গোমরাহ হয়ে পড়বো এবং আমি হিদায়াত প্রাপ্ত লোকদের মধ্যে শামিল থাকবোনা।'	قُلْ اِنِّيْ نُهِيْتُ اَنْ اَعْبُدَ الَّذِيْنَ تَدْعُوْنَ مِنْ دُوْنِ اللّٰهِ ؕ قُلْ لَّآ اَتَّبِعُ اَهْوَآءَكُمْ قَدْ ضَلَلْتُ اِذًا وَّ مَآ اَنَا مِنَ الْمُهْتَدِيْنَ ﴿٥٦﴾
৫৭. বলো: 'অবশ্যি আমি আমার প্রভুর সুস্পষ্ট প্রমাণের উপর প্রতিষ্ঠিত আছি, অথচ তোমরা তা প্রত্যাখ্যান করছো। তোমরা যা নগদ চাইছো তা আমার কাছে নেই। কারোই কোনো কর্তৃত্ব নেই আল্লাহ্‌র ছাড়া। তিনি সত্য বর্ণনা করেন এবং তিনিই সর্বোত্তম ফায়সালাকারী।'	قُلْ اِنِّيْ عَلٰى بَيِّنَةٍ مِّنْ رَّبِّيْ وَ كَذَّبْتُمْ بِهٖ ؕ مَا عِنْدِيْ مَا تَسْتَعْجِلُوْنَ بِهٖ ؕ اِنِ الْحُكْمُ اِلَّا لِلّٰهِ ؕ يَقُصُّ الْحَقَّ وَ هُوَ خَيْرُ الْفٰصِلِيْنَ ﴿٥٧﴾
৫৮. তোমরা যে জিনিসটা নগদ চাইছো তা যদি আমার হাতে থাকতো, তাহলে আমার এবং তোমাদের মধ্যকার বিষয়টি ফায়সালাই হয়ে যেতো। আল্লাহ্‌ই অধিক জানেন যালিমদের।	قُلْ لَّوْ اَنَّ عِنْدِيْ مَا تَسْتَعْجِلُوْنَ بِهٖ لَقُضِيَ الْاَمْرُ بَيْنِيْ وَبَيْنَكُمْ ؕ وَاللّٰهُ اَعْلَمُ بِالظّٰلِمِيْنَ ﴿٥٨﴾
৫৯. গায়েব-এর চাবি তো তাঁরই কাছে। তিনি ছাড়া তা আর কেউই জানেনা। তিনি জানেন যা কিছু আছে স্থলে এবং সমুদ্রে। গাছের একটি পাতাও পড়েনা তাঁর অবগতি ছাড়া। একটি বীজও অংকুরিত হয়না অন্ধকার ভূ-গর্ভে, অথবা রসযুক্ত বা শুকনো কোনো বস্তু নেই যা একটি সুস্পষ্ট কিতাবে লিপিবদ্ধ নয়।	وَ عِنْدَهٗ مَفَاتِحُ الْغَيْبِ لَا يَعْلَمُهَآ اِلَّا هُوَ ؕ وَ يَعْلَمُ مَا فِي الْبَرِّ وَ الْبَحْرِ ؕ وَ مَا تَسْقُطُ مِنْ وَّرَقَةٍ اِلَّا يَعْلَمُهَا وَ لَا حَبَّةٍ فِيْ ظُلُمٰتِ الْاَرْضِ وَ لَا رَطْبٍ وَّ لَا يَابِسٍ اِلَّا فِيْ كِتٰبٍ مُّبِيْنٍ ﴿٥٩﴾
৬০. তিনিই রাতের কালে তোমাদের মৃত্যু দেন এবং তিনি জানেন দিনের বেলায় তোমরা যা করো। তারপর তিনি তোমাদের জাগিয়ে তোলেন যাতে করে নির্ধারিত সময় পূর্ণ হয়। এরপর তাঁর কাছেই তোমাদের ফিরে যেতে হবে এবং তিনি তোমাদের অবগত করবেন তোমাদের কৃতকর্ম সম্পর্কে। (রুকু ০৭)	وَ هُوَ الَّذِيْ يَتَوَفّٰىكُمْ بِالَّيْلِ وَ يَعْلَمُ مَا جَرَحْتُمْ بِالنَّهَارِ ثُمَّ يَبْعَثُكُمْ فِيْهِ لِيُقْضٰٓى اَجَلٌ مُّسَمًّى ۚ ثُمَّ اِلَيْهِ مَرْجِعُكُمْ ثُمَّ يُنَبِّئُكُمْ بِمَا كُنْتُمْ تَعْمَلُوْنَ ﴿٦٠﴾

৬১. নিজ বান্দাদের উপর তিনি দুর্জয় ক্ষমতাধর। তিনি তোমাদের উপর রক্ষক পাঠান। অবশেষে যখন তোমাদের কারো মৃত্যুর সময় হয়, তখন আমার প্রেরিত (ফেরেশতারা) তার মৃত্যু ঘটায় এবং তারা কোনোই ত্রুটি করেনা।	وَهُوَ الْقَاهِرُ فَوْقَ عِبَادِهِ وَيُرْسِلُ عَلَيْكُمْ حَفَظَةً ۖ حَتّٰىٓ إِذَا جَآءَ أَحَدَكُمُ الْمَوْتُ تَوَفَّتْهُ رُسُلُنَا وَهُمْ لَا يُفَرِّطُوْنَ ٦١
৬২. তারপর তাদের ফেরত পাঠানো হয় তাদের প্রকৃত মাওলা আল্লাহ্র কাছে। জেনে রাখো, সমস্ত কর্তৃত্ব কেবল তাঁরই। আর হিসাব গ্রহণে তিনি সবচেয়ে দ্রুততর।	ثُمَّ رُدُّوْٓا إِلَى اللّٰهِ مَوْلٰىهُمُ الْحَقِّ ۖ أَلَا لَهُ الْحُكْمُ ۚ وَهُوَ أَسْرَعُ الْحٰسِبِيْنَ ٦٢
৬৩. বলো: 'কে তোমাদের নাজাত দেয় ভূ-খণ্ড ও সমুদ্রের অন্ধকার (বিপদ) থেকে, যখন তোমরা কেবল তাঁকেই ডাকো বিনত হয়ে এবং গোপনে?' যখন তোমরা বলো: 'তিনি যদি এ থেকে আমাদের নাজাত দেন, তবে অবশ্যি আমরা শোকর গোজার হবো।'	قُلْ مَنْ يُّنَجِّيْكُمْ مِّنْ ظُلُمٰتِ الْبَرِّ وَالْبَحْرِ تَدْعُوْنَهُ تَضَرُّعًا وَّخُفْيَةً ۚ لَئِنْ أَنْجٰنَا مِنْ هٰذِهِ لَنَكُوْنَنَّ مِنَ الشّٰكِرِيْنَ ٦٣
৬৪. বলো: 'আল্লাহ্ই তোমাদের নাজাত দেন তা থেকে এবং সব দুঃখ কষ্ট থেকেই। তারপরও তোমরা তাঁর সাথে শরিক করো।'	قُلِ اللّٰهُ يُنَجِّيْكُمْ مِّنْهَا وَمِنْ كُلِّ كَرْبٍ ثُمَّ أَنْتُمْ تُشْرِكُوْنَ ٦٤
৬৫. বলো: 'তিনি সক্ষম উপর থেকে তোমাদের প্রতি আযাব পাঠাতে, অথবা তোমাদের পদতল থেকে, কিংবা তোমাদেরকে বিভিন্ন দলে বিভক্ত করতে এবং পরস্পরের বিরুদ্ধে সংঘর্ষ বাধিয়ে দেয়ার স্বাদ আস্বাদন করাতে। দেখো, আমরা কিভাবে আয়াত সমূহ বর্ণনা করছি যাতে করে তারা বুঝে।	قُلْ هُوَ الْقَادِرُ عَلٰٓى أَنْ يَّبْعَثَ عَلَيْكُمْ عَذَابًا مِّنْ فَوْقِكُمْ أَوْ مِنْ تَحْتِ أَرْجُلِكُمْ أَوْ يَلْبِسَكُمْ شِيَعًا وَّيُذِيْقَ بَعْضَكُمْ بَأْسَ بَعْضٍ ۗ اُنْظُرْ كَيْفَ نُصَرِّفُ الْاٰيٰتِ لَعَلَّهُمْ يَفْقَهُوْنَ ٦٥
৬৬. অথচ মহাসত্য হওয়া সত্ত্বেও তোমার কওম তা অস্বীকার করছে। বলো: আমি তোমাদের উকিল নই।	وَكَذَّبَ بِهِ قَوْمُكَ وَهُوَ الْحَقُّ ۗ قُلْ لَّسْتُ عَلَيْكُمْ بِوَكِيْلٍ ٦٦
৬৭. প্রতিটি সংবাদেরই একটি নির্দিষ্ট মেয়াদ রয়েছে এবং অচিরেই তোমরা জানতে পারবে।	لِكُلِّ نَبَإٍ مُّسْتَقَرٌّ ۡ وَّسَوْفَ تَعْلَمُوْنَ ٦٧
৬৮. তুমি যখন দেখবে, তারা আমার আয়াত সমূহ নিয়ে বিদ্রুপাত্মক আলোচনায় লিপ্ত, তখন তুমি তাদের থেকে সরে যাও, যতোক্ষণ না তারা কথার প্রসঙ্গ পাল্টায়। শয়তান যদি তোমাকে ভুলিয়ে দেয়, তবে স্মরণ হবার পর যালিমদের সাথে আর বসবেনা।	وَإِذَا رَأَيْتَ الَّذِيْنَ يَخُوْضُوْنَ فِيْٓ اٰيٰتِنَا فَأَعْرِضْ عَنْهُمْ حَتّٰى يَخُوْضُوْا فِيْ حَدِيْثٍ غَيْرِهِ ۖ وَإِمَّا يُنْسِيَنَّكَ الشَّيْطٰنُ فَلَا تَقْعُدْ بَعْدَ الذِّكْرٰى مَعَ الْقَوْمِ الظّٰلِمِيْنَ ٦٨
৬৯. তাদের কোনো কাজের হিসাব দেয়া তাকওয়া অবলম্বনকারীদের দায়িত্ব নয়। তবে তাদের কর্তব্য উপদেশ দেয়া, যাতে করে ওরাও তাকওয়া অবলম্বন করে।	وَمَا عَلَى الَّذِيْنَ يَتَّقُوْنَ مِنْ حِسَابِهِمْ مِّنْ شَيْءٍ وَّلٰكِنْ ذِكْرٰى لَعَلَّهُمْ يَتَّقُوْنَ ٦٩
৭০. যারা তাদের দীনকে খেল তামাশা হিসেবে	وَذَرِ الَّذِيْنَ اتَّخَذُوْا دِيْنَهُمْ لَعِبًا وَّلَهْوًا

গ্রহণ করে এবং যাদেরকে প্রতারিত করে রাখে দুনিয়ার জীবন, তুমি তাদের সংগ ত্যাগ করো এবং এ (কুরআন) নিয়ে তাদের উপদেশ দিতে থাকো, যাতে করে কেউ নিজ কৃতকর্মের কারণে ধ্বংস হয়ে না যায়। তার জন্যে তো আল্লাহ ছাড়া কোনো অলি এবং সুপারিশকারী নেই। আর তারা মুক্তির বিনিময়ে সব কিছু দিলেও তা গ্রহণ করা হবেনা। এরা হলো সেইসব লোক যারা নিজেদের কৃতকর্মের জন্যে ধ্বংস হবে। তাদের জন্যে রয়েছে প্রচন্ড গরম পানি আর বেদনাদায়ক আযাব তাদের কুফুরির কারণে। (রুকু ০৮)	وَّ غَرَّتْهُمُ الْحَيٰوةُ الدُّنْيَا وَ ذَكِّرْ بِهٖٓ اَنْ تُبْسَلَ نَفْسٌۢ بِمَا كَسَبَتْ ۖ لَيْسَ لَهَا مِنْ دُوْنِ اللّٰهِ وَلِيٌّ وَّ لَا شَفِيْعٌ ۚ وَ اِنْ تَعْدِلْ كُلَّ عَدْلٍ لَّا يُؤْخَذْ مِنْهَا ؕ اُولٰٓئِكَ الَّذِيْنَ اُبْسِلُوْا بِمَا كَسَبُوْا ۚ لَهُمْ شَرَابٌ مِّنْ حَمِيْمٍ وَّ عَذَابٌ اَلِيْمٌۢ بِمَا كَانُوْا يَكْفُرُوْنَ ﴿٧٠﴾
৭১. বলো: আমরা কি আল্লাহ ছাড়া এমন কিছুকে (ইলাহ্ হিসেবে) ডাকবো, যেগুলো আমাদের না কোনো লাভ করতে পারে, আর না ক্ষতি? আল্লাহ আমাদের হিদায়াত করার পর আমরা কি আবার ঐ ব্যক্তির মতো পেছনে ফিরে যাবো যাকে শয়তান পৃথিবীতে পথ ভুলিয়ে হয়রান করে ফেলেছে? অথচ তার সাথিরা তাকে সঠিক পথের দিকে ডেকে বলে: 'এসো আমাদের কাছে।' বলো: 'আল্লাহ্র হিদায়াতই একমাত্র হিদায়াত এবং আমাদের নির্দেশ দেয়া হয়েছে আমরা যেনো রাব্বুল আলামিনের প্রতি আত্মসমর্পণ করি।'	قُلْ اَنَدْعُوْا مِنْ دُوْنِ اللّٰهِ مَا لَا يَنْفَعُنَا وَ لَا يَضُرُّنَا وَ نُرَدُّ عَلٰٓى اَعْقَابِنَا بَعْدَ اِذْ هَدٰىنَا اللّٰهُ كَالَّذِى اسْتَهْوَتْهُ الشَّيٰطِيْنُ فِى الْاَرْضِ حَيْرَانَ ۖ لَهٗٓ اَصْحٰبٌ يَّدْعُوْنَهٗٓ اِلَى الْهُدَى ائْتِنَا ؕ قُلْ اِنَّ هُدَى اللّٰهِ هُوَ الْهُدٰى ؕ وَ اُمِرْنَا لِنُسْلِمَ لِرَبِّ الْعٰلَمِيْنَ ﴿٧١﴾
৭২. আমাদের আরো নির্দেশ দেয়া হয়েছে: 'সালাত কায়েম করো এবং তাঁর অবাধ্য হওয়া থেকে আত্মরক্ষা করো। আর তাঁরই কাছে তোমাদের হাশর করা হবে।'	وَ اَنْ اَقِيْمُوا الصَّلٰوةَ وَ اتَّقُوْهُ ؕ وَ هُوَ الَّذِىْٓ اِلَيْهِ تُحْشَرُوْنَ ﴿٧٢﴾
৭৩. তিনিই সৃষ্টি করেছেন মহাকাশ আর পৃথিবী, এ এক মহাসত্য। যখন তিনি বলেন: 'হও', সাথে সাথে হয়ে যায়। তাঁর কথা মহাসত্য। সেদিন সমস্ত কর্তৃত্ব থাকবে তাঁরই হাতে, যেদিন ফু দেয়া হবে শিঙায়। তিনি গায়েবের জ্ঞানী এবং হাজিরেরও। তিনি বিজ্ঞানময় ও সব বিষয়ে অবহিত।	وَ هُوَ الَّذِىْ خَلَقَ السَّمٰوٰتِ وَ الْاَرْضَ بِالْحَقِّ ؕ وَ يَوْمَ يَقُوْلُ كُنْ فَيَكُوْنُ ؕ قَوْلُهُ الْحَقُّ ؕ وَ لَهُ الْمُلْكُ يَوْمَ يُنْفَخُ فِى الصُّوْرِ ؕ عٰلِمُ الْغَيْبِ وَ الشَّهَادَةِ ؕ وَ هُوَ الْحَكِيْمُ الْخَبِيْرُ ﴿٧٣﴾
৭৪. স্মরণ করো, ইবরাহিম তার বাপ আযরকে বলেছিল: 'আপনি কি মূর্তিকে ইলাহ্ মানেন? আমার মতে আপনি এবং আপনার কওম সুস্পষ্ট গোমরাহিতে নিমজ্জিত।'	وَ اِذْ قَالَ اِبْرٰهِيْمُ لِاَبِيْهِ اٰزَرَ اَتَتَّخِذُ اَصْنَامًا اٰلِهَةً ۚ اِنِّىْٓ اَرٰىكَ وَ قَوْمَكَ فِىْ ضَلٰلٍ مُّبِيْنٍ ﴿٧٤﴾
৭৫. এভাবেই আমরা ইবরাহিমকে মহাকাশ এবং পৃথিবীর পরিচালন ব্যবস্থা দেখিয়েছি, যাতে করে সে দৃঢ় বিশ্বাসীদের একজন হয়।	وَ كَذٰلِكَ نُرِىْٓ اِبْرٰهِيْمَ مَلَكُوْتَ السَّمٰوٰتِ وَ الْاَرْضِ وَ لِيَكُوْنَ مِنَ الْمُوْقِنِيْنَ ﴿٧٥﴾
৭৬. তারপর যখন তার উপর ছেয়ে এলো রাতের আঁধার, সে একটি নক্ষত্র দেখে বললো: 'এই	فَلَمَّا جَنَّ عَلَيْهِ الَّيْلُ رَاٰ كَوْكَبًا ۚ قَالَ هٰذَا

আমার রব।' কিন্তু সেটি যখন অস্ত গেলো, সে বললো: 'অস্ত যাওয়াদের আমি পছন্দ করিনা।'	رَبِّيْ ۚ فَلَمَّآ اَفَلَ قَالَ لَآ اُحِبُّ الْاٰفِلِيْنَ ﴿٧٦﴾
৭৭. পরে যখন সে দেখলো উজ্জ্বল চাঁদ উদয় হয়েছে, সে বললো: 'এ-ই আমার রব।' অতপর চাঁদও যখন অস্ত গেলো, সে বললো: 'আমার রবই যদি আমাকে সঠিক পথ না দেখান, তাহলে অবশ্যি আমি বিপথগামী লোকদের অন্তরভুক্ত হয়ে যাবো।'	فَلَمَّا رَاَ الْقَمَرَ بَازِغًا قَالَ هٰذَا رَبِّيْ ۚ فَلَمَّآ اَفَلَ قَالَ لَئِنْ لَّمْ يَهْدِنِيْ رَبِّيْ لَاَكُوْنَنَّ مِنَ الْقَوْمِ الضَّآلِّيْنَ ﴿٧٧﴾
৭৮. অতপর যখন সে দীপ্ত সূর্যকে উদয় হতে দেখলো, বললো: 'এই হবে আমার রব। এতো সবার বড়।' কিন্তু যখন সেও অস্ত গেলো, এবার সে (ইবরাহিম) বললো: 'হে আমার কওম! তোমরা যাদেরকে (আল্লাহ্‌র সাথে) শরিক করছো আমি তাদের সাথে সম্পর্ক ছিন্ন করলাম।	فَلَمَّا رَاَ الشَّمْسَ بَازِغَةً قَالَ هٰذَا رَبِّيْ هٰذَآ اَكْبَرُ ۚ فَلَمَّآ اَفَلَتْ قَالَ يٰقَوْمِ اِنِّيْ بَرِيْٓءٌ مِّمَّا تُشْرِكُوْنَ ﴿٧٨﴾
৭৯. আমি নিষ্ঠার সাথে আমার মুখ ফিরালাম সেই মহান সত্তার জন্যে যিনি সৃষ্টি করেছেন মহাকাশ এবং পৃথিবী। আমি মুশরিকদের অন্তরভুক্ত নই।'	اِنِّيْ وَجَّهْتُ وَجْهِيَ لِلَّذِيْ فَطَرَ السَّمٰوٰتِ وَالْاَرْضَ حَنِيْفًا وَّمَآ اَنَا مِنَ الْمُشْرِكِيْنَ ﴿٧٩﴾
৮০. তখন তার কওম তার সাথে বিতর্কে লিপ্ত হয়। সে তাদের বলেছিল: 'তোমরা কি আল্লাহ্‌র ব্যাপারে আমার সাথে তর্ক করছো? অথচ তিনি আমাকে হিদায়াত দান করেছেন। তোমরা তাঁর সাথে যাদের শরিক করছো আমি তাদের ভয় করিনা, তবে আমার প্রভুই যদি কিছু চান সেটা ভিন্ন কথা। সব কিছুর উপর আমার প্রভুর জ্ঞান পরিব্যাপ্ত। তোমরা কি বুঝার চেষ্টা করবেনা?'	وَحَآجَّهٗ قَوْمُهٗ ؕ قَالَ اَتُحَآجُّوْٓنِّيْ فِي اللّٰهِ وَقَدْ هَدٰىنِ ؕ وَلَآ اَخَافُ مَا تُشْرِكُوْنَ بِهٖٓ اِلَّآ اَنْ يَّشَآءَ رَبِّيْ شَيْـًٔا ؕ وَسِعَ رَبِّيْ كُلَّ شَيْءٍ عِلْمًا ؕ اَفَلَا تَتَذَكَّرُوْنَ ﴿٨٠﴾
৮১. তোমরা যাদেরকে (আল্লাহ্‌র সাথে) শরিক করছো আমি কী করে তাদের ভয় করতে পারি! তোমরা তো মহান আল্লাহ্‌র সাথে শরিক করতে ভয় করছোনা, অথচ তাদেরকে আল্লাহ্‌র শরিক বানানোর ব্যাপারে তোমাদেরকে কোনো সার্টিফিকেট দেয়া হয়নি। সুতরাং তোমাদের যদি বুঝ-জ্ঞান থাকে তবে বলো: 'কোন্ পক্ষ নিরাপত্তা লাভের বেশি হকদার?'	وَكَيْفَ اَخَافُ مَآ اَشْرَكْتُمْ وَلَا تَخَافُوْنَ اَنَّكُمْ اَشْرَكْتُمْ بِاللّٰهِ مَا لَمْ يُنَزِّلْ بِهٖ عَلَيْكُمْ سُلْطٰنًا ؕ فَاَيُّ الْفَرِيْقَيْنِ اَحَقُّ بِالْاَمْنِ ۚ اِنْ كُنْتُمْ تَعْلَمُوْنَ ﴿٨١﴾
৮২. যারা ঈমান আনে এবং ঈমানকে যুলুম (শিরক) মিশ্রিত করে কলুষিত করেনা, তাদের জন্যেই রয়েছে নিরাপত্তা, আর তারাই হিদায়াত প্রাপ্ত।	اَلَّذِيْنَ اٰمَنُوْا وَلَمْ يَلْبِسُوْٓا اِيْمَانَهُمْ بِظُلْمٍ اُولٰٓئِكَ لَهُمُ الْاَمْنُ وَهُمْ مُّهْتَدُوْنَ ﴿٨٢﴾
৮৩. আমরা ইবরাহিমকে তার কওমের মোকাবেলায় এসব যুক্তি প্রমাণ প্রদান করেছিলাম। আমরা যাকে চাই অনেক উঁচু মর্যাদা দিয়ে থাকি। নিশ্চয়ই তোমার প্রভু প্রজ্ঞাবান, জ্ঞানী।	وَتِلْكَ حُجَّتُنَآ اٰتَيْنٰهَآ اِبْرٰهِيْمَ عَلٰى قَوْمِهٖ ؕ نَرْفَعُ دَرَجٰتٍ مَّنْ نَّشَآءُ ؕ اِنَّ رَبَّكَ حَكِيْمٌ عَلِيْمٌ ﴿٨٣﴾
৮৪. আর আমরা তাকে দান করেছিলাম (পুত্র) ইসহাক এবং (নাতি) ইয়াকুবকে। তাদের প্রত্যেককেই আমরা হিদায়াতের উপর পরিচালিত	وَوَهَبْنَا لَهٗٓ اِسْحٰقَ وَيَعْقُوْبَ ؕ كُلًّا هَدَيْنَا ۚ وَنُوْحًا هَدَيْنَا مِنْ قَبْلُ وَمِنْ ذُرِّيَّتِهٖ

রুকু ০৯

করেছি। এর আগে আমরা নূহকেও হিদায়াতের উপর পরিচালিত করেছি আর তার বংশধর দাউদ, সুলাইমান, আইয়ুব, ইউসুফ এবং মূসা আর হারূণকেও। এভাবেই আমরা পুরস্কার দিয়ে থাকি কল্যাণ পরায়ণদের।	دَاوٗدَ وَ سُلَيۡمٰنَ وَ اَيُّوۡبَ وَ يُوۡسُفَ وَ مُوۡسٰى وَهٰرُوۡنَ ؕ وَكَذٰلِكَ نَجۡزِى الۡمُحۡسِنِيۡنَ ﴿۸۴﴾
৮৫. আর যাকারিয়া, ইয়াহিয়া, ঈসা ও ইলিয়াস- এরা প্রত্যেকেই ছিলো ন্যায় পরায়ণদের অন্তরভুক্ত।	وَ زَكَرِيَّا وَ يَحۡيٰى وَ عِيۡسٰى وَ اِلۡيَاسَ ؕ كُلٌّ مِّنَ الصّٰلِحِيۡنَ ﴿۸۵﴾
৮৬. আর ইসমাঈল, আলইয়াসা এবং ইউনুস এবং লূতও। এদের প্রত্যেককেই আমরা শ্রেষ্ঠ মর্যাদা দিয়েছিলাম জগতবাসীর উপর।	وَ اِسۡمٰعِيۡلَ وَ الۡيَسَعَ وَ يُوۡنُسَ وَ لُوۡطًا ؕ وَ كُلًّا فَضَّلۡنَا عَلَى الۡعٰلَمِيۡنَ ﴿۸۶﴾
৮৭. তাছাড়া এদের পূর্ব পুরুষ, উত্তর পুরুষ এবং ভাইদের অনেককেও। আমরা তাদের সবাইকে মনোনীত করেছিলাম এবং পরিচালিত করেছিলাম সিরাতুল মুস্তাকিমের উপর।	وَ مِنۡ اٰبَآئِهِمۡ وَذُرِّيّٰتِهِمۡ وَ اِخۡوَانِهِمۡ ۚ وَاجۡتَبَيۡنٰهُمۡ وَهَدَيۡنٰهُمۡ اِلٰى صِرَاطٍ مُّسۡتَقِيۡمٍ ﴿۸۷﴾
৮৮. এ হলো আল্লাহ্‌র হিদায়াত, তিনি তাঁর বান্দাদের যাকে চান এর ভিত্তিতে পরিচালিত করেন। তারা যদি শিরক করতো, অবশ্যি নিষ্ফল হয়ে যেতো তাদের সমস্ত আমল।	ذٰلِكَ هُدَى اللّٰهِ يَهۡدِىۡ بِهٖ مَنۡ يَّشَآءُ مِنۡ عِبَادِهٖ ؕ وَلَوۡ اَشۡرَكُوۡا لَحَبِطَ عَنۡهُمۡ مَّا كَانُوۡا يَعۡمَلُوۡنَ ﴿۸۸﴾
৮৯. এরা ছিলো সেইসব লোক, যাদেরকে আমরা দান করেছিলাম কিতাব, প্রজ্ঞা এবং নবুয়্যত। এখন যদি এরা এগুলোর প্রতি কুফুরিও করে, তবে আমরা তো এগুলোর দায়িত্ব এমন একদল লোকের উপর অর্পণ করেছি যারা এগুলোর প্রতি কাফির নয়।	اُولٰٓئِكَ الَّذِيۡنَ اٰتَيۡنٰهُمُ الۡكِتٰبَ وَ الۡحُكۡمَ وَ النُّبُوَّةَ ۚ فَاِنۡ يَّكۡفُرۡ بِهَا هٰٓؤُلَآءِ فَقَدۡ وَ كَّلۡنَا بِهَا قَوۡمًا لَّيۡسُوۡا بِهَا بِكٰفِرِيۡنَ ﴿۸۹﴾
৯০. তাদেরকে আল্লাহ হিদায়াতের উপর পরিচালিত করেছেন, সুতরাং তুমিও তাদের পথের অনুসরণ করো। তুমি বলো: 'আমি তো একাজের জন্যে তোমাদের কাছে কোনো পারিশ্রমিক চাইনা। এটা (কুরআন) তো জগতবাসীর জন্যে উপদেশ ছাড়া কিছুই নয়।	اُولٰٓئِكَ الَّذِيۡنَ هَدَى اللّٰهُ فَبِهُدٰٮهُمُ اقۡتَدِهۡ ؕ قُلۡ لَّاۤ اَسۡـَٔلُكُمۡ عَلَيۡهِ اَجۡرًا ؕ اِنۡ هُوَ اِلَّا ذِكۡرٰى لِلۡعٰلَمِيۡنَ ﴿۹۰﴾
৯১. তারা আল্লাহকে তাঁর প্রকৃত মর্যাদাই প্রদান করেনি, যখন তারা বলে: 'আল্লাহ একজন মানুষের কাছে কিছুই নাযিল করেননি।' তুমি বলো: 'তাহলে মূসা যে কিতাব নিয়ে এসেছিল তা কে নাযিল করেছে? যা ছিলো আলো এবং মানুষের জন্যে হিদায়াত। তোমরা যার কিছু অংশ কাগজে লিখে প্রকাশ করো আর অনেকাংশই করো গোপন। আর তোমাদেরকে (সেই কিতাবের মাধ্যমে) তাও শিক্ষা দেয়া হয়েছিল যা তোমরা এবং তোমাদের পূর্ব পুরুষরা জানতেনা?' বলো 'আল্লাহ্‌ই' (তা নাযিল	وَ مَا قَدَرُوا اللّٰهَ حَقَّ قَدۡرِهٖۤ اِذۡ قَالُوۡا مَاۤ اَنۡزَلَ اللّٰهُ عَلٰى بَشَرٍ مِّنۡ شَىۡءٍ ؕ قُلۡ مَنۡ اَنۡزَلَ الۡكِتٰبَ الَّذِىۡ جَآءَ بِهٖ مُوۡسٰى نُوۡرًا وَّ هُدًى لِّلنَّاسِ تَجۡعَلُوۡنَهٗ قَرَاطِيۡسَ تُبۡدُوۡنَهَا وَ تُخۡفُوۡنَ كَثِيۡرًا ۚ وَ عُلِّمۡتُمۡ مَّا لَمۡ تَعۡلَمُوۡۤا اَنۡتُمۡ وَ لَاۤ اٰبَآؤُكُمۡ ؕ قُلِ اللّٰهُ

রুকু ১০

করেছেন)। ব্যাস্, এখন তাদেরকে তাদের অর্থহীন কথাবার্তার খেলায় নিমগ্ন থাকতে দাও।	ثُمَّ ذَرْهُمْ فِيْ خَوْضِهِمْ يَلْعَبُوْنَ ۝٩١
৯২. আর এই মুবারক কিতাব (আল কুরআন) আমরা নাযিল করেছি। এটি তার পূর্বের কিতাবের সত্যায়নকারী আর এর ভিত্তিতে যেনো তুমি উম্মুল কোরা (মক্কা) এবং তার আশ্ পাশের লোকদের সতর্ক করো। যারা আখিরাতে বিশ্বাসী তারা এর প্রতি ঈমান রাখে এবং তারা তাদের সালাতের হিফাযত করে।	وَ هٰذَا كِتٰبٌ اَنْزَلْنٰهُ مُبٰرَكٌ مُّصَدِّقُ الَّذِيْ بَيْنَ يَدَيْهِ وَ لِتُنْذِرَ اُمَّ الْقُرٰى وَمَنْ حَوْلَهَا ؕ وَالَّذِيْنَ يُؤْمِنُوْنَ بِالْاٰخِرَةِ يُؤْمِنُوْنَ بِهٖ وَهُمْ عَلٰى صَلَاتِهِمْ يُحَافِظُوْنَ ۝٩٢
৯৩. ঐ ব্যক্তির চাইতে বড় যালিম আর কে, যে মিথ্যা রচনা করে আল্লাহ্‌র উপর আরোপ করে, কিংবা বলে, 'আমার কাছে অহি আসে', অথচ তার কাছে কোনো অহিই আসেনা, আর ঐ ব্যক্তিও, যে বলে আল্লাহ যা নাযিল করেছেন আমিও তা নাযিল করবো?' তুমি যদি দেখতে এই যালিমরা যখন মৃত্যু যন্ত্রণায় কাতরাবে আর ফেরেশতারা হাত বাড়িয়ে বলবে: 'বের করো তোমাদের প্রাণ। আজ প্রয়োগ করা হবে তোমাদের উপর অপমানকর আযাব, কারণ তোমরা আল্লাহ্‌র উপর আরোপ করতে না হক কথা আর আল্লাহ্‌র আয়াত নিয়ে প্রকাশ করতে ঔদ্ধত্য।'	وَ مَنْ اَظْلَمُ مِمَّنِ افْتَرٰى عَلَى اللّٰهِ كَذِبًا اَوْ قَالَ اُوْحِيَ اِلَيَّ وَ لَمْ يُوْحَ اِلَيْهِ شَيْءٌ وَّ مَنْ قَالَ سَاُنْزِلُ مِثْلَ مَاۤ اَنْزَلَ اللّٰهُ ؕ وَلَوْ تَرٰۤى اِذِ الظّٰلِمُوْنَ فِيْ غَمَرٰتِ الْمَوْتِ وَ الْمَلٰٓئِكَةُ بَاسِطُوْۤا اَيْدِيْهِمْ ۚ اَخْرِجُوْۤا اَنْفُسَكُمْ ؕ اَلْيَوْمَ تُجْزَوْنَ عَذَابَ الْهُوْنِ بِمَا كُنْتُمْ تَقُوْلُوْنَ عَلَى اللّٰهِ غَيْرَ الْحَقِّ وَ كُنْتُمْ عَنْ اٰيٰتِهٖ تَسْتَكْبِرُوْنَ ۝٩٣
৯৪. তোমরা তো আমাদের কাছে একা একাই এসেছো যেমন আমরা তোমাদের সৃষ্টি করেছিলাম প্রথমবার, আর তোমাদেরকে যা দিয়েছিলাম সবই তো পেছনে ফেলে এসেছো! কই তোমাদের সাথে তো তোমাদের শাফায়াতকারীদের দেখছিনা, যাদেরকে তোমাদের ব্যাপারে (আল্লাহ্‌র) শরিকদার মনে করতে? তোমাদের মধ্যকার সম্পর্ক ছিন্ন হয়ে গেছে এবং তোমরা যা ধারণা করছিলে সবই হয়ে গেছে উধাও।	وَ لَقَدْ جِئْتُمُوْنَا فُرَادٰى كَمَا خَلَقْنٰكُمْ اَوَّلَ مَرَّةٍ وَّ تَرَكْتُمْ مَّا خَوَّلْنٰكُمْ وَرَآءَ ظُهُوْرِكُمْ ۚ وَ مَا نَرٰى مَعَكُمْ شُفَعَآءَكُمُ الَّذِيْنَ زَعَمْتُمْ اَنَّهُمْ فِيْكُمْ شُرَكٰٓؤُا ؕ لَقَدْ تَّقَطَّعَ بَيْنَكُمْ وَ ضَلَّ عَنْكُمْ مَّا كُنْتُمْ تَزْعُمُوْنَ ۝٩٤ (রুকু ১১)
৯৫. আল্লাহ্‌ই অংকুরিত করেন শস্য-বীজ এবং আঁটি। তিনি মৃত থেকে জীবিতকে বের করে আনেন এবং মৃতকে বের করে আনেন জীবন্তের থেকে। তিনিই আল্লাহ। সুতরাং কোথায় ফিরে যাচ্ছো তোমরা?	اِنَّ اللّٰهَ فَالِقُ الْحَبِّ وَ النَّوٰى ؕ يُخْرِجُ الْحَيَّ مِنَ الْمَيِّتِ وَ مُخْرِجُ الْمَيِّتِ مِنَ الْحَيِّ ؕ ذٰلِكُمُ اللّٰهُ فَاَنّٰى تُؤْفَكُوْنَ ۝٩٥
৯৬. তিনিই (রাতের বুক চিরে) ভোরের উন্মেষ ঘটান। তিনিই বানিয়েছেন তোমাদের বিশ্রামের জন্যে রাত আর হিসাবের জন্যে সূর্য আর চাঁদ। এসবই মহাপরাক্রমশালী ও মহাজ্ঞানীর নির্ধারিত।	فَالِقُ الْاِصْبَاحِ ۚ وَ جَعَلَ الَّيْلَ سَكَنًا وَّ الشَّمْسَ وَ الْقَمَرَ حُسْبَانًا ؕ ذٰلِكَ تَقْدِيْرُ الْعَزِيْزِ الْعَلِيْمِ ۝٩٦

৯৭. তিনিই তোমাদের জন্যে নক্ষত্রকে বানিয়েছেন স্থল ও সমুদ্রের অন্ধকারে পথ প্রদর্শক। যেসব লোক জ্ঞান রাখে তাদের জন্যে আমরা নিদর্শন বর্ণনা করেছি বিশদভাবে।	وَ هُوَ الَّذِیْ جَعَلَ لَكُمُ النُّجُوْمَ لِتَهْتَدُوْا بِهَا فِیْ ظُلُمٰتِ الْبَرِّ وَ الْبَحْرِ ؕ قَدْ فَصَّلْنَا الْاٰیٰتِ لِقَوْمٍ یَّعْلَمُوْنَ ﴿٩٧﴾
৯৮. তিনিই তোমাদের সৃষ্টি করেছেন এক ব্যক্তি থেকে। তারপর তোমাদের জন্যে রয়েছে স্থায়ী ও সাময়িক ঠিকানা। যারা বুঝ ও বোধের অধিকারী তাদের জন্যে আমরা নিদর্শন বর্ণনা করেছি বিশদভাবে।	وَ هُوَ الَّذِیْۤ اَنْشَاَكُمْ مِّنْ نَّفْسٍ وَّاحِدَةٍ فَمُسْتَقَرٌّ وَّ مُسْتَوْدَعٌ ؕ قَدْ فَصَّلْنَا الْاٰیٰتِ لِقَوْمٍ یَّفْقَهُوْنَ ﴿٩٨﴾
৯৯. তিনিই আসমান থেকে নাযিল করেন পানি। তা দিয়ে আমরা সব ধরণের উদ্ভিদ উদগত করি। তা থেকে আমরা সবুজ পাতা বের করে আনি। তা থেকে উৎপন্ন করি ঘন নিবিড় শস্যদানা। খেজুর গাছের মাথা থেকে বের করে আনি ঝুলন্ত কাঁদি। উৎপন্ন করি আংগুরের বাগান, যয়তুন ও আনার, একই রকম ও বিভিন্ন রকম। লক্ষ্য করে দেখো, এর ফলের প্রতি, যখন তা ফলবান হয় এবং যখন তা পাকে। যারা ঈমান রাখে তাদের জন্যে এতে রয়েছে অনেক নিদর্শন।	وَ هُوَ الَّذِیْۤ اَنْزَلَ مِنَ السَّمَآءِ مَآءً ۚ فَاَخْرَجْنَا بِهٖ نَبَاتَ كُلِّ شَیْءٍ فَاَخْرَجْنَا مِنْهُ خَضِرًا نُّخْرِجُ مِنْهُ حَبًّا مُّتَرَاكِبًا ۚ وَ مِنَ النَّخْلِ مِنْ طَلْعِهَا قِنْوَانٌ دَانِیَةٌ وَّ جَنّٰتٍ مِّنْ اَعْنَابٍ وَّ الزَّیْتُوْنَ وَ الرُّمَّانَ مُشْتَبِهًا وَّ غَیْرَ مُتَشَابِهٍ ؕ اُنْظُرُوْۤا اِلٰی ثَمَرِهٖۤ اِذَاۤ اَثْمَرَ وَ یَنْعِهٖ ؕ اِنَّ فِیْ ذٰلِكُمْ لَاٰیٰتٍ لِّقَوْمٍ یُّؤْمِنُوْنَ ﴿٩٩﴾
১০০. তারা জিনকে আল্লাহ্‌র শরিক বানায়, অথচ তিনিই তাদের সৃষ্টি করেছেন। আর না জেনেই তারা আল্লাহ্‌র প্রতি পুত্র কন্যা আরোপ করে। তারা যা আরোপ করে তা থেকে তিনি মুক্ত-পবিত্র এবং অনেক উর্ধ্বে।	وَ جَعَلُوْا لِلّٰهِ شُرَكَآءَ الْجِنَّ وَ خَلَقَهُمْ وَ خَرَقُوْا لَهٗ بَنِیْنَ وَ بَنٰتٍۭ بِغَیْرِ عِلْمٍ ؕ سُبْحٰنَهٗ وَ تَعٰلٰی عَمَّا یَصِفُوْنَ ﴿١٠٠﴾
১০১. তিনি তো মহাবিশ্ব এবং এই পৃথিবীর স্রষ্টা। কী করে থাকতে পারে তাঁর সন্তান? তাঁর তো স্ত্রীও থাকতে পারেনা। কারণ, সব কিছু তো তিনিই সৃষ্টি করেছেন। প্রতিটি বিষয়ে তিনি জ্ঞাত।	بَدِیْعُ السَّمٰوٰتِ وَ الْاَرْضِ ؕ اَنّٰی یَكُوْنُ لَهٗ وَلَدٌ وَّ لَمْ تَكُنْ لَّهٗ صَاحِبَةٌ ؕ وَ خَلَقَ كُلَّ شَیْءٍ ۚ وَ هُوَ بِكُلِّ شَیْءٍ عَلِیْمٌ ﴿١٠١﴾
১০২. তিনি আল্লাহ, তোমাদের প্রভু। কোনো ইলাহ্ নেই তিনি ছাড়া। প্রতিটি জিনিসের তিনি স্রষ্টা। সুতরাং তোমরা কেবল তাঁরই ইবাদত করো। প্রতিটি জিনিসের উপর তিনি উকিল-তত্ত্বাবধায়ক।	ذٰلِكُمُ اللّٰهُ رَبُّكُمْ ۚ لَاۤ اِلٰهَ اِلَّا هُوَ ۚ خَالِقُ كُلِّ شَیْءٍ فَاعْبُدُوْهُ ۚ وَ هُوَ عَلٰی كُلِّ شَیْءٍ وَّكِیْلٌ ﴿١٠٢﴾
১০৩. কোনো দৃষ্টি তাঁকে ধারণ করতে পারেনা, কিন্তু তিনি ধারণ করেন সব দৃষ্টি। আর তিনি সুক্ষ্মদর্শী, সব বিষয়ের খবর রাখেন।	لَا تُدْرِكُهُ الْاَبْصَارُ ۫ وَ هُوَ یُدْرِكُ الْاَبْصَارَ ۚ وَ هُوَ اللَّطِیْفُ الْخَبِیْرُ ﴿١٠٣﴾

রুকু ১২

১০৪. তোমাদের প্রভুর পক্ষ থেকে তোমাদের কাছে এসেছে সুস্পষ্ট প্রমাণ। সুতরাং যে দেখবে, সে নিজেরই কল্যাণ করবে, আর যে অন্ধতার পথ বেছে নেবে সে নিজেকেই ক্ষতিগ্রস্ত করবে। (হে নবী! তাদের বলো:) 'আমি তোমাদের উপর হিফাযতকারী নই।'	قَدْ جَآءَكُمْ بَصَآئِرُ مِنْ رَّبِّكُمْ ۚ فَمَنْ اَبْصَرَ فَلِنَفْسِهٖ ۚ وَ مَنْ عَمِیَ فَعَلَیْهَا ؕ وَمَاۤ اَنَا عَلَیْكُمْ بِحَفِیْظٍ ﴿۱۰۴﴾
১০৫. এমনি করে আমরা বিভিন্নভাবে বর্ণনা করি আয়াত। তারা বলে: 'তুমি কারো কাছ থেকে পড়ে নিয়েছো।' আমরা জ্ঞানী লোকদের জন্যে এই কুরআন বর্ণনা করি স্পষ্টভাবে।	وَ كَذٰلِكَ نُصَرِّفُ الْاٰیٰتِ وَ لِیَقُوْلُوْا دَرَسْتَ وَلِنُبَیِّنَهٗ لِقَوْمٍ یَّعْلَمُوْنَ ﴿۱۰۵﴾
১০৬. তোমার প্রভুর পক্ষ থেকে তোমার কাছে যা অহি করা হয় তুমি কেবল তারই অনুসরণ করো, তিনি ছাড়া কোনো ইলাহ্ (হুকুমকর্তা) নেই। মুশরিকদের উপেক্ষা করে চলো।	اِتَّبِعْ مَاۤ اُوْحِیَ اِلَیْكَ مِنْ رَّبِّكَ ۚ لَاۤ اِلٰهَ اِلَّا هُوَ ۚ وَاَعْرِضْ عَنِ الْمُشْرِكِیْنَ ﴿۱۰۶﴾
১০৭. আল্লাহ চাইলে তারা শিরক করতোনা। আমরা তোমাকে তাদের উপর রক্ষক নিযুক্ত করিনি এবং তাদের উপর তোমাকে উকিলও নিয়োগ করিনি।	وَ لَوْ شَآءَ اللّٰهُ مَاۤ اَشْرَكُوْا ؕ وَ مَا جَعَلْنٰكَ عَلَیْهِمْ حَفِیْظًا ۚ وَ مَاۤ اَنْتَ عَلَیْهِمْ بِوَكِیْلٍ ﴿۱۰۷﴾
১০৮. তারা আল্লাহ ছাড়া যাদেরকে ডাকে তোমরা তাদের গালি দিওনা, তাহলে তারাও না জেনে সীমালংঘন করে আল্লাহকে গালি দিয়ে বসবে। এভাবেই আমরা প্রত্যেক উম্মতের জন্যে সুশোভিত করে দিয়েছি তাদের কর্মকান্ডকে। তারপর তাদের প্রভুর কাছেই তাদের প্রত্যাবর্তন হবে, তখন তিনি তাদের সংবাদ দেবেন- তারা কী আমল করতো।	وَ لَا تَسُبُّوا الَّذِیْنَ یَدْعُوْنَ مِنْ دُوْنِ اللّٰهِ فَیَسُبُّوا اللّٰهَ عَدْوًۢا بِغَیْرِ عِلْمٍ ؕ كَذٰلِكَ زَیَّنَّا لِكُلِّ اُمَّةٍ عَمَلَهُمْ ۪ ثُمَّ اِلٰی رَبِّهِمْ مَّرْجِعُهُمْ فَیُنَبِّئُهُمْ بِمَا كَانُوْا یَعْمَلُوْنَ ﴿۱۰۸﴾
১০৯. তারা আল্লাহ্র নামে কঠোর শপথ করে বলে, তাদের জন্যে যদি কোনো নিদর্শন আসতো, তবে অবশ্যি তারা ঈমান আনতো। বলো: নিদর্শন পাঠানো তো আল্লাহ্র ব্যাপার। তোমাদের কিভাবে বুঝানো যাবে যে, নিদর্শন এলেও তারা ঈমান আনতোনা।	وَ اَقْسَمُوْا بِاللّٰهِ جَهْدَ اَیْمَانِهِمْ لَئِنْ جَآءَتْهُمْ اٰیَةٌ لَّیُؤْمِنُنَّ بِهَا ؕ قُلْ اِنَّمَا الْاٰیٰتُ عِنْدَ اللّٰهِ وَ مَا یُشْعِرُكُمْ ۙ اَنَّهَاۤ اِذَا جَآءَتْ لَا یُؤْمِنُوْنَ ﴿۱۰۹﴾
১১০. আমরা তাদের অন্তর এবং দৃষ্টি পরিবর্তন করে দেবো, যেভাবে তারা প্রথমবারেই ঈমান আনেনি এবং তাদেরকে অবাধ্যতার মধ্যে বিভ্রান্তের মতো ঘুরে বেড়াতে ছেড়ে দেবো।	وَ نُقَلِّبُ اَفْـِٕدَتَهُمْ وَ اَبْصَارَهُمْ كَمَا لَمْ یُؤْمِنُوْا بِهٖۤ اَوَّلَ مَرَّةٍ وَّ نَذَرُهُمْ فِیْ طُغْیَانِهِمْ یَعْمَهُوْنَ ﴿۱۱۰﴾

রুকু ১৩

১১১. আমরা যদি তাদের কাছে ফেরেশতাও নাযিল করি, যদি মৃত লোকেরা এসেও তাদের সাথে কথা বলে এবং তাদের সামনে সব বস্তু এনেও যদি হাজির করি, তবু তারা ঈমান আনবেনা, তবে আল্লাহ চাইলে ভিন্ন কথা। কিন্তু তাদের অধিকাংশই জাহেল।	وَلَوْ اَنَّنَا نَزَّلْنَآ اِلَيْهِمُ الْمَلٰٓئِكَةَ وَكَلَّمَهُمُ الْمَوْتٰى وَ حَشَرْنَا عَلَيْهِمْ كُلَّ شَيْءٍ قُبُلًا مَّا كَانُوْا لِيُؤْمِنُوْٓا اِلَّآ اَنْ يَّشَآءَ اللّٰهُ وَ لٰكِنَّ اَكْثَرَهُمْ يَجْهَلُوْنَ ﴿١١١﴾
১১২. এভাবে আমরা প্রত্যেক নবীর জন্যে মানুষ ও জিন শয়তানদের শত্রু বানিয়ে দিয়েছি। তারা প্রতারণার উদ্দেশ্যে একে অপরের কাছে মুখরোচক কথা ইংগিত করে। আল্লাহ চাইলে তারা এমনটি করতোনা। সুতরাং তুমি ত্যাগ করো তাদেরকে এবং তারা যে মিথ্যা রচনা করে সেটাকে।	وَكَذٰلِكَ جَعَلْنَا لِكُلِّ نَبِيٍّ عَدُوًّا شَيٰطِيْنَ الْاِنْسِ وَ الْجِنِّ يُوْحِيْ بَعْضُهُمْ اِلٰى بَعْضٍ زُخْرُفَ الْقَوْلِ غُرُوْرًا ۚ وَلَوْ شَآءَ رَبُّكَ مَا فَعَلُوْهُ فَذَرْهُمْ وَ مَا يَفْتَرُوْنَ ﴿١١٢﴾
১১৩. তারা এ উদ্দেশ্যে (পরস্পরের কাছে অহি করে) যে, যারা আখিরাতে ঈমান রাখেনা, তাদের মন যেনো সেদিকে অনুরাগী হয় এবং এতে করে যেনো তারা খুশি হয়। আর তারা যে দুষ্কর্ম করে তাই যেনো তারা করতে থাকে।	وَلِتَصْغٰٓى اِلَيْهِ اَفْـِٕدَةُ الَّذِيْنَ لَا يُؤْمِنُوْنَ بِالْاٰخِرَةِ وَ لِيَرْضَوْهُ وَ لِيَقْتَرِفُوْا مَا هُمْ مُّقْتَرِفُوْنَ ﴿١١٣﴾
১১৪. (তুমি বলো:) 'আমি কি আল্লাহ ছাড়া আর অন্য কাউকেও সালিস মানবো অথচ তিনিই তোমাদের প্রতি নাযিল করেছেন আল কিতাব (আল কুরআন) তফসিল সহকারে!' আর ইতোপূর্বে আমরা যাদের কিতাব দিয়েছি তারা ভালোভাবেই জানে এটি (কুরআন) নির্ঘাত তোমার প্রভুর পক্ষ থেকেই নাযিল হয়েছে। সুতরাং তুমি সন্দেহ পোষণকারীদের অন্তরভুক্ত হয়োনা।	اَفَغَيْرَ اللّٰهِ اَبْتَغِيْ حَكَمًا وَّ هُوَ الَّذِيْٓ اَنْزَلَ اِلَيْكُمُ الْكِتٰبَ مُفَصَّلًا ۚ وَ الَّذِيْنَ اٰتَيْنٰهُمُ الْكِتٰبَ يَعْلَمُوْنَ اَنَّهٗ مُنَزَّلٌ مِّنْ رَّبِّكَ بِالْحَقِّ فَلَا تَكُوْنَنَّ مِنَ الْمُمْتَرِيْنَ ﴿١١٤﴾
১১৫. তোমার প্রভুর বাণী সত্য ও ন্যায়ে পরিপূর্ণ। তাঁর বাণী বদল করার কেউ নেই। তিনি সব শুনেন, সব জানেন।	وَ تَمَّتْ كَلِمَتُ رَبِّكَ صِدْقًا وَّ عَدْلًا ۚ لَا مُبَدِّلَ لِكَلِمٰتِهٖ ۚ وَهُوَ السَّمِيْعُ الْعَلِيْمُ ﴿١١٥﴾
১১৬. তুমি বিশ্বের অধিকাংশ লোকের কথা শুনতে গেলে তারা তোমাকে আল্লাহ্‌র পথ থেকে বিপথগামী করে ফেলবে। তারা তো কেবল ধারণার অনুসরণ করে এবং আন্দাজ অনুমানে কথা বলে।	وَ اِنْ تُطِعْ اَكْثَرَ مَنْ فِي الْاَرْضِ يُضِلُّوْكَ عَنْ سَبِيْلِ اللّٰهِ ۚ اِنْ يَّتَّبِعُوْنَ اِلَّا الظَّنَّ وَ اِنْ هُمْ اِلَّا يَخْرُصُوْنَ ﴿١١٦﴾
১১৭. তোমার প্রভু ভালো করেই জানেন কারা বিপথগামী হয় তাঁর পথ থেকে, আর সঠিক পথের অনুসারীদেরও তিনি ভালোভাবে জানেন।	اِنَّ رَبَّكَ هُوَ اَعْلَمُ مَنْ يَّضِلُّ عَنْ سَبِيْلِهٖ ۚ وَ هُوَ اَعْلَمُ بِالْمُهْتَدِيْنَ ﴿١١٧﴾
১১৮. যাতে আল্লাহ্‌র নাম নেয়া হয়েছে তা তোমরা খাও যদি তোমরা তাঁর আয়াতের প্রতি বিশ্বাসী হয়ে থাকো।	فَكُلُوْا مِمَّا ذُكِرَ اسْمُ اللّٰهِ عَلَيْهِ اِنْ كُنْتُمْ بِاٰيٰتِهٖ مُؤْمِنِيْنَ ﴿١١٨﴾
১১৯. তোমাদের কী হয়েছে, যাতে আল্লাহ্‌র নাম নেয়া হয়েছে কেন তোমরা তা থেকে খাবেনা? অথচ তোমাদের জন্যে যা যা হারাম করা হয়েছে	وَ مَا لَكُمْ اَلَّا تَاْكُلُوْا مِمَّا ذُكِرَ اسْمُ اللّٰهِ عَلَيْهِ وَ قَدْ فَصَّلَ لَكُمْ مَّا حَرَّمَ عَلَيْكُمْ

তা তোমাদেরকে বিশদভাবেই বলে দেয়া হয়েছে। তবে তা থেকে কিছু গ্রহণ করতে তোমরা নিরুপায় হয়ে পড়লে ভিন্ন কথা। অনেকেই না জেনে নিজেদের খেয়াল খুশির ভিত্তিতে অন্যদের বিপথগামী করে। তোমার প্রভু সীমালংঘনকারীদের ভালোভাবেই জানেন।	إِلَّا مَا اضْطُرِرْتُمْ إِلَيْهِ ۗ وَإِنَّ كَثِيرًا لَّيُضِلُّونَ بِأَهْوَائِهِم بِغَيْرِ عِلْمٍ ۗ إِنَّ رَبَّكَ هُوَ أَعْلَمُ بِالْمُعْتَدِينَ ﴿١١٩﴾
১২০. তোমরা বর্জন করো যাহেরি (প্রকাশ্য) পাপ এবং বাতেনি (গোপন) পাপ। যারা পাপ কামাই করে, অচিরেই তাদেরকে তাদের পাপের উচিত শাস্তি দেয়া হবে।	وَذَرُوا ظَاهِرَ الْإِثْمِ وَبَاطِنَهُ ۚ إِنَّ الَّذِينَ يَكْسِبُونَ الْإِثْمَ سَيُجْزَوْنَ بِمَا كَانُوا يَقْتَرِفُونَ ﴿١٢٠﴾
১২১. যাতে আল্লাহ্‌র নাম নেয়া হয়নি তা তোমরা খেয়োনা, কারণ তা ফাসেকি (পাপ)। শয়তানরা তাদের অলিদের অহি করে (প্ররোচনা দেয়) তোমাদের সাথে বিবাদে লিপ্ত হতে। তোমরা যদি তাদের কথামতো চলো তবে অবশ্যি মুশরিক হয়ে যাবে।	وَلَا تَأْكُلُوا مِمَّا لَمْ يُذْكَرِ اسْمُ اللَّهِ عَلَيْهِ وَإِنَّهُ لَفِسْقٌ ۗ وَإِنَّ الشَّيَاطِينَ لَيُوحُونَ إِلَىٰ أَوْلِيَائِهِمْ لِيُجَادِلُوكُمْ ۖ وَإِنْ أَطَعْتُمُوهُمْ إِنَّكُمْ لَمُشْرِكُونَ ﴿١٢١﴾
১২২. যে ছিলো মৃত, তারপর তাকে আমরা জীবন দান করেছি এবং মানুষের মধ্যে চলার জন্যে দিয়েছি আলো, সে কি ঐ ব্যক্তির মতো হতে পারে, যে রয়েছে অন্ধকাররাশিতে এবং সেখান থেকে সে বের হবার নয়? এভাবেই কাফিরদের জন্যে তাদের কর্মকাণ্ডকে করে দেয়া হয়েছে চাকচিক্যময়।	أَوَمَن كَانَ مَيْتًا فَأَحْيَيْنَاهُ وَجَعَلْنَا لَهُ نُورًا يَمْشِي بِهِ فِي النَّاسِ كَمَن مَّثَلُهُ فِي الظُّلُمَاتِ لَيْسَ بِخَارِجٍ مِّنْهَا ۚ كَذَٰلِكَ زُيِّنَ لِلْكَافِرِينَ مَا كَانُوا يَعْمَلُونَ ﴿١٢٢﴾
১২৩. এভাবেই আমরা প্রত্যেক জনপদে সেখানকার অপরাধীদের প্রধানকে চক্রান্ত করার সুযোগ দিয়েছি। তাদের চক্রান্ত যে তাদেরই বিরুদ্ধে যাবে তা তারা বুঝতে পারেনা।	وَكَذَٰلِكَ جَعَلْنَا فِي كُلِّ قَرْيَةٍ أَكَابِرَ مُجْرِمِيهَا لِيَمْكُرُوا فِيهَا ۖ وَمَا يَمْكُرُونَ إِلَّا بِأَنفُسِهِمْ وَمَا يَشْعُرُونَ ﴿١٢٣﴾
১২৪. যখনই তাদের কাছে কোনো নিদর্শন এসেছিল তারা বলেছিল: 'আমরা ততোক্ষণ পর্যন্ত কিছুতেই ঈমান আনবোনা যতোক্ষণ না আল্লাহ্‌র রসূলদের যা দেয়া হয়েছে আমাদেরকেও তা দেয়া হয়।' আল্লাহ্‌ই ভালো জানেন তিনি তাঁর রিসালাতের দায়িত্ব কার উপর অর্পণ করবেন। যারা অপরাধ করেছে, তাদের চক্রান্তের জন্যে আল্লাহ্‌র কাছে তাদের জন্যে রয়েছে অপমান আর কঠোর আযাব।	وَإِذَا جَاءَتْهُمْ آيَةٌ قَالُوا لَن نُّؤْمِنَ حَتَّىٰ نُؤْتَىٰ مِثْلَ مَا أُوتِيَ رُسُلُ اللَّهِ ۘ اللَّهُ أَعْلَمُ حَيْثُ يَجْعَلُ رِسَالَتَهُ ۗ سَيُصِيبُ الَّذِينَ أَجْرَمُوا صَغَارٌ عِندَ اللَّهِ وَعَذَابٌ شَدِيدٌ بِمَا كَانُوا يَمْكُرُونَ ﴿١٢٤﴾
১২৫. আল্লাহ কাউকেও হিদায়াত দান করতে চাইলে ইসলামের জন্যে তার হৃদয়কে উদার করে দেন। আর যাকে তিনি গোমরাহ্‌ করতে চান তার অন্তরকে করে দেন অতিশয় সংকীর্ণ। তখন তার কাছে ইসলামে প্রবেশ করাটা সিঁড়ি বেয়ে আকাশে	فَمَن يُرِدِ اللَّهُ أَن يَهْدِيَهُ يَشْرَحْ صَدْرَهُ لِلْإِسْلَامِ ۖ وَمَن يُرِدْ أَن يُضِلَّهُ يَجْعَلْ صَدْرَهُ ضَيِّقًا حَرَجًا كَأَنَّمَا يَصَّعَّدُ فِي

রুকু ১৪

উঠার মতোই কষ্ট সাধ্য মনে হয়। যারা ঈমান আনেনা আল্লাহ্ এভাবেই তাদের উপর সত্যবিমুখ হবার আবিলতা চাপিয়ে দেন।	السَّمَآءِ ؕ كَذٰلِكَ يَجۡعَلُ اللّٰهُ الرِّجۡسَ عَلَى الَّذِيۡنَ لَا يُؤۡمِنُوۡنَ ﴿۱۲۵﴾
১২৬. এটাই তোমার প্রভুর সিরাতুল মুস্তাকিম। উপদেশ গ্রহণকারী লোকদের জন্যে আমরা নিদর্শন বর্ণনা করে দিলাম বিশদভাবে।	وَ هٰذَا صِرَاطُ رَبِّكَ مُسۡتَقِيۡمًا ؕ قَدۡ فَصَّلۡنَا الۡاٰيٰتِ لِقَوۡمٍ يَّذَّكَّرُوۡنَ ﴿۱۲۶﴾
১২৭. তাদের জন্যে তাদের প্রভুর কাছে রয়েছে দারুস্ সালাম (শান্তির ঘর) এবং তিনিই তাদের অলি (অভিভাবক) তাদের আমলের কারণে।	لَهُمۡ دَارُ السَّلٰمِ عِنۡدَ رَبِّهِمۡ وَ هُوَ وَلِيُّهُمۡ بِمَا كَانُوۡا يَعۡمَلُوۡنَ ﴿۱۲۷﴾
১২৮. যেদিন তিনি তাদের সবাইকে হাশর করবেন সেদিন তাদের বলবেন: 'হে জিন সম্প্রদায়! তোমরা মানুষের মধ্যে অনেককেই তোমাদের অনুগামী করেছিলে।' আর মানুষের মধ্যকার তাদের অলিরা বলবে: 'আমাদের প্রভু! আমরা আমাদের একে অপরের মাধ্যমে লাভবান হয়েছি, আর তুমি আমাদের জন্যে যে সময় নির্ধারণ করেছিলে, এখন তো আমরা তাতে এসে উপনীত হয়েছি।' আল্লাহ বলবেন: জাহান্নামই তোমাদের আবাস, চিরদিন তোমরা সেখানেই থাকবে, তবে আল্লাহ অন্য কিছু চাইলে সেটা ভিন্ন কথা। নিশ্চয়ই তোমার প্রভু প্রজ্ঞাবান, জ্ঞানী।	وَيَوۡمَ يَحۡشُرُهُمۡ جَمِيۡعًا ۚ يٰمَعۡشَرَ الۡجِنِّ قَدِ اسۡتَكۡثَرۡتُمۡ مِّنَ الۡاِنۡسِ ۚ وَ قَالَ اَوۡلِيٰٓـؤُهُمۡ مِّنَ الۡاِنۡسِ رَبَّنَا اسۡتَمۡتَعَ بَعۡضُنَا بِبَعۡضٍ وَّبَلَغۡنَاۤ اَجَلَنَا الَّذِىۡۤ اَجَّلۡتَ لَنَا ؕ قَالَ النَّارُ مَثۡوٰٮكُمۡ خٰلِدِيۡنَ فِيۡهَاۤ اِلَّا مَا شَآءَ اللّٰهُ ؕ اِنَّ رَبَّكَ حَكِيۡمٌ عَلِيۡمٌ ﴿۱۲۸﴾
১২৯. এভাবেই আমরা যালিমদের একদলকে আরেকদলের অলি বানিয়ে দেই তাদের কৃতকর্মের কারণে। (রুকু ১৫)	وَكَذٰلِكَ نُوَلِّىۡ بَعۡضَ الظّٰلِمِيۡنَ بَعۡضًۢا بِمَا كَانُوۡا يَكۡسِبُوۡنَ ﴿۱۲۹﴾
১৩০. (সেদিন আল্লাহ বলবেন:) 'হে জিন ও মানব সম্প্রদায়! তোমাদের মধ্য থেকে কি তোমাদের কাছে রসূলরা আসেনি? তারা কি আমার আয়াত তোমাদের কাছে বয়ান করেনি? তারা কি এই দিনটির সাক্ষাতের ব্যাপারে তোমাদের সতর্ক করেনি?' তারা বলবে: 'আমরা আমাদের নিজেদের বিরুদ্ধে সাক্ষ্য দিচ্ছি।' মূলত দুনিয়ার জীবনটাই তাদের প্রতারিত করে রেখেছিল। তারা তাদের নিজেদের বিরুদ্ধে আরো সাক্ষ্য দেবে যে, বাস্তবিকই তারা ছিলো কাফির।	يٰمَعۡشَرَ الۡجِنِّ وَالۡاِنۡسِ اَلَمۡ يَاۡتِكُمۡ رُسُلٌ مِّنۡكُمۡ يَقُصُّوۡنَ عَلَيۡكُمۡ اٰيٰتِىۡ وَيُنۡذِرُوۡنَكُمۡ لِقَآءَ يَوۡمِكُمۡ هٰذَا ؕ قَالُوۡا شَهِدۡنَا عَلٰٓى اَنۡفُسِنَا وَ غَرَّتۡهُمُ الۡحَيٰوةُ الدُّنۡيَا وَشَهِدُوۡا عَلٰٓى اَنۡفُسِهِمۡ اَنَّهُمۡ كَانُوۡا كٰفِرِيۡنَ ﴿۱۳۰﴾
১৩১. এর কারণ হলো, কোনো জনপদকে সতর্ক না করা পর্যন্ত অন্যায়ভাবে ধ্বংস করে দেয়া তোমার প্রভুর নীতি নয়।	ذٰلِكَ اَنۡ لَّمۡ يَكُنۡ رَّبُّكَ مُهۡلِكَ الۡقُرٰى بِظُلۡمٍ وَّ اَهۡلُهَا غٰفِلُوۡنَ ﴿۱۳۱﴾
১৩২. প্রত্যেক ব্যক্তি যে আমল করে, সে অনুযায়ী তার অবস্থান নির্ধারিত হবে। তারা যে আমল করে সে সম্পর্কে তোমার প্রভু গাফিল নন।	وَلِكُلٍّ دَرَجٰتٌ مِّمَّا عَمِلُوۡا ؕ وَمَا رَبُّكَ بِغَافِلٍ عَمَّا يَعۡمَلُوۡنَ ﴿۱۳۲﴾
১৩৩. তোমার প্রভু অভাবমুক্ত রহমতওয়ালা দয়াময়। তিনি ইচ্ছা করলে তোমাদের সরিয়ে দিতে পারেন এবং তোমাদের পরে যাকে ইচ্ছা	وَرَبُّكَ الۡغَنِىُّ ذُو الرَّحۡمَةِ ؕ اِنۡ يَّشَاۡ يُذۡهِبۡكُمۡ وَيَسۡتَخۡلِفۡ مِنۡۢ بَعۡدِكُمۡ مَّا يَشَآءُ كَمَاۤ

তোমাদের স্থলাভিষিক্ত করতে পারেন, যেমন তিনি তোমাদের সৃষ্টি করেছেন অপর একটি কওমের বংশধারা থেকে।	اَنْشَاَكُمْ مِّنْ ذُرِّيَّةِ قَوْمٍ اٰخَرِيْنَ ﴿١٣٣﴾
১৩৪. তোমাদেরকে যে বিষয়ের ওয়াদা দেয়া হয়েছে তা অবশ্যি আসবে। তোমরা সেটার আগমন ঠেকাতে পারবেনা।	اِنَّ مَا تُوْعَدُوْنَ لَاٰتٍ ۙ وَّمَآ اَنْتُمْ بِمُعْجِزِيْنَ ﴿١٣٤﴾
১৩৫. বলো 'হে আমার কওম! তোমরা যেখানে আমল করছো করতে থাকো, আমি আমার কাজ করে যাবো। অচিরেই তোমরা জানতে পারবে কার পরিণাম হবে কল্যাণময়। যালিমরা কিছুতেই সফল হবেনা।'	قُلْ يٰقَوْمِ اعْمَلُوْا عَلٰى مَكَانَتِكُمْ اِنِّيْ عَامِلٌ ۚ فَسَوْفَ تَعْلَمُوْنَ ۙ مَنْ تَكُوْنُ لَهٗ عَاقِبَةُ الدَّارِ ؕ اِنَّهٗ لَا يُفْلِحُ الظّٰلِمُوْنَ ﴿١٣٥﴾
১৩৬. আল্লাহ যে শস্য এবং গবাদি পশু সৃষ্টি করেছেন, তা থেকে তারা আল্লাহ্‌র জন্যে একটি অংশ নির্ধারণ করে এবং তাদের ধারণা অনুযায়ী বলে: 'এই অংশ আল্লাহ্‌র জন্যে এবং এই অংশ আমাদের শরিকদের (দেবতাদের) জন্যে। তারপর দেবতাদের অংশ আল্লাহ্‌র কাছে পৌঁছায়না, অথচ আল্লাহ্‌র অংশ দেবতাদের কাছে পৌঁছায়। তাদের ফায়সালা কতো যে নিকৃষ্ট!	وَجَعَلُوْا لِلّٰهِ مِمَّا ذَرَاَ مِنَ الْحَرْثِ وَالْاَنْعَامِ نَصِيْبًا فَقَالُوْا هٰذَا لِلّٰهِ بِزَعْمِهِمْ وَهٰذَا لِشُرَكَآئِنَا ۚ فَمَا كَانَ لِشُرَكَآئِهِمْ فَلَا يَصِلُ اِلَى اللّٰهِ ۚ وَمَا كَانَ لِلّٰهِ فَهُوَ يَصِلُ اِلٰى شُرَكَآئِهِمْ ؕ سَآءَ مَا يَحْكُمُوْنَ ﴿١٣٦﴾
১৩৭. এভাবে তাদের দেবতারা অনেক মুশরিকদের দৃষ্টিতে তাদের সন্তানদের হত্যাকে সুশোভিত করে রেখেছে তাদের ধ্বংসের উদ্দেশ্যে এবং তাদের ধর্ম সম্পর্কে তাদের মাঝে বিভ্রান্তি সৃষ্টির জন্যে। আল্লাহ চাইলে তারা এটা করতোনা। সুতরাং তাদেরকে তাদের বানানো মিথ্যার উপর ছেড়ে দাও।	وَكَذٰلِكَ زَيَّنَ لِكَثِيْرٍ مِّنَ الْمُشْرِكِيْنَ قَتْلَ اَوْلَادِهِمْ شُرَكَآؤُهُمْ لِيُرْدُوْهُمْ وَ لِيَلْبِسُوْا عَلَيْهِمْ دِيْنَهُمْ ؕ وَلَوْ شَآءَ اللّٰهُ مَا فَعَلُوْهُ فَذَرْهُمْ وَمَا يَفْتَرُوْنَ ﴿١٣٧﴾
১৩৮. তারা (তাদের ভ্রান্ত ধারণার ভিত্তিতে) বলে: 'এসব গবাদি পশু এবং এসব শস্যক্ষেত নিষিদ্ধ। আমরা যাকে চাইবো সে ছাড়া আর কেউ এগুলো খেতে পারবেনা।' তাছাড়া কিছু কিছু গবাদি পশুর পিঠে আরোহণ করা নিষিদ্ধ করা হয়েছে আর কিছু কিছু গবাদি পশু যবেহ করার সময় তারা আল্লাহ্‌র নাম নেয়না। এসব (বিধি নিষেধ মূলত তাদের) আল্লাহ্‌র নামে মিথ্যারোপ। তিনি অবশ্যি তাদেরকে তাদের এসব মিথ্যা রচনার শাস্তি প্রদান করবেন।	وَقَالُوْا هٰذِهٖٓ اَنْعَامٌ وَّحَرْثٌ حِجْرٌ ۖ لَّا يَطْعَمُهَآ اِلَّا مَنْ نَّشَآءُ بِزَعْمِهِمْ وَاَنْعَامٌ حُرِّمَتْ ظُهُوْرُهَا وَاَنْعَامٌ لَّا يَذْكُرُوْنَ اسْمَ اللّٰهِ عَلَيْهَا افْتِرَآءً عَلَيْهِ ؕ سَيَجْزِيْهِمْ بِمَا كَانُوْا يَفْتَرُوْنَ ﴿١٣٨﴾
১৩৯. তারা আরো বলে: 'এসব গবাদি পশুর গর্ভে যা আছে তা আমাদের পুরুষদের জন্যে নির্ধারিত এবং আমাদের নারীদের জন্যে হারাম। তবে মরা পশু হলে তারা উভয়েই তাতে শরিকদার।' এসব বিধিনিষেধ আরোপের শাস্তি তিনি তাদের প্রদান করবেন। নিশ্চয়ই তিনি প্রজ্ঞাবান, জ্ঞানী।	وَقَالُوْا مَا فِيْ بُطُوْنِ هٰذِهِ الْاَنْعَامِ خَالِصَةٌ لِّذُكُوْرِنَا وَمُحَرَّمٌ عَلٰٓى اَزْوَاجِنَا ۚ وَاِنْ يَّكُنْ مَّيْتَةً فَهُمْ فِيْهِ شُرَكَآءُ ؕ سَيَجْزِيْهِمْ وَصْفَهُمْ ؕ اِنَّهٗ حَكِيْمٌ عَلِيْمٌ ﴿١٣٩﴾
১৪০. যারা না জেনে বোকামি করে তাদের	قَدْ خَسِرَ الَّذِيْنَ قَتَلُوْٓا اَوْلَادَهُمْ سَفَهًا

সন্তানদের হত্যা করে এবং আল্লাহ্‌র উপর মিথ্যারোপের মাধ্যমে আল্লাহ্‌র দেয়া রিযিক হারাম করে, তারা অবশ্যি বিপথগামী হয়ে গেছে এবং তারা হিদায়াতপ্রাপ্ত নয়।	بِغَيْرِ عِلْمٍ وَّحَرَّمُوْا مَا رَزَقَهُمُ اللّٰهُ افْتِرَآءً عَلَى اللّٰهِ ؕ قَدْ ضَلُّوْا وَمَا كَانُوْا مُهْتَدِيْنَ ﴿١٤٠﴾
১৪১. তিনিই সেই মহান সত্তা, যিনি সৃষ্টি করেছেন নানা রকম গুল্ম-লতা এবং গাছের জান্নাত (বাগান), খেজুর গাছ, ভিন্ন ভিন্ন স্বাদের খাদ্য শস্য, যয়তুন ও আনার- সদৃশ্য ও অসদৃশ্য। ফলন ঘটার পর তোমরা এগুলোর ফল খাও এবং ফল-ফসল সংগ্রহের দিন সেগুলোর হক (যাকাত) দিয়ে দাও। অপচয় করোনা। কারণ, তিনি অপচয়কারীদের পছন্দ করেন না।	وَهُوَ الَّذِيْٓ اَنْشَاَ جَنّٰتٍ مَّعْرُوْشٰتٍ وَّ غَيْرَ مَعْرُوْشٰتٍ وَّ النَّخْلَ وَ الزَّرْعَ مُخْتَلِفًا اُكُلُهٗ وَالزَّيْتُوْنَ وَ الرُّمَّانَ مُتَشَابِهًا وَّ غَيْرَ مُتَشَابِهٍ ؕ كُلُوْا مِنْ ثَمَرِهٖٓ اِذَآ اَثْمَرَ وَ اٰتُوْا حَقَّهٗ يَوْمَ حَصَادِهٖ ۖ وَ لَا تُسْرِفُوْا ؕ اِنَّهٗ لَا يُحِبُّ الْمُسْرِفِيْنَ ﴿١٤١﴾
১৪২. গবাদি পশুর মধ্যে (তিনি সৃষ্টি করেছেন) কিছু ভারবাহী আর কিছু ছোট পশু। আল্লাহ তোমাদের যে রিযিক দিয়েছেন তা থেকে খাও এবং শয়তানের পদাংক অনুসরণ করোনা। কারণ, সে তোমাদের সুস্পষ্ট দুশমন।	وَ مِنَ الْاَنْعَامِ حَمُوْلَةً وَّ فَرْشًا ؕ كُلُوْا مِمَّا رَزَقَكُمُ اللّٰهُ وَ لَا تَتَّبِعُوْا خُطُوٰتِ الشَّيْطٰنِ ؕ اِنَّهٗ لَكُمْ عَدُوٌّ مُّبِيْنٌ ﴿١٤٢﴾
১৪৩. (তারা নিজেদের খেয়াল খুশি মতো যেগুলো হারাম করেছে) সেগুলো আট প্রকার। মেষের দুটি এবং ছাগলের দুটি। তাদের জিজ্ঞাসা করো: 'তিনি নর দুটি হারাম করেছেন নাকি মাদি দুটি? নাকি মাদি দুটির গর্ভে যা আছে তা? তোমরা সত্যবাদী হলে এলেমের ভিত্তিতে অবহিত করো।'	ثَمٰنِيَةَ اَزْوَاجٍ ۚ مِنَ الضَّاْنِ اثْنَيْنِ وَمِنَ الْمَعْزِ اثْنَيْنِ ؕ قُلْ ءٰٓالذَّكَرَيْنِ حَرَّمَ اَمِ الْاُنْثَيَيْنِ اَمَّا اشْتَمَلَتْ عَلَيْهِ اَرْحَامُ الْاُنْثَيَيْنِ ؕ نَبِّـُٔوْنِيْ بِعِلْمٍ اِنْ كُنْتُمْ صٰدِقِيْنَ ﴿١٤٣﴾
১৪৪. আর উটের দুটি এবং গরুর দুটি। তাদের জিজ্ঞেস করো: 'তিনি কি নর দুটি হারাম করেছেন নাকি মাদি দুটি? নাকি মাদি দুটির গর্ভে যা আছে তা? নাকি তিনি যখন এ নির্দেশ দিয়েছিলেন তখন তোমরা উপস্থিত ছিলে?' ঐ ব্যক্তির চাইতে বড় যালিম আর কে, যে মানুষকে বিপথগামী করার জন্যে এলেম ছাড়াই আল্লাহ্‌র উপর মিথ্যারোপ করে? নিশ্চয়ই আল্লাহ যালিম লোকদের হিদায়াত করেন না।	وَ مِنَ الْاِبِلِ اثْنَيْنِ وَ مِنَ الْبَقَرِ اثْنَيْنِ ؕ قُلْ ءٰٓالذَّكَرَيْنِ حَرَّمَ اَمِ الْاُنْثَيَيْنِ اَمَّا اشْتَمَلَتْ عَلَيْهِ اَرْحَامُ الْاُنْثَيَيْنِ ؕ اَمْ كُنْتُمْ شُهَدَآءَ اِذْ وَصّٰىكُمُ اللّٰهُ بِهٰذَا ۚ فَمَنْ اَظْلَمُ مِمَّنِ افْتَرٰى عَلَى اللّٰهِ كَذِبًا لِّيُضِلَّ النَّاسَ بِغَيْرِ عِلْمٍ ؕ اِنَّ اللّٰهَ لَا يَهْدِي الْقَوْمَ الظّٰلِمِيْنَ ﴿١٤٤﴾
১৪৫. হে নবী! বলো: 'কেউ যা খেতে চায়, আমার প্রতি প্রেরিত অহিতে তার মধ্যে মৃত (প্রাণী), কিংবা প্রবাহিত রক্ত, অথবা শুয়োরের গোশ্‌ত ছাড়া আর কিছুই হারাম পাইনা। এগুলো নোংরা এবং (খাওয়া) পাপ। আর যা আল্লাহ ছাড়া অন্য কারো নামে যবেহ করা হয়েছে তাও হারাম। কেউ যদি বিদ্রোহ এবং সীমালংঘন না করে নিরূপায় হয়ে পড়ার কারণে এগুলো থেকে	قُلْ لَّآ اَجِدُ فِيْ مَآ اُوْحِيَ اِلَيَّ مُحَرَّمًا عَلٰى طَاعِمٍ يَّطْعَمُهٗٓ اِلَّآ اَنْ يَّكُوْنَ مَيْتَةً اَوْ دَمًا مَّسْفُوْحًا اَوْ لَحْمَ خِنْزِيْرٍ فَاِنَّهٗ رِجْسٌ اَوْ فِسْقًا اُهِلَّ لِغَيْرِ اللّٰهِ بِهٖ ۚ فَمَنِ اضْطُرَّ غَيْرَ

রুকু ১৬

রুকু ১৭

কিছু খেয়ে নেয়, (তার ব্যাপারে) অবশ্যি তোমার প্রভু পরম ক্ষমাশীল দয়াময়।'	بَاغٍ وَّلَا عَادٍ فَاِنَّ رَبَّكَ غَفُوْرٌ رَّحِيْمٌ ۝١٤٥
১৪৬. আমরা ইহুদিদের জন্যে নখরধারী সব পশুই হারাম করে দিয়েছিলাম। গরু এবং ছাগলের চর্বিও তাদের জন্যে হারাম করেছিলাম, তবে পিঠের, অন্ত্রের কিংবা হাড়ের সাথের চর্বি ছাড়া। তাদের অবাধ্যতার কারণে আমরা তাদের এই শাস্তি দিয়েছিলাম। অবশ্যি আমরা সত্যবাদী।	وَعَلَى الَّذِيْنَ هَادُوْا حَرَّمْنَا كُلَّ ذِيْ ظُفُرٍ ۚ وَمِنَ الْبَقَرِ وَالْغَنَمِ حَرَّمْنَا عَلَيْهِمْ شُحُوْمَهُمَآ اِلَّا مَا حَمَلَتْ ظُهُوْرُهُمَآ اَوِ الْحَوَايَآ اَوْ مَا اخْتَلَطَ بِعَظْمٍ ؕ ذٰلِكَ جَزَيْنٰهُمْ بِبَغْيِهِمْ ۖ وَاِنَّا لَصٰدِقُوْنَ ۝١٤٦
১৪৭. তারপরও যদি তারা তোমাকে প্রত্যাখ্যান করে, তুমি বলো: তোমাদের প্রভু অসীম দয়ার মালিক এবং অপরাধী লোকদের উপর থেকে তাঁর শাস্তি রদ করা হয়না।	فَاِنْ كَذَّبُوْكَ فَقُلْ رَّبُّكُمْ ذُوْ رَحْمَةٍ وَّاسِعَةٍ ۚ وَلَا يُرَدُّ بَاْسُهٗ عَنِ الْقَوْمِ الْمُجْرِمِيْنَ ۝١٤٧
১৪৮. শিরকে লিপ্ত লোকেরা অচিরেই তোমাকে বলবে: 'আল্লাহ চাইলে আমরা শিরক করতামনা এবং আমাদের পূর্ব পুরুষরাও, আর আমরা কিছু হারামও করতামনা।' এভাবেই প্রত্যাখ্যান করেছিল তাদের আগের লোকেরাও, অবশেষে তারা ভোগ করেছিল আমার শাস্তি। হে নবী! বলো: 'তোমাদের কাছে কোনো এলেম আছে কি? থাকলে বের করো আমাদের সামনে। আসলে তোমরা অনুমান ছাড়া আর কিছুরই অনুসরণ করোনা, আর মনগড়া কথা ছাড়া কোনো কথা বলোনা।'	سَيَقُوْلُ الَّذِيْنَ اَشْرَكُوْا لَوْ شَآءَ اللّٰهُ مَآ اَشْرَكْنَا وَلَآ اٰبَآؤُنَا وَلَا حَرَّمْنَا مِنْ شَيْءٍ ؕ كَذٰلِكَ كَذَّبَ الَّذِيْنَ مِنْ قَبْلِهِمْ حَتّٰى ذَاقُوْا بَاْسَنَا ؕ قُلْ هَلْ عِنْدَكُمْ مِّنْ عِلْمٍ فَتُخْرِجُوْهُ لَنَا ؕ اِنْ تَتَّبِعُوْنَ اِلَّا الظَّنَّ وَاِنْ اَنْتُمْ اِلَّا تَخْرُصُوْنَ ۝١٤٨
১৪৯. হে নবী! বলো: চূড়ান্ত প্রমাণের মালিক হলেন আল্লাহ। তিনি চাইলে অবশ্যি তোমাদের সবাইকে হিদায়াত করতেন।	قُلْ فَلِلّٰهِ الْحُجَّةُ الْبَالِغَةُ ۚ فَلَوْ شَآءَ لَهَدٰىكُمْ اَجْمَعِيْنَ ۝١٤٩
১৫০. হে নবী! তাদের বলো এগুলো হারাম হবার ব্যাপারে যারা সাক্ষ্য দেবে তোমাদের সেসব সাক্ষীদের হাজির করো।' তারপর তারা সাক্ষ্য দিলেও তুমি তাদের সাথে স্বীকার করোনা। যারা আল্লাহ্‌র আয়াতকে অস্বীকার করে, যারা আখিরাতের প্রতি ঈমান রাখেনা এবং যারা তাদের প্রভুর সমকক্ষ সাব্যস্ত করে, তুমি তাদের খেয়াল খুশির অনুসরণ করোনা।	قُلْ هَلُمَّ شُهَدَآءَكُمُ الَّذِيْنَ يَشْهَدُوْنَ اَنَّ اللّٰهَ حَرَّمَ هٰذَا ۚ فَاِنْ شَهِدُوْا فَلَا تَشْهَدْ مَعَهُمْ ۚ وَلَا تَتَّبِعْ اَهْوَآءَ الَّذِيْنَ كَذَّبُوْا بِاٰيٰتِنَا وَالَّذِيْنَ لَا يُؤْمِنُوْنَ بِالْاٰخِرَةِ وَهُمْ بِرَبِّهِمْ يَعْدِلُوْنَ ۝١٥٠ (রুকু ১৮)
১৫১. হে নবী! বলো: 'এসো, তোমাদের প্রভু তোমাদের জন্যে যা হারাম করেছেন তা তোমাদের তিলাওয়াত করে শুনাই। সেগুলো হলো: তোমরা তাঁর সাথে কোনো কিছুকেই শরিক করবেনা, পিতা-মাতার প্রতি ইহ্‌সান করবে, দারিদ্রের ভয়ে তোমাদের সন্তানদের হত্যা করবেনা, কারণ আমরাই তাদের এবং তোমাদেরও রিযিক দেই, প্রকাশ্যে কিংবা গোপনে অশ্লীল কাজের কাছেও যেয়োনা। আল্লাহ যাকে হত্যা করা হারাম	قُلْ تَعَالَوْا اَتْلُ مَا حَرَّمَ رَبُّكُمْ عَلَيْكُمْ اَلَّا تُشْرِكُوْا بِهٖ شَيْـًٔا وَّبِالْوَالِدَيْنِ اِحْسَانًا ۚ وَلَا تَقْتُلُوْٓا اَوْلَادَكُمْ مِّنْ اِمْلَاقٍ ؕ نَحْنُ نَرْزُقُكُمْ وَاِيَّاهُمْ ۚ وَلَا تَقْرَبُوا الْفَوَاحِشَ مَا ظَهَرَ مِنْهَا وَمَا بَطَنَ ۚ وَلَا تَقْتُلُوا النَّفْسَ الَّتِيْ حَرَّمَ

করেছেন তোমরা তাকে হত্যা করোনা, তবে যথার্থ কারণ ও হক পন্থায় হলে ভিন্ন কথা। আল্লাহ তোমাদের এসব অসিয়ত (নির্দেশ) করছেন যাতে করে তোমরা আকল খাটাও।	ٱللَّهُ إِلَّا بِٱلْحَقِّ ۚ ذَٰلِكُمْ وَصَّىٰكُم بِهِۦ لَعَلَّكُمْ تَعْقِلُونَ ﴿١٥١﴾
১৫২. এতিমরা বয়োপ্রাপ্ত না হওয়া পর্যন্ত উত্তম পন্থায় ছাড়া তাদের মাল সম্পদের কাছেও যেয়োনা। পরিমাণ ও ওজন নায্যভাবে পূর্ণ করে দাও। আমরা কোনো ব্যক্তির উপর তার সাধ্যের বেশি বোঝা চাপাই না। তোমরা যখন কথা বলবে, নায্য কথা বলবে নিকটজনের বিপক্ষে গেলেও। আল্লাহ্কে দেয়া অংগীকার পূর্ণ করো। আল্লাহ এসব অসিয়ত (নির্দেশ) তোমাদের প্রদান করছেন যাতে করে তোমরা উপদেশ গ্রহণ করো।	وَلَا تَقْرَبُوا۟ مَالَ ٱلْيَتِيمِ إِلَّا بِٱلَّتِى هِىَ أَحْسَنُ حَتَّىٰ يَبْلُغَ أَشُدَّهُۥ ۖ وَأَوْفُوا۟ ٱلْكَيْلَ وَٱلْمِيزَانَ بِٱلْقِسْطِ ۖ لَا نُكَلِّفُ نَفْسًا إِلَّا وُسْعَهَا ۖ وَإِذَا قُلْتُمْ فَٱعْدِلُوا۟ وَلَوْ كَانَ ذَا قُرْبَىٰ ۖ وَبِعَهْدِ ٱللَّهِ أَوْفُوا۟ ۚ ذَٰلِكُمْ وَصَّىٰكُم بِهِۦ لَعَلَّكُمْ تَذَكَّرُونَ ﴿١٥٢﴾
১৫৩. এটাই আমার সিরাতুল মুস্তাকিম (সরল সঠিক পথ), সুতরাং তোমরা এরই অনুসরণ করো। তোমরা বিভিন্ন পথের অনুসরণ করোনা, করলে তা তোমাদেরকে তাঁর পথ থেকে বিচ্ছিন্ন করে ফেলবে। আল্লাহ তোমাদের এসব নির্দেশ প্রদান করছেন যাতে করে তোমরা সতর্ক হও।	وَأَنَّ هَٰذَا صِرَٰطِى مُسْتَقِيمًا فَٱتَّبِعُوهُ ۖ وَلَا تَتَّبِعُوا۟ ٱلسُّبُلَ فَتَفَرَّقَ بِكُمْ عَن سَبِيلِهِۦ ۚ ذَٰلِكُمْ وَصَّىٰكُم بِهِۦ لَعَلَّكُمْ تَتَّقُونَ ﴿١٥٣﴾
১৫৪. তারপর আমরা মূসাকে দিয়েছিলাম কিতাব, যা ছিলো কল্যাণ পরায়ণদের জন্যে পরিপূর্ণ, সবকিছুর বিশদ বিবরণ, হিদায়াত এবং রহমত, যাতে করে তারা তাদের প্রভুর সাথে সাক্ষাতের প্রতি ঈমান আনে।	ثُمَّ ءَاتَيْنَا مُوسَى ٱلْكِتَٰبَ تَمَامًا عَلَى ٱلَّذِىٓ أَحْسَنَ وَتَفْصِيلًا لِّكُلِّ شَىْءٍ وَهُدًى وَرَحْمَةً لَّعَلَّهُم بِلِقَآءِ رَبِّهِمْ يُؤْمِنُونَ ﴿١٥٤﴾
১৫৫. আর এই কিতাব (আল কুরআন) আমরা নাযিল করেছি একটি মুবারক (কল্যাণময়) কিতাব হিসেবে। সুতরাং তোমরা এর অনুসরণ করো এবং সতর্ক হও, অবশ্যি তোমাদের প্রতি রহম করা হবে।	وَهَٰذَا كِتَٰبٌ أَنزَلْنَٰهُ مُبَارَكٌ فَٱتَّبِعُوهُ وَٱتَّقُوا۟ لَعَلَّكُمْ تُرْحَمُونَ ﴿١٥٥﴾
১৫৬. যাতে তোমরা একথা বলতে না পারো যে, কিতাব তো আমাদের আগে দুটি (ইহুদি খৃষ্টান) সম্প্রদায়ের কাছে নাযিল হয়েছিল। আমরা তো তাদের দরস (পাঠ) সম্পর্কে গাফিল ছিলাম!	أَن تَقُولُوٓا۟ إِنَّمَآ أُنزِلَ ٱلْكِتَٰبُ عَلَىٰ طَآئِفَتَيْنِ مِن قَبْلِنَا وَإِن كُنَّا عَن دِرَاسَتِهِمْ لَغَٰفِلِينَ ﴿١٥٦﴾
১৫৭. অথবা একথাও যেনো বলতে না পারো যে, যদি আমাদের কাছে কিতাব নাযিল করা হতো তাহলে আমরা তাদের চাইতে বেশি হিদায়াতপ্রাপ্ত হতাম। এখন তো তোমাদের প্রভুর পক্ষ থেকে তোমাদের কাছে এসে গেছে সুস্পষ্ট প্রমাণ, হিদায়াত এবং রহমত। সুতরাং ঐ ব্যক্তির চাইতে বড় যালিম আর কে হবে, যে আল্লাহ্র আয়াত প্রত্যাখ্যান করবে এবং তা থেকে মুখ ফিরিয়ে নেবে। যারা আমার আয়াত থেকে মুখ ফিরিয়ে নেবে তাদের এই মুখ ফিরিয়ে নেয়ার জন্যে অচিরেই আমরা তাদের নিকৃষ্ট আযাব প্রদান করবো।	أَوْ تَقُولُوا۟ لَوْ أَنَّآ أُنزِلَ عَلَيْنَا ٱلْكِتَٰبُ لَكُنَّآ أَهْدَىٰ مِنْهُمْ ۚ فَقَدْ جَآءَكُم بَيِّنَةٌ مِّن رَّبِّكُمْ وَهُدًى وَرَحْمَةٌ ۚ فَمَنْ أَظْلَمُ مِمَّن كَذَّبَ بِـَٔايَٰتِ ٱللَّهِ وَصَدَفَ عَنْهَا ۗ سَنَجْزِى ٱلَّذِينَ يَصْدِفُونَ عَنْ ءَايَٰتِنَا سُوٓءَ ٱلْعَذَابِ بِمَا كَانُوا۟ يَصْدِفُونَ ﴿١٥٧﴾

রুকু ১৯

১৫৮. তারা তো শুধু এ জন্যেই অপেক্ষা করছে যেনো তাদের কাছে ফেরেশতা আসে, অথবা স্বয়ং তোমার প্রভু আসেন, অথবা তোমার প্রভুর কোনো নিদর্শন আসে। শুনো, যেদিন তোমার প্রভুর নিদর্শন আসবে সেদিন ঐ ব্যক্তি ঈমান আনলে তাতে তার কোনো ফায়দা হবেনা, যে ব্যক্তি আগে ঈমান আনেনি; কিংবা যে ব্যক্তি ঈমানের ভিত্তিতে কল্যাণ অর্জন করেনি। বলো: 'তোমরা অপেক্ষা করো, আমরাও অপেক্ষায় থাকলাম।'

هَلْ يَنْظُرُوْنَ اِلَّآ اَنْ تَاْتِيَهُمُ الْمَلٰٓئِكَةُ اَوْ يَاْتِيَ رَبُّكَ اَوْ يَاْتِيَ بَعْضُ اٰيٰتِ رَبِّكَ ؕ يَوْمَ يَاْتِيْ بَعْضُ اٰيٰتِ رَبِّكَ لَا يَنْفَعُ نَفْسًا اِيْمَانُهَا لَمْ تَكُنْ اٰمَنَتْ مِنْ قَبْلُ اَوْ كَسَبَتْ فِيْٓ اِيْمَانِهَا خَيْرًا ؕ قُلِ انْتَظِرُوْٓا اِنَّا مُنْتَظِرُوْنَ ﴿١٥٨﴾

১৫৯. নিশ্চয়ই যারা তাদের দীনকে নানা মতে বিভক্ত করেছে এবং তারাও বিভিন্ন দল উপদলে বিভক্ত হয়েছে, তাদের কোনো দায় দায়িত্ব তোমার নেই। তাদের বিষয়ে ফায়সালার দায়িত্ব আল্লাহ্‌র, তিনিই তাদের কর্মকান্ড সম্পর্কে তাদের অবহিত করবেন।

اِنَّ الَّذِيْنَ فَرَّقُوْا دِيْنَهُمْ وَ كَانُوْا شِيَعًا لَّسْتَ مِنْهُمْ فِيْ شَيْءٍ ؕ اِنَّمَآ اَمْرُهُمْ اِلَى اللّٰهِ ثُمَّ يُنَبِّئُهُمْ بِمَا كَانُوْا يَفْعَلُوْنَ ﴿١٥٩﴾

১৬০. যে কেউ একটি কল্যাণকর কাজ করবে, সে তার দশগুণ পাবে, আর যে কেউ একটি পাপ কাজ করবে, তাকে কেবল সেটারই প্রতিফল দেয়া হবে এবং তাদের প্রতি কোনো প্রকার যুলুম করা হবেনা।'

مَنْ جَآءَ بِالْحَسَنَةِ فَلَهٗ عَشْرُ اَمْثَالِهَا ۚ وَ مَنْ جَآءَ بِالسَّيِّئَةِ فَلَا يُجْزٰٓى اِلَّا مِثْلَهَا وَ هُمْ لَا يُظْلَمُوْنَ ﴿١٦٠﴾

১৬১. হে নবী! বলো: 'আমার প্রভু আমাকে সরল সঠিক পথে পরিচালিত করেছেন। সেটাই প্রতিষ্ঠিত দীন। সেটা ইবরাহিমের মিল্লাত (আদর্শ)।' ইবরাহিম ছিলো নিষ্ঠাবান। সে মুশরিকদের অন্তরভুক্ত ছিলনা।

قُلْ اِنَّنِيْ هَدٰىنِيْ رَبِّيْٓ اِلٰى صِرَاطٍ مُّسْتَقِيْمٍ ۚ دِيْنًا قِيَمًا مِّلَّةَ اِبْرٰهِيْمَ حَنِيْفًا ۚ وَ مَا كَانَ مِنَ الْمُشْرِكِيْنَ ﴿١٦١﴾

১৬২. বলো: 'আমার সালাত, আমার কুরবানি, আমার জীবন এবং আমার মৃত্যু আল্লাহ রাব্বুল আলামিনের জন্যে।'

قُلْ اِنَّ صَلَاتِيْ وَنُسُكِيْ وَمَحْيَايَ وَمَمَاتِيْ لِلّٰهِ رَبِّ الْعٰلَمِيْنَ ﴿١٦٢﴾

১৬৩. তাঁর কোনো শরিক নেই। এরই নির্দেশ আমাকে দেয়া হয়েছে এবং আমিই প্রথম মুসলিম।'

لَا شَرِيْكَ لَهٗ ۚ وَ بِذٰلِكَ اُمِرْتُ وَ اَنَا اَوَّلُ الْمُسْلِمِيْنَ ﴿١٦٣﴾

১৬৪. বলো: 'আমি কি আল্লাহকে ছাড়া অন্য কোনো রব খুঁজবো? অথচ তিনিই তো সব কিছুর রব।' প্রত্যেক ব্যক্তি নিজ নিজ কৃতকর্মের জন্যে দায়ী। কেউই অপর কারো বোঝা বহন করবেনা। অতপর তোমাদের প্রভুর কাছেই ফিরে যেতে হবে তোমাদের সবাইকে। তখন তিনি তোমাদের অবহিত করবেন যেসব বিষয়ে তোমরা মতভেদ করছিলে।

قُلْ اَغَيْرَ اللّٰهِ اَبْغِيْ رَبًّا وَّهُوَ رَبُّ كُلِّ شَيْءٍ ؕ وَلَا تَكْسِبُ كُلُّ نَفْسٍ اِلَّا عَلَيْهَا ۚ وَلَا تَزِرُ وَازِرَةٌ وِّزْرَ اُخْرٰى ۚ ثُمَّ اِلٰى رَبِّكُمْ مَّرْجِعُكُمْ فَيُنَبِّئُكُمْ بِمَا كُنْتُمْ فِيْهِ تَخْتَلِفُوْنَ ﴿١٦٤﴾

১৬৫. তিনিই তোমাদেরকে এই পৃথিবীর প্রতিনিধি বানিয়েছেন এবং তিনি তোমাদের যা দিয়েছেন সে বিষয়ে পরীক্ষা করার উদ্দেশ্যে তোমাদের কতক লোককে অপর কতক লোকের উপর উচ্চ মর্যাদা দিয়েছেন। তোমার প্রভু শাস্তিদানে দ্রুত, আবার তিনি অবশ্যি ক্ষমাশীল দয়াময়ও।	وَهُوَ الَّذِىْ جَعَلَكُمْ خَلٰٓئِفَ الْاَرْضِ وَرَفَعَ بَعْضَكُمْ فَوْقَ بَعْضٍ دَرَجٰتٍ لِّيَبْلُوَكُمْ فِىْ مَآ اٰتٰىكُمْ ؕ اِنَّ رَبَّكَ سَرِيْعُ الْعِقَابِ ۖ وَاِنَّهٗ لَغَفُوْرٌ رَّحِيْمٌ ﴿١٦٥﴾

রুকু ২০

সূরা ৭ আল আ'রাফ

মক্কায় অবতীর্ণ, আয়াত সংখ্যা: ২০৬, রুকু সংখ্যা: ২৪

এই সূরার আলোচ্যসূচি (আয়াত ভিত্তিক আলোচ্য বিষয়)

- ০১-১০: কুরআন অনুসরণের নির্দেশ। যারা আল্লাহ্‌র রসূলদের অনুসরণ করেনি তারা ধ্বংস হয়ে গেছে।
- ১১-২৫: মানুষের সাথে শয়তানের দ্বন্দ্ব ও শত্রুতার ইতিহাস।
- ২৬-৫৮: বনি আদমকে শয়তানের চক্রান্তের ব্যাপারে সতর্ক করা হয়েছে। সৌন্দর্য হালাল। কি কি বিষয় হারাম? ঈমানের পথ প্রত্যাখ্যানকারীদের করুণ পরিণতি। মুমিনদের শুভ পরিণতি। আরাফবাসীদের কথা। আল্লাহ্‌র মহাবিশ্ব সৃষ্টি। দোয়া করার পদ্ধতি। মানুষের প্রতি আল্লাহ্‌র অনুগ্রহ।
- ৫৯-৬৪: নিজ জাতির প্রতি নূহের দাওয়াত। তাদের প্রত্যাখান ও করুণ পরিণতি।
- ৬৫-৭২: আদ জাতির কাছে হুদ আ. এর দাওয়াত। আল্লাহ্‌র রসূলকে প্রত্যাখ্যান করায় আদ জাতির করুণ পরিণতি।
- ৭৩-৭৯: সামুদ জাতির কাছে সালেহ্ আ. এর দাওয়াত। আল্লাহ্‌র রসূলের প্রতি তাদের অস্বীকৃতি এবং তাদের করুণ পরিণতি।
- ৮০-৮৪: লুত আ. এর দাওয়াত ও উপদেশ প্রত্যাখ্যান করার কারণে তাঁর জাতির করুণ পরিণতি।
- ৮৫-৯৩: শুয়াইব আ. কর্তৃক মাদিয়ানবাসীদের সংশোধন করার আপ্রাণ চেষ্টা। শুয়াইবকে তাদের প্রত্যাখ্যান এবং তাদের করুণ পরিণতি।
- ৯৪-১০২: নবীদের আগমণ ছিলো বিভিন্ন জাতির জন্য পরীক্ষা। রসূল এবং রসূলদের আনীত বার্তা গ্রহণ করার মধ্যেই ছিলো জাতিসমূহের কল্যাণ।
- ১০৩-১৩৭: মূসা আ. এর সাথে ফেরাউনের দ্বন্দ্ব ও তার ধ্বংসের ইতিহাস।
- ১৩৮-১৫৭: বনি ইসরাঈলিদের সংশোধন করার জন্যে মূসা আ. এর আপ্রাণ চেষ্টা ও তাদের হঠকারিতা। তাদের মুক্তির পথ।
- ১৫৮: সমগ্র মানবজাতির প্রতি মুহাম্মদ সা. এর রিসালত মেনে নেয়ার আহ্বান।
- ১৫৯-১৭১: বনি ইসরাঈলিদের প্রতি আল্লাহ্‌র অনুগ্রহের বিবরণ এবং তাদের অবাধ্যতার ইতিহাস।
- ১৭২-২০৬: মানবাত্মাসমূহ থেকে আল্লাহ্‌র প্রভুত্বের স্বীকৃতি গ্রহণ। দুনিয়ার জীবনে মানুষের বিপথগামিতা। কিয়ামত কখন অনুষ্ঠিত হবে? শিরকের অসারতা। কুরআনই সত্য জ্ঞানের আলো।

সূরা আল আ'রাফ পরম করুণাময় পরম দয়াবান আল্লাহ্‌র নামে	سُوْرَةُ الْاَعْرَافِ بِسْمِ اللّٰهِ الرَّحْمٰنِ الرَّحِيْمِ
০১. আলিফ লাম মিম সোয়াদ।	الٓمّٓصٓ ﴿١﴾

০২. এটি একটি কিতাব তোমার প্রতি নাযিল করা হচ্ছে। সুতরাং এর ব্যাপারে যেনো তোমার মনে কোনো প্রকার সংকোচ না থাকে। এটি নাযিল করার উদ্দেশ্য হলো, তুমি এর মাধ্যমে মানুষকে সতর্ক করবে আর এটি একটি উপদেশ মুমিনদের জন্যে।	كِتٰبٌ اُنْزِلَ اِلَيْكَ فَلَا يَكُنْ فِيْ صَدْرِكَ حَرَجٌ مِّنْهُ لِتُنْذِرَ بِهٖ وَ ذِكْرٰى لِلْمُؤْمِنِيْنَ ۝٢
০৩. তোমাদের রবের পক্ষ থেকে তোমাদের কাছে যা নাযিল করা হচ্ছে তোমরা কেবল তারই ইত্তেবা (অনুসরণ) করো। তাঁকে (আল্লাহকে) ছাড়া অন্য অলিদের অনুসরণ করোনা। তবে তোমরা খুব কমই উপদেশ গ্রহণ করে থাকো।	اِتَّبِعُوْا مَآ اُنْزِلَ اِلَيْكُمْ مِّنْ رَّبِّكُمْ وَلَا تَتَّبِعُوْا مِنْ دُوْنِهٖٓ اَوْلِيَآءَ ؕ قَلِيْلًا مَّا تَذَكَّرُوْنَ ۝٣
০৪. কতো যে জনপদ আমরা হালাক করে দিয়েছি। আমাদের শাস্তি সে জনপদে এসে পড়েছিল রাতের বেলা অথবা দুপুরে যখন তারা ছিলো বিশ্রামরত।	وَكَمْ مِّنْ قَرْيَةٍ اَهْلَكْنٰهَا فَجَآءَهَا بَاْسُنَا بَيَاتًا اَوْ هُمْ قَآئِلُوْنَ ۝٤
০৫. আমাদের শাস্তি যখন তাদের উপর এসে পড়েছিল, তখন তাদের মুখে শুধু একটি কথাই ছিলো: 'অবশ্যি আমরা যালিম।'	فَمَا كَانَ دَعْوٰىهُمْ اِذْ جَآءَهُمْ بَاْسُنَآ اِلَّآ اَنْ قَالُوْٓا اِنَّا كُنَّا ظٰلِمِيْنَ ۝٥
০৬. যাদের কাছে রসূল পাঠানো হয়েছে তাদেরকে অবশ্যি আমরা জিজ্ঞাসাবাদ করবো এবং জিজ্ঞাসাবাদ করবো রসূলদেরও।	فَلَنَسْـَٔلَنَّ الَّذِيْنَ اُرْسِلَ اِلَيْهِمْ وَ لَنَسْـَٔلَنَّ الْمُرْسَلِيْنَ ۝٦
০৭. তারপর পূর্ণ জ্ঞানের ভিত্তিতে তাদের কর্মকান্ডের বিবরণ তাদের সামনে তুলে ধরবো, আমরা তো (তাদের থেকে) গায়েব ছিলাম না।	فَلَنَقُصَّنَّ عَلَيْهِمْ بِعِلْمٍ وَّمَا كُنَّا غَآئِبِيْنَ ۝٧
০৮. সেদিনকার ওজন (ন্যায়বিচার) মহাসত্য ও বাস্তব। তারপর যাদের (নেক আমলের) পাল্লা ভারি হবে তারাই হবে সফলকাম।	وَ الْوَزْنُ يَوْمَئِذِ الْحَقُّ ۚ فَمَنْ ثَقُلَتْ مَوَازِيْنُهٗ فَاُولٰٓئِكَ هُمُ الْمُفْلِحُوْنَ ۝٨
০৯. আর যাদের (ভালো কাজের) পাল্লা হবে হালকা, তারা হবে ঐসব লোক যারা নিজেদের ক্ষতিগ্রস্ত করেছে আমাদের আয়াতের প্রতি যুলুম করার মাধ্যমে।	وَمَنْ خَفَّتْ مَوَازِيْنُهٗ فَاُولٰٓئِكَ الَّذِيْنَ خَسِرُوْٓا اَنْفُسَهُمْ بِمَا كَانُوْا بِاٰيٰتِنَا يَظْلِمُوْنَ ۝٩
১০. আমরা তোমাদের এই পৃথিবীতে প্রতিষ্ঠিত করেছি আর এখানেই তোমাদের জন্যে ব্যবস্থা করে দিয়েছি জীবিকার। খুব কমই তোমরা শোকর আদায় করো।	وَلَقَدْ مَكَّنّٰكُمْ فِى الْاَرْضِ وَ جَعَلْنَا لَكُمْ فِيْهَا مَعَايِشَ ؕ قَلِيْلًا مَّا تَشْكُرُوْنَ ۝١٠
১১. আমরা তোমাদের সৃষ্টি করেছি, তারপর তোমাদের আকৃতি দান করেছি, তারপর ফেরেশতাদের বলেছি, সাজদা করো আদমের প্রতি। তখন তারা সবাই সাজদা করেছিল ইবলিস	وَلَقَدْ خَلَقْنٰكُمْ ثُمَّ صَوَّرْنٰكُمْ ثُمَّ قُلْنَا لِلْمَلٰٓئِكَةِ اسْجُدُوْا لِاٰدَمَ ۖ فَسَجَدُوْٓا اِلَّآ

রুকু ০১

ছাড়া। সে সাজদাকারীদের সাথে শামিল হয়নি।	إِبْلِيسَ ۗ لَمْ يَكُن مِّنَ السَّاجِدِينَ ﴿١١﴾
১২. আল্লাহ তাকে জিজ্ঞাসা করলেন: 'আমার নির্দেশ সত্ত্বেও কোন্ জিনিস তোমাকে বিরত রাখলো সাজদা করা থেকে?' সে জবাব দেয়: 'আমি তার (আদমের) চাইতে উত্তম। তুমি আমাকে সৃষ্টি করেছো আগুন থেকে আর তাকে সৃষ্টি করেছো মাটি থেকে।'	قَالَ مَا مَنَعَكَ أَلَّا تَسْجُدَ إِذْ أَمَرْتُكَ ۖ قَالَ أَنَا خَيْرٌ مِّنْهُ ۚ خَلَقْتَنِي مِن نَّارٍ وَخَلَقْتَهُ مِن طِينٍ ﴿١٢﴾
১৩. তিনি বললেন: 'বেরিয়ে যা এখান থেকে। এখানে থেকে অহংকার করার কোনো অধিকার তোর নেই। বেরিয়ে যা, নিশ্চয়ই তুই নিচু ও হীনদের একজন।'	قَالَ فَاهْبِطْ مِنْهَا فَمَا يَكُونُ لَكَ أَن تَتَكَبَّرَ فِيهَا فَاخْرُجْ إِنَّكَ مِنَ الصَّاغِرِينَ ﴿١٣﴾
১৪. সে বললো: 'আমাকে পুনরুত্থানকাল পর্যন্ত অবকাশ দিন।'	قَالَ أَنظِرْنِي إِلَىٰ يَوْمِ يُبْعَثُونَ ﴿١٤﴾
১৫. তিনি বললেন: 'যা, তুই অবকাশ প্রাপ্তদের অন্তরভুক্ত।'	قَالَ إِنَّكَ مِنَ الْمُنظَرِينَ ﴿١٥﴾
১৬. তখন সে বললো: "যেহেতু তুমি আমাকে বিপথগামী করলে, তাই আমি তাদের (আদম সন্তানদের বিপথগামী করার) জন্যে তোমার সরল সঠিক পথে ওঁৎ পেতে থাকবো।	قَالَ فَبِمَا أَغْوَيْتَنِي لَأَقْعُدَنَّ لَهُمْ صِرَاطَكَ الْمُسْتَقِيمَ ﴿١٦﴾
১৭. তারপর আমি আসবো তাদের সামনে থেকে, তাদের পেছন থেকে, তাদের ডানে থেকে এবং তাদের বামে থেকে। ফলে তুমি তাদের অধিকাংশকেই পাবেনা শোকর গুজার।"	ثُمَّ لَآتِيَنَّهُم مِّن بَيْنِ أَيْدِيهِمْ وَمِنْ خَلْفِهِمْ وَعَنْ أَيْمَانِهِمْ وَعَن شَمَائِلِهِمْ ۖ وَلَا تَجِدُ أَكْثَرَهُمْ شَاكِرِينَ ﴿١٧﴾
১৮. তিনি বললেন: "তুই বেরিয়ে যা ওখান থেকে ধিকৃত ও বিতাড়িত হয়ে। তাদের যে কেউ তোর অনুসরণ করবে, আমি অবশ্যি তোদের সবাইকে দিয়ে পূর্ণ করবো জাহান্নাম।	قَالَ اخْرُجْ مِنْهَا مَذْءُومًا مَّدْحُورًا ۖ لَّمَن تَبِعَكَ مِنْهُمْ لَأَمْلَأَنَّ جَهَنَّمَ مِنكُمْ أَجْمَعِينَ ﴿١٨﴾
১৯. আর হে আদম! তুমি এবং তোমার স্ত্রী বসবাস করো জান্নাতে। খাও যেখান থেকে ইচ্ছা। তবে তোমরা এই গাছটির কাছেও যেয়োনা, গেলে তোমরা যালিমদের মধ্যে শামিল হয়ে পড়বে।"	وَيَا آدَمُ اسْكُنْ أَنتَ وَزَوْجُكَ الْجَنَّةَ فَكُلَا مِنْ حَيْثُ شِئْتُمَا وَلَا تَقْرَبَا هَٰذِهِ الشَّجَرَةَ فَتَكُونَا مِنَ الظَّالِمِينَ ﴿١٩﴾
২০. তারপর শয়তান অস্অসা দিলো তাদের দুজনকে যাতে করে তাদের লজ্জাস্থান যা গোপন রাখা হয়েছিল তাদের কাছে, তা তাদের জন্যে প্রকাশ হয়ে পড়ে। সে তাদের বললো: 'তোমাদের প্রভু যে তোমাদেরকে এই গাছের ব্যাপারে নিষেধাজ্ঞা আরোপ করেছেন তার কারণ, পাছে তোমরা ফেরেশতা হয়ে না পড়ো, কিংবা তোমরা (এখানে) স্থায়ী হয়ে না যাও।'	فَوَسْوَسَ لَهُمَا الشَّيْطَانُ لِيُبْدِيَ لَهُمَا مَا وُورِيَ عَنْهُمَا مِن سَوْآتِهِمَا وَقَالَ مَا نَهَاكُمَا رَبُّكُمَا عَنْ هَٰذِهِ الشَّجَرَةِ إِلَّا أَن تَكُونَا مَلَكَيْنِ أَوْ تَكُونَا مِنَ الْخَالِدِينَ ﴿٢٠﴾

২১. সে তাদের কাছে কসম খেয়ে বললো: 'অবশ্যি আমি তোমাদের একজন কল্যাণকামী।'	وَقَاسَمَهُمَآ اِنِّیْ لَکُمَا لَمِنَ النّٰصِحِیْنَ ﴿۲۱﴾
২২. এভাবে সে তাদের প্রতারিত করে অধপতিত করলো। তারপর যখন তারা সেই গাছের (ফল) আস্বাদন করলো, তখন তাদের লজ্জাস্থান তাদের কাছে প্রকাশ হয়ে পড়লো এবং জান্নাতের পাতা দিয়ে তারা নিজেদের ঢেকে নিতে থাকলো। এসময় তাদের প্রভু তাদের ডেকে বললেন: 'আমি কি তোমাদেরকে এই গাছটির কাছে যেতে নিষেধ করিনি? আমি কি বলিনি শয়তান তোমাদের সুস্পষ্ট দুশমন?'	فَدَلّٰىهُمَا بِغُرُوْرٍ ۚ فَلَمَّا ذَاقَا الشَّجَرَةَ بَدَتْ لَهُمَا سَوْاٰتُهُمَا وَطَفِقَا يَخْصِفٰنِ عَلَيْهِمَا مِنْ وَّرَقِ الْجَنَّةِ ؕ وَنَادٰىهُمَا رَبُّهُمَآ اَلَمْ اَنْهَكُمَا عَنْ تِلْكُمَا الشَّجَرَةِ وَاَقُلْ لَّكُمَآ اِنَّ الشَّيْطٰنَ لَكُمَا عَدُوٌّ مُّبِيْنٌ ﴿۲۲﴾
২৩. তখন তারা ফরিয়াদ করলো: 'আমাদের প্রভু! আমরা নিজেদের প্রতি যুলুম করেছি। এখন তুমি যদি আমাদের ক্ষমা না করো এবং আমাদের দয়া না করো, তাহলে তো আমরা ক্ষতিগ্রস্তদের মধ্যে শামিল হয়ে পড়বো।'	قَالَا رَبَّنَا ظَلَمْنَآ اَنْفُسَنَا ٜ وَاِنْ لَّمْ تَغْفِرْ لَنَا وَتَرْحَمْنَا لَنَكُوْنَنَّ مِنَ الْخٰسِرِيْنَ ﴿۲۳﴾
২৪. তিনি বললেন: 'নেমে যাও, তোমরা পরস্পরের শত্রু। পৃথিবীতে একটা নির্দিষ্টকাল তোমরা অবস্থান করবে এবং ওখানেই তোমাদের জীবিকার ব্যবস্থা থাকবে।'	قَالَ اهْبِطُوْا بَعْضُكُمْ لِبَعْضٍ عَدُوٌّ ۚ وَلَكُمْ فِى الْاَرْضِ مُسْتَقَرٌّ وَّمَتَاعٌ اِلٰى حِيْنٍ ﴿۲۴﴾
২৫. তিনি আরো বললেন: 'সেখানেই তোমরা জীবন যাপন করবে এবং সেখানেই তোমাদের মৃত্যু হবে আর সেখান থেকেই তোমাদের খারিজ (বের) করে আনা হবে।'	قَالَ فِيْهَا تَحْيَوْنَ وَفِيْهَا تَمُوْتُوْنَ وَمِنْهَا تُخْرَجُوْنَ ۠﴿۲۵﴾ রুকু ০২
২৬. হে আদম সন্তান! আমরা তোমাদের জন্যে এক ধরণের পোশাক নাযিল করেছি তোমাদের লজ্জাস্থান ঢাকার জন্যে আচ্ছাদন হিসেবে এবং শোভাবর্ধক হিসেবে, আর রয়েছে 'তাকওয়ার পোশাক', এ পোশাকই উত্তম। এ হলো আল্লাহ্‌র আয়াত, যাতে করে তারা উপদেশ গ্রহণ করে।	يٰبَنِيْٓ اٰدَمَ قَدْ اَنْزَلْنَا عَلَيْكُمْ لِبَاسًا يُّوَارِيْ سَوْاٰتِكُمْ وَرِيْشًا ؕ وَلِبَاسُ التَّقْوٰى ۙ ذٰلِكَ خَيْرٌ ؕ ذٰلِكَ مِنْ اٰيٰتِ اللّٰهِ لَعَلَّهُمْ يَذَّكَّرُوْنَ ﴿۲۶﴾
২৭. হে বনি আদম! শয়তান যেনো তোমাদের ফিতনায় না ফেলে যেভাবে (ফিতনায় ফেলে) তোমাদের (আদি) পিতা মাতাকে বের করে দিয়েছিল জান্নাত থেকে। সে তাদেরকে তাদের লজ্জাস্থান দেখাবার জন্যে তাদের লেবাস খসিয়ে দিয়েছিল। সে এবং তার দলবল তোমাদেরকে এমনভাবে দেখে, যেভাবে তোমরা তাদের দেখোনা। যারা ঈমান আনেনা তাদের জন্যে আমরা অলি বানিয়ে দিয়েছি শয়তানদের।	يٰبَنِيْٓ اٰدَمَ لَا يَفْتِنَنَّكُمُ الشَّيْطٰنُ كَمَآ اَخْرَجَ اَبَوَيْكُمْ مِّنَ الْجَنَّةِ يَنْزِعُ عَنْهُمَا لِبَاسَهُمَا لِيُرِيَهُمَا سَوْاٰتِهِمَا ؕ اِنَّهٗ يَرٰىكُمْ هُوَ وَقَبِيْلُهٗ مِنْ حَيْثُ لَا تَرَوْنَهُمْ ؕ اِنَّا جَعَلْنَا الشَّيٰطِيْنَ اَوْلِيَآءَ لِلَّذِيْنَ لَا يُؤْمِنُوْنَ ﴿۲۷﴾

২৮. তারা যখন কোনো ফাহেশা কাজ করে, তখন বলে: 'আমরা আমাদের পূর্ব পুরুষদের এরকম করতে দেখেছি। আল্লাহ্ই আমাদেরকে এর নির্দেশ দিয়েছেন।' বলো: 'আল্লাহ ফাহেশা কাজের নির্দেশ দেননা। কেন তোমরা আল্লাহ্র প্রতি এমন কথা আরোপ করছো যা তোমরা জানোনা?'	وَإِذَا فَعَلُوْا فَاحِشَةً قَالُوْا وَجَدْنَا عَلَيْهَآ اٰبَآءَنَا وَاللّٰهُ اَمَرَنَا بِهَا ؕ قُلْ اِنَّ اللّٰهَ لَا يَاْمُرُ بِالْفَحْشَآءِ ؕ اَتَقُوْلُوْنَ عَلَى اللّٰهِ مَا لَا تَعْلَمُوْنَ ﴿٢٨﴾
২৯. বলো: আমার প্রভু ইনসাফের নির্দেশ দিয়েছেন। প্রত্যেক মসজিদে তোমরা তোমাদের লক্ষ্য স্থির করবে এবং আল্লাহ্র জন্যে আনুগত্য একনিষ্ঠ করে তাঁকে ডাকবে। তিনি তোমাদের প্রথম যেভাবে সৃষ্টি করেছেন, তোমরা ঠিক সেভাবেই ফিরে আসবে।	قُلْ اَمَرَ رَبِّيْ بِالْقِسْطِ ۗ وَاَقِيْمُوْا وُجُوْهَكُمْ عِنْدَ كُلِّ مَسْجِدٍ وَّ ادْعُوْهُ مُخْلِصِيْنَ لَهُ الدِّيْنَ ۚ كَمَا بَدَاَكُمْ تَعُوْدُوْنَ ﴿٢٩﴾
৩০. একদলকে তিনি হিদায়াত দান করেছেন, আরেক দলের উপর গোমরাহি নির্ধারিত হয়ে গেছে। কারণ, তারা আল্লাহকে ছেড়ে শয়তানদের অলি বানিয়ে নিয়েছে এবং ধারণা করছে তারা হিদায়াতপ্রাপ্ত।	فَرِيْقًا هَدٰى وَفَرِيْقًا حَقَّ عَلَيْهِمُ الضَّلٰلَةُ ؕ اِنَّهُمُ اتَّخَذُوا الشَّيٰطِيْنَ اَوْلِيَآءَ مِنْ دُوْنِ اللّٰهِ وَيَحْسَبُوْنَ اَنَّهُمْ مُّهْتَدُوْنَ ﴿٣٠﴾
৩১. হে আদম সন্তান! প্রত্যেক মসজিদে তোমরা তোমাদের সুন্দর পোশাকে সজ্জিত হয়ে যাবে। আর আহার করবে, পান করবে, কিন্তু অপচয় করবেনা, কারণ তিনি অপচয়কারীদের পছন্দ করেননা।	يٰبَنِيْٓ اٰدَمَ خُذُوْا زِيْنَتَكُمْ عِنْدَ كُلِّ مَسْجِدٍ وَّكُلُوْا وَاشْرَبُوْا وَلَا تُسْرِفُوْا ۚ اِنَّهُ لَا يُحِبُّ الْمُسْرِفِيْنَ ﴿٣١﴾
৩২. হে নবী! বলো: 'আল্লাহ তাঁর বান্দাদের জন্যে যেসব সুন্দর বস্তু আর উত্তম জীবিকা সৃষ্টি করেছেন, সেগুলো হারাম করলো কে?' বলো: 'সেগুলো তো মুমিনদেরই জন্যে এই দুনিয়ার জীবনে, বিশেষ করে কিয়ামত কালে।' এভাবেই আমরা সুস্পষ্টভাবে বর্ণনা করি আয়াত যারা জ্ঞান রাখে তাদের জন্যে।	قُلْ مَنْ حَرَّمَ زِيْنَةَ اللّٰهِ الَّتِيْٓ اَخْرَجَ لِعِبَادِهٖ وَالطَّيِّبٰتِ مِنَ الرِّزْقِ ؕ قُلْ هِيَ لِلَّذِيْنَ اٰمَنُوْا فِي الْحَيٰوةِ الدُّنْيَا خَالِصَةً يَّوْمَ الْقِيٰمَةِ ؕ كَذٰلِكَ نُفَصِّلُ الْاٰيٰتِ لِقَوْمٍ يَّعْلَمُوْنَ ﴿٣٢﴾
৩৩. বলো: 'আমার প্রভু হারাম করে দিয়েছেন গোপন ও প্রকাশ্য ফাহেশা (অশ্লীল) কাজ, পাপকাজ, না হক বিদ্রোহ, তোমাদের আল্লাহ্র সাথে শিরক করা যার সপক্ষে আল্লাহ কোনো প্রমাণ নাযিল করেননি, এবং না জেনে বুঝে তোমাদের আল্লাহ্র সম্পর্কে কথা বলা।	قُلْ اِنَّمَا حَرَّمَ رَبِّيَ الْفَوَاحِشَ مَا ظَهَرَ مِنْهَا وَمَا بَطَنَ وَالْاِثْمَ وَالْبَغْيَ بِغَيْرِ الْحَقِّ وَاَنْ تُشْرِكُوْا بِاللّٰهِ مَا لَمْ يُنَزِّلْ بِهٖ سُلْطٰنًا وَّاَنْ تَقُوْلُوْا عَلَى اللّٰهِ مَا لَا تَعْلَمُوْنَ ﴿٣٣﴾
৩৪. প্রত্যেক উম্মতের একটি কাল-সীমা রয়েছে, যখন তাদের সেই সময়টি এসে পড়বে, তখন তারা মুহূর্তকাল বিলম্বও করতে পারবেনা এবং তার পূর্বেও সে কালটি শেষ করতে পারবেনা।	وَلِكُلِّ اُمَّةٍ اَجَلٌ ۚ فَاِذَا جَآءَ اَجَلُهُمْ لَا يَسْتَاْخِرُوْنَ سَاعَةً وَّلَا يَسْتَقْدِمُوْنَ ﴿٣٤﴾

রুকু ০৩

৩৫. হে বনি আদম! যখন তোমাদের মধ্য থেকে তোমাদের কাছে রসূলরা এসে আমার আয়াত পেশ করবে, তখন যারা সতর্ক হবে এবং নিজেদের এস্‌লাহ (সংশোধন) করে নেবে, তাদের কোনো ভয় ভীতিও থাকবেনা, দুঃখ দুশ্চিন্তাও থাকবেনা।	يٰبَنِيْٓ اٰدَمَ اِمَّا يَاْتِيَنَّكُمْ رُسُلٌ مِّنْكُمْ يَقُصُّوْنَ عَلَيْكُمْ اٰيٰتِيْ ۙ فَمَنِ اتَّقٰى وَ اَصْلَحَ فَلَا خَوْفٌ عَلَيْهِمْ وَ لَا هُمْ يَحْزَنُوْنَ ۝٣٥
৩৬. আর যারা প্রত্যাখ্যান করবে আমার আয়াত এবং তার বিরুদ্ধে প্রকাশ করবে দাম্ভিকতা, তারা হবে আগুনের অধিবাসী এবং চিরকাল থাকবে তারা সেখানে।	وَ الَّذِيْنَ كَذَّبُوْا بِاٰيٰتِنَا وَ اسْتَكْبَرُوْا عَنْهَآ اُولٰٓئِكَ اَصْحٰبُ النَّارِ ۚ هُمْ فِيْهَا خٰلِدُوْنَ ۝٣٦
৩৭. ঐ ব্যক্তির চাইতে বড় যালিম আর কে, যে মিথ্যা রচনা করে আল্লাহ্‌র উপর আরোপ করে, কিংবা মিথ্যা বলে প্রত্যাখ্যান করে তাঁর আয়াতকে? তাদের নসিবে যা লেখা আছে তা তাদের কাছে পৌঁছুবেই। অবশেষে তাদের কাছে পৌঁছে যাবে আমাদের নির্দেশ বাহকরা (ফেরেশতারা) তাদেরকে ওফাত (মৃত্যু) দেয়ার জন্যে। তারা তাদের জিজ্ঞাসা করবে: 'তোমরা আল্লাহ ছাড়া যাদের ডাকতে তারা কোথায়? তারা বলবে: 'ওরা আমাদের থেকে উধাও হয়ে গেছে।' তখন তারা তাদের নিজেদের বিরুদ্ধে সাক্ষ্য দেবে যে, তারা সত্যি কাফির ছিলো।	فَمَنْ اَظْلَمُ مِمَّنِ افْتَرٰى عَلَى اللّٰهِ كَذِبًا اَوْ كَذَّبَ بِاٰيٰتِهٖ ؕ اُولٰٓئِكَ يَنَالُهُمْ نَصِيْبُهُمْ مِّنَ الْكِتٰبِ ؕ حَتّٰٓى اِذَا جَآءَتْهُمْ رُسُلُنَا يَتَوَفَّوْنَهُمْ ۙ قَالُوْٓا اَيْنَ مَا كُنْتُمْ تَدْعُوْنَ مِنْ دُوْنِ اللّٰهِ ؕ قَالُوْا ضَلُّوْا عَنَّا وَ شَهِدُوْا عَلٰٓى اَنْفُسِهِمْ اَنَّهُمْ كَانُوْا كٰفِرِيْنَ ۝٣٧
৩৮. আল্লাহ বলবেন: 'তোমাদের আগে যেসব জিন ও মানব সম্প্রদায় গত হয়েছে, তাদের সাথে জাহান্নামে দাখিল হও।' যখনই একটি দল তাতে প্রবেশ করবে তখনই অপর দলকে তারা লানত দেবে। যখন সবাই তাতে একত্র হবে, তখন পরবর্তীরা পূর্ববর্তীদের বলবে: 'আমাদের প্রভু! এরাই আমাদের গোম্‌রাহ করেছিল, সুতরাং তাদের আগুনের আযাব দ্বিগুণ করে দাও।' তিনি বলবেন: 'প্রত্যেকের জন্যেই রয়েছে দ্বিগুণ, তবে তোমরা তা জানোনা।'	قَالَ ادْخُلُوْا فِيْٓ اُمَمٍ قَدْ خَلَتْ مِنْ قَبْلِكُمْ مِّنَ الْجِنِّ وَ الْاِنْسِ فِي النَّارِ ؕ كُلَّمَا دَخَلَتْ اُمَّةٌ لَّعَنَتْ اُخْتَهَا ؕ حَتّٰٓى اِذَا ادَّارَكُوْا فِيْهَا جَمِيْعًا ۙ قَالَتْ اُخْرٰىهُمْ لِاُوْلٰىهُمْ رَبَّنَا هٰٓؤُلَآءِ اَضَلُّوْنَا فَاٰتِهِمْ عَذَابًا ضِعْفًا مِّنَ النَّارِ ؕ قَالَ لِكُلٍّ ضِعْفٌ وَّ لٰكِنْ لَّا تَعْلَمُوْنَ ۝٣٨
৩৯. পূর্ববর্তীরা পরবর্তীদের বলবে: 'আমাদের উপর তোমাদের কোনো শ্রেষ্ঠত্ব নেই। সুতরাং তোমরা তোমাদের অর্জনের জন্যে স্বাদ গ্রহণ করো আযাবের।'	وَ قَالَتْ اُوْلٰىهُمْ لِاُخْرٰىهُمْ فَمَا كَانَ لَكُمْ عَلَيْنَا مِنْ فَضْلٍ فَذُوْقُوا الْعَذَابَ بِمَا كُنْتُمْ تَكْسِبُوْنَ ۝٣٩
৪০. যারা আমাদের আয়াতের প্রতি মিথ্যারোপ করে প্রত্যাখ্যান করেছে এবং তার বিরুদ্ধে	اِنَّ الَّذِيْنَ كَذَّبُوْا بِاٰيٰتِنَا وَ اسْتَكْبَرُوْا

রুকু ০৪

অহংকার করেছে, তাদের জন্যে আসমানের দুয়ার খোলা হবেনা এবং সূচের ছিদ্র দিয়ে উট প্রবেশ না করা পর্যন্ত তারা জান্নাতে প্রবেশ করতে পারবেনা। এরকম প্রতিফলই আমরা অপরাধীদের দিয়ে থাকি।	عَنۡهَا لَا تُفَتَّحُ لَهُمۡ اَبۡوَابُ السَّمَآءِ وَ لَا يَدۡخُلُوۡنَ الۡجَنَّةَ حَتّٰی يَلِجَ الۡجَمَلُ فِیۡ سَمِّ الۡخِيَاطِ ؕ وَ كَذٰلِكَ نَجۡزِی الۡمُجۡرِمِيۡنَ ﴿۴۰﴾
৪১. জাহান্নামই হবে তাদের নিচের শয্যা এবং তাদের উপরের আচ্ছাদন। এভাবেই আমরা শাস্তি দিয়ে থাকি যালিমদের।	لَهُمۡ مِّنۡ جَهَنَّمَ مِهَادٌ وَّ مِنۡ فَوۡقِهِمۡ غَوَاشٍ ؕ وَ كَذٰلِكَ نَجۡزِی الظّٰلِمِيۡنَ ﴿۴۱﴾
৪২. পক্ষান্তরে যারা ঈমান আনবে এবং আমলে সালেহ করবে, তারাই হবে জান্নাতের অধিবাসী, চিরকাল থাকবে তারা সেখানে। আমরা কাউকেও তার সাধ্যের বাইরে বোঝা অর্পণ করিনা।	وَ الَّذِيۡنَ اٰمَنُوۡا وَ عَمِلُوا الصّٰلِحٰتِ لَا نُكَلِّفُ نَفۡسًا اِلَّا وُسۡعَهَاۤ ۫ اُولٰٓئِكَ اَصۡحٰبُ الۡجَنَّةِ ۚ هُمۡ فِيۡهَا خٰلِدُوۡنَ ﴿۴۲﴾
৪৩. আমরা দূর করে দেবো তাদের অন্তরের সব ঈর্ষা। তাদের নিচে দিয়ে বহমান থাকবে নদ নদী নহর। তারা বলবে: 'সমস্ত প্রশংসা আল্লাহ্‌র, যিনি আমাদের এই জান্নাতের পথ দেখিয়েছেন। আল্লাহ আমাদের পথ না দেখালে আমরা কখনো (জান্নাতের) পথ পেতাম না। আমাদের কাছে আমাদের প্রভুর রসূলরা সত্য নিয়ে এসেছিলেন।' তখন তাদের ডেকে বলা হবে: 'তোমাদের আমলের কারণেই তোমাদের এই জান্নাতের ওয়ারিশ বানানো হয়েছে।	وَ نَزَعۡنَا مَا فِیۡ صُدُوۡرِهِمۡ مِّنۡ غِلٍّ تَجۡرِیۡ مِنۡ تَحۡتِهِمُ الۡاَنۡهٰرُ ۚ وَ قَالُوا الۡحَمۡدُ لِلّٰهِ الَّذِیۡ هَدٰىنَا لِهٰذَا ۟ وَ مَا كُنَّا لِنَهۡتَدِیَ لَوۡ لَاۤ اَنۡ هَدٰىنَا اللّٰهُ ۚ لَقَدۡ جَآءَتۡ رُسُلُ رَبِّنَا بِالۡحَقِّ ؕ وَ نُوۡدُوۡۤا اَنۡ تِلۡكُمُ الۡجَنَّةُ اُوۡرِثۡتُمُوۡهَا بِمَا كُنۡتُمۡ تَعۡمَلُوۡنَ ﴿۴۳﴾
৪৪. জান্নাতবাসীরা জাহান্নামবাসীদের ডেকে বলবে: 'আমাদের প্রভু আমাদের যে ওয়াদা দিয়েছিলেন আমরা তা সত্য পেয়েছি। তোমাদের প্রভু তোমাদের যে ওয়াদা দিয়েছিলেন তোমরা কি তা সত্য পেয়েছো?' তারা বলবে: 'হ্যাঁ।' তখন একজন ঘোষণাকারী তাদের মাঝে ঘোষণা করবে: "যালিমদের উপর আল্লাহ্‌র লানত,	وَ نَادٰۤی اَصۡحٰبُ الۡجَنَّةِ اَصۡحٰبَ النَّارِ اَنۡ قَدۡ وَجَدۡنَا مَا وَعَدَنَا رَبُّنَا حَقًّا فَهَلۡ وَجَدۡتُّمۡ مَّا وَعَدَ رَبُّكُمۡ حَقًّا ؕ قَالُوۡا نَعَمۡ ۚ فَاَذَّنَ مُؤَذِّنٌۢ بَيۡنَهُمۡ اَنۡ لَّعۡنَةُ اللّٰهِ عَلَی الظّٰلِمِيۡنَ ﴿۴۴﴾
৪৫. যারা আল্লাহ্‌র পথে বাধা সৃষ্টি করতো এবং তাতে বক্রতা খুঁজে বেড়াতো এবং তারা আখিরাতের প্রতি ছিলো অবিশ্বাসী-কাফির।"	الَّذِيۡنَ يَصُدُّوۡنَ عَنۡ سَبِيۡلِ اللّٰهِ وَ يَبۡغُوۡنَهَا عِوَجًا ۚ وَ هُمۡ بِالۡاٰخِرَةِ كٰفِرُوۡنَ ﴿۴۵﴾
৪৬. (জান্নাত ও জাহান্নাম) উভয়ের মাঝে থাকবে একটি হিজাব (পর্দা), আর কিছু লোক থাকবে আ'রাফে। তারা সবাইকে চিনবে তাদের লক্ষণ দেখেই। তারা জান্নাতবাসীদের ডেকে বলে: আপনাদের প্রতি সালাম। তারা তখনো জান্নাতে দাখিল হয়নি, তবে প্রত্যাশা করবে।	وَ بَيۡنَهُمَا حِجَابٌ ۚ وَ عَلَی الۡاَعۡرَافِ رِجَالٌ يَّعۡرِفُوۡنَ كُلًّۢا بِسِيۡمٰهُمۡ ۚ وَ نَادَوۡا اَصۡحٰبَ الۡجَنَّةِ اَنۡ سَلٰمٌ عَلَيۡكُمۡ ۟ لَمۡ يَدۡخُلُوۡهَا وَ هُمۡ يَطۡمَعُوۡنَ ﴿۴۶﴾
৪৭. আর যখন তাদের দৃষ্টি ফিরিয়ে দেয়া হবে জাহান্নামবাসীদের প্রতি, তখন তারা বলবে:	وَ اِذَا صُرِفَتۡ اَبۡصَارُهُمۡ تِلۡقَآءَ اَصۡحٰبِ

'আমাদের প্রভু! আমাদেরকে এই যালিম লোকদের সাথি করোনা।'	النَّارِ ۙ قَالُوْا رَبَّنَا لَا تَجْعَلْنَا مَعَ الْقَوْمِ الظّٰلِمِيْنَ ﴿٤٧﴾	রুকু ০৫
৪৮. আরাফবাসী (জাহান্নামের) যেসব লোককে লক্ষণ দেখে চিনবে তাদের ডেকে বলবে: 'তোমাদের দল এবং তোমাদের অহংকার তোমাদের কোনো কাজে এলোনা।'	وَنَادٰۤى اَصْحٰبُ الْاَعْرَافِ رِجَالًا يَّعْرِفُوْنَهُمْ بِسِيْمٰىهُمْ قَالُوْا مَاۤ اَغْنٰى عَنْكُمْ جَمْعُكُمْ وَمَا كُنْتُمْ تَسْتَكْبِرُوْنَ ﴿٤٨﴾	
৪৯. এরা কি তারা নয় যাদের সম্পর্কে তোমরা শপথ করে বলতে, আল্লাহ এদের প্রতি দয়া করবেন না। অথচ তাদেরকেই বলা হয়েছে: 'তোমরা দাখিল হও জান্নাতে, তোমাদের কোনো ভয়ভীতিও নেই আর দুঃখ দুশ্চিন্তাও নেই।'	اَهٰۤؤُلَآءِ الَّذِيْنَ اَقْسَمْتُمْ لَا يَنَالُهُمُ اللّٰهُ بِرَحْمَةٍ ؕ اُدْخُلُوا الْجَنَّةَ لَا خَوْفٌ عَلَيْكُمْ وَلَاۤ اَنْتُمْ تَحْزَنُوْنَ ﴿٤٩﴾	
৫০. জাহান্নামবাসী জান্নাতবাসীকে ডেকে বলবে: 'আমাদের দিকে কিছু পানি ঢেলে দাও, অথবা আল্লাহ তোমাদের যে রিযিক দিয়েছেন তা থেকে কিছু দাও।' তখন তারা বলবে: "আল্লাহ এদুটি জিনিসই হারাম করে দিয়েছেন কাফিরদের জন্যে,	وَ نَادٰۤى اَصْحٰبُ النَّارِ اَصْحٰبَ الْجَنَّةِ اَنْ اَفِيْضُوْا عَلَيْنَا مِنَ الْمَآءِ اَوْ مِمَّا رَزَقَكُمُ اللّٰهُ ؕ قَالُوْۤا اِنَّ اللّٰهَ حَرَّمَهُمَا عَلَى الْكٰفِرِيْنَ ﴿٥٠﴾	
৫১. যারা তাদের দীনকে খেল তামাশা হিসেবে গ্রহণ করেছিল এবং দুনিয়ার জীবন যাদেরকে প্রতারিত করে রেখেছিল।" সুতরাং আজ আমরা তাদের ভুলে থাকবো, যেভাবে তারা (দুনিয়ার জীবনে) তাদের এই দিনের সাক্ষাতকে ভুলে থেকেছিল এবং যেভাবে তারা আমাদের আয়াতকে প্রত্যাখ্যান করেছিল।	الَّذِيْنَ اتَّخَذُوْا دِيْنَهُمْ لَهْوًا وَّ لَعِبًا وَّ غَرَّتْهُمُ الْحَيٰوةُ الدُّنْيَا ۚ فَالْيَوْمَ نَنْسٰىهُمْ كَمَا نَسُوْا لِقَآءَ يَوْمِهِمْ هٰذَا ۙ وَمَا كَانُوْا بِاٰيٰتِنَا يَجْحَدُوْنَ ﴿٥١﴾	
৫২. আমরা তাদের এমন একটি কিতাব পৌঁছিয়েছিলাম, যা ছিলো পূর্ণ জ্ঞানের বিশদ ব্যাখ্যা এবং হিদায়াত ও রহমত বিশ্বাসীদের জন্যে।	وَ لَقَدْ جِئْنٰهُمْ بِكِتٰبٍ فَصَّلْنٰهُ عَلٰى عِلْمٍ هُدًى وَّ رَحْمَةً لِّقَوْمٍ يُّؤْمِنُوْنَ ﴿٥٢﴾	
৫৩. তারা কি এর পরিণামের অপেক্ষায় আছে? যেদিন তার পরিণামকাল এসে উপস্থিত হবে সেদিন সেটিকে ভুলে থাকা লোকেরা বলবে: 'আমাদের কাছে আমাদের প্রভুর রসূলরা সত্যবার্তা নিয়ে এসেছিলেন, এখন শাফায়াতকারী পাওয়া যাবে কি, যারা আমাদের জন্যে শাফায়াত করবে? অথবা আমাদের দুনিয়ায় ফেরত পাঠানো হোক। আমরা অবশ্যি এতোদিন যা আমল করতাম তার চাইতে ভিন্নতর আমল করবো।' এরা নিজেরাই নিজেদেরকে ক্ষতির মধ্যে নিক্ষেপ করে এসেছে এবং তারা যেসব মিথ্যা রচনা করেছিল সবই উধাও হয়ে গেছে।	هَلْ يَنْظُرُوْنَ اِلَّا تَاْوِيْلَهٗ ؕ يَوْمَ يَاْتِيْ تَاْوِيْلُهٗ يَقُوْلُ الَّذِيْنَ نَسُوْهُ مِنْ قَبْلُ قَدْ جَآءَتْ رُسُلُ رَبِّنَا بِالْحَقِّ ۚ فَهَلْ لَّنَا مِنْ شُفَعَآءَ فَيَشْفَعُوْا لَنَاۤ اَوْ نُرَدُّ فَنَعْمَلَ غَيْرَ الَّذِيْ كُنَّا نَعْمَلُ ؕ قَدْ خَسِرُوْۤا اَنْفُسَهُمْ وَ ضَلَّ عَنْهُمْ مَّا كَانُوْا يَفْتَرُوْنَ ﴿٥٣﴾	রুকু ০৬

৫৪. তোমাদের প্রভু তো তিনি, যিনি মহাকাশ এবং এই পৃথিবী সৃষ্টি করেছেন ছয়টি কালে, অতপর সমাসীন হয়েছেন আরশের উপর। তিনি দিনকে ঢেকে দেন রাত দিয়ে। তারা পরস্পরকে অবিরামভাবে দ্রুত অনুসরণ করে। সূর্য, চাঁদ এবং তারকারাজি তাঁরই নির্দেশের অধীন। সাবধান, সৃষ্টিও তাঁর, নির্দেশও তাঁর। মহাকল্যাণের মালিক আল্লাহ্ই মহাজগতের প্রভু।	اِنَّ رَبَّكُمُ اللّٰهُ الَّذِیْ خَلَقَ السَّمٰوٰتِ وَالْاَرْضَ فِیْ سِتَّةِ اَیَّامٍ ثُمَّ اسْتَوٰی عَلَی الْعَرْشِ ۟ یُغْشِی الَّیْلَ النَّهَارَ یَطْلُبُهٗ حَثِیْثًا ۙ وَّ الشَّمْسَ وَ الْقَمَرَ وَ النُّجُوْمَ مُسَخَّرٰتٍۭ بِاَمْرِهٖ ؕ اَلَا لَهُ الْخَلْقُ وَ الْاَمْرُ ؕ تَبٰرَكَ اللّٰهُ رَبُّ الْعٰلَمِیْنَ ﴿۵۴﴾
৫৫. তোমাদের প্রভুকে ডাকো বিনয়ের সাথে এবং গোপনে। সীমালংঘনকারীদের তিনি পছন্দ করেন না।	اُدْعُوْا رَبَّكُمْ تَضَرُّعًا وَّ خُفْیَةً ؕ اِنَّهٗ لَا یُحِبُّ الْمُعْتَدِیْنَ ﴿۵۵﴾
৫৬. এস্লাহের পর পৃথিবীতে ফাসাদ সৃষ্টি করোনা। তাঁকে ডাকো ভয় এবং আশা নিয়ে। অবশ্যি আল্লাহ্র রহমত কল্যাণপরায়ণদের খুব নিকটে।	وَ لَا تُفْسِدُوْا فِی الْاَرْضِ بَعْدَ اِصْلَاحِهَا وَ ادْعُوْهُ خَوْفًا وَّ طَمَعًا ؕ اِنَّ رَحْمَتَ اللّٰهِ قَرِیْبٌ مِّنَ الْمُحْسِنِیْنَ ﴿۵۶﴾
৫৭. তিনি তাঁর রহমত বর্ষণের আগে সুসংবাদ বাহক হিসেবে বাতাস পাঠান, অতপর তা যখন ঘন মেঘ বইয়ে আনে, তখন আমরা তা মরা শুকনো জমিনের দিকে পাঠাই এবং সেখানে আমরা নাযিল করি (আমাদের রহমতের) পানি (বৃষ্টি)। অতপর তা থেকে আমরা উৎপন্ন করি সব ধরণের ফল-ফসল। এভাবেই আমরা জীবন দান করে বের করে আনবো মৃতদেরকে। আশা করা যায় তোমরা উপদেশ গ্রহণ করবে।	وَ هُوَ الَّذِیْ یُرْسِلُ الرِّیٰحَ بُشْرًۢا بَیْنَ یَدَیْ رَحْمَتِهٖ ؕ حَتّٰۤی اِذَاۤ اَقَلَّتْ سَحَابًا ثِقَالًا سُقْنٰهُ لِبَلَدٍ مَّیِّتٍ فَاَنْزَلْنَا بِهِ الْمَآءَ فَاَخْرَجْنَا بِهٖ مِنْ كُلِّ الثَّمَرٰتِ ؕ كَذٰلِكَ نُخْرِجُ الْمَوْتٰی لَعَلَّكُمْ تَذَكَّرُوْنَ ﴿۵۷﴾
৫৮. উত্তম ভূমি থেকে তার প্রভুর অনুমতিক্রমে ফসল উৎপন্ন হয়, আর নিকৃষ্ট ভূমিতে প্রচণ্ড পরিশ্রম ছাড়া কিছুই জন্মায়না। এভাবেই আল্লাহ শোকরগুজার লোকদের জন্যে বিভিন্নভাবে বর্ণনা করেন তাঁর আয়াত।	وَ الْبَلَدُ الطَّیِّبُ یَخْرُجُ نَبَاتُهٗ بِاِذْنِ رَبِّهٖ ۚ وَ الَّذِیْ خَبُثَ لَا یَخْرُجُ اِلَّا نَكِدًا ؕ كَذٰلِكَ نُصَرِّفُ الْاٰیٰتِ لِقَوْمٍ یَّشْكُرُوْنَ ﴿۵۸﴾
৫৯. আমরা নূহকে পাঠিয়েছিলাম তার কওমের কাছে। সে তাদের বলেছিল: হে আমার কওম! তোমরা এক আল্লাহ্র দাসত্ব করো, তিনি ছাড়া তোমাদের আর কোনো ইলাহ্ নেই। আমি তোমাদের উপর এক মহাদিনের আযাবের আশংকা করছি।	لَقَدْ اَرْسَلْنَا نُوْحًا اِلٰی قَوْمِهٖ فَقَالَ یٰقَوْمِ اعْبُدُوا اللّٰهَ مَا لَكُمْ مِّنْ اِلٰهٍ غَیْرُهٗ ؕ اِنِّیْۤ اَخَافُ عَلَیْكُمْ عَذَابَ یَوْمٍ عَظِیْمٍ ﴿۵۹﴾
৬০. তখন তার কওমের নেতারা বলেছিল: 'আমরা দেখতে পাচ্ছি, তুমি সুস্পষ্ট বিভ্রান্তিতে রয়েছো।'	قَالَ الْمَلَاُ مِنْ قَوْمِهٖۤ اِنَّا لَنَرٰىكَ فِیْ ضَلٰلٍ مُّبِیْنٍ ﴿۶۰﴾

রুকু ০৭

৬১. সে বলেছিল: "হে আমার কওম! আমার মধ্যে কোনো বিভ্রান্তি নেই, বরং আমি রাব্বুল আলামিনের একজন রসূল।	قَالَ يٰقَوْمِ لَيْسَ بِيْ ضَلٰلَةٌ وَّ لٰكِنِّيْ رَسُوْلٌ مِّنْ رَّبِّ الْعٰلَمِيْنَ ﴿٦١﴾
৬২. আমি তো তোমাদের কাছে পৌঁছে দিচ্ছি আমার প্রভুর বার্তা। আমি তোমাদের কল্যাণকামী। আমি আল্লাহ্‌র পক্ষ থেকে সেসব বিষয় জানি, যা তোমরা জানোনা।	اُبَلِّغُكُمْ رِسٰلٰتِ رَبِّيْ وَ اَنْصَحُ لَكُمْ وَ اَعْلَمُ مِنَ اللّٰهِ مَا لَا تَعْلَمُوْنَ ﴿٦٢﴾
৬৩. তোমরা কি তাজ্জব হচ্ছো যে, তোমাদেরই একজনের মাধ্যমে তোমাদের প্রভুর পক্ষ থেকে তোমাদের কাছে একটি উপদেশ এসেছে- যাতে করে সে তোমাদের সতর্ক করতে পারে এবং যেনো তোমরা সতর্ক হও আর যেনো তোমরা রহমত প্রাপ্ত হও?"	اَوَ عَجِبْتُمْ اَنْ جَآءَكُمْ ذِكْرٌ مِّنْ رَّبِّكُمْ عَلٰى رَجُلٍ مِّنْكُمْ لِيُنْذِرَكُمْ وَ لِتَتَّقُوْا وَ لَعَلَّكُمْ تُرْحَمُوْنَ ﴿٦٣﴾
৬৪. কিন্তু তারা তাকে মিথ্যা আখ্যায়িত করে প্রত্যাখ্যান করে। ফলে আমরা তাকে আর তার সাথে যারা নৌযানে উঠেছিল তাদেরকে নাজাত দেই, আর ডুবিয়ে দেই তাদেরকে যারা প্রত্যাখ্যান করেছিল আমাদের আয়াত। মূলত, তারা ছিলো একটি অন্ধ কওম।	فَكَذَّبُوْهُ فَاَنْجَيْنٰهُ وَ الَّذِيْنَ مَعَهٗ فِي الْفُلْكِ وَ اَغْرَقْنَا الَّذِيْنَ كَذَّبُوْا بِاٰيٰتِنَا ؕ اِنَّهُمْ كَانُوْا قَوْمًا عَمِيْنَ ﴿٦٤﴾
৬৫. আমরা আদ জাতির কাছে পাঠিয়েছিলাম তাদেরই ভাই হুদকে। সে তাদের বলেছিল: 'হে আমার কওম! তোমরা এক আল্লাহ্‌র ইবাদত-আনুগত্য করো, তিনি ছাড়া তোমাদের আর কোনো ইলাহ্ নেই। তোমরা কি সতর্ক হবেনা?'	وَ اِلٰى عَادٍ اَخَاهُمْ هُوْدًا ؕ قَالَ يٰقَوْمِ اعْبُدُوا اللّٰهَ مَا لَكُمْ مِّنْ اِلٰهٍ غَيْرُهٗ ؕ اَفَلَا تَتَّقُوْنَ ﴿٦٥﴾
৬৬. তার জাতির প্রধানরা যারা ছিলো কাফির তারা বলেছিল: 'আমাদের মতে তুমি অবশ্যি বোকামিতে নিমজ্জিত রয়েছো এবং আমাদের ধারণা, তুমি একজন মিথ্যাবাদী।'	قَالَ الْمَلَاُ الَّذِيْنَ كَفَرُوْا مِنْ قَوْمِهٖۤ اِنَّا لَنَرٰىكَ فِيْ سَفَاهَةٍ وَّ اِنَّا لَنَظُنُّكَ مِنَ الْكٰذِبِيْنَ ﴿٦٦﴾
৬৭. সে বলেছিল: "হে আমার কওম! আমার মধ্যে কোনো বোকামি নেই, বরং আমি রাব্বুল আলামিনের পক্ষ থেকে একজন রসূল।	قَالَ يٰقَوْمِ لَيْسَ بِيْ سَفَاهَةٌ وَّ لٰكِنِّيْ رَسُوْلٌ مِّنْ رَّبِّ الْعٰلَمِيْنَ ﴿٦٧﴾
৬৮. আমি তো তোমাদের কাছে আমার প্রভুর বার্তা পৌঁছে দিচ্ছি, আর আমি তোমাদের জন্যে একজন বিশ্বস্ত কল্যাণকামী।	اُبَلِّغُكُمْ رِسٰلٰتِ رَبِّيْ وَ اَنَا لَكُمْ نَاصِحٌ اَمِيْنٌ ﴿٦٨﴾
৬৯. তোমরা কি তাজ্জব হচ্ছো যে, তোমাদেরই একজনের মাধ্যমে তোমাদের প্রভুর পক্ষ থেকে তোমাদের কাছে একটি উপদেশ এসেছে- যাতে করে সে তোমাদের সতর্ক করতে পারে? স্মরণ	اَوَ عَجِبْتُمْ اَنْ جَآءَكُمْ ذِكْرٌ مِّنْ رَّبِّكُمْ عَلٰى رَجُلٍ مِّنْكُمْ لِيُنْذِرَكُمْ ؕ وَ اذْكُرُوْۤا

রুকু ০৮

করো যখন নূহের কওমকে (ধ্বংস করার) পর তিনি তোমাদেরকে তাদের স্থলাভিষিক্ত করেছেন এবং দৈহিক গঠনে তোমাদেরকে অধিক হৃষ্টপুষ্ট ও বলিষ্ঠ করেছেন। সুতরাং তোমরা আল্লাহ্‌র অনুগ্রহসমূহের কথা স্মরণ করো, যাতে করে তোমরা সফলতা অর্জন করো।"	اِذْ جَعَلَكُمْ خُلَفَآءَ مِنْۢ بَعْدِ قَوْمِ نُوْحٍ وَّ زَادَكُمْ فِى الْخَلْقِ بَصْۜطَةً ۚ فَاذْكُرُوْۤا اٰلَآءَ اللّٰهِ لَعَلَّكُمْ تُفْلِحُوْنَ ﴿٦٩﴾
৭০. তারা বলেছিল: 'তুমি কি আমাদের কাছে এজন্যে এসেছো যে, আমরা কেবল এক আল্লাহ্‌র ইবাদত-আনুগত্য করবো আর আমাদের পূর্ব পুরুষরা যাদের ইবাদত করতো তাদের পরিত্যাগ করবো? সুতরাং তুমি যদি সত্যবাদী হয়ে থাকো, তবে আমাদেরকে যে জিনিসের ওয়াদা দিচ্ছো তা এনে দেখাও।'	قَالُوْۤا اَجِئْتَنَا لِنَعْبُدَ اللّٰهَ وَحْدَهٗ وَ نَذَرَ مَا كَانَ يَعْبُدُ اٰبَآؤُنَا ۚ فَاْتِنَا بِمَا تَعِدُنَاۤ اِنْ كُنْتَ مِنَ الصّٰدِقِيْنَ ﴿٧٠﴾
৭১. সে বলেছিল: 'তোমাদের উপর তোমাদের প্রভুর শাস্তি এবং গজব আপতিত হবেই। তোমরা কি আমার সাথে এমন কতগুলো নাম সম্পর্কে বিবাদ করছো, যে নামগুলো রেখেছো তোমরা এবং তোমাদের পূর্ব পুরুষরা? আল্লাহ তো সেগুলোর পক্ষে কোনো প্রমাণ পাঠাননি। সুতরাং অপেক্ষা করো, আমিও তোমাদের সাথে অপেক্ষায় থাকলাম।'	قَالَ قَدْ وَقَعَ عَلَيْكُمْ مِّنْ رَّبِّكُمْ رِجْسٌ وَّ غَضَبٌ ؕ اَتُجَادِلُوْنَنِىْ فِىْۤ اَسْمَآءٍ سَمَّيْتُمُوْهَاۤ اَنْتُمْ وَ اٰبَآؤُكُمْ مَّا نَزَّلَ اللّٰهُ بِهَا مِنْ سُلْطٰنٍ ؕ فَانْتَظِرُوْۤا اِنِّىْ مَعَكُمْ مِّنَ الْمُنْتَظِرِيْنَ ﴿٧١﴾
৭২. অবশেষে আমরা তাকে (হুদকে) এবং তার সাথিদেরকে আমাদের রহমতে নাজাত দিয়েছি, আর শেকড় কেটে দিয়েছি তাদের, যারা প্রত্যাখ্যান করেছিল আমাদের আয়াত এবং যারা মুমিন ছিলনা।	فَاَنْجَيْنٰهُ وَ الَّذِيْنَ مَعَهٗ بِرَحْمَةٍ مِّنَّا وَ قَطَعْنَا دَابِرَ الَّذِيْنَ كَذَّبُوْا بِاٰيٰتِنَا وَ مَا كَانُوْا مُؤْمِنِيْنَ ﴿٧٢﴾
৭৩. আর আমরা সামুদ জাতির কাছে পাঠিয়েছিলাম তাদের ভাই সালেহ্‌কে। সে তাদের বলেছিল: "হে আমার কওম! তোমরা এক আল্লাহ্‌র ইবাদত (আনুগত্য, দাসত্ব ও উপাসনা) করো। তিনি ছাড়া তোমাদের আর কোনো ইলাহ্ নেই। তোমাদের কাছে তোমাদের প্রভুর পক্ষ থেকে সুস্পষ্ট প্রমাণ এসেছে। আল্লাহ্‌র এই উটনি তোমাদের জন্যে একটি নিদর্শন। এটিকে আল্লাহ্‌র জমিনে চরে খেতে দাও। কোনো বদ নিয়্যতে এটিকে স্পর্শও করোনা, করলে তোমাদের পাকড়াও করবে বেদনাদায়ক আযাব।	وَاِلٰى ثَمُوْدَ اَخَاهُمْ صٰلِحًا ۘ قَالَ يٰقَوْمِ اعْبُدُوا اللّٰهَ مَا لَكُمْ مِّنْ اِلٰهٍ غَيْرُهٗ ؕ قَدْ جَآءَتْكُمْ بَيِّنَةٌ مِّنْ رَّبِّكُمْ ؕ هٰذِهٖ نَاقَةُ اللّٰهِ لَكُمْ اٰيَةً فَذَرُوْهَا تَاْكُلْ فِىْۤ اَرْضِ اللّٰهِ وَلَا تَمَسُّوْهَا بِسُوْٓءٍ فَيَاْخُذَكُمْ عَذَابٌ اَلِيْمٌ ﴿٧٣﴾
৭৪. স্মরণ করো, আদ জাতির পরে তিনি তোমাদেরকে (তাদের) স্থলাভিষিক্ত করেছেন এবং এমনভাবে তোমাদেরকে ভূ-খন্ডে প্রতিষ্ঠিত	وَ اذْكُرُوْۤا اِذْ جَعَلَكُمْ خُلَفَآءَ مِنْۢ بَعْدِ عَادٍ وَّ بَوَّاَكُمْ فِى الْاَرْضِ تَتَّخِذُوْنَ مِنْ

রুকু ০৯

করেছেন যে, তোমরা সমতল ভূমিতে প্রাসাদ নির্মাণ করছো। আর পাহাড় কেটে বানাচ্ছো ঘর। অতএব তোমরা (তোমাদের প্রতি) আল্লাহ্‌র অনুগ্রহ স্মরণ করো এবং ভূ-খন্ডে ফাসাদ সৃষ্টি করে বেড়িয়োনা।"	سُهُوۡلِهَا قُصُوۡرًا وَّ تَنۡحِتُوۡنَ الۡجِبَالَ بُيُوۡتًا ۚ فَاذۡكُرُوۡۤا اٰلَآءَ اللّٰهِ وَ لَا تَعۡثَوۡا فِی الۡاَرۡضِ مُفۡسِدِيۡنَ ﴿۷۴﴾
৭৫. তার কওমের দাম্ভিক নেতারা দুর্বল করে রাখা ঈমানদারদের বলেছিল: 'তোমরা কি এটা জানো যে, সালেহ তার প্রভুর পক্ষ থেকে প্রেরিত?' তারা বলেছিল: 'হ্যাঁ, তাঁকে যা দিয়ে পাঠানো হয়েছে, আমরা তাতে বিশ্বাসী।'	قَالَ الۡمَلَاُ الَّذِيۡنَ اسۡتَكۡبَرُوۡا مِنۡ قَوۡمِهٖ لِلَّذِيۡنَ اسۡتُضۡعِفُوۡا لِمَنۡ اٰمَنَ مِنۡهُمۡ اَتَعۡلَمُوۡنَ اَنَّ صٰلِحًا مُّرۡسَلٌ مِّنۡ رَّبِّهٖ ؕ قَالُوۡۤا اِنَّا بِمَاۤ اُرۡسِلَ بِهٖ مُؤۡمِنُوۡنَ ﴿۷۵﴾
৭৬. তখন দাম্ভিকরা বলেছিল: 'তোমরা যা বিশ্বাস করো, আমরা তা অস্বীকার করি।'	قَالَ الَّذِيۡنَ اسۡتَكۡبَرُوۡۤا اِنَّا بِالَّذِیۡۤ اٰمَنۡتُمۡ بِهٖ كٰفِرُوۡنَ ﴿۷۶﴾
৭৭. অতপর তারা সেই উটনিকে হত্যা করে, আর অবাধ্য হয় আল্লাহ্‌র আদেশের এবং বলে: 'হে সালেহ্! তুমি যদি একজন রসূলই হয়ে থাকো, তবে যে শাস্তির ভয় আমাদের দেখিয়েছো তা নিয়ে আসো।'	فَعَقَرُوا النَّاقَةَ وَ عَتَوۡا عَنۡ اَمۡرِ رَبِّهِمۡ وَ قَالُوۡا يٰصٰلِحُ ائۡتِنَا بِمَا تَعِدُنَاۤ اِنۡ كُنۡتَ مِنَ الۡمُرۡسَلِيۡنَ ﴿۷۷﴾
৭৮. তারপর তাদের পাকড়াও করে এক প্রচণ্ড ভূমিকম্প। ফলে তাদের সকাল হয় নিজেদের ঘরে উপুড় হয়ে পড়ে থাকা অবস্থায়।	فَاَخَذَتۡهُمُ الرَّجۡفَةُ فَاَصۡبَحُوۡا فِیۡ دَارِهِمۡ جٰثِمِيۡنَ ﴿۷۸﴾
৭৯. তখন সে (সালেহ্) তাদের থেকে মুখ ফিরিয়ে নিয়ে বলেছিল: 'হে আমার কওম! আমি তোমাদের কাছে আমার প্রভুর বার্তা পৌঁছে দিয়েছিলাম এবং তোমাদের জন্যে কল্যাণকর নসিহত করেছিলাম, কিন্তু তোমরা কল্যাণকামীদের পছন্দ করোনা।'	فَتَوَلّٰى عَنۡهُمۡ وَ قَالَ يٰقَوۡمِ لَقَدۡ اَبۡلَغۡتُكُمۡ رِسَالَةَ رَبِّیۡ وَ نَصَحۡتُ لَكُمۡ وَ لٰكِنۡ لَّا تُحِبُّوۡنَ النّٰصِحِيۡنَ ﴿۷۹﴾
৮০. আর লুতকেও (আমরা পাঠিয়েছিলাম একটি জাতির কাছে)। সে তার কওমকে বলেছিল: "তোমরা কি এমন কুকর্মেই লিপ্ত থাকবে, যে কর্মে তোমাদের আগে জগতের কোনো লোকই লিপ্ত হয়নি?	وَ لُوۡطًا اِذۡ قَالَ لِقَوۡمِهٖۤ اَتَاۡتُوۡنَ الۡفَاحِشَةَ مَا سَبَقَكُمۡ بِهَا مِنۡ اَحَدٍ مِّنَ الۡعٰلَمِيۡنَ ﴿۸۰﴾
৮১. তোমরা যৌন তৃপ্তির জন্যে নারীদের বাদ দিয়ে পুরুষদের কাছে যাচ্ছো। তোমরা তো এক চরম সীমালংঘনকারী জাতি।"	اِنَّكُمۡ لَتَاۡتُوۡنَ الرِّجَالَ شَهۡوَةً مِّنۡ دُوۡنِ النِّسَآءِ ؕ بَلۡ اَنۡتُمۡ قَوۡمٌ مُّسۡرِفُوۡنَ ﴿۸۱﴾
৮২. জবাবে তার কওম কেবল একথাই বলেছিল: 'এদেরকে তোমাদের জনবসতি থেকে বের করে দাও, এরা বড় পাক পবিত্র থাকতে চায়।'	وَ مَا كَانَ جَوَابَ قَوۡمِهٖۤ اِلَّاۤ اَنۡ قَالُوۡۤا اَخۡرِجُوۡهُمۡ مِّنۡ قَرۡيَتِكُمۡ ۚ اِنَّهُمۡ اُنَاسٌ يَّتَطَهَّرُوۡنَ ﴿۸۲﴾

فَاَنْجَيْنٰهُ وَ اَهْلَهٗۤ اِلَّا امْرَاَتَهٗ ۖ كَانَتْ مِنَ الْغٰبِرِيْنَ ﴿٨٣﴾

৮৩. পরিণতিতে আমরা তাকে (লুতকে) এবং তার পরিবার পরিজনকে নাজাত দেই তার স্ত্রীকে ছাড়া, কারণ সে (মহিলা) ছিলো পেছনে থাকাদেরই একজন।

وَ اَمْطَرْنَا عَلَيْهِمْ مَّطَرًا ؕ فَانْظُرْ كَيْفَ كَانَ عَاقِبَةُ الْمُجْرِمِيْنَ ﴿٨٤﴾

৮৪. আর তাদের উপর আমরা (পাথর) বর্ষণ করেছিলাম ভীষণ বর্ষণ। ফলে অপরাধীদের পরিণতি কী রকম হয়েছিল লক্ষ্য করে দেখো।

রুকু ১০

وَ اِلٰى مَدْيَنَ اَخَاهُمْ شُعَيْبًا ؕ قَالَ يٰقَوْمِ اعْبُدُوا اللّٰهَ مَا لَكُمْ مِّنْ اِلٰهٍ غَيْرُهٗ ؕ قَدْ جَآءَتْكُمْ بَيِّنَةٌ مِّنْ رَّبِّكُمْ فَاَوْفُوا الْكَيْلَ وَ الْمِيْزَانَ وَ لَا تَبْخَسُوا النَّاسَ اَشْيَآءَهُمْ وَ لَا تُفْسِدُوْا فِي الْاَرْضِ بَعْدَ اِصْلَاحِهَا ؕ ذٰلِكُمْ خَيْرٌ لَّكُمْ اِنْ كُنْتُمْ مُّؤْمِنِيْنَ ﴿٨٥﴾

৮৫. আর মাদায়ানের অধিবাসীদের কাছে আমরা পাঠিয়েছিলাম তাদের ভাই শুয়াইবকে। সে তাদের বলেছিল: "হে আমার কওম! তোমরা এক আল্লাহ্‌র ইবাদত করো, তোমাদের জন্যে তিনি ছাড়া আর কোনো ইলাহ্ নেই। তোমাদের কাছে তোমাদের প্রভুর পক্ষ থেকে সুস্পষ্ট প্রমাণ এসেছে, অতএব মাপ ও ওজন ঠিকঠিকভাবে পূর্ণ করে দেবে। মানুষকে তাদের প্রাপ্য জিনিস কম দেবেনা এবং শান্তি শৃংখলা প্রতিষ্ঠিত হবার পর দেশে ফাসাদ (বিশৃংখলা) সৃষ্টি করবেনা। এটাই তোমাদের জন্যে কল্যাণের পথ যদি তোমরা মুমিন হও।

وَ لَا تَقْعُدُوْا بِكُلِّ صِرَاطٍ تُوْعِدُوْنَ وَ تَصُدُّوْنَ عَنْ سَبِيْلِ اللّٰهِ مَنْ اٰمَنَ بِهٖ وَ تَبْغُوْنَهَا عِوَجًا ۚ وَ اذْكُرُوْۤا اِذْ كُنْتُمْ قَلِيْلًا فَكَثَّرَكُمْ ۪ وَ انْظُرُوْا كَيْفَ كَانَ عَاقِبَةُ الْمُفْسِدِيْنَ ﴿٨٦﴾

৮৬. যারা ঈমান এনেছে তাদের প্রতি ত্রাস সৃষ্টি করার জন্যে তোমরা পথে পথে বসে থেকোনা, তাদেরকে আল্লাহ্‌র পথে বাধা সৃষ্টি করোনা এবং তাতে বক্রতা সন্ধান করোনা। স্মরণ করো, যখন তোমরা সংখ্যায় ছিলে গুটি কয়েক, তারপর আল্লাহ তোমাদের সংখ্যা বৃদ্ধি করে দিয়েছিলেন। আরো লক্ষ্য করে দেখো, অতীতে ফাসাদ সৃষ্টিকারীদের কী পরিণতি হয়েছিল?

وَ اِنْ كَانَ طَآئِفَةٌ مِّنْكُمْ اٰمَنُوْا بِالَّذِيْۤ اُرْسِلْتُ بِهٖ وَ طَآئِفَةٌ لَّمْ يُؤْمِنُوْا فَاصْبِرُوْا حَتّٰى يَحْكُمَ اللّٰهُ بَيْنَنَا ۚ وَ هُوَ خَيْرُ الْحٰكِمِيْنَ ﴿٨٧﴾

৮৭. আমি যা নিয়ে প্রেরিত হয়েছি তার প্রতি যদি তোমাদের একটি দল ঈমান আনে এবং আরেকটি দল যদি ঈমান না এনে থাকে, তবে অপেক্ষা করো আমাদের মাঝে আল্লাহ ফায়সালা করে না দেয়া পর্যন্ত। প্রকৃতপক্ষে তিনিই সর্বোত্তম ফায়সালাকারী।"

পারা ০৯

৮৮. (তার বক্তব্যের জবাবে) তার কওমের অহংকারী নেতারা বলেছিল: 'হে শুয়াইব! আমরা তোমাকে এবং তোমার সাথে যারা ঈমান এনেছে তাদেরকে আমাদের জনপদ থেকে বের করে দেবো, অথবা তোমাদের ফিরিয়ে আনবো আমাদের আদর্শে।' সে (শুয়াইব) বলেছিল: "আমরা যদি এটাকে ঘৃণা করি, তবু?	**قَالَ الْمَلَاُ الَّذِیْنَ اسْتَكْبَرُوْا مِنْ قَوْمِهٖ** لَنُخْرِجَنَّكَ یٰشُعَیْبُ وَ الَّذِیْنَ اٰمَنُوْا مَعَكَ مِنْ قَرْیَتِنَاۤ اَوْ لَتَعُوْدُنَّ فِیْ مِلَّتِنَا ؕ قَالَ اَوَ لَوْ كُنَّا كٰرِهِیْنَ ﴿٨٨﴾
৮৯. তোমাদের ধর্মের আদর্শ থেকে আল্লাহ আমাদের নাজাত দেয়ার পর আবার যদি আমরা তাতে ফিরে যাই, তবে তো আমরা আল্লাহ্‌র প্রতি মিথ্যারোপ করবো। আমরা তাতে ফিরে যেতে পারিনা, তবে আমাদের প্রভু চাইলে ভিন্ন কথা। আমাদের প্রভুর জ্ঞান সব কিছু পরিব্যাপ্ত। আমরা তাওয়াক্কুল করেছি আল্লাহ্‌র উপর। হে আমাদের প্রভু! তুমি আমাদের ও আমাদের কওমের মাঝে হকভাবে ফায়সালা করে দাও, তুমিই সর্বোত্তম ফায়সালাকারী।"	قَدِ افْتَرَیْنَا عَلَی اللّٰهِ كَذِبًا اِنْ عُدْنَا فِیْ مِلَّتِكُمْ بَعْدَ اِذْ نَجّٰىنَا اللّٰهُ مِنْهَا ؕ وَ مَا یَكُوْنُ لَنَاۤ اَنْ نَّعُوْدَ فِیْهَاۤ اِلَّاۤ اَنْ یَّشَآءَ اللّٰهُ رَبُّنَا ؕ وَسِعَ رَبُّنَا كُلَّ شَیْءٍ عِلْمًا ؕ عَلَی اللّٰهِ تَوَكَّلْنَا ؕ رَبَّنَا افْتَحْ بَیْنَنَا وَ بَیْنَ قَوْمِنَا بِالْحَقِّ وَ اَنْتَ خَیْرُ الْفٰتِحِیْنَ ﴿٨٩﴾
৯০. তার কওমের কাফির নেতারা (জনগণকে) বলেছিল: 'তোমরা যদি শুয়াইবের অনুসরণ করো, তবে অবশ্যি তোমরা ক্ষতিগ্রস্ত হবে।'	وَ قَالَ الْمَلَاُ الَّذِیْنَ كَفَرُوْا مِنْ قَوْمِهٖ لَىِٕنِ اتَّبَعْتُمْ شُعَیْبًا اِنَّكُمْ اِذًا لَّخٰسِرُوْنَ ﴿٩٠﴾
৯১. অতএব তাদের পাকড়াও করে এক প্রচণ্ড ভূমিকম্প। ফলে তাদের সকাল হয় নিজেদের ঘরে উপুড় হয়ে পড়ে থাকা অবস্থায়।	فَاَخَذَتْهُمُ الرَّجْفَةُ فَاَصْبَحُوْا فِیْ دَارِهِمْ جٰثِمِیْنَ ﴿٩١﴾
৯২. যারা শুয়াইবকে প্রত্যাখ্যান করেছিল, তারা যেনো কখনো সেখানে বসবাসই করেনি। যারা শুয়াইবকে প্রত্যাখ্যান করেছিল তারাই হয় ক্ষতিগ্রস্ত।	الَّذِیْنَ كَذَّبُوْا شُعَیْبًا كَاَنْ لَّمْ یَغْنَوْا فِیْهَا ۚ اَلَّذِیْنَ كَذَّبُوْا شُعَیْبًا كَانُوْا هُمُ الْخٰسِرِیْنَ ﴿٩٢﴾
৯৩. ফলে সে (শুয়াইব) তাদের থেকে মুখ ফিরিয়ে নেয় এবং বলে: 'হে আমার কওম! আমি তোমাদের কাছে আমার প্রভুর বার্তা পৌঁছে দিয়েছি এবং তোমাদের জন্যে কল্যাণের নসিহত করেছি। সুতরাং এখন আমি কেমন করে কুফুরিকে আঁকড়ে ধরে থাকা লোকদের জন্যে আক্ষেপ করি?'	فَتَوَلّٰی عَنْهُمْ وَ قَالَ یٰقَوْمِ لَقَدْ اَبْلَغْتُكُمْ رِسٰلٰتِ رَبِّیْ وَ نَصَحْتُ لَكُمْ ۚ فَكَیْفَ اٰسٰی عَلٰی قَوْمٍ كٰفِرِیْنَ ﴿٩٣﴾
৯৪. আমরা যখনই কোনো জনপদে কোনো নবী পাঠিয়েছি, সেখানকার অধিবাসীদের দারিদ্র ও দুঃখ কষ্টে ফেলেছি, যাতে করে তারা বিনয়াবনত হয়।	وَ مَاۤ اَرْسَلْنَا فِیْ قَرْیَةٍ مِّنْ نَّبِیٍّ اِلَّاۤ اَخَذْنَاۤ اَهْلَهَا بِالْبَاْسَآءِ وَ الضَّرَّآءِ لَعَلَّهُمْ یَضَّرَّعُوْنَ ﴿٩٤﴾
৯৫. তারপর আমরা দুরাবস্থাকে ভালো অবস্থায় বদল করে দেই, এমনকি তারা প্রাচুর্যের অধিকারী হয় এবং বলে: 'আমাদের পূর্বপুরুষরা অনেক কষ্ট ও স্বাচ্ছন্দ্য ভোগ করেছিল।' তখন আকস্মিক আমরা তাদের পাকড়াও করি এবং তারা টেরও পায়না।	ثُمَّ بَدَّلْنَا مَكَانَ السَّیِّئَةِ الْحَسَنَةَ حَتّٰی عَفَوْا وَّ قَالُوْا قَدْ مَسَّ اٰبَآءَنَا الضَّرَّآءُ وَ السَّرَّآءُ فَاَخَذْنٰهُمْ بَغْتَةً وَّ هُمْ لَا یَشْعُرُوْنَ ﴿٩٥﴾

রুকু ১১

৯৬. জনপদবাসী যদি ঈমান আনতো এবং তাকওয়া অবলম্বন করতো, তাহলে অবশ্যি আমরা তাদের জন্যে খুলে দিতাম আসমান ও জমিনের বরকতের দ্বার। কিন্তু তারা (নবীদের শিক্ষা) প্রত্যাখ্যান করে এবং আমরাও তাদের কর্মকান্ডের জন্যে তাদের পাকড়াও করি।	وَ لَوْ اَنَّ اَهْلَ الْقُرٰۤی اٰمَنُوْا وَ اتَّقَوْا لَفَتَحْنَا عَلَیْهِمْ بَرَكٰتٍ مِّنَ السَّمَآءِ وَ الْاَرْضِ وَ لٰكِنْ كَذَّبُوْا فَاَخَذْنٰهُمْ بِمَا كَانُوْا یَكْسِبُوْنَ ﴿۹۶﴾
৯৭. জনপদের অধিবাসীরা কি এই ভয় রাখেনা যে, আমার শাস্তি তাদের উপর এসে পড়তে পারে রাত্রে যখন তারা থাকবে ঘুমন্ত?	اَفَاَمِنَ اَهْلُ الْقُرٰۤی اَنْ یَّاْتِیَهُمْ بَاْسُنَا بَیَاتًا وَّ هُمْ نَآئِمُوْنَ ﴿۹۷﴾
৯৮. অথবা শহরবাসীরা কি এই ভয়ও রাখেনা যে, তাদের উপর আমার শাস্তি এসে পড়বে সকাল বেলা আর তারা থাকবে খেলায় নিরত?	اَوَ اَمِنَ اَهْلُ الْقُرٰۤی اَنْ یَّاْتِیَهُمْ بَاْسُنَا ضُحًی وَّ هُمْ یَلْعَبُوْنَ ﴿۹۸﴾
৯৯. তারা কি ভয় পায়না আল্লাহ্‌র কৌশলকে? আল্লাহ্‌র কৌশলকে কেউই নিরাপদ মনে করেনা ক্ষতিগ্রস্ত লোকেরা ছাড়া।	اَفَاَمِنُوْا مَكْرَ اللّٰهِ ۚ فَلَا یَاْمَنُ مَكْرَ اللّٰهِ اِلَّا الْقَوْمُ الْخٰسِرُوْنَ ﴿۹۹﴾
১০০. কোনো জনপদে তার অধিবাসীদের ধ্বংস হবার পর যারা তার উত্তরাধিকারী হয়, তারা কি এই দিশাটাও পায়না যে, আমরা চাইলে তাদের পাপের জন্যে তাদের শাস্তি দিতে পারি? অথবা মোহর মেরে দিতে পারি তাদের অন্তরে, যার ফলে তারা আর শুনবেনা?	اَوَ لَمْ یَهْدِ لِلَّذِیْنَ یَرِثُوْنَ الْاَرْضَ مِنْۢ بَعْدِ اَهْلِهَاۤ اَنْ لَّوْ نَشَآءُ اَصَبْنٰهُمْ بِذُنُوْبِهِمْ ۚ وَ نَطْبَعُ عَلٰی قُلُوْبِهِمْ فَهُمْ لَا یَسْمَعُوْنَ ﴿۱۰۰﴾
১০১. সেই সব জনপদের কিছু সংবাদ আমরা তোমার কাছে বর্ণনা করেছি। মূলত, তাদের কাছে এসেছিল তাদের রসূলরা সুস্পষ্ট প্রমাণসমূহ নিয়ে, কিন্তু যা তারা আগে প্রত্যাখ্যান করেছিল তার প্রতি আর তারা ঈমান আনার ছিলনা। এভাবেই আল্লাহ মোহর মেরে দেন কাফিরদের হৃদয়ে।	تِلْكَ الْقُرٰی نَقُصُّ عَلَیْكَ مِنْ اَنْۢبَآئِهَا ۚ وَ لَقَدْ جَآءَتْهُمْ رُسُلُهُمْ بِالْبَیِّنٰتِ ۚ فَمَا كَانُوْا لِیُؤْمِنُوْا بِمَا كَذَّبُوْا مِنْ قَبْلُ ؕ كَذٰلِكَ یَطْبَعُ اللّٰهُ عَلٰی قُلُوْبِ الْكٰفِرِیْنَ ﴿۱۰۱﴾
১০২. আমরা অধিকাংশকেই অংগীকার পালনকারী পাইনি। আমরা তাদের অধিকাংশকেই পেয়েছি ফাসিক (সীমালংঘনকারী পাপাচারী)।	وَ مَا وَجَدْنَا لِاَكْثَرِهِمْ مِّنْ عَهْدٍ ۚ وَ اِنْ وَّجَدْنَاۤ اَكْثَرَهُمْ لَفٰسِقِیْنَ ﴿۱۰۲﴾
১০৩. তাদের পরে আমরা মূসাকে পাঠিয়েছিলাম আমাদের নিদর্শনসমূহ নিয়ে ফেরাউন এবং তার পারিষদবর্গের কাছে। কিন্তু তারা সেগুলো প্রত্যাখ্যান করে। এখন দেখো, সেসব ফাসাদ সৃষ্টিকারীদের পরিণতি কী হয়েছিল?	ثُمَّ بَعَثْنَا مِنْۢ بَعْدِهِمْ مُّوْسٰی بِاٰیٰتِنَاۤ اِلٰی فِرْعَوْنَ وَ مَلَا۠ئِهٖ فَظَلَمُوْا بِهَا ۚ فَانْظُرْ كَیْفَ كَانَ عَاقِبَةُ الْمُفْسِدِیْنَ ﴿۱۰۳﴾
১০৪. মূসা বলেছিল: "হে ফেরাউন! আমি মহাজগতের প্রভুর পক্ষ থেকে একজন রসূল।	وَ قَالَ مُوْسٰی یٰفِرْعَوْنُ اِنِّیْ رَسُوْلٌ مِّنْ رَّبِّ الْعٰلَمِیْنَ ﴿۱۰۴﴾
১০৫. সত্যকথা হলো, আমি আল্লাহ্‌র ব্যাপারে সত্য ছাড়া বলবোনা। আমি তোমাদের প্রভুর পক্ষ থেকে সুস্পষ্ট প্রমাণ নিয়ে তোমাদের কাছে	حَقِیْقٌ عَلٰۤی اَنْ لَّاۤ اَقُوْلَ عَلَی اللّٰهِ اِلَّا الْحَقَّ ؕ قَدْ جِئْتُكُمْ بِبَیِّنَةٍ مِّنْ رَّبِّكُمْ فَاَرْسِلْ

রুকু ১২

এসেছি, সুতরাং বনি ইসরাঈলকে আমার সাথে যেতে দাও।"	مَعِیَ بَنِیۡۤ اِسۡرَآءِیۡلَ ﴿۱۰۵﴾
১০৬. তখন সে বলেছিল: 'তুমি কোনো নিদর্শন যদি এনেই থাকো, সত্যবাদী হলে তা প্রমাণ করো।'	قَالَ اِنۡ كُنۡتَ جِئۡتَ بِاٰیَۃٍ فَاۡتِ بِہَاۤ اِنۡ كُنۡتَ مِنَ الصّٰدِقِیۡنَ ﴿۱۰۶﴾
১০৭. সে (মূসা) তখন তার লাঠি নিক্ষেপ করে, আর সাথে সাথে তা জাজ্বল্যমান অজগর হয়ে যায়।	فَاَلۡقٰی عَصَاہُ فَاِذَا ہِیَ ثُعۡبَانٌ مُّبِیۡنٌ ﴿۱۰۷﴾
১০৮. আর সে তার (বগলে হাত ঢুকিয়ে) হাত বের করলো, তক্ষুনি তা দর্শকদের জন্যে ধবধবে সাদা হয়ে গেলো।	وَّ نَزَعَ یَدَہٗ فَاِذَا ہِیَ بَیۡضَآءُ لِلنّٰظِرِیۡنَ ﴿۱۰۸﴾
১০৯. ফেরাউনের কওম প্রধানরা বললো: "এতো অবশ্যি এক পন্ডিত ম্যাজেসিয়ান।	قَالَ الۡمَلَاُ مِنۡ قَوۡمِ فِرۡعَوۡنَ اِنَّ ہٰذَا لَسٰحِرٌ عَلِیۡمٌ ﴿۱۰۹﴾
১১০. সে চায় তোমাদেরকে তোমাদের দেশ থেকে খারিজ করে (তাড়িয়ে) দিতে। এখন বলো, তোমরা কী পরামর্শ দিচ্ছো?"	یُّرِیۡدُ اَنۡ یُّخۡرِجَكُمۡ مِّنۡ اَرۡضِكُمۡ ۚ فَمَاذَا تَاۡمُرُوۡنَ ﴿۱۱۰﴾
১১১. তারা বললো: "তাকে এবং তার ভাইকে সামান্য অবকাশ দিন আর এদিকে (ম্যাজেসিয়ানদের ডেকে আনতে) শহর গুলোতে লোক পাঠিয়ে দিন।	قَالُوۡۤا اَرۡجِہۡ وَ اَخَاہُ وَ اَرۡسِلۡ فِی الۡمَدَآئِنِ حٰشِرِیۡنَ ﴿۱۱۱﴾
১১২. তারা দক্ষ ম্যাজেসিয়ানদের আপনার কাছে এনে হাজির করবে।"	یَاۡتُوۡكَ بِكُلِّ سٰحِرٍ عَلِیۡمٍ ﴿۱۱۲﴾
১১৩. ম্যাজেসিয়ানরা ফেরাউনের কাছে এসেই বললো: 'আমরা যদি জয়ী হই আমাদের জন্যে পুরস্কার থাকবে তো?'	وَ جَآءَ السَّحَرَۃُ فِرۡعَوۡنَ قَالُوۡۤا اِنَّ لَنَا لَاَجۡرًا اِنۡ كُنَّا نَحۡنُ الۡغٰلِبِیۡنَ ﴿۱۱۳﴾
১১৪. সে বললো: হ্যাঁ (অবশ্যি থাকবে) তাছাড়া তোমরা আমার নিকটের লোকদের অন্তরভুক্ত হবে।	قَالَ نَعَمۡ وَ اِنَّكُمۡ لَمِنَ الۡمُقَرَّبِیۡنَ ﴿۱۱۴﴾
১১৫. তারা বললো: 'মূসা! আপনি আগে নিক্ষেপ করবেন, নাকি আমরাই হবো পয়লা নিক্ষেপকারী?'	قَالُوۡا یٰمُوۡسٰۤی اِمَّاۤ اَنۡ تُلۡقِیَ وَ اِمَّاۤ اَنۡ نَّكُوۡنَ نَحۡنُ الۡمُلۡقِیۡنَ ﴿۱۱۵﴾
১১৬. সে বললো: 'তোমরাই (আগে) নিক্ষেপ করো।' তারপর তারা (দড়ি এবং লাঠি) নিক্ষেপ করলো, লোকদের চোখে ধাঁধাঁ সৃষ্টি করলো এবং তাদের মধ্যে আতংক সৃষ্টি করে দিলো। আসলেই তারা বড় রকমের ম্যাজিক দেখিয়েছিল।	قَالَ اَلۡقُوۡا ۚ فَلَمَّاۤ اَلۡقَوۡا سَحَرُوۡۤا اَعۡیُنَ النَّاسِ وَ اسۡتَرۡہَبُوۡہُمۡ وَ جَآءُوۡ بِسِحۡرٍ عَظِیۡمٍ ﴿۱۱۶﴾
১১৭. তখন আমরা মূসার কাছে অহি করলাম: 'তোমার লাঠি নিক্ষেপ করো।' সাথে সাথে সেটি তাদের মিথ্যা সৃষ্টিগুলো গিলে ফেলতে থাকলো।	وَ اَوۡحَیۡنَاۤ اِلٰی مُوۡسٰۤی اَنۡ اَلۡقِ عَصَاكَ ۚ فَاِذَا ہِیَ تَلۡقَفُ مَا یَاۡفِكُوۡنَ ﴿۱۱۷﴾

রুকু ১৩

১১৮. ফলে সত্য প্রতিষ্ঠিত হয়ে গেলো এবং বাতিল প্রমাণিত হয়ে গেলো তাদের কর্মকান্ড।	فَوَقَعَ الْحَقُّ وَبَطَلَ مَا كَانُوْا يَعْمَلُوْنَ ﴿١١٨﴾
১১৯. সেখানেই তারা পরাস্ত হয়ে গেলো এবং হয়ে গেলো অধ:পতিত লাঞ্ছিত।	فَغُلِبُوْا هُنَالِكَ وَانْقَلَبُوْا صٰغِرِيْنَ ﴿١١٩﴾
১২০. তখন ম্যাজেসিয়ানরা সাজদায় লুটিয়ে পড়লো।	وَاُلْقِيَ السَّحَرَةُ سٰجِدِيْنَ ﴿١٢٠﴾
১২১. তারা বললো: আমরা ঈমান আনলাম রাব্বুল আলামিনের প্রতি,	قَالُوْٓا اٰمَنَّا بِرَبِّ الْعٰلَمِيْنَ ﴿١٢١﴾
১২২. যিনি মূসা এবং হারূণের রব।	رَبِّ مُوْسٰى وَهٰرُوْنَ ﴿١٢٢﴾
১২৩. ফেরাউন বললো: "আমার অনুমতি ছাড়াই তোমরা তার প্রতি ঈমান আনলে? আসলে এটা একটা ষড়যন্ত্র। তোমরা (উভয় পক্ষ মিলে) এই ষড়যন্ত্র এঁটেছো নগরবাসীকে তাদের নগর থেকে বের করে দেয়ার জন্যে। অচিরেই তোমরা এ কাজের পরিণাম দেখতে পাবে।	قَالَ فِرْعَوْنُ اٰمَنْتُمْ بِهٖ قَبْلَ اَنْ اٰذَنَ لَكُمْ ۚ اِنَّ هٰذَا لَمَكْرٌ مَّكَرْتُمُوْهُ فِي الْمَدِيْنَةِ لِتُخْرِجُوْا مِنْهَآ اَهْلَهَا ۚ فَسَوْفَ تَعْلَمُوْنَ ﴿١٢٣﴾
১২৪. আমি বিপরীত দিক থেকে তোমাদের হাত ও পা কেটে দেবো, তারপর তোমাদের সবাইকে করবো শূলবিদ্ধ।"	لَاُقَطِّعَنَّ اَيْدِيَكُمْ وَاَرْجُلَكُمْ مِّنْ خِلَافٍ ثُمَّ لَاُصَلِّبَنَّكُمْ اَجْمَعِيْنَ ﴿١٢٤﴾
১২৫. তখন তারা বলেছিল: "আমরা অবশ্যি ফিরে যাবো আমাদের প্রভুর কাছে।	قَالُوْٓا اِنَّآ اِلٰى رَبِّنَا مُنْقَلِبُوْنَ ﴿١٢٥﴾
১২৬. তুমি তো কেবল একারণেই আমাদের থেকে প্রতিশোধ নিচ্ছো যে, আমরা আমাদের প্রভুর নিদর্শনের প্রতি ঈমান এনেছি, যখন তা আমাদের সামনে প্রমাণিত হয়েছে।" (তারা দোয়া করেছিল:) 'হে আমাদের প্রভু! আমাদেরকে সবর করার শক্তি দাও এবং আমাদের ওফাত দান করো মুসলিম হিসেবে।'	وَمَا تَنْقِمُ مِنَّآ اِلَّآ اَنْ اٰمَنَّا بِاٰيٰتِ رَبِّنَا لَمَّا جَآءَتْنَا ۗ رَبَّنَآ اَفْرِغْ عَلَيْنَا صَبْرًا وَّتَوَفَّنَا مُسْلِمِيْنَ ﴿١٢٦﴾
১২৭. ফেরাউন কওমের প্রধানরা বললো: '(হে ফেরাউন!) আপনি কি মূসা এবং তার কওমকে দেশে ফাসাদ সৃষ্টির আর আপনাকে ও আপনার ইলাহ্‌দের ত্যাগ করার জন্যে সুযোগ দিয়ে রাখবেন?' সে বললো: 'অচিরেই আমরা কতল করবো তাদের পুত্রদেরকে আর জীবিত রাখবো কন্যা সন্তানদের। আমরা তাদের উপর প্রবল শক্তিধর।'	وَقَالَ الْمَلَاُ مِنْ قَوْمِ فِرْعَوْنَ اَتَذَرُ مُوْسٰى وَقَوْمَهٗ لِيُفْسِدُوْا فِي الْاَرْضِ وَيَذَرَكَ وَاٰلِهَتَكَ ۗ قَالَ سَنُقَتِّلُ اَبْنَآءَهُمْ وَنَسْتَحْيٖ نِسَآءَهُمْ ۚ وَاِنَّا فَوْقَهُمْ قٰهِرُوْنَ ﴿١٢٧﴾
১২৮. মূসা তার কওমকে বললো: 'তোমরা আল্লাহ্‌র সাহায্য প্রার্থনা করো এবং সবর করো। নিশ্চয়ই এ বিশ্বের মালিক আল্লাহ্‌ই। তিনি তাঁর দাসদের যাকে চাইবেন এর উত্তরাধিকারী করবেন। শুভ পরিণাম তো মুত্তাকিদের জন্যেই।'	قَالَ مُوْسٰى لِقَوْمِهِ اسْتَعِيْنُوْا بِاللّٰهِ وَاصْبِرُوْا ۚ اِنَّ الْاَرْضَ لِلّٰهِ ۙ يُوْرِثُهَا مَنْ يَّشَآءُ مِنْ عِبَادِهٖ ۗ وَالْعَاقِبَةُ لِلْمُتَّقِيْنَ ﴿١٢٨﴾
১২৯. তারা বললো: 'তুমি আমাদের কাছে আসার আগেও আমরা নির্যাতিত হয়েছি এবং	قَالُوْٓا اُوْذِيْنَا مِنْ قَبْلِ اَنْ تَاْتِيَنَا وَمِنْ

রুকু ১৪

بَعۡدِ مَا جِئۡتَنَا ؕ قَالَ عَسٰی رَبُّکُمۡ اَنۡ یُّهۡلِکَ عَدُوَّکُمۡ وَ یَسۡتَخۡلِفَکُمۡ فِی الۡاَرۡضِ فَیَنۡظُرَ کَیۡفَ تَعۡمَلُوۡنَ ﴿۱۲۹﴾	তুমি আসার পরেও।' সে বললো: 'অচিরেই তোমাদের প্রভু তোমাদের দুশমনকে হালাক করে দেবেন এবং পৃথিবীতে তোমাদেরকে তাদের স্থলাভিষিক্ত করবেন। তারপর দেখবেন, তোমরা কেমন আমল করো।'
وَ لَقَدۡ اَخَذۡنَاۤ اٰلَ فِرۡعَوۡنَ بِالسِّنِیۡنَ وَ نَقۡصٍ مِّنَ الثَّمَرٰتِ لَعَلَّهُمۡ یَذَّکَّرُوۡنَ ﴿۱۳۰﴾	১৩০. আমরা ফেরাউনের অনুসারীদের কয়েক বছর ধরে দুর্ভিক্ষ আর ফসল হানির মাধ্যমে শাস্তি দিয়েছি যাতে করে তারা উপলব্ধি করে।
فَاِذَا جَآءَتۡهُمُ الۡحَسَنَۃُ قَالُوۡا لَنَا هٰذِهٖ ۚ وَ اِنۡ تُصِبۡهُمۡ سَیِّئَۃٌ یَّطَّیَّرُوۡا بِمُوۡسٰی وَ مَنۡ مَّعَهٗ ؕ اَلَاۤ اِنَّمَا طٰٓئِرُهُمۡ عِنۡدَ اللّٰهِ وَ لٰکِنَّ اَکۡثَرَهُمۡ لَا یَعۡلَمُوۡنَ ﴿۱۳۱﴾	১৩১. যখনই তাদের কল্যাণ হতো তারা বলতো, আমরা এরই হকদার। আর যখনই তাদের স্পর্শ করতো কোনো অকল্যাণ, তখনই মূসা ও তার সাথিদেরকে তারা অলক্ষুণে গণ্য করতো। তাদের অকল্যাণ তো আল্লাহ্‌র নিয়ন্ত্রণাধীন। কিন্তু তাদের অধিকাংশই বুঝ-জ্ঞান রাখেনা।
وَ قَالُوۡا مَهۡمَا تَاۡتِنَا بِهٖ مِنۡ اٰیَۃٍ لِّتَسۡحَرَنَا بِهَا ۙ فَمَا نَحۡنُ لَکَ بِمُؤۡمِنِیۡنَ ﴿۱۳۲﴾	১৩২. তারা বলতো, আমাদের জাদু করার জন্যে তুমি যে নিদর্শনই দেখাওনা কেন, আমরা তোমার প্রতি ঈমান আনবো না।
فَاَرۡسَلۡنَا عَلَیۡهِمُ الطُّوۡفَانَ وَ الۡجَرَادَ وَ الۡقُمَّلَ وَ الضَّفَادِعَ وَ الدَّمَ اٰیٰتٍ مُّفَصَّلٰتٍ ۟ فَاسۡتَکۡبَرُوۡا وَ کَانُوۡا قَوۡمًا مُّجۡرِمِیۡنَ ﴿۱۳۳﴾	১৩৩. আমরা তাদের প্রতি (নিদর্শন হিসেবে) পাঠিয়েছিলাম তুফান (প্লাবন), পঙ্গপাল, উকুন, ব্যাঙ এবং রক্ত। এগুলো ছিলো বিস্তারিত ও স্পষ্ট নিদর্শন। কিন্তু তারা অহংকার করে। মূলত তারা ছিলো এক অপরাধী কওম।
وَ لَمَّا وَقَعَ عَلَیۡهِمُ الرِّجۡزُ قَالُوۡا یٰمُوۡسَی ادۡعُ لَنَا رَبَّکَ بِمَا عَهِدَ عِنۡدَکَ ۚ لَئِنۡ کَشَفۡتَ عَنَّا الرِّجۡزَ لَنُؤۡمِنَنَّ لَکَ وَ لَنُرۡسِلَنَّ مَعَکَ بَنِیۡۤ اِسۡرَآءِیۡلَ ﴿۱۳۴﴾	১৩৪. যখনই তাদের উপর এর কোনো একটি শাস্তি আসতো, তারা বলতো: 'হে মূসা! তোমার প্রভুর কাছে আমাদের জন্যে দোয়া করো, তিনি তোমাকে যে প্রতিশ্রুতি দিয়েছেন (ঈমান আনলে আমাদের থেকে আযাব অপসারণ করার), এখন যদি সে অনুযায়ী তিনি আমাদের থেকে আযাব অপসারণ করেন, তবে অবশ্যি আমরা ঈমান আনবো এবং বনি ইসরাঈলকে তোমার সাথে যেতে দেবো।'
فَلَمَّا کَشَفۡنَا عَنۡهُمُ الرِّجۡزَ اِلٰۤی اَجَلٍ هُمۡ بٰلِغُوۡهُ اِذَا هُمۡ یَنۡکُثُوۡنَ ﴿۱۳۵﴾	১৩৫. যখনই আমরা তাদেরকে তাদের জন্যে নির্ধারিত কোনো একটি আযাব দূরীভূত করে দিয়েছি একটি নির্দিষ্ট সময়ের জন্যে, তখনই তারা তাদের প্রতিশ্রুতি ভঙ্গ করেছে।
فَانۡتَقَمۡنَا مِنۡهُمۡ فَاَغۡرَقۡنٰهُمۡ فِی الۡیَمِّ بِاَنَّهُمۡ کَذَّبُوۡا بِاٰیٰتِنَا وَ کَانُوۡا عَنۡهَا غٰفِلِیۡنَ ﴿۱۳۶﴾	১৩৬. ফলে, আমরা তাদের থেকে প্রতিশোধ নিয়েছি এবং তাদের ডুবিয়ে দিয়েছি গভীর সমুদ্রে। কারণ, তারা আমাদের নিদর্শন সমূহকে প্রত্যাখ্যান করেছিল এবং তা থেকে তারা ছিলো গাফিল।
وَ اَوۡرَثۡنَا الۡقَوۡمَ الَّذِیۡنَ کَانُوۡا یُسۡتَضۡعَفُوۡنَ مَشَارِقَ الۡاَرۡضِ وَ مَغَارِبَهَا الَّتِیۡ بٰرَکۡنَا فِیۡهَا ؕ	১৩৭. তারপর সেই লোকদেরকে আমরা আমাদের বরকতপ্রাপ্ত ভূমির পূর্ব ও পশ্চিমের উত্তরাধিকারী বানিয়ে দিলাম, যাদেরকে রাখা

রুকু ১৫

হয়েছিল দুর্বল করে। আর এভাবেই বনি ইসরাঈল সম্পর্কে তোমার প্রভুর শুভ বাণী পূর্ণতা লাভ করে, কারণ তারা সবর অবলম্বন করেছিল। পক্ষান্তরে ফেরাউন ও তার কওম যেসব শিল্প ও স্থাপত্য নির্মাণ করেছিল, সেগুলো আমরা করে দিয়েছিলাম ধ্বংস।	وَتَمَّتْ كَلِمَتُ رَبِّكَ الْحُسْنٰى عَلٰى بَنِيْٓ اِسْرَآءِيْلَ ۙ بِمَا صَبَرُوْا ؕ وَدَمَّرْنَا مَا كَانَ يَصْنَعُ فِرْعَوْنُ وَقَوْمُهٗ وَمَا كَانُوْا يَعْرِشُوْنَ ﴿۱۳۷﴾
১৩৮. বনি ইসরাঈলকে আমরা সমুদ্র পার করিয়ে দেই। পথিমধ্যে মূর্তিপূজায় নিরত একটি জাতির কাছে এসে তারা উপনীত হয়। তখন তারা মূসাকে বলে: 'হে মূসা! আমাদেরকেও এদের ইলাহ্‌র (দেবতার) মতো ইলাহ্ বানিয়ে দাও।' সে বললো: 'তোমরা একটি জাহিল কওম।'	وَجٰوَزْنَا بِبَنِيْٓ اِسْرَآءِيْلَ الْبَحْرَ فَاَتَوْا عَلٰى قَوْمٍ يَّعْكُفُوْنَ عَلٰٓى اَصْنَامٍ لَّهُمْ ۚ قَالُوْا يٰمُوْسَى اجْعَلْ لَّنَآ اِلٰهًا كَمَا لَهُمْ اٰلِهَةٌ ؕ قَالَ اِنَّكُمْ قَوْمٌ تَجْهَلُوْنَ ﴿۱۳۸﴾
১৩৯. (মূসা আরো বললো:) 'এসব লোক যেসব কাজে জড়িত রয়েছে তা তো ধ্বংসপ্রাপ্ত হবেই আর তারা যা করছে সবই বাতিল।'	اِنَّ هٰٓؤُلَآءِ مُتَبَّرٌ مَّا هُمْ فِيْهِ وَبٰطِلٌ مَّا كَانُوْا يَعْمَلُوْنَ ﴿۱۳۹﴾
১৪০. সে আরো বলেছিল: 'আমি কি তোমাদের জন্যে আল্লাহ ছাড়া অন্য ইলাহ্ খুঁজবো, অথচ তিনি তোমাদের মর্যাদাবান করেছেন জগতবাসীর উপর?'	قَالَ اَغَيْرَ اللّٰهِ اَبْغِيْكُمْ اِلٰهًا وَّهُوَ فَضَّلَكُمْ عَلَى الْعٰلَمِيْنَ ﴿۱۴۰﴾
১৪১. স্মরণ করো, আমরা তোমাদের নাজাত দিয়েছিলাম ফেরাউনের অনুসারীদের থেকে। তারা তোমাদের নির্যাতন করতো নিকৃষ্ট আযাব দিয়ে। তারা হত্যা করতো তোমাদের পুত্র সন্তানদের, আর জীবিত রাখতো তোমাদের নারীদের। তোমাদের প্রভুর পক্ষ থেকে এতে তোমাদের জন্যে ছিলো এক বিরাট পরীক্ষা।	وَاِذْ اَنْجَيْنٰكُمْ مِّنْ اٰلِ فِرْعَوْنَ يَسُوْمُوْنَكُمْ سُوْٓءَ الْعَذَابِ ۚ يُقَتِّلُوْنَ اَبْنَآءَكُمْ وَيَسْتَحْيُوْنَ نِسَآءَكُمْ ؕ وَفِيْ ذٰلِكُمْ بَلَآءٌ مِّنْ رَّبِّكُمْ عَظِيْمٌ ﴿۱۴۱﴾
১৪২. স্মরণ করো, আমরা মূসাকে ত্রিশ রাতের ওয়াদা দিয়েছিলাম এবং আরো দশ বাড়িয়ে দিয়ে তা পূর্ণ করেছিলাম। এভাবে তোমার প্রভুর নির্ধারিত সময়কাল তিনি চল্লিশ রাতে পূর্ণ করেন। মূসা বলেছিল তার ভাই হারূণকে: 'আমার অনুপস্থিতিতে তুমি আমার কওমে আমার প্রতিনিধিত্ব করবে এবং সঠিকভাবে করবে আর ফাসাদ সৃষ্টিকারীদের পথ অনুসরণ করবেনা।'	وَوٰعَدْنَا مُوْسٰى ثَلٰثِيْنَ لَيْلَةً وَّاَتْمَمْنٰهَا بِعَشْرٍ فَتَمَّ مِيْقَاتُ رَبِّهٖٓ اَرْبَعِيْنَ لَيْلَةً ۚ وَقَالَ مُوْسٰى لِاَخِيْهِ هٰرُوْنَ اخْلُفْنِيْ فِيْ قَوْمِيْ وَاَصْلِحْ وَلَا تَتَّبِعْ سَبِيْلَ الْمُفْسِدِيْنَ ﴿۱۴۲﴾
১৪৩. মূসা যখন আমার মিকাতে (নির্ধারিত সময় ও স্থানে) উপস্থিত হয়েছিল, এবং তার প্রভু তার সাথে কথা বলেছিলেন, তখন সে বললো: 'আমার প্রভু! আমাকে দেখা দাও, আমি তোমাকে দেখবো।' তিনি বললেন: 'তুমি কখনো আমাকে দেখতে পাবেনা। তবে তুমি পাহাড়ের প্রতি তাকাও, পাহাড় যদি তার স্বস্থানে অটল থাকে, তাহলেই তুমি আমাকে দেখবে।' তারপর তোমার প্রভু যখন পাহাড়ের দিকে তাজাল্লি (জ্যোতি) প্রকাশ করলেন, তখন তা পাহাড়কে	وَلَمَّا جَآءَ مُوْسٰى لِمِيْقَاتِنَا وَكَلَّمَهٗ رَبُّهٗ ۙ قَالَ رَبِّ اَرِنِيْٓ اَنْظُرْ اِلَيْكَ ؕ قَالَ لَنْ تَرٰىنِيْ وَلٰكِنِ انْظُرْ اِلَى الْجَبَلِ فَاِنِ اسْتَقَرَّ مَكَانَهٗ فَسَوْفَ تَرٰىنِيْ ۚ فَلَمَّا تَجَلّٰى رَبُّهٗ لِلْجَبَلِ جَعَلَهٗ دَكًّا وَّخَرَّ مُوْسٰى

রুকু ১৬

চূর্ণ বিচূর্ণ করে দিলো এবং মূসা পড়ে গেলো সংজ্ঞাহীন হয়ে। তারপর যখন সে সংজ্ঞা ফিরে পেলো, তখন বললো: 'মহাপবিত্র ত্রুটিমুক্ত তুমি, আমি অনুতপ্ত হয়ে তোমার দিকে প্রত্যাবর্তন করলাম এবং আমিই বিশ্বাসীদের প্রথম।'	صَعِقًا ۚ فَلَمَّآ اَفَاقَ قَالَ سُبْحٰنَكَ تُبْتُ اِلَيْكَ وَاَنَا اَوَّلُ الْمُؤْمِنِيْنَ ﴿١٤٣﴾
১৪৪. তিনি বললেন: 'হে মূসা! আমি তোমাকে মানব সমাজের উপর শ্রেষ্ঠত্ব দিয়েছি আমার রিসালাত প্রদান করে এবং তোমার সাথে আমার কথা বলার মাধ্যমে। সুতরাং আমি তোমাকে যা দিয়েছি তা আঁকড়ে ধরো এবং শোকরগুজারদের অন্তরভুক্ত হও।	قَالَ يٰمُوْسٰٓى اِنِّيْ اصْطَفَيْتُكَ عَلَى النَّاسِ بِرِسٰلٰتِيْ وَ بِكَلَامِيْ ۖ فَخُذْ مَآ اٰتَيْتُكَ وَ كُنْ مِّنَ الشّٰكِرِيْنَ ﴿١٤٤﴾
১৪৫. আমরা তার জন্যে ফলকে সব বিষয়ের উপদেশ এবং সব বিষয়ের সুস্পষ্ট ব্যাখ্যা লিখে দিয়েছি। সুতরাং এগুলো শক্ত করে আঁকড়ে ধরো এবং তোমার কওমকে এগুলোর উত্তম নির্দেশাবলি গ্রহণ করার নির্দেশ দাও। আমি অচিরেই তোমাদেরকে ফাসিকদের আবাস দেখাবো।	وَكَتَبْنَا لَهٗ فِي الْاَلْوَاحِ مِنْ كُلِّ شَيْءٍ مَّوْعِظَةً وَّ تَفْصِيْلًا لِّكُلِّ شَيْءٍ ۚ فَخُذْهَا بِقُوَّةٍ وَّ اْمُرْ قَوْمَكَ يَاْخُذُوْا بِاَحْسَنِهَا ؕ سَاُورِيْكُمْ دَارَ الْفٰسِقِيْنَ ﴿١٤٥﴾
১৪৬. যারা অন্যায়ভাবে পৃথিবীতে অহংকার করে বেড়ায় আমি অচিরেই আমার আয়াত থেকে তাদের দৃষ্টি ফিরিয়ে দেবো। তারা প্রতিটি নিদর্শন দেখলেও তাতে বিশ্বাস করবেনা, তারা সঠিক পথ দেখলেও সেটিকে (নিজেদের পথ) হিসেবে গ্রহণ করবেনা। কিন্তু ভ্রান্ত পথ দেখলেই সেটাকে চলার পথ হিসেবে গ্রহণ করবে। এর কারণ তারা আমাদের আয়াতকে প্রত্যাখ্যান করেছে এবং সে ব্যাপারে তারা গাফিল।	سَاَصْرِفُ عَنْ اٰيٰتِيَ الَّذِيْنَ يَتَكَبَّرُوْنَ فِي الْاَرْضِ بِغَيْرِ الْحَقِّ ؕ وَ اِنْ يَّرَوْا كُلَّ اٰيَةٍ لَّا يُؤْمِنُوْا بِهَا ۚ وَ اِنْ يَّرَوْا سَبِيْلَ الرُّشْدِ لَا يَتَّخِذُوْهُ سَبِيْلًا ۚ وَ اِنْ يَّرَوْا سَبِيْلَ الْغَيِّ يَتَّخِذُوْهُ سَبِيْلًا ؕ ذٰلِكَ بِاَنَّهُمْ كَذَّبُوْا بِاٰيٰتِنَا وَ كَانُوْا عَنْهَا غٰفِلِيْنَ ﴿١٤٦﴾
১৪৭. যারা আমাদের আয়াত এবং আখিরাতের সাক্ষাতকে অস্বীকার করেছে, নিষ্ফল হয়ে গেছে তাদের সমস্ত আমল। তারা যা করে তার বাইরে তাদেরকে কোনো প্রতিফল (শাস্তি) দেয়া হবেনা।	وَالَّذِيْنَ كَذَّبُوْا بِاٰيٰتِنَا وَ لِقَآءِ الْاٰخِرَةِ حَبِطَتْ اَعْمَالُهُمْ ؕ هَلْ يُجْزَوْنَ اِلَّا مَا كَانُوْا يَعْمَلُوْنَ ﴿١٤٧﴾
১৪৮. মূসার কওম তার অনুপস্থিতিতে তাদের অলংকার দিয়ে একটি গো-বাছুরের দেহাবয়ব তৈরি করে, যার থেকে হাম্বা ধ্বনি বের হতো। তারা কি দেখেনি যে, সেটি তাদের সাথে কথা বলেনা এবং তাদের পথও দেখায়না? তারা সেটিকে (দেবতা হিসেবে) গ্রহণ করে। আসলে তারা ছিলো যালিম।	وَاتَّخَذَ قَوْمُ مُوْسٰى مِنْۢ بَعْدِهٖ مِنْ حُلِيِّهِمْ عِجْلًا جَسَدًا لَّهٗ خُوَارٌ ؕ اَلَمْ يَرَوْا اَنَّهٗ لَا يُكَلِّمُهُمْ وَ لَا يَهْدِيْهِمْ سَبِيْلًا ۘ اِتَّخَذُوْهُ وَ كَانُوْا ظٰلِمِيْنَ ﴿١٤٨﴾
১৪৯. তারা যখন অনুতপ্ত হলো এবং দেখলো যে, তারা বিপথগামী হয়ে গেছে, তখন তারা বললো: 'আমাদের প্রভু যদি আমাদের প্রতি রহম না করেন এবং আমাদের ক্ষমা করে না দেন, তবে অবশ্যি আমরা ক্ষতিগ্রস্ত হয়ে পড়বো।'	وَلَمَّا سُقِطَ فِيْٓ اَيْدِيْهِمْ وَ رَاَوْا اَنَّهُمْ قَدْ ضَلُّوْا ۙ قَالُوْا لَئِنْ لَّمْ يَرْحَمْنَا رَبُّنَا وَ يَغْفِرْ لَنَا لَنَكُوْنَنَّ مِنَ الْخٰسِرِيْنَ ﴿١٤٩﴾

রুকু ১৭

১৫০. মূসা যখন ক্ষুদ্ধ হয়ে তার কওমের কাছে ফিরে এলো, বললো: 'তোমরা আমার অনুপস্থিতিতে আমার চরম নিকৃষ্ট প্রতিনিধিত্ব করেছো। তোমাদের প্রভুর আদেশের আগেই তোমরা তাড়াহুড়া করলে?' এবং সে ফলকগুলো ফেলে দেয় এবং তার ভাইয়ের চুল ধরে নিজের দিকে টেনে আনে। সে (তার ভাই হারূণ) বললো: 'হে আমার সহোদর! লোকেরা আমাকে দুর্বল করে রেখেছিল এবং আমাকে প্রায় হত্যাই করে ফেলেছিল। তুমি আমার সাথে এমন আচরণ করোনা যাতে শত্রুরা আনন্দিত হয় এবং আমাকে যালিম কওমের অন্তরভুক্ত করোনা।'	وَلَمَّا رَجَعَ مُوْسٰٓى اِلٰى قَوْمِهٖ غَضْبَانَ اَسِفًا ۙ قَالَ بِئْسَمَا خَلَفْتُمُوْنِيْ مِنْۢ بَعْدِيْ ۚ اَعَجِلْتُمْ اَمْرَ رَبِّكُمْ ۚ وَ اَلْقَى الْاَلْوَاحَ وَ اَخَذَ بِرَاْسِ اَخِيْهِ يَجُرُّهٗٓ اِلَيْهِ ؕ قَالَ ابْنَ اُمَّ اِنَّ الْقَوْمَ اسْتَضْعَفُوْنِيْ وَ كَادُوْا يَقْتُلُوْنَنِيْ ۖ فَلَا تُشْمِتْ بِيَ الْاَعْدَآءَ وَ لَا تَجْعَلْنِيْ مَعَ الْقَوْمِ الظّٰلِمِيْنَ ﴿١٥٠﴾
১৫১. সে (মূসা) বললো: 'আমার প্রভু! আমাকে ক্ষমা করে দাও এবং আমার ভাইকেও, আর আমাদের দাখিল করো তোমার রহমতের মধ্যে। তুমিই তো সর্বশ্রেষ্ঠ রহমওয়ালা।'	قَالَ رَبِّ اغْفِرْ لِيْ وَ لِاَخِيْ وَ اَدْخِلْنَا فِيْ رَحْمَتِكَ ۖ وَ اَنْتَ اَرْحَمُ الرّٰحِمِيْنَ ﴿١٥١﴾
১৫২. যারা গো-বাছুরকে দেবতা হিসাবে গ্রহণ করেছে তাদের উপর এই দুনিয়ার জীবনেই তাদের প্রভুর পক্ষ থেকে আপতিত হবে গজব আর যিল্লতি। এভাবেই আমরা শাস্তি দিয়ে থাকি মিথ্যা রচনাকারীদের।	اِنَّ الَّذِيْنَ اتَّخَذُوا الْعِجْلَ سَيَنَالُهُمْ غَضَبٌ مِّنْ رَّبِّهِمْ وَ ذِلَّةٌ فِي الْحَيٰوةِ الدُّنْيَا ؕ وَ كَذٰلِكَ نَجْزِي الْمُفْتَرِيْنَ ﴿١٥٢﴾
১৫৩. যারা মন্দ কাজ করার পর অনুতপ্ত হয়ে ফিরে আসে (তওবা করে) এবং ঈমানের ভিত্তিতে জীবন যাপন করে, নিশ্চয়ই তোমার প্রভু এরপরও পরম ক্ষমাশীল দয়াময়।	وَالَّذِيْنَ عَمِلُوا السَّيِّاٰتِ ثُمَّ تَابُوْا مِنْۢ بَعْدِهَا وَ اٰمَنُوْٓا ۫ اِنَّ رَبَّكَ مِنْۢ بَعْدِهَا لَغَفُوْرٌ رَّحِيْمٌ ﴿١٥٣﴾
১৫৪. যখন থেমে গেলো মূসার রাগ, তখন সে তুলে নিলো ফলকগুলো। যারা তাদের প্রভুর জন্যে একমুখী হয়ে যায় তাদের জন্যে সেই নোস্‌খাগুলোতে লিখিত ছিলো হিদায়াত ও রহমত।	وَلَمَّا سَكَتَ عَنْ مُّوْسَى الْغَضَبُ اَخَذَ الْاَلْوَاحَ ۖ وَ فِيْ نُسْخَتِهَا هُدًى وَّ رَحْمَةٌ لِّلَّذِيْنَ هُمْ لِرَبِّهِمْ يَرْهَبُوْنَ ﴿١٥٤﴾
১৫৫. মূসা তার কওম থেকে সত্তর ব্যক্তিকে আমার নির্ধারিত স্থানে নিয়ে আসার জন্যে মনোনীত করে। যখন সেখানে তাদেরকে প্রচণ্ড ভূমিকম্প পাকড়াও করলো, মূসা ফরিয়াদ করলো: "আমার প্রভু! তুমি চাইলে (তো) এখানে আসার আগেই তাদের মেরে ফেলতে পারতে এবং আমাকেও। আমাদের মধ্যকার নির্বোধ লোকদের কর্মকাণ্ডের জন্যে কি তুমি আমাদের ধ্বংস করে দেবে? এটা তো তোমার একটা পরীক্ষা ছাড়া আর কিছু নয়। এর দ্বারা তুমি যাকে চাও গোমরাহ করে দাও আর যাকে চাও সঠিক পথ দেখাও। তুমিই আমাদের অলি। তাই আমাদের ক্ষমা করে দাও এবং রহম করো আমাদের প্রতি। তুমিই তো সর্বশ্রেষ্ঠ ক্ষমাশীল।	وَاخْتَارَ مُوْسٰى قَوْمَهٗ سَبْعِيْنَ رَجُلًا لِّمِيْقَاتِنَا ۚ فَلَمَّآ اَخَذَتْهُمُ الرَّجْفَةُ قَالَ رَبِّ لَوْ شِئْتَ اَهْلَكْتَهُمْ مِّنْ قَبْلُ وَ اِيَّايَ ؕ اَتُهْلِكُنَا بِمَا فَعَلَ السُّفَهَآءُ مِنَّا ۚ اِنْ هِيَ اِلَّا فِتْنَتُكَ ؕ تُضِلُّ بِهَا مَنْ تَشَآءُ وَ تَهْدِيْ مَنْ تَشَآءُ ؕ اَنْتَ وَلِيُّنَا فَاغْفِرْ لَنَا وَ ارْحَمْنَا وَ اَنْتَ خَيْرُ الْغٰفِرِيْنَ ﴿١٥٥﴾

রুকু ১৮

وَاكْتُبْ لَنَا فِي هَٰذِهِ الدُّنْيَا حَسَنَةً وَفِي الْآخِرَةِ إِنَّا هُدْنَا إِلَيْكَ ۚ قَالَ عَذَابِي أُصِيبُ بِهِ مَنْ أَشَاءُ ۖ وَرَحْمَتِي وَسِعَتْ كُلَّ شَيْءٍ ۚ فَسَأَكْتُبُهَا لِلَّذِينَ يَتَّقُونَ وَيُؤْتُونَ الزَّكَاةَ وَالَّذِينَ هُمْ بِآيَاتِنَا يُؤْمِنُونَ ﴿١٥٦﴾

১৫৬. আমাদের জন্যে এই দুনিয়াতে কল্যাণ লিখে দাও এবং আখিরাতেও। আমরা তোমার দিকেই পথ ধরলাম।” তার প্রভু বললেন: আমার শাস্তি যাকে আমি চাই দিয়ে থাকি, কিন্তু আমার রহমত সব কিছুর উপর পরিব্যাপ্ত। তা আমি বিশেষভাবে লিখে দেবো সেইসব লোকদের জন্যে, যারা তাকওয়া অবলম্বন করে, যাকাত পরিশোধ করে দেয় এবং যারা ঈমান রাখে আমার আয়াতের প্রতি।

الَّذِينَ يَتَّبِعُونَ الرَّسُولَ النَّبِيَّ الْأُمِّيَّ الَّذِي يَجِدُونَهُ مَكْتُوبًا عِنْدَهُمْ فِي التَّوْرَاةِ وَالْإِنْجِيلِ يَأْمُرُهُمْ بِالْمَعْرُوفِ وَيَنْهَاهُمْ عَنِ الْمُنْكَرِ وَيُحِلُّ لَهُمُ الطَّيِّبَاتِ وَيُحَرِّمُ عَلَيْهِمُ الْخَبَائِثَ وَيَضَعُ عَنْهُمْ إِصْرَهُمْ وَالْأَغْلَالَ الَّتِي كَانَتْ عَلَيْهِمْ ۚ فَالَّذِينَ آمَنُوا بِهِ وَعَزَّرُوهُ وَنَصَرُوهُ وَاتَّبَعُوا النُّورَ الَّذِي أُنْزِلَ مَعَهُ ۙ أُولَٰئِكَ هُمُ الْمُفْلِحُونَ ﴿١٥٧﴾

১৫৭. যারা ইত্তেবা (অনুসরণ) করবে আমার এই রসূল উম্মি নবীর, যার উল্লেখ তারা লিপিবদ্ধ পায় তাদের কাছে রক্ষিত তাওরাত এবং ইনজিলে, সে তাদেরকে ভালো কাজের আদেশ দেয়, মন্দ কাজ থেকে বারণ করে, তাদের জন্যে সব ভালো জিনিস হালাল করে, সব নোংরা অপবিত্র জিনিস হারাম করে এবং তাদেরকে মুক্ত করে সেইসব গুরুভার ও শৃংখল থেকে, যেগুলো তাদের উপর বোঝা হয়ে চেপেছিল। অতএব যারা তার প্রতি ঈমান আনবে, তাকে সম্মান প্রদর্শন করবে, তাকে সাহায্য করবে এবং সেই নূর (কুরআন)-এর ইত্তেবা করবে, যা নাযিল করা হয়েছে তার সাথে, তারাই হবে সফলকাম।

রুকু ১৯

قُلْ يَا أَيُّهَا النَّاسُ إِنِّي رَسُولُ اللَّهِ إِلَيْكُمْ جَمِيعًا الَّذِي لَهُ مُلْكُ السَّمَاوَاتِ وَالْأَرْضِ ۖ لَا إِلَٰهَ إِلَّا هُوَ يُحْيِي وَيُمِيتُ ۖ فَآمِنُوا بِاللَّهِ وَرَسُولِهِ النَّبِيِّ الْأُمِّيِّ الَّذِي يُؤْمِنُ بِاللَّهِ وَكَلِمَاتِهِ وَاتَّبِعُوهُ لَعَلَّكُمْ تَهْتَدُونَ ﴿١٥٨﴾

১৫৮. (হে মুহাম্মদ!) বলো: ‘হে মানুষ! আমি তোমাদের সবার প্রতি সেই মহান আল্লাহ্‌র রসূল, যিনি মহাকাশ এবং এই পৃথিবীর কর্তৃত্বের মালিক। তিনি ছাড়া কোনো ইলাহ্ নেই। তিনিই জীবন দান করেন এবং মৃত্যু। সুতরাং তোমরা ঈমান আনো আল্লাহ্‌র প্রতি এবং তাঁর উম্মি নবীর প্রতি, যে ঈমান রাখে আল্লাহ্‌র প্রতি এবং তাঁর বাণীর প্রতি। তোমরা তাঁর অনুসরণ করো, অবশ্যি সঠিক পথ পাবে।’

وَمِنْ قَوْمِ مُوسَىٰ أُمَّةٌ يَهْدُونَ بِالْحَقِّ وَبِهِ يَعْدِلُونَ ﴿١٥٩﴾

১৫৯. মূসার কওমের মধ্যে এমন একদল লোকও আছে যারা অন্যদেরকে সত্যের ভিত্তিতে পথ দেখায় এবং তার ভিত্তিতেই বিচার করে।

وَقَطَّعْنَاهُمُ اثْنَتَيْ عَشْرَةَ أَسْبَاطًا أُمَمًا ۚ وَأَوْحَيْنَا إِلَىٰ مُوسَىٰ إِذِ اسْتَسْقَاهُ قَوْمُهُ أَنِ اضْرِبْ بِعَصَاكَ الْحَجَرَ ۖ فَانْبَجَسَتْ مِنْهُ اثْنَتَا عَشْرَةَ عَيْنًا ۖ قَدْ عَلِمَ كُلُّ أُنَاسٍ مَشْرَبَهُمْ ۚ وَظَلَّلْنَا عَلَيْهِمُ الْغَمَامَ وَ

১৬০. আমরা তাদের বিভক্ত করেছি বারো গোত্রে। মূসার কওম যখন তার কাছে পানি সমস্যার সমাধান করার আবেদন করেছিল, আমরা তাকে অহি করে নির্দেশ দিলাম, এই পাথরটিতে তোমার লাঠি দিয়ে আঘাত করো। ফলে (তার আঘাতের সাথে সাথে) তা থেকে বারোটি ঝরণাধারা উৎসারিত হয়ে গেলো। প্রত্যেক গোত্রের লোকেরা তাদের নিজ নিজ পানির জায়গা চিনে নিলো। তাছাড়া আমরা

اَنْزَلْنَا عَلَيْهِمُ الْمَنَّ وَالسَّلْوٰى ؕ كُلُوْا مِنْ طَيِّبٰتِ مَا رَزَقْنٰكُمْ ؕ وَ مَا ظَلَمُوْنَا وَلٰكِنْ كَانُوْۤا اَنْفُسَهُمْ يَظْلِمُوْنَ ﴿۱۶۰﴾

মেঘমালা দিয়ে তাদের উপর ছায়া বিস্তার করেছিলাম এবং তাদের জন্যে নাযিল করেছিলাম মান্না এবং সালওয়া। (তাদের বলেছিলাম:) আমরা তোমাদের যে ভালো জীবিকা দিয়েছি তা থেকে খাও। কিন্তু, তারা আমাদের প্রতি যুলুম করেনি, যুলুম করেছিল তাদের নিজেদের প্রতিই।

وَ اِذْ قِيْلَ لَهُمُ اسْكُنُوْا هٰذِهِ الْقَرْيَةَ وَ كُلُوْا مِنْهَا حَيْثُ شِئْتُمْ وَ قُوْلُوْا حِطَّةٌ وَّ ادْخُلُوا الْبَابَ سُجَّدًا نَّغْفِرْ لَكُمْ خَطِيْٓـٰٔتِكُمْ ؕ سَنَزِيْدُ الْمُحْسِنِيْنَ ﴿۱۶۱﴾

১৬১. তাদের বলা হয়েছিল: তোমরা এই বসতিতে বসবাস করো, সেখানে যেখান থেকে ইচ্ছা খাও এবং বলো, হিত্তাতুন (আমাদের ক্ষমা করো) আর নত শিরে দাখিল হও (সদর) গেইট দিয়ে, তাহলে আমরা তোমাদের অপরাধ ক্ষমা করে দেবো। কল্যাণপরায়ণদের আমরা অচিরেই আরো অধিক দান করবো।

فَبَدَّلَ الَّذِيْنَ ظَلَمُوْا مِنْهُمْ قَوْلًا غَيْرَ الَّذِيْ قِيْلَ لَهُمْ فَاَرْسَلْنَا عَلَيْهِمْ رِجْزًا مِّنَ السَّمَآءِ بِمَا كَانُوْا يَظْلِمُوْنَ ﴿۱۶۲﴾

১৬২. কিন্তু তাদের মধ্যে যারা যুলুম করেছিল, তাদের যা বলা হয়েছিল সেকথা বদল করে তারা অন্য কথা বললো। ফলে আমরা আসমান থেকে তাদের জন্যে নাযিল করেছিলাম শাস্তি তাদের যুলুমের কারণে।

রুকু ২০

وَ سْـَٔلْهُمْ عَنِ الْقَرْيَةِ الَّتِيْ كَانَتْ حَاضِرَةَ الْبَحْرِ ۘ اِذْ يَعْدُوْنَ فِي السَّبْتِ اِذْ تَاْتِيْهِمْ حِيْتَانُهُمْ يَوْمَ سَبْتِهِمْ شُرَّعًا وَّ يَوْمَ لَا يَسْبِتُوْنَ ۙ لَا تَاْتِيْهِمْ ۚ كَذٰلِكَ ۚ نَبْلُوْهُمْ بِمَا كَانُوْا يَفْسُقُوْنَ ﴿۱۶۳﴾

১৬৩. তাদের জিজ্ঞাসা করো সেই বসতি সম্পর্কে যাদের অবস্থান ছিলো সাগরের পাড়েই। সেখানে তারা শনিবারে সীমালংঘন করতো। শনিবার উদযাপনের দিন মাছ পানির উপরিভাগে ভেসে তাদের কাছে আসতো। যেদিন তারা শনিবার উদযাপন করতো না, সেদিন তারা তাদের কাছে আসতোনা। এভাবে আমরা তাদের পরীক্ষা করেছিলাম তাদের ফাসেকির কারণে।

وَاِذْ قَالَتْ اُمَّةٌ مِّنْهُمْ لِمَ تَعِظُوْنَ قَوْمَا ۙ اللّٰهُ مُهْلِكُهُمْ اَوْ مُعَذِّبُهُمْ عَذَابًا شَدِيْدًا ؕ قَالُوْا مَعْذِرَةً اِلٰى رَبِّكُمْ وَلَعَلَّهُمْ يَتَّقُوْنَ ﴿۱۶۴﴾

১৬৪. স্মরণ করো, তাদের একদল বলেছিল, তোমরা এমন লোকদের কেন উপদেশ দাও আল্লাহ যাদের ধ্বংস করে দেবেন, কিংবা কঠিন আযাব দেবেন? তারা বলেছিল: 'তোমাদের প্রভুর কাছে দায়িত্ব মুক্তি লাভের জন্যে এবং যাতে করে তারা সতর্ক হয়।'

فَلَمَّا نَسُوْا مَا ذُكِّرُوْا بِهٖۤ اَنْجَيْنَا الَّذِيْنَ يَنْهَوْنَ عَنِ السُّوْٓءِ وَاَخَذْنَا الَّذِيْنَ ظَلَمُوْا بِعَذَابٍۭ بَئِيْسٍۭ بِمَا كَانُوْا يَفْسُقُوْنَ ﴿۱۶۵﴾

১৬৫. তাদেরকে যে উপদেশ দেয়া হয়েছিল তারা যখন তা ভুলে গিয়েছিল, তখন আমরা তাদেরকে মুক্তি দিয়েছিলাম যারা মন্দ কাজ থেকে বারণ করতো। আর কঠিন আযাব দিয়ে পাকড়াও করেছিলাম তাদেরকে যারা যুলুম করেছিল এবং ফাসেকিতে লিপ্ত ছিলো।

فَلَمَّا عَتَوْا عَنْ مَّا نُهُوْا عَنْهُ قُلْنَا لَهُمْ كُوْنُوْا قِرَدَةً خٰسِـِٕيْنَ ﴿۱۶۶﴾

১৬৬. তারপর তারা তখন ঔদ্ধত্যের সাথে নিষেধ করা কাজ করতে শুরু করেছিল, তখন আমরা তাদের বলেছিলাম: 'নিকৃষ্ট বানর হয়ে যাও।'

وَاِذْ تَاَذَّنَ رَبُّكَ لَيَبْعَثَنَّ عَلَيْهِمْ اِلٰى يَوْمِ

১৬৭. স্মরণ করো, তোমার প্রভু তাদের বলেছিলেন, তিনি কিয়ামত পর্যন্ত তাদের উপর

الْقِيٰمَةِ مَنْ يَّسُوْمُهُمْ سُوْٓءَ الْعَذَابِ ؕ اِنَّ رَبَّكَ لَسَرِيْعُ الْعِقَابِ ۖۚ وَاِنَّهٗ لَغَفُوْرٌ رَّحِيْمٌ ١٦٧	এমন লোকদের পাঠাবেন, যারা তাদের কঠিন আযাব দিতে থাকবে। তোমার প্রভু অবশ্যি শাস্তি প্রদানে তৎপর এবং অবশ্যি তিনি পরম ক্ষমাশীল দয়াময়ও।
وَقَطَّعْنٰهُمْ فِى الْاَرْضِ اُمَمًا ۚ مِنْهُمُ الصّٰلِحُوْنَ وَمِنْهُمْ دُوْنَ ذٰلِكَ ۫ وَبَلَوْنٰهُمْ بِالْحَسَنٰتِ وَالسَّيِّاٰتِ لَعَلَّهُمْ يَرْجِعُوْنَ ١٦٨	১৬৮. আমরা তাদেরকে বিশ্বময় বিভিন্ন দলে বিভক্ত করে ছড়িয়ে রেখেছি। তাদের মধ্যে কিছু ভালো লোকও আছে, আবার ভিন্ন রকমও আছে। আমরা তাদের কল্যাণ এবং অকল্যাণ দুটো দিয়েই পরীক্ষা করেছি, যাতে করে তারা (মন্দ কাজ থেকে) ফিরে আসে।
فَخَلَفَ مِنْۢ بَعْدِهِمْ خَلْفٌ وَّرِثُوا الْكِتٰبَ يَاْخُذُوْنَ عَرَضَ هٰذَا الْاَدْنٰى وَيَقُوْلُوْنَ سَيُغْفَرُ لَنَا ۚ وَاِنْ يَّاْتِهِمْ عَرَضٌ مِّثْلُهٗ يَاْخُذُوْهُ ؕ اَلَمْ يُؤْخَذْ عَلَيْهِمْ مِّيْثَاقُ الْكِتٰبِ اَنْ لَّا يَقُوْلُوْا عَلَى اللّٰهِ اِلَّا الْحَقَّ وَدَرَسُوْا مَا فِيْهِ ؕ وَالدَّارُ الْاٰخِرَةُ خَيْرٌ لِّلَّذِيْنَ يَتَّقُوْنَ ؕ اَفَلَا تَعْقِلُوْنَ ١٦٩	১৬৯. এরপর অযোগ্য উত্তরসূরীরা একের পর এক তাদের স্থলাভিষিক্ত হয়ে কিতাবের ওয়ারিশ হয়। তারা (কিতাবের বিনিময়ে) তুচ্ছ দুনিয়ার সামগ্রী গ্রহণ করে এবং বলে, আমাদের ক্ষমা করা হবে। কিন্তু পরক্ষণে অনুরূপ সামগ্রী তাদের সামনে এলেই তারা তা আবার গ্রহণ করে। তাদের কাছ থেকে কি কিতাবের অংগীকার নেয়া হয়নি যে, তারা সত্য ছাড়া আল্লাহর ব্যাপারে কথা বলবেনা। কিতাবে যা আছে তারা তো তা পাঠ করেই। যারা তাকওয়া অবলম্বন করে তাদের জন্যে আখিরাতের ঘরই উত্তম, তোমরা কি অনুধাবন করবেনা?
وَالَّذِيْنَ يُمَسِّكُوْنَ بِالْكِتٰبِ وَاَقَامُوا الصَّلٰوةَ ؕ اِنَّا لَا نُضِيْعُ اَجْرَ الْمُصْلِحِيْنَ ١٧٠	১৭০. যারা কিতাবকে শক্ত করে আঁকড়ে ধরবে এবং সালাত কায়েম করবে, আমরা এসব পুন্যবানদের কর্মফল বিনষ্ট করিনা।
وَاِذْ نَتَقْنَا الْجَبَلَ فَوْقَهُمْ كَاَنَّهٗ ظُلَّةٌ وَّظَنُّوْٓا اَنَّهٗ وَاقِعٌۢ بِهِمْ ۚ خُذُوْا مَآ اٰتَيْنٰكُمْ بِقُوَّةٍ وَّاذْكُرُوْا مَا فِيْهِ لَعَلَّكُمْ تَتَّقُوْنَ ١٧١ (রুকু ২১)	১৭১. স্মরণ করো, আমরা তাদের উপর পর্বত তুলে ধরেছিলাম, সেটা ছিলো যেনো একটি ছাতা। তারা মনে করছিল, সেটি তাদের উপর ধপ করে পড়বে। তখন আমরা তাদের বলেছিলাম: আমরা তোমাদের যা (যে কিতাব) দিয়েছি, সেটি মজবুত করে আঁকড়ে ধরো এবং তাতে যা আছে তা চর্চা করো, আশা করা যায় তোমরা তাকওয়াবান হবে।
وَاِذْ اَخَذَ رَبُّكَ مِنْۢ بَنِيْٓ اٰدَمَ مِنْ ظُهُوْرِهِمْ ذُرِّيَّتَهُمْ وَاَشْهَدَهُمْ عَلٰٓى اَنْفُسِهِمْ اَلَسْتُ بِرَبِّكُمْ ؕ قَالُوْا بَلٰى ۛۚ شَهِدْنَا ۛۚ اَنْ تَقُوْلُوْا يَوْمَ الْقِيٰمَةِ اِنَّا كُنَّا عَنْ هٰذَا غٰفِلِيْنَ ١٧٢	১৭২. স্মরণ করো, তোমার প্রভু বনি আদমের পিঠ থেকে তাদের বংশধরদের বের করেছিলেন এবং তাদের নিজেদের উপর নিজেদের সাক্ষ্য গ্রহণ করেছিলেন। তিনি তাদের জিজ্ঞেস করেছিলেন: 'আমি কি তোমাদের রব নই?' তারা বলেছিল: 'হাঁ অবশ্যি, আমরা সাক্ষী থাকলাম।' এটা এজন্যে করেছিলাম যেনো কিয়ামতের দিন তোমরা বলতে না পারো যে 'আমরা এ বিষয়ে গাফিল ছিলাম।'
اَوْ تَقُوْلُوْٓا اِنَّمَآ اَشْرَكَ اٰبَآؤُنَا مِنْ قَبْلُ	১৭৩. কিংবা যেনো একথা বলতে না পারো যে: 'আমাদের পূর্ব পুরুষরাই তো আমাদের আগে

শিরক করেছে, আমরা তো ছিলাম তাদের পরবর্তী বংশধর। তুমি কি বাতিল পথ অবলম্বনকারীদের জন্যে আমাদের হালাক করবে?'	وَكُنَّا ذُرِّيَّةً مِّنۢ بَعْدِهِمْ ۚ اَفَتُهْلِكُنَا بِمَا فَعَلَ الْمُبْطِلُوْنَ ﴿١٧٣﴾
১৭৪. এভাবেই আমরা বিশদভাবে বর্ণনা করি আমাদের আয়াত, যাতে করে তারা (হিদায়াতের পথে) ফিরে আসে।	وَكَذٰلِكَ نُفَصِّلُ الْاٰيٰتِ وَلَعَلَّهُمْ يَرْجِعُوْنَ ﴿١٧٤﴾
১৭৫. তাদের প্রতি তিলাওয়াত করো ঐ ব্যক্তির সংবাদ যাকে আমরা দিয়েছিলাম আমাদের আয়াত। কিন্তু সে তা থেকে সম্পর্ক ছিন্ন করে এবং শয়তান তার পেছনে লাগে, আর সে হয়ে যায় পথভ্রষ্টদের একজন।	وَاتْلُ عَلَيْهِمْ نَبَاَ الَّذِيْٓ اٰتَيْنٰهُ اٰيٰتِنَا فَانْسَلَخَ مِنْهَا فَاَتْبَعَهُ الشَّيْطٰنُ فَكَانَ مِنَ الْغٰوِيْنَ ﴿١٧٥﴾
১৭৬. আমরা চাইলে এ (কিতাব) দিয়ে তাকে অনেক উপরে উঠাতে পারতাম, কিন্তু সে জমিনকে আঁকড়ে ধরে থাকলো এবং অনুসরণ করলো নিজের কামনা বাসনার। ফলে তার উপমা হলো কুকুর, যার উপর বোঝা চাপালেও সে জিহ্বা বের করে হাঁপায়, আর বোঝা না চাপালেও জিহ্বা বের করে হাঁপায়। এটা হলো ঐ লোকদের উপমা, যারা প্রত্যাখ্যান করে আমাদের আয়াত। তুমি এই কাহিনীটি তাদের শুনাও যাতে করে তারা চিন্তাভাবনা করে।	وَلَوْ شِئْنَا لَرَفَعْنٰهُ بِهَا وَلٰكِنَّهٗٓ اَخْلَدَ اِلَى الْاَرْضِ وَاتَّبَعَ هَوٰىهُ ۚ فَمَثَلُهٗ كَمَثَلِ الْكَلْبِ ۚ اِنْ تَحْمِلْ عَلَيْهِ يَلْهَثْ اَوْ تَتْرُكْهُ يَلْهَثْ ؕ ذٰلِكَ مَثَلُ الْقَوْمِ الَّذِيْنَ كَذَّبُوْا بِاٰيٰتِنَا ۚ فَاقْصُصِ الْقَصَصَ لَعَلَّهُمْ يَتَفَكَّرُوْنَ ﴿١٧٦﴾
১৭৭. ঐ লোকদের উপমা যে কতো নিকৃষ্ট যারা প্রত্যাখ্যান করে আমাদের আয়াত এবং যুলুম করে তাদের নিজেদের প্রতি!	سَآءَ مَثَلًا ۨالْقَوْمُ الَّذِيْنَ كَذَّبُوْا بِاٰيٰتِنَا وَاَنْفُسَهُمْ كَانُوْا يَظْلِمُوْنَ ﴿١٧٧﴾
১৭৮. আল্লাহ যাকে সঠিক পথ দেখান, সে-ই পায় সঠিক পথ। আর তিনি যাদের বিপথগামী করেন তারাই আসল ক্ষতিগ্রস্ত।	مَنْ يَّهْدِ اللّٰهُ فَهُوَ الْمُهْتَدِيْ ۚ وَمَنْ يُّضْلِلْ فَاُولٰٓئِكَ هُمُ الْخٰسِرُوْنَ ﴿١٧٨﴾
১৭৯. আমরা জাহান্নামের জন্যেই তৈরি করেছি জিন ও ইনসানের অনেককে। তাদের অন্তর আছে, তবে তা দিয়ে তারা উপলব্ধি করেনা। তাদের চোখ আছে, তবে তা দিয়ে তারা দেখেনা। তাদের কান আছে, তবে তা দিয়ে তারা শুনেনা। এরা হলো পশুর মতো, বরং তারা আরো অধিক বিভ্রান্ত এবং তারা অচেতন।	وَلَقَدْ ذَرَاْنَا لِجَهَنَّمَ كَثِيْرًا مِّنَ الْجِنِّ وَالْاِنْسِ ۖ لَهُمْ قُلُوْبٌ لَّا يَفْقَهُوْنَ بِهَا ۫ وَلَهُمْ اَعْيُنٌ لَّا يُبْصِرُوْنَ بِهَا ۫ وَلَهُمْ اٰذَانٌ لَّا يَسْمَعُوْنَ بِهَا ؕ اُولٰٓئِكَ كَالْاَنْعَامِ بَلْ هُمْ اَضَلُّ ؕ اُولٰٓئِكَ هُمُ الْغٰفِلُوْنَ ﴿١٧٩﴾
১৮০. সুন্দরতম নামসমূহ আল্লাহ্‌র, সুতরাং তোমরা তাঁকে সেসব নামে ডাকো। যারা তাঁর নাম বিকৃত করে, তাদের ত্যাগ করো। অচিরেই তাদেরকে তাদের কর্মের প্রতিফল দেয়া হবে।	وَلِلّٰهِ الْاَسْمَآءُ الْحُسْنٰى فَادْعُوْهُ بِهَا ۪ وَذَرُوا الَّذِيْنَ يُلْحِدُوْنَ فِيْٓ اَسْمَآئِهٖ ؕ سَيُجْزَوْنَ مَا كَانُوْا يَعْمَلُوْنَ ﴿١٨٠﴾
১৮১. আমরা যাদের সৃষ্টি করেছি, তাদের মধ্যে এমন লোকেরাও আছে যারা সত্যের ভিত্তিতে (মানুষকে) সঠিক পথ দেখায়, এবং তার ভিত্তিতে ন্যায়বিচার করে।	وَمِمَّنْ خَلَقْنَآ اُمَّةٌ يَّهْدُوْنَ بِالْحَقِّ وَبِهٖ يَعْدِلُوْنَ ﴿١٨١﴾

রুকু ২২

১৮২. যারা প্রত্যাখ্যান করে আমাদের আয়াত, আমরা ক্রমান্বয়ে তাদেরকে এমনভাবে ধ্বংসের দিকে নিয়ে যাবো যে, তারা তা জানতেও পারবেনা।	وَالَّذِيْنَ كَذَّبُوْا بِاٰيٰتِنَا سَنَسْتَدْرِجُهُمْ مِّنْ حَيْثُ لَا يَعْلَمُوْنَ ۚ ﴿١٨٢﴾
১৮৩. আমি তাদের অবকাশ দেই, জেনে রাখো, আমার কৌশল অত্যন্ত মজবুত।	وَاُمْلِيْ لَهُمْ ۗ اِنَّ كَيْدِيْ مَتِيْنٌ ﴿١٨٣﴾
১৮৪. তারা কি চিন্তা-ফিকির করে দেখেনা যে, তাদের সাথি (মুহাম্মদ) কোনো উন্মাদ ব্যক্তি নয়। সে তো একজন সুস্পষ্ট সতর্ককারী!	اَوَلَمْ يَتَفَكَّرُوْا ۜ مَا بِصَاحِبِهِمْ مِّنْ جِنَّةٍ ؕ اِنْ هُوَ اِلَّا نَذِيْرٌ مُّبِيْنٌ ﴿١٨٤﴾
১৮৫. তারা কি নজর করে দেখেনা মহাকাশ ও পৃথিবীর কর্তৃত্বের প্রতি, আল্লাহ্‌র সৃষ্টি করা প্রতিটি বস্তুর প্রতি এবং এটার প্রতি যে, হয়তো তাদের নির্ধারিত সময়টি নিকটবর্তী হয়েছে! এরপরে আর কোন্ কথাটির প্রতি তারা ঈমান আনবে?	اَوَلَمْ يَنْظُرُوْا فِيْ مَلَكُوْتِ السَّمٰوٰتِ وَالْاَرْضِ وَمَا خَلَقَ اللّٰهُ مِنْ شَيْءٍ ۙ وَّاَنْ عَسٰۤى اَنْ يَّكُوْنَ قَدِ اقْتَرَبَ اَجَلُهُمْ ۚ فَبِاَيِّ حَدِيْثٍۭ بَعْدَهٗ يُؤْمِنُوْنَ ﴿١٨٥﴾
১৮৬. আল্লাহ যাদের বিপথে পরিচালিত করেন, তাদেরকে সঠিক পথে পরিচালিত করার আর কেউ নেই এবং তিনি তাদেরকে তার অবাধ্যতার মধ্যে উদ্ভ্রান্তের মতো ঘুরে বেড়াতে সুযোগ দেন।	مَنْ يُّضْلِلِ اللّٰهُ فَلَا هَادِيَ لَهٗ ؕ وَيَذَرُهُمْ فِيْ طُغْيَانِهِمْ يَعْمَهُوْنَ ﴿١٨٦﴾
১৮৭. তারা তোমার কাছে জানতে চাইছে, কিয়ামত অনুষ্ঠিত হবে কবে? তুমি বলো: 'এ বিষয়ের জ্ঞান কেবল আমার প্রভুর কাছেই রয়েছে। কেবল তিনিই সময় মতো তা প্রকাশ করবেন। সেটা হবে মহাকাশ এবং পৃথিবীতে একটি ভয়ংকর ঘটনা। সেটা তোমাদের কাছে আসবে একেবারেই আকস্মিক।' তারা এমনভাবে তোমাকে প্রশ্ন করছে যেনো এ বিষয়ে তুমি জানো। তুমি বলো: এ বিষয়ের জ্ঞান শুধু আল্লাহ্‌র কাছে। তবে অধিকাংশ মানুষই জানেনা।	يَسْـَٔلُوْنَكَ عَنِ السَّاعَةِ اَيَّانَ مُرْسٰىهَا ؕ قُلْ اِنَّمَا عِلْمُهَا عِنْدَ رَبِّيْ ۚ لَا يُجَلِّيْهَا لِوَقْتِهَاۤ اِلَّا هُوَ ۘؔ ثَقُلَتْ فِي السَّمٰوٰتِ وَالْاَرْضِ ؕ لَا تَاْتِيْكُمْ اِلَّا بَغْتَةً ؕ يَسْـَٔلُوْنَكَ كَاَنَّكَ حَفِيٌّ عَنْهَا ؕ قُلْ اِنَّمَا عِلْمُهَا عِنْدَ اللّٰهِ وَلٰكِنَّ اَكْثَرَ النَّاسِ لَا يَعْلَمُوْنَ ﴿١٨٧﴾
১৮৮. বলো: 'আমার নিজের ভালো মন্দের ব্যাপারেও আমার কোনো হাত নেই, তবে আল্লাহ যা ইচ্ছা করেন তা ছাড়া। আমি যদি গায়েব জানতামই, তবে তো বেশি বেশি আমার নিজের কল্যাণ করতাম এবং কোনো অনিষ্টই আমাকে স্পর্শ করতোনা। আমি তো বিশ্বাসী লোকদের জন্যে সতর্ককারী ও সুসংবাদদাতা ছাড়া আর কিছুই নই।'	قُلْ لَّاۤ اَمْلِكُ لِنَفْسِيْ نَفْعًا وَّلَا ضَرًّا اِلَّا مَا شَآءَ اللّٰهُ ؕ وَلَوْ كُنْتُ اَعْلَمُ الْغَيْبَ لَاسْتَكْثَرْتُ مِنَ الْخَيْرِ ۛۚ وَمَا مَسَّنِيَ السُّوْٓءُ ۛۚ اِنْ اَنَا اِلَّا نَذِيْرٌ وَّبَشِيْرٌ لِّقَوْمٍ يُّؤْمِنُوْنَ ۠ ﴿١٨٨﴾
১৮৯. তিনি তোমাদের একজন মাত্র ব্যক্তি থেকে সৃষ্টি করেছেন এবং তার থেকে সৃষ্টি করেছেন তার স্ত্রীকে যেনো সে তার কাছে শান্তি পায়। অতপর যখন সে তাকে ঝাপটে ধরে (সংগম করে) তখন সে হালকা গর্ভধারণ করে এবং তা	هُوَ الَّذِيْ خَلَقَكُمْ مِّنْ نَّفْسٍ وَّاحِدَةٍ وَّجَعَلَ مِنْهَا زَوْجَهَا لِيَسْكُنَ اِلَيْهَا ۚ فَلَمَّا تَغَشّٰىهَا حَمَلَتْ حَمْلًا خَفِيْفًا فَمَرَّتْ بِهٖ ۚ

রুকু ২৩

নিয়েই চলা ফেরা করে। গর্ভ যখন ভারি হয়, তখন দুজনেই তাদের প্রভুর কাছে দোয়া করে: প্রভু! যদি আমাদেরকে একটি সালেহ্ (সৎ ও যোগ্য) সন্তান দান করো, তাহলে অবশ্যি আমরা শোকরগুজার হয়ে থাকবো।	فَلَمَّآ اَثۡقَلَتۡ دَّعَوَا اللّٰهَ رَبَّهُمَا لَئِنۡ اٰتَيۡتَنَا صَالِحًا لَّنَكُوۡنَنَّ مِنَ الشّٰكِرِيۡنَ ﴿١٨٩﴾
১৯০. তারপর তিনি যখন তাদের যোগ্য সন্তান দান করেন, তারা তাদেরকে যা দেয়া হয় সে সম্পর্কে আল্লাহ্‌র সাথে শরিক করে। কিন্তু তারা আল্লাহ্‌র সাথে যাদের শরিক করে, তিনি তাদের চাইতে অনেক উর্ধ্বে।	فَلَمَّآ اٰتٰىهُمَا صَالِحًا جَعَلَا لَهٗ شُرَكَآءَ فِيۡمَآ اٰتٰىهُمَا ۚ فَتَعٰلَى اللّٰهُ عَمَّا يُشۡرِكُوۡنَ ﴿١٩٠﴾
১৯১. তারা কি আল্লাহ্‌র সাথে এমন বস্তুকে শরিক করে যারা কিছু সৃষ্টি করেনা, বরং তারা নিজেরাই সৃষ্ট?	اَيُشۡرِكُوۡنَ مَا لَا يَخۡلُقُ شَيۡـًٔا وَّ هُمۡ يُخۡلَقُوۡنَ ﴿١٩١﴾
১৯২. তারা না তাদেরকে সাহায্য করতে পারে, আর না নিজেদেরকে সাহায্য করতে পারে।	وَ لَا يَسۡتَطِيۡعُوۡنَ لَهُمۡ نَصۡرًا وَّ لَاۤ اَنۡفُسَهُمۡ يَنۡصُرُوۡنَ ﴿١٩٢﴾
১৯৩. তোমরা তাদেরকে হিদায়াতের দিকে দাওয়াত দিলে তারা তোমাদের অনুসরণ করেনা। আসলে তাদের দাওয়াত দাও, আর না দিয়ে চুপ থাকো, দুটোই সমান।	وَاِنۡ تَدۡعُوۡهُمۡ اِلَى الۡهُدٰى لَا يَتَّبِعُوۡكُمۡ ؕ سَوَآءٌ عَلَيۡكُمۡ اَدَعَوۡتُمُوۡهُمۡ اَمۡ اَنۡتُمۡ صَامِتُوۡنَ ﴿١٩٣﴾
১৯৪. তোমরা আল্লাহ ছাড়া যাদেরকে ডাকো তারা তো তোমাদের মতোই (আল্লাহ্‌র) দাস। সুতরাং তোমরা যদি সত্যবাদী হয়ে থাকো তাহলে তাদের ডাকো আর তারা তোমাদের ডাকে সাড়া দিক তো!	اِنَّ الَّذِيۡنَ تَدۡعُوۡنَ مِنۡ دُوۡنِ اللّٰهِ عِبَادٌ اَمۡثَالُكُمۡ فَادۡعُوۡهُمۡ فَلۡيَسۡتَجِيۡبُوۡا لَـكُمۡ اِنۡ كُنۡتُمۡ صٰدِقِيۡنَ ﴿١٩٤﴾
১৯৫. তাদের কি পা আছে, যা দিয়ে তারা চলে? নাকি তাদের হাত আছে, যা দিয়ে তারা ধরে? কিংবা তাদের কি চোখ আছে যা দিয়ে তারা দেখে? আর নাকি তাদের কান আছে যা দিয়ে তারা শুনে? বলো: "তোমরা যাদেরকে আল্লাহ্‌র শরিকদার বানিয়েছো তাদের ডাকো, আমার বিরুদ্ধে ষড়যন্ত্র করো এবং আমাকে অবকাশ দিয়োনা।	اَلَهُمۡ اَرۡجُلٌ يَّمۡشُوۡنَ بِهَآ ۡ اَمۡ لَهُمۡ اَيۡدٍ يَّبۡطِشُوۡنَ بِهَآ ۡ اَمۡ لَهُمۡ اَعۡيُنٌ يُّبۡصِرُوۡنَ بِهَآ ۡ اَمۡ لَهُمۡ اٰذَانٌ يَّسۡمَعُوۡنَ بِهَا ؕ قُلِ ادۡعُوۡا شُرَكَآءَكُمۡ ثُمَّ كِيۡدُوۡنِ فَلَا تُنۡظِرُوۡنِ ﴿١٩٥﴾
১৯৬. জেনে রাখো, আমার অলি হলেন আল্লাহ, যিনি কিতাব নাযিল করেছেন আর তিনি তো কেবল পুণ্যবানদের অলি হিসেবেই দায়িত্ব পালন করেন।"	اِنَّ وَلِيِّىَ اللّٰهُ الَّذِىۡ نَزَّلَ الۡكِتٰبَ ۖ وَ هُوَ يَتَوَلَّى الصّٰلِحِيۡنَ ﴿١٩٦﴾
১৯৭. তোমরা আল্লাহ ছাড়া যাদের ডাকো, তারা তোমাদের সাহায্য করার সামর্থ রাখেনা, এমনকি তারা নিজেদেরকেও নিজেরা সাহায্য করতে পারেনা।	وَالَّذِيۡنَ تَدۡعُوۡنَ مِنۡ دُوۡنِهٖ لَا يَسۡتَطِيۡعُوۡنَ نَصۡرَكُمۡ وَلَاۤ اَنۡفُسَهُمۡ يَنۡصُرُوۡنَ ﴿١٩٧﴾

১৯৮. তুমি যদি তাদেরকে হিদায়াতের দিকে আহবান করো, তারা কিছুই শুনবেনা। তুমি দেখবে তারা তোমার দিকে তাকিয়ে আছে, অথচ তারা কিছুই দেখেনা।	وَإِن تَدْعُوهُمْ إِلَى الْهُدَىٰ لَا يَسْمَعُوا ۖ وَتَرَاهُمْ يَنظُرُونَ إِلَيْكَ وَهُمْ لَا يُبْصِرُونَ ﴿١٩٨﴾
১৯৯. ক্ষমাশীলতা অবলম্বন করো, উত্তম কাজের আদেশ দাও এবং জাহিলদের উপেক্ষা করে চলো।	خُذِ الْعَفْوَ وَأْمُرْ بِالْعُرْفِ وَأَعْرِضْ عَنِ الْجَاهِلِينَ ﴿١٩٩﴾
২০০. যদি শয়তানের কোনো কুমন্ত্রণা তোমাকে প্ররোচিত করে, তবে আল্লাহ্র আশ্রয় প্রার্থনা করো। নিশ্চয়ই তিনি সব শুনেন, সব জানেন।	وَإِمَّا يَنزَغَنَّكَ مِنَ الشَّيْطَانِ نَزْغٌ فَاسْتَعِذْ بِاللَّهِ ۚ إِنَّهُ سَمِيعٌ عَلِيمٌ ﴿٢٠٠﴾
২০১. তাকওয়া (সতর্কতা) অবলম্বনকারী লোকদের শয়তান যখন কুমন্ত্রণা দেয়, তখন তারা আল্লাহকে স্মরণ করে এবং সাথে সাথে তাদের চোখ খুলে যায়।	إِنَّ الَّذِينَ اتَّقَوْا إِذَا مَسَّهُمْ طَائِفٌ مِّنَ الشَّيْطَانِ تَذَكَّرُوا فَإِذَا هُم مُّبْصِرُونَ ﴿٢٠١﴾
২০২. অথচ তাদের সংগি সাথিরা তাদের টেনে নেয় বিপথগামীতার দিকে এবং তারা কোনো প্রকার কসুর করেনা।	وَإِخْوَانُهُمْ يَمُدُّونَهُمْ فِي الْغَيِّ ثُمَّ لَا يُقْصِرُونَ ﴿٢٠٢﴾
২০৩. তুমি যখন তাদের সামনে কোনো নিদর্শন পেশ করছোনা, তখন তারা বলে, তুমি নিজেই কেন একটি নিদর্শন বাছাই করে নিচ্ছনা? তুমি বলো: আমি কেবল তারই অনুসরণ করি, যা আমার প্রভুর পক্ষ থেকে আমাকে অহি করা হয়। এই (কুরআন) তোমাদের প্রভুর পক্ষ থেকে একটি অন্তরদৃষ্টির আলো, একটি হিদায়াত এবং একটি রহমত বিশ্বাসী লোকদের জন্যে।	وَإِذَا لَمْ تَأْتِهِم بِآيَةٍ قَالُوا لَوْلَا اجْتَبَيْتَهَا ۚ قُلْ إِنَّمَا أَتَّبِعُ مَا يُوحَىٰ إِلَيَّ مِن رَّبِّي ۚ هَٰذَا بَصَائِرُ مِن رَّبِّكُمْ وَهُدًى وَرَحْمَةٌ لِّقَوْمٍ يُؤْمِنُونَ ﴿٢٠٣﴾
২০৪. যখন কুরআন পাঠ করা হয়, তখন তোমরা তার দিকে মনোযোগ আরোপ করে শুনো এবং নীরবতা অবলম্বন করো, যাতে করে তোমরা রহমত প্রাপ্ত হও।	وَإِذَا قُرِئَ الْقُرْآنُ فَاسْتَمِعُوا لَهُ وَأَنصِتُوا لَعَلَّكُمْ تُرْحَمُونَ ﴿٢٠٤﴾
২০৫. তোমার প্রভুকে স্মরণ করো মনে মনে, বিনয়ের সাথে, অন্তরে ভয় নিয়ে, অনুচ্চ স্বরে, সকালে এবং সন্ধ্যায়। আর তুমি (এ ব্যাপারে) উদাসীনদের অন্তরভুক্ত হয়োনা।	وَاذْكُر رَّبَّكَ فِي نَفْسِكَ تَضَرُّعًا وَخِيفَةً وَدُونَ الْجَهْرِ مِنَ الْقَوْلِ بِالْغُدُوِّ وَالْآصَالِ وَلَا تَكُن مِّنَ الْغَافِلِينَ ﴿٢٠٥﴾
২০৬. তোমার প্রভুর কাছাকাছি যারা রয়েছে তারা তাঁর আনুগত্য ও দাসত্ব করার ব্যাপারে কোনো প্রকার অহংকার করেনা। তারা তাঁর তসবিহ্ করে এবং তাঁরই জন্যে সাজদা-অবনত থাকে। **(সাজদা)**	إِنَّ الَّذِينَ عِندَ رَبِّكَ لَا يَسْتَكْبِرُونَ عَنْ عِبَادَتِهِ وَيُسَبِّحُونَهُ وَلَهُ يَسْجُدُونَ ۩ ﴿٢٠٦﴾ السجدة — রুকু ২৪

সূরা ৮ আল আনফাল

মদিনায় অবতীর্ণ, আয়াত সংখ্যা: ৭৫, রুকু সংখ্যা: ১০

এই সূরার আলোচ্যসূচি (আয়াত ভিত্তিক আলোচ্য বিষয়)

০১-০৪: গণিমতের মাল বণ্টন সম্পর্কে প্রাথমিক নির্দেশ। সত্যিকার মুমিনদের পরিচয়।

০৫-৭৫: বদর যুদ্ধের পূর্বাবস্থা এবং বদর যুদ্ধের পর্যালোচনা। বদর যুদ্ধে আল্লাহ্‌র সাহায্য প্রসঙ্গ। শত্রু পক্ষের প্রতি আল্লাহ্‌র সতর্কবাণী। গণিমতের মাল কারা পাবে? যুদ্ধ বন্দীদের কি করা হবে? জিহাদ ও হিজরতের মর্যাদা।

সূরা আল আনফাল (গণিমতের মাল) পরম করুণাময় পরম দয়াবান আল্লাহ্‌র নামে	**سُوۡرَةُ الۡاَنۡفَالِ** بِسۡمِ اللّٰهِ الرَّحۡمٰنِ الرَّحِيۡمِ
০১. লোকেরা তোমার কাছে জানতে চাইছে আনফাল সম্পর্কে। তুমি বলো, আনফাল হলো আল্লাহ্‌র এবং রসূলের জন্যে। সুতরাং তোমরা আল্লাহ্‌কে ভয় করো এবং সংশোধন করে নাও তোমাদের অবস্থা। আর আল্লাহ্‌র আনুগত্য করো এবং তাঁর রসূলের, যদি তোমরা মুমিন হয়ে থাকো।	يَسۡـَٔلُوۡنَكَ عَنِ الۡاَنۡفَالِ ؕ قُلِ الۡاَنۡفَالُ لِلّٰهِ وَ الرَّسُوۡلِ ۚ فَاتَّقُوا اللّٰهَ وَ اَصۡلِحُوۡا ذَاتَ بَيۡنِكُمۡ ۪ وَ اَطِيۡعُوا اللّٰهَ وَ رَسُوۡلَهٗۤ اِنۡ كُنۡتُمۡ مُّؤۡمِنِيۡنَ ﴿۱﴾
০২. জেনে রাখো, প্রকৃত মুমিন হলো তারা, আল্লাহ্‌র কথা স্মরণ করিয়ে দেয়া হলে যাদের অন্তর কেঁপে উঠে, আল্লাহ্‌র আয়াত তিলাওয়াত করে শুনানো হলে যাদের ঈমান বৃদ্ধি পায় এবং যারা তাদের প্রভুর উপর তাওয়াক্কুল করে।	اِنَّمَا الۡمُؤۡمِنُوۡنَ الَّذِيۡنَ اِذَا ذُكِرَ اللّٰهُ وَجِلَتۡ قُلُوۡبُهُمۡ وَاِذَا تُلِيَتۡ عَلَيۡهِمۡ اٰيٰتُهٗ زَادَتۡهُمۡ اِيۡمَانًا وَّعَلٰى رَبِّهِمۡ يَتَوَكَّلُوۡنَ ۚۖ ﴿۲﴾
০৩. তারা হলো সেইসব লোক যারা সালাত কায়েম করে এবং আমরা তাদেরকে যে রিযিক দিয়েছি তা থেকে (আল্লাহ্‌র পথে) ব্যয় করে।	الَّذِيۡنَ يُقِيۡمُوۡنَ الصَّلٰوةَ وَ مِمَّا رَزَقۡنٰهُمۡ يُنۡفِقُوۡنَ ؕ ﴿۳﴾
০৪. তারাই হক (প্রকৃত) মুমিন। তাদের প্রভুর কাছে তাদের জন্যে রয়েছে অনেক মর্যাদা, মাগফিরাত এবং সম্মানজনক রিযিক।	اُولٰٓئِكَ هُمُ الۡمُؤۡمِنُوۡنَ حَقًّا ؕ لَهُمۡ دَرَجٰتٌ عِنۡدَ رَبِّهِمۡ وَمَغۡفِرَةٌ وَّرِزۡقٌ كَرِيۡمٌ ۚ ﴿۴﴾
০৫. যেমন, তোমার প্রভু তোমাকে বের করেছেন তোমার ঘর থেকে সত্যের ভিত্তিতে। কিন্তু মুমিনদের মধ্যে কিছু লোক তা পছন্দ করেনি।	كَمَاۤ اَخۡرَجَكَ رَبُّكَ مِنۡۢ بَيۡتِكَ بِالۡحَقِّ ۪ وَاِنَّ فَرِيۡقًا مِّنَ الۡمُؤۡمِنِيۡنَ لَكٰرِهُوۡنَ ۙ ﴿۵﴾
০৬. তারা তোমার সাথে বিতর্ক করছিল সত্য বিষয় নিয়ে তা স্পষ্ট হয়ে যাবার পরও, যেনো তাদেরকে মৃত্যুর দিকে নিয়ে যাওয়া হচ্ছিল আর তারা তা তাকিয়ে দেখছিল।	يُجَادِلُوۡنَكَ فِى الۡحَقِّ بَعۡدَ مَا تَبَيَّنَ كَاَنَّمَا يُسَاقُوۡنَ اِلَى الۡمَوۡتِ وَهُمۡ يَنۡظُرُوۡنَ ؕ ﴿۶﴾
০৭. স্মরণ করো, আল্লাহ্ তোমাদের ওয়াদা দিয়েছিলেন, দুটি দলের একটি দল তোমাদের আয়ত্তে আসবে, অথচ তোমরা চাইছিলে নিষ্কণ্টক দলটি তোমাদের আয়ত্তে আসুক। কিন্তু আল্লাহ্ চাইছিলেন তাঁর বাণীর মাধ্যমে সত্যকে	وَاِذۡ يَعِدُكُمُ اللّٰهُ اِحۡدَى الطَّآئِفَتَيۡنِ اَنَّهَا لَكُمۡ وَ تَوَدُّوۡنَ اَنَّ غَيۡرَ ذَاتِ الشَّوۡكَةِ تَكُوۡنُ لَكُمۡ وَ يُرِيۡدُ اللّٰهُ اَنۡ يُّحِقَّ الۡحَقَّ

বাস্তবায়িত করবেন এবং কেটে দেবেন কাফিরদের শেকড়।	بِكَلِمٰتِهٖ وَيَقْطَعَ دَابِرَ الْكٰفِرِيْنَ ۝٧
০৮. যাতে করে তিনি সত্যকে সত্য হিসেবে আর বাতিলকে বাতিল হিসেবে প্রমাণিত করে দেন, যদিও অপরাধীরা তা অপছন্দ করছিল।	لِيُحِقَّ الْحَقَّ وَ يُبْطِلَ الْبَاطِلَ وَ لَوْ كَرِهَ الْمُجْرِمُوْنَ ۝٨
০৯. যখন তোমরা তোমাদের প্রভুর কাছে সাহায্য প্রার্থনা করছিলে, তখন তিনি তোমাদের প্রার্থনা কবুল করে বলেছিলেন : 'আমি তোমাদের সাহায্য করবো এক হাজার ফেরেশতা দিয়ে, তারা যাবে একের পর এক।	اِذْ تَسْتَغِيْثُوْنَ رَبَّكُمْ فَاسْتَجَابَ لَكُمْ اَنِّيْ مُمِدُّكُمْ بِاَلْفٍ مِّنَ الْمَلٰٓئِكَةِ مُرْدِفِيْنَ ۝٩
১০. আল্লাহ্ এ ব্যবস্থা করেন একটি শুভ সংবাদ হিসেবে এবং এর ফলে যেনো তোমাদের মন প্রশান্তি লাভ করে। আসলে সাহায্য তো আল্লাহ্র কাছ থেকেই আসে। নিশ্চয়ই আল্লাহ্ মহাপরাক্রমশালী প্রজ্ঞাবান।	وَ مَا جَعَلَهُ اللّٰهُ اِلَّا بُشْرٰى وَ لِتَطْمَئِنَّ بِهٖ قُلُوْبُكُمْ ۚ وَ مَا النَّصْرُ اِلَّا مِنْ عِنْدِ اللّٰهِ ؕ اِنَّ اللّٰهَ عَزِيْزٌ حَكِيْمٌ ۝١٠
১১. স্মরণ করো, আল্লাহ্ তাঁর পক্ষ থেকে তোমাদের স্বস্তির জন্যে তোমাদেরকে তন্দ্রায় আচ্ছন্ন করেছিলেন এবং আসমান থেকে তোমাদের উপর পানি বর্ষণ করেছিলেন, যাতে করে তা দিয়ে তোমাদের পবিত্র করে দেন, তোমাদের থেকে শয়তানের কুমন্ত্রণা দূর করে দেন এবং তোমাদের অন্তরসমূহকে সংহত ও মজবুত করে দেন আর তোমাদের কদমকে করে দেন মজবুত।	اِذْ يُغَشِّيْكُمُ النُّعَاسَ اَمَنَةً مِّنْهُ وَ يُنَزِّلُ عَلَيْكُمْ مِّنَ السَّمَآءِ مَآءً لِّيُطَهِّرَكُمْ بِهٖ وَ يُذْهِبَ عَنْكُمْ رِجْزَ الشَّيْطٰنِ وَ لِيَرْبِطَ عَلٰى قُلُوْبِكُمْ وَ يُثَبِّتَ بِهِ الْاَقْدَامَ ؕ ۝١١
১২. স্মরণ করো, তোমাদের প্রভু ফেরেশতাদের প্রতি অহি করে বলেছিলেন: আমি তোমাদের সাথে আছি, তোমরা মুমিনদের অবিচল রাখো। অচিরেই আমি কাফিরদের অন্তরে সঞ্চার করে দেবো ভয় আর আতঙ্ক। অতএব তোমরা আঘাত করো তাদের গর্দানে আর আঘাত করো তাদের জোড়ায় জোড়ায়।	اِذْ يُوْحِيْ رَبُّكَ اِلَى الْمَلٰٓئِكَةِ اَنِّيْ مَعَكُمْ فَثَبِّتُوا الَّذِيْنَ اٰمَنُوْا ؕ سَاُلْقِيْ فِيْ قُلُوْبِ الَّذِيْنَ كَفَرُوا الرُّعْبَ فَاضْرِبُوْا فَوْقَ الْاَعْنَاقِ وَ اضْرِبُوْا مِنْهُمْ كُلَّ بَنَانٍ ؕ ۝١٢
১৩. এর কারণ, তারা আল্লাহ্ ও তাঁর রসূলের বিরোধিতা করেছে, আর যে কেউ আল্লাহ্ এবং তাঁর রসূলের বিরোধিতা করে, সে জেনে রাখুক, আল্লাহ্ কঠোর শাস্তিদাতা।	ذٰلِكَ بِاَنَّهُمْ شَآقُّوا اللّٰهَ وَ رَسُوْلَهٗ ۚ وَ مَنْ يُّشَاقِقِ اللّٰهَ وَ رَسُوْلَهٗ فَاِنَّ اللّٰهَ شَدِيْدُ الْعِقَابِ ۝١٣
১৪. তোমরা এরি উপযুক্ত, সুতরাং আস্বাদন করো। এ ছাড়াও কাফিরদের জন্যে রয়েছে আগুনের আযাব।	ذٰلِكُمْ فَذُوْقُوْهُ وَ اَنَّ لِلْكٰفِرِيْنَ عَذَابَ النَّارِ ۝١٤
১৫. হে ঈমানদার লোকেরা! যখনই তোমরা কাফির বাহিনীর সম্মুখীন হবে, তখন কিছুতেই পিছু হটবে না,	يٰۤاَيُّهَا الَّذِيْنَ اٰمَنُوْۤا اِذَا لَقِيْتُمُ الَّذِيْنَ كَفَرُوْا زَحْفًا فَلَا تُوَلُّوْهُمُ الْاَدْبَارَ ۚ ۝١٥

রুকু ০১

وَ مَنۡ یُّوَلِّہِمۡ یَوۡمَئِذٍ دُبُرَہٗۤ اِلَّا مُتَحَرِّفًا لِّقِتَالٍ اَوۡ مُتَحَیِّزًا اِلٰی فِئَۃٍ فَقَدۡ بَآءَ بِغَضَبٍ مِّنَ اللّٰہِ وَ مَاۡوٰىہُ جَہَنَّمُ ؕ وَ بِئۡسَ الۡمَصِیۡرُ ﴿۱۶﴾	১৬. যুদ্ধের কৌশল কিংবা নিজেদের দলের সাথে মিলিত হবার উদ্দেশ্যে ছাড়া। সেদিন যে কেউ কাফির বাহিনী থেকে পৃষ্ঠ প্রদর্শন করবে, সে আল্লাহ্‌র গজবে নিপতিত হবে এবং তার আশ্রয় হবে জাহান্নাম, আর সেটা খুবই নিকৃষ্ট ধরনের ফিরে যাবার জায়গা।
فَلَمۡ تَقۡتُلُوۡہُمۡ وَ لٰکِنَّ اللّٰہَ قَتَلَہُمۡ ۪ وَ مَا رَمَیۡتَ اِذۡ رَمَیۡتَ وَ لٰکِنَّ اللّٰہَ رَمٰی ۚ وَ لِیُبۡلِیَ الۡمُؤۡمِنِیۡنَ مِنۡہُ بَلَآءً حَسَنًا ؕ اِنَّ اللّٰہَ سَمِیۡعٌ عَلِیۡمٌ ﴿۱۷﴾	১৭. তোমরা তাদের হত্যা করোনি, বরং তাদের হত্যা করেছেন আল্লাহ্। আর তুমি যখন (তাদের দিকে কংকর) নিক্ষেপ করেছিলে তখন তুমি নিক্ষেপ করোনি, বরং আল্লাহ্ই নিক্ষেপ করেছিলেন, যাতে করে মুমিনদেরকে তাঁর পক্ষ থেকে উত্তমভাবে পরীক্ষা করা যায়। নিশ্চয় আল্লাহ্ সব শুনেন, সব জানেন।
ذٰلِکُمۡ وَ اَنَّ اللّٰہَ مُوۡہِنُ کَیۡدِ الۡکٰفِرِیۡنَ ﴿۱۸﴾	১৮. এটা ছিলো তোমাদেরই জন্যে, আর আল্লাহ্ অবশ্যি কাফিরদের চক্রান্তকে করে দেন অকেজো।
اِنۡ تَسۡتَفۡتِحُوۡا فَقَدۡ جَآءَکُمُ الۡفَتۡحُ ۚ وَ اِنۡ تَنۡتَہُوۡا فَہُوَ خَیۡرٌ لَّکُمۡ ۚ وَ اِنۡ تَعُوۡدُوۡا نَعُدۡ ۚ وَ لَنۡ تُغۡنِیَ عَنۡکُمۡ فِئَتُکُمۡ شَیۡئًا وَّ لَوۡ کَثُرَتۡ ۙ وَ اَنَّ اللّٰہَ مَعَ الۡمُؤۡمِنِیۡنَ ﴿۱۹﴾	১৯. (হে কাফিররা!) তোমরা তো ফায়সালা চেয়েছিলে। এখন ফায়সালা তোমরা পেয়ে গেছো। যদি তোমরা (যুদ্ধ সন্ত্রাস ও নির্যাতন করা থেকে) বিরত হও, তবে সেটা তোমাদের জন্যেই উত্তম। কিন্তু তোমরা যদি পুনরায় করো, তাহলে আমরাও পুনরায় শাস্তি দেবো এবং তোমাদের বাহিনী সংখ্যায় অনেক বেশি হলেও তা তোমাদের কোনো কাজেই আসবে না। আল্লাহ্ অবশ্যি মুমিনদের সাথে রয়েছেন।
یٰۤاَیُّہَا الَّذِیۡنَ اٰمَنُوۡۤا اَطِیۡعُوا اللّٰہَ وَ رَسُوۡلَہٗ وَ لَا تَوَلَّوۡا عَنۡہُ وَ اَنۡتُمۡ تَسۡمَعُوۡنَ ﴿ۚۖ۲۰﴾	২০. হে ঈমানদার লোকেরা! তোমরা আল্লাহ্‌র আনুগত্য করো এবং তাঁর রসূলের। আর তোমরা তার থেকে মুখ ফিরিয়ে নিয়োনা, অথচ তোমরা তার কথা শুনছো।
وَ لَا تَکُوۡنُوۡا کَالَّذِیۡنَ قَالُوۡا سَمِعۡنَا وَ ہُمۡ لَا یَسۡمَعُوۡنَ ﴿۲۱﴾	২১. তোমরা ঐসব লোকের মতো হয়োনা, যারা বলে, 'আমরা শুনেছি', অথচ তারা শুনেনি।
اِنَّ شَرَّ الدَّوَآبِّ عِنۡدَ اللّٰہِ الصُّمُّ الۡبُکۡمُ الَّذِیۡنَ لَا یَعۡقِلُوۡنَ ﴿۲۲﴾	২২. আল্লাহ্‌র কাছে নিকৃষ্ট জীব হলো সেই বধির ও বোবা লোকেরা-যারা বেআকল।
وَ لَوۡ عَلِمَ اللّٰہُ فِیۡہِمۡ خَیۡرًا لَّاَسۡمَعَہُمۡ ؕ وَ لَوۡ اَسۡمَعَہُمۡ لَتَوَلَّوۡا وَّ ہُمۡ مُّعۡرِضُوۡنَ ﴿۲۳﴾	২৩. আল্লাহ্ যদি তাদের মধ্যে ভালো কিছু আছে বলে জানতেন, তাহলে অবশ্যি তাদের শুনাতেন। তবে তাদের শুনালেও তারা উপেক্ষা করে মুখ ফিরিয়ে নিতো।
یٰۤاَیُّہَا الَّذِیۡنَ اٰمَنُوا اسۡتَجِیۡبُوۡا لِلّٰہِ وَ لِلرَّسُوۡلِ اِذَا دَعَاکُمۡ لِمَا یُحۡیِیۡکُمۡ ۚ وَ اعۡلَمُوۡۤا اَنَّ اللّٰہَ یَحُوۡلُ بَیۡنَ الۡمَرۡءِ وَ قَلۡبِہٖ	২৪. হে ঈমানদার লোকেরা! রসূল যখন তোমাদেরকে এমন কোনো বিষয়ের দিকে ডাকে, যা তোমাদের প্রাণবন্ত করবে, তখন তোমরা আল্লাহ্ ও রসূলের আহ্বানে সাড়া দেবে। জেনে রাখো, আল্লাহ্ ব্যক্তি ও তার অন্তরের মধ্যবর্তী

রুকু ০২

হয়ে থাকেন এবং তাঁরই কাছে তোমাদের হাশর করা হবে।

وَاَنَّهٗۤ اِلَيۡهِ تُحۡشَرُوۡنَ ﴿٢٤﴾

২৫. তোমরা সেই ফিতনা থেকে আত্মরক্ষা করো, যা শুধুমাত্র তোমাদের মধ্যকার যালিমদেরই আক্রান্ত করবে না। জেনে রাখো আল্লাহ্ কঠিন শাস্তিদাতা।

وَاتَّقُوۡا فِتۡنَةً لَّا تُصِيۡبَنَّ الَّذِيۡنَ ظَلَمُوۡا مِنۡكُمۡ خَآصَّةً ۚ وَاعۡلَمُوۡۤا اَنَّ اللّٰهَ شَدِيۡدُ الۡعِقَابِ ﴿٢٥﴾

২৬. স্মরণ করো, তোমরা ছিলে কয়েকজন মাত্র। দেশে তোমাদের দুর্বল করে রাখা হয়েছিল। তোমরা আশংকা করছিলে লোকেরা তোমাদের ছোঁ মেরে ধরে ফেলবে। সে অবস্থা থেকে উদ্ধার করে আল্লাহ্ তোমাদের আশ্রয় দিয়েছেন, নিজ সাহায্যের মাধ্যমে তোমাদের শক্তিশালী করেছেন এবং উত্তম জীবিকার ব্যবস্থা করেছেন, যাতে তোমরা শোকর আদায় করো।

وَاذۡكُرُوۡۤا اِذۡ اَنۡتُمۡ قَلِيۡلٌ مُّسۡتَضۡعَفُوۡنَ فِى الۡاَرۡضِ تَخَافُوۡنَ اَنۡ يَّتَخَطَّفَكُمُ النَّاسُ فَاٰوٰىكُمۡ وَاَيَّدَكُمۡ بِنَصۡرِهٖ وَرَزَقَكُمۡ مِّنَ الطَّيِّبٰتِ لَعَلَّكُمۡ تَشۡكُرُوۡنَ ﴿٢٦﴾

২৭. হে ঈমানদার লোকেরা! তোমরা জেনে শুনে আল্লাহ্ এবং রসূলের খিয়ানত করোনা এবং তোমাদের পরস্পরের আমানতেরও খিয়ানত করোনা।

يٰۤاَيُّهَا الَّذِيۡنَ اٰمَنُوۡا لَا تَخُوۡنُوا اللّٰهَ وَالرَّسُوۡلَ وَتَخُوۡنُوۡۤا اَمٰنٰتِكُمۡ وَاَنۡتُمۡ تَعۡلَمُوۡنَ ﴿٢٧﴾

২৮. জেনে রাখো, তোমাদের মাল-সম্পদ এবং সন্তান-সন্ততি একটি পরীক্ষা, আর বড় পুরস্কার তো মূলত আল্লাহ্‌র কাছেই রয়েছে।

وَاعۡلَمُوۡۤا اَنَّمَاۤ اَمۡوَالُكُمۡ وَاَوۡلَادُكُمۡ فِتۡنَةٌ ۙ وَّاَنَّ اللّٰهَ عِنۡدَهٗۤ اَجۡرٌ عَظِيۡمٌ ﴿٢٨﴾

রুকু ০৩

২৯. হে ঈমানদার লোকেরা! তোমরা যদি আল্লাহ্‌কে ভয় করো, তাহলে তিনি তোমাদেরকে ভালো-মন্দের মধ্যে পার্থক্য করার একটি মানদণ্ড দেবেন এবং তোমাদের থেকে মুছে দেবেন তোমাদের পাপগুলো আর ক্ষমা করে দেবেন তোমাদের ত্রুটি বিচ্যুতি। আল্লাহ্ তো মহা অনুগ্রহের মালিক।

يٰۤاَيُّهَا الَّذِيۡنَ اٰمَنُوۡۤا اِنۡ تَتَّقُوا اللّٰهَ يَجۡعَلۡ لَّكُمۡ فُرۡقَانًا وَّيُكَفِّرۡ عَنۡكُمۡ سَيِّاٰتِكُمۡ وَيَغۡفِرۡ لَكُمۡ ؕ وَاللّٰهُ ذُو الۡفَضۡلِ الۡعَظِيۡمِ ﴿٢٩﴾

৩০. কাফিররা যখন তোমার বিরুদ্ধে চক্রান্ত করছিল তোমাকে বন্দী করার, কিংবা হত্যা করার, অথবা দেশ থেকে বের করে দেয়ার; তারা চক্রান্ত করছিল আর আল্লাহ্‌ও কৌশল করছিলেন, আর আল্লাহ্‌ই সর্বোত্তম কৌশলী।

وَاِذۡ يَمۡكُرُ بِكَ الَّذِيۡنَ كَفَرُوۡا لِيُثۡبِتُوۡكَ اَوۡ يَقۡتُلُوۡكَ اَوۡ يُخۡرِجُوۡكَ ؕ وَيَمۡكُرُوۡنَ وَيَمۡكُرُ اللّٰهُ ؕ وَاللّٰهُ خَيۡرُ الۡمٰكِرِيۡنَ ﴿٣٠﴾

৩১. যখন তাদের কাছে আমাদের আয়াত শুনানো হয়, তারা বলে: 'আমরা শুনলাম, ইচ্ছা করলে আমরাও এর মতো বলতে পারি। এতো সেকালের লোকদের কাহিনী ছাড়া আর কিছু নয়।'

وَاِذَا تُتۡلٰى عَلَيۡهِمۡ اٰيٰتُنَا قَالُوۡا قَدۡ سَمِعۡنَا لَوۡ نَشَآءُ لَقُلۡنَا مِثۡلَ هٰذَاۤ ۙ اِنۡ هٰذَاۤ اِلَّاۤ اَسَاطِيۡرُ الۡاَوَّلِيۡنَ ﴿٣١﴾

৩২. যখন তারা বলেছিল: 'হে আল্লাহ্! এ (দীন, এ কুরআন) যদি তোমার পক্ষ থেকে সত্য হয়ে থাকে, তাহলে আমাদের উপর আকাশ থেকে পাথর বর্ষণ করো, অথবা আমাদেরকে যন্ত্রণাদায়ক আযাবে নিমজ্জিত করো।'

وَاِذۡ قَالُوا اللّٰهُمَّ اِنۡ كَانَ هٰذَا هُوَ الۡحَقَّ مِنۡ عِنۡدِكَ فَاَمۡطِرۡ عَلَيۡنَا حِجَارَةً مِّنَ السَّمَآءِ اَوِ ائۡتِنَا بِعَذَابٍ اَلِيۡمٍ ﴿٣٢﴾

৩৩. (হে নবী!) তুমি তাদের মধ্যে থাকবে আর আল্লাহ্ তাদের শাস্তি দেবেন এমনটি আল্লাহ্ করবেন না। আর যতো দিন তারা ক্ষমা প্রার্থনা করবে, ততোদিন তাদের শাস্তি দেয়া আল্লাহ্‌র নীতি নয়।	وَمَا كَانَ اللّٰهُ لِيُعَذِّبَهُمْ وَاَنْتَ فِيْهِمْ ؕ وَمَا كَانَ اللّٰهُ مُعَذِّبَهُمْ وَهُمْ يَسْتَغْفِرُوْنَ ﴿٣٣﴾
৩৪. তাদের কী বলার আছে, আল্লাহ্ কেন তাদের শাস্তি দেবেন না, যখন তারা মসজিদুল হারাম থেকে (মুমিনদের) বাধা দেয়। তারা তো এই মসজিদের মুতাওয়াল্লি (তত্ত্বাবধায়ক) নয়, শুধু মুত্তাকিরাই হতে পারে এর মুতাওয়াল্লি (তত্ত্বাবধায়ক), কিন্তু তাদের অধিকাংশই তা জানেনা।	وَمَا لَهُمْ اَلَّا يُعَذِّبَهُمُ اللّٰهُ وَهُمْ يَصُدُّوْنَ عَنِ الْمَسْجِدِ الْحَرَامِ وَمَا كَانُوْۤا اَوْلِيَآءَهٗ ؕ اِنْ اَوْلِيَآؤُهٗۤ اِلَّا الْمُتَّقُوْنَ وَلٰكِنَّ اَكْثَرَهُمْ لَا يَعْلَمُوْنَ ﴿٣٤﴾
৩৫. কা'বা ঘরের ওখানে তাদের সালাত তো হলো শুধু শিস দেয়া আর তালি দেয়া। সুতরাং তোমরা আযাবের স্বাদ ভোগ করো তোমাদের কুফুরির কারণে।	وَمَا كَانَ صَلَاتُهُمْ عِنْدَ الْبَيْتِ اِلَّا مُكَآءً وَّتَصْدِيَةً ؕ فَذُوْقُوا الْعَذَابَ بِمَا كُنْتُمْ تَكْفُرُوْنَ ﴿٣٥﴾
৩৬. যারা কুফুরির পথ অবলম্বন করেছে তারা তাদের অর্থ-সম্পদ ব্যয় করে মানুষকে আল্লাহর পথে বাধা দেয়ার জন্যে। তারা তাদের সম্পদ ব্যয় করেই যাবে এবং এটা তাদের হতাশার কারণ হবে। অবশেষে তারা পরাজিত হবে। যারা কুফুরি করে তাদেরকে শেষ পর্যন্ত জাহান্নামে হাশর (সমবেত) করা হবে।	اِنَّ الَّذِيْنَ كَفَرُوْا يُنْفِقُوْنَ اَمْوَالَهُمْ لِيَصُدُّوْا عَنْ سَبِيْلِ اللّٰهِ ؕ فَسَيُنْفِقُوْنَهَا ثُمَّ تَكُوْنُ عَلَيْهِمْ حَسْرَةً ثُمَّ يُغْلَبُوْنَ ؕ۬ وَالَّذِيْنَ كَفَرُوْۤا اِلٰى جَهَنَّمَ يُحْشَرُوْنَ ﴿٣٦﴾
৩৭. এমনটি করার কারণ হলো, আল্লাহ্ মন্দকে ভালো থেকে আলাদা করে দিতে চান এবং মন্দদের কাউকেও কারো উপর স্থান দিতে চান, তারপর তাদের সবাইকে জমা করে নিক্ষেপ করবেন জাহান্নামে। আর তারাই হবে আসল ক্ষতিগ্রস্ত।	لِيَمِيْزَ اللّٰهُ الْخَبِيْثَ مِنَ الطَّيِّبِ وَيَجْعَلَ الْخَبِيْثَ بَعْضَهٗ عَلٰى بَعْضٍ فَيَرْكُمَهٗ جَمِيْعًا فَيَجْعَلَهٗ فِيْ جَهَنَّمَ ؕ اُولٰٓئِكَ هُمُ الْخٰسِرُوْنَ ﴿٣٧﴾

রুকু ০৪

৩৮. যারা কুফুরি করে তাদের বলো, তারা যদি বিরত হয় তবে অতীতের কর্মের জন্যে তাদের ক্ষমা করা হবে, কিন্তু তারা যদি পুনরাবৃত্তি করে, তবে আগেকার লোকদের (করুণ) দৃষ্টান্ত তো তাদের সামনেই রয়েছে।	قُلْ لِّلَّذِيْنَ كَفَرُوْۤا اِنْ يَّنْتَهُوْا يُغْفَرْ لَهُمْ مَّا قَدْ سَلَفَ ۚ وَاِنْ يَّعُوْدُوْا فَقَدْ مَضَتْ سُنَّتُ الْاَوَّلِيْنَ ﴿٣٨﴾
৩৯. তাদের বিরুদ্ধে লড়ে যাও, যতোক্ষণ না ফিতনা দূর হয়ে যায় এবং দীন পুরোপুরি আল্লাহ্‌র জন্যে হয়ে যায়। তারা যদি (ফিতনা থেকে) বিরত হয়, তবে তারা যা করবে আল্লাহ্ তার প্রতি লক্ষ্য রাখবেন।	وَقَاتِلُوْهُمْ حَتّٰى لَا تَكُوْنَ فِتْنَةٌ وَّيَكُوْنَ الدِّيْنُ كُلُّهٗ لِلّٰهِ ۚ فَاِنِ انْتَهَوْا فَاِنَّ اللّٰهَ بِمَا يَعْمَلُوْنَ بَصِيْرٌ ﴿٣٩﴾
৪০. কিন্তু তারা যদি মুখ ফিরিয়ে নেয়, তবে জেনে রাখো, তোমাদের মাওলা (অভিভাবক) তো আল্লাহ্। তিনিই উত্তম মাওলা এবং উত্তম সাহায্যকারী।	وَاِنْ تَوَلَّوْا فَاعْلَمُوْۤا اَنَّ اللّٰهَ مَوْلٰىكُمْ ؕ نِعْمَ الْمَوْلٰى وَنِعْمَ النَّصِيْرُ ﴿٤٠﴾

وَاعْلَمُوا أَنَّمَا غَنِمْتُمْ مِنْ شَيْءٍ فَأَنَّ لِلَّهِ خُمُسَهُ وَلِلرَّسُولِ وَلِذِي الْقُرْبَىٰ وَالْيَتَامَىٰ وَالْمَسَاكِينِ وَابْنِ السَّبِيلِ إِنْ كُنْتُمْ آمَنْتُمْ بِاللَّهِ وَمَا أَنْزَلْنَا عَلَىٰ عَبْدِنَا يَوْمَ الْفُرْقَانِ يَوْمَ الْتَقَى الْجَمْعَانِ ۗ وَاللَّهُ عَلَىٰ كُلِّ شَيْءٍ قَدِيرٌ ﴿٤١﴾

৪১. জেনে নাও, তোমরা যে গনিমত লাভ করেছো, তার পাঁচ ভাগের একভাগ আল্লাহ্‌র, রসূলের, রসূলের নিকটাত্মীয়দের, এতিমদের, মিসকিনদের এবং পথিকদের জন্যে নির্ধারন করা হলো। যদি তোমরা ঈমান রাখো আল্লাহ্‌র প্রতি এবং সেই বিষয়ের প্রতি যা আমরা নাযিল করেছি আমাদের দাসের প্রতি মীমাংসার দিন, যেদিন দুই দল পরস্পরের মোকাবেলা করেছিল। আল্লাহ্‌ সব বিষয়ে শক্তিমান।

إِذْ أَنْتُمْ بِالْعُدْوَةِ الدُّنْيَا وَهُمْ بِالْعُدْوَةِ الْقُصْوَىٰ وَالرَّكْبُ أَسْفَلَ مِنْكُمْ ۚ وَلَوْ تَوَاعَدْتُمْ لَاخْتَلَفْتُمْ فِي الْمِيعَادِ ۙ وَلَٰكِنْ لِيَقْضِيَ اللَّهُ أَمْرًا كَانَ مَفْعُولًا لِيَهْلِكَ مَنْ هَلَكَ عَنْ بَيِّنَةٍ وَيَحْيَىٰ مَنْ حَيَّ عَنْ بَيِّنَةٍ ۗ وَإِنَّ اللَّهَ لَسَمِيعٌ عَلِيمٌ ﴿٤٢﴾

৪২. স্মরণ করো, (বদর প্রান্তরে) তোমরা ছিলে উপত্যকার নিকট প্রান্তে, তারা ছিলো দূরপ্রান্তে আর আরোহী কাফেলা দল ছিলো অপেক্ষাকৃত নিম্নাঞ্চলে। তোমরা যদি পরস্পরের মধ্যে যুদ্ধের (অবস্থান) সম্পর্কে সিদ্ধান্ত নিতে চাইতে, তবে সে সিদ্ধান্ত সম্পর্কে তোমাদের মধ্যে মতবিরোধ ঘটতো। কিন্তু যা করার আল্লাহ্‌ তা করে দিলেন। ফলে যারা হালাক হবার তারা যেনো সত্য প্রকাশের পর হালাক হয়, আর যারা জীবিত থাকবে তারাও যেনো সত্য প্রকাশের পর জীবিত থাকে। নিশ্চয়ই আল্লাহ্‌ সব শুনেন, সব জানেন।

إِذْ يُرِيكَهُمُ اللَّهُ فِي مَنَامِكَ قَلِيلًا ۖ وَلَوْ أَرَاكَهُمْ كَثِيرًا لَفَشِلْتُمْ وَلَتَنَازَعْتُمْ فِي الْأَمْرِ وَلَٰكِنَّ اللَّهَ سَلَّمَ ۗ إِنَّهُ عَلِيمٌ بِذَاتِ الصُّدُورِ ﴿٤٣﴾

৪৩. স্মরণ করো, (বদর প্রান্তরে) আল্লাহ্‌ তোমাকে স্বপ্ন দেখিয়েছিলেন, তারা সংখ্যায় অল্প। তিনি যদি তোমাকে দেখাতেন তারা সংখ্যায় অনেক, তাহলে তোমরা সাহস হারিয়ে ফেলতে এবং যুদ্ধের বিষয়ে নিজেদের মধ্যে মতভেদ সৃষ্টি করতে। কিন্তু আল্লাহ্‌ তোমাদের রক্ষা করেছেন। নিশ্চয়ই অন্তরে যা আছে সে সম্পর্কে তিনি অবগত।

وَإِذْ يُرِيكُمُوهُمْ إِذِ الْتَقَيْتُمْ فِي أَعْيُنِكُمْ قَلِيلًا وَيُقَلِّلُكُمْ فِي أَعْيُنِهِمْ لِيَقْضِيَ اللَّهُ أَمْرًا كَانَ مَفْعُولًا ۗ وَإِلَى اللَّهِ تُرْجَعُ الْأُمُورُ ﴿٤٤﴾

৪৪. স্মরণ করো, যুদ্ধের ময়দানে তিনি তাদেরকে তোমাদের দৃষ্টিতে অল্প সংখ্যক দেখিয়েছেন এবং তোমাদেরকেও তাদের দৃষ্টিতে স্বল্প সংখ্যক দেখিয়েছেন, যা ঘটার ছিলো তা সম্পন্ন করার জন্যে। সব বিষয় শেষ পর্যন্ত আল্লাহ্‌র দিকেই রুজু হয়।

রুকু ০৫

يَا أَيُّهَا الَّذِينَ آمَنُوا إِذَا لَقِيتُمْ فِئَةً فَاثْبُتُوا وَاذْكُرُوا اللَّهَ كَثِيرًا لَعَلَّكُمْ تُفْلِحُونَ ﴿٤٥﴾

৪৫. হে ঈমানদার লোকেরা! যখনই তোমরা কোনো সৈন্যদলের সাথে যুদ্ধের সম্মুখীন হবে, তখন অবশ্যি অটল অবিচল থাকবে, এবং আল্লাহ্‌কে অধিক অধিক স্মরণ করবে, তাহলে অবশ্যি তোমরা সফল হবে।

وَأَطِيعُوا اللَّهَ وَرَسُولَهُ وَلَا تَنَازَعُوا فَتَفْشَلُوا وَتَذْهَبَ رِيحُكُمْ ۖ وَاصْبِرُوا ۚ إِنَّ اللَّهَ مَعَ الصَّابِرِينَ ﴿٤٦﴾

৪৬. তোমরা আল্লাহ্‌র আনুগত্য করো এবং তাঁর রসূলের। আর তোমরা নিজেদের মধ্যে বিবাদে লিপ্ত হয়োনা। তাহলে তোমরা দুর্বল হয়ে পড়বে এবং এর ফলে তোমাদের প্রতিপত্তি বিলুপ্ত হয়ে যাবে এবং সবর করো। নিশ্চয়ই আল্লাহ্‌ সবর অবলম্বনকারীদের সাথেই রয়েছেন।

৪৭. তোমরা ঐসব লোকদের মতো হয়োনা যারা দাম্ভিকতা প্রদর্শন ও লোক দেখানোর জন্যে ঘর থেকে বের হয়েছিল এবং যারা মানুষকে আল্লাহ্র পথে চলতে বাধা সৃষ্টি করে। তারা যা করে আল্লাহ্ তা পরিবেষ্টন করে আছেন।	وَلَا تَكُوْنُوْا كَالَّذِيْنَ خَرَجُوْا مِنْ دِيَارِهِمْ بَطَرًا وَّرِئَآءَ النَّاسِ وَيَصُدُّوْنَ عَنْ سَبِيْلِ اللّٰهِ ؕ وَاللّٰهُ بِمَا يَعْمَلُوْنَ مُحِيْطٌ ﴿٤٧﴾
৪৮. স্মরণ করো, শয়তান তাদের দৃষ্টিতে তাদের কর্মকাণ্ডকে চাকচিক্যময় করে রেখেছিল এবং বলেছিল: 'আজ কোনো মানুষই তোমাদের উপর বিজয়ী হতে পারবে না, আমি তোমাদের পাশেই আছি।' তারপর উভয় দল যখন মুখোমুখি হলো, তখন সে পেছন থেকে কেটে পড়লো এবং বললো: 'তোমাদের সাথে আমার কোনো সম্পর্ক নেই। আমি এমন কিছু দেখছি, যা তোমরা দেখছোনা। আমি আল্লাহ্কে ভয় পাই। আল্লাহ্ কঠিন শাস্তিদাতা।'	وَاِذْ زَيَّنَ لَهُمُ الشَّيْطٰنُ اَعْمَالَهُمْ وَقَالَ لَا غَالِبَ لَكُمُ الْيَوْمَ مِنَ النَّاسِ وَاِنِّيْ جَارٌ لَّكُمْ ۚ فَلَمَّا تَرَآءَتِ الْفِئَتٰنِ نَكَصَ عَلٰى عَقِبَيْهِ وَقَالَ اِنِّيْ بَرِيْٓءٌ مِّنْكُمْ اِنِّيْٓ اَرٰى مَا لَا تَرَوْنَ اِنِّيْٓ اَخَافُ اللّٰهَ ؕ وَاللّٰهُ شَدِيْدُ الْعِقَابِ ﴿٤٨﴾
৪৯. যখন মুনাফিকরা এবং যাদের মনে রোগ ছিলো তারা বলছিল: 'এদের দীন এদেরকে বিভ্রান্ত করেছে।' যে কেউ আল্লাহ্র উপর তাওয়াক্কুল করে, সে জেনে রাখুক, আল্লাহ্ মহাপরাক্রমশালী, প্রজ্ঞাবান।	اِذْ يَقُوْلُ الْمُنٰفِقُوْنَ وَالَّذِيْنَ فِيْ قُلُوْبِهِمْ مَّرَضٌ غَرَّ هٰٓؤُلَآءِ دِيْنُهُمْ ؕ وَمَنْ يَّتَوَكَّلْ عَلَى اللّٰهِ فَاِنَّ اللّٰهَ عَزِيْزٌ حَكِيْمٌ ﴿٤٩﴾
৫০. তুমি যদি দেখতে, ফেরেশ্তারা যখন কাফিরদের ওফাত (মৃত্যু) দিতে আসে তাদের চেহারা ও পিঠে আঘাত করতে থাকে এবং বলে, স্বাদ গ্রহণ করো দহন যন্ত্রণার।	وَلَوْ تَرٰٓى اِذْ يَتَوَفَّى الَّذِيْنَ كَفَرُوا الْمَلٰٓئِكَةُ يَضْرِبُوْنَ وُجُوْهَهُمْ وَاَدْبَارَهُمْ ۚ وَذُوْقُوْا عَذَابَ الْحَرِيْقِ ﴿٥٠﴾
৫১. এ তো সেই জিনিস যা তোমাদের দুই হাত কামাই করে আগেই পাঠিয়েছে। আর আল্লাহ্ তাঁর বান্দাদের প্রতি বিন্দুমাত্র যুলুম করেন না।	ذٰلِكَ بِمَا قَدَّمَتْ اَيْدِيْكُمْ وَاَنَّ اللّٰهَ لَيْسَ بِظَلَّامٍ لِّلْعَبِيْدِ ﴿٥١﴾
৫২. ফেরাউনের অনুসারীদের এবং তাদের পূর্ববর্তীদের মতোই এরা অস্বীকার করেছে আল্লাহ্র আয়াত। ফলে তাদের পাপের জন্যে আল্লাহ্ তাদের শাস্তি প্রদান করেন। নিশ্চয়ই আল্লাহ্ শক্তিমান, কঠোর শাস্তিদাতা।	كَدَاْبِ اٰلِ فِرْعَوْنَ ۙ وَالَّذِيْنَ مِنْ قَبْلِهِمْ ؕ كَفَرُوْا بِاٰيٰتِ اللّٰهِ فَاَخَذَهُمُ اللّٰهُ بِذُنُوْبِهِمْ ؕ اِنَّ اللّٰهَ قَوِيٌّ شَدِيْدُ الْعِقَابِ ﴿٥٢﴾
৫৩. এর কারণ আল্লাহ্র নীতি হলো, তিনি কোনো জনগোষ্ঠীকে যে নিয়ামত দান করেন, তা ততোক্ষণ পর্যন্ত পরিবর্তন করেন না, যতোক্ষণ পর্যন্ত তারা নিজেরাই নিজেদের অবস্থার পরিবর্তন না করে। আল্লাহ্ সব শুনেন, সব জানেন।	ذٰلِكَ بِاَنَّ اللّٰهَ لَمْ يَكُ مُغَيِّرًا نِّعْمَةً اَنْعَمَهَا عَلٰى قَوْمٍ حَتّٰى يُغَيِّرُوْا مَا بِاَنْفُسِهِمْ ۙ وَاَنَّ اللّٰهَ سَمِيْعٌ عَلِيْمٌ ﴿٥٣﴾
৫৪. ফেরাউনের অনুসারীদের মতো এবং তাদের পূর্ববর্তীদের মতো এরাও আল্লাহ্র আয়াত প্রত্যাখ্যান করেছে। ফলে তাদের পাপের জন্যে আমরা তাদের হালাক করেছি আর ফেরাউনের অনুসারীদেরও আমরা ডুবিয়ে মেরেছিলাম। এরা সবাই ছিলো যালিম।	كَدَاْبِ اٰلِ فِرْعَوْنَ ۙ وَالَّذِيْنَ مِنْ قَبْلِهِمْ ؕ كَذَّبُوْا بِاٰيٰتِ رَبِّهِمْ فَاَهْلَكْنٰهُمْ بِذُنُوْبِهِمْ وَاَغْرَقْنَآ اٰلَ فِرْعَوْنَ ۚ وَكُلٌّ كَانُوْا ظٰلِمِيْنَ ﴿٥٤﴾

রুকু ০৬

৫৫. আল্লাহ্‌র কাছে সবচে' নিকৃষ্ট জীব হলো তারা, যারা কুফুরি করে এবং ঈমান আনেনা।	إِنَّ شَرَّ الدَّوَابِّ عِنْدَ اللَّهِ الَّذِينَ كَفَرُوا فَهُمْ لَا يُؤْمِنُونَ ﴿٥٥﴾
৫৬. তাদের মধ্যে তুমি যাদের সাথে চুক্তিবদ্ধ, তারা চুক্তি করার পর প্রত্যেকবার তাদের চুক্তি ভেঙ্গে ফেলে এবং তারা সতর্ক হয়না।	الَّذِينَ عَاهَدْتَ مِنْهُمْ ثُمَّ يَنْقُضُونَ عَهْدَهُمْ فِي كُلِّ مَرَّةٍ وَهُمْ لَا يَتَّقُونَ ﴿٥٦﴾
৫৭. তোমরা যদি যুদ্ধে তাদেরকে বাগে পাও, তাহলে তাদের উত্তরসূরীদের থেকে তাদের বিচ্ছিন্ন করে এমনভাবে বিধ্বস্ত করবে, যাতে করে তারা শিক্ষা লাভ করে।	فَإِمَّا تَثْقَفَنَّهُمْ فِي الْحَرْبِ فَشَرِّدْ بِهِمْ مَنْ خَلْفَهُمْ لَعَلَّهُمْ يَذَّكَّرُونَ ﴿٥٧﴾
৫৮. আর যদি তোমরা কোনো সম্প্রদায় থেকে চুক্তি ভঙ্গের আশংকা করো, সে ক্ষেত্রে তোমার চুক্তি তুমি ঠিক সেভাবেই বাতিল করবে, কারণ আল্লাহ্ খিয়ানতকারীদের পছন্দ করেন না।	وَإِمَّا تَخَافَنَّ مِنْ قَوْمٍ خِيَانَةً فَانْبِذْ إِلَيْهِمْ عَلَىٰ سَوَاءٍ ۚ إِنَّ اللَّهَ لَا يُحِبُّ الْخَائِنِينَ ﴿٥٨﴾ রুকু ০৭
৫৯. কাফিররা যেনো মনে করেনা যে, তারা পার পেয়ে গেছে। তারা নিশ্চয়ই মুমিনদের দুর্বল করতে পারবে না।	وَلَا يَحْسَبَنَّ الَّذِينَ كَفَرُوا سَبَقُوا ۚ إِنَّهُمْ لَا يُعْجِزُونَ ﴿٥٩﴾
৬০. তোমরা তাদের সাথে মোকাবেলার জন্যে সাধ্যমতো শক্তি ও অশ্ববাহিনী প্রস্তুত রাখবে, যা দিয়ে তোমরা আল্লাহ্‌র দুশমন ও তোমাদের দুশমনদের আতংকিত করে রাখবে। তাছাড়া অন্যদেরকেও, যাদেরকে তোমরা জানোনা। আল্লাহ্ তাদের জানেন। তোমরা আল্লাহ্‌র পথে যা-ই খরচ করো না কেন, তার পুরো প্রতিদান তোমাদের দেয়া হবে এবং তোমাদের প্রতি কোনো প্রকার যুলুম করা হবেনা।	وَأَعِدُّوا لَهُمْ مَا اسْتَطَعْتُمْ مِنْ قُوَّةٍ وَمِنْ رِبَاطِ الْخَيْلِ تُرْهِبُونَ بِهِ عَدُوَّ اللَّهِ وَعَدُوَّكُمْ وَآخَرِينَ مِنْ دُونِهِمْ لَا تَعْلَمُونَهُمُ اللَّهُ يَعْلَمُهُمْ ۚ وَمَا تُنْفِقُوا مِنْ شَيْءٍ فِي سَبِيلِ اللَّهِ يُوَفَّ إِلَيْكُمْ وَأَنْتُمْ لَا تُظْلَمُونَ ﴿٦٠﴾
৬১. তারা যদি সন্ধির জন্য হাত বাড়ায়, তুমিও সন্ধির জন্যে হাত বাড়িয়ে দেবে এবং আল্লাহ্‌র উপর তাওয়াক্কুল করবে, নিশ্চয়ই তিনি সব শুনেন, সব জানেন।	وَإِنْ جَنَحُوا لِلسَّلْمِ فَاجْنَحْ لَهَا وَتَوَكَّلْ عَلَى اللَّهِ ۚ إِنَّهُ هُوَ السَّمِيعُ الْعَلِيمُ ﴿٦١﴾
৬২. তারা যদি তোমাকে ধোকা দিতে চায়, সে ক্ষেত্রে আল্লাহ্ই তোমার জন্যে যথেষ্ট। তিনি তো তোমাকে তাঁর নিজ সাহায্য আর মুমিনদের দিয়ে শক্তিশালী করেছেন।	وَإِنْ يُرِيدُوا أَنْ يَخْدَعُوكَ فَإِنَّ حَسْبَكَ اللَّهُ ۚ هُوَ الَّذِي أَيَّدَكَ بِنَصْرِهِ وَبِالْمُؤْمِنِينَ ﴿٦٢﴾
৬৩. এবং তাদের অন্তরে সম্প্রীতি স্থাপন করে দিয়েছেন। তুমি যদি পৃথিবীর সমস্ত সম্পদও ব্যয় করতে, তাদের অন্তরে সম্প্রীতির বন্ধন স্থাপন করতে পারতে না। কিন্তু আল্লাহ্ তাদের অন্তরে সম্প্রীতির বন্ধন স্থাপন করে দিয়েছেন, তিনি মহাক্ষমতাশালী, বিজ্ঞানময়।	وَأَلَّفَ بَيْنَ قُلُوبِهِمْ ۚ لَوْ أَنْفَقْتَ مَا فِي الْأَرْضِ جَمِيعًا مَا أَلَّفْتَ بَيْنَ قُلُوبِهِمْ وَلَٰكِنَّ اللَّهَ أَلَّفَ بَيْنَهُمْ ۚ إِنَّهُ عَزِيزٌ حَكِيمٌ ﴿٦٣﴾

রুকু ০৮	৬৪. হে নবী! তোমার জন্যে আল্লাহ্ই যথেষ্ট এবং মুমিনদের মধ্যে যারা তোমার অনুসরণ করে তারা।	يٰۤاَيُّهَا النَّبِيُّ حَسْبُكَ اللّٰهُ وَ مَنِ اتَّبَعَكَ مِنَ الْمُؤْمِنِيْنَ ۝٦٤
	৬৫. হে নবী! মুমিনদের উদ্বুদ্ধ করো যুদ্ধের জন্যে। তোমাদের মধ্যে যদি বিশজন অবিচল ব্যক্তি থাকে, তারা বিজয়ী হবে দুইশ জনের উপর। আর তোমাদের মধ্যে যদি একশজন থাকে, তারা বিজয়ী হবে এক হাজার কাফিরের উপর। কারণ তারা নির্বোধ লোক।	يٰۤاَيُّهَا النَّبِيُّ حَرِّضِ الْمُؤْمِنِيْنَ عَلَى الْقِتَالِ ؕ اِنْ يَّكُنْ مِّنْكُمْ عِشْرُوْنَ صٰبِرُوْنَ يَغْلِبُوْا مِائَتَيْنِ ۚ وَ اِنْ يَّكُنْ مِّنْكُمْ مِّائَةٌ يَّغْلِبُوْۤا اَلْفًا مِّنَ الَّذِيْنَ كَفَرُوْا بِاَنَّهُمْ قَوْمٌ لَّا يَفْقَهُوْنَ ۝٦٥
	৬৬. এখন আল্লাহ্ তোমাদের ভার লাঘব করেছেন। তিনি জানেন তোমাদের মধ্যে দুর্বলতা আছে। এখন যদি তোমাদের একশ অবিচল ব্যক্তি থাকে, তারা দু'শ জনের উপর বিজয়ী হবে। তোমাদের যদি এক হাজার থাকে তারা বিজয়ী হবে দুই হাজারের উপর আল্লাহ্র অনুমতিক্রমে। আল্লাহ্ অবিচল লোকদের সাথেই আছেন।	اَلْـٰٔنَ خَفَّفَ اللّٰهُ عَنْكُمْ وَ عَلِمَ اَنَّ فِيْكُمْ ضَعْفًا ؕ فَاِنْ يَّكُنْ مِّنْكُمْ مِّائَةٌ صَابِرَةٌ يَّغْلِبُوْا مِائَتَيْنِ ۚ وَ اِنْ يَّكُنْ مِّنْكُمْ اَلْفٌ يَّغْلِبُوْۤا اَلْفَيْنِ بِاِذْنِ اللّٰهِ ؕ وَ اللّٰهُ مَعَ الصّٰبِرِيْنَ ۝٦٦
	৬৭. দেশে শত্রুদেরকে ব্যাপকভাবে পরাস্ত না করা পর্যন্ত বন্দী রাখা কোনো নবীর জন্যে উচিত নয়। তোমরা চাইছো দুনিয়ার সম্পদ, আর আল্লাহ্ চান আখিরাত। আল্লাহ্ ক্ষমতাশালী, প্রজ্ঞাবান।	مَا كَانَ لِنَبِيٍّ اَنْ يَّكُوْنَ لَهٗۤ اَسْرٰى حَتّٰى يُثْخِنَ فِي الْاَرْضِ ؕ تُرِيْدُوْنَ عَرَضَ الدُّنْيَا ۖۗ وَ اللّٰهُ يُرِيْدُ الْاٰخِرَةَ ؕ وَ اللّٰهُ عَزِيْزٌ حَكِيْمٌ ۝٦٧
	৬৮. আল্লাহ্র পূর্ব বিধান না থাকলে তোমরা যা গ্রহণ করেছো সেটার জন্যে তোমাদের উপর বড় ধরনের আযাব আপতিত হতো।	لَوْ لَا كِتٰبٌ مِّنَ اللّٰهِ سَبَقَ لَمَسَّكُمْ فِيْمَاۤ اَخَذْتُمْ عَذَابٌ عَظِيْمٌ ۝٦٨
রুকু ০৯	৬৯. যুদ্ধে তোমরা যে হালাল ও উত্তম গণিমত পেয়েছো, তা খাও আর আল্লাহ্কে ভয় করো, নিশ্চয়ই আল্লাহ্ ক্ষমাশীল দয়াময়।	فَكُلُوْا مِمَّا غَنِمْتُمْ حَلٰلًا طَيِّبًا ۖؗ وَّ اتَّقُوا اللّٰهَ ؕ اِنَّ اللّٰهَ غَفُوْرٌ رَّحِيْمٌ ۝٦٩
	৭০. হে নবী! তোমার হাতে যেসব বন্দী আছে তাদের বলো, আল্লাহ্ যদি তোমাদের মধ্যে ভালো কিছু আছে বলে দেখেন, তাহলে তোমাদের থেকে যা কিছু নেয়া হয়েছে, তোমাদেরকে তার চাইতে উত্তম কিছু দান করবেন এবং তোমাদের ক্ষমা করে দেবেন। আল্লাহ্ বড়ই ক্ষমাশীল, দয়াময়।	يٰۤاَيُّهَا النَّبِيُّ قُلْ لِّمَنْ فِيْۤ اَيْدِيْكُمْ مِّنَ الْاَسْرٰۤى ۙ اِنْ يَّعْلَمِ اللّٰهُ فِيْ قُلُوْبِكُمْ خَيْرًا يُّؤْتِكُمْ خَيْرًا مِّمَّاۤ اُخِذَ مِنْكُمْ وَ يَغْفِرْ لَكُمْ ؕ وَ اللّٰهُ غَفُوْرٌ رَّحِيْمٌ ۝٧٠
	৭১. তারা যদি তোমার সাথে খেয়ানত (বিশ্বাস ভঙ্গ) করতে চায়, তবে ইতোপূর্বে তো তারা আল্লাহ্র সাথেও খেয়ানত করেছে। তারপর তিনি তোমাদেরকে তাদের উপর শক্তিশালী করেছেন। অবশ্যি আল্লাহ্ জ্ঞানী, প্রজ্ঞাময়।	وَ اِنْ يُّرِيْدُوْا خِيَانَتَكَ فَقَدْ خَانُوا اللّٰهَ مِنْ قَبْلُ فَاَمْكَنَ مِنْهُمْ ؕ وَ اللّٰهُ عَلِيْمٌ حَكِيْمٌ ۝٧١

৭২. নিশ্চয়ই যারা ঈমান এনেছে, হিজরত করেছে, নিজেদের জান ও মাল দিয়ে আল্লাহ্‌র পথে জিহাদ করেছে আর যারা (তাদেরকে) আশ্রয় দিয়েছে এবং সাহায্য করেছে, তারা পরস্পরের অলি। আর যারা ঈমান এনেছে কিন্তু হিজরত করেনি, হিজরত না করা পর্যন্ত তাদের অভিভাবকত্বের দায়িত্ব তোমার উপর নেই। তারা যদি দীনের ব্যাপারে তোমাদের কাছে সাহায্য চায়, সাহায্য করা তোমাদের কর্তব্য। তবে যদি তোমাদের এবং কোনো কওমের মধ্যে চুক্তি থাকে, সে চুক্তি ভঙ্গ করবে না। তোমরা যা আমল করো তা আল্লাহ্‌র দৃষ্টিতে রয়েছে।	إِنَّ الَّذِيْنَ اٰمَنُوْا وَ هَاجَرُوْا وَ جٰهَدُوْا بِاَمْوَالِهِمْ وَ اَنْفُسِهِمْ فِيْ سَبِيْلِ اللّٰهِ وَ الَّذِيْنَ اٰوَوْا وَّ نَصَرُوْٓا اُولٰٓئِكَ بَعْضُهُمْ اَوْلِيَآءُ بَعْضٍ ؕ وَ الَّذِيْنَ اٰمَنُوْا وَ لَمْ يُهَاجِرُوْا مَا لَكُمْ مِّنْ وَّلَايَتِهِمْ مِّنْ شَيْءٍ حَتّٰى يُهَاجِرُوْا ۚ وَ اِنِ اسْتَنْصَرُوْكُمْ فِي الدِّيْنِ فَعَلَيْكُمُ النَّصْرُ اِلَّا عَلٰى قَوْمٍ بَيْنَكُمْ وَ بَيْنَهُمْ مِّيْثَاقٌ ؕ وَ اللّٰهُ بِمَا تَعْمَلُوْنَ بَصِيْرٌ ﴿٧٢﴾
৭৩. আর যারা কুফুরি করে তারা পরস্পরের অলি। তোমরা যদি তা না করো তবে দেশে ফিতনা ও বড় ধরনের ফাসাদ সৃষ্টি হবে।	وَ الَّذِيْنَ كَفَرُوْا بَعْضُهُمْ اَوْلِيَآءُ بَعْضٍ ؕ اِلَّا تَفْعَلُوْهُ تَكُنْ فِتْنَةٌ فِي الْاَرْضِ وَ فَسَادٌ كَبِيْرٌ ﴿٧٣﴾
৭৪. আর যারা ঈমান এনেছে, হিজরত করেছে এবং আল্লাহ্‌র পথে জিহাদ করেছে, এবং যারা তাদেরকে আশ্রয় দিয়েছে ও সাহায্য করেছে তারাই সত্যিকার মুমিন। তাদের জন্যে রয়েছে মাগফিরাত ও সম্মানজনক রিযিক।	وَ الَّذِيْنَ اٰمَنُوْا وَ هَاجَرُوْا وَ جٰهَدُوْا فِيْ سَبِيْلِ اللّٰهِ وَ الَّذِيْنَ اٰوَوْا وَّ نَصَرُوْٓا اُولٰٓئِكَ هُمُ الْمُؤْمِنُوْنَ حَقًّا ؕ لَهُمْ مَّغْفِرَةٌ وَّ رِزْقٌ كَرِيْمٌ ﴿٧٤﴾
৭৫. আর যারা পরে ঈমান এনেছে, হিজরত করেছে এবং তোমাদের সাথে জিহাদে শরিক হয়েছে, তারাও তোমাদের অন্তরভুক্ত। আর আত্মীয়রা আল্লাহ্‌র বিধানে একজন অন্যজন অপেক্ষা বেশি হকদার। অবশ্যি আল্লাহ্ সব বিষয়ে জ্ঞানী।	وَ الَّذِيْنَ اٰمَنُوْا مِنْۢ بَعْدُ وَ هَاجَرُوْا وَ جٰهَدُوْا مَعَكُمْ فَاُولٰٓئِكَ مِنْكُمْ ؕ وَ اُولُوا الْاَرْحَامِ بَعْضُهُمْ اَوْلٰى بِبَعْضٍ فِيْ كِتٰبِ اللّٰهِ ؕ اِنَّ اللّٰهَ بِكُلِّ شَيْءٍ عَلِيْمٌ ﴿٧٥﴾

রুকু ১০

সূরা ৯ আত তাওবা

মদিনায় অবতীর্ণ, আয়াত সংখ্যা: ১২৯, রুকু সংখ্যা: ১৬

এই সূরার আলোচ্যসূচি (আয়াত ভিত্তিক আলোচ্য বিষয়)

০১-৩৭: মক্কা বিজয়ের পর মুশরিকদের সাথে আচরণের বিস্তারিত নীতিমালা।
৩৮-৪২: তবুক যুদ্ধে অংশগ্রহণে মুনাফিকদের ওজর-বাহানা। মুমিনদের প্রতি অংশগ্রহণের নির্দেশ।
৪৩-৫৯: তবুক যুদ্ধে মুনাফিকদের অংশগ্রহণ না করার তীব্র সমালোচনা এবং তাদের প্রতি ভর্ৎসনা।
৬০: যাকাত কারা পাবে?
৬১-৭০: মুনাফিকদের নিকৃষ্ট নীতির সমালোচনা।
৭১-৭২: মুমিন পুরুষ ও নারীরা পরস্পরের অলি এবং তাদের শুভ পরিণাম।
৭৩-১১০: যুদ্ধ ও জিহাদের ব্যাপারে মুনাফিকদের বৈশিষ্ট্য। মুমিনদের বৈশিষ্ট্য। মুনাফিকদের

বাড়াবাড়ি।
১১১- মুমিনদের মহোত্তম গুণাবলি। মুশরিকদের জন্য নবীর ক্ষমা প্রার্থনা করা নিষেধ।
১২৯: মুমিনদের প্রতি আল্লাহ্‌র ক্ষমা ও নির্দেশাবলি। আল্লাহ্‌র রসূলের অনুপম গুণাবলি।

সূরা আত তাওবা	سُوْرَةُ التَّوْبَةِ
০১. এটি সম্পর্ক ছিন্নের ঘোষণা আল্লাহ্ এবং তাঁর রসূলের পক্ষ থেকে সেইসব মুশরিকদের প্রতি, যাদের সাথে তোমরা পারস্পারিক চুক্তিতে আবদ্ধ হয়েছিলে।	بَرَآءَةٌ مِّنَ اللّٰهِ وَ رَسُوْلِهٖۤ اِلَى الَّذِيْنَ عٰهَدْتُّمْ مِّنَ الْمُشْرِكِيْنَ ①
০২. অতএব (হে মুশরিকরা) তোমরা এ দেশে আর চারমাস ঘুরে বেড়াতে পারবে, আর জেনে রাখো, আল্লাহ্‌কে অতিক্রম করার সাধ্য তোমাদের নেই। নিশ্চয়ই আল্লাহ্ কাফিরদের লাঞ্ছিত করেন।	فَسِيْحُوْا فِى الْاَرْضِ اَرْبَعَةَ اَشْهُرٍ وَّ اعْلَمُوْۤا اَنَّكُمْ غَيْرُ مُعْجِزِى اللّٰهِ ۙ وَ اَنَّ اللّٰهَ مُخْزِى الْكٰفِرِيْنَ ②
০৩. মহান হজ্জের দিনে আল্লাহ্ এবং আল্লাহ্‌র রসূলের পক্ষ থেকে মানব সমাজের প্রতি ঘোষণা করা যাচ্ছে যে, নিশ্চয়ই আল্লাহ্ মুশরিকদের ব্যাপারে দায়মুক্ত এবং তাঁর রসূলও। এখন (হে মুশরিকরা) তোমরা যদি তওবা করো, তাতেই রয়েছে তোমাদের কল্যাণ, আর যদি মুখ ফিরিয়ে নাও, তবে জেনে রাখো, তোমরা আল্লাহ্‌কে অতিক্রম করতে (পালাতে) পারবে না। আর কাফিরদের সংবাদ দাও বেদনাদায়ক আযাবের।	وَ اَذَانٌ مِّنَ اللّٰهِ وَ رَسُوْلِهٖۤ اِلَى النَّاسِ يَوْمَ الْحَجِّ الْاَكْبَرِ اَنَّ اللّٰهَ بَرِىْٓءٌ مِّنَ الْمُشْرِكِيْنَ ۙ۬ وَ رَسُوْلُهٗ ؕ فَاِنْ تُبْتُمْ فَهُوَ خَيْرٌ لَّكُمْ ۚ وَ اِنْ تَوَلَّيْتُمْ فَاعْلَمُوْۤا اَنَّكُمْ غَيْرُ مُعْجِزِى اللّٰهِ ؕ وَ بَشِّرِ الَّذِيْنَ كَفَرُوْا بِعَذَابٍ اَلِيْمٍ ③
০৪. তবে মুশরিকদের মধ্যে যাদের সাথে তোমরা চুক্তিতে আবদ্ধ এবং তারা চুক্তি কোনো প্রকার লংঘন ও ভঙ্গ করেনি এবং তোমাদের বিরুদ্ধে কাউকেও সাহায্য করেনি, তাদের সাথে নির্দিষ্ট মেয়াদ পূর্ণ হওয়া পর্যন্ত চুক্তি বহাল রাখবে। কারণ, আল্লাহ্ মুত্তাকিদের (ন্যায়পরায়ণদের) ভালোবাসেন।	اِلَّا الَّذِيْنَ عٰهَدْتُّمْ مِّنَ الْمُشْرِكِيْنَ ثُمَّ لَمْ يَنْقُصُوْكُمْ شَيْـًٔا وَّ لَمْ يُظَاهِرُوْا عَلَيْكُمْ اَحَدًا فَاَتِمُّوْۤا اِلَيْهِمْ عَهْدَهُمْ اِلٰى مُدَّتِهِمْ ؕ اِنَّ اللّٰهَ يُحِبُّ الْمُتَّقِيْنَ ④
০৫. তারপর যখন নিষিদ্ধ মাসগুলো শেষ হয়ে যাবে, তখন মুশরিকদের (দেশের মধ্যে) যেখানে পাবে হত্যা করবে, তাদের বন্দী করবে, অবরোধ করবে এবং প্রতিটি ঘাটিতে তাদের জন্যে ওঁৎ পেতে থাকবে। অবশ্য যদি তারা অনুতপ্ত হয়ে তওবা করে, সালাত কায়েম করে এবং যাকাত প্রদান করে, তবে তাদের রাস্তা খোলা রাখো। কারণ, নিশ্চয়ই আল্লাহ্ ক্ষমাশীল দয়াময়।	فَاِذَا انْسَلَخَ الْاَشْهُرُ الْحُرُمُ فَاقْتُلُوا الْمُشْرِكِيْنَ حَيْثُ وَجَدْتُّمُوْهُمْ وَ خُذُوْهُمْ وَ احْصُرُوْهُمْ وَ اقْعُدُوْا لَهُمْ كُلَّ مَرْصَدٍ ۚ فَاِنْ تَابُوْا وَ اَقَامُوا الصَّلٰوةَ وَ اٰتَوُا الزَّكٰوةَ فَخَلُّوْا سَبِيْلَهُمْ ؕ اِنَّ اللّٰهَ غَفُوْرٌ رَّحِيْمٌ ⑤
০৬. মুশরিকদের কেউ যদি তোমার কাছে আশ্রয় চায়, তাকে আশ্রয় দাও, যাতে করে সে আল্লাহ্‌র কালাম শুনতে পায়। তারপর তাকে তার নিরাপদ জায়গায় পৌঁছে দেবে। কারণ তারা এমন লোক, যারা জানেনা।	وَ اِنْ اَحَدٌ مِّنَ الْمُشْرِكِيْنَ اسْتَجَارَكَ فَاَجِرْهُ حَتّٰى يَسْمَعَ كَلٰمَ اللّٰهِ ثُمَّ اَبْلِغْهُ مَاْمَنَهٗ ؕ ذٰلِكَ بِاَنَّهُمْ قَوْمٌ لَّا يَعْلَمُوْنَ ⑥

রুকু ০১

০৭. আল্লাহ্ ও তাঁর রসূলের কাছে কী করে মুশরিকদের চুক্তি বহাল থাকতে পারে, তাদের ছাড়া যাদের সাথে তোমরা মসজিদুল হারামের কাছে পারস্পরিক চুক্তিতে আবদ্ধ হয়েছিলে (যদি তারা তোমাদের সাথে সম্পাদিত চুক্তির উপর কায়েম না থাকে)। তবে, তারা যতোদিন তোমাদের সাথে সম্পাদিত চুক্তির উপর কায়েম থাকবে, ততোদিন তোমরাও তাদের সাথে সম্পাদিত চুক্তির উপর কায়েম থাকবে। অবশ্যি আল্লাহ্ মুত্তাকিদের পছন্দ করেন।	كَيْفَ يَكُوْنُ لِلْمُشْرِكِيْنَ عَهْدٌ عِنْدَ اللّٰهِ وَ عِنْدَ رَسُوْلِهٖۤ اِلَّا الَّذِيْنَ عٰهَدْتُّمْ عِنْدَ الْمَسْجِدِ الْحَرَامِ ۚ فَمَا اسْتَقَامُوْا لَكُمْ فَاسْتَقِيْمُوْا لَهُمْ ؕ اِنَّ اللّٰهَ يُحِبُّ الْمُتَّقِيْنَ ﴿۷﴾
০৮. কী করে থাকবে? তারা যদি তোমাদের উপর জয়ী হয়, তবে তারা তো তোমাদের সাথের আত্মীয়তা ও অঙ্গীকারের কোনোই মর্যাদা দেয়না। তারা মুখে তোমাদের সন্তুষ্ট রাখার চেষ্টা করে, অথচ তাদের অন্তর তা অস্বীকার করে। তাদের অধিকাংশই ফাসিক-সীমালংঘনকারী।	كَيْفَ وَ اِنْ يَّظْهَرُوْا عَلَيْكُمْ لَا يَرْقُبُوْا فِيْكُمْ اِلًّا وَّ لَا ذِمَّةً ؕ يُرْضُوْنَكُمْ بِاَفْوَاهِهِمْ وَ تَاْبٰى قُلُوْبُهُمْ ۚ وَ اَكْثَرُهُمْ فٰسِقُوْنَ ﴿۸﴾
০৯. তারা তুচ্ছ মূল্যে বিক্রয় করে আল্লাহ্‌র আয়াত এবং বাধা সৃষ্টি করে আল্লাহ্‌র পথে। নিশ্চয়ই তাদের কর্মকাণ্ড খুবই নিকৃষ্ট।	اِشْتَرَوْا بِاٰيٰتِ اللّٰهِ ثَمَنًا قَلِيْلًا فَصَدُّوْا عَنْ سَبِيْلِهٖ ؕ اِنَّهُمْ سَآءَ مَا كَانُوْا يَعْمَلُوْنَ ﴿۹﴾
১০. তারা কোনো মুমিনের সাথে আত্মীয়তা ও অঙ্গীকারের মর্যাদা রক্ষা করেনা। তারা আসলেই সীমালংঘনকারী।	لَا يَرْقُبُوْنَ فِيْ مُؤْمِنٍ اِلًّا وَّ لَا ذِمَّةً ؕ وَ اُولٰٓئِكَ هُمُ الْمُعْتَدُوْنَ ﴿۱۰﴾
১১. তারা যদি তওবা করে, সালাত কায়েম করে এবং যাকাত দেয়, তবে তারা তোমাদের দীনি ভাই। জ্ঞানী লোকদের জন্যে এভাবেই আমরা আমাদের আয়াত সবিস্তারে বর্ণনা করি।	فَاِنْ تَابُوْا وَ اَقَامُوا الصَّلٰوةَ وَ اٰتَوُا الزَّكٰوةَ فَاِخْوَانُكُمْ فِي الدِّيْنِ ؕ وَ نُفَصِّلُ الْاٰيٰتِ لِقَوْمٍ يَّعْلَمُوْنَ ﴿۱۱﴾
১২. চুক্তি সম্পাদনের পর তারা যদি তোমাদের সাথে কৃত চুক্তি ভঙ্গ করে এবং তোমাদের দীন নিয়ে বিদ্রূপ করে, তবে কুফরের (পতাকাবাহী) নেতাদের বিরুদ্ধে লড়াই করো, যাতে তারা বিরত হয়, কারণ তাদের কোনো অঙ্গীকার নেই।	وَ اِنْ نَّكَثُوْۤا اَيْمَانَهُمْ مِّنْۢ بَعْدِ عَهْدِهِمْ وَ طَعَنُوْا فِيْ دِيْنِكُمْ فَقَاتِلُوْۤا اَئِمَّةَ الْكُفْرِ ۙ اِنَّهُمْ لَاۤ اَيْمَانَ لَهُمْ لَعَلَّهُمْ يَنْتَهُوْنَ ﴿۱۲﴾
১৩. তোমরা কি সেই লোকদের বিরুদ্ধে যুদ্ধ করবেনা, যারা নিজেদের অঙ্গীকার ভেঙ্গে ফেলেছে এবং রসূলকে বহিষ্কারের সংকল্প করেছিল? আর তারাই তো প্রথমে তোমাদের বিরুদ্ধাচরণ করেছে। তোমরা কি তাদের ভয় করছো? অথচ আল্লাহ্‌ই তো সর্বশ্রেষ্ঠ অধিকারী যে তোমরা তাঁকে ভয় করবে, যদি তোমরা মুমিন হয়ে থাকো।	اَلَا تُقَاتِلُوْنَ قَوْمًا نَّكَثُوْۤا اَيْمَانَهُمْ وَ هَمُّوْا بِاِخْرَاجِ الرَّسُوْلِ وَ هُمْ بَدَءُوْكُمْ اَوَّلَ مَرَّةٍ ؕ اَتَخْشَوْنَهُمْ ۚ فَاللّٰهُ اَحَقُّ اَنْ تَخْشَوْهُ اِنْ كُنْتُمْ مُّؤْمِنِيْنَ ﴿۱۳﴾
১৪. তোমরা তাদের বিরুদ্ধে যুদ্ধ করো। আল্লাহ্ তোমাদের হাতে তাদের শাস্তি দেবেন, তাদের	قَاتِلُوْهُمْ يُعَذِّبْهُمُ اللّٰهُ بِاَيْدِيْكُمْ وَ

يُخْزِهِمْ وَ يَنْصُرْكُمْ عَلَيْهِمْ وَ يَشْفِ صُدُوْرَ قَوْمٍ مُّؤْمِنِيْنَ ۙ (١٤)

লাঞ্ছিত করবেন, তাদের বিরুদ্ধে তোমাদের সাহায্য করবেন এবং মুমিনদের হৃদয়কে নিরাময় করে দেবেন,

وَ يُذْهِبْ غَيْظَ قُلُوْبِهِمْ ؕ وَ يَتُوْبُ اللّٰهُ عَلٰى مَنْ يَّشَآءُ ؕ وَ اللّٰهُ عَلِيْمٌ حَكِيْمٌ (١٥)

১৫. আর তিনি তাদের (মুমিনদের) অন্তরের ক্ষোভ দূর করে দেবেন। যাকে ইচ্ছা আল্লাহ্ ক্ষমা করে দেন। আল্লাহ্ অতীব জ্ঞানী, বিজ্ঞানময়।

اَمْ حَسِبْتُمْ اَنْ تُتْرَكُوْا وَ لَمَّا يَعْلَمِ اللّٰهُ الَّذِيْنَ جٰهَدُوْا مِنْكُمْ وَ لَمْ يَتَّخِذُوْا مِنْ دُوْنِ اللّٰهِ وَ لَا رَسُوْلِهٖ وَ لَا الْمُؤْمِنِيْنَ وَلِيْجَةً ؕ وَ اللّٰهُ خَبِيْرٌۢ بِمَا تَعْمَلُوْنَ (١٦)

১৬. তোমরা কি মনে করেছো যে, তোমাদের এতোটুকুতেই ছেড়ে দেয়া হবে, অথচ আল্লাহ্ এখন পর্যন্ত বাস্তবে জেনে নেননি তোমাদের মধ্যে কারা জিহাদ করেছে এবং আল্লাহ্, তাঁর রসূল ও মুমিনদের ছাড়া অন্য কাউকেও অন্তরঙ্গ বন্ধু হিসেবে গ্রহণ করেনি? আল্লাহ্ ভালোভাবেই জানেন তোমরা যা আমল করো।

রুকু ০২

مَا كَانَ لِلْمُشْرِكِيْنَ اَنْ يَّعْمُرُوْا مَسٰجِدَ اللّٰهِ شٰهِدِيْنَ عَلٰۤى اَنْفُسِهِمْ بِالْكُفْرِ ؕ اُولٰٓئِكَ حَبِطَتْ اَعْمَالُهُمْ ۚۖ وَ فِى النَّارِ هُمْ خٰلِدُوْنَ (١٧)

১৭. আল্লাহ্র মসজিদের রক্ষণাবেক্ষণ করা মুশরিকদের কাজ নয়, কারণ তারা নিজেরাই নিজেদের কুফুরির সাক্ষী। তারা এমন লোক যাদের সমস্ত আমল নিষ্ফল হয়ে গেছে। জাহান্নামেই তারা স্থায়ীভাবে অবস্থান করবে।

اِنَّمَا يَعْمُرُ مَسٰجِدَ اللّٰهِ مَنْ اٰمَنَ بِاللّٰهِ وَ الْيَوْمِ الْاٰخِرِ وَ اَقَامَ الصَّلٰوةَ وَ اٰتَى الزَّكٰوةَ وَ لَمْ يَخْشَ اِلَّا اللّٰهَ فَعَسٰۤى اُولٰٓئِكَ اَنْ يَّكُوْنُوْا مِنَ الْمُهْتَدِيْنَ (١٨)

১৮. আল্লাহ্র মসজিদ রক্ষণাবেক্ষণ করবে তারা, যারা ঈমান এনেছে আল্লাহ্র প্রতি, আখিরাতের প্রতি, যারা সালাত কায়েম করে, যাকাত দেয় এবং আল্লাহ্ ছাড়া আর কাউকেও ভয় করেনা। আশা করা যায় এরা হিদায়াতের পথে চলবে।

اَجَعَلْتُمْ سِقَايَةَ الْحَآجِّ وَ عِمَارَةَ الْمَسْجِدِ الْحَرَامِ كَمَنْ اٰمَنَ بِاللّٰهِ وَ الْيَوْمِ الْاٰخِرِ وَ جٰهَدَ فِىْ سَبِيْلِ اللّٰهِ ؕ لَا يَسْتَوٗنَ عِنْدَ اللّٰهِ ؕ وَ اللّٰهُ لَا يَهْدِى الْقَوْمَ الظّٰلِمِيْنَ (١٩)

১৯. তোমরা কি হাজীদের পানি পান করানো আর মসজিদুল হারামের রক্ষণাবেক্ষণ করাকে ঐসব লোকদের কাজের সমান গণ্য করছো, যারা ঈমান এনেছে আল্লাহ্র প্রতি, আখিরাতের প্রতি এবং জিহাদ করেছে আল্লাহ্র পথে? আল্লাহ্র কাছে এরা উভয়ে সমতুল্য নয়। আল্লাহ্ যালিমদের সঠিক পথ দেখান না।

اَلَّذِيْنَ اٰمَنُوْا وَ هَاجَرُوْا وَ جٰهَدُوْا فِىْ سَبِيْلِ اللّٰهِ بِاَمْوَالِهِمْ وَ اَنْفُسِهِمْ ۙ اَعْظَمُ دَرَجَةً عِنْدَ اللّٰهِ ؕ وَ اُولٰٓئِكَ هُمُ الْفَآئِزُوْنَ (٢٠)

২০. যারা ঈমান এনেছে, হিজরত করেছে এবং নিজেদের জান ও মাল দিয়ে আল্লাহ্র পথে জিহাদ করেছে, আল্লাহ্র কাছে তারা শ্রেষ্ঠ মর্যাদার অধিকারী এবং তারাই হবে সফলকাম।

يُبَشِّرُهُمْ رَبُّهُمْ بِرَحْمَةٍ مِّنْهُ وَ رِضْوَانٍ وَّ جَنّٰتٍ لَّهُمْ فِيْهَا نَعِيْمٌ مُّقِيْمٌ ۙ (٢١)

২১. তাদের প্রভু তাদের সুসংবাদ দিচ্ছেন তাঁর রহমতের, তাঁর রেজামন্দির আর সেই জান্নাতের, যেখানে আছে তাদের জন্যে স্থায়ী নিয়ামত।

خٰلِدِيْنَ فِيْهَاۤ اَبَدًا ؕ اِنَّ اللّٰهَ عِنْدَهٗۤ اَجْرٌ عَظِيْمٌ (٢٢)

২২. সেখানে থাকবে তারা চিরকাল। নিশ্চয়ই আল্লাহ্র কাছে রয়েছে মহাপুরস্কার।

يٰۤاَيُّهَا الَّذِيۡنَ اٰمَنُوۡا لَا تَتَّخِذُوۡۤا اٰبَآءَكُمۡ وَاِخۡوَانَكُمۡ اَوۡلِيَآءَ اِنِ اسۡتَحَبُّوا الۡكُفۡرَ عَلَى الۡاِيۡمَانِ ؕ وَ مَنۡ يَّتَوَلَّهُمۡ مِّنۡكُمۡ فَاُولٰٓئِكَ هُمُ الظّٰلِمُوۡنَ ﴿۲۳﴾

২৩. হে ঈমানদার লোকেরা! তোমাদের বাবা ও ভাইদের অলি (অভিভাবক ও বন্ধু) হিসেবে গ্রহণ করোনা, যদি তারা ঈমানের উপর কুফুরিকে শ্রেষ্ঠত্ব দেয়। তোমাদের মধ্যে যে কেউ তাদের অলি বানাবে তারা যালিম হিসেবে গণ্য হবে।

قُلۡ اِنۡ كَانَ اٰبَآؤُكُمۡ وَ اَبۡنَآؤُكُمۡ وَ اِخۡوَانُكُمۡ وَ اَزۡوَاجُكُمۡ وَ عَشِيۡرَتُكُمۡ وَ اَمۡوَالُ ۨاقۡتَرَفۡتُمُوۡهَا وَ تِجَارَةٌ تَخۡشَوۡنَ كَسَادَهَا وَ مَسٰكِنُ تَرۡضَوۡنَهَاۤ اَحَبَّ اِلَيۡكُمۡ مِّنَ اللّٰهِ وَ رَسُوۡلِهٖ وَ جِهَادٍ فِىۡ سَبِيۡلِهٖ فَتَرَبَّصُوۡا حَتّٰى يَاۡتِىَ اللّٰهُ بِاَمۡرِهٖ ؕ وَ اللّٰهُ لَا يَهۡدِى الۡقَوۡمَ الۡفٰسِقِيۡنَ ﴿۲۴﴾

রুকু ০৩

২৪. হে নবী! তাদের বলো: "যদি তোমাদের কাছে আল্লাহ্‌র চাইতে, তাঁর রসূলের চাইতে এবং তাঁর পথে জিহাদের চাইতে বেশি প্রিয় হয় তোমাদের পিতা, সন্তান, ভাই, স্ত্রী, আত্মীয়-স্বজন, তোমাদের উপার্জিত সম্পদ, তোমাদের ব্যবসা-বাণিজ্য যার মন্দাকে তোমরা ভয় পাও এবং তোমাদের প্রিয় বাসস্থান, তবে অপেক্ষা করো আল্লাহ্‌র ফায়সালা আসা পর্যন্ত। আল্লাহ্ ফাসিক লোকদের সঠিক পথ দেখান না।"

لَقَدۡ نَصَرَكُمُ اللّٰهُ فِىۡ مَوَاطِنَ كَثِيۡرَةٍ ۙ وَّ يَوۡمَ حُنَيۡنٍ ۙ اِذۡ اَعۡجَبَتۡكُمۡ كَثۡرَتُكُمۡ فَلَمۡ تُغۡنِ عَنۡكُمۡ شَيۡـًٔا وَّ ضَاقَتۡ عَلَيۡكُمُ الۡاَرۡضُ بِمَا رَحُبَتۡ ثُمَّ وَلَّيۡتُمۡ مُّدۡبِرِيۡنَ ﴿۲۵﴾

২৫. আল্লাহ্ তোমাদের সাহায্য করেছেন বহু জায়গায় এবং হোনায়েনের (যুদ্ধের) দিনও, যখন তোমাদের আনন্দিত করেছিল তোমাদের সংখ্যার আধিক্য। কিন্তু তা তোমাদের কোনো কাজে আসেনি। এমন কি, ভূ-খণ্ড বিস্তৃত থাকা সত্ত্বেও তোমাদের জন্যে সংকীর্ণ হয়ে আসছিল, অত:পর তোমরা পিছু হটে গিয়েছিলে।

ثُمَّ اَنۡزَلَ اللّٰهُ سَكِيۡنَتَهٗ عَلٰى رَسُوۡلِهٖ وَ عَلَى الۡمُؤۡمِنِيۡنَ وَ اَنۡزَلَ جُنُوۡدًا لَّمۡ تَرَوۡهَا وَعَذَّبَ الَّذِيۡنَ كَفَرُوۡا ؕ وَذٰلِكَ جَزَآءُ الۡكٰفِرِيۡنَ ﴿۲۶﴾

২৬. অবশেষে আল্লাহ্ তাঁর পক্ষ থেকে তাঁর রসূল ও মুমিনদের প্রতি নাযিল করেন প্রশান্তি, আরো নাযিল করেন এমন এক বাহিনী, যাদের তোমরা দেখতে পাওনি। পক্ষান্তরে তিনি কঠিন শাস্তি প্রদান করেন কাফিরদের। এটাই কাফিরদের কর্মের প্রতিদান।

ثُمَّ يَتُوۡبُ اللّٰهُ مِنۡۢ بَعۡدِ ذٰلِكَ عَلٰى مَنۡ يَّشَآءُ ؕ وَاللّٰهُ غَفُوۡرٌ رَّحِيۡمٌ ﴿۲۷﴾

২৭. এরপরও আল্লাহ্ যাকে চান তার তওবা কবুল করবেন। আল্লাহ্ পরম ক্ষমাশীল দয়াময়।

يٰۤاَيُّهَا الَّذِيۡنَ اٰمَنُوۡۤا اِنَّمَا الۡمُشۡرِكُوۡنَ نَجَسٌ فَلَا يَقۡرَبُوا الۡمَسۡجِدَ الۡحَرَامَ بَعۡدَ عَامِهِمۡ هٰذَا ۚ وَ اِنۡ خِفۡتُمۡ عَيۡلَةً فَسَوۡفَ يُغۡنِيۡكُمُ اللّٰهُ مِنۡ فَضۡلِهٖۤ اِنۡ شَآءَ ؕ اِنَّ اللّٰهَ عَلِيۡمٌ حَكِيۡمٌ ﴿۲۸﴾

২৮. হে ঈমানদার লোকেরা! মুশরিকরা অপবিত্র। সুতরাং এবারের পর তারা যেনো আর মসজিদুল হারামের কাছেও না আসে। তোমরা যদি দারিদ্র্যের আশংকা করো, তবে আল্লাহ্ চাইলে তাঁর নিজ অনুগ্রহে তোমাদের অভাবমুক্ত করে দেবেন। নিশ্চয়ই আল্লাহ্ সর্বজ্ঞানী, বিজ্ঞানময়।

قَاتِلُوا الَّذِيۡنَ لَا يُؤۡمِنُوۡنَ بِاللّٰهِ وَ لَا

২৯. যাদের প্রতি ইতোপূর্বে কিতাব নাযিল করা হয়েছিল তাদের মধ্যে যারা ঈমান আনেনা

আল্লাহ্‌র প্রতি, আখিরাতের প্রতি এবং আল্লাহ্ ও তাঁর রসূল যা কিছু হারাম করেছেন, তা হারাম হিসেবে মানে না, আর সত্য দীনের আনুগত্য অনুসরণ করে না, তাদের বিরুদ্ধে লড়াই করো, যতোক্ষণ পর্যন্ত তারা নত হয়ে নিজেদের হাতে জিযিয়া (নিরাপত্তা কর) না দেবে।	بِالْيَوْمِ الْاٰخِرِ وَ لَا يُحَرِّمُوْنَ مَا حَرَّمَ اللّٰهُ وَ رَسُوْلُهٗ وَ لَا يَدِيْنُوْنَ دِيْنَ الْحَقِّ مِنَ الَّذِيْنَ اُوْتُوا الْكِتٰبَ حَتّٰى يُعْطُوا الْجِزْيَةَ عَنْ يَّدٍ وَّ هُمْ صٰغِرُوْنَ ﴿۲۹﴾
৩০. ইহুদিরা বলে, 'উযায়ের আল্লাহ্‌র পুত্র'। নাসারারা বলে: 'মসিহ্ আল্লাহ্‌র পুত্র'। এগুলো তাদের মুখের কথা। এরা তাদের মতোই কথা বলে, যারা ইতোপূর্বে কুফুরি করেছিল। আল্লাহ্ তাদের ধ্বংস করুন! কোন্ দিকে তারা ফিরে যাচ্ছে?	وَ قَالَتِ الْيَهُوْدُ عُزَيْرُ ابْنُ اللّٰهِ وَ قَالَتِ النَّصٰرَى الْمَسِيْحُ ابْنُ اللّٰهِ ؕ ذٰلِكَ قَوْلُهُمْ بِاَفْوَاهِهِمْ ۚ يُضَاهِـُٔوْنَ قَوْلَ الَّذِيْنَ كَفَرُوْا مِنْ قَبْلُ ؕ قٰتَلَهُمُ اللّٰهُ ۚ اَنّٰى يُؤْفَكُوْنَ ﴿۳۰﴾
৩১. তারা আল্লাহ্ ছাড়া তাদের পণ্ডিত এবং সংসার বিরাগীদেরও রব বানিয়ে নিয়েছে এবং মরিয়মের পুত্র মসিহ্‌কেও। অথচ তাদেরকে এক ইলাহ্ (আল্লাহ্‌কে) ছাড়া আর কারো ইবাদত করতে আদেশ করা হয়নি। তিনি ছাড়া কোনো ইলাহ্ নেই। তারা যাদেরকে তাঁর শরিক বানায় তিনি তাদের থেকে অনেক ঊর্ধ্বে।	اِتَّخَذُوْۤا اَحْبَارَهُمْ وَ رُهْبَانَهُمْ اَرْبَابًا مِّنْ دُوْنِ اللّٰهِ وَ الْمَسِيْحَ ابْنَ مَرْيَمَ ۚ وَ مَاۤ اُمِرُوْۤا اِلَّا لِيَعْبُدُوْۤا اِلٰهًا وَّاحِدًا ۚ لَاۤ اِلٰهَ اِلَّا هُوَ ؕ سُبْحٰنَهٗ عَمَّا يُشْرِكُوْنَ ﴿۳۱﴾
৩২. তারা আল্লাহ্‌র নূরকে নিভিয়ে দিতে চায় তাদের মুখের ফুৎকারে। অথচ আল্লাহ্ আর কিছুই চান না তাঁর নূরকে পূর্ণতা দান করা ছাড়া, যদিও কাফিররা তা পছন্দ করেনা।	يُرِيْدُوْنَ اَنْ يُّطْفِـُٔوْا نُوْرَ اللّٰهِ بِاَفْوَاهِهِمْ وَ يَاْبَى اللّٰهُ اِلَّاۤ اَنْ يُّتِمَّ نُوْرَهٗ وَ لَوْ كَرِهَ الْكٰفِرُوْنَ ﴿۳۲﴾
৩৩. তিনি সেই মহান সত্তা যিনি তাঁর রসূলকে পাঠিয়েছেন হিদায়াত এবং সত্য দীন নিয়ে অন্যসব দীনের উপর সেটিকে বিজয়ী করার জন্যে, যদিও মুশরিকরা তা পছন্দ করেনা।	هُوَ الَّذِيْۤ اَرْسَلَ رَسُوْلَهٗ بِالْهُدٰى وَ دِيْنِ الْحَقِّ لِيُظْهِرَهٗ عَلَى الدِّيْنِ كُلِّهٖ ۙ وَ لَوْ كَرِهَ الْمُشْرِكُوْنَ ﴿۳۳﴾
৩৪. হে ঈমানদার লোকেরা! জেনে রাখো, পাদ্রী ও সংসার বিরাগীদের অনেকেই অন্যায়ভাবে মানুষের মাল সম্পদ গ্রাস করে এবং আল্লাহ্‌র পথে বাধা সৃষ্টি করে। যারা সোনা রূপা (অর্থ সম্পদ) সঞ্চয় করে এবং তা আল্লাহ্‌র পথে ব্যয় করেনা, তাদেরকে সংবাদ দাও বেদনাদায়ক আযাবের।	يٰۤاَيُّهَا الَّذِيْنَ اٰمَنُوْۤا اِنَّ كَثِيْرًا مِّنَ الْاَحْبَارِ وَ الرُّهْبَانِ لَيَاْكُلُوْنَ اَمْوَالَ النَّاسِ بِالْبَاطِلِ وَيَصُدُّوْنَ عَنْ سَبِيْلِ اللّٰهِ ؕ وَالَّذِيْنَ يَكْنِزُوْنَ الذَّهَبَ وَالْفِضَّةَ وَ لَا يُنْفِقُوْنَهَا فِيْ سَبِيْلِ اللّٰهِ ۙ فَبَشِّرْهُمْ بِعَذَابٍ اَلِيْمٍ ﴿۳۴﴾
৩৫. যেদিন সেগুলো জাহান্নামের আগুনে উত্তপ্ত করা হবে এবং তা দিয়ে তাদের কপালে, পাঁজরে এবং পিঠে দাগ দেয়া হবে, সেদিন বলা হবে, এ হলো সেই সম্পদ যা তোমরা নিজেদের জন্যে জমিয়ে রেখেছিলে, এখন স্বাদ গ্রহণ করো তোমাদের সঞ্চয়ের।	يَّوْمَ يُحْمٰى عَلَيْهَا فِيْ نَارِ جَهَنَّمَ فَتُكْوٰى بِهَا جِبَاهُهُمْ وَ جُنُوْبُهُمْ وَ ظُهُوْرُهُمْ ؕ هٰذَا مَا كَنَزْتُمْ لِاَنْفُسِكُمْ فَذُوْقُوْا مَا كُنْتُمْ تَكْنِزُوْنَ ﴿۳۵﴾

রুকু ০৪

৩৬. আল্লাহ্‌র কাছে আসমান ও জমিন সৃষ্টির দিন থেকে গণনায় মাস বারোটি। এর মধ্যে চারটি নিষিদ্ধ। এটাই প্রতিষ্ঠিত বিধান। সুতরাং এ সময় তোমরা নিজেদের প্রতি যুলুম করোনা। আর মুশরিকদের বিরুদ্ধে সর্বাত্মক লড়াই করো, যেভাবে তারা সর্বাত্মক লড়াই করে তোমাদের বিরুদ্ধে। আর জেনে রাখো, নিশ্চয়ই আল্লাহ্ মুত্তাকিদের সাথে রয়েছেন।	إِنَّ عِدَّةَ الشُّهُورِ عِنْدَ اللّٰهِ اثْنَا عَشَرَ شَهْرًا فِي كِتٰبِ اللّٰهِ يَوْمَ خَلَقَ السَّمٰوٰتِ وَالْأَرْضَ مِنْهَا أَرْبَعَةٌ حُرُمٌ ۗ ذٰلِكَ الدِّينُ الْقَيِّمُ ۙ فَلَا تَظْلِمُوا فِيهِنَّ أَنْفُسَكُمْ وَقَاتِلُوا الْمُشْرِكِينَ كَافَّةً كَمَا يُقَاتِلُونَكُمْ كَافَّةً ۗ وَاعْلَمُوا أَنَّ اللّٰهَ مَعَ الْمُتَّقِينَ ﴿٣٦﴾
৩৭. মাসকে পিছিয়ে দেয়া মূলত কুফুরিকে বৃদ্ধি করা। এর ফলে বিভ্রান্ত করা হয় কাফিরদের। তারা এটাকে কোনো বছর হালাল করে, আবার কোনো বছর করে হারাম। এতে তাদের উদ্দেশ্য হলো আল্লাহ্ যা হারাম করেছেন সেগুলোকে হালাল করা এবং যেনো আল্লাহ্ যেগুলো হারাম করেছেন সেগুলোর গণনা পূর্ণ করতে পারে। তাদের মন্দ কাজ তাদের কাছে লোভনীয় করে দেয়া হয়েছে। আল্লাহ্ কাফিরদের সঠিক পথ দেখান না।	إِنَّمَا النَّسِيٓءُ زِيَادَةٌ فِي الْكُفْرِ يُضَلُّ بِهِ الَّذِينَ كَفَرُوا يُحِلُّونَهٗ عَامًا وَّيُحَرِّمُونَهٗ عَامًا لِّيُوَاطِـُٔوا عِدَّةَ مَا حَرَّمَ اللّٰهُ فَيُحِلُّوا مَا حَرَّمَ اللّٰهُ ۗ زُيِّنَ لَهُمْ سُوٓءُ أَعْمَالِهِمْ ۗ وَاللّٰهُ لَا يَهْدِي الْقَوْمَ الْكٰفِرِينَ ﴿٣٧﴾
৩৮. হে ঈমানদার লোকেরা! তোমাদের কী হলো, তোমাদের যখন আল্লাহ্‌র পথে অভিযানে বের হতে বলা হয়, তোমরা জমিনকে আকড়ে ধরে থাকো? তোমরা কি আখিরাতের পরিবর্তে দুনিয়ার জীবনে রাজি হয়ে গেছো? অথচ আখিরাতের তুলনায় দুনিয়ার জীবনের ভোগের সামগ্রী একেবারেই তুচ্ছ।	يٰٓأَيُّهَا الَّذِينَ اٰمَنُوا مَا لَكُمْ إِذَا قِيلَ لَكُمُ انْفِرُوا فِي سَبِيلِ اللّٰهِ اثَّاقَلْتُمْ إِلَى الْأَرْضِ ۗ أَرَضِيتُمْ بِالْحَيٰوةِ الدُّنْيَا مِنَ الْاٰخِرَةِ ۚ فَمَا مَتَاعُ الْحَيٰوةِ الدُّنْيَا فِي الْاٰخِرَةِ إِلَّا قَلِيلٌ ﴿٣٨﴾
৩৯. তোমরা যদি অভিযানে বের না হও, তোমাদের তিনি আযাব দেবেন এক বেদনাদায়ক আযাব। আর তোমাদের বদলে অপর কোনো লোকদের নিয়ে আসবেন এবং তোমরা তাঁর কোনোই ক্ষতি করতে পারবেনা। প্রতিটি বিষয়ে আল্লাহ্ শক্তিমান।	إِلَّا تَنْفِرُوا يُعَذِّبْكُمْ عَذَابًا أَلِيمًا ۙ وَّيَسْتَبْدِلْ قَوْمًا غَيْرَكُمْ وَلَا تَضُرُّوهُ شَيْـًٔا ۗ وَاللّٰهُ عَلٰى كُلِّ شَيْءٍ قَدِيرٌ ﴿٣٩﴾
৪০. তোমরা যদি তাকে (নবীকে) সাহায্য না করো, তবে জেনে রাখো, ইতোপূর্বেও আল্লাহ্ই তাকে সাহায্য করেছেন, যখন কাফিররা তাকে বের করে দিয়েছিল এবং সে ছিলো দুইজনের দ্বিতীয় জন। যখন তারা দু'জনেই গুহার মধ্যে ছিলো এবং সে তার সাথিকে বলেছিল, 'চিন্তা করো না, নিশ্চয়ই আল্লাহ্ আমাদের সাথে আছেন।' ফলে আল্লাহ্ তার উপর নাযিল করলেন নিজের প্রশান্তি এবং তাকে সাহায্য করলেন এমন একটি সৈন্যবাহিনী দিয়ে যাদের তোমরা দেখোনি। এর মাধ্যমে তিনি কাফিরদের কথা হেয় করে দিলেন আর উপরে উঠিয়ে দিলেন আল্লাহ্‌র বাণীকে। আল্লাহ্ পরাক্রমশালী, প্রজ্ঞাবান।	إِلَّا تَنْصُرُوهُ فَقَدْ نَصَرَهُ اللّٰهُ إِذْ أَخْرَجَهُ الَّذِينَ كَفَرُوا ثَانِيَ اثْنَيْنِ إِذْ هُمَا فِي الْغَارِ إِذْ يَقُولُ لِصَاحِبِهٖ لَا تَحْزَنْ إِنَّ اللّٰهَ مَعَنَا ۚ فَأَنْزَلَ اللّٰهُ سَكِينَتَهٗ عَلَيْهِ وَأَيَّدَهٗ بِجُنُودٍ لَّمْ تَرَوْهَا وَجَعَلَ كَلِمَةَ الَّذِينَ كَفَرُوا السُّفْلٰى ۗ وَكَلِمَةُ اللّٰهِ هِيَ الْعُلْيَا ۗ وَاللّٰهُ عَزِيزٌ حَكِيمٌ ﴿٤٠﴾

রুকু ০৫

اِنْفِرُوْا خِفَافًا وَّ ثِقَالًا وَّ جَاهِدُوْا بِاَمْوَالِكُمْ وَ اَنْفُسِكُمْ فِيْ سَبِيْلِ اللّٰهِ ؕ ذٰلِكُمْ خَيْرٌ لَّكُمْ اِنْ كُنْتُمْ تَعْلَمُوْنَ ﴿۴۱﴾

৪১. তোমরা অভিযানে বেরিয়ে পড়ো হালকা অবস্থায় এবং ভারি অবস্থায় আর আল্লাহ্র পথে জিহাদ করো তোমাদের মাল ও জান দিয়ে। এটাই তোমাদের জন্যে উত্তম যদি তোমরা জানতে!

لَوْ كَانَ عَرَضًا قَرِيْبًا وَّ سَفَرًا قَاصِدًا لَّاتَّبَعُوْكَ وَلٰكِنْۢ بَعُدَتْ عَلَيْهِمُ الشُّقَّةُ ؕ وَسَيَحْلِفُوْنَ بِاللّٰهِ لَوِ اسْتَطَعْنَا لَخَرَجْنَا مَعَكُمْ ۚ يُهْلِكُوْنَ اَنْفُسَهُمْ ۚ وَاللّٰهُ يَعْلَمُ اِنَّهُمْ لَكٰذِبُوْنَ ﴿۴۲﴾

৪২. যদি সম্পদ লাভের আশু সম্ভাবনা থাকতো আর সফর যদি হতো সহজ, তাহলে অবশ্যি তারা তোমার অনুসরণ করতো। কিন্তু তাদের কাছে দীর্ঘ পথের যাত্রা কষ্টকর মনে হলো। তারা অচিরেই আল্লাহ্র নামে শপথ করে বলবে, 'সামর্থ থাকলে অবশ্যি আমরা আপনাদের সাথে বের হতাম।' তারা নিজেদেরই ধ্বংস করছে। আল্লাহ্ জানেন তারা মিথ্যাবাদী।

রুকু ০৬

عَفَا اللّٰهُ عَنْكَ ۚ لِمَ اَذِنْتَ لَهُمْ حَتّٰى يَتَبَيَّنَ لَكَ الَّذِيْنَ صَدَقُوْا وَ تَعْلَمَ الْكٰذِبِيْنَ ﴿۴۳﴾

৪৩. আল্লাহ্ তোমাকে ক্ষমা করুন, তুমি কেন তাদের অব্যাহতি দিলে, যতোক্ষণ না তোমার কাছে প্রমাণিত হয়েছে যে, কারা সত্যবাদী আর কারা মিথ্যাবাদী?

لَا يَسْتَاْذِنُكَ الَّذِيْنَ يُؤْمِنُوْنَ بِاللّٰهِ وَ الْيَوْمِ الْاٰخِرِ اَنْ يُّجَاهِدُوْا بِاَمْوَالِهِمْ وَ اَنْفُسِهِمْ ؕ وَاللّٰهُ عَلِيْمٌۢ بِالْمُتَّقِيْنَ ﴿۴۴﴾

৪৪. যারা আল্লাহ্ ও পরকালের প্রতি ঈমান রাখে, তারা নিজেদের সম্পদ ও জীবন দিয়ে আল্লাহ্র পথে জিহাদে যাবার ব্যাপারে তোমার কাছে অব্যাহতি চায়না। আল্লাহ্ মুত্তাকিদের সম্পর্কে অবহিত।

اِنَّمَا يَسْتَاْذِنُكَ الَّذِيْنَ لَا يُؤْمِنُوْنَ بِاللّٰهِ وَ الْيَوْمِ الْاٰخِرِ وَ ارْتَابَتْ قُلُوْبُهُمْ فَهُمْ فِيْ رَيْبِهِمْ يَتَرَدَّدُوْنَ ﴿۴۵﴾

৪৫. তোমার কাছে অব্যাহতি প্রার্থনা করে তো তারা, যারা আল্লাহ্ ও আখিরাতের প্রতি ঈমান রাখেনা এবং যাদের অন্তরে বিরাজ করছে সন্দেহ। তারা তাদের সংশয়ে দ্বিধাগ্রস্ত।

وَ لَوْ اَرَادُوا الْخُرُوْجَ لَاَعَدُّوْا لَهٗ عُدَّةً وَّ لٰكِنْ كَرِهَ اللّٰهُ انْۢبِعَاثَهُمْ فَثَبَّطَهُمْ وَ قِيْلَ اقْعُدُوْا مَعَ الْقٰعِدِيْنَ ﴿۴۶﴾

৪৬. তারা যদি বের হতে চাইতোই, তাহলে তারা অবশ্যি এর জন্যে প্রস্তুতি নিতো। কিন্তু তাদের (মুনাফিকদের) যুদ্ধ যাত্রা আল্লাহ্ই অপছন্দ করেছেন। ফলে তিনি তাদের বিরত রেখেছেন এবং তাদের বলা হয়েছে, 'বসে থাকাদের সাথে তোমরাও বসে থাকো।'

لَوْ خَرَجُوْا فِيْكُمْ مَّا زَادُوْكُمْ اِلَّا خَبَالًا وَّ لَاۡاَوْضَعُوْا خِلٰلَكُمْ يَبْغُوْنَكُمُ الْفِتْنَةَ ۚ وَ فِيْكُمْ سَمّٰعُوْنَ لَهُمْ ؕ وَ اللّٰهُ عَلِيْمٌۢ بِالظّٰلِمِيْنَ ﴿۴۷﴾

৪৭. তারা যদি যুদ্ধে বের হতো এবং তোমাদের সাথে থাকতো, তাহলে তোমাদের মধ্যে তারা কেবল বিভ্রান্তি বাড়াতো এবং তোমাদের মাঝে ফিতনা সৃষ্টির উদ্দেশ্যে তোমাদের মধ্যেই কেবল ছুটাছুটি করতো। তোমাদের মধ্যেও তাদের কথা শুনার কিছু লোক আছে। আল্লাহ্ যালিমদের ভালোভাবেই জানেন।

لَقَدِ ابْتَغَوُا الْفِتْنَةَ مِنْ قَبْلُ وَ قَلَّبُوْا لَكَ الْاُمُوْرَ حَتّٰى جَآءَ الْحَقُّ وَ ظَهَرَ اَمْرُ اللّٰهِ وَ هُمْ كٰرِهُوْنَ ﴿۴۸﴾

৪৮. এর আগেও তারা ফিতনা সৃষ্টি করতে চেয়েছিল এবং তোমার অনেক কাজ ওলট-পালট করে দিতে চেয়েছিল, যতোক্ষণ না তাদের ইচ্ছার বিরুদ্ধে সত্য এসেছে এবং আল্লাহ্র আদেশ বিজয়ী হয়েছে।

৪৯. তাদের মধ্যে এমন লোকও আছে, যে বলে, 'আমাকে অব্যাহতি দিন আমাকে ফিতনায় ফেলবেন না।' সাবধান, তারা আসলে ফিতনার মধ্যেই পড়ে আছে। অবশ্যি জাহান্নাম কাফিরদের পরিবেষ্টন করবে।	وَ مِنۡهُمۡ مَّنۡ يَّقُوۡلُ ائۡذَنۡ لِّىۡ وَ لَا تَفۡتِنِّىۡ ؕ اَلَا فِى الۡفِتۡنَةِ سَقَطُوۡا ؕ وَ اِنَّ جَهَنَّمَ لَمُحِيۡطَةٌۢ بِالۡكٰفِرِيۡنَ ﴿۴۹﴾
৫০. তোমার কোনো কল্যাণ হলে তাদের মনে কষ্ট লাগে। আবার তোমার কোনো মসিবত ঘটলে তারা বলে, 'আমরা আগেই নিজেদের ব্যাপারে সতর্কতা অবলম্বন করেছিলাম' এবং তারা উৎফুল্ল হয়ে কেটে পড়ে।	اِنۡ تُصِبۡكَ حَسَنَةٌ تَسُؤۡهُمۡ ۚ وَ اِنۡ تُصِبۡكَ مُصِيۡبَةٌ يَّقُوۡلُوۡا قَدۡ اَخَذۡنَاۤ اَمۡرَنَا مِنۡ قَبۡلُ وَ يَتَوَلَّوۡا وَّ هُمۡ فَرِحُوۡنَ ﴿۵۰﴾
৫১. বলোঃ 'আল্লাহ্ আমাদের জন্যে যা লিখে রেখেছেন, তা ছাড়া আমাদের আর কিছুই হবেনা। তিনিই আমাদের মাওলা। আর আল্লাহ্র উপরই তাওয়াক্কুল করা উচিত মুমিনদের।'	قُلۡ لَّنۡ يُّصِيۡبَنَاۤ اِلَّا مَا كَتَبَ اللّٰهُ لَنَا ۚ هُوَ مَوۡلٰٮنَا ۚ وَ عَلَى اللّٰهِ فَلۡيَتَوَكَّلِ الۡمُؤۡمِنُوۡنَ ﴿۵۱﴾
৫২. বলোঃ 'তোমরা কি আমাদের দুইটি কল্যাণের একটির জন্যে অপেক্ষা করছো? অথচ আমরা অপেক্ষা করছি আল্লাহ্ যেনো তাঁর পক্ষ থেকে অথবা আমাদের হাতে তোমাদের শাস্তি দেন। ব্যাস্, অপেক্ষা করো, আমরাও তোমাদের সাথে অপেক্ষায় থাকবো।'	قُلۡ هَلۡ تَرَبَّصُوۡنَ بِنَاۤ اِلَّاۤ اِحۡدَى الۡحُسۡنَيَيۡنِ ؕ وَ نَحۡنُ نَتَرَبَّصُ بِكُمۡ اَنۡ يُّصِيۡبَكُمُ اللّٰهُ بِعَذَابٍ مِّنۡ عِنۡدِهٖۤ اَوۡ بِاَيۡدِيۡنَا ۫ۖ فَتَرَبَّصُوۡۤا اِنَّا مَعَكُمۡ مُّتَرَبِّصُوۡنَ ﴿۵۲﴾
৫৩. বলো : 'তোমরা ইচ্ছায় ব্যয় (দান) করো কিংবা অনিচ্ছায়, তোমাদের থেকে তা কখনো কবুল করা হবেনা। কারণ তোমরা সত্যত্যাগী ফাসিক গোষ্ঠী।'	قُلۡ اَنۡفِقُوۡا طَوۡعًا اَوۡ كَرۡهًا لَّنۡ يُّتَقَبَّلَ مِنۡكُمۡ ؕ اِنَّكُمۡ كُنۡتُمۡ قَوۡمًا فٰسِقِيۡنَ ﴿۵۳﴾
৫৪. তাদের অর্থ সাহায্য গ্রহণ করতে নিষেধ করার কারণ হলো, তারা কুফুরি করেছে আল্লাহ্র প্রতি, তাঁর রসূলের প্রতি এবং আলসেমি ছাড়া তারা সালাতে আসেনা, আর অনিচ্ছাকৃত ছাড়া দান করেনা।	وَ مَا مَنَعَهُمۡ اَنۡ تُقۡبَلَ مِنۡهُمۡ نَفَقٰتُهُمۡ اِلَّاۤ اَنَّهُمۡ كَفَرُوۡا بِاللّٰهِ وَ بِرَسُوۡلِهٖ وَ لَا يَاۡتُوۡنَ الصَّلٰوةَ اِلَّا وَ هُمۡ كُسَالٰى وَ لَا يُنۡفِقُوۡنَ اِلَّا وَ هُمۡ كٰرِهُوۡنَ ﴿۵۴﴾
৫৫. তাদের মাল-সম্পদ এবং সন্তান-সন্ততি যেনো তোমাকে তাজ্জব না করে। এগুলো দিয়ে আল্লাহ্ দুনিয়ার জীবনেই তাদের শাস্তি দিতে চান। তারা কাফির থাকা অবস্থায়ই তাদের আত্মা দেহত্যাগ করবে।	فَلَا تُعۡجِبۡكَ اَمۡوَالُهُمۡ وَ لَاۤ اَوۡلَادُهُمۡ ؕ اِنَّمَا يُرِيۡدُ اللّٰهُ لِيُعَذِّبَهُمۡ بِهَا فِى الۡحَيٰوةِ الدُّنۡيَا وَ تَزۡهَقَ اَنۡفُسُهُمۡ وَ هُمۡ كٰفِرُوۡنَ ﴿۵۵﴾
৫৬. তারা আল্লাহর নামে হলফ করে বলে, তারা তোমাদেরই লোক। আসলে তারা তোমাদের লোক নয়, বরং তারা ভীরু কাপুরুষ।	وَ يَحۡلِفُوۡنَ بِاللّٰهِ اِنَّهُمۡ لَمِنۡكُمۡ ؕ وَ مَا هُمۡ مِّنۡكُمۡ وَ لٰكِنَّهُمۡ قَوۡمٌ يَّفۡرَقُوۡنَ ﴿۵۶﴾
৫৭. তারা কোনো আশ্রয়স্থল, কিংবা গিরিগুহা অথবা প্রবেশস্থল পেলে দৌড়ে গিয়ে সেখানে পালাবে।	لَوۡ يَجِدُوۡنَ مَلۡجَاً اَوۡ مَغٰرٰتٍ اَوۡ مُدَّخَلًا لَّوَلَّوۡا اِلَيۡهِ وَ هُمۡ يَجۡمَحُوۡنَ ﴿۵۷﴾
৫৮. তাদের মধ্যে এমন লোকও আছে, যারা সাদাকা বন্টনের ব্যাপারে তোমাকে দোষারোপ	وَ مِنۡهُمۡ مَّنۡ يَّلۡمِزُكَ فِى الصَّدَقٰتِ ۚ فَاِنۡ

করে। অত:পর সেখান থেকে তাদের কিছু দিলে তুষ্ট হয়ে যায়, আর সেখান থেকে কিছু না দিলে সাথে সাথে বিক্ষুব্ধ হয়ে যায়।	اُعۡطُوۡا مِنۡهَا رَضُوۡا وَ اِنۡ لَّمۡ یُعۡطَوۡا مِنۡهَاۤ اِذَا هُمۡ یَسۡخَطُوۡنَ ﴿۵۸﴾
৫৯. ভালো হতো, আল্লাহ্ এবং আল্লাহ্র রসূল তাদের যা দিয়েছেন তাতেই যদি তারা সন্তুষ্ট থাকতো এবং বলতোঃ 'আল্লাহ্ই আমাদের জন্যে যথেষ্ট, অচিরেই আল্লাহ্ আমাদের দেবেন তাঁর অনুগ্রহ থেকে এবং তাঁর রসূলও। আমরা আল্লাহ্র প্রতি অনুরাগী।'	وَ لَوۡ اَنَّهُمۡ رَضُوۡا مَاۤ اٰتٰهُمُ اللّٰهُ وَ رَسُوۡلُهٗ ۙ وَ قَالُوۡا حَسۡبُنَا اللّٰهُ سَیُؤۡتِیۡنَا اللّٰهُ مِنۡ فَضۡلِهٖ وَ رَسُوۡلُهٗۤ ۙ اِنَّاۤ اِلَی اللّٰهِ رٰغِبُوۡنَ ﴿۵۹﴾
৬০. সাদাকা (যাকাত) পাবে ফকিররা (নিঃস্ব লোকেরা), মিসকিনরা (অভাবীরা), যাকাত সংশ্লিষ্ট কর্মচারীরা, যাদের মনজয় করা উদ্দেশ্য তারা, দাসমুক্তির জন্যে, ঋণ ভারাক্রান্ত-দেউলিয়ারা, আল্লাহ্র পথে এবং পথিকরা। এটা আল্লাহ্র দেয়া বিধান। আল্লাহ্ জ্ঞানী ও প্রজ্ঞাবান।	اِنَّمَا الصَّدَقٰتُ لِلۡفُقَرَآءِ وَ الۡمَسٰکِیۡنِ وَ الۡعٰمِلِیۡنَ عَلَیۡهَا وَ الۡمُؤَلَّفَۃِ قُلُوۡبُهُمۡ وَ فِی الرِّقَابِ وَ الۡغٰرِمِیۡنَ وَ فِیۡ سَبِیۡلِ اللّٰهِ وَ ابۡنِ السَّبِیۡلِ ؕ فَرِیۡضَۃً مِّنَ اللّٰهِ ؕ وَ اللّٰهُ عَلِیۡمٌ حَکِیۡمٌ ﴿۶۰﴾
৬১. তাদের মধ্যে এমন লোকও আছে, যারা নবীকে কষ্ট দেয় এবং বলে, 'তিনি তো কর্ণপাতকারী।' হে নবী! বলো, 'তার কান তোমাদের জন্য কল্যাণকর, তাই শুনে। সে তো আল্লাহ্র প্রতি ঈমান রাখে এবং মুমিনদেরকে বিশ্বাস করে। তোমাদের মধ্যে যারা মুমিন সে তাদের জন্যে রহমত।' যারা আল্লাহ্র রসূলকে কষ্ট দেয় তাদের জন্যে রয়েছে বেদনাদায়ক আযাব।	وَ مِنۡهُمُ الَّذِیۡنَ یُؤۡذُوۡنَ النَّبِیَّ وَ یَقُوۡلُوۡنَ هُوَ اُذُنٌ ؕ قُلۡ اُذُنُ خَیۡرٍ لَّکُمۡ یُؤۡمِنُ بِاللّٰهِ وَ یُؤۡمِنُ لِلۡمُؤۡمِنِیۡنَ وَ رَحۡمَۃٌ لِّلَّذِیۡنَ اٰمَنُوۡا مِنۡکُمۡ ؕ وَ الَّذِیۡنَ یُؤۡذُوۡنَ رَسُوۡلَ اللّٰهِ لَهُمۡ عَذَابٌ اَلِیۡمٌ ﴿۶۱﴾
৬২. তারা তোমাদের সন্তুষ্ট করার জন্যে তোমাদের কাছে আল্লাহ্র নাম নিয়ে হলফ করে। সন্তুষ্ট করার জন্যে তো আল্লাহ্ এবং তাঁর রসূলই অধিক হকদার যদি তারা মুমিন হয়ে থাকে।	یَحۡلِفُوۡنَ بِاللّٰهِ لَکُمۡ لِیُرۡضُوۡکُمۡ ۚ وَ اللّٰهُ وَ رَسُوۡلُهٗۤ اَحَقُّ اَنۡ یُّرۡضُوۡهُ اِنۡ کَانُوۡا مُؤۡمِنِیۡنَ ﴿۶۲﴾
৬৩. তারা কি জানেনা যে, আল্লাহ্ ও তাঁর রসূলের যারা বিরোধিতা করে, তাদের জন্যে রয়েছে জাহান্নামের আগুন। চিরকাল সেখানেই থাকবে তারা। এটা হবে এক মহা লাঞ্ছনা।	اَلَمۡ یَعۡلَمُوۡۤا اَنَّهٗ مَنۡ یُّحَادِدِ اللّٰهَ وَ رَسُوۡلَهٗ فَاَنَّ لَهٗ نَارَ جَهَنَّمَ خَالِدًا فِیۡهَا ؕ ذٰلِکَ الۡخِزۡیُ الۡعَظِیۡمُ ﴿۶۳﴾
৬৪. মুনাফিকরা ভয় পায়, তাদের সম্পর্কে কোনো সূরা নাযিল না হয়, যাতে তাদের মনের খবর প্রকাশ করা হবে। হে নবী! বলো, বিদ্রুপ করতে থাকো। তোমরা যা ভয় পাচ্ছো, আল্লাহ্ তা প্রকাশ করেই ছাড়বেন।	یَحۡذَرُ الۡمُنٰفِقُوۡنَ اَنۡ تُنَزَّلَ عَلَیۡهِمۡ سُوۡرَۃٌ تُنَبِّئُهُمۡ بِمَا فِیۡ قُلُوۡبِهِمۡ ؕ قُلِ اسۡتَهۡزِءُوۡا ۚ اِنَّ اللّٰهَ مُخۡرِجٌ مَّا تَحۡذَرُوۡنَ ﴿۶۴﴾
৬৫. তুমি তাদের জিজ্ঞাসা করলে তারা অবশ্যি বলবে, 'আমরা তো খেল তামাশা করছিলাম।' বলো, 'তোমরা কি আল্লাহ্র পথে, আল্লাহ্র আয়াতের সাথে এবং তাঁর রসূলের সাথে বিদ্রুপ করছিলে?	وَ لَئِنۡ سَاَلۡتَهُمۡ لَیَقُوۡلُنَّ اِنَّمَا کُنَّا نَخُوۡضُ وَ نَلۡعَبُ ؕ قُلۡ اَبِاللّٰهِ وَ اٰیٰتِهٖ وَ رَسُوۡلِهٖ کُنۡتُمۡ تَسۡتَهۡزِءُوۡنَ ﴿۶۵﴾

রুকু ০৭

৬৬. তোমরা ওযর পেশ করার চেষ্টা করোনা। তোমরা ঈমান আনার পর কুফুরি করেছো। তোমাদের মধ্যে একটি দলকে ক্ষমা করলেও অন্য দলকে শাস্তি দেবো, কারণ তারা অপরাধী।	لَا تَعْتَذِرُوْا قَدْ كَفَرْتُمْ بَعْدَ اِيْمَانِكُمْ ؕ اِنْ نَّعْفُ عَنْ طَآئِفَةٍ مِّنْكُمْ نُعَذِّبْ طَآئِفَةًۢ بِاَنَّهُمْ كَانُوْا مُجْرِمِيْنَ ﴿٦٦﴾
৬৭. মুনাফিক পুরুষ আর মুনাফিক নারী তারা একজন আরেকজনের দোসর। তারা মন্দ কাজের আদেশ করে, ভালো কাজে নিষেধ করে এবং (দান করা থেকে) তাদের হাত গুটিয়ে রাখে। তারা আল্লাহ্কে ভুলে গেছে, ফলে তিনিও তাদের উপেক্ষা করে আছেন। নিশ্চয়ই মুনাফিকরা ফাসিক-পাপাচারী।	اَلْمُنٰفِقُوْنَ وَ الْمُنٰفِقٰتُ بَعْضُهُمْ مِّنْۢ بَعْضٍ ۘ يَاْمُرُوْنَ بِالْمُنْكَرِ وَ يَنْهَوْنَ عَنِ الْمَعْرُوْفِ وَ يَقْبِضُوْنَ اَيْدِيَهُمْ ؕ نَسُوا اللّٰهَ فَنَسِيَهُمْ ؕ اِنَّ الْمُنٰفِقِيْنَ هُمُ الْفٰسِقُوْنَ ﴿٦٧﴾
৬৮. আল্লাহ্ মুনাফিক পুরুষ, মুনাফিক নারী আর কাফিরদের ওয়াদা দিয়েছেন জাহান্নামের আগুনের, সেখানেই তারা থাকবে চিরকাল। সেটাই তাদের জন্যে যথেষ্ট। আল্লাহ্ তাদের লানত দিয়েছেন এবং তাদের জন্যে রয়েছে স্থায়ী আযাব।	وَعَدَ اللّٰهُ الْمُنٰفِقِيْنَ وَ الْمُنٰفِقٰتِ وَ الْكُفَّارَ نَارَ جَهَنَّمَ خٰلِدِيْنَ فِيْهَا ؕ هِيَ حَسْبُهُمْ ۚ وَ لَعَنَهُمُ اللّٰهُ ۚ وَ لَهُمْ عَذَابٌ مُّقِيْمٌ ﴿٦٨﴾
৬৯. (হে মুনাফিকরা!) তোমাদের অবস্থা তোমাদের আগেকার (মুনাফিকদের) মতোই। তবে তারা ছিলো তোমাদের চেয়ে অধিক শক্তিশালী আর তাদের ধন-সম্পদ এবং সন্তান-সন্ততিও ছিলো তোমাদের চাইতে বেশি। তাদের ভাগ্যে যা ছিলো তারা তা ভোগ করেছে। আর তোমাদের ভাগ্যে যা ছিলো তোমরাও তা ভোগ করলে যেমন- তোমাদের পূর্ববর্তীরা তাদের ভাগ্যে যা ছিলো তা ভোগ করেছে। তারা যেমন বাহুল্য কথা-বার্তায় লিপ্ত থাকতো, তোমরাও সে রকম বাহুল্য কথা-বার্তায় লিপ্ত রয়েছো। এরাই সেইসব লোক, দুনিয়া ও আখিরাতে যাদের সমস্ত আমল নিষ্ফল হয়ে গেছে। আর এরাই প্রকৃত ক্ষতিগ্রস্ত।	كَالَّذِيْنَ مِنْ قَبْلِكُمْ كَانُوْۤا اَشَدَّ مِنْكُمْ قُوَّةً وَّ اَكْثَرَ اَمْوَالًا وَّ اَوْلَادًا ؕ فَاسْتَمْتَعُوْا بِخَلَاقِهِمْ فَاسْتَمْتَعْتُمْ بِخَلَاقِكُمْ كَمَا اسْتَمْتَعَ الَّذِيْنَ مِنْ قَبْلِكُمْ بِخَلَاقِهِمْ وَ خُضْتُمْ كَالَّذِيْ خَاضُوْا ؕ اُولٰٓئِكَ حَبِطَتْ اَعْمَالُهُمْ فِي الدُّنْيَا وَ الْاٰخِرَةِ ۚ وَ اُولٰٓئِكَ هُمُ الْخٰسِرُوْنَ ﴿٦٩﴾
৭০. এদের কাছে কি তাদের পূর্ববর্তী লোকদের খবর পৌঁছেনি? নূহ, আদ ও সামুদ জাতির, ইবরাহিমের কওম, মাদায়েনবাসী আর বিধ্বস্ত জাতির সংবাদ কি তাদের কাছে আসেনি? তাদের রসূলরা তাদের কাছে সুস্পষ্ট নিদর্শনসহ এসেছিল। তাদের প্রতি যুলুম করা আল্লাহ্র নীতি নয়, বরং তারা নিজেরাই নিজেদের প্রতি যুলুম করেছিল।	اَلَمْ يَاْتِهِمْ نَبَاُ الَّذِيْنَ مِنْ قَبْلِهِمْ قَوْمِ نُوْحٍ وَّ عَادٍ وَّ ثَمُوْدَ ۙ وَ قَوْمِ اِبْرٰهِيْمَ وَ اَصْحٰبِ مَدْيَنَ وَ الْمُؤْتَفِكٰتِ ؕ اَتَتْهُمْ رُسُلُهُمْ بِالْبَيِّنٰتِ ۚ فَمَا كَانَ اللّٰهُ لِيَظْلِمَهُمْ وَ لٰكِنْ كَانُوْۤا اَنْفُسَهُمْ يَظْلِمُوْنَ ﴿٧٠﴾
৭১. মুমিন পুরুষ আর মুমিন নারী পরস্পরের অলি (বন্ধু, অভিভাবক ও পৃষ্ঠপোষক)। তারা ভালো কাজে আদেশ করে, মন্দ কাজ থেকে নিষেধ করে, সালাত কায়েম করে, যাকাত প্রদান করে এবং আল্লাহ্ ও তাঁর রসূলের আনুগত্য করে। এরাই সেইসব লোক, যাদের প্রতি	وَ الْمُؤْمِنُوْنَ وَ الْمُؤْمِنٰتُ بَعْضُهُمْ اَوْلِيَآءُ بَعْضٍ ۘ يَاْمُرُوْنَ بِالْمَعْرُوْفِ وَ يَنْهَوْنَ عَنِ الْمُنْكَرِ وَ يُقِيْمُوْنَ الصَّلٰوةَ وَ يُؤْتُوْنَ الزَّكٰوةَ وَ يُطِيْعُوْنَ اللّٰهَ وَ رَسُوْلَهٗ ؕ اُولٰٓئِكَ

রুকু ০৮

অচিরেই আল্লাহ্ রহম করবেন। নিশ্চয়ই আল্লাহ্ পরাক্রমশালী বিজ্ঞানময়।	سَيَرْحَمُهُمُ اللّٰهُ ؕ اِنَّ اللّٰهَ عَزِيْزٌ حَكِيْمٌ ﴿۷۱﴾
৭২. আল্লাহ্ মুমিন পুরুষ ও মুমিন নারীদের ওয়াদা দিয়েছেন সেই জান্নাতের, যার নিচে দিয়ে বহমান থাকবে নদ-নদী-নহর। তারা সেখানে থাকবে অনন্তকাল। সেই চিরস্থায়ী জান্নাতে থাকবে মনোরম বাসস্থান। আর তাদের জন্যে সর্বশ্রেষ্ঠ পুরস্কার থাকবে আল্লাহ্‌র রেজামন্দি। এটাই প্রকৃতপক্ষে মহাসাফল্য।	وَعَدَ اللّٰهُ الْمُؤْمِنِيْنَ وَ الْمُؤْمِنٰتِ جَنّٰتٍ تَجْرِيْ مِنْ تَحْتِهَا الْاَنْهٰرُ خٰلِدِيْنَ فِيْهَا وَ مَسٰكِنَ طَيِّبَةً فِيْ جَنّٰتِ عَدْنٍ ؕ وَ رِضْوَانٌ مِّنَ اللّٰهِ اَكْبَرُ ؕ ذٰلِكَ هُوَ الْفَوْزُ الْعَظِيْمُ ﴿۷۲﴾
৭৩. হে নবী! জিহাদ করো কাফির এবং মুনাফিকদের বিরুদ্ধে আর কঠোর হও তাদের প্রতি। তাদের বাসস্থান হবে জাহান্নাম, আর সেটা খুবই নিকৃষ্ট ফিরে যাবার জায়গা।	يٰۤاَيُّهَا النَّبِيُّ جَاهِدِ الْكُفَّارَ وَ الْمُنٰفِقِيْنَ وَ اغْلُظْ عَلَيْهِمْ ؕ وَ مَاْوٰىهُمْ جَهَنَّمُ ؕ وَ بِئْسَ الْمَصِيْرُ ﴿۷۳﴾
৭৪. তারা আল্লাহ্‌র নামে হলফ করে বলে, তারা কিছু বলেনি। অথচ তারা কুফুরি কালাম উচ্চারণ করেছে এবং ইসলামে প্রবেশ করার পর কুফুরি করেছে। তারা এমন জিনিসের সংকল্প করেছিল যা তারা পায়নি। আল্লাহ্ তাঁর অনুগ্রহে এবং তাঁর রসূল তাদেরকে অভাবমুক্ত করেছেন বলেই তারা বিরোধিতা করছে। এখন যদি তারা তওবা করে, এটাই হবে তাদের জন্যে উত্তম। আর যদি মুখ ফিরিয়ে নেয়, আল্লাহ্ তাদের আযাব দেবেন এক বেদনাদায়ক আযাব দুনিয়া ও আখিরাতে। আর পৃথিবীতে তাদের কোনো বন্ধু ও সাহায্যকারী থাকবে না।	يَحْلِفُوْنَ بِاللّٰهِ مَا قَالُوْا ؕ وَ لَقَدْ قَالُوْا كَلِمَةَ الْكُفْرِ وَ كَفَرُوْا بَعْدَ اِسْلَامِهِمْ وَ هَمُّوْا بِمَا لَمْ يَنَالُوْا ۚ وَ مَا نَقَمُوْۤا اِلَّاۤ اَنْ اَغْنٰىهُمُ اللّٰهُ وَ رَسُوْلُهٗ مِنْ فَضْلِهٖ ۚ فَاِنْ يَّتُوْبُوْا يَكُ خَيْرًا لَّهُمْ ۚ وَ اِنْ يَّتَوَلَّوْا يُعَذِّبْهُمُ اللّٰهُ عَذَابًا اَلِيْمًا ۙ فِي الدُّنْيَا وَ الْاٰخِرَةِ ۚ وَ مَا لَهُمْ فِي الْاَرْضِ مِنْ وَّلِيٍّ وَّ لَا نَصِيْرٍ ﴿۷۴﴾
৭৫. তাদের মধ্যে কেউ কেউ আল্লাহ্‌র কাছে এই অঙ্গীকার করেছিল: 'আল্লাহ্ যদি তাঁর অনুগ্রহ থেকে আমাদের দান করেন, তবে অবশ্যি আমরা সাদাকা দেবো এবং সৎকর্মশীলদের অন্তরভুক্ত হয়ে যাবো।'	وَ مِنْهُمْ مَّنْ عٰهَدَ اللّٰهَ لَئِنْ اٰتٰىنَا مِنْ فَضْلِهٖ لَنَصَّدَّقَنَّ وَ لَنَكُوْنَنَّ مِنَ الصّٰلِحِيْنَ ﴿۷۵﴾
৭৬. অত:পর আল্লাহ্ যখন তাঁর অনুগ্রহ থেকে তাদের দান করলেন, তারা কৃপণতা প্রদর্শন করলো, বিরোধিতা করলো এবং মুখ ফিরিয়ে নিলো।	فَلَمَّاۤ اٰتٰىهُمْ مِّنْ فَضْلِهٖ بَخِلُوْا بِهٖ وَ تَوَلَّوْا وَّ هُمْ مُّعْرِضُوْنَ ﴿۷۶﴾
৭৭. ফলে তিনি তাদের অন্তরে মুনাফিকি স্থায়ী করে দিলেন তাঁর সাথে তাদের সাক্ষাত হবার দিন পর্যন্ত। কারণ তারা আল্লাহ্‌কে দেয়া তাদের ওয়াদা খেলাফ করেছে এবং মিথ্যাচার করেছে।	فَاَعْقَبَهُمْ نِفَاقًا فِيْ قُلُوْبِهِمْ اِلٰى يَوْمِ يَلْقَوْنَهٗ بِمَاۤ اَخْلَفُوا اللّٰهَ مَا وَعَدُوْهُ وَ بِمَا كَانُوْا يَكْذِبُوْنَ ﴿۷۷﴾
৭৮. তারা কি জানেনা, আল্লাহ্ তাদের মনের গোপন কথা এবং গোপন পরামর্শ অবগত আছেন এবং অবশ্যি আল্লাহ্ গায়েব জান্তা?	اَلَمْ يَعْلَمُوْۤا اَنَّ اللّٰهَ يَعْلَمُ سِرَّهُمْ وَ نَجْوٰىهُمْ وَ اَنَّ اللّٰهَ عَلَّامُ الْغُيُوْبِ ﴿۷۸﴾
৭৯. মুমিনদের মধ্যে যারা সন্তুষ্টচিত্তে সাদাকা (দান ও যাকাত) দেয়, আর যারা শ্রম খাটানো ছাড়া	اَلَّذِيْنَ يَلْمِزُوْنَ الْمُطَّوِّعِيْنَ مِنَ

রুকু ০৯

কিছুই পায়না, তাদেরকে যারা দোষারোপ ও বিদ্রুপ করে, তাদেরকেও আল্লাহ্ বিদ্রুপ করেন আর তাদের জন্যে রয়েছে যন্ত্রণাদায়ক আযাব।	الْمُؤْمِنِيْنَ فِي الصَّدَقٰتِ وَ الَّذِيْنَ لَا يَجِدُوْنَ اِلَّا جُهْدَهُمْ فَيَسْخَرُوْنَ مِنْهُمْ ۭ سَخِرَ اللّٰهُ مِنْهُمْ ۡ وَلَهُمْ عَذَابٌ اَلِيْمٌ ﴿٧٩﴾
৮০. তুমি তাদের জন্যে ক্ষমা প্রার্থনা করো, কিংবা তাদের জন্যে ক্ষমা প্রার্থনা না-ই করো, একই কথা। তুমি তাদের জন্যে সত্তরবার ক্ষমা প্রার্থনা করলেও আল্লাহ্ তাদের কখনো ক্ষমা করবেন না। কারণ তারা আল্লাহ্র এবং তাঁর রসূলের প্রতি কুফুরি করেছে। আল্লাহ্ ফাসিক-পাপাচারী লোকদের সঠিক পথে পরিচালিত করেন না।	اِسْتَغْفِرْ لَهُمْ اَوْ لَا تَسْتَغْفِرْ لَهُمْ ۭ اِنْ تَسْتَغْفِرْ لَهُمْ سَبْعِيْنَ مَرَّةً فَلَنْ يَّغْفِرَ اللّٰهُ لَهُمْ ۭ ذٰلِكَ بِاَنَّهُمْ كَفَرُوْا بِاللّٰهِ وَ رَسُوْلِهٖ ۭ وَ اللّٰهُ لَا يَهْدِي الْقَوْمَ الْفٰسِقِيْنَ ﴿٨٠﴾ (রুকু ১০)
৮১. যারা পেছনে রয়ে গেছে তারা আল্লাহ্র রসূলের বিরুদ্ধাচরণ করে ঘরে বসে থাকার মধ্যেই আনন্দবোধ করে এবং নিজেদের মাল ও জান দিয়ে আল্লাহ্র পথে জিহাদ করাকে অপছন্দ করে। তারা (তবুক যাত্রার প্রাক্কালে) বলেছিল : 'গরমের মধ্যে অভিযানে বের হয়োনা।' তাদের বলো, 'জাহান্নামের আগুন এর চাইতেও অনেক বেশি গরম', যদি তারা বুঝতো!	فَرِحَ الْمُخَلَّفُوْنَ بِمَقْعَدِهِمْ خِلٰفَ رَسُوْلِ اللّٰهِ وَ كَرِهُوْٓا اَنْ يُّجَاهِدُوْا بِاَمْوَالِهِمْ وَ اَنْفُسِهِمْ فِيْ سَبِيْلِ اللّٰهِ وَ قَالُوْا لَا تَنْفِرُوْا فِي الْحَرِّ ۭ قُلْ نَارُ جَهَنَّمَ اَشَدُّ حَرًّا ۭ لَوْ كَانُوْا يَفْقَهُوْنَ ﴿٨١﴾
৮২. সুতরাং তারা কিছুটা হেসে নিক, তারা তো প্রচুর কাঁদবে তাদের কৃতকর্মের কারণে।	فَلْيَضْحَكُوْا قَلِيْلًا وَّ لْيَبْكُوْا كَثِيْرًا ۚ جَزَآءًۢ بِمَا كَانُوْا يَكْسِبُوْنَ ﴿٨٢﴾
৮৩. আল্লাহ্ যদি তোমাকে তাদের কোনো দলের কাছে ফেরত আনেন এবং তারা যদি তোমার কাছে বের হবার জন্যে অনুমতি প্রার্থনা করে, তুমি তাদের বলবে : 'তোমরা আমার সাথে কখনো বের হবেনা এবং আমার সাথি হয়ে শত্রুদের বিরুদ্ধে কখনো যুদ্ধ করবে না। তোমরা তো প্রথমবার বসে থাকাকেই পছন্দ করেছিলে, সুতরাং বসে থাকো পেছনে পড়ে থাকাদের সাথে।'	فَاِنْ رَّجَعَكَ اللّٰهُ اِلٰى طَآئِفَةٍ مِّنْهُمْ فَاسْتَاْذَنُوْكَ لِلْخُرُوْجِ فَقُلْ لَّنْ تَخْرُجُوْا مَعِيَ اَبَدًا وَّ لَنْ تُقَاتِلُوْا مَعِيَ عَدُوًّا ۭ اِنَّكُمْ رَضِيْتُمْ بِالْقُعُوْدِ اَوَّلَ مَرَّةٍ فَاقْعُدُوْا مَعَ الْخٰلِفِيْنَ ﴿٨٣﴾
৮৪. তাদের কেউ মরলে তুমি তার জন্যে (জানাযার) সালাত আদায় করবে না এবং তার কবরেও দাঁড়াবে না। তারা তো কুফুরি করেছে আল্লাহ্র প্রতি এবং তাঁর রসূলের প্রতি, আর তাদের মরণ হয়েছে ফাসিক-পাপিষ্ঠ অবস্থায়।	وَ لَا تُصَلِّ عَلٰٓى اَحَدٍ مِّنْهُمْ مَّاتَ اَبَدًا وَّ لَا تَقُمْ عَلٰى قَبْرِهٖ ۭ اِنَّهُمْ كَفَرُوْا بِاللّٰهِ وَ رَسُوْلِهٖ وَ مَاتُوْا وَ هُمْ فٰسِقُوْنَ ﴿٨٤﴾
৮৫. তাদের ধন-মাল আর আওলাদ সংখ্যা যেনো তোমাকে মুগ্ধ না করে। আল্লাহ্ তো এর মাধ্যমে তাদেরকে দুনিয়ায় শাস্তি দিতে চান। তারা কাফির থাকা অবস্থায়ই তাদের আত্মা দেহ ত্যাগ করবে।	وَ لَا تُعْجِبْكَ اَمْوَالُهُمْ وَ اَوْلَادُهُمْ ۭ اِنَّمَا يُرِيْدُ اللّٰهُ اَنْ يُّعَذِّبَهُمْ بِهَا فِي الدُّنْيَا وَ تَزْهَقَ اَنْفُسُهُمْ وَ هُمْ كٰفِرُوْنَ ﴿٨٥﴾
৮৬. যখন আল্লাহ্র প্রতি ঈমান আনার এবং তাঁর রসূলের সাথি হয়ে জিহাদ করার নির্দেশ নিয়ে কোনো সূরা নাযিল হয়, তখন তাদের	وَ اِذَآ اُنْزِلَتْ سُوْرَةٌ اَنْ اٰمِنُوْا بِاللّٰهِ وَ جَاهِدُوْا مَعَ رَسُوْلِهِ اسْتَاْذَنَكَ اُولُوا

(মুনাফিকদের) মধ্যে যাদের শক্তি-সামর্থ আছে, তারা তোমার কাছে এসে (যুদ্ধে যাওয়া থেকে) অব্যাহতি চায়। তারা বলে, 'আমাদের অব্যাহতি দিন, যারা (যুদ্ধে না গিয়ে) বসে থাকে আমরা তাদের সাথেই থাকবো।'	الطَّوْلِ مِنْهُمْ وَ قَالُوْا ذَرْنَا نَكُنْ مَّعَ الْقٰعِدِيْنَ ﴿٨٦﴾
৮৭. তারা ঘরবাসিনীদের সাথে অবস্থান করাকেই পছন্দ করেছে এবং তাদের অন্তরে সীল মোহর মেরে দেয়া হয়েছে, ফলে তারা (সত্যকে) বুঝতে পারেনা।	رَضُوْا بِاَنْ يَّكُوْنُوْا مَعَ الْخَوَالِفِ وَ طُبِعَ عَلٰى قُلُوْبِهِمْ فَهُمْ لَا يَفْقَهُوْنَ ﴿٨٧﴾
৮৮. আর রসূল এবং তার সাথে যারা ঈমান এনেছে, তারা নিজেদের মাল ও জান দিয়ে যুদ্ধ করেছে, তাদের জন্যেই রয়েছে সমস্ত কল্যাণ এবং তারাই হবে সফলকাম।	لٰكِنِ الرَّسُوْلُ وَ الَّذِيْنَ اٰمَنُوْا مَعَهٗ جٰهَدُوْا بِاَمْوَالِهِمْ وَ اَنْفُسِهِمْ ؕ وَ اُولٰٓئِكَ لَهُمُ الْخَيْرٰتُ ؗ وَاُولٰٓئِكَ هُمُ الْمُفْلِحُوْنَ ﴿٨٨﴾
৮৯. আল্লাহ্ তাদের জন্যে প্রস্তুত রেখেছেন জান্নাত, যার নিচে দিয়ে বহমান থাকবে নদ-নদী-নহর, চিরকাল থাকবে তারা সেখানে। এটাই মহাসাফল্য।	اَعَدَّ اللّٰهُ لَهُمْ جَنّٰتٍ تَجْرِيْ مِنْ تَحْتِهَا الْاَنْهٰرُ خٰلِدِيْنَ فِيْهَا ؕ ذٰلِكَ الْفَوْزُ الْعَظِيْمُ ﴿٨٩﴾
৯০. বেদুঈনদের মধ্যে কিছু লোক এসেছিল যেনো তাদের অব্যাহতি দেয়া হয়, আর যারা পেছনে বসেছিল তারা আল্লাহ্ ও তাঁর রসূলের প্রতি মিথ্যারোপ করেছিল। তাদের মধ্যে যারা কুফুরি করেছে, অচিরেই তাদের স্পর্শ করবে বেদনাদায়ক আযাব।	وَ جَآءَ الْمُعَذِّرُوْنَ مِنَ الْاَعْرَابِ لِيُؤْذَنَ لَهُمْ وَ قَعَدَ الَّذِيْنَ كَذَبُوا اللّٰهَ وَ رَسُوْلَهٗ ؕ سَيُصِيْبُ الَّذِيْنَ كَفَرُوْا مِنْهُمْ عَذَابٌ اَلِيْمٌ ﴿٩٠﴾
৯১. যারা দুর্বল, যারা রোগাক্রান্ত এবং যারা অর্থ খরচে অসমর্থ (যুদ্ধে না গেলে) তাদের কোনো দোষ হবেনা যদি তারা হয়ে থাকে আল্লাহ্ ও তাঁর রসূলের প্রতি বিশ্বস্ত ও আন্তরিক। যারা কল্যাণকামী তাদের বিরুদ্ধে অভিযোগের কোনো কারণ নেই। আল্লাহ্ তো অতীব ক্ষমাশীল, দয়াময়।	لَيْسَ عَلَى الضُّعَفَآءِ وَ لَا عَلَى الْمَرْضٰى وَ لَا عَلَى الَّذِيْنَ لَا يَجِدُوْنَ مَا يُنْفِقُوْنَ حَرَجٌ اِذَا نَصَحُوْا لِلّٰهِ وَ رَسُوْلِهٖ ؕ مَا عَلَى الْمُحْسِنِيْنَ مِنْ سَبِيْلٍ ؕ وَ اللّٰهُ غَفُوْرٌ رَّحِيْمٌ ﴿٩١﴾
৯২. তাদেরও কোনো দোষ হবেনা, যারা যুদ্ধে যাবার জন্যে এসেছিল আর তুমি তাদের বলেছিলে, 'তোমাদের জন্যে আমি কোনো বাহন পাচ্ছি না।' তারা অর্থ ব্যয়ে অসামর্থের দুঃখে কাঁদতে কাঁদতে ফিরে গিয়েছিল।	وَّ لَا عَلَى الَّذِيْنَ اِذَا مَاۤ اَتَوْكَ لِتَحْمِلَهُمْ قُلْتَ لَاۤ اَجِدُ مَاۤ اَحْمِلُكُمْ عَلَيْهِ ۪ تَوَلَّوْا وَّ اَعْيُنُهُمْ تَفِيْضُ مِنَ الدَّمْعِ حَزَنًا اَلَّا يَجِدُوْا مَا يُنْفِقُوْنَ ﴿٩٢﴾
৯৩. যারা অভাবমুক্ত হওয়া সত্ত্বেও অব্যাহতি চেয়েছে, অবশ্যি তাদের বিরুদ্ধে অভিযোগের কারণ আছে। তারা ঘরবাসিনীদের সাথে ঘরে বসে থাকাকেই পছন্দ করেছে। আল্লাহ্ তাদের অন্তরে সীল মোহর মেরে দিয়েছেন, ফলে তারা কিছুই বুঝতে পারেনা।	اِنَّمَا السَّبِيْلُ عَلَى الَّذِيْنَ يَسْتَاْذِنُوْنَكَ وَهُمْ اَغْنِيَآءُ ۚ رَضُوْا بِاَنْ يَّكُوْنُوْا مَعَ الْخَوَالِفِ ۙ وَطَبَعَ اللّٰهُ عَلٰى قُلُوْبِهِمْ فَهُمْ لَا يَعْلَمُوْنَ ﴿٩٣﴾

রুকু ১১

يَعْتَذِرُوْنَ اِلَيْكُمْ اِذَا رَجَعْتُمْ اِلَيْهِمْ ؕ قُلْ لَّا تَعْتَذِرُوْا لَنْ نُّؤْمِنَ لَكُمْ قَدْ نَبَّاَنَا اللّٰهُ مِنْ اَخْبَارِكُمْ ؕ وَ سَيَرَى اللّٰهُ عَمَلَكُمْ وَ رَسُوْلُهٗ ثُمَّ تُرَدُّوْنَ اِلٰى عٰلِمِ الْغَيْبِ وَ الشَّهَادَةِ فَيُنَبِّئُكُمْ بِمَا كُنْتُمْ تَعْمَلُوْنَ ﴿۹۴﴾

৯৪. তোমরা যখন ফিরে আসবে, তখন এসে তারা তোমাদের কাছে ওজর (অজুহাত) পেশ করবে। তুমি বলবে, ‘অজুহাত পেশ করোনা, আমরা তোমাদের কখনো বিশ্বাস করবোনা, আল্লাহ্ তোমাদের খবর আমাদের জানিয়ে দিয়েছেন। তোমাদের কার্যকলাপ আল্লাহ্ দেখবেন এবং তাঁর রসূল। তারপর তোমাদের পাঠানো হবে তাঁর কাছে যিনি গায়েব ও দৃশ্য সবকিছু জানেন। তোমাদের কর্মকাণ্ড সম্পর্কে তিনিই তোমাদের অবহিত করবেন।

سَيَحْلِفُوْنَ بِاللّٰهِ لَكُمْ اِذَا انْقَلَبْتُمْ اِلَيْهِمْ لِتُعْرِضُوْا عَنْهُمْ ؕ فَاَعْرِضُوْا عَنْهُمْ ؕ اِنَّهُمْ رِجْسٌ ۫ وَّمَاْوٰىهُمْ جَهَنَّمُ ۚ جَزَآءًۢ بِمَا كَانُوْا يَكْسِبُوْنَ ﴿۹۵﴾

৯৫. তোমরা (যুদ্ধ থেকে মদিনায়) তাদের কাছে ফিরে এলে তারা আল্লাহ্‌র নামে হলফ করবে, যেনো তোমরা তাদের (যুদ্ধে না যাওয়ার) বিষয়টা উপেক্ষা করো। সুতরাং তোমরা তাদের উপেক্ষা করবে। কারণ, তারা অপবিত্র এবং তাদের (মন্দ) অর্জনের কারণে জাহান্নামই হবে তাদের আবাস।

يَحْلِفُوْنَ لَكُمْ لِتَرْضَوْا عَنْهُمْ ۚ فَاِنْ تَرْضَوْا عَنْهُمْ فَاِنَّ اللّٰهَ لَا يَرْضٰى عَنِ الْقَوْمِ الْفٰسِقِيْنَ ﴿۹۶﴾

৯৬. তারা তোমাদের কাছে হলফ করে, যাতে করে তোমরা তাদের প্রতি রাজি থাকো। তোমরা তাদের প্রতি রাজি হলেও আল্লাহ্ ফাসিক সম্প্রদায়ের প্রতি সন্তুষ্ট হবেন না।

اَلْاَعْرَابُ اَشَدُّ كُفْرًا وَّ نِفَاقًا وَّ اَجْدَرُ اَلَّا يَعْلَمُوْا حُدُوْدَ مَاۤ اَنْزَلَ اللّٰهُ عَلٰى رَسُوْلِهٖ ؕ وَاللّٰهُ عَلِيْمٌ حَكِيْمٌ ﴿۹۷﴾

৯৭. বেদুঈনরা কুফুরি এবং মুনাফিকিতে কঠোর। আল্লাহ্ তাঁর রসূলের প্রতি যা নাযিল করেছেন, তার সীমারেখা সম্পর্কে অজ্ঞ থাকার যোগ্যতা তাদের অনেক বেশি। আল্লাহ্ সর্বজ্ঞানী, বিজ্ঞানময়।

وَمِنَ الْاَعْرَابِ مَنْ يَّتَّخِذُ مَا يُنْفِقُ مَغْرَمًا وَّيَتَرَبَّصُ بِكُمُ الدَّوَآئِرَ ؕ عَلَيْهِمْ دَآئِرَةُ السَّوْءِ ؕ وَاللّٰهُ سَمِيْعٌ عَلِيْمٌ ﴿۹۸﴾

৯৮. মরুবাসী বেদুঈনদের কেউ কেউ আল্লাহ্‌র পথে ব্যয় করাকে অর্থদণ্ড বলে মনে করে এবং তারা তোমাদের ভাগ্য বিপর্যয়ের অপেক্ষা করে। দুর্ভাগ্য তাদেরই! আল্লাহ্ সব শুনেন, সব জানেন।

وَمِنَ الْاَعْرَابِ مَنْ يُّؤْمِنُ بِاللّٰهِ وَالْيَوْمِ الْاٰخِرِ وَيَتَّخِذُ مَا يُنْفِقُ قُرُبٰتٍ عِنْدَ اللّٰهِ وَ صَلَوٰتِ الرَّسُوْلِ ؕ اَلَاۤ اِنَّهَا قُرْبَةٌ لَّهُمْ ؕ سَيُدْخِلُهُمُ اللّٰهُ فِيْ رَحْمَتِهٖ ؕ اِنَّ اللّٰهَ غَفُوْرٌ رَّحِيْمٌ ﴿۹۹﴾

৯৯. মরুবাসী বেদুঈনদের কিছু লোক ঈমান রাখে আল্লাহ্‌র প্রতি এবং আখিরাতের প্রতি এবং তারা যা ব্যয় করে, সেটাকে আল্লাহ্‌র নৈকট্য ও রসূলের দয়া লাভের উপায় মনে করে। আসলেই তা তাদের জন্যে আল্লাহ্‌র নৈকট্য লাভের উপায়। অচিরেই আল্লাহ্ তাদের দাখিল করবেন তাঁর রহমতের মধ্যে। নিশ্চয়ই আল্লাহ্ পরম ক্ষমাশীল দয়াময়।

রুকু ১২

وَالسّٰبِقُوْنَ الْاَوَّلُوْنَ مِنَ الْمُهٰجِرِيْنَ وَالْاَنْصَارِ وَالَّذِيْنَ اتَّبَعُوْهُمْ بِاِحْسَانٍ ۙ رَّضِيَ اللّٰهُ عَنْهُمْ وَرَضُوْا عَنْهُ وَاَعَدَّ لَهُمْ

১০০. মুহাজির ও আনসারদের মধ্যে যারা (ঈমানের দাওয়াত গ্রহণে) প্রথম ও অগ্রগামী আর যারা নিষ্ঠার সাথে তাদের অনুসরণ করছে, তাদের সবার প্রতি আল্লাহ্ রাজি হয়েছেন এবং

তারাও আল্লাহ্‌র প্রতি রাজি। তিনি তাদের জন্যে প্রস্তুত রেখেছেন জান্নাত, যার নিচে দিয়ে বহমান রয়েছে নদ-নদী-নহর। চিরকাল থাকবে তারা সেখানে। এটাই সবচেয়ে বড় সাফল্য।	جَنّٰتٍ تَجۡرِیۡ تَحۡتَهَا الۡاَنۡهٰرُ خٰلِدِیۡنَ فِیۡهَاۤ اَبَدًا ؕ ذٰلِکَ الۡفَوۡزُ الۡعَظِیۡمُ ﴿۱۰۰﴾
১০১. বেদুঈনদের যারা তোমাদের আশপাশে থাকে, তাদের মধ্যে মুনাফিক রয়েছে এবং মদিনাবাসীদের মধ্যেও কেউ কেউ রয়েছে। তারা মুনাফিকিতে পাকা। তুমি তাদের জানো না। আমরা তাদের জানি। আমরা তাদের দুইবার শাস্তি দেবো। তারপর তাদের ফেরত পাঠানো হবে বড় আযাবের (জাহান্নামের) দিকে।	وَمِمَّنۡ حَوۡلَکُمۡ مِّنَ الۡاَعۡرَابِ مُنٰفِقُوۡنَ ۛؕ وَمِنۡ اَهۡلِ الۡمَدِیۡنَةِ ۟ۛ مَرَدُوۡا عَلَی النِّفَاقِ ۟ لَا تَعۡلَمُهُمۡ ؕ نَحۡنُ نَعۡلَمُهُمۡ ؕ سَنُعَذِّبُهُمۡ مَّرَّتَیۡنِ ثُمَّ یُرَدُّوۡنَ اِلٰی عَذَابٍ عَظِیۡمٍ ﴿۱۰۱﴾ۚ
১০২. এছাড়াও কিছু লোক আছে যারা তাদের অপরাধ স্বীকার করেছে। তাদের আমল শংকর (মিশ্র), কিছু ভালো, কিছু মন্দ। আল্লাহ্‌ হয়তো তাদের ক্ষমা করবেন। কারণ, আল্লাহ্‌ পরম ক্ষমাশীল দয়াময়।	وَاٰخَرُوۡنَ اعۡتَرَفُوۡا بِذُنُوۡبِهِمۡ خَلَطُوۡا عَمَلًا صَالِحًا وَّ اٰخَرَ سَیِّئًا ؕ عَسَی اللّٰهُ اَنۡ یَّتُوۡبَ عَلَیۡهِمۡ ؕ اِنَّ اللّٰهَ غَفُوۡرٌ رَّحِیۡمٌ ﴿۱۰۲﴾
১০৩. তাদের মাল-সম্পদ থেকে যাকাত গ্রহণ করো। এর ফলে তুমি তাদের পবিত্র পরিশুদ্ধ ও উন্নত করবে। তুমি তাদের জন্যে দোয়া করো। তোমার দোয়া তাদের জন্যে হবে প্রশান্তির কারণ। আল্লাহ্‌ সব শুনেন, সব জানেন।	خُذۡ مِنۡ اَمۡوَالِهِمۡ صَدَقَةً تُطَهِّرُهُمۡ وَتُزَکِّیۡهِمۡ بِهَا وَصَلِّ عَلَیۡهِمۡ ؕ اِنَّ صَلٰوتَکَ سَکَنٌ لَّهُمۡ ؕ وَاللّٰهُ سَمِیۡعٌ عَلِیۡمٌ ﴿۱۰۳﴾
১০৪. তারা কি জানেনা, আল্লাহ্‌ তাঁর বান্দাদের থেকে তওবা কবুল করেন এবং সাদাকা (দান) গ্রহণ করেন? নিশ্চয়ই আল্লাহ্‌ তওবা কবুলকারী পরম দয়াময়।	اَلَمۡ یَعۡلَمُوۡۤا اَنَّ اللّٰهَ هُوَ یَقۡبَلُ التَّوۡبَةَ عَنۡ عِبَادِهٖ وَیَاۡخُذُ الصَّدَقٰتِ وَاَنَّ اللّٰهَ هُوَ التَّوَّابُ الرَّحِیۡمُ ﴿۱۰۴﴾
১০৫. বলো, তোমরা আমল করতে থাকো, আল্লাহ্‌ তোমাদের আমল দেখছেন আর তাঁর রসূল ও মুমিনরা। অচিরেই তোমাদের ফেরত দেয়া হবে গায়েব ও দৃশ্যের জ্ঞানী মহান আল্লাহ্‌র দিকে, তারপর তিনিই তোমাদের সংবাদ দেবেন তোমাদের কর্মকাণ্ড (কেমন ছিলো সে) সম্পর্কে।	وَ قُلِ اعۡمَلُوۡا فَسَیَرَی اللّٰهُ عَمَلَکُمۡ وَ رَسُوۡلُهٗ وَ الۡمُؤۡمِنُوۡنَ ؕ وَ سَتُرَدُّوۡنَ اِلٰی عٰلِمِ الۡغَیۡبِ وَ الشَّهَادَةِ فَیُنَبِّئُکُمۡ بِمَا کُنۡتُمۡ تَعۡمَلُوۡنَ ﴿۱۰۵﴾ۚ
১০৬. আর আল্লাহ্‌র নির্দেশ আসার অপেক্ষায় অপর কিছু লোকের বিষয়ে ফয়সালা স্থগিত রইলো। তিনি হয় তাদের শাস্তি দেবেন, নয়তো তাদের তওবা কবুল করবেন। আল্লাহ্‌ অতীব জ্ঞানী, প্রজ্ঞাময়।	وَاٰخَرُوۡنَ مُرۡجَوۡنَ لِاَمۡرِ اللّٰهِ اِمَّا یُعَذِّبُهُمۡ وَ اِمَّا یَتُوۡبُ عَلَیۡهِمۡ ؕ وَ اللّٰهُ عَلِیۡمٌ حَکِیۡمٌ ﴿۱۰۶﴾
১০৭. যারা একটি মসজিদ তৈরি করেছে ক্ষতিসাধন, কুফুরি ও মুমিনদের মধ্যে বিভেদ সৃষ্টির উদ্দেশ্যে এবং ইতোপূর্বে যে ব্যক্তি আল্লাহ্‌ ও তাঁর রসূলের বিরুদ্ধে সংগ্রাম করেছে তার গোপন ঘাটি হিসেবে ব্যবহারের উদ্দেশ্যে, তারা অবশ্যি হলফ করে বলবে, 'আমরা সৎ উদ্দেশ্যেই	وَالَّذِیۡنَ اتَّخَذُوۡا مَسۡجِدًا ضِرَارًا وَّکُفۡرًا وَّتَفۡرِیۡقًۢا بَیۡنَ الۡمُؤۡمِنِیۡنَ وَاِرۡصَادًا لِّمَنۡ حَارَبَ اللّٰهَ وَ رَسُوۡلَهٗ مِنۡ قَبۡلُ ؕ وَلَیَحۡلِفُنَّ اِنۡ اَرَدۡنَاۤ اِلَّا الۡحُسۡنٰی ؕ

এটা করেছি।' আল্লাহ্ সাক্ষী, তারা মিথ্যাবাদী।	وَاللّٰهُ يَشْهَدُ اِنَّهُمْ لَكٰذِبُوْنَ ﴿١٠٧﴾
১০৮. তুমি কখনো ঐ মসজিদে দাঁড়াবে না। প্রথম দিন থেকেই যে মসজিদের ভিত স্থাপন করা হয়েছে তাকওয়ার উপর, সেটাই তোমার সালাতের জন্যে অধিক উপযুক্ত। তাতে এমন লোকেরা আছে যারা পবিত্রতা অর্জন পছন্দ করে আর আল্লাহ্ পবিত্রতা অর্জনকারীদের পছন্দ করেন।	لَا تَقُمْ فِيْهِ اَبَدًا ۭ لَمَسْجِدٌ اُسِّسَ عَلَى التَّقْوٰى مِنْ اَوَّلِ يَوْمٍ اَحَقُّ اَنْ تَقُوْمَ فِيْهِ ۭ فِيْهِ رِجَالٌ يُّحِبُّوْنَ اَنْ يَّتَطَهَّرُوْا ۭ وَاللّٰهُ يُحِبُّ الْمُطَّهِّرِيْنَ ﴿١٠٨﴾
১০৯. যে ব্যক্তি তার ঘরের ভিত স্থাপন করে আল্লাহ্ ভীতি ও আল্লাহ্র রেজামন্দির উপর সে উত্তম, নাকি ঐ ব্যক্তি, যে তার ঘরের ভিত স্থাপন করে কোনো গর্তের ধ্বংসোন্মুখ কিনারে, ফলে তা সেটাকে নিয়েই পড়ে যায় জাহান্নামের আগুনে। আল্লাহ্ যালিম লোকদের সঠিক পথ দেখান না।	اَفَمَنْ اَسَّسَ بُنْيَانَهٗ عَلٰى تَقْوٰى مِنَ اللّٰهِ وَرِضْوَانٍ خَيْرٌ اَمْ مَّنْ اَسَّسَ بُنْيَانَهٗ عَلٰى شَفَا جُرُفٍ هَارٍ فَانْهَارَ بِهٖ فِيْ نَارِ جَهَنَّمَ ۭ وَاللّٰهُ لَا يَهْدِي الْقَوْمَ الظّٰلِمِيْنَ ﴿١٠٩﴾
১১০. তাদের নির্মিত ঘর তাদের অন্তরে সন্দেহের কারণ হয়ে থাকবে, যতোক্ষণ না তাদের অন্তর ছিন্নভিন্ন হয়ে যায়। আল্লাহ্ অতীব জ্ঞানী, প্রজ্ঞাময়।	لَا يَزَالُ بُنْيَانُهُمُ الَّذِيْ بَنَوْا رِيْبَةً فِيْ قُلُوْبِهِمْ اِلَّآ اَنْ تَقَطَّعَ قُلُوْبُهُمْ ۭ وَاللّٰهُ عَلِيْمٌ حَكِيْمٌ ﴿١١٠﴾
১১১. নিশ্চয়ই আল্লাহ্ মুমিনদের থেকে তাদের জান ও মাল কিনে নিয়েছেন, বিনিময়ে তারা লাভ করবে জান্নাত। তারা আল্লাহ্র পথে লড়াই করবে, মরবে এবং মারবে। তাওরাত, ইনজিল এবং কুরআনে এ সম্পর্কে হক ওয়াদা রয়েছে। প্রতিজ্ঞা পালনে আল্লাহ্র চাইতে শ্রেষ্ঠ আর কে আছে? তোমরা যে সওদা করেছো তার জন্যে সুসংবাদ গ্রহণ করো। এটাই মহাসাফল্য।	اِنَّ اللّٰهَ اشْتَرٰى مِنَ الْمُؤْمِنِيْنَ اَنْفُسَهُمْ وَاَمْوَالَهُمْ بِاَنَّ لَهُمُ الْجَنَّةَ ۭ يُقَاتِلُوْنَ فِيْ سَبِيْلِ اللّٰهِ فَيَقْتُلُوْنَ وَيُقْتَلُوْنَ وَعْدًا عَلَيْهِ حَقًّا فِي التَّوْرٰىةِ وَالْاِنْجِيْلِ وَالْقُرْاٰنِ ۭ وَمَنْ اَوْفٰى بِعَهْدِهٖ مِنَ اللّٰهِ فَاسْتَبْشِرُوْا بِبَيْعِكُمُ الَّذِيْ بَايَعْتُمْ بِهٖ ۭ وَذٰلِكَ هُوَ الْفَوْزُ الْعَظِيْمُ ﴿١١١﴾
১১২. তারা হয়ে থাকে তওবাকারী, ইবাদতকারী, আল্লাহ্র প্রশংসাকারী, সিয়াম পালনকারী, রুকুকারী, সাজদাকারী, ভালো কাজের আদেশ দানকারী, মন্দ কাজে বাধাদানকারী এবং আল্লাহ্র নির্ধারিত হুদুদ (সীমারেখা) হিফাযতকারী। এসব (গুণের অধিকারী) মুমিনদের সুসংবাদ দাও।	اَلتَّاۗىِٕبُوْنَ الْعٰبِدُوْنَ الْحٰمِدُوْنَ السَّاۗىِٕحُوْنَ الرّٰكِعُوْنَ السّٰجِدُوْنَ الْاٰمِرُوْنَ بِالْمَعْرُوْفِ وَالنَّاهُوْنَ عَنِ الْمُنْكَرِ وَالْحٰفِظُوْنَ لِحُدُوْدِ اللّٰهِ ۭ وَبَشِّرِ الْمُؤْمِنِيْنَ ﴿١١٢﴾
১১৩. নিকটাত্মীয় হলেও মুশরিকদের জন্যে ক্ষমা প্রার্থনা করা নবী এবং মুমিনদের জন্যে সঙ্গত নয়, যখন এ বিষয়টি সুস্পষ্ট হয়ে গেছে যে, তারা নিশ্চিতই জাহান্নামি।	مَا كَانَ لِلنَّبِيِّ وَالَّذِيْنَ اٰمَنُوْٓا اَنْ يَّسْتَغْفِرُوْا لِلْمُشْرِكِيْنَ وَلَوْ كَانُوْٓا اُولِيْ قُرْبٰى مِنْۢ بَعْدِ مَا تَبَيَّنَ لَهُمْ اَنَّهُمْ اَصْحٰبُ الْجَحِيْمِ ﴿١١٣﴾

রুকু ১৩

১১৪. ইবরাহিম যে তার পিতার জন্যে ক্ষমা প্রার্থনা করেছিল তার কারণ, সে তাকে এর জন্যে বিশেষভাবে ওয়াদা দিয়েছিল। কিন্তু যখন তার কাছে একথা পরিষ্কার হয়ে গিয়েছিল যে, সে আল্লাহ্‌র দুশমন, তখন সে তার (পিতার) সাথে সম্পর্ক ছিন্ন করে ফেলে। ইবরাহিম তো অতিশয় কোমল হৃদয় এবং সহনশীল।

وَ مَا كَانَ اسْتِغْفَارُ اِبْرٰهِيْمَ لِاَبِيْهِ اِلَّا عَنْ مَّوْعِدَةٍ وَّعَدَهَاۤ اِيَّاهُ ۚ فَلَمَّا تَبَيَّنَ لَهٗۤ اَنَّهٗ عَدُوٌّ لِّلّٰهِ تَبَرَّاَ مِنْهُ ؕ اِنَّ اِبْرٰهِيْمَ لَاَوَّاهٌ حَلِيْمٌ ﴿١١٤﴾

১১৫. আল্লাহ্‌র নিয়ম এটা নয় যে, তিনি কোনো জনগোষ্ঠীকে সঠিক পথ দেখানোর পর আবার বিপথগামী করে দেবেন, যতোক্ষণ না তাদের কাছে স্পষ্ট হয় যে, কী কী বিষয়ে তাদের সতর্কতা অবলম্বন করতে হবে। নিশ্চয়ই আল্লাহ্ সব বিষয়ে জ্ঞানী।

وَ مَا كَانَ اللّٰهُ لِيُضِلَّ قَوْمًۢا بَعْدَ اِذْ هَدٰىهُمْ حَتّٰى يُبَيِّنَ لَهُمْ مَّا يَتَّقُوْنَ ؕ اِنَّ اللّٰهَ بِكُلِّ شَیْءٍ عَلِيْمٌ ﴿١١٥﴾

১১৬. মহাকাশ ও পৃথিবীর সার্বভৌম কর্তৃত্ব একমাত্র আল্লাহ্‌র। তিনিই জীবন দান করেন, তিনিই মৃত্যু ঘটান। তিনি ছাড়া তোমাদের জন্যে আর কোনো অলিও নেই, সাহায্যকারীও নেই।

اِنَّ اللّٰهَ لَهٗ مُلْكُ السَّمٰوٰتِ وَ الْاَرْضِ ؕ يُحْیٖ وَ يُمِيْتُ ؕ وَ مَا لَكُمْ مِّنْ دُوْنِ اللّٰهِ مِنْ وَّلِیٍّ وَّ لَا نَصِيْرٍ ﴿١١٦﴾

১১৭. আল্লাহ্ অনুগ্রহের দৃষ্টি দিয়েছেন নবীর প্রতি, মুহাজিরদের প্রতি এবং আনসারদের প্রতি, যারা তার (নবীর) অনুসরণ করেছে কঠিন সংকটকালে, যদিও তাদের কিছু লোকের অন্তর বাঁকা হবার উপক্রম হয়েছিল। অত:পর আল্লাহ্ তাদের তওবা কবুল করেন। অবশ্যি আল্লাহ্ তাদের প্রতি অতীব কোমল, পরম দয়াময়।

لَقَدْ تَّابَ اللّٰهُ عَلَى النَّبِیِّ وَ الْمُهٰجِرِيْنَ وَ الْاَنْصَارِ الَّذِيْنَ اتَّبَعُوْهُ فِیْ سَاعَةِ الْعُسْرَةِ مِنْۢ بَعْدِ مَا كَادَ يَزِيْغُ قُلُوْبُ فَرِيْقٍ مِّنْهُمْ ثُمَّ تَابَ عَلَيْهِمْ ؕ اِنَّهٗ بِهِمْ رَءُوْفٌ رَّحِيْمٌ ﴿١١٧﴾

১১৮. তিনি ঐ তিনজনকেও ক্ষমা করে দিয়েছেন, যাদের সম্পর্কে সিদ্ধান্ত স্থগিত রাখা হয়েছিল। শেষ পর্যন্ত তাদের জন্যে প্রশস্ত পৃথিবীও সংকীর্ণ হয়ে পড়েছিল এবং তাদের জীবনও তাদের জন্যে দুর্বিষহ হয়ে পড়েছিল, আর তারা উপলব্ধি করতে পেরেছিল যে, আল্লাহ্ ছাড়া তাদের কোনো আশ্রয়স্থল নেই। তখন তিনি তাদের তওবা কবুল করলেন, যাতে করে তারা ফিরে আসে তাঁর দিকে। নিশ্চয়ই আল্লাহ্ অতিশয় তওবা কবুলকারী, পরম দয়াবান।

রুকু ১৪

وَّ عَلَى الثَّلٰثَةِ الَّذِيْنَ خُلِّفُوْا ؕ حَتّٰۤى اِذَا ضَاقَتْ عَلَيْهِمُ الْاَرْضُ بِمَا رَحُبَتْ وَضَاقَتْ عَلَيْهِمْ اَنْفُسُهُمْ وَظَنُّوْۤا اَنْ لَّا مَلْجَاَ مِنَ اللّٰهِ اِلَّاۤ اِلَيْهِ ؕ ثُمَّ تَابَ عَلَيْهِمْ لِيَتُوْبُوْا ؕ اِنَّ اللّٰهَ هُوَ التَّوَّابُ الرَّحِيْمُ ﴿١١٨﴾

১১৯. হে ঈমানদার লোকেরা! আল্লাহ্‌কে ভয় করো এবং সত্যবাদী-সত্যপন্থীদের সঙ্গী হয়ে যাও।

يٰۤاَيُّهَا الَّذِيْنَ اٰمَنُوا اتَّقُوا اللّٰهَ وَكُوْنُوْا مَعَ الصّٰدِقِيْنَ ﴿١١٩﴾

১২০. মদিনাবাসী এবং আশেপাশের মরু বেদুঈনদের উচিত হয়নি, আল্লাহ্‌র রসূলের সহগামী না হয়ে পেছনে পড়ে থাকা এবং তার জীবন অপেক্ষা নিজেদের জীবনের প্রতি অধিক অনুরাগী হওয়া। কারণ, আল্লাহ্‌র পথে তাদের

مَا كَانَ لِاَهْلِ الْمَدِيْنَةِ وَ مَنْ حَوْلَهُمْ مِّنَ الْاَعْرَابِ اَنْ يَّتَخَلَّفُوْا عَنْ رَّسُوْلِ اللّٰهِ وَلَا يَرْغَبُوْا بِاَنْفُسِهِمْ عَنْ نَّفْسِهٖ ؕ

পিপাসা, ক্লান্তি, ক্ষুধা, কাফিরদের ক্রোধ জাগিয়ে তোলে এমন পদক্ষেপ গ্রহণ করা এবং শত্রুদের পক্ষ থেকে কোনো আঘাতপ্রাপ্ত হওয়া, এসবই তাদের আমলে সালেহ্ (নেক আমল)। নিশ্চয়ই আল্লাহ্ কল্যাণপরায়নদের কর্মফল বিনষ্ট করেন না।	ذٰلِكَ بِاَنَّهُمْ لَا يُصِيْبُهُمْ ظَمَاٌ وَّلَا نَصَبٌ وَّلَا مَخْمَصَةٌ فِيْ سَبِيْلِ اللّٰهِ وَلَا يَطَـُٔوْنَ مَوْطِئًا يَّغِيْظُ الْكُفَّارَ وَلَا يَنَالُوْنَ مِنْ عَدُوٍّ نَّيْلًا اِلَّا كُتِبَ لَهُمْ بِهٖ عَمَلٌ صَالِحٌ ؕ اِنَّ اللّٰهَ لَا يُضِيْعُ اَجْرَ الْمُحْسِنِيْنَ ۝١٢٠
১২১. আর তারা কম ও বেশি যা-ই ব্যয় করে এবং যে কোনো প্রান্তরই অতিক্রম করে, তা তাদের জন্যে পুণ্য হিসাবে লেখা হয়, যাতে করে তারা যা করে আল্লাহ্ তাদেরকে তার চাইতে উত্তম পুরস্কার দিতে পারেন।	وَلَا يُنْفِقُوْنَ نَفَقَةً صَغِيْرَةً وَّلَا كَبِيْرَةً وَّلَا يَقْطَعُوْنَ وَادِيًا اِلَّا كُتِبَ لَهُمْ لِيَجْزِيَهُمُ اللّٰهُ اَحْسَنَ مَا كَانُوْا يَعْمَلُوْنَ ۝١٢١
১২২. সব মুমিনদের একই সাথে অভিযানে বের হওয়া উচিত নয়। তাদের প্রত্যেক দল বা গোত্র থেকে একটি অংশ বের হয়না কেন, যেনো তারা দীন সম্পর্কে জ্ঞান অর্জন করে এবং তাদের জাতিকে সতর্ক করে যখন তারা তাদের কাছে ফিরে যাবে, যাতে করে তারা সতর্ক হয়।	وَمَا كَانَ الْمُؤْمِنُوْنَ لِيَنْفِرُوْا كَآفَّةً ؕ فَلَوْلَا نَفَرَ مِنْ كُلِّ فِرْقَةٍ مِّنْهُمْ طَآئِفَةٌ لِّيَتَفَقَّهُوْا فِي الدِّيْنِ وَلِيُنْذِرُوْا قَوْمَهُمْ اِذَا رَجَعُوْٓا اِلَيْهِمْ لَعَلَّهُمْ يَحْذَرُوْنَ ۝١٢٢
১২৩. হে ঈমানদার লোকেরা! কাফিরদের মধ্যে যারা তোমাদের নিকটবর্তী তাদের বিরুদ্ধে যুদ্ধ করো এবং তারা যেনো তোমাদের মধ্যে দৃঢ়তা দেখতে পায়। জেনে রাখো, আল্লাহ্ মুত্তাকিদের সাথেই আছেন।	يٰٓاَيُّهَا الَّذِيْنَ اٰمَنُوْا قَاتِلُوا الَّذِيْنَ يَلُوْنَكُمْ مِّنَ الْكُفَّارِ وَلْيَجِدُوْا فِيْكُمْ غِلْظَةً ؕ وَاعْلَمُوْٓا اَنَّ اللّٰهَ مَعَ الْمُتَّقِيْنَ ۝١٢٣
১২৪. যখন কোনো সূরা নাযিল হয়, তখন তাদের মধ্যে কেউ কেউ বলে : 'এটি তোমাদের কার ঈমান বাড়িয়ে দিয়েছে?' যারা মুমিন এটি কেবল তাদেরই ঈমান বাড়িয়ে দেয় এবং তারাই আনন্দিত হয়।	وَاِذَا مَآ اُنْزِلَتْ سُوْرَةٌ فَمِنْهُمْ مَّنْ يَّقُوْلُ اَيُّكُمْ زَادَتْهُ هٰذِهٖٓ اِيْمَانًا ۚ فَاَمَّا الَّذِيْنَ اٰمَنُوْا فَزَادَتْهُمْ اِيْمَانًا وَّهُمْ يَسْتَبْشِرُوْنَ ۝١٢٤
১২৫. আর যাদের অন্তরে রোগ আছে তাদের কলুষতার সাথে আরো কলুষতা যোগ করে এবং তাদের মরণ হয় কাফির অবস্থায়।	وَاَمَّا الَّذِيْنَ فِيْ قُلُوْبِهِمْ مَّرَضٌ فَزَادَتْهُمْ رِجْسًا اِلٰى رِجْسِهِمْ وَمَاتُوْا وَهُمْ كٰفِرُوْنَ ۝١٢٥
১২৬. তারা কি দেখেনা, তারা হরেক বছর একবার বা দুইবার ফিতনাগ্রস্ত হয়? তারপরও তারা তওবা করেনা এবং উপদেশ গ্রহণ করেনা।	اَوَلَا يَرَوْنَ اَنَّهُمْ يُفْتَنُوْنَ فِيْ كُلِّ عَامٍ مَّرَّةً اَوْ مَرَّتَيْنِ ثُمَّ لَا يَتُوْبُوْنَ وَلَا هُمْ يَذَّكَّرُوْنَ ۝١٢٦
১২৭. যখনই কোনো সূরা নাযিল হয়, তখন তারা একে অপরের দিকে তাকায় এবং ইশারায় জানতে চায় 'কেউ তোমাদের দেখছে কি?' অত:পর তারা সরে পড়ে। আল্লাহ্ তাদের অন্তরকে সত্য থেকে ঘুরিয়ে দিয়েছেন, কারণ তাদের কোনো বুঝ জ্ঞান নেই।	وَاِذَا مَآ اُنْزِلَتْ سُوْرَةٌ نَّظَرَ بَعْضُهُمْ اِلٰى بَعْضٍ ؕ هَلْ يَرٰىكُمْ مِّنْ اَحَدٍ ثُمَّ انْصَرَفُوْا ؕ صَرَفَ اللّٰهُ قُلُوْبَهُمْ بِاَنَّهُمْ قَوْمٌ لَّا يَفْقَهُوْنَ ۝١٢٧

রুকু ১৫

১২৮. তোমাদের কাছে তোমাদের মধ্য থেকেই এসেছে একজন রসূল। তোমাদের যা কিছু বিপর্যস্ত করে তা তার জন্যে কষ্টদায়ক। সে তোমাদের কল্যাণকামী, মুমিনদের প্রতি অতীব দয়ালু, পরম করুণাময়।	لَقَدۡ جَآءَكُمۡ رَسُوۡلٌ مِّنۡ اَنۡفُسِكُمۡ عَزِيۡزٌ عَلَيۡهِ مَا عَنِتُّمۡ حَرِيۡصٌ عَلَيۡكُمۡ بِالۡمُؤۡمِنِيۡنَ رَءُوۡفٌ رَّحِيۡمٌ ﴿۱۲۸﴾
১২৯. তারা যদি মুখ ফিরিয়ে নেয়, তবে তুমি বলো: 'আল্লাহ্ই আমার জন্যে যথেষ্ট, তিনি ছাড়া আর কোনো ইলাহ্ নেই, তাঁরই উপর আমি তাওয়াক্কুল করলাম, তিনিই মহান আরশের প্রভু।'	فَاِنۡ تَوَلَّوۡا فَقُلۡ حَسۡبِىَ اللّٰهُ ‌ۖ لَاۤ اِلٰهَ اِلَّا هُوَ ‌ؕ عَلَيۡهِ تَوَكَّلۡتُ‌ وَهُوَ رَبُّ الۡعَرۡشِ الۡعَظِيۡمِ ﴿۱۲۹﴾

রুকু ১৬

সূরা ১০ ইউনুস

মক্কায় অবতীর্ণ, আয়াত সংখ্যা: ১০৯, রুকু সংখ্যা: ১১

এই সূরার আলোচ্যসূচি (আয়াত ভিত্তিক আলোচ্য বিষয়)

০১-০৬: কুরআন বিজ্ঞানময় কিতাব। মহাবিশ্ব আল্লাহ্‌র বিজ্ঞানময় সৃষ্টি।
০৭-৭০: আখিরাত, তাওহীদ ও রিসালাতের ব্যাপারে যুক্তি ও উপদেশ।
৭১-৭৪: নিজ জাতির কাছে নূহ আ. এর দাওয়াত। তাদের অস্বীকৃতি ও ধ্বংস।
৭৫-৯৩: ফিরাউন ও তার জনগণের কাছে মূসা ও হারূণ আ.-এর দাওয়াত। তাদের অস্বীকৃতি ও ধ্বংস।
৯৪-১০৯: মানুষ ঈমান না আনলেও নবীগণ হতাশ হবেন না এবং মানুষকে বাধ্যও করবেন না। নবীর চলার পথ সুস্পষ্ট।

সূরা ইউনুস পরম করুণাময় পরম দয়াবান আল্লাহ্‌র নামে	سُوۡرَةُ يُوۡنُسَ بِسۡمِ اللّٰهِ الرَّحۡمٰنِ الرَّحِيۡمِ
০১. আলিফ লাম রা! এগুলো বিজ্ঞানময় কিতাবের আয়াত।	الٓرٰ‌ تِلۡكَ اٰيٰتُ الۡكِتٰبِ الۡحَكِيۡمِ ﴿۱﴾
০২. এটা কি মানুষের জন্য কোনো তাজ্জবের বিষয় যে, আমি তাদেরই এক ব্যক্তির কাছে এই নির্দেশ দিয়ে অহি পাঠিয়েছি: 'তুমি মানুষকে সতর্ক করো এবং মুমিনদের এই সুসংবাদ দাও যে, তাদের জন্যে তাদের প্রভুর কাছে রয়েছে মর্যাদার আসন।' কাফিররা বলে: 'নিশ্চয়ই এ ব্যক্তি একজন সুস্পষ্ট ম্যাজিসিয়ান।'	اَكَانَ لِلنَّاسِ عَجَبًا اَنۡ اَوۡحَيۡنَاۤ اِلٰى رَجُلٍ مِّنۡهُمۡ اَنۡ اَنۡذِرِ النَّاسَ وَبَشِّرِ الَّذِيۡنَ اٰمَنُوۡۤا اَنَّ لَهُمۡ قَدَمَ صِدۡقٍ عِنۡدَ رَبِّهِمۡ‌ ؕ قَالَ الۡكٰفِرُوۡنَ اِنَّ هٰذَا لَسٰحِرٌ مُّبِيۡنٌ ﴿۲﴾
০৩. তোমাদের প্রভু হচ্ছেন আল্লাহ্, যিনি মহাকাশ ও এই পৃথিবী সৃষ্টি করেছেন ছয়টি কালে। তারপর তিনি সমাসীন হয়েছেন আরশে। সব বিষয় তিনিই পরিচালনা করেন। তাঁর অনুমতি ছাড়া কোনো শাফায়াতকারী শাফায়াত করতে পারবেনা। তিনিই আল্লাহ্, তোমাদের প্রভু। সুতরাং তোমরা তাঁরই ইবাদত করো। তোমরা কি উপদেশ গ্রহণ করবেনা?	اِنَّ رَبَّكُمُ اللّٰهُ الَّذِىۡ خَلَقَ السَّمٰوٰتِ وَالۡاَرۡضَ فِىۡ سِتَّةِ اَيَّامٍ ثُمَّ اسۡتَوٰى عَلَى الۡعَرۡشِ‌ يُدَبِّرُ الۡاَمۡرَ‌ ؕ مَا مِنۡ شَفِيۡعٍ اِلَّا مِنۡۢ بَعۡدِ اِذۡنِهٖ‌ ؕ ذٰلِكُمُ اللّٰهُ رَبُّكُمۡ فَاعۡبُدُوۡهُ‌ ؕ اَفَلَا تَذَكَّرُوۡنَ ﴿۳﴾
০৪. তোমাদের সবার প্রত্যাবর্তন হবে তাঁরই কাছে। আল্লাহ্‌র ওয়াদা হক। তিনিই সৃষ্টির	اِلَيۡهِ مَرۡجِعُكُمۡ جَمِيۡعًا‌ ؕ وَعۡدَ اللّٰهِ حَقًّا‌ ؕ

সূচনা করেন এবং তিনিই পুন: সৃষ্টি করবেন যারা ঈমান এনেছে এবং আমলে সালেহ্ করেছে তাদেরকে ইনসাফের সাথে তাদের কর্মফল দেয়ার জন্যে। আর যারা কুফুরি করে, তাদের জন্যে রয়েছে প্রচণ্ড গরম পানির শরবত আর বেদনাদায়ক আযাব, তাদের কুফুরির কারণে।	اِنَّهٗ يَبۡدَؤُا الۡخَلۡقَ ثُمَّ يُعِيۡدُهٗ لِيَجۡزِىَ الَّذِيۡنَ اٰمَنُوۡا وَعَمِلُوا الصّٰلِحٰتِ بِالۡقِسۡطِ ؕ وَالَّذِيۡنَ كَفَرُوۡا لَهُمۡ شَرَابٌ مِّنۡ حَمِيۡمٍ وَّعَذَابٌ اَلِيۡمٌۢ بِمَا كَانُوۡا يَكۡفُرُوۡنَ ④
০৫. তিনিই সূর্যকে বানিয়েছেন আলোদানকারী এবং চাঁদকে করেছেন আলোকিত, আর তার মন্যিল ঠিক করে দিয়েছেন যাতে করে তোমরা বছর গুণতে পারো এবং হিসাব করতে পারো। আল্লাহ্ বাস্তব কারণ ও প্রয়োজন ছাড়া এগুলো সৃষ্টি করেননি। তিনি জ্ঞানীদের জন্যে বিশদভাবে বর্ণনা করেন আয়াত সমূহ।	هُوَ الَّذِىۡ جَعَلَ الشَّمۡسَ ضِيَآءً وَّ الۡقَمَرَ نُوۡرًا وَّ قَدَّرَهٗ مَنَازِلَ لِتَعۡلَمُوۡا عَدَدَ السِّنِيۡنَ وَ الۡحِسَابَ ؕ مَا خَلَقَ اللّٰهُ ذٰلِكَ اِلَّا بِالۡحَقِّ ۚ يُفَصِّلُ الۡاٰيٰتِ لِقَوۡمٍ يَّعۡلَمُوۡنَ ⑤
০৬. নিশ্চয়ই দিন ও রাতের পরিবর্তন এবং মহাকাশ ও পৃথিবীর সৃষ্টির মধ্যে রয়েছে সতর্ক লোকদের জন্যে নিদর্শন।	اِنَّ فِى اخۡتِلَافِ الَّيۡلِ وَ النَّهَارِ وَ مَا خَلَقَ اللّٰهُ فِى السَّمٰوٰتِ وَ الۡاَرۡضِ لَاٰيٰتٍ لِّقَوۡمٍ يَّتَّقُوۡنَ ⑥
০৭. যারা আমাদের সাক্ষাতের আশা করেনা এবং দুনিয়ার জীবন নিয়েই সন্তুষ্ট আর তাতেই পরিতৃপ্ত এবং যারা আমাদের আয়াত সম্পর্কেও গাফিল,	اِنَّ الَّذِيۡنَ لَا يَرۡجُوۡنَ لِقَآءَنَا وَ رَضُوۡا بِالۡحَيٰوةِ الدُّنۡيَا وَ اطۡمَاَنُّوۡا بِهَا وَالَّذِيۡنَ هُمۡ عَنۡ اٰيٰتِنَا غٰفِلُوۡنَ ۙ⑦
০৮. তাদেরই আবাস হবে জাহান্নাম তাদের (মন্দ) কৃতকর্মের কারণে।	اُولٰٓئِكَ مَاۡوٰىهُمُ النَّارُ بِمَا كَانُوۡا يَكۡسِبُوۡنَ ⑧
০৯. যারা ঈমান আনে এবং আমলে সালেহ্ করে, তাদের প্রভু তাদের ঈমানের ভিত্তিতে তাদের পরিচালিত করেন সেই নিয়ামতে ভরা জান্নাতের দিকে, যার নিচে দিয়ে বহমান রয়েছে নদ-নদী-নহর।	اِنَّ الَّذِيۡنَ اٰمَنُوۡا وَ عَمِلُوا الصّٰلِحٰتِ يَهۡدِيۡهِمۡ رَبُّهُمۡ بِاِيۡمَانِهِمۡ ۚ تَجۡرِىۡ مِنۡ تَحۡتِهِمُ الۡاَنۡهٰرُ فِىۡ جَنّٰتِ النَّعِيۡمِ ⑨
১০. সেখানে তাদের দোয়া হবে: 'হে আল্লাহ্! তুমি সকল ত্রুটির উর্ধ্বে, অতীব পবিত্র, অতি মহান!' আর সেখানে তাদের অভিবাদন হবে 'সালাম।' সেখানে তাদের শেষ দোয়া হবে: 'আল হামদুলিল্লাহি রাব্বিল আলামিন-সব প্রশংসা মহাজগতের প্রভু আল্লাহ্র।'	دَعۡوٰىهُمۡ فِيۡهَا سُبۡحٰنَكَ اللّٰهُمَّ وَ تَحِيَّتُهُمۡ فِيۡهَا سَلٰمٌ ۚ وَاٰخِرُ دَعۡوٰىهُمۡ اَنِ الۡحَمۡدُ لِلّٰهِ رَبِّ الۡعٰلَمِيۡنَ ⑩ (রুকু ০১)
১১. আল্লাহ্ যদি মানুষের ক্ষতির বিষয়টা দ্রুত করতেন, যেভাবে তারা তাদের কল্যাণের বিষয়টা দ্রুত করে, তাহলে তাদের মরণ হয়ে যেতো। সুতরাং যারা আমাদের সাক্ষাতের আশা করেনা, আমরা তাদেরকে তাদের বিদ্রোহ ও অবাধ্যতা নিয়ে উদ্ভ্রান্তের মতো ঘুরে বেড়ানোর জন্যে ছেড়ে দেই।	وَلَوۡ يُعَجِّلُ اللّٰهُ لِلنَّاسِ الشَّرَّ اسۡتِعۡجَالَهُمۡ بِالۡخَيۡرِ لَقُضِىَ اِلَيۡهِمۡ اَجَلُهُمۡ ؕ فَنَذَرُ الَّذِيۡنَ لَا يَرۡجُوۡنَ لِقَآءَنَا فِىۡ طُغۡيَانِهِمۡ يَعۡمَهُوۡنَ ⑪

১২. মানুষকে যখন দুঃখ-দুর্দশা স্পর্শ করে, তখন সে আমাদের ডাকে শুয়ে, বসে, কিংবা দাঁড়িয়ে। কিন্তু আমরা যখনই তার দুঃখ-দুর্দশা দূর করে দেই, তখন সে এমনভাবে চলে যেনো তাকে যখন দুঃখ-দুর্দশা স্পর্শ করেছিল, তখন সে আমাকে ডাকেনি। এভাবে সীমালংঘনকারীদের কর্মকাণ্ড তাদের কাছে শোভনীয় করে দেয়া হয়েছে।	وَاِذَا مَسَّ الۡاِنۡسَانَ الضُّرُّ دَعَانَا لِجَنۡۢبِهٖۤ اَوۡ قَاعِدًا اَوۡ قَآئِمًا ۚ فَلَمَّا كَشَفۡنَا عَنۡهُ ضُرَّهٗ مَرَّ كَاَنۡ لَّمۡ يَدۡعُنَاۤ اِلٰى ضُرٍّ مَّسَّهٗ ؕ كَذٰلِكَ زُيِّنَ لِلۡمُسۡرِفِيۡنَ مَا كَانُوۡا يَعۡمَلُوۡنَ ﴿١٢﴾
১৩. তোমাদের আগেকার বহু মানব প্রজন্মকে আমরা ধ্বংস করে দিয়েছি যখন তারা যুলুম করেছিল। তাদের কাছে তাদের রসূলরা এসেছিল স্পষ্ট নিদর্শন নিয়ে। কিন্তু তারা ঈমান আনার জন্যে এগিয়ে আসেনি। এভাবেই আমরা অপরাধী লোকদেরকে তাদের কাজের প্রতিফল দিয়ে থাকি।	وَلَقَدۡ اَهۡلَكۡنَا الۡقُرُوۡنَ مِنۡ قَبۡلِكُمۡ لَمَّا ظَلَمُوۡا ۙ وَجَآءَتۡهُمۡ رُسُلُهُمۡ بِالۡبَيِّنٰتِ وَمَا كَانُوۡا لِيُؤۡمِنُوۡا ؕ كَذٰلِكَ نَجۡزِى الۡقَوۡمَ الۡمُجۡرِمِيۡنَ ﴿١٣﴾
১৪. তাদের পরে আমরা পৃথিবীতে তাদের স্থলাভিষিক্ত করেছি তোমাদেরকে। কারণ, আমরা দেখতে চাই তোমরা কেমন আমল করো।	ثُمَّ جَعَلۡنٰكُمۡ خَلٰٓئِفَ فِى الۡاَرۡضِ مِنۡۢ بَعۡدِهِمۡ لِنَنۡظُرَ كَيۡفَ تَعۡمَلُوۡنَ ﴿١٤﴾
১৫. যখন তাদেরকে আমাদের সুস্পষ্ট আয়াত শুনানো হয়, তখন যারা আমাদের সাক্ষাতের আশা করেনা তারা বলেঃ 'এটির পরিবর্তে অন্য একটি কুরআন আনো, অথবা এটি রদবদল করো।' হে নবী! বলোঃ 'আমার নিজ থেকে এটিতে রদবদল করা আমার কাজ নয়। আমি তো কেবল তারই অনুসরণ করি যা আমার কাছে অহি করা হয়। আমি যদি আমার প্রভুর নির্দেশের অবাধ্য হই, তবে আমি এক মহা ভয়াবহ দিনের আযাবের আশংকা করি।'	وَاِذَا تُتۡلٰى عَلَيۡهِمۡ اٰيَاتُنَا بَيِّنٰتٍ ۙ قَالَ الَّذِيۡنَ لَا يَرۡجُوۡنَ لِقَآءَنَا ائۡتِ بِقُرۡاٰنٍ غَيۡرِ هٰذَاۤ اَوۡ بَدِّلۡهُ ؕ قُلۡ مَا يَكُوۡنُ لِىۡۤ اَنۡ اُبَدِّلَهٗ مِنۡ تِلۡقَآئِ نَفۡسِىۡ ۚ اِنۡ اَتَّبِعُ اِلَّا مَا يُوۡحٰۤى اِلَىَّ ۚ اِنِّىۡۤ اَخَافُ اِنۡ عَصَيۡتُ رَبِّىۡ عَذَابَ يَوۡمٍ عَظِيۡمٍ ﴿١٥﴾
১৬. হে নবী! বলোঃ 'আল্লাহ্ চাইলে আমি এটি তোমাদের কাছে তিলাওয়াত করতাম না এবং তিনিও এ বিষয়ে তোমাদের অবহিত করতেন না। আমি তো আমার একটা দীর্ঘ বয়সকাল তোমাদেরই মাঝে কাটিয়েছি, তবু কি তোমরা আকল খাটাবে না?'	قُلۡ لَّوۡ شَآءَ اللّٰهُ مَا تَلَوۡتُهٗ عَلَيۡكُمۡ وَلَاۤ اَدۡرٰىكُمۡ بِهٖ ۖ فَقَدۡ لَبِثۡتُ فِيۡكُمۡ عُمُرًا مِّنۡ قَبۡلِهٖ ؕ اَفَلَا تَعۡقِلُوۡنَ ﴿١٦﴾
১৭. ঐ ব্যক্তির চাইতে বড় যালিম আর কে হতে পারে, যে মিথ্যা রচনা করে আল্লাহ্র প্রতি আরোপ করে, কিংবা প্রত্যাখ্যান করে তাঁর আয়াতকে? নিশ্চয়ই অপরাধিরা সফলকাম হয়না।	فَمَنۡ اَظۡلَمُ مِمَّنِ افۡتَرٰى عَلَى اللّٰهِ كَذِبًا اَوۡ كَذَّبَ بِاٰيٰتِهٖ ؕ اِنَّهٗ لَا يُفۡلِحُ الۡمُجۡرِمُوۡنَ ﴿١٧﴾
১৮. তারা আল্লাহ্ ছাড়া যে সবের ইবাদত (পূজা, উপাসনা, প্রার্থনা) করে, সেগুলো না তাদের কোনো ক্ষতি করতে পারে, আর না কোনো উপকার। তারা বলেঃ 'এরা আল্লাহ্র কাছে	وَيَعۡبُدُوۡنَ مِنۡ دُوۡنِ اللّٰهِ مَا لَا يَضُرُّهُمۡ وَلَا يَنۡفَعُهُمۡ وَيَقُوۡلُوۡنَ هٰٓؤُلَآءِ شُفَعَآؤُنَا

আমাদের শাফায়াতকারী।’ হে নবী! বলো: ‘তোমরা কি আল্লাহ্কে এমন বিষয় অবহিত করতে চাও, মহাকাশ ও পৃথিবীর মধ্যে যে বিষয়ে তিনি জানেন না?’ তিনি ত্রুটিমুক্ত পবিত্র এবং সেসব থেকে অনেক ঊর্ধ্বে যাদেরকে তোমরা শরিক করছো তাঁর সাথে।	عِنْدَ اللّٰهِ ؕ قُلْ اَتُنَبِّـُٔوْنَ اللّٰهَ بِمَا لَا يَعْلَمُ فِي السَّمٰوٰتِ وَ لَا فِي الْاَرْضِ ؕ سُبْحٰنَهٗ وَ تَعٰلٰى عَمَّا يُشْرِكُوْنَ ﴿۱۸﴾
১৯. মানুষ তো প্রথমে এক উম্মতই ছিলো। পরে তারা ইখতেলাফ (বিভেদ সৃষ্টি) করে। তোমার প্রভুর পূর্ব ঘোষণা না থাকলে তারা যে বিষয়ে ইখতেলাফ করছে তার ফায়সালা হয়ে যেতো।	وَمَا كَانَ النَّاسُ اِلَّاۤ اُمَّةً وَّاحِدَةً فَاخْتَلَفُوْا ؕ وَلَوْ لَا كَلِمَةٌ سَبَقَتْ مِنْ رَّبِّكَ لَقُضِيَ بَيْنَهُمْ فِيْمَا فِيْهِ يَخْتَلِفُوْنَ ﴿۱۹﴾
২০. তারা বলে: ‘তার প্রভুর পক্ষ থেকে তার কাছে কোনো নিদর্শন নাযিল হলো না কেন?’ তুমি বলো: ‘গায়েব তো কেবল আল্লাহ্ই জানেন। সুতরাং তোমরা অপেক্ষা করো, আমিও তোমাদের সাথে অপেক্ষায় থাকলাম।’	وَ يَقُوْلُوْنَ لَوْ لَاۤ اُنْزِلَ عَلَيْهِ اٰيَةٌ مِّنْ رَّبِّهٖ ۚ فَقُلْ اِنَّمَا الْغَيْبُ لِلّٰهِ فَانْتَظِرُوْا ۚ اِنِّيْ مَعَكُمْ مِّنَ الْمُنْتَظِرِيْنَ ﴿۲۰﴾
২১. দুঃখ-দুর্দশা স্পর্শ করার পর যখনই আমরা মানুষকে আমাদের রহমতের স্বাদ আস্বাদন করাই, তখনই তারা আমাদের আয়াতের বিরুদ্ধে চক্রান্তে লিপ্ত হয়। বলো: ‘কৌশল প্রয়োগে আল্লাহ্ সবচেয়ে দ্রুত।’ আমাদের রসূলরা (ফেরেশতারা) রেকর্ড করে রাখছে তোমাদের সব চক্রান্ত।	وَ اِذَاۤ اَذَقْنَا النَّاسَ رَحْمَةً مِّنْۢ بَعْدِ ضَرَّآءَ مَسَّتْهُمْ اِذَا لَهُمْ مَّكْرٌ فِيْۤ اٰيَاتِنَا ؕ قُلِ اللّٰهُ اَسْرَعُ مَكْرًا ؕ اِنَّ رُسُلَنَا يَكْتُبُوْنَ مَا تَمْكُرُوْنَ ﴿۲۱﴾
২২. তিনিই তোমাদের ভ্রমণ করান স্থলভাগে এবং সমুদ্রে। এভাবে তোমরা যখন নৌযানে ভ্রমণ করো এবং সেগুলো আরোহীদের নিয়ে অনুকূল বাতাসে এগিয়ে চলে এবং তাতে তারা আনন্দিত হয়। অত:পর যখন দমকা হাওয়া এবং সবদিক থেকে আগত উত্তাল তরঙ্গমালা সেগুলোকে আক্রমণ করে এবং তারা মনে করে যে, তারা ঘেরাও হয়ে পড়েছে, তখন আল্লাহ্র জন্যে আনুগত্যকে একনিষ্ঠ করে তারা কেবল তাঁকেই ডাকতে থাকে। তারা তখন তাঁকে বলে: ‘তুমি যদি আমাদের উদ্ধার করো তাহলে অবশ্যি আমরা শোকরগুজার হবো।’	هُوَ الَّذِيْ يُسَيِّرُكُمْ فِي الْبَرِّ وَ الْبَحْرِ ؕ حَتّٰۤى اِذَا كُنْتُمْ فِي الْفُلْكِ ۚ وَ جَرَيْنَ بِهِمْ بِرِيْحٍ طَيِّبَةٍ وَّ فَرِحُوْا بِهَا جَآءَتْهَا رِيْحٌ عَاصِفٌ وَّ جَآءَهُمُ الْمَوْجُ مِنْ كُلِّ مَكَانٍ وَّ ظَنُّوْۤا اَنَّهُمْ اُحِيْطَ بِهِمْ ۙ دَعَوُا اللّٰهَ مُخْلِصِيْنَ لَهُ الدِّيْنَ ۚ لَئِنْ اَنْجَيْتَنَا مِنْ هٰذِهٖ لَنَكُوْنَنَّ مِنَ الشّٰكِرِيْنَ ﴿۲۲﴾
২৩. কিন্তু যখন তিনি তাদের বিপদ থেকে নাজাত দেন, তখন তারা না হকভাবে দেশে সীমালংঘন করতে থাকে। হে মানুষ! তোমাদের সীমালংঘন তোমাদেরই ধ্বংসের কারণ হয়। দুনিয়ার জীবনে কিছুটা ভোগবিলাস করে নাও, তারপর আমাদের কাছেই হবে তোমাদের প্রত্যাবর্তন, তখন আমরা তোমাদের অবহিত করবো তোমরা কী সব কাণ্ড কারবার করছিলে।	فَلَمَّاۤ اَنْجٰىهُمْ اِذَا هُمْ يَبْغُوْنَ فِي الْاَرْضِ بِغَيْرِ الْحَقِّ ؕ يٰۤاَيُّهَا النَّاسُ اِنَّمَا بَغْيُكُمْ عَلٰۤى اَنْفُسِكُمْ ۙ مَّتَاعَ الْحَيٰوةِ الدُّنْيَا ۫ ثُمَّ اِلَيْنَا مَرْجِعُكُمْ فَنُنَبِّئُكُمْ بِمَا كُنْتُمْ تَعْمَلُوْنَ ﴿۲۳﴾

রুকু ০২

২৪. দুনিয়ার জীবনের উপমা হলো (বৃষ্টির) পানি, যা আমরা আকাশ থেকে নাযিল করি। তা থেকে গজিয়ে উঠে ভূমিজ উদ্ভিদ ঘন নিবিড় হয়ে। তা থেকেই আহার করে মানুষ এবং জীব-জানোয়ার। তারপর জমিন যখন তার শোভা ধারন করে এবং চাকচিক্যময় হয়ে উঠে আর তার অধিবাসীরা মনে করে, সেগুলো তাদের আয়ত্তাধীন, তখন আমাদের নির্দেশ এসে পড়ে রাতে কিংবা দিনে এবং আমরা সেগুলো এমনভাবে ধ্বংস করে দেই, যেনো গতকালও সেখানে কিছু ছিলনা। এভাবেই আমরা বিশদ বিবরণ দেই আমাদের আয়াতের, চিন্তাশীল লোকদের জন্যে।	اِنَّمَا مَثَلُ الْحَيٰوةِ الدُّنْيَا كَمَآءٍ اَنْزَلْنٰهُ مِنَ السَّمَآءِ فَاخْتَلَطَ بِهٖ نَبَاتُ الْاَرْضِ مِمَّا يَاْكُلُ النَّاسُ وَ الْاَنْعَامُ ؕ حَتّٰۤى اِذَاۤ اَخَذَتِ الْاَرْضُ زُخْرُفَهَا وَ ازَّيَّنَتْ وَ ظَنَّ اَهْلُهَاۤ اَنَّهُمْ قٰدِرُوْنَ عَلَيْهَاۤ ۙ اَتٰىهَاۤ اَمْرُنَا لَيْلًا اَوْ نَهَارًا فَجَعَلْنٰهَا حَصِيْدًا كَاَنْ لَّمْ تَغْنَ بِالْاَمْسِ ؕ كَذٰلِكَ نُفَصِّلُ الْاٰيٰتِ لِقَوْمٍ يَّتَفَكَّرُوْنَ ﴿٢٤﴾
২৫. আল্লাহ্ দাওয়াত দিচ্ছেন দারুস সালামের (শান্তি নিবাসের) দিকে এবং তিনি যাকে চান পরিচালিত করেন সিরাতুল মুস্তাকিমে (সঠিক সুদৃঢ় পথে)।	وَ اللّٰهُ يَدْعُوْۤا اِلٰى دَارِ السَّلٰمِ ؕ وَ يَهْدِيْ مَنْ يَّشَآءُ اِلٰى صِرَاطٍ مُّسْتَقِيْمٍ ﴿٢٥﴾
২৬. যারা কল্যাণের কাজ করে তাদের জন্যে রয়েছে কল্যাণ এবং আরো অধিক। তাদের চেহারাকে আচ্ছন্ন করবেনা কালিমা কিংবা জিল্লতি। তারাই হবে জান্নাতের অধিবাসী, সেখানেই থাকবে তারা চিরকাল।	لِلَّذِيْنَ اَحْسَنُوا الْحُسْنٰى وَ زِيَادَةٌ ؕ وَ لَا يَرْهَقُ وُجُوْهَهُمْ قَتَرٌ وَّ لَا ذِلَّةٌ ؕ اُولٰٓئِكَ اَصْحٰبُ الْجَنَّةِ ۚ هُمْ فِيْهَا خٰلِدُوْنَ ﴿٢٦﴾
২৭. আর যারা কামাই করবে মন্দ কর্ম, তাদের প্রতিফলও হবে অনুরূপ মন্দ। তাদেরকে আচ্ছন্ন করবে জিল্লতি। তাদেরকে আল্লাহ্র (পাকড়াও) থেকে রক্ষা করার কেউ হবেনা। তাদের চেহারা হবে (কালো) যেনো রাতের অন্ধকার আবরণে আচ্ছন্ন। তারাই হবে জাহান্নামের অধিবাসী। সেখানেই থাকবে তারা চিরকাল।	وَالَّذِيْنَ كَسَبُوا السَّيِّاٰتِ جَزَآءُ سَيِّئَةٍۭ بِمِثْلِهَا ۙ وَ تَرْهَقُهُمْ ذِلَّةٌ ؕ مَا لَهُمْ مِّنَ اللّٰهِ مِنْ عَاصِمٍ ۚ كَاَنَّمَاۤ اُغْشِيَتْ وُجُوْهُهُمْ قِطَعًا مِّنَ الَّيْلِ مُظْلِمًا ؕ اُولٰٓئِكَ اَصْحٰبُ النَّارِ ۚ هُمْ فِيْهَا خٰلِدُوْنَ ﴿٢٧﴾
২৮. যেদিন আমরা তাদের সবাইকে হাশর (সমবেত) করবো এবং মুশরিকদের বলবো: 'তোমাদের নিজ নিজ জায়গায় অবস্থান করো, তোমরা নিজেরা এবং তোমরা যাদের শরিক করেছিলে তারা। তারপর আমরা তাদেরকে পরস্পর থেকে আলাদা করে দেবো। তখন তারা যাদের শরিক করেছিল তারা বলবে: "তোমরা তো আমাদের ইবাদত করতে না।	وَيَوْمَ نَحْشُرُهُمْ جَمِيْعًا ثُمَّ نَقُوْلُ لِلَّذِيْنَ اَشْرَكُوْا مَكَانَكُمْ اَنْتُمْ وَشُرَكَآؤُكُمْ ۚ فَزَيَّلْنَا بَيْنَهُمْ وَقَالَ شُرَكَآؤُهُمْ مَّا كُنْتُمْ اِيَّانَا تَعْبُدُوْنَ ﴿٢٨﴾
২৯. আমাদের এবং তোমাদের মাঝে আল্লাহ্ই সাক্ষী হিসেবে যথেষ্ট। (তোমরা যে বলছো তোমরা আমাদের ইবাদত করতে) আমরা তো তোমাদের ইবাদত সম্পর্কে একেবারেই গাফিল ছিলাম।"	فَكَفٰى بِاللّٰهِ شَهِيْدًا بَيْنَنَا وَبَيْنَكُمْ اِنْ كُنَّا عَنْ عِبَادَتِكُمْ لَغٰفِلِيْنَ ﴿٢٩﴾
৩০. সেখানেই তারা প্রত্যেকে নিজ নিজ কৃতকর্ম পরীক্ষা করে নেবে এবং তাদেরকে ফিরিয়ে	هُنَالِكَ تَبْلُوْا كُلُّ نَفْسٍ مَّاۤ اَسْلَفَتْ وَ رُدُّوْۤا

আনা হবে তাদের প্রকৃত মনিব আল্লাহ্‌র দিকে, আর তাদের থেকে উধাও হয়ে যাবে তাদের মনগড়া (সুপারিশকারীরা)।	إِلَى اللّٰهِ مَوْلٰىهُمُ الْحَقِّ وَ ضَلَّ عَنْهُمْ مَّا كَانُوْا يَفْتَرُوْنَ ﴿٣٠﴾
৩১. হে নবী! তাদের জিজ্ঞেস করো: 'কে তোমাদের রিযিক দেন আসমান ও জমিন থেকে? কিংবা শ্রবণ শক্তি ও দৃষ্টি শক্তির কর্তৃত্ব কার? কে বের করেন মৃত থেকে জীবিতকে? কে বের করেন জীবিত থেকে মৃতকে? কে পরিচালনা করেন সমস্ত বিষয়?' এসব প্রশ্নের জবাবে তারা বলবে: 'আল্লাহ্‌'। বলো: 'তাহলে কেন তোমরা সতর্ক হওনা (আল্লাহ্‌র আযাব সম্পর্কে)?'	قُلْ مَنْ يَّرْزُقُكُمْ مِّنَ السَّمَآءِ وَ الْاَرْضِ اَمَّنْ يَّمْلِكُ السَّمْعَ وَ الْاَبْصَارَ وَ مَنْ يُّخْرِجُ الْحَيَّ مِنَ الْمَيِّتِ وَ يُخْرِجُ الْمَيِّتَ مِنَ الْحَيِّ وَ مَنْ يُّدَبِّرُ الْاَمْرَ ؕ فَسَيَقُوْلُوْنَ اللّٰهُ ۚ فَقُلْ اَفَلَا تَتَّقُوْنَ ﴿٣١﴾
৩২. তিনিই আল্লাহ্‌, তোমাদের প্রকৃত প্রভু। সত্য ত্যাগ করলে গোমরাহি ছাড়া আর কী থাকে? তাহলে তোমরা ঘুরে ফিরে কোন্‌ দিকে যাচ্ছো?	فَذٰلِكُمُ اللّٰهُ رَبُّكُمُ الْحَقُّ ۚ فَمَاذَا بَعْدَ الْحَقِّ اِلَّا الضَّلٰلُ ۚۖ فَاَنّٰى تُصْرَفُوْنَ ﴿٣٢﴾
৩৩. এভাবেই ফাসিকদের উপর তোমার প্রভুর বাণী সত্যে পরিণত হয়েছে যে, তারা ঈমান আনবে না।	كَذٰلِكَ حَقَّتْ كَلِمَتُ رَبِّكَ عَلَى الَّذِيْنَ فَسَقُوْۤا اَنَّهُمْ لَا يُؤْمِنُوْنَ ﴿٣٣﴾
৩৪. বলো: তোমরা যাদেরকে আল্লাহ্‌র শরিক বানাও, তাদের মধ্যে এমন কেউ আছে কি, যে সৃষ্টির অস্তিত্ব দেয়, পরে তার পুনরাবৃত্তি ঘটায়? বলো: আল্লাহ্‌ই সৃষ্টির অস্তিত্ব দেন এবং পরে তার পুনরাবৃত্তি ঘটান। ফলে তোমরা কী করে সত্য ত্যাগ করে দূরে সরে যাচ্ছো?	قُلْ هَلْ مِنْ شُرَكَآئِكُمْ مَّنْ يَّبْدَؤُا الْخَلْقَ ثُمَّ يُعِيْدُهٗ ؕ قُلِ اللّٰهُ يَبْدَؤُا الْخَلْقَ ثُمَّ يُعِيْدُهٗ فَاَنّٰى تُؤْفَكُوْنَ ﴿٣٤﴾
৩৫. বলো: তোমরা যাদেরকে আল্লাহ্‌র সাথে শরিক বানাচ্ছো, তাদের মধ্যে এমন কেউ আছে কি, যে সত্যের দিকে পথ দেখায়? বলো: সত্যের দিকে পথ দেখান তো কেবল আল্লাহ্‌। যিনি সত্যের দিকে পথ দেখান তিনি আনুগত্য লাভের অধিক হকদার নাকি সে, যাকে পথ না দেখালে সে নিজেই পথ পায়না? তোমাদের হয়েছে কী? কিভাবে তোমরা ফায়সালা গ্রহণ করো?	قُلْ هَلْ مِنْ شُرَكَآئِكُمْ مَّنْ يَّهْدِيْۤ اِلَى الْحَقِّ ؕ قُلِ اللّٰهُ يَهْدِيْ لِلْحَقِّ ؕ اَفَمَنْ يَّهْدِيْۤ اِلَى الْحَقِّ اَحَقُّ اَنْ يُّتَّبَعَ اَمَّنْ لَّا يَهِدِّيْۤ اِلَّاۤ اَنْ يُّهْدٰى ۚ فَمَا لَكُمْ ۟ كَيْفَ تَحْكُمُوْنَ ﴿٣٥﴾
৩৬. তাদের অধিকাংশই অনুমান ছাড়া আর কিছুরই অনুসরণ করেনা। নিশ্চয়ই অনুমান সত্যে উপনীত হবার ব্যাপারে কোনো কাজেই আসেনা। তারা যা করে সে বিষয়ে আল্লাহ্‌ পূর্ণ অবহিত।	وَ مَا يَتَّبِعُ اَكْثَرُهُمْ اِلَّا ظَنًّا ؕ اِنَّ الظَّنَّ لَا يُغْنِيْ مِنَ الْحَقِّ شَيْـًٔا ؕ اِنَّ اللّٰهَ عَلِيْمٌۢ بِمَا يَفْعَلُوْنَ ﴿٣٦﴾
৩৭. এ কুরআন আল্লাহ্‌ ছাড়া আর কারো পক্ষে রচনা করা সম্ভব নয়। বরং এটি এর পূর্বে যেসব (কিতাব) অবতীর্ণ হয়েছে সেগুলোর সত্যায়নকারী এবং বিধানসমূহের বিশদ বিবরণ। এতে সন্দেহের কোনোই অবকাশ নেই যে, এটি নাযিল হয়েছে মহাজগতের প্রভুর পক্ষ থেকে।	وَ مَا كَانَ هٰذَا الْقُرْاٰنُ اَنْ يُّفْتَرٰى مِنْ دُوْنِ اللّٰهِ وَ لٰكِنْ تَصْدِيْقَ الَّذِيْ بَيْنَ يَدَيْهِ وَ تَفْصِيْلَ الْكِتٰبِ لَا رَيْبَ فِيْهِ مِنْ رَّبِّ الْعٰلَمِيْنَ ﴿٣٧﴾

রুকু ০৩

৩৮. নাকি তারা বলে: এটি সে (মুহাম্মদ) রচনা করে নিয়েছে? তুমি বলো: তাহলে তোমরা এর অনুরূপ একটি সূরা রচনা করে নিয়ে এসো এবং আল্লাহ্ ছাড়া আর যাদেরকে পারো (সহযোগিতার) জন্যে ডেকে নাও, যদি তোমরা সত্যবাদী হয়ে থাকো।

أَمْ يَقُولُونَ افْتَرَاهُ ۖ قُلْ فَأْتُوا بِسُورَةٍ مِّثْلِهِ وَادْعُوا مَنِ اسْتَطَعْتُم مِّن دُونِ اللَّهِ إِن كُنتُمْ صَادِقِينَ ﴿٣٨﴾

৩৯. বরং তারা এমন বিষয় অস্বীকার করছে, যে বিষয়ে জ্ঞান তারা আয়ত্ত করেনি এবং যার তা'বিলও তাদের কাছে আসেনি। তাদের পূর্ববর্তী (কাফিররাও) এভাবেই সত্যকে প্রত্যাখ্যান করেছিল। এখন তাকিয়ে দেখো, যালিমদের কী পরিণতি হয়েছিল!

بَلْ كَذَّبُوا بِمَا لَمْ يُحِيطُوا بِعِلْمِهِ وَلَمَّا يَأْتِهِمْ تَأْوِيلُهُ ۚ كَذَٰلِكَ كَذَّبَ الَّذِينَ مِن قَبْلِهِمْ ۖ فَانظُرْ كَيْفَ كَانَ عَاقِبَةُ الظَّالِمِينَ ﴿٣٩﴾

৪০. তাদের মধ্যে কিছু লোক তার প্রতি ঈমান রাখে আর কিছু লোক ঈমান রাখেনা। তোমার প্রভু ফাসাদ সৃষ্টিকারীদের সবচে' ভালো করে জানেন।

وَمِنْهُم مَّن يُؤْمِنُ بِهِ وَمِنْهُم مَّن لَّا يُؤْمِنُ بِهِ ۚ وَرَبُّكَ أَعْلَمُ بِالْمُفْسِدِينَ ﴿٤٠﴾

রুকু ০৪

৪১. তারা যদি তোমাকে মিথ্যা বলে প্রত্যাখ্যান করে, তুমি তাদের বলো: 'আমার কাজের দায়িত্ব আমার, আর তোমাদের কাজের দায়িত্ব তোমাদের। আমি যে কাজ করি তোমরা তার দায়মুক্ত। আর তোমরা যে কাজ করছো আমিও তার দায়মুক্ত।'

وَإِن كَذَّبُوكَ فَقُل لِّي عَمَلِي وَلَكُمْ عَمَلُكُمْ ۖ أَنتُم بَرِيئُونَ مِمَّا أَعْمَلُ وَأَنَا بَرِيءٌ مِّمَّا تَعْمَلُونَ ﴿٤١﴾

৪২. তাদের কিছু লোক তোমার কথা শুনে। কিন্তু তারা বুঝতে না পারলেও তুমি কি বধিরদের শুনাবে?

وَمِنْهُم مَّن يَسْتَمِعُونَ إِلَيْكَ ۚ أَفَأَنتَ تُسْمِعُ الصُّمَّ وَلَوْ كَانُوا لَا يَعْقِلُونَ ﴿٤٢﴾

৪৩. তাদের মধ্যে কেউ কেউ তোমাকে দেখে। কিন্তু তুমি কি অন্ধদের পথ দেখাবে তারা না দেখলেও?

وَمِنْهُم مَّن يَنظُرُ إِلَيْكَ ۚ أَفَأَنتَ تَهْدِي الْعُمْيَ وَلَوْ كَانُوا لَا يُبْصِرُونَ ﴿٤٣﴾

৪৪. আল্লাহ্ মানুষের প্রতি কোনো প্রকার যুলুম করেন না, বরঞ্চ মানুষই নিজেরা নিজেদের প্রতি যুলুম করে।

إِنَّ اللَّهَ لَا يَظْلِمُ النَّاسَ شَيْئًا وَلَٰكِنَّ النَّاسَ أَنفُسَهُمْ يَظْلِمُونَ ﴿٤٤﴾

৪৫. যেদিন তিনি তাদের হাশর করবেন, সেদিন তাদের মনে হবে (পৃথিবীতে) তারা অবস্থান করেছিল দিনের কিছুক্ষণ মাত্র। তারা পরস্পরকে চিনবে। ক্ষতিগ্রস্ত হয়েছে সেইসব লোক যারা আল্লাহ্‌র সাক্ষাত অস্বীকার করেছে এবং তারা সঠিক পথেও ছিলনা।

وَيَوْمَ يَحْشُرُهُمْ كَأَن لَّمْ يَلْبَثُوا إِلَّا سَاعَةً مِّنَ النَّهَارِ يَتَعَارَفُونَ بَيْنَهُمْ ۚ قَدْ خَسِرَ الَّذِينَ كَذَّبُوا بِلِقَاءِ اللَّهِ وَمَا كَانُوا مُهْتَدِينَ ﴿٤٥﴾

৪৬. আমরা তাদেরকে যে ভয় দেখাচ্ছি, তার কিছুটা যদি তোমার জীবনকালে দেখিয়ে দেই, কিংবা তোমার জীবনকাল যদি পূর্ণ করে দেই, শেষ পর্যন্ত তাদের প্রত্যাবর্তন তো আমাদের কাছেই হবে। তারপর আল্লাহ্ই তো তাদের কর্মকাণ্ডের সাক্ষী।

وَإِمَّا نُرِيَنَّكَ بَعْضَ الَّذِي نَعِدُهُمْ أَوْ نَتَوَفَّيَنَّكَ فَإِلَيْنَا مَرْجِعُهُمْ ثُمَّ اللَّهُ شَهِيدٌ عَلَىٰ مَا يَفْعَلُونَ ﴿٤٦﴾

৪৭. প্রত্যেক উম্মতের জন্যেই ছিলো একজন রসূল। যখনই তাদের কাছে তাদের রসূল এসেছিল, তখন ইনসাফের সাথে তাদের মধ্যে ফায়সালা করে দেয়া হয়েছে। তাদের প্রতি কোনো প্রকার অবিচার করা হয়নি।	وَ لِكُلِّ اُمَّةٍ رَّسُوْلٌ ۚ فَاِذَا جَآءَ رَسُوْلُهُمْ قُضِيَ بَيْنَهُمْ بِالْقِسْطِ وَ هُمْ لَا يُظْلَمُوْنَ ﴿٤٧﴾
৪৮. তারা বলে: 'তোমরা সত্যবাদী হয়ে থাকলে বলো, তোমাদের প্রতিশ্রুতি দেয়া সেই সময়টি কখন আসবে?'	وَ يَقُوْلُوْنَ مَتٰى هٰذَا الْوَعْدُ اِنْ كُنْتُمْ صٰدِقِيْنَ ﴿٤٨﴾
৪৯. হে নবী! বলো: আমার নিজের লাভ ক্ষতির উপরও আমার কোনো অধিকার নেই, তবে আল্লাহ্ কিছু চাইলে ভিন্ন কথা। প্রত্যেক উম্মতেরই একটি নির্ধারিত সময় আছে। যখন তার সেই নির্ধারিত সময়টি আসবে, তখন কিছুক্ষণ সময়ও আগপর হবেনা।	قُلْ لَّآ اَمْلِكُ لِنَفْسِيْ ضَرًّا وَّ لَا نَفْعًا اِلَّا مَا شَآءَ اللّٰهُ ؕ لِكُلِّ اُمَّةٍ اَجَلٌ ؕ اِذَا جَآءَ اَجَلُهُمْ فَلَا يَسْتَاْخِرُوْنَ سَاعَةً وَّ لَا يَسْتَقْدِمُوْنَ ﴿٤٩﴾
৫০. হে নবী! বলো: 'তোমাদের রায় কী; আল্লাহ্‌র আযাব তো রাত বা দিনে তোমাদের উপর এসেই পড়তে পারে। তারপরও অপরাধীরা সেটার জন্যে তাড়াহুড়া করে কেন?'	قُلْ اَرَءَيْتُمْ اِنْ اَتٰىكُمْ عَذَابُهٗ بَيَاتًا اَوْ نَهَارًا مَّاذَا يَسْتَعْجِلُ مِنْهُ الْمُجْرِمُوْنَ ﴿٥٠﴾
৫১. সেটা (কিয়ামত) ঘটে যাবার পরই কি তোমরা ঈমান আনবে? এখন (ঈমান আনবেনা)? তোমরাই তো এর জন্যে তাড়াহুড়া করছিলে।	اَثُمَّ اِذَا مَا وَقَعَ اٰمَنْتُمْ بِهٖ ؕ آٰلْـٰٔنَ وَ قَدْ كُنْتُمْ بِهٖ تَسْتَعْجِلُوْنَ ﴿٥١﴾
৫২. তারপর যালিমদের বলা হবে, চিরস্থায়ী আযাবের স্বাদ গ্রহণ করো। তোমরা যা কামাই করে এসেছো সেটার ছাড়া অন্য কিসের প্রতিফল তোমাদের দেয়া হবে?	ثُمَّ قِيْلَ لِلَّذِيْنَ ظَلَمُوْا ذُوْقُوْا عَذَابَ الْخُلْدِ ۚ هَلْ تُجْزَوْنَ اِلَّا بِمَا كُنْتُمْ تَكْسِبُوْنَ ﴿٥٢﴾
৫৩. (হে নবী!) তারা তোমার কাছে জানতে চায়, সেটা (পুনরুত্থান দিবস) কি সত্য? বলো: 'হ্যাঁ, আমার প্রভুর শপথ সেটা অবশ্যি সত্য। তোমরা সেটার আগমন ঠেকাতে পারবে না।'	وَيَسْتَنْۢبِـُٔوْنَكَ اَحَقٌّ هُوَ ؕ قُلْ اِيْ وَرَبِّيْٓ اِنَّهٗ لَحَقٌّ ؔ ۚ وَمَآ اَنْتُمْ بِمُعْجِزِيْنَ ﴿٥٣﴾ রুকু ০৫
৫৪. আর যদি অন্যায়কারী প্রতিটি ব্যক্তিই পৃথিবীর সবকিছুর মালিকও হয়, তবে সে (কিয়ামতের দিন) মুক্তির বিনিময়ে সবকিছুই দিয়ে দিতে চাইবে। আযাব দেখতে পেলে সে অনুতাপ লুকাবার চেষ্টা করবে। সেদিন ইনসাফের সাথে তাদের মাঝে ফায়সালা করে দেয়া হবে এবং তাদের প্রতি কোনো প্রকার অবিচার করা হবেনা।	وَ لَوْ اَنَّ لِكُلِّ نَفْسٍ ظَلَمَتْ مَا فِي الْاَرْضِ لَافْتَدَتْ بِهٖ ؕ وَ اَسَرُّوا النَّدَامَةَ لَمَّا رَاَوُا الْعَذَابَ ۚ وَ قُضِيَ بَيْنَهُمْ بِالْقِسْطِ وَ هُمْ لَا يُظْلَمُوْنَ ﴿٥٤﴾
৫৫. সাবধান, জেনে রাখো, মহাকাশ এবং পৃথিবীতে যা কিছু আছে সবই আল্লাহ্‌র। সাবধান, জেনে রাখো আল্লাহ্‌র ওয়াদা সত্য। কিন্তু অধিকাংশ লোকই জানেনা।	اَلَآ اِنَّ لِلّٰهِ مَا فِي السَّمٰوٰتِ وَ الْاَرْضِ ؕ اَلَآ اِنَّ وَعْدَ اللّٰهِ حَقٌّ وَّ لٰكِنَّ اَكْثَرَهُمْ لَا يَعْلَمُوْنَ ﴿٥٥﴾
৫৬. তিনি জীবন দান করেন এবং তিনি মরণ দিয়ে থাকেন এবং সবাইকে তাঁরই কাছে ফিরিয়ে নেয়া হবে।	هُوَ يُحْيٖ وَ يُمِيْتُ وَ اِلَيْهِ تُرْجَعُوْنَ ﴿٥٦﴾

৫৭. হে মানুষ! তোমাদের প্রভুর পক্ষ থেকে তোমাদের কাছ এসেছে একটি উপদেশ এবং তোমাদের অন্তরে যা আছে তার নিরাময়, আর হিদায়াত ও রহমত মুমিনদের জন্যে।	يٰۤاَيُّهَا النَّاسُ قَدْ جَآءَتْكُمْ مَّوْعِظَةٌ مِّنْ رَّبِّكُمْ وَ شِفَآءٌ لِّمَا فِي الصُّدُوْرِ ۙ وَ هُدًى وَّ رَحْمَةٌ لِّلْمُؤْمِنِيْنَ ﴿٥٧﴾
৫৮. হে নবী! বলো: 'এই (কুরআন এসেছে) আল্লাহ্‌র অনুগ্রহ এবং তাঁর দয়ায়। সুতরাং এর জন্যে তারা উৎফুল্ল ও আনন্দিত হোক।' তারা যা জমা করে এটি তার চাইতে উত্তম।	قُلْ بِفَضْلِ اللّٰهِ وَ بِرَحْمَتِهٖ فَبِذٰلِكَ فَلْيَفْرَحُوْا ؕ هُوَ خَيْرٌ مِّمَّا يَجْمَعُوْنَ ﴿٥٨﴾
৫৯. হে নবী! বলো: তোমরা ভেবে দেখেছো কি, আল্লাহ্ তোমাদের জন্যে যে রিযিক নাযিল করেছেন, তারপর তোমরা যে সেগুলোর কিছু হালাল আর কিছু হারাম বানিয়ে নিয়েছো- হে নবী! তাদের জিজ্ঞেস করো, তোমাদের এ নির্দেশ কি আল্লাহ্ দিয়েছেন, নাকি তোমরা আল্লাহ্‌র প্রতি মিথ্যারোপ করছো?	قُلْ اَرَءَيْتُمْ مَّاۤ اَنْزَلَ اللّٰهُ لَكُمْ مِّنْ رِّزْقٍ فَجَعَلْتُمْ مِّنْهُ حَرَامًا وَّ حَلٰلًا ؕ قُلْ آٰللّٰهُ اَذِنَ لَكُمْ اَمْ عَلَى اللّٰهِ تَفْتَرُوْنَ ﴿٥٩﴾
৬০. যারা আল্লাহ্‌র সম্পর্কে মিথ্যা রচনা করে, কিয়ামতকাল সম্পর্কে তাদের ধারণা কী? নিশ্চয়ই আল্লাহ্ মানুষের প্রতি বড়ই অনুগ্রহওয়ালা, কিন্তু অধিকাংশ মানুষই শোকর আদায় করেনা।	وَ مَا ظَنُّ الَّذِيْنَ يَفْتَرُوْنَ عَلَى اللّٰهِ الْكَذِبَ يَوْمَ الْقِيٰمَةِ ؕ اِنَّ اللّٰهَ لَذُوْ فَضْلٍ عَلَى النَّاسِ وَ لٰكِنَّ اَكْثَرَهُمْ لَا يَشْكُرُوْنَ ﴿٦٠﴾
৬১. (হে মুহাম্মদ!) তুমি যে অবস্থায়ই থাকো এবং কুরআন থেকে যা-ই তিলাওয়াত করোনা কেন আর (হে মানুষ!) তোমরা যা-ই করোনা কেন, আমরা তোমাদের উপর সাক্ষী থাকি যখন তোমরা তাতে আত্মনিয়োগ করো। মহাকাশ এবং পৃথিবীতে একটি অণু পরিমাণ কিছুও তাঁর অগোচরে নেই এবং তার চাইতে ক্ষুদ্রতম কিংবা বৃহত্তর কিছুই নেই, যা এক সুস্পষ্ট কিতাবে লেখা নেই।	وَ مَا تَكُوْنُ فِيْ شَاْنٍ وَّ مَا تَتْلُوْا مِنْهُ مِنْ قُرْاٰنٍ وَّ لَا تَعْمَلُوْنَ مِنْ عَمَلٍ اِلَّا كُنَّا عَلَيْكُمْ شُهُوْدًا اِذْ تُفِيْضُوْنَ فِيْهِ ؕ وَ مَا يَعْزُبُ عَنْ رَّبِّكَ مِنْ مِّثْقَالِ ذَرَّةٍ فِي الْاَرْضِ وَ لَا فِي السَّمَآءِ وَ لَاۤ اَصْغَرَ مِنْ ذٰلِكَ وَ لَاۤ اَكْبَرَ اِلَّا فِيْ كِتٰبٍ مُّبِيْنٍ ﴿٦١﴾
৬২. জেনে রাখো, নিশ্চয়ই আল্লাহ্‌র অলিদের কোনো ভয় নেই এবং দুঃখ-দুশ্চিন্তাও নেই।	اَلَاۤ اِنَّ اَوْلِيَآءَ اللّٰهِ لَا خَوْفٌ عَلَيْهِمْ وَ لَا هُمْ يَحْزَنُوْنَ ﴿٦٢﴾
৬৩. (তারা হলো সেইসব লোক) যারা ঈমান এনেছে এবং তাকওয়া অবলম্বন করেছে।	اَلَّذِيْنَ اٰمَنُوْا وَ كَانُوْا يَتَّقُوْنَ ﴿٦٣﴾
৬৪. তাদের জন্যে রয়েছে সুসংবাদ দুনিয়ার জীবনে এবং আখিরাতে। আল্লাহ্‌র বাণীর কোনো পরিবর্তন নেই। এটাই মহাসাফল্য।	لَهُمُ الْبُشْرٰى فِي الْحَيٰوةِ الدُّنْيَا وَ فِي الْاٰخِرَةِ ؕ لَا تَبْدِيْلَ لِكَلِمٰتِ اللّٰهِ ؕ ذٰلِكَ هُوَ الْفَوْزُ الْعَظِيْمُ ﴿٦٤﴾
৬৫. (হে নবী! এরা তোমাকে যা কিছু বলছে) তাদের কথা যেনো তোমাকে দুঃখ না দেয়। সমস্ত ইয্যত ও শক্তির মালিক তো আল্লাহ্। তিনি সব শুনেন, সব জানেন।	وَ لَا يَحْزُنْكَ قَوْلُهُمْ ۘ اِنَّ الْعِزَّةَ لِلّٰهِ جَمِيْعًا ؕ هُوَ السَّمِيْعُ الْعَلِيْمُ ﴿٦٥﴾

রুকু ০৬

اَلَآ اِنَّ لِلّٰهِ مَنۡ فِى السَّمٰوٰتِ وَ مَنۡ فِى الۡاَرۡضِ ؕ وَ مَا يَتَّبِعُ الَّذِيۡنَ يَدۡعُوۡنَ مِنۡ دُوۡنِ اللّٰهِ شُرَكَآءَ ؕ اِنۡ يَّتَّبِعُوۡنَ اِلَّا الظَّنَّ وَ اِنۡ هُمۡ اِلَّا يَخۡرُصُوۡنَ ﴿٦٦﴾

৬৬. সাবধান, মহাকাশ এবং পৃথিবীতে যারা আছে সবাই আল্লাহ্‌র। যারা আল্লাহ্‌ ছাড়া অন্যদেরকে আল্লাহ্‌র শরিক বানিয়ে ডাকে, তারা কিসের অনুসরণ করে? তারা তো কেবল অনুমানেরই অনুসরণ করে এবং তারা কেবল মিথ্যাই বলে।

هُوَ الَّذِىۡ جَعَلَ لَكُمُ الَّيۡلَ لِتَسۡكُنُوۡا فِيۡهِ وَ النَّهَارَ مُبۡصِرًا ؕ اِنَّ فِىۡ ذٰلِكَ لَاٰيٰتٍ لِّقَوۡمٍ يَّسۡمَعُوۡنَ ﴿٦٧﴾

৬৭. তিনিই তোমাদের জন্যে রাত বানিয়েছেন বিশ্রামের জন্যে আর দিন বানিয়েছেন দেখার জন্যে। যারা (উপদেশ) শুনে এতে তাদের জন্যে রয়েছে নিদর্শন।

قَالُوا اتَّخَذَ اللّٰهُ وَلَدًا سُبۡحٰنَهٗ ؕ هُوَ الۡغَنِىُّ ؕ لَهٗ مَا فِى السَّمٰوٰتِ وَ مَا فِى الۡاَرۡضِ ؕ اِنۡ عِنۡدَكُمۡ مِّنۡ سُلۡطٰنٍۭ بِهٰذَا ؕ اَتَقُوۡلُوۡنَ عَلَى اللّٰهِ مَا لَا تَعۡلَمُوۡنَ ﴿٦٨﴾

৬৮. তারা বলে: 'আল্লাহ্‌ সন্তান গ্রহণ করেছেন।' তিনি (এ থেকে) পবিত্র মহান। তিনি অভাবমুক্ত। মহাকাশ এবং পৃথিবীতে যা কিছু আছে সবই তাঁর। (তোমরা যা বলছো) সে বিষয়ে তোমাদের কাছে কোনো সার্টিফিকেট নেই। তোমরা কি আল্লাহ্‌র উপর এমন কথা আরোপ করছো, যে বিষয়ে তোমাদের কোনো জ্ঞান নেই?

قُلۡ اِنَّ الَّذِيۡنَ يَفۡتَرُوۡنَ عَلَى اللّٰهِ الۡكَذِبَ لَا يُفۡلِحُوۡنَ ؕ ﴿٦٩﴾

৬৯. হে নবী! বলো: যারা মিথ্যা রচনা করে আল্লাহ্‌র উপর আরোপ করে, তারা সফল হবেনা।

مَتَاعٌ فِى الدُّنۡيَا ثُمَّ اِلَيۡنَا مَرۡجِعُهُمۡ ثُمَّ نُذِيۡقُهُمُ الۡعَذَابَ الشَّدِيۡدَ بِمَا كَانُوۡا يَكۡفُرُوۡنَ ﴿٧٠﴾

৭০. পৃথিবীতে তাদের জন্যে রয়েছে কিছু ভোগ বিলাস। তারপর আমাদের কাছেই হবে তাদের প্রত্যাবর্তন। তখন আমরা তাদের স্বাদ গ্রহণ করাবো কঠিন আযাবের, তাদের কুফুরির কারণে।

রুকু ০৭

وَ اتۡلُ عَلَيۡهِمۡ نَبَاَ نُوۡحٍ ۘ اِذۡ قَالَ لِقَوۡمِهٖ يٰقَوۡمِ اِنۡ كَانَ كَبُرَ عَلَيۡكُمۡ مَّقَامِىۡ وَ تَذۡكِيۡرِىۡ بِاٰيٰتِ اللّٰهِ فَعَلَى اللّٰهِ تَوَكَّلۡتُ فَاَجۡمِعُوۡۤا اَمۡرَكُمۡ وَ شُرَكَآءَكُمۡ ثُمَّ لَا يَكُنۡ اَمۡرُكُمۡ عَلَيۡكُمۡ غُمَّةً ثُمَّ اقۡضُوۡۤا اِلَىَّ وَ لَا تُنۡظِرُوۡنِ ﴿٧١﴾

৭১. তাদের প্রতি তিলাওয়াত করো নূহের সংবাদ। সে তার কওমকে বলেছিল: "হে আমার কওম! আমার অবস্থান এবং আল্লাহ্‌র আয়াতের ভিত্তিতে আমার উপদেশ যদি তোমাদের অসহনীয় হয়, তবে আমি আল্লাহ্‌র উপর তাওয়াক্কুল করলাম। তোমরা যাদেরকে আল্লাহ্‌র সাথে শরিক করছো তাদেরকে সাথে নিয়ে তোমাদের চক্রান্ত ঠিক করে নাও, পরে যেনো তোমাদের চক্রান্তের বিষয়ে তোমাদের কোনো সংশয় না থাকে। তারপর আমার বিরুদ্ধে তোমাদের ফায়সালা ঠিক করে নাও এবং আমাকে কোনো অবকাশ দিও না।

فَاِنۡ تَوَلَّيۡتُمۡ فَمَا سَاَلۡتُكُمۡ مِّنۡ اَجۡرٍ ؕ اِنۡ اَجۡرِىَ اِلَّا عَلَى اللّٰهِ ۙ وَ اُمِرۡتُ اَنۡ اَكُوۡنَ مِنَ الۡمُسۡلِمِيۡنَ ﴿٧٢﴾

৭২. তারপরও যদি তোমরা মুখ ফিরিয়ে নাও নিতে পারো। আমি তো এ কাজের জন্যে তোমাদের কাছে কোনো পারিশ্রমিক চাইনা। আমার প্রতিদানের দায়িত্ব আল্লাহ্‌র উপর। আমাকে নির্দেশ দেয়া হয়েছে, আমি যেনো আত্মসমর্পণকারীদের অন্তরভুক্ত হই।"

৭৩. শেষ পর্যন্ত তারা তাকে (নূহকে) মিথ্যা বলে প্রত্যাখ্যান করে। তখন আমরা তাকে এবং তার সাথে যারা নৌযানে আরোহণ করেছিল তাদেরকে নাজাত দেই এবং তাদেরকে তাদের স্থলাভিষিক্ত করি আর ডুবিয়ে দেই সেইসব লোকদের যারা প্রত্যাখ্যান করেছিল আমাদের আয়াত। চেয়ে দেখো, যাদেরকে সতর্ক করা হয়েছিল, কী করুণ পরিণতি হয়েছিল তাদের!

فَكَذَّبُوْهُ فَنَجَّيْنٰهُ وَ مَنْ مَّعَهٗ فِي الْفُلْكِ وَ جَعَلْنٰهُمْ خَلٰٓئِفَ وَ اَغْرَقْنَا الَّذِيْنَ كَذَّبُوْا بِاٰيٰتِنَا ۚ فَانْظُرْ كَيْفَ كَانَ عَاقِبَةُ الْمُنْذَرِيْنَ ﴿٧٣﴾

৭৪. তার (নূহের) পরেও আমরা আরো অনেক রসূল পাঠিয়েছিলাম তাদের কওমের কাছে। তারা তাদের কাছে এসেছিল সুস্পষ্ট নিদর্শনসমূহ নিয়ে। কিন্তু তারা আগে যা প্রত্যাখ্যান করেছে তার প্রতি আর ঈমান আনতে প্রস্তুত হয়নি। এভাবেই আমরা সীমালংঘনকারীদের অন্তর সীলগালা করে দেই।

ثُمَّ بَعَثْنَا مِنْۢ بَعْدِهٖ رُسُلًا اِلٰى قَوْمِهِمْ فَجَآءُوْهُمْ بِالْبَيِّنٰتِ فَمَا كَانُوْا لِيُؤْمِنُوْا بِمَا كَذَّبُوْا بِهٖ مِنْ قَبْلُ ؕ كَذٰلِكَ نَطْبَعُ عَلٰى قُلُوْبِ الْمُعْتَدِيْنَ ﴿٧٤﴾

৭৫. তাদের পরে আমরা পাঠিয়েছি মূসা এবং হারূণকে ফেরাউন আর তার নেতৃবৃন্দের কাছে আমাদের নিদর্শন নিয়ে। কিন্তু তারা দাম্ভিকতা প্রকাশ করে। আসলে তারা ছিলো একটি অপরাধী কওম।

ثُمَّ بَعَثْنَا مِنْۢ بَعْدِهِمْ مُّوْسٰى وَ هٰرُوْنَ اِلٰى فِرْعَوْنَ وَ مَلَا۠ئِهٖ بِاٰيٰتِنَا فَاسْتَكْبَرُوْا وَكَانُوْا قَوْمًا مُّجْرِمِيْنَ ﴿٧٥﴾

৭৬. অত:পর তাদের কাছে যখন আমাদের পক্ষ থেকে সত্য প্রকাশ হয়ে যায়, তখন তারা বললো: 'এতো এক সুস্পষ্ট ম্যাজিক।'

فَلَمَّا جَآءَهُمُ الْحَقُّ مِنْ عِنْدِنَا قَالُوْٓا اِنَّ هٰذَا لَسِحْرٌ مُّبِيْنٌ ﴿٧٦﴾

৭৭. মূসা বললো: 'তোমাদের কাছে যখন সত্য এসে গেছে, তখন সে সম্পর্কে তোমরা এমনটি বলছো? এ কি ম্যাজিক? ম্যাজেসিয়ানরা কখনো সফল হয়না।'

قَالَ مُوْسٰٓى اَتَقُوْلُوْنَ لِلْحَقِّ لَمَّا جَآءَكُمْ ؕ اَسِحْرٌ هٰذَا ؕ وَلَا يُفْلِحُ السّٰحِرُوْنَ ﴿٧٧﴾

৭৮. তারা বললো: 'আমরা আমাদের পূর্বপুরুষদের যে ধর্মের উপর পেয়েছি তুমি কি আমাদেরকে তা থেকে বিচ্যুত করার জন্যে এসেছো এবং দেশে যেনো তোমাদের প্রভাব প্রতিপত্তি বেড়ে যায় সে জন্যে এসেছো? আমরা তোমাদের দু'জনের প্রতি বিশ্বাসী নই।'

قَالُوْٓا اَجِئْتَنَا لِتَلْفِتَنَا عَمَّا وَجَدْنَا عَلَيْهِ اٰبَآءَنَا وَ تَكُوْنَ لَكُمَا الْكِبْرِيَآءُ فِي الْاَرْضِ ؕ وَمَا نَحْنُ لَكُمَا بِمُؤْمِنِيْنَ ﴿٧٨﴾

৭৯. ফেরাউন (তার পারিষদকে) বললো: 'তোমরা সব দক্ষ ম্যাজেসিয়ানদের খুঁজে আমার কাছে নিয়ে আসো।'

وَقَالَ فِرْعَوْنُ ائْتُوْنِيْ بِكُلِّ سٰحِرٍ عَلِيْمٍ ﴿٧٩﴾

৮০. তারপর ম্যাজেসিয়ানরা সবাই যখন এসে উপস্থিত হলো: মূসা তাদের বললো: 'তোমরা যা নিক্ষেপ করতে চাও নিক্ষেপ করো।'

فَلَمَّا جَآءَ السَّحَرَةُ قَالَ لَهُمْ مُّوْسٰٓى اَلْقُوْا مَآ اَنْتُمْ مُّلْقُوْنَ ﴿٨٠﴾

৮১. তারা যখন নিক্ষেপ করলো, মূসা বললো: "তোমরা যা নিয়ে এসেছো তা তো ম্যাজিক! আল্লাহ্ অবশ্যি এ জিনিসকে বাতিল করে দেবেন। নিশ্চয়ই আল্লাহ্ ফাসাদ সৃষ্টিকারীদের সংশোধন করেননা।

فَلَمَّآ اَلْقَوْا قَالَ مُوْسٰى مَا جِئْتُمْ بِهِ السِّحْرُ ؕ اِنَّ اللّٰهَ سَيُبْطِلُهٗ ؕ اِنَّ اللّٰهَ لَا يُصْلِحُ عَمَلَ الْمُفْسِدِيْنَ ﴿٨١﴾

৮২. আল্লাহ্ তাঁর বাণীর সাহায্যে সত্যকে সত্য হিসেবে প্রতিষ্ঠিত করেন, যদিও অপরাধীরা তা পছন্দ করেনা।”	وَ يُحِقُّ اللّٰهُ الْحَقَّ بِكَلِمٰتِهٖ وَ لَوْ كَرِهَ الْمُجْرِمُوْنَ ﴿٨٢﴾
৮৩. ফেরাউন ও তার পারিষদবর্গ নির্যাতন করবে এই ভয়ে মূসার কওমের কিছু যুবক ছাড়া আর কেউই তার প্রতি ঈমান আনেনি। ফেরাউন ছিলো দেশে এক উদ্ধত উচ্চাভিলাষী এবং সে ছিলো সীমালংঘনকারী।	فَمَاۤ اٰمَنَ لِمُوْسٰۤى اِلَّا ذُرِّيَّةٌ مِّنْ قَوْمِهٖ عَلٰى خَوْفٍ مِّنْ فِرْعَوْنَ وَ مَلَا۟ئِهِمْ اَنْ يَّفْتِنَهُمْ ؕ وَ اِنَّ فِرْعَوْنَ لَعَالٍ فِى الْاَرْضِ ۚ وَ اِنَّهٗ لَمِنَ الْمُسْرِفِيْنَ ﴿٨٣﴾
৮৪. মূসা বলেছিল: ‘হে আমার কওম! তোমরা যদি আল্লাহ্‌র প্রতি ঈমান এনে থাকো তাহলে তাঁরই উপর তাওয়াক্কুল করো যদি তোমরা মুসলিম হয়ে থাকে।’	وَ قَالَ مُوْسٰى يٰقَوْمِ اِنْ كُنْتُمْ اٰمَنْتُمْ بِاللّٰهِ فَعَلَيْهِ تَوَكَّلُوْۤا اِنْ كُنْتُمْ مُّسْلِمِيْنَ ﴿٨٤﴾
৮৫. তারা বলেছিল: “আমরা আল্লাহ্‌র প্রতি তাওয়াক্কুল করলাম, হে আমাদের প্রভু! আমাদেরকে এই যালিম লোকদের নির্যাতনের পাত্র বানিয়োনা।	فَقَالُوْا عَلَى اللّٰهِ تَوَكَّلْنَا ۚ رَبَّنَا لَا تَجْعَلْنَا فِتْنَةً لِّلْقَوْمِ الظّٰلِمِيْنَ ۙ﴿٨٥﴾
৮৬. আর তোমার দয়ায় আমাদেরকে এ কাফির কওমের কবল থেকে নাজাত দাও।”	وَ نَجِّنَا بِرَحْمَتِكَ مِنَ الْقَوْمِ الْكٰفِرِيْنَ ﴿٨٦﴾
৮৭. আমরা মূসা এবং তার ভাইকে অহির মাধ্যমে নির্দেশ দিয়েছিলাম : ‘তোমাদের কওমের জন্যে মিসরে ঘর নির্মাণ করো আর তোমাদের ঘরগুলোকে কিবলা (ইবাদতের স্থান) বানিয়ে নাও, সালাত কায়েম করো আর মুমিনদের সুসংবাদ দাও।’	وَ اَوْحَيْنَاۤ اِلٰى مُوْسٰى وَ اَخِيْهِ اَنْ تَبَوَّاٰ لِقَوْمِكُمَا بِمِصْرَ بُيُوْتًا وَّ اجْعَلُوْا بُيُوْتَكُمْ قِبْلَةً وَّ اَقِيْمُوا الصَّلٰوةَ ؕ وَ بَشِّرِ الْمُؤْمِنِيْنَ ﴿٨٧﴾
৮৮. মূসা বলেছিল: ‘আমাদের প্রভু! তুমি ফেরাউন আর তার পারিষদবর্গকে দুনিয়ার জীবনে চাকচিক্য আর সম্পদ দান করেছো। আমাদের প্রভু! তারা সেগুলো দিয়ে মানুষকে তোমার পথ থেকে বিপথগামী করে। আমাদের প্রভু! তাদের মাল-সম্পদ ধ্বংস করে দাও এবং তাদের হৃদয়গুলো কঠিন করে দাও। তারা বেদনাদায়ক আযাব দেখার আগ পর্যন্ত ঈমান আনবে না।’	وَ قَالَ مُوْسٰى رَبَّنَاۤ اِنَّكَ اٰتَيْتَ فِرْعَوْنَ وَ مَلَاَهٗ زِيْنَةً وَّ اَمْوَالًا فِى الْحَيٰوةِ الدُّنْيَا ۙ رَبَّنَا لِيُضِلُّوْا عَنْ سَبِيْلِكَ ۚ رَبَّنَا اطْمِسْ عَلٰۤى اَمْوَالِهِمْ وَ اشْدُدْ عَلٰى قُلُوْبِهِمْ فَلَا يُؤْمِنُوْا حَتّٰى يَرَوُا الْعَذَابَ الْاَلِيْمَ ﴿٨٨﴾
৮৯. তিনি বলেছিলেন: তোমাদের দোয়া কবুল করা হলো, সুতরাং তোমরা অটল অবিচল থাকো, আর তোমরা অজ্ঞদের পথের অনুসরণ করোনা।	قَالَ قَدْ اُجِيْبَتْ دَّعْوَتُكُمَا فَاسْتَقِيْمَا وَ لَا تَتَّبِعٰٓنِّ سَبِيْلَ الَّذِيْنَ لَا يَعْلَمُوْنَ ﴿٨٩﴾
৯০. আমরা বনি ইসরাঈলকে সমুদ্র পার করিয়ে নিয়েছিলাম আর ফেরাউন ও তার সেনাবাহিনী ঔদ্ধত্যের সাথে সীমালংঘন করে তাদের পিছু ধাওয়া করে। তারপর যখন সে পানিতে ডুবতে থাকলো, বললো: ‘আমি (একথার প্রতি) ঈমান আনলাম যে, তিনি ছাড়া কোনো ইলাহ্ নেই, যার প্রতি ঈমান এনেছে বনি ইসরাঈল এবং	وَ جٰوَزْنَا بِبَنِيْۤ اِسْرَآءِيْلَ الْبَحْرَ فَاَتْبَعَهُمْ فِرْعَوْنُ وَ جُنُوْدُهٗ بَغْيًا وَّ عَدْوًا ؕ حَتّٰۤى اِذَاۤ اَدْرَكَهُ الْغَرَقُ ۙ قَالَ اٰمَنْتُ اَنَّهٗ لَاۤ اِلٰهَ اِلَّا الَّذِيْۤ اٰمَنَتْ بِهٖ بَنُوْۤا

রুকু ০৮

আমি মুসলিমদের অন্তরভুক্ত হলাম।'	اِسۡرَآءِيۡلَ وَاَنَا مِنَ الۡمُسۡلِمِيۡنَ ﴿۹۰﴾
৯১. এখন! অথচ ইতোপূর্বে তুমি অমান্য করেছিলে এবং তুমি ছিলে একজন ফাসাদ সৃষ্টিকারী।	آٰلۡـٰٔنَ وَقَدۡ عَصَيۡتَ قَبۡلُ وَكُنۡتَ مِنَ الۡمُفۡسِدِيۡنَ ﴿۹۱﴾
৯২. আজ আমরা তোমার দেহটা রক্ষা করবো, যাতে করে তুমি পরবর্তীদের জন্যে নিদর্শন হয়ে থাকো। অনেক মানুষই আমাদের নিদর্শন সম্পর্কে গাফিল।	فَالۡيَوۡمَ نُنَجِّيۡكَ بِبَدَنِكَ لِتَكُوۡنَ لِمَنۡ خَلۡفَكَ اٰيَةً ؕ وَاِنَّ كَثِيۡرًا مِّنَ النَّاسِ عَنۡ اٰيٰتِنَا لَغٰفِلُوۡنَ ﴿۹۲﴾
৯৩. আমরা বনি ইসরাঈলকে উৎকৃষ্ট মানের আবাসভূমিতে বসবাস করিয়েছি এবং তাদের দিয়েছি উত্তম জীবন। তারপর তাদের কাছে এলেম আসার পর তারা বিভেদে লিপ্ত হয়। তোমার প্রভু কিয়ামতের দিন তাদের মাঝে ফায়সালা করে দেবেন, যে বিষয়ে তারা বিভেদ সৃষ্টি করেছিল।	وَلَقَدۡ بَوَّاۡنَا بَنِىۡۤ اِسۡرَآءِيۡلَ مُبَوَّاَ صِدۡقٍ وَّرَزَقۡنٰهُمۡ مِّنَ الطَّيِّبٰتِ ۚ فَمَا اخۡتَلَفُوۡا حَتّٰى جَآءَهُمُ الۡعِلۡمُ ؕ اِنَّ رَبَّكَ يَقۡضِىۡ بَيۡنَهُمۡ يَوۡمَ الۡقِيٰمَةِ فِيۡمَا كَانُوۡا فِيۡهِ يَخۡتَلِفُوۡنَ ﴿۹۳﴾
৯৪. আমরা তোমার কাছে যা নাযিল করেছি সে বিষয়ে যদি তোমার সন্দেহ থাকে, তাহলে তোমার পূর্বের কিতাব যারা পাঠ করে তাদের জিজ্ঞাসা করে দেখো। অবশ্যি তোমার কাছে তোমার প্রভুর পক্ষ থেকে সত্য এসেছে, সুতরাং তুমি কোনো অবস্থাতেই সন্দেহে পড়ে থাকা লোকদের অন্তরভুক্ত হয়োনা।	فَاِنۡ كُنۡتَ فِىۡ شَكٍّ مِّمَّاۤ اَنۡزَلۡنَاۤ اِلَيۡكَ فَسۡـَٔلِ الَّذِيۡنَ يَقۡرَءُوۡنَ الۡكِتٰبَ مِنۡ قَبۡلِكَ ۚ لَقَدۡ جَآءَكَ الۡحَـقُّ مِنۡ رَّبِّكَ فَلَا تَكُوۡنَنَّ مِنَ الۡمُمۡتَرِيۡنَ ﴿۹۴﴾
৯৫. তুমি সেইসব লোকদেরও অন্তরভুক্ত হয়োনা যারা মিথ্যা বলে প্রত্যাখ্যান করে আল্লাহ্‌র আয়াতকে, তাহলে তুমি শামিল হয়ে পড়বে ক্ষতিগ্রস্তদের মধ্যে,	وَلَا تَكُوۡنَنَّ مِنَ الَّذِيۡنَ كَذَّبُوۡا بِاٰيٰتِ اللّٰهِ فَتَكُوۡنَ مِنَ الۡخٰسِرِيۡنَ ﴿۹۵﴾
৯৬. যাদের বিরুদ্ধে তোমার প্রভুর বাণী সাব্যস্ত হয়ে গেছে, তারা ঈমান আনবে না।	اِنَّ الَّذِيۡنَ حَقَّتۡ عَلَيۡهِمۡ كَلِمَتُ رَبِّكَ لَا يُؤۡمِنُوۡنَ ﴿۹۶﴾
৯৭. এমন কি তাদের কাছে প্রতিটি নিদর্শন এলেও তারা যন্ত্রণাদায়ক আযাব দেখার আগ পর্যন্ত (ঈমান আনবে না)।	وَلَوۡ جَآءَتۡهُمۡ كُلُّ اٰيَةٍ حَتّٰى يَرَوُا الۡعَذَابَ الۡاَلِيۡمَ ﴿۹۷﴾
৯৮. তবে ইউনুসের কওমের কথা ভিন্ন। তারা ছাড়া কোনো জনপদের অধিবাসীরা কেন এমন হলো না যে, তারা ঈমান আনতো এবং তাদের ঈমান তাদের উপকারে আসতো? তারা যখন ঈমান এনেছিল আমরা তাদের থেকে পার্থিব জীবনের লাঞ্ছনাকর আযাব দূর করে দিয়েছিলাম এবং তাদেরকে কিছুকালের জন্যে ভোগ বিলাসের সামগ্রী সরবরাহ করেছিলাম।	فَلَوۡلَا كَانَتۡ قَرۡيَةٌ اٰمَنَتۡ فَنَفَعَهَاۤ اِيۡمَانُهَاۤ اِلَّا قَوۡمَ يُوۡنُسَ ؕ لَمَّاۤ اٰمَنُوۡا كَشَفۡنَا عَنۡهُمۡ عَذَابَ الۡخِزۡىِ فِى الۡحَيٰوةِ الدُّنۡيَا وَمَتَّعۡنٰهُمۡ اِلٰى حِيۡنٍ ﴿۹۸﴾

রুকু ০৯

৯৯. তোমার প্রভু চাইলে বিশ্বে যারা আছে অবশ্যি সবাই ঈমান আনতো। তবে কি তুমি মানুষকে ঈমান আনার জন্যে বাধ্য করবে?	وَلَوْ شَاءَ رَبُّكَ لَآمَنَ مَنْ فِي الْأَرْضِ كُلُّهُمْ جَمِيعًا ۚ أَفَأَنْتَ تُكْرِهُ النَّاسَ حَتَّىٰ يَكُونُوا مُؤْمِنِينَ ﴿٩٩﴾
১০০. আল্লাহ্‌র অনুমিত ছাড়া কোনো ব্যক্তির পক্ষে ঈমান আনা সম্ভব নয়। যারা আকল খাটায় না আল্লাহ্ তাদের কালিমা লিপ্ত করেন।	وَمَا كَانَ لِنَفْسٍ أَنْ تُؤْمِنَ إِلَّا بِإِذْنِ اللَّهِ ۚ وَيَجْعَلُ الرِّجْسَ عَلَى الَّذِينَ لَا يَعْقِلُونَ ﴿١٠٠﴾
১০১. বলো: 'মহাকাশ আর পৃথিবীতে যা কিছু আছে সেগুলোর প্রতি লক্ষ্য করো। যারা ঈমান আনে না, নিদর্শন এবং সতর্কবাণী তাদের কোনো উপকারে আসেনা।	قُلِ انْظُرُوا مَاذَا فِي السَّمَاوَاتِ وَالْأَرْضِ ۚ وَمَا تُغْنِي الْآيَاتُ وَالنُّذُرُ عَنْ قَوْمٍ لَا يُؤْمِنُونَ ﴿١٠١﴾
১০২. তারা কি তাদের আগেকার লোকদের উপর যা ঘটেছিল সেটার অপেক্ষা করছে। বলো: 'তোমরা অপেক্ষা করো, আমিও তোমাদের সাথে অপেক্ষায় থাকলাম।'	فَهَلْ يَنْتَظِرُونَ إِلَّا مِثْلَ أَيَّامِ الَّذِينَ خَلَوْا مِنْ قَبْلِهِمْ ۚ قُلْ فَانْتَظِرُوا إِنِّي مَعَكُمْ مِنَ الْمُنْتَظِرِينَ ﴿١٠٢﴾
১০৩. তারপর আমরা নাজাত দেবো আমাদের রসূলদেরকে আর ঈমানদারদেরকে। এভাবেই আমাদের দায়িত্ব মুমিনদের নাজাত দেয়া।	ثُمَّ نُنَجِّي رُسُلَنَا وَالَّذِينَ آمَنُوا ۚ كَذَٰلِكَ حَقًّا عَلَيْنَا نُنْجِ الْمُؤْمِنِينَ ﴿١٠٣﴾
১০৪. বলো: 'হে মানুষ! তোমরা এখনো যদি আমার দীনের ব্যাপারে সন্দেহে থেকে থাকো, তবে জেনে রাখো, তোমরা আল্লাহ্ ছাড়া যাদের ইবাদত করো আমি তাদের ইবাদত করিনা। আমি ইবাদত করি একমাত্র আল্লাহ্‌র যিনি তোমাদের ওফাত ঘটান। আমাকে নির্দেশ দেয়া হয়েছে আমি যেনো মুমিনদের অন্তরভুক্ত থাকি।'	قُلْ يَا أَيُّهَا النَّاسُ إِنْ كُنْتُمْ فِي شَكٍّ مِنْ دِينِي فَلَا أَعْبُدُ الَّذِينَ تَعْبُدُونَ مِنْ دُونِ اللَّهِ وَلَٰكِنْ أَعْبُدُ اللَّهَ الَّذِي يَتَوَفَّاكُمْ ۖ وَأُمِرْتُ أَنْ أَكُونَ مِنَ الْمُؤْمِنِينَ ﴿١٠٤﴾
১০৫. আমাকে আরো নির্দেশ দেয়া হয়েছে: "তুমি একনিষ্ঠভাবে আদ-দীনের উপর কায়েম থাকো এবং কিছুতেই মুশরিকদের অন্তরভুক্ত হয়োনা।	وَأَنْ أَقِمْ وَجْهَكَ لِلدِّينِ حَنِيفًا وَلَا تَكُونَنَّ مِنَ الْمُشْرِكِينَ ﴿١٠٥﴾
১০৬. আর আল্লাহ্ ছাড়া অন্যদের ডাকবেনা, যারা তোমার লাভক্ষতি কিছুই করতে পারেনা। তুমি যদি এমনটি করো তাহলে যালিমদের মধ্যে গণ্য হবে।"	وَلَا تَدْعُ مِنْ دُونِ اللَّهِ مَا لَا يَنْفَعُكَ وَلَا يَضُرُّكَ ۖ فَإِنْ فَعَلْتَ فَإِنَّكَ إِذًا مِنَ الظَّالِمِينَ ﴿١٠٦﴾
১০৭. আল্লাহ্ তোমাকে কোনো অকল্যাণ দিলে তিনি ছাড়া তা দূর করার আর কেউই নেই। তিনি যদি তোমাকে কোনো কল্যাণ দান করেন, তবে তাঁর অনুগ্রহ রদ করারও কেউ নেই। তিনি তাঁর দাসদের যাঁকে ইচ্ছা নিজ অনুগ্রহ দান করেন। তিনি মহা ক্ষমাশীল মহাদয়াময়।	وَإِنْ يَمْسَسْكَ اللَّهُ بِضُرٍّ فَلَا كَاشِفَ لَهُ إِلَّا هُوَ ۖ وَإِنْ يُرِدْكَ بِخَيْرٍ فَلَا رَادَّ لِفَضْلِهِ ۚ يُصِيبُ بِهِ مَنْ يَشَاءُ مِنْ عِبَادِهِ ۚ وَهُوَ الْغَفُورُ الرَّحِيمُ ﴿١٠٧﴾

রুকু ১০

১০৮. হে নবী! বলো: 'হে মানুষ! তোমাদের প্রভুর পক্ষ থেকে তোমাদের কাছে সত্য এসেছে, সুতরাং যে কেউ সঠিক পথে চলবে, সে তো নিজেরই কল্যাণ করবে, আর যে কেউ বিপথে চলবে সে নিজেরই অকল্যাণ করবে। আমি তোমাদের উকিল (কর্মসম্পাদক) নই।'	قُلْ يَٰٓأَيُّهَا النَّاسُ قَدْ جَآءَكُمُ الْحَقُّ مِنْ رَّبِّكُمْ ۖ فَمَنِ اهْتَدٰى فَاِنَّمَا يَهْتَدِىْ لِنَفْسِهٖ ۚ وَمَنْ ضَلَّ فَاِنَّمَا يَضِلُّ عَلَيْهَا ۚ وَمَآ اَنَا عَلَيْكُمْ بِوَكِيْلٍ ۝١٠٨
১০৯. তোমার প্রতি যে অহি নাযিল হচ্ছে তুমি তারই ইত্তেবা (অনুসরণ) করো, আর সবর অবলম্বন করো যতোক্ষণ না আল্লাহ্‌র ফায়সালা আসে। তিনিই সর্বোত্তম ফায়সালাকারী।	وَ اتَّبِعْ مَا يُوْحٰٓى اِلَيْكَ وَ اصْبِرْ حَتّٰى يَحْكُمَ اللّٰهُ ۚ وَهُوَ خَيْرُ الْحٰكِمِيْنَ ۝١٠٩

রুকু ১১

সূরা ১১ হুদ

মক্কায় অবতীর্ণ, আয়াত সংখ্যা: ১২৩, রুকু সংখ্যা: ১০

এই সূরার আলোচ্যসূচি (আয়াত ভিত্তিক আলোচ্য বিষয়)

০১-০৪: মানবজাতিকে এক আল্লাহ্‌র ইবাদত, তাঁর কাছে ক্ষমা প্রার্থনা এবং তাঁর দিকে ফিরে আসার দাওয়াত দিতে রসূলের প্রতি নির্দেশ।

০৫-১১: আল্লাহ্ মহাজ্ঞানী, সকল জীবের রিযিকদাতা, মহাবিশ্বের স্রষ্টা। পরকালের প্রতি মানুষের অস্বীকৃতি। কারা ক্ষমা লাভ করবে?

১২-২৪: কুরআনের প্রতি সন্দেহপোষণকারীদের প্রতি চ্যালেঞ্জ। দুনিয়া পূজারিদের জন্য আখিরাতে কোনো অংশ নেই। আল্লাহ্‌র পথে বাধাদানকারীরা ক্ষতিগ্রস্ত। যারা ঈমান আনে এবং ভালো কাজ করে তারাই সফল।

২৫-৪৯: নূহ আ. এর জাতির প্রতি তাঁর দাওয়াত ও উপদেশ, তাঁর জাতির হঠকারিতা এবং তাদের ধ্বংস ও মুমিনদের মুক্তির ইতিহাস।

৫০-৬০: আদ জাতির কাছে হুদ আ. এর দাওয়াত ও উপদেশ। আল্লাহ্‌র দিকে আসতে তাদের অস্বীকৃতি এবং তাদের ধ্বংসের ইতিহাস।

৬১-৬৮: সামুদ জাতির কাছে সালেহ্ আ. এর দাওয়াত এবং তাদের অবাধ্যতা ও ধ্বংসের ইতিহাস

৬৯-৭৬: ইবরাহিম আ. এর কাছে ফেরেশতাদের আগমন এবং তাঁর বৃদ্ধা স্ত্রীকে পুত্র সন্তানের সুসংবাদ।

৭৭-৮৩: লুত জাতির অপকর্ম, তাঁর জাতিকে ধ্বংসের জন্য ফেরেশতাদের আগমন এবং তাদের ধ্বংসের ইতিহাস।

৮৪-৯৫: মাদিয়ানবাসীকে শুয়াইব আ. কর্তৃক সংশোধন প্রচেষ্টার ইতিহাস। তাদের অবাধ্যতা ও ধ্বংসের বিবরণ।

৯৬-৯৯: ফিরাউন ও তার জাতির কাছে মূসা আ. এর দাওয়াত এবং তাদের অবাধ্যতার বিবরণ।

১০০-১২৩: নবীর অবাধ্য হওয়ার ব্যাপারে মানবজাতির প্রতি সতর্কবাণী। নবীর দাওয়াত গ্রহণের মাধ্যমে মানবজাতির ভাগ্যবান ও দুর্ভাগা এই দুভাগে বিভক্তি। বিরুদ্ধবাদীদের মোকাবেলায় নবীর প্রতি অনুসরণীয় নির্দেশাবলি।

সূরা হুদ পরম করুণাময় পরম দয়াবান আল্লাহ্‌র নামে	سُوْرَةُ هُوْدٍ بِسْمِ اللّٰهِ الرَّحْمٰنِ الرَّحِيْمِ
০১. আলিফ লাম রা। এটি একটি কিতাব এর আয়াতসমূহ বিজ্ঞানময় সুবিন্যস্ত, বিশদভাবে বর্ণিত, মহাবিজ্ঞানী সর্বজ্ঞ আল্লাহ্‌র পক্ষ থেকে অবতীর্ণ।	الٓرٰ ۟ كِتٰبٌ اُحْكِمَتْ اٰيٰتُهٗ ثُمَّ فُصِّلَتْ مِنْ لَّدُنْ حَكِيْمٍ خَبِيْرٍ ۙ﴿١﴾
০২. (হে নবী! জানিয়ে দাও,) তোমরা আল্লাহ্ ছাড়া আর কারো ইবাদত (আনুগত্য, দাসত্ব, পূজা, উপাসনা, প্রার্থনা) করোনা। আমি তাঁর পক্ষ থেকে তোমাদের প্রতি একজন সতর্ককারী ও সুসংবাদদাতা।	اَلَّا تَعْبُدُوْۤا اِلَّا اللّٰهَ ؕ اِنَّنِيْ لَكُمْ مِّنْهُ نَذِيْرٌ وَّ بَشِيْرٌ ۙ﴿٢﴾
০৩. তোমরা তোমাদের প্রভুর কাছে ক্ষমা প্রার্থনা করো এবং তাঁর দিকে ফিরে আসো, তাহলে তিনি একটি নির্দিষ্ট সময় পর্যন্ত তোমাদের উত্তম জীবন সামগ্রী উপভোগ করার সুযোগ দেবেন এবং প্রত্যেক মর্যাদাবানকে দেবেন তার প্রাপ্য মর্যাদা। কিন্তু তোমরা যদি (একথা না মেনে) মুখ ফিরিয়ে নাও, তবে আমি তোমাদের জন্যে আশংকা করছি এক গুরুতর দিনের আযাবের।	وَّ اَنِ اسْتَغْفِرُوْا رَبَّكُمْ ثُمَّ تُوْبُوْۤا اِلَيْهِ يُمَتِّعْكُمْ مَّتَاعًا حَسَنًا اِلٰۤى اَجَلٍ مُّسَمًّى وَّ يُؤْتِ كُلَّ ذِيْ فَضْلٍ فَضْلَهٗ ؕ وَ اِنْ تَوَلَّوْا فَاِنِّيْۤ اَخَافُ عَلَيْكُمْ عَذَابَ يَوْمٍ كَبِيْرٍ ﴿٣﴾
০৪. আল্লাহ্‌র কাছেই হবে তোমাদের প্রত্যাবর্তন এবং তিনি সব বিষয়ে সর্বশক্তিমান।	اِلَى اللّٰهِ مَرْجِعُكُمْ ۚ وَ هُوَ عَلٰى كُلِّ شَيْءٍ قَدِيْرٌ ﴿٤﴾
০৫. সাবধান! তারা তাঁর কাছ থেকে নিজেদের গোপন করার জন্যে তাদের বক্ষ দ্বিভাজ করে। সাবধান! তারা যখন তাদেরকে বস্ত্র দিয়ে ঢেকে নেয়, তখন তারা যা গোপন করে এবং যা প্রকাশ করে তিনি তা জানেন। অবশ্যি তিনি অন্তরের খবর বিশেষভাবে অবহিত।	اَلَاۤ اِنَّهُمْ يَثْنُوْنَ صُدُوْرَهُمْ لِيَسْتَخْفُوْا مِنْهُ ؕ اَلَا حِيْنَ يَسْتَغْشُوْنَ ثِيَابَهُمْ ۙ يَعْلَمُ مَا يُسِرُّوْنَ وَ مَا يُعْلِنُوْنَ ۚ اِنَّهٗ عَلِيْمٌۢ بِذَاتِ الصُّدُوْرِ ﴿٥﴾

পারা ১২

০৬. পৃথিবীতে বিচরণকারী সব জীবের জীবিকার দায়িত্ব আল্লাহ্‌র। তাদের স্থায়ী এবং অস্থায়ী অবস্থান স্থল সম্পর্কে তিনি অবহিত। সবই একটি স্পষ্ট কিতাবে লিপিবদ্ধ রয়েছে।	وَ مَا مِنۡ دَآبَّۃٍ فِی الۡاَرۡضِ اِلَّا عَلَی اللّٰہِ رِزۡقُہَا وَ یَعۡلَمُ مُسۡتَقَرَّہَا وَ مُسۡتَوۡدَعَہَا ؕ کُلٌّ فِیۡ کِتٰبٍ مُّبِیۡنٍ ﴿۶﴾
০৭. তিনিই মহাকাশ ও পৃথিবী সৃষ্টি করেছেন ছয়টি কালে এবং তাঁর আরশ ছিলো পানির উপর তোমাদের মধ্যে আমলের দিক থেকে কে উত্তম তা পরীক্ষার উদ্দেশ্যে। তুমি যদি তাদের বলো: 'তোমরা অবশ্যি মৃত্যুর পর পুনরুত্থিত হবে,' তখন কাফিররা অবশ্যি বলবে: 'এতো এক সুস্পষ্ট ম্যাজিক।'	وَ ہُوَ الَّذِیۡ خَلَقَ السَّمٰوٰتِ وَ الۡاَرۡضَ فِیۡ سِتَّۃِ اَیَّامٍ وَّ کَانَ عَرۡشُہٗ عَلَی الۡمَآءِ لِیَبۡلُوَکُمۡ اَیُّکُمۡ اَحۡسَنُ عَمَلًا ؕ وَ لَئِنۡ قُلۡتَ اِنَّکُمۡ مَّبۡعُوۡثُوۡنَ مِنۡۢ بَعۡدِ الۡمَوۡتِ لَیَقُوۡلَنَّ الَّذِیۡنَ کَفَرُوۡۤا اِنۡ ہٰذَاۤ اِلَّا سِحۡرٌ مُّبِیۡنٌ ﴿۷﴾
০৮. আমরা যদি একটা নির্দিষ্ট সময়কাল তাদের উপর আযাব স্থগিত রাখি, তখন তারা অবশ্যি বলবে: 'কী কারণে আসছে না সে জিনিসটি?' সাবধান! যেদিন সেটি তাদের কাছে আসবে, তা আর ফেরত নেয়া হবেনা এবং তারা যে বিষয়টাকে নিয়ে ঠাট্টা বিদ্রূপ করছে তা তাদেরকে ঘেরাও করে ফেলবে।	وَ لَئِنۡ اَخَّرۡنَا عَنۡہُمُ الۡعَذَابَ اِلٰۤی اُمَّۃٍ مَّعۡدُوۡدَۃٍ لَّیَقُوۡلُنَّ مَا یَحۡبِسُہٗ ؕ اَلَا یَوۡمَ یَاۡتِیۡہِمۡ لَیۡسَ مَصۡرُوۡفًا عَنۡہُمۡ وَ حَاقَ بِہِمۡ مَّا کَانُوۡا بِہٖ یَسۡتَہۡزِءُوۡنَ ﴿۸﴾
০৯. আমরা যদি মানুষকে আমাদের রহমতের স্বাদ আস্বাদন করাই এবং পরে তা তাদের থেকে উঠিয়ে নেই, তখন তারা হতাশ এবং অকৃতজ্ঞ হয়ে পড়ে।	وَ لَئِنۡ اَذَقۡنَا الۡاِنۡسَانَ مِنَّا رَحۡمَۃً ثُمَّ نَزَعۡنٰہَا مِنۡہُ ۚ اِنَّہٗ لَیَـُٔوۡسٌ کَفُوۡرٌ ﴿۹﴾
১০. আর দুঃখ-দুর্দশা স্পর্শ করার পর আমরা যদি তাদের সুখ-সম্পদের স্বাদ আস্বাদন করাই, তখন অবশ্যি তারা বলবে: 'আমার দুঃখ-দুর্দশা কেটে গেছে।' তখন সে উল্লসিত ও অহংকারী হয়ে পড়ে।	وَ لَئِنۡ اَذَقۡنٰہُ نَعۡمَآءَ بَعۡدَ ضَرَّآءَ مَسَّتۡہُ لَیَقُوۡلَنَّ ذَہَبَ السَّیِّاٰتُ عَنِّیۡ ؕ اِنَّہٗ لَفَرِحٌ فَخُوۡرٌ ﴿ۙ۱۰﴾
১১. তবে যারা সবর অবলম্বন করে এবং আমলে সালেহ্ করে তাদের জন্যে রয়েছে মাগফিরাত এবং বিশাল পুরস্কার।	اِلَّا الَّذِیۡنَ صَبَرُوۡا وَ عَمِلُوا الصّٰلِحٰتِ ؕ اُولٰٓئِکَ لَہُمۡ مَّغۡفِرَۃٌ وَّ اَجۡرٌ کَبِیۡرٌ ﴿۱۱﴾
১২. লোকেরা যে বলে: 'তার সাথে কোনো ধনভাণ্ডার নাযিল হলো না কেন? কিংবা তার সাথে ফেরেশতা এলোনা কেন?' এ কারণে কি তুমি তোমার প্রতি অবতীর্ণ অহির কিছু অংশ বর্জন করবে? এবং এর ফলে কি তোমার মন ছোট হয়ে যাবে? জেনে রাখো, তুমি তো কেবল মাত্র একজন সতর্ককারী। আল্লাহ্‌ সব বিষয়ে উকিল-দায়িত্বশীল।	فَلَعَلَّکَ تَارِکٌۢ بَعۡضَ مَا یُوۡحٰۤی اِلَیۡکَ وَ ضَآئِقٌۢ بِہٖ صَدۡرُکَ اَنۡ یَّقُوۡلُوۡا لَوۡ لَاۤ اُنۡزِلَ عَلَیۡہِ کَنۡزٌ اَوۡ جَآءَ مَعَہٗ مَلَکٌ ؕ اِنَّمَاۤ اَنۡتَ نَذِیۡرٌ ؕ وَ اللّٰہُ عَلٰی کُلِّ شَیۡءٍ وَّکِیۡلٌ ﴿ؕ۱۲﴾

রুকু ০১

১৩. নাকি তারা বলে: 'সে নিজেই এটা (কুরআন) রচনা করে নিয়েছে।' তুমি বলো: 'তোমরা যদি সত্যবাদী হয়ে থাকো তবে এটির অনুরূপ দশটি সূরা নিজেরা রচনা করে আনো এবং আল্লাহ্ ছাড়া আর যাদেরকে পারো (সহযোগিতা নেয়ার জন্যে) ডেকে আনো।'

اَمۡ يَقُوۡلُوۡنَ افۡتَرٰىهُ ؕ قُلۡ فَاۡتُوۡا بِعَشۡرِ سُوَرٍ مِّثۡلِهٖ مُفۡتَرَيٰتٍ وَّادۡعُوۡا مَنِ اسۡتَطَعۡتُمۡ مِّنۡ دُوۡنِ اللّٰهِ اِنۡ كُنۡتُمۡ صٰدِقِيۡنَ ﴿۱۳﴾

১৪. তারা যদি তোমার এ আহ্বানে এগিয়ে না আসে, তবে জেনে রাখো, এটি (এই কুরআন) তো আল্লাহ্র এলেমের ভিত্তিতে নাযিল করা হয়েছে, আর তিনি ছাড়া কোনো ইলাহ্ নেই। সুতরাং তোমরা কি মুসলিম (মান্যকারী) হবে?

فَاِلَّمۡ يَسۡتَجِيۡبُوۡا لَكُمۡ فَاعۡلَمُوۡۤا اَنَّمَاۤ اُنۡزِلَ بِعِلۡمِ اللّٰهِ وَاَنۡ لَّاۤ اِلٰهَ اِلَّا هُوَ ۚ فَهَلۡ اَنۡتُمۡ مُّسۡلِمُوۡنَ ﴿۱۴﴾

১৫. যারা দুনিয়ার জীবন এবং তার শোভা সৌন্দর্য কামনা করে, আমরা দুনিয়াতেই তাদের কাজের পূর্ণ প্রতিফল দিয়ে থাকি এবং সেখানে তাদের কোনো প্রকার কম দেয়া হয়না।

مَنۡ كَانَ يُرِيۡدُ الۡحَيٰوةَ الدُّنۡيَا وَزِيۡنَتَهَا نُوَفِّ اِلَيۡهِمۡ اَعۡمَالَهُمۡ فِيۡهَا وَهُمۡ فِيۡهَا لَا يُبۡخَسُوۡنَ ﴿۱۵﴾

১৬. আর আখিরাতে তাদের জন্যে জাহান্নাম ছাড়া আর কিছুই থাকেনা। তারা এখানে যা করে আখিরাতে তা নিষ্ফল হয়ে যাবে এবং তাদের সব কাজই অর্থহীন।

اُولٰٓئِكَ الَّذِيۡنَ لَيۡسَ لَهُمۡ فِى الۡاٰخِرَةِ اِلَّا النَّارُ ۖ وَحَبِطَ مَا صَنَعُوۡا فِيۡهَا وَبٰطِلٌ مَّا كَانُوۡا يَعۡمَلُوۡنَ ﴿۱۶﴾

১৭. তারা কি ঐ লোকদের সমতুল্য হতে পারে, যারা তাদের প্রভুর পক্ষ থেকে এক সুস্পষ্ট প্রমাণের (কুরআনের) উপর প্রতিষ্ঠিত, যা তিলাওয়াত করে তাঁর প্রেরিত সাক্ষী (জিবরিল) এবং যার আগে এসেছিল মূসার উপর অবতীর্ণ কিতাব পথ প্রদর্শক ও রহমত হিসাবে? তারা এর প্রতি ঈমান রাখে। মানব দলসমূহের যারাই এটিকে অস্বীকার করে আগুনই হবে তাদের প্রতিশ্রুত স্থান। সুতরাং তুমি এটির সম্পর্কে কোনো প্রকার সন্দেহে থেকোনা। এটি তো তোমার প্রভুর পক্ষ থেকে এক মহাসত্য। তবে অধিকাংশ লোকই বিশ্বাস করেনা।

اَفَمَنۡ كَانَ عَلٰى بَيِّنَةٍ مِّنۡ رَّبِّهٖ وَيَتۡلُوۡهُ شَاهِدٌ مِّنۡهُ وَمِنۡ قَبۡلِهٖ كِتٰبُ مُوۡسٰٓى اِمَامًا وَّرَحۡمَةً ؕ اُولٰٓئِكَ يُؤۡمِنُوۡنَ بِهٖ ؕ وَمَنۡ يَّكۡفُرۡ بِهٖ مِنَ الۡاَحۡزَابِ فَالنَّارُ مَوۡعِدُهٗ ۚ فَلَا تَكُ فِىۡ مِرۡيَةٍ مِّنۡهُ ۚ اِنَّهُ الۡحَقُّ مِنۡ رَّبِّكَ وَلٰكِنَّ اَكۡثَرَ النَّاسِ لَا يُؤۡمِنُوۡنَ ﴿۱۷﴾

১৮. ঐ ব্যক্তির চাইতে বড় যালিম আর কে, যে মিথ্যা রচনা করে আল্লাহ্র প্রতি আরোপ করে। তাদের উপস্থাপন করা হবে তাদের প্রভুর দরবারে এবং সাক্ষীরা বলবে: এরাই তাদের প্রভুর প্রতি মিথ্যারোপ করেছিল। সাবধান, যালিমদের প্রতি আল্লাহ্র লানত,

وَمَنۡ اَظۡلَمُ مِمَّنِ افۡتَرٰى عَلَى اللّٰهِ كَذِبًا ؕ اُولٰٓئِكَ يُعۡرَضُوۡنَ عَلٰى رَبِّهِمۡ وَيَقُوۡلُ الۡاَشۡهَادُ هٰٓؤُلَۤاءِ الَّذِيۡنَ كَذَبُوۡا عَلٰى رَبِّهِمۡ ۚ اَلَا لَعۡنَةُ اللّٰهِ عَلَى الظّٰلِمِيۡنَ ﴿۱۸﴾

১৯. যারা বাধা সৃষ্টি করে আল্লাহ্র পথে এবং তাতে সন্ধান করে বক্রতা এবং যারা আখিরাতের প্রতি অবিশ্বাসী।

الَّذِيۡنَ يَصُدُّوۡنَ عَنۡ سَبِيۡلِ اللّٰهِ وَيَبۡغُوۡنَهَا عِوَجًا ؕ وَهُمۡ بِالۡاٰخِرَةِ هُمۡ كٰفِرُوۡنَ ﴿۱۹﴾

২০. এরা পৃথিবীতে আল্লাহ্‌কে অক্ষম করতে পারবে না। আর প্রকৃতপক্ষে আল্লাহ্ ছাড়া তো আর তাদের কোনো অলি ছিলনা। তাদের আযাব দ্বিগুণ করা হবে। তাদের শোনারও সামর্থ ছিলনা এবং তারা দেখতেও পেতোনা।	اُولٰٓئِكَ لَمْ يَكُوْنُوْا مُعْجِزِيْنَ فِي الْاَرْضِ وَمَا كَانَ لَهُمْ مِّنْ دُوْنِ اللّٰهِ مِنْ اَوْلِيَآءَ ۘ يُضٰعَفُ لَهُمُ الْعَذَابُ ؕ مَا كَانُوْا يَسْتَطِيْعُوْنَ السَّمْعَ وَمَا كَانُوْا يُبْصِرُوْنَ ۝٢٠
২১. তারা নিজেরাই নিজেদের ক্ষতিগ্রস্ত করেছে এবং তাদের কল্পিত (শরিকরা) তখন তাদের থেকে উধাও হয়ে যাবে।	اُولٰٓئِكَ الَّذِيْنَ خَسِرُوْٓا اَنْفُسَهُمْ وَضَلَّ عَنْهُمْ مَّا كَانُوْا يَفْتَرُوْنَ ۝٢١
২২. কোনো সন্দেহ নেই, আখিরাতে তারা হবে সবচেয়ে ক্ষতিগ্রস্ত।	لَا جَرَمَ اَنَّهُمْ فِي الْاٰخِرَةِ هُمُ الْاَخْسَرُوْنَ ۝٢٢
২৩. যারা ঈমান আনে, এবং আমলে সালেহ্ করে এবং তাদের প্রভুর প্রতি বিনীত হয়ে জীবন যাপন করে, তারাই হবে জান্নাতের অধিকারী, সেখানেই থাকবে তারা চিরকাল।	اِنَّ الَّذِيْنَ اٰمَنُوْا وَعَمِلُوا الصّٰلِحٰتِ وَاَخْبَتُوْٓا اِلٰى رَبِّهِمْ ۙ اُولٰٓئِكَ اَصْحٰبُ الْجَنَّةِ ۚ هُمْ فِيْهَا خٰلِدُوْنَ ۝٢٣
২৪. এই দুই পক্ষের উপমা হলো এ রকম, যেমন একজন হলো অন্ধ ও বধির এবং অপরজন হলো চক্ষুষ্মান ও শ্রবণশক্তি সম্পন্ন। এরা দুইজন কি সমতুল্য? কেন তোমরা বুঝার চেষ্টা করোনা?	مَثَلُ الْفَرِيْقَيْنِ كَالْاَعْمٰى وَالْاَصَمِّ وَالْبَصِيْرِ وَالسَّمِيْعِ ؕ هَلْ يَسْتَوِيٰنِ مَثَلًا ؕ اَفَلَا تَذَكَّرُوْنَ ۝٢٤
২৫. আমরা নূহকে পাঠিয়েছিলাম তার কওমের কাছে। (সে তাদের বলেছিল), আমি তোমাদের প্রতি একজন সুস্পষ্ট সতর্ককারী।	وَلَقَدْ اَرْسَلْنَا نُوْحًا اِلٰى قَوْمِهٖٓ ۫ اِنِّيْ لَكُمْ نَذِيْرٌ مُّبِيْنٌ ۙ۝٢٥
২৬. তোমরা আল্লাহ্ ছাড়া আর কারো ইবাদত করোনা। আমি তোমাদের জন্যে এক বেদনাদায়ক দিনের আযাবের আশংকা করছি।	اَنْ لَّا تَعْبُدُوْٓا اِلَّا اللّٰهَ ؕ اِنِّيْٓ اَخَافُ عَلَيْكُمْ عَذَابَ يَوْمٍ اَلِيْمٍ ۝٢٦
২৭. তখন তার কওমের প্রধানরা বলেছিল: 'আমরা তো তোমাকে আমাদের মতোই একজন মানুষ ছাড়া আর কিছুই দেখছিনা। আর আমরা বাহ্য দৃষ্টিতেই দেখছি, যারা তোমার অনুসরণ করছে তারা আমাদের মধ্যে একেবারেই নীচু শ্রেণীর। আমরা আমাদের উপর তোমাদের কোনো শ্রেষ্ঠত্বই দেখছি না। বরং আমরা তো মনে করি তোমরা সবাই মিথ্যাবাদী।'	فَقَالَ الْمَلَاُ الَّذِيْنَ كَفَرُوْا مِنْ قَوْمِهٖ مَا نَرٰىكَ اِلَّا بَشَرًا مِّثْلَنَا وَمَا نَرٰىكَ اتَّبَعَكَ اِلَّا الَّذِيْنَ هُمْ اَرَاذِلُنَا بَادِيَ الرَّاْيِ ۚ وَمَا نَرٰى لَكُمْ عَلَيْنَا مِنْ فَضْلٍۭ بَلْ نَظُنُّكُمْ كٰذِبِيْنَ ۝٢٧
২৮. সে বলেছিল: "হে আমার কওম! তোমরা ভেবে দেখো, আমি যদি আমার প্রভুর প্রেরিত সুস্পষ্ট প্রমাণের উপর প্রতিষ্ঠিত থাকি এবং তিনি যদি তাঁর নিজ অনুগ্রহ থেকে আমাকে দান করে থাকেন আর সে বিষয়ে যদি তোমাদের অন্ধ করে দেয়া হয়ে থাকে, তবে তোমাদের অপছন্দ সত্ত্বেও কি আমি তোমাদের তা গ্রহণে বাধ্য করতে পারি?	قَالَ يٰقَوْمِ اَرَءَيْتُمْ اِنْ كُنْتُ عَلٰى بَيِّنَةٍ مِّنْ رَّبِّيْ وَاٰتٰىنِيْ رَحْمَةً مِّنْ عِنْدِهٖ فَعُمِّيَتْ عَلَيْكُمْ ؕ اَنُلْزِمُكُمُوْهَا وَاَنْتُمْ لَهَا كٰرِهُوْنَ ۝٢٨

রুকু ০২

২৯. হে আমার কওম! এ কাজের জন্যে তো আমি তোমাদের কাছে মাল-সম্পদ চাই না। আমার প্রতিদানের দায়িত্ব তো আল্লাহ্‌র। আমি তো মুমিনদেরকে আমার কাছ থেকে তাড়িয়ে দিতে পারিনা। তারা অবশ্যি তাদের প্রভুর সাক্ষাত লাভ করবে। বরং আমি তো দেখছি তোমরাই সবাই জাহিল লোক।	وَ يٰقَوۡمِ لَاۤ اَسۡـَٔلُكُمۡ عَلَيۡهِ مَالًا ؕ اِنۡ اَجۡرِیَ اِلَّا عَلَى اللّٰهِ وَ مَاۤ اَنَا بِطَارِدِ الَّذِيۡنَ اٰمَنُوۡا ؕ اِنَّهُمۡ مُّلٰقُوۡا رَبِّهِمۡ وَ لٰكِنِّیۡۤ اَرٰٮكُمۡ قَوۡمًا تَجۡهَلُوۡنَ ﴿۲۹﴾
৩০. হে আমার কওম! আমি যদি তাদের তাড়িয়ে দেই তবে আল্লাহ্‌র পাকড়াও থেকে কে আমাকে রক্ষা করবে? তোমরা কি অনুধাবন করার চেষ্টা করবেনা?	وَ يٰقَوۡمِ مَنۡ يَّنۡصُرُنِیۡ مِنَ اللّٰهِ اِنۡ طَرَدۡتُّهُمۡ ؕ اَفَلَا تَذَكَّرُوۡنَ ﴿۳۰﴾
৩১. আমি তো তোমাদের বলছিনা যে, আমার কাছে আল্লাহ্‌র অর্থভাণ্ডার রয়েছে, কিংবা আমি গায়েব জানি। কিংবা আমি তো এ কথাও বলছিনা যে, আমি একজন ফেরেশতা। তোমাদের দৃষ্টিতে যারা নিম্নশ্রেণীর তাদের ব্যাপারেও আমি একথা বলিনা যে, আল্লাহ্ কখনো তাদের কল্যাণ করবেন না। তাদের অন্তরে যা আছে আল্লাহ্ই তা অধিক জানেন। তোমাদের কথা মেনে নিলে তো আমি যালিমদের মধ্যে গণ্য হয়ে যাবো।”	وَلَاۤ اَقُوۡلُ لَـكُمۡ عِنۡدِیۡ خَزَآٮِٕنُ اللّٰهِ وَلَاۤ اَعۡلَمُ الۡغَيۡبَ وَ لَاۤ اَقُوۡلُ اِنِّیۡ مَلَكٌ وَّ لَاۤ اَقُوۡلُ لِلَّذِيۡنَ تَزۡدَرِیۡۤ اَعۡيُنُكُمۡ لَنۡ يُّؤۡتِيَهُمُ اللّٰهُ خَيۡرًا ؕ اَللّٰهُ اَعۡلَمُ بِمَا فِیۡۤ اَنۡفُسِهِمۡ ۚۖ اِنِّیۡۤ اِذًا لَّمِنَ الظّٰلِمِيۡنَ ﴿۳۱﴾
৩২. তারা বলেছিল: ‘হে নূহ! তুমি তো আমাদের সাথে বিতণ্ডা করেছো প্রচুর বিতণ্ডা, সুতরাং তুমি সত্যবাদী হয়ে থাকলে আমাদেরকে তোমার প্রতিশ্রুত ঘটনাটি ঘটিয়ে দেখাও।’	قَالُوۡا يٰنُوۡحُ قَدۡ جٰدَلۡتَنَا فَاَكۡثَرۡتَ جِدَالَنَا فَاۡتِنَا بِمَا تَعِدُنَاۤ اِنۡ كُنۡتَ مِنَ الصّٰدِقِيۡنَ ﴿۳۲﴾
৩৩. জবাবে সে বলেছিল: ‘সেই ঘটনাটা একমাত্র আল্লাহ্ই ঘটিয়ে তোমাদের দেখাতে পারেন যদি তিনি চান এবং তোমরা তা প্রতিহত করতে পারবে না।’	قَالَ اِنَّمَا يَاۡتِيۡكُمۡ بِهِ اللّٰهُ اِنۡ شَآءَ وَ مَاۤ اَنۡتُمۡ بِمُعۡجِزِيۡنَ ﴿۳۳﴾
৩৪. আল্লাহ্ই যদি তোমাদের বিভ্রান্ত করতে চান তবে আমি নসিহত করতে চাইলেও আমার নসিহত তোমাদের কোনো উপকারে আসবে না। তিনিই তোমাদের প্রভু। তাঁর কাছেই তোমাদের ফিরিয়ে নেয়া হবে।	وَلَا يَنۡفَعُكُمۡ نُصۡحِیۡۤ اِنۡ اَرَدۡتُّ اَنۡ اَنۡصَحَ لَـكُمۡ اِنۡ كَانَ اللّٰهُ يُرِيۡدُ اَنۡ يُّغۡوِيَكُمۡ ؕ هُوَ رَبُّكُمۡ ۚ وَاِلَيۡهِ تُرۡجَعُوۡنَ ﴿۳۴﴾
৩৫. নাকি তারা বলে: ‘সে নিজেই এটি রচনা করে নিয়েছে।’ তুমি বলো: ‘এটি (এ কুরআন) যদি আমি রচনা করে থাকি, তবে আমার অপরাধের জন্যে আমিই দায়ী হবো। আর তোমরা যে অপরাধ করছো তার দায় দায়িত্ব থেকে আমি মুক্ত।’	اَمۡ يَقُوۡلُوۡنَ افۡتَرٰٮهُ ؕ قُلۡ اِنِ افۡتَرَيۡتُهٗ فَعَلَىَّ اِجۡرَامِیۡ وَ اَنَا بَرِىۡٓءٌ مِّمَّا تُجۡرِمُوۡنَ ﴿۳۵﴾ রুকু ০৩
৩৬. নূহকে অহির মাধ্যমে জানিয়ে দেয়া হয়েছিল, তোমার কওমের যারা ঈমান এনেছে তারা ছাড়া আর কেউই ঈমান আনবে না।	وَ اُوۡحِیَ اِلٰى نُوۡحٍ اَنَّهٗ لَنۡ يُّؤۡمِنَ مِنۡ قَوۡمِكَ اِلَّا مَنۡ قَدۡ اٰمَنَ فَلَا تَبۡتَىِٕسۡ

সুতরাং তাদের কর্মকাণ্ডের কারণে তুমি আর নিরাশ হয়োনা।	بِمَا كَانُوْا يَفْعَلُوْنَ ﴿٣٦﴾
৩৭. আমাদের তত্ত্বাবধান ও অহির ভিত্তিতে তুমি একটি নৌযান তৈরি করো এবং যারা যুলুম করেছে তাদের বিষয়ে তুমি আমার কাছে কোনো প্রকার সুপারিশ করোনা, তারা পানিতে নিমজ্জিত হবেই।	وَ اصْنَعِ الْفُلْكَ بِاَعْيُنِنَا وَ وَحْيِنَا وَ لَا تُخَاطِبْنِيْ فِي الَّذِيْنَ ظَلَمُوْا ۚ اِنَّهُمْ مُّغْرَقُوْنَ ﴿٣٧﴾
৩৮. সে নৌযান তৈরি করছিল, তখন তার কওমের প্রধানরা তার ওখান দিয়ে যাওয়া আসার সময় এ নিয়ে তাকে উপহাস করতো। সে বলেছিল: তোমরা যদি আমাদের নিয়ে উপহাস করো, আমরাও তোমাদের নিয়ে উপহাস করবো যেভাবে তোমরা আমাদের নিয়ে উপহাস করছো।	وَ يَصْنَعُ الْفُلْكَ ۟ وَ كُلَّمَا مَرَّ عَلَيْهِ مَلَاٌ مِّنْ قَوْمِهٖ سَخِرُوْا مِنْهُ ؕ قَالَ اِنْ تَسْخَرُوْا مِنَّا فَاِنَّا نَسْخَرُ مِنْكُمْ كَمَا تَسْخَرُوْنَ ﴿٣٨﴾
৩৯. অচিরেই তোমরা জানতে পারবে, কাদের উপর এসে পড়বে অপমানকর আযাব এবং কাদের উপর হালাল হয়ে যাবে স্থায়ী আযাব।	فَسَوْفَ تَعْلَمُوْنَ ۙ مَنْ يَّاْتِيْهِ عَذَابٌ يُّخْزِيْهِ وَ يَحِلُّ عَلَيْهِ عَذَابٌ مُّقِيْمٌ ﴿٣٩﴾
৪০. অবশেষে এসে পড়ে আমাদের নির্দেশ এবং চুলা থেকে উথলে উঠতে থাকে পানির স্রোত। আমরা বললাম, তাতে উঠিয়ে নাও সব শ্রেণীর যুগলের দুইটি করে আর তোমার পরিবার পরিজনকে আর যারা ঈমান এনেছে, তবে তাদেরকে নয় যাদের ব্যাপারে আগেই সিদ্ধান্ত হয়ে গেছে। আর তার (নূহের) সাথে ঈমান এনেছিল মাত্র কয়েকজনই।	حَتّٰۤى اِذَا جَآءَ اَمْرُنَا وَ فَارَ التَّنُّوْرُ ۙ قُلْنَا احْمِلْ فِيْهَا مِنْ كُلٍّ زَوْجَيْنِ اثْنَيْنِ وَ اَهْلَكَ اِلَّا مَنْ سَبَقَ عَلَيْهِ الْقَوْلُ وَ مَنْ اٰمَنَ ؕ وَ مَاۤ اٰمَنَ مَعَهٗۤ اِلَّا قَلِيْلٌ ﴿٤٠﴾
৪১. সে বলেছিল: 'তোমরা এতে আরোহণ করো। আল্লাহ্‌র নামে (আরম্ভ করছি) এর চলতি এবং এর স্থিতি। আমার প্রভু অবশ্যি পরম ক্ষমাশীল দয়াময়।'	وَ قَالَ ارْكَبُوْا فِيْهَا بِسْمِ اللّٰهِ مَجْرٖىهَا وَ مُرْسٰىهَا ؕ اِنَّ رَبِّيْ لَغَفُوْرٌ رَّحِيْمٌ ﴿٤١﴾
৪২. নৌযানটি তাদের নিয়ে চলছিল তরঙ্গের মধ্যে পর্বতের মতো। আর নূহ তার ছেলেকে ডেকে বলেছিল, যে (নৌযানে আরোহন না করে) পৃথক ছিলো: 'হে আমার পুত্র! আমাদের সাথে আরোহণ করো, কাফিরদের সাথি হয়ে থেকে যেয়োনা।'	وَ هِيَ تَجْرِيْ بِهِمْ فِيْ مَوْجٍ كَالْجِبَالِ ۟ وَ نَادٰى نُوْحُ ۨ ابْنَهٗ وَ كَانَ فِيْ مَعْزِلٍ يّٰبُنَيَّ ارْكَبْ مَّعَنَا وَ لَا تَكُنْ مَّعَ الْكٰفِرِيْنَ ﴿٤٢﴾
৪৩. কিন্তু সে বলেছিল: 'আমি (উঁচু) পর্বতে আশ্রয় নিচ্ছি, যা আমাকে পানি (প্লাবন) থেকে রক্ষা করবে।' সে (নূহ) বললো: 'আজ আল্লাহ্‌র ফায়সালা থেকে রক্ষা করার কেউ নেই, তবে তিনি যাকে দয়া করেন সে ছাড়া। (বলতে বলতে) তরঙ্গ তাদের মাঝখানে ঢুকে গেলো এবং সে ডুবে যাওয়াদের অন্তরভুক্ত হয়ে গেলো।	قَالَ سَاٰوِيْۤ اِلٰى جَبَلٍ يَّعْصِمُنِيْ مِنَ الْمَآءِ ؕ قَالَ لَا عَاصِمَ الْيَوْمَ مِنْ اَمْرِ اللّٰهِ اِلَّا مَنْ رَّحِمَ ۚ وَ حَالَ بَيْنَهُمَا الْمَوْجُ فَكَانَ مِنَ الْمُغْرَقِيْنَ ﴿٤٣﴾
৪৪. অবশেষে বলা হলো: 'হে পৃথিবী, তুমি তোমার পানি গ্রাস করে নাও! হে আকাশ, তুমি	وَ قِيْلَ يٰۤاَرْضُ ابْلَعِيْ مَآءَكِ وَ يٰسَمَآءُ اَقْلِعِيْ وَ

বর্ষণ বন্ধ করো।' অত:পর প্লাবন শেষ হলো এবং ফায়সালা পূর্ণ হলো এবং নৌযানটি জুদি পাহাড়ের উপর এসে স্থির হলো। আর বলা হলো: 'নিপাত গেলো যালিম সম্প্রদায়।'	غِيْضَ الْمَآءُ وَ قُضِيَ الْاَمْرُ وَ اسْتَوَتْ عَلَى الْجُوْدِيِّ وَ قِيْلَ بُعْدًا لِّلْقَوْمِ الظّٰلِمِيْنَ ﴿٤٤﴾
৪৫. নূহ তার প্রভুকে ডেকে বলেছিল: 'আমার প্রভু! আমার ছেলে তো আমার পরিবারেরই একজন আর তোমার ওয়াদা তো সত্য এবং তুমিই তো সব বিচারকের বড় ন্যায় বিচারক।'	وَ نَادٰى نُوْحٌ رَّبَّهٗ فَقَالَ رَبِّ اِنَّ ابْنِيْ مِنْ اَهْلِيْ وَ اِنَّ وَعْدَكَ الْحَقُّ وَ اَنْتَ اَحْكَمُ الْحٰكِمِيْنَ ﴿٤٥﴾
৪৬. তিনি বলেছিলেন: 'হে নূহ! সে তোমার পরিবারের সদস্য নয়। সে তো এক অসৎকর্ম। ফলে এমন বিষয়ে আমার কাছে প্রার্থনা করোনা, যে বিষয়ে তোমার জ্ঞান নেই। আমি তোমাকে উপদেশ দিচ্ছি তুমি যেনো জাহিলদের মতো কথা না বলো।'	قَالَ يٰنُوْحُ اِنَّهٗ لَيْسَ مِنْ اَهْلِكَ ۚ اِنَّهٗ عَمَلٌ غَيْرُ صَالِحٍ ۫ۖ فَلَا تَسْـَٔلْنِ مَا لَيْسَ لَكَ بِهٖ عِلْمٌ ؕ اِنِّيْۤ اَعِظُكَ اَنْ تَكُوْنَ مِنَ الْجٰهِلِيْنَ ﴿٤٦﴾
৪৭. তখন সে বললো: 'আমার প্রভু! যে বিষয়ে আমার জ্ঞান নেই সে বিষয়ে যেনো তোমার কাছে প্রার্থনা না করি সে জন্যে তোমার আশ্রয় প্রার্থনা করছি। তুমি যদি আমাকে ক্ষমা না করো এবং আমার প্রতি রহম না করো, তবে তো আমি ক্ষতিগ্রস্তদের অন্তরভুক্ত হয়ে পড়বো।'	قَالَ رَبِّ اِنِّيْۤ اَعُوْذُ بِكَ اَنْ اَسْـَٔلَكَ مَا لَيْسَ لِيْ بِهٖ عِلْمٌ ؕ وَ اِلَّا تَغْفِرْ لِيْ وَ تَرْحَمْنِيْۤ اَكُنْ مِّنَ الْخٰسِرِيْنَ ﴿٤٧﴾
৪৮. বলা হয়েছিল: 'হে নূহ! (নৌযান থেকে) নেমে পড়ো। আমাদের পক্ষ থেকে সালাম ও বরকত তোমার প্রতি এবং যেসব প্রজাতি তোমার সাথে রয়েছে তাদের প্রতি। আর অন্যান্য জাতিসমূহকে আমরা কিছুকাল জীবন উপভোগ করতে দেবো, তারপর আমাদের পক্ষ থেকে বেদনাদায়ক আযাব তাদেরকেও স্পর্শ করবে।'	قِيْلَ يٰنُوْحُ اهْبِطْ بِسَلٰمٍ مِّنَّا وَ بَرَكٰتٍ عَلَيْكَ وَ عَلٰۤى اُمَمٍ مِّمَّنْ مَّعَكَ ؕ وَ اُمَمٌ سَنُمَتِّعُهُمْ ثُمَّ يَمَسُّهُمْ مِّنَّا عَذَابٌ اَلِيْمٌ ﴿٤٨﴾
৪৯. এগুলো গায়েবের সংবাদ তোমার প্রতি আমরা অহি করছি। তুমি কিংবা তোমার কওম ইতোপূর্বে এ বিষয়গুলো জানতে না। অতএব সবর অবলম্বন করো, পরিণামে সাফল্য মুত্তাকিদেরই জন্যে।	تِلْكَ مِنْ اَنْۢبَآءِ الْغَيْبِ نُوْحِيْهَاۤ اِلَيْكَ ۚ مَا كُنْتَ تَعْلَمُهَاۤ اَنْتَ وَ لَا قَوْمُكَ مِنْ قَبْلِ هٰذَا ۛؕ فَاصْبِرْ ۛؕ اِنَّ الْعَاقِبَةَ لِلْمُتَّقِيْنَ ﴿٤٩﴾ রুকু ০৪
৫০. আর আমরা আদ জাতির কাছে পাঠিয়েছিলাম তাদেরই ভাই হুদকে। সে তাদের বলেছিল: "হে আমার কওম! তোমরা এক আল্লাহ্‌র দাসত্ব করো, তিনি ছাড়া তোমাদের আর কোনো ইলাহ্ নেই। তবে তোমরা তো কেবল মিথ্যা রচনাকারী।	وَ اِلٰى عَادٍ اَخَاهُمْ هُوْدًا ؕ قَالَ يٰقَوْمِ اعْبُدُوا اللّٰهَ مَا لَكُمْ مِّنْ اِلٰهٍ غَيْرُهٗ ؕ اِنْ اَنْتُمْ اِلَّا مُفْتَرُوْنَ ﴿٥٠﴾
৫১. হে আমার কওম! আমি তো এ কাজের জন্যে তোমাদের কাছে কোনো প্রকার পারিশ্রমিক চাইনা। আমার প্রতিদানের দায়িত্ব তাঁর, যিনি আমাকে সৃষ্টি করেছেন। তবু কি তোমরা বুঝার চেষ্টা করবেনা?	يٰقَوْمِ لَاۤ اَسْـَٔلُكُمْ عَلَيْهِ اَجْرًا ؕ اِنْ اَجْرِيَ اِلَّا عَلَى الَّذِيْ فَطَرَنِيْ ؕ اَفَلَا تَعْقِلُوْنَ ﴿٥١﴾

৫২. হে আমার কওম! তোমরা ক্ষমা প্রার্থনা করো তোমাদের প্রভুর কাছে, অত:পর ফিরে আসো তাঁর দিকে। তিনি তোমাদের জন্যে আকাশ থেকে প্রচুর পানি বর্ষণ করবেন এবং বর্তমান শক্তির সাথে আরো শক্তি বাড়িয়ে দেবেন। তোমরা অপরাধী হয়ে মুখ ফিরিয়ে নিয়োনা।”	وَ يٰقَوْمِ اسْتَغْفِرُوْا رَبَّكُمْ ثُمَّ تُوْبُوْۤا اِلَيْهِ يُرْسِلِ السَّمَآءَ عَلَيْكُمْ مِّدْرَارًا وَّ يَزِدْكُمْ قُوَّةً اِلٰى قُوَّتِكُمْ وَ لَا تَتَوَلَّوْا مُجْرِمِيْنَ ﴿٥٢﴾
৫৩. তারা বলেছিল: “হে হুদ! তুমি তো আমাদের কাছে কোনো স্পষ্ট প্রমাণ নিয়ে আসোনি। আমরা তো তোমার কথায় আমাদের ইলাহ্দের (দেব দেবীদের) পরিত্যাগ করতে পারিনা। তাছাড়া আমরা তোমার প্রতি বিশ্বাসীও নই।	قَالُوْا يٰهُوْدُ مَا جِئْتَنَا بِبَيِّنَةٍ وَّ مَا نَحْنُ بِتَارِكِيْۤ اٰلِهَتِنَا عَنْ قَوْلِكَ وَ مَا نَحْنُ لَكَ بِمُؤْمِنِيْنَ ﴿٥٣﴾
৫৪. আমরা বলছি, তোমাদের উপর আমাদের দেব-দেবীদের অভিশাপ পড়েছে।” সে বলেছিল: “আমি আল্লাহ্কে সাক্ষী বানাচ্ছি এবং তোমরাও সাক্ষী থাকো, তোমরা যাদেরকে আল্লাহ্র সাথে শরিক করছো আমি তাদের সাথে সম্পর্ক ছিন্ন করছি।	اِنْ نَّقُوْلُ اِلَّا اعْتَرٰىكَ بَعْضُ اٰلِهَتِنَا بِسُوْٓءٍ ؕ قَالَ اِنِّيْۤ اُشْهِدُ اللّٰهَ وَ اشْهَدُوْۤا اَنِّيْ بَرِيْٓءٌ مِّمَّا تُشْرِكُوْنَ ﴿٥٤﴾
৫৫. আল্লাহ্ ছাড়া তোমরা সবাই মিলে আমার বিরুদ্ধে ষড়যন্ত্র করো, তারপর আমাকে কোনো অবকাশ দিও না।	مِنْ دُوْنِهٖ فَكِيْدُوْنِيْ جَمِيْعًا ثُمَّ لَا تُنْظِرُوْنِ ﴿٥٥﴾
৫৬. আমি তো তাওয়াক্কুল করেছি আল্লাহ্র উপর যিনি আমার প্রভু এবং তোমাদেরও প্রভু। এমন কোনো জীব নেই, যে তাঁর পূর্ণ নিয়ন্ত্রণে নেই। নিশ্চয়ই আমার প্রভু সঠিক সরল পথের উপর প্রতিষ্ঠিত।	اِنِّيْ تَوَكَّلْتُ عَلَى اللّٰهِ رَبِّيْ وَ رَبِّكُمْ ؕ مَا مِنْ دَآبَّةٍ اِلَّا هُوَ اٰخِذٌۢ بِنَاصِيَتِهَا ؕ اِنَّ رَبِّيْ عَلٰى صِرَاطٍ مُّسْتَقِيْمٍ ﴿٥٦﴾
৫৭. আর তোমরা যদি মুখ ফিরিয়ে নাও, তবে জেনে রাখো, আমি তোমাদের কাছে যে বার্তা নিয়ে প্রেরিত হয়েছি, তা তোমাদের কাছে পৌঁছে দিয়েছি। আমার প্রভু তোমাদের পরিবর্তে ভিন্ন কোনো কওমকে তোমাদের স্থলাভিষিক্ত করবেন এবং তোমরা তাঁর কোনোই ক্ষতি করতে পারবে না। আমার প্রভু সব কিছুর রক্ষক।”	فَاِنْ تَوَلَّوْا فَقَدْ اَبْلَغْتُكُمْ مَّاۤ اُرْسِلْتُ بِهٖۤ اِلَيْكُمْ ؕ وَ يَسْتَخْلِفُ رَبِّيْ قَوْمًا غَيْرَكُمْ ۚ وَ لَا تَضُرُّوْنَهٗ شَيْـًٔا ؕ اِنَّ رَبِّيْ عَلٰى كُلِّ شَيْءٍ حَفِيْظٌ ﴿٥٧﴾
৫৮. তারপর যখন আমাদের নির্দেশ এসে পৌঁছে, আমরা হুদকে এবং তার সাথে যারা ঈমান এনেছিল তাদেরকে আমাদের দয়ায় নাজাত দিয়েছিলাম এবং তাদের রক্ষা করেছিলাম কঠিন আযাব থেকে।	وَ لَمَّا جَآءَ اَمْرُنَا نَجَّيْنَا هُوْدًا وَّ الَّذِيْنَ اٰمَنُوْا مَعَهٗ بِرَحْمَةٍ مِّنَّا ۚ وَ نَجَّيْنٰهُمْ مِّنْ عَذَابٍ غَلِيْظٍ ﴿٥٨﴾
৫৯. তারা ছিলো আদ জাতি, তারা তাদের প্রভুর আয়াত অস্বীকার করেছিল এবং তাঁর রসূলদের অমান্য করেছিল এবং প্রত্যেক অহংকারী স্বৈরাচারীর অনুসরণ করেছিল।	وَ تِلْكَ عَادٌ ۟ۙ جَحَدُوْا بِاٰيٰتِ رَبِّهِمْ وَ عَصَوْا رُسُلَهٗ وَ اتَّبَعُوْۤا اَمْرَ كُلِّ جَبَّارٍ عَنِيْدٍ ﴿٥٩﴾
৬০. দুনিয়ার জীবনে তাদের অভিশাপগ্রস্ত করা হয়েছিল এবং কিয়ামতের দিনও হবে তারা	وَ اُتْبِعُوْا فِيْ هٰذِهِ الدُّنْيَا لَعْنَةً وَّ يَوْمَ

الْقِيٰمَةِ ؕ اَلَاۤ اِنَّ عَادًا كَفَرُوْا رَبَّهُمْ ؕ اَلَا بُعْدًا لِّعَادٍ قَوْمِ هُوْدٍ ﴿٦٠﴾

রুকু ০৫

অভিশাপগ্রস্ত। সাবধান, আদ জাতি তাদের প্রভুকে অস্বীকার করেছিল। সাবধান, নিপাত গিয়েছিল আদ জাতি, যারা ছিলো হুদের কওম।

وَ اِلٰى ثَمُوْدَ اَخَاهُمْ صٰلِحًا ۘ قَالَ يٰقَوْمِ اعْبُدُوا اللّٰهَ مَا لَكُمْ مِّنْ اِلٰهٍ غَيْرُهٗ ؕ هُوَ اَنْشَاَكُمْ مِّنَ الْاَرْضِ وَ اسْتَعْمَرَكُمْ فِيْهَا فَاسْتَغْفِرُوْهُ ثُمَّ تُوْبُوْۤا اِلَيْهِ ؕ اِنَّ رَبِّيْ قَرِيْبٌ مُّجِيْبٌ ﴿٦١﴾

৬১. আর আমরা সামুদ জাতির কাছে পাঠিয়েছিলাম তাদেরই ভাই সালেহ্‌কে। সে তাদের বলেছিল: 'হে আমার কওম! তোমরা এক আল্লাহ্‌র দাসত্ব ও আনুগত্য করো, তিনি ছাড়া তোমাদের আর কোনো ইলাহ্ নেই। তিনি তোমাদের সৃষ্টি করেছেন জমিন থেকে এবং তাতেই তোমাদের তামির (প্রতিষ্ঠিত) করেছেন। অতএব, তোমরা তাঁর কাছে ক্ষমা প্রার্থনা করো এবং তাঁরই দিকে ফিরো আসো। অবশ্যি আমার প্রভু অতি কাছে এবং ডাকে সাড়া দানকারী।'

قَالُوْا يٰصٰلِحُ قَدْ كُنْتَ فِيْنَا مَرْجُوًّا قَبْلَ هٰذَاۤ اَتَنْهٰىنَاۤ اَنْ نَّعْبُدَ مَا يَعْبُدُ اٰبَآؤُنَا وَ اِنَّنَا لَفِيْ شَكٍّ مِّمَّا تَدْعُوْنَاۤ اِلَيْهِ مُرِيْبٍ ﴿٦٢﴾

৬২. তারা বলেছিল: 'হে সালেহ্! ইতোপূর্বে তুমি ছিলে আমাদের আশা-ভরসার স্থল। আর এখন কি তুমি আমাদের পূর্বপুরুষরা যাদের ইবাদত করতো তাদের ইবাদত করতে আমাদের নিষেধ করছো? তুমি আমাদের যেদিকে ডাকছো সে বিষয়ে অবশ্যি আমরা বিভ্রান্তিকর সন্দেহের মধ্যে রয়েছি।

قَالَ يٰقَوْمِ اَرَءَيْتُمْ اِنْ كُنْتُ عَلٰى بَيِّنَةٍ مِّنْ رَّبِّيْ وَ اٰتٰىنِيْ مِنْهُ رَحْمَةً فَمَنْ يَّنْصُرُنِيْ مِنَ اللّٰهِ اِنْ عَصَيْتُهٗ ۫ فَمَا تَزِيْدُوْنَنِيْ غَيْرَ تَخْسِيْرٍ ﴿٦٣﴾

৬৩. সে বলেছিল: "হে আমার কওম! তোমাদের মতামত কী, আমি যদি আমার প্রভুর পক্ষ থেকে প্রাপ্ত সুস্পষ্ট প্রমাণের উপর প্রতিষ্ঠিত থাকি এবং তিনি যদি তাঁর পক্ষ থেকে আমাকে কোনো অনুগ্রহ দান করেন, তখন আমাকে কে রক্ষা করবে যদি আমি তাঁর অবাধ্য হই? তোমরা আমার ক্ষতি ছাড়া আর কিছুই বাড়াতে পারবে না।

وَ يٰقَوْمِ هٰذِهٖ نَاقَةُ اللّٰهِ لَكُمْ اٰيَةً فَذَرُوْهَا تَاْكُلْ فِيْۤ اَرْضِ اللّٰهِ وَ لَا تَمَسُّوْهَا بِسُوْٓءٍ فَيَاْخُذَكُمْ عَذَابٌ قَرِيْبٌ ﴿٦٤﴾

৬৪. হে আমার কওম! এটি আল্লাহ্‌র উটনী তোমাদের জন্যে একটি নিদর্শন। তোমরা এটিকে আল্লাহ্‌র জমিনে চরে খেতে দাও। তোমরা এটিকে মন্দ (উদ্দেশ্যে) স্পর্শ করোনা, করলে তোমাদের উপর আপতিত হবে আশু আযাব।

فَعَقَرُوْهَا فَقَالَ تَمَتَّعُوْا فِيْ دَارِكُمْ ثَلٰثَةَ اَيَّامٍ ؕ ذٰلِكَ وَعْدٌ غَيْرُ مَكْذُوْبٍ ﴿٦٥﴾

৬৫. কিন্তু তারা সেটিকে হত্যা করে। তখন সে তাদের বলেছিল: 'তোমরা তোমাদের ঘরে মাত্র তিনদিন উপভোগ করো। এটি একটি অনিবার্য সত্য ওয়াদা।'

فَلَمَّا جَآءَ اَمْرُنَا نَجَّيْنَا صٰلِحًا وَّ الَّذِيْنَ اٰمَنُوْا مَعَهٗ بِرَحْمَةٍ مِّنَّا وَ مِنْ خِزْيِ يَوْمِئِذٍ ؕ اِنَّ رَبَّكَ هُوَ الْقَوِيُّ الْعَزِيْزُ ﴿٦٦﴾

৬৬. অত:পর যখন আমাদের নির্দেশ এসে পৌঁছালো আমরা আমাদের অনুগ্রহে সালেহ্ এবং তার সাথে যারা ঈমান এনেছিল তাদের রক্ষা করলাম সেদিনের চরম লাঞ্ছনা থেকে। নিশ্চয়ই তোমার প্রভু মহাশক্তিধর পরাক্রমশালী।

وَ اَخَذَ الَّذِيْنَ ظَلَمُوا الصَّيْحَةُ فَاَصْبَحُوْا فِيْ دِيَارِهِمْ جٰثِمِيْنَ ۙ﴿٦٧﴾

৬৭. আর যারা যুলুম করেছিল তাদের পাকড়াও করলো এক বিকট শব্দ। ফলে তারা তাদের ঘরে ঘরে উপুড় হয়ে পড়েছিল।

রুকু ০৬

৬৮. অবস্থা এমন হয়েছিল যেনো তারা কখনো সেখানে বসবাসই করেনি। সাবধান, সামুদ জাতি তাদের প্রভুকে অস্বীকার করেছিল। সাবধান, সামুদ জাতি সমূলে নিপাত হয়ে গিয়েছিল।	كَاَنْ لَّمْ يَغْنَوْا فِيْهَا ؕ اَلَاۤ اِنَّ ثَمُوْدَاۡ كَفَرُوْا رَبَّهُمْ ؕ اَلَا بُعْدًا لِّثَمُوْدَ ﴿۶۸﴾
৬৯. আমাদের দূত (ফেরেশতারা) সুসংবাদ নিয়ে এসেছিল ইবরাহিমের কাছে। এসে তারা বলেছিল: ‘সালাম!’ সেও বলেছিল: ‘সালাম।’ অত:পর সে দেরি না করে ভুনা করা গো-বাছুর নিয়ে এলো (তাদের মেহমানদারির জন্যে)।	وَ لَقَدْ جَآءَتْ رُسُلُنَاۤ اِبْرٰهِيْمَ بِالْبُشْرٰى قَالُوْا سَلٰمًا ؕ قَالَ سَلٰمٌ فَمَا لَبِثَ اَنْ جَآءَ بِعِجْلٍ حَنِيْذٍ ﴿۶۹﴾
৭০. সে যখন দেখলো, তারা সে (খাবারের) দিকে হাত বাড়াচ্ছে না, তখন সে তাদের আগমনকে অশুভ মনে করলো এবং তাদের ব্যাপারে তার মনে ভয় ঢুকলো। তারা বললো: ‘আপনি ভয় পাবেননা, আমরা তো লুতের কওমের কাছে প্রেরিত হয়েছি।’	فَلَمَّا رَاٰۤ اَيْدِيَهُمْ لَا تَصِلُ اِلَيْهِ نَكِرَهُمْ وَ اَوْجَسَ مِنْهُمْ خِيْفَةً ؕ قَالُوْا لَا تَخَفْ اِنَّاۤ اُرْسِلْنَاۤ اِلٰى قَوْمِ لُوْطٍ ﴿ؕ۷۰﴾
৭১. তার স্ত্রী দাঁড়ানো ছিলো, সে (তার স্ত্রী) হেসে ফেললো। তখন আমরা তাকে সুসংবাদ দিলাম (পুত্র) ইসহাকের এবং ইসহাকের পরে (নাতি) ইয়াকুবের।	وَ امْرَاَتُهٗ قَآئِمَةٌ فَضَحِكَتْ فَبَشَّرْنٰهَا بِاِسْحٰقَ ۙ وَ مِنْ وَّرَآءِ اِسْحٰقَ يَعْقُوْبَ ﴿۷۱﴾
৭২. সে (ইবরাহিমের স্ত্রী সারাহ্) বললো: ‘হায় হায়, আমি সন্তানের মা হবো, অথচ আমি একজন বৃদ্ধা এবং আমার স্বামীও বৃদ্ধ, এ-তো এক বিস্ময়কর ব্যাপার!’	قَالَتْ يٰوَيْلَتٰۤى ءَاَلِدُ وَ اَنَا عَجُوْزٌ وَّ هٰذَا بَعْلِىْ شَيْخًا ؕ اِنَّ هٰذَا لَشَىْءٌ عَجِيْبٌ ﴿۷۲﴾
৭৩. তারা বললো: ‘আপনি কি আল্লাহ্র সিদ্ধান্তের ব্যাপারে বিস্ময়বোধ করছেন? হে আহলে বাইত (ঘরবাসী)! এটা তো আপনাদের প্রতি আল্লাহ্র রহমত এবং বরকত। নিশ্চয়ই তিনি সপ্রশংসিত ও সম্মানিত।’	قَالُوْۤا اَتَعْجَبِيْنَ مِنْ اَمْرِ اللّٰهِ رَحْمَتُ اللّٰهِ وَ بَرَكٰتُهٗ عَلَيْكُمْ اَهْلَ الْبَيْتِ ؕ اِنَّهٗ حَمِيْدٌ مَّجِيْدٌ ﴿۷۳﴾
৭৪. ইবরাহিমের থেকে যখন আতংক দূর হয়ে গেলো এবং সে সুসংবাদ লাভ করলো, তখন সে লুতের কওমের ব্যাপারে বিতর্ক করতে থাকলো।	فَلَمَّا ذَهَبَ عَنْ اِبْرٰهِيْمَ الرَّوْعُ وَ جَآءَتْهُ الْبُشْرٰى يُجَادِلُنَا فِىْ قَوْمِ لُوْطٍ ﴿ؕ۷۴﴾
৭৫. নিশ্চয়ই ইবরাহিম ছিলো এক সহনশীল, কোমল হৃদয় এবং আল্লাহ্মুখী মানুষ।	اِنَّ اِبْرٰهِيْمَ لَحَلِيْمٌ اَوَّاهٌ مُّنِيْبٌ ﴿۷۵﴾
৭৬. হে ইবরাহিম! এ (বিতর্ক) থেকে বিরত হও, (তাদের প্রতি তো) তোমার প্রভুর নির্দেশ এসে গেছে। তাদের উপর এক অপ্রতিরোধ্য আযাব এসে যাচ্ছে।	يٰۤاِبْرٰهِيْمُ اَعْرِضْ عَنْ هٰذَا ۚ اِنَّهٗ قَدْ جَآءَ اَمْرُ رَبِّكَ ۚ وَ اِنَّهُمْ اٰتِيْهِمْ عَذَابٌ غَيْرُ مَرْدُوْدٍ ﴿۷۶﴾
৭৭. অত:পর আমাদের দূত (ফেরেশতারা) যখন লুতের কাছে এলো, তাদের আগমনে সে বিষন্ন হয়ে পড়লো এবং তাদের (তার জাতিকে) রক্ষায় নিজেকে অক্ষম মনে করলো, আর বললো: ‘এ তো এক শোকাবহ দিন।’	وَ لَمَّا جَآءَتْ رُسُلُنَا لُوْطًا سِیْٓءَ بِهِمْ وَ ضَاقَ بِهِمْ ذَرْعًا وَّ قَالَ هٰذَا يَوْمٌ عَصِيْبٌ ﴿۷۷﴾

৭৮. তখন তার কওম তার দিকে উদ্ভ্রান্তের মতো ছুটে এলো এবং আগে থেকে তারা কুকাজে অভ্যস্ত ছিলো। সে বললো: ‘হে আমার কওম! এই যে আমার (কওমের) কন্যারা রয়েছে, তোমাদের জন্যে এরাই পবিত্র (তোমরা তাদের বিয়ে করে নাও)। আল্লাহ্‌কে ভয় করো এবং আমার মেহমানদের ব্যাপারে আমাকে অপমানিত করোনা। তোমাদের মধ্যে কি একজন ভালো মানুষও নেই?’	وَجَآءَهٗ قَوْمُهٗ يُهْرَعُوْنَ اِلَيْهِ ؕ وَمِنْ قَبْلُ كَانُوْا يَعْمَلُوْنَ السَّيِّاٰتِ ؕ قَالَ يٰقَوْمِ هٰٓؤُلَآءِ بَنَاتِيْ هُنَّ اَطْهَرُ لَكُمْ فَاتَّقُوا اللّٰهَ وَلَا تُخْزُوْنِ فِيْ ضَيْفِيْ ؕ اَلَيْسَ مِنْكُمْ رَجُلٌ رَّشِيْدٌ ﴿۷۸﴾
৭৯. তারা বললো: ‘তুমি তো জানো, তোমার কন্যাদের আমাদের কোনো প্রয়োজন নেই। আমরা কী চাই তুমি তো তা ভালো করেই জানো।’	قَالُوْا لَقَدْ عَلِمْتَ مَا لَنَا فِيْ بَنٰتِكَ مِنْ حَقٍّ ۚ وَاِنَّكَ لَتَعْلَمُ مَا نُرِيْدُ ﴿۷۹﴾
৮০. সে বললো: ‘তোমাদের উপর যদি আমার শক্তি থাকতো অথবা আমি যদি আশ্রয় পেতাম কোনো সুদৃঢ় স্তম্ভের!’	قَالَ لَوْ اَنَّ لِيْ بِكُمْ قُوَّةً اَوْ اٰوِيْۤ اِلٰى رُكْنٍ شَدِيْدٍ ﴿۸۰﴾
৮১. তারা বললো: হে লুত! আমরা তো আপনার প্রভুর দূত। ওরা কখনো আপনার কাছে পৌঁছাতে পারবে না। আপনি রাতের কোনো এক সময় আপনার পরিবার পরিজন নিয়ে বের হয়ে পড়ুন এবং আপনাদের কেউই যেনো পেছনে না তাকায়। তবে আপনার স্ত্রীকে সাথে নেবেন না। তাদের যা ঘটবে তারও তাই ঘটবে। প্রভাতই তাদের নির্ধারিত সময়। প্রভাত কি ঘনিয়ে আসেনি?	قَالُوْا يٰلُوْطُ اِنَّا رُسُلُ رَبِّكَ لَنْ يَّصِلُوْۤا اِلَيْكَ فَاَسْرِ بِاَهْلِكَ بِقِطْعٍ مِّنَ الَّيْلِ وَلَا يَلْتَفِتْ مِنْكُمْ اَحَدٌ اِلَّا امْرَاَتَكَ ؕ اِنَّهٗ مُصِيْبُهَا مَاۤ اَصَابَهُمْ ؕ اِنَّ مَوْعِدَهُمُ الصُّبْحُ ؕ اَلَيْسَ الصُّبْحُ بِقَرِيْبٍ ﴿۸۱﴾
৮২. তারপর যখন আমাদের নির্দেশ এসে পৌঁছে, তখন আমরা সেই জনপদকে উল্টে দিয়েছি এবং তার উপর অনবরত বর্ষণ করেছি পাথর কঙ্কর।	فَلَمَّا جَآءَ اَمْرُنَا جَعَلْنَا عَالِيَهَا سَافِلَهَا وَاَمْطَرْنَا عَلَيْهَا حِجَارَةً مِّنْ سِجِّيْلٍ ۬ۙ مَّنْضُوْدٍ ﴿۸۲﴾
৮৩. তোমার প্রভুর পক্ষ থেকে সেগুলো ছিলো (তাদের) নাম লেখা কঙ্কর। সেই জনপদ (তোমার প্রতিপক্ষ) এই যালিমদের থেকে দূরে নয়।	مُّسَوَّمَةً عِنْدَ رَبِّكَ ؕ وَمَا هِيَ مِنَ الظّٰلِمِيْنَ بِبَعِيْدٍ ﴿۸۳﴾
৮৪. আর আমরা মাদায়ানে পাঠিয়েছিলাম তাদেরই ভাই শুয়াইবকে। সে তাদের বলেছিল: “হে আমার কওম! তোমরা এক আল্লাহ্‌র ইবাদত করো, তিনি ছাড়া তোমাদের আর কোনো ইলাহ্ নেই। তোমরা মাপে এবং ওজনে কম করোনা। আমি তো তোমাদের স্বচ্ছল দেখছি। আমি তোমাদের উপর আশংকা করছি এক সর্বগ্রাসী দিনের আযাবের।	وَاِلٰى مَدْيَنَ اَخَاهُمْ شُعَيْبًا ؕ قَالَ يٰقَوْمِ اعْبُدُوا اللّٰهَ مَا لَكُمْ مِّنْ اِلٰهٍ غَيْرُهٗ ؕ وَلَا تَنْقُصُوا الْمِكْيَالَ وَالْمِيْزَانَ اِنِّيْۤ اَرٰىكُمْ بِخَيْرٍ وَّاِنِّيْۤ اَخَافُ عَلَيْكُمْ عَذَابَ يَوْمٍ مُّحِيْطٍ ﴿۸۴﴾
৮৫. হে আমার কওম! ইনসাফের সাথে পূর্ণ করে দাও মাপ এবং ওজন। মানুষকে তাদের প্রাপ্য সামগ্রী কম দিও না এবং দেশে বিপর্যয় সৃষ্টি করে বেড়িয়োনা।	وَيٰقَوْمِ اَوْفُوا الْمِكْيَالَ وَالْمِيْزَانَ بِالْقِسْطِ وَلَا تَبْخَسُوا النَّاسَ اَشْيَآءَهُمْ وَلَا تَعْثَوْا فِي الْاَرْضِ مُفْسِدِيْنَ ﴿۸۵﴾

রুকু ০৭

৮৬. আল্লাহ্‌র অনুমোদিত বাকিটাই (লাভটাই) তোমাদের জন্যে উত্তম যদি তুমি মুমিন হও। আমি তোমাদের উপর পাহারাদার নই।”	بَقِيَّتُ اللّٰهِ خَيْرٌ لَّكُمْ اِنْ كُنْتُمْ مُّؤْمِنِيْنَ ۚ۬ وَمَاۤ اَنَا عَلَيْكُمْ بِحَفِيْظٍ ﴿٨٦﴾
৮৭. তখন তারা বলেছিল: ‘হে শুয়াইব! তোমার সালাত কি তোমাকে এই নির্দেশ দেয় যে, আমাদের পূর্ব পুরুষরা যে সবের ইবাদত করতো আমরা যেনো সেগুলোকে ত্যাগ করি? কিংবা আমাদের ধন-সম্পদ নিয়ে আমরা যা ইচ্ছে তাই করি? শুধু তুমি রয়ে গেলে একজন উঁচু মনের ধৈর্যশীল সৎ মানুষ।’	قَالُوْا يٰشُعَيْبُ اَصَلٰوتُكَ تَاْمُرُكَ اَنْ نَّتْرُكَ مَا يَعْبُدُ اٰبَآؤُنَاۤ اَوْ اَنْ نَّفْعَلَ فِيْۤ اَمْوَالِنَا مَا نَشٰٓؤُا ؕ اِنَّكَ لَاَنْتَ الْحَلِيْمُ الرَّشِيْدُ ﴿٨٧﴾
৮৮. তখন সে বলেছিল: “হে আমার কওম! তোমরা কি ভেবে দেখেছো, আমি যদি আমার প্রভুর পক্ষ থেকে এক সুস্পষ্ট প্রমাণের উপর প্রতিষ্ঠিত থাকি এবং তিনি যদি তাঁর পক্ষ থেকে আমাকে উত্তম জীবিকা দান করেন (তবে আমি কী করে তাঁর অবাধ্য হই?)। আমি চাইনা, তোমাদেরকে আমি যা নিষেধ করছি, আমি নিজেই তার বিপরীত আচরণ করি। আমি তো আমার সাধ্যমতো সংশোধন করতে চাই। আমি তো ততোটাই করি যতোটা আল্লাহ্ আমাকে তৌফিক দেন। তাঁরই উপর আমি তাওয়াক্কুল করেছি এবং আমি তাঁরই অভিমুখী।	قَالَ يٰقَوْمِ اَرَءَيْتُمْ اِنْ كُنْتُ عَلٰى بَيِّنَةٍ مِّنْ رَّبِّيْ وَ رَزَقَنِيْ مِنْهُ رِزْقًا حَسَنًا ؕ وَ مَاۤ اُرِيْدُ اَنْ اُخَالِفَكُمْ اِلٰى مَاۤ اَنْهٰىكُمْ عَنْهُ ؕ اِنْ اُرِيْدُ اِلَّا الْاِصْلَاحَ مَا اسْتَطَعْتُ ؕ وَ مَا تَوْفِيْقِيْۤ اِلَّا بِاللّٰهِ ؕ عَلَيْهِ تَوَكَّلْتُ وَ اِلَيْهِ اُنِيْبُ ﴿٨٨﴾
৮৯. হে আমার কওম! আমার বিরুদ্ধাচরণ যেনো তোমাদেরকে এমন অপরাধে লিপ্ত না করে, যার ফলে তোমাদের উপর সে রকম বিপদ এসে পড়ে, যে রকম আপদ আপতিত হয়েছিল নূহের কওম, হুদের কওম, কিংবা সালেহ্‌র কওমের উপর। আর লুতের কওমের ঘটনা তো তোমাদের থেকে বেশি দূরের নয়।	وَ يٰقَوْمِ لَا يَجْرِمَنَّكُمْ شِقَاقِيْۤ اَنْ يُّصِيْبَكُمْ مِّثْلُ مَاۤ اَصَابَ قَوْمَ نُوْحٍ اَوْ قَوْمَ هُوْدٍ اَوْ قَوْمَ صٰلِحٍ ؕ وَ مَا قَوْمُ لُوْطٍ مِّنْكُمْ بِبَعِيْدٍ ﴿٨٩﴾
৯০. তোমরা তোমাদের প্রভুর কাছে ক্ষমা প্রার্থনা করো, তারপর তাঁরই দিকে ফিরে আসো। নিশ্চয়ই আমার প্রভু পরম দয়াবান, বন্ধুসুলভ।”	وَ اسْتَغْفِرُوْا رَبَّكُمْ ثُمَّ تُوْبُوْۤا اِلَيْهِ ؕ اِنَّ رَبِّيْ رَحِيْمٌ وَّدُوْدٌ ﴿٩٠﴾
৯১. তখন তারা বলেছিল: ‘হে শুয়াইব! তুমি যা বলছো তার অনেক কথাই আমরা বুঝতে পারছিনা। আমাদের মাঝে তো আমরা তোমাকে দুর্বল দেখতে পাচ্ছি। আমাদের সাথে আত্মীয়তার সম্পর্ক না থাকলে আমরা তোমাকে পাথর মেরে হত্যাই করতাম আর আমাদের উপর তুমি শক্তিমান নও।’	قَالُوْا يٰشُعَيْبُ مَا نَفْقَهُ كَثِيْرًا مِّمَّا تَقُوْلُ وَ اِنَّا لَنَرٰىكَ فِيْنَا ضَعِيْفًا ۚ وَ لَوْ لَا رَهْطُكَ لَرَجَمْنٰكَ ۫ وَ مَاۤ اَنْتَ عَلَيْنَا بِعَزِيْزٍ ﴿٩١﴾
৯২. সে বলেছিল: “হে আমার কওম! তোমাদের সাথে আমার আত্মীয়তার সম্পর্কটা কি আল্লাহ্‌র চাইতেও তোমাদের উপর বেশি শক্তিশালী? অথচ তোমরা তাঁকেই সম্পূর্ণ পেছনে ফেলে রেখেছো। জেনে রাখো, তোমরা যা করছো আমার প্রভু তা পরিবেষ্টন করে রেখেছেন।’	قَالَ يٰقَوْمِ اَرَهْطِيْۤ اَعَزُّ عَلَيْكُمْ مِّنَ اللّٰهِ ؕ وَ اتَّخَذْتُمُوْهُ وَرَآءَكُمْ ظِهْرِيًّا ؕ اِنَّ رَبِّيْ بِمَا تَعْمَلُوْنَ مُحِيْطٌ ﴿٩٢﴾

৯৩. হে আমার কওম! তোমরা নিজ নিজ অবস্থানে থেকে নিজেদের কর্মকাণ্ড করতে থাকো, আমিও আমার কাজ করে যাবো। অচিরেই তোমরা জানতে পারবে, কার উপর এসে পড়ে অপমানকর আযাব এবং কে মিথ্যাবাদী? তোমরা অপেক্ষা করো, আমিও তোমাদের সাথে অপেক্ষায় থাকলাম।"

وَ یٰقَوْمِ اعْمَلُوْا عَلٰی مَكَانَتِكُمْ اِنِّیْ عَامِلٌ ؕ سَوْفَ تَعْلَمُوْنَ ۙ مَنْ یَّاْتِیْهِ عَذَابٌ یُّخْزِیْهِ وَ مَنْ هُوَ كَاذِبٌ ؕ وَ ارْتَقِبُوْۤا اِنِّیْ مَعَكُمْ رَقِیْبٌ ﴿۹۳﴾

৯৪. অত:পর যখন আমাদের নির্দেশ এসে পড়েছিল, আমরা আমাদের রহমতে নাজাত দিয়েছিলাম শুয়াইবকে এবং যারা তার সাথে ঈমান এনেছিল তাদেরকে। আর মহা বিকট শব্দ পাকড়াও করে নিয়েছিল যালিমদেরকে। ফলে তারা তাদের ঘরে ঘরে উপুড় হয়ে পড়েছিল।

وَ لَمَّا جَآءَ اَمْرُنَا نَجَّیْنَا شُعَیْبًا وَّ الَّذِیْنَ اٰمَنُوْا مَعَهٗ بِرَحْمَةٍ مِّنَّا وَ اَخَذَتِ الَّذِیْنَ ظَلَمُوا الصَّیْحَةُ فَاَصْبَحُوْا فِیْ دِیَارِهِمْ جٰثِمِیْنَ ﴿۹۴﴾

৯৫. অবস্থা এমন হয়েছিল, যেনো তারা কখনো সেখানে বসবাসই করেনি। সাবধান মাদায়েনবাসী ধ্বংস হয়ে গিয়েছিল যেমন ধ্বংস হয়ে গিয়েছিল সামুদ জাতি।

كَاَنْ لَّمْ یَغْنَوْا فِیْهَا ؕ اَلَا بُعْدًا لِّمَدْیَنَ كَمَا بَعِدَتْ ثَمُوْدُ ﴿۹۵﴾

রুকু ০৮

৯৬. আমরা মূসাকে পাঠিয়েছিলাম আমাদের নিদর্শন ও সুস্পষ্ট প্রমাণ নিয়ে,

وَ لَقَدْ اَرْسَلْنَا مُوْسٰی بِاٰیٰتِنَا وَ سُلْطٰنٍ مُّبِیْنٍ ﴿۹۶﴾

৯৭. ফেরাউন ও তার পারিষদবর্গের কাছে। কিন্তু তারা ফেরাউনের নির্দেশের অনুসরণ করে, অথচ ফেরাউনের নির্দেশ ন্যায্য ছিলনা।

اِلٰی فِرْعَوْنَ وَ مَلَا۠ئِهٖ فَاتَّبَعُوْۤا اَمْرَ فِرْعَوْنَ ۚ وَ مَاۤ اَمْرُ فِرْعَوْنَ بِرَشِیْدٍ ﴿۹۷﴾

৯৮. কিয়ামতের দিন সে তার (অনুগামী) কওমের সামনে সামনেই থাকবে এবং তাদের নিয়ে প্রবেশ করবে জাহান্নামে। যেখানে তাদের প্রবেশ করানো হবে তা কতো যে নিকৃষ্ট জায়গা!

یَقْدُمُ قَوْمَهٗ یَوْمَ الْقِیٰمَةِ فَاَوْرَدَهُمُ النَّارَ ؕ وَ بِئْسَ الْوِرْدُ الْمَوْرُوْدُ ﴿۹۸﴾

৯৯. এই দুনিয়ায় এবং কিয়ামতের দিনেও তাদেরকে লানতের অনুগামী করা হয়েছে। তাদেরকে যে পুরস্কার দেয়া হবে, তা কতো যে নিকৃষ্ট পুরস্কার!

وَ اُتْبِعُوْا فِیْ هٰذِهٖ لَعْنَةً وَّ یَوْمَ الْقِیٰمَةِ ؕ بِئْسَ الرِّفْدُ الْمَرْفُوْدُ ﴿۹۹﴾

১০০. এ হলো জনপদসমূহের সংবাদ যা আমরা তোমার কাছে বর্ণনা করছি। সেগুলোর মধ্যে কিছু (জনপদের চিহ্ন) এখনো বিদ্যমান আছে, আর কিছু হয়ে গেছে বিলীন।

ذٰلِكَ مِنْ اَنْۢبَآءِ الْقُرٰی نَقُصُّهٗ عَلَیْكَ مِنْهَا قَآئِمٌ وَّ حَصِیْدٌ ﴿۱۰۰﴾

১০১. আমরা তাদের প্রতি যুলুম করিনি, বরং তারাই নিজেদের প্রতি যুলুম করেছিল। তাদের উপর যখন আমাদের শাস্তির ফায়সালা এসেছিল, তখন তারা আল্লাহ্‌কে ছাড়া যাদের ডাকতো সেই সব ইলাহ্‌রা তাদের কিছু মাত্র কাজে আসেনি। তারা তাদের ধ্বংস ছাড়া আর কিছুই বাড়ায়নি।

وَ مَا ظَلَمْنٰهُمْ وَ لٰكِنْ ظَلَمُوْۤا اَنْفُسَهُمْ فَمَاۤ اَغْنَتْ عَنْهُمْ اٰلِهَتُهُمُ الَّتِیْ یَدْعُوْنَ مِنْ دُوْنِ اللّٰهِ مِنْ شَیْءٍ لَّمَّا جَآءَ اَمْرُ رَبِّكَ ؕ وَ مَا زَادُوْهُمْ غَیْرَ تَتْبِیْبٍ ﴿۱۰۱﴾

১০২. কোনো জনপদ যখন যুলুম করতে থাকে, তখন তোমার প্রভু তাদেরকে এভাবেই শাস্তি দিয়ে থাকেন। তাঁর শাস্তি বড়ই কঠিন বেদনাদায়ক।

وَ كَذٰلِكَ اَخْذُ رَبِّكَ اِذَاۤ اَخَذَ الْقُرٰی وَ هِیَ ظٰلِمَةٌ ؕ اِنَّ اَخْذَهٗۤ اَلِیْمٌ شَدِیْدٌ ﴿۱۰۲﴾

১০৩. এর মধ্যে রয়েছে নিদর্শন তাদের জন্যে, যারা আখিরাতের আযাবকে ভয় পায়। সেদিন সব মানুষকে জমা করা হবে এবং সেটাই হবে উপস্থিতির দিন।	إِنَّ فِي ذَٰلِكَ لَآيَةً لِّمَنْ خَافَ عَذَابَ الْآخِرَةِ ۚ ذَٰلِكَ يَوْمٌ مَّجْمُوعٌ لَّهُ النَّاسُ وَذَٰلِكَ يَوْمٌ مَّشْهُودٌ ﴿١٠٣﴾
১০৪. সেটাকে আমরা একটা নির্দিষ্ট কালের জন্যে স্থগিত রেখেছি মাত্র।	وَمَا نُؤَخِّرُهُ إِلَّا لِأَجَلٍ مَّعْدُودٍ ﴿١٠٤﴾
১০৫. সে দিনটি যখন আসবে তখন আল্লাহ্র অনুমতি ছাড়া কেউই কথা বলতে পারবে না। তাদের মধ্যে কিছু লোক হবে হতভাগ্য আর কিছু লোক হবে ভাগ্যবান।	يَوْمَ يَأْتِ لَا تَكَلَّمُ نَفْسٌ إِلَّا بِإِذْنِهِ ۚ فَمِنْهُمْ شَقِيٌّ وَسَعِيدٌ ﴿١٠٥﴾
১০৬. হতভাগারা থাকবে জাহান্নামে। সেখানে তাদের জন্যে থাকবে কেবল চীৎকার আর আর্তনাদ।	فَأَمَّا الَّذِينَ شَقُوا فَفِي النَّارِ لَهُمْ فِيهَا زَفِيرٌ وَشَهِيقٌ ﴿١٠٦﴾
১০৭. সেখানেই স্থায়ীভাবে পড়ে থাকবে তারা যতোদিন মহাকাশ ও পৃথিবী বিদ্যমান থাকবে, যদি না তোমার প্রভু অন্য কিছু চান। নিশ্চয়ই তোমার প্রভু যা চান তাই করেন।	خَالِدِينَ فِيهَا مَا دَامَتِ السَّمَاوَاتُ وَالْأَرْضُ إِلَّا مَا شَاءَ رَبُّكَ ۚ إِنَّ رَبَّكَ فَعَّالٌ لِّمَا يُرِيدُ ﴿١٠٧﴾
১০৮. আর যারা হবে ভাগ্যবান, তারা থাকবে জান্নাতে। চিরকাল তারা সেখানে (উপভোগ করতে) থাকবে, যতোদিন বিদ্যমান থাকবে মহাকাশ ও পৃথিবী, যদি না তোমার প্রভু ভিন্ন কিছু চান। এ এক অনন্ত অবিরাম পুরস্কার।	وَأَمَّا الَّذِينَ سُعِدُوا فَفِي الْجَنَّةِ خَالِدِينَ فِيهَا مَا دَامَتِ السَّمَاوَاتُ وَالْأَرْضُ إِلَّا مَا شَاءَ رَبُّكَ ۖ عَطَاءً غَيْرَ مَجْذُوذٍ ﴿١٠٨﴾
১০৯. সুতরাং তারা যে সবের ইবাদত করে সেগুলোর ভ্রান্ত বাতিল হবার ব্যাপারে তুমি মোটেও সংশয়ে থেকোনা। আগে তাদের বাপ-দাদারা যাদের ইবাদত করতো তারাও তাদেরই ইবাদত করে। আমরা অবশ্যি তাদের প্রাপ্য অংশ কিছুমাত্র কম না করে পুরোপুরি দেবো।	فَلَا تَكُ فِي مِرْيَةٍ مِّمَّا يَعْبُدُ هَٰؤُلَاءِ ۚ مَا يَعْبُدُونَ إِلَّا كَمَا يَعْبُدُ آبَاؤُهُم مِّن قَبْلُ ۚ وَإِنَّا لَمُوَفُّوهُمْ نَصِيبَهُمْ غَيْرَ مَنقُوصٍ ﴿١٠٩﴾
১১০. আমরা মূসাকেও কিতাব দিয়েছিলাম এবং তা নিয়েও মতভেদ করা হয়েছিল। তোমার প্রভুর পূর্ব ফায়সালা না থাকলে তাদের মাঝেও মীমাংসা হয়ে যেতো। তারা অবশ্যি এ (কিতাব) নিয়ে ভ্রান্তিকর সংশয়ের মধ্যে ছিলো।	وَلَقَدْ آتَيْنَا مُوسَى الْكِتَابَ فَاخْتُلِفَ فِيهِ ۚ وَلَوْلَا كَلِمَةٌ سَبَقَتْ مِن رَّبِّكَ لَقُضِيَ بَيْنَهُمْ ۚ وَإِنَّهُمْ لَفِي شَكٍّ مِّنْهُ مُرِيبٍ ﴿١١٠﴾
১১১. যখন নির্ধারিত সময়টি আসবে, তখন অবশ্যি তোমার প্রভু তাদের প্রত্যেককে তার আমলের পূর্ণ প্রতিদান দেবেন। তারা যা আমল করে সে বিষয়ে তিনি পুরোপুরি অবহিত।	وَإِنَّ كُلًّا لَّمَّا لَيُوَفِّيَنَّهُمْ رَبُّكَ أَعْمَالَهُمْ ۚ إِنَّهُ بِمَا يَعْمَلُونَ خَبِيرٌ ﴿١١١﴾
১১২. সুতরাং তোমাকে যে রকম নির্দেশ দেয়া হয়েছে তার উপর কায়েম থাকো তুমি এবং তোমার সাথে যারা ঈমান এনেছে তারা, আর সীমালংঘন করোনা। তোমরা যা আমল করো সবই তাঁর দৃষ্টিপথে রয়েছে।	فَاسْتَقِمْ كَمَا أُمِرْتَ وَمَن تَابَ مَعَكَ وَلَا تَطْغَوْا ۚ إِنَّهُ بِمَا تَعْمَلُونَ بَصِيرٌ ﴿١١٢﴾

রুকু ০৯

১১৩. যারা যুলুম করেছে তোমরা তাদের প্রতি ঝুঁকে পড়োনা, তাহলে তোমাদের স্পর্শ করবে জাহান্নামের আগুন এবং আল্লাহ্ ছাড়া তোমাদের আর কোনো অলি থাকবে না, আর তোমাদেরকে সাহায্যও করা হবেনা।	وَ لَا تَرْكَنُوْۤا اِلَى الَّذِيْنَ ظَلَمُوْا فَتَمَسَّكُمُ النَّارُ ۙ وَ مَا لَكُمْ مِّنْ دُوْنِ اللّٰهِ مِنْ اَوْلِيَآءَ ثُمَّ لَا تُنْصَرُوْنَ ﴿۱۱۳﴾
১১৪. সালাত কায়েম করো দিনের দুই প্রান্তে (অর্থাৎ ফজর এবং যোহর, আসর ও মাগরিব) এবং রাতের প্রথমাংশে (অর্থাৎ এশার সালাত)। নিশ্চয়ই পুণ্য মিটিয়ে দেয় পাপকে। এটি উপদেশ গ্রহণকারীদের জন্যে একটি উপদেশ।	وَ اَقِمِ الصَّلٰوةَ طَرَفَيِ النَّهَارِ وَ زُلَفًا مِّنَ الَّيْلِ ؕ اِنَّ الْحَسَنٰتِ يُذْهِبْنَ السَّيِّاٰتِ ؕ ذٰلِكَ ذِكْرٰى لِلذّٰكِرِيْنَ ۚ﴿۱۱۴﴾
১১৫. সবর অবলম্বন করো। অবশ্যি আল্লাহ্ বিনষ্ট করেন না পূণ্যবানদের কর্মফল।	وَاصْبِرْ فَاِنَّ اللّٰهَ لَا يُضِيْعُ اَجْرَ الْمُحْسِنِيْنَ ﴿۱۱۵﴾
১১৬. আমরা তোমাদের পূর্ব প্রজন্মের যাদের রক্ষা করেছিলাম, তাদের স্বল্প সংখ্যক ছাড়া বাকিরা পৃথিবীতে ফাসাদ সৃষ্টি করতে নিষেধ করতো না কেন? যালিমরা সে সময়েরই অনুসরণ করতো যাতে সুখ-স্বাচ্ছন্দ পেতো। আসলে তারা ছিলো অপরাধী।	فَلَوْ لَا كَانَ مِنَ الْقُرُوْنِ مِنْ قَبْلِكُمْ اُولُوْا بَقِيَّةٍ يَّنْهَوْنَ عَنِ الْفَسَادِ فِي الْاَرْضِ اِلَّا قَلِيْلًا مِّمَّنْ اَنْجَيْنَا مِنْهُمْ ۚ وَ اتَّبَعَ الَّذِيْنَ ظَلَمُوْا مَاۤ اُتْرِفُوْا فِيْهِ وَ كَانُوْا مُجْرِمِيْنَ ﴿۱۱۶﴾
১১৭. অধিবাসীরা সংশোধনকামী থাকা অবস্থায় তোমার প্রভু অন্যায়ভাবে কোনো জনপদকে ধ্বংস করেন না।	وَ مَا كَانَ رَبُّكَ لِيُهْلِكَ الْقُرٰى بِظُلْمٍ وَّ اَهْلُهَا مُصْلِحُوْنَ ﴿۱۱۷﴾
১১৮. তোমার প্রভু চাইলে সব মানুষকে এক উম্মত বানাতে পারতেন। কিন্তু তারা বিভেদকারীই থেকে যাবে।	وَ لَوْ شَآءَ رَبُّكَ لَجَعَلَ النَّاسَ اُمَّةً وَّاحِدَةً وَّ لَا يَزَالُوْنَ مُخْتَلِفِيْنَ ۙ﴿۱۱۸﴾
১১৯. তবে তোমার প্রভু যাদের রহম করেন তারা ছাড়া। আর তিনি এ জন্যেই তাদের সৃষ্টি করেছেন। 'আমি অবশ্যি জিন এবং ইনসানকে দিয়ে জাহান্নাম পূর্ণ করবো'- তোমার প্রভুর এ ঘোষণা পূর্ণ হবেই।	اِلَّا مَنْ رَّحِمَ رَبُّكَ ؕ وَ لِذٰلِكَ خَلَقَهُمْ ؕ وَ تَمَّتْ كَلِمَةُ رَبِّكَ لَاَمْلَـَٔنَّ جَهَنَّمَ مِنَ الْجِنَّةِ وَ النَّاسِ اَجْمَعِيْنَ ﴿۱۱۹﴾
১২০. (পূর্বের) রসূলদের এসব সংবাদ আমরা তোমার কাছে বর্ণনা করছি এ জন্যে, যেনো এর মাধ্যমে আমরা তোমার হৃদয়কে দৃঢ় করি, আর এর মাধ্যমে তোমার কাছে এসেছে সত্য (ইতিহাস)। তাছাড়া এটি হলো মুমিনদের জন্যে উপদেশ এবং সতর্কবাণী।	وَ كُلًّا نَّقُصُّ عَلَيْكَ مِنْ اَنْۢبَآءِ الرُّسُلِ مَا نُثَبِّتُ بِهٖ فُؤَادَكَ ۚ وَ جَآءَكَ فِيْ هٰذِهِ الْحَقُّ وَ مَوْعِظَةٌ وَّ ذِكْرٰى لِلْمُؤْمِنِيْنَ ﴿۱۲۰﴾
১২১. যারা ঈমান আনেনা, তাদের বলে দাও: "তোমাদের অবস্থানে থেকে তোমরা তোমাদের কর্মকাণ্ড চালিয়ে যাও, আমরাও করে যাবো আমাদের কাজ।	وَ قُلْ لِّلَّذِيْنَ لَا يُؤْمِنُوْنَ اعْمَلُوْا عَلٰى مَكَانَتِكُمْ ؕ اِنَّا عٰمِلُوْنَ ۙ﴿۱۲۱﴾
১২২. আর তোমরা অপেক্ষা করো, আমরাও থাকলাম অপেক্ষায়।"	وَ انْتَظِرُوْا ۚ اِنَّا مُنْتَظِرُوْنَ ﴿۱۲۲﴾

১২৩. মহাকাশ এবং পৃথিবীর গায়েব তো আল্লাহ্ই জানেন। সকল বিষয় তাঁরই কাছে রুজু হয়। সুতরাং তুমি তাঁরই ইবাদত করো এবং তাঁরই উপর তাওয়াক্কুল করো। তোমরা যা করো সে বিষয়ে তোমার প্রভু গাফিল নন।	وَ لِلّٰهِ غَيْبُ السَّمٰوٰتِ وَ الْاَرْضِ وَ اِلَيْهِ يُرْجَعُ الْاَمْرُ كُلُّهٗ فَاعْبُدْهُ وَ تَوَكَّلْ عَلَيْهِ ؕ وَ مَا رَبُّكَ بِغَافِلٍ عَمَّا تَعْمَلُوْنَ ۝١٢٣

রুকু ১০

সূরা ১২ ইউসুফ

মক্কায় অবতীর্ণ, আয়াত সংখ্যা: ১১১, রুকু সংখ্যা: ১২

এই সূরার আলোচ্যসূচি (আয়াত ভিত্তিক আলোচ্য বিষয়)

- ০১-০২: কুরআন আরবি ভাষায় নাযিল করা হয়েছে রসূলের শ্রোতাদের বুঝার জন্য।
- ০৩-০৬: কুরআনের সর্বোত্তম কাহিনী ইউসুফের কাহিনী। ইউসুফের স্বপ্ন ও তাঁর পিতার সতর্কবাণী।
- ০৭-২০: ইউসুফের বিরুদ্ধে তার ভাইদের ষড়যন্ত্র। তাঁকে অন্ধকূপে নিক্ষেপ। পিতার কাছে ইউসুফের ভাইদের বানোয়াট বক্তব্য। ব্যবসায়ী দল কর্তৃক ইউসুফকে উদ্ধার এবং মিশরে নিয়ে বিক্রয়।
- ২১-২২: ইউসুফের জীবনে সৌভাগ্যের দ্বার উন্মুক্ত।
- ২৩-৩৫: ইউসুফের বিরুদ্ধে নারীদের ষড়যন্ত্র এবং তাঁকে কারাগারে নিক্ষেপ।
- ৩৬-৪২: কারাগারে ইউসুফের দাওয়াতি কার্যক্রম। দুই বন্দীর স্বপ্নের ব্যাখ্যা প্রদান।
- ৪৩-৫৩: ইউসুফ কর্তৃক মিশর সম্রাটের স্বপ্নের ব্যাখ্যাদান। ইউসুফের ব্যাপারে সম্রাটের আগ্রহ। ইউসুফের শর্ত। ইউসুফের বিরুদ্ধে করা অভিযোগ মিথ্যা প্রমাণিত।
- ৫৪-৫৭: মিশর সম্রাট কর্তৃক ইউসুফকে ক্ষমতাধর মন্ত্রী নিয়োগ।
- ৫৮-৯৩: ইউসুফের ভাইদের মিশরে ইউসুফের কাছে খাদ্য সামগ্রীর জন্য আগমন। তারা ইউসুফকে চিনতে পারেনি, ইউসুফ তাদের চিনতে পারেন।
- ৯৪-১০১: ইউসুফের ভাইয়েরা ইউসুফের পরিচয় অবগত হয়। ইউসুফ পিতা মাতা ও গোটা পরিবারবর্গকে মিশরে নিয়ে আসেন। ইউসুফের ছোটবেলার স্বপ্ন সত্য প্রমাণিত হয়। আল্লাহ্র প্রতি ইউসুফের কৃতজ্ঞতা।
- ১০২-১১১: মুহাম্মদ সা. এর প্রতি আল্লাহ্র উপদেশ। নবী চাইলেও অধিকাংশ মানুষ ঈমান আনবেনা। অধিকাংশ ঈমানদার লোকই মুশরিক। নবীর চলার পথ। সকল নবী একই পরিস্থিতির সম্মুখীন হন।

সূরা ইউসুফ পরম করুণাময় পরম দয়াবান আল্লাহ্র নামে	**سُوْرَةُ يُوْسُفَ** بِسْمِ اللّٰهِ الرَّحْمٰنِ الرَّحِيْمِ
০১. আলিফ লাম রা। এগুলো স্পষ্টভাষী আল কিতাবের (আল কুরআনের) আয়াত।	الٓرٰ ۟ تِلْكَ اٰيٰتُ الْكِتٰبِ الْمُبِيْنِ ۟ ۝١
০২. এটিকে আমরা 'আরবি কুরআন' বানিয়ে পাঠিয়েছি, যাতে করে তোমরা (সহজেই) বুঝতে পারো।	اِنَّاۤ اَنْزَلْنٰهُ قُرْءٰنًا عَرَبِيًّا لَّعَلَّكُمْ تَعْقِلُوْنَ ۝٢
০৩. তোমার কাছে অবতীর্ণ এ কুরআনের সেরা কাহিনী সমূহের একটি এখন তোমাকে বলছি। এর আগে তুমি এ বিষয়ে না জানা লোকদেরই একজন ছিলে।	نَحْنُ نَقُصُّ عَلَيْكَ اَحْسَنَ الْقَصَصِ بِمَاۤ اَوْحَيْنَاۤ اِلَيْكَ هٰذَا الْقُرْاٰنَ ۖۗ وَ اِنْ كُنْتَ مِنْ قَبْلِهٖ لَمِنَ الْغٰفِلِيْنَ ۝٣

অনুবাদ	আয়াত
০৪. (ঘটনার শুরু তখন থেকে) যখন ইউসুফ তার পিতাকে বলেছিল: 'আব্বু! আমি স্বপ্ন দেখেছি: এগারটি গ্রহ এবং সূর্য আর চাঁদ। আমি দেখলাম, তারা সবাই আমাকে সাজদা করছে (আমার প্রতি অবনত হয়ে আছে)।'	اِذْ قَالَ يُوْسُفُ لِاَبِيْهِ يٰۤاَبَتِ اِنِّیْ رَاَيْتُ اَحَدَ عَشَرَ كَوْكَبًا وَّ الشَّمْسَ وَ الْقَمَرَ رَاَيْتُهُمْ لِیْ سٰجِدِيْنَ ﴿٤﴾
০৫. (স্বপ্নের বিবরণ শুনে তার পিতা ইয়াকুব বললো): "পুত্র আমার! তোমার এ স্বপ্নের কথা তোমার ভাইদের বলোনা। তাহলে তারা তোমার কোনো ক্ষতি করার চেষ্টা করবে। আর শয়তান তো অবশ্যি মানুষের সুস্পষ্ট দুশমন (হিসাবে কাজ করে যাচ্ছে)।	قَالَ يٰبُنَیَّ لَا تَقْصُصْ رُءْيَاكَ عَلٰۤی اِخْوَتِكَ فَيَكِيْدُوْا لَكَ كَيْدًا ؕ اِنَّ الشَّيْطٰنَ لِلْاِنْسَانِ عَدُوٌّ مُّبِيْنٌ ﴿٥﴾
০৬. এমনটিই হবে, তোমার প্রভু তোমাকে (নবুয়্যতের) জন্যে উপযুক্ত করবেন, বক্তব্যের তাৎপর্য উপলব্ধির শিক্ষা দান করবেন এবং তোমার প্রতি আর ইয়াকুবের উত্তর পুরুষদের প্রতি তাঁর অনুগ্রহ পূর্ণ করবেন, যেভাবে তা পূর্ণ করেছিলেন তোমার পিতামহ ইবরাহিম ও ইসহাকের প্রতি। অবশ্যি তোমার প্রভু সব বিষয়ে জ্ঞানী ও প্রজ্ঞাময়।"	وَ كَذٰلِكَ يَجْتَبِيْكَ رَبُّكَ وَ يُعَلِّمُكَ مِنْ تَاْوِيْلِ الْاَحَادِيْثِ وَ يُتِمُّ نِعْمَتَهٗ عَلَيْكَ وَ عَلٰۤی اٰلِ يَعْقُوْبَ كَمَاۤ اَتَمَّهَا عَلٰۤی اَبَوَيْكَ مِنْ قَبْلُ اِبْرٰهِيْمَ وَ اِسْحٰقَ ؕ اِنَّ رَبَّكَ عَلِيْمٌ حَكِيْمٌ ﴿٦﴾
০৭. ইউসুফ আর তার ভাইদের ঘটনাতে প্রশ্নকারীদের জন্যে রয়েছে (নিজেদের কৃতকর্মের পরিণতি উপলব্ধির) প্রমাণ।	لَقَدْ كَانَ فِیْ يُوْسُفَ وَ اِخْوَتِهٖۤ اٰيٰتٌ لِّلسَّآئِلِيْنَ ﴿٧﴾
০৮. (সেই ঘটনার সূচনা হয় এভাবে যে,) ইউসুফের (সৎ) ভাইয়েরা নিজেরা নিজেরা বলাবলি করছিল: "আমাদের বাবার কাছে ইউসুফ আর তার সহোদর ভাইটি (বিনইয়ামিন) আমাদের চেয়ে বেশি প্রিয়। অথচ আমরা হলাম (দশ ভাইয়ের) একটি সংঘবদ্ধ (শক্তিশালী) দল। আসলে আমাদের পিতা (ইউসুফ আর তার ভাইকে আমাদের উপর প্রাধান্য দিয়ে) সুস্পষ্ট ভুল করছেন।	اِذْ قَالُوْا لَيُوْسُفُ وَ اَخُوْهُ اَحَبُّ اِلٰۤی اَبِيْنَا مِنَّا وَ نَحْنُ عُصْبَةٌ ؕ اِنَّ اَبَانَا لَفِیْ ضَلٰلٍ مُّبِيْنِ ﴿٨﴾
০৯. চলো, ইউসুফকে মেরে ফেলো, কিংবা কোথাও ফেলে রেখে আসো। তবেই তোমাদের পিতার দৃষ্টি শুধু কেবল তোمাদের প্রতি নিবদ্ধ হবে। এই (অপরাধের) কাজটি সেরে ফেলার পর তোমরা ভালো মানুষ হয়ে যেয়ো।"	اقْتُلُوْا يُوْسُفَ اَوِ اطْرَحُوْهُ اَرْضًا يَّخْلُ لَكُمْ وَجْهُ اَبِيْكُمْ وَ تَكُوْنُوْا مِنْۢ بَعْدِهٖ قَوْمًا صٰلِحِيْنَ ﴿٩﴾
১০. এ সময় তাদের একজন বললো: 'ইউসুফকে একেবারে জানে মেরে ফেলোনা, বরং যদি কিছু করতেই হয়, তবে কোনো কুয়ার তলায় ফেলে আসো, তাতে করে কোনো পথিক দল তাকে তুলে (দূর দেশে) নিয়ে যাবে।'	قَالَ قَآئِلٌ مِّنْهُمْ لَا تَقْتُلُوْا يُوْسُفَ وَ اَلْقُوْهُ فِیْ غَيٰبَتِ الْجُبِّ يَلْتَقِطْهُ بَعْضُ السَّيَّارَةِ اِنْ كُنْتُمْ فٰعِلِيْنَ ﴿١٠﴾
১১. (এই সলা পরামর্শের পর পিতার কাছে) গিয়ে তারা বললো: "বাবা! ইউসুফের ব্যাপারে আপনি আমাদের উপর আস্থা রাখেননা কেন? অথচ আমরা তো ইউসুফের কল্যাণই কামনা করি।	قَالُوْا يٰۤاَبَانَا مَا لَكَ لَا تَاْمَنَّا عَلٰی يُوْسُفَ وَ اِنَّا لَهٗ لَنٰصِحُوْنَ ﴿١١﴾

রুকু ০১

১২. আগামিকাল ওকে আমাদের সাথে পাঠান, ফলমূল পেড়ে খাবে, দৌড় দোপ করবে, এভাবে মনটাকে চাংগা করবে। আমরা অবশ্যি তার হিফাযত করবো।”	اَرْسِلْهُ مَعَنَا غَدًا يَّرْتَعْ وَ يَلْعَبْ وَ اِنَّا لَهٗ لَحٰفِظُوْنَ ﴿۱۲﴾
১৩. তাদের পিতা বললো: ‘আমার আশংকা হয়, তোমরা তাকে নিয়ে গিয়ে তার ব্যাপারে অমনোযোগী হয়ে পড়বে আর সে সুযোগে নেকড়ে এসে তাকে খেয়ে ফেলবে, এই ভাবনাটাই বিষন্ন করে তুলছে আমাকে।’	قَالَ اِنِّیْ لَيَحْزُنُنِیْۤ اَنْ تَذْهَبُوْا بِهٖ وَ اَخَافُ اَنْ يَّاْكُلَهُ الذِّئْبُ وَ اَنْتُمْ عَنْهُ غٰفِلُوْنَ ﴿۱۳﴾
১৪. তারা বললো: ‘আমরা একটি শক্তিশালী দল থাকা সত্ত্বেও যদি তাকে নেকড়ে খেয়ে ফেলে, তবে তো আমরা একেবারেই ব্যর্থ।’	قَالُوْا لَئِنْ اَكَلَهُ الذِّئْبُ وَ نَحْنُ عُصْبَةٌ اِنَّاۤ اِذًا لَّخٰسِرُوْنَ ﴿۱۴﴾
১৫. এভাবে (পিতার উপর একটা মানসিক চাপ প্রয়োগ করে) তারা যখন তাকে নিয়ে গেলো এবং তাকে কূপের তলায় নিক্ষেপ করার সিদ্ধান্ত নিলো (এবং নিক্ষেপ করলো)। তখন আমরা তার কাছে অহি (বার্তা) প্রেরণ করলাম: ‘এমন একদিন অবশ্যি আসবে, যখন তুমি তাদের এই অপকর্মের কথা তাদের সামনে তুলে ধরবে, অথচ তারা তোমার পরিচয় বুঝতে পারবেনা।’	فَلَمَّا ذَهَبُوْا بِهٖ وَ اَجْمَعُوْۤا اَنْ يَّجْعَلُوْهُ فِیْ غَيٰبَتِ الْجُبِّ ۚ وَ اَوْحَيْنَاۤ اِلَيْهِ لَتُنَبِّئَنَّهُمْ بِاَمْرِهِمْ هٰذَا وَ هُمْ لَا يَشْعُرُوْنَ ﴿۱۵﴾
১৬. তারা এশার সময় কাঁদতে কাঁদতে তাদের পিতার কাছে এসে উপস্থিত হয়।	وَ جَآءُوْۤ اَبَاهُمْ عِشَآءً يَّبْكُوْنَ ﴿۱۶﴾
১৭. তারা বলে: ‘বাবা! আমরা তো সত্য বললেও আপনি কখনো আমাদের কথা বিশ্বাস করবেন না, (আমরা সত্যই বলছি) ইউসুফকে আমাদের মালপত্রের কাছে রেখে আমরা দৌড় প্রতিযোগিতা করছিলাম, এই ফাঁকে নেকড়ে এসে ওকে খেয়ে ফেলেছে।’	قَالُوْا يٰۤاَبَانَاۤ اِنَّا ذَهَبْنَا نَسْتَبِقُ وَ تَرَكْنَا يُوْسُفَ عِنْدَ مَتَاعِنَا فَاَكَلَهُ الذِّئْبُ ۚ وَ مَاۤ اَنْتَ بِمُؤْمِنٍ لَّنَا وَ لَوْ كُنَّا صٰدِقِيْنَ ﴿۱۷﴾
১৮. তারা (পিতার কাছে নিজেদেরকে সত্যবাদী প্রমাণ করার জন্যে) ইউসুফের জামায় মিথ্যা রক্ত মেখে নিয়ে এসেছিল। তাদের পিতা বললো: ‘(না, তা নয়) বরং তোমাদের মন তোমাদেরকে একটা কাহিনী সাজিয়ে দিয়েছে। আর আমার জন্যে ধৈর্য ধারণ করাই উত্তম। তোমরা যে (মিথ্যা) কাহিনী সাজিয়েছো, তার মোকাবেলায় একমাত্র আল্লাহ্ই (আমার) সাহায্যের মালিক।’	وَ جَآءُوْ عَلٰى قَمِيْصِهٖ بِدَمٍ كَذِبٍ ؕ قَالَ بَلْ سَوَّلَتْ لَكُمْ اَنْفُسُكُمْ اَمْرًا ؕ فَصَبْرٌ جَمِيْلٌ ؕ وَ اللّٰهُ الْمُسْتَعَانُ عَلٰى مَا تَصِفُوْنَ ﴿۱۸﴾
১৯. এদিকে (কূপের নিকট) এসে থামলো একদল পথিক। তারা তাদের পানি সংগ্রহকারীকে (পানির জন্যে কূপের দিকে) পাঠিয়ে দেয়। সে গিয়ে তার বালতি ফেলে কুয়োতে। (ইউসুফকে দেখে) সে বিস্ময়ে বলে উঠে: ‘দারুণ সুখবর, (দেখে যান) এখানে এক বালক!’ তারপর তারা তাকে একটি পণ্য বিক্রয়ের মাল (দাস) হিসেবে লুকিয়ে রাখে। তারা (তাকে নিয়ে) যা কিছু করছিল, সে বিষয়ে আল্লাহ ভালোভাবেই অবহিত ছিলেন।	وَ جَآءَتْ سَيَّارَةٌ فَاَرْسَلُوْا وَارِدَهُمْ فَاَدْلٰى دَلْوَهٗ ؕ قَالَ يٰبُشْرٰى هٰذَا غُلٰمٌ ؕ وَ اَسَرُّوْهُ بِضَاعَةً ؕ وَ اللّٰهُ عَلِيْمٌۢ بِمَا يَعْمَلُوْنَ ﴿۱۹﴾

রুকু ০২

২০. অবশেষে তারা তাকে বিক্রি করে ফেলে সামান্য দামে, মাত্র কয়েক দিরহামে। আসলে তারা ছিলো তার ব্যাপারে অপ্রত্যাশী।	وَشَرَوْهُ بِثَمَنٍ بَخْسٍ دَرَاهِمَ مَعْدُودَةٍ وَكَانُوا فِيهِ مِنَ الزَّاهِدِينَ ﴿٢٠﴾
২১. মিশরের যে ব্যক্তি তাকে ক্রয় করে নেয়, সে তার স্ত্রীকে বলেছিল: 'একে সুন্দর ও সম্মানজনকভাবে রাখো, সে আমাদের জন্যে উপকারী হবার সম্ভাবনা আছে, অথবা আমরা তাকে আমাদের ছেলেই বানিয়ে নেবো।' এভাবে আমরা ইউসুফকে সে দেশে প্রতিষ্ঠিত হবার জায়গা করে দেই এবং যাবতীয় পরিস্থিতি ও ঘটনাবলির তাৎপর্য উপলব্ধি করার ব্যবস্থা করি। আল্লাহ তাঁর সিদ্ধান্ত বাস্তবায়ন করেই থাকেন। তবে অধিকাংশ মানুষ তা জানেনা।	وَقَالَ الَّذِي اشْتَرَاهُ مِنْ مِصْرَ لِامْرَأَتِهِ أَكْرِمِي مَثْوَاهُ عَسَىٰ أَنْ يَنْفَعَنَا أَوْ نَتَّخِذَهُ وَلَدًا ۚ وَكَذَٰلِكَ مَكَّنَّا لِيُوسُفَ فِي الْأَرْضِ وَلِنُعَلِّمَهُ مِنْ تَأْوِيلِ الْأَحَادِيثِ ۚ وَاللَّهُ غَالِبٌ عَلَىٰ أَمْرِهِ وَلَٰكِنَّ أَكْثَرَ النَّاسِ لَا يَعْلَمُونَ ﴿٢١﴾
২২. সে (ইউসুফ) যখন পূর্ণ যৌবনে, পূর্ণ বয়সে উপনীত হয়, আমি তাকে প্রদান করি প্রজ্ঞা এবং জ্ঞান (নবুয়্যত)। আর এভাবেই আমি উপকারী পুণ্যবান লোকদের পুরস্কার দিয়ে থাকি।	وَلَمَّا بَلَغَ أَشُدَّهُ آتَيْنَاهُ حُكْمًا وَعِلْمًا ۚ وَكَذَٰلِكَ نَجْزِي الْمُحْسِنِينَ ﴿٢٢﴾
২৩. এদিকে যে মেয়ে লোকটির ঘরে সে (ইউসুফ) অবস্থান করছিল, সে তাকে নিজের দিকে আকৃষ্ট করার পথ অবলম্বন করে। একদিন তো সে ঘরের সব দরজা বন্ধ করে দিয়েই (ইউসুফকে) আহবান জানায়: 'ওহে, এসো।' সে (ইউসুফ) বললো: 'আমি (এমন কর্ম থেকে) আল্লাহ্‌র আশ্রয় চাই। তিনিই আমার প্রভু। অতি উত্তম মর্যাদা তিনি আমাকে দান করেছেন (একাজ করা আমার পক্ষে অসম্ভব)। আর অন্যায়কারীরা তো কিছুতেই সাফল্য অর্জন করেনা।'	وَرَاوَدَتْهُ الَّتِي هُوَ فِي بَيْتِهَا عَنْ نَفْسِهِ وَغَلَّقَتِ الْأَبْوَابَ وَقَالَتْ هَيْتَ لَكَ ۚ قَالَ مَعَاذَ اللَّهِ إِنَّهُ رَبِّي أَحْسَنَ مَثْوَايَ ۖ إِنَّهُ لَا يُفْلِحُ الظَّالِمُونَ ﴿٢٣﴾
২৪. মেয়েলোকটি তো তার প্রতি আসক্ত হয়েই ছিলো, আর সেও তার প্রতি আসক্তিতে জড়িয়ে পড়তো, যদি তার প্রভুর স্পষ্ট প্রমাণ (evidance) তার দৃষ্টি পথে না থাকতো। এটা করা হয়েছে এজন্যে, যেনো এ পন্থায় আমি তার থেকে অন্যায় ও অশ্লীলতা দূর করে দিতে পারি। অবশ্যি সে ছিলো আমার নির্বাচিত দাসদের একজন।	وَلَقَدْ هَمَّتْ بِهِ ۖ وَهَمَّ بِهَا لَوْلَا أَنْ رَأَىٰ بُرْهَانَ رَبِّهِ ۚ كَذَٰلِكَ لِنَصْرِفَ عَنْهُ السُّوءَ وَالْفَحْشَاءَ ۚ إِنَّهُ مِنْ عِبَادِنَا الْمُخْلَصِينَ ﴿٢٤﴾
২৫. সুতরাং তারা একজন আরেকজনের পেছনে দরজার দিকে দৌড়ায়, আর মেয়েলোকটি পেছন থেকে ইউসুফের জামা টেনে ধরে ছিঁড়েই ফেলে এবং (দৌড়ে এসে দরজায় পৌঁছুতেই) তারা তার কর্তাকে (স্বামীকে) দরজায় দেখতে পায়। তাকে দেখে মেয়েলোকটি বলে উঠে: 'যে তোমার স্ত্রীর প্রতি অসৎ কর্মের ইচ্ছা পোষণ করে, কারাগারে নিক্ষেপ করা কিংবা কঠিন শাস্তি দেয়া ছাড়া তার আর কী প্রতিবিধান হতে পারে?'	وَاسْتَبَقَا الْبَابَ وَقَدَّتْ قَمِيصَهُ مِنْ دُبُرٍ وَأَلْفَيَا سَيِّدَهَا لَدَا الْبَابِ ۚ قَالَتْ مَا جَزَاءُ مَنْ أَرَادَ بِأَهْلِكَ سُوءًا إِلَّا أَنْ يُسْجَنَ أَوْ عَذَابٌ أَلِيمٌ ﴿٢٥﴾

২৬. তখন ইউসুফ বললো: 'উনি আমাকে অসৎ কর্মে জড়িত করার চেষ্টা করেছেন।' (দুইজনের দুই রকম কথার প্রেক্ষিতে) মেয়েলোকটির পরিবারেরই একজন এ বিষয়ে সাক্ষ্য (ফায়সালা) দেয়: "ইউসুফের জামা যদি সামনের দিকে ছিড়ে গিয়ে থাকে তবে আপনার স্ত্রীর কথাই ঠিক এবং ইউসুফের বক্তব্য অসত্য।	قَالَ هِيَ رَاوَدَتْنِيْ عَنْ نَّفْسِيْ وَ شَهِدَ شَاهِدٌ مِّنْ اَهْلِهَا ۚ اِنْ كَانَ قَمِيْصُهٗ قُدَّ مِنْ قُبُلٍ فَصَدَقَتْ وَ هُوَ مِنَ الْكٰذِبِيْنَ ﴿٢٦﴾
২৭. আর ইউসুফের জামা যদি পেছন দিকে ছিড়েঁ গিয়ে থাকে, তবে আপনার স্ত্রীর কথা অসত্য এবং ইউসুফের বক্তব্য সঠিক।"	وَ اِنْ كَانَ قَمِيْصُهٗ قُدَّ مِنْ دُبُرٍ فَكَذَبَتْ وَ هُوَ مِنَ الصّٰدِقِيْنَ ﴿٢٧﴾
২৮. তার স্বামী যখন দেখলো, ইউসুফের জামা পেছন দিকে ছেঁড়া, তখন সে বলে উঠলো: "অবশ্যি এটা তোমাদের নারীদেরই ষড়যন্ত্র। নি:সন্দেহে তোমাদের নারীদের ছলনা-চক্রান্ত ভীষণ ব্যাপার।'	فَلَمَّا رَاٰ قَمِيْصَهٗ قُدَّ مِنْ دُبُرٍ قَالَ اِنَّهٗ مِنْ كَيْدِكُنَّ ؕ اِنَّ كَيْدَكُنَّ عَظِيْمٌ ﴿٢٨﴾
২৯. হে ইউসুফ! তুমি বিষয়টি উপেক্ষা করো। আর হে আমার স্ত্রী! তুমি তোমার অপরাধের জন্যে ক্ষমা চাও। কারণ, অবশ্যি তুমি অপরাধী।"	يُوْسُفُ اَعْرِضْ عَنْ هٰذَا ٜ وَاسْتَغْفِرِيْ لِذَنْۢبِكِ ۖۚ اِنَّكِ كُنْتِ مِنَ الْخٰطِـِٕيْنَ ﴿٢٩﴾
৩০. (এ ঘটনা প্রকাশ হয়ে পড়লে) নগরীতে একদল নারী বলাবলি করতে থাকে: 'আযীযের স্ত্রী তার যুবক দাসের প্রতি আসক্ত হয়েছে! প্রেম তাকে পাগল করে ছেড়েছে। আমাদের মতে সে পরিষ্কার ভুল পথে পা বাড়িয়েছে।'	وَ قَالَ نِسْوَةٌ فِي الْمَدِيْنَةِ امْرَاَتُ الْعَزِيْزِ تُرَاوِدُ فَتٰىهَا عَنْ نَّفْسِهٖ ۚ قَدْ شَغَفَهَا حُبًّا ؕ اِنَّا لَنَرٰىهَا فِيْ ضَلٰلٍ مُّبِيْنٍ ﴿٣٠﴾
৩১. (আযীযের স্ত্রী) যখন তাদের এই অভিযোগ শুনতে পায়, সে তাদের ডেকে পাঠায় এবং তাদের জন্যে একটি ভোজ উৎসব-এর আয়োজন করে। (খাবার সামগ্রী কেটে খাবার জন্যে) সে প্রত্যেকের সামনে একটি করে ছুরি রেখে দেয়। (অতপর তারা কেটে কেটে খেতে আরম্ভ করলে) সে ইউসুফকে বলে: 'এদের সামনে বেরিয়ে এসো।' তারা যখন ইউসুফকে দেখলো, তাকে অতি উচ্চ, মহিমান্বিত পেয়ে অভিভূত ও উত্তেজিত (exalted) হয়ে পড়ে এবং নিজেদের হাত কেটে ফেলে! তারা বলে উঠে: 'হায় আল্লাহ, এ-তো মানুষ নয়, এ-তো এক সম্ভ্রান্ত (noble) ফেরেশতা!'	فَلَمَّا سَمِعَتْ بِمَكْرِهِنَّ اَرْسَلَتْ اِلَيْهِنَّ وَ اَعْتَدَتْ لَهُنَّ مُتَّكَاً وَّ اٰتَتْ كُلَّ وَاحِدَةٍ مِّنْهُنَّ سِكِّيْنًا وَّ قَالَتِ اخْرُجْ عَلَيْهِنَّ ۚ فَلَمَّا رَاَيْنَهٗۤ اَكْبَرْنَهٗ وَ قَطَّعْنَ اَيْدِيَهُنَّ وَ قُلْنَ حَاشَ لِلّٰهِ مَا هٰذَا بَشَرًا ؕ اِنْ هٰذَاۤ اِلَّا مَلَكٌ كَرِيْمٌ ﴿٣١﴾
৩২. (এবার আযীযের স্ত্রী বলে উঠে: 'এ হলো সেই যুবক, যার ব্যাপারে তোমরা আমাকে তিরস্কার করছিলে। হ্যাঁ, একেই আমি আমার কামনায় জড়িত করতে চাইছি, কিন্তু সে আমার আহবান প্রত্যাখ্যান করে চলেছে। এরপরও যদি সে আমি যা করতে বলি তা না করে, তবে অবশ্যি তাকে কারাগারে বন্দী করে রাখা হবে এবং তখন হবে সে চরম লাঞ্ছিত-অপদস্ত।'	قَالَتْ فَذٰلِكُنَّ الَّذِيْ لُمْتُنَّنِيْ فِيْهِ ؕ وَ لَقَدْ رَاوَدْتُّهٗ عَنْ نَّفْسِهٖ فَاسْتَعْصَمَ ؕ وَ لَئِنْ لَّمْ يَفْعَلْ مَاۤ اٰمُرُهٗ لَيُسْجَنَنَّ وَ لَيَكُوْنًا مِّنَ الصّٰغِرِيْنَ ﴿٣٢﴾

রুকু ০৩

৩৩. ইউসুফ (মহান আল্লাহ্‌র কাছে দোয়া করে) বললো: 'আমার প্রভু! এই নারীরা আমাকে যে কাজের দিকে ডাকছে, তা থেকে কারাগারই আমার অধিক প্রিয়। (প্রভু!) তুমি যদি এদের ছলনা-চক্রান্ত আমার থেকে সরিয়ে না নাও, তবে তো আমি এদের ছলনার ফাঁদে ফেসে যাবো আর অন্তরভুক্ত হয়ে পড়বো জাহিলদের!'	قَالَ رَبِّ السِّجْنُ اَحَبُّ اِلَيَّ مِمَّا يَدْعُوْنَنِيْٓ اِلَيْهِ ۚ وَ اِلَّا تَصْرِفْ عَنِّيْ كَيْدَهُنَّ اَصْبُ اِلَيْهِنَّ وَ اَكُنْ مِّنَ الْجٰهِلِيْنَ ﴿۳۳﴾
৩৪. তখন তার প্রভু (মহান আল্লাহ) তার দোয়া কবুল করেন এবং সেই নারীদের ছলনা-ষড়যন্ত্র থেকে তাকে রক্ষা করেন। (কারণ) তিনি তো সবই শুনেন, সবই জানেন।	فَاسْتَجَابَ لَهٗ رَبُّهٗ فَصَرَفَ عَنْهُ كَيْدَهُنَّ ؕ اِنَّهٗ هُوَ السَّمِيْعُ الْعَلِيْمُ ﴿۳۴﴾
৩৫. (ইউসুফের নিষ্কলুষতা আর নিজেদের নারীদের ছিনালি ও অসতিপনার) পরিস্থিতি ও প্রামাণাদি দেখার পর তারা ভাবে, কিছুকালের জন্যে অবশ্যি ইউসুফকে জেলে রাখতে হবে (এবং তারা তাকে কারাগারে পাঠিয়ে দেয়)।	ثُمَّ بَدَا لَهُمْ مِّنْۢ بَعْدِ مَا رَاَوُا الْاٰيٰتِ لَيَسْجُنُنَّهٗ حَتّٰى حِيْنٍ ﴿۳۵﴾
৩৬. আর তার সাথে কারাগারে প্রবেশ করে দুই যুবক (রাজ কর্মচারি)। একদিন (তারা ইউসুফের কাছে আসে এবং) তাদের একজন বলে: 'আমি স্বপ্ন দেখেছি, আমি মদ তৈরি করছি।' আর অপরজন বলে: 'আমি স্বপ্ন দেখেছি, আমার মাথায় রুটি বহন করছি আর তা থেকে (ঠোকর মেরে মেরে) খাচ্ছে পাখিরা।' (দুজনেই বললো:) 'আমাদেরকে এর তাৎপর্য বলে দিন। আমাদের দৃষ্টিতে আপনি একজন অতি উত্তম মানুষ।'	وَ دَخَلَ مَعَهُ السِّجْنَ فَتَيٰنِ ؕ قَالَ اَحَدُهُمَآ اِنِّيْٓ اَرٰىنِيْٓ اَعْصِرُ خَمْرًا ۚ وَ قَالَ الْاٰخَرُ اِنِّيْٓ اَرٰىنِيْٓ اَحْمِلُ فَوْقَ رَاْسِيْ خُبْزًا تَاْكُلُ الطَّيْرُ مِنْهُ ؕ نَبِّئْنَا بِتَاْوِيْلِهٖ ۚ اِنَّا نَرٰىكَ مِنَ الْمُحْسِنِيْنَ ﴿۳۶﴾
৩৭. ইউসুফ (তাদের কথা শুনে) বললো: "তোমাদের যে খাবার এখানে দেয়া হয়, তা আসার আগেই আমি তোমাদের স্বপ্নের তাৎপর্য বলে দেবো। (তাই এর মধ্যে তোমরা কয়েকটি জরুরি কথা শুনো), আমি যে কথাগুলো তোমাদের বলবো, সেগুলো আমার প্রভু (আল্লাহ) আমাকে শিক্ষা দিয়েছেন। আমি বর্জন করেছি সেইসব লোকদের মত ও পথ, যারা এক আল্লাহ্‌র প্রতি ঈমান রাখেনা এবং আখিরাতের প্রতি অবিশ্বাসী।"	قَالَ لَا يَاْتِيْكُمَا طَعَامٌ تُرْزَقٰنِهٖٓ اِلَّا نَبَّاْتُكُمَا بِتَاْوِيْلِهٖ قَبْلَ اَنْ يَّاْتِيَكُمَا ؕ ذٰلِكُمَا مِمَّا عَلَّمَنِيْ رَبِّيْ ؕ اِنِّيْ تَرَكْتُ مِلَّةَ قَوْمٍ لَّا يُؤْمِنُوْنَ بِاللّٰهِ وَ هُمْ بِالْاٰخِرَةِ هُمْ كٰفِرُوْنَ ﴿۳۷﴾
৩৮. "আমি অনুসরণ করছি আমার পিতৃপুরুষ ইবরাহিম, ইসহাক, ও ইয়াকুবের মতাদর্শ। (সেই আদর্শ হলো:) আমরা আল্লাহ্‌র সাথে কারো কোনো অংশিদারিত্ব আরোপ করতে পারিনা। আসলে এটা আমাদের এবং গোটা মানবজাতির প্রতি আল্লাহ্‌র এক বিরাট অনুগ্রহ (যে, তিনি মানুষকে একমাত্র তাঁর ছাড়া আর কারো দাস হিসেবে সৃষ্টি করেননি।) তা সত্ত্বেও অধিকাংশ মানুষই তাঁর শোকর আদায় করেনা।"	وَ اتَّبَعْتُ مِلَّةَ اٰبَآءِيْٓ اِبْرٰهِيْمَ وَ اِسْحٰقَ وَ يَعْقُوْبَ ؕ مَا كَانَ لَنَآ اَنْ نُّشْرِكَ بِاللّٰهِ مِنْ شَيْءٍ ؕ ذٰلِكَ مِنْ فَضْلِ اللّٰهِ عَلَيْنَا وَ عَلَى النَّاسِ وَ لٰكِنَّ اَكْثَرَ النَّاسِ لَا يَشْكُرُوْنَ ﴿۳۸﴾

রুকু ০৪

৩৯. "হে আমার প্রিয় কারা-সাথিরা! (তোমরাই বলো:) বহু স্বতন্ত্র (দুর্বল-অক্ষম) খোদা ভালো, নাকি এক দুর্জয় অপ্রতিরোধ্য মহান আল্লাহ ভালো?"	يٰصَاحِبَيِ السِّجۡنِ ءَاَرۡبَابٌ مُّتَفَرِّقُوۡنَ خَيۡرٌ اَمِ اللّٰهُ الۡوَاحِدُ الۡقَهَّارُ ﴿۳۹﴾
৪০. "তাঁকে ছাড়া তোমরা যাদের ইবাদত-উপাসনা করছো, তারা তো তোমাদের আর তোমাদের পিতৃপুরুষদের আরোপিত কতোগুলো নাম ছাড়া আর কিছু নয়। এদের (খোদা হবার) পক্ষে তো আল্লাহ কোনো অনুমতি-অধিকার প্রদান করেননি। আল্লাহ্‌র ছাড়া আর কারো কোনো কর্তৃত্ব নেই। তিনি নির্দেশ দিয়েছেন: তোমরা তাঁর ছাড়া আর কারো ইবাদত (আনুগত্য, দাসত্ব ও উপাসনা) করোনা। এটাই জীবন যাপনের সরল সঠিক পথ। কিন্তু অধিকাংশ মানুষই বিষয়টি জানেনা।"	مَا تَعۡبُدُوۡنَ مِنۡ دُوۡنِهٖۤ اِلَّاۤ اَسۡمَآءً سَمَّيۡتُمُوۡهَاۤ اَنۡتُمۡ وَ اٰبَآؤُكُمۡ مَّاۤ اَنۡزَلَ اللّٰهُ بِهَا مِنۡ سُلۡطٰنٍ ؕ اِنِ الۡحُكۡمُ اِلَّا لِلّٰهِ ؕ اَمَرَ اَلَّا تَعۡبُدُوۡۤا اِلَّاۤ اِيَّاهُ ؕ ذٰلِكَ الدِّيۡنُ الۡقَيِّمُ وَ لٰكِنَّ اَكۡثَرَ النَّاسِ لَا يَعۡلَمُوۡنَ ﴿۴۰﴾
৪১. "হে আমার কারা-সাথিরা! (তোমাদের স্বপ্নের তাৎপর্য হলো:) তোমাদের একজন (চাকুরিতে ফিরে গিয়ে) নিজের মনিবকে মদ্যপান করাবে, আর অপরজনকে শুলবিদ্ধ করা হবে এবং পাখিরা তার মাথা ঠুকরে ঠুকরে খাবে। -তোমরা যা জানতে চেয়েছিলে এ হলো তার ফায়সালা।"	يٰصَاحِبَيِ السِّجۡنِ اَمَّاۤ اَحَدُكُمَا فَيَسۡقِيۡ رَبَّهٗ خَمۡرًا ۚ وَ اَمَّا الۡاٰخَرُ فَيُصۡلَبُ فَتَاۡكُلُ الطَّيۡرُ مِنۡ رَّاۡسِهٖ ؕ قُضِيَ الۡاَمۡرُ الَّذِيۡ فِيۡهِ تَسۡتَفۡتِيٰنِ ﴿۴۱﴾
৪২. দুই কারা সাথির মধ্যে যে মুক্তি পেয়ে যাবে বলে ইউসুফ মনে করলো, সে তাকে বললো: 'তোমার মনিবের (রাজার) সাথে আমার কথা আলোচনা ক'রো।' কিন্তু শয়তান তার মনিবের কাছে তার সম্পর্কে বলতে ভুলিয়ে দেয়। ফলে ইউসুফ কারাগারে আরো ক'বছর পড়ে থাকে। (রুকু ০৫)	وَ قَالَ لِلَّذِيۡ ظَنَّ اَنَّهٗ نَاجٍ مِّنۡهُمَا اذۡكُرۡنِيۡ عِنۡدَ رَبِّكَ ۫ فَاَنۡسٰىهُ الشَّيۡطٰنُ ذِكۡرَ رَبِّهٖ فَلَبِثَ فِي السِّجۡنِ بِضۡعَ سِنِيۡنَ ﴿۴۲﴾
৪৩. একদিন রাজা (তার সভাসদদের) বললো: 'আমি স্বপ্ন দেখেছি, সাতটি মোটাতাজা গরু। তাদের খেয়ে ফেলছে সাতটি শুকনো গরু। (আরো দেখেছি, ফসলের) সবুজ সাতটি শীষ আর শুকনো সাতটি শীষ। -হে আমার সভাসদেরা! তোমরা যদি স্বপ্নের তা'বির জানো, তবে আমার স্বপ্নের তাৎপর্য বলো।'	وَ قَالَ الۡمَلِكُ اِنِّيۡۤ اَرٰى سَبۡعَ بَقَرٰتٍ سِمَانٍ يَّاۡكُلُهُنَّ سَبۡعٌ عِجَافٌ وَّ سَبۡعَ سُنۡۢبُلٰتٍ خُضۡرٍ وَّ اُخَرَ يٰبِسٰتٍ ؕ يٰۤاَيُّهَا الۡمَلَاُ اَفۡتُوۡنِيۡ فِيۡ رُءۡيَايَ اِنۡ كُنۡتُمۡ لِلرُّءۡيَا تَعۡبُرُوۡنَ ﴿۴۳﴾
৪৪. তারা বললো: 'এ এক তালগোল পাকানো (mixed up) বাতিল স্বপ্ন। তাছাড়া আমরা স্বপ্ন ব্যাখ্যায় পারদর্শী নই।'	قَالُوۡۤا اَضۡغَاثُ اَحۡلَامٍ ۚ وَ مَا نَحۡنُ بِتَاۡوِيۡلِ الۡاَحۡلَامِ بِعٰلِمِيۡنَ ﴿۴۴﴾
৪৫. ইউসুফের কারা সাথিদের মধ্যে যে মুক্তি পেয়েছিল, দীর্ঘকাল পর এ সময় তার (ইউসুফের) কথা স্মরণ হলো। সে (রাজ সভায়) বললো: 'আমি এ স্বপ্নের তাৎপর্য আপনাদের বলে দেবো, আমাকে (কারাগারে) পাঠান।'	وَ قَالَ الَّذِيۡ نَجَا مِنۡهُمَا وَ ادَّكَرَ بَعۡدَ اُمَّةٍ اَنَا اُنَبِّئُكُمۡ بِتَاۡوِيۡلِهٖ فَاَرۡسِلُوۡنِ ﴿۴۵﴾
৪৬. (সে কারাগারে এসে ইউসুফকে বললো:) হে ইউসুফ! হে সত্যবাদীতার প্রতীক! এই স্বপ্নের	يُوۡسُفُ اَيُّهَا الصِّدِّيۡقُ اَفۡتِنَا فِيۡ سَبۡعِ

তাৎপর্য আমাদের বলে দিন: 'সাতটি মোটাতাজা গরু। তাদের খেয়ে ফেলছে সাতটি শুকনো গরু। আর ফসলের সবুজ সাতটি শীষ এবং শুকনো সাতটি শীষ।' এর তাৎপর্য বলে দিন, যাতে করে আমি ফিরে গিয়ে লোকদের বলতে পারি এবং তারা যেনো (আপনার সম্পর্কে) জানতে পারে।'	بَقَرٰتٍ سِمَانٍ يَّاْكُلُهُنَّ سَبْعٌ عِجَافٌ وَّ سَبْعِ سُنْۢبُلٰتٍ خُضْرٍ وَّ اُخَرَ يٰبِسٰتٍ ۙ لَّعَلِّيْۤ اَرْجِعُ اِلَى النَّاسِ لَعَلَّهُمْ يَعْلَمُوْنَ ﴿۴۶﴾
৪৭. ইউসুফ স্বপ্নের এই তাৎপর্য বলে দিলো: "তোমরা সাত বছর লাগাতার চাষাবাদ করে যাবে। এ (সাত বছর) সময় তোমরা যে ফসল কাটবে সেগুলো শীষ সমেত রেখে দেবে, তবে শুধুমাত্র তোমাদের আহারের জন্যে যে পরিমাণ দরকার, কেবল তাই শীষ থেকে ছাড়িয়ে নেবে।"	قَالَ تَزْرَعُوْنَ سَبْعَ سِنِيْنَ دَاَبًا ۚ فَمَا حَصَدْتُّمْ فَذَرُوْهُ فِيْ سُنْۢبُلِهٖۤ اِلَّا قَلِيْلًا مِّمَّا تَاْكُلُوْنَ ﴿۴۷﴾
৪৮. "তারপর আসবে কঠিন (দুর্ভিক্ষের) সাত বছর। এসময় জনগণ তোমাদের পূর্ব মওজুদকৃত ফসল খাবে। তবে এ থেকে তোমরা সঞ্চয়ে রাখলে সামান্যই রাখতে পারবে।"	ثُمَّ يَاْتِيْ مِنْۢ بَعْدِ ذٰلِكَ سَبْعٌ شِدَادٌ يَّاْكُلْنَ مَا قَدَّمْتُمْ لَهُنَّ اِلَّا قَلِيْلًا مِّمَّا تُحْصِنُوْنَ ﴿۴۸﴾
৪৯. "এরপর আসবে এমন একটি বছর, যে বছর মানুষ লাভ করবে প্রচুর বৃষ্টিপাত আর নিংড়াবে প্রচুর ফলের রস।"	ثُمَّ يَاْتِيْ مِنْۢ بَعْدِ ذٰلِكَ عَامٌ فِيْهِ يُغَاثُ النَّاسُ وَ فِيْهِ يَعْصِرُوْنَ ﴿۴۹﴾
৫০. (স্বপ্নের এই তা'বির শোনার পর রাজা ব্যতিব্যস্ত হয়ে) বললো: 'তোমরা তাকে (ইউসুফকে) আমার কাছে নিয়ে আসো।' রাজার দূত (ইউসুফের কাছে) উপস্থিত হলে সে বললো: 'ফিরে যাও তোমার মনিবের (রাজার) কাছে। তাকে জিজ্ঞেস করো, যে নারীরা নিজেদের হাত কেটে ফেলেছিল, তাদের (চক্রান্তের) ব্যাপারে কী (ফায়সালা) করা হয়েছে? আমার প্রভু (আল্লাহ তায়ালা) তো তাদের চক্রান্ত সম্পর্কে ভালোভাবেই অবগত আছেন।'	وَ قَالَ الْمَلِكُ ائْتُوْنِيْ بِهٖ ۚ فَلَمَّا جَآءَهُ الرَّسُوْلُ قَالَ ارْجِعْ اِلٰى رَبِّكَ فَسْـَٔلْهُ مَا بَالُ النِّسْوَةِ الّٰتِيْ قَطَّعْنَ اَيْدِيَهُنَّ ؕ اِنَّ رَبِّيْ بِكَيْدِهِنَّ عَلِيْمٌ ﴿۵۰﴾
৫১. তখন রাজা তাদের ডেকে জিজ্ঞেস করলো: 'হে নারীরা! তোমরা যখন ইউসুফকে অসৎ কর্মে ফাঁসাতে চেয়েছিলে, তোমাদের তখনকার ব্যাপারটা কী ছিলো?' তারা বললো: 'আল্লাহ্‌র কী মহিমা! আমরা তার মধ্যে বিন্দুমাত্র অসৎ প্রবণতা দেখিনি।' (এবার) আযীযের স্ত্রী বলে উঠলো: 'এখন (সবার কাছে) সত্য প্রকাশ হয়ে পড়েছে। মূলত, আমিই তাকে অসৎ কাজে ফাঁসাতে চেষ্টা করেছিলাম। আর সে অবশ্য অবশ্যি সত্যবাদী।'	قَالَ مَا خَطْبُكُنَّ اِذْ رَاوَدْتُّنَّ يُوْسُفَ عَنْ نَّفْسِهٖ ؕ قُلْنَ حَاشَ لِلّٰهِ مَا عَلِمْنَا عَلَيْهِ مِنْ سُوْٓءٍ ؕ قَالَتِ امْرَاَتُ الْعَزِيْزِ الْـٰٔنَ حَصْحَصَ الْحَقُّ ۫ اَنَا رَاوَدْتُّهٗ عَنْ نَّفْسِهٖ وَ اِنَّهٗ لَمِنَ الصّٰدِقِيْنَ ﴿۵۱﴾
৫২. (সত্য প্রকাশিত হওয়ায় ইউসুফ বললো:) "আমি এ জন্যে বিষয়টি তদন্ত (inquiry) করতে বলেছি, যাতে করে তিনি (আযীয মিশর) জানতে পারেন, আমি তার অনুপস্থিতিতে তার খেয়ানত করিনি। আর আল্লাহ তো কিছুতেই খিয়ানতকারীদের ষড়যন্ত্র সফলতায় পৌঁছান না।"	ذٰلِكَ لِيَعْلَمَ اَنِّيْ لَمْ اَخُنْهُ بِالْغَيْبِ وَ اَنَّ اللّٰهَ لَا يَهْدِيْ كَيْدَ الْخَآئِنِيْنَ ﴿۵۲﴾

রুকু ০৬

পারা ১৩

৫৩. "আমি আমার নিজেকে নির্দোষ প্রমাণ করতে চাইছিনা, মানুষের নফস তো মন্দ কাজে প্ররোচিত করেই, তবে আমার প্রভু যদি কারো প্রতি দয়া করেন, সে-ই কেবল (এ প্ররোচনা থেকে) বাঁচতে পারে। অবশ্যি আমার প্রভু বড় ক্ষমাশীল, অতীব দয়ালু।"	وَ مَآ اُبَرِّئُ نَفۡسِیۡ ۚ اِنَّ النَّفۡسَ لَاَمَّارَۃٌۢ بِالسُّوۡٓءِ اِلَّا مَا رَحِمَ رَبِّیۡ ؕ اِنَّ رَبِّیۡ غَفُوۡرٌ رَّحِیۡمٌ ﴿۵۳﴾
৫৪. রাজা বললো: 'এবার ওকে আমার কাছে নিয়ে আসো। আমি তাকে নিজের জন্যে (ব্যক্তিগত সহকারি বা উপদেষ্টা) নিযুক্ত করবো।' অতপর সে (রাজা) যখন তার সাথে কথা বললো, তখন (তার যোগ্যতায় বিমুগ্ধ হয়ে) বলে উঠলো: '(ইউসুফ) আজ থেকে তুমি আমাদের কাছে উচ্চ মর্যাদাশীল (high in rank) এবং পূর্ণ আস্থাভাজন (fully trusted)।'	وَ قَالَ الۡمَلِکُ ائۡتُوۡنِیۡ بِہٖۤ اَسۡتَخۡلِصۡہُ لِنَفۡسِیۡ ۚ فَلَمَّا کَلَّمَہٗ قَالَ اِنَّکَ الۡیَوۡمَ لَدَیۡنَا مَکِیۡنٌ اَمِیۡنٌ ﴿۵۴﴾
৫৫. ইউসুফ বললো: 'আমাকে দেশের সামগ্রিক ভান্ডারের উপর কর্তৃত্ব প্রদান করুন। আমি পূর্ণজ্ঞান ও দক্ষতার সাথে সবকিছু সংরক্ষণ ও পরিচালনা করবো।'	قَالَ اجۡعَلۡنِیۡ عَلٰی خَزَآئِنِ الۡاَرۡضِ ۚ اِنِّیۡ حَفِیۡظٌ عَلِیۡمٌ ﴿۵۵﴾
৫৬. এভাবে আমরা ইউসুফকে সে দেশের পূর্ণ কর্তৃত্ব প্রদান করলাম, যাতে করে সারা দেশের যেখানে যখন ইচ্ছা সে অবস্থান করতে পারে। মূলত যাকে ইচ্ছা আমরা আমার করুণাসিক্ত করে থাকি। আর আমরা উত্তম-পুণ্যবান লোকদের পুরস্কৃত করতে কসুর করিনা।	وَ کَذٰلِکَ مَکَّنَّا لِیُوۡسُفَ فِی الۡاَرۡضِ ۚ یَتَبَوَّاُ مِنۡہَا حَیۡثُ یَشَآءُ ؕ نُصِیۡبُ بِرَحۡمَتِنَا مَنۡ نَّشَآءُ وَ لَا نُضِیۡعُ اَجۡرَ الۡمُحۡسِنِیۡنَ ﴿۵۶﴾
৫৭. তাছাড়া যারা ঈমানের ভিত্তিতে তাকওয়ার নীতি অবলম্বন করে, তাদের জন্যে আখিরাতের পুরস্কার অবশ্যি অতি উত্তম।	وَ لَاَجۡرُ الۡاٰخِرَۃِ خَیۡرٌ لِّلَّذِیۡنَ اٰمَنُوۡا وَ کَانُوۡا یَتَّقُوۡنَ ﴿۵۷﴾
৫৮. (পরবর্তী সময়ের কথা,) ইউসুফের ভাইয়েরা (খাদ্য শস্যের জন্যে) মিশরে আসে এবং ইউসুফের কাছে উপস্থিত হয়। ইউসুফ তাদের (দেখেই) চিনে ফেলে, কিন্তু তারা তাকে চিনতে পারেনি।	وَ جَآءَ اِخۡوَۃُ یُوۡسُفَ فَدَخَلُوۡا عَلَیۡہِ فَعَرَفَہُمۡ وَ ہُمۡ لَہٗ مُنۡکِرُوۡنَ ﴿۵۸﴾
৫৯. অতপর সে যখন তাদের প্রয়োজনীয় সামগ্রী সাজিয়ে দিলো, তখন (যাত্রার প্রাক্কালে তাদের) বললো: "তোমরা (আবার আসার সময়) তোমাদের বৈমাত্রেয় ভাই (বিনইয়ামিন) কে আমার কাছে নিয়ে এসো। তোমরা দেখছোনা আমি পাত্র ভরে মেপে দিই, আর আমি একজন উত্তম অতিথি পরায়ণ?"	وَ لَمَّا جَہَّزَہُمۡ بِجَہَازِہِمۡ قَالَ ائۡتُوۡنِیۡ بِاَخٍ لَّکُمۡ مِّنۡ اَبِیۡکُمۡ ۚ اَلَا تَرَوۡنَ اَنِّیۡۤ اُوۡفِی الۡکَیۡلَ وَ اَنَا خَیۡرُ الۡمُنۡزِلِیۡنَ ﴿۵۹﴾
৬০. "(আবার আসার সময়) যদি তাকে না নিয়ে আসো, তবে আমার কাছে তোমাদের জন্যে রসদের কোনো বরাদ্দ থাকবেনা, আর তোমরা আমার কাছেও এসোনা।"	فَاِنۡ لَّمۡ تَاۡتُوۡنِیۡ بِہٖ فَلَا کَیۡلَ لَکُمۡ عِنۡدِیۡ وَ لَا تَقۡرَبُوۡنِ ﴿۶۰﴾

রুকু ০৭

৬১. তারা বললো: ‘আমরা তাকে আনার ব্যাপারে তার পিতাকে সম্মত করার চেষ্টা করবো। আর একাজ আমরা করবোই।’	قَالُوْا سَنُرَاوِدُ عَنْهُ اَبَاهُ وَ اِنَّا لَفٰعِلُوْنَ ﴿٦١﴾
৬২. ইউসুফ তার কর্মচারিদের বললো: ‘তারা খাদ্য শস্যের যে দাম দিয়েছে, সে অর্থ (গোপনে) তাদের পণ্য সামগ্রীর মধ্যেই রেখে দাও। এতে করে তারা নিজেদের পরিজনের কাছে ফিরে গিয়ে (যখন পণ্য সামগ্রী খুলবে, তখন আমরা যে দ্রব্যমূল্য ফেরত দিয়েছি, তা) জানতে পারবে এবং আমাদের দানশীলতা সম্পর্কেও জানতে পারবে। ফলে আশা করা যায় তারা আবার ফিরে আসবে।’	وَ قَالَ لِفِتْيٰنِهِ اجْعَلُوْا بِضَاعَتَهُمْ فِيْ رِحَالِهِمْ لَعَلَّهُمْ يَعْرِفُوْنَهَاۤ اِذَا انْقَلَبُوْۤا اِلٰۤى اَهْلِهِمْ لَعَلَّهُمْ يَرْجِعُوْنَ ﴿٦٢﴾
৬৩. অতপর তারা যখন তাদের পিতার কাছে ফিরে এলো, তাকে বললো: ‘বাবা! আমাদের জন্যে খাদ্য শস্যের বরাদ্দ নিষিদ্ধ করা হয়েছে। তাই আমাদের ভাইকে এবার আমাদের সাথে পাঠান, যাতে করে আমরা খাদ্য শস্যের বরাদ্দ পাই। আমরা অবশ্যি তার হিফাযত করবো।’	فَلَمَّا رَجَعُوْۤا اِلٰۤى اَبِيْهِمْ قَالُوْا يٰۤاَبَانَا مُنِعَ مِنَّا الْكَيْلُ فَاَرْسِلْ مَعَنَاۤ اَخَانَا نَكْتَلْ وَ اِنَّا لَهٗ لَحٰفِظُوْنَ ﴿٦٣﴾
৬৪. তাদের বাপ (ইয়াকুব) বললো: ‘ওর ব্যাপারে আমি তোমাদের প্রতি কি সেরকম আস্থা রাখবো, যেরকম আস্থা রেখেছিলাম ইতোপূর্বে ওর ভাইয়ের (ইউসুফের) ব্যাপারে? আল্লাহই সর্বোত্তম হিফাযতকারী এবং তিনিই সব দয়ালুর বড় দয়ালু।’	قَالَ هَلْ اٰمَنُكُمْ عَلَيْهِ اِلَّا كَمَاۤ اَمِنْتُكُمْ عَلٰۤى اَخِيْهِ مِنْ قَبْلُ ؕ فَاللّٰهُ خَيْرٌ حٰفِظًا ۪ وَّهُوَ اَرْحَمُ الرّٰحِمِيْنَ ﴿٦٤﴾
৬৫. অতপর তারা যখন তাদের পণ্য সামগ্রীর (বস্তা) খুললো, দেখতে পেলো, তাদের অর্থকড়ি ফেরত দেয়া হয়েছে। তখন তারা (আনন্দে চিৎকার করে) বলে উঠলো: ‘বাবা! আমরা আর কী চাই! এই যে দেখুন, আমাদের অর্থকড়ি ফেরত দেয়া হয়েছে। এখন আমরা আমাদের পরিজনকে (আরো) খাদ্যশস্য এনে দিতে পারবো। আমরা অবশ্যি আমাদের ভাইয়ের হিফাযত করবো এবং অতিরিক্ত এক উট (বিনইয়ামিনের উট) বোঝাই করে খাদ্য শস্য আনবো। এই পরিমাণ অধিক শস্য দেয়া (মিশর শাসকের জন্যে) খুবই সহজ।	وَلَمَّا فَتَحُوْا مَتَاعَهُمْ وَجَدُوْا بِضَاعَتَهُمْ رُدَّتْ اِلَيْهِمْ ؕ قَالُوْا يٰۤاَبَانَا مَا نَبْغِيْ ؕ هٰذِهٖ بِضَاعَتُنَا رُدَّتْ اِلَيْنَا ۚ وَ نَمِيْرُ اَهْلَنَا وَ نَحْفَظُ اَخَانَا وَ نَزْدَادُ كَيْلَ بَعِيْرٍ ؕ ذٰلِكَ كَيْلٌ يَّسِيْرٌ ﴿٦٥﴾
৬৬. তাদের পিতা বললো: ‘আমি ওকে কখনো তোমাদের সাথে পাঠাবোনা, যতোক্ষণ না তোমরা এই মর্মে আল্লাহ্‌র কসম খেয়ে আমাকে কথা দেবে যে, তোমরা অবশ্যি তাকে আমার কাছে ফিরিয়ে আনবে। তবে তোমরা নিজেরাই আক্রান্ত হয়ে পড়লে ভিন্ন কথা।’ অতপর তারা যখন এই মর্মে শপথ করে তাকে কথা দিলো, তখন সে বললো: ‘দেখো, আমরা যে বিষয়ে কথা স্থির করলাম, তার সাক্ষী স্বয়ং আল্লাহ।’	قَالَ لَنْ اُرْسِلَهٗ مَعَكُمْ حَتّٰى تُؤْتُوْنِ مَوْثِقًا مِّنَ اللّٰهِ لَتَاْتُنَّنِيْ بِهٖۤ اِلَّاۤ اَنْ يُّحَاطَ بِكُمْ ۚ فَلَمَّاۤ اٰتَوْهُ مَوْثِقَهُمْ قَالَ اللّٰهُ عَلٰى مَا نَقُوْلُ وَكِيْلٌ ﴿٦٦﴾

وَ قَالَ يٰبَنِيَّ لَا تَدۡخُلُوۡا مِنۡ بَابٍ وَّاحِدٍ وَّ ادۡخُلُوۡا مِنۡ اَبۡوَابٍ مُّتَفَرِّقَةٍ ؕ وَ مَاۤ اُغۡنِیۡ عَنۡكُمۡ مِّنَ اللّٰهِ مِنۡ شَیۡءٍ ؕ اِنِ الۡحُكۡمُ اِلَّا لِلّٰهِ ؕ عَلَيۡهِ تَوَكَّلۡتُ ۚ وَ عَلَيۡهِ فَلۡيَتَوَكَّلِ الۡمُتَوَكِّلُوۡنَ ﴿۶۷﴾

৬৭. সে (তাদের পিতা) আরো বললো: 'হে আমার সন্তানেরা! তোমরা এক গেইট দিয়ে (এক পথে শহরে) প্রবেশ করোনা, বিভিন্ন প্রবেশ দ্বার দিয়ে প্রবেশ করবে। (তোমরা এভাবে সতর্ক হয়ে প্রবেশ করবে) তবে আল্লাহ্‌র ইচ্ছা থেকে আমি তোমাদের রক্ষা করতে পারবোনা। সর্বময় কর্তৃত্ব একমাত্র আল্লাহ্‌র। আমি নিজেকে তাঁর কাছেই ন্যস্ত করতে চাই, তাঁর কাছেই ন্যস্ত করা উচিত।'

وَ لَمَّا دَخَلُوۡا مِنۡ حَيۡثُ اَمَرَهُمۡ اَبُوۡهُمۡ ؕ مَا كَانَ يُغۡنِیۡ عَنۡهُمۡ مِّنَ اللّٰهِ مِنۡ شَیۡءٍ اِلَّا حَاجَةً فِیۡ نَفۡسِ يَعۡقُوۡبَ قَضٰهَا ؕ وَ اِنَّهٗ لَذُوۡ عِلۡمٍ لِّمَا عَلَّمۡنٰهُ وَ لٰكِنَّ اَكۡثَرَ النَّاسِ لَا يَعۡلَمُوۡنَ ﴿۶۸﴾

৬৮. তারা যখন তাদের পিতার নির্দেশ মতো (বিভিন্ন প্রবেশ পথে শহরে) প্রবেশ করলো, এ (সতর্কতামূলক) ব্যবস্থা আল্লাহ্‌র ইচ্ছার মোকাবেলায় তাদের কোনো কাজে আসেনি। তবে ইয়াকুবের মনে এ ব্যবস্থার সুফল সম্পর্কে যে চিন্তার উদ্রেক হয়েছিল, এর ফলে তার সে ভাবনাটা পূর্ণ হয়েছে। অবশ্যি সে আমার প্রদত্ত শিক্ষায় জ্ঞানবান ছিলো। তবে অনেক মানুষই এ বিষয়ে অবগত নয়।

রুকু ০৮

وَ لَمَّا دَخَلُوۡا عَلٰی يُوۡسُفَ اٰوٰۤی اِلَيۡهِ اَخَاهُ قَالَ اِنِّیۡۤ اَنَا اَخُوۡكَ فَلَا تَبۡتَئِسۡ بِمَا كَانُوۡا يَعۡمَلُوۡنَ ﴿۶۹﴾

৬৯. তারা যখন ইউসুফের কাছে (কার্যালয়ে) পৌঁছে, ইউসুফ তার ভাই (বিনইয়ামিন)-কে নিজের কাছে নিয়ে নেয়। সে তাকে বলে: 'আমি তোমার (হারানো) ভাই ইউসুফ। এরা যা কিছু (আমাদের সাথে) করে আসছে সে জন্যে এখন আর দুঃখ করোনা।'

فَلَمَّا جَهَّزَهُمۡ بِجَهَازِهِمۡ جَعَلَ السِّقَايَةَ فِیۡ رَحۡلِ اَخِيۡهِ ثُمَّ اَذَّنَ مُؤَذِّنٌ اَيَّتُهَا الۡعِيۡرُ اِنَّكُمۡ لَسٰرِقُوۡنَ ﴿۷۰﴾

৭০. অতপর ইউসুফ যখন তাদের জন্যে পণ্যসামগ্রী প্রস্তুত করে (করায়) তখন তাদের পণ্যসামগ্রীর মধ্যে পানপাত্র রেখে দেয়। তারপর (তারা যাত্রা করলে) একজন ঘোষক চিৎকার করে ঘোষণা করে: 'হে কাফেলার লোকেরা! তোমরা চোর।'

قَالُوۡا وَ اَقۡبَلُوۡا عَلَيۡهِمۡ مَّا ذَا تَفۡقِدُوۡنَ ﴿۷۱﴾

৭১. তখন তারা ঘোষণাকারীদের দিকে ফিরে জিজ্ঞেস করে: 'আপনাদের কি জিনিস খোয়া গেছে?'

قَالُوۡا نَفۡقِدُ صُوَاعَ الۡمَلِكِ وَ لِمَنۡ جَآءَ بِهٖ حِمۡلُ بَعِيۡرٍ وَّ اَنَا بِهٖ زَعِيۡمٌ ﴿۷۲﴾

৭২. তারা বললো: 'আমরা রাজার পানপাত্র খুঁজে পাচ্ছিনা। যে তা এনে দেবে, সে এক উট বোঝাই পণ্য সামগ্রী পাবে। আর এর জিম্মা (দায়িত্ব) নিচ্ছি আমি।'

قَالُوۡا تَاللّٰهِ لَقَدۡ عَلِمۡتُمۡ مَّا جِئۡنَا لِنُفۡسِدَ فِی الۡاَرۡضِ وَ مَا كُنَّا سٰرِقِيۡنَ ﴿۷۳﴾

৭৩. তারা বললো: 'আল্লাহ্‌র কসম, তোমরা তো জানো, আমরা তোমাদের দেশে অনাসৃষ্টি করতে আসিনি, আর চুরির সাথেও আমাদের কোনো সম্পর্ক নেই।'

قَالُوۡا فَمَا جَزَآؤُهٗۤ اِنۡ كُنۡتُمۡ كٰذِبِيۡنَ ﴿۷۴﴾

৭৪. তারা (ইউসুফের লোকেরা) বললো: 'তার (চোরের) কী শাস্তি হবে যদি তোমাদের কথা মিথ্যা প্রমাণিত হয়?'

قَالُوۡا جَزَآؤُهٗ مَنۡ وُّجِدَ فِیۡ رَحۡلِهٖ فَهُوَ

৭৫. তারা জবাব দিলো: '(আমাদের আইনে) এর শাস্তি হলো যার পণ্য সামগ্রীর মধ্যে পান পাত্রটি

পাওয়া যাবে, সে-ই এর বিনিময় (হিসেবে গ্রেফতার) হবে। আমাদের দেশে আমরা অন্যায়কারীদের এভাবেই শাস্তি দিয়ে থাকি।’	جَزَآؤُهٗ ؕ كَذٰلِكَ نَجْزِى الظّٰلِمِيْنَ ﴿۷۵﴾
৭৬. তারপর সে ইউসুফের সহোদরের মালপত্রের পূর্বে তার সৎ ভাইদের মালপত্রের তল্লাশি শুরু করে। পরে তার সহোদরের পণ্যসামগ্রীর মধ্য থেকে পাত্রটি বের করে। এভাবে আমি ইউসুফের জন্যে কৌশল ঠিক করেছিলাম। মিশর রাজের প্রচলিত আইনে তার ভাইকে নিজের কাছে রেখে দেয়া সম্ভব ছিলনা। তবে আল্লাহ চাইলে ভিন্ন কথা। যাকে ইচ্ছা আমি মর্যাদা উঁচু করে দিই। আর প্রত্যেক জ্ঞান ওয়ালার উপরই সর্বজ্ঞানী (আল্লাহ) আছেন।	فَبَدَاَ بِاَوْعِيَتِهِمْ قَبْلَ وِعَآءِ اَخِيْهِ ثُمَّ اسْتَخْرَجَهَا مِنْ وِّعَآءِ اَخِيْهِ ؕ كَذٰلِكَ كِدْنَا لِيُوْسُفَ ؕ مَا كَانَ لِيَاْخُذَ اَخَاهُ فِىْ دِيْنِ الْمَلِكِ اِلَّاۤ اَنْ يَّشَآءَ اللّٰهُ ؕ نَرْفَعُ دَرَجٰتٍ مَّنْ نَّشَآءُ ؕ وَ فَوْقَ كُلِّ ذِىْ عِلْمٍ عَلِيْمٌ ﴿۷۶﴾
৭৭. (ইউসুফের সহোদরের বস্তায় পানপাত্রটি পাওয়ায় তার সৎ ভাইয়েরা) বলে উঠলো: ‘এ যদি আজ চুরি করে থাকে, তবে (এতে বিস্ময়ের কিছু নেই, কারণ) ইতোপূর্বে তার এক সহোদরও (ইউসুফও) চুরি করেছিল।’ ইউসুফ (তাদের এই জঘন্য মন্তব্যের প্রতিক্রিয়া) নিজের মনের মধ্যে হজম করে নিলো, তাদের সামনে প্রকাশ হতে দিলনা। (শুধু মনে মনে) বললো: ‘একেবারে নিকৃষ্ট পর্যায়ে গিয়ে পৌছেছো তোমরা। যে জঘন্য দোষ তোমরা আমার প্রতি আরোপ করলে সে বিষয়ে আল্লাহই সর্বাধিক অবহিত আছেন।’	قَالُوْۤا اِنْ يَّسْرِقْ فَقَدْ سَرَقَ اَخٌ لَّهٗ مِنْ قَبْلُ ۚ فَاَسَرَّهَا يُوْسُفُ فِىْ نَفْسِهٖ وَ لَمْ يُبْدِهَا لَهُمْ ۚ قَالَ اَنْتُمْ شَرٌّ مَّكَانًا ۚ وَ اللّٰهُ اَعْلَمُ بِمَا تَصِفُوْنَ ﴿۷۷﴾
৭৮. তারা বললো: ‘হে আযীয! এর একজন অতিশয় বৃদ্ধ পিতা আছেন। তাই আপনি ওর স্থলে আমাদের কোনো একজনকে রেখে দিন। আমাদের দৃষ্টিতে আপনি একজন মহানুভব-পরোপকারী ব্যক্তি।’	قَالُوْا يٰۤاَيُّهَا الْعَزِيْزُ اِنَّ لَهٗۤ اَبًا شَيْخًا كَبِيْرًا فَخُذْ اَحَدَنَا مَكَانَهٗ ۚ اِنَّا نَرٰىكَ مِنَ الْمُحْسِنِيْنَ ﴿۷۸﴾
৭৯. সে (ইউসুফ) বললো: যার কাছে আমাদের জিনিস পেয়েছি, তাকে ছাড়া অন্য কাউকেও আঁটকানোর (মতো অন্যায়) কাজ থেকে আল্লাহ্‌র কাছে পানাহ চাই। এমন কাজ করলে তো আমরা যালিম বলে গণ্য হবো।	قَالَ مَعَاذَ اللّٰهِ اَنْ نَّاْخُذَ اِلَّا مَنْ وَّجَدْنَا مَتَاعَنَا عِنْدَهٗۤ ۙ اِنَّاۤ اِذًا لَّظٰلِمُوْنَ ﴿۷۹﴾ রুকু ০৯
৮০. অতপর যখন তারা তার (ইউসুফের) কাছ থেকে সম্পূর্ণ নিরাশ হলো, তখন নির্জনে গিয়ে পরামর্শ করতে বসলো। তাদের বড়জন (বড়ভাই) বললো: “তোমাদের নলেজে কি নেই, তোমাদের পিতা আল্লাহ্‌র নামে তোমাদের কাছ থেকে একথার অংগীকার আদায় করেছেন (যে, তোমরা বিনইয়ামিনকে তাঁর কাছে ফিরিয়ে নেবে)? ইতোপূর্বে তোমরা ইউসুফের ব্যাপারেও (পিতাকে কথা দিয়ে) কথা রাখতে পারোনি। তাই আমি (সিদ্ধান্ত নিয়েছি) আব্বার অনুমতি না পাওয়া পর্যন্ত এ দেশ ত্যাগ করবোনা, যতোক্ষণ	فَلَمَّا اسْتَيْـَٔسُوْا مِنْهُ خَلَصُوْا نَجِيًّا ؕ قَالَ كَبِيْرُهُمْ اَلَمْ تَعْلَمُوْۤا اَنَّ اَبَاكُمْ قَدْ اَخَذَ عَلَيْكُمْ مَّوْثِقًا مِّنَ اللّٰهِ وَ مِنْ قَبْلُ مَا فَرَّطْتُّمْ فِىْ يُوْسُفَ ۚ فَلَنْ اَبْرَحَ الْاَرْضَ حَتّٰى يَاْذَنَ لِىْۤ اَبِىْۤ اَوْ يَحْكُمَ اللّٰهُ

না আল্লাহ নিজেই (বিনইয়ামিনকে মুক্ত করে) আমার দেশে ফেরার ব্যবস্থা করে দেন। কারণ, তিনিই তো সর্বোত্তম বিচারক।”	لِيْ ۚ وَهُوَ خَيْرُ الْحٰكِمِيْنَ ﴿٨٠﴾
৮১. “তোমরা বাবার কাছে ফিরে গিয়ে তাঁকে বলো: বাবা! তোমার ছেলে চুরি করেছে। আমরা (ওকে চুরি করতে) দেখিনি, তবে যা জেনেছি তাই তোমাকে বলছি। আর না দেখা বিষয় তো আমরা হিফাযত করতে পারিনা।”	اِرْجِعُوْۤا اِلٰۤى اَبِيْكُمْ فَقُوْلُوْا يٰۤاَبَانَاۤ اِنَّ ابْنَكَ سَرَقَ ۚ وَمَا شَهِدْنَاۤ اِلَّا بِمَا عَلِمْنَا وَمَا كُنَّا لِلْغَيْبِ حٰفِظِيْنَ ﴿٨١﴾
৮২. “আমরা যে বসতিতে ছিলাম সেখানকার লোকদের জিজ্ঞেস করে দেখুন, যে কাফেলার সাথে আমরা ফিরে এসেছি তার লোকদের কাছে জেনে দেখুন, আমরা অবশ্যি সত্য বলছি।”	وَسْـَٔلِ الْقَرْيَةَ الَّتِيْ كُنَّا فِيْهَا وَالْعِيْرَ الَّتِيْۤ اَقْبَلْنَا فِيْهَا ؕ وَاِنَّا لَصٰدِقُوْنَ ﴿٨٢﴾
৮৩. (তাদের বক্তব্য শুনে তাদের পিতা) ইয়াকুব বললো: ‘না, বরং তোমাদের নফস তোমাদের জন্যে একটা কাজকে সহজ করে দিয়েছে। সুতরাং ধৈর্য ধারণ করাই আমার জন্যে যথোপযুক্ত কাজ। হয়তো আল্লাহ ওদের সবাইকে একত্রে আমার সাথে মিলিত করে দেবেন। অবশ্যি তিনি সর্বময় জ্ঞান ও প্রজ্ঞার মালিক।’	قَالَ بَلْ سَوَّلَتْ لَكُمْ اَنْفُسُكُمْ اَمْرًا ؕ فَصَبْرٌ جَمِيْلٌ ؕ عَسَى اللّٰهُ اَنْ يَّاْتِيَنِيْ بِهِمْ جَمِيْعًا ؕ اِنَّهٗ هُوَ الْعَلِيْمُ الْحَكِيْمُ ﴿٨٣﴾
৮৪. সে তাদের সাথে কথা না বাড়িয়ে আত্মমগ্ন হয় এবং স্বগতোক্তি করে: ‘ইউসুফের জন্যে আমি শোকাভিভূত!’ এভাবে দুঃখ ও শোকে তার চক্ষুদ্বয় সাদা হয়ে যায়। আর মনোবেদনায় সে পীড়িত হয়ে পড়ে।	وَتَوَلّٰى عَنْهُمْ وَقَالَ يٰۤاَسَفٰى عَلٰى يُوْسُفَ وَابْيَضَّتْ عَيْنٰهُ مِنَ الْحُزْنِ فَهُوَ كَظِيْمٌ ﴿٨٤﴾
৮৫. তারা (ছেলেরা) বললো: ‘আল্লাহ্‌র কসম, মুমূর্ষু হয়ে পড়া, কিংবা মৃত্যু বরণ করা পর্যন্ত (মনে হয়) আপনি ইউসুফের স্মরণ থেকে বিরত হবেন না।’	قَالُوْا تَاللّٰهِ تَفْتَؤُا تَذْكُرُ يُوْسُفَ حَتّٰى تَكُوْنَ حَرَضًا اَوْ تَكُوْنَ مِنَ الْهٰلِكِيْنَ ﴿٨٥﴾
৮৬. সে (ইয়াকুব) বললো: “আমি আমার দুঃখ-বেদনা ও মনস্তাপের অভিযোগ তো শুধুমাত্র আল্লাহ্‌র কাছে নিবেদন করছি। আমি আল্লাহ্‌র পক্ষ থেকে তা জানি, যা তোমরা জানোনা।”	قَالَ اِنَّمَاۤ اَشْكُوْا بَثِّيْ وَحُزْنِيْۤ اِلَى اللّٰهِ وَاَعْلَمُ مِنَ اللّٰهِ مَا لَا تَعْلَمُوْنَ ﴿٨٦﴾
৮৭. “হে আমার পুত্ররা! তোমরা যাও, গিয়ে ইউসুফ ও তার ভাইয়ের সন্ধান করো। আল্লাহ্‌র রহমত (mercy) থেকে নিরাশ হয়োনা। কাফিররা ছাড়া আর কেউই নিরাশ হয়না আল্লাহ্‌র রহমত থেকে।”	يٰبَنِيَّ اذْهَبُوْا فَتَحَسَّسُوْا مِنْ يُّوْسُفَ وَاَخِيْهِ وَلَا تَايْـَٔسُوْا مِنْ رَّوْحِ اللّٰهِ ؕ اِنَّهٗ لَا يَايْـَٔسُ مِنْ رَّوْحِ اللّٰهِ اِلَّا الْقَوْمُ الْكٰفِرُوْنَ ﴿٨٧﴾
৮৮. পুনরায় যখন তারা তার (ইউসুফের) কাছে উপস্থিত হলো, বললো: ‘হে আযীয! আমরা এবং আমাদের পরিবার পরিজন যারপর নাই বিপদের মধ্যে পড়েছি, আর সামান্য পূজি আমরা নিয়ে এসেছি। আপনি আমাদের পূর্ণ বরাদ্দ প্রদান করুন এবং আমাদের প্রতি দানের হাত বাড়িয়ে দিন! আল্লাহ অবশ্যি দানশীলদের পুরস্কৃত করে থাকেন।’	فَلَمَّا دَخَلُوْا عَلَيْهِ قَالُوْا يٰۤاَيُّهَا الْعَزِيْزُ مَسَّنَا وَاَهْلَنَا الضُّرُّ وَجِئْنَا بِبِضَاعَةٍ مُّزْجٰىةٍ فَاَوْفِ لَنَا الْكَيْلَ وَتَصَدَّقْ عَلَيْنَا ؕ اِنَّ اللّٰهَ يَجْزِي الْمُتَصَدِّقِيْنَ ﴿٨٨﴾

৮৯. সে (ইউসুফ) বললো: 'তোমরা কি জানোনা, তোমরা ইউসুফ আর তার সহোদরের সাথে কী আচরণটা করেছিলে, যখন তোমরা ছিলে জাহিল?'	قَالَ هَلْ عَلِمْتُمْ مَّا فَعَلْتُمْ بِيُوْسُفَ وَ اَخِيْهِ اِذْ اَنْتُمْ جٰهِلُوْنَ ﴿٨٩﴾
৯০. তারা বললো: 'তবে কি তুমি-তুমিই ইউসুফ?' সে বললো: 'আমিই ইউসুফ আর এ আমার সহোদর! আল্লাহ আমাদের প্রতি ইহ্সান করেছেন। যারা তাকওয়া আর সবর অবলম্বন করে, নিশ্চয়ই আল্লাহ সেইসব মুহসিনদের কর্মফল বৃথা যেতে দেন না।'	قَالُوْٓا ءَاِنَّكَ لَاَنْتَ يُوْسُفُ ؕ قَالَ اَنَا يُوْسُفُ وَ هٰذَآ اَخِيْ ٚ قَدْ مَنَّ اللّٰهُ عَلَيْنَا ؕ اِنَّهٗ مَنْ يَّتَّقِ وَ يَصْبِرْ فَاِنَّ اللّٰهَ لَا يُضِيْعُ اَجْرَ الْمُحْسِنِيْنَ ﴿٩٠﴾
৯১. তারা বললো: 'আল্লাহ্র কসম! আল্লাহ তোমাকে আমাদের উপর প্রাধান্য দিয়েছেন আর আমরা অবশ্যি অপরাধ করে আসছি।'	قَالُوْا تَاللّٰهِ لَقَدْ اٰثَرَكَ اللّٰهُ عَلَيْنَا وَ اِنْ كُنَّا لَخٰطِـِٕيْنَ ﴿٩١﴾
৯২. ইউসুফ বললো: "আজ আর তোমাদের বিরুদ্ধে (আমার) কোনো নিন্দা-ভর্ৎসনা নেই। আল্লাহ তোমাদের ক্ষমা করুন। তিনি সবার সেরা দয়ালু।"	قَالَ لَا تَثْرِيْبَ عَلَيْكُمُ الْيَوْمَ ؕ يَغْفِرُ اللّٰهُ لَكُمْ ٚ وَ هُوَ اَرْحَمُ الرّٰحِمِيْنَ ﴿٩٢﴾
৯৩. "তোমরা আমার এই জামাটি নিয়ে আব্বাজানের কাছে যাও এবং এটি তাঁর মুখমন্ডলে লাগাও, এতে তিনি দৃষ্টিশক্তি ফিরে পাবেন। আর তোমাদের পরিবার পরিজন সবাইকে নিয়ে আমার এখানে চলে আসো।"	اِذْهَبُوْا بِقَمِيْصِيْ هٰذَا فَاَلْقُوْهُ عَلٰى وَجْهِ اَبِيْ يَاْتِ بَصِيْرًا ۚ وَ اْتُوْنِيْ بِاَهْلِكُمْ اَجْمَعِيْنَ ﴿٩٣﴾
৯৪. তাদের কাফেলা যখন (মিশর থেকে) যাত্রা শুরু করলো, তখন তাদের পিতা পরিবারের লোকদের বলতে লাগলো: 'তোমরা যদি আমাকে বৃদ্ধ বয়সের মতিভ্রম মনে না করো, তবে শুনো! অবশ্যি আমি ইউসুফের সুবাস পাচ্ছি।'	وَ لَمَّا فَصَلَتِ الْعِيْرُ قَالَ اَبُوْهُمْ اِنِّيْ لَاَجِدُ رِيْحَ يُوْسُفَ لَوْ لَآ اَنْ تُفَنِّدُوْنِ ﴿٩٤﴾
৯৫. তারা বললো: 'আল্লাহ্র কসম, আপনি আপনার পুরোনো (বৃদ্ধ বয়সের) বিভ্রান্তির মধ্যেই নিমজ্জিত আছেন।'	قَالُوْا تَاللّٰهِ اِنَّكَ لَفِيْ ضَلٰلِكَ الْقَدِيْمِ ﴿٩٥﴾
৯৬. অতপর যখন আনন্দ সংবাদের বাহক এসে উপস্থিত হয়, সে ইউসুফের জামা ইয়াকুবের মুখমন্ডলে রাখে, আর সাথে সাথে সে দৃষ্টি শক্তি ফিরে পায়। সে বলে: 'আমি কি তোমাদের বলিনি, আমি আল্লাহ্র পক্ষ থেকে এমন সব বিষয় জানি, যা তোমরা জানোনা?'	فَلَمَّآ اَنْ جَآءَ الْبَشِيْرُ اَلْقٰىهُ عَلٰى وَجْهِهٖ فَارْتَدَّ بَصِيْرًا ۚ قَالَ اَلَمْ اَقُلْ لَّكُمْ ۚ اِنِّيْٓ اَعْلَمُ مِنَ اللّٰهِ مَا لَا تَعْلَمُوْنَ ﴿٩٦﴾
৯৭. তারা বললো: 'বাবা! আপনি আমাদের অপরাধ মাফির জন্যে (আল্লাহ্র কাছে) ক্ষমা প্রার্থনা করুন, আমরা অবশ্যি অপরাধে লিপ্ত ছিলাম।'	قَالُوْا يٰٓاَبَانَا اسْتَغْفِرْ لَنَا ذُنُوْبَنَآ اِنَّا كُنَّا خٰطِـِٕيْنَ ﴿٩٧﴾
৯৮. সে (ইয়াকুব) বললো: 'হ্যাঁ, আমি আমার প্রভুর কাছে তোমাদের মাফ করে দেয়ার জন্যে অচিরেই আবেদন জানাবো। নিশ্চয়ই তিনি মহাক্ষমাশীল পরম করুণাময়।'	قَالَ سَوْفَ اَسْتَغْفِرُ لَكُمْ رَبِّيْ ؕ اِنَّهٗ هُوَ الْغَفُوْرُ الرَّحِيْمُ ﴿٩٨﴾
৯৯. অতপর তারা (মিশরের উদ্দেশ্যে যাত্রা করে)	فَلَمَّا دَخَلُوْا عَلٰى يُوْسُفَ اٰوٰٓى اِلَيْهِ اَبَوَيْهِ

রুকু ১০

যখন ইউসুফের কাছে (সীমানায়) এসে পৌঁছে, ইউসুফ (তাদের অভ্যর্থনা জানাবার জন্যে এগিয়ে যায়), নিজের আব্বা আম্মাকে নিজের সাথে নিয়ে নেয় এবং (সবাইকে) বলে: 'ইনশাল্লাহ, আপনারা নিরাপদ নিশ্চিন্তে মিশরে প্রবেশ করুন।'	وَ قَالَ ادْخُلُوْا مِصْرَ اِنْ شَآءَ اللّٰهُ اٰمِنِيْنَ ﴿٩٩﴾
১০০. আর সে নিজের পিতা মাতাকে উচ্চাসনে উঠিয়ে নেয়। তখন তারা সবাই ইউসুফের প্রতি সাজদায় অবনত হয়। আর ইউসুফ তার পিতাকে বলে: 'আব্বাজান! ইতোপূর্বে (ছোটবেলায়) আমি যে স্বপ্ন দেখেছিলাম, এটাই সে স্বপ্নের তাৎপর্য। আমার প্রভু সেই স্বপ্নটিকে সত্যে পরিণত করেছেন। তাছাড়া আমার মহান প্রভু আমাকে কারাগার থেকে বের করে এনে এবং শয়তান আমার ও আমার ভাইদের মধ্যে বিরোধ সৃষ্টি করে দেয়ার পরও আপনাদের সবাইকে মরু অঞ্চল থেকে এখানে এনে আমার সাথে মিলিত করে দিয়ে আমার প্রতি বিরাট ইহ্‌সান করেছেন। আসলে আমার প্রভু যার প্রতি ইচ্ছা করেন, খুবই কোমল-দয়ালু হয়ে থাকেন। নিশ্চয়ই তিনি সর্বজ্ঞানী-প্রজ্ঞাময়।"	وَ رَفَعَ اَبَوَيْهِ عَلَى الْعَرْشِ وَ خَرُّوْا لَهٗ سُجَّدًا ۚ وَ قَالَ يٰۤاَبَتِ هٰذَا تَاْوِيْلُ رُءْيَايَ مِنْ قَبْلُ ۫ قَدْ جَعَلَهَا رَبِّيْ حَقًّا ؕ وَ قَدْ اَحْسَنَ بِيْۤ اِذْ اَخْرَجَنِيْ مِنَ السِّجْنِ وَ جَآءَ بِكُمْ مِّنَ الْبَدْوِ مِنْۢ بَعْدِ اَنْ نَّزَغَ الشَّيْطٰنُ بَيْنِيْ وَ بَيْنَ اِخْوَتِيْ ؕ اِنَّ رَبِّيْ لَطِيْفٌ لِّمَا يَشَآءُ ؕ اِنَّهٗ هُوَ الْعَلِيْمُ الْحَكِيْمُ ﴿١٠٠﴾
১০১. (ইউসুফ এসময় বিনয়ের সাথে দোয়া করে। দোয়ায়) সে বলে: "আমার প্রভু! তুমি আমাকে রাষ্ট্র ক্ষমতা দান করেছো এবং আমাকে সকল কথার (কিংবা সকল বিষয়ের, অথবা স্বপ্নের) তাৎপর্য উপলব্ধি করার শিক্ষা দান করেছো! মহাবিশ্ব আর এই পৃথিবীর (একমাত্র স্রষ্টা তুমি! এই পৃথিবীর জীবনে এবং আখিরাতে তুমিই আমার অভিভাবক! তোমার প্রতি আত্মসমর্পণকারী হিসেবে আমাকে মৃত্যু দান করো, আর আমাকে সাথি বানিয়ে দাও সালেহ্ লোকদের।"	رَبِّ قَدْ اٰتَيْتَنِيْ مِنَ الْمُلْكِ وَ عَلَّمْتَنِيْ مِنْ تَاْوِيْلِ الْاَحَادِيْثِ ۚ فَاطِرَ السَّمٰوٰتِ وَ الْاَرْضِ ۟ اَنْتَ وَلِيّٖ فِي الدُّنْيَا وَ الْاٰخِرَةِ ۚ تَوَفَّنِيْ مُسْلِمًا وَّ اَلْحِقْنِيْ بِالصّٰلِحِيْنَ ﴿١٠١﴾
১০২. (হে মুহাম্মদ! এতোক্ষণ যে ইতিহাস তোমাকে জানানো হলো) সেটা একটা অদৃশ্য সংবাদ, যা অহির মাধ্যমে আমরা তোমাকে জানালাম। নতুবা তুমি তো আর সে সময় তাদের ওখানে উপস্থিত ছিলেনা, যখন তারা (ইউসুফের ভাইয়েরা ইউসুফের বিরুদ্ধে) একজোট হয়ে ষড়যন্ত্র পাকিয়েছিল।	ذٰلِكَ مِنْ اَنْۢبَآءِ الْغَيْبِ نُوْحِيْهِ اِلَيْكَ ۚ وَ مَا كُنْتَ لَدَيْهِمْ اِذْ اَجْمَعُوْۤا اَمْرَهُمْ وَ هُمْ يَمْكُرُوْنَ ﴿١٠٢﴾
১০৩. তবে তুমি যতোই উৎসুক হও না কেন, অধিকাংশ মানুষই কিন্তু মুমিন হবেনা।	وَ مَاۤ اَكْثَرُ النَّاسِ وَ لَوْ حَرَصْتَ بِمُؤْمِنِيْنَ ﴿١٠٣﴾
১০৪. অথচ তুমি তো (আল্লাহ্‌র দিকে আহবান করার) একাজের বিনিময়ে তাদের কাছ থেকে কোনো প্রকার পারিশ্রমিক দাবি করছোনা। এ (কুরআন) তো বিশ্ববাসীর জন্যে (মহাকল্যাণের) এক উপদেশ ছাড়া আর কিছুই নয়।	وَ مَا تَسْـَٔلُهُمْ عَلَيْهِ مِنْ اَجْرٍ ؕ اِنْ هُوَ اِلَّا ذِكْرٌ لِّلْعٰلَمِيْنَ ﴿١٠٤﴾

রুকু ১১

১০৫. দিনরাত তারা আসমান জমিনের কতো যে নিদর্শন অতিক্রম করছে, অথচ সেগুলোর ব্যাপারে তারা একেবারেই উদাসীন (সেগুলো সম্পর্কে মোটেও তারা ভেবে দেখেনা।)	وَ كَاَيِّنۡ مِّنۡ اٰيَةٍ فِي السَّمٰوٰتِ وَ الۡاَرۡضِ يَمُرُّوۡنَ عَلَيۡهَا وَ هُمۡ عَنۡهَا مُعۡرِضُوۡنَ ﴿۱۰۵﴾
১০৬. তাদের অধিকাংশই আল্লাহ্‌র প্রতি ঈমান রাখে না, তবে রাখে মুশরিক অবস্থায়।	وَ مَا يُؤۡمِنُ اَكۡثَرُهُمۡ بِاللّٰهِ اِلَّا وَ هُمۡ مُّشۡرِكُوۡنَ ﴿۱۰۶﴾
১০৭. আল্লাহ্‌র আযাব তাদের গ্রাস করে নেবেনা এবং হঠাৎ তাদের অজ্ঞাতে কিয়ামত সম্মুখে উপস্থিত হবেনা বলে কি তারা নিশ্চিত হয়ে গেছে?	اَفَاَمِنُوۡۤا اَنۡ تَاۡتِيَهُمۡ غَاشِيَةٌ مِّنۡ عَذَابِ اللّٰهِ اَوۡ تَاۡتِيَهُمُ السَّاعَةُ بَغۡتَةً وَّ هُمۡ لَا يَشۡعُرُوۡنَ ﴿۱۰۷﴾
১০৮. (হে মুহাম্মদ!) তুমি তাদের বলে দাও: 'এটাই আমার পথ, আমি তোমাদের আল্লাহ্‌র দিকে ডাকছি দীপ্ত জ্ঞানের পূর্ণ আলোতে উদ্ভাসিত হয়ে-আমি এবং আমার সাথিরা। আর আল্লাহ পবিত্র এবং আমি মুশরিকদের অন্তরভুক্ত নই।'	قُلۡ هٰذِهٖ سَبِيۡلِيۡۤ اَدۡعُوۡۤا اِلَى اللّٰهِ ؔ عَلٰى بَصِيۡرَةٍ اَنَا وَ مَنِ اتَّبَعَنِيۡ ؕ وَ سُبۡحٰنَ اللّٰهِ وَ مَاۤ اَنَا مِنَ الۡمُشۡرِكِيۡنَ ﴿۱۰۸﴾
১০৯. (হে মুহাম্মদ!) তোমার আগেও আমি মানুষ ছাড়া আর কাউকেও রসূল বানিয়ে পাঠাইনি। তারাও জনপদেরই ছিলো বাসিন্দা, তাদের প্রতি আমি অহি পাঠিয়েছি। এরা কি পৃথিবী ভ্রমণ করে দেখতে পারেনা, তাদের আগেকার (যারা আমার নবীদের অমান্য করেছিল, সেইসব) লোকদের কী (করুণ) পরিণতি হয়েছিল? যারা আল্লাহকে ভয় করে জীবন যাপন করে, তাদের জন্যে আখিরাতের ঘরই উত্তম। এরপরও কি তোমাদের বোধোদয় হবেনা?	وَ مَاۤ اَرۡسَلۡنَا مِنۡ قَبۡلِكَ اِلَّا رِجَالًا نُّوۡحِيۡۤ اِلَيۡهِمۡ مِّنۡ اَهۡلِ الۡقُرٰى ؕ اَفَلَمۡ يَسِيۡرُوۡا فِي الۡاَرۡضِ فَيَنۡظُرُوۡا كَيۡفَ كَانَ عَاقِبَةُ الَّذِيۡنَ مِنۡ قَبۡلِهِمۡ ؕ وَ لَدَارُ الۡاٰخِرَةِ خَيۡرٌ لِّلَّذِيۡنَ اتَّقَوۡا ؕ اَفَلَا تَعۡقِلُوۡنَ ﴿۱۰۹﴾
১১০. (তাদের ধ্বংস করে দেয়ার কাজটি ততোক্ষণ পর্যন্ত বিলম্বিত করা হয়েছিল) যতোক্ষণ না রসূলেরা সম্পূর্ণ নিরাশ হয়েছে এবং ফায়সালায় উপনীত হয়েছে যে, তাদেরকে সম্পূর্ণ প্রত্যাখ্যান করা হয়েছে। তারপর (যখন সে অবস্থা সৃষ্টি হয় তখন) রসূলদের পক্ষে আমার সাহায্য গিয়ে হাজির হয়। অতপর আমি যাকে চাই, তাকে বাঁচাই। কিন্তু অপরাধীদের উপর থেকে আমার শাস্তি প্রতিরোধ করার আর কেউই থাকেনা।	حَتّٰۤى اِذَا اسۡتَيۡـَٔسَ الرُّسُلُ وَ ظَنُّوۡۤا اَنَّهُمۡ قَدۡ كُذِبُوۡا جَآءَهُمۡ نَصۡرُنَا فَنُجِّيَ مَنۡ نَّشَآءُ ؕ وَ لَا يُرَدُّ بَاۡسُنَا عَنِ الۡقَوۡمِ الۡمُجۡرِمِيۡنَ ﴿۱۱۰﴾
১১১. আগেকার লোকদের (এসব করুণ) কাহিনীতে বুঝ-বুদ্ধি ওয়ালা লোকদের জন্যে রয়েছে এক বড় শিক্ষা (lesson)। (এই কুরআন) কোনো বানোয়াট বিবৃতি নয়। বরঞ্চ এটা হলো সেই শাশ্বত গ্রন্থ যা তার পূর্বে পাঠানো কিতাবের বক্তব্যকে সমর্থন করে এবং সকল বিষয়ের বিশদ বিবরণ প্রদান করে। তাছাড়া যারা (কুফরের পথ ত্যাগ করে) ঈমানের পথে আসে, এ কিতাব তাদের জন্যে পথ প্রদর্শক আর করুণাধারা।	لَقَدۡ كَانَ فِيۡ قَصَصِهِمۡ عِبۡرَةٌ لِّاُولِي الۡاَلۡبَابِ ؕ مَا كَانَ حَدِيۡثًا يُّفۡتَرٰى وَ لٰكِنۡ تَصۡدِيۡقَ الَّذِيۡ بَيۡنَ يَدَيۡهِ وَ تَفۡصِيۡلَ كُلِّ شَيۡءٍ وَّ هُدًى وَّ رَحۡمَةً لِّقَوۡمٍ يُّؤۡمِنُوۡنَ ﴿۱۱۱﴾

রুকু ১২

সূরা ১৩ আর রা'দ

মক্কায় মতান্তরে মদিনায় অবতীর্ণ, আয়াত সংখ্যা: ৪৩, রুকু সংখ্যা: ০৬

এই সূরার আলোচ্যসূচি (আয়াত ভিত্তিক আলোচ্য বিষয়)

০১-১৭: কুরআন আল্লাহ্‌র কিতাব। সমস্ত কর্তৃত্ব আল্লাহ্‌র। মানুষের প্রতি আল্লাহ্‌র অনুগ্রহ। মানুষের কুফুরি। সবাই এবং সবকিছু আল্লাহ্‌র কর্তৃত্বের অধীন। বাতিলপন্থীরা বিলীন হয়ে যাবে, সত্যপন্থীরা টিকে থাকবে।

১৮-২৫: সত্যপন্থীদের বৈশিষ্ট্য ও শুভ পরিণাম। বিশ্বাসঘাতক ও ফাসাদ সৃষ্টিকারীদের পরিণতি।

২৬-৩১: আল্লাহ্‌র রিযিক বণ্টন ব্যবস্থা। কাফির ও মুমিনদের দৃষ্টিভঙ্গির পার্থক্য।

৩২-৪৩: সকল নবীর সাথেই বিদ্রূপ করা হয়েছে। কুফুরির পথ ও তাকওয়ার পথ। ইসলামের বিরুদ্ধে ষড়যন্ত্রকারী কাফিরদের অশুভ পরিণতি।

সূরা আর রা'দ (মেঘের গর্জন) পরম করুণাময় পরম দয়াবান আল্লাহ্‌র নামে	سُوْرَةُ الرَّعْدِ بِسْمِ اللّٰهِ الرَّحْمٰنِ الرَّحِيْمِ
০১. আলিফ লাম মিম রা। এগুলো আল কিতাবের (আল কুরআনের) আয়াত, যা তোমার প্রতি নাযিল করা হয়েছে। তোমার প্রভুর পক্ষ থেকে এ এক মহাসত্য। কিন্তু অধিকাংশ মানুষই (তাতে) ঈমান আনেনা।	الٓمّٓرٰ ۚ تِلْكَ اٰيٰتُ الْكِتٰبِ ؕ وَ الَّذِيْٓ اُنْزِلَ اِلَيْكَ مِنْ رَّبِّكَ الْحَقُّ وَ لٰكِنَّ اَكْثَرَ النَّاسِ لَا يُؤْمِنُوْنَ ①
০২. আল্লাহ্‌, যিনি মহাকাশকে উপরে উঠিয়ে দিয়েছেন স্তম্ভ ছাড়াই, তোমরা তা দেখতে পাচ্ছো। তারপর তিনি সমাসীন হয়েছেন আরশের উপর এবং সূর্যও চাঁদকে (নির্দিষ্ট বিধানের) অধীন করে দিয়েছেন। তারা প্রত্যেকেই নির্দিষ্ট সময়ের জন্যে গতিমান। সমস্ত বিষয়ই তিনি পরিচালনা করেন এবং নিদর্শনসমূহ বর্ণনা করেন বিশদভাবে, যাতে তোমরা তোমাদের প্রভুর সাথে সাক্ষাতের বিষয়ে একীন রাখো।	اَللّٰهُ الَّذِيْ رَفَعَ السَّمٰوٰتِ بِغَيْرِ عَمَدٍ تَرَوْنَهَا ثُمَّ اسْتَوٰى عَلَى الْعَرْشِ وَ سَخَّرَ الشَّمْسَ وَ الْقَمَرَ ؕ كُلٌّ يَّجْرِيْ لِاَجَلٍ مُّسَمًّى ؕ يُدَبِّرُ الْاَمْرَ يُفَصِّلُ الْاٰيٰتِ لَعَلَّكُمْ بِلِقَآءِ رَبِّكُمْ تُوْقِنُوْنَ ②
০৩. তিনি জমিনকে সমতল করে বিছিয়ে দিয়েছেন এবং তাতে সৃষ্টি করে দিয়েছেন পাহাড়-পর্বত আর নদ-নদী। সেখানে প্রত্যেক প্রকারের ফলফলারি সৃষ্টি করেছেন জোড়ায় জোড়ায়। তিনিই দিনকে ঢেকে দেন রাত দিয়ে। এতে অবশ্যি নিদর্শন রয়েছে চিন্তাশীল লোকদের জন্যে।	وَهُوَ الَّذِيْ مَدَّ الْاَرْضَ وَ جَعَلَ فِيْهَا رَوَاسِيَ وَ اَنْهٰرًا ؕ وَمِنْ كُلِّ الثَّمَرٰتِ جَعَلَ فِيْهَا زَوْجَيْنِ اثْنَيْنِ يُغْشِي الَّيْلَ النَّهَارَ ؕ اِنَّ فِيْ ذٰلِكَ لَاٰيٰتٍ لِّقَوْمٍ يَّتَفَكَّرُوْنَ ③
০৪. এই পৃথিবীতে সৃষ্টি করে দেয়া হয়েছে পরস্পর কাছাকাছি ভূ-খণ্ডসমূহ, তাতে রয়েছে আঙ্গুরের বাগান, শস্যক্ষেত, আর একাধিক মাথাওয়ালা এবং এক মাথাওয়ালা খেজুর গাছ। এগুলোকে পান করানো হয় একই পানি। সেগুলোর কিছু ফল ফসলকে কিছু ফল ফসলের	وَ فِي الْاَرْضِ قِطَعٌ مُّتَجٰوِرٰتٌ وَّ جَنّٰتٌ مِّنْ اَعْنَابٍ وَّ زَرْعٌ وَّ نَخِيْلٌ صِنْوَانٌ وَّ غَيْرُ صِنْوَانٍ يُّسْقٰى بِمَآءٍ وَّاحِدٍ ۫ وَ نُفَضِّلُ بَعْضَهَا عَلٰى بَعْضٍ فِي الْاُكُلِ ؕ اِنَّ فِيْ ذٰلِكَ

উপর আমরা স্বাদের দিক থেকে চমৎকার করে দিই। যারা আকল খাটায় তাদের জন্যে এতে রয়েছে নিদর্শন।	لَاٰيٰتٍ لِّقَوْمٍ يَّعْقِلُوْنَ ﴿٤﴾
০৫. তুমি যদি বিস্মিত হও, তবে বিস্ময়কর হলো তাদের এই কথা, 'মাটিতে মিশে যাবার পরও কি আমাদের আবার নতুন করে সৃষ্টি করা হবে?' এরাই তাদের প্রভুর সাথে কুফুরি করেছে আর তাদের গলায়ই থাকবে লোহার শিকল এবং তারাই হবে জাহান্নামের অধিবাসী। সেখানে থাকবে তারা চিরকাল।	وَ اِنْ تَعْجَبْ فَعَجَبٌ قَوْلُهُمْ ءَاِذَا كُنَّا تُرٰبًا ءَاِنَّا لَفِيْ خَلْقٍ جَدِيْدٍ ۬ؕ اُولٰٓئِكَ الَّذِيْنَ كَفَرُوْا بِرَبِّهِمْ ۚ وَ اُولٰٓئِكَ الْاَغْلٰلُ فِيْٓ اَعْنَاقِهِمْ ۚ وَ اُولٰٓئِكَ اَصْحٰبُ النَّارِ ۚ هُمْ فِيْهَا خٰلِدُوْنَ ﴿٥﴾
০৬. কল্যাণের আগেই তারা তোমাকে অকল্যাণ ত্বরান্বিত করতে বলে: যদিও তাদের আগে এ রকম কথার অনেক দৃষ্টান্ত বিগত হয়েছে। নিশ্চয়ই তোমার প্রভু মানুষের প্রতি তাদের যুলুম-সীমালঙ্ঘন সত্ত্বেও পরম ক্ষমাশীল। আবার তোমার প্রভু শাস্তি প্রদানেও কঠোর।	وَ يَسْتَعْجِلُوْنَكَ بِالسَّيِّئَةِ قَبْلَ الْحَسَنَةِ وَ قَدْ خَلَتْ مِنْ قَبْلِهِمُ الْمَثُلٰتُ ؕ وَ اِنَّ رَبَّكَ لَذُوْ مَغْفِرَةٍ لِّلنَّاسِ عَلٰى ظُلْمِهِمْ ۚ وَ اِنَّ رَبَّكَ لَشَدِيْدُ الْعِقَابِ ﴿٦﴾
০৭. কাফিররা বলে: 'তার প্রতি তার প্রভুর পক্ষ থেকে কোনো নিদর্শন নাযিল হলোনা কেন?' তুমি তো কেবল একজন সতর্ককারী মাত্র আর প্রত্যেক কওমেরই ছিলো একজন সতর্ককারী।	وَ يَقُوْلُ الَّذِيْنَ كَفَرُوْا لَوْ لَآ اُنْزِلَ عَلَيْهِ اٰيَةٌ مِّنْ رَّبِّهٖ ؕ اِنَّمَآ اَنْتَ مُنْذِرٌ وَّ لِكُلِّ قَوْمٍ هَادٍ ﴿٧﴾ রুকু ০১
০৮. আল্লাহ্ জানেন প্রত্যেক নারী তার গর্ভে যা বহন করে এবং জরায়ুতে যা কমে আর বাড়ে এবং তাঁর কাছে প্রতিটি বস্তুর পরিণামই নির্ধারিত।	اَللّٰهُ يَعْلَمُ مَا تَحْمِلُ كُلُّ اُنْثٰى وَ مَا تَغِيْضُ الْاَرْحَامُ وَ مَا تَزْدَادُ ؕ وَ كُلُّ شَيْءٍ عِنْدَهٗ بِمِقْدَارٍ ﴿٨﴾
০৯. তিনি গায়েব ও দৃশ্যের জ্ঞানী মহান ও সর্বোচ্চ মর্যাদার মালিক।	عٰلِمُ الْغَيْبِ وَ الشَّهَادَةِ الْكَبِيْرُ الْمُتَعَالِ ﴿٩﴾
১০. তোমাদের মধ্যে যে ব্যক্তি কথা গোপন করে এবং যে তা প্রকাশ করে, আর যে রাতে লুকিয়ে থাকে এবং দিনে বিচরণ করে, তারা সবাই আল্লাহ্র জ্ঞানে সমান।	سَوَآءٌ مِّنْكُمْ مَّنْ اَسَرَّ الْقَوْلَ وَ مَنْ جَهَرَ بِهٖ وَمَنْ هُوَ مُسْتَخْفٍۭ بِالَّيْلِ وَسَارِبٌۢ بِالنَّهَارِ ﴿١٠﴾
১১. তার (মানুষের) জন্যে তার সামনে এবং পেছনে একের পর এক পাহারাদার নিযুক্ত থাকে আল্লাহ্র নির্দেশে। তারা তার হিফাযত করে। আল্লাহ্ কোনো জাতির অবস্থা পরিবর্তন করেননা, যতোক্ষণ না তারা নিজেরাই নিজেদের অবস্থা পরিবর্তন করে। যখন আল্লাহ্ কোনো জাতির অকল্যাণ চান, তখন তা আর রদ হয়না। তাদের জন্যে আল্লাহ্ ছাড়া আর কোনো অলি নেই।	لَهٗ مُعَقِّبٰتٌ مِّنْۢ بَيْنِ يَدَيْهِ وَ مِنْ خَلْفِهٖ يَحْفَظُوْنَهٗ مِنْ اَمْرِ اللّٰهِ ؕ اِنَّ اللّٰهَ لَا يُغَيِّرُ مَا بِقَوْمٍ حَتّٰى يُغَيِّرُوْا مَا بِاَنْفُسِهِمْ ؕ وَ اِذَآ اَرَادَ اللّٰهُ بِقَوْمٍ سُوْٓءًا فَلَا مَرَدَّ لَهٗ ۚ وَ مَا لَهُمْ مِّنْ دُوْنِهٖ مِنْ وَّالٍ ﴿١١﴾
১২. তিনিই তোমাদেরকে বিদ্যুত চমকিয়ে ভয় এবং আশা দেখান। তিনিই সৃষ্টি করেন বর্ষণমুখী ভারি মেঘ।	هُوَ الَّذِيْ يُرِيْكُمُ الْبَرْقَ خَوْفًا وَّ طَمَعًا وَّ يُنْشِئُ السَّحَابَ الثِّقَالَ ﴿١٢﴾

১৩. বজ্রধ্বনি প্রশংসার সাথে তাঁর তসবিহ করে এবং ফেরেশতারাও করে তাঁর ভয়ে। তিনি বজ্রপাত ঘটান এবং তা দিয়ে যাকে ইচ্ছা আঘাত করেন। তারা আল্লাহ্ সম্পর্কে বিতর্ক করে, অথচ তিনি মহাশক্তিমান।	وَ يُسَبِّحُ الرَّعْدُ بِحَمْدِهٖ وَ الْمَلٰٓئِكَةُ مِنْ خِيْفَتِهٖ ۚ وَ يُرْسِلُ الصَّوَاعِقَ فَيُصِيْبُ بِهَا مَنْ يَّشَآءُ وَهُمْ يُجَادِلُوْنَ فِى اللّٰهِ ۚ وَهُوَ شَدِيْدُ الْمِحَالِ ﴿۱۳﴾
১৪. সত্যের দাওয়াত তাঁরই জন্যে (তাঁরই দিকে) হবে। যারা তাঁকে ছাড়া অন্যদের ডাকে, তারা তাদের ডাকে কিছুমাত্র সাড়া দেয়না। তাদের উপমা হলো ঐ ব্যক্তি, যে তার দুই হাত প্রসারিত করেছে যেনো তার মুখে পানি পৌঁছে, অথচ তা তার মুখে পৌঁছার নয়। কাফিরদের আহ্বান একেবারেই নিষ্ফল।	لَهٗ دَعْوَةُ الْحَقِّ ؕ وَ الَّذِيْنَ يَدْعُوْنَ مِنْ دُوْنِهٖ لَا يَسْتَجِيْبُوْنَ لَهُمْ بِشَىْءٍ اِلَّا كَبَاسِطِ كَفَّيْهِ اِلَى الْمَآءِ لِيَبْلُغَ فَاهُ وَمَا هُوَ بِبَالِغِهٖ ؕ وَ مَا دُعَآءُ الْكٰفِرِيْنَ اِلَّا فِىْ ضَلٰلٍ ﴿۱۴﴾
১৫. মহাকাশ এবং পৃথিবীতে যারাই আছে, সবাই ইচ্ছায় হোক কিংবা অনিচ্ছায়, আল্লাহ্‌কে সাজদা করে এবং তাদের ছায়াগুলোও তাঁকে সাজদা করে সকালে এবং বিকেলে। **(সাজদা)**	وَ لِلّٰهِ يَسْجُدُ مَنْ فِى السَّمٰوٰتِ وَ الْاَرْضِ طَوْعًا وَّ كَرْهًا وَّ ظِلٰلُهُمْ بِالْغُدُوِّ وَ الْاٰصَالِ ﴿۱۵﴾ السجدة
১৬. হে নবী! তাদের জিজ্ঞেস করো: 'মহাকাশ এবং পৃথিবীর রব কে?' বলো: 'আল্লাহ্'। বলো: তোমরা কি আল্লাহ্‌র পরিবর্তে এমন সব অলি গ্রহণ করেছো যারা তাদের নিজেদেরও লাভ কিংবা ক্ষতি করতে সক্ষম নয়? জিজ্ঞেস করো, অন্ধ আর চক্ষুষ্মান কি সমান? নাকি আলো আর অন্ধকার সমান? নাকি তারা যাদের আল্লাহ্‌র সাথে শরিক বানিয়েছে তারা আল্লাহ্‌র সৃষ্টির মতো সৃষ্টি করে যে কারণে সৃষ্টি তাদের কাছে সদৃশ মনে হয়? বলো: এক মহাপরাক্রমশালী আল্লাহ্ই সবকিছুর স্রষ্টা।	قُلْ مَنْ رَّبُّ السَّمٰوٰتِ وَ الْاَرْضِ ؕ قُلِ اللّٰهُ ؕ قُلْ اَفَاتَّخَذْتُمْ مِّنْ دُوْنِهٖۤ اَوْلِيَآءَ لَا يَمْلِكُوْنَ لِاَنْفُسِهِمْ نَفْعًا وَّلَا ضَرًّا ؕ قُلْ هَلْ يَسْتَوِى الْاَعْمٰى وَالْبَصِيْرُ ۙ اَمْ هَلْ تَسْتَوِى الظُّلُمٰتُ وَالنُّوْرُ ۚ اَمْ جَعَلُوْا لِلّٰهِ شُرَكَآءَ خَلَقُوْا كَخَلْقِهٖ فَتَشَابَهَ الْخَلْقُ عَلَيْهِمْ ؕ قُلِ اللّٰهُ خَالِقُ كُلِّ شَىْءٍ وَّهُوَ الْوَاحِدُ الْقَهَّارُ ﴿۱۶﴾
১৭. তিনিই আসমান থেকে পানি বর্ষণ করেন, ফলে উপত্যকাসমূহ পরিমাণ মতো প্লাবিত হয়। আর প্লাবন তার উপরে আবর্জনা বহন করে বুদ্বুদ আকারে। এছাড়া তোমরা অলংকার কিংবা তৈজসপত্র তৈরির জন্যে যেসব ধাতু আগুনে বিগলিত করো সেগুলোর উপরিভাগেও অনুরূপ আবর্জনা ভেসে উঠে বুদ্বুদ আকারে। এভাবেই আল্লাহ্ হক এবং বাতিলের উপমা দিয়ে থাকেন। অত:পর আবর্জনা সমেত বুদ্বুদ বিলীন হয়ে যায়, আর যা মানুষের জন্যে কল্যাণকর তা জমিনে জমে থাকে। আল্লাহ্ এভাবেই উপমা দিয়ে থাকেন।	اَنْزَلَ مِنَ السَّمَآءِ مَآءً فَسَالَتْ اَوْدِيَةٌۢ بِقَدَرِهَا فَاحْتَمَلَ السَّيْلُ زَبَدًا رَّابِيًا ؕ وَ مِمَّا يُوْقِدُوْنَ عَلَيْهِ فِى النَّارِ ابْتِغَآءَ حِلْيَةٍ اَوْ مَتَاعٍ زَبَدٌ مِّثْلُهٗ ؕ كَذٰلِكَ يَضْرِبُ اللّٰهُ الْحَقَّ وَ الْبَاطِلَ ؕ فَاَمَّا الزَّبَدُ فَيَذْهَبُ جُفَآءً ۚ وَ اَمَّا مَا يَنْفَعُ النَّاسَ فَيَمْكُثُ فِى الْاَرْضِ ؕ كَذٰلِكَ يَضْرِبُ اللّٰهُ الْاَمْثَالَ ؕ ﴿۱۷﴾
১৮. যারা তাদের রবের আহ্বানে সাড়া দেয়	لِلَّذِيْنَ اسْتَجَابُوْا لِرَبِّهِمُ الْحُسْنٰى ؕ وَ

তাদের জন্যে রয়েছে হুসনা (কল্যাণ)। আর যারা তাঁর আহ্বানে সাড়া দেয়না, পৃথিবীতে যা কিছু আছে সবই যদি তাদের থাকতো এবং সেই সাথে অনুরূপ আরো থাকতো, তারা (আল্লাহ্‌র আযাব থেকে বাঁচার জন্যে) মুক্তিপণ হিসেবে সেই সবই দিয়ে দিতো। তাদের জন্যে রয়েছে নিকৃষ্ট হিসাব এবং তাদের আবাস হবে জাহান্নাম। সেটা খুবই নিকৃষ্ট বিশ্রামের জায়গা।	الَّذِيْنَ لَمْ يَسْتَجِيْبُوْا لَهٗ لَوْ اَنَّ لَهُمْ مَّا فِي الْاَرْضِ جَمِيْعًا وَّ مِثْلَهٗ مَعَهٗ لَافْتَدَوْا بِهٖ ؕ اُولٰٓئِكَ لَهُمْ سُوْٓءُ الْحِسَابِ ۙ وَ مَاْوٰىهُمْ جَهَنَّمُ ؕ وَ بِئْسَ الْمِهَادُ ﴿١٨﴾
১৯. যে ব্যক্তি জানে তোমার প্রভুর নিকট থেকে তোমার কাছে মহাসত্য নাযিল হয়েছে, সে কি ঐ ব্যক্তির সমতুল্য, যে (এ ব্যাপারে) অন্ধ? অনুধাবন করে তো বোধশক্তি সম্পন্ন লোকেরাই,	اَفَمَنْ يَّعْلَمُ اَنَّمَآ اُنْزِلَ اِلَيْكَ مِنْ رَّبِّكَ الْحَقُّ كَمَنْ هُوَ اَعْمٰى ؕ اِنَّمَا يَتَذَكَّرُ اُولُوا الْاَلْبَابِ ﴿١٩﴾
২০. যারা আল্লাহ্‌কে দেয়া অঙ্গীকার পূর্ণ করে এবং প্রতিশ্রুতি ভঙ্গ করেনা,	الَّذِيْنَ يُوْفُوْنَ بِعَهْدِ اللّٰهِ وَ لَا يَنْقُضُوْنَ الْمِيْثَاقَ ﴿٢٠﴾
২১. যারা আল্লাহ্ যেসব সম্পর্ক অক্ষুণ্ন রাখার নির্দেশ দিয়েছেন সেসব সম্পর্ক বজায় রাখে, তাদের প্রভুকে ভয় করে এবং ভীত থাকে কঠোর হিসাবের দিনের ব্যাপারে,	وَ الَّذِيْنَ يَصِلُوْنَ مَآ اَمَرَ اللّٰهُ بِهٖٓ اَنْ يُّوْصَلَ وَ يَخْشَوْنَ رَبَّهُمْ وَ يَخَافُوْنَ سُوْٓءَ الْحِسَابِ ﴿٢١﴾
২২. যারা তাদের প্রভুর সন্তুষ্টি লাভের লক্ষ্যে সবর অবলম্বন করে, সালাত কায়েম করে, আমাদের দেয়া জীবিকা থেকে গোপনে ও প্রকাশ্যে ব্যয় (দান) করে এবং ভালো দিয়ে মন্দ দূর করে, তাদেরই জন্যে রয়েছে পরিণামের ঘর।	وَ الَّذِيْنَ صَبَرُوا ابْتِغَآءَ وَجْهِ رَبِّهِمْ وَ اَقَامُوا الصَّلٰوةَ وَ اَنْفَقُوْا مِمَّا رَزَقْنٰهُمْ سِرًّا وَّ عَلَانِيَةً وَّ يَدْرَءُوْنَ بِالْحَسَنَةِ السَّيِّئَةَ اُولٰٓئِكَ لَهُمْ عُقْبَى الدَّارِ ﴿٢٢﴾
২৩. তা হলো চিরস্থায়ী জান্নাত, তাতেই তারা দাখিল হবে এবং তাদের বাবা-মা, স্বামী-স্ত্রী ও সন্তান-সন্ততিদের মধ্যে যারা নিজেদের এসলাহ (সংশোধন) করেছে তারাও। প্রত্যেক দরজা দিয়ে ফেরেশতারা তাদের কাছে দাখিল হবে।	جَنّٰتُ عَدْنٍ يَّدْخُلُوْنَهَا وَ مَنْ صَلَحَ مِنْ اٰبَآئِهِمْ وَ اَزْوَاجِهِمْ وَ ذُرِّيّٰتِهِمْ وَ الْمَلٰٓئِكَةُ يَدْخُلُوْنَ عَلَيْهِمْ مِّنْ كُلِّ بَابٍ ﴿٢٣﴾
২৪. তারা বলবে: 'সালামুন আলাইকুম-আপনাদের প্রতি শান্তি বর্ষিত হোক, আপনাদের সবর অবলম্বনের কারণে কতো উত্তম পরিণাম আপনাদের!'	سَلٰمٌ عَلَيْكُمْ بِمَا صَبَرْتُمْ فَنِعْمَ عُقْبَى الدَّارِ ﴿٢٤﴾
২৫. পক্ষান্তরে যারা আল্লাহ্‌র সাথে মজবুত অঙ্গীকার করার পর তা ভঙ্গ করে, আল্লাহ্ যাদের সাথে সম্পর্ক অক্ষুণ্ন রাখার নির্দেশ দিয়েছেন সেসব সম্পর্ক ছিন্ন করে এবং জমিনে বিপর্যয় সৃষ্টি করে বেড়ায়, তাদের প্রতি লানত এবং তাদের জন্যে রয়েছে নিকৃষ্ট আবাস।	وَ الَّذِيْنَ يَنْقُضُوْنَ عَهْدَ اللّٰهِ مِنْۢ بَعْدِ مِيْثَاقِهٖ وَ يَقْطَعُوْنَ مَآ اَمَرَ اللّٰهُ بِهٖٓ اَنْ يُّوْصَلَ وَ يُفْسِدُوْنَ فِي الْاَرْضِ ۙ اُولٰٓئِكَ لَهُمُ اللَّعْنَةُ وَ لَهُمْ سُوْٓءُ الدَّارِ ﴿٢٥﴾
২৬. আল্লাহ্ যার জন্যে ইচ্ছে জীবিকা বিস্তৃত	اَللّٰهُ يَبْسُطُ الرِّزْقَ لِمَنْ يَّشَآءُ وَ يَقْدِرُ ؕ وَ

রুকু ০২

করে দেন এবং যাকে ইচ্ছা সীমিত করে দেন। তারা দুনিয়ার জীবন নিয়েই উৎফুল্ল, অথচ দুনিয়ার জীবন আখিরাতের তুলনায় একটি ক্ষণস্থায়ী ভোগের সময় মাত্র।	فَرِحُوْا بِالْحَيٰوةِ الدُّنْيَا ؕ وَ مَا الْحَيٰوةُ الدُّنْيَا فِي الْاٰخِرَةِ اِلَّا مَتَاعٌ ﴿٢٦﴾
২৭. কাফিররা বলে: 'তার প্রতি তার প্রভুর নিকট থেকে কোনো নিদর্শন নাযিল হলোনা কেন?' তুমি বলো: "আল্লাহ্ যাকে ইচ্ছা বিপথগামী করে দেন। আর তাঁর দিকে পথ দেখান তাদেরকেই যারা তাঁর অভিমুখী হয়,	وَ يَقُوْلُ الَّذِيْنَ كَفَرُوْا لَوْ لَاۤ اُنْزِلَ عَلَيْهِ اٰيَةٌ مِّنْ رَّبِّهٖ ؕ قُلْ اِنَّ اللّٰهَ يُضِلُّ مَنْ يَّشَآءُ وَ يَهْدِيْۤ اِلَيْهِ مَنْ اَنَابَ ﴿٢٧﴾
২৮. যারা ঈমান আনে এবং আল্লাহ্‌র স্মরণে যাদের কলব (অন্তর) প্রশান্তি লাভ করে।" জেনে রেখো, কেবল আল্লাহ্‌র স্মরণেই কলব প্রশান্তি লাভ করে থাকে।	اَلَّذِيْنَ اٰمَنُوْا وَ تَطْمَئِنُّ قُلُوْبُهُمْ بِذِكْرِ اللّٰهِ ؕ اَلَا بِذِكْرِ اللّٰهِ تَطْمَئِنُّ الْقُلُوْبُ ﴿٢٨﴾
২৯. যারা ঈমান আনে এবং আমলে সালেহ্ করে, আনন্দ আর শুভ পরিণাম তাদেরই।	اَلَّذِيْنَ اٰمَنُوْا وَ عَمِلُوا الصّٰلِحٰتِ طُوْبٰى لَهُمْ وَ حُسْنُ مَاٰبٍ ﴿٢٩﴾
৩০. (পূর্বের রসূলদের মতো) একইভাবে আমরা তোমাকে পাঠিয়েছি একটি উম্মতের কাছে। তাদের আগেও অতীত হয়েছে অনেক উম্মত। উদ্দেশ্য হলো: তুমি তাদের প্রতি তিলাওয়াত করবে যা আমরা তোমার কাছে নাযিল করেছি অহির মাধ্যমে। অথচ তারা দয়াময় রহমানের প্রতি কুফুরি করছে। তুমি বলো: 'তিনিই আমার রব, তিনি ছাড়া আর কোনো ইলাহ্ নেই, তাঁরই উপর আমি তাওয়াক্কুল করেছি এবং তাঁরই কাছে হবে আমার প্রত্যাবর্তন।'	كَذٰلِكَ اَرْسَلْنٰكَ فِيْۤ اُمَّةٍ قَدْ خَلَتْ مِنْ قَبْلِهَاۤ اُمَمٌ لِّتَتْلُوَاۡ عَلَيْهِمُ الَّذِيْۤ اَوْحَيْنَاۤ اِلَيْكَ وَهُمْ يَكْفُرُوْنَ بِالرَّحْمٰنِ ؕ قُلْ هُوَ رَبِّيْ لَاۤ اِلٰهَ اِلَّا هُوَ ۚ عَلَيْهِ تَوَكَّلْتُ وَ اِلَيْهِ مَتَابِ ﴿٣٠﴾
৩১. যদি এমন কোনো কুরআন হতো যার স্পর্শে পর্বতমালা চলতো, কিংবা পৃথিবীকে বিদীর্ণ করা যেতো, অথবা তাতে মৃতদের সাথে কথা বলা যেতো (তবু তারা সেই কুরআনের প্রতি ঈমান আনতো না)। বরং সমস্ত কর্তৃত্ব আল্লাহ্‌র। যারা ঈমান এনেছে এখনো কি তাদের হতাশা কাটেনি যে, আল্লাহ্ চাইলে সমস্ত মানুষকেই হিদায়াত করতে পারতেন? যারা কুফুরি করেছে তাদের কর্মকাণ্ডের জন্যে তাদের উপর আপদ আসতেই থাকবে। অথবা আপদ তাদের ঘরের আশে পাশেই ঘটতে থাকবে, যতোক্ষণ না আল্লাহ্‌র ওয়াদা (করা সময়টি) এসে পড়বে। আল্লাহ্ কখনো ওয়াদা খেলাফ করেন না।	وَ لَوْ اَنَّ قُرْاٰنًا سُيِّرَتْ بِهِ الْجِبَالُ اَوْ قُطِّعَتْ بِهِ الْاَرْضُ اَوْ كُلِّمَ بِهِ الْمَوْتٰى ؕ بَلْ لِّلّٰهِ الْاَمْرُ جَمِيْعًا ؕ اَفَلَمْ يَايْـَٔسِ الَّذِيْنَ اٰمَنُوْۤا اَنْ لَّوْ يَشَآءُ اللّٰهُ لَهَدَى النَّاسَ جَمِيْعًا ؕ وَ لَا يَزَالُ الَّذِيْنَ كَفَرُوْا تُصِيْبُهُمْ بِمَا صَنَعُوْا قَارِعَةٌ اَوْ تَحُلُّ قَرِيْبًا مِّنْ دَارِهِمْ حَتّٰى يَاْتِيَ وَعْدُ اللّٰهِ ؕ اِنَّ اللّٰهَ لَا يُخْلِفُ الْمِيْعَادَ ﴿٣١﴾
৩২. তোমার আগেকার বহু রসূলকেই বিদ্রূপ করা হয়েছিল। ফলে যারা কুফুরি করেছিল, আমরা তাদেরকে কিছুটা অবকাশ দিয়েছিলাম, অত:পর তাদের পাকড়াও করেছি। কেমন ছিলো আমার শাস্তি?	وَ لَقَدِ اسْتُهْزِئَ بِرُسُلٍ مِّنْ قَبْلِكَ فَاَمْلَيْتُ لِلَّذِيْنَ كَفَرُوْا ثُمَّ اَخَذْتُهُمْ ۫ فَكَيْفَ كَانَ عِقَابِ ﴿٣٢﴾

রুকু ০৩

রুকু ০৪

৩৩. তবে কি প্রতিটি মানুষ যা উপার্জন (আমল) করে, যিনি তার পর্যবেক্ষক, তিনি তাদের অক্ষম ইলাহ্গুলোর মতো? তারপরও তারা আল্লাহ্‌র সাথে শরিক বানিয়ে নিয়েছে। বলো: 'তাদের পরিচয় দাও।' তোমরা কি পৃথিবীর মধ্যে তাঁকে এমন কিছুর সংবাদ দিতে চাও, যা তিনি জানেন না? নাকি তা বাহ্যিক কথা মাত্র? বরং কাফিরদের কাছে তাদের চক্রান্তগুলোকে শোভনীয় করে দেয়া হয়েছে এবং তাদেরকে বাধা দেয়া হয়েছে সঠিক পথ থেকে। আর আল্লাহ্ যাদের বিপথগামী করে দেন, তাদের কোনো হাদি (সঠিক পথ প্রদর্শক) নেই।	اَفَمَنْ هُوَ قَآئِمٌ عَلٰى كُلِّ نَفْسٍۭ بِمَا كَسَبَتْ ۚ وَ جَعَلُوْا لِلّٰهِ شُرَكَآءَ ؕ قُلْ سَمُّوْهُمْ ؕ اَمْ تُنَبِّئُوْنَهٗ بِمَا لَا يَعْلَمُ فِى الْاَرْضِ اَمْ بِظَاهِرٍ مِّنَ الْقَوْلِ ؕ بَلْ زُيِّنَ لِلَّذِيْنَ كَفَرُوْا مَكْرُهُمْ وَ صُدُّوْا عَنِ السَّبِيْلِ ؕ وَ مَنْ يُّضْلِلِ اللّٰهُ فَمَا لَهٗ مِنْ هَادٍ ﴿٣٣﴾
৩৪. দুনিয়ার জীবনেও তাদের জন্যে রয়েছে আযাব, আর আখিরাতের আযাব তো আরো কঠোর। আল্লাহ্‌র আযাব থেকে বাঁচানোর জন্যে তাদের কোনো রক্ষাকারী নেই।	لَهُمْ عَذَابٌ فِى الْحَيٰوةِ الدُّنْيَا وَ لَعَذَابُ الْاٰخِرَةِ اَشَقُّ ۚ وَ مَا لَهُمْ مِّنَ اللّٰهِ مِنْ وَّاقٍ ﴿٣٤﴾
৩৫. মুত্তাকিদের যে জান্নাতের প্রতিশ্রুতি দেয়া হয়েছে তার উপমা হলো এরকম, যেমন তার নিচে দিয়ে বহমান থাকবে নদ-নদী-নহর, তার ফলন ও ছায়া হবে চিরস্থায়ী। এটাই মুত্তাকিদের (শুভ) পরিণাম। আর কাফিরদের পরিণাম হলো জাহান্নাম।	مَثَلُ الْجَنَّةِ الَّتِىْ وُعِدَ الْمُتَّقُوْنَ ؕ تَجْرِىْ مِنْ تَحْتِهَا الْاَنْهٰرُ ؕ اُكُلُهَا دَآئِمٌ وَّ ظِلُّهَا ؕ تِلْكَ عُقْبَى الَّذِيْنَ اتَّقَوْا ۖ وَّ عُقْبَى الْكٰفِرِيْنَ النَّارُ ﴿٣٥﴾
৩৬. যাদেরকে আমরা কিতাব দিয়েছি, তোমার প্রতি যা নাযিল করা হয়েছে তাতে তারা আনন্দ পায়। কিন্তু কোনো কোনো দল সেটার কিছু কিছু অংশ অস্বীকার করে। বলো: 'আমাকে নির্দেশ দেয়া হয়েছে আমি যেনো এক আল্লাহ্‌র ইবাদত করি এবং তাঁর সাথে কাউকেও শরিক না করি। আমি তাঁরই দিকে আহ্বান জানাই এবং তাঁরই কাছে হবে আমার প্রত্যাবর্তন।	وَ الَّذِيْنَ اٰتَيْنٰهُمُ الْكِتٰبَ يَفْرَحُوْنَ بِمَاۤ اُنْزِلَ اِلَيْكَ وَ مِنَ الْاَحْزَابِ مَنْ يُّنْكِرُ بَعْضَهٗ ؕ قُلْ اِنَّمَاۤ اُمِرْتُ اَنْ اَعْبُدَ اللّٰهَ وَ لَاۤ اُشْرِكَ بِهٖ ؕ اِلَيْهِ اَدْعُوْا وَ اِلَيْهِ مَاٰبِ ﴿٣٦﴾
৩৭. এভাবেই আমরা সেটিকে নাযিল করেছি একটি বিধান হিসাবে আরবি ভাষায়। তোমার কাছে এলেম আসার পর তুমি যদি তাদের ইচ্ছা বাসনার ইত্তেবা (অনুসরণ) করো, তাহলে আল্লাহ্‌র পক্ষ থেকে তোমার কোনো অভিভাবক এবং রক্ষাকারী থাকবে না।	وَ كَذٰلِكَ اَنْزَلْنٰهُ حُكْمًا عَرَبِيًّا ؕ وَ لَئِنِ اتَّبَعْتَ اَهْوَآءَهُمْ بَعْدَ مَا جَآءَكَ مِنَ الْعِلْمِ ۙ مَا لَكَ مِنَ اللّٰهِ مِنْ وَّلِىٍّ وَّ لَا وَاقٍ ﴿٣٧﴾
৩৮. তোমার আগেও আমরা বহু রসূল পাঠিয়েছিলাম এবং তাদেরও দিয়েছিলাম স্ত্রী এবং সন্তান-সন্ততি। আল্লাহ্‌র অনুমতি ছাড়া কোনো নিদর্শন উপস্থিত করা কোনো রসূলের কাজ নয়। প্রত্যেক বিষয়েরই নির্ধারিত মেয়াদ লেখা রয়েছে।	وَ لَقَدْ اَرْسَلْنَا رُسُلًا مِّنْ قَبْلِكَ وَ جَعَلْنَا لَهُمْ اَزْوَاجًا وَّ ذُرِّيَّةً ؕ وَ مَا كَانَ لِرَسُوْلٍ اَنْ يَّاْتِىَ بِاٰيَةٍ اِلَّا بِاِذْنِ اللّٰهِ ؕ لِكُلِّ اَجَلٍ كِتَابٌ ﴿٣٨﴾

রুকু ০৫

৩৯. আল্লাহ্ যা ইচ্ছা করেন তা মুছে দেন এবং যা ইচ্ছা করেন তা প্রতিষ্ঠিত রাখেন। আর তাঁর কাছেই রয়েছে 'উম্মুল কিতাব' (মূল কিতাব, Mother Book)।	يَمۡحُوا اللّٰهُ مَا يَشَآءُ وَ يُثۡبِتُ ۚۖ وَ عِنۡدَهٗۤ اُمُّ الۡكِتٰبِ ﴿۳۹﴾
৪০. (হে মুহাম্মদ!) তাদেরকে আমরা যে শাস্তির প্রতিশ্রুতি দিয়েছি তার কিছুটা যদি তোমার জীবদ্দশাতেই তোমাকে দেখাই, কিংবা যদি তার আগেই তোমার ওফাত ঘটিয়ে দেই (তাতে কিছু যায় আসেনা, সর্বাবস্থায়ই) তোমার দায়িত্ব তো কেবল (বার্তা) পৌঁছে দেয়া, আর আমাদের দায়িত্ব হিসাব নেয়া।	وَ اِنۡ مَّا نُرِيَنَّكَ بَعۡضَ الَّذِىۡ نَعِدُهُمۡ اَوۡ نَتَوَفَّيَنَّكَ فَاِنَّمَا عَلَيۡكَ الۡبَلٰغُ وَ عَلَيۡنَا الۡحِسَابُ ﴿۴۰﴾
৪১. তারা কি দেখেনা, আমরা তাদের ভূ-খণ্ডকে চারদিক থেকে সংকুচিত করে আনছি? ফায়সালা তো করেন আল্লাহ্। তাঁর ফায়সালা রদ করার কেউ নেই। তিনি হিসাব গ্রহণে দ্রুত।	اَوَ لَمۡ يَرَوۡا اَنَّا نَاۡتِى الۡاَرۡضَ نَـنۡقُصُهَا مِنۡ اَطۡرَافِهَا ؕ وَاللّٰهُ يَحۡكُمُ لَا مُعَقِّبَ لِحُكۡمِهٖ ؕ وَهُوَ سَرِيۡعُ الۡحِسَابِ ﴿۴۱﴾
৪২. তাদের পূর্বেকার কাফিররাও (রসূলদের বিরুদ্ধে) ষড়যন্ত্র করেছিল। অথচ সব চক্রান্ত আল্লাহ্‌র এখতিয়ারে। প্রতিটি মানুষ যা কামাই করে, তা আল্লাহ্ জানেন। অচিরেই কাফিররা জানতে পারবে শুভ পরিণামের ঘর কার?	وَ قَدۡ مَكَرَ الَّذِيۡنَ مِنۡ قَبۡلِهِمۡ فَلِلّٰهِ الۡمَكۡرُ جَمِيۡعًا ؕ يَعۡلَمُ مَا تَكۡسِبُ كُلُّ نَفۡسٍ ؕ وَسَيَعۡلَمُ الۡكُفّٰرُ لِمَنۡ عُقۡبَى الدَّارِ ﴿۴۲﴾
৪৩. কাফিররা বলে: তুমি আল্লাহ্‌র প্রেরিত রসূল নও। তুমি বলো: 'আল্লাহ্ই আমার এবং তোমাদের মাঝে সাক্ষী হিসাবে যথেষ্ট, আর যাদের কাছে কিতাবের জ্ঞান আছে তারা।'	وَ يَقُوۡلُ الَّذِيۡنَ كَفَرُوۡا لَسۡتَ مُرۡسَلًا ؕ قُلۡ كَفٰى بِاللّٰهِ شَهِيۡدًۢا بَيۡنِىۡ وَ بَيۡنَكُمۡ ۙ وَ مَنۡ عِنۡدَهٗ عِلۡمُ الۡكِتٰبِ ﴿۴۳﴾

রুকু ০৬

সূরা ১৪ ইবরাহিম

মক্কায় অবতীর্ণ, আয়াত সংখ্যা: ৫২, রুকু সংখ্যা: ০৭

এই সূরার আলোচ্যসূচি (আয়াত ভিত্তিক আলোচ্য বিষয়)

০১-০৩: কুরআন নাযিলের উদ্দেশ্য।
০৪: প্রত্যেক রসূলকে নিজ জাতির ভাষায় দাওয়াত দিতে পাঠানো হয়েছে।
০৫-০৮: মূসাকেও একই উদ্দেশ্যে আল্লাহ্‌র আয়াত দিয়ে পাঠানো হয়েছিল।
০৯-১৭: অতীত রসূলগণের দাওয়াত এবং তাদের জাতির কুফুরি। রসূলগণের দৃঢ়তা এবং কাফিরদের অশুভ পরিণতি।
১৮-২১: কাফিরদের কর্মকাণ্ডের উপমা। পরকালে দুর্বল ও শক্তিমানদের বিতর্ক।
২২: বিচার ফায়সালার পর হাশর ময়দানে শয়তানের বক্তৃতা।
২৩-৩৪: মুমিনদের শুভ পরিণতি। সত্যবাণী ও মিথ্যা কথার উপমা। বাতিলপন্থীদের পরিণতি। মানুষের প্রতি আল্লাহ্‌র সীমাহীন অনুগ্রহ।
৩৫-৪১: মূর্তি ও ভাস্কর্য পূজারীদের বিরুদ্ধে ইবরাহিমের আ. প্রার্থনা। ইবরাহিমের সন্তানদের একটি অংশকে মক্কায় প্রতিষ্ঠা এবং এর কারণ।
৪২-৫২: মানুষকে কিয়ামতের ব্যাপারে সতর্ক করার নির্দেশ। ইসলামের বিরুদ্ধে ষড়যন্ত্রকারীরা ব্যর্থ হয়ে যাবে। কিয়ামতের দিন এই পৃথিবীকে নতুন রূপে গড়া হবে। সেদিন অপরাধীরা থাকবে শৃঙ্খলবদ্ধ।

সূরা ইবরাহিম পরম করুণাময় পরম দয়াবান আল্লাহ্‌র নামে	سُوْرَةُ اِبْرٰهِيْمَ بِسْمِ اللّٰهِ الرَّحْمٰنِ الرَّحِيْمِ
০১. আলিফ লাম রা। এই কিতাব আমরা তোমার প্রতি নাযিল করেছি, যাতে করে তুমি মানব সমাজকে বের করে আনো অন্ধকাররাশি থেকে আলোতে, তাদের প্রভুর অনুমতিক্রমে মহাপরাক্রমশালী সপ্রশংসিত আল্লাহ্‌র পথে।	الٓرٰ ۚ كِتٰبٌ اَنْزَلْنٰهُ اِلَيْكَ لِتُخْرِجَ النَّاسَ مِنَ الظُّلُمٰتِ اِلَى النُّوْرِ ۙ۬ بِاِذْنِ رَبِّهِمْ اِلٰى صِرَاطِ الْعَزِيْزِ الْحَمِيْدِ ۙ﴿۱﴾
০২. আল্লাহ্, মহাকাশ এবং এই পৃথিবীতে যা কিছু আছে সবই তাঁর। আর কাফিরদের জন্যে রয়েছে কঠোর আযাবের দুর্ভোগ।	اللّٰهِ الَّذِيْ لَهٗ مَا فِي السَّمٰوٰتِ وَمَا فِي الْاَرْضِ ؕ وَوَيْلٌ لِّلْكٰفِرِيْنَ مِنْ عَذَابٍ شَدِيْدِ ۙ﴿۲﴾
০৩. যারা দুনিয়ার জীবনকে বেশি মহব্বত করে আখিরাতের চাইতে, আর আল্লাহ্‌র পথে বাধা সৃষ্টি করে এবং তাতে সন্ধান করে বক্রতার, তারা বিপথে চলে গেছে বহুদূর।	الَّذِيْنَ يَسْتَحِبُّوْنَ الْحَيٰوةَ الدُّنْيَا عَلَى الْاٰخِرَةِ وَيَصُدُّوْنَ عَنْ سَبِيْلِ اللّٰهِ وَيَبْغُوْنَهَا عِوَجًا ؕ اُولٰٓئِكَ فِيْ ضَلٰلٍۭ بَعِيْدٍ ﴿۳﴾
০৪. আমরা একজন রসূলও পাঠাইনি তার স্বজাতির ভাষায় ছাড়া, যাতে করে সে তাদেরকে স্পষ্ট করে বার্তা পৌঁছাতে পারে। তারপর আল্লাহ্ যাকে চান বিপথগামী করে দেন আর যাকে চান সঠিক পথে পরিচালিত করেন। তিনি দুর্জয় ক্ষমতাবান মহাজ্ঞানী।	وَمَآ اَرْسَلْنَا مِنْ رَّسُوْلٍ اِلَّا بِلِسَانِ قَوْمِهٖ لِيُبَيِّنَ لَهُمْ ؕ فَيُضِلُّ اللّٰهُ مَنْ يَّشَآءُ وَيَهْدِيْ مَنْ يَّشَآءُ ؕ وَهُوَ الْعَزِيْزُ الْحَكِيْمُ ﴿۴﴾
০৫. আমরা আমাদের এক গুচ্ছ নিদর্শনসহ মূসাকে পাঠিয়েছিলাম এই নির্দেশ দিয়ে : 'তুমি তোমার কওমকে অন্ধকাররাশি থেকে আলোতে বের করে আনো আর তাদেরকে আল্লাহ্‌র দিনগুলোর কথা স্মরণ করিয়ে দিতে থাকো। এতে পরম ধৈর্যশীল কৃতজ্ঞ লোকদের জন্যে রয়েছে নিদর্শন।'	وَلَقَدْ اَرْسَلْنَا مُوْسٰى بِاٰيٰتِنَآ اَنْ اَخْرِجْ قَوْمَكَ مِنَ الظُّلُمٰتِ اِلَى النُّوْرِ ۙ۬ وَذَكِّرْهُمْ بِاَيّٰىمِ اللّٰهِ ؕ اِنَّ فِيْ ذٰلِكَ لَاٰيٰتٍ لِّكُلِّ صَبَّارٍ شَكُوْرٍ ﴿۵﴾
০৬. স্মরণ করো, মূসা তার কওমকে বলেছিল: "তোমরা তোমাদের প্রতি আল্লাহ্‌র অনুগ্রহের কথা স্মরণ করো যখন তিনি তোমাদের নাজাত দিয়েছিলেন ফেরাউন গোষ্ঠীর কবল থেকে। তারা তোমাদের দিয়েছিল নিকৃষ্ট ধরনের আযাব। তারা যবাই করছিল তোমাদের পুত্র সন্তানদের আর জীবিত রাখছিল তোমাদের নারীদের। এতে তোমাদের প্রভুর পক্ষ থেকে তোমাদের জন্যে ছিলো এক বিরাট পরীক্ষা।	وَاِذْ قَالَ مُوْسٰى لِقَوْمِهِ اذْكُرُوْا نِعْمَةَ اللّٰهِ عَلَيْكُمْ اِذْ اَنْجٰىكُمْ مِّنْ اٰلِ فِرْعَوْنَ يَسُوْمُوْنَكُمْ سُوْٓءَ الْعَذَابِ وَيُذَبِّحُوْنَ اَبْنَآءَكُمْ وَيَسْتَحْيُوْنَ نِسَآءَكُمْ ؕ وَفِيْ ذٰلِكُمْ بَلَآءٌ مِّنْ رَّبِّكُمْ عَظِيْمٌ ﴿۶﴾ রুকু ০১
০৭. স্মরণ করো, তোমাদের প্রভু তোমাদের জানিয়ে দিয়েছিলেন, তোমরা যদি শোকর গুজারি করো তাহলে আমি তোমাদের আরো বেশি করে দেবো, আর যদি অকৃতজ্ঞ হও, তবে আমার আযাব অবশ্যি কঠোর।"	وَاِذْ تَاَذَّنَ رَبُّكُمْ لَئِنْ شَكَرْتُمْ لَاَزِيْدَنَّكُمْ وَلَئِنْ كَفَرْتُمْ اِنَّ عَذَابِيْ لَشَدِيْدٌ ﴿۷﴾

০৮. মূসা আরো বলেছিল: ‘তোমরা এবং পৃথিবীর সবাইও যদি আল্লাহ্‌র প্রতি অকৃতজ্ঞ হও, তবু আল্লাহ্ সবার থেকে প্রয়োজনমুক্ত স্বয়ম্ভর সপ্রশংসিত।	وَقَالَ مُوسَىٰ إِن تَكْفُرُوا أَنتُمْ وَمَن فِي الْأَرْضِ جَمِيعًا فَإِنَّ اللَّهَ لَغَنِيٌّ حَمِيدٌ ﴿٨﴾
০৯. তোমাদের কাছে কি তোমাদের আগেকার লোকদের সংবাদ আসেনি, নূহের জাতি, আদ জাতি ও সামুদ জাতির সংবাদ? আর তাদের পরবর্তীদের সংবাদ? তাদের বিষয়ে আল্লাহ্ ছাড়া আর কেউ জানেন না। তাদের কাছে তাদের রসূলরা এসেছিল সুস্পষ্ট নিদর্শন নিয়ে, কিন্তু তারা তাদের হাত তাদের মুখে চেপে ধরেছিল এবং বলেছিল: ‘তোমরা যা নিয়ে প্রেরিত হয়েছো তার প্রতি আমরা কুফুরি করলাম। তোমরা যার প্রতি আমাদের ডাকছো সে বিষয়ে বিভ্রান্তিকর সন্দেহের মধ্যে আমরা রয়েছি।’	أَلَمْ يَأْتِكُمْ نَبَأُ الَّذِينَ مِن قَبْلِكُمْ قَوْمِ نُوحٍ وَعَادٍ وَثَمُودَ ۛ وَالَّذِينَ مِن بَعْدِهِمْ ۛ لَا يَعْلَمُهُمْ إِلَّا اللَّهُ ۚ جَاءَتْهُمْ رُسُلُهُم بِالْبَيِّنَاتِ فَرَدُّوا أَيْدِيَهُمْ فِي أَفْوَاهِهِمْ وَقَالُوا إِنَّا كَفَرْنَا بِمَا أُرْسِلْتُم بِهِ وَإِنَّا لَفِي شَكٍّ مِّمَّا تَدْعُونَنَا إِلَيْهِ مُرِيبٍ ﴿٩﴾
১০. তাদের রসূলরা বলেছিল: ‘আল্লাহ্‌র সম্পর্কে তোমাদের সন্দেহ? অথচ তিনিই মহাকাশ ও পৃথিবীর স্রষ্টা। তিনি তোমাদের পাপ ক্ষমা করে দেয়ার উদ্দেশ্যে তোমাদের ডাকছেন আর একটা নির্দিষ্ট সময়কাল পর্যন্ত তোমাদের অবকাশ দেয়ার জন্যে।’ তারা বলেছিল: ‘তোমরা তো আমাদের মতোই মানুষ। তোমরা তো চাইছো, আমাদের পূর্ব পুরুষরা যে সবের ইবাদত করতো আমাদেরকে সেগুলো থেকে বাধা দিতে। তোমরা আমাদেরকে সুস্পষ্ট প্রমাণ দেখাও।’	قَالَتْ رُسُلُهُمْ أَفِي اللَّهِ شَكٌّ فَاطِرِ السَّمَاوَاتِ وَالْأَرْضِ ۖ يَدْعُوكُمْ لِيَغْفِرَ لَكُم مِّن ذُنُوبِكُمْ وَيُؤَخِّرَكُمْ إِلَىٰ أَجَلٍ مُّسَمًّى ۚ قَالُوا إِنْ أَنتُمْ إِلَّا بَشَرٌ مِّثْلُنَا تُرِيدُونَ أَن تَصُدُّونَا عَمَّا كَانَ يَعْبُدُ آبَاؤُنَا فَأْتُونَا بِسُلْطَانٍ مُّبِينٍ ﴿١٠﴾
১১. তাদের রসূলরা তাদের বলেছিল: “আমরা অবশ্যি তোমাদের মতো মানুষ, কিন্তু আল্লাহ্ তাঁর বান্দাদের যাকে চান, তার প্রতি অনুগ্রহ করেন। আল্লাহ্‌র অনুমতি ছাড়া তোমাদের কাছে কোনো প্রমাণ নিয়ে আসা আমাদের কাজ নয়। মুমিনরা আল্লাহ্‌র উপরই ভরসা করে।	قَالَتْ لَهُمْ رُسُلُهُمْ إِن نَّحْنُ إِلَّا بَشَرٌ مِّثْلُكُمْ وَلَٰكِنَّ اللَّهَ يَمُنُّ عَلَىٰ مَن يَشَاءُ مِنْ عِبَادِهِ ۖ وَمَا كَانَ لَنَا أَن نَّأْتِيَكُم بِسُلْطَانٍ إِلَّا بِإِذْنِ اللَّهِ ۚ وَعَلَى اللَّهِ فَلْيَتَوَكَّلِ الْمُؤْمِنُونَ ﴿١١﴾
১২. আমরা কেন আল্লাহ্‌র উপর তাওয়াক্কুল করবো না, অথচ তিনিই তো আমাদেরকে সঠিক পথের সন্ধান দিয়েছেন? তোমরা আমাদের যতো কষ্টই দাও না কেন, আমরা অবশ্যি অটল-সহনশীল থাকবো। যারা নির্ভর করে তারা আল্লাহ্‌র উপর নির্ভর করুক।”	وَمَا لَنَا أَلَّا نَتَوَكَّلَ عَلَى اللَّهِ وَقَدْ هَدَانَا سُبُلَنَا ۚ وَلَنَصْبِرَنَّ عَلَىٰ مَا آذَيْتُمُونَا ۚ وَعَلَى اللَّهِ فَلْيَتَوَكَّلِ الْمُتَوَكِّلُونَ ﴿١٢﴾
১৩. কাফিররা তাদের রসূলদের বলেছিল: ‘আমরা অবশ্যি আমাদের দেশ থেকে তোমাদের বের করে দেবো, অথবা তোমাদেরকে আমাদের ধর্মেই ফিরে আসতে হবে।’ তখন তাদের (রসূলদের) প্রভু	وَقَالَ الَّذِينَ كَفَرُوا لِرُسُلِهِمْ لَنُخْرِجَنَّكُم مِّنْ أَرْضِنَا أَوْ لَتَعُودُنَّ

রুকু ০২

তাদেরকে অহির মাধ্যমে জানিয়ে দেন: "আমরা অবশ্যি যালিমদের হালাক করে দেবো।	فِيْ مِلَّتِنَا ؕ فَاَوْحٰۤى اِلَيْهِمْ رَبُّهُمْ لَنُهْلِكَنَّ الظّٰلِمِيْنَ ۙ﴿۱۳﴾
১৪. তাদের (ধ্বংসের) পরে আমরা তোমাদেরকেই দেশে প্রতিষ্ঠিত করবো। এটা তাদের জন্যে যারা আমার সামনে উপস্থিত হবার ভয় পোষণ করে এবং ভয় করে আমার ধমককে।"	وَلَنُسْكِنَنَّكُمُ الْاَرْضَ مِنْۢ بَعْدِهِمْ ؕ ذٰلِكَ لِمَنْ خَافَ مَقَامِيْ وَخَافَ وَعِيْدِ ﴿۱۴﴾
১৫. তারা বিজয় কামনা করেছিল। কিন্তু ব্যর্থ হয়েছিল প্রত্যেক উদ্ধত স্বৈরাচারী।	وَاسْتَفْتَحُوْا وَخَابَ كُلُّ جَبَّارٍ عَنِيْدٍ ۙ﴿۱۵﴾
১৬. পরবর্তীতে তার জন্যে রয়েছে জাহান্নাম এবং তাকে পান করানো হবে গলিত পূঁজের পানি।	مِّنْ وَّرَآئِهٖ جَهَنَّمُ وَ يُسْقٰى مِنْ مَّآءٍ صَدِيْدٍ ۙ﴿۱۶﴾
১৭. সে বহু কষ্টে এক ঢোক এক ঢোক করে গিলবে এবং গেলা তার জন্যে মোটেই সহজ হবেনা। চতুর্দিক থেকে মৃত্যু তাকে আচ্ছন্ন করবে, কিন্তু তার মউত হবেনা। এরপর তার উপর চেপে বসবে এক কঠিন আযাব।	يَّتَجَرَّعُهٗ وَ لَا يَكَادُ يُسِيْغُهٗ وَ يَاْتِيْهِ الْمَوْتُ مِنْ كُلِّ مَكَانٍ وَّ مَا هُوَ بِمَيِّتٍ ؕ وَ مِنْ وَّرَآئِهٖ عَذَابٌ غَلِيْظٌ ﴿۱۷﴾
১৮. যারা তাদের প্রভুর প্রতি কুফুরি করে তাদের উপমা হলো: তাদের আমলসমূহ হলো ভস্মের মতো, ঝড়ের দিনে বাতাস সেগুলো প্রচণ্ড বেগে উড়িয়ে নিয়ে যায়। তাদের উপার্জনের কিছুই তারা কাজে লাগাতে সক্ষম হয়না। এটাই হলো ঘোরতর বিপথগামিতা।	مَثَلُ الَّذِيْنَ كَفَرُوْا بِرَبِّهِمْ اَعْمَالُهُمْ كَرَمَادِ ۨ اشْتَدَّتْ بِهِ الرِّيْحُ فِيْ يَوْمٍ عَاصِفٍ ؕ لَا يَقْدِرُوْنَ مِمَّا كَسَبُوْا عَلٰى شَيْءٍ ؕ ذٰلِكَ هُوَ الضَّلٰلُ الْبَعِيْدُ ﴿۱۸﴾
১৯. তোমরা কি দেখছো না যে, আল্লাহ্ বাস্তবতার সাথে মহাকাশ ও পৃথিবী সৃষ্টি করেছেন? তিনি চাইলে তোমাদের বিলুপ্ত করে নতুন সৃষ্টিকে অস্তিত্বে আনতে পারেন।	اَلَمْ تَرَ اَنَّ اللّٰهَ خَلَقَ السَّمٰوٰتِ وَ الْاَرْضَ بِالْحَقِّ ؕ اِنْ يَّشَاْ يُذْهِبْكُمْ وَ يَاْتِ بِخَلْقٍ جَدِيْدٍ ۙ﴿۱۹﴾
২০. এ কাজ আল্লাহ্র জন্যে মোটেও কষ্টকর নয়।	وَّ مَا ذٰلِكَ عَلَى اللّٰهِ بِعَزِيْزٍ ﴿۲۰﴾
২১. সবাই যখন উপস্থিত হবে আল্লাহ্র কাছে। তখন দাম্ভিক কর্তৃত্বশালীদের উদ্দেশ্যে দুর্বলরা বলবে: 'আমরা তো তোমাদের অনুসারী ছিলাম, এখন তোমরা কি আল্লাহ্র আযাব থেকে আমাদের কিছুমাত্র রক্ষা করতে পারবে?' তারা বলবে: 'আল্লাহ্ যদি আমাদেরকে সঠিক পথে চালাতেন, তাহলে আমরাও তোমাদেরকে সঠিক পথে পরিচালিত করতাম। এখন আমরা সহ্য করি কিংবা ধৈর্য হারাই একই কথা, এখান থেকে আমাদের নিষ্কৃতি নেই।'	وَ بَرَزُوْا لِلّٰهِ جَمِيْعًا فَقَالَ الضُّعَفٰٓؤُا لِلَّذِيْنَ اسْتَكْبَرُوْۤا اِنَّا كُنَّا لَكُمْ تَبَعًا فَهَلْ اَنْتُمْ مُّغْنُوْنَ عَنَّا مِنْ عَذَابِ اللّٰهِ مِنْ شَيْءٍ ؕ قَالُوْا لَوْ هَدٰىنَا اللّٰهُ لَهَدَيْنٰكُمْ ؕ سَوَآءٌ عَلَيْنَاۤ اَجَزِعْنَاۤ اَمْ صَبَرْنَا مَا لَنَا مِنْ مَّحِيْصٍ ﴿۲۱﴾

রুকু ০৩

২২. যখন বিচার কাজ শেষ হয়ে যাবে তখন শয়তান বলবে: 'আল্লাহ্ তোমাদের ওয়াদা দিয়েছিলেন সত্য ওয়াদা। আর আমিও তোমাদের ওয়াদা দিয়েছিলাম, কিন্তু আমি তোমাদেরকে দেয়া ওয়াদা ভঙ্গ করেছি। তোমাদের উপর আমার কোনো কর্তৃত্ব ছিলনা। আমি তো কেবল তোমাদের আহ্বান করেছি। তোমরা আমার আহ্বানে সাড়া দিয়েছিলে। সুতরাং আজ আমাকে তিরস্কার করোনা, নিজেকে নিজে তিরস্কার করো। আমি তোমাদের রক্ষা করতে সক্ষম নই, তোমরাও আমাকে রক্ষা করতে সক্ষম নও। তোমরা যে আমাকে ইতোপূর্বে (পৃথিবীতে) আল্লাহ্র শরিক বানিয়েছিলে আমি সেটা অস্বীকার করছি। যালিমদের জন্যে তো রয়েছে বেদনাদায়ক আযাব।'	وَ قَالَ الشَّيْطٰنُ لَمَّا قُضِىَ الْاَمْرُ اِنَّ اللّٰهَ وَعَدَكُمْ وَعْدَ الْحَقِّ وَ وَعَدْتُّكُمْ فَاَخْلَفْتُكُمْ ؕ وَ مَا كَانَ لِىَ عَلَيْكُمْ مِّنْ سُلْطٰنٍ اِلَّاۤ اَنْ دَعَوْتُكُمْ فَاسْتَجَبْتُمْ لِىْ ۚ فَلَا تَلُوْمُوْنِىْ وَ لُوْمُوْۤا اَنْفُسَكُمْ ؕ مَاۤ اَنَا بِمُصْرِخِكُمْ وَ مَاۤ اَنْتُمْ بِمُصْرِخِىَّ ؕ اِنِّىْ كَفَرْتُ بِمَاۤ اَشْرَكْتُمُوْنِ مِنْ قَبْلُ ؕ اِنَّ الظّٰلِمِيْنَ لَهُمْ عَذَابٌ اَلِيْمٌ ﴿۲۲﴾
২৩. যারা ঈমান এনেছে এবং আমলে সালেহ্ করেছে তাদের দাখিল করা হবে জান্নাতে (উদ্যানসমূহে), যেগুলোর নিচে দিয়ে বহমান থাকবে নদ-নদী-নহর। সেখানে থাকবে তারা চিরকাল তাদের প্রভুর অনুমতিক্রমে। সেখানে তাদের অভিবাদন হবে 'সালাম'।	وَ اُدْخِلَ الَّذِيْنَ اٰمَنُوْا وَ عَمِلُوا الصّٰلِحٰتِ جَنّٰتٍ تَجْرِىْ مِنْ تَحْتِهَا الْاَنْهٰرُ خٰلِدِيْنَ فِيْهَا بِاِذْنِ رَبِّهِمْ ؕ تَحِيَّتُهُمْ فِيْهَا سَلٰمٌ ﴿۲۳﴾
২৪. তুমি কি দেখছো না, আল্লাহ্ কিভাবে উপমা দিচ্ছেন: একটি উত্তম কথা যেনো একটি উত্তম গাছ, যার মূল মাটির গভীরে দৃঢ়ভাবে প্রোথিত আর যার শাখা-প্রশাখা উপরে বিস্তীর্ণ।	اَلَمْ تَرَ كَيْفَ ضَرَبَ اللّٰهُ مَثَلًا كَلِمَةً طَيِّبَةً كَشَجَرَةٍ طَيِّبَةٍ اَصْلُهَا ثَابِتٌ وَّ فَرْعُهَا فِى السَّمَآءِ ﴿۲۴﴾
২৫. সেটি তার প্রভুর অনুমতিক্রমে প্রতিনিয়ত ফল দিয়ে থাকে। আল্লাহ্ মানুষের জন্যে উপমা দেন যেনো তারা উপদেশ গ্রহণ করে।	تُؤْتِىْۤ اُكُلَهَا كُلَّ حِيْنٍۭ بِاِذْنِ رَبِّهَا ؕ وَ يَضْرِبُ اللّٰهُ الْاَمْثَالَ لِلنَّاسِ لَعَلَّهُمْ يَتَذَكَّرُوْنَ ﴿۲۵﴾
২৬. আর একটি মন্দ কথার উপমা হলো একটি মন্দ গাছ, যার মূল বিচ্ছিন্ন মাটির উপরিভাগে, তার কোনো স্থায়িত্ব নেই।	وَمَثَلُ كَلِمَةٍ خَبِيْثَةٍ كَشَجَرَةٍ خَبِيْثَةِ ۣ اجْتُثَّتْ مِنْ فَوْقِ الْاَرْضِ مَا لَهَا مِنْ قَرَارٍ ﴿۲۶﴾
২৭. আল্লাহ্ মুমিনদের মজবুত অটল রাখেন মজবুত অটল কথার ভিত্তিতে দুনিয়ার জীবনেও এবং আখিরাতেও, আর বিভ্রান্ত করে দেন যালিমদের এবং আল্লাহ্ যা ইচ্ছা তাই করেন।	يُثَبِّتُ اللّٰهُ الَّذِيْنَ اٰمَنُوْا بِالْقَوْلِ الثَّابِتِ فِى الْحَيٰوةِ الدُّنْيَا وَ فِى الْاٰخِرَةِ ۚ وَ يُضِلُّ اللّٰهُ الظّٰلِمِيْنَ ۙ وَ يَفْعَلُ اللّٰهُ مَا يَشَآءُ ﴿۲۷﴾
২৮. তুমি কি তাদের দেখছো না, যারা আল্লাহ্র অনুগ্রহ (ইসলাম) গ্রহণ করার বদলে কুফুরিকে আঁকড়ে ধরেছে এবং তারা তাদের কওমকে নামিয়ে এনেছে ধ্বংসের দুয়ারে?	اَلَمْ تَرَ اِلَى الَّذِيْنَ بَدَّلُوْا نِعْمَتَ اللّٰهِ كُفْرًا وَّ اَحَلُّوْا قَوْمَهُمْ دَارَ الْبَوَارِ ﴿۲۸﴾

রুকু ০৪

২৯. জাহান্নামে, আর সেখানেই তারা প্রবেশ করবে। সেটা কতো যে নিকৃষ্ট আবাস!	جَهَنَّمَ ۚ يَصْلَوْنَهَا ۗ وَبِئْسَ الْقَرَارُ ﴿٢٩﴾
৩০. তারা আল্লাহ্‌র সমকক্ষ বানায় মানুষকে তাঁর পথ থেকে বিভ্রান্ত করার উদ্দেশ্যে। হে নবী! তাদের বলো: ভোগ করে নাও, আর জেনে রাখো, তোমাদের ফিরে যাবার জায়গা হলো জাহান্নাম।	وَجَعَلُوا لِلّٰهِ أَنْدَادًا لِيُضِلُّوا عَنْ سَبِيلِهِ ۗ قُلْ تَمَتَّعُوا فَإِنَّ مَصِيرَكُمْ إِلَى النَّارِ ﴿٣٠﴾
৩১. হে নবী! আমার ঈমানদার দাসদের বলো: তারা যেনো সালাত কায়েম করে এবং আমরা তাদের যে জীবিকা দিয়েছি তা থেকে যেনো ব্যয় করে গোপনে ও প্রকাশ্যে সেই দিনটি আসার আগেই, যেদিন কোনো বেচাকেনাও থাকবেনা আর কোনো বন্ধুতাও থাকবেনা।	قُلْ لِعِبَادِيَ الَّذِينَ آمَنُوا يُقِيمُوا الصَّلٰوةَ وَيُنْفِقُوا مِمَّا رَزَقْنٰهُمْ سِرًّا وَعَلَانِيَةً مِنْ قَبْلِ أَنْ يَأْتِيَ يَوْمٌ لَا بَيْعٌ فِيهِ وَلَا خِلٰلٌ ﴿٣١﴾
৩২. আল্লাহ্, যিনি সৃষ্টি করেছেন মহাকাশ এবং এই পৃথিবী আর নাযিল করেছেন আসমান থেকে পানি, তারপর তা থেকে উৎপন্ন করেছেন ফল ফসল তোমাদের জন্যে জীবিকা হিসেবে। আর নৌযানকে তোমাদের নিয়ন্ত্রণাধীন করে দিয়েছেন, যাতে করে তাঁর নির্দেশক্রমে তা চলাচল করে সমুদ্রে এবং তিনি তোমাদেরই কল্যাণে নিয়োজিত করে দিয়েছেন নদ-নদীকে।	اَللّٰهُ الَّذِي خَلَقَ السَّمٰوٰتِ وَالْأَرْضَ وَأَنْزَلَ مِنَ السَّمَاءِ مَاءً فَأَخْرَجَ بِهِ مِنَ الثَّمَرٰتِ رِزْقًا لَكُمْ ۚ وَسَخَّرَ لَكُمُ الْفُلْكَ لِتَجْرِيَ فِي الْبَحْرِ بِأَمْرِهِ ۚ وَسَخَّرَ لَكُمُ الْأَنْهٰرَ ﴿٣٢﴾
৩৩. তিনি তোমাদেরই কল্যাণে নিয়োজিত করে দিয়েছেন সূর্য আর চাঁদকে। তারা অবিরাম একই নিয়ম মেনে চলে। তিনি তোমাদের কল্যাণে আরো নিয়োজিত করেছেন রাত আর দিনকে।	وَسَخَّرَ لَكُمُ الشَّمْسَ وَالْقَمَرَ دَائِبَيْنِ ۚ وَسَخَّرَ لَكُمُ اللَّيْلَ وَالنَّهَارَ ﴿٣٣﴾
৩৪. তোমরা তাঁর কাছে যা চেয়েছো (অর্থাৎ যা কিছু তোমাদের প্রয়োজন) তার প্রত্যেকটিই তিনি তোমাদের দিয়েছেন। তোমরা যদি তোমাদের প্রতি আল্লাহ্‌র অনুগ্রহ গণনা করো, তাহলে তার সংখ্যা নির্ণয় করতে পারবে না। নিশ্চয়ই মানুষ বড় যালিম, অকৃতজ্ঞ।	وَآتٰكُمْ مِنْ كُلِّ مَا سَأَلْتُمُوهُ ۗ وَإِنْ تَعُدُّوا نِعْمَتَ اللّٰهِ لَا تُحْصُوهَا ۗ إِنَّ الْإِنْسَانَ لَظَلُومٌ كَفَّارٌ ﴿٣٤﴾
৩৫. স্মরণ করো, ইবরাহিম বলেছিল: "আমার প্রভু! তুমি এই (মক্কা) নগরীকে নিরাপদ করে দাও এবং আমাকে ও আমার সন্তানদেরকে ভাস্কর্য-প্রতিমা পূজা থেকে দূরে রেখো।	وَإِذْ قَالَ إِبْرٰهِيمُ رَبِّ اجْعَلْ هٰذَا الْبَلَدَ اٰمِنًا وَاجْنُبْنِي وَبَنِيَّ أَنْ نَعْبُدَ الْأَصْنَامَ ﴿٣٥﴾
৩৬. আমার প্রভু! এসব (প্রতিমা) বিপথগামী করেছে বহু মানুষকে। সুতরাং যে আমার অনুসরণ করবে, সেই হবে আমার লোক, আর	رَبِّ إِنَّهُنَّ أَضْلَلْنَ كَثِيرًا مِنَ النَّاسِ ۚ فَمَنْ تَبِعَنِي فَإِنَّهُ مِنِّي ۚ وَمَنْ عَصَانِي

রুকু ০৫

যে আমার অবাধ্য হবে, সে ক্ষেত্রে তুমি তো পরম ক্ষমাশীল দয়াময়।	فَاِنَّكَ غَفُوۡرٌ رَّحِيۡمٌ ﴿٣٦﴾
৩৭. আমাদের প্রভু! আমি তো আমার বংশধরদের একটি অংশের বসবাসের ব্যবস্থা করেছি এই অনুর্বর উপত্যকায় তোমার সম্মানিত ঘরের কাছে। হে আমার প্রভু! এ জন্যে করেছি, যেনো তারা সালাত কায়েম করে। সুতরাং তুমি মানুষের হৃদয় তাদের প্রতি অনুরাগী করে দিও, আর তাদের জীবিকা দিও ফলফলারি দিয়ে, যাতে করে তারা তোমার শোকর আদায় করে।	رَبَّنَاۤ اِنِّیۡۤ اَسۡكَنۡتُ مِنۡ ذُرِّيَّتِیۡ بِوَادٍ غَيۡرِ ذِیۡ زَرۡعٍ عِنۡدَ بَيۡتِكَ الۡمُحَرَّمِ ۙ رَبَّنَا لِيُقِيۡمُوا الصَّلٰوةَ فَاجۡعَلۡ اَفۡـِٕدَةً مِّنَ النَّاسِ تَهۡوِیۡۤ اِلَيۡهِمۡ وَ ارۡزُقۡهُمۡ مِّنَ الثَّمَرٰتِ لَعَلَّهُمۡ يَشۡكُرُوۡنَ ﴿٣٧﴾
৩৮. আমাদের প্রভু! নিশ্চয়ই তুমি জানো আমরা যা গোপন করি এবং আমরা যা প্রকাশ করি। আর আসমান ও জমিনের কিছুই গোপন নেই আল্লাহ্‌র কাছে।	رَبَّنَاۤ اِنَّكَ تَعۡلَمُ مَا نُخۡفِیۡ وَ مَا نُعۡلِنُ ؕ وَ مَا يَخۡفٰی عَلَی اللّٰهِ مِنۡ شَیۡءٍ فِی الۡاَرۡضِ وَ لَا فِی السَّمَآءِ ﴿٣٨﴾
৩৯. সমস্ত শোকরিয়া আল্লাহ্‌র, যিনি বৃদ্ধ বয়সে আমাকে ইসমাঈল এবং ইসহাককে দান করেছেন। নিশ্চয়ই আমার প্রভু দোয়া শুনে থাকেন।	اَلۡحَمۡدُ لِلّٰهِ الَّذِیۡ وَهَبَ لِیۡ عَلَی الۡكِبَرِ اِسۡمٰعِيۡلَ وَ اِسۡحٰقَ ؕ اِنَّ رَبِّیۡ لَسَمِيۡعُ الدُّعَآءِ ﴿٣٩﴾
৪০. আমার প্রভু! আমাকে সালাত কায়েমকারী বানাও এবং আমার বংশধরদেরকেও। আমাদের প্রভু! আমার দোয়া কবুল করো।	رَبِّ اجۡعَلۡنِیۡ مُقِيۡمَ الصَّلٰوةِ وَ مِنۡ ذُرِّيَّتِیۡ ٭ۖ رَبَّنَا وَ تَقَبَّلۡ دُعَآءِ ﴿٤٠﴾
৪১. আমাদের প্রভু! আমাকে ক্ষমা করে দাও আর আমার পিতা-মাতাকে এবং মুমিনদেরকে সেইদিন, যেদিন অনুষ্ঠিত হবে হিসাব।	رَبَّنَا اغۡفِرۡ لِیۡ وَ لِوَالِدَیَّ وَ لِلۡمُؤۡمِنِيۡنَ يَوۡمَ يَقُوۡمُ الۡحِسَابُ ﴿٤١﴾
৪২. যালিমদের কর্মকাণ্ডের ব্যাপারে আল্লাহ্‌কে গাফিল মনে করোনা। তিনি তাদের অবকাশ দিচ্ছেন ঐ দিন পর্যন্ত যেদিন তাদের দৃষ্টি স্থির হয়ে যাবে।	وَ لَا تَحۡسَبَنَّ اللّٰهَ غَافِلًا عَمَّا يَعۡمَلُ الظّٰلِمُوۡنَ ؕ اِنَّمَا يُؤَخِّرُهُمۡ لِيَوۡمٍ تَشۡخَصُ فِيۡهِ الۡاَبۡصَارُ ﴿٤٢﴾
৪৩. সেদিন ভীত বিহ্বল হয়ে আকাশের দিকে তাকিয়ে তারা ছুটাছুটি করবে। নিজেদের দিকে ফিরবে না তাদের দৃষ্টি। তাদের অন্তর থাকবে উদাসীন।	مُهۡطِعِيۡنَ مُقۡنِعِیۡ رُءُوۡسِهِمۡ لَا يَرۡتَدُّ اِلَيۡهِمۡ طَرۡفُهُمۡ ۚ وَ اَفۡـِٕدَتُهُمۡ هَوَآءٌ ﴿٤٣﴾
৪৪. যেদিন আযাব তাদেরকে পাকড়াও করে ফেলবে সেদিনটি সম্পর্কে মানুষকে সতর্ক করো। সেদিন যালিমরা বলবে: 'আমাদের প্রভু! অল্পকালের জন্যে আমাদের অবকাশ দাও, আমরা	وَ اَنۡذِرِ النَّاسَ يَوۡمَ يَاۡتِيۡهِمُ الۡعَذَابُ فَيَقُوۡلُ الَّذِيۡنَ ظَلَمُوۡا رَبَّنَاۤ اَخِّرۡنَاۤ اِلٰۤی اَجَلٍ قَرِيۡبٍ ۙ نُّجِبۡ دَعۡوَتَكَ وَ نَتَّبِعِ

রুকু ০৬

তোমার আহ্বানে সাড়া দেবো এবং তোমার রসূলদের ইত্তেবা (অনুসরণ) করবো।’ (তাদের বলা হবেঃ) ইতোপূর্বে (দুনিয়ার জীবনে) তোমরা বলতে না যে, তোমাদের পতন হবেনা?	الرُّسُلَ ؕ اَوَ لَمۡ تَكُوۡنُوۡۤا اَقۡسَمۡتُمۡ مِّنۡ قَبۡلُ مَا لَكُمۡ مِّنۡ زَوَالٍ ﴿ۙ۴۴﴾
৪৫. অথচ তোমরা তো বাস করতে সেইসব আবাস ভূমিতেই, যারা (তোমাদের আগে) নিজেদের প্রতি যুলুম করেছিল, আর এটাও তোমাদের কাছে পরিষ্কার ছিলো যে, আমরা তাদের সাথে কী আচরণ করেছিলাম? আমরা তো তোমাদের কাছে তাদের দৃষ্টান্ত পেশ করেছিলাম।	وَّ سَكَنۡتُمۡ فِیۡ مَسٰكِنِ الَّذِیۡنَ ظَلَمُوۡۤا اَنۡفُسَهُمۡ وَ تَبَیَّنَ لَكُمۡ كَیۡفَ فَعَلۡنَا بِهِمۡ وَ ضَرَبۡنَا لَكُمُ الۡاَمۡثَالَ ﴿۴۵﴾
৪৬. তারা চক্রান্ত করেছিল তাদের প্রাণান্তকর চক্রান্ত। তাদের চক্রান্ত আল্লাহ্ রদ করে দিয়েছেন। যদিও তারা এমন চক্রান্ত করেছিল যাতে পাহাড় পর্যন্ত টলে যেতো।	وَ قَدۡ مَكَرُوۡا مَكۡرَهُمۡ وَ عِنۡدَ اللّٰهِ مَكۡرُهُمۡ ؕ وَ اِنۡ كَانَ مَكۡرُهُمۡ لِتَزُوۡلَ مِنۡهُ الۡجِبَالُ ﴿۴۶﴾
৪৭. তুমি কখনো মনে করোনা যে, আল্লাহ্ তাঁর রসূলদের দেয়া ওয়াদা খেলাফ করবেন। নিশ্চয়ই আল্লাহ্ মহাপরাক্রমশালী, প্রতিশোধ গ্রহণকারী।	فَلَا تَحۡسَبَنَّ اللّٰهَ مُخۡلِفَ وَعۡدِهٖ رُسُلَهٗ ؕ اِنَّ اللّٰهَ عَزِیۡزٌ ذُو انۡتِقَامٍ ﴿ؕ۴۷﴾
৪৮. যেদিন এই পৃথিবী পরিবর্তিত হয়ে যাবে অন্য একটি পৃথিবীতে এবং মহাকাশও, তখন সমস্ত মানুষ উপস্থিত হয়ে যাবে আল্লাহ্র সামনে, যিনি এক এবং মহাপরাক্রমশালী।	یَوۡمَ تُبَدَّلُ الۡاَرۡضُ غَیۡرَ الۡاَرۡضِ وَ السَّمٰوٰتُ وَ بَرَزُوۡا لِلّٰهِ الۡوَاحِدِ الۡقَهَّارِ ﴿۴۸﴾
৪৯. সেদিন তুমি অপরাধীদের দেখবে শিকলে শৃংখলিত।	وَ تَرَی الۡمُجۡرِمِیۡنَ یَوۡمَئِذٍ مُّقَرَّنِیۡنَ فِی الۡاَصۡفَادِ ﴿ۚ۴۹﴾
৫০. তাদের জামা হবে আলকাতরার, আর তাদের চেহারা ঢেকে নেবে আগুন।	سَرَابِیۡلُهُمۡ مِّنۡ قَطِرَانٍ وَّ تَغۡشٰی وُجُوۡهَهُمُ النَّارُ ﴿ۙ۵۰﴾
৫১. এটা এ জন্যে হবে, যাতে করে আল্লাহ্ প্রত্যেক ব্যক্তিকে তার কর্মফল দিয়ে দেন। নিশ্চয়ই আল্লাহ্ দ্রুত হিসাব গ্রহণকারী।	لِیَجۡزِیَ اللّٰهُ كُلَّ نَفۡسٍ مَّا كَسَبَتۡ ؕ اِنَّ اللّٰهَ سَرِیۡعُ الۡحِسَابِ ﴿۵۱﴾
৫২. এটি (এ কুরআন) মানুষের জন্যে একটি বার্তা, যাতে করে এর মাধ্যমে মানুষকে সতর্ক করা যায় এবং মানুষ জানতে পারে যে, নিশ্চয়ই তিনি একমাত্র ইলাহ্, আর যেনো বুঝ বুদ্ধি সম্পন্ন লোকেরা উপদেশ গ্রহণ করে।	هٰذَا بَلٰغٌ لِّلنَّاسِ وَ لِیُنۡذَرُوۡا بِهٖ وَ لِیَعۡلَمُوۡۤا اَنَّمَا هُوَ اِلٰهٌ وَّاحِدٌ وَّ لِیَذَّكَّرَ اُولُوا الۡاَلۡبَابِ ﴿۵۲﴾

রুকু ০৭

সূরা ১৫ আল হিজর

মক্কায় অবতীর্ণ, আয়াত সংখ্যা: ৯৯, রুকু সংখ্যা: ০৬

এই সূরার আলোচ্যসূচি (আয়াত ভিত্তিক আলোচ্য বিষয়)

০১-০৮: ইসলাম বিরোধীদের কামনা, ধারণা ও কর্মপন্থা।
০৯-১৫: কুরআন হিফাযতের দায়িত্ব আল্লাহ্‌র। সব রসূলের সাথেই লোকেরা বিদ্রূপ করেছে।
১৬-২৫: আল্লাহ্‌র সৃষ্টি ও বিশ্ব ব্যবস্থাপনা।
২৬-৫০: মানুষ ও জ্বিন সৃষ্টির উপাদান। মানুষের সাথে শয়তানের শত্রুতার সূচনা ও ইতিহাস। শয়তান কাদেরকে প্রতারিত করতে পারবে এবং কাদেরকে করতে পারবেনা? মুত্তাকিদের শুভ পরিণতি।
৫১-৬০: ইবরাহিমের কাছে ফেরেশতাদের আগমন এবং তাকে একটি সুসংবাদ ও একটি দুঃসংবাদ প্রদান।
৬১-৭৯: লুত জাতির অপকর্ম এবং তাদের পরিণতির ইতিহাস।
৮০-৮৪: আইকাবাসীদের অবাধ্যতা এবং তাদের করুণ পরিণতি।
৮৫-৯৯: কিয়ামতের আগমন অনিবার্য। নবীকে বারবার পাঠ্য সাত আয়াত এবং আল কুরআনুল আযিম দেয়া হয়েছে। নবীর প্রতি উপদেশ।

সূরা আল হিজর পরম করুণাময় পরম দয়াবান আল্লাহ্‌র নামে	سُوْرَةُ الْحِجْرِ بِسْمِ اللّٰهِ الرَّحْمٰنِ الرَّحِيْمِ
০১. আলিফ-লাম-রা। এগুলো আয়াত আল কিতাব এবং সুস্পষ্ট কুরআনের।	الٓرٰ تِلْكَ اٰيٰتُ الْكِتٰبِ وَ قُرْاٰنٍ مُّبِيْنٍ ①
০২. কাফিররাও কখনো কখনো আকাঙ্খা করে, যদি তারা মুসলিম হতো!	رُبَمَا يَوَدُّ الَّذِيْنَ كَفَرُوْا لَوْ كَانُوْا مُسْلِمِيْنَ ②
০৩. তাদের উপেক্ষা করো: তারা খেতে থাকুক, ভোগ করতে থাকুক এবং তাদের আশা-আকাঙ্খা তাদেরকে মোহাচ্ছন্ন করে রাখুক। অচিরেই তারা জানতে পারবে।	ذَرْهُمْ يَاْكُلُوْا وَ يَتَمَتَّعُوْا وَ يُلْهِهِمُ الْاَمَلُ فَسَوْفَ يَعْلَمُوْنَ ③
০৪. আমরা যে কোনো জনপদকেই হালাক করেছি, তার অবশ্যি একটি নির্দিষ্ট মেয়াদকাল রেকর্ড করা ছিলো।	وَ مَاۤ اَهْلَكْنَا مِنْ قَرْيَةٍ اِلَّا وَ لَهَا كِتَابٌ مَّعْلُوْمٌ ④
০৫. কোনো উম্মতের (ধ্বংসের) মেয়াদকাল এগিয়েও আসেনা এবং পিছিয়েও যায়না।	مَا تَسْبِقُ مِنْ اُمَّةٍ اَجَلَهَا وَ مَا يَسْتَاْخِرُوْنَ ⑤
০৬. তারা বলে: "হে ঐ ব্যক্তি, যার প্রতি আয-যিকির (আল-কুরআন) নাযিল করা হয়েছে, তুমি অবশ্যি একজন পাগল।	وَ قَالُوْا يٰۤاَيُّهَا الَّذِيْ نُزِّلَ عَلَيْهِ الذِّكْرُ اِنَّكَ لَمَجْنُوْنٌ ⑥
০৭. তুমি সত্যবাদী হয়ে থাকলে আমাদের কাছে ফেরেশতা নিয়ে আসোনা কেন?"	لَوْ مَا تَاْتِيْنَا بِالْمَلٰٓئِكَةِ اِنْ كُنْتَ مِنَ الصّٰدِقِيْنَ ⑦
০৮. আমরা তো বাস্তব পরিস্থিতি সৃষ্টি হওয়া ছাড়া ফেরেশতা পাঠাইনা; আর যখনই ফেরেশতা পাঠাই তখন আর তাদের অবকাশ দেয়া হয়না।	مَا نُنَزِّلُ الْمَلٰٓئِكَةَ اِلَّا بِالْحَقِّ وَ مَا كَانُوْۤا اِذًا مُّنْظَرِيْنَ ⑧

পারা ১৪

০৯. আয-যিকির (আল-কুরআন) আমরাই নাযিল করেছি এবং আমরাই সেটির হিফাযতকারী।	اِنَّا نَحۡنُ نَزَّلۡنَا الذِّكۡرَ وَ اِنَّا لَهٗ لَحٰفِظُوۡنَ ۹
১০. তোমার আগেকার অনেক সম্প্রদায়ের কাছেই আমরা রসূল পাঠিয়েছিলাম।	وَ لَقَدۡ اَرۡسَلۡنَا مِنۡ قَبۡلِكَ فِیۡ شِیَعِ الۡاَوَّلِیۡنَ ۱۰
১১. যখনই তাদের কাছে কোনো রসূল এসেছে তারা (তাকে নিয়ে) বিদ্রূপ করেছে।	وَ مَا یَاۡتِیۡهِمۡ مِّنۡ رَّسُوۡلٍ اِلَّا كَانُوۡا بِهٖ یَسۡتَهۡزِءُوۡنَ ۱۱
১২. এভাবে আমরা (সর্বকালের) অপরাধীদের অন্তরে তা (কুফুরি ও হঠকারিতা) সঞ্চার করি।	كَذٰلِكَ نَسۡلُكُهٗ فِیۡ قُلُوۡبِ الۡمُجۡرِمِیۡنَ ۱۲
১৩. তারা এর (কুরআনের) প্রতি ঈমান আনেনা। আর অতীতের (অপরাধীদের) সুন্নতও ছিলো এটাই।	لَا یُؤۡمِنُوۡنَ بِهٖ وَ قَدۡ خَلَتۡ سُنَّةُ الۡاَوَّلِیۡنَ ۱۳
১৪. আমরা যদি তাদের জন্যে আসমানের দুয়ারও খুলে দিতাম এবং তারা যদি দিবালোকে তাতে মেরাজ (আরোহণ) করতেও থাকতো,	وَ لَوۡ فَتَحۡنَا عَلَیۡهِمۡ بَابًا مِّنَ السَّمَآءِ فَظَلُّوۡا فِیۡهِ یَعۡرُجُوۡنَ ۱۴
১৫. তখনো তারা বলতো, আমাদের চোখকে সম্মোহিত করা হয়েছে, বরং আমরা জাদুগ্রস্ত লোক।	لَقَالُوۡۤا اِنَّمَا سُكِّرَتۡ اَبۡصَارُنَا بَلۡ نَحۡنُ قَوۡمٌ مَّسۡحُوۡرُوۡنَ ۱۵
১৬. আমরা আসমানে বুরুজ (গ্রহ-নক্ষত্র) স্থাপন করেছি এবং সেগুলোকে দর্শকদের জন্যে শোভামণ্ডিত করেছি।	وَ لَقَدۡ جَعَلۡنَا فِی السَّمَآءِ بُرُوۡجًا وَّ زَیَّنّٰهَا لِلنّٰظِرِیۡنَ ۱۶
১৭. এবং প্রতিটি অভিশপ্ত শয়তান থেকে সেটিকে হিফাযত করেছি।	وَ حَفِظۡنٰهَا مِنۡ كُلِّ شَیۡطٰنٍ رَّجِیۡمٍ ۱۷
১৮. তবে কেউ যদি চুরি করে সংবাদ শুনতে চায় তার পশ্চাদধাবন করে উজ্জ্বল শিহাব (শিখা)।	اِلَّا مَنِ اسۡتَرَقَ السَّمۡعَ فَاَتۡبَعَهٗ شِهَابٌ مُّبِیۡنٌ ۱۸
১৯. আর পৃথিবী, আমরা তাকে সমতল করে বিছিয়ে দিয়েছি, আর তাতে স্থাপন করেছি পাহাড়-পর্বত এবং তাতে উৎপন্ন করেছি প্রতিটি জিনিস ওজন মতো (যথাযথ পরিমাণে)।	وَ الۡاَرۡضَ مَدَدۡنٰهَا وَ اَلۡقَیۡنَا فِیۡهَا رَوَاسِیَ وَ اَنۡۢبَتۡنَا فِیۡهَا مِنۡ كُلِّ شَیۡءٍ مَّوۡزُوۡنٍ ۱۹
২০. তাতে ব্যবস্থা করে দিয়েছি তোমাদের জীবিকার, এবং তাদের জীবিকারও যাদের জীবিকাদাতা তোমরা নও।	وَ جَعَلۡنَا لَكُمۡ فِیۡهَا مَعَایِشَ وَ مَنۡ لَّسۡتُمۡ لَهٗ بِرٰزِقِیۡنَ ۲۰
২১. এমন কোনো জিনিস নেই, আমাদের কাছে যার ভাণ্ডার রক্ষিত নেই। আমরা তা নাযিল করি জ্ঞাত নির্দিষ্ট পরিমাণে।	وَ اِنۡ مِّنۡ شَیۡءٍ اِلَّا عِنۡدَنَا خَزَآئِنُهٗ ۫ وَ مَا نُنَزِّلُهٗۤ اِلَّا بِقَدَرٍ مَّعۡلُوۡمٍ ۲۱
২২. আর আমরা বর্ষণমুখী মেঘবাহী বাতাস পাঠাই, তারপর আসমান থেকে নাযিল করি পানি এবং তা তোমাদের পান করাই, অথচ তোমরা তো সেই (পানি) ভাণ্ডারের মালিক নও।	وَ اَرۡسَلۡنَا الرِّیٰحَ لَوَاقِحَ فَاَنۡزَلۡنَا مِنَ السَّمَآءِ مَآءً فَاَسۡقَیۡنٰكُمُوۡهُ ۚ وَ مَاۤ اَنۡتُمۡ لَهٗ بِخٰزِنِیۡنَ ۲۲
২৩. আমরাই হায়াত দেই এবং মউত ঘটাই এবং আমরাই ওয়ারিশ (মালিক)।	وَ اِنَّا لَنَحۡنُ نُحۡیٖ وَ نُمِیۡتُ وَ نَحۡنُ الۡوٰرِثُوۡنَ ۲۳

রুকু ০১

২৪. আমরা তোমাদের বিগতদের জানি এবং যারা আসবে তাদেরও জানি।	وَلَقَدْ عَلِمْنَا الْمُسْتَقْدِمِيْنَ مِنْكُمْ وَلَقَدْ عَلِمْنَا الْمُسْتَاْخِرِيْنَ ﴿٢٤﴾
২৫. নিশ্চয়ই তোমার প্রভু তাদের সবার হাশর করবেন। নিশ্চয়ই তিনি প্রজ্ঞাবান, জ্ঞানী।	وَاِنَّ رَبَّكَ هُوَ يَحْشُرُهُمْ ؕ اِنَّهٗ حَكِيْمٌ عَلِيْمٌ ﴿٢٥﴾
২৬. আমরা সৃষ্টি করেছি মানুষকে গন্ধযুক্ত কাদার শুকনো ঠনঠনে মাটি থেকে।	وَلَقَدْ خَلَقْنَا الْاِنْسَانَ مِنْ صَلْصَالٍ مِّنْ حَمَاٍ مَّسْنُوْنٍ ﴿٢٦﴾
২৭. আর তাদের আগে আমরা জিনদের সৃষ্টি করেছি শিখাযুক্ত আগুন থেকে।	وَالْجَآنَّ خَلَقْنٰهُ مِنْ قَبْلُ مِنْ نَّارِ السَّمُوْمِ ﴿٢٧﴾
২৮. (স্মরণ করো,) যখন তোমার প্রভু ফেরেশতাদের বলেছিলেন, আমি মানুষ সৃষ্টি করতে যাচ্ছি গন্ধযুক্ত কাদার শুকনো ঠনঠনে মাটি থেকে।	وَاِذْ قَالَ رَبُّكَ لِلْمَلٰٓئِكَةِ اِنِّیْ خَالِقٌۢ بَشَرًا مِّنْ صَلْصَالٍ مِّنْ حَمَاٍ مَّسْنُوْنٍ ﴿٢٨﴾
২৯. আমি যখন তাকে সুগঠিত করবো এবং আমার পক্ষ থেকে তাতে রূহ সঞ্চার করে দেবো, তখন তোমরা তার প্রতি সাজদায় নুয়ে পড়বে।	فَاِذَا سَوَّيْتُهٗ وَنَفَخْتُ فِيْهِ مِنْ رُّوْحِیْ فَقَعُوْا لَهٗ سٰجِدِيْنَ ﴿٢٩﴾
৩০. ফলে ফেরেশতারা সবাই ঐক্যবদ্ধভাবে তাকে সাজদা করে।	فَسَجَدَ الْمَلٰٓئِكَةُ كُلُّهُمْ اَجْمَعُوْنَ ﴿٣٠﴾
৩১. তবে করেনি শুধু ইবলিস। সে সাজদাকারীদের অন্তরভুক্ত হতে অস্বীকার করে।	اِلَّاۤ اِبْلِيْسَ ؕ اَبٰۤى اَنْ يَّكُوْنَ مَعَ السّٰجِدِيْنَ ﴿٣١﴾
৩২. আল্লাহ বললেন: 'হে ইবলিস! তোর কী হয়েছে, তুই কেন সাজদাকারীদের অন্তরভুক্ত হইস্‌নি?'	قَالَ يٰۤاِبْلِيْسُ مَا لَكَ اَلَّا تَكُوْنَ مَعَ السّٰجِدِيْنَ ﴿٣٢﴾
৩৩. সে বললো: "আমি তো এমন একজনকে সাজদা করতে পারিনা, যাকে আপনি সৃষ্টি করেছেন গন্ধযুক্ত কাদার শুকনো ঠনঠনে মাটি থেকে।'	قَالَ لَمْ اَكُنْ لِّاَسْجُدَ لِبَشَرٍ خَلَقْتَهٗ مِنْ صَلْصَالٍ مِّنْ حَمَاٍ مَّسْنُوْنٍ ﴿٣٣﴾
৩৪. তিনি বললেন: "তুই ওখান থেকে বেরিয়ে যা, কারণ তুই অভিশপ্ত।	قَالَ فَاخْرُجْ مِنْهَا فَاِنَّكَ رَجِيْمٌ ﴿٣٤﴾
৩৫. প্রতিদান দিবস পর্যন্ত বর্ষিত হবে তোর উপর লা'নত।"	وَّاِنَّ عَلَيْكَ اللَّعْنَةَ اِلٰى يَوْمِ الدِّيْنِ ﴿٣٥﴾
৩৬. সে বললো: 'প্রভু! আমাকে অবকাশ দিন পুনরুত্থান দিবস পর্যন্ত।'	قَالَ رَبِّ فَاَنْظِرْنِیْۤ اِلٰى يَوْمِ يُبْعَثُوْنَ ﴿٣٦﴾
৩৭. তিনি বললেন: "যা, তুই তাদের অন্তরভুক্ত যাদের অবকাশ দেয়া হয়েছে।	قَالَ فَاِنَّكَ مِنَ الْمُنْظَرِيْنَ ﴿٣٧﴾
৩৮. অবধারিত সময়টির (কিয়ামত) আগমন পর্যন্ত।"	اِلٰى يَوْمِ الْوَقْتِ الْمَعْلُوْمِ ﴿٣٨﴾
৩৯. সে বললো: "প্রভু! যেহেতু আপনি আমাকে বিপথগামী করেছেন, সে জন্যে আমি পৃথিবীতে	قَالَ رَبِّ بِمَاۤ اَغْوَيْتَنِیْ لَاُزَيِّنَنَّ لَهُمْ فِی

রুকু ০২

তাদের (মানুষের) জন্যে বিপথগামিতাকে চাকচিক্যময় করে তুলবো এবং তাদের সবাইকে বিপথগামী করে ছাড়বো।	الْاَرْضِ وَ لَاُغْوِيَنَّهُمْ اَجْمَعِيْنَ ﴿٣٩﴾
৪০. তবে তাদের মধ্যকার আপনার মুখলেস বান্দাদের কথা ভিন্ন।”	اِلَّا عِبَادَكَ مِنْهُمُ الْمُخْلَصِيْنَ ﴿٤٠﴾
৪১. আল্লাহ্ বললেন: “এটাই আমার কাছে পৌঁছার সরল সঠিক পথ।	قَالَ هٰذَا صِرَاطٌ عَلَيَّ مُسْتَقِيْمٌ ﴿٤١﴾
৪২. আমার দাসদের উপর তোর কোনো কর্তৃত্ব খাটবেনা, তবে বিভ্রান্তদের যারা তোর অনুসরণ করবে তাদের কথা ভিন্ন।	اِنَّ عِبَادِيْ لَيْسَ لَكَ عَلَيْهِمْ سُلْطٰنٌ اِلَّا مَنِ اتَّبَعَكَ مِنَ الْغٰوِيْنَ ﴿٤٢﴾
৪৩. অবশ্যি তাদের সবার প্রতিশ্রুত স্থান হলো জাহান্নাম।	وَ اِنَّ جَهَنَّمَ لَمَوْعِدُهُمْ اَجْمَعِيْنَ ﴿٤٣﴾
৪৪. তার আছে সাতটি দরজা, প্রত্যেক দরজার জন্যে তাদের একটি অংশ নির্ধারণ করে দেয়া হয়েছে।	لَهَا سَبْعَةُ اَبْوَابٍ ؕ لِكُلِّ بَابٍ مِّنْهُمْ جُزْءٌ مَّقْسُوْمٌ ﴿٤٤﴾
৪৫. অবশ্যি মুত্তাকিরা থাকবে উদ্যানসমূহ এবং ঝরণাধারা সমূহের মধ্যে।	اِنَّ الْمُتَّقِيْنَ فِيْ جَنّٰتٍ وَّ عُيُوْنٍ ﴿٤٥﴾
৪৬. তাদের বলা হবে: ‘দাখিল হও শান্তি ও নিরাপত্তার সাথে।’	اُدْخُلُوْهَا بِسَلٰمٍ اٰمِنِيْنَ ﴿٤٦﴾
৪৭. তাদের অন্তরে পরস্পরের জন্যে কোনো বিদ্বেষ থাকলে তা আমরা দূর করে দেবো, তারা পরস্পর মুখোমুখি হয়ে আসন গ্রহণ করবে ভাই ভাই হিসেবে।	وَ نَزَعْنَا مَا فِيْ صُدُوْرِهِمْ مِّنْ غِلٍّ اِخْوَانًا عَلٰى سُرُرٍ مُّتَقٰبِلِيْنَ ﴿٤٧﴾
৪৮. সেখানে তাদের স্পর্শ করবেনা কোনো অবসাদ এবং সেখান থেকে তাদের বের করেও দেয়া হবেনা।	لَا يَمَسُّهُمْ فِيْهَا نَصَبٌ وَّ مَا هُمْ مِّنْهَا بِمُخْرَجِيْنَ ﴿٤٨﴾
৪৯. আমার দাসদের সংবাদ দাও, নিশ্চয়ই আমি মহাক্ষমাশীল, মহাদয়াময়।	نَبِّئْ عِبَادِيْۤ اَنِّيْۤ اَنَا الْغَفُوْرُ الرَّحِيْمُ ﴿٤٩﴾
৫০. আর আমার আযাব, তাও বেদনাদায়ক আযাব।	وَ اَنَّ عَذَابِيْ هُوَ الْعَذَابُ الْاَلِيْمُ ﴿٥٠﴾
৫১. তাদের আরো সংবাদ দাও ইবরাহিমের মেহমানদের সম্পর্কে।	وَ نَبِّئْهُمْ عَنْ ضَيْفِ اِبْرٰهِيْمَ ﴿٥١﴾
৫২. তারা যখন তার কাছে প্রবেশ করেছিল, বলেছিল: ‘সালাম’। সে বলেছিল: ‘আমরা আপনাদের আগমনে আতংকিত।’	اِذْ دَخَلُوْا عَلَيْهِ فَقَالُوْا سَلٰمًا ؕ قَالَ اِنَّا مِنْكُمْ وَجِلُوْنَ ﴿٥٢﴾
৫৩. তখন তারা বলেছিল: ‘আপনি আতংকিত হবেন না, আমরা আপনাকে সুসংবাদ দিচ্ছি এক জ্ঞানী পুত্রের।’	قَالُوْا لَا تَوْجَلْ اِنَّا نُبَشِّرُكَ بِغُلٰمٍ عَلِيْمٍ ﴿٥٣﴾
৫৪. সে বলেছিল: ‘আপনারা আমাকে সুসংবাদ দিচ্ছেন আমি বার্ধক্যে উপনীত হওয়া সত্ত্বেও। আপনারা কীভাবে সুসংবাদ দিচ্ছেন?’	قَالَ اَبَشَّرْتُمُوْنِيْ عَلٰۤى اَنْ مَّسَّنِيَ الْكِبَرُ فَبِمَ تُبَشِّرُوْنَ ﴿٥٤﴾

রুকু ০৩

৫৫. তারা বলেছিল: 'আমাদের দেয়া সুসংবাদ সত্য। আপনি নিরাশ হবেন না।'	قَالُوْا بَشَّرْنٰكَ بِالْحَقِّ فَلَا تَكُنْ مِّنَ الْقٰنِطِيْنَ ﴿۵۵﴾
৫৬. সে বলেছিল: 'বিভ্রান্তরা ছাড়া কে নিরাশ হয় তার প্রভুর রহমত থেকে?'	قَالَ وَ مَنْ يَّقْنَطُ مِنْ رَّحْمَةِ رَبِّهٖۤ اِلَّا الضَّآلُّوْنَ ﴿۵۶﴾
৫৭. তারপর সে বললো: '(হে ফেরেশতারা!) আপনাদের আর কী বক্তব্য?'	قَالَ فَمَا خَطْبُكُمْ اَيُّهَا الْمُرْسَلُوْنَ ﴿۵۷﴾
৫৮. তারা বললো: "আমরা প্রেরিত হয়েছি এক অপরাধী কওমের প্রতি,	قَالُوْۤا اِنَّاۤ اُرْسِلْنَاۤ اِلٰى قَوْمٍ مُّجْرِمِيْنَ ﴿۵۸﴾
৫৯. তবে, লুতের পরিবারবর্গের বিরুদ্ধে নয়, আমরা তাদের সবাইকে নাজাত দেবো।	اِلَّاۤ اٰلَ لُوْطٍ ؕ اِنَّا لَمُنَجُّوْهُمْ اَجْمَعِيْنَ ﴿۵۹﴾ ۙ
৬০. কিন্তু তাঁর (লুতের) স্ত্রীকে নয়। আমরা নিশ্চিত হয়েছি, সে ধ্বংস হবার জন্যে পেছনে পড়ে থাকাদের অন্তরভুক্ত হবে।"	اِلَّا امْرَاَتَهٗ قَدَّرْنَاۤ ۙ اِنَّهَا لَمِنَ الْغٰبِرِيْنَ ﴿۶۰﴾
৬১. অত:পর ফেরেশতারা যখন লুত পরিবারে এসে উপস্থিত হলো।	فَلَمَّا جَآءَ اٰلَ لُوْطِ ِۨ الْمُرْسَلُوْنَ ﴿۶۱﴾ ۙ
৬২. সে (লুত) বললো: 'আপনাদের তো চিনতে পারছিনা?'	قَالَ اِنَّكُمْ قَوْمٌ مُّنْكَرُوْنَ ﴿۶۲﴾
৬৩. তারা বললো: "তারা (আপনার জাতি) যে বিষয়ে সন্দেহ করছে আমরা আপনার কাছে তাই নিয়ে এসেছি।	قَالُوْا بَلْ جِئْنٰكَ بِمَا كَانُوْا فِيْهِ يَمْتَرُوْنَ ﴿۶۳﴾
৬৪. আমরা সত্য সংবাদ নিয়ে এসেছি এবং অবশ্যি আমরা সত্যবাদী।	وَ اَتَيْنٰكَ بِالْحَقِّ وَ اِنَّا لَصٰدِقُوْنَ ﴿۶۴﴾
৬৫. সুতরাং আপনি রাতের কোনো এক সময় আপনার পরিবার-পরিজনকে নিয়ে বের হয়ে পড়ুন। আপনি তাদের পেছনে চলুন এবং আপনাদের কেউই যেনো পেছনে ফিরে না তাকায়। আপনাদেরকে যেখানে বলা হয়েছে সেখানে চলে যান।"	فَاَسْرِ بِاَهْلِكَ بِقِطْعٍ مِّنَ الَّيْلِ وَ اتَّبِعْ اَدْبَارَهُمْ وَ لَا يَلْتَفِتْ مِنْكُمْ اَحَدٌ وَّ امْضُوْا حَيْثُ تُؤْمَرُوْنَ ﴿۶۵﴾
৬৬. আমরা তাকে ফায়সালা জানিয়ে দিলাম যে, প্রভাতেই তাদের শিকড় কেটে দেয়া হবে (সমূলে বিনাশ করা হবে)।	وَ قَضَيْنَاۤ اِلَيْهِ ذٰلِكَ الْاَمْرَ اَنَّ دَابِرَ هٰۤؤُلَآءِ مَقْطُوْعٌ مُّصْبِحِيْنَ ﴿۶۶﴾
৬৭. নগরবাসীরা (মেহমান নের সংবাদে) উল্লসিত হয়ে (লুতের বাড়িতে) এসে উপস্থিত হয়।	وَ جَآءَ اَهْلُ الْمَدِيْنَةِ يَسْتَبْشِرُوْنَ ﴿۶۷﴾
৬৮. সে বললো: "এরা আমার মেহমান, তোমরা আমাকে বেইজ্জতি করোনা।	قَالَ اِنَّ هٰۤؤُلَآءِ ضَيْفِيْ فَلَا تَفْضَحُوْنِ ﴿۶۸﴾ ۙ
৬৯. তোমরা আল্লাহ্‌কে ভয় করো, আমাকে অপমানিত করোনা।"	وَ اتَّقُوا اللّٰهَ وَ لَا تُخْزُوْنِ ﴿۶۹﴾
৭০. তারা বললো: আমরা কি জগতবাসীকে আশ্রয় দিতে তোমাকে নিষেধ করিনি?	قَالُوْۤا اَوَ لَمْ نَنْهَكَ عَنِ الْعٰلَمِيْنَ ﴿۷۰﴾

রুকু ০৪

৭১. লুত বললো: এই যে আমার (জাতির) কন্যারা রয়েছে, তোমরা কিছু করতে চাইলে তাদের বিয়ে করে নাও।	قَالَ هٰٓؤُلَآءِ بَنٰتِيْٓ اِنْ كُنْتُمْ فٰعِلِيْنَ ﴿٧١﴾
৭২. তোমার জীবনের শপথ, তারা তখন উন্মত্ততায় উদ্ভ্রান্ত হয়ে পড়েছিল।	لَعَمْرُكَ اِنَّهُمْ لَفِيْ سَكْرَتِهِمْ يَعْمَهُوْنَ ﴿٧٢﴾
৭৩. তারপর সূর্যোদয়ের সময় তাদের পাকড়াও করে বিকটধ্বনি।	فَاَخَذَتْهُمُ الصَّيْحَةُ مُشْرِقِيْنَ ﴿٧٣﴾
৭৪. তখন আমরা (লুত জাতির) জনপদের উপরের দিক নিচে করে উল্টে দিয়েছি এবং তাদের উপর অবিরাম বর্ষণ করেছি পাথরের কংকর।	فَجَعَلْنَا عَالِيَهَا سَافِلَهَا وَ اَمْطَرْنَا عَلَيْهِمْ حِجَارَةً مِّنْ سِجِّيْلٍ ﴿٧٤﴾
৭৫. বিশ্লেষণ শক্তিসম্পন্ন লোকদের জন্যে এতে রয়েছে নিদর্শন।	اِنَّ فِيْ ذٰلِكَ لَاٰيٰتٍ لِّلْمُتَوَسِّمِيْنَ ﴿٧٥﴾
৭৬. সেই বিরান জনপদ লোক চলাচলের পথপাশে এখনো বিদ্যমান।	وَ اِنَّهَا لَبِسَبِيْلٍ مُّقِيْمٍ ﴿٧٦﴾
৭৭. মুমিনদের জন্যে তাতে রয়েছে এক নিদর্শন।	اِنَّ فِيْ ذٰلِكَ لَاٰيَةً لِّلْمُؤْمِنِيْنَ ﴿٧٧﴾
৭৮. আর আইকাবাসীরাও ছিলো সীমালংঘনকারী।	وَ اِنْ كَانَ اَصْحٰبُ الْاَيْكَةِ لَظٰلِمِيْنَ ﴿٧٨﴾
৭৯. তাদের থেকেও আমরা প্রতিশোধ নিয়েছি। উভয় বিরানভূমিই প্রকাশ্য মহাসড়কের পাশে এখনো বিদ্যমান।	فَانْتَقَمْنَا مِنْهُمْ ۘ وَ اِنَّهُمَا لَبِاِمَامٍ مُّبِيْنٍ ﴿٧٩﴾ (রুকু ০৫)
৮০. হিজরবাসীরাও রসূলদের মিথ্যা বলে প্রত্যাখ্যান করেছিল।	وَ لَقَدْ كَذَّبَ اَصْحٰبُ الْحِجْرِ الْمُرْسَلِيْنَ ﴿٨٠﴾
৮১. আমরা তাদের দিয়েছিলাম আমাদের নিদর্শনসমূহ, কিন্তু তারা তা উপেক্ষা করেছিল।	وَ اٰتَيْنٰهُمْ اٰيٰتِنَا فَكَانُوْا عَنْهَا مُعْرِضِيْنَ ﴿٨١﴾
৮২. তারা পাহাড় কেটে বাসস্থান নির্মাণ করেছিল নিরাপদ থাকার জন্যে।	وَ كَانُوْا يَنْحِتُوْنَ مِنَ الْجِبَالِ بُيُوْتًا اٰمِنِيْنَ ﴿٨٢﴾
৮৩. তাদেরকেও প্রভাতকালেই আঘাত করেছিল এক মহাবিকট শব্দ।	فَاَخَذَتْهُمُ الصَّيْحَةُ مُصْبِحِيْنَ ﴿٨٣﴾
৮৪. তাদের অর্জনসমূহ তাদের কোনো উপকারই করতে পারেনি।	فَمَآ اَغْنٰى عَنْهُمْ مَّا كَانُوْا يَكْسِبُوْنَ ﴿٨٤﴾
৮৫. মহাকাশ আর পৃথিবী এবং এই দুয়ের মাঝে যা কিছু আছে সবই আমরা সৃষ্টি করেছি বাস্তবতার ভিত্তিতে। কিয়ামত অবশ্যি আসবে। তাই তুমি সুন্দর সৌজন্যবোধের সাথে তাদের উপেক্ষা করো।	وَ مَا خَلَقْنَا السَّمٰوٰتِ وَ الْاَرْضَ وَ مَا بَيْنَهُمَآ اِلَّا بِالْحَقِّ ؕ وَ اِنَّ السَّاعَةَ لَاٰتِيَةٌ فَاصْفَحِ الصَّفْحَ الْجَمِيْلَ ﴿٨٥﴾
৮৬. নিশ্চয়ই তোমার রব মহাস্রষ্টা, অতীব জ্ঞানী।	اِنَّ رَبَّكَ هُوَ الْخَلّٰقُ الْعَلِيْمُ ﴿٨٦﴾
৮৭. আমরা তোমাকে দিয়েছি পুন: পুন: আবৃত্ত সাত (আয়াত) এবং মহাগ্রন্থ আল-কুরআন।	وَ لَقَدْ اٰتَيْنٰكَ سَبْعًا مِّنَ الْمَثَانِيْ وَ الْقُرْاٰنَ الْعَظِيْمَ ﴿٨٧﴾

৮৮. আমরা তাদের বিভিন্ন শ্রেণীকে ভোগ বিলাসের যেসব উপকরণ দিয়েছি, সেগুলোর প্রতি তুমি কখনো তোমার দুই চোখ মেলে তাকিয়োনা। তাদের জন্যে তুমি দুঃখও করোনা। তুমি মুমিনদের জন্যে তোমার দুই ডানা অবনমিত করে দাও।	لَا تَمُدَّنَّ عَيۡنَيۡكَ اِلٰى مَا مَتَّعۡنَا بِهٖۤ اَزۡوَاجًا مِّنۡهُمۡ وَ لَا تَحۡزَنۡ عَلَيۡهِمۡ وَ اخۡفِضۡ جَنَاحَكَ لِلۡمُؤۡمِنِيۡنَ ﴿۸۸﴾
৮৯. তুমি বলো: 'আমি তো কেবল সুস্পষ্ট সতর্ককারী।'	وَ قُلۡ اِنِّیۡۤ اَنَا النَّذِيۡرُ الۡمُبِيۡنُ ﴿۸۹﴾
৯০. (এটা ঠিক সেরকম) যেভাবে আমরা নাযিল করেছিলাম সেইসব বিভক্তকারীদের (ইহুদি ও খৃস্টানদের) উপর,	كَمَاۤ اَنۡزَلۡنَا عَلَى الۡمُقۡتَسِمِيۡنَ ﴿۹۰﴾
৯১. যারা তাদের কুরআনকে (তাওরাতকে) বিভিন্নভাবে বিভক্ত করেছে।	الَّذِيۡنَ جَعَلُوا الۡقُرۡاٰنَ عِضِيۡنَ ﴿۹۱﴾
৯২. তোমার প্রভুর শপথ! আমরা অবশ্যি তাদের সবাইকে জিজ্ঞাসাবাদ করবো,	فَوَرَبِّكَ لَنَسۡـَٔلَنَّهُمۡ اَجۡمَعِيۡنَ ﴿۹۲﴾
৯৩. তাদের কর্মকাণ্ডের বিষয়ে।	عَمَّا كَانُوۡا يَعۡمَلُوۡنَ ﴿۹۳﴾
৯৪. তোমাকে যার আদেশ করা হয়েছে তা প্রকাশ্যে প্রচার করো এবং মুশরিকদের উপেক্ষা করে চলো।	فَاصۡدَعۡ بِمَا تُؤۡمَرُ وَ اَعۡرِضۡ عَنِ الۡمُشۡرِكِيۡنَ ﴿۹۴﴾
৯৫. বিদ্রূপকারীদের বিরুদ্ধে তোমার জন্যে আমরাই কাফী (যথেষ্ট),	اِنَّا كَفَيۡنٰكَ الۡمُسۡتَهۡزِءِيۡنَ ﴿۹۵﴾
৯৬. যারা আল্লাহ্‌র সাথে অপর ইলাহ্ বানিয়ে নিয়েছে। অচিরেই তারা জানতে পারবে।	الَّذِيۡنَ يَجۡعَلُوۡنَ مَعَ اللّٰهِ اِلٰهًا اٰخَرَ ۚ فَسَوۡفَ يَعۡلَمُوۡنَ ﴿۹۶﴾
৯৭. আমরা জানি, তাদের কথায় তোমার মন সংকুচিত হয়ে আসে।	وَ لَقَدۡ نَعۡلَمُ اَنَّكَ يَضِيۡقُ صَدۡرُكَ بِمَا يَقُوۡلُوۡنَ ﴿۹۷﴾
৯৮. সুতরাং তুমি তোমার প্রভুর প্রশংসার সাথে তসবিহ করো এবং তুমি সাজদাকারীদের অন্তরভুক্ত।	فَسَبِّحۡ بِحَمۡدِ رَبِّكَ وَ كُنۡ مِّنَ السّٰجِدِيۡنَ ﴿۹۸﴾
(রুকু ০৬) ৯৯. এবং তোমার প্রভুর ইবাদত করো যতোক্ষণ না তোমার কাছে আসে নিশ্চিত জিনিসটি (মৃত্যু)।	وَ اعۡبُدۡ رَبَّكَ حَتّٰى يَاۡتِيَكَ الۡيَقِيۡنُ ﴿۹۹﴾

সূরা ১৬ আন নহল

মক্কায় অবতীর্ণ, আয়াত সংখ্যা: ১২৮, রুকু সংখ্যা: ১৬

এই সূরার আলোচ্যসূচি (আয়াত ভিত্তিক আলোচ্য বিষয়)

০১-০৩: আল্লাহ শিরক থেকে পবিত্র। তিনি তাঁর বান্দাদের যাকে ইচ্ছা রসূল নিযুক্ত করেন।

০৪-২১: মানুষ সৃষ্টি এবং মানুষের প্রতি আল্লাহ্‌র সীমাহীন অনুগ্রহ।

২২-৩৫: অহংকারী লোকেরা ঈমান আনেনা। তারা ইসলামের বিরুদ্ধে ষড়যন্ত্র করে। যালিমদের মৃত্যুকালীন এবং মৃত্যু পরবর্তীকালীন দুরবস্থা। আল্লাহ্‌ভীরুদের নীতি এবং তাদের মৃত্যুকালীন ও মৃত্যু পরবর্তী সুন্দর অবস্থা।

৩৬-৪০: আল্লাহ্ সব জাতির কাছে রসূল পাঠিয়েছেন। সব মানুষ হিদায়েতের পথে আসেনা।

৪১-৪২: ইসলামের কারণে নিগৃহীত ও নির্যাতিতদের মহাপুরস্কার।

৪৩-৬৫: কুরআনের ব্যাখ্যা দেয়ার দায়িত্ব রসূলের। ইসলাম ও নবীর প্রতি ষড়যন্ত্রকারীদের প্রতি সতর্কবাণী। আল্লাহ্‌র তাওহীদের যুক্তি। সকল মতবিরোধের সমাধান আল কুরআন।

৬৬-৮৩: মানুষের প্রতি আল্লাহ্‌র অনুগ্রহের বিবরণ। শিরকের অসারতা। মানুষের কাছে সত্যের দাওয়াত পৌঁছে দেয়া নবীর দায়িত্ব।

৮৪-৮৯: প্রত্যাখ্যানকারীদের ও মুশরিকদের পরকালীন দুরবস্থা। কুরআনে প্রতিটি বিষয়ের বর্ণনা ও নির্দেশিকা রয়েছে।

৯০-৯৬: মানুষের জন্য ন্যায় ও সঠিক নীতিমালা।

৯৭: উত্তম আমল সুন্দর জীবনের গ্যারান্টি।

৯৮-১১১: কুরআন পাঠের সূচনায় শয়তান থেকে আল্লাহ্‌র আশ্রয় চাওয়ার নির্দেশ। কুরআন নাযিলের উদ্দেশ্য। অবিশ্বাসীদের জন্য দুঃসংবাদ। ইসলামের কারণে নির্যাতিতদের জন্য সুসংবাদ।

১১২-১১৩: আল্লাহ্‌র অনুগ্রহের অকৃতজ্ঞতা ও রসূলের আদর্শ প্রত্যাখ্যানের পরিণতি।

১১৪-১১৯: হালাল ও হারামের বিধান।

১২০-১২৪: ইবরাহিমের আনুগত্যের প্রতি আল্লাহ্‌র সন্তুষ্টি। মুহাম্মদ সা. এর প্রতি ইবরাহিমের আদর্শ অনুসরণের নির্দেশ।

১২৫-১২৮: আল্লাহ্‌র পথে দাওয়াত দানের পন্থা।

সূরা আন নহল (মৌমাছি) পরম করুণাময় পরম দয়াবান আল্লাহ্‌র নামে	سُوْرَةُ النَّحْلِ بِسْمِ اللّٰهِ الرَّحْمٰنِ الرَّحِيْمِ
০১. আল্লাহ্‌র নির্দেশ আসবেই, সুতরাং তোমরা তাড়াহুড়া করোনা। তিনি অবশ্যি পবিত্র এবং তারা তাঁর সাথে যাদের শরিক করে তিনি তাদের চেয়ে অনেক উর্ধ্বে।	اَتٰۤى اَمْرُ اللّٰهِ فَلَا تَسْتَعْجِلُوْهُ ؕ سُبْحٰنَهٗ وَ تَعٰلٰى عَمَّا يُشْرِكُوْنَ ①
০২. আল্লাহ্ তাঁর বান্দাদের যাদেরকে চান, তাদের প্রতি ফেরেশতা এবং রূহকে (জিবরাইলকে) পাঠান এই আদেশসহ: তোমরা সতর্ক করো যে, নিশ্চয়ই আমি ছাড়া আর কোনো ইলাহ্ নেই, সুতরাং তোমরা আমাকে ভয় করো।	يُنَزِّلُ الْمَلٰٓئِكَةَ بِالرُّوْحِ مِنْ اَمْرِهٖ عَلٰى مَنْ يَّشَآءُ مِنْ عِبَادِهٖۤ اَنْ اَنْذِرُوْۤا اَنَّهٗ لَاۤ اِلٰهَ اِلَّاۤ اَنَا فَاتَّقُوْنِ ②
০৩. তিনি সৃষ্টি করেছেন মহাকাশ এবং এই পৃথিবী বাস্তবতার সাথে। তারা তাঁর সাথে যাদের শরিক করে, তিনি তাদের চেয়ে অনেক উর্ধ্বে।	خَلَقَ السَّمٰوٰتِ وَ الْاَرْضَ بِالْحَقِّ ؕ تَعٰلٰى عَمَّا يُشْرِكُوْنَ ③

০৪. তিনি মানুষ সৃষ্টি করেছেন নোতফা (শুক্রবিন্দু) থেকে। অথচ সে প্রকাশ্যে বিতর্ক করে।	خَلَقَ الْاِنْسَانَ مِنْ نُّطْفَةٍ فَاِذَا هُوَ خَصِيْمٌ مُّبِيْنٌ ٤
০৫. তিনি চারপায়ী পশুদেরও সৃষ্টি করেছেন। তোমাদের জন্যে সেগুলোতে রয়েছে শীত নিবারক উপকরণ এবং আরো অনেক উপকারী জিনিস এবং সেগুলোর কতক তোমরা খেয়ে থাকো।	وَ الْاَنْعَامَ خَلَقَهَا ۚ لَكُمْ فِيْهَا دِفْءٌ وَّ مَنَافِعُ وَ مِنْهَا تَاْكُلُوْنَ ٥
০৬. তোমরা বিকেলে যখন সেগুলোকে চারণভূমি থেকে ফিরিয়ে আনো আর সকালে যখন চারণভূমির দিকে নিয়ে যাও, তখন তোমরা সেগুলোর সৌন্দর্য উপভোগ করে থাকো।	وَ لَكُمْ فِيْهَا جَمَالٌ حِيْنَ تُرِيْحُوْنَ وَ حِيْنَ تَسْرَحُوْنَ ٦
০৭. আর সেগুলো তোমাদের বোঝা বইয়ে নিয়ে যায় এমন স্থানে যেখানে প্রাণান্তকর কষ্ট করা ছাড়া তোমরা পৌঁছাতে পারতে না। তোমাদের প্রভু অবশ্যি দয়াবান, দয়াশীল।	وَ تَحْمِلُ اَثْقَالَكُمْ اِلٰى بَلَدٍ لَّمْ تَكُوْنُوْا بٰلِغِيْهِ اِلَّا بِشِقِّ الْاَنْفُسِ ؕ اِنَّ رَبَّكُمْ لَرَءُوْفٌ رَّحِيْمٌ ٧
০৮. তোমাদের আরোহণ এবং সৌন্দর্যের জন্যে তিনি সৃষ্টি করেছেন ঘোড়া, খচ্চর ও গাধা। তিনি (তোমাদের কল্যাণে) আরো এমন সব জিনিস সৃষ্টি করবেন, যা তোমরা জানোনা।	وَّ الْخَيْلَ وَ الْبِغَالَ وَ الْحَمِيْرَ لِتَرْكَبُوْهَا وَ زِيْنَةً ؕ وَ يَخْلُقُ مَا لَا تَعْلَمُوْنَ ٨
০৯. সঠিক পথ দেখানো আল্লাহ্‌র দায়িত্ব, যেহেতু অনেক বক্র পথ রয়েছে। তিনি চাইলে তোমাদের সবাইকে সঠিক পথে পরিচালিত করতেন।	وَ عَلَى اللّٰهِ قَصْدُ السَّبِيْلِ وَ مِنْهَا جَآئِرٌ ؕ وَ لَوْ شَآءَ لَهَدٰىكُمْ اَجْمَعِيْنَ ٩
১০. তিনি তোমাদের জন্যে আসমান থেকে নাযিল করেন পানি। তাতে রয়েছে তোমাদের জন্যে পানীয়, তা থেকেই জন্মায় গাছ-গাছালি উদ্ভিদ যাতে তোমরা চরিয়ে থাকো পশু।	هُوَ الَّذِيْۤ اَنْزَلَ مِنَ السَّمَآءِ مَآءً لَّكُمْ مِّنْهُ شَرَابٌ وَّ مِنْهُ شَجَرٌ فِيْهِ تُسِيْمُوْنَ ١٠
১১. তা থেকেই তিনি তোমাদের জন্যে জন্মান শস্য, যয়তুন, খেজুর গাছ, আঙ্গুর এবং সব রকমের ফল ফলারি। চিন্তাশীল লোকদের জন্যে অবশ্যি এতে রয়েছে নিদর্শন।	يُنْۢبِتُ لَكُمْ بِهِ الزَّرْعَ وَ الزَّيْتُوْنَ وَ النَّخِيْلَ وَ الْاَعْنَابَ وَ مِنْ كُلِّ الثَّمَرٰتِ ؕ اِنَّ فِيْ ذٰلِكَ لَاٰيَةً لِّقَوْمٍ يَّتَفَكَّرُوْنَ ١١
১২. তিনিই তোমাদের কল্যাণে নিয়োজিত করে দিয়েছেন রাত আর দিনকে এবং সূর্য আর চাঁদকে। নক্ষত্ররাজিও অধীন হয়েছে তাঁরই নির্দেশে। এতে নিদর্শন রয়েছে আকল খাটানো লোকদের জন্যে।	وَسَخَّرَ لَكُمُ الَّيْلَ وَالنَّهَارَ ۙ وَالشَّمْسَ وَالْقَمَرَ ؕ وَالنُّجُوْمُ مُسَخَّرٰتٌۢ بِاَمْرِهٖ ؕ اِنَّ فِيْ ذٰلِكَ لَاٰيٰتٍ لِّقَوْمٍ يَّعْقِلُوْنَ ١٢
১৩. তিনি যে তোমাদের জন্যে বিভিন্ন রঙের বস্তু সৃষ্টি করেছেন, তাতেও নিদর্শন রয়েছে সেইসব লোকদের জন্যে যারা শিক্ষা গ্রহণ করে।	وَ مَا ذَرَاَ لَكُمْ فِي الْاَرْضِ مُخْتَلِفًا اَلْوَانُهٗ ؕ اِنَّ فِيْ ذٰلِكَ لَاٰيَةً لِّقَوْمٍ يَّذَّكَّرُوْنَ ١٣
১৪. তিনি সমুদ্রকেও তোমাদের অধীন করে দিয়েছেন, যাতে করে তোমরা তা থেকে আহরণ করতে পারো তাজা গোশ্‌ত (মাছ) এবং কুড়িয়ে	وَ هُوَ الَّذِيْ سَخَّرَ الْبَحْرَ لِتَاْكُلُوْا مِنْهُ لَحْمًا طَرِيًّا وَّ تَسْتَخْرِجُوْا مِنْهُ حِلْيَةً

রুকু ০১

আনতে পারো বিভিন্ন রকম রত্ন, যা তোমরা তোমাদের ভূষণ হিসেবে পরে থাকো। তোমরা দেখতে পাচ্ছো, তার বুক চিরে চলাচল করে নৌযান, তা এজন্যে যেনো তোমরা তাঁর অনুগ্রহ সন্ধান করতে পারো এবং তাঁর শোকর আদায় করতে পারো।	تَلۡبَسُوۡنَهَا ۚ وَ تَرَى الۡفُلۡكَ مَوَاخِرَ فِيۡهِ وَ لِتَبۡتَغُوۡا مِنۡ فَضۡلِهٖ وَ لَعَلَّكُمۡ تَشۡكُرُوۡنَ ﴿۱۴﴾
১৫. আর তিনি পৃথিবীতে সুদৃঢ় পাহাড়-পর্বত স্থাপন করে দিয়েছেন যাতে তা তোমাদের নিয়ে কাঁপতে না থাকে। তিনিই জারি করে দিয়েছেন নদ-নদী এবং চালু করে দিয়েছেন চলাচলের পথ, যাতে করে তোমরা সঠিকভাবে পৌঁছুতে পারো গন্তব্যে।	وَ اَلۡقٰى فِى الۡاَرۡضِ رَوَاسِىَ اَنۡ تَمِيۡدَ بِكُمۡ وَ اَنۡهٰرًا وَّ سُبُلًا لَّعَلَّكُمۡ تَهۡتَدُوۡنَ ﴿۱۵﴾
১৬. তাছাড়া রয়েছে নির্ণায়ক চিহ্নসমূহ, আর নক্ষত্রের সাহায্যেও তারা পথের নির্দেশনা পায়।	وَ عَلٰمٰتٍ ؕ وَ بِالنَّجۡمِ هُمۡ يَهۡتَدُوۡنَ ﴿۱۶﴾
১৭. যিনি সৃষ্টি করেন তিনি কি তার সমতুল্য, যে সৃষ্টি করে না? তোমরা কি শিক্ষা গ্রহণ করবেনা?	اَفَمَنۡ يَّخۡلُقُ كَمَنۡ لَّا يَخۡلُقُ ؕ اَفَلَا تَذَكَّرُوۡنَ ﴿۱۷﴾
১৮. তোমরা যদি তোমাদের প্রতি আল্লাহ্‌র অনুগ্রহ গণনা করো তবে সংখ্যা নির্ণয় করতে পারবেনা। নিশ্চয়ই আল্লাহ্ পরম ক্ষমাশীল, দয়াময়।	وَ اِنۡ تَعُدُّوۡا نِعۡمَةَ اللّٰهِ لَا تُحۡصُوۡهَا ؕ اِنَّ اللّٰهَ لَغَفُوۡرٌ رَّحِيۡمٌ ﴿۱۸﴾
১৯. আল্লাহ্ জানেন, তোমরা যা গোপন করো আর যা প্রকাশ করো।	وَ اللّٰهُ يَعۡلَمُ مَا تُسِرُّوۡنَ وَ مَا تُعۡلِنُوۡنَ ﴿۱۹﴾
২০. যারা আল্লাহ্ ছাড়া অন্যদের ডাকে, তারা কিছুই সৃষ্টি করতে পারে না, বরং তাদেরই সৃষ্টি করা হয়।	وَ الَّذِيۡنَ يَدۡعُوۡنَ مِنۡ دُوۡنِ اللّٰهِ لَا يَخۡلُقُوۡنَ شَيۡـًٔا وَّ هُمۡ يُخۡلَقُوۡنَ ؕ ﴿۲۰﴾
২১. তারা মৃত, নির্জীব, তাদের কখন পুনরুত্থিত করা হবে সে বিষয়ে তাদের কোনো চেতনাই নেই।	اَمۡوَاتٌ غَيۡرُ اَحۡيَآءٍ ۚ وَ مَا يَشۡعُرُوۡنَ ۙ اَيَّانَ يُبۡعَثُوۡنَ ﴿۲۱﴾ রুকু ০২
২২. তোমাদের ইলাহ্ এক ও একক ইলাহ্। সুতরাং যারা আখিরাতের প্রতি ঈমান আনেনা, তাদের অন্তর সত্যবিমুখ এবং তারা দাম্ভিক।	اِلٰهُكُمۡ اِلٰهٌ وَّاحِدٌ ۚ فَالَّذِيۡنَ لَا يُؤۡمِنُوۡنَ بِالۡاٰخِرَةِ قُلُوۡبُهُمۡ مُّنۡكِرَةٌ وَّ هُمۡ مُّسۡتَكۡبِرُوۡنَ ﴿۲۲﴾
২৩. নিঃসন্দেহে আল্লাহ্ জানেন, তারা যা গোপন করে এবং তারা যা প্রকাশ করে। অবশ্যি তিনি দাম্ভিকদের পছন্দ করেন না।	لَا جَرَمَ اَنَّ اللّٰهَ يَعۡلَمُ مَا يُسِرُّوۡنَ وَ مَا يُعۡلِنُوۡنَ ؕ اِنَّهٗ لَا يُحِبُّ الۡمُسۡتَكۡبِرِيۡنَ ﴿۲۳﴾
২৪. যখন তাদের বলা হয়: 'তোমাদের প্রভু কী নাযিল করেছেন?' তারা বলে: 'আগের কালের লোকদের কাহিনী।'	وَ اِذَا قِيۡلَ لَهُمۡ مَّا ذَاۤ اَنۡزَلَ رَبُّكُمۡ ۙ قَالُوۡۤا اَسَاطِيۡرُ الۡاَوَّلِيۡنَ ۙ ﴿۲۴﴾
২৫. ফলে কিয়ামতের দিন তারা বহন করবে তাদের পাপের ভার পূর্ণমাত্রায় এবং অজ্ঞতা নিয়ে যাদের বিপথগামী করেছিল তাদের পাপের বোঝাও। তারা যা বহন করবে, তা কতো যে নিকৃষ্ট!	لِيَحۡمِلُوۡۤا اَوۡزَارَهُمۡ كَامِلَةً يَّوۡمَ الۡقِيٰمَةِ ۙ وَ مِنۡ اَوۡزَارِ الَّذِيۡنَ يُضِلُّوۡنَهُمۡ بِغَيۡرِ عِلۡمٍ ؕ اَلَا سَآءَ مَا يَزِرُوۡنَ ﴿۲۵﴾ রুকু ০৩

২৬. তাদের আগেকার লোকরাও চক্রান্ত করেছিল, ফলে আল্লাহ্ তাদের ইমারতের ভিত্তিমূলে আঘাত করেছিলেন এবং ইমারতের ছাদ ধ্বসে পড়েছিল তাদের উপর। আর তাদের উপর আযাব এসে পড়েছিল এমন দিক থেকে, যা তারা টেরও পায়নি।	قَدْ مَكَرَ الَّذِيْنَ مِنْ قَبْلِهِمْ فَاَتَى اللّٰهُ بُنْيَانَهُمْ مِّنَ الْقَوَاعِدِ فَخَرَّ عَلَيْهِمُ السَّقْفُ مِنْ فَوْقِهِمْ وَ اَتٰىهُمُ الْعَذَابُ مِنْ حَيْثُ لَا يَشْعُرُوْنَ ﴿٢٦﴾
২৭. এর পরে কিয়ামতের দিন তিনি তাদের লাঞ্ছিত করবেন এবং তাদের জিজ্ঞেস করবেন, ‘কোথায় (তোমাদের মনগড়া) আমার সেইসব শরিকদাররা, যাদের ব্যাপারে তোমরা বিতর্ক করতে?’ যাদেরকে জ্ঞান দান করা হয়েছিল, তারা বলবে: আজকের অপমান আর অকল্যাণ কাফিরদের জন্যে,	ثُمَّ يَوْمَ الْقِيٰمَةِ يُخْزِيْهِمْ وَ يَقُوْلُ اَيْنَ شُرَكَآءِيَ الَّذِيْنَ كُنْتُمْ تُشَآقُّوْنَ فِيْهِمْ ؕ قَالَ الَّذِيْنَ اُوْتُوا الْعِلْمَ اِنَّ الْخِزْيَ الْيَوْمَ وَ السُّوْٓءَ عَلَى الْكٰفِرِيْنَ ﴿٢٧﴾
২৮. যাদেরকে ফেরেশতারা মৃত্যু ঘটায় নিজেদের প্রতি যুলুম করতে থাকা অবস্থায়। তখন তারা আত্মসমর্পণ করে দিয়ে বলে: ‘আমরা কোনো মন্দ কাজ করতাম না।’ হ্যাঁ, আল্লাহ্ ভালো ভাবেই জানেন তোমরা কী করতে?’	الَّذِيْنَ تَتَوَفّٰىهُمُ الْمَلٰٓئِكَةُ ظَالِمِيْٓ اَنْفُسِهِمْ ۪ فَاَلْقَوُا السَّلَمَ مَا كُنَّا نَعْمَلُ مِنْ سُوْٓءٍ ؕ بَلٰٓى اِنَّ اللّٰهَ عَلِيْمٌۢ بِمَا كُنْتُمْ تَعْمَلُوْنَ ﴿٢٨﴾
২৯. এখন জাহান্নামের দরজাগুলো দিয়ে দাখিল হয়ে যাও সেখানে চিরকাল পড়ে থাকার জন্যে। দাম্ভিকদের আবাসস্থল কতো যে নিকৃষ্ট!	فَادْخُلُوْٓا اَبْوَابَ جَهَنَّمَ خٰلِدِيْنَ فِيْهَا ؕ فَلَبِئْسَ مَثْوَى الْمُتَكَبِّرِيْنَ ﴿٢٩﴾
৩০. যারা তাকওয়া অবলম্বন করতো তাদের বলা হবে: ‘তোমাদের প্রভু কী নাযিল করেছিলেন?’ তারা বলবে: ‘মহাকল্যাণ।’ যারা এই দুনিয়ায় ইহসান করে তাদের জন্যে রয়েছে হাসানা (কল্যাণ) আর তাদের জন্যে আখিরাতের আবাস আরো উত্তম। মুত্তাকিদের বাসস্থান কতো যে চমৎকার!	وَ قِيْلَ لِلَّذِيْنَ اتَّقَوْا مَا ذَآ اَنْزَلَ رَبُّكُمْ ؕ قَالُوْا خَيْرًا ؕ لِلَّذِيْنَ اَحْسَنُوْا فِيْ هٰذِهِ الدُّنْيَا حَسَنَةٌ ؕ وَ لَدَارُ الْاٰخِرَةِ خَيْرٌ ؕ وَ لَنِعْمَ دَارُ الْمُتَّقِيْنَ ﴿٣٠﴾
৩১. তাহলো চিরস্থায়ী জান্নাত, সেখানে তারা দাখিল হবে। তার নিচে দিয়ে বহমান থাকবে নদ-নদী-নহর। সেখানে তাদের জন্যে থাকবে যা তারা চাইবে। আল্লাহ্ এভাবেই দিয়ে থাকেন মুত্তাকিদের পুরস্কার।	جَنّٰتُ عَدْنٍ يَّدْخُلُوْنَهَا تَجْرِيْ مِنْ تَحْتِهَا الْاَنْهٰرُ لَهُمْ فِيْهَا مَا يَشَآءُوْنَ ؕ كَذٰلِكَ يَجْزِي اللّٰهُ الْمُتَّقِيْنَ ﴿٣١﴾
৩২. ফেরেশতারা তাদের ওফাত ঘটায় পবিত্র জীবন-যাপন করা অবস্থায়। তারা (তাদের ওফাত ঘটাতে এসে) বলে: ‘সালামুন আলাইকুম-আপনাদের প্রতি বর্ষিত হোক শান্তি, আপনারা দাখিল হোন জান্নাতে আপনাদের উত্তম আমলের বিনিময়ে।’	الَّذِيْنَ تَتَوَفّٰىهُمُ الْمَلٰٓئِكَةُ طَيِّبِيْنَ ۙ يَقُوْلُوْنَ سَلٰمٌ عَلَيْكُمُ ۙ ادْخُلُوا الْجَنَّةَ بِمَا كُنْتُمْ تَعْمَلُوْنَ ﴿٣٢﴾
৩৩. তারা (কাফিররা) কি তাদের কাছে ফেরেশতা আসার অপেক্ষায় রয়েছে, নাকি তাদের প্রভুর নির্দেশ আসার অপেক্ষায়? তাদের আগেকার লোকেরাও এ রকমই করতো। আল্লাহ্	هَلْ يَنْظُرُوْنَ اِلَّآ اَنْ تَاْتِيَهُمُ الْمَلٰٓئِكَةُ اَوْ يَاْتِيَ اَمْرُ رَبِّكَ ؕ كَذٰلِكَ فَعَلَ الَّذِيْنَ مِنْ قَبْلِهِمْ ؕ وَ مَا ظَلَمَهُمُ اللّٰهُ وَ لٰكِنْ كَانُوْٓا

তাদের প্রতি যুলুম করেননি, বরং তারা নিজেরাই নিজেদের প্রতি যুলুম করেছিল।	اَنۡفُسَهُمۡ يَظۡلِمُوۡنَ ﴿۳۳﴾	
৩৪. সুতরাং তাদের উপর আপতিত হয়েছিল তাদেরই মন্দ কাজের শাস্তি এবং সেই জিনিসই তাদের পরিবেষ্টন করে নিয়েছিল যা নিয়ে তারা ঠাট্টা বিদ্রূপ করতো।	فَاَصَابَهُمۡ سَيِّاٰتُ مَا عَمِلُوۡا وَ حَاقَ بِهِمۡ مَّا كَانُوۡا بِهٖ يَسۡتَهۡزِءُوۡنَ ﴿۳۴﴾	রুকু ০৪
৩৫. যারা শিরক করে তারা বলে: 'আল্লাহ্ ইচ্ছা করলে আমরা তাঁর ছাড়া আর কারো ইবাদত করতাম না, আমরাও না, আমাদের পূর্ব পুরুষরাও না এবং তাঁর অনুমতি ছাড়া আমরা কোনো কিছুই হারাম করতাম না।' তাদের আগেকার লোকেরা এ রকমই (বাহানাবাজি) করতো। পরিষ্কারভাবে বার্তা পৌঁছে দেয়া ছাড়া রসূলদের উপর আর কোনো দায়িত্ব আছে কি?	وَ قَالَ الَّذِيۡنَ اَشۡرَكُوۡا لَوۡ شَآءَ اللّٰهُ مَا عَبَدۡنَا مِنۡ دُوۡنِهٖ مِنۡ شَیۡءٍ نَّحۡنُ وَ لَاۤ اٰبَآؤُنَا وَ لَا حَرَّمۡنَا مِنۡ دُوۡنِهٖ مِنۡ شَیۡءٍ ؕ كَذٰلِكَ فَعَلَ الَّذِيۡنَ مِنۡ قَبۡلِهِمۡ ۚ فَهَلۡ عَلَى الرُّسُلِ اِلَّا الۡبَلٰغُ الۡمُبِيۡنُ ﴿۳۵﴾	
৩৬. আমরা প্রতিটি জাতির কাছে রসূল পাঠিয়েছি এই নির্দেশ দেয়ার জন্যে যে: 'তোমরা এক আল্লাহ্‌র ইবাদত (আনুগত্য, দাসত্ব, প্রার্থনা, উপাসনা) করো এবং তাগুতকে ত্যাগ করো।' ফলে তাদের কিছু লোককে আল্লাহ্ হিদায়াত করেছেন আর কিছু লোকের জন্যে সাব্যস্ত হয়ে গিয়েছিল গোমরাহি। সুতরাং পৃথিবীতে ভ্রমণ করে দেখো, সত্য প্রত্যাখ্যানকারীদের পরিণতি কী হয়েছিল?	وَ لَقَدۡ بَعَثۡنَا فِىۡ كُلِّ اُمَّةٍ رَّسُوۡلًا اَنِ اعۡبُدُوا اللّٰهَ وَ اجۡتَنِبُوا الطَّاغُوۡتَ ۚ فَمِنۡهُمۡ مَّنۡ هَدَى اللّٰهُ وَ مِنۡهُمۡ مَّنۡ حَقَّتۡ عَلَيۡهِ الضَّلٰلَةُ ؕ فَسِيۡرُوۡا فِى الۡاَرۡضِ فَانۡظُرُوۡا كَيۡفَ كَانَ عَاقِبَةُ الۡمُكَذِّبِيۡنَ ﴿۳۶﴾	
৩৭. তুমি তাদের হিদায়াতের আকাংখী হলেও আল্লাহ্ সেসব লোকদের হিদায়াত করেন না, যারা ভ্রান্ত পথ অবলম্বন করে। আর তাদের কোনো সাহায্যকারীও হবেনা।	اِنۡ تَحۡرِصۡ عَلٰى هُدٰىهُمۡ فَاِنَّ اللّٰهَ لَا يَهۡدِىۡ مَنۡ يُّضِلُّ وَ مَا لَهُمۡ مِّنۡ نّٰصِرِيۡنَ ﴿۳۷﴾	
৩৮. তারা জোর দিয়ে আল্লাহ্‌র নামে কসম খেয়ে বলে: 'যারা মরে যায় আল্লাহ্ তাদের পুনরুত্থিত করবেননা।' হ্যাঁ, অবশ্যি তিনি তাঁর ওয়াদা পূর্ণ করবেন। তবে অধিকাংশ লোকই তা জানেনা।	وَ اَقۡسَمُوۡا بِاللّٰهِ جَهۡدَ اَيۡمَانِهِمۡ ۙ لَا يَبۡعَثُ اللّٰهُ مَنۡ يَّمُوۡتُ ؕ بَلٰى وَعۡدًا عَلَيۡهِ حَقًّا وَّ لٰكِنَّ اَكۡثَرَ النَّاسِ لَا يَعۡلَمُوۡنَ ﴿۳۸﴾	
৩৯. (তিনি তাদের পুনরুত্থিত করবেন) যে বিষয়ে তারা মতানৈক্য করতো তা তাদেরকে পরিষ্কার করে জানিয়ে দেয়ার জন্যে, এবং কাফিররাও যেনো জানতে পারে যে, তারা ছিলো মিথ্যাবাদী।	لِيُبَيِّنَ لَهُمُ الَّذِىۡ يَخۡتَلِفُوۡنَ فِيۡهِ وَ لِيَعۡلَمَ الَّذِيۡنَ كَفَرُوۡۤا اَنَّهُمۡ كَانُوۡا كٰذِبِيۡنَ ﴿۳۹﴾	
৪০. আমরা কোনো কিছু করার ইচ্ছা করলে সে বিষয়ে শুধু এতোটুকু বলি, 'হও' আর সাথে সাথে তা হয়ে যায়।	اِنَّمَا قَوۡلُنَا لِشَیۡءٍ اِذَاۤ اَرَدۡنٰهُ اَنۡ نَّقُوۡلَ لَهٗ كُنۡ فَيَكُوۡنُ ﴿۴۰﴾	রুকু ০৫
৪১. যারা অত্যাচারিত হবার পর হিজরত করেছে, আমরা অবশ্যি দুনিয়ায় তাদের উত্তম আবাস দেবো, আর আখিরাতের পুরস্কার তো অনেক বড়। হায়, তারা যদি এটা জানতো,	وَ الَّذِيۡنَ هَاجَرُوۡا فِى اللّٰهِ مِنۡۢ بَعۡدِ مَا ظُلِمُوۡا لَنُبَوِّئَنَّهُمۡ فِى الدُّنۡيَا حَسَنَةً ؕ وَ لَاَجۡرُ الۡاٰخِرَةِ اَكۡبَرُ ۘ لَوۡ كَانُوۡا يَعۡلَمُوۡنَ ﴿۴۱﴾	

৪২. যারা সবর অবলম্বন করে এবং তাদের প্রভুর উপর তাওয়াক্কুল করে।	الَّذِيْنَ صَبَرُوْا وَعَلٰى رَبِّهِمْ يَتَوَكَّلُوْنَ ﴿٤٢﴾
৪৩. তোমার আগে আমরা যাদের পাঠিয়েছিলাম এবং অহি করেছিলাম, তারা পুরুষ (মানুষই) ছিলো। তোমরা যদি না জানো, তবে জ্ঞানীদের জিজ্ঞাসা করো।	وَمَآ اَرْسَلْنَا مِنْ قَبْلِكَ اِلَّا رِجَالًا نُّوْحِيْٓ اِلَيْهِمْ فَسْـَٔلُوْٓا اَهْلَ الذِّكْرِ اِنْ كُنْتُمْ لَا تَعْلَمُوْنَ ﴿٤٣﴾
৪৪. তাদেরকে আমরা পাঠিয়েছিলাম স্পষ্ট প্রমাণ এবং গ্রন্থাবলি দিয়ে। আর তোমার প্রতি আমরা নাযিল করেছি 'আয যিকির' (আল-কুরআন) মানুষকে স্পষ্টভাবে বুঝিয়ে দেয়ার জন্যে যা তাদের জন্যে নাযিল করা হয়েছে এবং তারা যেনো চিন্তা-ভাবনা করতে পারে।	بِالْبَيِّنٰتِ وَالزُّبُرِ ۗ وَاَنْزَلْنَآ اِلَيْكَ الذِّكْرَ لِتُبَيِّنَ لِلنَّاسِ مَا نُزِّلَ اِلَيْهِمْ وَلَعَلَّهُمْ يَتَفَكَّرُوْنَ ﴿٤٤﴾
৪৫. যারা অন্যায় কাজের ষড়যন্ত্র করে তারা কি নিশ্চিন্ত হয়ে গেছে যে, আল্লাহ্ তাদের নিয়ে জমিনকে তলিয়ে দেবেন না, কিংবা এমন জায়গা থেকে তাদের উপর আযাব এসে পড়বেনা যার চিন্তাও তারা করেনি?	اَفَاَمِنَ الَّذِيْنَ مَكَرُوا السَّيِّاٰتِ اَنْ يَّخْسِفَ اللّٰهُ بِهِمُ الْاَرْضَ اَوْ يَاْتِيَهُمُ الْعَذَابُ مِنْ حَيْثُ لَا يَشْعُرُوْنَ ﴿٤٥﴾
৪৬. অথবা তাদের চলাফেরা করতে থাকা অবস্থায়ই আল্লাহ্ তাদের পাকড়াও করবেন না? শাস্তি যখন এসে পড়বে তখন তারা তা ব্যর্থ করতে পারবে না।	اَوْ يَاْخُذَهُمْ فِيْ تَقَلُّبِهِمْ فَمَا هُمْ بِمُعْجِزِيْنَ ﴿٤٦﴾
৪৭. কিংবা তাদেরকে ভীত সন্ত্রস্ত অবস্থায় তিনি ধরে ফেলবেন না? তোমাদের প্রভু অবশ্যি পরম দয়াশীল, করুণাময়।	اَوْ يَاْخُذَهُمْ عَلٰى تَخَوُّفٍ ۗ فَاِنَّ رَبَّكُمْ لَرَءُوْفٌ رَّحِيْمٌ ﴿٤٧﴾
৪৮. তারা কি দেখেনা, আল্লাহ্ যা কিছু সৃষ্টি করেছেন সেগুলোর ছায়া ডানে এবং বামে ঢলে পড়ে আল্লাহ্র প্রতি সাজদাবনত হয়?	اَوَلَمْ يَرَوْا اِلٰى مَا خَلَقَ اللّٰهُ مِنْ شَيْءٍ يَّتَفَيَّؤُا ظِلٰلُهٗ عَنِ الْيَمِيْنِ وَالشَّمَآئِلِ سُجَّدًا لِّلّٰهِ وَهُمْ دٰخِرُوْنَ ﴿٤٨﴾
৪৯. মহাকাশে যা কিছু আছে এবং পৃথিবীতে যতো জীবজন্তু আছে সবাই আল্লাহ্র জন্যে সাজদাবনত হয়, আর ফেরেশতারাও তাঁকে সাজদা করে এবং তারা অহংকার করেনা।	وَلِلّٰهِ يَسْجُدُ مَا فِي السَّمٰوٰتِ وَمَا فِي الْاَرْضِ مِنْ دَآبَّةٍ وَّالْمَلٰٓئِكَةُ وَهُمْ لَا يَسْتَكْبِرُوْنَ ﴿٤٩﴾
৫০. তারা তাদের উপর থেকে তাদের প্রভুর ভয়ে ভীত থাকে এবং তারা কেবল তাই করে যা তাদের নির্দেশ দেয়া হয়। **(সাজদা)**	يَخَافُوْنَ رَبَّهُمْ مِّنْ فَوْقِهِمْ وَيَفْعَلُوْنَ مَا يُؤْمَرُوْنَ ﴿٥٠﴾ السجدة
৫১. আল্লাহ্ বলেছেন: 'তোমরা দুই ইলাহ্ গ্রহণ করোনা। তিনি তো একমাত্র ইলাহ্। তাই তোমরা কেবল আমাকেই ভয় করো।'	وَقَالَ اللّٰهُ لَا تَتَّخِذُوْٓا اِلٰهَيْنِ اثْنَيْنِ ۚ اِنَّمَا هُوَ اِلٰهٌ وَّاحِدٌ ۚ فَاِيَّايَ فَارْهَبُوْنِ ﴿٥١﴾
৫২. মহাকাশ এবং পৃথিবীতে যা কিছু আছে সবই তাঁর। আর অবিচ্ছিন্ন আনুগত্য পাওয়ার মালিক	وَلَهٗ مَا فِي السَّمٰوٰتِ وَالْاَرْضِ وَلَهُ

রুকু ০৬

কেবল তিনিই। তোমরা কি আল্লাহ্ ছাড়া অন্য কাউকেও ভয় করবে?	الدِّيْنُ وَاصِبًا ۚ اَفَغَيْرَ اللّٰهِ تَتَّقُوْنَ ۝٥٢
৫৩. তোমাদের সাথে যতো নিয়ামত রয়েছে সবই তো আল্লাহ্‌র প্রদত্ত। তাছাড়া তোমাদেরকে যখনই কোনো দু:খ-দুর্দশা স্পর্শ করে, তখনো তো তোমরা ব্যাকুল হয়ে কেবল তাঁকেই ডাকো।	وَمَا بِكُمْ مِّنْ نِّعْمَةٍ فَمِنَ اللّٰهِ ثُمَّ اِذَا مَسَّكُمُ الضُّرُّ فَاِلَيْهِ تَجْـَٔرُوْنَ ۝٥٣
৫৪. তারপর তিনি যখন তোমাদের দু:খ-দুর্দশা দূর করে দেন, তখন তোমাদেরই একটি দল তাদের প্রভুর সাথে শরিক করে।	ثُمَّ اِذَا كَشَفَ الضُّرَّ عَنْكُمْ اِذَا فَرِيْقٌ مِّنْكُمْ بِرَبِّهِمْ يُشْرِكُوْنَ ۝٥٤
৫৫. ফলে আমরা তাদের যা কিছু দিয়েছি তারা তা অস্বীকার করে। সুতরাং ভোগ করে নাও, অচিরেই জানতে পারবে।	لِيَكْفُرُوْا بِمَآ اٰتَيْنٰهُمْ ۚ فَتَمَتَّعُوْا ۫ فَسَوْفَ تَعْلَمُوْنَ ۝٥٥
৫৬. আর আমরা তাদের যে রিযিক দিয়েছি তারা তার একাংশ নির্ধারণ করে তাদের (বাতিল উপাস্যদের) জন্যে, যাদের ব্যাপারে তারা কিছুই জানেনা। আল্লাহ্‌র কসম, তোমরা যে মিথ্যা রচনা করছো সে সম্পর্কে অবশ্যি তোমাদের জিজ্ঞাসা করা হবে।	وَيَجْعَلُوْنَ لِمَا لَا يَعْلَمُوْنَ نَصِيْبًا مِّمَّا رَزَقْنٰهُمْ ۚ تَاللّٰهِ لَتُسْـَٔلُنَّ عَمَّا كُنْتُمْ تَفْتَرُوْنَ ۝٥٦
৫৭. তারা আল্লাহ্‌র জন্যে কন্যা সন্তান নির্ধারণ করে, যা থেকে তিনি সম্পূর্ণ পবিত্র, আর তাদের জন্যে সেই (সন্তান) যা তারা কামনা করে!	وَيَجْعَلُوْنَ لِلّٰهِ الْبَنٰتِ سُبْحٰنَهٗ ۙ وَلَهُمْ مَّا يَشْتَهُوْنَ ۝٥٧
৫৮. কিন্তু তাদের কাউকেও যখন কন্যা সন্তানের সুসংবাদ দেয়া হয়, তখন তাদের চেহারা কালো হয়ে যায় এবং সে চরম মনোকষ্টে দগ্ধ হয়।	وَاِذَا بُشِّرَ اَحَدُهُمْ بِالْاُنْثٰى ظَلَّ وَجْهُهٗ مُسْوَدًّا وَّهُوَ كَظِيْمٌ ۝٥٨
৫৯. তাকে যে সংবাদ দেয়া হয় তার গ্লানিতে সে সমাজ থেকে আত্মগোপন করে। সে ভাবতে থাকে, গ্লানি সত্ত্বেও সে কি তাকে রেখে দেবে, নাকি মাটিতে পুতে ফেলবে? সাবধান, তোমাদের সিদ্ধান্ত চরম নিকৃষ্ট।	يَتَوَارٰى مِنَ الْقَوْمِ مِنْ سُوْٓءِ مَا بُشِّرَ بِهٖ ۚ اَيُمْسِكُهٗ عَلٰى هُوْنٍ اَمْ يَدُسُّهٗ فِى التُّرَابِ ۚ اَلَا سَآءَ مَا يَحْكُمُوْنَ ۝٥٩
৬০. যারা আখিরাতের প্রতি ঈমান আনেনা, তারা ভীষণ নিকৃষ্ট স্বভাবের লোক। সর্বশ্রেষ্ঠ মহোত্তম স্বভাব-প্রকৃতি আল্লাহ্‌র এবং তিনি মহাপরাক্রমশালী, মহাপ্রজ্ঞাবান।	لِلَّذِيْنَ لَا يُؤْمِنُوْنَ بِالْاٰخِرَةِ مَثَلُ السَّوْءِ ۚ وَلِلّٰهِ الْمَثَلُ الْاَعْلٰى ۚ وَهُوَ الْعَزِيْزُ الْحَكِيْمُ ۝٦٠
৬১. আল্লাহ্ যদি মানুষকে তার যুলুমের জন্যে পাকড়াও করতেন, তাহলে পৃথিবীর বুকে কোনো জীবকেই রেহাই দিতেন না। কিন্তু তিনি একটি নির্দিষ্ট সময়কাল পর্যন্ত তাদের অবকাশ দিয়ে থাকেন। অত:পর যখন তাদের নির্ধারিত সময়টি এসে উপস্থিত হয়, তখন তারা কিছুক্ষণও আগপাছ করতে পারে না।	وَلَوْ يُؤَاخِذُ اللّٰهُ النَّاسَ بِظُلْمِهِمْ مَّا تَرَكَ عَلَيْهَا مِنْ دَآبَّةٍ وَّلٰكِنْ يُّؤَخِّرُهُمْ اِلٰٓى اَجَلٍ مُّسَمًّى ۚ فَاِذَا جَآءَ اَجَلُهُمْ لَا يَسْتَاْخِرُوْنَ سَاعَةً وَّلَا يَسْتَقْدِمُوْنَ ۝٦١
৬২. আর তারা আল্লাহ্‌র প্রতি তাই আরোপ করে,	وَيَجْعَلُوْنَ لِلّٰهِ مَا يَكْرَهُوْنَ وَتَصِفُ

রুকু ০৭

যা নিজেদের জন্যে অপছন্দ করে। তাদের যবান মিথ্যা কথা বলে যে: ‘কল্যাণ তাদেরই জন্যে।’ কোনো সন্দেহ নেই যে, তাদের জন্যে রয়েছে জাহান্নাম এবং সবার আগেই তাদেরকে নিক্ষেপ করা হবে তাতে।	اَلْسِنَتُهُمُ الْكَذِبَ اَنَّ لَهُمُ الْحُسْنٰى ؕ لَا جَرَمَ اَنَّ لَهُمُ النَّارَ وَ اَنَّهُمْ مُّفْرَطُوْنَ ﴿۶۲﴾
৬৩. আল্লাহ্‌র কসম! তোমার আগেও আমরা বহু জাতির কাছে রসূল পাঠিয়েছিলাম, কিন্তু শয়তান তাদের কার্যকলাপ তাদের কাছে চাকচিক্যময় করে রেখেছিল। সে-ই আজো তাদের অলি। আর তাদের জন্যে রয়েছে বেদনাদায়ক আযাব।	تَاللّٰهِ لَقَدْ اَرْسَلْنَاۤ اِلٰۤى اُمَمٍ مِّنْ قَبْلِكَ فَزَيَّنَ لَهُمُ الشَّيْطٰنُ اَعْمَالَهُمْ فَهُوَ وَلِيُّهُمُ الْيَوْمَ وَ لَهُمْ عَذَابٌ اَلِيْمٌ ﴿۶۳﴾
৬৪. আমরা তোমার প্রতি কিতাব নাযিল করেছি যারা এ বিষয়ে মতভেদ করে তাদের সুস্পষ্টভাবে বুঝিয়ে দেয়ার জন্যে। তাছাড়া এ কিতাব মুমিনদের জন্যে জীবন যাপনের নির্দেশিকা এবং একটি রহমত।	وَ مَاۤ اَنْزَلْنَا عَلَيْكَ الْكِتٰبَ اِلَّا لِتُبَيِّنَ لَهُمُ الَّذِى اخْتَلَفُوْا فِيْهِ ۙ وَ هُدًى وَّ رَحْمَةً لِّقَوْمٍ يُّؤْمِنُوْنَ ﴿۶۴﴾
৬৫. আল্লাহ্‌ই নাযিল করেন আসমান থেকে পানি, অত:পর তা দিয়ে পুনর্জীবিত করেন জমিনকে মরে (শুকিয়ে) যাবার পর। নিশ্চয়ই এতে রয়েছে একটি নিদর্শন সেইসব লোকদের জন্যে যারা মনোযোগ দিয়ে কথা শুনে।	وَ اللّٰهُ اَنْزَلَ مِنَ السَّمَآءِ مَآءً فَاَحْيَا بِهِ الْاَرْضَ بَعْدَ مَوْتِهَا ؕ اِنَّ فِىْ ذٰلِكَ لَاٰيَةً لِّقَوْمٍ يَّسْمَعُوْنَ ﴿۶۵﴾
৬৬. গবাদি পশুর মধ্যেও তোমাদের জন্যে রয়েছে একটি শিক্ষা। তাদের পেটের গোবর ও রক্তের মধ্য থেকে আমরা তোমাদের পান করাই খাঁটি দুধ, যা পানকারীদের জন্যে সুস্বাদু।	وَاِنَّ لَكُمْ فِى الْاَنْعَامِ لَعِبْرَةً ؕ نُسْقِيْكُمْ مِّمَّا فِىْ بُطُوْنِهٖ مِنْۢ بَيْنِ فَرْثٍ وَّدَمٍ لَّبَنًا خَالِصًا سَآئِغًا لِّلشّٰرِبِيْنَ ﴿۶۶﴾
৬৭. আর খেজুর গাছের ফল এবং আঙ্গুর থেকে তোমরা মাদক ও উত্তম খাদ্য গ্রহণ করে থাকো। এতেও সেইসব লোকদের জন্যে রয়েছে একটি নিদর্শন যারা আকল খাটায়।	وَ مِنْ ثَمَرٰتِ النَّخِيْلِ وَ الْاَعْنَابِ تَتَّخِذُوْنَ مِنْهُ سَكَرًا وَّ رِزْقًا حَسَنًا ؕ اِنَّ فِىْ ذٰلِكَ لَاٰيَةً لِّقَوْمٍ يَّعْقِلُوْنَ ﴿۶۷﴾
৬৮. তোমার প্রভু মৌমাছির কাছে অহি করেছেন: “তোমরা মৌচাক নির্মাণ করো পাহাড়ে-পর্বতে, গাছ-গাছালিতে এবং মানুষের নির্মিত উঁচু জায়গাতে।	وَ اَوْحٰى رَبُّكَ اِلَى النَّحْلِ اَنِ اتَّخِذِىْ مِنَ الْجِبَالِ بُيُوْتًا وَّ مِنَ الشَّجَرِ وَ مِمَّا يَعْرِشُوْنَ ﴿۶۸﴾
৬৯. তারপর প্রত্যেক ফল (ফুল) থেকে কিছু কিছু খাও এবং তোমার প্রভুর প্রদর্শিত সহজ পথ অনুসরণ করো।” এভাবে তার পেট থেকে বের হয় বিভিন্ন বর্ণের পানীয় (মধু), যাতে মানুষের জন্যে রয়েছে নিরাময়। অবশ্যি চিন্তাশীল লোকদের জন্যে এতে রয়েছে একটি নিদর্শন।	ثُمَّ كُلِىْ مِنْ كُلِّ الثَّمَرٰتِ فَاسْلُكِىْ سُبُلَ رَبِّكِ ذُلُلًا ؕ يَخْرُجُ مِنْۢ بُطُوْنِهَا شَرَابٌ مُّخْتَلِفٌ اَلْوَانُهٗ فِيْهِ شِفَآءٌ لِّلنَّاسِ ؕ اِنَّ فِىْ ذٰلِكَ لَاٰيَةً لِّقَوْمٍ يَّتَفَكَّرُوْنَ ﴿۶۹﴾
৭০. আল্লাহ্‌ই তোমাদের সৃষ্টি করেছেন, তারপর তিনিই তোমাদের ওফাত ঘটাবেন। তোমাদের কাউকেও কাউকেও উপনীত করা	وَ اللّٰهُ خَلَقَكُمْ ثُمَّ يَتَوَفّٰىكُمْ ۫ وَ مِنْكُمْ

রুকু ০৮

হবে জরাজীর্ণ বার্ধক্যে, যাতে করে তারা যা কিছু জানতো তা অজানা হয়ে যায়। নিশ্চয়ই আল্লাহ্ জ্ঞানী এবং সক্ষম।	مَنْ يُّرَدُّ اِلٰٓى اَرْذَلِ الْعُمُرِ لِكَىْ لَا يَعْلَمَ بَعْدَ عِلْمٍ شَيْـًٔا ؕ اِنَّ اللّٰهَ عَلِيْمٌ قَدِيْرٌ ﴿٧٠﴾	রুকু ০৯
৭১. জীবিকার দিক থেকে আল্লাহ্ তোমাদের কাউকেও কারো উপর শ্রেষ্ঠত্ব দিয়েছেন। যাদেরকে শ্রেষ্ঠত্ব দেয়া হয়েছে তারা তাদের অধীনস্থদের এতোটা দেয়না, যাতে তারা এ ক্ষেত্রে তাদের সমান হয়ে যায়। তবে কি তারা আল্লাহ্‌র নিয়ামত অস্বীকার করে?	وَاللّٰهُ فَضَّلَ بَعْضَكُمْ عَلٰى بَعْضٍ فِى الرِّزْقِ ۚ فَمَا الَّذِيْنَ فُضِّلُوْا بِرَآدِّىْ رِزْقِهِمْ عَلٰى مَا مَلَكَتْ اَيْمَانُهُمْ فَهُمْ فِيْهِ سَوَآءٌ ؕ اَفَبِنِعْمَةِ اللّٰهِ يَجْحَدُوْنَ ﴿٧١﴾	
৭২. আল্লাহ্ সৃষ্টি করেছেন তোমাদের নিজেদের মধ্য থেকেই তোমাদের জন্যে জুড়ি এবং তোমাদের যুগল থেকে তোমাদের জন্যে সৃষ্টি করেছেন ছেলে-মেয়ে ও নাতি-নাতনি। তাছাড়া তিনি তোমাদের দিয়েছেন জীবিকার উপকরণসমূহ। তারপরও কি তোমরা মিথ্যার প্রতি ঈমান আনবে, আর আল্লাহ্‌র নিয়ামতের প্রতি করবে কুফুরি?	وَاللّٰهُ جَعَلَ لَكُمْ مِّنْ اَنْفُسِكُمْ اَزْوَاجًا وَّجَعَلَ لَكُمْ مِّنْ اَزْوَاجِكُمْ بَنِيْنَ وَحَفَدَةً وَّرَزَقَكُمْ مِّنَ الطَّيِّبٰتِ ؕ اَفَبِالْبَاطِلِ يُؤْمِنُوْنَ وَبِنِعْمَتِ اللّٰهِ هُمْ يَكْفُرُوْنَ ﴿٧٢﴾	
৭৩. তারা কি ইবাদত করবে আল্লাহ্ ছাড়া এমন অক্ষমদের, যারা মহাকাশ এবং পৃথিবী থেকে রিযিক সরবরাহ করার কোনো শক্তিই রাখেনা?	وَيَعْبُدُوْنَ مِنْ دُوْنِ اللّٰهِ مَا لَا يَمْلِكُ لَهُمْ رِزْقًا مِّنَ السَّمٰوٰتِ وَالْاَرْضِ شَيْـًٔا وَّلَا يَسْتَطِيْعُوْنَ ﴿٧٣﴾	
৭৪. সুতরাং তোমরা আল্লাহ্‌র কোনো মেছাল (সাদৃশ্য ও সমকক্ষ) সাব্যস্ত করোনা। আল্লাহ্ জানেন এবং তোমরা জানোনা।	فَلَا تَضْرِبُوْا لِلّٰهِ الْاَمْثَالَ ؕ اِنَّ اللّٰهَ يَعْلَمُ وَاَنْتُمْ لَا تَعْلَمُوْنَ ﴿٧٤﴾	
৭৫. আল্লাহ্ উপমা দিচ্ছেন অপরের অধীনস্থ এক দাসের, যে কোনো কিছুর উপর সামর্থ রাখেনা। আরো উপমা দিচ্ছেন এমন এক ব্যক্তির যাকে তিনি নিজ থেকে উত্তম রিযিক দিয়েছেন এবং সে তা থেকে (আল্লাহ্‌র পথে) ব্যয় করে গোপনে ও প্রকাশ্যে, এই দুই ব্যক্তি কি সমতুল্য? সমস্ত প্রশংসা আল্লাহ্‌র, বরং তাদের অধিকাংশই জানেনা।	ضَرَبَ اللّٰهُ مَثَلًا عَبْدًا مَّمْلُوْكًا لَّا يَقْدِرُ عَلٰى شَىْءٍ وَّمَنْ رَّزَقْنٰهُ مِنَّا رِزْقًا حَسَنًا فَهُوَ يُنْفِقُ مِنْهُ سِرًّا وَّجَهْرًا ؕ هَلْ يَسْتَوٗنَ ؕ اَلْحَمْدُ لِلّٰهِ ؕ بَلْ اَكْثَرُهُمْ لَا يَعْلَمُوْنَ ﴿٧٥﴾	
৭৬. আল্লাহ্ আরো উপমা দিচ্ছেন দুই ব্যক্তির, তাদের একজন বোবা, সে কোনো কিছুরই সামর্থ রাখেনা এবং সে তার মনিবের বোঝা স্বরূপ। তাকে যেখানেই পাঠানো হোক না কেন, ভালো কিছু করে আসতে পারেনা, সে কি ঐ ব্যক্তির সমতুল্য, যে ন্যায়ের আদেশ করে এবং সিরাতুল মুসতাকিমের উপর চলে?	وَضَرَبَ اللّٰهُ مَثَلًا رَّجُلَيْنِ اَحَدُهُمَآ اَبْكَمُ لَا يَقْدِرُ عَلٰى شَىْءٍ وَّهُوَ كَلٌّ عَلٰى مَوْلٰىهُ ۙ اَيْنَمَا يُوَجِّهْهُّ لَا يَاْتِ بِخَيْرٍ ؕ هَلْ يَسْتَوِىْ هُوَ ۙ وَمَنْ يَّاْمُرُ بِالْعَدْلِ ۙ وَهُوَ عَلٰى صِرَاطٍ مُّسْتَقِيْمٍ ﴿٧٦﴾	রুকু ১০
৭৭. মহাকাশ এবং পৃথিবীর গায়েবের জ্ঞান কেবল আল্লাহ্‌রই রয়েছে। কিয়ামত অনুষ্ঠিত হবার ব্যাপারটা তো চোখের পলকের মতো, বরং তার চাইতেও নিকটতর। আল্লাহ্ সব বিষয়ের উপর সর্বশক্তিমান।	وَلِلّٰهِ غَيْبُ السَّمٰوٰتِ وَالْاَرْضِ ؕ وَمَآ اَمْرُ السَّاعَةِ اِلَّا كَلَمْحِ الْبَصَرِ اَوْ هُوَ اَقْرَبُ ؕ اِنَّ اللّٰهَ عَلٰى كُلِّ شَىْءٍ قَدِيْرٌ ﴿٧٧﴾	

৭৮. তোমাদের মায়ের গর্ভ থেকে আল্লাহ্ই তোমাদের বের করে এনেছেন। তখন তোমরা কিছুই জানতে না। আর তিনিই তোমাদের দিয়েছেন শ্রবণ শক্তি, দৃষ্টি শক্তি এবং হৃদয়, যাতে করে তোমরা (তাঁর) শোকর আদায় করো।	وَاللّٰهُ اَخْرَجَكُمْ مِّنْۢ بُطُوْنِ اُمَّهٰتِكُمْ لَا تَعْلَمُوْنَ شَيْـًٔا ۙ وَّ جَعَلَ لَكُمُ السَّمْعَ وَ الْاَبْصَارَ وَ الْاَفْـِٕدَةَ ۙ لَعَلَّكُمْ تَشْكُرُوْنَ ﴿٧٨﴾
৭৯. তারা কি শূন্য আকাশে নিয়ন্ত্রণাধীন পাখিদের প্রতি লক্ষ্য করে দেখেনি? আল্লাহ্ ছাড়া কেউ তাদের ধরে রাখেনা। এতে অনেকগুলো নিদর্শন রয়েছে মুমিনদের জন্যে।	اَلَمْ يَرَوْا اِلَى الطَّيْرِ مُسَخَّرٰتٍ فِيْ جَوِّ السَّمَآءِ ؕ مَا يُمْسِكُهُنَّ اِلَّا اللّٰهُ ؕ اِنَّ فِيْ ذٰلِكَ لَاٰيٰتٍ لِّقَوْمٍ يُّؤْمِنُوْنَ ﴿٧٩﴾
৮০. আল্লাহ্ই তোমাদের জন্যে তোমাদের ঘরকে শান্তির আবাস বানিয়েছেন, তিনিই তোমাদের জন্যে পশুর চামড়া দিয়ে তাবুর ব্যবস্থা করেন, সেগুলোকে তোমরা হালকা মনে করো ভ্রমণকালে এবং অবস্থানকালে। তিনিই তোমাদের জন্যে ব্যবস্থা করেন সেগুলোর পশম, লোম ও কেশ থেকে স্বল্প কালের গৃহসামগ্রী এবং ব্যবহারের উপরকণ।	وَاللّٰهُ جَعَلَ لَكُمْ مِّنْۢ بُيُوْتِكُمْ سَكَنًا وَّجَعَلَ لَكُمْ مِّنْ جُلُوْدِ الْاَنْعَامِ بُيُوْتًا تَسْتَخِفُّوْنَهَا يَوْمَ ظَعْنِكُمْ وَيَوْمَ اِقَامَتِكُمْ ۙ وَمِنْ اَصْوَافِهَا وَاَوْبَارِهَا وَ اَشْعَارِهَاۤ اَثَاثًا وَّ مَتَاعًا اِلٰى حِيْنٍ ﴿٨٠﴾
৮১. আর আল্লাহ্ যা কিছু সৃষ্টি করেন সেগুলো থেকে তিনি তোমাদের জন্যে ছায়ার ব্যবস্থা করেন, তিনি তোমাদের জন্যে পাহাড়ে আশ্রয়ের ব্যবস্থা করেন, তিনি তোমাদের জন্যে ব্যবস্থা করেন পরিধেয় বস্ত্রের যা তোমাদের রক্ষা করে তাপ থেকে এবং তিনি তোমাদের জন্যে ব্যবস্থা করেন বর্মের যা তোমাদের রক্ষা করে যুদ্ধে। এভাবেই তিনি তোমাদের জন্যে তাঁর নিয়ামত পূর্ণ করেন যাতে করে তোমরা তাঁর প্রতি বিনত থাকো।	وَ اللّٰهُ جَعَلَ لَكُمْ مِّمَّا خَلَقَ ظِلٰلًا وَّ جَعَلَ لَكُمْ مِّنَ الْجِبَالِ اَكْنَانًا وَّ جَعَلَ لَكُمْ سَرَابِيْلَ تَقِيْكُمُ الْحَرَّ وَسَرَابِيْلَ تَقِيْكُمْ بَاْسَكُمْ ؕ كَذٰلِكَ يُتِمُّ نِعْمَتَهٗ عَلَيْكُمْ لَعَلَّكُمْ تُسْلِمُوْنَ ﴿٨١﴾
৮২. এর পরেও যদি তারা মুখ ফিরিয়ে নেয়, তবে হে নবী! তোমার উপর স্পষ্টভাবে বার্তা পৌঁছে দেয়া ছাড়া আর কোনো দায়দায়িত্ব নেই।	فَاِنْ تَوَلَّوْا فَاِنَّمَا عَلَيْكَ الْبَلٰغُ الْمُبِيْنُ ﴿٨٢﴾
৮৩. তারা আল্লাহ্র নিয়ামত চিনতে পারে, তারপরেও সেগুলো অস্বীকার করে। আসলে তাদের অধিকাংশই কাফির। (রুকু ১১)	يَعْرِفُوْنَ نِعْمَتَ اللّٰهِ ثُمَّ يُنْكِرُوْنَهَا وَ اَكْثَرُهُمُ الْكٰفِرُوْنَ ﴿٨٣﴾
৮৪. সেদিন তাদের কী অবস্থা হবে, যেদিন আমরা প্রত্যেক জাতি থেকে একজন সাক্ষী উপস্থিত করবো, তারপর কাফিরদেরকে (কৈফিয়ত দেয়ার) কোনো অনুমতি দেয়া হবেনা এবং তাদের কোনো ওযরও গ্রহণ করা হবেনা।	وَ يَوْمَ نَبْعَثُ مِنْ كُلِّ اُمَّةٍ شَهِيْدًا ثُمَّ لَا يُؤْذَنُ لِلَّذِيْنَ كَفَرُوْا وَ لَا هُمْ يُسْتَعْتَبُوْنَ ﴿٨٤﴾
৮৫. যালিমরা যখন আযাব দেখতে পাবে, তখন তাদের শাস্তি আর হালকা করা হবেনা এবং তাদেরকে কোনো অবকাশও দেয়া হবেনা।	وَ اِذَا رَاَ الَّذِيْنَ ظَلَمُوا الْعَذَابَ فَلَا يُخَفَّفُ عَنْهُمْ وَلَا هُمْ يُنْظَرُوْنَ ﴿٨٥﴾
৮৬. যারা আল্লাহ্র সাথে শরিকদার বানিয়েছিল, তারা যখন তাদের বানানো শরিকদারদের	وَاِذَا رَاَ الَّذِيْنَ اَشْرَكُوْا شُرَكَآءَهُمْ قَالُوْا

দেখবে, তখন বলবে: 'প্রভু! এরাই আমাদের বানানো শরিকদার, তোমার পরিবর্তে আমরা এদেরকেই ডাকতাম।' উত্তরে তারা বলবে: 'অবশ্যি তোমরা মিথ্যাবাদী।'	رَبَّنَا هٰٓؤُلَآءِ شُرَكَآؤُنَا الَّذِيْنَ كُنَّا نَدْعُوْا مِنْ دُوْنِكَ ۚ فَاَلْقَوْا اِلَيْهِمُ الْقَوْلَ اِنَّكُمْ لَكٰذِبُوْنَ ﴿٨٦﴾
৮৭. সেদিন তারা আল্লাহ্‌র কাছে আত্মসমর্পণ করবে এবং যাদেরকে তারা উদ্ভাবন করে নিয়েছিল তারা সব উধাও হয়ে যাবে।	وَ اَلْقَوْا اِلَى اللّٰهِ يَوْمَئِذِ ِۨ السَّلَمَ وَ ضَلَّ عَنْهُمْ مَّا كَانُوْا يَفْتَرُوْنَ ﴿٨٧﴾
৮৮. যারা কুফুরি করেছে এবং আল্লাহ্‌র পথে বাধা সৃষ্টি করেছে, আমরা তাদের আযাবের উপর আযাব বাড়িয়ে দেবো, কারণ তারা ফাসাদ সৃষ্টি করেছিল।	اَلَّذِيْنَ كَفَرُوْا وَ صَدُّوْا عَنْ سَبِيْلِ اللّٰهِ زِدْنٰهُمْ عَذَابًا فَوْقَ الْعَذَابِ بِمَا كَانُوْا يُفْسِدُوْنَ ﴿٨٨﴾
৮৯. সেদিন আমরা প্রত্যেক জাতি থেকে তাদের বিরুদ্ধে একজন সাক্ষী দাঁড় করাবো আর তোমাকে নিয়ে আসবো তাদের সবার বিষয়ে সাক্ষী হিসেবে। আর আমরা নাযিল করেছি তোমার প্রতি আল-কিতাব প্রতিটি বিষয়ের স্পষ্ট বর্ণনা সম্বলিত, আর সেটি হলো একটি পথ নির্দেশ, একটি অনুকম্পা এবং একটি সুসংবাদ মুসলিমদের জন্যে।	وَ يَوْمَ نَبْعَثُ فِيْ كُلِّ اُمَّةٍ شَهِيْدًا عَلَيْهِمْ مِّنْ اَنْفُسِهِمْ وَ جِئْنَا بِكَ شَهِيْدًا عَلٰى هٰٓؤُلَآءِ ؕ وَ نَزَّلْنَا عَلَيْكَ الْكِتٰبَ تِبْيَانًا لِّكُلِّ شَيْءٍ وَّ هُدًى وَّ رَحْمَةً وَّ بُشْرٰى لِلْمُسْلِمِيْنَ ﴿٨٩﴾
৯০. আল্লাহ্ নির্দেশ দিচ্ছেন আদল (ন্যায়বিচার) ও ইহসান (উপকার) করার, আত্মীয়-স্বজনকে দান করার। আর নিষেধ করছেন ফাহেশা কাজ, অন্যায় কাজ এবং সীমালংঘন থেকে। তিনি তোমাদের উপদেশ দিচ্ছেন যাতে তোমরা শিক্ষা গ্রহণ করো।	اِنَّ اللّٰهَ يَاْمُرُ بِالْعَدْلِ وَ الْاِحْسَانِ وَ اِيْتَآئِ ذِي الْقُرْبٰى وَ يَنْهٰى عَنِ الْفَحْشَآءِ وَ الْمُنْكَرِ وَ الْبَغْيِ ۚ يَعِظُكُمْ لَعَلَّكُمْ تَذَكَّرُوْنَ ﴿٩٠﴾
৯১. তোমরা আল্লাহ্‌র অঙ্গীকার পূর্ণ করবে যখন পরস্পর অঙ্গীকার করো। তোমরা তোমাদের অঙ্গীকার ভঙ্গ করোনা আল্লাহ্‌কে জামিন বানিয়ে অঙ্গীকার মজবুত করার পর। তোমরা যা-ই করো না কেন আল্লাহ্ তা জানেন।	وَ اَوْفُوْا بِعَهْدِ اللّٰهِ اِذَا عٰهَدْتُّمْ وَ لَا تَنْقُضُوا الْاَيْمَانَ بَعْدَ تَوْكِيْدِهَا وَ قَدْ جَعَلْتُمُ اللّٰهَ عَلَيْكُمْ كَفِيْلًا ؕ اِنَّ اللّٰهَ يَعْلَمُ مَا تَفْعَلُوْنَ ﴿٩١﴾
৯২. তোমরা হয়োনা সেই নারীর মতো, যে মজবুত করে সূতা পাকানোর পর পাক খুলে সেগুলো নষ্ট করে দেয়। তোমরা তোমাদের শপথ পরস্পরকে ঠকানোর জন্যে ব্যবহার করে থাকো, যাতে করে একদল লোক অন্য দল থেকে অধিক লাভবান হয়। এর দ্বারা আল্লাহ্ তোমাদের পরীক্ষা করেন। কিয়ামতের দিন আল্লাহ্ তা স্পষ্টভাবে তোমাদের জন্যে প্রকাশ করে দেবেন, যে বিষয়ে তোমরা মতভেদ করতে।	وَ لَا تَكُوْنُوْا كَالَّتِيْ نَقَضَتْ غَزْلَهَا مِنْۢ بَعْدِ قُوَّةٍ اَنْكَاثًا ؕ تَتَّخِذُوْنَ اَيْمَانَكُمْ دَخَلًاۢ بَيْنَكُمْ اَنْ تَكُوْنَ اُمَّةٌ هِيَ اَرْبٰى مِنْ اُمَّةٍ ؕ اِنَّمَا يَبْلُوْكُمُ اللّٰهُ بِهٖ ؕ وَ لَيُبَيِّنَنَّ لَكُمْ يَوْمَ الْقِيٰمَةِ مَا كُنْتُمْ فِيْهِ تَخْتَلِفُوْنَ ﴿٩٢﴾

রুকু ১২

৯৩. আল্লাহ্ চাইলে তিনি তোমাদের এক উম্মত বানাতে পারতেন। কিন্তু তিনি যাকে চান বিপথগামী করেন এবং যাকে চান সঠিক পথ দেখান। তোমরা যা করছো সে বিষয়ে অবশ্যি তোমাদের জিজ্ঞাসা করা হবে।	وَ لَوْ شَآءَ اللّٰهُ لَجَعَلَكُمْ اُمَّةً وَّاحِدَةً وَّ لٰكِنْ يُّضِلُّ مَنْ يَّشَآءُ وَ يَهْدِيْ مَنْ يَّشَآءُ ؕ وَلَتُسْـَٔلُنَّ عَمَّا كُنْتُمْ تَعْمَلُوْنَ ﴿۹۳﴾
৯৪. তোমরা পরস্পরকে ঠকানোর জন্যে তোমাদের শপথকে ব্যবহার করোনা, যদি তা করো, তবে পা অবিচল হবার পর তা পিছলে যাবে এবং আল্লাহ্র পথে বাধা সৃষ্টি করার কারণে শাস্তির স্বাদ আস্বাদন করবে, আর তোমাদের জন্যে মহা আযাব তো রয়েছেই।	وَ لَا تَتَّخِذُوْۤا اَيْمَانَكُمْ دَخَلًۢا بَيْنَكُمْ فَتَزِلَّ قَدَمٌۢ بَعْدَ ثُبُوْتِهَا وَ تَذُوْقُوا السُّوْٓءَ بِمَا صَدَدْتُّمْ عَنْ سَبِيْلِ اللّٰهِ ۚ وَ لَكُمْ عَذَابٌ عَظِيْمٌ ﴿۹۴﴾
৯৫. তোমরা আল্লাহ্র সাথে করা অঙ্গীকার তুচ্ছ মূল্যে বিক্রয় করোনা। নিশ্চয়ই আল্লাহ্র কাছে যা রয়েছে সেটাই তোমাদের জন্যে উত্তম যদি তোমরা জানতে।	وَ لَا تَشْتَرُوْا بِعَهْدِ اللّٰهِ ثَمَنًا قَلِيْلًا ؕ اِنَّمَا عِنْدَ اللّٰهِ هُوَ خَيْرٌ لَّكُمْ اِنْ كُنْتُمْ تَعْلَمُوْنَ ﴿۹۵﴾
৯৬. তোমাদের কাছে যা আছে তা ফুরিয়ে যায় আর আল্লাহ্র কাছে যা আছে, তা অফুরন্ত। যারা সবর অবলম্বন করে আমরা তাদের আমলের চাইতেও শ্রেষ্ঠ পুরস্কার তাদের দান করবো (অথবা আমরা তাদের সর্বোত্তম আমলের ভিত্তিতে তাদের পুরস্কার দেবো।)	مَا عِنْدَكُمْ يَنْفَدُ وَ مَا عِنْدَ اللّٰهِ بَاقٍ ؕ وَلَنَجْزِيَنَّ الَّذِيْنَ صَبَرُوْۤا اَجْرَهُمْ بِاَحْسَنِ مَا كَانُوْا يَعْمَلُوْنَ ﴿۹۶﴾
৯৭. যে কোনো পুরুষ বা নারী আমলে সালেহ্ করবে মুমিন অবস্থায়, আমরা অবশ্যি তাকে পবিত্র জীবন দান করবো এবং তাদেরকে তাদের আমলের চাইতে শ্রেষ্ঠ পুরস্কার দান করবো।	مَنْ عَمِلَ صَالِحًا مِّنْ ذَكَرٍ اَوْ اُنْثٰى وَ هُوَ مُؤْمِنٌ فَلَنُحْيِيَنَّهٗ حَيٰوةً طَيِّبَةً ۚ وَلَنَجْزِيَنَّهُمْ اَجْرَهُمْ بِاَحْسَنِ مَا كَانُوْا يَعْمَلُوْنَ ﴿۹۷﴾
৯৮. তুমি যখন কুরআন পাঠ করবে, তখন অভিশপ্ত শয়তান থেকে আল্লাহ্র আশ্রয় চেয়ে নেবে।	فَاِذَا قَرَاْتَ الْقُرْاٰنَ فَاسْتَعِذْ بِاللّٰهِ مِنَ الشَّيْطٰنِ الرَّجِيْمِ ﴿۹۸﴾
৯৯. যারা ঈমান আনে এবং তাদের প্রভুর উপর তাওয়াক্কুল করে তাদের উপর তার (শয়তানের) কোনো কর্তৃত্ব নেই।	اِنَّهٗ لَيْسَ لَهٗ سُلْطٰنٌ عَلَى الَّذِيْنَ اٰمَنُوْا وَ عَلٰى رَبِّهِمْ يَتَوَكَّلُوْنَ ﴿۹۹﴾
১০০. সে তো কর্তৃত্ব খাটায় কেবল তাদের উপর, যারা তাকে অলি (অভিভাবক) বানিয়ে নিয়েছে এবং যারা মুশরিক।	اِنَّمَا سُلْطٰنُهٗ عَلَى الَّذِيْنَ يَتَوَلَّوْنَهٗ وَ الَّذِيْنَ هُمْ بِهٖ مُشْرِكُوْنَ ﴿۱۰۰﴾
১০১. আমরা যখন একটি আয়াতের বদলে আরেকটি আয়াত উপস্থিত করি, আর আল্লাহ্ই অধিক জানেন তিনি কী নাযিল করেন, তখন তারা বলে: 'তুমি তো একজন মিথ্যা রচনাকারী।' বরং তাদেরই অধিকাংশ লোক জানেনা।	وَ اِذَا بَدَّلْنَاۤ اٰيَةً مَّكَانَ اٰيَةٍ ۙ وَّ اللّٰهُ اَعْلَمُ بِمَا يُنَزِّلُ قَالُوْۤا اِنَّمَاۤ اَنْتَ مُفْتَرٍ ؕ بَلْ اَكْثَرُهُمْ لَا يَعْلَمُوْنَ ﴿۱۰۱﴾

রুকু ১৩

১০২. তুমি বলো, তোমার প্রভুর কাছ থেকে তা (আল-কুরআন) সত্যসহ নাযিল করে রুহুল কুদুস (জিবরিল) ঈমানদারদের বিশ্বাসকে মজবুত করার জন্যে। তাছাড়া এটি একটি পথ নির্দেশ এবং সুসংবাদ মুসলিমদের জন্যে।	قُلْ نَزَّلَهٗ رُوْحُ الْقُدُسِ مِنْ رَّبِّكَ بِالْحَقِّ لِيُثَبِّتَ الَّذِيْنَ اٰمَنُوْا وَ هُدًى وَّ بُشْرٰى لِلْمُسْلِمِيْنَ ﴿١٠٢﴾
১০৩. আমরা জানি, তারা (তোমার সম্পর্কে) বলে: 'তাকে শিক্ষা দেয় তো একজন মানুষ।' তারা যার প্রতি একথা আরোপ করে সে তো একজন অনারব, অথচ এ কুরআন সুস্পষ্ট আরবি ভাষায়।	وَلَقَدْ نَعْلَمُ اَنَّهُمْ يَقُوْلُوْنَ اِنَّمَا يُعَلِّمُهٗ بَشَرٌ ؕ لِسَانُ الَّذِىْ يُلْحِدُوْنَ اِلَيْهِ اَعْجَمِىٌّ وَّ هٰذَا لِسَانٌ عَرَبِىٌّ مُّبِيْنٌ ﴿١٠٣﴾
১০৪. যারা আল্লাহ্‌র আয়াতের প্রতি ঈমান আনেনা, আল্লাহ্ তাদের সঠিক পথ দেখাননা। তাদের জন্যে রয়েছে বেদনাদায়ক আযাব।	اِنَّ الَّذِيْنَ لَا يُؤْمِنُوْنَ بِاٰيٰتِ اللّٰهِ ۙ لَا يَهْدِيْهِمُ اللّٰهُ وَلَهُمْ عَذَابٌ اَلِيْمٌ ﴿١٠٤﴾
১০৫. মিথ্যা রচনা করে তো তারা, যারা আল্লাহ্‌র আয়াতের প্রতি ঈমান আনেনা। তারাই হলো মিথ্যাবাদী।	اِنَّمَا يَفْتَرِى الْكَذِبَ الَّذِيْنَ لَا يُؤْمِنُوْنَ بِاٰيٰتِ اللّٰهِ ۚ وَاُولٰٓئِكَ هُمُ الْكٰذِبُوْنَ ﴿١٠٥﴾
১০৬. যে কেউ ঈমান আনার পর আল্লাহ্‌র সাথে কুফুরি করবে এবং কুফুরির জন্যে তার হৃদয়কে উদার রাখবে, তাদের উপর আপতিত হবে আল্লাহ্‌র গজব এবং তাদের জন্যে রয়েছে বিরাট আযাব। তবে ঐ ব্যক্তি নয়, যাকে (কুফরির জন্যে) বাধ্য করা হয়েছে এবং যার হৃদয় ঈমানের উপর অটল।	مَنْ كَفَرَ بِاللّٰهِ مِنْۢ بَعْدِ اِيْمَانِهٖۤ اِلَّا مَنْ اُكْرِهَ وَ قَلْبُهٗ مُطْمَئِنٌّۢ بِالْاِيْمَانِ وَ لٰكِنْ مَّنْ شَرَحَ بِالْكُفْرِ صَدْرًا فَعَلَيْهِمْ غَضَبٌ مِّنَ اللّٰهِ ۚ وَلَهُمْ عَذَابٌ عَظِيْمٌ ﴿١٠٦﴾
১০৭. এর কারণ, তারা দুনিয়ার জীবনকে আখিরাতের উপর প্রাধান্য দেয় এবং আল্লাহ্ কাফিরদের সঠিক পথ দেখান না।	ذٰلِكَ بِاَنَّهُمُ اسْتَحَبُّوا الْحَيٰوةَ الدُّنْيَا عَلَى الْاٰخِرَةِ ۙ وَاَنَّ اللّٰهَ لَا يَهْدِى الْقَوْمَ الْكٰفِرِيْنَ ﴿١٠٧﴾
১০৮. এরা সেইসব লোক, আল্লাহ্ যাদের হৃদয়ে, কানে এবং চোখে সীলমোহর মেরে দিয়েছেন। এরাই গাফিল।	اُولٰٓئِكَ الَّذِيْنَ طَبَعَ اللّٰهُ عَلٰى قُلُوْبِهِمْ وَسَمْعِهِمْ وَاَبْصَارِهِمْ ۚ وَاُولٰٓئِكَ هُمُ الْغٰفِلُوْنَ ﴿١٠٨﴾
১০৯. নিশ্চিতই আখিরাতে এরা হবে ক্ষতিগ্রস্ত।	لَا جَرَمَ اَنَّهُمْ فِى الْاٰخِرَةِ هُمُ الْخٰسِرُوْنَ ﴿١٠٩﴾
১১০. যারা নির্যাতিত হবার পর হিজরত করেছে, তারপর জিহাদ করেছে এবং অটল থেকেছে, তোমার প্রভু এই অটল থাকার পর তাদের প্রতি অবশ্যি পরম ক্ষমাশীল দয়াবান।	ثُمَّ اِنَّ رَبَّكَ لِلَّذِيْنَ هَاجَرُوْا مِنْۢ بَعْدِ مَا فُتِنُوْا ثُمَّ جٰهَدُوْا وَ صَبَرُوْۤا ۙ اِنَّ رَبَّكَ مِنْۢ بَعْدِهَا لَغَفُوْرٌ رَّحِيْمٌ ﴿١١٠﴾
১১১. স্মরণ করো, সেদিন প্রত্যেক ব্যক্তিই নিজের পক্ষে যুক্তি উপস্থাপন করতে আসবে এবং প্রত্যেককেই তার কর্মের পূর্ণ প্রতিফল দেয়া হবে এবং তাদের প্রতি কোনো প্রকার যুলুম করা হবেনা।	يَوْمَ تَاْتِىْ كُلُّ نَفْسٍ تُجَادِلُ عَنْ نَّفْسِهَا وَتُوَفّٰى كُلُّ نَفْسٍ مَّا عَمِلَتْ وَهُمْ لَا يُظْلَمُوْنَ ﴿١١١﴾

রুকু ১৪

১১২. আল্লাহ্ উপমা দিচ্ছেন একটি জনপদের, যেটি ছিলো নিরাপদ নিশ্চিন্ত। সেখানে আসতো সবদিক থেকে প্রচুর জীবনোপকরণ। তারপর সেই জনপদ আল্লাহ্র প্রতি কুফুরি করলো, ফলে তাদের কর্মকাণ্ডের জন্যে আল্লাহ্ তাদের আস্বাদন করান ক্ষুধা ও ভয়ের পোশাক।	وَ ضَرَبَ اللّٰهُ مَثَلًا قَرْيَةً كَانَتْ اٰمِنَةً مُّطْمَئِنَّةً يَّاْتِيْهَا رِزْقُهَا رَغَدًا مِّنْ كُلِّ مَكَانٍ فَكَفَرَتْ بِاَنْعُمِ اللّٰهِ فَاَذَاقَهَا اللّٰهُ لِبَاسَ الْجُوْعِ وَ الْخَوْفِ بِمَا كَانُوْا يَصْنَعُوْنَ ﴿١١٢﴾
১১৩. তাদের কাছে তাদের মধ্য থেকেই একজন রসূল এসেছিল, কিন্তু তারা তাকে প্রত্যাখ্যান করে। ফলে তাদের পাকড়াও করে আযাব। আর তারা ছিলো যালিম।	وَ لَقَدْ جَآءَهُمْ رَسُوْلٌ مِّنْهُمْ فَكَذَّبُوْهُ فَاَخَذَهُمُ الْعَذَابُ وَ هُمْ ظٰلِمُوْنَ ﴿١١٣﴾
১১৪. আল্লাহ্ তোমাদের যে হালাল ও উত্তম জীবিকা দিয়েছেন তা থেকে তোমরা খাও এবং তোমরা আল্লাহ্র নিয়ামতের শোকর আদায় করো যদি তোমরা কেবল তাঁরই ইবাদত করে থাকো।	فَكُلُوْا مِمَّا رَزَقَكُمُ اللّٰهُ حَلٰلًا طَيِّبًا وَّ اشْكُرُوْا نِعْمَتَ اللّٰهِ اِنْ كُنْتُمْ اِيَّاهُ تَعْبُدُوْنَ ﴿١١٤﴾
১১৫. নিশ্চয়ই আল্লাহ্ তোমাদের জন্যে হারাম করেছেন মৃত প্রাণী, (প্রবাহিত) রক্ত, শুয়োরের মাংস এবং যা আল্লাহ্ ছাড়া অন্য কারো উদ্দেশ্যে জবাই করা হয়েছে তা। তবে কেউ যদি অনন্যোপায় হয়ে পড়ে এবং সে যদি বিদ্রোহ কিংবা সীমালংঘন না করে কিছু খেয়ে নেয় (তার দোষ হবেনা), নিশ্চয়ই আল্লাহ্ মহাক্ষমাশীল দয়াময়।	اِنَّمَا حَرَّمَ عَلَيْكُمُ الْمَيْتَةَ وَ الدَّمَ وَ لَحْمَ الْخِنْزِيْرِ وَ مَآ اُهِلَّ لِغَيْرِ اللّٰهِ بِهٖ فَمَنِ اضْطُرَّ غَيْرَ بَاغٍ وَّ لَا عَادٍ فَاِنَّ اللّٰهَ غَفُوْرٌ رَّحِيْمٌ ﴿١١٥﴾
১১৬. তোমাদের জবান মিথ্যারোপ করে বলে, এটা হালাল আর এটা হারাম, তোমরা এভাবে আল্লাহ্র প্রতি মিথ্যারোপ করোনা। যারা মিথ্যা রচনা করে আল্লাহ্র উপর আরোপ করে তারা কখনো সফল হবেনা।	وَ لَا تَقُوْلُوْا لِمَا تَصِفُ اَلْسِنَتُكُمُ الْكَذِبَ هٰذَا حَلٰلٌ وَّ هٰذَا حَرَامٌ لِّتَفْتَرُوْا عَلَى اللّٰهِ الْكَذِبَ اِنَّ الَّذِيْنَ يَفْتَرُوْنَ عَلَى اللّٰهِ الْكَذِبَ لَا يُفْلِحُوْنَ ﴿١١٦﴾
১১৭. তাদের ভোগ বিলাস সামান্য ক'দিনের এবং তাদের জন্যে রয়েছে বেদনাদায়ক আযাব।	مَتَاعٌ قَلِيْلٌ وَّ لَهُمْ عَذَابٌ اَلِيْمٌ ﴿١١٧﴾
১১৮. ইহুদিদের জন্যে আমরা সে সবই হারাম করেছিলাম, যা তোমার কাছে আমরা ইতোপূর্বে উল্লেখ করেছি। আমরা তাদের প্রতি কোনো যুলুম করিনি, বরং তারাই নিজেদের প্রতি যুলুম করেছিল।	وَ عَلَى الَّذِيْنَ هَادُوْا حَرَّمْنَا مَا قَصَصْنَا عَلَيْكَ مِنْ قَبْلُ وَ مَا ظَلَمْنٰهُمْ وَ لٰكِنْ كَانُوْۤا اَنْفُسَهُمْ يَظْلِمُوْنَ ﴿١١٨﴾
১১৯. যারা অজ্ঞতাবশত পাপ কাজ করে, তারপরে তওবা করে এবং নিজেদেরকে এস্লাহ (সংশোধন) করে নেয়, নিশ্চয়ই তোমার প্রভু মহাক্ষমাশীল, দয়াময়।	ثُمَّ اِنَّ رَبَّكَ لِلَّذِيْنَ عَمِلُوا السُّوْٓءَ بِجَهَالَةٍ ثُمَّ تَابُوْا مِنْۢ بَعْدِ ذٰلِكَ وَ اَصْلَحُوْۤا اِنَّ رَبَّكَ مِنْۢ بَعْدِهَا لَغَفُوْرٌ رَّحِيْمٌ ﴿١١٩﴾

রুকু ১৫

১২০. ইবরাহিম ছিলো একাই একটি উম্মত, আল্লাহ্‌র অনুগত, নিষ্ঠাবান এবং সে মুশরিকদের অন্তরভুক্ত ছিলনা।	إِنَّ إِبْرٰهِيْمَ كَانَ أُمَّةً قَانِتًا لِّلّٰهِ حَنِيْفًا ؕ وَلَمْ يَكُ مِنَ الْمُشْرِكِيْنَ ﴿۱۲۰﴾
১২১. সে ছিলো আল্লাহ্‌র নিয়ামতরাজির জন্যে কৃতজ্ঞ। তিনি তাকে মনোনীত করেছিলেন এবং পরিচালিত করেছিলেন সিরাতুল মুস্‌তাকিমের উপর।	شَاكِرًا لِّأَنْعُمِهٖ ؕ اِجْتَبٰىهُ وَهَدٰىهُ إِلٰى صِرَاطٍ مُّسْتَقِيْمٍ ﴿۱۲۱﴾
১২২. আমরা তাকে দুনিয়ায় দিয়েছিলাম কল্যাণ এবং নিশ্চয়ই আখিরাতেও সে থাকবে সাল্‌েহ লোকদের অন্তরভুক্ত।	وَاٰتَيْنٰهُ فِى الدُّنْيَا حَسَنَةً ؕ وَإِنَّهٗ فِى الْاٰخِرَةِ لَمِنَ الصّٰلِحِيْنَ ﴿۱۲۲﴾
১২৩. তারপর আমরা তোমাকে অহির মাধ্যমে নির্দেশ দিয়েছি: তুমি নিষ্ঠাবান ইবরাহিমের মিল্লাতের (আর্দশের) অনুসরণ করো। সে মুশরিকদের অন্তরভুক্ত ছিলনা।	ثُمَّ أَوْحَيْنَآ إِلَيْكَ أَنِ اتَّبِعْ مِلَّةَ إِبْرٰهِيْمَ حَنِيْفًا ؕ وَمَا كَانَ مِنَ الْمُشْرِكِيْنَ ﴿۱۲۳﴾
১২৪. শনিবার পালন বাধ্যতামূলক করা হয়েছিল তাদের জন্যে, যারা এ নিয়ে মতভেদ করতো। তারা যে বিষয়ে মতভেদ করতো তোমার প্রভু অবশ্যি সে বিষয়ে কিয়ামতের দিন তাদের মধ্যে ফায়সালা করবেন।	إِنَّمَا جُعِلَ السَّبْتُ عَلَى الَّذِيْنَ اخْتَلَفُوْا فِيْهِ ؕ وَإِنَّ رَبَّكَ لَيَحْكُمُ بَيْنَهُمْ يَوْمَ الْقِيٰمَةِ فِيْمَا كَانُوْا فِيْهِ يَخْتَلِفُوْنَ ﴿۱۲۴﴾
১২৫. তোমার প্রভুর পথের দিকে মানুষকে দাওয়াত দাও হিকমত এবং উত্তম উপদেশের মাধ্যমে এবং তাদের সাথে বিতর্ক করবে উত্তম পন্থায়। নিশ্চয়ই তোমার প্রভু জানেন, কারা সঠিক পথ থেকে বিপথগামী হয়, আর সঠিক পথ প্রাপ্তদেরও তিনি ভালোভাবে জানেন।	اُدْعُ إِلٰى سَبِيْلِ رَبِّكَ بِالْحِكْمَةِ وَالْمَوْعِظَةِ الْحَسَنَةِ وَجَادِلْهُمْ بِالَّتِيْ هِيَ أَحْسَنُ ؕ إِنَّ رَبَّكَ هُوَ أَعْلَمُ بِمَنْ ضَلَّ عَنْ سَبِيْلِهٖ وَهُوَ أَعْلَمُ بِالْمُهْتَدِيْنَ ﴿۱۲۵﴾
১২৬. তোমরা যদি তাদের থেকে প্রতিশোধ নিতে চাও, তবে ঠিক ততোখানি নেবে যতোটা শাস্তি তোমাদের দেয়া হয়েছে। তবে তোমরা যদি সহনশীল হও, সহনশীলদের জন্যে সেটা অবশ্যি উত্তম।	وَإِنْ عَاقَبْتُمْ فَعَاقِبُوْا بِمِثْلِ مَا عُوْقِبْتُمْ بِهٖ ؕ وَلَئِنْ صَبَرْتُمْ لَهُوَ خَيْرٌ لِّلصّٰبِرِيْنَ ﴿۱۲۶﴾
১২৭. সহনশীল হও, কারণ তোমার সহনশীলতা তো আল্লাহ্‌র সাহায্যেই পেয়েছো। তাদের জন্যে দু:খ করোনা এবং তাদের ষড়যন্ত্রে তুমি মনকেও সংকুচিত করোনা।	وَاصْبِرْ وَمَا صَبْرُكَ إِلَّا بِاللّٰهِ وَلَا تَحْزَنْ عَلَيْهِمْ وَلَا تَكُ فِيْ ضَيْقٍ مِّمَّا يَمْكُرُوْنَ ﴿۱۲۷﴾
১২৮. আল্লাহ্‌ তাদের সাথেই রয়েছেন যারা তাকওয়া অবলম্বন করে এবং যারা কল্যাণপরায়ণ।	إِنَّ اللّٰهَ مَعَ الَّذِيْنَ اتَّقَوْا وَّالَّذِيْنَ هُمْ مُّحْسِنُوْنَ ﴿۱۲۸﴾

রুকু ১৬

সূরা ১৭ ইসরা/বনি ইসরাঈল

মক্কায় অবতীর্ণ, আয়াত সংখ্যা: ১১১, রুকু সংখ্যা: ১২

এই সূরার আলোচ্যসূচি (আয়াত ভিত্তিক আলোচ্য বিষয়)

০১: মুহাম্মদ সা. এর মি'রাজ সংক্রান্ত সফরের সত্যতা ঘোষণা।

০২-০৮: বনি ইসরাঈলিদের উত্থান পতনের ভিত্তি।

০৯-২১: কুরআন সঠিক পথের দিশারি। মানুষের আমল রেকর্ড করা হয়। কেউ কারো পাপের বোঝা বইবেনা। কোনো জাতিকে ধ্বংস করার জন্য আল্লাহ্র মূলনীতি। দুনিয়াপ্রার্থী ও আখিরাত প্রার্থীর পরিণতি।

২২-৩৮: ইসলামি সমাজের আদর্শিক ভিত্তি ও মৌলিক বৈশিষ্ট্যসমূহ।

৩৯-৪৮: শিরকের অসারতা ও তাওহীদের যুক্তি।

৪৯-৫২: আখিরাত ও পুনরুত্থানের যুক্তি।

৫৩-৬০: মানুষের প্রতি কতিপয় উপদেশ।

৬১-৭০: মানুষের প্রতি ইবলিসের শত্রুতা। শয়তান কাদেরকে বিভ্রান্ত করতে পারবেনা। বনি আদমের মর্যাদা।

৭১-৭৭: কিয়ামতের দিন প্রতিটি মানবগোষ্ঠিকে তাদের নেতার নেতৃত্বে হাজির করা হবে। দুনিয়ায় যারা সত্যের ব্যাপারে অন্ধ আখিরাতেও হবে তারা অন্ধ।

৭৮-৭৯: সালাতের সময়ের বর্ণনা।

৮০-৮৪: রসূল সা. কর্তৃক রাষ্ট্র ক্ষমতার প্রার্থনা। বাতিল বিলীন হবে, সত্যের জয় হবে। কুরআন মুমিনদের জন্য নিরাময় ও অনুকম্পা।

৮৫-১০০: রূহ কি? জিন ইনসান মিলেও কুরআনের বাণী তৈরি করতে পারবে না। রসূলের কাছে কাফিরদের উদ্ভট দাবি। রিসালাত ও আখিরাতের পক্ষে যুক্তি।

সূরা ইস্রা (রাত্রি ভ্রমণ) পরম করুণাময় পরম দয়াবান আল্লাহ্র নামে	سُوْرَةُ الْاِسْرٰى بِسْمِ اللّٰهِ الرَّحْمٰنِ الرَّحِيْمِ
০১. মহাবিশ্বের ত্রুটিহীন মহাপরিচালক তিনি, যিনি তাঁর দাস (মুহাম্মদকে) রাতের বেলা ভ্রমণ করিয়েছেন মসজিদুল হারাম থেকে মসজিদুল আকসার দিকে, যেটির চারপাশের পরিবেশকে আমরা করে দিয়েছিলাম বরকতময়। এ ভ্রমণের উদ্দেশ্য ছিলো তাকে আমাদের নিদর্শনসমূহ দেখানো। নিশ্চয়ই তিনি সর্বশ্রোতা, সর্বদ্রষ্টা।	سُبْحٰنَ الَّذِيْٓ اَسْرٰى بِعَبْدِهٖ لَيْلًا مِّنَ الْمَسْجِدِ الْحَرَامِ اِلَى الْمَسْجِدِ الْاَقْصَا الَّذِيْ بٰرَكْنَا حَوْلَهٗ لِنُرِيَهٗ مِنْ اٰيٰتِنَا ؕ اِنَّهٗ هُوَ السَّمِيْعُ الْبَصِيْرُ ①
০২. আমরা মূসাকে কিতাব দিয়েছিলাম এবং সেটিকে বানিয়েছিলাম বনি ইসরাঈলের জন্যে পথপ্রদর্শক। তাতে আমরা নির্দেশ দিয়েছিলাম: "তোমরা আমাকে ছাড়া আর কাউকেও উকিল (কর্ম সম্পাদক) হিসেবে গ্রহণ করোনা।	وَاٰتَيْنَا مُوْسَى الْكِتٰبَ وَ جَعَلْنٰهُ هُدًى لِّبَنِيْٓ اِسْرَآءِيْلَ اَلَّا تَتَّخِذُوْا مِنْ دُوْنِيْ وَكِيْلًا ؕ ②
০৩. তোমরা তো তাদেরই বংশধর, যাদের আমরা নূহের সাথে (নৌযানে) আরোহণ করিয়েছিলাম। নিশ্চয়ই সে ছিলো আমার এক কৃতজ্ঞ দাস।"	ذُرِّيَّةَ مَنْ حَمَلْنَا مَعَ نُوْحٍ ؕ اِنَّهٗ كَانَ عَبْدًا شَكُوْرًا ③

পারা ১৫

০৪. আমরা বনি ইসরাঈলকে কিতাবের মধ্যে ফায়সালা জানিয়েছিলাম, 'অবশ্যি তোমরা পৃথিবীতে দুইবার ফাসাদ সৃষ্টি করবে এবং তোমরা চরম অহংকার ও দাম্ভিকতায় মেতে উঠবে।'	وَقَضَيْنَآ اِلٰى بَنِيْٓ اِسْرَآءِيْلَ فِى الْكِتٰبِ لَتُفْسِدُنَّ فِى الْاَرْضِ مَرَّتَيْنِ وَ لَتَعْلُنَّ عُلُوًّا كَبِيْرًا ﴿৪﴾
০৫. যখন প্রথমটির সময় উপস্থিত হয়, তখন আমরা তোমাদের বিরুদ্ধে পাঠিয়েছিলাম আমাদের একদল বান্দাকে, যারা ছিলো শক্তিশালী যোদ্ধা জাতি। তারা ঘরে ঘরে প্রবেশ করে সব কিছু ধ্বংস করেছিল। আর এটি ছিলো এমন একটি ওয়াদা যা অবশ্যি কার্যকর হয়েছে।	فَاِذَا جَآءَ وَعْدُ اُوْلٰىهُمَا بَعَثْنَا عَلَيْكُمْ عِبَادًا لَّنَآ اُولِيْ بَاْسٍ شَدِيْدٍ فَجَاسُوْا خِلٰلَ الدِّيَارِ ؕ وَكَانَ وَعْدًا مَّفْعُوْلًا ﴿৫﴾
০৬. তারপর আমরা পুনরায় তোমাদের প্রতিষ্ঠিত করেছিলাম তাদের উপর আর তোমাদের সাহায্য করেছিলাম ধন-মাল আর সন্তান-সন্ততি দিয়ে এবং তোমাদের করে দিয়েছিলাম সংখ্যাগরিষ্ঠ।	ثُمَّ رَدَدْنَا لَكُمُ الْكَرَّةَ عَلَيْهِمْ وَ اَمْدَدْنٰكُمْ بِاَمْوَالٍ وَّ بَنِيْنَ وَ جَعَلْنٰكُمْ اَكْثَرَ نَفِيْرًا ﴿৬﴾
০৭. (তোমাদের বলেছিলাম): 'তোমরা যদি কল্যাণকর কাজ করো, তাতে তোমাদের নিজেদেরই কল্যাণ হবে, আর যদি মন্দ কাজ করো, তাতে অমঙ্গল হবে তোমাদের নিজেদেরই।' তারপর যখন পরবর্তী ওয়াদার সময়কাল এসে উপস্থিত হলো, তখনো আমরা আমাদের আরেক দল বান্দাকে পাঠালাম তোমাদের চেহারা নিরাশাচ্ছন্ন করার জন্যে এবং পুনরায় মসজিদে (বায়তুল মাকদাসে) প্রবেশ করার জন্যে যেভাবে প্রবেশ করেছিল প্রথমবার এবং তারা যা অধিকার করেছিল তা পুরোপুরি ধ্বংস করার জন্যে।	اِنْ اَحْسَنْتُمْ اَحْسَنْتُمْ لِاَنْفُسِكُمْ ۟ وَاِنْ اَسَاْتُمْ فَلَهَا ؕ فَاِذَا جَآءَ وَعْدُ الْاٰخِرَةِ لِيَسُوْٓءٗا وُجُوْهَكُمْ وَلِيَدْخُلُوا الْمَسْجِدَ كَمَا دَخَلُوْهُ اَوَّلَ مَرَّةٍ وَّ لِيُتَبِّرُوْا مَا عَلَوْا تَتْبِيْرًا ﴿৭﴾
০৮. (তোমরা যদি তোমাদের প্রভুর হুকুম পালন করো) হয়তো তোমাদের প্রভু তোমাদের রহম করবেন। কিন্তু তোমরা যদি আবার আগের মতোই আচরণ করো, তবে আমরাও পুনরায় একই আচরণ করবো। আর আমরা জাহান্নামকে তৈরি করেছি কাফিরদের জন্যে কারাগার হিসাবে।	عَسٰى رَبُّكُمْ اَنْ يَّرْحَمَكُمْ ۚ وَ اِنْ عُدْتُّمْ عُدْنَا ۘ وَجَعَلْنَا جَهَنَّمَ لِلْكٰفِرِيْنَ حَصِيْرًا ﴿৮﴾
০৯. নিশ্চয়ই এই কুরআন হিদায়াত করে (পরিচালিত করে) সেই দিকে, যা সঠিক ও সুষম। আর যেসব মুমিন আমলে সালেহ্ করে তাদের (এ কুরআন) সুসংবাদ দেয় যে, তাদের জন্যে রয়েছে মহাপুরস্কার।	اِنَّ هٰذَا الْقُرْاٰنَ يَهْدِيْ لِلَّتِيْ هِيَ اَقْوَمُ وَ يُبَشِّرُ الْمُؤْمِنِيْنَ الَّذِيْنَ يَعْمَلُوْنَ الصّٰلِحٰتِ اَنَّ لَهُمْ اَجْرًا كَبِيْرًا ﴿৯﴾
১০. যারা আখিরাতের প্রতি ঈমান আনেনা, অবশ্যি আমরা তাদের জন্যে প্রস্তুত করে রেখেছি বেদনাদায়ক আযাব।	وَّ اَنَّ الَّذِيْنَ لَا يُؤْمِنُوْنَ بِالْاٰخِرَةِ اَعْتَدْنَا لَهُمْ عَذَابًا اَلِيْمًا ﴿১০﴾
১১. মানুষ অমঙ্গলের জন্যে দোয়া (কামনা)	وَ يَدْعُ الْاِنْسَانُ بِالشَّرِّ دُعَآءَهٗ بِالْخَيْرِ ؕ

রুকু ০১

করে, যেভাবে দোয়া করা উচিত মঙ্গলের জন্যে। মানুষ খুবই তাড়াহুড়া প্রিয়।	وَكَانَ الْاِنْسَانُ عَجُوْلًا ⑪
১২. আমরা রাত আর দিনকে দুটি নিদর্শন বানিয়েছি। আমরা রাতের নিদর্শনকে মুছে দেই এবং দিনের নিদর্শনকে আলোকিত করি, যেনো তোমরা তোমাদের প্রভুর অনুগ্রহ সন্ধান করতে পারো আর যাতে করে তোমরা বছরের সংখ্যা ও হিসাব জানতে পারো। আমরা সবকিছু বিশদভাবে বর্ণনা করে দিয়েছি।	وَجَعَلْنَا الَّيْلَ وَالنَّهَارَ اٰيَتَيْنِ فَمَحَوْنَآ اٰيَةَ الَّيْلِ وَجَعَلْنَآ اٰيَةَ النَّهَارِ مُبْصِرَةً لِّتَبْتَغُوْا فَضْلًا مِّنْ رَّبِّكُمْ وَلِتَعْلَمُوْا عَدَدَ السِّنِيْنَ وَالْحِسَابَ ؕ وَكُلَّ شَيْءٍ فَصَّلْنٰهُ تَفْصِيْلًا ⑫
১৩. আমরা প্রতিটি মানুষের কর্ম তার গলায় ঝুলিয়ে রেখেছি এবং আমরা কিয়ামতের দিন তার জন্যে বের করবো একটি কিতাব (রেকর্ড, আমলমানা), সেটি সে পাবে উন্মুক্ত।	وَكُلَّ اِنْسَانٍ اَلْزَمْنٰهُ طٰٓئِرَهٗ فِيْ عُنُقِهٖ ؕ وَنُخْرِجُ لَهٗ يَوْمَ الْقِيٰمَةِ كِتٰبًا يَّلْقٰىهُ مَنْشُوْرًا ⑬
১৪. (তাকে বলা হবে): ‘পড়ো তোমার কিতাব (রেকর্ড)। আজ তুমি নিজেই নিজের বিরুদ্ধে হিসাবের জন্যে যথেষ্ট।’	اِقْرَاْ كِتٰبَكَ ؕ كَفٰى بِنَفْسِكَ الْيَوْمَ عَلَيْكَ حَسِيْبًا ؕ⑭
১৫. যে ব্যক্তি সঠিক পথে চলে, সে নিজের কল্যাণের জন্যেই সঠিক পথে চলে। আর যে ভুল পথে চলে, সে নিজের অমঙ্গলের জন্যেই ভুল পথে চলে। কেউই কারো (পাপের) বোঝা বহন করবেনা। আমরা রসূল না পাঠানো পর্যন্ত কোনো জাতিকে শাস্তি দেইনা।	مَنِ اهْتَدٰى فَاِنَّمَا يَهْتَدِيْ لِنَفْسِهٖ ۚ وَمَنْ ضَلَّ فَاِنَّمَا يَضِلُّ عَلَيْهَا ؕ وَلَا تَزِرُ وَازِرَةٌ وِّزْرَ اُخْرٰى ؕ وَمَا كُنَّا مُعَذِّبِيْنَ حَتّٰى نَبْعَثَ رَسُوْلًا ⑮
১৬. আমরা যখন কোনো জনপদকে (জাতিকে) হালাক (ধ্বংস) করে দেয়ার এরাদা (ইচ্ছা) করি, তখন সেখানকার সীমালংঘনকারীদের ক্ষমতায় বসাই। ফলে তারা সীমালংঘন ও পাপাচার করতে থাকে। তখন তাদের (ধ্বংস করে দেয়ার বিষয়ে) আমাদের ফায়সালা বাস্তব সম্মত হয়ে যায়। ফলে আমরা সেই জনপদকে ধ্বংস ও বিরান করে দেই।	وَاِذَآ اَرَدْنَآ اَنْ نُّهْلِكَ قَرْيَةً اَمَرْنَا مُتْرَفِيْهَا فَفَسَقُوْا فِيْهَا فَحَقَّ عَلَيْهَا الْقَوْلُ فَدَمَّرْنٰهَا تَدْمِيْرًا ⑯
১৭. নূহের পরে আমরা কতো যে জনপদ ধ্বংস করে দিয়েছি! নিজ বান্দাদের পাপাচারের সংবাদ রাখা ও পর্যবেক্ষণ করার জন্যে তোমার প্রভুই কাফী।	وَكَمْ اَهْلَكْنَا مِنَ الْقُرُوْنِ مِنْۢ بَعْدِ نُوْحٍ ؕ وَكَفٰى بِرَبِّكَ بِذُنُوْبِ عِبَادِهٖ خَبِيْرًاۢ بَصِيْرًا ⑰
১৮. যারা নগদ (দুনিয়া) পেতে চায়, আমরা এখানেই তাদের যাকে চাই এবং যা চাই নগদ দিয়ে থাকি। পরে তাদের জন্যে নির্ধারণ করি জাহান্নাম, তাতেই তারা প্রবেশ করবে নিন্দিত ও ধিকৃত অবস্থায়।	مَنْ كَانَ يُرِيْدُ الْعَاجِلَةَ عَجَّلْنَا لَهٗ فِيْهَا مَا نَشَآءُ لِمَنْ نُّرِيْدُ ثُمَّ جَعَلْنَا لَهٗ جَهَنَّمَ ۚ يَصْلٰىهَا مَذْمُوْمًا مَّدْحُوْرًا ⑱
১৯. আর যারা এরাদা (সংকল্প) করে আখিরাত পাওয়ার এবং তার জন্যে প্রচেষ্টা চালায় উপযুক্ত প্রচেষ্টা মুমিন অবস্থায়, তাদের প্রচেষ্টা অবশ্যি কবুল করা হবে।	وَمَنْ اَرَادَ الْاٰخِرَةَ وَسَعٰى لَهَا سَعْيَهَا وَهُوَ مُؤْمِنٌ فَاُولٰٓئِكَ كَانَ سَعْيُهُمْ مَّشْكُوْرًا ⑲

২০. তোমার প্রভু তাঁর দান দ্বারা অবারিত সাহায্য করেন এদেরকেও এবং ওদেরকেও। তোমার প্রভুর দানের দরজা বন্ধ রাখা হয়না।	كُلًّا نُّمِدُّ هٰٓؤُلَآءِ وَهٰٓؤُلَآءِ مِنْ عَطَآءِ رَبِّكَ ؕ وَمَا كَانَ عَطَآءُ رَبِّكَ مَحْظُوْرًا ﴿۲۰﴾
২১. দেখো, আমরা কিভাবে তাদের একদল লোককে আরেক দলের উপর শ্রেষ্ঠত্ব দিয়েছি। তবে আখিরাতই মর্যাদা ও দান লাভের দিক থেকে শ্রেষ্ঠ।	اُنْظُرْ كَيْفَ فَضَّلْنَا بَعْضَهُمْ عَلٰى بَعْضٍ ؕ وَلَلْاٰخِرَةُ اَكْبَرُ دَرَجٰتٍ وَّاَكْبَرُ تَفْضِيْلًا ﴿۲۱﴾
২২. আল্লাহ্‌র সাথে আর কাউকেও ইলাহ্ বানিয়ে নিয়োনা। এমনটি করলে নিন্দিত ও লাঞ্ছিত হয়ে পড়বে।	لَا تَجْعَلْ مَعَ اللّٰهِ اِلٰهًا اٰخَرَ فَتَقْعُدَ مَذْمُوْمًا مَّخْذُوْلًا ﴿۲۲﴾
২৩. তোমার প্রভু নির্দেশ দিচ্ছেন: তোমরা তাঁর ছাড়া আর কারো ইবাদত (আনুগত্য, দাসত্ব, উপাসনা ও প্রার্থনা) করোনা, ইবাদত করবে কেবল তাঁরই। পিতা-মাতার প্রতি ইহ্‌সান করবে, তাদের একজন কিংবা দু'জনই তোমার জীবদ্দশায় বৃদ্ধ বয়েসে এসে পৌঁছালে তাদেরকে 'উহ্' পর্যন্ত বলোনা এবং তাদেরকে ধমক দিয়োনা। তাদের সাথে কথা বলবে সম্মানের সাথে।	وَقَضٰى رَبُّكَ اَلَّا تَعْبُدُوْٓا اِلَّآ اِيَّاهُ وَبِالْوَالِدَيْنِ اِحْسَانًا ؕ اِمَّا يَبْلُغَنَّ عِنْدَكَ الْكِبَرَ اَحَدُهُمَآ اَوْ كِلٰهُمَا فَلَا تَقُلْ لَّهُمَآ اُفٍّ وَّلَا تَنْهَرْهُمَا وَقُلْ لَّهُمَا قَوْلًا كَرِيْمًا ﴿۲۳﴾
২৪. দয়া-অনুকম্পা নিয়ে তাদের প্রতি কোমলতার ডানা অবনমিত করবে এবং তাদের জন্যে দোয়া করবে এভাবে: 'আমার প্রভু! তাদের প্রতি রহম করো, যেভাবে শৈশবে তারা (দয়া, মায়া ও কোমলতার পরশে) আমাকে লালন পালন করেছে।'	وَاخْفِضْ لَهُمَا جَنَاحَ الذُّلِّ مِنَ الرَّحْمَةِ وَقُلْ رَّبِّ ارْحَمْهُمَا كَمَا رَبَّيٰنِيْ صَغِيْرًا ﴿۲۴﴾
২৫. তোমাদের মনে কী আছে তা তোমাদের প্রভুই অধিক জানেন। তোমরা যদি সংশোধন পরায়ণ হয়ে থাকো, তবে তিনি আল্লাহ্‌মুখী লোকদের জন্য পরম ক্ষমাপরায়ণ।	رَبُّكُمْ اَعْلَمُ بِمَا فِيْ نُفُوْسِكُمْ ؕ اِنْ تَكُوْنُوْا صٰلِحِيْنَ فَاِنَّهٗ كَانَ لِلْاَوَّابِيْنَ غَفُوْرًا ﴿۲۵﴾
২৬. আত্মীয়-স্বজনকে তাদের হক প্রদান করবে এবং মিসকিন আর পথিকদেরকেও। কিছুতেই অপব্যয় করবেনা।	وَاٰتِ ذَا الْقُرْبٰى حَقَّهٗ وَالْمِسْكِيْنَ وَابْنَ السَّبِيْلِ وَلَا تُبَذِّرْ تَبْذِيْرًا ﴿۲۶﴾
২৭. অপব্যয়কারীরা অবশ্যি শয়তানের ভাই, আর শয়তান তো তার প্রভুর প্রতি অতিশয় অকৃতজ্ঞ।	اِنَّ الْمُبَذِّرِيْنَ كَانُوْٓا اِخْوَانَ الشَّيٰطِيْنِ ؕ وَكَانَ الشَّيْطٰنُ لِرَبِّهٖ كَفُوْرًا ﴿۲۷﴾
২৮. আর যদি তাদের থেকে মুখ ফেরাতেই হয় (অর্থাৎ দান করার সামর্থ যদি না থাকে), এবং যদি তোমার প্রভুর অনুগ্রহ লাভের প্রত্যাশায় থেকে থাকো, তাহলে তাদের সাথে সহজ ও কোমলভাবে কথা বলবে।	وَاِمَّا تُعْرِضَنَّ عَنْهُمُ ابْتِغَآءَ رَحْمَةٍ مِّنْ رَّبِّكَ تَرْجُوْهَا فَقُلْ لَّهُمْ قَوْلًا مَّيْسُوْرًا ﴿۲۸﴾
২৯. তোমার হাত গলায় বেঁধে রেখোনা এবং তা পুরোপুরি মেলেও দিয়োনা। তা করলে তুমি তিরস্কৃত এবং নি:স্ব হয়ে পড়বে।	وَلَا تَجْعَلْ يَدَكَ مَغْلُوْلَةً اِلٰى عُنُقِكَ وَلَا تَبْسُطْهَا كُلَّ الْبَسْطِ فَتَقْعُدَ مَلُوْمًا مَّحْسُوْرًا ﴿۲۹﴾

রুকু ০২

রুকু ০৩

৩০. তোমার প্রভু যাকে ইচ্ছা রিযিক প্রসারিত করে দেন এবং যাকে ইচ্ছা করে দেন সীমিত। তিনি অবশ্যি তাঁর বান্দাদের অবস্থা সম্পর্কে খবর রাখেন এবং দৃষ্টি রাখেন।	إِنَّ رَبَّكَ يَبْسُطُ الرِّزْقَ لِمَنْ يَشَاءُ وَيَقْدِرُ ۚ إِنَّهُ كَانَ بِعِبَادِهِ خَبِيرًا بَصِيرًا ﴿٣٠﴾
৩১. অভাবের ভয়ে তোমাদের সন্তানদের হত্যা করোনা। আমরাই তাদের রিযিক দেই এবং তোমাদেরকেও। তাদের হত্যা করা এক মহা অপরাধ।	وَلَا تَقْتُلُوا أَوْلَادَكُمْ خَشْيَةَ إِمْلَاقٍ ۖ نَحْنُ نَرْزُقُهُمْ وَإِيَّاكُمْ ۚ إِنَّ قَتْلَهُمْ كَانَ خِطْئًا كَبِيرًا ﴿٣١﴾
৩২. যিনার কাছেও যেয়োনা। এটা একটা ফাহেশা এবং নিকৃষ্ট পন্থা।	وَلَا تَقْرَبُوا الزِّنَىٰ ۖ إِنَّهُ كَانَ فَاحِشَةً ۚ وَسَاءَ سَبِيلًا ﴿٣٢﴾
৩৩. আল্লাহ্ যাকে হত্যা করা নিষিদ্ধ করেছেন তোমরা তাকে হত্যা করোনা, তবে হক পন্থায় (ন্যায় বিচারের মাধ্যমে) হলে ভিন্ন কথা। কেউ যুলুমের শিকার হয়ে নিহত হলে আমরা তার অলিকে প্রতিকারের (কিসাস গ্রহণের) অধিকার দিয়েছি। কিন্তু সে যেনো হত্যার ব্যাপারে বাড়াবাড়ি না করে। কারণ, সে তো সহযোগিতা লাভ করবেই।	وَلَا تَقْتُلُوا النَّفْسَ الَّتِي حَرَّمَ اللَّهُ إِلَّا بِالْحَقِّ ۗ وَمَنْ قُتِلَ مَظْلُومًا فَقَدْ جَعَلْنَا لِوَلِيِّهِ سُلْطَانًا فَلَا يُسْرِفْ فِي الْقَتْلِ ۖ إِنَّهُ كَانَ مَنْصُورًا ﴿٣٣﴾
৩৪. উত্তম পন্থায় ছাড়া এতিমদের মাল সম্পদের কাছেও যেয়োনা যতোদিন না তারা বয়:প্রাপ্ত হয়। অঙ্গীকার পূর্ণ করবে, কারণ অঙ্গীকার সম্পর্কে কৈফিয়ত চাওয়া হবে।	وَلَا تَقْرَبُوا مَالَ الْيَتِيمِ إِلَّا بِالَّتِي هِيَ أَحْسَنُ حَتَّىٰ يَبْلُغَ أَشُدَّهُ ۚ وَأَوْفُوا بِالْعَهْدِ ۖ إِنَّ الْعَهْدَ كَانَ مَسْئُولًا ﴿٣٤﴾
৩৫. যখন মেপে দেবে মাপ পূর্ণ করবে এবং ওজন করবে সমান-সঠিক দাঁড়ি পাল্লায়। এটাই উত্তম এবং পরিণামের দিক থেকে কল্যাণকর।	وَأَوْفُوا الْكَيْلَ إِذَا كِلْتُمْ وَزِنُوا بِالْقِسْطَاسِ الْمُسْتَقِيمِ ۚ ذَٰلِكَ خَيْرٌ وَأَحْسَنُ تَأْوِيلًا ﴿٣٥﴾
৩৬. যে বিষয়ে তোমার এলেম নেই তার অনুসরণ করোনা। নিশ্চয়ই কান, চোখ, অন্তর এর প্রত্যেকটি সম্পর্কেই কৈফিয়ত চাওয়া হবে।	وَلَا تَقْفُ مَا لَيْسَ لَكَ بِهِ عِلْمٌ ۚ إِنَّ السَّمْعَ وَالْبَصَرَ وَالْفُؤَادَ كُلُّ أُولَٰئِكَ كَانَ عَنْهُ مَسْئُولًا ﴿٣٦﴾
৩৭. জমিনে দম্ভ ভরে চলাফেরা করোনা, তুমি কখনো পদচাপে জমিনকে বিদীর্ণ করতে পারবেনা এবং উচ্চতায় পাহাড়ের সমানও পৌঁছাতে পারবেনা।	وَلَا تَمْشِ فِي الْأَرْضِ مَرَحًا ۖ إِنَّكَ لَنْ تَخْرِقَ الْأَرْضَ وَلَنْ تَبْلُغَ الْجِبَالَ طُولًا ﴿٣٧﴾
৩৮. এগুলোর মন্দ দিকগুলো তোমার প্রভুর কাছে খুবই ঘৃণ্য।	كُلُّ ذَٰلِكَ كَانَ سَيِّئُهُ عِنْدَ رَبِّكَ مَكْرُوهًا ﴿٣٨﴾
৩৯. তোমার প্রভু অহির মাধ্যমে তোমার কাছে যেসব হিকমাহ্ (জ্ঞান ও প্রজ্ঞার কথা) নাযিল করেছেন এগুলো সেগুলোরেই অংশ। তোমার	ذَٰلِكَ مِمَّا أَوْحَىٰ إِلَيْكَ رَبُّكَ مِنَ الْحِكْمَةِ ۗ وَلَا تَجْعَلْ مَعَ اللَّهِ إِلَٰهًا آخَرَ فَتُلْقَىٰ فِي

প্রভুর সাথে আর কাউকেও ইলাহ্ বানিয়ে নিয়োনা। বানালে তুমি নিন্দিত ও ধিকৃত হয়ে জাহান্নামে নিক্ষিপ্ত হবে।	جَهَنَّمَ مَلُوْمًا مَّدْحُوْرًا ﴿٣٩﴾
৪০. তোমাদের প্রভু কি তোমাদেরকে পুত্র সন্তানের জন্য মনোনীত করেছেন, আর তিনি নিজে কি ফেরেশতাদেরকে কন্যা সন্তান হিসেবে গ্রহণ করেছেন? তোমরা তো এক গুরুতর (অন্যায়) কথা বলে বেড়াচ্ছো।	اَفَاَصْفٰىكُمْ رَبُّكُمْ بِالْبَنِيْنَ وَاتَّخَذَ مِنَ الْمَلٰٓئِكَةِ اِنَاثًا ؕ اِنَّكُمْ لَتَقُوْلُوْنَ قَوْلًا عَظِيْمًا ﴿٤٠﴾ রুকু ০৪
৪১. আমরা এ কুরআনে অনেক বিষয়ই বার বার বর্ণনা করেছি, যাতে করে তোমরা উপদেশ গ্রহণ করো। কিন্তু এতে তাদের পালানোই বৃদ্ধি পেয়েছে।	وَلَقَدْ صَرَّفْنَا فِيْ هٰذَا الْقُرْاٰنِ لِيَذَّكَّرُوْا ؕ وَمَا يَزِيْدُهُمْ اِلَّا نُفُوْرًا ﴿٤١﴾
৪২. হে নবী! বলো: 'তাঁর সাথে যদি আরো ইলাহ্ থাকতো, যেমন তারা বলে: তবে তো তারা আরশের মালিকের আসন দখল করার জন্যে পথ খুঁজতো।'	قُلْ لَّوْ كَانَ مَعَهٗۤ اٰلِهَةٌ كَمَا يَقُوْلُوْنَ اِذًا لَّابْتَغَوْا اِلٰى ذِى الْعَرْشِ سَبِيْلًا ﴿٤٢﴾
৪৩. তারা যা বলে তা থেকে তিনি পবিত্র এবং অনেক ঊর্ধ্বে, তিনি মহামর্যাদাবান।	سُبْحٰنَهٗ وَتَعٰلٰى عَمَّا يَقُوْلُوْنَ عُلُوًّا كَبِيْرًا ﴿٤٣﴾
৪৪. সপ্তাকাশ, এই পৃথিবী এবং এগুলোর মধ্যে যারাই আছে, সবাই তাঁরই তসবিহ্ করছে। এমন কোনো বস্তু নেই যা তাঁর প্রশংসাসহ তাঁর তসবিহ্ করছেনা। তবে তোমরা তাদের তসবিহ্ অনুধাবন করতে পারোনা। নিশ্চয়ই তিনি অতীব সহনশীল মহাক্ষমাপরায়ণ।	تُسَبِّحُ لَهُ السَّمٰوٰتُ السَّبْعُ وَالْاَرْضُ وَمَنْ فِيْهِنَّ ؕ وَاِنْ مِّنْ شَيْءٍ اِلَّا يُسَبِّحُ بِحَمْدِهٖ وَلٰكِنْ لَّا تَفْقَهُوْنَ تَسْبِيْحَهُمْ ؕ اِنَّهٗ كَانَ حَلِيْمًا غَفُوْرًا ﴿٤٤﴾
৪৫. তুমি যখন কুরআন পাঠ করো, তখন আমরা তোমার আর যারা আখিরাতের প্রতি ঈমান রাখেনা, তাদের মধ্যে একটি গোপন পর্দা লাগিয়ে দেই।	وَاِذَا قَرَاْتَ الْقُرْاٰنَ جَعَلْنَا بَيْنَكَ وَبَيْنَ الَّذِيْنَ لَا يُؤْمِنُوْنَ بِالْاٰخِرَةِ حِجَابًا مَّسْتُوْرًا ﴿٤٥﴾
৪৬. আমরা তাদের কলবের উপর আবরণ সৃষ্টি করে দিয়েছি যেনো তারা তা উপলব্ধি করতে না পারে, আর তাদের কানে সৃষ্টি করে দিয়েছি বধিরতা। তুমি যখন কুরআনে তোমার একমাত্র প্রভুর কথা স্মরণ করো: তখন তারা পেছনে ফিরে পালাতে থাকে।	وَّجَعَلْنَا عَلٰى قُلُوْبِهِمْ اَكِنَّةً اَنْ يَّفْقَهُوْهُ وَفِيْۤ اٰذَانِهِمْ وَقْرًا ؕ وَاِذَا ذَكَرْتَ رَبَّكَ فِى الْقُرْاٰنِ وَحْدَهٗ وَلَّوْا عَلٰۤى اَدْبَارِهِمْ نُفُوْرًا ﴿٤٦﴾
৪৭. তারা যখন তোমার কথা কান পেতে শুনে তখন আমরা ভালোভাবেই জানি, তারা কেন কান পেতে শুনে এবং আমরা এটাও জানি, যালিমরা গোপন আলোচনার সময় বলে: 'তোমরা তো এক জাদুগ্রস্ত ব্যক্তির অনুসরণ করছো।'	نَحْنُ اَعْلَمُ بِمَا يَسْتَمِعُوْنَ بِهٖۤ اِذْ يَسْتَمِعُوْنَ اِلَيْكَ وَاِذْ هُمْ نَجْوٰۤى اِذْ يَقُوْلُ الظّٰلِمُوْنَ اِنْ تَتَّبِعُوْنَ اِلَّا رَجُلًا مَّسْحُوْرًا ﴿٤٧﴾
৪৮. লক্ষ্য করে দেখো, তারা তোমার কী উপমা দিচ্ছে? তারা পথভ্রষ্ট হয়েছে, ফলে তারা আর পথ পাবেনা।	اُنْظُرْ كَيْفَ ضَرَبُوْا لَكَ الْاَمْثَالَ فَضَلُّوْا فَلَا يَسْتَطِيْعُوْنَ سَبِيْلًا ﴿٤٨﴾

৪৯. তারা বলে: ‘আমরা হাড়গোড়ে পরিণত হলেও এবং চূর্ণ-বিচূর্ণ হলেও কি নতুন সৃষ্টি হিসেবে পুনরুত্থিত হবো?’	وَ قَالُوْٓا ءَاِذَا كُنَّا عِظَامًا وَّ رُفَاتًا ءَاِنَّا لَمَبْعُوْثُوْنَ خَلْقًا جَدِيْدًا ﴿٤٩﴾
৫০. তুমি বলো: “তোমরা পাথর হয়ে যাও কিংবা লোহা,	قُلْ كُوْنُوْا حِجَارَةً اَوْ حَدِيْدًا ﴿٥٠﴾
৫১. নতুবা এমন কিছুই হওনা কেন যা তোমাদের ধারণায় খুবই কঠিন (তবু তোমরা পুনরুত্থিত হবে)”। তারা বলে: ‘কে আমাদের পুনরুত্থিত করবে?’ বলো: ‘তিনি পুনরুত্থিত করবেন, যিনি তোমাদের সৃষ্টি করেছেন প্রথমবার।’ তখন তারা তোমার সামনে মাথা নাড়ে এবং বলে: ‘সেটা অনুষ্ঠিত হবে কখন?’ বলো: ‘সম্ভবত সেটা খুবই কাছে।’	اَوْ خَلْقًا مِّمَّا يَكْبُرُ فِيْ صُدُوْرِكُمْ ۚ فَسَيَقُوْلُوْنَ مَنْ يُّعِيْدُنَا ؕ قُلِ الَّذِيْ فَطَرَكُمْ اَوَّلَ مَرَّةٍ ۚ فَسَيُنْغِضُوْنَ اِلَيْكَ رُءُوْسَهُمْ وَ يَقُوْلُوْنَ مَتٰى هُوَ ؕ قُلْ عَسٰٓى اَنْ يَّكُوْنَ قَرِيْبًا ﴿٥١﴾
৫২. সেদিন তিনি তোমাদের আহ্বান করবেন এবং তোমরা তাঁর প্রশংসাসহ তাঁর আহবানে সাড়া দেবে। তখন তোমরা মনে করবে, তোমরা সামান্য সময়ই অবস্থান করেছিলে।	يَوْمَ يَدْعُوْكُمْ فَتَسْتَجِيْبُوْنَ بِحَمْدِهٖ وَتَظُنُّوْنَ اِنْ لَّبِثْتُمْ اِلَّا قَلِيْلًا ﴿٥٢﴾
৫৩. আমার দাসদের বলো: তারা যেনো সে রকম কথা বলে যা উত্তম। কারণ শয়তান তো তাদের মাঝে বিভেদ সৃষ্টি করার জন্যে উস্কানি দিয়ে থাকে। নিশ্চয়ই শয়তান মানুষের সুস্পষ্ট দুশমন।	وَقُلْ لِّعِبَادِيْ يَقُوْلُوا الَّتِيْ هِيَ اَحْسَنُ ؕ اِنَّ الشَّيْطٰنَ يَنْزَغُ بَيْنَهُمْ ؕ اِنَّ الشَّيْطٰنَ كَانَ لِلْاِنْسَانِ عَدُوًّا مُّبِيْنًا ﴿٥٣﴾
৫৪. তোমাদের প্রভুই তোমাদের সম্পর্কে ভালোভাবে জানেন। তিনি চাইলে তোমাদের রহম করবেন, কিংবা ইচ্ছা করলে তোমাদের আযাব দেবেন। (হে নবী!) আমরা তোমাকে তাদের উপর উকিল নিযুক্ত করিনি।	رَبُّكُمْ اَعْلَمُ بِكُمْ ؕ اِنْ يَّشَاْ يَرْحَمْكُمْ اَوْ اِنْ يَّشَاْ يُعَذِّبْكُمْ ؕ وَمَآ اَرْسَلْنٰكَ عَلَيْهِمْ وَكِيْلًا ﴿٥٤﴾
৫৫. মহাকাশ এবং পৃথিবীতে যারা আছে তোমার প্রভু তাদের ভালোভাবে জানেন। আমরা কিছু নবীকে কিছু নবীর উপর মর্যাদা দিয়েছি এবং দাউদকে দিয়েছি যবুর।	وَ رَبُّكَ اَعْلَمُ بِمَنْ فِي السَّمٰوٰتِ وَ الْاَرْضِ ؕ وَ لَقَدْ فَضَّلْنَا بَعْضَ النَّبِيّٖنَ عَلٰى بَعْضٍ وَّ اٰتَيْنَا دَاوٗدَ زَبُوْرًا ﴿٥٥﴾
৫৬. বলো: তোমরা আল্লাহ্ ছাড়া আর যাদের ইলাহ্ বলে ধারণা করছো, তাদের ডাকো, দেখবে তোমাদের দুঃখ-দুর্দশা দূর করার এবং তোমাদের অবস্থা পরিবর্তন করার কোনো ক্ষমতাই তাদের নেই।	قُلِ ادْعُوا الَّذِيْنَ زَعَمْتُمْ مِّنْ دُوْنِهٖ فَلَا يَمْلِكُوْنَ كَشْفَ الضُّرِّ عَنْكُمْ وَ لَا تَحْوِيْلًا ﴿٥٦﴾
৫৭. তারা যাদের ডাকে তারা নিজেরাই তো তাদের প্রভুর নৈকট্য লাভের উসিলা সন্ধান করে যে, তাদের কে কতোটা তাঁর নিকটতর হতে পারে। তারাই তাঁর রহমত প্রত্যাশা করে এবং তাঁর আযাবের ভয়ে ভীত থাকে। কারণ, তোমার প্রভুর আযাব তো ভয়াবহ।	اُولٰٓئِكَ الَّذِيْنَ يَدْعُوْنَ يَبْتَغُوْنَ اِلٰى رَبِّهِمُ الْوَسِيْلَةَ اَيُّهُمْ اَقْرَبُ وَ يَرْجُوْنَ رَحْمَتَهٗ وَ يَخَافُوْنَ عَذَابَهٗ ؕ اِنَّ عَذَابَ رَبِّكَ كَانَ مَحْذُوْرًا ﴿٥٧﴾

রুকু ০৫

৫৮. এমন কোনো জনপদ নেই যাকে আমরা কিয়ামত কালের আগে হালাক করবোনা, কিংবা কঠিন আযাব দেবোনা। এটা কিতাবে লিপিবদ্ধ রয়েছে।	وَاِنۡ مِّنۡ قَرۡيَةٍ اِلَّا نَحۡنُ مُهۡلِكُوۡهَا قَبۡلَ يَوۡمِ الۡقِيٰمَةِ اَوۡ مُعَذِّبُوۡهَا عَذَابًا شَدِيۡدًا ؕ كَانَ ذٰلِكَ فِى الۡكِتٰبِ مَسۡطُوۡرًا ﴿۵۸﴾
৫৯. আগেকার লোকদের নিদর্শন প্রত্যাখ্যান করাটাই আমাদেরকে (তোমার কাছে) নিদর্শন পাঠানো থেকে বিরত রাখে। আমরা শিক্ষা গ্রহণের জন্যেই সামুদ জাতিকে উটনী দিয়েছিলাম, কিন্তু তারা তার প্রতি যুলুম করে। আমরা তো কেবল ভয় দেখানোর জন্যেই নিদর্শন পাঠাই।	وَمَا مَنَعَنَاۤ اَنۡ نُّرۡسِلَ بِالۡاٰيٰتِ اِلَّاۤ اَنۡ كَذَّبَ بِهَا الۡاَوَّلُوۡنَ ؕ وَاٰتَيۡنَا ثَمُوۡدَ النَّاقَةَ مُبۡصِرَةً فَظَلَمُوۡا بِهَا ؕ وَمَا نُرۡسِلُ بِالۡاٰيٰتِ اِلَّا تَخۡوِيۡفًا ﴿۵۹﴾
৬০. স্মরণ করো, যখন আমরা তোমাকে বলেছিলাম: 'নিশ্চয়ই তোমার প্রভু মানুষকে পরিবেষ্টন করে আছেন।' আমরা (মেরাজ রাতে) তোমাকে যেসব দৃশ্য দেখিয়েছি, সেগুলো এবং কুরআনে বর্ণিত অভিশপ্ত গাছটি শুধুই মানুষের পরীক্ষার জন্যে। আমরা তাদের ভয় দেখালেও তা কেবল তাদের অবাধ্যতাই বাড়িয়ে দেয়।	وَاِذۡ قُلۡنَا لَكَ اِنَّ رَبَّكَ اَحَاطَ بِالنَّاسِ ؕ وَمَا جَعَلۡنَا الرُّءۡيَا الَّتِىۡۤ اَرَيۡنٰكَ اِلَّا فِتۡنَةً لِّلنَّاسِ وَالشَّجَرَةَ الۡمَلۡعُوۡنَةَ فِى الۡقُرۡاٰنِ ؕ وَنُخَوِّفُهُمۡ فَمَا يَزِيۡدُهُمۡ اِلَّا طُغۡيَانًا كَبِيۡرًا ﴿۶۰﴾
৬১. আমরা যখন ফেরেশতাদের বলেছিলাম: 'সাজদা করো আদমকে।' তখন তারা সাজদা করেছিল ইবলিস ছাড়া। সে বলেছিল: 'আমি কি এমন একজনকে সাজদা করবো যাকে আপনি সৃষ্টি করেছেন কাদামাটি থেকে?'	وَاِذۡ قُلۡنَا لِلۡمَلٰۤئِكَةِ اسۡجُدُوۡا لِاٰدَمَ فَسَجَدُوۡۤا اِلَّاۤ اِبۡلِيۡسَ ؕ قَالَ ءَاَسۡجُدُ لِمَنۡ خَلَقۡتَ طِيۡنًا ﴿۶۱﴾
৬২. সে আরো বলেছিল: 'আপনি কি ভেবে দেখেছেন, আপনি এই ব্যক্তিকে আমার উপর মর্যাদা দিয়েছেন (সে কি এর যোগ্য ছিলো)? এখন কিয়ামত কাল পর্যন্ত যদি আপনি আমাকে সুযোগ দেন তাহলে তার বংশধরদের অল্প কিছু বাদে বাকিদের আমি বিপথগামী করে ফেলবো।'	قَالَ اَرَءَيۡتَكَ هٰذَا الَّذِىۡ كَرَّمۡتَ عَلَىَّ لَئِنۡ اَخَّرۡتَنِ اِلٰى يَوۡمِ الۡقِيٰمَةِ لَاَحۡتَنِكَنَّ ذُرِّيَّتَهٗۤ اِلَّا قَلِيۡلًا ﴿۶۲﴾
৬৩. আল্লাহ্ বললেন: "ঠিক আছে, যা, তাদের মধ্যে যারা তোর অনুসরণ করবে, জাহান্নামই হবে তাদের সবার প্রতিদান এবং পরিপূর্ণ দণ্ড।	قَالَ اذۡهَبۡ فَمَنۡ تَبِعَكَ مِنۡهُمۡ فَاِنَّ جَهَنَّمَ جَزَآؤُكُمۡ جَزَآءً مَّوۡفُوۡرًا ﴿۶۳﴾
৬৪. চিৎকার করে তাদের যাকে পারিস পথভ্রষ্ট কর, তোর অশ্ববাহিনী এবং পদাতিক বাহিনী দিয়ে তাদের আক্রমণ কর, ধন মাল ও সন্তান-সন্ততিতে তাদের শরিক হয়ে যা এবং তাদের প্রতিশ্রুতি দিতে থাক।" কিন্তু শয়তান তাদের যে ওয়াদা দেয় তা তো প্রতারণা ছাড়া আর কিছুই নয়।	وَاسۡتَفۡزِزۡ مَنِ اسۡتَطَعۡتَ مِنۡهُمۡ بِصَوۡتِكَ وَاَجۡلِبۡ عَلَيۡهِمۡ بِخَيۡلِكَ وَرَجِلِكَ وَشَارِكۡهُمۡ فِى الۡاَمۡوَالِ وَالۡاَوۡلَادِ وَعِدۡهُمۡ ؕ وَمَا يَعِدُهُمُ الشَّيۡطٰنُ اِلَّا غُرُوۡرًا ﴿۶۴﴾
৬৫. (তিনি তাকে আরো বলেছেন:) 'আমার দাসদের উপর তোর কোনো কর্তৃত্বই খাটবে না।' উকিল হিসেব তোমার প্রভুই যথেষ্ট।	اِنَّ عِبَادِىۡ لَيۡسَ لَكَ عَلَيۡهِمۡ سُلۡطٰنٌ ؕ وَكَفٰى بِرَبِّكَ وَكِيۡلًا ﴿۶۵﴾

রুকু ০৬

৬৬. তোমাদের প্রভু তো তিনি, যিনি সমুদ্রে তোমাদের জন্যে নৌযান পরিচালিত করেন, যাতে করে তোমরা তাঁর অনুগ্রহ সন্ধান করতে পারো। নিশ্চয়ই তিনি তোমাদের প্রতি দয়াময়।	رَبُّكُمُ الَّذِىۡ يُزۡجِىۡ لَـكُمُ الۡفُلۡكَ فِى الۡبَحۡرِ لِتَبۡتَغُوۡا مِنۡ فَضۡلِهٖ ؕ اِنَّهٗ كَانَ بِكُمۡ رَحِيۡمًا ﴿۶۶﴾
৬৭. সমুদ্রে ভ্রমণকালে যখন তোমাদেরকে বিপদ আক্রমণ করে, তখন তোমরা তাঁকে ছাড়া আর যাদের ডেকে থাকো সব উধাও হয়ে যায়। অত:পর তিনি যখন তোমাদের উদ্ধার করে স্থলভাগে নিয়ে আসেন, তখন তোমরা (তাঁর দিক থেকে) মুখ ফিরিয়ে নাও। মানুষ খুবই অকৃতজ্ঞ।	وَاِذَا مَسَّكُمُ الضُّرُّ فِى الۡبَحۡرِ ضَلَّ مَنۡ تَدۡعُوۡنَ اِلَّاۤ اِيَّاهُ ۚ فَلَمَّا نَجّٰٮكُمۡ اِلَى الۡبَرِّ اَعۡرَضۡتُمۡ ؕ وَكَانَ الۡاِنۡسَانُ كَفُوۡرًا ﴿۶۷﴾
৬৮. তোমরা কি এ বিষয়ে নির্ভয় হয়ে গেছো যে, তিনি কোনো অঞ্চলকে তোমাদেরসহ ধ্বসিয়ে দেবেন না? কিংবা তোমাদের উপর শিলা বর্ষণকারী ঝড় পাঠাবেননা? তখন তোমরা তোমাদের জন্যে কোনো উকিলই (উদ্ধারকারীই) পাবেনা।	اَفَاَمِنۡتُمۡ اَنۡ يَّخۡسِفَ بِكُمۡ جَانِبَ الۡبَرِّ اَوۡ يُرۡسِلَ عَلَيۡكُمۡ حَاصِبًا ثُمَّ لَا تَجِدُوۡا لَـكُمۡ وَكِيۡلًا ۙ‏ ﴿۶۸﴾
৬৯. নাকি তোমরা এ ব্যাপারে নির্ভয় হয়ে গেছো যে, তিনি আবার তোমাদের সমুদ্রে নিয়ে যাবেননা, এবং তোমাদের উপর প্রচণ্ড ঝড় পাঠাবেননা, আর তোমাদের সমুদ্রে ডুবিয়ে দেবেননা তোমাদের কুফুরির কারণে? তখন তোমরা আমার বিরুদ্ধে কোনো সাহায্যকারীই পাবেনা।	اَمۡ اَمِنۡتُمۡ اَنۡ يُّعِيۡدَكُمۡ فِيۡهِ تَارَةً اُخۡرٰى فَيُرۡسِلَ عَلَيۡكُمۡ قَاصِفًا مِّنَ الرِّيۡحِ فَيُغۡرِقَكُمۡ بِمَا كَفَرۡتُمۡ ۙ ثُمَّ لَا تَجِدُوۡا لَـكُمۡ عَلَيۡنَا بِهٖ تَبِيۡعًا ﴿۶۹﴾
৭০. আমরা বনি আদমকে মর্যাদা দিয়েছি এবং স্থলে-সমুদ্রে চলাচলের জন্যে তাদের বাহন দিয়েছি, তাদেরকে উত্তম জীবিকা দিয়েছি এবং তাদেরকে আমাদের অনেক সৃষ্টির উপর দিয়েছি শ্রেষ্ঠত্ব।	وَلَقَدۡ كَرَّمۡنَا بَنِىۡۤ اٰدَمَ وَحَمَلۡنٰهُمۡ فِى الۡبَرِّ وَالۡبَحۡرِ وَرَزَقۡنٰهُمۡ مِّنَ الطَّيِّبٰتِ وَفَضَّلۡنٰهُمۡ عَلٰى كَثِيۡرٍ مِّمَّنۡ خَلَقۡنَا تَفۡضِيۡلًا ﴿۷۰﴾
৭১. স্মরণ করো, সেদিন আমরা প্রতিটি জনসমষ্টিকে তাদের নেতার নেতৃত্বে ডাকবো। তখন যাদের আমলনামা তাদের ডান হাতে দেয়া হবে, তারা তাদের আমলনামা পড়ে ফেলবে এবং তাদের প্রতি শস্যের অণুশীষ পরিমাণও যুলুম করা হবেনা।	يَوۡمَ نَدۡعُوۡا كُلَّ اُنَاسٍۢ بِاِمَامِهِمۡ ۚ فَمَنۡ اُوۡتِىَ كِتٰبَهٗ بِيَمِيۡنِهٖ فَاُولٰۤـئِكَ يَقۡرَءُوۡنَ كِتٰبَهُمۡ وَلَا يُظۡلَمُوۡنَ فَتِيۡلًا ﴿۷۱﴾
৭২. যে এখানে (পৃথিবীর জীবনে) থাকে অন্ধ, সে আখিরাতেও থাকবে অন্ধ এবং আরো অধিক পথভ্রান্ত।	وَمَنۡ كَانَ فِىۡ هٰذِهٖۤ اَعۡمٰى فَهُوَ فِى الۡاٰخِرَةِ اَعۡمٰى وَاَضَلُّ سَبِيۡلًا ﴿۷۲﴾
৭৩. আমরা তোমার প্রতি যে অহি পাঠিয়েছি, তারা তা থেকে তোমার পদস্খলন ঘটানোর চেষ্টায় কোনো ক্রটিই করেনি, যাতে করে তুমি আমার ব্যাপারে অহির বিপরীতে মিথ্যা রচনা করে নাও, তখনই তারা তোমাকে বন্ধু হিসেবে গ্রহণ করতো।	وَاِنۡ كَادُوۡا لَيَفۡتِنُوۡنَكَ عَنِ الَّذِىۡۤ اَوۡحَيۡنَاۤ اِلَيۡكَ لِتَفۡتَرِىَ عَلَيۡنَا غَيۡرَهٗ ۖ وَاِذًا لَّاتَّخَذُوۡكَ خَلِيۡلًا ﴿۷۳﴾
৭৪. আমরা যদি তোমাকে অটল অবিচল না রাখতাম, তাহলে তুমি তাদের দিকে কিছুটা হলেও প্রায় ঝুঁকে পড়তে।	وَلَوۡلَاۤ اَنۡ ثَبَّتۡنٰكَ لَقَدۡ كِدْتَّ تَرۡكَنُ اِلَيۡهِمۡ شَيۡــًٔـا قَلِيۡلًا ۙ‏ ﴿۷۴﴾

রুকু ০৭

৭৫. সে ক্ষেত্রে আমরা তোমাকে ইহজীবনে এবং মৃত্যুর পরে দ্বিগুণ শাস্তির স্বাদ আস্বাদন করাতাম। তখন তুমি তোমার জন্যে আমাদের বিরুদ্ধে কোনো সাহায্যকারীই পেতেনা।	اِذًا لَّاَذَقْنٰكَ ضِعْفَ الْحَيٰوةِ وَ ضِعْفَ الْمَمَاتِ ثُمَّ لَا تَجِدُ لَكَ عَلَيْنَا نَصِيْرًا ﴿۷۵﴾
৭৬. তারা তোমাকে দেশ থেকে বের করে দেয়ার চূড়ান্ত চেষ্টা করেছিল। সেটা করলে তোমার পরে তারাও সেখানে অল্প ক'দিনই টিকতে পারতো।	وَ اِنْ كَادُوْا لَيَسْتَفِزُّوْنَكَ مِنَ الْاَرْضِ لِيُخْرِجُوْكَ مِنْهَا وَ اِذًا لَّا يَلْبَثُوْنَ خِلٰفَكَ اِلَّا قَلِيْلًا ﴿۷۶﴾
৭৭. আমার রসূলদের মধ্যে আমরা তোমার আগে যাদের পাঠিয়েছিলাম, তাদের ক্ষেত্রেও ছিলো এই একই নিয়ম। তুমি আমাদের নিয়মের মধ্যে কোনো ব্যতিক্রম পাবেনা।	سُنَّةَ مَنْ قَدْ اَرْسَلْنَا قَبْلَكَ مِنْ رُّسُلِنَا وَ لَا تَجِدُ لِسُنَّتِنَا تَحْوِيْلًا ﴿۷۷﴾
৭৮. সালাত কায়েম করো সূর্য হেলে পড়ার পর থেকে রাতের অন্ধকার ঘনীভূত হওয়া পর্যন্ত এবং ফজরে কুরআন পাঠ করো (অর্থাৎ আদায় করো ফজর সালাত)। নিশ্চয়ই ফজরের সালাত (ফেরেশতাদের) উপস্থিতির সময়।	اَقِمِ الصَّلٰوةَ لِدُلُوْكِ الشَّمْسِ اِلٰى غَسَقِ الَّيْلِ وَ قُرْاٰنَ الْفَجْرِ ؕ اِنَّ قُرْاٰنَ الْفَجْرِ كَانَ مَشْهُوْدًا ﴿۷۸﴾
৭৯. রাতের কিছু অংশ তাহাজ্জুদ সালাত আদায় করো, এ সালাত তোমার জন্যে অতিরিক্ত কর্তব্য। অচিরেই তোমার প্রভু তোমাকে উঠিয়ে আনবেন প্রশংসিত স্থানে।	وَ مِنَ الَّيْلِ فَتَهَجَّدْ بِهٖ نَافِلَةً لَّكَ ۖ عَسٰۤى اَنْ يَّبْعَثَكَ رَبُّكَ مَقَامًا مَّحْمُوْدًا ﴿۷۹﴾
৮০. আর বলো: 'আমার প্রভু! আমাকে দাখিল করো সত্যের সাথে এবং আমাকে খারিজ (বের) করো সত্যের সাথে, আর তোমার পক্ষ থেকে আমাকে দাও সাহায্যকারী কর্তৃপক্ষ।'	وَ قُلْ رَّبِّ اَدْخِلْنِىْ مُدْخَلَ صِدْقٍ وَّ اَخْرِجْنِىْ مُخْرَجَ صِدْقٍ وَّ اجْعَلْ لِّىْ مِنْ لَّدُنْكَ سُلْطٰنًا نَّصِيْرًا ﴿۸۰﴾
৮১. আরো বলো: 'সত্য এসেছে, মিথ্যা অপসারিত হয়েছে, আর মিথ্যা তো অপসারিত হবারই।'	وَ قُلْ جَآءَ الْحَقُّ وَ زَهَقَ الْبَاطِلُ ؕ اِنَّ الْبَاطِلَ كَانَ زَهُوْقًا ﴿۸۱﴾
৮২. আমরা নাযিল করছি আল-কুরআন, যা মুমিনদের জন্যে নিরাময় এবং রহমত। এটি যালিমদের ক্ষতি ছাড়া আর কিছুই বাড়ায় না।	وَ نُنَزِّلُ مِنَ الْقُرْاٰنِ مَا هُوَ شِفَآءٌ وَّ رَحْمَةٌ لِّلْمُؤْمِنِيْنَ ۙ وَ لَا يَزِيْدُ الظّٰلِمِيْنَ اِلَّا خَسَارًا ﴿۸۲﴾
৮৩. আমরা যখন মানুষের প্রতি অনুগ্রহ করি, তখন সে আমাদের দিক থেকে মুখ ফিরিয়ে নেয় এবং দূরে সরে যায়। আর তাকে কোনো মন্দ স্পর্শ করলে সে হতাশ হয়ে পড়ে।	وَ اِذَاۤ اَنْعَمْنَا عَلَى الْاِنْسَانِ اَعْرَضَ وَ نَاٰ بِجَانِبِهٖ ۚ وَ اِذَا مَسَّهُ الشَّرُّ كَانَ يَـُٔوْسًا ﴿۸۳﴾
৮৪. বলো: 'প্রত্যেকেই কাজ করে নিজ প্রকৃতি অনুযায়ী, আর কার চলার পথ সবচাইতে নির্ভুল, সেটা তোমার প্রভুই অধিক জানেন।'	قُلْ كُلٌّ يَّعْمَلُ عَلٰى شَاكِلَتِهٖ ؕ فَرَبُّكُمْ اَعْلَمُ بِمَنْ هُوَ اَهْدٰى سَبِيْلًا ﴿۸۴﴾
৮৫. তারা তোমার কাছে জানতে চাইছে রূহ সম্পর্কে, তুমি বলো: 'রূহ আমার প্রভুর একটি	وَ يَسْـَٔلُوْنَكَ عَنِ الرُّوْحِ ؕ قُلِ الرُّوْحُ مِنْ اَمْرِ

রুকু ০৮

রুকু ০৯

আদেশ।' আর তোমাদের খুব কমই এলেম দেয়া হয়েছে।	رَبِّيْ وَمَآ اُوْتِيْتُمْ مِّنَ الْعِلْمِ اِلَّا قَلِيْلًا ﴿٨٥﴾
৮৬. আমরা চাইলে তোমার প্রতি যা অহি করেছি তা ফেরত নিয়ে যেতে পারতাম, তারপর তুমি এ বিষয়ে আমাদের বিরুদ্ধে কোনো উকিল পেতেনা।	وَلَئِنْ شِئْنَا لَنَذْهَبَنَّ بِالَّذِيْٓ اَوْحَيْنَآ اِلَيْكَ ثُمَّ لَا تَجِدُ لَكَ بِهٖ عَلَيْنَا وَكِيْلًا ﴿٨٦﴾
৮৭. (তা যে ফেরত নেয়া হয়নি) সেটা তোমার প্রভুর রহমত। তোমার প্রতি তাঁর অনুগ্রহ বিরাট।	اِلَّا رَحْمَةً مِّنْ رَّبِّكَ ؕ اِنَّ فَضْلَهٗ كَانَ عَلَيْكَ كَبِيْرًا ﴿٨٧﴾
৮৮. হে নবী! বলো: সমস্ত ইনসান ও জিন মিলে যদি এই কুরআনের মতো একটি কুরআন রচনার জন্যে জমা হয়, তারা অনুরূপ কুরআন রচনা করতে পারবেনা, তারা যদি এ ব্যাপারে পরস্পরকে সাহায্য করে, তবু নয়।	قُلْ لَّئِنِ اجْتَمَعَتِ الْاِنْسُ وَالْجِنُّ عَلٰٓى اَنْ يَّاْتُوْا بِمِثْلِ هٰذَا الْقُرْاٰنِ لَا يَاْتُوْنَ بِمِثْلِهٖ وَلَوْ كَانَ بَعْضُهُمْ لِبَعْضٍ ظَهِيْرًا ﴿٨٨﴾
৮৯. আমরা এ কুরআনে প্রতিটি বিষয়ের উপমা বিশদভাবে বর্ণনা করেছি, কিন্তু অধিকাংশ মানুষ তা অস্বীকার করে কুফুরি করেছে।	وَلَقَدْ صَرَّفْنَا لِلنَّاسِ فِيْ هٰذَا الْقُرْاٰنِ مِنْ كُلِّ مَثَلٍ ۫ فَاَبٰٓى اَكْثَرُ النَّاسِ اِلَّا كُفُوْرًا ﴿٨٩﴾
৯০. তারা বলেছে: "আমরা কখনো তোমার কথায় ঈমান আনবোনা, যতোক্ষণ না আমাদের জন্যে জমিন থেকে একটি ঝরণা উৎসারিত করবে।	وَقَالُوْا لَنْ نُّؤْمِنَ لَكَ حَتّٰى تَفْجُرَ لَنَا مِنَ الْاَرْضِ يَنْۢبُوْعًا ﴿٩٠﴾
৯১. অথবা তোমার এমন একটি বাগান হবে খেজুর এবং আঙ্গুরের, যার ফাঁকে ফাঁকে তুমি প্রবাহিত করে দেবে নদ-নদী-নহর।	اَوْ تَكُوْنَ لَكَ جَنَّةٌ مِّنْ نَّخِيْلٍ وَّعِنَبٍ فَتُفَجِّرَ الْاَنْهٰرَ خِلٰلَهَا تَفْجِيْرًا ﴿٩١﴾
৯২. কিংবা, তুমি যেমন বলে থাকো, সে মতে আকাশকে চূর্ণ-বিচূর্ণ করে আমাদের উপর ফেলবে, অথবা আল্লাহ্‌কে এবং ফেরেশতাদের আমাদের সামনে এনে উপস্থিত করাবে।	اَوْ تُسْقِطَ السَّمَآءَ كَمَا زَعَمْتَ عَلَيْنَا كِسَفًا اَوْ تَاْتِيَ بِاللّٰهِ وَالْمَلٰٓئِكَةِ قَبِيْلًا ﴿٩٢﴾
৯৩. কিংবা সোনা দিয়ে নির্মিত তোমার একটি ঘর হবে। অথবা তুমি আকাশে আরোহণ করবে, আর তোমার আকাশে আরোহণকেও আমরা কখনো মেনে নেবোনা, যতোক্ষণ না তুমি সেখান থেকে আমাদের প্রতি এমন একটি কিতাব নাযিল করবে, যেটি আমরা পড়বো।" হে নবী! তুমি বলো: 'ত্রুটিমুক্ত পবিত্র মহান আমার প্রভু, আমি কি একজন মানুষ রসূল ছাড়া আর কিছু?'	اَوْ يَكُوْنَ لَكَ بَيْتٌ مِّنْ زُخْرُفٍ اَوْ تَرْقٰى فِي السَّمَآءِ ؕ وَلَنْ نُّؤْمِنَ لِرُقِيِّكَ حَتّٰى تُنَزِّلَ عَلَيْنَا كِتٰبًا نَّقْرَؤُهٗ ؕ قُلْ سُبْحَانَ رَبِّيْ هَلْ كُنْتُ اِلَّا بَشَرًا رَّسُوْلًا ﴿٩٣﴾
৯৪. মানুষের কাছে যখন আল হুদা (কিতাব ও নবী) আসে, তখন তাদেরকে ঈমান আনা থেকে বিরত রাখে তাদের এই বক্তব্য: 'আল্লাহ্ কি একজন মানুষকে রসূল বানিয়ে পাঠিয়েছেন?'	وَمَا مَنَعَ النَّاسَ اَنْ يُّؤْمِنُوْٓا اِذْ جَآءَهُمُ الْهُدٰٓى اِلَّآ اَنْ قَالُوْٓا اَبَعَثَ اللّٰهُ بَشَرًا رَّسُوْلًا ﴿٩٤﴾
৯৫. (হে নবী!) বলো: 'পৃথিবীতে যদি ফেরেশতারা নিশ্চিন্তে চলাফেরা করতো, তবে	قُلْ لَّوْ كَانَ فِي الْاَرْضِ مَلٰٓئِكَةٌ يَّمْشُوْنَ

রুকু ১০

আমরা অবশ্যি আকাশ থেকে তাদের জন্যে কোনো ফেরেশতাকেই রসূল বানিয়ে পাঠাতাম।'	مُطْمَئِنِّيْنَ لَنَزَّلْنَا عَلَيْهِمْ مِّنَ السَّمَآءِ مَلَكًا رَّسُوْلًا ﴿٩٥﴾
৯৬. (হে নবী!) বলো: আমার এবং তোমাদের মাঝে সাক্ষী হিসেবে আল্লাহ্ই যথেষ্ট। নিশ্চয়ই তিনি তাঁর দাসদের বিষয়ে খবর রাখেন এবং দৃষ্টি রাখেন।	قُلْ كَفٰى بِاللّٰهِ شَهِيْدًا بَيْنِيْ وَ بَيْنَكُمْ ؕ اِنَّهٗ كَانَ بِعِبَادِهٖ خَبِيْرًا بَصِيْرًا ﴿٩٦﴾
৯৭. আল্লাহ্ যাদের হিদায়াত করেন তারাই হিদায়াত প্রাপ্ত হয়, আর তিনি যাদের বিপথগামী করেন, তাদের জন্যে তুমি তাঁকে (আল্লাহ্কে) ছাড়া আর কোনো অভিভাবক পাবেনা। কিয়ামতের দিন আমরা তাদেরকে উপুড় করে অন্ধ, বোবা ও কালা অবস্থায় হাশর করাবো। তাদের আবাস হবে জাহান্নাম। যখনই (জাহান্নামের) আগুন স্তিমিত হয়ে আসবে, তখনই আবার আগুনের লেলিহান শিখা বাড়িয়ে দেয়া হবে।	وَ مَنْ يَّهْدِ اللّٰهُ فَهُوَ الْمُهْتَدِ ۚ وَ مَنْ يُّضْلِلْ فَلَنْ تَجِدَ لَهُمْ اَوْلِيَآءَ مِنْ دُوْنِهٖ ؕ وَ نَحْشُرُهُمْ يَوْمَ الْقِيٰمَةِ عَلٰى وُجُوْهِهِمْ عُمْيًا وَّ بُكْمًا وَّ صُمًّا ؕ مَاْوٰىهُمْ جَهَنَّمُ ؕ كُلَّمَا خَبَتْ زِدْنٰهُمْ سَعِيْرًا ﴿٩٧﴾
৯৮. এটাই হলো তাদের উপযুক্ত সাজা, কারণ তারা আমাদের আয়াতের প্রতি কুফুরি করেছিল এবং বলেছিল: 'আমরা হাড়গোড়ে পরিণত হলেও এবং চূর্ণ-বিচূর্ণ হয়ে গেলেও কি আমাদেরকে নতুনভাবে সৃষ্টি করে পুনরুত্থিত করা হবে?'	ذٰلِكَ جَزَآؤُهُمْ بِاَنَّهُمْ كَفَرُوْا بِاٰيٰتِنَا وَ قَالُوْٓا ءَاِذَا كُنَّا عِظَامًا وَّ رُفَاتًا ءَاِنَّا لَمَبْعُوْثُوْنَ خَلْقًا جَدِيْدًا ﴿٩٨﴾
৯৯. তারা কি দেখেনা, যে মহান আল্লাহ মহাকাশ ও পৃথিবী সৃষ্টি করেছেন, তিনি এগুলোর অনুরূপ সৃষ্টি করতে অবশ্যি সক্ষম? তিনি তাদের পুনরুত্থানের জন্যে একটি সময় নির্ধারণ করে রেখেছেন, যে সময়টির আগমনের ব্যাপারে কোনোই সন্দেহ নেই। কিন্তু যালিমরা তা অস্বীকার করবে বলে গোঁয়ার্তমি করেই যাচ্ছে।	اَوَلَمْ يَرَوْا اَنَّ اللّٰهَ الَّذِيْ خَلَقَ السَّمٰوٰتِ وَ الْاَرْضَ قَادِرٌ عَلٰٓى اَنْ يَّخْلُقَ مِثْلَهُمْ وَ جَعَلَ لَهُمْ اَجَلًا لَّا رَيْبَ فِيْهِ ؕ فَاَبَى الظّٰلِمُوْنَ اِلَّا كُفُوْرًا ﴿٩٩﴾
১০০. বলো : তোমরা যদি আমার প্রভুর দয়ার ভাণ্ডারের মালিকও হতে, তবু খরচ হয়ে যাওয়ার ভয়ে সেগুলো আঁকড়ে ধরে রাখতে। আসলে মানুষ বড় কৃপণ।	قُلْ لَّوْ اَنْتُمْ تَمْلِكُوْنَ خَزَآئِنَ رَحْمَةِ رَبِّيْٓ اِذًا لَّاَمْسَكْتُمْ خَشْيَةَ الْاِنْفَاقِ ؕ وَ كَانَ الْاِنْسَانُ قَتُوْرًا ﴿١٠٠﴾
১০১. আমরা মূসাকে নয়টি সুস্পষ্ট নিদর্শন দিয়ে পাঠিয়েছিলাম। বনি ইসরাঈলকে জিজ্ঞেস করে দেখো যখন সে তাদের কাছে এসেছিল, তখন ফেরাউন তাকে বলেছিল: 'হে মূসা! আমার সন্দেহ হচ্ছে তুমি একজন জাদুগ্রস্ত।	وَلَقَدْ اٰتَيْنَا مُوْسٰى تِسْعَ اٰيٰتٍۭ بَيِّنٰتٍ فَسْئَلْ بَنِيْٓ اِسْرَآءِيْلَ اِذْ جَآءَهُمْ فَقَالَ لَهٗ فِرْعَوْنُ اِنِّيْ لَاَظُنُّكَ يٰمُوْسٰى مَسْحُوْرًا ﴿١٠١﴾
১০২. তখন মূসা বলেছিল: 'তুমি তো জানো, এসব নিদর্শন সুস্পষ্ট প্রমাণ হিসেবে মহাকাশ এবং পৃথিবীর প্রভু ছাড়া আর কেউ নাযিল করেনি। আর আমি মনে করি হে ফেরাউন, তোমার ধ্বংস আসন্ন।'	قَالَ لَقَدْ عَلِمْتَ مَآ اَنْزَلَ هٰٓؤُلَآءِ اِلَّا رَبُّ السَّمٰوٰتِ وَ الْاَرْضِ بَصَآئِرَ ۚ وَ اِنِّيْ لَاَظُنُّكَ يٰفِرْعَوْنُ مَثْبُوْرًا ﴿١٠٢﴾

রুকু ১১

১০৩. তখন ফেরাউন তাদেরকে দেশ থেকে বহিষ্কার করার এরাদা (সংকল্প) করে। ফলে আমরা তাকে এবং তার সঙ্গি -সাথিদেরকে ডুবিয়ে দিয়েছিলাম।	فَاَرَادَ اَنۡ يَّسۡتَفِزَّهُمۡ مِّنَ الۡاَرۡضِ فَاَغۡرَقۡنٰهُ وَمَنۡ مَّعَهٗ جَمِيۡعًا ﴿۱۰۳﴾
১০৪. এরপর আমরা বনি ইসরাঈলকে বলেছিলাম, তোমরা পৃথিবীতে বসবাস করো। যখন আখিরাতের ওয়াদা বাস্তবায়িত হবে তখন আমরা তোমাদের সবাইকে একত্রে হাজির করবো।	وَّقُلۡنَا مِنۡۢ بَعۡدِهٖ لِبَنِىۡۤ اِسۡرَآءِيۡلَ اسۡكُنُوا الۡاَرۡضَ فَاِذَا جَآءَ وَعۡدُ الۡاٰخِرَةِ جِئۡنَا بِكُمۡ لَفِيۡفًا ﴿۱۰۴﴾
১০৫. আমরা সত্য নিয়ে এ কুরআনকে নাযিল করেছি এবং সত্য নিয়েই তা নাযিল হয়েছে। আর আমরা তো তোমাকে পাঠিয়েছি কেবল একজন সুসংবাদদাতা এবং একজন সতর্ককারী হিসেবে।	وَبِالۡحَقِّ اَنۡزَلۡنٰهُ وَبِالۡحَقِّ نَزَلَ ؕ وَمَاۤ اَرۡسَلۡنٰكَ اِلَّا مُبَشِّرًا وَّنَذِيۡرًا ﴿۱۰۵﴾
১০৬. আমরা কুআনকে নাযিল করেছি ভাগে ভাগে, যাতে করে তুমি মানুষকে তা পাঠ করে জানাতে পারো বিরতি দিয়ে দিয়ে। এ জন্যে আমরা সেটিকে ধীর ধীরে ক্রমান্বয়ে নাযিল করেছি।	وَقُرۡاٰنًا فَرَقۡنٰهُ لِتَقۡرَاَهٗ عَلَى النَّاسِ عَلٰى مُكۡثٍ وَّنَزَّلۡنٰهُ تَنۡزِيۡلًا ﴿۱۰۶﴾
১০৭. হে নবী! বলো: 'তোমরা এ কুরআনের প্রতি ঈমান আনো বা ঈমান না আনো, ইতিপূর্বে যাদের এলেম দেয়া হয়েছিল, তাদের কাছে যখন এটি পাঠ করা হয়, তখন তারা সাজদায় লুটিয়ে পড়ে।'	قُلۡ اٰمِنُوۡا بِهٖۤ اَوۡ لَا تُؤۡمِنُوۡا ؕ اِنَّ الَّذِيۡنَ اُوۡتُوا الۡعِلۡمَ مِنۡ قَبۡلِهٖۤ اِذَا يُتۡلٰى عَلَيۡهِمۡ يَخِرُّوۡنَ لِلۡاَذۡقَانِ سُجَّدًا ۙ﴿۱۰۷﴾
১০৮. তারা বলে: 'আমাদের প্রভু পবিত্র, মহান। আমাদের প্রভুর ওয়াদা অবশ্যি কার্যকর হয়ে থাকে।	وَّيَقُوۡلُوۡنَ سُبۡحٰنَ رَبِّنَاۤ اِنۡ كَانَ وَعۡدُ رَبِّنَا لَمَفۡعُوۡلًا ﴿۱۰۸﴾
১০৯. তখন তারা কাঁদতে কাঁদতে লুটিয়ে পড়ে এবং এটি (কুরআন) যখন তাদের প্রতি তিলাওয়াত করা হয়, তাদের বিনয় বৃদ্ধি করে দেয়। (সাজদা)	وَيَخِرُّوۡنَ لِلۡاَذۡقَانِ يَبۡكُوۡنَ وَيَزِيۡدُهُمۡ خُشُوۡعًا ﴿۱۰۹﴾ السجدة
১১০. হে নবী! বলো: তোমরা তাঁকে 'আল্লাহ' বলে ডাকো, কিংবা 'রহমান' বলে ডাকো, তোমরা যে নামেই তাঁকে ডাকো, সুন্দরতম নামসমূহ তো তাঁরই। তোমার সালাতে স্বর বেশি উঁচু করোনা, আর বেশি ক্ষীণও করোনা, এ দুয়ের মাঝখানে মধ্যপন্থা অবলম্বন করো।	قُلِ ادۡعُوا اللّٰهَ اَوِ ادۡعُوا الرَّحۡمٰنَ ؕ اَيًّا مَّا تَدۡعُوۡا فَلَهُ الۡاَسۡمَآءُ الۡحُسۡنٰى ۚ وَلَا تَجۡهَرۡ بِصَلَاتِكَ وَلَا تُخَافِتۡ بِهَا وَابۡتَغِ بَيۡنَ ذٰلِكَ سَبِيۡلًا ﴿۱۱۰﴾
১১১. আর বলো: "সমস্ত প্রশংসা সেই মহান আল্লাহর, যিনি সন্তান গ্রহণ করেননা। তাঁর কর্তৃত্বে কেউ অংশীদারও নেই। তাঁর কোনো অসহায়ত্বও নেই যে, তাঁর কোনো অলির প্রয়োজন হতে পারে। সুতরাং তাঁর শ্রেষ্ঠত্ব ও মহানত্ব ঘোষণা করো।" (আল্লাহু আকবার)।	وَقُلِ الۡحَمۡدُ لِلّٰهِ الَّذِىۡ لَمۡ يَتَّخِذۡ وَلَدًا وَّلَمۡ يَكُنۡ لَّهٗ شَرِيۡكٌ فِى الۡمُلۡكِ وَلَمۡ يَكُنۡ لَّهٗ وَلِىٌّ مِّنَ الذُّلِّ وَكَبِّرۡهُ تَكۡبِيۡرًا ﴿۱۱۱﴾

রুকু ১২

সূরা ১৮ আল কাহাফ

মক্কায় অবতীর্ণ, আয়াত সংখ্যা: ১১০, রুকু সংখ্যা: ১২

এই সূরার আলোচ্যসূচি (আয়াত ভিত্তিক আলোচ্য বিষয়)

০১-০৮: কুরআনে কোনো বক্রতা নেই। এটি সঠিক ও সুদৃঢ়। লোকেরা কুরআনের প্রতি ঈমান আনেনা বলে নবীর মনে কষ্ট।

০৯-২৬: আসহাবে কাহাফের ঘটনার বিবরণ এবং এ প্রসঙ্গে উপদেশ।

২৭-৩১: রসূলের প্রতি উপদেশ। যালিমদের প্রতি সতর্কতা। মুমিনদের প্রতি সুসংবাদ।

৩২-৪৪: উপমার মাধ্যমে শিরকের অসারতা এবং তাওহীদের যুক্তি।

৪৫-৪৯: দুনিয়ার জীবনের অসারতার উপমা। মানুষের জন্য যা কল্যাণকর। হাশর ও বিচারের দৃশ্য।

৫০-৫৩: মানুষ তার শত্রু ইবলিসকে বন্ধু হিসেবে গ্রহণ করে কী করে? শিরকের অসারতা।

৫৪-৫৯: কুরআনে সবকিছুর বর্ণনা থাকা সত্ত্বেও লোকেরা বিবাদ করে। সবচেয়ে বড় যালিম আল্লাহ্‌র আয়াত প্রত্যাখ্যানকারীরা।

৬০-৮২: এক জ্ঞানী ব্যক্তির সন্ধানে ও সান্নিধ্যে মূসা আ.।

৮৩-১০১: যুলকারনাইনের (সাইরাস দ্যা গ্রেট-এর) প্রতি আল্লাহ্‌র অনুগ্রহের বিবরণ এবং তার কল্যাণমূলক কার্যক্রম।

১০২-১১০: বাঁচার উপায় শিরকমুক্ত আমলে সালেহ্। যারা আল্লাহ্‌র সৃষ্টিকে অলি বানায় তাদের জন্য জাহান্নাম। সর্ব নিকৃষ্ট আমলের অধিকারী কারা? মুমিনদের জন্য সুসংবাদ। আল্লাহ্‌র প্রশংসা লিখে শেষ করা যাবেনা।

সূরা আল কাহাফ (গুহা) পরম করুণাময় পরম দয়াময় আল্লাহ্‌র নামে	سُوْرَةُ الْكَهْفِ بِسْمِ اللّٰهِ الرَّحْمٰنِ الرَّحِيْمِ
০১. সমস্ত প্রশংসা আল্লাহ্‌র, যিনি তাঁর দাসের উপর আল কিতাব (আল-কুরআন) নাযিল করেছেন এবং তাতে কোনো প্রকার বক্রতা-জটিলতা রাখেননি।	اَلْحَمْدُ لِلّٰهِ الَّذِيْٓ اَنْزَلَ عَلٰى عَبْدِهِ الْكِتٰبَ وَلَمْ يَجْعَلْ لَّهٗ عِوَجًا ۜ ①
০২. তিনি এটিকে করেছেন সুষম-সুপ্রতিষ্ঠিত তাঁর কঠিন শাস্তি সম্পর্কে সতর্ক করার জন্যে। আর যেসব মুমিন আমলে সালেহ্ করে এটি তাদের সুসংবাদ দেয় যে, তাদের জন্যে রয়েছে উত্তম পুরস্কার (জান্নাত)।	قَيِّمًا لِّيُنْذِرَ بَاْسًا شَدِيْدًا مِّنْ لَّدُنْهُ وَيُبَشِّرَ الْمُؤْمِنِيْنَ الَّذِيْنَ يَعْمَلُوْنَ الصّٰلِحٰتِ اَنَّ لَهُمْ اَجْرًا حَسَنًا ۙ ②
০৩. সেখানে থাকবে তারা চিরদিন চিরকাল।	مَّاكِثِيْنَ فِيْهِ اَبَدًا ۙ ③
০৪. আর (এটি নাযিল করেছেন) তাদেরকে সতর্ক করার জন্যে, যারা বলে: 'আল্লাহ্ সন্তান গ্রহণ করেছেন।'	وَّيُنْذِرَ الَّذِيْنَ قَالُوا اتَّخَذَ اللّٰهُ وَلَدًا ۗ ④
০৫. আসলে এ বিষয়ে তাদের কোনো জ্ঞান নেই এবং তাদের পূর্ব পুরুষদেরও কোনো জ্ঞান ছিলনা। তাদের মুখ থেকে বের হওয়া কথা খুবই গুরুতর। তাদের কথা মিথ্যা ছাড়া আর কিছুই নয়।	مَا لَهُمْ بِهٖ مِنْ عِلْمٍ وَّلَا لِاٰبَآئِهِمْ ۗ كَبُرَتْ كَلِمَةً تَخْرُجُ مِنْ اَفْوَاهِهِمْ ۗ اِنْ يَّقُوْلُوْنَ اِلَّا كَذِبًا ⑤

০৬. তারা এ বাণীর প্রতি ঈমান না আনলে সম্ভবত তুমি তাদের পেছনে ঘুরে ঘুরে দুঃখে শোকে নিজেকে বিনাশ করে ছাড়বে।	فَلَعَلَّكَ بَاخِعٌ نَّفْسَكَ عَلٰٓى اٰثَارِهِمْ اِنْ لَّمْ يُؤْمِنُوْا بِهٰذَا الْحَدِيْثِ اَسَفًا ۝٦
০৭. পৃথিবীর উপর যা কিছু আছে সেগুলো আমরা এর শোভা বানিয়ে দিয়েছি মানুষকে এই পরীক্ষা করার জন্যে যে, আমলের দিক থেকে তাদের মধ্যে কে উত্তম?	اِنَّا جَعَلْنَا مَا عَلَى الْاَرْضِ زِيْنَةً لَّهَا لِنَبْلُوَهُمْ اَيُّهُمْ اَحْسَنُ عَمَلًا ۝٧
০৮. এর উপর যা কিছু আছে তা অবশ্যি আমরা উদ্ভিদ বিহীন মাঠে পরিণত করবো।	وَاِنَّا لَجٰعِلُوْنَ مَا عَلَيْهَا صَعِيْدًا جُرُزًا ۝٨
০৯. তুমি কি মনে করো যে, কাহাফ এবং রাকিমের অধিবাসীরা আমার বিস্ময়কর নিদর্শনাবলির অন্তরভুক্ত?	اَمْ حَسِبْتَ اَنَّ اَصْحٰبَ الْكَهْفِ وَ الرَّقِيْمِ ۙ كَانُوْا مِنْ اٰيٰتِنَا عَجَبًا ۝٩
১০. যুবকরা যখন গুহায় আশ্রয় নিয়েছিল তারা বলেছিল: 'আমাদের প্রভু! আমাদের দান করো তোমার পক্ষ থেকে রহমত এবং আমাদেরকে আমাদের কার্যক্রম সঠিকভাবে পরিচালনা করার ব্যবস্থা করে দাও।'	اِذْ اَوَى الْفِتْيَةُ اِلَى الْكَهْفِ فَقَالُوْا رَبَّنَآ اٰتِنَا مِنْ لَّدُنْكَ رَحْمَةً وَّ هَيِّئْ لَنَا مِنْ اَمْرِنَا رَشَدًا ۝١٠
১১. তারপর আমরা তাদেরকে গুহায় কয়েক বছর ঘুমন্ত রেখে দিয়েছিলাম।	فَضَرَبْنَا عَلٰٓى اٰذَانِهِمْ فِى الْكَهْفِ سِنِيْنَ عَدَدًا ۝١١
১২. অত:পর তাদের জাগিয়েছিলাম একথা জানার জন্যে যে, তাদের দুই দলের মধ্যে কোন্‌টি তার অবস্থানকাল ঠিকভাবে নির্ণয় করতে পারে?	ثُمَّ بَعَثْنٰهُمْ لِنَعْلَمَ اَيُّ الْحِزْبَيْنِ اَحْصٰى لِمَا لَبِثُوْٓا اَمَدًا ۝١٢
১৩. আমরা তোমার কাছে তাদের সঠিক ঘটনা বর্ণনা করছি: তারা কয়েকজন যুবক ঈমান এনেছিল তাদের প্রভুর প্রতি এবং আমরা বৃদ্ধি করে দিয়েছিলাম তাদের হুদা (ঈমান)।	نَحْنُ نَقُصُّ عَلَيْكَ نَبَاَهُمْ بِالْحَقِّ ۗ اِنَّهُمْ فِتْيَةٌ اٰمَنُوْا بِرَبِّهِمْ وَزِدْنٰهُمْ هُدًى ۝١٣
১৪. আর আমরা তাদের হৃদয়ের বন্ধন মজবুত করে দিয়েছিলাম। তারা যখন উঠে দাঁড়িয়েছিল, তখন বলেছিল: "আমাদের প্রভু মহাকাশ ও পৃথিবীর প্রভু! আমরা কখনো তাঁকে ছাড়া আর কোনো ইলাহ্‌কে ডাকবো না। তেমনটি করলে সেটা হবে এক গর্হিত কাজ।	وَّرَبَطْنَا عَلٰى قُلُوْبِهِمْ اِذْ قَامُوْا فَقَالُوْا رَبُّنَا رَبُّ السَّمٰوٰتِ وَالْاَرْضِ لَنْ نَّدْعُوَاۡ مِنْ دُوْنِهٖٓ اِلٰهًا لَّقَدْ قُلْنَآ اِذًا شَطَطًا ۝١٤
১৫. এই আমাদের কওম, তারা তাঁকে ছাড়া অন্য ইলাহ্ গ্রহণ করেছে। তারা তাদের পক্ষে স্পষ্ট প্রমাণ হাজির করে না কেন? ঐ ব্যক্তির চাইতে বড় যালিম আর কে, যে মিথ্যা রচনা করে আল্লাহ্‌র উপর আরোপ করে?"	هٰٓؤُلَآءِ قَوْمُنَا اتَّخَذُوْا مِنْ دُوْنِهٖٓ اٰلِهَةً ؕ لَوْ لَا يَاْتُوْنَ عَلَيْهِمْ بِسُلْطٰنٍۭ بَيِّنٍ ؕ فَمَنْ اَظْلَمُ مِمَّنِ افْتَرٰى عَلَى اللّٰهِ كَذِبًا ۝١٥

রুকু ০১

১৬. তারপর তারা পরস্পরকে বলে: "তোমরা যখন তাদের থেকে এবং তারা আল্লাহ্‌র পরিবর্তে যাদের ইবাদত করে তাদের থেকে বিচ্ছিন্ন হয়েছো, তখন তোমরা গুহায় আশ্রয় গ্রহণ করো। তোমাদের প্রভু তোমাদের জন্যে তাঁর দয়া প্রসারিত করবেন এবং তোমাদের জন্যে তোমাদের কার্যক্রমকে ফলপ্রসূ করার ব্যবস্থা করবেন।"	وَ اِذِ اعۡتَزَلۡتُمُوۡهُمۡ وَ مَا يَعۡبُدُوۡنَ اِلَّا اللّٰهَ فَاۡوٗۤا اِلَى الۡكَهۡفِ يَنۡشُرۡ لَكُمۡ رَبُّكُمۡ مِّنۡ رَّحۡمَتِهٖ وَ يُهَيِّئۡ لَكُمۡ مِّنۡ اَمۡرِكُمۡ مِّرۡفَقًا ﴿١٦﴾
১৭. তুমি দেখতে পাও, তারা তাদের গুহার প্রশস্ত চত্বরে অবস্থান করছে, উদয়ের সময় সূর্য তাদের ডান পাশ হেলে যায়, আর অস্ত যাবার সময় তাদের অতিক্রম করে বাম পাশ থেকে। এটা আল্লাহ্‌র নিদর্শনসমূহের অন্তরভুক্ত। আল্লাহ্ যাকে সঠিক পথ দেখান সেই হিদায়াতপ্রাপ্ত হয় আর তিনি যাকে বিপথগামী করেন, তুমি কখনো তার জন্যে কোনো মুরশিদ অলি (সঠিক পথের দিশারি অভিভাবক) পাবে না।	وَتَرَى الشَّمۡسَ اِذَا طَلَعَتۡ تَّزٰوَرُ عَنۡ كَهۡفِهِمۡ ذَاتَ الۡيَمِيۡنِ وَ اِذَا غَرَبَتۡ تَّقۡرِضُهُمۡ ذَاتَ الشِّمَالِ وَ هُمۡ فِىۡ فَجۡوَةٍ مِّنۡهُ ؕ ذٰلِكَ مِنۡ اٰيٰتِ اللّٰهِ ؕ مَنۡ يَّهۡدِ اللّٰهُ فَهُوَ الۡمُهۡتَدِ ۚ وَمَنۡ يُّضۡلِلۡ فَلَنۡ تَجِدَ لَهٗ وَلِيًّا مُّرۡشِدًا ﴿١٧﴾
১৮. তুমি ধারণা করবে তারা জাগ্রত, অথচ তারা ঘুমন্ত। আমরা তাদের পাশ পরিবর্তন করাতাম ডান দিকে এবং বাম দিকে, আর তাদের কুকুরটি ছিলো সামনের পা দুটি গুহা দ্বারের দিকে প্রসারিত করে। তাদের দিকে তাকিয়ে দেখলে তুমি পেছন ফিরে পালাবে এবং তাদের ভয়ে আতংকগ্রস্ত হয়ে পড়বে।	وَ تَحۡسَبُهُمۡ اَيۡقَاظًا وَّ هُمۡ رُقُوۡدٌ ۖۗ وَّ نُقَلِّبُهُمۡ ذَاتَ الۡيَمِيۡنِ وَ ذَاتَ الشِّمَالِ ۖۗ وَ كَلۡبُهُمۡ بَاسِطٌ ذِرَاعَيۡهِ بِالۡوَصِيۡدِ ؕ لَوِ اطَّلَعۡتَ عَلَيۡهِمۡ لَوَلَّيۡتَ مِنۡهُمۡ فِرَارًا وَّ لَمُلِئۡتَ مِنۡهُمۡ رُعۡبًا ﴿١٨﴾
১৯. এভাবেই, আমরা তাদের জাগিয়ে তুলেছিলাম যেনো তারা পরস্পরের মধ্যে জিজ্ঞাসাবাদ করে। তাদের একজন জিজ্ঞেস করেছিল, তোমরা এখানে কতোদিন অবস্থান করেছো? বাকিরা বললো: "আমরা এখানে একদিন বা আধা দিন অবস্থান করেছি।' তারা বললো: তোমাদের প্রভুই অধিক জানেন তোমরা কতদিন অবস্থান করেছো? এখন তোমাদের একজনকে তোমাদের এই মুদ্রা নিয়ে শহরে পাঠাও, সে দেখুক কোন্ খাবার উত্তম এবং তা থেকে কিছু খাবার নিয়ে আসুক তোমাদের জন্যে। আর সে যেনো সতর্কতা অবলম্বন করে এবং কিছুতেই যেনো তোমাদের সম্পর্কে কাউকেও কিছু জানতে না দেয়।	وَ كَذٰلِكَ بَعَثۡنٰهُمۡ لِيَتَسَآءَلُوۡا بَيۡنَهُمۡ ؕ قَالَ قَآئِلٌ مِّنۡهُمۡ كَمۡ لَبِثۡتُمۡ ؕ قَالُوۡا لَبِثۡنَا يَوۡمًا اَوۡ بَعۡضَ يَوۡمٍ ؕ قَالُوۡا رَبُّكُمۡ اَعۡلَمُ بِمَا لَبِثۡتُمۡ ؕ فَابۡعَثُوۡۤا اَحَدَكُمۡ بِوَرِقِكُمۡ هٰذِهٖۤ اِلَى الۡمَدِيۡنَةِ فَلۡيَنۡظُرۡ اَيُّهَاۤ اَزۡكٰى طَعَامًا فَلۡيَاۡتِكُمۡ بِرِزۡقٍ مِّنۡهُ وَ لۡيَتَلَطَّفۡ وَلَا يُشۡعِرَنَّ بِكُمۡ اَحَدًا ﴿١٩﴾
২০. তোমাদের বিষয়টি যদি তাদের কাছে প্রকাশ হয়ে পড়ে তাহলে তারা তোমাদের পাথর মেরে হত্যা করবে, অথবা তোমাদের ফিরিয়ে নেবে তাদের মিল্লাতে। তখন আর তোমরা কখনো সফলতা অর্জন করবে না।"	اِنَّهُمۡ اِنۡ يَّظۡهَرُوۡا عَلَيۡكُمۡ يَرۡجُمُوۡكُمۡ اَوۡ يُعِيۡدُوۡكُمۡ فِىۡ مِلَّتِهِمۡ وَلَنۡ تُفۡلِحُوۡۤا اِذًا اَبَدًا ﴿٢٠﴾

রুকু ০২

২১. এভাবেই আমরা মানুষকে তাদের বিষয়টি জানিয়ে দিলাম, যাতে করে তারা জানতে পারে যে, আল্লাহ্‌র ওয়াদা সত্য এবং কিয়ামতের আগমনে কোনো সন্দেহ নেই। যখন তারা তাদের কর্তব্য বিষয়ে বিতর্ক করছিল, তখন অনেকে বলেছিল: 'তাদের উপর একটি সৌধ নির্মাণ করো।' তাদের প্রভুই তাদের বিষয়ে ভালো জানেন। নিজেদের কর্তব্য বিষয়ে যাদের মত প্রবল হয়ে দেখা দিলো, তারা বললো: 'আমরা অবশ্যি তাদের পাশে একটি মসজিদ নির্মাণ করবো।'	وَ كَذٰلِكَ اَعۡثَرۡنَا عَلَيۡهِمۡ لِيَعۡلَمُوۡۤا اَنَّ وَعۡدَ اللّٰهِ حَقٌّ وَّ اَنَّ السَّاعَةَ لَا رَيۡبَ فِيۡهَا ۚ اِذۡ يَتَنَازَعُوۡنَ بَيۡنَهُمۡ اَمۡرَهُمۡ فَقَالُوا ابۡنُوۡا عَلَيۡهِمۡ بُنۡيَانًا ؕ رَبُّهُمۡ اَعۡلَمُ بِهِمۡ ؕ قَالَ الَّذِيۡنَ غَلَبُوۡا عَلٰۤى اَمۡرِهِمۡ لَنَتَّخِذَنَّ عَلَيۡهِمۡ مَّسۡجِدًا ﴿۲۱﴾
২২. কিছু লোক বলবে: 'তারা ছিলো তিনজন এবং তাদের চতুর্থটি ছিলো তাদের কুকুর।' অজানা বিষয়ে অনুমান করে কিছু লোক বলবে: 'তারা ছিলো পাঁচজন এবং তাদের ষষ্ঠটি ছিলো তাদের কুকুর।' কিছু লোক বলবে: 'তারা ছিলো সাতজন এবং অষ্টমটি ছিলো তাদের কুকুর।' তুমি বলো: 'তাদের সংখ্যা কতো তা আমার প্রভুই ভালো জানেন।' অল্প কিছু লোক ছাড়া তাদের সংখ্যা কেউই জানেনা। সাধারণ আলোচনা ছাড়া তুমি তাদের বিষয়ে বিতর্কে লিপ্ত হয়োনা। আর তাদের বিষয়ে ওদের কাউকেও কিছু জিজ্ঞাসাও করোনা।	سَيَقُوۡلُوۡنَ ثَلٰثَةٌ رَّابِعُهُمۡ كَلۡبُهُمۡ ۚ وَيَقُوۡلُوۡنَ خَمۡسَةٌ سَادِسُهُمۡ كَلۡبُهُمۡ رَجۡمًۢا بِالۡغَيۡبِ ۚ وَ يَقُوۡلُوۡنَ سَبۡعَةٌ وَّثَامِنُهُمۡ كَلۡبُهُمۡ ؕ قُلۡ رَّبِّىۡۤ اَعۡلَمُ بِعِدَّتِهِمۡ مَّا يَعۡلَمُهُمۡ اِلَّا قَلِيۡلٌ ۗ فَلَا تُمَارِ فِيۡهِمۡ اِلَّا مِرَآءً ظَاهِرًا ۖ وَّلَا تَسۡتَفۡتِ فِيۡهِمۡ مِّنۡهُمۡ اَحَدًا ﴿۲۲﴾
২৩. তুমি কখনো কোনো বিষয়ে এভাবে বলোনা যে, 'আমি তা আগামি কাল করবো।'	وَلَا تَقُوۡلَنَّ لِشَاىۡءٍ اِنِّىۡ فَاعِلٌ ذٰلِكَ غَدًا ﴿۲۳﴾
২৪. তবে এভাবে বলবে: 'ইনশাল্লাহ- যদি আল্লাহ্ চান'। আর যদি ভুলে যাও তবে তোমার প্রভুকে স্মরণ করবে এবং বলবে: 'হয়তো আমার প্রভু আমাকে সত্যের নিকটে পৌছার পথ দেখাবেন।'	اِلَّاۤ اَنۡ يَّشَآءَ اللّٰهُ ۫ وَ اذۡكُرۡ رَّبَّكَ اِذَا نَسِيۡتَ وَ قُلۡ عَسٰۤى اَنۡ يَّهۡدِيَنِ رَبِّىۡ لِاَقۡرَبَ مِنۡ هٰذَا رَشَدًا ﴿۲۴﴾
২৫. তারা তাদের গুহায় অবস্থান করেছিল তিনশ' বছর আরো নয় বছর।	وَلَبِثُوۡا فِىۡ كَهۡفِهِمۡ ثَلٰثَ مِائَةٍ سِنِيۡنَ وَ ازۡدَادُوۡا تِسۡعًا ﴿۲۵﴾
২৬. তুমি বলো: 'এরপরে তারা কতোকাল ছিলো তা আল্লাহ্ই ভালো জানেন।' মহাকাশ আর পৃথিবীর গায়েব কেবল তাঁরই জানা আছে। দেখো, তিনি কতো সুন্দর দ্রষ্টা এবং শ্রোতা! তিনি ছাড়া তোমাদের আর কোনো অলি নেই। তিনি নিজ কর্তৃত্বে কাউকে শরিক করেন না।	قُلِ اللّٰهُ اَعۡلَمُ بِمَا لَبِثُوۡا ۚ لَهٗ غَيۡبُ السَّمٰوٰتِ وَ الۡاَرۡضِ ؕ اَبۡصِرۡ بِهٖ وَ اَسۡمِعۡ ؕ مَا لَهُمۡ مِّنۡ دُوۡنِهٖ مِنۡ وَّلِىٍّ ۫ وَّ لَا يُشۡرِكُ فِىۡ حُكۡمِهٖۤ اَحَدًا ﴿۲۶﴾
২৭. তোমার প্রতি তোমার প্রভুর যে কিতাব অহি করা হয়েছে তুমি তা তিলাওয়াত করো। তাঁর বাণী পরিবর্তন করার কেউ নেই। তুমি কখনো তাঁকে ছাড়া আর কোনো আশ্রয় পাবেনা।	وَ اتۡلُ مَاۤ اُوۡحِىَ اِلَيۡكَ مِنۡ كِتَابِ رَبِّكَ ؕ لَا مُبَدِّلَ لِكَلِمٰتِهٖ ۚ وَ لَنۡ تَجِدَ مِنۡ دُوۡنِهٖ مُلۡتَحَدًا ﴿۲۷﴾

রুকু ০৩

২৮. যারা সকাল ও সন্ধ্যায় তাদের প্রভুকে ডাকে তাঁর সন্তুষ্টি লাভের উদ্দেশ্যে, তুমি নিজেকে তাদের সাথে অবিচলভাবে জুড়ে রাখো। পার্থিব জীবনের চাকচিক্যের উদ্দেশ্যে তুমি তাদের থেকে তোমার দৃষ্টি ফিরিয়ে নিয়োনা। তুমি এমন কারো আনুগত্য করোনা, যার অন্তরকে আমরা আমাদের যিকির থেকে গাফিল করে দিয়েছি এবং যে তার খেয়াল খুশির অনুসরণ করে আর যার কর্মকাণ্ড সীমালংঘনমূলক।	وَ اصۡبِرۡ نَفۡسَكَ مَعَ الَّذِيۡنَ يَدۡعُوۡنَ رَبَّهُمۡ بِالۡغَدٰوةِ وَ الۡعَشِيِّ يُرِيۡدُوۡنَ وَجۡهَهٗ وَ لَا تَعۡدُ عَيۡنٰكَ عَنۡهُمۡ ۚ تُرِيۡدُ زِيۡنَةَ الۡحَيٰوةِ الدُّنۡيَا ۚ وَ لَا تُطِعۡ مَنۡ اَغۡفَلۡنَا قَلۡبَهٗ عَنۡ ذِكۡرِنَا وَ اتَّبَعَ هَوٰىهُ وَ كَانَ اَمۡرُهٗ فُرُطًا ﴿۲۸﴾
২৯. বলো: সত্য (আল-কুরআন) তোমাদের প্রভুর নিকট থেকেই এসেছে। সুতরাং যার ইচ্ছা ঈমান আনুক, আর যার ইচ্ছা সত্য প্রত্যাখ্যান করুক। আমরা যালিমদের জন্যে প্রস্তুত করে রেখেছি আগুন, তার বেষ্টনি তাদেরকে পরিবেষ্টন করে রাখবে। তারা পানি পান করতে চাইলে তাদের দেয়া হবে গলিত ধাতুর মতো পানীয়, যা তাদের মুখমণ্ডলকে দগ্ধ করে ফেলবে। কী যে নিকৃষ্ট পানীয় আর কতো যে নিকৃষ্ট আশ্রয় তাদের!	وَ قُلِ الۡحَقُّ مِنۡ رَّبِّكُمۡ ۟ فَمَنۡ شَآءَ فَلۡيُؤۡمِنۡ وَّ مَنۡ شَآءَ فَلۡيَكۡفُرۡ ۙ اِنَّاۤ اَعۡتَدۡنَا لِلظّٰلِمِيۡنَ نَارًا ۙ اَحَاطَ بِهِمۡ سُرَادِقُهَا ؕ وَ اِنۡ يَّسۡتَغِيۡثُوۡا يُغَاثُوۡا بِمَآءٍ كَالۡمُهۡلِ يَشۡوِي الۡوُجُوۡهَ ؕ بِئۡسَ الشَّرَابُ ؕ وَ سَآءَتۡ مُرۡتَفَقًا ﴿۲۹﴾
৩০. তবে যারা ঈমান আনবে এবং আমলে সালেহ্ করবে, উত্তম আমলকারীদের কর্মফল আমরা কখনো বিনষ্ট করিনা!	اِنَّ الَّذِيۡنَ اٰمَنُوۡا وَ عَمِلُوا الصّٰلِحٰتِ اِنَّا لَا نُضِيۡعُ اَجۡرَ مَنۡ اَحۡسَنَ عَمَلًا ﴿۳۰﴾
৩১. তাদের জন্যে থাকবে চিরস্থায়ী জান্নাতসমূহ যেগুলোর নিচে দিয়ে বহমান থাকবে নদ-নদী নহর। সেখানে তাদের অলংকার পরানো হবে সোনার কংকন। সেখানে তারা পরবে সূক্ষ্ম ও পুরু রেশমি সবুজ পরিচ্ছেদ। আর সেখানে তারা আসন গ্রহণ করবে সুসজ্জিত সোফায়। কতো যে উত্তম পুরস্কার! আর কতো যে উত্তম আশ্রয়স্থল।	اُولٰٓئِكَ لَهُمۡ جَنّٰتُ عَدۡنٍ تَجۡرِيۡ مِنۡ تَحۡتِهِمُ الۡاَنۡهٰرُ يُحَلَّوۡنَ فِيۡهَا مِنۡ اَسَاوِرَ مِنۡ ذَهَبٍ وَّ يَلۡبَسُوۡنَ ثِيَابًا خُضۡرًا مِّنۡ سُنۡدُسٍ وَّاِسۡتَبۡرَقٍ مُّتَّكِـِٔيۡنَ فِيۡهَا عَلَى الۡاَرَآئِكِ ؕ نِعۡمَ الثَّوَابُ ؕ وَحَسُنَتۡ مُرۡتَفَقًا ﴿۳۱﴾

রুকু ০৪

৩২. তুমি তাদের জন্যে দুই ব্যক্তির উদাহরণ পেশ করো: তাদের একজনকে আমরা দিয়েছিলাম দু'টি আঙ্গুরের বাগান। দু'টি বাগানকেই আমরা খেজুর গাছ দিয়ে পরিবেষ্টন করে দিয়েছিলাম। আর দু'টি বাগানের মাঝখানের জায়গাটাকে আমরা বানিয়েছিলাম শস্যক্ষেত।	وَاضۡرِبۡ لَهُمۡ مَّثَلًا رَّجُلَيۡنِ جَعَلۡنَا لِاَحَدِهِمَا جَنَّتَيۡنِ مِنۡ اَعۡنَابٍ وَّحَفَفۡنٰهُمَا بِنَخۡلٍ وَّجَعَلۡنَا بَيۡنَهُمَا زَرۡعًا ﴿۳۲﴾
৩৩. দু'টি বাগানই প্রচুর ফল দিচ্ছিল এবং এতে কোনো প্রকার ত্রুটি করা হচ্ছিলনা। আর দু'টি বাগানের মাঝে দিয়ে আমরা জারি করে দিয়েছিলাম একটি নহর।	كِلۡتَا الۡجَنَّتَيۡنِ اٰتَتۡ اُكُلَهَا وَ لَمۡ تَظۡلِمۡ مِّنۡهُ شَيۡـًٔا ۙ وَّ فَجَّرۡنَا خِلٰلَهُمَا نَهَرًا ﴿۳۳﴾
৩৪. লোকটির ছিলো প্রচুর সম্পদ। সে কথা প্রসঙ্গে তার সাথিকে বললো: 'ধনে জনে আমি তোমার চাইতে শ্রেষ্ঠ এবং শক্তিশালী।	وَّكَانَ لَهٗ ثَمَرٌ ۚ فَقَالَ لِصَاحِبِهٖ وَهُوَ يُحَاوِرُهٗۤ اَنَا اَكۡثَرُ مِنۡكَ مَالًا وَّاَعَزُّ نَفَرًا ﴿۳۴﴾

৩৫. এভাবে সে নিজের প্রতি যুলুম করে একদিন বাগানে প্রবেশ করে। সে (বাগানের ফলন ও সৌন্দর্যে উৎফুল্ল হয়ে) বললো: "এ বাগান কখনো বিরান হয়ে যাবে বলে আমি মনে করিনা।	وَ دَخَلَ جَنَّتَهٗ وَ هُوَ ظَالِمٌ لِّنَفۡسِهٖ ۚ قَالَ مَاۤ اَظُنُّ اَنۡ تَبِيۡدَ هٰذِهٖۤ اَبَدًا ﴿۳۵﴾
৩৬. কিয়ামত অনুষ্ঠিত হবে বলেও আমি মনে করিনা। আর আমাকে যদি আমার প্রভুর কাছে ফিরিয়ে নেয়াই হয়, তবে অবশ্য অবশ্যি এখন আমার যা আছে তার চাইতে উত্তম সামগ্রী আমি ফেরত পাবো।"	وَّ مَاۤ اَظُنُّ السَّاعَةَ قَآئِمَةً ۙ وَّ لَئِنۡ رُّدِدۡتُّ اِلٰى رَبِّىۡ لَاَجِدَنَّ خَيۡرًا مِّنۡهَا مُنۡقَلَبًا ﴿۳۶﴾
৩৭. তার কথার প্রসঙ্গে তার সাথি তাকে বললো: "তুমি কি তোমার সেই মহান স্রষ্টার প্রতি কুফুরি করলে যিনি তোমাকে সৃষ্টি করেছেন মাটি থেকে, তারপর নোতফা (শুক্রবিন্দু) থেকে, তার পরে মানুষের আকৃতি দিয়ে পূর্ণাঙ্গ করে দিয়েছেন?	قَالَ لَهٗ صَاحِبُهٗ وَ هُوَ يُحَاوِرُهٗۤ اَكَفَرۡتَ بِالَّذِىۡ خَلَقَكَ مِنۡ تُرَابٍ ثُمَّ مِنۡ نُّطۡفَةٍ ثُمَّ سَوّٰٮكَ رَجُلًا ﴿۳۷﴾
৩৮. (তুমি যাই বলোনা কেন) সেই মহান আল্লাহ্ই কিন্তু আমার প্রভু। আমি আমার প্রভুর সাথে কাউকেও শরিক করিনা।	لٰكِنَّا۠ هُوَ اللّٰهُ رَبِّىۡ وَ لَاۤ اُشۡرِكُ بِرَبِّىۡۤ اَحَدًا ﴿۳۸﴾
৩৯. তুমি যখন তোমার বাগানে প্রবেশ করেছিলে, তখন কেন বললে না, 'আল্লাহ্ যা চেয়েছেন তাই হয়েছে। আল্লাহ্র সাহায্য ছাড়া কারো কোনো ক্ষমতা নেই?' তুমি যদি ধনে জনে আমাকে তোমার চাইতে কম মনে করো,	وَ لَوۡ لَاۤ اِذۡ دَخَلۡتَ جَنَّتَكَ قُلۡتَ مَا شَآءَ اللّٰهُ ۙ لَا قُوَّةَ اِلَّا بِاللّٰهِ ۚ اِنۡ تَرَنِ اَنَا اَقَلَّ مِنۡكَ مَالًا وَّ وَلَدًا ﴿۳۹﴾
৪০. তবে হয়তো আমার প্রভু তোমার বাগানের চাইতে উত্তম কিছু আমাকে দান করবেন এবং তোমার বাগান আসমান থেকে আগুন পাঠিয়ে জ্বালিয়ে দেবেন, যার ফলে বাগানটি উদ্ভিদ শূন্য মাঠে পরিণত হবে।	فَعَسٰى رَبِّىۡۤ اَنۡ يُّؤۡتِيَنِ خَيۡرًا مِّنۡ جَنَّتِكَ وَ يُرۡسِلَ عَلَيۡهَا حُسۡبَانًا مِّنَ السَّمَآءِ فَتُصۡبِحَ صَعِيۡدًا زَلَقًا ﴿۴۰﴾
৪১. অথবা তোমার বাগানের পানি ভূ-গর্ভে তলিয়ে যেতে পারে এবং তুমি আর কখনো পানির সন্ধান লাভ করতে সক্ষম হবেনা।"	اَوۡ يُصۡبِحَ مَآؤُهَا غَوۡرًا فَلَنۡ تَسۡتَطِيۡعَ لَهٗ طَلَبًا ﴿۴۱﴾
৪২. অত:পর বিপর্যয় তার ফল-ফসলকে পরিবেষ্টন করে নিলো, ফলে সে সেখানে যা খরচ করেছিল তার জন্যে হাত মুচড়িয়ে অনুতাপ করতে লাগলো, যখন তার বাগানের মাচানসমূহ ধুলিস্যাত হয়ে গেলো। তখন সে বলতে লাগলো, 'হায়, হায়! আমি যদি আমার প্রভুর সাথে কাউকেও শরিক না করতাম!'	وَ اُحِيۡطَ بِثَمَرِهٖ فَاَصۡبَحَ يُقَلِّبُ كَفَّيۡهِ عَلٰى مَاۤ اَنۡفَقَ فِيۡهَا وَ هِىَ خَاوِيَةٌ عَلٰى عُرُوۡشِهَا وَ يَقُوۡلُ يٰلَيۡتَنِىۡ لَمۡ اُشۡرِكۡ بِرَبِّىۡۤ اَحَدًا ﴿۴۲﴾
৪৩. আর আল্লাহ্র বিরুদ্ধে তাকে সাহায্য করার কোনো বাহিনীই ছিলনা এবং সে নিজেও প্রতিরোধ করার সামর্থ রাখেনি।	وَ لَمۡ تَكُنۡ لَّهٗ فِئَةٌ يَّنۡصُرُوۡنَهٗ مِنۡ دُوۡنِ اللّٰهِ وَ مَا كَانَ مُنۡتَصِرًا ﴿۴۳﴾

৪৪. হ্যাঁ, কর্তৃত্ব পূর্ণরূপে মহাসত্য আল্লাহ্‌র। পুরস্কার প্রদানে এবং পরিণাম নির্ধারণে তিনিই সর্বোত্তম।	هُنَالِكَ الْوَلَايَةُ لِلّٰهِ الْحَقِّ ؕ هُوَ خَيْرٌ ثَوَابًا وَّ خَيْرٌ عُقْبًا ﴿۴۴﴾	রুকু ০৫
৪৫. তাদের জন্যে দুনিয়ার জীবনের (এই) উপমা পেশ করো: দুনিয়ার জীবন হলো সেই পানির মতো যা আমরা আসমান থেকে নাযিল করি। তার ফলে জমিন থেকে ঘন সুনিবিষ্ট উদ্ভিদ উৎপন্ন হয়। তারপর সেগুলো শুকিয়ে চূর্ণ-বিচূর্ণ হয়ে যায়। ফলে বাতাস সেগুলোকে উড়িয়ে নিয়ে যায়। প্রতিটি বিষয়ে আল্লাহ্ ক্ষমতাবান।	وَ اضْرِبْ لَهُمْ مَّثَلَ الْحَيٰوةِ الدُّنْيَا كَمَآءٍ اَنْزَلْنٰهُ مِنَ السَّمَآءِ فَاخْتَلَطَ بِهٖ نَبَاتُ الْاَرْضِ فَاَصْبَحَ هَشِيْمًا تَذْرُوْهُ الرِّيٰحُ ؕ وَ كَانَ اللّٰهُ عَلٰى كُلِّ شَيْءٍ مُّقْتَدِرًا ﴿۴۵﴾	
৪৬. ধনমাল এবং সন্তান-সন্ততি দুনিয়ার জীবনের একটি সৌন্দর্য মাত্র, আর তোমার প্রভুর কাছে পুরস্কার আর প্রত্যাশিত বস্তু হিসেবে উত্তম হলো স্থায়ী ও চলমান পুণ্যকাজ।	اَلْمَالُ وَ الْبَنُوْنَ زِيْنَةُ الْحَيٰوةِ الدُّنْيَا ۚ وَ الْبٰقِيٰتُ الصّٰلِحٰتُ خَيْرٌ عِنْدَ رَبِّكَ ثَوَابًا وَّ خَيْرٌ اَمَلًا ﴿۴۶﴾	
৪৭. স্মরণ করো, যেদিন আমরা পর্বতমালাকে তলিয়ে দেবো এবং তুমি পৃথিবীকে দেখতে পাবে এক উন্মুক্ত প্রান্তর। সেদিন আমরা (সেখানে) সবাইকে হাশর (একত্র) করবো এবং একজনকেও অব্যাহতি দেবোনা।	وَ يَوْمَ نُسَيِّرُ الْجِبَالَ وَ تَرَى الْاَرْضَ بَارِزَةً ۙ وَّ حَشَرْنٰهُمْ فَلَمْ نُغَادِرْ مِنْهُمْ اَحَدًا ﴿۴۷﴾	
৪৮. তাদেরকে তোমার প্রভুর সামনে সারিবদ্ধভাবে উপস্থাপন করা হবে। তখন বলা হবে, 'আজ তোমরা আমাদের কাছে এসেছো ঠিক সেভাবে, যেভাবে আমরা প্রথমবার তোমাদের সৃষ্টি করেছিলাম। বরং তোমরা মনে করতে, তোমাদের জন্যে আমরা প্রতিশ্রুত দিনটি কখনো সংঘটিতই করবো না।'	وَ عُرِضُوْا عَلٰى رَبِّكَ صَفًّا ؕ لَقَدْ جِئْتُمُوْنَا كَمَا خَلَقْنٰكُمْ اَوَّلَ مَرَّةٍ ۫ بَلْ زَعَمْتُمْ اَلَّنْ نَّجْعَلَ لَكُمْ مَّوْعِدًا ﴿۴۸﴾	
৪৯. কিতাব (আমলনামা, আমলের রেকর্ড) সামনে রাখা হবে। তুমি দেখবে, তাতে যা রেকর্ড করা আছে তার জন্যে অপরাধীরা ভয়ে আতংকগ্রস্ত থাকবে। তারা বলবে: হায় দুর্ভাগ্য আমাদের! এটা কেমন কিতাব (রেকর্ড), এ-তো আমাদের ছোট বড় কিছুই রেকর্ড করা ছাড়া বাদ দেয়নি। তারা যতো কাজই করে এসেছে সবই তাদের সামনে হাজির দেখতে পাবে। তোমার প্রভু কারো প্রতি যুলুম (অবিচার) করেন না।	وَ وُضِعَ الْكِتٰبُ فَتَرَى الْمُجْرِمِيْنَ مُشْفِقِيْنَ مِمَّا فِيْهِ وَ يَقُوْلُوْنَ يٰوَيْلَتَنَا مَالِ هٰذَا الْكِتٰبِ لَا يُغَادِرُ صَغِيْرَةً وَّ لَا كَبِيْرَةً اِلَّاۤ اَحْصٰىهَا ۚ وَ وَجَدُوْا مَا عَمِلُوْا حَاضِرًا ؕ وَ لَا يَظْلِمُ رَبُّكَ اَحَدًا ﴿۴۹﴾	রুকু ০৬
৫০. আমরা যখন ফেরেশতাদের বলেছিলাম, 'আদমকে সাজদা করো' তখন সবাই সাজদা করেছিল ইবলিস ছাড়া। সে ছিলো জিনদের একজন। সে তার প্রভুর আদেশ অমান্য করে সীমালংঘন করে। আর এখন তোমরা আমার পরিবর্তে তাকে আর তার বংশধরদেরকে নিজেদের	وَ اِذْ قُلْنَا لِلْمَلٰٓئِكَةِ اسْجُدُوْا لِاٰدَمَ فَسَجَدُوْۤا اِلَّاۤ اِبْلِيْسَ ؕ كَانَ مِنَ الْجِنِّ فَفَسَقَ عَنْ اَمْرِ رَبِّهٖ ؕ اَفَتَتَّخِذُوْنَهٗ وَ	

অলি (বন্ধু, অভিভাবক, পৃষ্ঠপোষক) বানিয়ে নিয়েছো? অথচ তারা হলো তোমাদের শত্রু। যালিমদের এই বদল করাটা কতো যে নিকৃষ্ট!	ذُرِّيَّتَهٗۤ اَوْلِيَآءَ مِنْ دُوْنِيْ وَهُمْ لَكُمْ عَدُوٌّ ؕ بِئْسَ لِلظّٰلِمِيْنَ بَدَلًا ﴿۵۰﴾
৫১. মহাবিশ্ব এবং পৃথিবীর সৃষ্টিকালে আমরা তাদের সাক্ষী রাখিনি, এমনকি তাদের নিজেদেরকে সৃষ্টি করার সময়ও নয়। আমরা বিপথগামীদেরকে সাহায্যকারী হিসাবে গ্রহণ করিনা।	مَاۤ اَشْهَدْتُّهُمْ خَلْقَ السَّمٰوٰتِ وَ الْاَرْضِ وَ لَا خَلْقَ اَنْفُسِهِمْ ۪ وَ مَا كُنْتُ مُتَّخِذَ الْمُضِلِّيْنَ عَضُدًا ﴿۵۱﴾
৫২. সেদিনের কথা স্মরণ করো, যেদিন তিনি বলবেন: 'তোমরা যাদেরকে আমার শরিকদার মনে করতে তাদেরকে ডেকে আনো।' তারা তাদেরকে ডাকবে, কিন্তু তাদের ডাকে তারা কোনো সাড়া দেবেনা। আমরা তাদের উভয়ের মাঝপথে রেখে দেবো এক ধ্বংস গহ্বর।	وَيَوْمَ يَقُوْلُ نَادُوْا شُرَكَآءِيَ الَّذِيْنَ زَعَمْتُمْ فَدَعَوْهُمْ فَلَمْ يَسْتَجِيْبُوْا لَهُمْ وَ جَعَلْنَا بَيْنَهُمْ مَّوْبِقًا ﴿۵۲﴾
৫৩. অপরাধীরা আগুন দেখেই বুঝবে, তারা তাতে পড়তে যাচ্ছে এবং তারা তা থেকে বাঁচার কোনো জায়গা পাবেনা।	وَرَاَ الْمُجْرِمُوْنَ النَّارَ فَظَنُّوْۤا اَنَّهُمْ مُّوَاقِعُوْهَا وَلَمْ يَجِدُوْا عَنْهَا مَصْرِفًا ﴿۵۳﴾
৫৪. আমরা এই কুরআনে বিভিন্ন রকম উপমার মাধ্যমে মানুষের জন্যে আমাদের বাণী বিশদভাবে বর্ণনা করেছি। অথচ মানুষ বেশিরভাগ বিষয়ে বিতর্কপ্রিয়।	وَلَقَدْ صَرَّفْنَا فِيْ هٰذَا الْقُرْاٰنِ لِلنَّاسِ مِنْ كُلِّ مَثَلٍ ؕ وَ كَانَ الْاِنْسَانُ اَكْثَرَ شَيْءٍ جَدَلًا ﴿۵۴﴾
৫৫. মানুষের কাছে যখন হিদায়াত আসে তখন তাদেরকে ঈমান আনা এবং তাদের প্রভুর কাছে ক্ষমা চাওয়া থেকে এছাড়া আর কিছুই বিরত রাখেনা যে, তারা চায়, তাদের আগের লোকদের সুন্নতই (রীতিই) তাদের কাছে আসুক, তা না হলে সরাসরি আল্লাহ্‌র আযাব আসুক।	وَمَا مَنَعَ النَّاسَ اَنْ يُّؤْمِنُوْۤا اِذْ جَآءَهُمُ الْهُدٰى وَيَسْتَغْفِرُوْا رَبَّهُمْ اِلَّاۤ اَنْ تَاْتِيَهُمْ سُنَّةُ الْاَوَّلِيْنَ اَوْ يَاْتِيَهُمُ الْعَذَابُ قُبُلًا ﴿۵۵﴾
৫৬. আমরা তো আমাদের রসূলদের পাঠাই কেবল সুসংবাদদাতা এবং সতর্ককারী হিসেবে। অথচ কাফিররা বাতিলের পক্ষে বিতর্কে লিপ্ত হয় সত্যকে ব্যর্থ করে দেয়ার উদ্দেশ্যে। আর তারা আমার আয়াতকে এবং যার মাধ্যমে তাদেরকে সতর্ক করা হয় তাকে বিদ্রূপের বিষয় হিসেবে গ্রহণ করে।	وَمَا نُرْسِلُ الْمُرْسَلِيْنَ اِلَّا مُبَشِّرِيْنَ وَ مُنْذِرِيْنَ ۚ وَ يُجَادِلُ الَّذِيْنَ كَفَرُوْا بِالْبَاطِلِ لِيُدْحِضُوْا بِهِ الْحَقَّ وَ اتَّخَذُوْۤا اٰيٰتِيْ وَمَاۤ اُنْذِرُوْا هُزُوًا ﴿۵۶﴾
৫৭. ঐ ব্যক্তির চাইতে বড় যালিম আর কে, যাকে তার প্রভুর আয়াত স্মরণ করিয়ে দেয়ার পরও সে তা থেকে মুখ ফিরিয়ে নেয় এবং সে তার কৃতকর্ম ভুলে যায়? আমরা তাদের অন্তরের উপর আবরণ	وَ مَنْ اَظْلَمُ مِمَّنْ ذُكِّرَ بِاٰيٰتِ رَبِّهٖ فَاَعْرَضَ عَنْهَا وَنَسِيَ مَا قَدَّمَتْ يَدٰهُ ؕ اِنَّا

রুকু ০৭

সৃষ্টি করে দিয়েছি যেনো তারা তা (কুরআন) বুঝতে না পারে আর তাদের কানেও তুলা লাগিয়ে বধিরতা এঁটে দিয়েছি। ফলে তুমি তাদেরকে হিদায়াতের দিকে ডাকলেও তারা কখনো হিদায়াতের পথে আসবে না।	جَعَلْنَا عَلٰى قُلُوْبِهِمْ اَكِنَّةً اَنْ يَّفْقَهُوْهُ وَ فِيْۤ اٰذَانِهِمْ وَقْرًا ؕ وَ اِنْ تَدْعُهُمْ اِلَى الْهُدٰى فَلَنْ يَّهْتَدُوْۤا اِذًا اَبَدًا ﴿۵۷﴾
৫৮. তোমার প্রভু পরম ক্ষমাশীল, পরম দয়াময়। তিনি তাদের কৃতকর্মের জন্যে যদি তাদের পাকড়াও করতে চাইতেন, তবে অবশ্যি তাদের শাস্তি দানের বিষয়টি ত্বরান্বিত করতেন। বরং তাদের জন্যে রয়েছে একটি প্রতিশ্রুত সময় যা থেকে বাঁচার জন্যে তারা কিছুতেই কোনো আশ্রয়স্থল খুঁজে পাবেনা।	وَ رَبُّكَ الْغَفُوْرُ ذُو الرَّحْمَةِ ؕ لَوْ يُؤَاخِذُهُمْ بِمَا كَسَبُوْا لَعَجَّلَ لَهُمُ الْعَذَابَ ؕ بَلْ لَّهُمْ مَّوْعِدٌ لَّنْ يَّجِدُوْا مِنْ دُوْنِهٖ مَوْئِلًا ﴿۵۸﴾
৫৯. আমরা যেসব জনপদ ধ্বংস করেছি, সেগুলো ধ্বংস করেছি তো তখন, যখন তারা যুলুম করেছিল। আর তাদের ধ্বংস করার জন্যেও আমরা একটি প্রতিশ্রুত সময় নির্ধারণ করেছিলাম।	وَ تِلْكَ الْقُرٰۤى اَهْلَكْنٰهُمْ لَمَّا ظَلَمُوْا وَ جَعَلْنَا لِمَهْلِكِهِمْ مَّوْعِدًا ﴿۵۹﴾
৬০. স্মরণ করো, মূসা তার সঙ্গিকে (খাদেমকে) বলেছিল: 'দুই সমুদ্রের মিলনস্থলে না পৌঁছে আমি থামবো না। অথবা আমি যুগের পর যুগ ধরে চলতে থাকবো।'	وَ اِذْ قَالَ مُوْسٰى لِفَتٰىهُ لَاۤ اَبْرَحُ حَتّٰۤى اَبْلُغَ مَجْمَعَ الْبَحْرَيْنِ اَوْ اَمْضِيَ حُقُبًا ﴿۶۰﴾
৬১. তারা যখন দুই সমুদ্রের মিলনস্থলে পৌঁছে, তখন তাদের মাছটির কথা ভুলে যায়। ফলে সেটি সুড়ঙের মতো নিজের পথ করে সমুদ্রে নেমে গেলো।	فَلَمَّا بَلَغَا مَجْمَعَ بَيْنِهِمَا نَسِيَا حُوْتَهُمَا فَاتَّخَذَ سَبِيْلَهٗ فِي الْبَحْرِ سَرَبًا ﴿۶۱﴾
৬২. তারা উভয়ে আরো সামনে অগ্রসর হলে মূসা তার সাথিকে বললো : আমাদের সকালের নাস্তা নাও, এই সফরে বড় ক্লান্ত হয়ে পড়েছি।	فَلَمَّا جَاوَزَا قَالَ لِفَتٰىهُ اٰتِنَا غَدَآءَنَا ؗ لَقَدْ لَقِيْنَا مِنْ سَفَرِنَا هٰذَا نَصَبًا ﴿۶۲﴾
৬৩. সে বললো: 'আপনি লক্ষ্য করেছেন কি, আমরা যখন পাথর খণ্ডে বিশ্রাম নিচ্ছিলাম, তখন আমি মাছটির কথা ভুলে গিয়েছিলাম। শয়তানই সেটির কথা বলতে আমাকে ভুলিয়ে দিয়েছিল। সেটি বিস্ময়করভাবে নিজের পথ তৈরি করে নিয়ে সমুদ্রে নেমে গিয়েছিল।	قَالَ اَرَءَيْتَ اِذْ اَوَيْنَاۤ اِلَى الصَّخْرَةِ فَاِنِّيْ نَسِيْتُ الْحُوْتَ ؗ وَ مَاۤ اَنْسٰنِيْهُ اِلَّا الشَّيْطٰنُ اَنْ اَذْكُرَهٗ ۚ وَ اتَّخَذَ سَبِيْلَهٗ فِي الْبَحْرِ ۖۗ عَجَبًا ﴿۶۳﴾
৬৪. মূসা বললো: 'আমরা তো সেই জায়গাটারই সন্ধান করছিলাম। তখন তারা নিজেদের পদচিহ্ন ধরে ফিরে চললো।	قَالَ ذٰلِكَ مَا كُنَّا نَبْغِ ۖۗ فَارْتَدَّا عَلٰۤى اٰثَارِهِمَا قَصَصًا ﴿۶۴﴾
৬৫. তখন তারা আমার দাসদের এমন একজনকে	فَوَجَدَا عَبْدًا مِّنْ عِبَادِنَاۤ اٰتَيْنٰهُ رَحْمَةً

রুকু ০৮

পেয়ে গেলো, যাকে আমার পক্ষ থেকে রহমত দান করেছিলাম এবং আমার নিকট থেকে দান করেছিলাম বিশেষ এক এলেম।	مِّنْ عِنْدِنَا وَ عَلَّمْنٰهُ مِنْ لَّدُنَّا عِلْمًا ﴿٦٥﴾
৬৬. মূসা তাকে বললো: ‘আপনাকে সঠিক পথের যে জ্ঞান দান করা হয়েছে, তা থেকে আমাকে শিক্ষা দেবেন এই শর্তে আমি আপনার সাথি হতে পারি কি?	قَالَ لَهٗ مُوْسٰى هَلْ اَتَّبِعُكَ عَلٰٓى اَنْ تُعَلِّمَنِ مِمَّا عُلِّمْتَ رُشْدًا ﴿٦٦﴾
৬৭. সে বললো: “আপনি কখনো আমার সাথে চলে সবর করতে পারবেন না।	قَالَ اِنَّكَ لَنْ تَسْتَطِيْعَ مَعِىَ صَبْرًا ﴿٦٧﴾
৬৮. আপনি কেমন করে সবর করবেন এমন বিষয়ে, যে বিষয়ের জ্ঞান আপনার আয়ত্তে নেই?”	وَ كَيْفَ تَصْبِرُ عَلٰى مَا لَمْ تُحِطْ بِهٖ خُبْرًا ﴿٦٨﴾
৬৯. (মূসা) বললো: ‘ইনশাল্লাহ, আপনি আমাকে ধৈর্যশীল পাবেন এবং আমি আপনার কোনো আদেশ অমান্য করবো না।’	قَالَ سَتَجِدُنِىْٓ اِنْ شَآءَ اللّٰهُ صَابِرًا وَّ لَآ اَعْصِىْ لَكَ اَمْرًا ﴿٦٩﴾
৭০. সে বললো: ‘আপনি যদি আমার সাথি হনই, তাহলে আমাকে কোনো বিষয়ে প্রশ্ন করবেন না, যে পর্যন্ত সে বিষয়ে আমি নিজেই আপনাকে কিছু না বলবো।’	قَالَ فَاِنِ اتَّبَعْتَنِىْ فَلَا تَسْـَٔلْنِىْ عَنْ شَىْءٍ حَتّٰٓى اُحْدِثَ لَكَ مِنْهُ ذِكْرًا ﴿٧٠﴾
৭১. ফলে তারা দু’জনই চলতে থাকলো। অত:পর তারা যখন নৌকায় উঠলো, সে ছিদ্র করে দিলো। তখন মূসা বললো: ‘আপনি কি আরোহীদের ডুবিয়ে দেয়ার জন্যে এটি ছিদ্র করে দিলেন নৌকাটি? আপনি তো একটা গুরুতর অন্যায় কাজ করলেন।’	فَانْطَلَقَا ٚ حَتّٰٓى اِذَا رَكِبَا فِى السَّفِيْنَةِ خَرَقَهَا ؕ قَالَ اَخَرَقْتَهَا لِتُغْرِقَ اَهْلَهَا ۚ لَقَدْ جِئْتَ شَيْـًٔا اِمْرًا ﴿٧١﴾
৭২. সে বললো: ‘আমি কি আপনাকে বলিনি, আপনি আমার সাথে থেকে কিছুতেই সবর করতে পারবেন না?’	قَالَ اَلَمْ اَقُلْ اِنَّكَ لَنْ تَسْتَطِيْعَ مَعِىَ صَبْرًا ﴿٧٢﴾
৭৩. মূসা বললো: ‘আমার ভুলের জন্যে আপনি আমাকে পাকড়াও করবেন না এবং আমার ব্যাপারে এতো বেশি কঠোর হবেন না।’	قَالَ لَا تُؤَاخِذْنِىْ بِمَا نَسِيْتُ وَ لَا تُرْهِقْنِىْ مِنْ اَمْرِىْ عُسْرًا ﴿٧٣﴾
৭৪. পুনরায় তারা চললো। চলতে চলতে তারা যখন একটি বালকের সাক্ষাত পেলো, সে সেই বালকটিকে হত্যা করলো। মূসা বললো: ‘আপনি একজন নিষ্পাপ ব্যক্তিকে হত্যা করলেন, হত্যার অপরাধ ছাড়াই? আপনি একটি গুরুতর অন্যায় কাজ করলেন।’	فَانْطَلَقَا ٚ حَتّٰٓى اِذَا لَقِيَا غُلٰمًا فَقَتَلَهٗ ۙ قَالَ اَقَتَلْتَ نَفْسًا زَكِيَّةًۢ بِغَيْرِ نَفْسٍ ؕ لَقَدْ جِئْتَ شَيْـًٔا نُّكْرًا ﴿٧٤﴾

রুকু ০৯

পারা ১৬

৭৫. সে বললো: 'আমি কি আপনাকে বলিনি যে, আপনি কিছুতেই আমার সাথে সবর করতে পারবেন না?'	قَالَ اَلَمۡ اَقُلۡ لَّكَ اِنَّكَ لَنۡ تَسۡتَطِيۡعَ مَعِيَ صَبۡرًا ﴿۷۵﴾
৭৬. মূসা বললো: 'এরপর যদি আমি আপনাকে কোনো বিষয়ে জিজ্ঞাসা করি, আপনি আমাকে আর সঙ্গে রাখবেন না। আমার ওজরের বিষয়টি চূড়ান্ত হলো।'	قَالَ اِنۡ سَاَلۡتُكَ عَنۡ شَیۡءٍۭ بَعۡدَهَا فَلَا تُصٰحِبۡنِیۡ ۚ قَدۡ بَلَغۡتَ مِنۡ لَّدُنِّیۡ عُذۡرًا ﴿۷۶﴾
৭৭. পুনরায় তারা উভয়ে চলতে শুরু করলো। চলতে চলতে এক গাঁয়ের অধিবাসীদের কাছে এসে তারা খাবার চাইলো। তারা তাদের মেহেমানদারী করতে অস্বীকার করে। তারা সেখানে একটি হেলে থাকা প্রাচীর দেখতে পায় এবং সে সেটি দাঁড় করিয়ে মজবুত করে দেয়। মূসা বললো: 'আপনি চাইলে এ কাজের জন্যে পারিশ্রমিক নিতে পারতেন।'	فَانۡطَلَقَا ٝ حَتّٰۤی اِذَاۤ اَتَیَاۤ اَهۡلَ قَرۡیَۃِ ۣ اسۡتَطۡعَمَاۤ اَهۡلَهَا فَاَبَوۡا اَنۡ یُّضَیِّفُوۡهُمَا فَوَجَدَا فِیۡهَا جِدَارًا یُّرِیۡدُ اَنۡ یَّنۡقَضَّ فَاَقَامَهٗ ؕ قَالَ لَوۡ شِئۡتَ لَتَّخَذۡتَ عَلَیۡهِ اَجۡرًا ﴿۷۷﴾
৭৮. সে বললো: "এখানেই আমার সাথে আপনার সম্পর্ক ছিন্ন হয়ে গেলো। যেসব বিষয়ে আপনি সবর করতে পারেননি, আমি সেগুলোর তাৎপর্য ব্যাখ্যা করছি।	قَالَ هٰذَا فِرَاقُ بَیۡنِیۡ وَ بَیۡنِكَ ۚ سَاُنَبِّئُكَ بِتَاۡوِیۡلِ مَا لَمۡ تَسۡتَطِعۡ عَّلَیۡهِ صَبۡرًا ﴿۷۸﴾
৭৯. প্রথমেই সেই নৌকাটির বিষয়। সেটি ছিলো কয়েকজন অভাবী লোকের, তারা সমুদ্রে জীবিকা অন্বেষণ করতো। আমি ইচ্ছা করলাম নৌকাটি ত্রুটিযুক্ত করে দেয়ার, কারণ সামনেই ছিলো এক রাজা, সে জোরপূর্বক সব নৌকা ছিনিয়ে নেয়।	اَمَّا السَّفِیۡنَۃُ فَكَانَتۡ لِمَسٰكِیۡنَ یَعۡمَلُوۡنَ فِی الۡبَحۡرِ فَاَرَدۡتُّ اَنۡ اَعِیۡبَهَا وَ كَانَ وَرَآءَهُمۡ مَّلِكٌ یَّاۡخُذُ كُلَّ سَفِیۡنَۃٍ غَصۡبًا ﴿۷۹﴾
৮০. আর বালকটি, তার বাবা-মা ছিলেন মুমিন, আমাদের আশংকা হয়, সে অবাধ্যতা ও কুফুরির মাধ্যমে তাদের বিব্রত করবে।	وَ اَمَّا الۡغُلٰمُ فَكَانَ اَبَوٰهُ مُؤۡمِنَیۡنِ فَخَشِیۡنَاۤ اَنۡ یُّرۡهِقَهُمَا طُغۡیَانًا وَّ كُفۡرًا ﴿۸۰﴾
৮১. তাই আমরা চাইলাম তাদের প্রভু যেনো তাদেরকে ওর পরিবর্তে ওর চাইতে উত্তম, পবিত্র ও ভক্তি ভালোবাসায় নৈকট্য লাভকারী একটি সন্তান দান করেন।	فَاَرَدۡنَاۤ اَنۡ یُّبۡدِلَهُمَا رَبُّهُمَا خَیۡرًا مِّنۡهُ زَكٰوۃً وَّ اَقۡرَبَ رُحۡمًا ﴿۸۱﴾
৮২. আর প্রাচীরটির বিষয় হলো, ওটি ছিলো দুই এতিম কিশোরের। প্রাচীরের নিচে আছে তাদের গুপ্তধন আর তাদের পিতা ছিলেন একজন পুণ্যবান ব্যক্তি। সুতরাং আপনার প্রভু দয়া করে চাইলেন তারা বয়ঃপ্রাপ্ত হোক এবং তারা নিজেদের ধনভাণ্ডার উদ্ধার করুক। আমি কিছুই নিজ থেকে করিনি। আপনি যেসব বিষয়ে সবর করতে পারেননি, এ-ই হলো সেগুলোর ব্যাখ্যা।"	وَ اَمَّا الۡجِدَارُ فَكَانَ لِغُلٰمَیۡنِ یَتِیۡمَیۡنِ فِی الۡمَدِیۡنَۃِ وَ كَانَ تَحۡتَهٗ كَنۡزٌ لَّهُمَا وَ كَانَ اَبُوۡهُمَا صَالِحًا ۚ فَاَرَادَ رَبُّكَ اَنۡ یَّبۡلُغَاۤ اَشُدَّهُمَا وَ یَسۡتَخۡرِجَا كَنۡزَهُمَا ٭ۖ رَحۡمَۃً مِّنۡ رَّبِّكَ ۚ وَ مَا فَعَلۡتُهٗ عَنۡ اَمۡرِیۡ ؕ ذٰلِكَ تَاۡوِیۡلُ مَا لَمۡ تَسۡطِعۡ عَّلَیۡهِ صَبۡرًا ﴿۸۲﴾

রুকু ১০

৮৩. তারা তোমার কাছে জানতে চাইছে যুলকারনাইন সম্পর্কে। তুমি বলো, আমি তার সম্পর্কে তোমাদের কাছে তিলাওয়াত করছি :	وَ يَسْـَٔلُوْنَكَ عَنْ ذِی الْقَرْنَیْنِ ؕ قُلْ سَاَتْلُوْا عَلَیْكُمْ مِّنْهُ ذِكْرًا ﴿۸۳﴾
৮৪. আমরা তাকে পৃথিবীতে কর্তৃত্ব দিয়েছিলাম এবং তাকে সব বিষয়ের উপায় উপকরণ দিয়েছিলাম।	اِنَّا مَكَّنَّا لَهٗ فِی الْاَرْضِ وَ اٰتَیْنٰهُ مِنْ كُلِّ شَیْءٍ سَبَبًا ﴿۸۴﴾
৮৫. ফলে সে পথ ধরে অগ্রসর হলো।	فَاَتْبَعَ سَبَبًا ﴿۸۵﴾
৮৬. এমন কি সে সূর্যাস্তের স্থানে এসে পৌছায়। সে সূর্যকে এক পংকিল জলাশয়ে অস্তমিত হতে দেখে এবং সেখানে একটি কওমকেও দেখতে পায়। আমরা তাকে বললাম, হে যুলকারনাইন! তুমি এদের শাস্তি দিতে পারো, অথবা তাদের ব্যাপারে সদয় মনোভাব গ্রহণ করতে পারো।	حَتّٰۤی اِذَا بَلَغَ مَغْرِبَ الشَّمْسِ وَجَدَهَا تَغْرُبُ فِیْ عَیْنٍ حَمِئَةٍ وَّ وَجَدَ عِنْدَهَا قَوْمًا ؕ۬ قُلْنَا یٰذَا الْقَرْنَیْنِ اِمَّاۤ اَنْ تُعَذِّبَ وَ اِمَّاۤ اَنْ تَتَّخِذَ فِیْهِمْ حُسْنًا ﴿۸۶﴾
৮৭. সে বললো: যে কেউ যুলুম করবে, আমরা তাকে শাস্তি দেবো। তারপর সে তার প্রভুর কাছে ফিরে যাবে এবং তিনি তাকে কঠিন শাস্তি দেবেন।	قَالَ اَمَّا مَنْ ظَلَمَ فَسَوْفَ نُعَذِّبُهٗ ثُمَّ یُرَدُّ اِلٰی رَبِّهٖ فَیُعَذِّبُهٗ عَذَابًا نُّكْرًا ﴿۸۷﴾
৮৮. তবে যে কেউ ঈমান আনবে এবং আমলে সালেহ্ করবে তার জন্যে রয়েছে উত্তম প্রতিদান, তার প্রতি ব্যবহারে আমরা কোমল-সহজ কথা বলবো।	وَ اَمَّا مَنْ اٰمَنَ وَ عَمِلَ صَالِحًا فَلَهٗ جَزَآءَ ِۨالْحُسْنٰی ۚ وَ سَنَقُوْلُ لَهٗ مِنْ اَمْرِنَا یُسْرًا ﴿۸۸﴾
৮৯. সে পুনরায় অন্যদিকে পথ ধরে অগ্রসর হলো।	ثُمَّ اَتْبَعَ سَبَبًا ﴿۸۹﴾
৯০. শেষ পর্যন্ত সে সূর্যোদয়ের স্থানে এসে পৌছালো। সে দেখলো, সূর্য উঠছে এমন এক জাতির উপর, যাদের জন্যে সূর্য তাপ থেকে রক্ষার জন্যে আমরা কোনো অন্তরাল সৃষ্টি করিনি।	حَتّٰۤی اِذَا بَلَغَ مَطْلِعَ الشَّمْسِ وَجَدَهَا تَطْلُعُ عَلٰی قَوْمٍ لَّمْ نَجْعَلْ لَّهُمْ مِّنْ دُوْنِهَا سِتْرًا ﴿۹۰﴾
৯১. ব্যাপার তাই ছিলো। তার কাছে যেসব খবর ছিলো আমরা তা জানতাম।	كَذٰلِكَ ؕ وَ قَدْ اَحَطْنَا بِمَا لَدَیْهِ خُبْرًا ﴿۹۱﴾
৯২. তারপর সে আরেক দিকে পথ ধরে অগ্রসর হলো।	ثُمَّ اَتْبَعَ سَبَبًا ﴿۹۲﴾
৯৩. শেষ পর্যন্ত সে এসে পৌছায় দুই পর্বত প্রাচীরের মধ্যবর্তী স্থানে। এখানে সে আরেকটি জাতির সন্ধান পেলো। তারা কোনো কথাই বুঝার মতো ছিলো না।	حَتّٰۤی اِذَا بَلَغَ بَیْنَ السَّدَّیْنِ وَجَدَ مِنْ دُوْنِهِمَا قَوْمًا ۙ لَّا یَكَادُوْنَ یَفْقَهُوْنَ قَوْلًا ﴿۹۳﴾
৯৪. তারা বলেছিল: হে যুলকারনাইন! ইয়াজুজ (জাতি) ও মাজুজ (জাতি) আমাদের দেশে এসে অশান্তি সৃষ্টি করছে। আমরা কি আপনাকে খরচ দেবো, আপনি আমাদের ও তাদের মাঝে একটি প্রাচীর গড়ে দেবেন?	قَالُوْا یٰذَا الْقَرْنَیْنِ اِنَّ یَاْجُوْجَ وَ مَاْجُوْجَ مُفْسِدُوْنَ فِی الْاَرْضِ فَهَلْ نَجْعَلُ لَكَ خَرْجًا عَلٰۤی اَنْ تَجْعَلَ بَیْنَنَا وَ بَیْنَهُمْ سَدًّا ﴿۹۴﴾

৯৫. সে বললো: 'আমার প্রভু আমাকে এ বিষয়ে যে ক্ষমতা দিয়েছেন তাই আমার জন্যে যথেষ্ট। তোমরা আমাকে শ্রমশক্তি দিয়ে সাহায্য করো, আমি তোমাদের ও তাদের মধ্যবর্তী স্থানে একটি প্রাচীর গড়ে দেবো।'	قَالَ مَا مَكَّنِّىْ فِيْهِ رَبِّىْ خَيْرٌ فَاَعِيْنُوْنِىْ بِقُوَّةٍ اَجْعَلْ بَيْنَكُمْ وَبَيْنَهُمْ رَدْمًا ۝٩٥
৯৬. 'তোমরা আমাকে অনেকগুলো লৌহ পিণ্ড এনে দাও।' তারপর লোহার স্তূপ মধ্যবর্তী ফাঁকা জায়গা পূর্ণ হয়ে যখন দুই পর্বতের সমান হলো, তখন সে বললো: 'তোমরা হাঁপরে হাওয়া দিতে থাকো। যখন সেগুলো আগুনের মতো উত্তপ্ত হলো, তখন সে বললো: তোমরা গলিত তামা নিয়ে আসো, আমি সেগুলো ঢেলে দেবো এর উপর।'	اٰتُوْنِىْ زُبَرَ الْحَدِيْدِ ؕ حَتّٰۤى اِذَا سَاوٰى بَيْنَ الصَّدَفَيْنِ قَالَ انْفُخُوْا ؕ حَتّٰۤى اِذَا جَعَلَهٗ نَارًا ۙ قَالَ اٰتُوْنِىْۤ اُفْرِغْ عَلَيْهِ قِطْرًا ۝٩٦
৯৭. এরপর থেকে তারা আর তা অতিক্রম করতে পারলো না এবং তার মধ্যে সুড়ঙ্গও তৈরি করতে পারলো না।	فَمَا اسْطَاعُوْۤا اَنْ يَّظْهَرُوْهُ وَمَا اسْتَطَاعُوْا لَهٗ نَقْبًا ۝٩٧
৯৮. সে বললো: এটা আমার প্রভুর অনুগ্রহ। যখন আমার প্রভুর প্রতিশ্রুতি পূর্ণ হবে তখন তিনি এটাকে চূর্ণ-বিচূর্ণ করে দেবেন। আর আমার প্রভুর প্রতিশ্রুতি সত্য।	قَالَ هٰذَا رَحْمَةٌ مِّنْ رَّبِّىْ ۚ فَاِذَا جَآءَ وَعْدُ رَبِّىْ جَعَلَهٗ دَكَّآءَ ۚ وَكَانَ وَعْدُ رَبِّىْ حَقًّا ۝٩٨
৯৯. সেদিন আমরা তাদের এমন অবস্থায় ছেড়ে দেবো যে, তারা এক দল আরেক দলের উপর তরঙ্গের মতো আঁছড়ে পড়বে এবং শিংগায় ফুৎকার দেয়া হবে এবং তাদের সবাইকে এক জায়গায় জমা করে ফেলবো।	وَتَرَكْنَا بَعْضَهُمْ يَوْمَئِذٍ يَّمُوْجُ فِىْ بَعْضٍ وَّنُفِخَ فِى الصُّوْرِ فَجَمَعْنٰهُمْ جَمْعًا ۝٩٩
১০০. আর সেদিন আমরা জাহান্নামকে সেইসব কাফিরদের জন্যে সামনে এনে হাজির করবো,	وَّعَرَضْنَا جَهَنَّمَ يَوْمَئِذٍ لِّلْكٰفِرِيْنَ عَرْضًا ۝١٠٠
১০১. যাদের চোখ ছিলো অন্ধ আমার যিকির (কুরআন) থেকে এবং তারা শুনতেও ছিলো অক্ষম।	الَّذِيْنَ كَانَتْ اَعْيُنُهُمْ فِىْ غِطَآءٍ عَنْ ذِكْرِىْ وَكَانُوْا لَا يَسْتَطِيْعُوْنَ سَمْعًا ۝١٠١
১০২. কাফিররা কি ধারণা করে নিয়েছে যে, তারা আমার পরিবর্তে আমার বান্দাদের অলি হিসেবে গ্রহণ করবে? আমরা কাফিরদের জন্যে আতিথ্য হিসেবে প্রস্তুত করে রেখেছি জাহান্নাম।	اَفَحَسِبَ الَّذِيْنَ كَفَرُوْۤا اَنْ يَّتَّخِذُوْا عِبَادِىْ مِنْ دُوْنِىْۤ اَوْلِيَآءَ ؕ اِنَّاۤ اَعْتَدْنَا جَهَنَّمَ لِلْكٰفِرِيْنَ نُزُلًا ۝١٠٢
১০৩. হে নবী! বলো: আমরা কি তোমাদের সংবাদ দেবো, আমলের দিক থেকে সবচাইতে ক্ষতিগ্রস্ত কারা?	قُلْ هَلْ نُنَبِّئُكُمْ بِالْاَخْسَرِيْنَ اَعْمَالًا ۝١٠٣
১০৪. তারা হলো সেইসব লোক, যারা দুনিয়ার জীবনে নিজেদের প্রচেষ্টাকে পরিচালিত করে ভ্রান্ত পথে, অথচ তারা মনে করে তারা খুব সুন্দর কাজ করছে।	اَلَّذِيْنَ ضَلَّ سَعْيُهُمْ فِى الْحَيٰوةِ الدُّنْيَا وَهُمْ يَحْسَبُوْنَ اَنَّهُمْ يُحْسِنُوْنَ صُنْعًا ۝١٠٤

রুকু ১১

১০৫. এরাই তাদের প্রভুর আয়াত এবং তাঁর সাথে সাক্ষাত হওয়াকে অস্বীকার করে। ফলে নিষ্ফল হয়ে যায় তাদের সব আমল। তাই আমরা কিয়ামতের দিন তাদের জন্যে ওজন কায়েম করবো না।	أُولَٰئِكَ الَّذِينَ كَفَرُوا بِآيَاتِ رَبِّهِمْ وَ لِقَائِهِ فَحَبِطَتْ أَعْمَالُهُمْ فَلَا نُقِيمُ لَهُمْ يَوْمَ الْقِيَامَةِ وَزْنًا ١٠٥
১০৬. এরা প্রতিদান পাবে জাহান্নাম তাদের কুফুরির কারণে আর এ কারণে যে, তারা আমার আয়াত এবং আমার রসূলদেরকে বিদ্রূপের লক্ষ্যস্থল বানিয়েছে।	ذَٰلِكَ جَزَاؤُهُمْ جَهَنَّمُ بِمَا كَفَرُوا وَ اتَّخَذُوا آيَاتِي وَ رُسُلِي هُزُوًا ١٠٦
১০৭. যারা ঈমান আনে এবং আমলে সালেহ্ করে তাদের আতিথ্যের জন্যে প্রস্তুত রাখা হয়েছে জান্নাতুল ফেরদাউস।	إِنَّ الَّذِينَ آمَنُوا وَ عَمِلُوا الصَّالِحَاتِ كَانَتْ لَهُمْ جَنَّاتُ الْفِرْدَوْسِ نُزُلًا ١٠٧
১০৮. চিরদিন থাকবে তারা সেখানে। তারা সেখান থেকে স্থানান্তর হতে চাইবে না।	خَالِدِينَ فِيهَا لَا يَبْغُونَ عَنْهَا حِوَلًا ١٠٨
১০৯. হে নবী! বলো: আমার প্রভুর কথা লেখার জন্যে সমুদ্র যদি কালি হয়, তবে আমার প্রভুর কথা শেষ হবার পূর্বেই সমুদ্র শুকিয়ে যাবে, এমনকি এ কাজের সাহায্যার্থে অনুরূপ আরো সমুদ্র আনলেও।	قُلْ لَوْ كَانَ الْبَحْرُ مِدَادًا لِكَلِمَاتِ رَبِّي لَنَفِدَ الْبَحْرُ قَبْلَ أَنْ تَنْفَدَ كَلِمَاتُ رَبِّي وَ لَوْ جِئْنَا بِمِثْلِهِ مَدَدًا ١٠٩
১১০. হে নবী! বলো: আমি তো তোমাদের মতোই একজন মানুষ। তবে আমার কাছে অহি আসে যে, তোমাদের ইলাহ্ একজন মাত্র ইলাহ্। যে কেউ তার প্রভুর সাক্ষাতের প্রত্যাশা করে, সে যেনো আমলে সালেহ্ করে এবং তার প্রভুর ইবাদতে কাউকেও শরিক না করে।	قُلْ إِنَّمَا أَنَا بَشَرٌ مِثْلُكُمْ يُوحَىٰ إِلَيَّ أَنَّمَا إِلَٰهُكُمْ إِلَٰهٌ وَاحِدٌ ۖ فَمَنْ كَانَ يَرْجُو لِقَاءَ رَبِّهِ فَلْيَعْمَلْ عَمَلًا صَالِحًا وَلَا يُشْرِكْ بِعِبَادَةِ رَبِّهِ أَحَدًا ١١٠

রুকু ১২

সূরা ১৯ মরিয়ম

মক্কায় অবতীর্ণ, আয়াত সংখ্যা: ৯৮, রুকু সংখ্যা: ০৬

এই সূরার আলোচ্যসূচি (আয়াত ভিত্তিক আলোচ্য বিষয়)

০১-১৫: যাকারিয়া আ. এর প্রতি আল্লাহ্‌র অনুগ্রহের বিবরণ। আল্লাহ্‌র কাছে বৃদ্ধ যাকারিয়া আ. এর সন্তান প্রার্থনা। যাকারিয়ার বৃদ্ধ বয়সের সন্তান ইয়াহ্ইয়া। ইয়াহ্ইয়ার প্রতি আল্লাহ্‌র অনুগ্রহ।

১৬-৪০: কুমারি পবিত্র মরিয়মের গর্ভে আল্লাহ্‌র নিদর্শন হিসেবে ঈসা আ. এর জন্মের বিবরণ। মরিয়মের প্রতি ইহুদিদের অপবাদ। কোলের শিশু ঈসার ভাষণ। মহান আল্লাহ্ সন্তান গ্রহণ করেননা। বিভেদ সৃষ্টিকারীরা কাফির ও যালিম।

৪১-৫০: নিজ পিতা ও জাতির কাছে ইবরাহিম আ. এর দাওয়াত। ইবরাহিমের প্রতি আল্লাহ্‌র অনুগ্রহ।

৫১-৫৮: মূসা, হারূণ, ইসমাঈল ও ইদরিস আলাইহিমুস সালামের মর্যাদা। আল্লাহ্‌র আয়াত শুনলে তারা সাজদায় অবনত হতেন এবং কান্নায় ভেঙ্গে পড়তেন।

৫৯-৬৫: নবীদের পরবর্তী লোকেরা সালাত নষ্ট করে এবং কামনা বাসনার অনুসরণ করে। তবে যারা তওবা করেছে, ঈমান এনেছে ও আমলে সালেহ্ করেছে তারা জান্নাতে যাবে।

৬৬-৭২: আখিরাত ও পুনরুত্থানের ব্যাপারে সন্দেহের জবাব।

৭৩-৯৫: কুরআন নিয়ে কাফিরদের বিবাদ। আল্লাহ্ কাদের ঈমান বৃদ্ধি করেন? কি ধরনের আমল পুরস্কারযোগ্য। কাফিরদের কর্মপন্থা ও তাদের পরিণতি। সবাই আল্লাহ্র দাস হিসেবে পুনরুত্থিত হবে।

৯৬-৯৮: মুমিনদের প্রতি জনমনে ভালবাসা সৃষ্টি হয়। কুরআন নাযিলের উদ্দেশ্য।

সূরা মরিয়ম পরম করুণাময় পরম দয়াবান আল্লাহ্র নামে	سُوْرَةُ مَرْيَمَ بِسْمِ اللّٰهِ الرَّحْمٰنِ الرَّحِيْمِ
০১. কাফ হা ইয়া আঈন সোয়াদ।	كٓهٰيٰعٓصٓ ١
০২. এটা তোমার প্রভুর রহমতের যিকির (বিবরণ), যা তিনি করেছিলেন তাঁর দাস যাকারিয়ার প্রতি।	ذِكْرُ رَحْمَتِ رَبِّكَ عَبْدَهٗ زَكَرِيَّا ٢
০৩. যখন সে ফরিয়াদ করেছিল তার প্রভুর কাছে নীরবে নিভৃতে।	اِذْ نَادٰى رَبَّهٗ نِدَآءً خَفِيًّا ٣
০৪. সে বলেছিল: "আমার প্রভু! আমার হাড়গোড় দুর্বল হয়ে গেছে, বার্ধক্যে আমার মাথার চুল শুভ্র-সাদা হয়ে গেছে। আমার প্রভু! তোমার কাছে ফরিয়াদ করে আমি কখনো খালি হাতে ফিরিনি।	قَالَ رَبِّ اِنِّيْ وَهَنَ الْعَظْمُ مِنِّيْ وَ اشْتَعَلَ الرَّاْسُ شَيْبًا وَّ لَمْ اَكُنْۢ بِدُعَآئِكَ رَبِّ شَقِيًّا ٤
০৫. আমি আমার পরে আমার উত্তরাধিকারী সম্পর্কে আশংকা করছি। এ দিকে আমার স্ত্রীও বন্ধ্যা। অতএব, তোমার পক্ষ থেকে তুমি আমাকে এমন একজন উত্তরাধিকারী দান করো,	وَ اِنِّيْ خِفْتُ الْمَوَالِيَ مِنْ وَّرَآءِيْ وَ كَانَتِ امْرَاَتِيْ عَاقِرًا فَهَبْ لِيْ مِنْ لَّدُنْكَ وَلِيًّا ٥
০৬. যে আমার উত্তরাধিকারিত্ব করবে এবং ইয়াকুবের বংশেরও উত্তরাধিকারিত্ব করবে, আর হে প্রভু! তুমি তাকে বানাবে সন্তোষভাজন।"	يَّرِثُنِيْ وَ يَرِثُ مِنْ اٰلِ يَعْقُوْبَ ۗ وَ اجْعَلْهُ رَبِّ رَضِيًّا ٦
০৭. (তার দোয়া কবুল করে আল্লাহ্ বললেন:) 'হে যাকারিয়া! আমরা তোমাকে একটি পুত্র সন্তানের সুসংবাদ দিচ্ছি, তার নাম হবে ইয়াহিয়া। আগে আমরা এই নামে কারো নামকরণ করিনি।'	يٰزَكَرِيَّآ اِنَّا نُبَشِّرُكَ بِغُلٰمِ ِۣ اسْمُهٗ يَحْيٰى ۙ لَمْ نَجْعَلْ لَّهٗ مِنْ قَبْلُ سَمِيًّا ٧
০৮. সে বললো: 'প্রভু! কেমন করে হবে আমার পুত্র, আমার স্ত্রী তো বন্ধ্যা, আর আমিও তো বার্ধক্যের শেষ সীমায় পৌঁছে গেছি।'	قَالَ رَبِّ اَنّٰى يَكُوْنُ لِيْ غُلٰمٌ وَّ كَانَتِ امْرَاَتِيْ عَاقِرًا وَّ قَدْ بَلَغْتُ مِنَ الْكِبَرِ عِتِيًّا ٨
০৯. তিনি (দূতের মাধ্যমে) বললেন: তুমি ঠিকই বলেছো। তবে তোমার প্রভু বলছেন: 'এ কাজ আমার জন্যে একেবারেই সহজ। ইতোপূর্বে তো আমি তোমাকেও সৃষ্টি করেছি, অথচ তোমার কোনো অস্তিত্বই ছিলনা।'	قَالَ كَذٰلِكَ ۚ قَالَ رَبُّكَ هُوَ عَلَيَّ هَيِّنٌ وَّ قَدْ خَلَقْتُكَ مِنْ قَبْلُ وَ لَمْ تَكُ شَيْـًٔا ٩

১০. সে বললো: 'প্রভু! (এর জন্যে) আমাকে একটি নিদর্শন দাও।' তিনি বললেন, তোমার নিদর্শন হলো: 'তুমি শারীরিক সুস্থ থাকা সত্ত্বেও তিন দিন কারো সাথে কোনো কথা বলবেনা।'	قَالَ رَبِّ اجْعَلْ لِّيْٓ اٰيَةً ؕ قَالَ اٰيَتُكَ اَلَّا تُكَلِّمَ النَّاسَ ثَلٰثَ لَيَالٍ سَوِيًّا ﴿۱۰﴾
১১. অত:পর সে মেহরাব (কক্ষ) থেকে বের হয়ে তার কওমের কাছে এলো এবং ইশারা করে তাদের বললো: 'তোমরা সকাল সন্ধ্যায় আল্লাহ্‌র তসবিহ্ করো।'	فَخَرَجَ عَلٰى قَوْمِهٖ مِنَ الْمِحْرَابِ فَاَوْحٰٓى اِلَيْهِمْ اَنْ سَبِّحُوْا بُكْرَةً وَّعَشِيًّا ﴿۱۱﴾
১২. (বলা হলো:) 'হে ইয়াহিয়া! এই (তাওরাত) কিতাবকে শক্ত করে আঁকড়ে ধরো।' আর আমরা তাকে শৈশবেই দান করেছিলাম জ্ঞান ও প্রজ্ঞা,	يٰيَحْيٰى خُذِ الْكِتٰبَ بِقُوَّةٍ ؕ وَ اٰتَيْنٰهُ الْحُكْمَ صَبِيًّا ﴿۱۲﴾
১৩. আর আমরা তাকে দিয়েছিলাম আমাদের পক্ষ থেকে কোমলতা-নম্রতা আর পবিত্রতা এবং সে ছিলো তাকওয়ার অধিকারী।	وَّحَنَانًا مِّنْ لَّدُنَّا وَزَكٰوةً ؕ وَكَانَ تَقِيًّا ﴿۱۳﴾
১৪. সে ছিলো পিতা-মাতার প্রতি অনুগত। সে উদ্ধতও ছিলনা, অবাধ্যও ছিলনা।	وَّبَرًّا بِوَالِدَيْهِ وَلَمْ يَكُنْ جَبَّارًا عَصِيًّا ﴿۱۴﴾
১৫. তার প্রতি সালাম যেদিন তার জন্ম হয়েছিল, যেদিন তার মৃত্যু হবে এবং যেদিন সে পুনরুত্থিত হবে।	وَسَلٰمٌ عَلَيْهِ يَوْمَ وُلِدَ وَ يَوْمَ يَمُوْتُ وَ يَوْمَ يُبْعَثُ حَيًّا ﴿۱۵﴾
১৬. এই কিতাবের বর্ণনা অনুসারে মরিয়মের কথা যিকির (আলোচনা) করো। সে যখন তার পরিবার পরিজন থেকে আলাদা হয়ে পূর্ব দিকে এক স্থানে আশ্রয় নিলো,	وَاذْكُرْ فِى الْكِتٰبِ مَرْيَمَ ۘ اِذِ انْتَبَذَتْ مِنْ اَهْلِهَا مَكَانًا شَرْقِيًّا ﴿۱۶﴾
১৭. এবং তাদের থেকে সে হিজাব (আড়াল) গ্রহণ করলো, তখন আমরা তার কাছে পাঠালাম আমাদের রূহকে (জিবরিলকে)। সে এসে তার কাছে পূর্ণ মানব আকৃতিতে নিজেকে প্রকাশ করলো।	فَاتَّخَذَتْ مِنْ دُوْنِهِمْ حِجَابًا ۚ فَاَرْسَلْنَآ اِلَيْهَا رُوْحَنَا فَتَمَثَّلَ لَهَا بَشَرًا سَوِيًّا ﴿۱۷﴾
১৮. সে (মরিয়ম) বললো: 'আমি তোমার থেকে আল্লাহ্-রহমানের আশ্রয় চাচ্ছি যদি তুমি মুত্তাকি হয়ে থাকো।'	قَالَتْ اِنِّيْٓ اَعُوْذُ بِالرَّحْمٰنِ مِنْكَ اِنْ كُنْتَ تَقِيًّا ﴿۱۸﴾
১৯. সে বললো: '(তোমার ভয়ের কোনো কারণ নেই) আমি তোমার প্রভুর রসূল (বার্তা বাহক), তোমাকে একটি পবিত্র পুত্র সন্তান দান করার (সংবাদ দেয়ার) জন্যে এসেছি।'	قَالَ اِنَّمَآ اَنَا رَسُوْلُ رَبِّكِ ۖ لِاَهَبَ لَكِ غُلٰمًا زَكِيًّا ﴿۱۹﴾
২০. সে বললো: 'কী করে পুত্র হবে আমার, আমাকে তো কখনো কোনো পুরুষ স্পর্শ করেনি এবং আমি ব্যভিচারিণীও নই?'	قَالَتْ اَنّٰى يَكُوْنُ لِيْ غُلٰمٌ وَّلَمْ يَمْسَسْنِيْ بَشَرٌ وَّلَمْ اَكُ بَغِيًّا ﴿۲۰﴾
২১. সে বললো: 'তুমি ঠিকই বলেছো।' তবে তোমার প্রভু বলেছেন: 'এ কাজ আমার জন্যে খুবই সহজ এবং তাকে আমরা এ জন্যে সৃষ্টি করবো যেনো সে হয় মানুষের জন্যে একটি নিদর্শন, আর সে হবে আমাদের পক্ষ থেকে একটি রহমত, আর এ বিষয়টির ফায়সালা হয়েই আছে।'	قَالَ كَذٰلِكِ ۚ قَالَ رَبُّكِ هُوَ عَلَيَّ هَيِّنٌ ۚ وَ لِنَجْعَلَهٗٓ اٰيَةً لِّلنَّاسِ وَرَحْمَةً مِّنَّا ۚ وَكَانَ اَمْرًا مَّقْضِيًّا ﴿۲۱﴾

রুকু ০১

২২. তখন সে তাকে গর্ভ ধারণ করে। পরে তাকে গর্ভে নিয়ে সে একটি দূরবর্তী স্থানে চলে যায়।	فَحَمَلَتْهُ فَانْتَبَذَتْ بِهٖ مَكَانًا قَصِیًّا ﴿۲۲﴾
২৩. প্রসব বেদনা তাকে একটি খেজুর গাছের নীচে নিয়ে আসে। এ সময় (অপবাদের ভয়ে) সে বলে: 'হায়, এর আগেই যদি আমার মৃত্যু হতো এবং আমি যদি মানুষের স্মৃতি থেকে মুছে যেতাম!'	فَاَجَآءَهَا الْمَخَاضُ اِلٰی جِذْعِ النَّخْلَةِ ۚ قَالَتْ یٰلَیْتَنِیْ مِتُّ قَبْلَ هٰذَا وَ كُنْتُ نَسْیًا مَّنْسِیًّا ﴿۲۳﴾
২৪. তখন সে তাকে নীচ থেকে ডেকে বললো: "দুঃখ করোনা, তোমার নীচে দিয়ে তোমার প্রভু একটি নহর সৃষ্টি করে দিয়েছেন।	فَنَادٰىهَا مِنْ تَحْتِهَاۤ اَلَّا تَحْزَنِیْ قَدْ جَعَلَ رَبُّكِ تَحْتَكِ سَرِیًّا ﴿۲۴﴾
২৫. আর তুমি তোমার দিকে খেজুর গাছের কাণ্ড নাড়া দাও, সেটি তোমার জন্যে তাজা পাকা খেজুর ফেলবে।	وَ هُزِّیْۤ اِلَیْكِ بِجِذْعِ النَّخْلَةِ تُسٰقِطْ عَلَیْكِ رُطَبًا جَنِیًّا ﴿۲۵﴾
২৬. তা খাও আর পান করো এবং তোমার চক্ষু শীতল করো। কোনো মানুষ দেখতে পেলে বলবে: 'আমি আজ রহমানের উদ্দেশ্যে চুপ থাকার সাওম পালনের মানত করেছি, তাই আজ আমি কারো সাথে কথা বলবোনা।"	فَكُلِیْ وَ اشْرَبِیْ وَ قَرِّیْ عَیْنًا ۚ فَاِمَّا تَرَیِنَّ مِنَ الْبَشَرِ اَحَدًا ۙ فَقُوْلِیْۤ اِنِّیْ نَذَرْتُ لِلرَّحْمٰنِ صَوْمًا فَلَنْ اُكَلِّمَ الْیَوْمَ اِنْسِیًّا ﴿۲۶﴾
২৭. অত:পর সে (মরিয়ম) তাকে (ছেলেটিকে) কোলে নিয়ে তার কওমের কাছে এলো। তারা বললো: "হে মরিয়ম। তুমি তো এক মহাকাণ্ড ঘটিয়ে এসেছো।	فَاَتَتْ بِهٖ قَوْمَهَا تَحْمِلُهٗ ؕ قَالُوْا یٰمَرْیَمُ لَقَدْ جِئْتِ شَیْـًٔا فَرِیًّا ﴿۲۷﴾
২৮. হে হারূণের বোন, তোমার পিতা তো কোনো খারাপ লোক ছিলেন না, তোমার মাও ব্যভিচারিণী ছিলেন না।"	یٰۤاُخْتَ هٰرُوْنَ مَا كَانَ اَبُوْكِ امْرَاَ سَوْءٍ وَّ مَا كَانَتْ اُمُّكِ بَغِیًّا ﴿۲۸﴾
২৯. মরিয়ম ছেলের প্রতি ইঙ্গিত করে (তাদেরকে ছেলের সাথে কথা বলতে বললো)। তারা বললো: 'আমরা এতোটুকুন কোলের বাচ্চার সাথে কথা বলবো কিভাবে?'	فَاَشَارَتْ اِلَیْهِ ؕ قَالُوْا كَیْفَ نُكَلِّمُ مَنْ كَانَ فِی الْمَهْدِ صَبِیًّا ﴿۲۹﴾
৩০. সে (কোলের শিশু ঈসা) বললো: "আমি আল্লাহ্র দাস, তিনি আমাকে কিতাব দিয়েছেন এবং নবী বানিয়েছেন,	قَالَ اِنِّیْ عَبْدُ اللّٰهِ ؕ اٰتٰىنِیَ الْكِتٰبَ وَ جَعَلَنِیْ نَبِیًّا ﴿۳۰﴾
৩১. আমি যেখানেই থাকিনা কেন, তিনি আমাকে কল্যাণময় বানিয়েছেন এবং তিনি আমাকে নির্দেশ দিয়েছেন, যতোদিন বেঁচে থাকি, আমি যেনো সালাত আদায় করি এবং যাকাত প্রদান করি।	وَّ جَعَلَنِیْ مُبٰرَكًا اَیْنَ مَا كُنْتُ ۪ وَ اَوْصٰنِیْ بِالصَّلٰوةِ وَ الزَّكٰوةِ مَا دُمْتُ حَیًّا ﴿۳۱﴾
৩২. তিনি আমাকে আরো নির্দেশ দিয়েছেন আমার মায়ের প্রতি অনুগত থাকতে। তিনি আমাকে স্বৈরাচারি এবং হতভাগা বানাননি।	وَّ بَرًّۢا بِوَالِدَتِیْ ۫ وَ لَمْ یَجْعَلْنِیْ جَبَّارًا شَقِیًّا ﴿۳۲﴾
৩৩. আমার প্রতি সালাম, যেদিন আমি জন্ম নিয়েছি, যেদিন আমার মৃত্যু হবে এবং যেদিন আমাকে পুনরুত্থিত করা হবে।"	وَ السَّلٰمُ عَلَیَّ یَوْمَ وُلِدْتُّ وَ یَوْمَ اَمُوْتُ وَ یَوْمَ اُبْعَثُ حَیًّا ﴿۳۳﴾

ذٰلِكَ عِيۡسَى ابۡنُ مَرۡيَمَ ۚ قَوۡلَ الۡحَقِّ الَّذِىۡ فِيۡهِ يَمۡتَرُوۡنَ ﴿٣٤﴾

৩৪. এ-ই হলো ঈসা ইবনে মরিয়ম। তার বিষয়ে এই হলো সত্য কথা, যা নিয়ে তোমরা সন্দেহ করছো।

مَا كَانَ لِلّٰهِ اَنۡ يَّتَّخِذَ مِنۡ وَّلَدٍ ۙ سُبۡحٰنَهٗ ؕ اِذَا قَضٰۤى اَمۡرًا فَاِنَّمَا يَقُوۡلُ لَهٗ كُنۡ فَيَكُوۡنُ ﴿٣٥﴾

৩৫. সন্তান গ্রহণ করা তো আল্লাহ্‌র কাজ নয়, এ থেকে তিনি মুক্ত পবিত্র। তিনি যখন কোনো বিষয়ের ফায়সালা করেন, তখন বলেন: ‘হও’, সাথে সাথে তা হয়ে যায়।

وَ اِنَّ اللّٰهَ رَبِّىۡ وَ رَبُّكُمۡ فَاعۡبُدُوۡهُ ؕ هٰذَا صِرَاطٌ مُّسۡتَقِيۡمٌ ﴿٣٦﴾

৩৬. (ঈসা তাদের আরো বলেছিল:) ‘আল্লাহ্‌ই আমার প্রভু এবং তোমাদেরও প্রভু। সুতরাং তোমরা কেবল তাঁরই ইবাদত করো, এটাই সিরাতুল মুস্তাকিম– সরল সঠিক পথ।’

فَاخۡتَلَفَ الۡاَحۡزَابُ مِنۡۢ بَيۡنِهِمۡ ۚ فَوَيۡلٌ لِّلَّذِيۡنَ كَفَرُوۡا مِنۡ مَّشۡهَدِ يَوۡمٍ عَظِيۡمٍ ﴿٣٧﴾

৩৭. তারপর বিভিন্ন দল (ঈসার বিষয়ে) মতানৈক্য সৃষ্টি করে। সুতরাং কাফিরদের জন্যে দুর্ভোগ মহাদিবসে উপস্থিতির দিন।

اَسۡمِعۡ بِهِمۡ وَ اَبۡصِرۡ ۙ يَوۡمَ يَاۡتُوۡنَنَا لٰكِنِ الظّٰلِمُوۡنَ الۡيَوۡمَ فِىۡ ضَلٰلٍ مُّبِيۡنٍ ﴿٣٨﴾

৩৮. তারা যেদিন আমাদের কাছে উপস্থিত হবে, সেদিন সব কিছুই ঠিকভাবে শুনবে এবং দেখবে। কিন্তু আজ যালিমরা সুস্পষ্ট গোমরাহিতে নিমজ্জিত।

وَ اَنۡذِرۡهُمۡ يَوۡمَ الۡحَسۡرَةِ اِذۡ قُضِىَ الۡاَمۡرُ ۘ وَ هُمۡ فِىۡ غَفۡلَةٍ وَّ هُمۡ لَا يُؤۡمِنُوۡنَ ﴿٣٩﴾

৩৯. তাদেরকে দুঃখ ও অনুতাপের দিনটি সম্পর্কে সতর্ক করে দাও, সেদিন সব বিষয়ের ফায়সালা হয়ে যাবে। অথচ আজ তারা গাফলতির মধ্যে পড়ে আছে এবং ঈমান আনেনা।

اِنَّا نَحۡنُ نَرِثُ الۡاَرۡضَ وَ مَنۡ عَلَيۡهَا وَ اِلَيۡنَا يُرۡجَعُوۡنَ ﴿٤٠﴾

৪০. আমরাই মালিক পৃথিবীর এবং পৃথিবীর উপর যারা আছে সবার এবং আমাদের কাছেই তাদের ফিরিয়ে আনা হবে।

রুকু ০২

وَ اذۡكُرۡ فِى الۡكِتٰبِ اِبۡرٰهِيۡمَ ۬ؕ اِنَّهٗ كَانَ صِدِّيۡقًا نَّبِيًّا ﴿٤١﴾

৪১. এই কিতাবের বর্ণনা অনুযায়ী ইবরাহিমের কথা আলোচনা করো। সে ছিলো একজন সিদ্দীক (সত্যনিষ্ঠ) নবী।

اِذۡ قَالَ لِاَبِيۡهِ يٰۤاَبَتِ لِمَ تَعۡبُدُ مَا لَا يَسۡمَعُ وَ لَا يُبۡصِرُ وَ لَا يُغۡنِىۡ عَنۡكَ شَيۡـًٔا ﴿٤٢﴾

৪২. সে তার পিতাকে বলেছিল: “বাবা! আপনি কেন এমন জিনিসের ইবাদত করেন যেগুলো দেখেওনা, শুনেওনা এবং আপনার কোনো উপকারেও আসেনা?

يٰۤاَبَتِ اِنِّىۡ قَدۡ جَآءَنِىۡ مِنَ الۡعِلۡمِ مَا لَمۡ يَاۡتِكَ فَاتَّبِعۡنِىۡۤ اَهۡدِكَ صِرَاطًا سَوِيًّا ﴿٤٣﴾

৪৩. বাবা! আমার কাছে প্রকৃত জ্ঞান এসেছে, যা আপনার কাছে আসেনি। সুতরাং আপনি আমার অনুসরণ করুন, আমি আপনাকে সঠিক পথ দেখাবো।

يٰۤاَبَتِ لَا تَعۡبُدِ الشَّيۡطٰنَ ؕ اِنَّ الشَّيۡطٰنَ كَانَ لِلرَّحۡمٰنِ عَصِيًّا ﴿٤٤﴾

৪৪. বাবা! শয়তানের ইবাদত করবেন না। শয়তান তো রহমানের চরম অবাধ্য।

يٰۤاَبَتِ اِنِّىۡۤ اَخَافُ اَنۡ يَّمَسَّكَ عَذَابٌ مِّنَ الرَّحۡمٰنِ فَتَكُوۡنَ لِلشَّيۡطٰنِ وَلِيًّا ﴿٤٥﴾

৪৫. বাবা! আমি আশংকা করছি, আপনাকে রহমানের আযাব স্পর্শ করবে, তাতে আপনি শয়তানের অলি হয়ে পড়বেন।”

৪৬. সে (ইবরাহিমের পিতা) বললো: 'ইবরাহিম! তুমি কি আমার ইলাহ্‌দের (দেব দেবীদের) থেকে বিমুখ? তুমি যদি বিরত না হও, তাহলে আমি পাথর মেরে তোমাকে হত্যা করবো। তুমি চিরদিনের জন্যে আমাকে ত্যাগ করে চলে যাও।'	قَالَ اَرَاغِبٌ اَنْتَ عَنْ اٰلِهَتِیْ یٰۤاِبْرٰهِیْمُ ۚ لَئِنْ لَّمْ تَنْتَهِ لَاَرْجُمَنَّكَ وَ اهْجُرْنِیْ مَلِیًّا ﴿۴۶﴾
৪৭. ইবরাহিম বললো: "আপনার প্রতি সালাম। আমি আমার প্রভুর কাছে আপনার জন্যে ক্ষমা প্রার্থনা করবো, নিশ্চয়ই তিনি আমার প্রতি অনুগ্রহশীল।	قَالَ سَلٰمٌ عَلَیْكَ ۚ سَاَسْتَغْفِرُ لَكَ رَبِّیْ ؕ اِنَّهٗ كَانَ بِیْ حَفِیًّا ﴿۴۷﴾
৪৮. আমি আপনাদের থেকে এবং আপনারা আল্লাহ্‌র পরিবর্তে যাদের ডাকেন তাদের থেকে পৃথক হয়ে যাচ্ছি। আমি শুধু আমার প্রভুকেই ডাকবো। আমি আশা করি আমার প্রভুকে ডেকে আমি ব্যর্থকাম হবোনা।"	وَ اَعْتَزِلُكُمْ وَ مَا تَدْعُوْنَ مِنْ دُوْنِ اللّٰهِ وَ اَدْعُوْا رَبِّیْ ۖؗ عَسٰۤی اَلَّاۤ اَكُوْنَ بِدُعَآءِ رَبِّیْ شَقِیًّا ﴿۴۸﴾
৪৯. সে যখন তাদের থেকে এবং তারা আল্লাহ্‌র পরিবর্তে যাদের ইবাদত করতো তাদের থেকে পৃথক হয়ে গেলো, তখন আমি তাকে দান করলাম (পুত্র) ইসহাক এবং (নাতি) ইয়াকুবকে। আর তাদের প্রত্যেককেই বানিয়েছিলাম নবী।	فَلَمَّا اعْتَزَلَهُمْ وَ مَا یَعْبُدُوْنَ مِنْ دُوْنِ اللّٰهِ ۙ وَهَبْنَا لَهٗۤ اِسْحٰقَ وَ یَعْقُوْبَ ؕ وَ كُلًّا جَعَلْنَا نَبِیًّا ﴿۴۹﴾
৫০. আর আমি তাদের দান করলাম আমার অনুগ্রহ এবং উঁচু করে দিলাম তাদের প্রশংসনীয় যশ-খ্যাতি।	وَ وَهَبْنَا لَهُمْ مِّنْ رَّحْمَتِنَا وَ جَعَلْنَا لَهُمْ لِسَانَ صِدْقٍ عَلِیًّا ﴿۵۰﴾
৫১. এই কিতাবে মূসার কথা আলোচনা করো। সে ছিলো বিশেষভাবে মনোনীত এবং ছিলো একজন রসূল নবী।	وَ اذْكُرْ فِی الْكِتٰبِ مُوْسٰۤی ۫ اِنَّهٗ كَانَ مُخْلَصًا وَّ كَانَ رَسُوْلًا نَّبِیًّا ﴿۵۱﴾
৫২. আমরা তাকে ডেকেছিলাম তুর পাহাড়ের দক্ষিণ পাশ থেকে এবং নিভৃত আলোচনায় আমরা তাকে দিয়েছিলাম নৈকট্য।	وَ نَادَیْنٰهُ مِنْ جَانِبِ الطُّوْرِ الْاَیْمَنِ وَ قَرَّبْنٰهُ نَجِیًّا ﴿۵۲﴾
৫৩. আমাদের অনুগ্রহে আমরা তাকে (সাহায্যকারী) দিয়েছিলাম তার ভাই হারূণকে নবী হিসেবে।	وَ وَهَبْنَا لَهٗ مِنْ رَّحْمَتِنَاۤ اَخَاهُ هٰرُوْنَ نَبِیًّا ﴿۵۳﴾
৫৪. এই কিতাবে স্মরণ করো ইসমাঈলের কথা। সে ছিলো প্রতিশ্রুতি পালনে সত্যনিষ্ঠ এবং ছিলো একজন রসূল নবী।	وَاذْكُرْ فِی الْكِتٰبِ اِسْمٰعِیْلَ ۫ اِنَّهٗ كَانَ صَادِقَ الْوَعْدِ وَ كَانَ رَسُوْلًا نَّبِیًّا ۚ﴿۵۴﴾
৫৫. সে তার পরিবার-পরিজনকে নির্দেশ দিতো সালাত কায়েম এবং যাকাত প্রদানের আর সে তার প্রভুর কাছে ছিলো সন্তোষভাজন।	وَ كَانَ یَاْمُرُ اَهْلَهٗ بِالصَّلٰوةِ وَ الزَّكٰوةِ ۪ وَ كَانَ عِنْدَ رَبِّهٖ مَرْضِیًّا ﴿۵۵﴾
৫৬. এই কিতাবে আলোচনা করো ইদরিসের কথা। সে ছিলো সিদ্দীক (সত্যনিষ্ঠ) নবী।	وَ اذْكُرْ فِی الْكِتٰبِ اِدْرِیْسَ ۫ اِنَّهٗ كَانَ صِدِّیْقًا نَّبِیًّا ۗۙ﴿۵۶﴾
৫৭. আমরা তাকে উঠিয়ে ছিলাম উচ্চ মর্যাদায়।	وَّ رَفَعْنٰهُ مَكَانًا عَلِیًّا ﴿۵۷﴾

রুকু ০৩

৫৮. এরা হলো সেইসব লোক, যাদের প্রতি আল্লাহ্ অনুগ্রহ দান করেছেন আদমের বংশধর নবীদের থেকে এবং তাদের থেকে যাদেরকে আমরা আরোহন করিয়েছিলাম নূহের সাথে। এছাড়া ইবরাহিম ও ইসরাঈলের বংশধরদের থেকে এবং তাদের থেকে যাদেরকে আমরা হিদায়াত করেছিলাম এবং মনোনীত করেছিলাম। তাদের প্রতি যখন রহমানের আয়াত তিলাওয়াত করা হতো তারা কাঁদতে কাঁদতে সাজদায় লুটিয়ে পড়তো। **(সাজাদা)**	اُولٰٓئِكَ الَّذِيْنَ اَنْعَمَ اللّٰهُ عَلَيْهِمْ مِّنَ النَّبِيّٖنَ مِنْ ذُرِّيَّةِ اٰدَمَ ۗ وَ مِمَّنْ حَمَلْنَا مَعَ نُوْحٍ ۡ وَّ مِنْ ذُرِّيَّةِ اِبْرٰهِيْمَ وَ اِسْرَآءِيْلَ ۡ وَ مِمَّنْ هَدَيْنَا وَ اجْتَبَيْنَا ؕ اِذَا تُتْلٰى عَلَيْهِمْ اٰيٰتُ الرَّحْمٰنِ خَرُّوْا سُجَّدًا وَّ بُكِيًّا ﴿٥٨﴾ السجدة
৫৯. তাদের পরে আসলো এমন একটি উত্তর প্রজন্ম যারা বিনষ্ট করে দেয় সালাত এবং অনুগামী হয় কামনা-লালসার। তারা অচিরেই কুকর্মের শাস্তি ভোগ করবে।	فَخَلَفَ مِنْۢ بَعْدِهِمْ خَلْفٌ اَضَاعُوا الصَّلٰوةَ وَ اتَّبَعُوا الشَّهَوٰتِ فَسَوْفَ يَلْقَوْنَ غَيًّا ﴿٥٩﴾
৬০. তবে যারা তওবা করেছে এবং আমলে সালেহ্ করেছে, তাদেরকে দাখিল করা হবে জান্নাতে এবং তাদের প্রতি করা হবেনা কোনো যুলুম।	اِلَّا مَنْ تَابَ وَ اٰمَنَ وَ عَمِلَ صَالِحًا فَاُولٰٓئِكَ يَدْخُلُوْنَ الْجَنَّةَ وَلَا يُظْلَمُوْنَ شَيْـًٔا ﴿٦٠﴾
৬১. তাদের দেয়া হবে সেই স্থায়ী জান্নাত, যে অদৃশ্য (জান্নাতের) ওয়াদা দয়াময় রহমান তাঁর দাসদের দিয়েছেন। তাঁর ওয়াদা অবশ্যি বাস্তবায়িত হবে।	جَنّٰتِ عَدْنِ ۣالَّتِيْ وَعَدَ الرَّحْمٰنُ عِبَادَهٗ بِالْغَيْبِ ؕ اِنَّهٗ كَانَ وَعْدُهٗ مَاْتِيًّا ﴿٦١﴾
৬২. সেখানে 'সালাম' ছাড়া কোনো অর্থহীন কথাই তারা শুনবেনা। সেখানে সকাল সন্ধ্যাব্যাপী (অর্থাৎ সর্বক্ষণ) তারা পেতে থাকবে তাদের জীবিকা।	لَا يَسْمَعُوْنَ فِيْهَا لَغْوًا اِلَّا سَلٰمًا ؕ وَ لَهُمْ رِزْقُهُمْ فِيْهَا بُكْرَةً وَّعَشِيًّا ﴿٦٢﴾
৬৩. ওটা হলো সেই জান্নাত, আমরা যার ওয়ারিশ বানাবো আমাদের সেইসব দাসকে, যারা অবলম্বন করে তাকওয়া।	تِلْكَ الْجَنَّةُ الَّتِيْ نُوْرِثُ مِنْ عِبَادِنَا مَنْ كَانَ تَقِيًّا ﴿٦٣﴾
৬৪. "আমরা আপনার প্রভুর নির্দেশ ছাড়া নাযিল হইনা। আমাদের সামনে ও পেছনে যা আছে এবং এ দুয়ের মাঝে যা আছে সবই তাঁর। আপনার প্রভু কখনো ভুলেন না।	وَ مَا نَتَنَزَّلُ اِلَّا بِاَمْرِ رَبِّكَ ۚ لَهٗ مَا بَيْنَ اَيْدِيْنَا وَ مَا خَلْفَنَا وَ مَا بَيْنَ ذٰلِكَ ۚ وَ مَا كَانَ رَبُّكَ نَسِيًّا ﴿٦٤﴾
৬৫. তিনি মহাকাশ, পৃথিবী এবং এ দুয়ের মধ্যবর্তী সবকিছু রব (মালিক)। সুতরাং তাঁরই ইবাদত করুন এবং তাঁর ইবাদতে জমে থাকুন। আপনি কি তাঁর সমান গুণাবলি সম্পন্ন কাউকে জানেন?"	رَبُّ السَّمٰوٰتِ وَ الْاَرْضِ وَ مَا بَيْنَهُمَا فَاعْبُدْهُ وَ اصْطَبِرْ لِعِبَادَتِهٖ ؕ هَلْ تَعْلَمُ لَهٗ سَمِيًّا ﴿٦٥﴾
৬৬. মানুষ বলে: 'আমি যখন মরে যাবো, তখন কি আমি জীবিত অবস্থায় উত্থিত হবো?'	وَ يَقُوْلُ الْاِنْسَانُ ءَاِذَا مَا مِتُّ لَسَوْفَ اُخْرَجُ حَيًّا ﴿٦٦﴾

রুকু ০৪

৬৭. মানুষ কি স্মরণ করেনা, আমরা তো ইতোপূর্বেও তাকে সৃষ্টি করেছি, যখন সে কিছুই ছিলনা।	اَوَ لَا يَذْكُرُ الْاِنْسَانُ اَنَّا خَلَقْنٰهُ مِنْ قَبْلُ وَلَمْ يَكُ شَيْـًٔا ۝٦٧
৬৮. তোমার প্রভুর শপথ! আমরা অবশ্যি তাদেরকে এবং শয়তানদেরকে হাশর করবো, তারপর নতজানু করে জাহান্নামের চারদিকে হাজির করবোই।	فَوَرَبِّكَ لَنَحْشُرَنَّهُمْ وَ الشَّيٰطِيْنَ ثُمَّ لَنُحْضِرَنَّهُمْ حَوْلَ جَهَنَّمَ جِثِيًّا ۝٦٨
৬৯. তারপর প্রত্যেক গোষ্ঠী থেকে যে দয়াময়ের প্রতি সবচেয়ে বেশি অবাধ্য ছিলো, তাকে খুঁজে বের করবোই।	ثُمَّ لَنَنْزِعَنَّ مِنْ كُلِّ شِيْعَةٍ اَيُّهُمْ اَشَدُّ عَلَى الرَّحْمٰنِ عِتِيًّا ۝٦٩
৭০. তারপর তাদের মধ্যে জাহান্নামে প্রবেশের কে বেশি উপযুক্ত, তাকে তো আমরা জানিই।	ثُمَّ لَنَحْنُ اَعْلَمُ بِالَّذِيْنَ هُمْ اَوْلٰى بِهَا صِلِيًّا ۝٧٠
৭১. তোমাদের প্রত্যেককেই তা (জাহান্নামের উপর স্থাপিত পুলসিরাত) অতিক্রম করতে হবে। এটা তোমার প্রভুর চূড়ান্ত সিদ্ধান্ত।	وَاِنْ مِّنْكُمْ اِلَّا وَارِدُهَا ۚ كَانَ عَلٰى رَبِّكَ حَتْمًا مَّقْضِيًّا ۝٧١
৭২. পরে আমরা মুত্তাকিদের নাজাত দেবো এবং যালিমদের সেখানে (জাহান্নামে) নতজানু অবস্থায় ছেড়ে দেবো।	ثُمَّ نُنَجِّي الَّذِيْنَ اتَّقَوْا وَّ نَذَرُ الظّٰلِمِيْنَ فِيْهَا جِثِيًّا ۝٧٢
৭৩. যখন তাদের প্রতি আমাদের সুস্পষ্ট আয়াতসমূহ তিলাওয়াত করা হয়, তখন কাফিররা ঈমানদারদের বলে: 'উভয় দলের মধ্যে কোন্‌টি মর্যাদার দিক থেকে শ্রেষ্ঠ এবং মজলিসের দিক থেকে উত্তম?'	وَ اِذَا تُتْلٰى عَلَيْهِمْ اٰيٰتُنَا بَيِّنٰتٍ قَالَ الَّذِيْنَ كَفَرُوْا لِلَّذِيْنَ اٰمَنُوْٓا ۙ اَيُّ الْفَرِيْقَيْنِ خَيْرٌ مَّقَامًا وَّاَحْسَنُ نَدِيًّا ۝٧٣
৭৪. তাদের আগে আমরা কতো মানব প্রজন্মকে হালাক করে দিয়েছি, অথচ তারা ছিলো সম্পদে এবং বাহ্য দৃষ্টিতে শ্রেষ্ঠ।	وَ كَمْ اَهْلَكْنَا قَبْلَهُمْ مِّنْ قَرْنٍ هُمْ اَحْسَنُ اَثَاثًا وَّ رِءْيًا ۝٧٤
৭৫. হে নবী! বলো: যারা গোমরাহিতে আছে, দয়াময় রহমান তাদের অনেক অনেক ঢিল দিয়ে রাখেন, এমনকি তাদের যে বিষয়ে ওয়াদা দেয়া হয়েছে তা আসা পর্যন্ত, চাই তা শাস্তি হোক, কিংবা কিয়ামত। তখনই তারা জানতে পারবে কার মর্যাদা নিকৃষ্ট, আর কার দলবল অতিশয় দুর্বল?	قُلْ مَنْ كَانَ فِي الضَّلٰلَةِ فَلْيَمْدُدْ لَهُ الرَّحْمٰنُ مَدًّا ۚ حَتّٰۤى اِذَا رَاَوْا مَا يُوْعَدُوْنَ اِمَّا الْعَذَابَ وَ اِمَّا السَّاعَةَ ؕ فَسَيَعْلَمُوْنَ مَنْ هُوَ شَرٌّ مَّكَانًا وَّ اَضْعَفُ جُنْدًا ۝٧٥
৭৬. আর যারা হিদায়াতের পথে চলে, আল্লাহ্ তাদের হিদায়াত বাড়িয়ে দেন। আর স্থায়ী পুণ্যের কাজই তোমার প্রভুর সওয়াব (পুরস্কার) লাভের জন্যে শ্রেষ্ঠ এবং প্রতিদান হিসেবেও শ্রেষ্ঠ।	وَ يَزِيْدُ اللّٰهُ الَّذِيْنَ اهْتَدَوْا هُدًى ؕ وَ الْبٰقِيٰتُ الصّٰلِحٰتُ خَيْرٌ عِنْدَ رَبِّكَ ثَوَابًا وَّ خَيْرٌ مَّرَدًّا ۝٧٦
৭৭. তুমি কি ঐ ব্যক্তির প্রতি লক্ষ্য করেছো, যে আমাদের আয়াতের প্রতি কুফুরি করেছে এবং সে বলে: 'অবশ্য অবশ্যি আমাকে অনেক অনেক মাল সম্পদ ও সন্তান সন্ততি দেয়া হবে (যদি আমাকে পুনরুত্থিত করা হয়)।'	اَفَرَءَيْتَ الَّذِيْ كَفَرَ بِاٰيٰتِنَا وَ قَالَ لَاُوْتَيَنَّ مَالًا وَّ وَلَدًا ۝٧٧

৭৮. সে কি গায়েব অবগত হয়েছে, নাকি সে রহমানের নিকট থেকে অঙ্গীকার লাভ করেছে?	اَطَّلَعَ الْغَيْبَ اَمِ اتَّخَذَ عِنْدَ الرَّحْمٰنِ عَهْدًا ﴿٧٨﴾
৭৯. কখনো নয়, সে যা বলে তা তো আমরা লিখেই রাখছি এবং আমরা তার আযাব দীর্ঘ করতেই থাকবো।	كَلَّا ؕ سَنَكْتُبُ مَا يَقُوْلُ وَ نَمُدُّ لَهٗ مِنَ الْعَذَابِ مَدًّا ﴿٧٩﴾
৮০. সে যে বিষয়ের কথা বলে তার মালিক তো আমরা। সে আমাদের কাছে আসবে সম্পূর্ণ একাকী।	وَّ نَرِثُهٗ مَا يَقُوْلُ وَ يَاْتِيْنَا فَرْدًا ﴿٨٠﴾
৮১. সে আল্লাহ্ ছাড়া অন্যদেরকে ইলাহ্ হিসেবে গ্রহণ করে, যাতে করে তারা তাদের জন্যে মর্যাদার কারণ হয়।	وَ اتَّخَذُوْا مِنْ دُوْنِ اللّٰهِ اٰلِهَةً لِّيَكُوْنُوْا لَهُمْ عِزًّا ﴿٨١﴾
৮২. কখনো নয়, বরং তারা তাদের ইবাদত করেছে বলে অস্বীকার করবে, আর (সেদিন) তারা তাদের বিরোধী হয়ে যাবে।	كَلَّا ؕ سَيَكْفُرُوْنَ بِعِبَادَتِهِمْ وَ يَكُوْنُوْنَ عَلَيْهِمْ ضِدًّا ﴿٨٢﴾
৮৩. তুমি কি লক্ষ্য করছোনা, আমরা কাফিরদের কাছে শয়তানদের পাঠিয়ে থাকি তাদেরকে মন্দ কাজে সুড়সুড়ি দেয়ার জন্যে।	اَلَمْ تَرَ اَنَّاۤ اَرْسَلْنَا الشَّيٰطِيْنَ عَلَى الْكٰفِرِيْنَ تَؤُزُّهُمْ اَزًّا ﴿٨٣﴾
৮৪. সুতরাং তাদের ব্যাপারে তাড়াহুড়া করোনা। আমরা তো তাদের জন্যে নির্ধারিত সময়কাল (বা সংখ্যা) গুণে রাখছি।	فَلَا تَعْجَلْ عَلَيْهِمْ ؕ اِنَّمَا نَعُدُّ لَهُمْ عَدًّا ﴿٨٤﴾
৮৫. যেদিন আমরা দয়াময় রহমানের কাছে মুত্তাকিদের হাশর করবো মেহমান হিসেবে,	يَوْمَ نَحْشُرُ الْمُتَّقِيْنَ اِلَى الرَّحْمٰنِ وَفْدًا ﴿٨٥﴾
৮৬. আর অপরাধীদের পিপাসার্ত অবস্থায় তাড়িয়ে নিয়ে যাওয়া হবে জাহান্নামের দিকে।	وَّ نَسُوْقُ الْمُجْرِمِيْنَ اِلٰى جَهَنَّمَ وِرْدًا ﴿٨٦﴾
৮৭. সেদিন সুপারিশে কোনো কাজ হবেনা, তবে যে রহমানের নিকট অঙ্গীকার লাভ করেছে, তার কথা আলাদা।	لَا يَمْلِكُوْنَ الشَّفَاعَةَ اِلَّا مَنِ اتَّخَذَ عِنْدَ الرَّحْمٰنِ عَهْدًا ﴿٨٧﴾
৮৮. তারা বলে: 'রহমান সন্তান গ্রহণ করেছেন।'	وَ قَالُوا اتَّخَذَ الرَّحْمٰنُ وَلَدًا ﴿٨٨﴾
৮৯. তোমরা এক জঘন্য বিষয় (রচনা করে) নিয়ে এসেছো।	لَقَدْ جِئْتُمْ شَيْـًٔا اِدًّا ﴿٨٩﴾
৯০. এর ফলে মহাকাশ বিদীর্ণ হয়ে যাবে, পৃথিবী খণ্ড বিখণ্ড হয়ে পড়বে এবং পাহাড় পর্বত চূর্ণ বিচূর্ণ হয়ে পতিত হবে,	تَكَادُ السَّمٰوٰتُ يَتَفَطَّرْنَ مِنْهُ وَ تَنْشَقُّ الْاَرْضُ وَ تَخِرُّ الْجِبَالُ هَدًّا ﴿٩٠﴾
৯১. কারণ তারা রহমানের প্রতি সন্তান আরোপ করে।	اَنْ دَعَوْا لِلرَّحْمٰنِ وَلَدًا ﴿٩١﴾
৯২. সন্তান গ্রহণ করা রহমানের জন্যে শোভনীয় নয়।	وَ مَا يَنْۢبَغِيْ لِلرَّحْمٰنِ اَنْ يَّتَّخِذَ وَلَدًا ﴿٩٢﴾

রুকু ০৫

৯৩. মহাকাশ এবং পৃথিবীতে যারাই আছে, তারা রহমানের কাছে দাস হিসেবেই উপস্থিত হবে।	اِنْ كُلُّ مَنْ فِي السَّمٰوٰتِ وَالْاَرْضِ اِلَّآ اٰتِي الرَّحْمٰنِ عَبْدًا ﴿٩٣﴾
৯৪. তিনি তাদের পরিবেষ্টন করে রেখেছেন এবং নিখুঁতভাবে গুণে রাখছেন।	لَقَدْ اَحْصٰىهُمْ وَعَدَّهُمْ عَدًّا ﴿٩٤﴾
৯৫. কিয়ামতের দিন তারা সবাই তাঁর কাছে উপস্থিত হবে একা একা।	وَكُلُّهُمْ اٰتِيْهِ يَوْمَ الْقِيٰمَةِ فَرْدًا ﴿٩٥﴾
৯৬. যারা ঈমান এনেছে এবং আমলে সালেহ্ করেছে, দয়াময় রহমান অচিরেই জনগণের মনে তাদের জন্যে ভালোবাসা সৃষ্টি করে দেবেন।	اِنَّ الَّذِيْنَ اٰمَنُوْا وَعَمِلُوا الصّٰلِحٰتِ سَيَجْعَلُ لَهُمُ الرَّحْمٰنُ وُدًّا ﴿٩٦﴾
৯৭. আমরা তোমার যবানে কুরআনকে সহজ করে দিয়েছি এ উদ্দেশ্যে যে, তুমি এর মাধ্যমে সচেতন লোকদের সুসংবাদ দেবে এবং বিবাদপ্রিয় লোকদের সতর্ক করবে।	فَاِنَّمَا يَسَّرْنٰهُ بِلِسَانِكَ لِتُبَشِّرَ بِهِ الْمُتَّقِيْنَ وَتُنْذِرَ بِهٖ قَوْمًا لُّدًّا ﴿٩٧﴾
৯৮. তাদের আগে আমরা বহু মানব প্রজন্মকে হালাক করে দিয়েছি। তুমি কি তাদের কাউকেও দেখতে পাচ্ছো, কিংবা তাদের কোনো ক্ষীণতম আওয়াযও শুনতে পাচ্ছো	وَكَمْ اَهْلَكْنَا قَبْلَهُمْ مِّنْ قَرْنٍ ؕ هَلْ تُحِسُّ مِنْهُمْ مِّنْ اَحَدٍ اَوْ تَسْمَعُ لَهُمْ رِكْزًا ﴿٩٨﴾

রুকু ০৬

সূরা ২০ তোয়াহা

মক্কায় অবতীর্ণ, আয়াত সংখ্যা: ১৩৫, রুকু সংখ্যা: ০৮

এই সূরার আলোচ্যসূচি (আয়াত ভিত্তিক আলোচ্য বিষয়)

০১-০৮: কুরআন দুর্ভাগ্যের কারণ নয়। এটি মহাবিশ্বের স্রষ্টা ও মহাজ্ঞানী আল্লাহ্‌র কিতাব।

০৯-৪০: মূসা আ. এর নবুয়্যত লাভ। তাঁকে মুজিযা প্রদান ও ফিরাউনের কাছে দাওয়াত নিয়ে যাওয়ার নির্দেশ। মূসা আ. এর জন্ম ও প্রতিপালনে আল্লাহ্‌র অনুগ্রহ।

৪১-৭৬: মূসা আ. এর প্রতি ফিরাউনকে দাওয়াত দানের নির্দেশ ও দাওয়াতের পন্থা। ফিরাউনকে দাওয়াত দান। মূসার সাথে ফিরাউনের বিতর্ক ও দ্বন্দ্ব। ফিরাউনের জাদুকররা ঈমান আনেন।

৭৭-১০৪: ফিরাউনের কবল থেকে বনি ইসরাঈলের মুক্তি। বনি ইসরাঈল কর্তৃক আল্লাহ্‌র নবী মূসা আ. কে কষ্টদান, তাদের প্রতি আল্লাহ্‌র অনুগ্রহ এবং তাদের হঠকারিতার ইতিহাস।

১০৫-১১৪: কিয়ামত, হাশর ও বিচার। কুরআন আল্লাহ্‌র সতর্কবাণী।

১১৫-১২৩: আদম আ. থেকেই মানুষের সাথে ইবলিসের দ্বন্দ্ব শুরু। শয়তান আদমকে কিভাবে প্রতারিত করেছিল? কারা দুর্ভাগা হবে ?

১২৪-১২৯: যারা কুরআনকে উপেক্ষা করবে, তাদের হাশর।

১৩০-১৩৫: রসূল সা. এর প্রতি আল্লাহ্‌র কতিপয় গুরুত্বপূর্ণ নির্দেশ।

সূরা তোয়াহা পরম করুণাময় পরম দয়াবান আল্লাহ্‌র নামে	سُوۡرَةُ طٰهٰ بِسۡمِ اللّٰهِ الرَّحۡمٰنِ الرَّحِيۡمِ
০১. তোয়াহা!	طٰهٰ ١
০২. তুমি দুর্দশাগ্রস্ত হবে এ জন্যে আমরা তোমার প্রতি এই কুরআন নাযিল করিনি।	مَآ اَنۡزَلۡنَا عَلَيۡكَ الۡقُرۡاٰنَ لِتَشۡقٰٓى ٢
০৩. বরং এটি একটি উপদেশবার্তা তার জন্যে, যে ভয় করে।	اِلَّا تَذۡكِرَةً لِّمَنۡ يَّخۡشٰى ٣
০৪. এটি নাযিল হয়েছে তাঁর পক্ষ থেকে, যিনি সৃষ্টি করেছেন এই পৃথিবী এবং সুউঁচু মহাকাশ।	تَنۡزِيۡلًا مِّمَّنۡ خَلَقَ الۡاَرۡضَ وَالسَّمٰوٰتِ الۡعُلٰى ٤
০৫. তিনি দয়াময়-রহমান, আরশে সমাসীন।	اَلرَّحۡمٰنُ عَلَى الۡعَرۡشِ اسۡتَوٰى ٥
০৬. সবকিছুর মালিকই তিনি, যা কিছু আছে মহাকাশে, পৃথিবীতে এবং এ দুটির মধ্যবর্তী স্থানে, আর যা কিছু আছে মাটির নিচে।	لَهٗ مَا فِى السَّمٰوٰتِ وَمَا فِى الۡاَرۡضِ وَمَا بَيۡنَهُمَا وَمَا تَحۡتَ الثَّرٰى ٦
০৭. তুমি যদি উঁচু স্বরে কথা বলো, তবে (জেনে রাখো) তিনি যা গোপন এবং যা অব্যক্ত সবই জানেন।	وَاِنۡ تَجۡهَرۡ بِالۡقَوۡلِ فَاِنَّهٗ يَعۡلَمُ السِّرَّ وَاَخۡفٰى ٧
০৮. তিনি আল্লাহ্, তিনি ছাড়া আর কোনো ইলাহ্ নেই। সুন্দরতম নামসমূহ তাঁরই।	اَللّٰهُ لَاۤ اِلٰهَ اِلَّا هُوَ ؕ لَهُ الۡاَسۡمَآءُ الۡحُسۡنٰى ٨
০৯. তোমার কাছে মূসার সংবাদ এসেছে কি?	وَهَلۡ اَتٰٮكَ حَدِيۡثُ مُوۡسٰى ٩
১০. সে যখন আগুন দেখেছিল, তখন তার পরিবারবর্গকে বলেছিল: 'তোমরা এখানে থাকো, আমি আগুন দেখেছি, হয়তো সেখান থেকে আমি তোমাদের জন্যে কিছু জ্বলন্ত অংগার আনতে পারবো, অথবা আগুনের কাছে গেলে পথের দিশা পাবো।'	اِذۡ رَاٰ نَارًا فَقَالَ لِاَهۡلِهِ امۡكُثُوۡۤا اِنِّىۡۤ اٰنَسۡتُ نَارًا لَّعَلِّىۡۤ اٰتِيۡكُمۡ مِّنۡهَا بِقَبَسٍ اَوۡ اَجِدُ عَلَى النَّارِ هُدًى ١٠
১১. তারপর সে যখন আগুনের কাছে এলো, তখন তাকে ডাক দিয়ে বলা হলো: "হে মূসা!	فَلَمَّاۤ اَتٰٮهَا نُوۡدِىَ يٰمُوۡسٰى ١١
১২. আমি তোমার রব। তোমার জুতা খুলে ফেলো। তুমি পবিত্র তুয়া উপত্যাকায় রয়েছো।	اِنِّىۡۤ اَنَا رَبُّكَ فَاخۡلَعۡ نَعۡلَيۡكَ ۚ اِنَّكَ بِالۡوَادِ الۡمُقَدَّسِ طُوًى ١٢
১৩. আমি তোমাকে মনোনীত করেছি, সুতরাং যা অহি করা হচ্ছে তা মনোযোগ দিয়ে শুনো।	وَاَنَا اخۡتَرۡتُكَ فَاسۡتَمِعۡ لِمَا يُوۡحٰى ١٣
১৪. নিশ্চয়ই আমি আল্লাহ্, আমি ছাড়া কোনো ইলাহ্ নেই। অতএব কেবল আমারই ইবাদত করো এবং আমাকে স্মরণের উদ্দেশ্যে কায়েম করো সালাত।	اِنَّنِىۡۤ اَنَا اللّٰهُ لَاۤ اِلٰهَ اِلَّاۤ اَنَا فَاعۡبُدۡنِىۡ ۙ وَاَقِمِ الصَّلٰوةَ لِذِكۡرِىۡ ١٤
১৫. কিয়ামত অবশ্যি আসবে, তার সময়কাল আমি গোপন রাখবো। (কিয়ামত এ জন্যে হবে)	اِنَّ السَّاعَةَ اٰتِيَةٌ اَكَادُ اُخۡفِيۡهَا لِتُجۡزٰى

যাতে করে প্রত্যেক ব্যক্তিকে তার প্রচেষ্টা অনুযায়ী দেয়া যায় প্রতিদান।	كُلُّ نَفْسٍۭ بِمَا تَسْعٰى ١٥
১৬. সুতরাং যারা কিয়ামতে ঈমান রাখেনা আর নিজ কামনা বাসনার অনুসরণ করে, তারা যেনো তোমাকে কিয়ামতের প্রতি ঈমান থেকে ফেরাতে না পারে। তাহলে তুমি ধ্বংস হয়ে যাবে।	فَلَا يَصُدَّنَّكَ عَنْهَا مَنْ لَّا يُؤْمِنُ بِهَا وَ اتَّبَعَ هَوٰىهُ فَتَرْدٰى ١٦
১৭. তোমার ডান হাতে ওটা কী হে মূসা?”	وَ مَا تِلْكَ بِيَمِيْنِكَ يٰمُوْسٰى ١٧
১৮. সে বললো: ‘এটি আমার লাঠি। এতে আমি ভর দেই। এটি দিয়ে আঘাত করে আমি আমার মেষপালের জন্যে গাছের পাতা ফেলি এবং এটি দিয়ে আমি অন্যান্য কাজও করে থাকি।’	قَالَ هِيَ عَصَايَ ۚ اَتَوَكَّؤُا عَلَيْهَا وَ اَهُشُّ بِهَا عَلٰى غَنَمِيْ وَ لِيَ فِيْهَا مَاٰرِبُ اُخْرٰى ١٨
১৯. (আল্লাহ্) বললেন: ‘ হে মূসা, লাঠিটি নিক্ষেপ করো।’	قَالَ اَلْقِهَا يٰمُوْسٰى ١٩
২০. সে সেটি নিক্ষেপ করলো। সাথে সাথে তা সাপ হয়ে দৌড়াতে থাকলো।	فَاَلْقٰىهَا فَاِذَا هِيَ حَيَّةٌ تَسْعٰى ٢٠
২১. আল্লাহ্ বললেন: ‘তুমি এটিকে ধরো, ভয় পেয়োনা। আমরা এটিকে এটির পূর্বাবস্থায় ফিরিয়ে নেবো।’	قَالَ خُذْهَا وَ لَا تَخَفْ ٚ وقفة سَنُعِيْدُهَا سِيْرَتَهَا الْاُوْلٰى ٢١
২২. আর তোমার হাত তোমার বগলে রাখো। এটি বের হয়ে আসবে অনাবিল উজ্জ্বল হয়ে কোনো ক্ষতি ছাড়াই। এটি আরেকটি নিদর্শন।	وَ اضْمُمْ يَدَكَ اِلٰى جَنَاحِكَ تَخْرُجْ بَيْضَآءَ مِنْ غَيْرِ سُوْٓءٍ اٰيَةً اُخْرٰى ٢٢
২৩. এর কারণ, আমরা তোমাকে দেখাবো আমাদের মহা নিদর্শনগুলোর কয়েকটি।	لِنُرِيَكَ مِنْ اٰيٰتِنَا الْكُبْرٰى ٢٣
২৪. তুমি ফেরাউনের কাছে যাও, সে তাগুত হয়েছে (সীমালঙ্ঘন ও বিদ্রোহ করেছে)।	اِذْهَبْ اِلٰى فِرْعَوْنَ اِنَّهٗ طَغٰى ٢٤
২৫. সে বললো: “আমার প্রভু! আমার বুক প্রশস্ত করে দাও।	قَالَ رَبِّ اشْرَحْ لِيْ صَدْرِيْ ٢٥
২৬. আমার কাজ (দায়িত্ব পালন) আমার জন্যে সহজ করে দাও।	وَ يَسِّرْ لِيْٓ اَمْرِيْ ٢٦
২৭. আমার যবানের বন্ধন (জড়তা) দূর করে দাও,	وَ احْلُلْ عُقْدَةً مِّنْ لِّسَانِيْ ٢٧
২৮. যাতে করে তারা আমার কথা বুঝতে পারে।	يَفْقَهُوْا قَوْلِيْ ٢٨
২৯. আমার পরিবারের একজনকে আমার উযির বানিয়ে দাও,	وَ اجْعَلْ لِّيْ وَزِيْرًا مِّنْ اَهْلِيْ ٢٩
৩০. আমার ভাই হারুণকে দাও,	هٰرُوْنَ اَخِي ٣٠
৩১. তাকে দিয়ে আমার শক্তিকে মজবুত করে দাও	اشْدُدْ بِهٖٓ اَزْرِيْ ٣١
৩২. এবং তাকে আমার দায়িত্বের অংশীদার বানিয়ে দাও,	وَ اَشْرِكْهُ فِيْٓ اَمْرِيْ ٣٢
৩৩. যাতে করে আমরা তোমার বেশি বেশি তসবিহ করতে পারি,	كَيْ نُسَبِّحَكَ كَثِيْرًا ٣٣

রুকু ০১

৩৪. এবং বেশি বেশি তোমাকে যিকির করতে পারি।	وَّنَذۡكُرَكَ كَثِيۡرًا ﴿٣٤﴾
৩৫. নিশ্চয়ই তুমি আমাদের প্রতি দৃষ্টি দাতা।”	اِنَّكَ كُنۡتَ بِنَا بَصِيۡرًا ﴿٣٥﴾
৩৬. আল্লাহ্ বললেন: “মূসা! যা চেয়েছো সবই তোমাকে দেয়া হলো।	قَالَ قَدۡ اُوۡتِيۡتَ سُؤۡلَكَ يٰمُوۡسٰى ﴿٣٦﴾
৩৭. এর আগেও একবার আমরা তোমার প্রতি ইহসান করেছি।	وَلَقَدۡ مَنَنَّا عَلَيۡكَ مَرَّةً اُخۡرٰٓى ﴿٣٧﴾
৩৮. যখন আমরা তোমার মাকে অহি (ইশারা) করেছিলাম যা অহি করার:	اِذۡ اَوۡحَيۡنَاۤ اِلٰٓى اُمِّكَ مَا يُوۡحٰٓى ﴿٣٨﴾
৩৯. (তাকে ইশারায় বলেছিলাম:) তুমি তাকে (মূসাকে) সিন্ধুকের মধ্যে রাখো, তারপর তাকে দরিয়ায় (নীলনদে) ভাসিয়ে দাও, যাতে করে দরিয়া তাকে তীরে ঠেলে দেয়। তখন তাকে আমার দুশমন এবং তার দুশমন ঘরে তুলে নেবে। আমি আমার পক্ষ থেকে তোমার প্রতি মহব্বত ঢেলে দিয়েছিলাম, আর (এমন ব্যবস্থা করেছিলাম) যেনো তুমি আমার তত্ত্বাবধানে প্রতিপালিত হও।’	اَنِ اقۡذِفِيۡهِ فِى التَّابُوۡتِ فَاقۡذِفِيۡهِ فِى الۡيَمِّ فَلۡيُلۡقِهِ الۡيَمُّ بِالسَّاحِلِ يَاۡخُذۡهُ عَدُوٌّ لِّىۡ وَعَدُوٌّ لَّهٗ ؕ وَاَلۡقَيۡتُ عَلَيۡكَ مَحَبَّةً مِّنِّىۡ ۚ وَلِتُصۡنَعَ عَلٰى عَيۡنِىۡ ﴿٣٩﴾
৪০. যখন তোমার বোন এসে তাদের বললো: আমি কি আপনাদের বলবো, কে ওকে সঠিকভাবে লালন পালন করতে পারবে? তখন আমরা তোমাকে তোমার মায়ের কাছে ফিরিয়ে দিলাম, যাতে করে তার চোখ জুড়ায় এবং সে দুশ্চিন্তায় না থাকে। তারপর তুমি এক ব্যক্তিকে হত্যা করলে, তখনো আমরা তোমাকে দুশ্চিন্তা থেকে নাজাত দিয়েছি এবং আমরা তোমার থেকে আরো অনেকগুলো পরীক্ষা নিয়েছি। এরপর কয়েক বছর তুমি মাদায়েনবাসীদের মধ্যে ছিলে। তারপর নির্ধারিত সময়ই তুমি (এখানে) উপস্থিত হয়েছো হে মূসা!	اِذۡ تَمۡشِىۡۤ اُخۡتُكَ فَتَقُوۡلُ هَلۡ اَدُلُّكُمۡ عَلٰى مَنۡ يَّكۡفُلُهٗ ؕ فَرَجَعۡنٰكَ اِلٰٓى اُمِّكَ كَىۡ تَقَرَّ عَيۡنُهَا وَ لَا تَحۡزَنَ ؕ وَ قَتَلۡتَ نَفۡسًا فَنَجَّيۡنٰكَ مِنَ الۡغَمِّ وَ فَتَنّٰكَ فُتُوۡنًا ۚ فَلَبِثۡتَ سِنِيۡنَ فِىۡۤ اَهۡلِ مَدۡيَنَ ۙ ثُمَّ جِئۡتَ عَلٰى قَدَرٍ يّٰمُوۡسٰى ﴿٤٠﴾
৪১. আর আমি তোমাকে আমার নিজের (রিসালাত প্রদানের) জন্যে তৈরি করে নিয়েছি।	وَاصۡطَنَعۡتُكَ لِنَفۡسِىۡ ۚ ﴿٤١﴾
৪২. তুমি এবং তোমার ভাই আমার দেয়া নিদর্শনগুলো নিয়ে (ফেরাউনের কাছে) যাও, আর তোমরা আমার যিকির-এ (আমার কথা উচ্চারণে) গাফলতি করোনা।	اِذۡهَبۡ اَنۡتَ وَ اَخُوۡكَ بِاٰيٰتِىۡ وَ لَا تَنِيَا فِىۡ ذِكۡرِىۡ ۚ ﴿٤٢﴾
৪৩. তোমরা দুজনেই যাও ফেরাউনের কাছে, সে সীমালঙ্ঘন ও বিদ্রোহ করেছে।	اِذۡهَبَاۤ اِلٰى فِرۡعَوۡنَ اِنَّهٗ طَغٰى ۚ ﴿٤٣﴾
৪৪. তোমরা তার সাথে কোমল ভাষায় কথা বলবে, হয়তো সে উপদেশ গ্রহণ করবে, নয়তো ভয় পাবে।”	فَقُوۡلَا لَهٗ قَوۡلًا لَّيِّنًا لَّعَلَّهٗ يَتَذَكَّرُ اَوۡ يَخۡشٰى ﴿٤٤﴾
৪৫. তারা বললো: ‘আমাদের প্রভু! আমরা আশংকা করছি, সে আমাদের উপর বাড়াবাড়ি করবে, কিংবা বিরুদ্ধাচরণে সীমালঙ্ঘন করবে।’	قَالَا رَبَّنَاۤ اِنَّنَا نَخَافُ اَنۡ يَّفۡرُطَ عَلَيۡنَاۤ اَوۡ اَنۡ يَّطۡغٰى ﴿٤٥﴾

৪৬. তিনি বললেন: 'তোমরা ভয় পেয়োনা। আমি তো তোমাদের সাথেই আছি, শুনছি এবং দেখছি।'	قَالَ لَا تَخَافَآ اِنَّنِىْ مَعَكُمَآ اَسْمَعُ وَاَرٰى ﴿٤٦﴾
৪৭. তোমরা তার কাছে যাও এবং বলো: "আমরা দুজন তোমার প্রভুর রসূল। সুতরাং বনি ইসরাঈলকে আমাদের সাথে পাঠাও। তাদের আর শাস্তি দিওনা। আমরা তোমার প্রভুর নিকট থেকে নিদর্শন নিয়ে এসেছি। যারা সঠিক পথের অনুসরণ করে তাদের প্রতি সালাম-শান্তি।	فَاْتِيٰهُ فَقُوْلَآ اِنَّا رَسُوْلَا رَبِّكَ فَاَرْسِلْ مَعَنَا بَنِىْٓ اِسْرَآءِيْلَ ۙ وَلَا تُعَذِّبْهُمْ ؕ قَدْ جِئْنٰكَ بِاٰيَةٍ مِّنْ رَّبِّكَ ؕ وَالسَّلٰمُ عَلٰى مَنِ اتَّبَعَ الْهُدٰى ﴿٤٧﴾
৪৮. আমাদেরকে অহি করে জানানো হয়েছে, আযাব তাদের জন্যে, যারা মিথ্যা বলে প্রত্যাখ্যান করে এবং মুখ ফিরিয়ে নেয়।"	اِنَّا قَدْ اُوْحِىَ اِلَيْنَآ اَنَّ الْعَذَابَ عَلٰى مَنْ كَذَّبَ وَتَوَلّٰى ﴿٤٨﴾
৪৯. সে (ফেরাউন) বললো: 'তোমাদের দুজনের রব কে, হে মূসা?'	قَالَ فَمَنْ رَّبُّكُمَا يٰمُوْسٰى ﴿٤٩﴾
৫০. মূসা বললো: 'আমাদের রব তিনি, যিনি প্রতিটি বস্তুকে তার সৃষ্টিগত আকৃতি দান করেছেন এবং চলার পথ নির্দেশ করেছেন।'	قَالَ رَبُّنَا الَّذِىْٓ اَعْطٰى كُلَّ شَىْءٍ خَلْقَهٗ ثُمَّ هَدٰى ﴿٥٠﴾
৫১. সে বললো: 'তাহলে অতীত হয়ে যাওয়া লোকদের অবস্থা কী ?'	قَالَ فَمَا بَالُ الْقُرُوْنِ الْاُوْلٰى ﴿٥١﴾
৫২. মূসা বললো: 'এ বিষয়ের জ্ঞান আমার প্রভুর কাছে কিতাবে লিপিবদ্ধ রয়েছে। তিনি ভুলও করেন না, ভুলেও যাননা।'	قَالَ عِلْمُهَا عِنْدَ رَبِّىْ فِىْ كِتٰبٍ ۚ لَا يَضِلُّ رَبِّىْ وَلَا يَنْسَى ﴿٥٢﴾
৫৩. তিনি পৃথিবীকে তোমাদের জন্যে বিছানার মতো সমতল করে দিয়েছেন, তাতে তোমাদের চলাচলের জন্যে পথ করে দিয়েছেন এবং সেখানে আকাশ থেকে পানি বর্ষণ করেন, আর তা থেকে আমরা উৎপন্ন করি বিভিন্ন প্রকারের উদ্ভিদ।	الَّذِىْ جَعَلَ لَكُمُ الْاَرْضَ مَهْدًا وَّسَلَكَ لَكُمْ فِيْهَا سُبُلًا وَّاَنْزَلَ مِنَ السَّمَآءِ مَآءً ؕ فَاَخْرَجْنَا بِهٖٓ اَزْوَاجًا مِّنْ نَّبَاتٍ شَتّٰى ﴿٥٣﴾
৫৪. তোমরা তা থেকে খাও এবং তাতে তোমাদের গবাদি পশু চরাও। বুদ্ধি-বিবেক সম্পন্ন লোকদের জন্যে এতে রয়েছে অনেক নিদর্শন।	كُلُوْا وَارْعَوْا اَنْعَامَكُمْ ؕ اِنَّ فِىْ ذٰلِكَ لَاٰيٰتٍ لِّاُولِى النُّهٰى ﴿٥٤﴾ রুকু ০২
৫৫. আমরা তা (মাটি) থেকেই তোমাদের সৃষ্টি করেছি, তাতেই তোমাদের ফেরত দেবো এবং তা থেকেই তোমাদের পুনরায় খারিজ (বের) করে আনবো।	مِنْهَا خَلَقْنٰكُمْ وَفِيْهَا نُعِيْدُكُمْ وَمِنْهَا نُخْرِجُكُمْ تَارَةً اُخْرٰى ﴿٥٥﴾
৫৬. আমরা তাকে (ফেরাউনকে) আমাদের সব নিদর্শন দেখিয়েছিলাম। কিন্তু সে (সেগুলোকে) মিথ্যা বলে প্রত্যাখ্যান করে এবং (ঈমান আনতে) অস্বীকার করে।	وَلَقَدْ اَرَيْنٰهُ اٰيٰتِنَا كُلَّهَا فَكَذَّبَ وَاَبٰى ﴿٥٦﴾
৫৭. সে বলেছিল: "হে মূসা! তুমি কি তোমার ম্যাজিকের সাহায্যে আমাদেরকে আমাদের দেশ থেকে বের করে দেয়ার জন্যে এসেছো?	قَالَ اَجِئْتَنَا لِتُخْرِجَنَا مِنْ اَرْضِنَا بِسِحْرِكَ يٰمُوْسٰى ﴿٥٧﴾

৫৮. আমরাও অনুরূপ ম্যাজিক উপস্থিত করবো। সুতরাং আমাদের এবং তোমার মাঝে একটি প্রতিশ্রুত সময় নির্ধারণ করো, যেটি আমরাও লঙ্ঘন করবোনা, তুমিও লঙ্ঘন করবেনা। সেটি হতে হবে মধ্যবর্তী স্থান।”	فَلَنَاْتِيَنَّكَ بِسِحْرٍ مِّثْلِهٖ فَاجْعَلْ بَيْنَنَا وَ بَيْنَكَ مَوْعِدًا لَّا نُخْلِفُهٗ نَحْنُ وَ لَآ اَنْتَ مَكَانًا سُوًى ٥٨
৫৯. মূসা বললো: ‘সেই প্রতিশ্রুত সময়টি হলো উৎসবের দিন এবং সেদিন পূর্বাহ্ন থেকেই জনগণকে সমবেত করা হবে।’	قَالَ مَوْعِدُكُمْ يَوْمُ الزِّيْنَةِ وَ اَنْ يُّحْشَرَ النَّاسُ ضُحًى ٥٩
৬০. ফেরাউন (একথার উপর) উঠে গেলো, তার সমস্ত কৌশল (ম্যাজিক ও ম্যাজেসিয়ানকে) জমা করলো। তারপর (নির্ধারিত দিনে) হাজির হলো।	فَتَوَلّٰى فِرْعَوْنُ فَجَمَعَ كَيْدَهٗ ثُمَّ اَتٰى ٦٠
৬১. মূসা তাদের বললো: ‘ধ্বংস হও তোমরা, তোমরা মিথ্যা রচনা করে আল্লাহ্‌র উপর আরোপ করোনা, তা করলে তিনি তোমাদের আযাব দিয়ে সমূলে ধ্বংস করে দেবেন। (এ যাবত) যারাই মিথ্যা রচনা করেছে, তারাই ব্যর্থকাম হয়েছে।’	قَالَ لَهُمْ مُّوْسٰى وَيْلَكُمْ لَا تَفْتَرُوْا عَلَى اللّٰهِ كَذِبًا فَيُسْحِتَكُمْ بِعَذَابٍ ۚ وَ قَدْ خَابَ مَنِ افْتَرٰى ٦١
৬২. (একথা শুনে) তারা তাদের সিদ্ধান্তের বিষয়ে নিজেদের মধ্যে বিতর্কে লিপ্ত হয় এবং গোপনে পরামর্শ করে।	فَتَنَازَعُوْٓا اَمْرَهُمْ بَيْنَهُمْ وَاَسَرُّوا النَّجْوٰى ٦٢
৬৩. তারা (ফেরাউন ও তার পারিষদবর্গ জনগণের উদ্দেশ্যে) বললো: “এরা দুই ভাই দুই পাক্কা ম্যাজেসিয়ান। তারা তাদের ম্যাজিকের সাহায্যে তোমাদেরকে তোমাদের দেশ থেকে বের করে দিতে চায় এবং তোমাদের অনুকরণীয় জীবন পদ্ধতি ধ্বংস করে দিতে চায়।	قَالُوْٓا اِنْ هٰذٰنِ لَسٰحِرٰنِ يُرِيْدٰنِ اَنْ يُّخْرِجٰكُمْ مِّنْ اَرْضِكُمْ بِسِحْرِهِمَا وَ يَذْهَبَا بِطَرِيْقَتِكُمُ الْمُثْلٰى ٦٣
৬৪. অতএব (হে ম্যাজেসিয়ানরা!) তোমরা তোমাদের সমস্ত কৌশল জমা করো, তারপর সারিবদ্ধ হয়ে উপস্থিত হও। আজ যে জয়ী হবে, সে-ই হবে সফল।”	فَاَجْمِعُوْا كَيْدَكُمْ ثُمَّ ائْتُوْا صَفًّا ۚ وَ قَدْ اَفْلَحَ الْيَوْمَ مَنِ اسْتَعْلٰى ٦٤
৬৫. তারা (ম্যাজেসিয়ানরা) বললো: ‘হে মূসা! হয় আপনি নিক্ষেপ করুন, নয়তো পয়লা আমরাই নিক্ষেপ করি।’	قَالُوْا يٰمُوْسٰٓى اِمَّآ اَنْ تُلْقِيَ وَ اِمَّآ اَنْ نَّكُوْنَ اَوَّلَ مَنْ اَلْقٰى ٦٥
৬৬. মূসা বললো: ‘বরং তোমরাই নিক্ষেপ করো।’ তাদের ম্যাজিকের প্রভাবে মূসার খেয়াল (মনে) হলো, তাদের সব দড়ি এবং লাঠি ছুটাছুটি করছে।	قَالَ بَلْ اَلْقُوْا ۚ فَاِذَا حِبَالُهُمْ وَعِصِيُّهُمْ يُخَيَّلُ اِلَيْهِ مِنْ سِحْرِهِمْ اَنَّهَا تَسْعٰى ٦٦
৬৭. ফলে, মূসা তার মনে কিছুটা ভয় অনুভব করলো।	فَاَوْجَسَ فِيْ نَفْسِهٖ خِيْفَةً مُّوْسٰى ٦٧
৬৮. আমরা বললাম: “ভয় পেয়োনা, তুমিই থাকবে উপরে।	قُلْنَا لَا تَخَفْ اِنَّكَ اَنْتَ الْاَعْلٰى ٦٨

৬৯. তোমার ডান হাতে যা আছে সেটি নিক্ষেপ করো, তারা যা করেছে সেটি সেগুলোকে গ্রাস করে ফেলবে। তারা যা করেছে সেটা তো ম্যাজিসিয়ানদের কৌশলমাত্র। ম্যাজেসিয়ানরা যা-ই উপস্থাপন করুক, সফল হয়না।”	وَ اَلْقِ مَا فِیْ یَمِیْنِكَ تَلْقَفْ مَا صَنَعُوْا ؕ اِنَّمَا صَنَعُوْا كَیْدُ سٰحِرٍ ؕ وَ لَا یُفْلِحُ السّٰحِرُ حَیْثُ اَتٰی ﴿۶۹﴾
৭০. (তাদের সমস্ত জাদুক্রিয়া নিষ্ক্রীয় হয়ে যেতে দেখে) ম্যাজিসিয়ানরা সবাই সাজদায় লুটিয়ে পড়লো। তারা বললো: ‘আমরা ঈমান আনলাম হারূণ এবং মূসার প্রভুর প্রতি।’	فَاُلْقِیَ السَّحَرَةُ سُجَّدًا قَالُوْۤا اٰمَنَّا بِرَبِّ هٰرُوْنَ وَ مُوْسٰی ﴿۷۰﴾
৭১. (ফেরাউন) বললো: ‘আমার অনুমতি ছাড়াই তোরা মূসার প্রতি ঈমান এনেছিস? বুঝতে পেরেছি, সে তোদের গুরু, সে-ই তোদের ম্যাজিক শিখিয়েছে। আমি তোদের হাত পা বিপরীত দিক থেকে কেটে দেবো এবং খেজুর গাছের কাণ্ডে তোদের শূলবিদ্ধ করবো, তখন তোরা জানতে পারবি, আমাদের দুইজনের (আমার আর মূসার) মধ্যে কে কঠোর এবং স্থায়ী শাস্তিদাতা?’	قَالَ اٰمَنْتُمْ لَهٗ قَبْلَ اَنْ اٰذَنَ لَكُمْ ؕ اِنَّهٗ لَكَبِیْرُكُمُ الَّذِیْ عَلَّمَكُمُ السِّحْرَ ۚ فَلَاُقَطِّعَنَّ اَیْدِیَكُمْ وَ اَرْجُلَكُمْ مِّنْ خِلَافٍ وَّ لَاُصَلِّبَنَّكُمْ فِیْ جُذُوْعِ النَّخْلِ ۫ وَ لَتَعْلَمُنَّ اَیُّنَاۤ اَشَدُّ عَذَابًا وَّ اَبْقٰی ﴿۷۱﴾
৭২. তারা বললো: “আমাদের কাছে যেসব স্পষ্ট নিদর্শন প্রকাশ হয়েছে এবং যিনি আমাদের সৃষ্টি করেছেন, তার উপর আমরা তোমাকে প্রাধান্য দিতে পারিনা। তুমি যে ফায়সালা করতে চাও করো। তুমি তো কেবল এই দুনিয়ার জীবনের উপরই ফায়সালা করতে পারবে।	قَالُوْا لَنْ نُّؤْثِرَكَ عَلٰی مَا جَآءَنَا مِنَ الْبَیِّنٰتِ وَ الَّذِیْ فَطَرَنَا فَاقْضِ مَاۤ اَنْتَ قَاضٍ ؕ اِنَّمَا تَقْضِیْ هٰذِهِ الْحَیٰوةَ الدُّنْیَا ﴿۷۲﴾
৭৩. আমরা আমাদের প্রভুর প্রতি ঈমান এনেছি, যাতে করে তিনি আমাদের অপরাধ ক্ষমা করে দেন আর তুমি আমাদেরকে যে ম্যাজিক দেখাতে বাধ্য করেছো সেই অপরাধও। আল্লাহ্ই সর্বোত্তম এবং চিরস্থায়ী।”	اِنَّاۤ اٰمَنَّا بِرَبِّنَا لِیَغْفِرَ لَنَا خَطٰیٰنَا وَ مَاۤ اَكْرَهْتَنَا عَلَیْهِ مِنَ السِّحْرِ ؕ وَ اللّٰهُ خَیْرٌ وَّ اَبْقٰی ﴿۷۳﴾
৭৪. যে কেউ তার প্রভুর কাছে অপরাধী হিসেবে উপস্থিত হবে, তার জন্যে নির্ধারিত রয়েছে জাহান্নাম। সেখানে সে মরবেও না, আর (বাঁচার মতো) বাঁচবেওনা।	اِنَّهٗ مَنْ یَّاْتِ رَبَّهٗ مُجْرِمًا فَاِنَّ لَهٗ جَهَنَّمَ ؕ لَا یَمُوْتُ فِیْهَا وَ لَا یَحْیٰی ﴿۷۴﴾
৭৫. আর যে কেউ তাঁর কাছে উপস্থিত হবে মুমিন হিসেবে আমলে সালেহ্ করে, তাদের জন্যে নির্ধারিত আছে উঁচু মর্যাদাসমূহ,	وَ مَنْ یَّاْتِهٖ مُؤْمِنًا قَدْ عَمِلَ الصّٰلِحٰتِ فَاُولٰٓئِكَ لَهُمُ الدَّرَجٰتُ الْعُلٰی ﴿۷۵﴾
৭৬. চিরস্থায়ী জান্নাতে, যার নীচে দিয়ে বহমান রয়েছে নদ-নদী-নহর। চিরকাল থাকবে তারা সেখানে। যারা আত্মোন্নয়ন-আত্মশুদ্ধি করবে, এ পুরস্কার পাবে তারাই।	جَنّٰتُ عَدْنٍ تَجْرِیْ مِنْ تَحْتِهَا الْاَنْهٰرُ خٰلِدِیْنَ فِیْهَا ؕ وَ ذٰلِكَ جَزٰٓؤُا مَنْ تَزَكّٰی ﴿۷۶﴾

রুকু ০৩

৭৭. আমরা মূসাকে অহি করে নির্দেশ দিয়েছিলাম, আমার দাসদের নিয়ে তুমি রাতের বেলায় বের হবে এবং তাদের জন্যে সমুদ্রে একটি শুকনো পথ তৈরি করে নেবে। পেছন থেকে এসে তোমাকে ধরে ফেলবে– এই আশংকা করোনা এবং (সাগর পার হতে গিয়ে) ভয়ও পেয়োনা।	وَ لَقَدۡ اَوۡحَیۡنَاۤ اِلٰی مُوۡسٰۤی ۬ۙ اَنۡ اَسۡرِ بِعِبَادِیۡ فَاضۡرِبۡ لَهُمۡ طَرِیۡقًا فِی الۡبَحۡرِ یَبَسًا ۙ لَّا تَخٰفُ دَرَکًا وَّ لَا تَخۡشٰی ﴿٧٧﴾
৭৮. ফেরাউন তার বাহিনী নিয়ে তাদের পিছু ধাওয়া করে, তারপর সমুদ্র তাদের ডুবিয়ে নেয় পুরোপুরি।	فَاَتۡبَعَهُمۡ فِرۡعَوۡنُ بِجُنُوۡدِهٖ فَغَشِیَهُمۡ مِّنَ الۡیَمِّ مَا غَشِیَهُمۡ ﴿٧٨﴾
৭৯. ফেরাউন তার কওমকে বিপথগামী করে দিয়েছিল এবং সঠিক পথ দেখায়নি।	وَ اَضَلَّ فِرۡعَوۡنُ قَوۡمَهٗ وَ مَا هَدٰی ﴿٧٩﴾
৮০. হে বনি ইসরাঈল! তোমাদের দুশমনদের কবল থেকে আমরাই তোমাদের নাজাত দিয়েছি এবং আমরা তোমাদের প্রতিশ্রুতি দিয়েছি তুর পাহাড়ের ডান পাশে আর তোমাদের প্রতি আমরা নাযিল করেছি মান্না এবং সালওয়া।	یٰبَنِیۡۤ اِسۡرَآءِیۡلَ قَدۡ اَنۡجَیۡنٰکُمۡ مِّنۡ عَدُوِّکُمۡ وَ وٰعَدۡنٰکُمۡ جَانِبَ الطُّوۡرِ الۡاَیۡمَنَ وَ نَزَّلۡنَا عَلَیۡکُمُ الۡمَنَّ وَ السَّلۡوٰی ﴿٨٠﴾
৮১. (আমরা তোমাদের বলেছি:) আমাদের দেয়া উত্তম জীবিকা তোমরা খাও এবং এক্ষেত্রে সীমালঙ্ঘন করোনা, করলে তোমাদের প্রতি আমার গজব নিশ্চিত হয়ে যাবে। আর যার প্রতিই আমার গজব নিশ্চিত হয়ে পড়ে, সে তো হয়ে যায় ধ্বংস।	کُلُوۡا مِنۡ طَیِّبٰتِ مَا رَزَقۡنٰکُمۡ وَ لَا تَطۡغَوۡا فِیۡهِ فَیَحِلَّ عَلَیۡکُمۡ غَضَبِیۡ ۚ وَ مَنۡ یَّحۡلِلۡ عَلَیۡهِ غَضَبِیۡ فَقَدۡ هَوٰی ﴿٨١﴾
৮২. যে তওবা করে, ঈমান আনে, আমলে সালেহ্ করে এবং হিদায়াতের পথে চলে অবশ্যি আমি তার জন্যে অনন্ত ক্ষমাশীল।	وَ اِنِّیۡ لَغَفَّارٌ لِّمَنۡ تَابَ وَ اٰمَنَ وَ عَمِلَ صَالِحًا ثُمَّ اهۡتَدٰی ﴿٨٢﴾
৮৩. তোমার কওমকে সাথে আনার ক্ষেত্রে তোমাকে তাড়াহুড়ায় ফেললো কোন্ জিনিস হে মূসা?	وَ مَاۤ اَعۡجَلَکَ عَنۡ قَوۡمِکَ یٰمُوۡسٰی ﴿٨٣﴾
৮৪. সে বললো: 'তারা পেছনেই আছে আর আমি তাড়াহুড়া করে এসেছি তোমার সন্তুষ্টি লাভের জন্যে হে প্রভু!'	قَالَ هُمۡ اُولَآءِ عَلٰۤی اَثَرِیۡ وَ عَجِلۡتُ اِلَیۡکَ رَبِّ لِتَرۡضٰی ﴿٨٤﴾
৮৫. তিনি বললেন: আমরা তো তোমার কওমকে পরীক্ষায় ফেলেছি তোমার চলে আসার পর। আর তাদের বিপথগামী করেছে সামেরি।	قَالَ فَاِنَّا قَدۡ فَتَنَّا قَوۡمَکَ مِنۡۢ بَعۡدِکَ وَ اَضَلَّهُمُ السَّامِرِیُّ ﴿٨٥﴾
৮৬. তখন মূসা তার কওমের কাছে ফিরে এলো ক্ষুব্ধ ও মর্মাহত হয়ে। এসে তাদের বললো: 'হে আমার কওম! তোমাদের প্রভু কি তোমাদের একটি উত্তম ওয়াদা দেননি? ওয়াদার সময়কাল কি তোমাদের কাছে সুদীর্ঘ হয়েছে, নাকি তোমরা চাও তোমাদের প্রভুর গজব (ক্রোধ) তোমাদের উপর হালাল হয়ে যাক? আর সে কারণেই কি তোমরা আমার প্রতি দেয়া ওয়াদা ভঙ্গ করলে?'	فَرَجَعَ مُوۡسٰۤی اِلٰی قَوۡمِهٖ غَضۡبَانَ اَسِفًا ۬ۚ قَالَ یٰقَوۡمِ اَلَمۡ یَعِدۡکُمۡ رَبُّکُمۡ وَعۡدًا حَسَنًا ۬ؕ اَفَطَالَ عَلَیۡکُمُ الۡعَهۡدُ اَمۡ اَرَدۡتُّمۡ اَنۡ یَّحِلَّ عَلَیۡکُمۡ غَضَبٌ مِّنۡ رَّبِّکُمۡ فَاَخۡلَفۡتُمۡ مَّوۡعِدِیۡ ﴿٨٦﴾

৮৭. তারা বললো: "আমরা তোমার প্রতি দেয়া ওয়াদা স্বেচ্ছায় ভঙ্গ করিনি। বরং আমাদের উপর চাপিয়ে দেয়া হয়েছিল কওমের অলংকারের বোঝা। তখন আমরা সেগুলো অগ্নিকুণ্ডে নিক্ষেপ করি। একইভাবে সামেরিও নিক্ষেপ করে।	قَالُوا مَا أَخْلَفْنَا مَوْعِدَكَ بِمَلْكِنَا وَلَٰكِنَّا حُمِّلْنَا أَوْزَارًا مِّن زِينَةِ الْقَوْمِ فَقَذَفْنَاهَا فَكَذَٰلِكَ أَلْقَى السَّامِرِيُّ ٨٧
৮৮. তখন সে (সামেরি) তাদের জন্যে গড়ে নিলো একটি গো-বাছুরের অবয়ব যা হাম্বা করছিল। তখন তারা বললো: "এটাই তোমাদের ইলাহ্ এবং মূসারও ইলাহ্, কিন্তু সে (মূসা) ভুলে গেছে (তার এই ইলাহ্কে)।"	فَأَخْرَجَ لَهُمْ عِجْلًا جَسَدًا لَّهُ خُوَارٌ فَقَالُوا هَٰذَا إِلَٰهُكُمْ وَإِلَٰهُ مُوسَىٰ فَنَسِيَ ٨٨
৮৯. তবে কি তারা লক্ষ্য করেনি যে, সেটা তাদের কথায় সাড়া দেয়না এবং তাদের কোনো ক্ষতি কিংবা কল্যাণ করার ক্ষমতা রাখেনা।	أَفَلَا يَرَوْنَ أَلَّا يَرْجِعُ إِلَيْهِمْ قَوْلًا ۙ وَلَا يَمْلِكُ لَهُمْ ضَرًّا وَلَا نَفْعًا ٨٩ রুকু ০৪
৯০. ইতোপূর্বে হারূণও তাদের বলেছিল: 'হে আমার কওম! এই গো-বাছুরের মাধ্যমে তো তোমাদের পরীক্ষায় ফেলা হয়েছে। নিশ্চয়ই তোমাদের প্রভু পরম দয়াময়, সুতরাং তোমরা আমার অনুসরণ করো এবং আমার আদেশ পালন করো।'	وَلَقَدْ قَالَ لَهُمْ هَارُونُ مِن قَبْلُ يَا قَوْمِ إِنَّمَا فُتِنتُم بِهِ ۖ وَإِنَّ رَبَّكُمُ الرَّحْمَٰنُ فَاتَّبِعُونِي وَأَطِيعُوا أَمْرِي ٩٠
৯১. জবাবে তারা বলেছিল: 'মূসা আমাদের কাছে ফিরে না আসা পর্যন্ত আমরা এটিকে পূজা করা থেকে কিছুতেই বিরত হবোনা।'	قَالُوا لَن نَّبْرَحَ عَلَيْهِ عَاكِفِينَ حَتَّىٰ يَرْجِعَ إِلَيْنَا مُوسَىٰ ٩١
৯২. মূসা বললো: "হে হারূণ! তাদেরকে বিপথগামী হতে দেখা সত্ত্বেও কিসে আপনাকে বিরত রাখলো	قَالَ يَا هَارُونُ مَا مَنَعَكَ إِذْ رَأَيْتَهُمْ ضَلُّوا ٩٢
৯৩. আমার অনুসরণ করা থেকে? তবে কি আপনি আমার আদেশ অমান্য করলেন?"	أَلَّا تَتَّبِعَنِ ۖ أَفَعَصَيْتَ أَمْرِي ٩٣
৯৪. হারূণ বললো: 'হে আমার মায়ের পেটের ভাই! তুমি আমার দাড়ি এবং চুল ধরোনা। আমি আশংকা করেছিলাম, তুমি বলবে: তুমি বনি ইসরাঈলিদের মধ্যে বিভক্তি সৃষ্টি করেছো এবং আমার কথা রক্ষা করোনি।'	قَالَ يَا ابْنَ أُمَّ لَا تَأْخُذْ بِلِحْيَتِي وَلَا بِرَأْسِي ۖ إِنِّي خَشِيتُ أَن تَقُولَ فَرَّقْتَ بَيْنَ بَنِي إِسْرَائِيلَ وَلَمْ تَرْقُبْ قَوْلِي ٩٤
৯৫. মূসা বললো: 'সামেরি! তোমার ব্যাপারটা কী?'	قَالَ فَمَا خَطْبُكَ يَا سَامِرِيُّ ٩٥
৯৬. সে বললো: 'আমি এমন কিছু দেখেছি যা তারা দেখেনি। তখন আমি সেই রসূলের (জিবরিলের) পদচিহ্ন থেকে এক মুষ্টি (ধূলো) নিয়েছিলাম এবং তা নিক্ষেপ করেছিলাম, এ কাজটির জন্যে আমার নফস আমাকে উদ্বুদ্ধ করেছিল।'	قَالَ بَصُرْتُ بِمَا لَمْ يَبْصُرُوا بِهِ فَقَبَضْتُ قَبْضَةً مِّنْ أَثَرِ الرَّسُولِ فَنَبَذْتُهَا وَكَذَٰلِكَ سَوَّلَتْ لِي نَفْسِي ٩٦
৯৭. মূসা বললো: "যাও, তোমার জন্যে জীবদ্দশায় এই শাস্তি নির্ধারিত হলো যে, তুমি সব সময় বলতে থাকবে: 'আমাকে স্পর্শ করোনা,' তোমার জন্যে নির্ধারিত হলো একটি	قَالَ فَاذْهَبْ فَإِنَّ لَكَ فِي الْحَيَاةِ أَن تَقُولَ لَا مِسَاسَ ۖ وَإِنَّ لَكَ مَوْعِدًا لَّن تُخْلَفَهُ ۖ

নির্দিষ্টকাল, তোমার বেলায় যার ব্যতিক্রম হবেনা। তোমার ইলাহ্‌টির (দেবতাটির) প্রতি তাকাও, তুমি যার পূজা করতে, আমরা অবশ্যি সেটিকে পুড়ে ফেলবো এবং বিক্ষিপ্ত করে সেটিকে নিক্ষেপ করবো সাগরে।	وَانْظُرْ اِلٰۤى اِلٰهِكَ الَّذِىْ ظَلْتَ عَلَيْهِ عَاكِفًا ؕ لَنُحَرِّقَنَّهٗ ثُمَّ لَنَنْسِفَنَّهٗ فِى الْيَمِّ نَسْفًا ﴿۹۷﴾
৯৮. নিশ্চয়ই তোমাদের ইলাহ্ একমাত্র আল্লাহ্ যিনি ছাড়া আর কোনো ইলাহ্ নেই। সব বিষয়ে তাঁর জ্ঞান পরিব্যাপ্ত।”	اِنَّمَاۤ اِلٰهُكُمُ اللّٰهُ الَّذِىْ لَاۤ اِلٰهَ اِلَّا هُوَ ؕ وَسِعَ كُلَّ شَىْءٍ عِلْمًا ﴿۹۸﴾
৯৯. এভাবেই আমরা তোমাকে অতীত সংবাদের বিবরণ দিচ্ছি, আর এ উদ্দেশ্যে আমরা তোমাকে দিয়েছি একটি যিকির (কুরআন)।	كَذٰلِكَ نَقُصُّ عَلَيْكَ مِنْ اَنْۢبَآءِ مَا قَدْ سَبَقَ ۚ وَقَدْ اٰتَيْنٰكَ مِنْ لَّدُنَّا ذِكْرًا ۖۚ ﴿۹۹﴾
১০০. যে এ গ্রন্থ থেকে মুখ ফেরাবে, সে কিয়ামতের দিন বহন করবে এক বিশাল বোঝা।	مَنْ اَعْرَضَ عَنْهُ فَاِنَّهٗ يَحْمِلُ يَوْمَ الْقِيٰمَةِ وِزْرًا ۙ ﴿۱۰۰﴾
১০১. চিরদিন তারা তাতেই থাকবে, কিয়ামতকালের এই বোঝা তাদের জন্যে হবে কতো যে নিকৃষ্ট বোঝা!	خٰلِدِيْنَ فِيْهِ ؕ وَسَآءَ لَهُمْ يَوْمَ الْقِيٰمَةِ حِمْلًا ۙ ﴿۱۰۱﴾
১০২. যেদিন শিঙ্গায় ফুৎকার দেয়া হবে এবং যেদিন আমরা অপরাধীদের দৃষ্টিহীন করে হাশর করবো,	يَّوْمَ يُنْفَخُ فِى الصُّوْرِ وَنَحْشُرُ الْمُجْرِمِيْنَ يَوْمَئِذٍ زُرْقًا ۖۚ ﴿۱۰۲﴾
১০৩. সেদিন তারা নিজেরা নিজেরা চুপিসারে বলাবলি করবে: ‘তোমরা তো (পৃথিবীতে) মাত্র দশদিন অবস্থান করেছিলে।’	يَّتَخَافَتُوْنَ بَيْنَهُمْ اِنْ لَّبِثْتُمْ اِلَّا عَشْرًا ﴿۱۰۳﴾
১০৪. সেদিন তারা কী বলবে সেটা আমরা অধিক জানি, সেদিন তাদের সর্বাধিক উন্নত বুদ্ধির অধিকারী ব্যক্তি বলবে: ‘তোমরা মাত্র একদিন অবস্থান করেছিলে।’	نَحْنُ اَعْلَمُ بِمَا يَقُوْلُوْنَ اِذْ يَقُوْلُ اَمْثَلُهُمْ طَرِيْقَةً اِنْ لَّبِثْتُمْ اِلَّا يَوْمًا ۠ ﴿۱۰۴﴾
১০৫. তারা তোমার কাছে পর্বতমালা সম্পর্কে জানতে চাইছে। তুমি বলো: ‘আমার প্রভু সেগুলোকে সমূলে উঠিয়ে বিক্ষিপ্ত করে দেবেন।’	وَيَسْـَٔلُوْنَكَ عَنِ الْجِبَالِ فَقُلْ يَنْسِفُهَا رَبِّىْ نَسْفًا ۙ ﴿۱۰۵﴾
১০৬. তারপর তিনি সেগুলোকে পরিণত করবেন মসৃণ সমতল মাঠে।	فَيَذَرُهَا قَاعًا صَفْصَفًا ۙ ﴿۱۰۶﴾
১০৭. তাতে তুমি কোনো প্রকার বক্রতা কিংবা উঁচু (নিচু) দেখবেনা।	لَّا تَرٰى فِيْهَا عِوَجًا وَّلَاۤ اَمْتًا ؕ ﴿۱۰۷﴾
১০৮. সেদিন তারা ঘোষণাকারীকে অনুসরণ করবে (ঘোষণাকারীর দিকে দৌড়াবে), কোনো প্রকার এদিক সেদিক করতে পারবেনা। রহমানের সামনে সমস্ত আওয়ায স্তব্ধ হয়ে যাবে। ফলে মৃদু পদধ্বনি ছাড়া তুমি আর কিছুই শুনতে পাবেনা।	يَوْمَئِذٍ يَّتَّبِعُوْنَ الدَّاعِىَ لَا عِوَجَ لَهٗ ۚ وَخَشَعَتِ الْاَصْوَاتُ لِلرَّحْمٰنِ فَلَا تَسْمَعُ اِلَّا هَمْسًا ﴿۱۰۸﴾

রুকু ০৫

১০৯. সেদিন শাফায়াতে কোনো কাজ হবেনা, তবে রহমান যাকে অনুমতি দেবেন এবং যার কথা শুনতে রাজি হবেন তার বিষয়টি আলাদা।	يَوْمَئِذٍ لَّا تَنْفَعُ الشَّفَاعَةُ اِلَّا مَنْ اَذِنَ لَهُ الرَّحْمٰنُ وَ رَضِيَ لَهٗ قَوْلًا ﴿١٠٩﴾
১১০. তাদের সামনে পিছে যা কিছু আছে সবই তাঁর এলেমে আছে, কিন্তু তাদের এলেম তাঁকে আয়ত্ত করতে পারেনা।	يَعْلَمُ مَا بَيْنَ اَيْدِيْهِمْ وَمَا خَلْفَهُمْ وَ لَا يُحِيْطُوْنَ بِهٖ عِلْمًا ﴿١١٠﴾
১১১. সেদিন চিরঞ্জীব, সর্ববস্তুর ধারকের উদ্দেশ্যে সবাই হবে নতশির। সেদিন ব্যর্থ হবে সে, যে বইয়ে আনবে যুলুম।	وَ عَنَتِ الْوُجُوْهُ لِلْحَيِّ الْقَيُّوْمِ ؕ وَ قَدْ خَابَ مَنْ حَمَلَ ظُلْمًا ﴿١١١﴾
১১২. মুমিন অবস্থায় যে কেউ আমলে সালেহ্ করবে, তার কোনোই আশংকা থাকবেনা অন্যায় বিচার কিংবা কোনো প্রকার ক্ষতির।	وَ مَنْ يَّعْمَلْ مِنَ الصّٰلِحٰتِ وَ هُوَ مُؤْمِنٌ فَلَا يَخٰفُ ظُلْمًا وَّ لَا هَضْمًا ﴿١١٢﴾
১১৩. এভাবেই, আমরা এটিকে নাযিল করেছি একটি আরবি কুরআন হিসেবে এবং বিভিন্নভাবে তাতে বর্ণনা করেছি সতর্ক বার্তা, যাতে করে তারা নিজেদের রক্ষা করার চেষ্টা করে অথবা এটি যেনো হয় তাদের জন্যে একটি উপদেশ।	وَ كَذٰلِكَ اَنْزَلْنٰهُ قُرْاٰنًا عَرَبِيًّا وَّ صَرَّفْنَا فِيْهِ مِنَ الْوَعِيْدِ لَعَلَّهُمْ يَتَّقُوْنَ اَوْ يُحْدِثُ لَهُمْ ذِكْرًا ﴿١١٣﴾
১১৪. আল্লাহ্ অতীব মহান, প্রকৃত সম্রাট তিনিই। তোমার প্রতি অহি সম্পূর্ণ হবার আগেই তুমি তাড়াহুড়া করে কুরআন পাঠ করোনা। তুমি বলো: 'আমার প্রভু! আমাকে সমৃদ্ধ করো জ্ঞানে।'	فَتَعٰلَى اللّٰهُ الْمَلِكُ الْحَقُّ ۚ وَ لَا تَعْجَلْ بِالْقُرْاٰنِ مِنْ قَبْلِ اَنْ يُّقْضٰۤى اِلَيْكَ وَحْيُهٗ ۫ وَ قُلْ رَّبِّ زِدْنِيْ عِلْمًا ﴿١١٤﴾
১১৫. ইতোপূর্বে আমরা আদমকে একটি নির্দেশ দিয়েছিলাম, কিন্তু সে ভুলে গিয়েছিল। আমরা তাকে পাইনি মজবুত সংকল্পের অধিকারী।	وَ لَقَدْ عَهِدْنَاۤ اِلٰۤى اٰدَمَ مِنْ قَبْلُ فَنَسِيَ وَ لَمْ نَجِدْ لَهٗ عَزْمًا ﴿١١٥﴾ রুকু ০৬
১১৬. আমরা যখন ফেরেশতাদের বলেছিলাম, তোমরা সাজদা করো আদমকে, তখন তারা সাজদা করলো, কিন্তু করেনি শুধু ইবলিস। সে অস্বীকার করলো (সাজদা করতে)।	وَ اِذْ قُلْنَا لِلْمَلٰٓئِكَةِ اسْجُدُوْا لِاٰدَمَ فَسَجَدُوْۤا اِلَّاۤ اِبْلِيْسَ ؕ اَبٰى ﴿١١٦﴾
১১৭. তখন আমরা বলেছিলাম, হে আদম! নিশ্চয়ই এ (ইবলিস) তোমার এবং তোমার স্ত্রীর শত্রু। সে যেনো তোমাদের জান্নাত থেকে বের করে না দেয়। দিলে তোমরা পড়বে দুর্ভোগে।	فَقُلْنَا يٰۤاٰدَمُ اِنَّ هٰذَا عَدُوٌّ لَّكَ وَ لِزَوْجِكَ فَلَا يُخْرِجَنَّكُمَا مِنَ الْجَنَّةِ فَتَشْقٰى ﴿١١٧﴾
১১৮. তোমার জন্যে নিয়ম করে দেয়া হলো, তুমি জান্নাতে ক্ষুধার্তও হবেনা বিবস্ত্রও হবেনা।	اِنَّ لَكَ اَلَّا تَجُوْعَ فِيْهَا وَ لَا تَعْرٰى ﴿١١٨﴾
১১৯. তুমি সেখানে পিপাসার্তও হবেনা, রোদেও পুড়বেনা।	وَ اَنَّكَ لَا تَظْمَؤُا فِيْهَا وَ لَا تَضْحٰى ﴿١١٩﴾
১২০. তখন শয়তান তাকে অস্অসা দিলো। সে বললো: 'হে আদম! আমি কি আপনাকে সংবাদ দেবো এক অমর গাছের এবং এক অক্ষয় সাম্রাজ্যের?'	فَوَسْوَسَ اِلَيْهِ الشَّيْطٰنُ قَالَ يٰۤاٰدَمُ هَلْ اَدُلُّكَ عَلٰى شَجَرَةِ الْخُلْدِ وَ مُلْكٍ لَّا يَبْلٰى ﴿١٢٠﴾

১২১. ফলে তারা দুজনে সেই গাছের ফল খেলো। তখন তাদের লজ্জাস্থান পরস্পরের কাছে প্রকাশ হয়ে পড়লো এবং তারা জান্নাতের পত্রপল্লব দিয়ে নিজেদের আবৃত করতে থাকলো। এভাবে আদম তার প্রভুর আদেশ অমান্য করলো এবং বিপথগামী হলো।	فَاَكَلَا مِنۡهَا فَبَدَتۡ لَهُمَا سَوۡاٰتُهُمَا وَ طَفِقَا يَخۡصِفٰنِ عَلَيۡهِمَا مِنۡ وَّرَقِ الۡجَنَّةِ ۫ وَ عَصٰۤى اٰدَمُ رَبَّهٗ فَغَوٰى ﴿۱۲۱﴾
১২২. তারপর তার প্রভু তাকে মনোনীত করেন, তার তাওবা কবুল করেন এবং তাকে প্রদান করেন সঠিক জীবন পদ্ধতি।	ثُمَّ اجۡتَبٰهُ رَبُّهٗ فَتَابَ عَلَيۡهِ وَ هَدٰى ﴿۱۲۲﴾
১২৩. তিনি তাদের বললেন: "তোমরা উভয়ে (আদম ও শয়তান) এক সাথে এখান থেকে নেমে যাও। তোমরা একে অপরের শত্রু। আমার পক্ষ থেকে যখন তোমাদের কাছে হুদা (জীবন পদ্ধতি এবং নবী ও কিতাব) আসবে, তখন যে আমার হুদার অনুসরণ করবে, সে বিপথগামীও হবেনা, দুর্ভাগাও হবেনা।	قَالَ اهۡبِطَا مِنۡهَا جَمِيۡعًۢا بَعۡضُكُمۡ لِبَعۡضٍ عَدُوٌّ ۚ فَاِمَّا يَاۡتِيَنَّكُمۡ مِّنِّىۡ هُدًى ۬ۙ فَمَنِ اتَّبَعَ هُدَاىَ فَلَا يَضِلُّ وَ لَا يَشۡقٰى ﴿۱۲۳﴾
১২৪. কিন্তু যে আমার যিকির (কিতাব) থেকে মুখ ফিরিয়ে নেবে তার জীবন যাপন পদ্ধতি হয়ে পড়বে সংকুচিত আর কিয়ামতের দিন আমরা তাকে হাশর করবো অন্ধ করে।"	وَ مَنۡ اَعۡرَضَ عَنۡ ذِكۡرِىۡ فَاِنَّ لَهٗ مَعِيۡشَةً ضَنۡكًا وَّ نَحۡشُرُهٗ يَوۡمَ الۡقِيٰمَةِ اَعۡمٰى ﴿۱۲۴﴾
১২৫. তখন সে বলবে: 'প্রভু! আমাকে অন্ধ করে কেন হাশর করেছো, আমি তো ছিলাম দৃষ্টিশক্তির অধিকারী?'	قَالَ رَبِّ لِمَ حَشَرۡتَنِىۡۤ اَعۡمٰى وَ قَدۡ كُنۡتُ بَصِيۡرًا ﴿۱۲۵﴾
১২৬. তিনি বলবেন: 'এভাবেই, তোমার কাছে এসেছিল আমাদের আয়াত, কিন্তু তুমি তা ভুলে থেকেছিলে, একইভাবে তুমিও বিস্মৃত হলে।'	قَالَ كَذٰلِكَ اَتَتۡكَ اٰيٰتُنَا فَنَسِيۡتَهَا ۚ وَ كَذٰلِكَ الۡيَوۡمَ تُنۡسٰى ﴿۱۲۶﴾
১২৭. আমরা তাদেরকে এরকমই প্রতিফল দিয়ে থাকি যারা সীমালঙ্ঘন করে এবং তাদের প্রভুর আয়াতের প্রতি ঈমান আনেনা। আর আখিরাতের আযাব তো অবশ্যি আরো অধিক কঠোর এবং স্থায়ী।	وَ كَذٰلِكَ نَجۡزِىۡ مَنۡ اَسۡرَفَ وَ لَمۡ يُؤۡمِنۡۢ بِاٰيٰتِ رَبِّهٖ ؕ وَ لَعَذَابُ الۡاٰخِرَةِ اَشَدُّ وَ اَبۡقٰى ﴿۱۲۷﴾
১২৮. এ বিষয়টিও কি তাদেরকে হিদায়াতের পথে আনতে পারলোনা যে, তাদের আগে আমরা কতো মানব প্রজন্মকে হালাক করে দিয়েছি, তারাও তাদের বাসস্থানে চলাফেরা করতো। নিশ্চয়ই এতে অনেক নিদর্শন রয়েছে তাদের জন্যে যারা বুদ্ধি বিবেকওয়ালা লোক। (রুকু ০৭)	اَفَلَمۡ يَهۡدِ لَهُمۡ كَمۡ اَهۡلَكۡنَا قَبۡلَهُمۡ مِّنَ الۡقُرُوۡنِ يَمۡشُوۡنَ فِىۡ مَسٰكِنِهِمۡ ؕ اِنَّ فِىۡ ذٰلِكَ لَاٰيٰتٍ لِّاُولِى النُّهٰى ﴿۱۲۸﴾
১২৯. তোমার প্রভুর পূর্ব বাণী এবং সময় নির্দিষ্ট করা না থাকলে তাদেরকে দ্রুত শাস্তি দেয়া আবশ্যক হয়ে যেতো।	وَ لَوۡ لَا كَلِمَةٌ سَبَقَتۡ مِنۡ رَّبِّكَ لَكَانَ لِزَامًا وَّ اَجَلٌ مُّسَمًّى ﴿۱۲۹﴾

১৩০. সুতরাং তারা যা বলে, সে সম্পর্কে তুমি সবর অবলম্বন করো এবং তোমার প্রভুর হামদসহ তসবিহ করো সূর্যোদয়ের আগে আর সূর্যাস্তের আগে। এছাড়া রাত্রিকালে তাঁর তসবিহ করো আর দিনের দুইপ্রান্তে। আশা করা যায় এর ফলে (তুমি তোমার প্রভুর অনুগ্রহ লাভ করবে) এবং হয়ে যাবে সন্তুষ্ট।	فَاصۡبِرۡ عَلٰی مَا یَقُوۡلُوۡنَ وَسَبِّحۡ بِحَمۡدِ رَبِّکَ قَبۡلَ طُلُوۡعِ الشَّمۡسِ وَقَبۡلَ غُرُوۡبِهَا ۚ وَمِنۡ اٰنَآیِٔ الَّیۡلِ فَسَبِّحۡ وَاَطۡرَافَ النَّهَارِ لَعَلَّکَ تَرۡضٰی ﴿۱۳۰﴾
১৩১. আমরা তাদের বিভিন্ন শ্রেণীর লোককে পার্থিব জীবনের সৌন্দর্য ও ভোগবিলাসের জন্যে যেসব সামগ্রী দিয়েছি তাদের পরীক্ষা করার উদ্দেশ্যে, তুমি সেদিকে চোখ তুলেও তাকিয়োনা। তোমার প্রভুর দেয়া রিযিকই উত্তম এবং স্থায়ী।	وَلَا تَمُدَّنَّ عَیۡنَیۡکَ اِلٰی مَا مَتَّعۡنَا بِهٖۤ اَزۡوَاجًا مِّنۡهُمۡ زَهۡرَۃَ الۡحَیٰوۃِ الدُّنۡیَا ۬ۙ لِنَفۡتِنَهُمۡ فِیۡهِ ؕ وَرِزۡقُ رَبِّکَ خَیۡرٌ وَّ اَبۡقٰی ﴿۱۳۱﴾
১৩২. তোমার পরিবারবর্গকে সালাতের নির্দেশ দাও এবং তার উপর অবিচল থাকো, আমরা তোমার কাছে রিযিক চাইনা। আমরাই তোমাকে রিযিক দেই। পরিণামের শুভ ফল তো তাকওয়াবানদের জন্যেই।	وَاۡمُرۡ اَهۡلَکَ بِالصَّلٰوۃِ وَاصۡطَبِرۡ عَلَیۡهَا ؕ لَا نَسۡـَٔلُکَ رِزۡقًا ؕ نَحۡنُ نَرۡزُقُکَ ؕ وَالۡعَاقِبَۃُ لِلتَّقۡوٰی ﴿۱۳۲﴾
১৩৩. তারা বলে: 'সে তার প্রভুর কাছ থেকে আমাদের কাছে কোনো নিদর্শন নিয়ে আসেনা কেন?' তাদের কাছে কি সুস্পষ্ট প্রমাণ আসেনি, যা রয়েছে আগেকার কিতাবসমূহে?	وَقَالُوۡا لَوۡ لَا یَاۡتِیۡنَا بِاٰیَۃٍ مِّنۡ رَّبِّهٖ ؕ اَوَلَمۡ تَاۡتِهِمۡ بَیِّنَۃُ مَا فِی الصُّحُفِ الۡاُوۡلٰی ﴿۱۳۳﴾
১৩৪. আমরা যদি (তাকে পাঠাবার) পূর্বেই তাদেরকে আযাব দিয়ে হালাক করে দিতাম, তবে অবশ্যি তারা বলতো: 'আমাদের প্রভু! তুমি আমাদের কাছে একজন রসূল পাঠালে না কেন? পাঠালে তো আমরা লাঞ্ছিত ও অপমানিত হবার আগেই তোমার আয়াতের অনুসরণ করতাম।'	وَلَوۡ اَنَّاۤ اَهۡلَکۡنٰهُمۡ بِعَذَابٍ مِّنۡ قَبۡلِهٖ لَقَالُوۡا رَبَّنَا لَوۡ لَاۤ اَرۡسَلۡتَ اِلَیۡنَا رَسُوۡلًا فَنَتَّبِعَ اٰیٰتِکَ مِنۡ قَبۡلِ اَنۡ نَّذِلَّ وَنَخۡزٰی ﴿۱۳۴﴾
১৩৫. হে নবী! বলো: প্রত্যেকেই প্রতীক্ষায় আছে, সুতরাং তোমরাও প্রতীক্ষা করো। তারপরই তোমরা জানতে পারবে কারা সরল সঠিক পথে আছে আর কারা প্রতিষ্ঠিত হিদায়াতের উপর?	قُلۡ کُلٌّ مُّتَرَبِّصٌ فَتَرَبَّصُوۡا ۚ فَسَتَعۡلَمُوۡنَ مَنۡ اَصۡحٰبُ الصِّرَاطِ السَّوِیِّ وَمَنِ اهۡتَدٰی ﴿۱۳۵﴾

রুকু ০৮

সূরা ২১ আল আম্বিয়া

মক্কায় অবতীর্ণ, আয়াত সংখ্যা: ১১২, রুকু সংখ্যা: ০৭

এই সূরার আলোচ্যসূচি (আয়াত ভিত্তিক আলোচ্য বিষয়)

০১: বিচারের দিন নিকটবর্তী।

০২-১০: রসূল ও কিতাবের ব্যাপারে লোকদের আপত্তি। অথচ আল্লাহ্‌র কিতাবই তাদের মুক্তির পথ।

১১-২৯: প্রত্যাখ্যানকারীরা ধ্বংস হয়েছে। আল্লাহ্ হক দিয়ে বাতিলকে আঘাত করেন, তার পরিণতিতে বাতিল বিদূরিত হয়ে যায়। একাধিক ইলাহ্ থাকলে সবকিছু ধ্বংস হয়ে যেতো। আল্লাহ্‌র এককত্ব এবং শিরকের বাতুলতা।

৩০-৩৩: জীবন সৃষ্টির তত্ত্ব।

৩৪-৩৫: নবী এবং সব মানুষ মরণশীল।

৩৬-৫০: নবীদের প্রতি সমাজের বিরূপ আচরণ। কাফিররা যালিম। কিয়ামতের দিন আল্লাহ্ সুবিচার করবেন।

৫১-৭৫: নিজ পিতা ও জাতির কাছে ইবরাহিম আ. কর্তৃক তাওহীদের দাওয়াত। ইবরাহিম কর্তৃক তাওহীদের যুক্তি। ইবরাহিমকে অগ্নিকুণ্ডে নিক্ষেপ। আল্লাহ্ আগুনকে সুশীতল করে দেন। ইবরাহিমের বংশধরদের নেতৃত্ব প্রদান এবং তাদের জন্য কল্যাণের নির্দেশ। লুত জাতির অপকর্ম।

৭৬-৭৭: নূহ আ.-কে তাঁর জাতির চক্রান্ত থেকে উদ্ধার।

৭৮-৮২: দাউদ ও সুলাইমানের প্রতি আল্লাহ্‌র অনুগ্রহ।

৮৩-৯৪: আইউব, ইসমাঈল, ইদরিস, যুলকিফ্‌ল, ইউনুস, যাকারিয়া এবং মরিয়মের প্রতি আল্লাহ্‌র অনুগ্রহ। এরা সবাই ছিলেন একই আদর্শের অনুসারী।

৯৫-১১২: ইয়াজুজ মাজুযের প্রকাশ। কিয়ামত নিকটবর্তী। আল্লাহ্ ছাড়া সব উপাস্য ও তাদের উপাসকরা জাহান্নামি। যারা ভালো কাজে প্রতিযোগিতা করে তারা থাকবে জান্নাতে। পৃথিবীর ওয়ারিশ হবে সালেহ্ লোকেরা। মুহাম্মদ রসূলুল্লাহ রহমতুল্লিল আলামিন।

সূরা আল আম্বিয়া (নবীগণ) পরম করুণাময় পরম দয়াবান আল্লাহ্‌র নামে	سُوْرَةُ الْاَنْبِيَاءِ بِسْمِ اللّٰهِ الرَّحْمٰنِ الرَّحِيْمِ
০১. মানুষের হিসাব দেয়ার সময় তাদের নিকটেই চলে এসেছে, অথচ তারা গাফলতিতে তা উপেক্ষা করে চলেছে।	اِقْتَرَبَ لِلنَّاسِ حِسَابُهُمْ وَهُمْ فِيْ غَفْلَةٍ مُّعْرِضُوْنَ ①
০২. তাদের কাছে যখনই তাদের প্রভুর পক্ষ থেকে কোনো নতুন যিকির (কিতাব) আসে, তারা তা শুনে খেলাচ্ছলে।	مَا يَاْتِيْهِمْ مِّنْ ذِكْرٍ مِّنْ رَّبِّهِمْ مُّحْدَثٍ اِلَّا اسْتَمَعُوْهُ وَهُمْ يَلْعَبُوْنَ ②
০৩. তাদের কলব থাকে অমনোযোগী। যালিমরা গোপন শলাপরামর্শ করে বলে: 'এতো তোমাদের মতোই একজন মানুষ ছাড়া আর কিছু নয়। তোমরা কি দেখে শুনে ম্যাজিকের পিছে ছুটবে।'	لَاهِيَةً قُلُوْبُهُمْ ؕ وَاَسَرُّوا النَّجْوَى ۖ الَّذِيْنَ ظَلَمُوْا ۖ هَلْ هٰذَآ اِلَّا بَشَرٌ مِّثْلُكُمْ ۚ اَفَتَاْتُوْنَ السِّحْرَ وَاَنْتُمْ تُبْصِرُوْنَ ③

পারা ১৭

০৪. সে বললো: আমার প্রভু আসমান ও জমিনের সব কথাই জানেন। তিনি সব শুনেন, সব জানেন।	قٰلَ رَبِّىْ يَعْلَمُ الْقَوْلَ فِى السَّمَآءِ وَ الْاَرْضِ ۫ وَ هُوَ السَّمِيْعُ الْعَلِيْمُ ﴿٤﴾
০৫. বরং তারা বলে: এগুলো হলো অলীক কল্পনা। হয় সে এগুলো উদ্ভাবন করে নিয়েছে, নয়তো সে একজন কবি। সুতরাং সে আমাদের কাছে কোনো নিদর্শন নিয়ে আসুক, যেভাবে নিদর্শনসহ প্রেরিত হয়েছিল পূর্বের রসূলরা।	بَلْ قَالُوْۤا اَضْغَاثُ اَحْلَامٍۭ بَلِ افْتَرٰىهُ بَلْ هُوَ شَاعِرٌ ۚۖ فَلْيَاْتِنَا بِاٰيَةٍ كَمَاۤ اُرْسِلَ الْاَوَّلُوْنَ ﴿٥﴾
০৬. এদের আগেকার যেসব জনপদ আমরা হালাক করে দিয়েছিলাম তারা তো ঈমান আনেনি। তবে কি এরাও ঈমান আনবেনা?	مَاۤ اٰمَنَتْ قَبْلَهُمْ مِّنْ قَرْيَةٍ اَهْلَكْنٰهَا ۚ اَفَهُمْ يُؤْمِنُوْنَ ﴿٦﴾
০৭. তোমার আগে আমরা যতো রসূলই পাঠিয়েছিলাম, তারা সবাই ছিলো মানুষ। তাদের কাছেই আমরা অহি পাঠাতাম। তোমরা যদি না জানো, তাহলে কিতাবধারীদের (জ্ঞানীদের) জিজ্ঞাসা করো।	وَ مَاۤ اَرْسَلْنَا قَبْلَكَ اِلَّا رِجَالًا نُّوْحِيْۤ اِلَيْهِمْ فَسْـَٔلُوْۤا اَهْلَ الذِّكْرِ اِنْ كُنْتُمْ لَا تَعْلَمُوْنَ ﴿٧﴾
০৮. তাদেরকে আমরা এমন দেহ দেইনি যে, তাদের খাবার খেতে হতোনা, আর তারা চিরস্থায়ীও ছিলনা।	وَ مَا جَعَلْنٰهُمْ جَسَدًا لَّا يَاْكُلُوْنَ الطَّعَامَ وَ مَا كَانُوْا خٰلِدِيْنَ ﴿٨﴾
০৯. তারপর তাদের প্রতি আমরা আমাদের প্রতিশ্রুতি পূর্ণ করি। ফলে আমরা তাদেরকে এবং যাদেরকে চেয়েছি নাজাত দিয়েছি, আর সীমালঙ্ঘনকারীদের করেছি হালাক (ধ্বংস)।	ثُمَّ صَدَقْنٰهُمُ الْوَعْدَ فَاَنْجَيْنٰهُمْ وَ مَنْ نَّشَآءُ وَ اَهْلَكْنَا الْمُسْرِفِيْنَ ﴿٩﴾
১০. আমরা তোমাদের কাছে নাযিল করেছি একটি কিতাব। তাতে রয়েছে তোমাদের উপদেশ। তবু কি তোমরা আকল খাটাবেনা?	لَقَدْ اَنْزَلْنَاۤ اِلَيْكُمْ كِتٰبًا فِيْهِ ذِكْرُكُمْ ؕ اَفَلَا تَعْقِلُوْنَ ﴿١٠﴾
১১. আমরা কতো যে জনপদ ধ্বংস করে দিয়েছি, কারণ সেগুলোর অধিবাসীরা ছিলো যালিম। তাদের পরে আমরা সৃষ্টি করেছি অন্য লোকদের।	وَ كَمْ قَصَمْنَا مِنْ قَرْيَةٍ كَانَتْ ظَالِمَةً وَّ اَنْشَاْنَا بَعْدَهَا قَوْمًا اٰخَرِيْنَ ﴿١١﴾
১২. তারা যখন আমাদের শাস্তির আগমন অনুভব করে, তখনই লোকালয় থেকে পালাতে শুরু করে।	فَلَمَّاۤ اَحَسُّوْا بَاْسَنَاۤ اِذَا هُمْ مِّنْهَا يَرْكُضُوْنَ ﴿١٢﴾
১৩. তাদের বলা হয়: পলায়ন করোনা, ফিরে আসো তোমাদের ভোগবিলাসের কাছে, তোমাদের আবাসে, যাতে করে তোমাদের জিজ্ঞাসাবাদ করা যায়।	لَا تَرْكُضُوْا وَ ارْجِعُوْۤا اِلٰى مَاۤ اُتْرِفْتُمْ فِيْهِ وَ مَسٰكِنِكُمْ لَعَلَّكُمْ تُسْـَٔلُوْنَ ﴿١٣﴾
১৪. তখন তারা বলে: হায়, ধ্বংস আমাদের! বাস্তবিকই আমরা ছিলাম যালিম।	قَالُوْا يٰوَيْلَنَاۤ اِنَّا كُنَّا ظٰلِمِيْنَ ﴿١٤﴾
১৫. তাদের এই আর্তনাদ চলতে থাকে, যতোক্ষণনা আমরা তাদের করে ছাড়ি কাটা ফসল আর নেভানো আগুনের মতো (ভুষি আর ছাই)।	فَمَا زَالَتْ تِّلْكَ دَعْوٰىهُمْ حَتّٰى جَعَلْنٰهُمْ حَصِيْدًا خٰمِدِيْنَ ﴿١٥﴾

রুকু ০১

১৬. আসমান, জমিন এবং এই উভয়ের মাঝখানে যা কিছু আছে, সেগুলো আমরা খেলাচ্ছলে সৃষ্টি করিনি।	وَمَا خَلَقْنَا السَّمَآءَ وَالْأَرْضَ وَمَا بَيْنَهُمَا لٰعِبِيْنَ ﴿١٦﴾
১৭. আমরা যদি খেলার উপকরণ চাইতাম, তবে আমরা তা গ্রহণ করতাম আমাদের নিকট থেকেই। আমরা তা করিনি।	لَوْ اَرَدْنَآ اَنْ نَّتَّخِذَ لَهْوًا لَّاتَّخَذْنٰهُ مِنْ لَّدُنَّآ ۖ اِنْ كُنَّا فٰعِلِيْنَ ﴿١٧﴾
১৮. বরং আমরা সত্যকে দিয়ে আঘাত হানি মিথ্যার উপর। তখন তা মিথ্যাকে চূর্ণ-বিচূর্ণ করে দেয়, আর তখন মিথ্যা হয়ে যায় অপসৃত। তোমরা যেসব কথা বানাচ্ছো, সেজন্যে তোমাদের দুর্ভোগ।	بَلْ نَقْذِفُ بِالْحَقِّ عَلَى الْبَاطِلِ فَيَدْمَغُهٗ فَاِذَا هُوَ زَاهِقٌ ۚ وَلَكُمُ الْوَيْلُ مِمَّا تَصِفُوْنَ ﴿١٨﴾
১৯. মহাকাশ এবং পৃথিবীতে যারাই আছে সবাই তাঁর। তাঁর কাছে যারা (যেসব ফেরেশতা) রয়েছে তারা তাঁর দাসত্ব ও আনুগত্যের ব্যাপারে অহংকার করেনা এবং ক্লান্তিও বোধ করেনা।	وَلَهٗ مَنْ فِي السَّمٰوٰتِ وَالْاَرْضِ ۚ وَمَنْ عِنْدَهٗ لَا يَسْتَكْبِرُوْنَ عَنْ عِبَادَتِهٖ وَلَا يَسْتَحْسِرُوْنَ ﴿١٩﴾
২০. তারা তাঁর তসবিহ্ করে, রাতদিন। কোনো প্রকার বিরাম ও শৈথিল্য তাদের নেই।	يُسَبِّحُوْنَ الَّيْلَ وَالنَّهَارَ لَا يَفْتُرُوْنَ ﴿٢٠﴾
২১. ওরা মাটি দিয়ে যেসব ইলাহ্ (দেবতা) বানিয়েছে, সেগুলো কি মৃতকে জীবিত করতে পারে?	اَمِ اتَّخَذُوْٓا اٰلِهَةً مِّنَ الْاَرْضِ هُمْ يُنْشِرُوْنَ ﴿٢١﴾
২২. যদি মহাকাশ ও পৃথিবীতে আল্লাহ্ ছাড়া অনেক ইলাহ্ থাকতো তাহলে উভয়টাই ধ্বংস হয়ে যেতো। সুতরাং তাদের আরোপিত এসব অপবাদ থেকে আরশের মালিক আল্লাহ্ অনেক উর্ধ্বে, মহান ও পবিত্র।	لَوْ كَانَ فِيْهِمَآ اٰلِهَةٌ اِلَّا اللّٰهُ لَفَسَدَتَا ۚ فَسُبْحٰنَ اللّٰهِ رَبِّ الْعَرْشِ عَمَّا يَصِفُوْنَ ﴿٢٢﴾
২৩. তাঁর কর্ম সম্পর্কে প্রশ্ন করা হবেনা (প্রশ্ন করার কেউ নেই), অথচ তাদেরকে প্রশ্ন করা হবে।	لَا يُسْـَٔلُ عَمَّا يَفْعَلُ وَهُمْ يُسْـَٔلُوْنَ ﴿٢٣﴾
২৪. তারা কি তাঁর পরিবর্তে অন্যদেরকে ইলাহ্ গ্রহণ করেছে? হে নবী! বলো: '(তাদের ইলাহ্ হবার) প্রমাণ উপস্থিত করো। এটা (এই কুরআন) উপদেশ যারা আমার কালে আছে তাদের জন্যে, এবং উপদেশ তাদের জন্যে যারা ছিলো আমার আগে।' বরং তাদের অধিকাংশই জানেনা প্রকৃত সত্য। ফলে তারা মুখ ফিরিয়ে নেয়।	اَمِ اتَّخَذُوْا مِنْ دُوْنِهٖٓ اٰلِهَةً ۖ قُلْ هَاتُوْا بُرْهَانَكُمْ ۚ هٰذَا ذِكْرُ مَنْ مَّعِيَ وَذِكْرُ مَنْ قَبْلِيْ ۗ بَلْ اَكْثَرُهُمْ لَا يَعْلَمُوْنَ ۙ الْحَقَّ فَهُمْ مُّعْرِضُوْنَ ﴿٢٤﴾
২৫. তোমার আগে আমরা যে রসূলই পাঠিয়েছি, তার কাছে এই অহি করেছি যে: 'অবশ্যি কোনো ইলাহ্ নেই আমি ছাড়া, সুতরাং তোমরা কেবল আমারই ইবাদত করো।'	وَمَآ اَرْسَلْنَا مِنْ قَبْلِكَ مِنْ رَّسُوْلٍ اِلَّا نُوْحِيْٓ اِلَيْهِ اَنَّهٗ لَآ اِلٰهَ اِلَّآ اَنَا فَاعْبُدُوْنِ ﴿٢٥﴾
২৬. তারা বলে: 'রহমান সন্তান গ্রহণ করেছেন।' সুবহানাল্লাহ, তিনি এ থেকে পবিত্র মহান। তারা (ফেরেশতারা) তো তাঁর সম্মানিত দাস।	وَقَالُوا اتَّخَذَ الرَّحْمٰنُ وَلَدًا سُبْحٰنَهٗ ۚ بَلْ عِبَادٌ مُّكْرَمُوْنَ ﴿٢٦﴾

২৭. তারা তাঁকে অতিক্রম করে কোনো কথা বলেনা। তারা তাঁর নির্দেশ অনুযায়ী কাজ করে।	لَا يَسْبِقُوْنَهٗ بِالْقَوْلِ وَهُمْ بِاَمْرِهٖ يَعْمَلُوْنَ ﴿٢٧﴾
২৮. তিনি তাদের সামনের ও পেছনের সবকিছু অবগত! তারা শাফায়াত করবেনা, তবে আল্লাহ্ যাদের ব্যাপারে সন্তুষ্ট। আর তারা সব সময় ভীত সন্ত্রস্ত থাকে তাঁর ভয়ে।	يَعْلَمُ مَا بَيْنَ اَيْدِيْهِمْ وَمَا خَلْفَهُمْ وَلَا يَشْفَعُوْنَ ۙ اِلَّا لِمَنِ ارْتَضٰى وَهُمْ مِّنْ خَشْيَتِهٖ مُشْفِقُوْنَ ﴿٢٨﴾
২৯. তাদের কেউ যদি বলে: 'আল্লাহ্ ছাড়া আমিও একজন ইলাহ্।' আমাদের কাছে তার দণ্ড হলো জাহান্নাম। যালিমদের আমরা এ রকম দণ্ডই দিয়ে থাকি।	وَ مَنْ يَّقُلْ مِنْهُمْ اِنِّيْٓ اِلٰهٌ مِّنْ دُوْنِهٖ فَذٰلِكَ نَجْزِيْهِ جَهَنَّمَ ؕ كَذٰلِكَ نَجْزِى الظّٰلِمِيْنَ ﴿٢٩﴾
৩০. যারা কুফুরি করে তারা কি ভেবে দেখেনা, মহাকাশ আর পৃথিবী তো প্রথমে ছিলো ওতপ্রোত জড়িত থাকা একটি পিণ্ড। তারপর আমরা তাদের পৃথক করে দিয়েছি, আর সমস্ত প্রাণবানকেই আমরা সৃষ্টি করেছি পানি থেকে। তবু কি তারা বিশ্বাস স্থাপন করবেনা।	اَوَ لَمْ يَرَ الَّذِيْنَ كَفَرُوْٓا اَنَّ السَّمٰوٰتِ وَ الْاَرْضَ كَانَتَا رَتْقًا فَفَتَقْنٰهُمَا ؕ وَ جَعَلْنَا مِنَ الْمَآءِ كُلَّ شَيْءٍ حَيٍّ ؕ اَفَلَا يُؤْمِنُوْنَ ﴿٣٠﴾
৩১. আর আমরা পৃথিবীতে সৃষ্টি করে দিয়েছি পাহাড় পর্বত, যাতে করে পৃথিবী তাদের নিয়ে এদিক সেদিক ঢলে না পড়ে। আর আমরা তাতে প্রশস্ত পথও সৃষ্টি করে দিয়েছি, যাতে তারা পৌঁছাতে পারে গন্তব্যস্থলে।	وَ جَعَلْنَا فِى الْاَرْضِ رَوَاسِيَ اَنْ تَمِيْدَ بِهِمْ وَ جَعَلْنَا فِيْهَا فِجَاجًا سُبُلًا لَّعَلَّهُمْ يَهْتَدُوْنَ ﴿٣١﴾
৩২. আমরা আকাশকে বানিয়ে দিয়েছি সুরক্ষিত ছাদ। অথচ তারা আমাদের এসব নিদর্শনকে উপেক্ষা করে চলছে।	وَ جَعَلْنَا السَّمَآءَ سَقْفًا مَّحْفُوْظًا ۚۖ وَّ هُمْ عَنْ اٰيٰتِهَا مُعْرِضُوْنَ ﴿٣٢﴾
৩৩. তিনিই তো সৃষ্টি করেছেন রাত আর দিন এবং সূর্য আর চাঁদ। এরা প্রত্যেকেই সাঁতরে চলছে নিজ নিজ কক্ষ পথে।	وَهُوَ الَّذِيْ خَلَقَ الَّيْلَ وَالنَّهَارَ وَالشَّمْسَ وَالْقَمَرَ ؕ كُلٌّ فِيْ فَلَكٍ يَّسْبَحُوْنَ ﴿٣٣﴾
৩৪. (হে মুহাম্মদ!) তোমার আগেও আমরা কোনো মানুষকে চিরস্থায়ী করিনি। তাহলে (এখন দেখো) তোমারই যদি মৃত্যু হয়, তবে তারা কি হবে চিরজীবী?	وَ مَا جَعَلْنَا لِبَشَرٍ مِّنْ قَبْلِكَ الْخُلْدَ ؕ اَفَائِنْ مِّتَّ فَهُمُ الْخٰلِدُوْنَ ﴿٣٤﴾
৩৫. প্রত্যেক ব্যক্তিই গ্রহণ করবে মৃত্যুর স্বাদ। আমরা তোমাদেরকে মন্দ ও ভালো দিয়ে পরীক্ষা করে থাকি, আর আমাদের কাছেই তোমাদের আনা হবে ফেরত।	كُلُّ نَفْسٍ ذَآئِقَةُ الْمَوْتِ ؕ وَنَبْلُوْكُمْ بِالشَّرِّ وَالْخَيْرِ فِتْنَةً ؕ وَاِلَيْنَا تُرْجَعُوْنَ ﴿٣٥﴾
৩৬. কাফিররা যখনই তোমাকে দেখে, তখনই তারা তোমাকে বিদ্রুপের পাত্র হিসেবে গ্রহণ করে। তারা বলে: 'এই লোকটিই কি তোমাদের ইলাহ্দের (দেবদেবীর) সমালোচনা করে?' অথচ তারাই (এই কাফিররাই) রহমানের যিকির-এর বিরোধিতা করে।	وَ اِذَا رَاٰكَ الَّذِيْنَ كَفَرُوْٓا اِنْ يَّتَّخِذُوْنَكَ اِلَّا هُزُوًا ؕ اَهٰذَا الَّذِيْ يَذْكُرُ اٰلِهَتَكُمْ ۚ وَ هُمْ بِذِكْرِ الرَّحْمٰنِ هُمْ كٰفِرُوْنَ ﴿٣٦﴾

রুকু ০২

৩৭. মানুষকে তাড়াহুড়া প্রবণ করে সৃষ্টি করা হয়েছে। অচিরেই আমরা তোমাদেরকে আমাদের নিদর্শনাবলি দেখাবো। সুতরাং আমাকে তাড়াহুড়া করতে বলোনা।	خُلِقَ الْاِنْسَانُ مِنْ عَجَلٍ ؕ سَاُورِيْكُمْ اٰيٰتِىْ فَلَا تَسْتَعْجِلُوْنِ ۝٣٧
৩৮. তারা বলে: 'ওয়াদা করা দিনটি কখন আসবে, তোমরা সত্যবাদী হয়ে থাকলে বলো।'	وَيَقُوْلُوْنَ مَتٰى هٰذَا الْوَعْدُ اِنْ كُنْتُمْ صٰدِقِيْنَ ۝٣٨
৩৯. হায়, কাফিররা যদি জানতো, সে সময়টি যখন আসবে, তখন তারা তাদের সামনে এবং পেছনে থেকে আসা আগুন প্রতিরোধ করতে পারবেনা এবং তাদেরকে কোনো প্রকার সাহায্যও করা হবেনা।	لَوْ يَعْلَمُ الَّذِيْنَ كَفَرُوْا حِيْنَ لَا يَكُفُّوْنَ عَنْ وُّجُوْهِهِمُ النَّارَ وَلَا عَنْ ظُهُوْرِهِمْ وَلَا هُمْ يُنْصَرُوْنَ ۝٣٩
৪০. সেই সময়টি তাদের কাছে এসে পড়বে আকস্মিক এবং তা তাদেরকে হতভম্ব করে দেবে। তারা তা প্রতিরোধ করতেও সক্ষম হবেনা এবং তাদেরকে অবকাশও দেয়া হবেনা।	بَلْ تَاْتِيْهِمْ بَغْتَةً فَتَبْهَتُهُمْ فَلَا يَسْتَطِيْعُوْنَ رَدَّهَا وَلَا هُمْ يُنْظَرُوْنَ ۝٤٠
৪১. তোমার আগেকার রসূলদের সাথেও ঠাট্টা-বিদ্রুপ করা হয়েছিল, তারা যা নিয়ে ঠাট্টা-বিদ্রুপ করতো, পরিণামে সেই (আযাবই) বিদ্রুপকারীদের পরিবেষ্টন করে নেয়।	وَلَقَدِ اسْتُهْزِئَ بِرُسُلٍ مِّنْ قَبْلِكَ فَحَاقَ بِالَّذِيْنَ سَخِرُوْا مِنْهُمْ مَّا كَانُوْا بِهٖ يَسْتَهْزِءُوْنَ ۝٤١
৪২. হে নবী! তাদের জিজ্ঞেস করো: 'রাতে এবং দিনে রহমানের পাকড়াও থেকে তোমাদের রক্ষা করবে কে?' বরং তারা মুখ ফিরিয়ে নিয়েছে তাদের প্রভুর যিকির (আল কুরআন) থেকে।	قُلْ مَنْ يَّكْلَؤُكُمْ بِالَّيْلِ وَالنَّهَارِ مِنَ الرَّحْمٰنِ ؕ بَلْ هُمْ عَنْ ذِكْرِ رَبِّهِمْ مُّعْرِضُوْنَ ۝٤٢
৪৩. তাহলে কি আমরা ছাড়াও তাদের আরো ইলাহ্ আছে যারা তাদের রক্ষা করবে? তারা তো তাদের নিজেদেরকেও সাহায্য করতে পারবেনা, আর আমাদের বিরুদ্ধে তাদের কোনো সাহায্যকারীও থাকবেনা।	اَمْ لَهُمْ اٰلِهَةٌ تَمْنَعُهُمْ مِّنْ دُوْنِنَا ؕ لَا يَسْتَطِيْعُوْنَ نَصْرَ اَنْفُسِهِمْ وَلَا هُمْ مِّنَّا يُصْحَبُوْنَ ۝٤٣
৪৪. বরং আমরাই তাদের এবং তাদের পূর্ব পুরুষদের ভোগবিলাসের উপকরণ দিয়েছি, তাছাড়া তাদের বয়সকালও হয়েছিল দীর্ঘ। তারা কি দেখেনা, আমরা তাদের দেশকে চারদিক থেকে সংকুচিত করে আনছি, তবু কি তারা বিজয়ী হবে?	بَلْ مَتَّعْنَا هٰۤؤُلَآءِ وَاٰبَآءَهُمْ حَتّٰى طَالَ عَلَيْهِمُ الْعُمُرُ ؕ اَفَلَا يَرَوْنَ اَنَّا نَاْتِى الْاَرْضَ نَنْقُصُهَا مِنْ اَطْرَافِهَا ؕ اَفَهُمُ الْغٰلِبُوْنَ ۝٤٤
৪৫. হে নবী! তাদের বলো: 'আমি তোমাদের সতর্ক করছি অহির সাহায্যে।' কিন্তু বধির লোকেরা কোনো ডাকই শুনেনা, যতোই তাদের করা হয় সতর্ক।	قُلْ اِنَّمَاۤ اُنْذِرُكُمْ بِالْوَحْىِ ۖ وَلَا يَسْمَعُ الصُّمُّ الدُّعَآءَ اِذَا مَا يُنْذَرُوْنَ ۝٤٥
৪৬. তোমার প্রভুর কিছু আযাবও যদি তাদের স্পর্শ করে, তারা অবশ্যি বলে উঠবে: হায়, আমাদের ধ্বংস, আমরা অবশ্যি যালিম ছিলাম।	وَلَئِنْ مَّسَّتْهُمْ نَفْحَةٌ مِّنْ عَذَابِ رَبِّكَ لَيَقُوْلُنَّ يٰوَيْلَنَاۤ اِنَّا كُنَّا ظٰلِمِيْنَ ۝٤٦

রুকু ০৩

৪৭. কিয়ামতকালে আমরা স্থাপন করবো ন্যায়বিচারের দণ্ড। তখন কারো প্রতি বিন্দুমাত্র যুলুম করা হবেনা। কারো কর্ম যদি শস্য পরিমাণ ওজনেরও হয়, সেটাও আমরা ওজনের আওতায় নিয়ে আসবো। হিসাবগ্রহণকারী হিসেবে আমরাই যথেষ্ট।	وَنَضَعُ الْمَوَازِيْنَ الْقِسْطَ لِيَوْمِ الْقِيٰمَةِ فَلَا تُظْلَمُ نَفْسٌ شَيْـًٔا ؕ وَاِنْ كَانَ مِثْقَالَ حَبَّةٍ مِّنْ خَرْدَلٍ اَتَيْنَا بِهَا ؕ وَ كَفٰى بِنَا حٰسِبِيْنَ ۝٤٧
৪৮. আমরা মূসা এবং হারুণকে দিয়েছিলাম ফুরকান, জ্যোতি এবং যিকির সেইসব মুত্তাকিদের জন্যে,	وَلَقَدْ اٰتَيْنَا مُوْسٰى وَهٰرُوْنَ الْفُرْقَانَ وَضِيَآءً وَّذِكْرًا لِّلْمُتَّقِيْنَ ۝٤٨
৪৯. যারা না দেখেও তাদের প্রভুকে ভয় করে এবং তারা কিয়ামত সম্পর্কে থাকে ভীত সন্ত্রস্ত।	الَّذِيْنَ يَخْشَوْنَ رَبَّهُمْ بِالْغَيْبِ وَهُمْ مِّنَ السَّاعَةِ مُشْفِقُوْنَ ۝٤٩
৫০. এ (কুরআন) এক কল্যাণময় উপদেশ যা আমরা নাযিল করেছি, তবু কি তোমরা তা অস্বীকার করবে?	وَ هٰذَا ذِكْرٌ مُّبٰرَكٌ اَنْزَلْنٰهُ ؕ اَفَاَنْتُمْ لَهٗ مُنْكِرُوْنَ ۝٥٠
৫১. আমরা ইতোপূর্বে ইবরাহিমকে সত্য পথের জ্ঞান দিয়েছিলাম, তার বিষয়ে আমরা বিশেষভাবে অবগত।	وَ لَقَدْ اٰتَيْنَآ اِبْرٰهِيْمَ رُشْدَهٗ مِنْ قَبْلُ وَ كُنَّا بِهٖ عٰلِمِيْنَ ۝٥١
৫২. সে যখন তার পিতা এবং তার কওমকে বলেছিল: 'এই ভাস্কর্যগুলো কী, যাদের প্রতি আপনারা নত হচ্ছেন?'	اِذْ قَالَ لِاَبِيْهِ وَ قَوْمِهٖ مَا هٰذِهِ التَّمَاثِيْلُ الَّتِيْٓ اَنْتُمْ لَهَا عٰكِفُوْنَ ۝٥٢
৫৩. জবাবে তারা বলেছিল: 'আমরা আমাদের পূর্ব পুরুষদেরকে এদের পূজা করতে দেখে এসেছি।'	قَالُوْا وَجَدْنَآ اٰبَآءَنَا لَهَا عٰبِدِيْنَ ۝٥٣
৫৪. তখন সে বললো: 'আপনারা এবং আপনাদের পূর্ব পুরুষরা রয়েছেন সুস্পষ্ট বিভ্রান্তিতে।'	قَالَ لَقَدْ كُنْتُمْ اَنْتُمْ وَ اٰبَآؤُكُمْ فِيْ ضَلٰلٍ مُّبِيْنٍ ۝٥٤
৫৫. তারা বললো: 'তুমি কি আমাদের কাছে সত্য নিয়ে এসেছো, নাকি কৌতুক করছো?'	قَالُوْٓا اَجِئْتَنَا بِالْحَقِّ اَمْ اَنْتَ مِنَ اللّٰعِبِيْنَ ۝٥٥
৫৬. সে বললো: "আপনাদের রব হলেন মহাকাশ ও পৃথিবীর রব, যিনি সেগুলোকে সৃষ্টি করেছেন। এ বিষয়ে আপনাদের কাছে আমি একজন সাক্ষী।	قَالَ بَلْ رَّبُّكُمْ رَبُّ السَّمٰوٰتِ وَ الْاَرْضِ الَّذِيْ فَطَرَهُنَّ ۖ٘ وَ اَنَا عَلٰى ذٰلِكُمْ مِّنَ الشّٰهِدِيْنَ ۝٥٦
৫৭. আল্লাহ্‌র কসম, আপনারা চলে গেলে আমি অবশ্যি আপনাদের ভাস্কর্যগুলো সম্পর্কে কৌশল অবলম্বন করবো।"	وَ تَاللّٰهِ لَاَكِيْدَنَّ اَصْنَامَكُمْ بَعْدَ اَنْ تُوَلُّوْا مُدْبِرِيْنَ ۝٥٧
৫৮. তারপর সে ভাস্কর্যগুলোকে ভেঙ্গে চূর্ণ-বিচূর্ণ করে দিলো বড়টিকে বাদে, যাতে করে তারা তার কাছে ফিরে আসে।	فَجَعَلَهُمْ جُذٰذًا اِلَّا كَبِيْرًا لَّهُمْ لَعَلَّهُمْ اِلَيْهِ يَرْجِعُوْنَ ۝٥٨

রুকু ০৪

৫৯. তারা এসে বললো: 'আমাদের দেবদেবীদের সাথে এমন আচরণ করলো কে? সে তো নিশ্চয়ই একজন যালিম।'	قَالُوْا مَنْ فَعَلَ هٰذَا بِاٰلِهَتِنَآ اِنَّهٗ لَمِنَ الظّٰلِمِيْنَ ﴿٥٩﴾
৬০. তারা বলাবলি করলো: 'ইবরাহিম নামের এক যুবককে তাদের সমালোচনা করতে শুনেছি।'	قَالُوْا سَمِعْنَا فَتًى يَّذْكُرُهُمْ يُقَالُ لَهٗٓ اِبْرٰهِيْمُ ﴿٦٠﴾
৬১. তারা বললো: 'তাকে জনসম্মুখে নিয়ে আসো, যাতে করে সবাই তাকে দেখে।'	قَالُوْا فَاْتُوْا بِهٖ عَلٰٓى اَعْيُنِ النَّاسِ لَعَلَّهُمْ يَشْهَدُوْنَ ﴿٦١﴾
৬২. (ইবরাহিম এলে) তারা জিজ্ঞেস করলো: 'তুমিই কি আমাদের দেব-দেবীদের প্রতি এমন আচরণ করেছো, হে ইবরাহিম?'	قَالُوْٓا ءَاَنْتَ فَعَلْتَ هٰذَا بِاٰلِهَتِنَا يٰٓاِبْرٰهِيْمُ ﴿٦٢﴾
৬৩. ইবরাহিম বললো: 'বরং তাদের এই বড়টাই একাজ করেছে। তারা (তোমাদের দেবদেবীরা) কথা বলতে পারলে তাদের কাছে জিজ্ঞাসা করে দেখো।'	قَالَ بَلْ فَعَلَهٗ ۖ كَبِيْرُهُمْ هٰذَا فَسْـَٔلُوْهُمْ اِنْ كَانُوْا يَنْطِقُوْنَ ﴿٦٣﴾
৬৪. তখন তারা মনে মনে আত্মসমালোচনা করলো এবং বললো: 'তোমরাই তো যালিম (সীমালঙ্ঘনকারী)।'	فَرَجَعُوْٓا اِلٰٓى اَنْفُسِهِمْ فَقَالُوْٓا اِنَّكُمْ اَنْتُمُ الظّٰلِمُوْنَ ﴿٦٤﴾
৬৫. তাতে তাদের মাথা নত হয়ে গেলো। তারা বললো: 'তুমি তো জানো, এরা কথা বলেনা।'	ثُمَّ نُكِسُوْا عَلٰى رُءُوْسِهِمْ ۚ لَقَدْ عَلِمْتَ مَا هٰٓؤُلَآءِ يَنْطِقُوْنَ ﴿٦٥﴾
৬৬. ইবরাহিম বললো: "তবে কি আপনারা আল্লাহ্‌র পরিবর্তে এমন সব জিনিসের ইবাদত (পূজা উপাসনা) করেন যারা আপনাদের কোনো উপকার করতে পারেনা এবং ক্ষতিও করতে পারেনা?	قَالَ اَفَتَعْبُدُوْنَ مِنْ دُوْنِ اللّٰهِ مَا لَا يَنْفَعُكُمْ شَيْـًٔا وَّلَا يَضُرُّكُمْ ﴿٦٦﴾
৬৭. ধিক, আপনাদের প্রতি এবং আল্লাহ্‌র পরিবর্তে আপনারা যাদের ইবাদত করেন তাদের প্রতি। আপনারা কি মোটেই বুদ্ধি বিবেক খাটাননা?"	اُفٍّ لَّكُمْ وَلِمَا تَعْبُدُوْنَ مِنْ دُوْنِ اللّٰهِ ۗ اَفَلَا تَعْقِلُوْنَ ﴿٦٧﴾
৬৮. তখন তারা বললো: 'তোমরা যদি কিছু করতে চাও, তবে একে আগুনে পোড়াও এবং তোমাদের দেব দেবীদের সাহায্য করো।'	قَالُوْا حَرِّقُوْهُ وَانْصُرُوْٓا اٰلِهَتَكُمْ اِنْ كُنْتُمْ فٰعِلِيْنَ ﴿٦٨﴾
৬৯. আমরা আগুনকে বললাম: ' হে আগুন! তুমি ইবরাহিমের জন্যে সুশীতল ও নিরাপদ হয়ে যাও।'	قُلْنَا يٰنَارُ كُوْنِيْ بَرْدًا وَّسَلٰمًا عَلٰٓى اِبْرٰهِيْمَ ﴿٦٩﴾
৭০. তারা তার ক্ষতি সাধনের এরাদা করেছিল, কিন্তু আমরা তাদেরকেই ক্ষতিগ্রস্ত করে ছেড়েছি।	وَاَرَادُوْا بِهٖ كَيْدًا فَجَعَلْنٰهُمُ الْاَخْسَرِيْنَ ﴿٧٠﴾
৭১. আর আমরা তাকে এবং লুতকে (তাদের কবল থেকে) নাজাত দিয়ে নিয়ে গেলাম সেই	وَنَجَّيْنٰهُ وَلُوْطًا اِلَى الْاَرْضِ الَّتِيْ بٰرَكْنَا

ভূ-খণ্ডের দিকে, যে ভূ-খণ্ডে আমরা বরকত দান করেছি জগদ্বাসীর জন্যে।	فِيهَا لِلْعٰلَمِيْنَ ٧١
৭২. আর আমরা তাকে সেই সাথে অতিরিক্ত হিসেবে দান করেছি (পুত্র) ইসহাক এবং (পৌত্র) ইয়াকুবকে। আর তাদের প্রত্যেককে আমরা বানিয়েছি দক্ষ পুণ্যবান।	وَ وَهَبْنَا لَهٗۤ اِسْحٰقَ ؕ وَ يَعْقُوْبَ نَافِلَةً ؕ وَ كُلًّا جَعَلْنَا صٰلِحِيْنَ ٧٢
৭৩. আর তাদেরকে আমরা বানিয়েছি ইমাম (নেতা), তারা আমাদের নির্দেশ মতো মানুষকে সঠিক পথ দেখাতো। আমরা তাদেরকে অহির মাধ্যমে নির্দেশ দিয়েছি জনকল্যাণের কাজ করতে, সালাত কায়েম করতে এবং যাকাত প্রদান করতে। তারা ছিলো আমার অনুগত দাস (উপাসক)।	وَ جَعَلْنٰهُمْ اَئِمَّةً يَّهْدُوْنَ بِاَمْرِنَا وَ اَوْحَيْنَاۤ اِلَيْهِمْ فِعْلَ الْخَيْرٰتِ وَ اِقَامَ الصَّلٰوةِ وَ اِيْتَآءَ الزَّكٰوةِ ۚ وَ كَانُوْا لَنَا عٰبِدِيْنَ ٧٣
৭৪. আর লুতকে আমরা দিয়েছিলাম হিকমাহ এবং এলেম। তাকেও আমরা নাজাত দিয়েছিলাম অশ্লীল কাজে লিপ্ত এক খবিছ জনপদ থেকে। তারা ছিলো এক নিকৃষ্ট সীমালঙ্ঘনকারী কওম।	وَ لُوْطًا اٰتَيْنٰهُ حُكْمًا وَّ عِلْمًا وَّ نَجَّيْنٰهُ مِنَ الْقَرْيَةِ الَّتِيْ كَانَتْ تَّعْمَلُ الْخَبٰٓئِثَ ؕ اِنَّهُمْ كَانُوْا قَوْمَ سَوْءٍ فٰسِقِيْنَ ٧٤
৭৫. আর আমরা তাকে দাখিল করে নিয়েছিলাম আমাদের রহমতের মধ্যে। সেও ছিলো দক্ষ পুণ্যবানদের একজন।	وَ اَدْخَلْنٰهُ فِيْ رَحْمَتِنَا ؕ اِنَّهٗ مِنَ الصّٰلِحِيْنَ ٧٥
৭৬. স্মরণ করো, এর আগে নূহ (আমাকে) ডেকেছিল। আমরা তার ডাকে সাড়া দিয়েছিলাম এবং তাকে আর তার পরিবারবর্গকে উদ্ধার করেছিলাম মহাসংকট থেকে।	وَ نُوْحًا اِذْ نَادٰى مِنْ قَبْلُ فَاسْتَجَبْنَا لَهٗ فَنَجَّيْنٰهُ وَ اَهْلَهٗ مِنَ الْكَرْبِ الْعَظِيْمِ ٧٦
৭৭. আমরা তাকে সাহায্য করেছিলাম এমন একটি কওমের বিরুদ্ধে যারা প্রত্যাখ্যান করেছিল আমাদের আয়াত। তারা ছিলো একটি মন্দ কওম, ফলে আমরা তাদের সবাইকে ডুবিয়ে দিয়েছিলাম পানিতে।	وَ نَصَرْنٰهُ مِنَ الْقَوْمِ الَّذِيْنَ كَذَّبُوْا بِاٰيٰتِنَا ؕ اِنَّهُمْ كَانُوْا قَوْمَ سَوْءٍ فَاَغْرَقْنٰهُمْ اَجْمَعِيْنَ ٧٧
৭৮. আরো স্মরণ করো দাউদ আর সুলাইমানের কথা। তারা যখন শস্যক্ষেত সম্পর্কে ফায়সালা দিচ্ছিল, তাতে রাতের বেলায় অন্য লোকের মেষপাল ঢুকে পড়েছিল, আমরা তাদের বিচার কাজ প্রত্যক্ষ করছিলাম।	وَ دَاوٗدَ وَ سُلَيْمٰنَ اِذْ يَحْكُمٰنِ فِي الْحَرْثِ اِذْ نَفَشَتْ فِيْهِ غَنَمُ الْقَوْمِ ۚ وَ كُنَّا لِحُكْمِهِمْ شٰهِدِيْنَ ٧٨
৭৯. আমরা বিষয়টি সম্পর্কে সুলাইমানকে সঠিক বুঝ দিয়েছিলাম, তবে দুজনকেই দিয়েছিলাম প্রজ্ঞা এবং এলেম। আমরা পাহাড় পর্বত আর পাখিদেরকে অধীনস্থ করে দিয়েছিলাম দাউদের সাথে তারা তসবিহ করতো। এসব কিছুর কর্তা ছিলাম আমরাই।	فَفَهَّمْنٰهَا سُلَيْمٰنَ ۚ وَ كُلًّا اٰتَيْنَا حُكْمًا وَّ عِلْمًا ؗ وَّ سَخَّرْنَا مَعَ دَاوٗدَ الْجِبَالَ يُسَبِّحْنَ وَ الطَّيْرَ ؕ وَ كُنَّا فٰعِلِيْنَ ٧٩
৮০. আর তোমাদের জন্যে আমরা তাকে বর্ম নির্মাণ শিক্ষা দিয়েছিলাম, যাতে করে তোমাদের	وَ عَلَّمْنٰهُ صَنْعَةَ لَبُوْسٍ لَّكُمْ لِتُحْصِنَكُمْ

রুকু ০৫

যুদ্ধে তা তোমাদের রক্ষা করে। তারপরও কি তোমরা কৃতজ্ঞ হবেনা?	مِّنۡ بَاۡسِكُمۡ ۚ فَهَلۡ اَنۡتُمۡ شٰكِرُوۡنَ ﴿۸۰﴾
৮১. আর আমরা সুলাইমানের অধীন করে দিয়েছিলাম উদ্দাম বাতাসকে, তা তার আদেশক্রমে বয়ে চলতো এমন দেশের দিকে, যেখানে আমরা কল্যাণ রেখেছি, আর প্রত্যেক বিষয়ে আমরা অবগত।	وَ لِسُلَيۡمٰنَ الرِّيۡحَ عَاصِفَةً تَجۡرِيۡ بِاَمۡرِهٖۤ اِلَى الۡاَرۡضِ الَّتِيۡ بٰرَكۡنَا فِيۡهَا ؕ وَ كُنَّا بِكُلِّ شَيۡءٍ عٰلِمِيۡنَ ﴿۸۱﴾
৮২. আর কিছু শয়তান (জিন) তার জন্যে ডুবুরির কাজ করতো। এ ছাড়াও অন্যান্য কাজ করতো। আমরাই ছিলাম তাদের রক্ষক।	وَ مِنَ الشَّيٰطِيۡنِ مَنۡ يَّغُوۡصُوۡنَ لَهٗ وَ يَعۡمَلُوۡنَ عَمَلًا دُوۡنَ ذٰلِكَ ۚ وَ كُنَّا لَهُمۡ حٰفِظِيۡنَ ﴿۸۲﴾
৮৩. আর স্মরণ করো আইউবের কথা, সে যখন তার প্রভুকে ডেকে বলেছিল: 'প্রভু! আমার অসুখ হয়েছে, আর তুমি তো সব দয়াময়ের বড় দয়াময়।'	وَ اَيُّوۡبَ اِذۡ نَادٰى رَبَّهٗۤ اَنِّيۡ مَسَّنِيَ الضُّرُّ وَ اَنۡتَ اَرۡحَمُ الرّٰحِمِيۡنَ ﴿۸۳﴾
৮৪. তখন আমরা তার ডাকে সাড়া দিয়েছিলাম, তার অসুখ দূর করে দিয়েছিলাম, ফিরিয়ে দিয়েছিলাম তার পরিবার পরিজন এবং তাদের সাথে অনুরূপ আরো দিয়েছিলাম আমার বিশেষ রহমত হিসেবে আর ইবাদতকারীদের জন্যে উপদেশ হিসেবে।	فَاسۡتَجَبۡنَا لَهٗ فَكَشَفۡنَا مَا بِهٖ مِنۡ ضُرٍّ وَّ اٰتَيۡنٰهُ اَهۡلَهٗ وَ مِثۡلَهُمۡ مَّعَهُمۡ رَحۡمَةً مِّنۡ عِنۡدِنَا وَ ذِكۡرٰى لِلۡعٰبِدِيۡنَ ﴿۸۴﴾
৮৫. আরো স্মরণ করো ইসমাঈল, ইদরিস এবং যুলকিফ্ল-এর কথা। এরা সবাই ছিলো ধৈর্যশীল অবিচল।	وَ اِسۡمٰعِيۡلَ وَ اِدۡرِيۡسَ وَ ذَا الۡكِفۡلِ ؕ كُلٌّ مِّنَ الصّٰبِرِيۡنَ ﴿۸۵﴾
৮৬. আমরা তাদের দাখিল করেছিলাম আমাদের রহমতের মধ্যে। তারা ছিলো যোগ্য ও পুণ্যবান।	وَ اَدۡخَلۡنٰهُمۡ فِيۡ رَحۡمَتِنَا ؕ اِنَّهُمۡ مِّنَ الصّٰلِحِيۡنَ ﴿۸۶﴾
৮৭. আরো স্মরণ করো মাছওয়ালার (ইউনুসের) কথা। সে গোস্বা নিয়ে বের হয়ে গিয়েছিল এবং ধারণা করেছিল আমরা তার বিরুদ্ধে কোনো শাস্তিমূলক পদক্ষেপ নেবোনা। কিন্তু পরে সে অন্ধকার থেকে আমাদের ডেকে বলেছিল: '(প্রভু!) তুমি ছাড়া কোনো উদ্ধারকারী নেই, তুমি পবিত্র, মহান। আমি তো যালিম, অন্যায়কারী।'	وَ ذَا النُّوۡنِ اِذۡ ذَّهَبَ مُغَاضِبًا فَظَنَّ اَنۡ لَّنۡ نَّقۡدِرَ عَلَيۡهِ فَنَادٰى فِي الظُّلُمٰتِ اَنۡ لَّاۤ اِلٰهَ اِلَّاۤ اَنۡتَ سُبۡحٰنَكَ ٭ۖ اِنِّيۡ كُنۡتُ مِنَ الظّٰلِمِيۡنَ ﴿۸۷﴾
৮৮. ফলে আমরা তার ডাকে সাড়া দিয়েছি এবং তাকে উদ্ধার করেছি দুশ্চিন্তা থেকে। এভাবেই আমরা নাজাত দিয়ে থাকি মুমিনদের।	فَاسۡتَجَبۡنَا لَهٗ ۙ وَ نَجَّيۡنٰهُ مِنَ الۡغَمِّ ؕ وَ كَذٰلِكَ نُـنۡجِي الۡمُؤۡمِنِيۡنَ ﴿۸۸﴾
৮৯. আরো স্মরণ করো যাকারিয়ার কথা। সে তার প্রভুকে ডেকে বলেছিল: 'প্রভু! তুমি আমাকে (সন্তানহীন করে) রেখোনা, তুমিই সর্বোত্তম ওয়ারিশ।'	وَ زَكَرِيَّاۤ اِذۡ نَادٰى رَبَّهٗ رَبِّ لَا تَذَرۡنِيۡ فَرۡدًا وَّ اَنۡتَ خَيۡرُ الۡوٰرِثِيۡنَ ﴿۸۹﴾
৯০. ফলে আমরা তার ডাকে সাড়া দিয়েছি এবং তার জন্যে দান করেছি ইয়াহিয়াকে, আর	فَاسۡتَجَبۡنَا لَهٗ ۫ وَ وَهَبۡنَا لَهٗ يَحۡيٰى وَ

অনুবাদ	আয়াত
তার জন্যে তার স্ত্রীকে করে দিয়েছি (সন্তান ধারণের) যোগ্য। এরা সবাই ছিলো কল্যাণের কাজে প্রতিযোগিতাকারী। তারা আমাকে ডাকতো আশা ও ভয় নিয়ে এবং তারা ছিলো আমার প্রতি বিনয়ী।	اَصۡلَحۡنَا لَهٗ زَوۡجَهٗ ؕ اِنَّهُمۡ كَانُوۡا يُسٰرِعُوۡنَ فِى الۡخَيۡرٰتِ وَ يَدۡعُوۡنَنَا رَغَبًا وَّرَهَبًا ؕ وَكَانُوۡا لَنَا خٰشِعِيۡنَ ﴿۹۰﴾
৯১. আর স্মরণ করো ঐ নারীর কথা, যে রক্ষা করেছিল তার সতীত্ব। তারপর আমরা তার মধ্যে ফুঁকে দিয়েছি আমাদের রূহ। আর আমরা তাকে এবং তার পুত্রকে বানিয়েছি জগদ্বাসীর জন্যে একটি নিদর্শন।	وَالَّتِىۡۤ اَحۡصَنَتۡ فَرۡجَهَا فَنَفَخۡنَا فِيۡهَا مِنۡ رُّوۡحِنَا وَجَعَلۡنٰهَا وَابۡنَهَاۤ اٰيَةً لِّلۡعٰلَمِيۡنَ ﴿۹۱﴾
৯২. তোমাদের এই সব উম্মত মূলত একই উম্মত এবং আমিই তোমাদের প্রভু, সুতরাং তোমরা কেবল আমারই ইবাদত করো।	اِنَّ هٰذِهٖۤ اُمَّتُكُمۡ اُمَّةً وَّاحِدَةً ۖ وَّ اَنَا رَبُّكُمۡ فَاعۡبُدُوۡنِ ﴿۹۲﴾
৯৩. কিন্তু তারা তাদের কার্যকলাপ তাদের মাঝে বিচ্ছিন্ন করে নিয়েছে। সবাইকেই ফিরিয়ে আনা হবে আমাদের কাছে।	وَتَقَطَّعُوۡۤا اَمۡرَهُمۡ بَيۡنَهُمۡ ؕ كُلٌّ اِلَيۡنَا رٰجِعُوۡنَ ﴿۹۳﴾
৯৪. যে কেউ মুমিন অবস্থায় আমলে সালেহ্ করবে, তার প্রচেষ্টাকে অস্বীকার করা হবেনা। আমরা তা লিখে রাখছি।	فَمَنۡ يَّعۡمَلۡ مِنَ الصّٰلِحٰتِ وَهُوَ مُؤۡمِنٌ فَلَا كُفۡرَانَ لِسَعۡيِهٖ ۚ وَاِنَّا لَهٗ كٰتِبُوۡنَ ﴿۹۴﴾
৯৫. যে জনপদ আমরা হালাক করে দিয়েছি, তার জন্যে এটা নিষিদ্ধ যে, তার অধিবাসীরা আর ফিরে আসবেনা।	وَحَرٰمٌ عَلٰى قَرۡيَةٍ اَهۡلَكۡنٰهَاۤ اَنَّهُمۡ لَا يَرۡجِعُوۡنَ ﴿۹۵﴾
৯৬. এমন কি যখন ইয়াজুজ ও মাজুজ (জাতিকে) মুক্তি দেয়া হবে এবং তারা উঁচু ভূমি থেকে ছুটে আসবে,	حَتّٰۤى اِذَا فُتِحَتۡ يَاۡجُوۡجُ وَمَاۡجُوۡجُ وَهُمۡ مِّنۡ كُلِّ حَدَبٍ يَّنۡسِلُوۡنَ ﴿۹۶﴾
৯৭. এবং প্রতিশ্রুত সময়টি নিকটে আসবে। তখন তা অকস্মাৎ সংঘটিত হতেই কাফিরদের চোখগুলো স্থির হয়ে যাবে। তারা বলবে: হায়, ধ্বংস আমাদের, আমরা তো এ বিষয়ে গাফলতির মধ্যে ছিলাম, বরং আমরা ছিলাম যালিম।	وَاقۡتَرَبَ الۡوَعۡدُ الۡحَقُّ فَاِذَا هِىَ شَاخِصَةٌ اَبۡصَارُ الَّذِيۡنَ كَفَرُوۡا ؕ يٰوَيۡلَنَا قَدۡ كُنَّا فِىۡ غَفۡلَةٍ مِّنۡ هٰذَا بَلۡ كُنَّا ظٰلِمِيۡنَ ﴿۹۷﴾
৯৮. হ্যাঁ, তোমরা নিজেরা এবং আল্লাহ্র পরিবর্তে তোমরা যাদের ইবাদত করছো তারা সবাই হবে জাহান্নামের জ্বালানি। তোমরা তাতে প্রবেশ করবে।	اِنَّكُمۡ وَمَا تَعۡبُدُوۡنَ مِنۡ دُوۡنِ اللّٰهِ حَصَبُ جَهَنَّمَ ؕ اَنۡتُمۡ لَهَا وٰرِدُوۡنَ ﴿۹۸﴾
৯৯. তারা যদি ইলাহ্ হতো, তবে তারা জাহান্নামে প্রবেশ করতোনা। তারা প্রত্যেকেই স্থায়ীভাবে থাকবে সেখানে।	لَوۡ كَانَ هٰٓؤُلَاۤءِ اٰلِهَةً مَّا وَرَدُوۡهَا ؕ وَكُلٌّ فِيۡهَا خٰلِدُوۡنَ ﴿۹۹﴾
১০০. সেখানে থাকবে তাদের চিৎকার আর আর্তনাদ এবং তারা কিছুই শুনবেনা সেখানে।	لَهُمۡ فِيۡهَا زَفِيۡرٌ وَّهُمۡ فِيۡهَا لَا يَسۡمَعُوۡنَ ﴿۱۰۰﴾
১০১. যাদের জন্যে আগে থেকেই আমাদের পক্ষ	اِنَّ الَّذِيۡنَ سَبَقَتۡ لَهُمۡ مِّنَّا الۡحُسۡنٰٓى ۙ

রুকু ০৬

থেকে কল্যাণের ফায়সালা হয়েছে, তাদেরকে তা থেকে রাখা হবে দূরে।	أُولَٰئِكَ عَنْهَا مُبْعَدُونَ ﴿١٠١﴾
১০২. তারা তার (জাহান্নামের) ক্ষীণতম আওয়াযও শুনবেনা। তারা থাকবে তাদের কাঙ্ক্ষিত ভোগবিলাসে চিরকাল।	لَا يَسْمَعُونَ حَسِيسَهَا ۖ وَهُمْ فِي مَا اشْتَهَتْ أَنفُسُهُمْ خَالِدُونَ ﴿١٠٢﴾
১০৩. মহাভীতি তাদেরকে চিন্তিত করবেনা। ফেরেশতারা তাদের সাথে মোলাকাত করে বলবে: 'এটাই হলো আপনাদের সেইদিন, যার ওয়াদা আপনাদের দেয়া হয়েছিল।'	لَا يَحْزُنُهُمُ الْفَزَعُ الْأَكْبَرُ وَتَتَلَقَّاهُمُ الْمَلَائِكَةُ ۚ هَٰذَا يَوْمُكُمُ الَّذِي كُنتُمْ تُوعَدُونَ ﴿١٠٣﴾
১০৪. সেদিন আমরা আকাশ গুটিয়ে ফেলবো, যেভাবে গুটানো হয় লিখিত দস্তাবেজ। যেভাবে আমরা প্রথমবার সৃষ্টি করেছি, সেভাবেই পুনরায় সৃষ্টি করবো। ওয়াদা পালন করা আমাদের দায়িত্ব। আমরা এটা করেই ছাড়বো।	يَوْمَ نَطْوِي السَّمَاءَ كَطَيِّ السِّجِلِّ لِلْكُتُبِ ۚ كَمَا بَدَأْنَا أَوَّلَ خَلْقٍ نُّعِيدُهُ ۚ وَعْدًا عَلَيْنَا ۚ إِنَّا كُنَّا فَاعِلِينَ ﴿١٠٤﴾
১০৫. আমরা যিকির (উপদেশ)-এর পর কিতাবে লিখে রেখেছি, নিশ্চয়ই পৃথিবীর ওয়ারিশ হবে আমার সালেহ্ (যোগ্য) দাসেরা।	وَلَقَدْ كَتَبْنَا فِي الزَّبُورِ مِن بَعْدِ الذِّكْرِ أَنَّ الْأَرْضَ يَرِثُهَا عِبَادِيَ الصَّالِحُونَ ﴿١٠٥﴾
১০৬. নিশ্চয়ই অনুগত-দাসদের জন্যে এতে রয়েছে বার্তা।	إِنَّ فِي هَٰذَا لَبَلَاغًا لِّقَوْمٍ عَابِدِينَ ﴿١٠٦﴾
১০৭. জগদ্বাসীর জন্যে রহমত (অনুকম্পাও আশীর্বাদ) ছাড়া অন্য কোনো উদ্দেশ্যে আমরা তোমাকে রসূল বানিয়ে পাঠাইনি।	وَمَا أَرْسَلْنَاكَ إِلَّا رَحْمَةً لِّلْعَالَمِينَ ﴿١٠٧﴾
১০৮. (হে নবী!) বলো: 'আমার কাছে অহি করা হয়েছে যে, তোমাদের ইলাহ্ একমাত্র ইলাহ্। সুতরাং তোমরা (তাঁর প্রতি) আত্মসমর্পণকারী হবে কি?'	قُلْ إِنَّمَا يُوحَىٰ إِلَيَّ أَنَّمَا إِلَٰهُكُمْ إِلَٰهٌ وَاحِدٌ ۖ فَهَلْ أَنتُم مُّسْلِمُونَ ﴿١٠٨﴾
১০৯. তারা যদি মুখ ফিরিয়ে নেয়, তুমি বলে দাও: "আমি তোমাদেরকে যথাযথ আহ্বান জানিয়েছি। আমি জানিনা, তোমাদেরকে যে বিষয়ে ওয়াদা দেয়া হয়েছে, সেটা কি নিকটে নাকি দূরে।	فَإِن تَوَلَّوْا فَقُلْ آذَنتُكُمْ عَلَىٰ سَوَاءٍ ۖ وَإِنْ أَدْرِي أَقَرِيبٌ أَم بَعِيدٌ مَّا تُوعَدُونَ ﴿١٠٩﴾
১১০. তিনিই জানেন প্রকাশ্য কথা এবং যা তোমরা গোপন করো তা।	إِنَّهُ يَعْلَمُ الْجَهْرَ مِنَ الْقَوْلِ وَيَعْلَمُ مَا تَكْتُمُونَ ﴿١١٠﴾
১১১. আমি জানিনা, হয়তো এটা তোমাদের জন্যে একটি পরীক্ষা এবং কিছু সময়ের জন্যে জীবন উপভোগ।"	وَإِنْ أَدْرِي لَعَلَّهُ فِتْنَةٌ لَّكُمْ وَمَتَاعٌ إِلَىٰ حِينٍ ﴿١١١﴾
১১২. সে (রসূল) আরো বলেছে: 'আমার প্রভু! তুমি সত্য ও ন্যায্য ফায়সালা করে দাও। (আর হে মানুষ!) আমাদের প্রভু দয়াময়–রহমান। তোমরা যা বলছো, সে বিষয়ে তাঁরই সাহায্য চাওয়া যেতে পারে।'	قَالَ رَبِّ احْكُم بِالْحَقِّ ۗ وَرَبُّنَا الرَّحْمَٰنُ الْمُسْتَعَانُ عَلَىٰ مَا تَصِفُونَ ﴿١١٢﴾

রুকু ০৭

সূরা ২২ আল হজ্জ

মদিনায় অবতীর্ণ, আয়াত সংখ্যা: ৭৮, রুকু সংখ্যা: ১০

এই সূরার আলোচ্যসূচি (আয়াত ভিত্তিক আলোচ্য বিষয়)

০১-১০: কিয়ামতের ভয়াবহতা। পুনরুত্থানের বিষয়ে সন্দেহ পোষণকারীদের জন্য মানুষ সৃষ্টি ও পানির সাহায্যে শুকনো ভূমি থেকে উদ্ভিদ উৎপন্নের উপমা। পুনরুত্থানে বিতর্ককারীদের কাছে কোনো যুক্তিও নাই প্রমাণও নাই।

১১-২২: যারা সীমানায় অবস্থান করে আল্লাহ্‌র ইবাদত করে তারা দুনিয়া ও আখিরাত দুটোই হারায়। কিয়ামতের দিন আল্লাহ্‌ সব ধর্ম বিশ্বাসীদের মাঝে ফায়সালা করবেন। মহাবিশ্বের সবকিছু আল্লাহ্‌কে সাজদা করে, কিন্তু সব মানুষ আল্লাহ্‌কে সাজদা করেনা। তারা জাহান্নামী।

২৩-২৫: তবে যারা ঈমান আনে ও আমলে সালেহ্‌ করে, তারা জান্নাতে যাবে। যারা কুফুরি করে এবং আল্লাহ্‌র পথে বাধা সৃষ্টি করে তাদের জন্য রয়েছে কঠিন আযাব।

২৬-৩৮: কাবা নির্মাণ ও হজ্জের সূচনার ইতিহাস। কুরবানির বিধান।

৩৯-৪১: আল্লাহ্‌র রসূলকে যুদ্ধের অনুমতি প্রদান। ইসলামি রাষ্ট্রের কার্যক্রম।

৪২-৭২: সব নবীকেই তাদের জাতির লোকেরা প্রত্যাখ্যান করেছিল। ফলে আল্লাহ্‌ তাদের পাকড়াও করেছিলেন। রসূল একজন সতর্ককারী। আল্লাহ্‌র পথে হিজরত ও শাহাদাতের মর্যাদা। আল্লাহ্‌ মহাবিশ্বের মালিক ও পরিচালক। আল্লাহ্‌ প্রত্যেক উম্মতকে ইবাদতের পদ্ধতি দিয়েছেন। মুশরিকরা কুরআনের বিরুদ্ধে ঝাঁপিয়ে পড়ে।

৭৩-৭৮: আল্লাহ্‌র সাথে যাদেরকে শরিক করা হয় তারা সম্পূর্ণ অক্ষম। মুমিনদের প্রতি উপদেশ।

সূরা আল হজ্জ পরম করুণাময় পরম দয়াবান আল্লাহ্‌র নামে	سُوْرَةُ الْحَجِّ بِسْمِ اللّٰهِ الرَّحْمٰنِ الرَّحِيْمِ
০১. হে মানুষ! তোমরা ভয় করো তোমাদের প্রভুকে। কিয়ামতের ভূ-কম্পন হবে এক ভয়ংকর ব্যাপার!	يٰۤاَيُّهَا النَّاسُ اتَّقُوْا رَبَّكُمْ ۚ اِنَّ زَلْزَلَةَ السَّاعَةِ شَيْءٌ عَظِيْمٌ ١
০২. যেদিন তোমরা তা দেখবে, সেদিন প্রত্যেক বুকের দুধ খাওয়ানো (মা) ভুলে যাবে তার দুগ্ধপায়ী সন্তানকে। প্রত্যেক গর্ভবতী প্রসব করে দেবে তার গর্ভের বোঝা। তুমি মানুষদের দেখবে মাতাল, অথচ তারা নেশাগ্রস্ত নয়, বরং আল্লাহ্‌র আযাবই হবে এমন ভয়ানক কঠোর।	يَوْمَ تَرَوْنَهَا تَذْهَلُ كُلُّ مُرْضِعَةٍ عَمَّاۤ اَرْضَعَتْ وَ تَضَعُ كُلُّ ذَاتِ حَمْلٍ حَمْلَهَا وَتَرَى النَّاسَ سُكٰرٰى وَمَا هُمْ بِسُكٰرٰى وَلٰكِنَّ عَذَابَ اللّٰهِ شَدِيْدٌ ٢
০৩. কিছু লোক আছে এলেম ছাড়াই আল্লাহ্‌র ব্যাপারে বিতর্ক করে এবং অনুসরণ করে প্রত্যেক বিদ্রোহী শয়তানের।	وَ مِنَ النَّاسِ مَنْ يُّجَادِلُ فِي اللّٰهِ بِغَيْرِ عِلْمٍ وَّيَتَّبِعُ كُلَّ شَيْطٰنٍ مَّرِيْدٍ ٣
০৪. তার সম্পর্কে লিখে দেয়া হয়েছে যে, তার সাথে যে কেউ বন্ধুত্ব করবে, সে অবশ্যি তাকে গোমরাহ করে ছাড়বে এবং পরিচালিত করবে জ্বলন্ত আগুনের আযাবের দিকে।	كُتِبَ عَلَيْهِ اَنَّهٗ مَنْ تَوَلَّاهُ فَاَنَّهٗ يُضِلُّهٗ وَيَهْدِيْهِ اِلٰى عَذَابِ السَّعِيْرِ ٤
০৫. হে মানুষ! তোমরা যদি পুনরুত্থান সম্পর্কে সন্দেহের মধ্যে থাকো, তবে ভেবে দেখো,	يٰۤاَيُّهَا النَّاسُ اِنْ كُنْتُمْ فِيْ رَيْبٍ مِّنَ

الْبَعْثِ فَإِنَّا خَلَقْنٰكُمْ مِّنْ تُرَابٍ ثُمَّ مِنْ نُّطْفَةٍ ثُمَّ مِنْ عَلَقَةٍ ثُمَّ مِنْ مُّضْغَةٍ مُّخَلَّقَةٍ وَّ غَيْرِ مُخَلَّقَةٍ لِّنُبَيِّنَ لَكُمْ ؕ وَ نُقِرُّ فِي الْاَرْحَامِ مَا نَشَآءُ اِلٰۤى اَجَلٍ مُّسَمًّى ثُمَّ نُخْرِجُكُمْ طِفْلًا ثُمَّ لِتَبْلُغُوْۤا اَشُدَّكُمْ ۚ وَ مِنْكُمْ مَّنْ يُّتَوَفّٰى وَ مِنْكُمْ مَّنْ يُّرَدُّ اِلٰۤى اَرْذَلِ الْعُمُرِ لِكَيْلَا يَعْلَمَ مِنْۢ بَعْدِ عِلْمٍ شَيْـًٔا ؕ وَ تَرَى الْاَرْضَ هَامِدَةً فَاِذَاۤ اَنْزَلْنَا عَلَيْهَا الْمَآءَ اهْتَزَّتْ وَ رَبَتْ وَ اَنْۢبَتَتْ مِنْ كُلِّ زَوْجٍۭ بَهِيْجٍ ﴿٥﴾

আমরাই তো তোমাদের সৃষ্টি করেছি মাটি থেকে, তারপর নোতফা (শুক্রবিন্দু) থেকে, তারপর আলাকা (শক্তভাবে আঁটকে থাকা পিণ্ড) থেকে, তারপর পূর্ণ আকৃতি অথবা অপূর্ণ আকৃতির গোশত পিণ্ড থেকে। তোমাদের কাছে স্পষ্ট করার জন্যে (এ তত্ত্ব পেশ করছি)। আমরা যা ইচ্ছা করি তা মায়ের গর্ভে একটা নির্দিষ্ট সময় স্থিত করি। তারপর তোমাদের বের করে আনি শিশু হিসেবে। তারপর তোমরা পৌঁছে যাও পরিণত বয়েসে। তখন তোমাদের কারো ওফাত হয়, আবার তোমাদের কাউকে পৌঁছে দিই দুর্বলতম বয়েসে, যার ফলে তারা যা কিছু জানতো, সে সম্পর্কে আর কিছুই অবগত থাকেনা। তুমি জমিনকে দেখছো শুকনো, তারপর আমরা যখন পানি বর্ষণ করি, তখন তা শস্য-শ্যামল হয় এবং আন্দোলিত হয়, আর তা উৎপন্ন করে সব ধরনের সুদৃশ্য উদ্ভিদ।

ذٰلِكَ بِاَنَّ اللّٰهَ هُوَ الْحَقُّ وَ اَنَّهٗ يُحْيِ الْمَوْتٰى وَ اَنَّهٗ عَلٰى كُلِّ شَيْءٍ قَدِيْرٌ ﴿٦﴾

০৬. এটা এ জন্যে যে, আল্লাহ্ সত্য এবং তিনি জীবিত করেন মৃতকে, আর তিনি সব বিষয়ে শক্তিমান।

وَّ اَنَّ السَّاعَةَ اٰتِيَةٌ لَّا رَيْبَ فِيْهَا ۙ وَ اَنَّ اللّٰهَ يَبْعَثُ مَنْ فِي الْقُبُوْرِ ﴿٧﴾

০৭. আর কিয়ামত অবশ্যি আসবে, তাতে কোনো প্রকার সন্দেহ নেই এবং কবরে যারা আছে আল্লাহ্ অবশ্যি তাদের পুনরুত্থিত করবেন।

وَ مِنَ النَّاسِ مَنْ يُّجَادِلُ فِي اللّٰهِ بِغَيْرِ عِلْمٍ وَّ لَا هُدًى وَّ لَا كِتٰبٍ مُّنِيْرٍ ﴿٨﴾

০৮. কিছু লোক আছে, যারা এলেম ছাড়াই আল্লাহ্‌র ব্যাপারে বিতর্ক করে। তাছাড়া তাদের কাছে সঠিক পথের দিশাও নেই, নূর (সত্যজ্ঞান) বিতরণকারী কিতাবও নেই।

ثَانِيَ عِطْفِهٖ لِيُضِلَّ عَنْ سَبِيْلِ اللّٰهِ ؕ لَهٗ فِي الدُّنْيَا خِزْيٌ وَّ نُذِيْقُهٗ يَوْمَ الْقِيٰمَةِ عَذَابَ الْحَرِيْقِ ﴿٩﴾

০৯. সে ঘাড় বাঁকিয়ে বিতর্ক করে মানুষকে আল্লাহ্‌র পথ থেকে বিপথগামী করতে। দুনিয়াতেও তার জন্যে লাঞ্ছনা, আর কিয়ামতের দিন আমরা তাকে আস্বাদন করাবো দগ্ধ হবার যন্ত্রণা।

ذٰلِكَ بِمَا قَدَّمَتْ يَدٰكَ وَ اَنَّ اللّٰهَ لَيْسَ بِظَلَّامٍ لِّلْعَبِيْدِ ﴿١٠﴾

১০. সেদিন তাকে বলা হবে: এটা তোমার কৃতকর্মের ফল। আল্লাহ্ তো তাঁর বান্দাদের প্রতি যুলুম করেননা।

রুকু ০১

وَ مِنَ النَّاسِ مَنْ يَّعْبُدُ اللّٰهَ عَلٰى حَرْفٍ ۚ فَاِنْ اَصَابَهٗ خَيْرُ ۣاطْمَاَنَّ بِهٖ ۚ وَ اِنْ اَصَابَتْهُ فِتْنَةُ ۣانْقَلَبَ عَلٰى وَجْهِهٖ ۚ۫ خَسِرَ الدُّنْيَا وَ الْاٰخِرَةَ ؕ ذٰلِكَ هُوَ الْخُسْرَانُ الْمُبِيْنُ ﴿١١﴾

১১. মানুষের মধ্যে কেউ কেউ আছে, আল্লাহ্‌র ইবাদত করে সীমানায় দাঁড়িয়ে। তখন কল্যাণ লাভ করলে তার মন শান্ত হয়, আর বিপদ এলে সে সীমানা থেকে নেমে আগের জায়গায় চলে যায়। এসব লোক দুনিয়াও হারায়, আখিরাতও হারায়। এ এক সুস্পষ্ট ক্ষতি।

يَدْعُوْا مِنْ دُوْنِ اللّٰهِ مَا لَا يَضُرُّهٗ وَ مَا لَا

১২. সে আল্লাহ্‌র পরিবর্তে যাদের কাছে দোয়া

প্রার্থনা করে, তারা না তার ক্ষতি করতে পারে, আর না উপকার। এ এক চরম বিপথগামিতা।	يَنْفَعُهٗ ۭ ذٰلِكَ هُوَ الضَّلٰلُ الْبَعِيْدُ ﴿١٢﴾
১৩. সে যাকে ডাকে তার ক্ষতির দিকটাই উপকারের চাইতে নিকটতর। কতো যে নিকৃষ্ট অভিভাবক আর কতো যে নিকৃষ্ট সাথি এরা।	يَدْعُوْا لَمَنْ ضَرُّهٗۤ اَقْرَبُ مِنْ نَّفْعِهٖ ۭ لَبِئْسَ الْمَوْلٰى وَلَبِئْسَ الْعَشِيْرُ ﴿١٣﴾
১৪. যারা ঈমান আনে এবং আমলে সালেহ্ করে আল্লাহ্ তাদের দাখিল করবেন জান্নাতে (উদ্যানসমূহে), যাদের নিচে দিয়ে বহমান থাকবে নদ-নদীর-নহর। আল্লাহ্ যা ইচ্ছা করেন, তাই করেন।	اِنَّ اللّٰهَ يُدْخِلُ الَّذِيْنَ اٰمَنُوْا وَعَمِلُوا الصّٰلِحٰتِ جَنّٰتٍ تَجْرِيْ مِنْ تَحْتِهَا الْاَنْهٰرُ ۭ اِنَّ اللّٰهَ يَفْعَلُ مَا يُرِيْدُ ﴿١٤﴾
১৫. যে মনে করে আল্লাহ্ তাকে কখনো সাহায্য করবেন না দুনিয়া এবং আখিরাতে, সে একটি রশি আকাশের দিকে লম্বা করে টানিয়ে নিক, তারপর (আকাশে উঠে) সেটা কেটে দিক, তারপর সে দেখুক তার কৌশল তার ক্রোধের কারণ দূর করতে পারে কিনা।	مَنْ كَانَ يَظُنُّ اَنْ لَّنْ يَّنْصُرَهُ اللّٰهُ فِي الدُّنْيَا وَالْاٰخِرَةِ فَلْيَمْدُدْ بِسَبَبٍ اِلَى السَّمَاۗءِ ثُمَّ لْيَقْطَعْ فَلْيَنْظُرْ هَلْ يُذْهِبَنَّ كَيْدُهٗ مَا يَغِيْظُ ﴿١٥﴾
১৬. এভাবে আমরা এ কুরআন নাযিল করেছি সুস্পষ্ট আয়াত আকারে, আর আল্লাহ্ অবশ্যি যাকে ইচ্ছা সঠিক পথ দেখান।	وَكَذٰلِكَ اَنْزَلْنٰهُ اٰيٰتٍۢ بَيِّنٰتٍ ۙ وَّاَنَّ اللّٰهَ يَهْدِيْ مَنْ يُّرِيْدُ ﴿١٦﴾
১৭. নিশ্চয়ই যারা ঈমান এনেছে, যারা ইহুদি হয়েছে, এছাড়া সাবী, খৃষ্টান, মজুসি (অগ্নিপূজারি), আর যারা শিরক করেছে, কিয়ামতের দিন আল্লাহ্ তাদের মধ্যে ফায়সালা করবেন। সব বিষয়ে আল্লাহ্ প্রত্যক্ষদর্শী-সাক্ষী।	اِنَّ الَّذِيْنَ اٰمَنُوْا وَالَّذِيْنَ هَادُوْا وَالصّٰبِـِٕيْنَ وَالنَّصٰرٰى وَالْمَجُوْسَ وَالَّذِيْنَ اَشْرَكُوْٓا ڰ اِنَّ اللّٰهَ يَفْصِلُ بَيْنَهُمْ يَوْمَ الْقِيٰمَةِ ۭ اِنَّ اللّٰهَ عَلٰي كُلِّ شَيْءٍ شَهِيْدٌ ﴿١٧﴾
১৮. তুমি কি দেখছোনা, আল্লাহ্‌কে সাজদা করছে সবাই, যারা মহাকাশে আছে, যারা পৃথিবীতে আছে, সূর্য, চাঁদ, নক্ষত্ররাজি, পাহাড় পর্বত, বৃক্ষলতা, জীব-জানোয়ার, এছাড়া মানুষের মধ্যেও অনেকেই। আর অনেকের জন্যেই অবধারিত হয়ে গেছে আযাব। আল্লাহ্ যাকে অপমানিত করেন, তাকে সম্মানিত করার কেউ নেই। আল্লাহ্ তাই করেন, যা ইচ্ছা করেন। **(সাজদা)**	اَلَمْ تَرَ اَنَّ اللّٰهَ يَسْجُدُ لَهٗ مَنْ فِي السَّمٰوٰتِ وَمَنْ فِي الْاَرْضِ وَالشَّمْسُ وَالْقَمَرُ وَالنُّجُوْمُ وَالْجِبَالُ وَالشَّجَرُ وَالدَّوَاۗبُّ وَكَثِيْرٌ مِّنَ النَّاسِ ۭ وَكَثِيْرٌ حَقَّ عَلَيْهِ الْعَذَابُ ۭ وَمَنْ يُّهِنِ اللّٰهُ فَمَا لَهٗ مِنْ مُّكْرِمٍ ۭ اِنَّ اللّٰهَ يَفْعَلُ مَا يَشَاۗءُ ﴿١٨﴾ السجدة
১৯. এরা বিবাদে লিপ্ত দুটি পক্ষ, তারা বিবাদ করছে তাদের প্রভুর বিষয়ে। যারা কুফুরি করে তাদের জন্যে প্রস্তুত করা হয়েছে আগুনের পোশাক। তাদের মাথার উপর থেকে ঢালা হবে টগবগে ফুটন্ত পানি।	هٰذٰنِ خَصْمٰنِ اخْتَصَمُوْا فِيْ رَبِّهِمْ ۡ فَالَّذِيْنَ كَفَرُوْا قُطِّعَتْ لَهُمْ ثِيَابٌ مِّنْ نَّارٍ ۭ يُصَبُّ مِنْ فَوْقِ رُءُوْسِهِمُ الْحَمِيْمُ ﴿١٩﴾
২০. এর ফলে তাদের পেটে যা আছে এবং শরীরের চামড়া বিগলিত হয়ে পড়বে।	يُصْهَرُ بِهٖ مَا فِيْ بُطُوْنِهِمْ وَالْجُلُوْدُ ﴿٢٠﴾
২১. এছাড়া তাদের জন্যে থাকবে লোহার মুগুর।	وَلَهُمْ مَّقَامِعُ مِنْ حَدِيْدٍ ﴿٢١﴾

২২. যখনই যন্ত্রণার জ্বালায় তারা জাহান্নাম থেকে বের হতে চাইবে, তখনই তাদের ফিরিয়ে দেয়া হবে তাতে। বলা হবে: আস্বাদন করো দগ্ধ হবার যন্ত্রণা।	كُلَّمَآ اَرَادُوْٓا اَنْ يَّخْرُجُوْا مِنْهَا مِنْ غَمٍّ اُعِيْدُوْا فِيْهَا ۗ وَذُوْقُوْا عَذَابَ الْحَرِيْقِ ﴿٢٢﴾
২৩. যারা ঈমান আনে এবং আমলে সালেহ্ করে আল্লাহ্ তাদের দাখিল করবেন জান্নাত (উদ্যান)সমূহে, যাদের নিচে দিয়ে বহমান থাকবে নদ-নদী-নহর। তাদেরকে সেখানে অলংকার পরানো হবে সোনার এবং মুক্তার। সেখানে তাদের পোশাক হবে রেশমি পোশাক।	اِنَّ اللّٰهَ يُدْخِلُ الَّذِيْنَ اٰمَنُوْا وَعَمِلُوا الصّٰلِحٰتِ جَنّٰتٍ تَجْرِيْ مِنْ تَحْتِهَا الْاَنْهٰرُ يُحَلَّوْنَ فِيْهَا مِنْ اَسَاوِرَ مِنْ ذَهَبٍ وَّلُؤْلُؤًا ۗ وَلِبَاسُهُمْ فِيْهَا حَرِيْرٌ ﴿٢٣﴾
২৪. আর তাদেরকে (দুনিয়ায়) সুন্দর ও উত্তম কথা বলার পথ দেখানো হয়েছিল এবং পরিচালিত করা হয়েছিল প্রশংসিত আল্লাহ্র পথে।	وَهُدُوْٓا اِلَى الطَّيِّبِ مِنَ الْقَوْلِ ۚ وَهُدُوْٓا اِلٰى صِرَاطِ الْحَمِيْدِ ﴿٢٤﴾
২৫. পক্ষান্তরে যারা কুফুরি করে এবং আল্লাহ্র পথে চলতে ও মসজিদুল হারামে যেতে বাধা সৃষ্টি করে, যে ঘরকে আমরা করে দিয়েছি স্থানীয় এবং বহিরাগত সকলের জন্যে সমান অধিকার সম্পন্ন (তাদের জন্যে শাস্তি অবধারিত)। যারাই তাতে (মসজিদুল হারামে) সীমালঙ্ঘন করে পাপ করবে, তাদেরকেই আমরা আস্বাদন করাবো বেদনাদায়ক আযাব।	اِنَّ الَّذِيْنَ كَفَرُوْا وَيَصُدُّوْنَ عَنْ سَبِيْلِ اللّٰهِ وَالْمَسْجِدِ الْحَرَامِ الَّذِيْ جَعَلْنٰهُ لِلنَّاسِ سَوَآءَ ۨالْعَاكِفُ فِيْهِ وَالْبَادِ ؕ وَمَنْ يُّرِدْ فِيْهِ بِاِلْحَادٍۭ بِظُلْمٍ نُّذِقْهُ مِنْ عَذَابٍ اَلِيْمٍ ﴿٢٥﴾
২৬. স্মরণ করো, আমরা ইবরাহিমের জন্যে নির্ধারণ করে দিয়েছিলাম সেই ঘর (নির্মাণের) স্থান, আর তাকে বলে দিয়েছিলাম: আমার সাথে কোনো কিছুকে শরিক করোনা এবং আমার ঘরকে পবিত্র রাখবে তাদের জন্যে, যারা তাওয়াফ করে, যারা সালাতে দাঁড়ায় এবং রুকু ও সাজদা করে।	وَاِذْ بَوَّاْنَا لِاِبْرٰهِيْمَ مَكَانَ الْبَيْتِ اَنْ لَّا تُشْرِكْ بِيْ شَيْـًٔا وَّطَهِّرْ بَيْتِيَ لِلطَّآئِفِيْنَ وَالْقَآئِمِيْنَ وَالرُّكَّعِ السُّجُوْدِ ﴿٢٦﴾
২৭. (আর আমরা ইবরাহিমকে এই নির্দেশও দিয়েছিলাম যে) মানুষের মাঝে হজ্জের ঘোষণা প্রচার করে দাও। তারা তোমার কাছে আসবে পায়ে হেঁটে এবং উটের পিঠে করে। তারা আসবে দূর দূরান্ত থেকে, দীর্ঘ পথ পাড়ি দিয়ে।	وَاَذِّنْ فِي النَّاسِ بِالْحَجِّ يَاْتُوْكَ رِجَالًا وَّعَلٰى كُلِّ ضَامِرٍ يَّاْتِيْنَ مِنْ كُلِّ فَجٍّ عَمِيْقٍ ﴿٢٧﴾
২৮. যাতে করে তারা তাদের জন্যে উপকারী স্থানগুলোতে উপস্থিত হতে পারে, আর যেনো তাদেরকে জীবিকা হিসেবে তিনি যেসব চারপায়ী জানোয়ার দান করেছেন সেগুলোর উপর নির্দিষ্ট দিনগুলোতে আল্লাহ্র নাম উচ্চারণ করতে পারে। আর তোমরা (সেই কুরবানি করা পশুর গোশ্ত) নিজেরা খাও এবং অভাবী ও মুখাপেক্ষী লোকদের খেতে দাও।	لِّيَشْهَدُوْا مَنَافِعَ لَهُمْ وَيَذْكُرُوا اسْمَ اللّٰهِ فِيْٓ اَيَّامٍ مَّعْلُوْمٰتٍ عَلٰى مَا رَزَقَهُمْ مِّنْۢ بَهِيْمَةِ الْاَنْعَامِ ۚ فَكُلُوْا مِنْهَا وَاَطْعِمُوا الْبَآئِسَ الْفَقِيْرَ ﴿٢٨﴾
২৯. তারপর তারা যেনো তাদের (দৈহিক) অপরিচ্ছন্নতা দূর করে এবং তাদের মানত পুরা করে, আর (আমার) এই প্রাচীন ঘরের তাওয়াফ করে।	ثُمَّ لْيَقْضُوْا تَفَثَهُمْ وَلْيُوْفُوْا نُذُوْرَهُمْ وَلْيَطَّوَّفُوْا بِالْبَيْتِ الْعَتِيْقِ ﴿٢٩﴾

রুকু ০২

রুকু ০৩

৩০. এগুলোই (হজ্জের বিধান)। এছাড়া যে আল্লাহ্‌র পবিত্র (স্থান ও অনুষ্ঠান) সমূহের প্রতি সম্মান দেখাবে, তার প্রভুর কাছে সেটা হবে তার জন্যে উত্তম। আর তোমাদের জন্যে হালাল করে দেয়া হলো গবাদি পশু সেগুলো ছাড়া, যেগুলোর বিষয়ে আগেই তোমাদের তিলাওয়াত করা (বিবরণ দেয়া) হয়েছে। সুতরাং তোমরা মূর্তি পূজার নোংরামি বর্জন করো এবং বর্জন করো মিথ্যা কথা।

ذٰلِكَ ۗ وَ مَنْ يُّعَظِّمْ حُرُمٰتِ اللّٰهِ فَهُوَ خَيْرٌ لَّهٗ عِنْدَ رَبِّهٖ ؕ وَ اُحِلَّتْ لَكُمُ الْاَنْعَامُ اِلَّا مَا يُتْلٰى عَلَيْكُمْ فَاجْتَنِبُوا الرِّجْسَ مِنَ الْاَوْثَانِ وَ اجْتَنِبُوْا قَوْلَ الزُّوْرِ ۙ﴿۳۰﴾

৩১. আল্লাহ্‌র প্রতি একনিষ্ঠ হয়ে এবং তাঁর সাথে কোনো শরিক না করে। যে কেউ আল্লাহ্‌র সাথে শরিক করবে, সে যেনো আকাশ থেকে ছিটকে পড়ে গেলো আর পাখি তাকে ছোঁ মেরে নিয়ে গেলো, কিংবা প্রবল বাতাস তাকে উড়িয়ে নিয়ে গিয়ে নিক্ষেপ করলো এক নিরুদ্দেশ স্থানে।

حُنَفَآءَ لِلّٰهِ غَيْرَ مُشْرِكِيْنَ بِهٖ ؕ وَ مَنْ يُّشْرِكْ بِاللّٰهِ فَكَاَنَّمَا خَرَّ مِنَ السَّمَآءِ فَتَخْطَفُهُ الطَّيْرُ اَوْ تَهْوِيْ بِهِ الرِّيْحُ فِيْ مَكَانٍ سَحِيْقٍ ﴿۳۱﴾

৩২. এগুলো (আল্লাহ্‌র নির্দেশাবলি), আর যারাই আল্লাহ্‌র নিদর্শনাবলির প্রতি সম্মান দেখাবে, সেটা হবে অন্তরের তাকওয়ার প্রকাশ।

ذٰلِكَ ۗ وَ مَنْ يُّعَظِّمْ شَعَآئِرَ اللّٰهِ فَاِنَّهَا مِنْ تَقْوَى الْقُلُوْبِ ﴿۳۲﴾

৩৩. এগুলোর (এসব পশুর) মধ্যে তোমাদের জন্যে রয়েছে উপকার একটি নির্দিষ্ট সময়ের জন্যে, তারপর তাদের কুরবানির স্থান আমার প্রাচীন ঘরের কাছে।

রুকু ০৪

لَكُمْ فِيْهَا مَنَافِعُ اِلٰۤى اَجَلٍ مُّسَمًّى ثُمَّ مَحِلُّهَاۤ اِلَى الْبَيْتِ الْعَتِيْقِ ﴿۳۳﴾

৩৪. আমরা প্রত্যেক উম্মতের জন্যে কুরবানির একটি নিয়ম করে দিয়েছি, আল্লাহ্ তাদেরকে জীবিকা হিসেবে যেসব চারপায়ী জানোয়ার দিয়েছেন, সেগুলোর উপর যেনো তারা আল্লাহ্‌র নাম উচ্চারণ করে। তোমাদের ইলাহ্ তো একমাত্র ইলাহ্। সুতরাং তোমরা কেবল তাঁরই প্রতি আত্মসর্মপণ করো। আর হে নবী, সুসংবাদ দাও বিনয়ীদের,

وَ لِكُلِّ اُمَّةٍ جَعَلْنَا مَنْسَكًا لِّيَذْكُرُوا اسْمَ اللّٰهِ عَلٰى مَا رَزَقَهُمْ مِّنْۢ بَهِيْمَةِ الْاَنْعَامِ ؕ فَاِلٰهُكُمْ اِلٰهٌ وَّاحِدٌ فَلَهٗۤ اَسْلِمُوْا ؕ وَ بَشِّرِ الْمُخْبِتِيْنَ ۙ﴿۳۴﴾

৩৫. যাদের কলব কেঁপে উঠে আল্লাহ্‌র কথা স্মরণ করিয়ে দেয়া হলে, যারা সবর অবলম্বন করে বিপদ মসিবতে, সালাত কায়েম করে এবং আমাদের দেয়া জীবিকা থেকে খরচ করে (আল্লাহ্‌র সন্তুষ্টির উদ্দেশ্যে)।

الَّذِيْنَ اِذَا ذُكِرَ اللّٰهُ وَجِلَتْ قُلُوْبُهُمْ وَ الصّٰبِرِيْنَ عَلٰى مَاۤ اَصَابَهُمْ وَ الْمُقِيْمِي الصَّلٰوةِ ۙ وَ مِمَّا رَزَقْنٰهُمْ يُنْفِقُوْنَ ﴿۳۵﴾

৩৬. আর উটকে আমরা বানিয়েছি আল্লাহ্‌র একটি নিদর্শন তোমাদের জন্যে। আর তাতে রয়েছে তোমাদের জন্যে কল্যাণ। সুতরাং সারিবদ্ধভাবে দাঁড়ানো অবস্থায় তোমরা তাদের উপর আল্লাহ্‌র নাম উচ্চারণ করো। যখন তারা কাত হয়ে পড়ে যাবে, তখন তোমরা তা থেকে খাও এবং তা থেকে খেতে দাও ধৈর্যশীল অভাবীদের ও প্রার্থী অভাবীদের। এভাবেই

وَ الْبُدْنَ جَعَلْنٰهَا لَكُمْ مِّنْ شَعَآئِرِ اللّٰهِ لَكُمْ فِيْهَا خَيْرٌ ۖۗ فَاذْكُرُوا اسْمَ اللّٰهِ عَلَيْهَا صَوَآفَّ ۚ فَاِذَا وَجَبَتْ جُنُوْبُهَا فَكُلُوْا مِنْهَا وَ اَطْعِمُوا الْقَانِعَ وَ الْمُعْتَرَّ ؕ كَذٰلِكَ سَخَّرْنٰهَا لَكُمْ

রুকু ০৫

আমরা সেগুলো করে দিয়েছি তোমাদের অধীন, যাতে করে তোমরা শোকর আদায় করো।	لَعَلَّكُمْ تَشْكُرُوْنَ ﴿٣٦﴾
৩৭. আল্লাহ্‌র কাছে পৌঁছায়না তার (কুরবানির) গোশ্‌ত এবং রক্ত, বরঞ্চ পৌঁছায় তোমাদের তাকওয়া। এভাবেই আল্লাহ্ সেগুলোকে তোমাদের অধীন করে দিয়েছেন, যাতে করে তোমরা আল্লাহ্‌র শ্রেষ্ঠত্ব ঘোষণা করতে পারো তিনি তোমাদেরকে যে হিদায়াত (কুরআন) দান করেছেন তার ভিত্তিতে। সুসংবাদ দাও কল্যাণকামীদের।	لَنْ يَّنَالَ اللّٰهَ لُحُوْمُهَا وَلَا دِمَآؤُهَا وَلٰكِنْ يَّنَالُهُ التَّقْوٰى مِنْكُمْ ؕ كَذٰلِكَ سَخَّرَهَا لَكُمْ لِتُكَبِّرُوا اللّٰهَ عَلٰى مَا هَدٰىكُمْ ؕ وَبَشِّرِ الْمُحْسِنِيْنَ ﴿٣٧﴾
৩৮. আল্লাহ্ মুমিনদের রক্ষা করেন। আল্লাহ্ কোনো বিশ্বাসঘাতক অকৃতজ্ঞকে পছন্দ করেন না।	اِنَّ اللّٰهَ يُدٰفِعُ عَنِ الَّذِيْنَ اٰمَنُوْا ؕ اِنَّ اللّٰهَ لَا يُحِبُّ كُلَّ خَوَّانٍ كَفُوْرٍ ﴿٣٨﴾
৩৯. অনুমতি দেয়া হলো (প্রতিরোধের) যারা আক্রান্ত হয়েছে তাদেরকে, কারণ তাদের প্রতি যুলুম করা হয়েছে। অবশ্যি তাদের সাহায্য করতে আল্লাহ্ সক্ষম।	اُذِنَ لِلَّذِيْنَ يُقٰتَلُوْنَ بِاَنَّهُمْ ظُلِمُوْا ؕ وَاِنَّ اللّٰهَ عَلٰى نَصْرِهِمْ لَقَدِيْرُ ۨ ﴿٣٩﴾
৪০. (কারণ) তাদেরকে না হকভাবে খারিজ করে দেয়া হয়েছে তাদের ঘর-বাড়ি থেকে। (তাদের বের করে দেয়া হয়েছে) শুধু এ কারণে যে, তারা বলে: ‘ আল্লাহ্ আমাদের রব।’ আল্লাহ্ যদি একদল মানুষকে অন্য দল দিয়ে প্রতিহত না করতেন, তাহলে অবশ্যি বিধ্বস্ত হয়ে যেতো (খৃষ্টান) বৈরাগীদের উপাসনালয়, গীর্জা, ইহুদিদের উপাসনালয় এবং মসজিদসমূহ যেগুলোতে বেশি বেশি স্মরণ করা হয় আল্লাহ্‌র নাম। আর অবশ্যি আল্লাহ্ ঐ ব্যক্তিকে সাহায্য করেন যে তাঁকে সাহায্য করে। নিশ্চয়ই আল্লাহ্ শক্তিধর মহাপরাক্রমশালী।	الَّذِيْنَ اُخْرِجُوْا مِنْ دِيَارِهِمْ بِغَيْرِ حَقٍّ اِلَّآ اَنْ يَّقُوْلُوْا رَبُّنَا اللّٰهُ ؕ وَلَوْلَا دَفْعُ اللّٰهِ النَّاسَ بَعْضَهُمْ بِبَعْضٍ لَّهُدِّمَتْ صَوَامِعُ وَبِيَعٌ وَّصَلَوٰتٌ وَّمَسٰجِدُ يُذْكَرُ فِيْهَا اسْمُ اللّٰهِ كَثِيْرًا ؕ وَلَيَنْصُرَنَّ اللّٰهُ مَنْ يَّنْصُرُهٗ ؕ اِنَّ اللّٰهَ لَقَوِىٌّ عَزِيْزٌ ﴿٤٠﴾
৪১. (এসব লোক হলো তারা) যাদের আমরা জমিনে প্রতিষ্ঠা দান করলে তারা সালাত কায়েম করবে, যাকাত প্রদান করবে, ভালো কাজের আদেশ দেবে, এবং মন্দ কাজ থেকে নিষেধ করবে। আর সব কাজের পরিণাম তো আল্লাহ্‌র দায়িত্বে।	اَلَّذِيْنَ اِنْ مَّكَّنّٰهُمْ فِى الْاَرْضِ اَقَامُوا الصَّلٰوةَ وَاٰتَوُا الزَّكٰوةَ وَاَمَرُوْا بِالْمَعْرُوْفِ وَنَهَوْا عَنِ الْمُنْكَرِ ؕ وَلِلّٰهِ عَاقِبَةُ الْاُمُوْرِ ﴿٤١﴾
৪২. তারা যদি তোমাকে মিথ্যা বলে প্রত্যাখ্যান করেই, তবে তাদের আগেও অস্বীকার করেছিল নূহ, আদ ও সামুদ জাতি।	وَاِنْ يُّكَذِّبُوْكَ فَقَدْ كَذَّبَتْ قَبْلَهُمْ قَوْمُ نُوْحٍ وَّعَادٌ وَّثَمُوْدُ ۙ ﴿٤٢﴾
৪৩. ইবরাহিম এবং লুতের জাতিও।	وَقَوْمُ اِبْرٰهِيْمَ وَقَوْمُ لُوْطٍ ۙ ﴿٤٣﴾
৪৪. মাদইয়ানবাসীরাও। এছাড়া অস্বীকার করা হয়েছিল মূসাকেও। আমরা কাফিরদের অবকাশ দিয়েছি, তারপর পাকড়াও করেছি। কেমন অসহনীয় ছিলো আমার শাস্তি!	وَّاَصْحٰبُ مَدْيَنَ ۚ وَكُذِّبَ مُوْسٰى فَاَمْلَيْتُ لِلْكٰفِرِيْنَ ثُمَّ اَخَذْتُهُمْ ۚ فَكَيْفَ كَانَ نَكِيْرِ ﴿٤٤﴾

৪৫. কতো যে জনপদ আমরা ধ্বংস করে দিয়েছি। কারণ, সেগুলোর অধিবাসীরা ছিলো যালিম। সেসব জনপদ তাদের ঘরের ছাদসহ ধ্বংসস্তূপে পরিণত হয়েছিল। কতো যে কূপ পরিত্যাক্ত হয়েছিল, আর কতো যে সুদৃঢ় প্রাসাদ।	فَكَاَيِّنۡ مِّنۡ قَرۡيَةٍ اَهۡلَكۡنٰهَا وَ هِىَ ظَالِمَةٌ فَهِىَ خَاوِيَةٌ عَلٰى عُرُوۡشِهَا وَ بِئۡرٍ مُّعَطَّلَةٍ وَّ قَصۡرٍ مَّشِيۡدٍ ﴿۴۵﴾
৪৬. তারা কি জমিনের বুকে পরিভ্রমণ করেনা? আর তাদের যদি আকলওয়ালা কলব থাকতো এবং শুনার মতো কান থাকতো! আর তাদের চোখ তো অন্ধ নয়, মূলত অন্ধ হলো তাদের বুকের মধ্যকার কলব (হৃদয়)।	اَفَلَمۡ يَسِيۡرُوۡا فِى الۡاَرۡضِ فَتَكُوۡنَ لَهُمۡ قُلُوۡبٌ يَّعۡقِلُوۡنَ بِهَاۤ اَوۡ اٰذَانٌ يَّسۡمَعُوۡنَ بِهَا ۚ فَاِنَّهَا لَا تَعۡمَى الۡاَبۡصَارُ وَ لٰكِنۡ تَعۡمَى الۡقُلُوۡبُ الَّتِىۡ فِى الصُّدُوۡرِ ﴿۴۶﴾
৪৭. তারা তোমাকে দ্রুত আযাব এনে দিতে বলে। অথচ আল্লাহ্ কখনো তাঁর ওয়াদা খেলাফ করেন না। আল্লাহ্‌র কাছে একদিন হলো তোমাদের হিসাবের হাজার বছরের সমান।	وَ يَسۡتَعۡجِلُوۡنَكَ بِالۡعَذَابِ وَ لَنۡ يُّخۡلِفَ اللّٰهُ وَعۡدَهٗ ؕ وَ اِنَّ يَوۡمًا عِنۡدَ رَبِّكَ كَاَلۡفِ سَنَةٍ مِّمَّا تَعُدُّوۡنَ ﴿۴۷﴾
৪৮. কতো যে যালিম জনপদকে আমি অবকাশ দিয়েছি, তারপর তাদের পাকড়াও করেছি। আমার কাছেই হবে তাদের (শেষ) প্রত্যাবর্তন।	وَ كَاَيِّنۡ مِّنۡ قَرۡيَةٍ اَمۡلَيۡتُ لَهَا وَ هِىَ ظَالِمَةٌ ثُمَّ اَخَذۡتُهَا ۚ وَ اِلَىَّ الۡمَصِيۡرُ ﴿۴۸﴾
৪৯. (হে নবী!) বলো: 'হে মানুষ! আমি তোমাদের জন্যে একজন সুস্পষ্ট সতর্ককারী।'	قُلۡ يٰۤاَيُّهَا النَّاسُ اِنَّمَاۤ اَنَا لَـكُمۡ نَذِيۡرٌ مُّبِيۡنٌ ﴿۴۹﴾
৫০. অতএব, যারা ঈমান আনবে এবং আমলে সালেহ্ করবে, তাদের জন্যে থাকবে মাগফিরাত এবং সম্মানজনক জীবিকা।	فَالَّذِيۡنَ اٰمَنُوۡا وَ عَمِلُوا الصّٰلِحٰتِ لَهُمۡ مَّغۡفِرَةٌ وَّ رِزۡقٌ كَرِيۡمٌ ﴿۵۰﴾
৫১. আর যারা আমার আয়াতকে খাটো করার চেষ্টা করবে, তারা হবে জাহান্নামের অধিবাসী।	وَ الَّذِيۡنَ سَعَوۡا فِىۡۤ اٰيٰتِنَا مُعٰجِزِيۡنَ اُولٰٓئِكَ اَصۡحٰبُ الۡجَحِيۡمِ ﴿۵۱﴾
৫২. তোমার আগে আমরা যে রসূল কিংবা যে নবীই পাঠিয়েছি, তাদের কেউ যখনই কোনো আকাঙক্ষা করেছে, তখনই শয়তান তার আকাঙ্ক্ষায় কিছু নিক্ষেপ করেছে। কিন্তু শয়তান যা নিক্ষেপ করে আল্লাহ্ তা মুছে দেন এবং তখনই আল্লাহ্ তাঁর আয়াতসমূহ সুপ্রতিষ্ঠিত করেন। আল্লাহ্ সর্বজ্ঞানী, প্রজ্ঞাময়।	وَ مَاۤ اَرۡسَلۡنَا مِنۡ قَبۡلِكَ مِنۡ رَّسُوۡلٍ وَّ لَا نَبِىٍّ اِلَّاۤ اِذَا تَمَنّٰٓى اَلۡقَى الشَّيۡطٰنُ فِىۡۤ اُمۡنِيَّتِهٖ ۚ فَيَنۡسَخُ اللّٰهُ مَا يُلۡقِى الشَّيۡطٰنُ ثُمَّ يُحۡكِمُ اللّٰهُ اٰيٰتِهٖ ؕ وَ اللّٰهُ عَلِيۡمٌ حَكِيۡمٌ ۙ ﴿۵۲﴾
৫৩. এটা এ জন্যে যে, শয়তান যা নিক্ষেপ করে সেটাকে আমরা পরীক্ষা বানাই তাদের জন্যে যাদের কলবে রোগ আছে এবং যারা পাষণ্ডহৃদয়। নিশ্চয়ই যালিমরা রয়েছে অনেক মতভেদ ও সন্দেহের মধ্যে।	لِّيَجۡعَلَ مَا يُلۡقِى الشَّيۡطٰنُ فِتۡنَةً لِّلَّذِيۡنَ فِىۡ قُلُوۡبِهِمۡ مَّرَضٌ وَّ الۡقَاسِيَةِ قُلُوۡبُهُمۡ ؕ وَ اِنَّ الظّٰلِمِيۡنَ لَفِىۡ شِقَاقٍۭ بَعِيۡدٍ ۙ ﴿۵۳﴾
৫৪. আর এটা এ জন্যেও, যাতে করে যাদের জ্ঞান দেয়া হয়েছে তারা জানতে পারে যে, তা	وَّ لِيَعۡلَمَ الَّذِيۡنَ اُوۡتُوا الۡعِلۡمَ اَنَّهُ الۡحَقُّ

রুকু ০৬

আল্লাহ্‌র পক্ষ থেকে মহাসত্য। তারপর তারা যেনো তাতে ঈমান আনে এবং সেটার অনুগত হয়। অবশ্যি আল্লাহ্ তাদেরকে পরিচালিত করেন সিরাতুল মুস্‌তাকিমের দিকে, যারা ঈমান আনে।	مِنْ رَّبِّكَ فَيُؤْمِنُوْا بِهٖ فَتُخْبِتَ لَهٗ قُلُوْبُهُمْ ؕ وَاِنَّ اللّٰهَ لَهَادِ الَّذِيْنَ اٰمَنُوْۤا اِلٰى صِرَاطٍ مُّسْتَقِيْمٍ ﴿٥٤﴾
৫৫. কাফিররা তাতে সন্দেহ পোষণ করতেই থাকবে, যতোদিন না তাদের কাছে আকস্মিকভাবে কিয়ামত এসে পড়ে, অথবা এসে পড়ে এক বন্ধ্যা দিনের আযাব।	وَ لَا يَزَالُ الَّذِيْنَ كَفَرُوْا فِيْ مِرْيَةٍ مِّنْهُ حَتّٰى تَاْتِيَهُمُ السَّاعَةُ بَغْتَةً اَوْ يَاْتِيَهُمْ عَذَابُ يَوْمٍ عَقِيْمٍ ﴿٥٥﴾
৫৬. সেদিন সমস্ত কর্তৃত্ব থাকবে আল্লাহ্‌র হাতে। তিনি তাদের মধ্যে ফায়সালা করবেন। তারপর যারা ঈমান এনেছে এবং আমলে সালেহ্ করেছে (বলে প্রমাণিত হবে), তারা থাকবে জান্নাতুন নায়ীমে।	اَلْمُلْكُ يَوْمَئِذٍ لِّلّٰهِ ؕ يَحْكُمُ بَيْنَهُمْ ؕ فَالَّذِيْنَ اٰمَنُوْا وَ عَمِلُوا الصّٰلِحٰتِ فِيْ جَنّٰتِ النَّعِيْمِ ﴿٥٦﴾
৫৭. আর যারা কুফুরি করেছে এবং আমাদের আয়াতকে অস্বীকার করেছে (বলে প্রমাণিত হবে), তাদের জন্যে থাকবে অপমানকর আযাব।	وَ الَّذِيْنَ كَفَرُوْا وَ كَذَّبُوْا بِاٰيٰتِنَا فَاُولٰٓئِكَ لَهُمْ عَذَابٌ مُّهِيْنٌ ﴿٥٧﴾

রুকু ০৭

৫৮. যারা আল্লাহর পথে হিজরত করেছে, তারপর নিহত হয়েছে, কিংবা তাদের মৃত্যু হয়েছে, অবশ্যি আল্লাহ্ তাদের উত্তম রিযিক দান করবেন। আর নিশ্চয়ই আল্লাহ্ সর্বোত্তম রিযিকদাতা।	وَ الَّذِيْنَ هَاجَرُوْا فِيْ سَبِيْلِ اللّٰهِ ثُمَّ قُتِلُوْۤا اَوْ مَاتُوْا لَيَرْزُقَنَّهُمُ اللّٰهُ رِزْقًا حَسَنًا ؕ وَاِنَّ اللّٰهَ لَهُوَ خَيْرُ الرّٰزِقِيْنَ ﴿٥٨﴾
৫৯. তিনি তাদের দাখিল করবেন এমন (উদ্যানে) যা তারা পছন্দ করবে। নিশ্চয়ই আল্লাহ্ জ্ঞানী এবং সহনশীল।	لَيُدْخِلَنَّهُمْ مُّدْخَلًا يَّرْضَوْنَهٗ ؕ وَ اِنَّ اللّٰهَ لَعَلِيْمٌ حَلِيْمٌ ﴿٥٩﴾
৬০. এ রকমই হবে। কোনো ব্যক্তি যদি নির্যাতিত হয়ে অনুরূপ প্রতিশোধ গ্রহণ করে, তারপরও যদি সে আবার নির্যাতিত হয়, আল্লাহ্ অবশ্য অবশ্যি তাকে সাহায্য করবেন। নিশ্চয়ই আল্লাহ্ কোমল, ক্ষমাশীল।	ذٰلِكَ ۚ وَ مَنْ عَاقَبَ بِمِثْلِ مَا عُوْقِبَ بِهٖ ثُمَّ بُغِيَ عَلَيْهِ لَيَنْصُرَنَّهُ اللّٰهُ ؕ اِنَّ اللّٰهَ لَعَفُوٌّ غَفُوْرٌ ﴿٦٠﴾
৬১. এর কারণ, আল্লাহ্ রাতকে প্রবেশ করিয়ে দেন দিনের মধ্যে এবং দিনকে রাতের মধ্যে, আর নিশ্চয়ই আল্লাহ্ সব শুনেন, সব দেখেন।	ذٰلِكَ بِاَنَّ اللّٰهَ يُوْلِجُ الَّيْلَ فِي النَّهَارِ وَ يُوْلِجُ النَّهَارَ فِي الَّيْلِ وَ اَنَّ اللّٰهَ سَمِيْعٌۢ بَصِيْرٌ ﴿٦١﴾
৬২. এর কারণ এটাও যে, আল্লাহ্‌ই একমাত্র মহাসত্য, আর আল্লাহ্‌র পরিবর্তে তারা যা ডাকে তা অসত্য, বাতিল। আর আল্লাহ্‌ই মর্যাদাবান ও শ্রেষ্ঠ।	ذٰلِكَ بِاَنَّ اللّٰهَ هُوَ الْحَقُّ وَ اَنَّ مَا يَدْعُوْنَ مِنْ دُوْنِهٖ هُوَ الْبَاطِلُ وَ اَنَّ اللّٰهَ هُوَ الْعَلِيُّ الْكَبِيْرُ ﴿٦٢﴾
৬৩. তুমি কি দেখোনা, আল্লাহ্ নাযিল করেন আসমান থেকে পানি, আর তখন জমিন সবুজ শ্যামল হয়ে উঠে। নিশ্চয়ই আল্লাহ্ সূক্ষ্মদর্শী,	اَلَمْ تَرَ اَنَّ اللّٰهَ اَنْزَلَ مِنَ السَّمَآءِ مَآءً ۫ فَتُصْبِحُ الْاَرْضُ مُخْضَرَّةً ؕ اِنَّ اللّٰهَ

সব বিষয়ে অবগত।	لَطِيْفٌ خَبِيْرٌ ﴿٦٣﴾
৬৪. মহাকাশ এবং পৃথিবীতে যা কিছু আছে সবই তাঁর। নিশ্চয়ই আল্লাহ্ অভাবমুক্ত, সপ্রশংসিত।	لَهٗ مَا فِي السَّمٰوٰتِ وَ مَا فِي الْاَرْضِ ؕ وَ اِنَّ اللّٰهَ لَهُوَ الْغَنِيُّ الْحَمِيْدُ ﴿٦٤﴾
৬৫. তুমি কি দেখোনা, আল্লাহ্ যে তোমাদের কল্যাণে নিয়োজিত করে রেখেছেন পৃথিবীতে যা আছে সবকিছুকে এবং তাঁরই নির্দেশে সমুদ্রে চলাচল করা নৌযানকে। তিনিই স্থির রাখেন আসমানকে তাঁর অনুমতি ছাড়া পৃথিবীর উপর পতিত হওয়া থেকে। নিশ্চয়ই আল্লাহ্ মানুষের প্রতি অতীব কোমল, পরম দয়াবান।	اَلَمْ تَرَ اَنَّ اللّٰهَ سَخَّرَ لَكُمْ مَّا فِي الْاَرْضِ وَ الْفُلْكَ تَجْرِيْ فِي الْبَحْرِ بِاَمْرِهٖ ؕ وَ يُمْسِكُ السَّمَآءَ اَنْ تَقَعَ عَلَى الْاَرْضِ اِلَّا بِاِذْنِهٖ ؕ اِنَّ اللّٰهَ بِالنَّاسِ لَرَءُوْفٌ رَّحِيْمٌ ﴿٦٥﴾
৬৬. তিনিই তোমাদের জীবন দান করেন, অত:পর মৃত্যু দেন, তারপর আবার জীবিত করবেন। নিশ্চয়ই মানুষ ভীষণ অকৃতজ্ঞ।	وَ هُوَ الَّذِيْۤ اَحْيَاكُمْ ۫ ثُمَّ يُمِيْتُكُمْ ثُمَّ يُحْيِيْكُمْ ؕ اِنَّ الْاِنْسَانَ لَكَفُوْرٌ ﴿٦٦﴾
৬৭. প্রতিটি উম্মতের জন্যে আমরা নির্ধারিত করে দিয়েছি ইবাদত করার পদ্ধতি, যা তারা অনুসরণ করে। সুতরাং তারা যেনো এ বিষয়ে তোমার সাথে বিতর্ক না করে। তুমি তাদেরকে তোমার প্রভুর দিকে আহ্বান করো, নিশ্চয়ই তুমি রয়েছো সরল সঠিক পথের উপর প্রতিষ্ঠিত।	لِكُلِّ اُمَّةٍ جَعَلْنَا مَنْسَكًا هُمْ نَاسِكُوْهُ فَلَا يُنَازِعُنَّكَ فِي الْاَمْرِ وَ ادْعُ اِلٰى رَبِّكَ ؕ اِنَّكَ لَعَلٰى هُدًى مُّسْتَقِيْمٍ ﴿٦٧﴾
৬৮. তারা যদি তোমার সাথে বিতর্ক করে, তবে তুমি বলো: তোমরা যা করো, সে বিষয়ে আল্লাহ্ই ভালো জানেন।	وَ اِنْ جٰدَلُوْكَ فَقُلِ اللّٰهُ اَعْلَمُ بِمَا تَعْمَلُوْنَ ﴿٦٨﴾
৬৯. তোমরা যে বিষয়ে মতভেদ করছো, কিয়ামতের দিন আল্লাহ্ সে বিষয়ে ফায়সালা করে দেবেন।	اَللّٰهُ يَحْكُمُ بَيْنَكُمْ يَوْمَ الْقِيٰمَةِ فِيْمَا كُنْتُمْ فِيْهِ تَخْتَلِفُوْنَ ﴿٦٩﴾
৭০. তুমি কি জানোনা, আসমান ও জমিনে যা কিছু আছে সবই আল্লাহ্ জানেন? সবই কিতাবে রেকর্ড করা আছে। আর এ কাজ আল্লাহ্র জন্যে খুবই সহজ।	اَلَمْ تَعْلَمْ اَنَّ اللّٰهَ يَعْلَمُ مَا فِي السَّمَآءِ وَ الْاَرْضِ ؕ اِنَّ ذٰلِكَ فِيْ كِتٰبٍ ؕ اِنَّ ذٰلِكَ عَلَى اللّٰهِ يَسِيْرٌ ﴿٧٠﴾
৭১. তারা আল্লাহ্র পরিবর্তে এমন সবের ইবাদত করে যাদের পক্ষে আল্লাহ্ কোনো প্রমাণ নাযিল করেননি এবং এ সম্পর্কে তাদেরও কোনো জ্ঞান নেই। যালিমদের কোনো সাহায্যকারী হবেনা।	وَ يَعْبُدُوْنَ مِنْ دُوْنِ اللّٰهِ مَا لَمْ يُنَزِّلْ بِهٖ سُلْطٰنًا وَّ مَا لَيْسَ لَهُمْ بِهٖ عِلْمٌ ؕ وَ مَا لِلظّٰلِمِيْنَ مِنْ نَّصِيْرٍ ﴿٧١﴾
৭২. যখন তাদের প্রতি আমাদের সুস্পষ্ট আয়াত তিলাওয়াত করা হয়, তখন তুমি কাফিরদের চেহারায় লক্ষ্য করো অসন্তোষ। তারা তাদের উপর ঝাঁপিয়ে পড়তে উদ্যত হয়, যারা তিলাওয়াত করে আমাদের আয়াত। তুমি বলো:	وَ اِذَا تُتْلٰى عَلَيْهِمْ اٰيٰتُنَا بَيِّنٰتٍ تَعْرِفُ فِيْ وُجُوْهِ الَّذِيْنَ كَفَرُوا الْمُنْكَرَ ؕ يَكَادُوْنَ يَسْطُوْنَ بِالَّذِيْنَ يَتْلُوْنَ عَلَيْهِمْ اٰيٰتِنَا ؕ

রুকু ০৮

আমি কি এর চাইতেও মন্দ কিছুর সংবাদ তোমাদের দেবো? তাহলো জাহান্নাম! এর ওয়াদাই আল্লাহ্ কাফিরদের দিয়েছেন। আর এটা যে ফিরে যাবার কতো নিক�ৃষ্ট জায়গা!	قُلْ اَفَاُنَبِّئُكُمْ بِشَرٍّ مِّنْ ذٰلِكُمْ ؕ اَلنَّارُ ؕ وَعَدَهَا اللّٰهُ الَّذِيْنَ كَفَرُوْا ؕ وَ بِئْسَ الْمَصِيْرُ ﴿٧٢﴾
৭৩. হে মানুষ! একটি উপমা দেয়া হচ্ছে, মনোযোগ দিয়ে তা শুনো। তোমরা আল্লাহ্র পরিবর্তে যাদের ডাকো, তারা একটা মাছিও সৃষ্টি করতে পারেনা, এ উদ্দেশ্যে তারা সবাই একত্র হলেও নয়। আর মাছি যদি তার থেকে কিছু ছিনিয়ে নিয়ে যায়, তাও তার থেকে উদ্ধার করতে পারেনা। সাহায্য সন্ধানকারী এবং যার কাছে সাহায্য সন্ধান করা হয়, (তারা উভয়ই) কতো যে দুবর্ল!	يٰۤاَيُّهَا النَّاسُ ضُرِبَ مَثَلٌ فَاسْتَمِعُوْا لَهٗ ؕ اِنَّ الَّذِيْنَ تَدْعُوْنَ مِنْ دُوْنِ اللّٰهِ لَنْ يَّخْلُقُوْا ذُبَابًا وَّ لَوِ اجْتَمَعُوْا لَهٗ ؕ وَ اِنْ يَّسْلُبْهُمُ الذُّبَابُ شَيْـًٔا لَّا يَسْتَنْقِذُوْهُ مِنْهُ ؕ ضَعُفَ الطَّالِبُ وَ الْمَطْلُوْبُ ﴿٧٣﴾
৭৪. তারা আল্লাহ্র যথার্থ মর্যাদা উলব্ধি করেনা। নিশ্চয়ই আল্লাহ্ শক্তিধর, পরাক্রমশালী।	مَا قَدَرُوا اللّٰهَ حَقَّ قَدْرِهٖ ؕ اِنَّ اللّٰهَ لَقَوِيٌّ عَزِيْزٌ ﴿٧٤﴾
৭৫. আল্লাহ্ ফেরেশ্তাদের থেকে বাণী বাহক মনোনীত করেন এবং মানুষের মধ্য থেকেও মনোনীত করেন। আল্লাহ্ সব শুনেন, সব দেখেন।	اَللّٰهُ يَصْطَفِيْ مِنَ الْمَلٰٓئِكَةِ رُسُلًا وَّ مِنَ النَّاسِ ؕ اِنَّ اللّٰهَ سَمِيْعٌۢ بَصِيْرٌ ﴿٧٥﴾
৭৬. তাদের সামনে এবং পেছনে যা আছে সবই তিনি জানেন, আর সব বিষয় ফিরে যায় আল্লাহ্রই কাছে।	يَعْلَمُ مَا بَيْنَ اَيْدِيْهِمْ وَ مَا خَلْفَهُمْ ؕ وَ اِلَى اللّٰهِ تُرْجَعُ الْاُمُوْرُ ﴿٧٦﴾
৭৭. হে ঈমানদার লোকেরা! রুকু করো, সাজদা করো এবং ইবাদত করো তোমাদের প্রভুর, আর (মানব) কল্যাণের কাজ করো, অবশ্যি তোমরা সফলকাম হবে। (সাজদা)	يٰۤاَيُّهَا الَّذِيْنَ اٰمَنُوا ارْكَعُوْا وَ اسْجُدُوْا وَ اعْبُدُوْا رَبَّكُمْ وَ افْعَلُوا الْخَيْرَ لَعَلَّكُمْ تُفْلِحُوْنَ ﴿٧٧﴾ السجدة
৭৮. আর জিহাদ করো আল্লাহ্র মধ্যে (উদ্দেশ্যে) জিহাদের হক আদায় করে। তিনি তোমাদের মনোনীত করেছেন এবং দীনের ব্যাপারে তিনি তোমাদের উপর কোনো কষ্ট চাপিয়ে দেননি। তোমাদের পিতা ইবরাহিমের আদর্শের উপর তোমরা প্রতিষ্ঠিত হও। আল্লাহ্ই তোমাদের নামকরণ করেছেন 'মুসলিম' পূর্বেও এবং এই কিতাবেও, যাতে করে এই রসূল তোমাদের উপর সাক্ষী হয় আর তোমরাও সাক্ষী হও মানব জাতির উপর। অতএব তোমরা সালাত কায়েম করো, যাকাত প্রদান করো এবং আঁকড়ে ধরো আল্লাহ্কে। তিনিই তোমাদের মাওলা (অভিভাবক)। কতো যে উত্তম মাওলা তিনি এবং কতো যে উত্তম সাহায্যকারী!	وَ جَاهِدُوْا فِي اللّٰهِ حَقَّ جِهَادِهٖ ؕ هُوَ اجْتَبٰىكُمْ وَ مَا جَعَلَ عَلَيْكُمْ فِي الدِّيْنِ مِنْ حَرَجٍ ؕ مِلَّةَ اَبِيْكُمْ اِبْرٰهِيْمَ ؕ هُوَ سَمّٰىكُمُ الْمُسْلِمِيْنَ ۙ۬ مِنْ قَبْلُ وَ فِيْ هٰذَا لِيَكُوْنَ الرَّسُوْلُ شَهِيْدًا عَلَيْكُمْ وَ تَكُوْنُوْا شُهَدَآءَ عَلَى النَّاسِ ۚۖ فَاَقِيْمُوا الصَّلٰوةَ وَ اٰتُوا الزَّكٰوةَ وَ اعْتَصِمُوْا بِاللّٰهِ ؕ هُوَ مَوْلٰىكُمْ ۚ فَنِعْمَ الْمَوْلٰى وَ نِعْمَ النَّصِيْرُ ﴿٧٨﴾

রুকু ০৯

সাজদা

রুকু ১০

সূরা ২৩ আল মুমিনুন

মক্কায় অবতীর্ণ, আয়াত সংখ্যা: ১১৮, রকু সংখ্যা: ০৬

এই সূরার আলোচ্যসূচি (আয়াত ভিত্তিক আলোচ্য বিষয়)

০১-১১: জান্নাতুল ফেরদাউসের ওয়ারিশ মুমিনদের গুণাবলি।

১২-২২: মানুষ সৃষ্টির তত্ত্ব। মহাবিশ্বের সৃষ্টি। মানুষের প্রতি আল্লাহ্র অনুগ্রহ।

২৩-৭৭: নূহ আ.-কে তাঁর জাতি কর্তৃক প্রত্যাখ্যান এবং তাদের ধ্বংসের বিবরণ। এর পর বিভিন্ন জাতির কাছে পর্যায়ক্রমে আল্লাহ্র রসূল প্রেরণ। সব নবী একই আদর্শের বাহক ছিলেন। মানুষ ভালো ও মন্দ দু'ভাগে বিভক্ত হয়ে যায়। যারা কুরআন, মুহাম্মদ সা. ও আখিরাতের প্রতি ঈমান আনেনা তারা বিপথগামী।

৭৮-১১৮: পুনরুত্থানের যুক্তি, তাওহীদের যুক্তি। ভালো দিয়ে মন্দ প্রতিহত করো। কিয়ামতের পর বংশ সম্পর্ক ছিন্ন হয়ে যাবে। আল্লাহ্ অকারণে মানুষ সৃষ্টি করেননি। আল্লাহ্ ছাড়া কোনো ইলাহ নেই। শিরকের পক্ষে কোনো যুক্তি ও প্রমাণ নাই।

সূরা আল মুমিনুন (মুমিনগণ) পরম করুণাময়পরম দয়াবান আল্লাহ্র নামে	سُوۡرَةُ الۡمُؤۡمِنُوۡنَ بِسۡمِ اللّٰهِ الرَّحۡمٰنِ الرَّحِيۡمِ
০১. সফল হয়েছে মুমিনরা,	قَدۡ اَفۡلَحَ الۡمُؤۡمِنُوۡنَ ۙ﴿۱﴾
০২. যারা তাদের সালাতে হয় বিনীত,	الَّذِيۡنَ هُمۡ فِىۡ صَلَاتِهِمۡ خٰشِعُوۡنَ ۙ﴿۲﴾
০৩. যারা অর্থহীন কথাবার্তা থেকে থাকে বিরত,	وَالَّذِيۡنَ هُمۡ عَنِ اللَّغۡوِ مُعۡرِضُوۡنَ ۙ﴿۳﴾
০৪. যারা আত্মোন্নয়নে থাকে সক্রিয়,	وَالَّذِيۡنَ هُمۡ لِلزَّكٰوةِ فٰعِلُوۡنَ ۙ﴿۴﴾
০৫. যারা নিজেদের যৌন জীবনকে করে হিফাযত,	وَالَّذِيۡنَ هُمۡ لِفُرُوۡجِهِمۡ حٰفِظُوۡنَ ۙ﴿۵﴾
০৬. নিজেদের স্ত্রী এবং অধিকারভুক্ত দাসীদের ছাড়া, তাতে তারা হবেনা তিরস্কৃত।	اِلَّا عَلٰٓى اَزۡوَاجِهِمۡ اَوۡ مَا مَلَكَتۡ اَيۡمَانُهُمۡ فَاِنَّهُمۡ غَيۡرُ مَلُوۡمِيۡنَ ۚ﴿۶﴾
০৭. কিন্তু যারা এ ছাড়া অন্য কাউকেও কামনা করবে, তারা অবশ্যি গণ্য হবে সীমালজ্ঘনকারী হিসেবে।	فَمَنِ ابۡتَغٰى وَرَآءَ ذٰلِكَ فَاُولٰٓئِكَ هُمُ الۡعٰدُوۡنَ ۚ﴿۷﴾
০৮. আর তারা রক্ষা করে নিজেদের আমানত ও অংগীকার,	وَالَّذِيۡنَ هُمۡ لِاَمٰنٰتِهِمۡ وَعَهۡدِهِمۡ رٰعُوۡنَ ۙ﴿۸﴾
০৯. তাছাড়া তারা যত্নবান থাকে তাদের সালাতের প্রতি,	وَالَّذِيۡنَ هُمۡ عَلٰى صَلَوٰتِهِمۡ يُحَافِظُوۡنَ ۘ﴿۹﴾
১০. এরাই হবে ওয়ারিশ।	اُولٰٓئِكَ هُمُ الۡوٰرِثُوۡنَ ۙ﴿۱۰﴾
১১. তারা ওয়ারিশ হবে ফেরদাউসের এবং সেখানেই হবে তারা চিরস্থায়ী।	الَّذِيۡنَ يَرِثُوۡنَ الۡفِرۡدَوۡسَ ؕ هُمۡ فِيۡهَا خٰلِدُوۡنَ ﴿۱۱﴾
১২. আমরা মানুষকে সৃষ্টি করেছি মাটির উপাদান থেকে,	وَلَقَدۡ خَلَقۡنَا الۡاِنۡسَانَ مِنۡ سُلٰلَةٍ مِّنۡ طِيۡنٍ ۚ﴿۱۲﴾

পারা ১৮

১৩. তারপর তাকে আমরা নোতফা (শুক্রবিন্দু) হিসেবে স্থাপন করি এক নিরাপদ দুর্গে।	ثُمَّ جَعَلْنٰهُ نُطْفَةً فِىْ قَرَارٍ مَّكِيْنٍ ۝١٣
১৪. তারপর আমরা নোতফাকে রূপান্তরিত করি আলাকা-তে (শক্তভাবে আঁটকে থাকা জিনিসে), তারপর আলাকা-কে রূপান্তরিত করি মুদগায় (পিণ্ডতে), তারপর মুদগাকে রূপান্তরিত করি হাড়-অস্থিতে, তারপর হাড়-অস্থিকে ঢেকে দেই গোশ্ত দিয়ে, তারপর আমরা তাকে বানিয়ে নিই অন্য এক সৃষ্টি। সুতরাং সর্বোত্তম স্রষ্টা আল্লাহ্ কতো যে বরকতওয়ালা!	ثُمَّ خَلَقْنَا النُّطْفَةَ عَلَقَةً فَخَلَقْنَا الْعَلَقَةَ مُضْغَةً فَخَلَقْنَا الْمُضْغَةَ عِظٰمًا فَكَسَوْنَا الْعِظٰمَ لَحْمًا ۗ ثُمَّ اَنْشَاْنٰهُ خَلْقًا اٰخَرَ ؕ فَتَبٰرَكَ اللّٰهُ اَحْسَنُ الْخٰلِقِيْنَ ۝١٤
১৫. এরপর অবশ্যি তোমাদের মৃত্যু হবে।	ثُمَّ اِنَّكُمْ بَعْدَ ذٰلِكَ لَمَيِّتُوْنَ ؕ ۝١٥
১৬. তারপর তোমরা পুনরুত্থিত হবে কিয়ামতের দিন।	ثُمَّ اِنَّكُمْ يَوْمَ الْقِيٰمَةِ تُبْعَثُوْنَ ۝١٦
১৭. আমরা তোমাদের উপরে সৃষ্টি করেছি সাতটি স্তর (আকাশ), সৃষ্টি সম্পর্কে আমরা গাফিল নই।	وَلَقَدْ خَلَقْنَا فَوْقَكُمْ سَبْعَ طَرَآئِقَ ۖ وَمَا كُنَّا عَنِ الْخَلْقِ غٰفِلِيْنَ ۝١٧
১৮. আর আমরা নাযিল করেছি আসমান থেকে পানি পরিমাণ মাফিক। সেই পানিকে আমরা সংরক্ষণ করেছি মাটিতে। আবার সে পানি আমরা নিয়ে যেতেও সক্ষম।	وَاَنْزَلْنَا مِنَ السَّمَآءِ مَآءًۢ بِقَدَرٍ فَاَسْكَنّٰهُ فِى الْاَرْضِ ۖ وَاِنَّا عَلٰى ذَهَابٍۢ بِهٖ لَقٰدِرُوْنَ ۝١٨
১৯. অত:পর সেই পানি দিয়ে আমরা তোমাদের জন্যে সৃষ্টি করি খেজুর ও আঙ্গুরের বাগান, তাতে তোমাদের জন্যে হয় প্রচুর ফলন। তা থেকেই তোমরা খাও।	فَاَنْشَاْنَا لَكُمْ بِهٖ جَنّٰتٍ مِّنْ نَّخِيْلٍ وَّاَعْنَابٍ ۘ لَكُمْ فِيْهَا فَوَاكِهُ كَثِيْرَةٌ وَّمِنْهَا تَاْكُلُوْنَ ۝١٩
২০. আমরা এক ধরনের গাছ সৃষ্টি করেছি, তা জন্মায় সিনাই পর্বতে। তাতে উৎপন্ন হয় তেল এবং ভোক্তাদের জন্যে ব্যঞ্জন।	وَشَجَرَةً تَخْرُجُ مِنْ طُوْرِ سَيْنَآءَ تَنْۢبُتُ بِالدُّهْنِ وَصِبْغٍ لِّلْاٰكِلِيْنَ ۝٢٠
২১. তোমাদের জন্যে গবাদি পশুতে রয়েছে শিক্ষার বিষয়। তাদের পেটে যা (যে দুধ) আছে তা থেকে আমরা তোমাদের পান করাই। তা ছাড়া সেগুলোর মধ্যে রয়েছে তোমাদের জন্যে অনেক রকম উপকারিতা। আর তোমরা খেয়ে থাকো সেগুলো থেকে (সেগুলোর গোশ্ত)।	وَاِنَّ لَكُمْ فِى الْاَنْعَامِ لَعِبْرَةً ؕ نُسْقِيْكُمْ مِّمَّا فِىْ بُطُوْنِهَا وَلَكُمْ فِيْهَا مَنَافِعُ كَثِيْرَةٌ وَّمِنْهَا تَاْكُلُوْنَ ۝٢١
২২. সেগুলোতে এবং নৌযানে তোমরা আরোহন করে থাকো।	وَعَلَيْهَا وَعَلَى الْفُلْكِ تُحْمَلُوْنَ ۝٢٢
২৩. আমরা নূহকে পাঠিয়েছিলাম তার কওমের কাছে। সে তাদের বলেছিল: 'হে আমার কওম! তোমরা এক আল্লাহ্র দাসত্ব করো, তোমাদের জন্যে তিনি ছাড়া আর কোনো ইলাহ্ নেই। তবু কি তোমরা সতর্ক হবেনা?'	وَلَقَدْ اَرْسَلْنَا نُوْحًا اِلٰى قَوْمِهٖ فَقَالَ يٰقَوْمِ اعْبُدُوا اللّٰهَ مَا لَكُمْ مِّنْ اِلٰهٍ غَيْرُهٗ ؕ اَفَلَا تَتَّقُوْنَ ۝٢٣

রুকু ০১

২৪. তখন তার কওমের কাফির নেতারা বলেছিল: "এ তো তোমাদেরই মতো একজন মানুষ ছাড়া কিছু নয়। সে তোমাদের উপর শ্রেষ্ঠত্ব পেতে চায়। আল্লাহ্ (রসূল পাঠাতে) চাইলে অবশ্যি ফেরেশ্‌তা পাঠাতেন। আমাদের আগেকার লোকদের সময় এ রকম ঘটনা ঘটেছে বলে তো আমরা শুনিনি।	فَقَالَ الْمَلَؤُا الَّذِيْنَ كَفَرُوْا مِنْ قَوْمِهٖ مَا هٰذَآ اِلَّا بَشَرٌ مِّثْلُكُمْ ۙ يُرِيْدُ اَنْ يَّتَفَضَّلَ عَلَيْكُمْ ؕ وَلَوْ شَآءَ اللّٰهُ لَاَنْزَلَ مَلٰٓئِكَةً ۖۚ مَّا سَمِعْنَا بِهٰذَا فِيْٓ اٰبَآئِنَا الْاَوَّلِيْنَ ﴿٢٤﴾
২৫. সে আসলে একজন জিনে ধরা লোক। তোমরা এ ব্যাপারে কিছুদিন অপেক্ষা করো।"	اِنْ هُوَ اِلَّا رَجُلٌۢ بِهٖ جِنَّةٌ فَتَرَبَّصُوْا بِهٖ حَتّٰى حِيْنٍ ﴿٢٥﴾
২৬. তখন সে বলেছিল: 'আমার প্রভু! আমাকে সাহায্য করো, কারণ তারা তো আমাকে মিথ্যা বলে প্রত্যাখ্যান করেছে।'	قَالَ رَبِّ انْصُرْنِيْ بِمَا كَذَّبُوْنِ ﴿٢٦﴾
২৭. তখন আমরা তাকে অহি পাঠিয়ে নির্দেশ দিয়েছিলাম, আমাদের তত্ত্বাবধানে আমাদের অহি অনুযায়ী একটি নৌযান তৈরি করো। যখন আমাদের নির্দেশ এসে যাবে এবং চুলা উথলে পানি উঠবে, তখন প্রত্যেক ধরনের জীব জানোয়ার একেক জোড়া উঠিয়ে নিয়ো এবং তোমার পরিবার পরিজনকেও নিয়ো, তাদেরকে ছাড়া, যাদের বিরুদ্ধে পূর্ব সিদ্ধান্ত রয়েছে। যারা যুলুম করেছে তাদের ব্যাপারে আমার কাছে সুপারিশ করোনা, কারণ তারা নিমজ্জিত হবেই।	فَاَوْحَيْنَآ اِلَيْهِ اَنِ اصْنَعِ الْفُلْكَ بِاَعْيُنِنَا وَوَحْيِنَا فَاِذَا جَآءَ اَمْرُنَا وَفَارَ التَّنُّوْرُ ۙ فَاسْلُكْ فِيْهَا مِنْ كُلٍّ زَوْجَيْنِ اثْنَيْنِ وَاَهْلَكَ اِلَّا مَنْ سَبَقَ عَلَيْهِ الْقَوْلُ مِنْهُمْ ۚ وَلَا تُخَاطِبْنِيْ فِي الَّذِيْنَ ظَلَمُوْا ۚ اِنَّهُمْ مُّغْرَقُوْنَ ﴿٢٧﴾
২৮. অত:পর তুমি এবং তোমার সাথিরা যখন নৌযানে উঠে আসন গ্রহণ করবে, তখন বলবে: 'সমস্ত প্রশংসা আল্লাহ্‌র, যিনি আমাদের নাজাত দিয়েছেন যালিম কওম থেকে!'	فَاِذَا اسْتَوَيْتَ اَنْتَ وَمَنْ مَّعَكَ عَلَى الْفُلْكِ فَقُلِ الْحَمْدُ لِلّٰهِ الَّذِيْ نَجّٰىنَا مِنَ الْقَوْمِ الظّٰلِمِيْنَ ﴿٢٨﴾
২৯. আরো বলবে: 'আমার প্রভু! আমাকে অবতরণ করাও বরকতময় অবতরণের স্থানে, তুমিই তো অবতরণের জন্যে সর্বোত্তম স্থানদানকারী।'	وَقُلْ رَّبِّ اَنْزِلْنِيْ مُنْزَلًا مُّبٰرَكًا وَّاَنْتَ خَيْرُ الْمُنْزِلِيْنَ ﴿٢٩﴾
৩০. এর মধ্যে রয়েছে অনেক নিদর্শন। আমরা তো কেবল তাদের পরীক্ষা করেছিলাম।	اِنَّ فِيْ ذٰلِكَ لَاٰيٰتٍ وَّاِنْ كُنَّا لَمُبْتَلِيْنَ ﴿٣٠﴾
৩১. তাদের পর আমরা অন্য একটি প্রজন্মকে সৃষ্টি করেছিলাম।	ثُمَّ اَنْشَاْنَا مِنْ بَعْدِهِمْ قَرْنًا اٰخَرِيْنَ ﴿٣١﴾
৩২. আমরা তাদের মধ্য থেকেই তাদের কাছে পাঠিয়েছিলাম একজন রসূল। সে তাদের বলেছিল: 'তোমরা এক আল্লাহ্‌র দাসত্ব করো। তিনি ছাড়া তোমাদের আর কোনো ইলাহ্ নেই। তবু কি তোমরা সতর্ক হবেনা?'	فَاَرْسَلْنَا فِيْهِمْ رَسُوْلًا مِّنْهُمْ اَنِ اعْبُدُوا اللّٰهَ مَا لَكُمْ مِّنْ اِلٰهٍ غَيْرُهٗ ؕ اَفَلَا تَتَّقُوْنَ ﴿٣٢﴾ রুকু ০২
৩৩. তখন তার কওমের সেইসব কাফির প্রধানরা বলেছিল যারা আখিরাতের সাক্ষাতকে অস্বীকার করেছিল এবং যাদেরকে আমরা	وَقَالَ الْمَلَاُ مِنْ قَوْمِهِ الَّذِيْنَ كَفَرُوْا وَكَذَّبُوْا بِلِقَآءِ الْاٰخِرَةِ وَاَتْرَفْنٰهُمْ فِي

দিয়েছিলাম পার্থিব জীবনে প্রচুর ভোগের সামগ্রী: "এতো তোমাদের মতোই একজন মানুষ ছাড়া আর কিছু নয়। সে তো তাই খায়, তোমরা যা খাও এবং তাই পান করে, তোমরা যা পান করো।	الْحَيٰوةِ الدُّنْيَا ۙ مَا هٰذَآ اِلَّا بَشَرٌ مِّثْلُكُمْ ۙ يَاْكُلُ مِمَّا تَاْكُلُوْنَ مِنْهُ وَيَشْرَبُ مِمَّا تَشْرَبُوْنَ ﴿٣٣﴾
৩৪. তোমরা যদি তোমাদের মতো মানুষের আনুগত্য করো, তবে অবশ্যি তোমরা ক্ষতিগ্রস্ত হবে।	وَلَئِنْ اَطَعْتُمْ بَشَرًا مِّثْلَكُمْ اِنَّكُمْ اِذًا لَّخٰسِرُوْنَ ﴿٣٤﴾
৩৫. সে কি তোমাদের এই ওয়াদা দেয় যে, তোমরা যখন মরে যাবে এবং মাটি ও হাড়-অস্থিতে পরিণত হবে তখনো তোমাদের বের করে আনা হবে?	اَيَعِدُكُمْ اَنَّكُمْ اِذَا مِتُّمْ وَكُنْتُمْ تُرَابًا وَّعِظَامًا اَنَّكُمْ مُّخْرَجُوْنَ ﴿٣٥﴾
৩৬. অবসম্ভব, তোমাদের যে ওয়াদা দেয়া হয়েছে তা অসম্ভব।	هَيْهَاتَ هَيْهَاتَ لِمَا تُوْعَدُوْنَ ﴿٣٦﴾
৩৭. আমাদের দুনিয়ার হায়াতই একমাত্র হায়াত, এখানেই আমরা মরি এবং বাঁচি এবং আমরা কখনো পুনরুত্থিত হবোনা।	اِنْ هِيَ اِلَّا حَيَاتُنَا الدُّنْيَا نَمُوْتُ وَنَحْيَا وَمَا نَحْنُ بِمَبْعُوْثِيْنَ ﴿٣٧﴾
৩৮. সে তো এমন একজন ব্যক্তি, যে মিথ্যা রচনা করে নিয়ে আল্লাহ্‌র নামে চালায়। আমরা তাকে বিশ্বাস করবোনা।"	اِنْ هُوَ اِلَّا رَجُلُ ٍۨافْتَرٰى عَلَى اللّٰهِ كَذِبًا وَّمَا نَحْنُ لَهٗ بِمُؤْمِنِيْنَ ﴿٣٨﴾
৩৯. (তখন) সে বললো: 'প্রভু! আমাকে সাহায্য করো, তারা আমাকে মিথ্যা বলে প্রত্যাখ্যান করেছে।'	قَالَ رَبِّ انْصُرْنِيْ بِمَا كَذَّبُوْنِ ﴿٣٩﴾
৪০. (আল্লাহ্) বললেন: 'অল্প কিছুদিন পরেই তারা অনুতপ্ত হবে।'	قَالَ عَمَّا قَلِيْلٍ لَّيُصْبِحُنَّ نٰدِمِيْنَ ﴿٤٠﴾
৪১. পরে বাস্তবিকই এক প্রচণ্ড শব্দ আঘাত হানে তাদের উপর। ফলে আমরা তাদের বানিয়ে দিলাম তরঙ্গ বিধ্বস্ত আবর্জনার স্তূপের মতো। এভাবেই দূর হয়ে গেলো যালিম কওম।	فَاَخَذَتْهُمُ الصَّيْحَةُ بِالْحَقِّ فَجَعَلْنٰهُمْ غُثَآءً ۚ فَبُعْدًا لِّلْقَوْمِ الظّٰلِمِيْنَ ﴿٤١﴾
৪২. তাদের পরে আমরা সৃষ্টি করেছি আরো অনেক প্রজন্ম।	ثُمَّ اَنْشَاْنَا مِنْ بَعْدِهِمْ قُرُوْنًا اٰخَرِيْنَ ﴿٤٢﴾
৪৩. কোনো উম্মতই তাদের জন্যে নির্ধারিত সময়কে ত্বরান্বিতও করতে পারেনা এবং অতিক্রমও করতে পারেনা।	مَا تَسْبِقُ مِنْ اُمَّةٍ اَجَلَهَا وَمَا يَسْتَاْخِرُوْنَ ﴿٤٣﴾
৪৪. তারপর আমরা একের পর এক রসূল পাঠিয়েছি। যখনই কোনো উম্মতের কাছে তাদের রসূল এসেছিল, তারা তাকে মিথ্যা বলে প্রত্যাখ্যান করেছে। ফলে আমরা তাদের ধ্বংস করে দিয়েছি একের পর এক এবং তাদের বানিয়ে দিয়েছি ইতিহাসের আলোচ্য বিষয়। ধ্বংস হোক সেইসব লোক যারা ঈমান আনেনা।	ثُمَّ اَرْسَلْنَا رُسُلَنَا تَتْرَا ۗ كُلَّمَا جَآءَ اُمَّةً رَّسُوْلُهَا كَذَّبُوْهُ فَاَتْبَعْنَا بَعْضَهُمْ بَعْضًا وَّجَعَلْنٰهُمْ اَحَادِيْثَ ۚ فَبُعْدًا لِّقَوْمٍ لَّا يُؤْمِنُوْنَ ﴿٤٤﴾

৪৫. এর পরে পাঠিয়েছি আমরা মূসা এবং তার ভাই হারূণকে আমাদের আয়াত এবং সুস্পষ্ট প্রমাণ নিয়ে,	ثُمَّ اَرْسَلْنَا مُوْسٰى وَ اَخَاهُ هٰرُوْنَ ۙ بِاٰيٰتِنَا وَ سُلْطٰنٍ مُّبِيْنٍ ﴿٤٥﴾
৪৬. ফেরাউন এবং তার (জাতির) নেতাদের কাছে। কিন্তু তারা অহংকার করে। আর তারা ছিলো একটি উদ্ধত কওম।	اِلٰى فِرْعَوْنَ وَ مَلَا۟ئِهٖ فَاسْتَكْبَرُوْا وَكَانُوْا قَوْمًا عَالِيْنَ ﴿٤٦﴾
৪৭. তারা বলেছিল: 'আমরা কি আমাদের মতোই দু'জন মানুষের প্রতি ঈমান আনবো যেখানে তাদের সম্প্রদায় (বনি ইসরাঈল) আমাদেরই দাসত্ব করে?'	فَقَالُوْۤا اَنُؤْمِنُ لِبَشَرَيْنِ مِثْلِنَا وَقَوْمُهُمَا لَنَا عٰبِدُوْنَ ﴿٤٧﴾
৪৮. তারা তাদের দু'জনকেই প্রত্যাখ্যান করে, ফলে তারা হয়ে গেলো ধ্বংসপ্রাপ্তদের অন্তরভুক্ত।	فَكَذَّبُوْهُمَا فَكَانُوْا مِنَ الْمُهْلَكِيْنَ ﴿٤٨﴾
৪৯. আমরা মূসাকে কিতাব দিয়েছিলাম, যাতে করে তারা সঠিক পথ পায়।	وَ لَقَدْ اٰتَيْنَا مُوْسَى الْكِتٰبَ لَعَلَّهُمْ يَهْتَدُوْنَ ﴿٤٩﴾
৫০. আমরা মরিয়মের পুত্র (ঈসা) এবং তার মাকে বানিয়েছিলাম একটি নিদর্শন। আমরা তাদের আশ্রয় দিয়েছিলাম এক নিরাপদ ও ঝরণা বিশিষ্ট টিলায়।	وَ جَعَلْنَا ابْنَ مَرْيَمَ وَ اُمَّهٗۤ اٰيَةً وَّ اٰوَيْنٰهُمَاۤ اِلٰى رَبْوَةٍ ذَاتِ قَرَارٍ وَّ مَعِيْنٍ ﴿٥٠﴾
৫১. হে রসূলরা! তোমরা উত্তম-পবিত্র জিনিস খাও এবং আমলে সালেহ্ করো। তোমরা যা করো সে সম্পর্কে আমি জ্ঞাত।	يٰۤاَيُّهَا الرُّسُلُ كُلُوْا مِنَ الطَّيِّبٰتِ وَاعْمَلُوْا صَالِحًا ؕ اِنِّيْ بِمَا تَعْمَلُوْنَ عَلِيْمٌ ﴿٥١﴾
৫২. তোমাদের এই উম্মত মূলত একটিই উম্মত এবং আমিই তোমাদের রব। সুতরাং তোমরা আমাকেই ভয় করো।	وَ اِنَّ هٰذِهٖۤ اُمَّتُكُمْ اُمَّةً وَّاحِدَةً وَّ اَنَا رَبُّكُمْ فَاتَّقُوْنِ ﴿٥٢﴾
৫৩. কিন্তু তারা নিজেদের মধ্যে তাদের দীনকে বহুধা বিভক্ত করে ফেলেছে, প্রত্যেক উপদলই তাদের কাছে যা আছে, তাই নিয়ে সন্তুষ্ট।	فَتَقَطَّعُوْۤا اَمْرَهُمْ بَيْنَهُمْ زُبُرًا ؕ كُلُّ حِزْبٍۭ بِمَا لَدَيْهِمْ فَرِحُوْنَ ﴿٥٣﴾
৫৪. সুতরাং কিছুকালের জন্যে তাদেরকে তাদের বিভ্রান্তিতে পড়ে থাকতে দাও।	فَذَرْهُمْ فِيْ غَمْرَتِهِمْ حَتّٰى حِيْنٍ ﴿٥٤﴾
৫৫. তারা কি মনে করে যে, আমরা তাদের যে ধনমাল ও সন্তান সন্ততি দিয়ে সাহায্য করছি,	اَيَحْسَبُوْنَ اَنَّمَا نُمِدُّهُمْ بِهٖ مِنْ مَّالٍ وَّ بَنِيْنَ ﴿٥٥﴾
৫৬. তা দিয়ে তাদের কল্যাণ ত্বরান্বিত করছি? না, তারা বুঝেনা।	نُسَارِعُ لَهُمْ فِي الْخَيْرٰتِ ؕ بَلْ لَّا يَشْعُرُوْنَ ﴿٥٦﴾
৫৭. নিশ্চয়ই যারা ভীত সন্ত্রস্ত থাকে তাদের প্রভুর ভয়ে,	اِنَّ الَّذِيْنَ هُمْ مِّنْ خَشْيَةِ رَبِّهِمْ مُّشْفِقُوْنَ ﴿٥٧﴾
৫৮. যারা ঈমান রাখে তাদের প্রভুর আয়াতের প্রতি,	وَالَّذِيْنَ هُمْ بِاٰيٰتِ رَبِّهِمْ يُؤْمِنُوْنَ ﴿٥٨﴾

রুকু ০৩

৫৯. যারা শিরক করেনা তাদের প্রভুর সাথে,	وَالَّذِيْنَ هُمْ بِرَبِّهِمْ لَا يُشْرِكُوْنَ ۙ ٥٩
৬০. এবং তাদেরকে যা দান করা হয়েছে, তাদের প্রভুর কাছে ফিরে আসতে হবে এই বিশ্বাসে তা থেকে দান করে ভীত কম্পিত মনে,	وَالَّذِيْنَ يُؤْتُوْنَ مَآ اٰتَوْا وَّ قُلُوْبُهُمْ وَجِلَةٌ اَنَّهُمْ اِلٰى رَبِّهِمْ رٰجِعُوْنَ ۙ ٦٠
৬১. এরাই তৎপর কল্যাণকর কাজে এবং এরাই তাতে অগ্রগামী।	اُولٰٓئِكَ يُسٰرِعُوْنَ فِى الْخَيْرٰتِ وَ هُمْ لَهَا سٰبِقُوْنَ ٦١
৬২. আমরা কোনো ব্যক্তির উপরই তার সাধ্যের বাইরে দায়িত্বের বোঝা চাপাইনা। আমাদের কাছে রয়েছে একটি কিতাব যা সত্য বলে দেয়। আর তাদের প্রতি কোনো প্রকার যুলুম করা হবেনা।	وَلَا نُكَلِّفُ نَفْسًا اِلَّا وُسْعَهَا وَلَدَيْنَا كِتٰبٌ يَّنْطِقُ بِالْحَقِّ وَ هُمْ لَا يُظْلَمُوْنَ ٦٢
৬৩. বরং এ বিষয়ে তাদের কলবগুলো হয়ে রয়েছে অজ্ঞতায় আচ্ছন্ন। এ ছাড়া তাদের আরো অনেক (মন্দ) কাজ আছে, সেগুলো তারা করে থাকে,	بَلْ قُلُوْبُهُمْ فِىْ غَمْرَةٍ مِّنْ هٰذَا وَلَهُمْ اَعْمَالٌ مِّنْ دُوْنِ ذٰلِكَ هُمْ لَهَا عٰمِلُوْنَ ٦٣
৬৪. যতোদিন না আমরা তাদের বিলাসী প্রতিপত্তিশালীদেরকে আযাবের আঘাতে পাকড়াও করি। যখন তা করি তখন তারা আর্তনাদ করতে থাকে।	حَتّٰٓى اِذَآ اَخَذْنَا مُتْرَفِيْهِمْ بِالْعَذَابِ اِذَا هُمْ يَجْـَٔرُوْنَ ؕ ٦٤
৬৫. (কিয়ামতের দিন তাদের বলা হবে:) আজ আর্তনাদ করোনা। তোমরা কিছুতেই আজ আমাদের সাহায্য পাবেনা।	لَا تَجْـَٔرُوا الْيَوْمَ ۟ اِنَّكُمْ مِّنَّا لَا تُنْصَرُوْنَ ٦٥
৬৬. তোমাদের কাছে তো আমাদের আয়াত তিলাওয়াত করা হতো, তখন তোমরা পেছনে ফিরে কেটে পড়তে,	قَدْ كَانَتْ اٰيٰتِىْ تُتْلٰى عَلَيْكُمْ فَكُنْتُمْ عَلٰٓى اَعْقَابِكُمْ تَنْكِصُوْنَ ۙ ٦٦
৬৭. দাম্ভিকের মতো- এ সম্পর্কে রাত্রে নিরর্থক কল্পকথা বলতে বলতে।	مُسْتَكْبِرِيْنَ ۖۗ بِهٖ سٰمِرًا تَهْجُرُوْنَ ٦٧
৬৮. তারা কি এ বাণী অনুধাবন করার চেষ্টা করেনা, না কি তাদের কাছে এমন কিছু এসেছে যা তাদের পূর্বপুরুষদের কাছে আসেনি?	اَفَلَمْ يَدَّبَّرُوا الْقَوْلَ اَمْ جَآءَهُمْ مَّا لَمْ يَاْتِ اٰبَآءَهُمُ الْاَوَّلِيْنَ ۫ ٦٨
৬৯. না কি তারা তাদের রসূলকে চিনতে পারেনা বলে তাকে অস্বীকার করে?	اَمْ لَمْ يَعْرِفُوْا رَسُوْلَهُمْ فَهُمْ لَهٗ مُنْكِرُوْنَ ۫ ٦٩
৭০. না কি তারা বলে: 'সে তো একজন জিনে ধরা লোক?' না, বরং সে তাদের কাছে 'হক' (মহাসত্য) নিয়ে এসেছে এবং তাদের অধিকাংশ লোকই সত্যকে অপছন্দ করে।	اَمْ يَقُوْلُوْنَ بِهٖ جِنَّةٌ ؕ بَلْ جَآءَهُمْ بِالْحَقِّ وَاَكْثَرُهُمْ لِلْحَقِّ كٰرِهُوْنَ ٧٠
৭১. সত্য যদি তাদের প্রবৃত্তির অনুসরণ করতো, তাহলে মহাকাশ, পৃথিবী এবং এ দুয়ের মাঝে যা কিছু আছে সর্বত্র ফাসাদ সৃষ্টি হয়ে যেতো। বরং আমরা তাদের কাছে পাঠিয়েছি তাদের উপদেশ, আর তারা তাদের উপদেশ থেকে মুখ ফিরিয়ে নিয়েছে।	وَلَوِ اتَّبَعَ الْحَقُّ اَهْوَآءَهُمْ لَفَسَدَتِ السَّمٰوٰتُ وَ الْاَرْضُ وَ مَنْ فِيْهِنَّ ؕ بَلْ اَتَيْنٰهُمْ بِذِكْرِهِمْ فَهُمْ عَنْ ذِكْرِهِمْ مُّعْرِضُوْنَ ؕ ٧١

৭২. তুমি কি তাদের কাছে পারিশ্রমিক চাইছো? তোমার প্রভুর প্রতিদানই তোমার জন্যে উত্তম। তিনিই সর্বোত্তম রিযিকদাতা।	أَمْ تَسْأَلُهُمْ خَرْجًا فَخَرَاجُ رَبِّكَ خَيْرٌ ۖ وَهُوَ خَيْرُ الرَّازِقِينَ ٧٢
৭৩. তুমি তো তাদের আহ্বান করছো সিরাতুল মুস্তাকিমের দিকে।	وَإِنَّكَ لَتَدْعُوهُمْ إِلَىٰ صِرَاطٍ مُسْتَقِيمٍ ٧٣
৭৪. যারা আখিরাতের প্রতি ঈমান আনেনা তারা সেই সিরাত (পথ) থেকে বিচ্যুত।	وَإِنَّ الَّذِينَ لَا يُؤْمِنُونَ بِالْآخِرَةِ عَنِ الصِّرَاطِ لَنَاكِبُونَ ٧٤
৭৫. আমরা যদি তাদের প্রতি রহমত করতাম এবং তাদের দুঃখ দুর্দশাও দূর করে দিতাম, তবু তারা তাদের অবাধ্যতা নিয়েই বিভ্রান্তের মতো ঘুরে বেড়াতো।	وَلَوْ رَحِمْنَاهُمْ وَكَشَفْنَا مَا بِهِمْ مِنْ ضُرٍّ لَلَجُّوا فِي طُغْيَانِهِمْ يَعْمَهُونَ ٧٥
৭৬. আমরা তাদের আযাব দিয়ে পাকড়াও করেছি, কিন্তু তখনো তারা তাদের প্রভুর প্রতি বিনত হয়নি এবং বিনয়ের সাথে ফরিয়াদও করেনি তাঁর কাছে।	وَلَقَدْ أَخَذْنَاهُمْ بِالْعَذَابِ فَمَا اسْتَكَانُوا لِرَبِّهِمْ وَمَا يَتَضَرَّعُونَ ٧٦
৭৭. অবশেষে যখন আমরা তাদের জন্যে কঠিন আযাবের দুয়ার খুলে দেই, তখন তাতে তারা হতাশ হয়ে পড়ে থাকে।	حَتَّىٰ إِذَا فَتَحْنَا عَلَيْهِمْ بَابًا ذَا عَذَابٍ شَدِيدٍ إِذَا هُمْ فِيهِ مُبْلِسُونَ ٧٧
৭৮. তিনিই তো তোমাদের জন্যে সৃষ্টি করে দিয়েছেন কান, চোখ এবং হৃদয়। কিন্তু তোমরা খুব কমই শোকর আদায় করো।	وَهُوَ الَّذِي أَنْشَأَ لَكُمُ السَّمْعَ وَالْأَبْصَارَ وَالْأَفْئِدَةَ ۚ قَلِيلًا مَا تَشْكُرُونَ ٧٨
৭৯. তিনিই পৃথিবীতে তোমাদের বংশ বিস্তার করে দিয়েছেন এবং তাঁর দিকেই তোমাদের হাশর (সমবেত) করা হবে।	وَهُوَ الَّذِي ذَرَأَكُمْ فِي الْأَرْضِ وَإِلَيْهِ تُحْشَرُونَ ٧٩
৮০. তিনিই তো হায়াত দান করেন এবং মউত ঘটান। রাত এবং দিনের আবর্তন তাঁরই কর্তৃত্বে। তবু কি তোমরা আকল খাটাবেনা?	وَهُوَ الَّذِي يُحْيِي وَيُمِيتُ وَلَهُ اخْتِلَافُ اللَّيْلِ وَالنَّهَارِ ۚ أَفَلَا تَعْقِلُونَ ٨٠
৮১. বরং তারা সে রকমই বলে, যে রকম বলেছে তাদের আগেকার লোকেরা।	بَلْ قَالُوا مِثْلَ مَا قَالَ الْأَوَّلُونَ ٨١
৮২. তারা বলে: "আমরা যখন মরে যাবো এবং মাটি আর হাড়ে পরিণত হবো, তখন কি আমাদের পুনর্জীবিত করা হবে?	قَالُوا أَإِذَا مِتْنَا وَكُنَّا تُرَابًا وَعِظَامًا أَإِنَّا لَمَبْعُوثُونَ ٨٢
৮৩. আমাদেরকে তো এর ওয়াদা দেয়া হয়েছে এবং এর আগে দেয়া হয়েছে আমাদের পূর্ব পুরুষদেরকেও। আসলে এতো সেকালের কাহিনী ছাড়া আর কিছুই নয়।"	لَقَدْ وُعِدْنَا نَحْنُ وَآبَاؤُنَا هَٰذَا مِنْ قَبْلُ إِنْ هَٰذَا إِلَّا أَسَاطِيرُ الْأَوَّلِينَ ٨٣
৮৪. হে নবী! তাদের জিজ্ঞাসা করো! পৃথিবী এবং তার মধ্যে যা কিছু আছে সেগুলো কার, যদি তোমরা জানো, তবে বলো?	قُلْ لِمَنِ الْأَرْضُ وَمَنْ فِيهَا إِنْ كُنْتُمْ تَعْلَمُونَ ٨٤
৮৫. অবশ্যি তারা বলবে: 'আল্লাহ্‌র।' বলো: 'তবে কেন শিক্ষা গ্রহণ করোনা?'	سَيَقُولُونَ لِلَّهِ ۚ قُلْ أَفَلَا تَذَكَّرُونَ ٨٥

রুকু ০৪

৮৬. হে নবী! তাদের জিজ্ঞেস করো: 'সাত আকাশ এবং আরশে আযিমের রব কে?'	قُلْ مَنْ رَّبُّ السَّمٰوٰتِ السَّبْعِ وَ رَبُّ الْعَرْشِ الْعَظِيْمِ ﴿٨٦﴾
৮৭. অবিলম্বেই তারা বলবে: 'আল্লাহ।' বলো: 'তবে কেন তোমরা সতর্ক হওনা?'	سَيَقُوْلُوْنَ لِلّٰهِ ؕ قُلْ اَفَلَا تَتَّقُوْنَ ﴿٨٧﴾
৮৮. হে নবী! তাদের জিজ্ঞেস করো: কার মুষ্টিবদ্ধ রয়েছে সবকিছুর কর্তৃত্ব, যিনি সবাইকে আশ্রয় দেন এবং যাঁর উপর কোনো আশ্রয়দাতা নেই? যদি তোমরা জানো, বলো।	قُلْ مَنْۢ بِيَدِهٖ مَلَكُوْتُ كُلِّ شَيْءٍ وَّ هُوَ يُجِيْرُ وَ لَا يُجَارُ عَلَيْهِ اِنْ كُنْتُمْ تَعْلَمُوْنَ ﴿٨٨﴾
৮৯. অবিলম্বেই তারা বলবে: 'আল্লাহ্।' বলো: 'তবে কোন্ দিকে তোমরা মোহগ্রস্ত হচ্ছো?'	سَيَقُوْلُوْنَ لِلّٰهِ ؕ قُلْ فَاَنّٰى تُسْحَرُوْنَ ﴿٨٩﴾
৯০. বরং আমরা তাদের কাছে সত্য পৌঁছে দিয়েছি, কিন্তু তারা অবশ্য অবশ্যি মিথ্যাবাদী।	بَلْ اَتَيْنٰهُمْ بِالْحَقِّ وَ اِنَّهُمْ لَكٰذِبُوْنَ ﴿٩٠﴾
৯১. আল্লাহ্ কোনো সন্তান গ্রহণ করেননি, তাঁর সাথে আর কোনো ইলাহ্ও নেই। যদি থাকতোই, তবে তো প্রত্যেক ইলাহ্ নিজ নিজ সৃষ্টি নিয়ে আলাদা হয়ে যেতো এবং তারা একে অপরের উপর প্রাধান্য বিস্তারে উঠে পড়ে লাগতো। তারা যা আরোপ করে, তা থেকে আল্লাহ্ সম্পূর্ণ পবিত্র ও মহান।	مَا اتَّخَذَ اللّٰهُ مِنْ وَّلَدٍ وَّ مَا كَانَ مَعَهٗ مِنْ اِلٰهٍ اِذًا لَّذَهَبَ كُلُّ اِلٰهٍۭ بِمَا خَلَقَ وَ لَعَلَا بَعْضُهُمْ عَلٰى بَعْضٍ ؕ سُبْحٰنَ اللّٰهِ عَمَّا يَصِفُوْنَ ﴿٩١﴾
৯২. তিনি গায়েবের জ্ঞানী এবং দৃশ্যেরও। তারা তাঁর সাথে যা শরিক করে তিনি তা থেকে অনেক উপরে।	عٰلِمِ الْغَيْبِ وَ الشَّهَادَةِ فَتَعٰلٰى عَمَّا يُشْرِكُوْنَ ﴿٩٢﴾
৯৩. (হে নবী!) বলো: "আমার প্রভু! যে (আযাবের) বিষয়ে তাদের ওয়াদা দেয়া হচ্ছে, তা যদি তুমি আমার জীবদ্দশায় সংঘটিত করো,	قُلْ رَّبِّ اِمَّا تُرِيَنِّيْ مَا يُوْعَدُوْنَ ﴿٩٣﴾
৯৪. তবে, হে প্রভু! আমাকে যালিম লোকদের অন্তরভুক্ত করোনা।"	رَبِّ فَلَا تَجْعَلْنِيْ فِي الْقَوْمِ الظّٰلِمِيْنَ ﴿٩٤﴾
৯৫. আমরা তাদের যে বিষয়ের ওয়াদা দিচ্ছি, তা (তোমার জীবদ্দশায়ই) তোমাকে দেখাতে অবশ্যি আমরা সক্ষম।	وَ اِنَّا عَلٰۤى اَنْ نُّرِيَكَ مَا نَعِدُهُمْ لَقٰدِرُوْنَ ﴿٩٥﴾
৯৬. মন্দের মুকাবেলায় তাই করো যা সর্বোত্তম। তারা যা আরোপ করে সে বিষয়ে আমরা অধিক জানি।	اِدْفَعْ بِالَّتِيْ هِيَ اَحْسَنُ السَّيِّئَةَ ؕ نَحْنُ اَعْلَمُ بِمَا يَصِفُوْنَ ﴿٩٦﴾
৯৭. হে নবী! বলো: "আমার প্রভু! আমি তোমার কাছে পানাহ চাই শয়তানের কুপ্ররোচনা থেকে।	وَ قُلْ رَّبِّ اَعُوْذُ بِكَ مِنْ هَمَزٰتِ الشَّيٰطِيْنِ ﴿٩٧﴾
৯৮. আমি তোমার কাছে আরো পানাহ্ চাই আমার কাছে তাদের (শয়তানদের) হাজির হওয়া থেকে।"	وَ اَعُوْذُ بِكَ رَبِّ اَنْ يَّحْضُرُوْنِ ﴿٩٨﴾
৯৯. যখন তাদের কারো মউতের সময় এসে পড়ে, তখন সে বলে: "প্রভু! আমাকে পুনরায় (পৃথিবীতে) পাঠাও।	حَتّٰۤى اِذَا جَآءَ اَحَدَهُمُ الْمَوْتُ قَالَ رَبِّ ارْجِعُوْنِ ﴿٩٩﴾

রুকু ০৫

১০০. যাতে আমি ভালো কাজ করতে পারি, যা আমি আগে করিনি।” কখনো নয়, এতো কথার কথা মাত্র। আর তাদের সামনেই আছে বরযখ পুনরুত্থান কাল পর্যন্ত।	لَعَلِّيْٓ اَعْمَلُ صَالِحًا فِيْمَا تَرَكْتُ كَلَّا ؕ اِنَّهَا كَلِمَةٌ هُوَ قَآئِلُهَا ؕ وَمِنْ وَّرَآئِهِمْ بَرْزَخٌ اِلٰى يَوْمِ يُبْعَثُوْنَ ﴿١٠٠﴾
১০১. যখন ফুঁ দেয়া হবে শিঙ্গায়, সেদিন তাদের মাঝে আর কোনো বংশীয় বন্ধন থাকবেনা এবং কেউ কারো কথা জিজ্ঞাসাও করবেনা।	فَاِذَا نُفِخَ فِى الصُّوْرِ فَلَآ اَنْسَابَ بَيْنَهُمْ يَوْمَئِذٍ وَّلَا يَتَسَآءَلُوْنَ ﴿١٠١﴾
১০২. তখন ভারি হবে যাদের (নেকীর) পাল্লা, তারাই হবে সাফল্য অর্জনকারী।	فَمَنْ ثَقُلَتْ مَوَازِيْنُهٗ فَاُولٰٓئِكَ هُمُ الْمُفْلِحُوْنَ ﴿١٠٢﴾
১০৩. এবং হালকা হবে যাদের (নেকীর) পাল্লা, তারা হলো সেইসব লোক যারা নিজেদের ক্ষতি করেছে, চিরকাল থাকবে তারা জাহান্নামে।	وَمَنْ خَفَّتْ مَوَازِيْنُهٗ فَاُولٰٓئِكَ الَّذِيْنَ خَسِرُوْٓا اَنْفُسَهُمْ فِيْ جَهَنَّمَ خٰلِدُوْنَ ﴿١٠٣﴾
১০৪. আগুন দগ্ধ করতে থাকবে তাদের চেহারা এবং তারা সেখানে থাকবে বীভৎস চেহারা নিয়ে।	تَلْفَحُ وُجُوْهَهُمُ النَّارُ وَهُمْ فِيْهَا كٰلِحُوْنَ ﴿١٠٤﴾
১০৫. (তাদের বলা হবে:) ‘তোমাদের কাছে কি আমাদের আয়াতসমূহ তিলাওয়াত করা হতোনা? এবং তোমরা সেটাকে মিথ্যা বলে প্রত্যাখ্যান করতে না?’	اَلَمْ تَكُنْ اٰيٰتِيْ تُتْلٰى عَلَيْكُمْ فَكُنْتُمْ بِهَا تُكَذِّبُوْنَ ﴿١٠٥﴾
১০৬. তারা বলবে: “আমাদের প্রভু! আমাদের বদ নসিব আমাদের উপর বিজয়ী হয়েছে আর মূলতই আমরা ছিলাম একটি বিপথগামী কওম।	قَالُوْا رَبَّنَا غَلَبَتْ عَلَيْنَا شِقْوَتُنَا وَكُنَّا قَوْمًا ضَآلِّيْنَ ﴿١٠٦﴾
১০৭. আমাদের প্রভু! এখন আমাদেরকে এখান থেকে বের করে দাও। এরপরও যদি আমরা কুফুরিতে ফিরে যাই, তবে অবশ্যি আমরা যালিম হিসেবেই গণ্য হবো।”	رَبَّنَآ اَخْرِجْنَا مِنْهَا فَاِنْ عُدْنَا فَاِنَّا ظٰلِمُوْنَ ﴿١٠٧﴾
১০৮. তিনি বলবেন: ‘তোমরা এখানেই নিকৃষ্ট অবস্থায় পড়ে থাকো এবং আমার সাথে তোমরা আর কথা বলোনা।’	قَالَ اخْسَـُٔوْا فِيْهَا وَلَا تُكَلِّمُوْنِ ﴿١٠٨﴾
১০৯. আমার একদল বান্দা বলতো: ‘আমাদের প্রভু! আমরা ঈমান এনেছি, তাই তুমি আমাদের ক্ষমা করে দাও এবং আমাদের প্রতি রহম করো, আর তুমিই তো সর্বোত্তম রহমওয়ালা।’	اِنَّهٗ كَانَ فَرِيْقٌ مِّنْ عِبَادِيْ يَقُوْلُوْنَ رَبَّنَآ اٰمَنَّا فَاغْفِرْ لَنَا وَارْحَمْنَا وَاَنْتَ خَيْرُ الرّٰحِمِيْنَ ۚۖ ﴿١٠٩﴾
১১০. কিন্তু তোমরা তাদের নিয়ে বিদ্রুপ করতে আর সেই বিদ্রুপ তোমাদেরকে আমার কথা ভুলিয়ে দিয়েছিল। তোমরা তো তাদের নিয়ে হাসি ঠাট্টাই করছিলে।	فَاتَّخَذْتُمُوْهُمْ سِخْرِيًّا حَتّٰٓى اَنْسَوْكُمْ ذِكْرِيْ وَكُنْتُمْ مِّنْهُمْ تَضْحَكُوْنَ ﴿١١٠﴾
১১১. তাদের সবর অবলম্বনের কারণে আমি তাদের এমন জেযা (প্রতিদান) দিয়েছি যে, আজ তারাই সফলকাম।	اِنِّيْ جَزَيْتُهُمُ الْيَوْمَ بِمَا صَبَرُوْٓا ۙ اَنَّهُمْ هُمُ الْفَآئِزُوْنَ ﴿١١١﴾

১১২. তিনি জিজ্ঞেস করবেন: 'তোমরা পৃথিবীতে কয় বছর অবস্থান করেছিলে?'	قٰلَ كَمۡ لَبِثۡتُمۡ فِى الۡاَرۡضِ عَدَدَ سِنِيۡنَ ۝١١٢
১১৩. তারা বলবে: 'আমরা সেখানে অবস্থান করেছিলাম একদিন কিংবা দিনের কিছু অংশ। গণনাকারীদের জিজ্ঞাসা করে দেখুন।'	قَالُوۡا لَبِثۡنَا يَوۡمًا اَوۡ بَعۡضَ يَوۡمٍ فَسۡـَٔلِ الۡعَآدِّيۡنَ ۝١١٣
১১৪. তিনি বলবেন: তোমরা অল্পকালই সেখানে অবস্থান করেছিলে, যদি তোমরা জানতে!	قٰلَ اِنۡ لَّبِثۡتُمۡ اِلَّا قَلِيۡلًا لَّوۡ اَنَّكُمۡ كُنۡتُمۡ تَعۡلَمُوۡنَ ۝١١٤
১১৫. তোমরা কি ধরে নিয়েছিলে যে, আমরা বিনা কারণেই তোমাদের সৃষ্টি করেছিলাম? আর তোমাদেরকে আমাদের কাছে ফিরিয়ে আনা হবেনা ?	اَفَحَسِبۡتُمۡ اَنَّمَا خَلَقۡنٰكُمۡ عَبَثًا وَّاَنَّكُمۡ اِلَيۡنَا لَا تُرۡجَعُوۡنَ ۝١١٥
১১৬. অতীব মহান আল্লাহ্ প্রকৃত সম্রাট, কোনো ইলাহ্ নেই তিনি ছাড়া। সম্মানিত আরশের তিনি মালিক।	فَتَعٰلَى اللّٰهُ الۡمَلِكُ الۡحَقُّ ۚ لَاۤ اِلٰهَ اِلَّا هُوَ ۚ رَبُّ الۡعَرۡشِ الۡكَرِيۡمِ ۝١١٦
১১৭. যে কেউ আল্লাহ্‌র সাথে অন্য কাউকে ইলাহ্ ডাকে, এ বিষয়ে তার কাছে কোনো সত্যায়নপত্র নেই। তার হিসাব হবে তার প্রভুর কাছে। কাফিররা কখনো সফলতা অর্জন করেনা।	وَمَنۡ يَّدۡعُ مَعَ اللّٰهِ اِلٰهًا اٰخَرَ ۙ لَا بُرۡهَانَ لَهٗ بِهٖ ۙ فَاِنَّمَا حِسَابُهٗ عِنۡدَ رَبِّهٖ ؕ اِنَّهٗ لَا يُفۡلِحُ الۡكٰفِرُوۡنَ ۝١١٧
১১৮. হে নবী! তুমি বলো: 'আমার প্রভু!, ক্ষমা করো এবং রহম করো, আর তুমিই তো সর্বোত্তম রহমওয়ালা।'	وَقُلۡ رَّبِّ اغۡفِرۡ وَارۡحَمۡ وَاَنۡتَ خَيۡرُ الرّٰحِمِيۡنَ ۝١١٨

রুকু ০৬

সূরা ২৪ আন্ নূর

মদিনায় অবতীর্ণ, আয়াত সংখ্যা: ৬৪, রুকু সংখ্যা: ০৯

এই সূরার আলোচ্যসূচি (আয়াত ভিত্তিক আলোচ্য বিষয়)

০১-১০: ব্যভিচারের বিধান, অপবাদের বিধান, স্বামী-স্ত্রীর পরস্পরের প্রতি ব্যভিচারের অভিযোগ সংক্রান্ত বিধান।

১১-২৬: উম্মুল মুমিনিন আয়েশার রা. প্রতি অপবাদ আরোপের তীব্র নিন্দা, মুমিনদের সংশোধন, আয়েশার পবিত্রতা ঘোষণা।

২৭-৩১: পর্দার বিধান।

৩২-৩৪: দাসদাসী ও অভাবীদের বিয়ের উপদেশ।

৩৫: আল্লাহ্ মহাবিশ্বের নূর। তাঁর নূরের উপমা।

৩৬-৪০: মুমিনদের প্রশংসা, কাফিরদের আমল ও কর্মনীতির উপমা।

৪১-৫০: আল্লাহ্‌র মহিমা ও কর্তৃত্ব। প্রতিটি প্রাণীর সৃষ্টি পানি থেকে। মুনাফিকদের বৈশিষ্ট্য।

৫১-৫৭: মুমিনদের বৈশিষ্ট্য। মুমিনদের খিলাফত দানে আল্লাহ্‌র ওয়াদা।

৫৮-৬০: পর্দার আরো কিছু বিধান।

৬১: যারা অনুমতি ছাড়া খেতে পারবে এবং যাদের ঘরে অনুমতি ছাড়া খেতে পারবে।

৬২-৬৪: মুমিনদের গুণাবলি, মহাবিশ্বের সব কিছুর মালিক আল্লাহ্।

সূরা আন্ নূর (আলো) পরম করুণাময় পরম দয়াবান আল্লাহ্‌র নামে	سُوْرَةُ النُّوْرِ بِسْمِ اللّٰهِ الرَّحْمٰنِ الرَّحِيْمِ
০১. এটি একটি সূরা। আমরা এটি নাযিল করেছি এবং ফরয করে দিয়েছি এর বিধান। আর এতে নাযিল করেছি সুস্পষ্ট আয়াতসমূহ, যাতে করে তোমরা উপদেশ গ্রহণ করো।	سُوْرَةٌ اَنْزَلْنٰهَا وَ فَرَضْنٰهَا وَ اَنْزَلْنَا فِيْهَاۤ اٰيٰتٍۭ بَيِّنٰتٍ لَّعَلَّكُمْ تَذَكَّرُوْنَ ①
০২. জিনাকারী নারী এবং জিনাকারী পুরুষ তাদের প্রত্যেককে বেত্রাঘাত করো একশটি করে। আল্লাহ্‌র আইন বাস্তবায়নে তাদের প্রতি দয়া যেনো তোমাদের প্রভাবিত না করে যদি তোমরা ঈমান রাখো আল্লাহ্‌র প্রতি এবং আখিরাতের প্রতি। আর তাদের শাস্তি দেখার জন্যে একদল মুমিন যেনো উপস্থিত থাকে।	اَلزَّانِيَةُ وَالزَّانِيْ فَاجْلِدُوْا كُلَّ وَاحِدٍ مِّنْهُمَا مِائَةَ جَلْدَةٍ ۪ وَّلَا تَاْخُذْكُمْ بِهِمَا رَاْفَةٌ فِيْ دِيْنِ اللّٰهِ اِنْ كُنْتُمْ تُؤْمِنُوْنَ بِاللّٰهِ وَ الْيَوْمِ الْاٰخِرِ ۚ وَلْيَشْهَدْ عَذَابَهُمَا طَآئِفَةٌ مِّنَ الْمُؤْمِنِيْنَ ②
০৩. জিনাকারী বিয়ে করেনা কোনো জিনাকারিনী কিংবা মুশরিক নারী ছাড়া। আর কোনো জিনাকারিনীও বিয়ে করেনা কোনো জিনাকারী কিংবা মুশরিক ছাড়া। এটা হারাম করে দেয়া হলো মুমিনদের জন্যে।	اَلزَّانِيْ لَا يَنْكِحُ اِلَّا زَانِيَةً اَوْ مُشْرِكَةً ۫ وَّالزَّانِيَةُ لَا يَنْكِحُهَاۤ اِلَّا زَانٍ اَوْ مُشْرِكٌ ۚ وَحُرِّمَ ذٰلِكَ عَلَى الْمُؤْمِنِيْنَ ③
০৪. যারা সতী সাধ্বী নারীদের প্রতি (ব্যভিচারের) অপবাদ আরোপ করে, তারপর চারজন সাক্ষী হাজির করতে ব্যর্থ হয় তাদেরকে আশিটি বেত্রাঘাত করো এবং কখনো তাদের সাক্ষ্যগ্রহণ করবেনা। কারণ, তারা ফাসিক (সীমালঙ্ঘনকারী)।	وَ الَّذِيْنَ يَرْمُوْنَ الْمُحْصَنٰتِ ثُمَّ لَمْ يَاْتُوْا بِاَرْبَعَةِ شُهَدَآءَ فَاجْلِدُوْهُمْ ثَمٰنِيْنَ جَلْدَةً وَّ لَا تَقْبَلُوْا لَهُمْ شَهَادَةً اَبَدًا ۚ وَ اُولٰٓئِكَ هُمُ الْفٰسِقُوْنَ ④
০৫. তবে যারা এমনটি করার পর অনুতপ্ত হয়ে তওবা করে এবং নিজেদেরকে সংশোধন করে নেয়, তাদের কথা ভিন্ন। কারণ আল্লাহ্ তো পরম ক্ষমাশীল অতীব দয়াবান।	اِلَّا الَّذِيْنَ تَابُوْا مِنْۢ بَعْدِ ذٰلِكَ وَ اَصْلَحُوْا ۚ فَاِنَّ اللّٰهَ غَفُوْرٌ رَّحِيْمٌ ⑤
০৬. আর যারা নিজ স্ত্রীর প্রতি অপবাদ আরোপ করবে, অথচ নিজেরা ছাড়া তাদের আর কোনো সাক্ষী নেই, তাদের একজনের সাক্ষ্যই চার সাক্ষীর সমতুল্য হবে। এভাবে যে, সে আল্লাহ্‌র নামে চারবার শপথ করে বলবে, সে অবশ্যি সত্যবাদী।	وَ الَّذِيْنَ يَرْمُوْنَ اَزْوَاجَهُمْ وَ لَمْ يَكُنْ لَّهُمْ شُهَدَآءُ اِلَّاۤ اَنْفُسُهُمْ فَشَهَادَةُ اَحَدِهِمْ اَرْبَعُ شَهٰدٰتٍۭ بِاللّٰهِ ۙ اِنَّهٗ لَمِنَ الصّٰدِقِيْنَ ⑥
০৭. পঞ্চমবার বলবে, তার উপর আল্লাহ্‌র লা'নত নেমে আসুক যদি সে মিথ্যাবাদী হয়।	وَ الْخَامِسَةُ اَنَّ لَعْنَتَ اللّٰهِ عَلَيْهِ اِنْ كَانَ مِنَ الْكٰذِبِيْنَ ⑦
০৮. আর তার স্ত্রীর দণ্ডও রহিত হয়ে যাবে যদি সে চারবার আল্লাহ্‌র নামে শপথ করে সাক্ষ্য দেয় যে, তার স্বামী মিথ্যাবাদী।	وَ يَدْرَؤُا عَنْهَا الْعَذَابَ اَنْ تَشْهَدَ اَرْبَعَ شَهٰدٰتٍۭ بِاللّٰهِ ۙ اِنَّهٗ لَمِنَ الْكٰذِبِيْنَ ⑧

০৯. আর পঞ্চমবার বলবে, তার নিজের উপর আল্লাহ্‌র গজব নেমে আসুক যদি তার স্বামী সত্যবাদী হয়।	وَالْخَامِسَةَ أَنَّ غَضَبَ اللّٰهِ عَلَيْهَآ إِنْ كَانَ مِنَ الصّٰدِقِيْنَ ۝٩
১০. (তোমাদের কেউই রক্ষা পেতোনা) যদি তোমাদের প্রতি আল্লাহ্‌র অনুগ্রহ ও রহমত না হতো এবং তিনি যদি তওবা কবুলকারী প্রজ্ঞাবান না হতেন।	وَلَوْلَا فَضْلُ اللّٰهِ عَلَيْكُمْ وَرَحْمَتُهٗ وَأَنَّ اللّٰهَ تَوَّابٌ حَكِيْمٌ ۝١٠
১১. যারা এই অপবাদ রচনা করেছে তারা তো তোমাদেরই একটি গ্রুপ। এ ঘটনাকে তোমাদের জন্যে ক্ষতিকর মনে করোনা, বরং ওটা তোমাদের জন্যে কল্যাণকর। এ মিথ্যা ঘটনা রটনাকারী প্রত্যেকের জন্যে তাই রয়েছে, যে যা পাপ কামাই করেছে। আর তাদের মধ্যে যে ব্যক্তি এ ব্যাপারে প্রধান ভূমিকা পালন করেছে তার জন্যে রয়েছে বিরাট আযাব।	إِنَّ الَّذِيْنَ جَآءُوْ بِالْإِفْكِ عُصْبَةٌ مِّنْكُمْ ؕ لَا تَحْسَبُوْهُ شَرًّا لَّكُمْ ؕ بَلْ هُوَ خَيْرٌ لَّكُمْ ؕ لِكُلِّ امْرِئٍ مِّنْهُمْ مَّا اكْتَسَبَ مِنَ الْإِثْمِ ۚ وَالَّذِيْ تَوَلّٰى كِبْرَهٗ مِنْهُمْ لَهٗ عَذَابٌ عَظِيْمٌ ۝١١
১২. মুমিন পুরুষ এবং মুমিন নারীরা যখন এই (অপবাদের) ঘটনা শুনলো, তখন কেন তারা নিজেদের সম্পর্কে সুধারণা করলো না এবং কেন বললোনা: 'এ তো এক সুস্পষ্ট অপবাদ।'	لَوْلَآ إِذْ سَمِعْتُمُوْهُ ظَنَّ الْمُؤْمِنُوْنَ وَالْمُؤْمِنٰتُ بِأَنْفُسِهِمْ خَيْرًا ۙ وَّقَالُوْا هٰذَآ إِفْكٌ مُّبِيْنٌ ۝١٢
১৩. তারা কেন এ ব্যাপারে চারজন সাক্ষী হাজির করলোনা? যেহেতু তারা সাক্ষী উপস্থিত করেনি, তাই তারা আল্লাহ্‌র কাছে মিথ্যাবাদী।	لَوْلَا جَآءُوْ عَلَيْهِ بِأَرْبَعَةِ شُهَدَآءَ ۚ فَإِذْ لَمْ يَأْتُوْا بِالشُّهَدَآءِ فَأُولٰٓئِكَ عِنْدَ اللّٰهِ هُمُ الْكٰذِبُوْنَ ۝١٣
১৪. তোমাদের প্রতি যদি আল্লাহ্‌র অনুগ্রহ এবং রহমত না হতো, তাহলে তোমরা যে অন্যায়ে লিপ্ত হয়েছিলে তার জন্যে তোমাদের দুনিয়া এবং আখিরাতে স্পর্শ করতো মহাশাস্তি।	وَلَوْلَا فَضْلُ اللّٰهِ عَلَيْكُمْ وَرَحْمَتُهٗ فِي الدُّنْيَا وَالْاٰخِرَةِ لَمَسَّكُمْ فِيْ مَآ أَفَضْتُمْ فِيْهِ عَذَابٌ عَظِيْمٌ ۝١٤
১৫. তোমরা মুখে মুখে তা ছড়াচ্ছিলে এবং মুখে এমন বিষয় উচ্চারণ করে যাচ্ছিলে যার কোনো এলেম তোমাদের ছিলনা। তোমরা এটাকে মনে করছিলে সহজ। অথচ এটা ছিলো এক জঘন্য বিষয় আল্লাহ্‌র কাছে।	إِذْ تَلَقَّوْنَهٗ بِأَلْسِنَتِكُمْ وَتَقُوْلُوْنَ بِأَفْوَاهِكُمْ مَّا لَيْسَ لَكُمْ بِهٖ عِلْمٌ وَّتَحْسَبُوْنَهٗ هَيِّنًا ۖ وَّهُوَ عِنْدَ اللّٰهِ عَظِيْمٌ ۝١٥
১৬. তোমরা এই (অপবাদ) শুনার সাথে সাথে কেন বললেনা: 'এ বিষয়ে আমাদের কথা বলা উচিত নয়, আল্লাহ্ পবিত্র, এ-তো এক বিরাট অপবাদ।'	وَلَوْلَآ إِذْ سَمِعْتُمُوْهُ قُلْتُمْ مَّا يَكُوْنُ لَنَآ أَنْ نَّتَكَلَّمَ بِهٰذَا ۖ سُبْحٰنَكَ هٰذَا بُهْتَانٌ عَظِيْمٌ ۝١٦
১৭. আল্লাহ্ তোমাদের ওয়ায (উপদেশ) করছেন, তোমরা যেনো অনুরূপ কাজে আর কখনো জড়িত না হও, যদি তোমরা মুমিন হয়ে থাকো।	يَعِظُكُمُ اللّٰهُ أَنْ تَعُوْدُوْا لِمِثْلِهٖٓ أَبَدًا إِنْ كُنْتُمْ مُّؤْمِنِيْنَ ۝١٧

রুকু ০১

১৮. আল্লাহ্ তোমাদের জন্যে পরিষ্কারভাবে বয়ান করছেন আয়াতসমূহ। আল্লাহ্ জ্ঞানী এবং প্রজ্ঞাবান।	وَ يُبَيِّنُ اللّٰهُ لَكُمُ الْاٰيٰتِ ؕ وَ اللّٰهُ عَلِيْمٌ حَكِيْمٌ ﴿١٨﴾
১৯. যারা মুমিনদের মাঝে ফাহেশার প্রচার প্রসার পছন্দ করে, তাদের জন্যে রয়েছে বেদনাদায়ক আযাব দুনিয়া এবং আখিরাতে। আল্লাহ্ জানেন, তোমরা জানোনা।	اِنَّ الَّذِيْنَ يُحِبُّوْنَ اَنْ تَشِيْعَ الْفَاحِشَةُ فِي الَّذِيْنَ اٰمَنُوْا لَهُمْ عَذَابٌ اَلِيْمٌ ۙ فِي الدُّنْيَا وَ الْاٰخِرَةِ ؕ وَ اللّٰهُ يَعْلَمُ وَ اَنْتُمْ لَا تَعْلَمُوْنَ ﴿١٩﴾
২০. (তোমরা রক্ষা পেতেনা) যদি তোমাদের প্রতি আল্লাহ্র অনুগ্রহ এবং রহমত না হতো এবং আল্লাহ্ যদি কোমল ও দয়াবান না হতেন।	وَ لَوْ لَا فَضْلُ اللّٰهِ عَلَيْكُمْ وَ رَحْمَتُهٗ وَ اَنَّ اللّٰهَ رَءُوْفٌ رَّحِيْمٌ ﴿٢٠﴾
২১. হে ঈমানদার লোকেরা! তোমরা ইত্তেবা (অনুসরণ) করোনা শয়তানের পদাংক। যে কেউ ইত্তেবা করবে শয়তানের পদাংকের, সে জেনে রাখুক, শয়তান নিশ্চয়ই নির্দেশ দেয় ফাহেশা এবং গর্হিত কাজের। তোমাদের প্রতি যদি আল্লাহ্র অনুগ্রহ এবং রহমত না হতো, তাহলে তোমাদের কেউ কখনো পবিত্র থাকতে পারতোনা। আল্লাহ্ই পবিত্র রাখেন যাকে ইচ্ছা করেন। আল্লাহ্ সব শুনেন, সব জানেন।	يٰۤاَيُّهَا الَّذِيْنَ اٰمَنُوْا لَا تَتَّبِعُوْا خُطُوٰتِ الشَّيْطٰنِ ؕ وَ مَنْ يَّتَّبِعْ خُطُوٰتِ الشَّيْطٰنِ فَاِنَّهٗ يَاْمُرُ بِالْفَحْشَآءِ وَ الْمُنْكَرِ ؕ وَ لَوْ لَا فَضْلُ اللّٰهِ عَلَيْكُمْ وَ رَحْمَتُهٗ مَا زَكٰى مِنْكُمْ مِّنْ اَحَدٍ اَبَدًا ۙ وَّ لٰكِنَّ اللّٰهَ يُزَكِّيْ مَنْ يَّشَآءُ ؕ وَ اللّٰهُ سَمِيْعٌ عَلِيْمٌ ﴿٢١﴾
২২. তোমাদের মধ্যে যারা ধন-মালে প্রাচুর্যের অধিকারী তারা যেনো কসম খেয়ে না বলে যে, তারা আত্মীয়-স্বজন, মিসকিন (অভাবী) এবং আল্লাহ্র পথে হিজরতকারীদের কিছুই দেবেনা। তারা যেনো তাদের ক্ষমা করে দেয় এবং তাদের দোষ-ত্রুটি উপেক্ষা করে। তোমরা কি চাওনা যে, আল্লাহ্ তোমাদের ক্ষমা করে দিন? আর আল্লাহ্ তো পরম ক্ষমাশীল দয়াবান।	وَ لَا يَاْتَلِ اُولُوا الْفَضْلِ مِنْكُمْ وَ السَّعَةِ اَنْ يُّؤْتُوْۤا اُولِي الْقُرْبٰى وَ الْمَسٰكِيْنَ وَ الْمُهٰجِرِيْنَ فِيْ سَبِيْلِ اللّٰهِ ۪ۖ وَ لْيَعْفُوْا وَ لْيَصْفَحُوْا ؕ اَلَا تُحِبُّوْنَ اَنْ يَّغْفِرَ اللّٰهُ لَكُمْ ؕ وَ اللّٰهُ غَفُوْرٌ رَّحِيْمٌ ﴿٢٢﴾
২৩. যারা সতী সাধ্বী সরলমনা ঈমানদার নারীদের প্রতি অপবাদ আরোপ করে, তাদের প্রতি লা'নত বর্ষিত হয়েছে দুনিয়া এবং আখিরাতে, আর তাদের জন্যে রয়েছে বিরাট আযাব।	اِنَّ الَّذِيْنَ يَرْمُوْنَ الْمُحْصَنٰتِ الْغٰفِلٰتِ الْمُؤْمِنٰتِ لُعِنُوْا فِي الدُّنْيَا وَ الْاٰخِرَةِ ۪ وَ لَهُمْ عَذَابٌ عَظِيْمٌ ﴿٢٣﴾
২৪. যেদিন তাদের বিরুদ্ধে সাক্ষ্য দেবে তাদের জবান, তাদের হাত, তাদের পা তাদের কৃতকর্ম সম্পর্কে,	يَّوْمَ تَشْهَدُ عَلَيْهِمْ اَلْسِنَتُهُمْ وَ اَيْدِيْهِمْ وَ اَرْجُلُهُمْ بِمَا كَانُوْا يَعْمَلُوْنَ ﴿٢٤﴾
২৫. সেদিন আল্লাহ্ তাদের পুরোপুরি দেবেন তাদের সত্যিকার প্রতিফল এবং (তখন) তারা জানতে পারবে আল্লাহ্ই প্রকৃত সত্য, স্পষ্টভাষী।	يَوْمَئِذٍ يُّوَفِّيْهِمُ اللّٰهُ دِيْنَهُمُ الْحَقَّ وَ يَعْلَمُوْنَ اَنَّ اللّٰهَ هُوَ الْحَقُّ الْمُبِيْنُ ﴿٢٥﴾

রুকু ০২

২৬. খবিছ নারীরা খবিছ পুরুষদের জন্যে এবং খবিছ পুরুষরা খবিছ নারীদের জন্যে। আর পবিত্র নারীরা পবিত্র পুরুষদের জন্যে এবং পবিত্র পুরুষরা পবিত্র নারীদের জন্যে। লোকেরা যা বলে তা থেকে এরা পবিত্র। তাদের জন্যে রয়েছে মাগফিরাত এবং সম্মানজনক রিযিক। (রুকু ০৩)	اَلْخَبِيْثٰتُ لِلْخَبِيْثِيْنَ وَ الْخَبِيْثُوْنَ لِلْخَبِيْثٰتِ ۚ وَالطَّيِّبٰتُ لِلطَّيِّبِيْنَ وَالطَّيِّبُوْنَ لِلطَّيِّبٰتِ ۚ اُولٰٓئِكَ مُبَرَّءُوْنَ مِمَّا يَقُوْلُوْنَ ؕ لَهُمْ مَّغْفِرَةٌ وَّرِزْقٌ كَرِيْمٌ ﴿٢٦﴾
২৭. হে ঈমানদার লোকেরা! তোমরা নিজেদের ঘর ছাড়া অন্য ঘরে অনুমতি না নিয়ে এবং ঘরবাসীদের সালাম না দিয়ে ঢুকে পড়োনা। এটাই তোমাদের জন্যে উত্তম নিয়ম। আশা করা যায় তোমরা উপদেশ গ্রহণ করবে।	يٰۤاَيُّهَا الَّذِيْنَ اٰمَنُوْا لَا تَدْخُلُوْا بُيُوْتًا غَيْرَ بُيُوْتِكُمْ حَتّٰى تَسْتَاْنِسُوْا وَ تُسَلِّمُوْا عَلٰۤى اَهْلِهَا ؕ ذٰلِكُمْ خَيْرٌ لَّكُمْ لَعَلَّكُمْ تَذَكَّرُوْنَ ﴿٢٧﴾
২৮. যদি তোমরা ঘরে কাউকেও না পাও, তাহলে তোমরা সে ঘরে প্রবেশ করোনা যতোক্ষণ না তোমাদের অনুমতি দেয়া হয়। আর যদি তোমাদের ফিরে যেতে বলা হয়, তবে ফিরে যাও। এটাই তোমাদের জন্যে পবিত্রতম পন্থা। আল্লাহ্ জ্ঞাত তোমরা যা আমল করো।	فَاِنْ لَّمْ تَجِدُوْا فِيْهَاۤ اَحَدًا فَلَا تَدْخُلُوْهَا حَتّٰى يُؤْذَنَ لَكُمْ ۚ وَ اِنْ قِيْلَ لَكُمُ ارْجِعُوْا فَارْجِعُوْا هُوَ اَزْكٰى لَكُمْ ؕ وَاللّٰهُ بِمَا تَعْمَلُوْنَ عَلِيْمٌ ﴿٢٨﴾
২৯. এমন ঘরে প্রবেশ করার মধ্যে তোমাদের কোনো দোষ হবেনা, যে ঘরে কেউ বসবাস করেনা যদি সেখানে তোমাদের মাল সামগ্রী থাকে। তোমরা কী প্রকাশ করো আর কী গোপন করো তা আল্লাহ্ জানেন।	لَيْسَ عَلَيْكُمْ جُنَاحٌ اَنْ تَدْخُلُوْا بُيُوْتًا غَيْرَ مَسْكُوْنَةٍ فِيْهَا مَتَاعٌ لَّكُمْ ؕ وَاللّٰهُ يَعْلَمُ مَا تُبْدُوْنَ وَمَا تَكْتُمُوْنَ ﴿٢٩﴾
৩০. হে নবী! মুমিন পুরুষদের বলো: তারা যেনো (নারীদের থেকে) নিজেদের দৃষ্টি সংযত রাখে এবং হিফাযত করে নিজেদের যৌন জীবনকে। এটা তাদের জন্যে পবিত্রতম পন্থা। তারা যা করে আল্লাহ্ সে বিষয়ে ভালোভাবে অবহিত।	قُلْ لِّلْمُؤْمِنِيْنَ يَغُضُّوْا مِنْ اَبْصَارِهِمْ وَ يَحْفَظُوْا فُرُوْجَهُمْ ؕ ذٰلِكَ اَزْكٰى لَهُمْ ؕ اِنَّ اللّٰهَ خَبِيْرٌۢ بِمَا يَصْنَعُوْنَ ﴿٣٠﴾
৩১. আর মুমিন নারীদের বলো, তারা যেনো (পুরুষদের থেকে) নিজেদের দৃষ্টি সংযত রাখে এবং হিফাযত করে নিজেদের যৌন জীবন। যা সাধারণত প্রকাশ থাকে, তা ছাড়া নিজেদের যীনত (সৌন্দর্য) যেনো তারা প্রকাশ না করে। তাদের চাদর (বা ওড়না) দিয়ে যেনো তাদের গলা এবং বক্ষ ঢেকে রাখে। তারা যেনো তাদের যীনত (সৌন্দর্য) প্রকাশ না করে এদের সম্মুখে ছাড়া: তাদের স্বামী, পিতা, শ্বশুর, ছেলে, স্বামীর ছেলে, ভাই, ভাইয়ের ছেলে, বোনপুত, আপন নারীকুল, তাদের মালিকানাধীন দাস-দাসী, যৌন কামনাহীন পুরুষ এবং নারীদের গোপন	وَقُلْ لِّلْمُؤْمِنٰتِ يَغْضُضْنَ مِنْ اَبْصَارِهِنَّ وَ يَحْفَظْنَ فُرُوْجَهُنَّ وَ لَا يُبْدِيْنَ زِيْنَتَهُنَّ اِلَّا مَا ظَهَرَ مِنْهَا وَ لْيَضْرِبْنَ بِخُمُرِهِنَّ عَلٰى جُيُوْبِهِنَّ ۪ وَ لَا يُبْدِيْنَ زِيْنَتَهُنَّ اِلَّا لِبُعُوْلَتِهِنَّ اَوْ اٰبَآئِهِنَّ اَوْ اٰبَآءِ بُعُوْلَتِهِنَّ اَوْ اَبْنَآئِهِنَّ اَوْ اَبْنَآءِ بُعُوْلَتِهِنَّ اَوْ اِخْوَانِهِنَّ اَوْ بَنِيْۤ اِخْوَانِهِنَّ اَوْ بَنِيْۤ اَخَوٰتِهِنَّ اَوْ نِسَآئِهِنَّ اَوْ مَا مَلَكَتْ اَيْمَانُهُنَّ اَوِ التّٰبِعِيْنَ غَيْرِ اُولِي الْاِرْبَةِ

অঙ্গসমূহ সম্পর্কে চেতনাহীন শিশু। তারা যেনো তাদের গোপন সৌন্দর্য প্রকাশের উদ্দেশ্যে সজোরে পা ফেলে না চলে। হে মুমিনরা! তোমরা সবাই অনুতপ্ত হয়ে আল্লাহ্‌র দিকে ফিরে আসো, যাতে করে তোমরা অর্জন করো সফলতা।	مِنَ الرِّجَالِ اَوِ الطِّفْلِ الَّذِيْنَ لَمْ يَظْهَرُوْا عَلٰى عَوْرٰتِ النِّسَآءِ ۪ وَ لَا يَضْرِبْنَ بِاَرْجُلِهِنَّ لِيُعْلَمَ مَا يُخْفِيْنَ مِنْ زِيْنَتِهِنَّ ؕ وَ تُوْبُوْٓا اِلَى اللّٰهِ جَمِيْعًا اَيُّهَ الْمُؤْمِنُوْنَ لَعَلَّكُمْ تُفْلِحُوْنَ ﴿۳۱﴾
৩২. তোমাদের মধ্যে যাদের স্বামী নেই এবং যাদের স্ত্রী নেই, তাদের বিয়ে দিয়ে দাও, আর তোমাদের দাস দাসীদের মধ্যে যারা সৎ তাদেরকেও। তারা যদি অভাবী হয়ে থাকে, তবে আল্লাহ্‌ নিজ অনুগ্রহে তাদের অভাবমুক্ত করবেন। আল্লাহ্‌ উদার, জ্ঞানী।	وَ اَنْكِحُوا الْاَيَامٰى مِنْكُمْ وَ الصّٰلِحِيْنَ مِنْ عِبَادِكُمْ وَ اِمَآئِكُمْ ؕ اِنْ يَّكُوْنُوْا فُقَرَآءَ يُغْنِهِمُ اللّٰهُ مِنْ فَضْلِهٖ ؕ وَ اللّٰهُ وَاسِعٌ عَلِيْمٌ ﴿۳۲﴾
৩৩. যাদের বিয়ে করার (আর্থিক) সামর্থ নেই, তাদেরকে আল্লাহ্‌ তাঁর অনুগ্রহে অভাবমুক্ত করা পর্যন্ত তারা যেনো সংযম অবলম্বন করে। তোমাদের দাসদাসীদের মধ্যে কেউ তার মুক্তির জন্যে লিখিত চুক্তি করতে চাইলে তোমরা তাদের সাথে লিখিত চুক্তি করে নাও, যদি তোমরা তাদের মধ্যে কল্যাণ দেখতে পাও। আর আল্লাহ্‌ তোমাদের যে সম্পদ দিয়েছেন তা থেকে তাদের দান করো। পার্থিব জীবনের (অর্থ) লোভে তোমরা তোমাদের দাসীদেরকে ব্যভিচারে বাধ্য করোনা যদি তারা তাদের সতীত্ব রক্ষা করতে চায়। আর কেউ তাদেরকে বাধ্য করলে, বাধ্য হওয়াদের ব্যাপারে আল্লাহ্‌ ক্ষমাশীল, দয়াময়।	وَ لْيَسْتَعْفِفِ الَّذِيْنَ لَا يَجِدُوْنَ نِكَاحًا حَتّٰى يُغْنِيَهُمُ اللّٰهُ مِنْ فَضْلِهٖ ؕ وَ الَّذِيْنَ يَبْتَغُوْنَ الْكِتٰبَ مِمَّا مَلَكَتْ اَيْمَانُكُمْ فَكَاتِبُوْهُمْ اِنْ عَلِمْتُمْ فِيْهِمْ خَيْرًا ۖۗ وَّ اٰتُوْهُمْ مِّنْ مَّالِ اللّٰهِ الَّذِيْٓ اٰتٰىكُمْ ؕ وَ لَا تُكْرِهُوْا فَتَيٰتِكُمْ عَلَى الْبِغَآءِ اِنْ اَرَدْنَ تَحَصُّنًا لِّتَبْتَغُوْا عَرَضَ الْحَيٰوةِ الدُّنْيَا ؕ وَ مَنْ يُّكْرِهْهُّنَّ فَاِنَّ اللّٰهَ مِنْۢ بَعْدِ اِكْرَاهِهِنَّ غَفُوْرٌ رَّحِيْمٌ ﴿۳۳﴾
৩৪. আমরা তোমাদের কাছে নাযিল করেছি সুস্পষ্ট আয়াতসমূহ এবং তোমাদের আগেকার লোকদের উদাহরণ আর সতর্ক সচেতন লোকদের জন্যে উপদেশ।	وَ لَقَدْ اَنْزَلْنَآ اِلَيْكُمْ اٰيٰتٍ مُّبَيِّنٰتٍ وَّ مَثَلًا مِّنَ الَّذِيْنَ خَلَوْا مِنْ قَبْلِكُمْ وَ مَوْعِظَةً لِّلْمُتَّقِيْنَ ﴿۳۴﴾ রুকু ০৪
৩৫. আল্লাহ্‌ মহাকাশ এবং পৃথিবীর নূর। তাঁর নূরের উপমা হলো একটি প্রদীপ ঘর। তাতে আছে প্রদীপ। প্রদীপটি স্থাপিত একটি কাঁচের পরিবেষ্টনীর মধ্যে। কাঁচের পরিবেষ্টনীটি যেনো উজ্জ্বল নক্ষত্র। সেটি জ্বালানো হয় পবিত্র যয়তুন গাছের তেল দিয়ে। সেটি পূর্বেরও নয়, পশ্চিমেরও নয়। আগুন সেটিকে স্পর্শ না করলেও যেনো সেটির তেলই ছড়াচ্ছে উজ্জ্বল আলো। নূরের উপর নূর। আল্লাহ্‌ যাকে ইচ্ছা পথ দেখান তাঁর নূরের দিকে। আল্লাহ্‌ মানুষের	اَللّٰهُ نُوْرُ السَّمٰوٰتِ وَ الْاَرْضِ ؕ مَثَلُ نُوْرِهٖ كَمِشْكٰوةٍ فِيْهَا مِصْبَاحٌ ؕ اَلْمِصْبَاحُ فِيْ زُجَاجَةٍ ؕ اَلزُّجَاجَةُ كَاَنَّهَا كَوْكَبٌ دُرِّيٌّ يُّوْقَدُ مِنْ شَجَرَةٍ مُّبٰرَكَةٍ زَيْتُوْنَةٍ لَّا شَرْقِيَّةٍ وَّ لَا غَرْبِيَّةٍ ۙ يَّكَادُ زَيْتُهَا يُضِيْٓءُ وَ لَوْ لَمْ تَمْسَسْهُ نَارٌ ؕ نُوْرٌ عَلٰى نُوْرٍ ؕ يَهْدِي اللّٰهُ لِنُوْرِهٖ مَنْ يَّشَآءُ ؕ وَ يَضْرِبُ اللّٰهُ

জন্যে এভাবেই দৃষ্টান্ত দিয়ে থাকেন। আল্লাহ্ সব বিষয়ে জ্ঞানী।	الْاَمْثَالَ لِلنَّاسِ ؕ وَ اللّٰهُ بِكُلِّ شَیْءٍ عَلِیْمٌ ﴿۳۵﴾
৩৬. সেইসব ঘর, যেসব ঘরে আল্লাহ্ তাঁর নাম সমুন্নত ও স্মরণ করতে অনুমতি দিয়েছেন, সকাল-সন্ধ্যায় সেগুলোতে তাঁর তসবিহ করে	فِیْ بُیُوْتٍ اَذِنَ اللّٰهُ اَنْ تُرْفَعَ وَ یُذْكَرَ فِیْهَا اسْمُهٗ ۙ یُسَبِّحُ لَهٗ فِیْهَا بِالْغُدُوِّ وَ الْاٰصَالِ ﴿۳۶﴾
৩৭. সেইসব লোক, যাদেরকে ব্যবসা-বাণিজ্য ও বেচা-কেনা বিরত রাখেনা আল্লাহ্‌র যিকির, সালাত কায়েম ও যাকাত প্রদান থেকে। তারা ভয় করে সেই দিনটিকে যেদিন মানুষের অন্তর আর চোখ উল্টে যাবে।	رِجَالٌ ۙ لَّا تُلْهِیْهِمْ تِجَارَةٌ وَّ لَا بَیْعٌ عَنْ ذِكْرِ اللّٰهِ وَ اِقَامِ الصَّلٰوةِ وَ اِیْتَآءِ الزَّكٰوةِ ۪ۙ یَخَافُوْنَ یَوْمًا تَتَقَلَّبُ فِیْهِ الْقُلُوْبُ وَ الْاَبْصَارُ ﴿۳۷﴾ۙ
৩৮. যাতে করে আল্লাহ্ তাদের আমলের উত্তম পুরস্কার তাদের দিতে পারেন এবং বৃদ্ধি করে দিতে পারেন তাঁর অনুগ্রহ থেকে। আর আল্লাহ্ যাকে ইচ্ছা রিযিক দিয়ে থাকেন বিনা হিসাবে।	لِیَجْزِیَهُمُ اللّٰهُ اَحْسَنَ مَا عَمِلُوْا وَ یَزِیْدَهُمْ مِّنْ فَضْلِهٖ ؕ وَ اللّٰهُ یَرْزُقُ مَنْ یَّشَآءُ بِغَیْرِ حِسَابٍ ﴿۳۸﴾
৩৯. আর যারা কুফুরি করে, তাদের আমলের উপমা হলো মরুভূমির মরীচিকা, পীপাসার্ত ব্যক্তি যাকে মনে করে পানি। যখন সে সেখানে এসে পৌঁছে, কিছুই পায়না। সে তো সেখানে পায় কেবল আল্লাহ্‌কে। তিনি তাকে তার কর্মফল পূর্ণমাত্রায় দিয়ে দেবেন, আর আল্লাহ্ দ্রুত হিসাবগ্রহণকারী।	وَ الَّذِیْنَ كَفَرُوْۤا اَعْمَالُهُمْ كَسَرَابٍۭ بِقِیْعَةٍ یَّحْسَبُهُ الظَّمْاٰنُ مَآءً ؕ حَتّٰۤی اِذَا جَآءَهٗ لَمْ یَجِدْهُ شَیْـًٔا وَّ وَجَدَ اللّٰهَ عِنْدَهٗ فَوَفّٰىهُ حِسَابَهٗ ؕ وَ اللّٰهُ سَرِیْعُ الْحِسَابِ ﴿۳۹﴾
৪০. অথবা (তাদের আমলের) উপমা হলো গভীর সমুদ্রের অন্ধকাররাশি, যাকে ঢেকে রাখে ঢেউয়ের উপর ঢেউ, তার উপর কালো মেঘপুঞ্জ। অন্ধকার রাশির স্তর একটির উপর একটি। সে যখন তার হাত বের করে, আদৌ দেখতে পায় না। আল্লাহ্ যাকে নূর দান করেন না, তার কোনো নূর নেই।	اَوْ كَظُلُمٰتٍ فِیْ بَحْرٍ لُّجِّیٍّ یَّغْشٰىهُ مَوْجٌ مِّنْ فَوْقِهٖ مَوْجٌ مِّنْ فَوْقِهٖ سَحَابٌ ؕ ظُلُمٰتٌۢ بَعْضُهَا فَوْقَ بَعْضٍ ؕ اِذَاۤ اَخْرَجَ یَدَهٗ لَمْ یَكَدْ یَرٰىهَا ؕ وَ مَنْ لَّمْ یَجْعَلِ اللّٰهُ لَهٗ نُوْرًا فَمَا لَهٗ مِنْ نُّوْرٍ ﴿۴۰﴾
৪১. তুমি দেখোনা মহাকাশ এবং পৃথিবীতে যারাই আছে তারা সবাই এবং উড়ন্ত পাখিকুল তসবিহ করছে আল্লাহ্‌র। তারা প্রত্যেকেই জেনেছে তার সালাত (ইবাদত) ও তসবিহর পদ্ধতি। তারা যা করে আল্লাহ্ তা জ্ঞাত আছেন।	اَلَمْ تَرَ اَنَّ اللّٰهَ یُسَبِّحُ لَهٗ مَنْ فِی السَّمٰوٰتِ وَ الْاَرْضِ وَ الطَّیْرُ صٰٓفّٰتٍ ؕ كُلٌّ قَدْ عَلِمَ صَلَاتَهٗ وَ تَسْبِیْحَهٗ ؕ وَ اللّٰهُ عَلِیْمٌۢ بِمَا یَفْعَلُوْنَ ﴿۴۱﴾
৪২. মহাকাশ ও পৃথিবীর কর্তৃত্ব আল্লাহ্‌র এবং আল্লাহ্‌র কাছেই হবে সবার প্রত্যাবর্তন।	وَ لِلّٰهِ مُلْكُ السَّمٰوٰتِ وَ الْاَرْضِ ۚ وَ اِلَی اللّٰهِ الْمَصِیْرُ ﴿۴۲﴾
৪৩. তুমি কি দেখোনা, আল্লাহ্ই তো পরিচালিত করেন মেঘমালাকে, তারপর সেগুলোকে একত্র করেন, অত:পর পুঞ্জীভুত করেন, তারপর তুমি দেখতে পাও সেগুলোর ভেতর থেকে বেরিয়ে আসে বৃষ্টির পানি। আকাশের জমে যাওয়া মেঘস্তূপ থেকে	اَلَمْ تَرَ اَنَّ اللّٰهَ یُزْجِیْ سَحَابًا ثُمَّ یُؤَلِّفُ بَیْنَهٗ ثُمَّ یَجْعَلُهٗ رُكَامًا فَتَرَی الْوَدْقَ یَخْرُجُ مِنْ خِلٰلِهٖ ۚ وَ یُنَزِّلُ مِنَ السَّمَآءِ

রুকু ০৫

তিনি বর্ষণ করেন শিলা, আর তা দিয়ে তিনি যাকে ইচ্ছা আঘাত করেন এবং যাকে ইচ্ছা তা থেকে রক্ষা করেন উপর থেকে সরিয়ে দিয়ে। তার বিদ্যুতের ঝলক দৃষ্টি প্রায় কেড়ে নেয়।	مِنْ جِبَالٍ فِيْهَا مِنْۢ بَرَدٍ فَيُصِيْبُ بِهٖ مَنْ يَّشَآءُ وَ يَصْرِفُهٗ عَنْ مَّنْ يَّشَآءُ ؕ يَكَادُ سَنَا بَرْقِهٖ يَذْهَبُ بِالْاَبْصَارِ ﴿٤٣﴾
৪৪. আল্লাহ্ই পরিবর্তন ঘটান রাত আর দিনের। দৃষ্টিবান লোকদের জন্যে এতে রয়েছে একটি শিক্ষা।	يُقَلِّبُ اللّٰهُ الَّيْلَ وَ النَّهَارَ ؕ اِنَّ فِيْ ذٰلِكَ لَعِبْرَةً لِّاُولِي الْاَبْصَارِ ﴿٤٤﴾
৪৫. আল্লাহ্ প্রতিটি জীবকে সৃষ্টি করেছেন পানি থেকে। তাদের কিছু জীব চলে পেটে ভর দিয়ে, কিছু চলে দুই পায়ে এবং কিছু চলে চার পায়ে। আল্লাহ্ সৃষ্টি করেন যা তিনি চান। নিশ্চয়ই আল্লাহ্ সব বিষয়ে শক্তিমান।	وَ اللّٰهُ خَلَقَ كُلَّ دَآبَّةٍ مِّنْ مَّآءٍ ۚ فَمِنْهُمْ مَّنْ يَّمْشِيْ عَلٰى بَطْنِهٖ ۚ وَ مِنْهُمْ مَّنْ يَّمْشِيْ عَلٰى رِجْلَيْنِ ۚ وَ مِنْهُمْ مَّنْ يَّمْشِيْ عَلٰۤى اَرْبَعٍ ؕ يَخْلُقُ اللّٰهُ مَا يَشَآءُ ؕ اِنَّ اللّٰهَ عَلٰى كُلِّ شَيْءٍ قَدِيْرٌ ﴿٤٥﴾
৪৬. নিশ্চয়ই আমরা নাযিল করেছি সুস্পষ্ট আয়াতসমূহ। আল্লাহ্ যাকে ইচ্ছা হিদায়াত করেন সিরাতুল মুস্তাকিমের দিকে।	لَقَدْ اَنْزَلْنَاۤ اٰيٰتٍ مُّبَيِّنٰتٍ ؕ وَاللّٰهُ يَهْدِيْ مَنْ يَّشَآءُ اِلٰى صِرَاطٍ مُّسْتَقِيْمٍ ﴿٤٦﴾
৪৭. তারা বলে: 'আমরা ঈমান এনেছি আল্লাহ্র প্রতি এবং তাঁর রসূলের প্রতি আর আমরা আনুগত্য মেনে নিলাম।' কিন্তু এর পরই তাদের একদল মুখ ফিরিয়ে নেয়। আসলে তারা মুমিন নয়।	وَيَقُوْلُوْنَ اٰمَنَّا بِاللّٰهِ وَبِالرَّسُوْلِ وَاَطَعْنَا ثُمَّ يَتَوَلّٰى فَرِيْقٌ مِّنْهُمْ مِّنْۢ بَعْدِ ذٰلِكَ ؕ وَمَاۤ اُولٰٓئِكَ بِالْمُؤْمِنِيْنَ ﴿٤٧﴾
৪৮. তাদেরকে যখন আল্লাহ্ এবং তাঁর রসূলের দিকে ডাকা হয় তাদের মাঝে ফায়সালা করে দেয়ার জন্যে, তখন তাদের একদল মুখ ফিরিয়ে নেয়।	وَاِذَا دُعُوْۤا اِلَى اللّٰهِ وَ رَسُوْلِهٖ لِيَحْكُمَ بَيْنَهُمْ اِذَا فَرِيْقٌ مِّنْهُمْ مُّعْرِضُوْنَ ﴿٤٨﴾
৪৯. আর যদি তাদের প্রাপ্য কোনো অধিকারের বিষয় হয়, তখন তারা বিনীত হয়ে রসূলের কাছে ছুটে আসে।	وَ اِنْ يَّكُنْ لَّهُمُ الْحَقُّ يَاْتُوْۤا اِلَيْهِ مُذْعِنِيْنَ ﴿٤٩﴾ ؕ
৫০. তাদের অন্তরে কি ব্যাধি আছে, নাকি তারা সংশয়ে নিমজ্জিত? আর নাকি তারা ভয় করে যে, আল্লাহ্ এবং তাঁর রসূল তাদের প্রতি যুলুম করবেন? আসল কথা হলো তারা যালিম।	اَفِيْ قُلُوْبِهِمْ مَّرَضٌ اَمِ ارْتَابُوْۤا اَمْ يَخَافُوْنَ اَنْ يَّحِيْفَ اللّٰهُ عَلَيْهِمْ وَ رَسُوْلُهٗ ؕ بَلْ اُولٰٓئِكَ هُمُ الظّٰلِمُوْنَ ﴿٥٠﴾
৫১. মুমিনদেরকে যখন আল্লাহ্ ও আল্লাহ্র রসূলের দিকে ডাকা হয় তাদের মাঝে ফায়সালা করে দেয়ার জন্যে তখন তাদের কথা একটাই হয়ে থাকে যে, 'আমরা শুনলাম এবং মেনে নিলাম।' এসব লোকেই হবে সফলকাম।	اِنَّمَا كَانَ قَوْلَ الْمُؤْمِنِيْنَ اِذَا دُعُوْۤا اِلَى اللّٰهِ وَ رَسُوْلِهٖ لِيَحْكُمَ بَيْنَهُمْ اَنْ يَّقُوْلُوْا سَمِعْنَا وَاَطَعْنَا ؕ وَاُولٰٓئِكَ هُمُ الْمُفْلِحُوْنَ ﴿٥١﴾
৫২. যারা আল্লাহ্ ও তাঁর রসূলের আনুগত্য করে, আল্লাহ্কে ভয় করে এবং তাঁর অবাধ্যতা থেকে	وَمَنْ يُّطِعِ اللّٰهَ وَ رَسُوْلَهٗ وَ يَخْشَ اللّٰهَ

রুকু ০৬

আত্মরক্ষা করে, তারাই অর্জন করবে সাফল্য।	وَيَتَّقْهِ فَاُولٰٓئِكَ هُمُ الْفَآئِزُوْنَ ۝٥٢
৫৩. তারা (মুনাফিকরা) শক্তভাবে আল্লাহর নামে কসম খেয়ে বলে, তুমি তাদের নির্দেশ দিলে তারা অবশ্যি (যুদ্ধে) বের হবে। বলো: তোমরা কসম খেয়োনা, তোমাদের থেকে প্রচলিত আনুগ্যতই কাম্য। তোমরা যা করো সে বিষয়ে আল্লাহ্ গভীরভাবে অবহিত।	وَ اَقْسَمُوْا بِاللّٰهِ جَهْدَ اَيْمَانِهِمْ لَئِنْ اَمَرْتَهُمْ لَيَخْرُجُنَّ ؕ قُلْ لَّا تُقْسِمُوْا ۚ طَاعَةٌ مَّعْرُوْفَةٌ ؕ اِنَّ اللّٰهَ خَبِيْرٌۢ بِمَا تَعْمَلُوْنَ ۝٥٣
৫৪. হে নবী! বলো: তোমরা আনুগত্য করো আল্লাহ্র এবং আনুগত্য করো এই রসূলের। যদি মুখ ফিরিয়ে নাও, তবে তার (রসূলের) প্রতি অর্পিত দায়িত্বের জন্যে সে-ই দায়ী হবে, আর তোমরা দায়ী হবে তোমাদের উপর অর্পিত দায়িত্বের জন্যে। তোমরা যদি আনুগত্য করো, তবেই সঠিক পথ পাবে। স্পষ্টভাবে বার্তা পৌঁছে দেয়া ছাড়া আমাদের রসূলের উপর আর কোনো দায়িত্ব নেই।	قُلْ اَطِيْعُوا اللّٰهَ وَ اَطِيْعُوا الرَّسُوْلَ ۚ فَاِنْ تَوَلَّوْا فَاِنَّمَا عَلَيْهِ مَا حُمِّلَ وَ عَلَيْكُمْ مَّا حُمِّلْتُمْ ؕ وَ اِنْ تُطِيْعُوْهُ تَهْتَدُوْا ؕ وَ مَا عَلَى الرَّسُوْلِ اِلَّا الْبَلٰغُ الْمُبِيْنُ ۝٥٤
৫৫. তোমাদের মধ্যে যারা ঈমান আনে এবং আমলে সালেহ্ করে, তাদেরকে আল্লাহ্ ওয়াদা দিচ্ছেন, তিনি তাদের ভূ-খণ্ডে প্রতিনিধিত্ব (রাষ্ট্রক্ষমতা) দান করবেন, যেমন তিনি রাষ্ট্র ক্ষমতা দান করেছিলেন তাদের পূর্ববর্তীদের। তিনি তাদের জন্যে প্রতিষ্ঠিতি করে দেবেন তাদের দীনকে, যা তিনি তাদের জন্যে মনোনীত করেছেন এবং তাদেরকে ত্রাস ও ভীতির বদলে দেবেন শান্তি ও নিরাপত্তা। তখন তারা কেবল আমারই দাসত্ব করবে এবং আমার সাথে কাউকেও শরিক করবেনা। তবে এরপরও যারা কুফুরি করবে তারা হবে ফাসিক (সীমালঙ্ঘনকারী পাপিষ্ঠ)।	وَعَدَ اللّٰهُ الَّذِيْنَ اٰمَنُوْا مِنْكُمْ وَ عَمِلُوا الصّٰلِحٰتِ لَيَسْتَخْلِفَنَّهُمْ فِي الْاَرْضِ كَمَا اسْتَخْلَفَ الَّذِيْنَ مِنْ قَبْلِهِمْ ۪ وَ لَيُمَكِّنَنَّ لَهُمْ دِيْنَهُمُ الَّذِي ارْتَضٰى لَهُمْ وَ لَيُبَدِّلَنَّهُمْ مِّنْۢ بَعْدِ خَوْفِهِمْ اَمْنًا ؕ يَعْبُدُوْنَنِيْ لَا يُشْرِكُوْنَ بِيْ شَيْـًٔا ؕ وَ مَنْ كَفَرَ بَعْدَ ذٰلِكَ فَاُولٰٓئِكَ هُمُ الْفٰسِقُوْنَ ۝٥٥
৫৬. তোমরা সালাত কায়েম করো, যাকাত প্রদান করো এবং আনুগত্য করো এই রসূলের, আশা করা যায় তোমরা অনুকম্পা লাভ করবে।	وَاَقِيْمُوا الصَّلٰوةَ وَاٰتُوا الزَّكٰوةَ وَاَطِيْعُوا الرَّسُوْلَ لَعَلَّكُمْ تُرْحَمُوْنَ ۝٥٦
৫৭. তোমরা পৃথিবীতে কাফিরদের কখনো প্রবল পরাক্রমশালী মনে করোনা। তাদের আশ্রয় তো হবে জাহান্নামে, যা খুবই নিকৃষ্ট ফিরে যাবার জায়গা।	لَا تَحْسَبَنَّ الَّذِيْنَ كَفَرُوْا مُعْجِزِيْنَ فِي الْاَرْضِ ۚ وَمَاْوٰىهُمُ النَّارُ ؕ وَلَبِئْسَ الْمَصِيْرُ ۝٥٧
৫৮. হে ঈমানদার লোকেরা, তোমাদের মালিকানাধীন দাসদাসীরা এবং তোমাদের যারা এখনো বয়োপ্রাপ্ত হয়নি, তারা যেনো তিনটি সময় তোমাদের কক্ষে প্রবেশ কালে অনুমতি নেয়: ফজর সালাতের আগে, দুপুরে যখন তোমাদের পোশাক খুলে রাখো তখন এবং	يٰۤاَيُّهَا الَّذِيْنَ اٰمَنُوْا لِيَسْتَاْذِنْكُمُ الَّذِيْنَ مَلَكَتْ اَيْمَانُكُمْ وَ الَّذِيْنَ لَمْ يَبْلُغُوا الْحُلُمَ مِنْكُمْ ثَلٰثَ مَرّٰتٍ ؕ مِنْ قَبْلِ صَلٰوةِ الْفَجْرِ وَ حِيْنَ تَضَعُوْنَ ثِيَابَكُمْ

রুকু ০৭

এশার সালাতের পরে। এই তিনটি তোমাদের গোপনীয়তা অবলম্বনের সময়। এই সময় ছাড়া বাকি সময়ে অনুমতি ছাড়া প্রবেশ করলে তোমাদেরও এবং তাদেরও কোনো দোষ হবেনা। তোমাদের একে অপরের কাছে তো যাতায়াত করতেই হয়। এভাবেই আল্লাহ্ বয়ান করেন তোমাদের জন্যে তাঁর আয়াতসমূহ। আল্লাহ্ জ্ঞানী ও প্রজ্ঞাময়।	مِّنَ الظَّهِيْرَةِ وَ مِنْۢ بَعْدِ صَلٰوةِ الْعِشَآءِ ۛ ثَلٰثُ عَوْرٰتٍ لَّكُمْ ؕ لَيْسَ عَلَيْكُمْ وَلَا عَلَيْهِمْ جُنَاحٌۢ بَعْدَهُنَّ ؕ طَوّٰفُوْنَ عَلَيْكُمْ بَعْضُكُمْ عَلٰى بَعْضٍ ؕ كَذٰلِكَ يُبَيِّنُ اللّٰهُ لَكُمُ الْاٰيٰتِ ؕ وَاللّٰهُ عَلِيْمٌ حَكِيْمٌ ﴿৫৮﴾
৫৯. তোমাদের বাচ্চারা যখন বয়োপ্রাপ্ত হয়, তখন তারাও যেনো অনুমতি চেয়ে নেয় যেভাবে অনুমতি নেয় তাদের বয়োজ্যেষ্ঠরা। এভাবেই বর্ণনা করেন আল্লাহ্ তোমাদের জন্যে তাঁর আয়াত। আল্লাহ্ জ্ঞানী ও প্রজ্ঞাবান।	وَ اِذَا بَلَغَ الْاَطْفَالُ مِنْكُمُ الْحُلُمَ فَلْيَسْتَاْذِنُوْا كَمَا اسْتَاْذَنَ الَّذِيْنَ مِنْ قَبْلِهِمْ ؕ كَذٰلِكَ يُبَيِّنُ اللّٰهُ لَكُمْ اٰيٰتِهٖ ؕ وَ اللّٰهُ عَلِيْمٌ حَكِيْمٌ ﴿৫৯﴾
৬০. বৃদ্ধ নারীরা, যারা বিয়ের আশা রাখেনা, তারা যদি তাদের সৌন্দর্য প্রকাশ না করে বহিরাবরণ খুলে রাখে, তবে তাদের কোনো দোষ হবেনা। তবে সংযত থাকাই তাদের জন্যে উত্তম। আল্লাহ্ সব শুনেন, সব জানেন।	وَالْقَوَاعِدُ مِنَ النِّسَآءِ الّٰتِيْ لَا يَرْجُوْنَ نِكَاحًا فَلَيْسَ عَلَيْهِنَّ جُنَاحٌ اَنْ يَّضَعْنَ ثِيَابَهُنَّ غَيْرَ مُتَبَرِّجٰتٍۢ بِزِيْنَةٍ ؕ وَاَنْ يَّسْتَعْفِفْنَ خَيْرٌ لَّهُنَّ ؕ وَاللّٰهُ سَمِيْعٌ عَلِيْمٌ ﴿৬০﴾
৬১. অন্ধদের দোষ নেই, খোড়াদের দোষ নেই এবং রোগীদেরও দোষ নেই (তারা যদি অনুমতি ছাড়া কারো কিছু খেয়ে নেয়), আর তোমাদের নিজেদেরও দোষ হবেনা তোমরা যদি (অনুমতি ছাড়া) খাও তোমাদের নিজেদের ঘরে, তোমাদের পিতাদের ঘরে, তোমাদের মায়েদের ঘরে, তোমাদের ভাইদের ঘরে, তোমাদের বোনদের ঘরে, তোমাদের চাচাদের ঘরে, তোমাদের ফুফুদের ঘরে, তোমাদের মামাদের ঘরে, তোমাদের খালাদের ঘরে, সেইসব ঘরে যেসব ঘরের চাবি তোমাদের অধিকারে থাকে এবং তোমাদের বন্ধুদের ঘরে। তোমরা একত্রে খাও কিংবা আলাদা আলাদা খাও তাতে তোমাদের কোনো দোষ হবেনা। যখনই তোমরা ঘরে দাখিল হবে নিজেদের প্রতি সালাম করবে। এটি আল্লাহ্‌র পক্ষ থেকে দেয়া অভিবাদন কল্যাণময় ও উত্তম। এভাবেই আল্লাহ্ তোমাদের জন্যে বয়ান করেন আয়াতসমূহ বিস্তারিতভাবে, যাতে করে তোমরা আকল খাটাও।	لَيْسَ عَلَى الْاَعْمٰى حَرَجٌ وَّ لَا عَلَى الْاَعْرَجِ حَرَجٌ وَّ لَا عَلَى الْمَرِيْضِ حَرَجٌ وَّ لَا عَلٰۤى اَنْفُسِكُمْ اَنْ تَاْكُلُوْا مِنْۢ بُيُوْتِكُمْ اَوْ بُيُوْتِ اٰبَآئِكُمْ اَوْ بُيُوْتِ اُمَّهٰتِكُمْ اَوْ بُيُوْتِ اِخْوَانِكُمْ اَوْ بُيُوْتِ اَخَوٰتِكُمْ اَوْ بُيُوْتِ اَعْمَامِكُمْ اَوْ بُيُوْتِ عَمّٰتِكُمْ اَوْ بُيُوْتِ اَخْوَالِكُمْ اَوْ بُيُوْتِ خٰلٰتِكُمْ اَوْ مَا مَلَكْتُمْ مَّفَاتِحَهٗۤ اَوْ صَدِيْقِكُمْ ؕ لَيْسَ عَلَيْكُمْ جُنَاحٌ اَنْ تَاْكُلُوْا جَمِيْعًا اَوْ اَشْتَاتًا ؕ فَاِذَا دَخَلْتُمْ بُيُوْتًا فَسَلِّمُوْا عَلٰۤى اَنْفُسِكُمْ تَحِيَّةً مِّنْ عِنْدِ اللّٰهِ مُبٰرَكَةً طَيِّبَةً ؕ كَذٰلِكَ يُبَيِّنُ اللّٰهُ لَكُمُ الْاٰيٰتِ لَعَلَّكُمْ تَعْقِلُوْنَ ﴿৬১﴾
৬২. মুমিন তো তারাই, যারা ঈমান আনে আল্লাহ্‌র প্রতি ও তাঁর রসূলের প্রতি, আর রসূলের সাথে সামষ্টিক বিষয়ে একত্র হলে তারা অনুমতি ছাড়া চলে যায়না। যারা (প্রয়োজনে) তোমার কাছে অনুমতি চায় তারাই ঈমান রাখে	اِنَّمَا الْمُؤْمِنُوْنَ الَّذِيْنَ اٰمَنُوْا بِاللّٰهِ وَرَسُوْلِهٖ وَ اِذَا كَانُوْا مَعَهٗ عَلٰۤى اَمْرٍ جَامِعٍ لَّمْ يَذْهَبُوْا حَتّٰى يَسْتَاْذِنُوْهُ ؕ اِنَّ الَّذِيْنَ

রুকু ০৮

يَسۡتَاۡذِنُوۡنَكَ اُولٰٓئِكَ الَّذِيۡنَ يُؤۡمِنُوۡنَ بِاللّٰهِ وَ رَسُوۡلِهٖ ۚ فَاِذَا اسۡتَاۡذَنُوۡكَ لِبَعۡضِ شَاۡنِهِمۡ فَاۡذَنۡ لِّمَنۡ شِئۡتَ مِنۡهُمۡ وَ اسۡتَغۡفِرۡ لَهُمُ اللّٰهَ ؕ اِنَّ اللّٰهَ غَفُوۡرٌ رَّحِيۡمٌ ﴿۶۲﴾

আল্লাহ্‌র প্রতি এবং তাঁর রসূলের প্রতি। তারা তাদের কোনো প্রয়োজনে (বৈঠক থেকে) বাইরে যেতে তোমার কাছে অনুমতি চাইলে তুমি যাকে ইচ্ছা অনুমতি দেবে এবং তাদের জন্যে আল্লাহ্‌র কাছে মাগফিরাত প্রার্থনা করবে। কারণ আল্লাহ্ তো অতীব ক্ষমাশীল দয়াময়।

لَا تَجۡعَلُوۡا دُعَآءَ الرَّسُوۡلِ بَيۡنَكُمۡ كَدُعَآءِ بَعۡضِكُمۡ بَعۡضًا ؕ قَدۡ يَعۡلَمُ اللّٰهُ الَّذِيۡنَ يَتَسَلَّلُوۡنَ مِنۡكُمۡ لِوَاذًا ۚ فَلۡيَحۡذَرِ الَّذِيۡنَ يُخَالِفُوۡنَ عَنۡ اَمۡرِهٖۤ اَنۡ تُصِيۡبَهُمۡ فِتۡنَةٌ اَوۡ يُصِيۡبَهُمۡ عَذَابٌ اَلِيۡمٌ ﴿۶۳﴾

৬৩. (হে মুমিনরা!) রসূলের আহ্বানকে তোমাদের পরস্পরকে আহ্বান করার সমতুল্য মনে করোনা। তোমাদের যারা (রসূলের ডাকা বৈঠক থেকে) অনুমতি ছাড়াই সরে পড়ে, আল্লাহ্ তাদের জানেন। সুতরাং যারা তার আদেশের বিরুদ্ধাচারণ করে তারা যেনো সতর্ক হয় এ জন্যে যে, তাদের উপর ফিতনা এসে পড়তে পারে, কিংবা তাদের উপর আপতিত হতে পারে যন্ত্রণাদায়ক আযাব।

اَلَاۤ اِنَّ لِلّٰهِ مَا فِي السَّمٰوٰتِ وَ الۡاَرۡضِ ؕ قَدۡ يَعۡلَمُ مَاۤ اَنۡتُمۡ عَلَيۡهِ ؕ وَ يَوۡمَ يُرۡجَعُوۡنَ اِلَيۡهِ فَيُنَبِّئُهُمۡ بِمَا عَمِلُوۡا ؕ وَ اللّٰهُ بِكُلِّ شَيۡءٍ عَلِيۡمٌ ﴿۶۴﴾

৬৪. সাবধান, জেনে রাখো, মহাকাশ ও পৃথিবীতে যা কিছু আছে সবই আল্লাহ্‌র। তোমরা যেসব কাজে নিরত আছো সবই আল্লাহ্ জানেন। যেদিন তাদেরকে তাঁর (আল্লাহ্‌র) কাছে ফিরিয়ে নেয়া হবে সেদিন তিনি তাদের অবহিত করবেন তারা কী কাজ করেছিল? আল্লাহ্ প্রতিটি বিষয়ে জ্ঞাত।

রুকু ০৭

সূরা ২৫ আল ফুরকান

মক্কায় অবতীর্ণ, আয়াত সংখ্যা: ৭৭, রুকু সংখ্যা: ০৬

এই সূরার আলোচ্যসূচি (আয়াত ভিত্তিক আলোচ্য বিষয়)

০১-০৩: আল্লাহ্ এক। শিরকের অসারতা।

০৪-০৯: কুরআন ও রসূলের সত্যতার যুক্তি।

১০-২০: আখিরাত অস্বীকারকারীরা জাহান্নামি। মুশরিকদের অলি ও উপাস্যরা মুশরিকদের কৃতকর্ম সম্পর্কে অজ্ঞতা প্রকাশ করবে। সকল নবীই মানুষ ছিলেন।

২১-৩৪: অবিশ্বাসীদের হাস্যকর দাবি। বিচারের দিনটি হবে কাফিরদের জন্য কঠিন। রসূল বলবেন, হে আল্লাহ্ আমার লোকেরাই কুরআন পরিত্যাগ করে রেখেছিল। কুরআন একত্রে নাযিল না করার কারণ।

৩৫-৪৪: বিভিন্ন জাতি কর্তৃক নবীদের প্রত্যাখ্যান এবং তাদের পরিণতি।

৪৫-৬২: মানুষের প্রতি আল্লাহ্‌র অনুগ্রহ। আল্লাহ্‌র প্রতি মানুষের অকৃতজ্ঞতা।

৬৩-৭৭: আল্লাহ্‌র প্রিয় বান্দাদের গুণাবলি।

سُوۡرَةُ الۡفُرۡقَانِ

بِسۡمِ اللّٰهِ الرَّحۡمٰنِ الرَّحِيۡمِ

সূরা আল ফুরকান (বিচারের মানদন্ড)

পরম করুণাময় পরম দয়াবান আল্লাহ্‌র নামে

تَبٰرَكَ الَّذِيۡ نَزَّلَ الۡفُرۡقَانَ عَلٰى عَبۡدِهٖ لِيَكُوۡنَ لِلۡعٰلَمِيۡنَ نَذِيۡرَا ۙ﴿۱﴾

০১. বড়ই বরকতওয়ালা সেই তিনি যিনি নাযিল করেছেন আল ফুরকান (আল কুরআন) তাঁর দাসের প্রতি, যাতে করে সে হতে পারে জগদ্বাসীর জন্যে একজন সতর্ককারী।

০২. তিনি সেই সত্তা, মহাকাশ ও পৃথিবীর কর্তৃত্ব যাঁর। তিনি গ্রহণ করেন না সন্তান। তাছাড়া তাঁর কর্তৃত্বেও কেউ নেই শরিক। তিনিই সৃষ্টি করেছেন প্রতিটি জিনিস এবং প্রত্যেকের জন্যে নির্ধারণ করেছেন যথোপযুক্ত নির্ধারণ।	الَّذِىۡ لَهٗ مُلۡكُ السَّمٰوٰتِ وَ الۡاَرۡضِ وَلَمۡ يَتَّخِذۡ وَلَدًا وَّ لَمۡ يَكُنۡ لَّهٗ شَرِيۡكٌ فِى الۡمُلۡكِ وَ خَلَقَ كُلَّ شَىۡءٍ فَقَدَّرَهٗ تَقۡدِيۡرًا ٢
০৩. অথচ তারা তাঁর পরিবর্তে ইলাহ্ হিসেবে গ্রহণ করেছে অন্যদের, যারা কিছুই সৃষ্টি করেনা, বরং তাদেরকেই সৃষ্টি করা হয়েছে। তাছাড়া তারা নিজেদেরও ক্ষতি কিংবা উপকার করার ক্ষমতা রাখেনা। এছাড়া তারা মউত, হায়াত কিংবা পুনরুত্থানের ক্ষমতা রাখেনা।	وَاتَّخَذُوۡا مِنۡ دُوۡنِهٖۤ اٰلِهَةً لَّا يَخۡلُقُوۡنَ شَيۡـًٔا وَّهُمۡ يُخۡلَقُوۡنَ وَلَا يَمۡلِكُوۡنَ لِاَنۡفُسِهِمۡ ضَرًّا وَّلَا نَفۡعًا وَّلَا يَمۡلِكُوۡنَ مَوۡتًا وَّلَا حَيٰوةً وَّلَا نُشُوۡرًا ٣
০৪. কাফিররা বলে: 'এটা (এই কুরআন) একটা মিথ্যাচার ছাড়া আর কিছুই নয়। এটা সে (মুহাম্মদ সা.) নিজেই রচনা করে নিয়েছে এবং অন্য লোকেরা এ ব্যাপারে তাকে সহযোগিতা করেছে।' এসব কথা বলে তারা চরম যুলম ও মিথ্যায় নিমজ্জিত হয়েছে।	وَ قَالَ الَّذِيۡنَ كَفَرُوۡۤا اِنۡ هٰذَاۤ اِلَّاۤ اِفۡكُ ۨافۡتَرٰىهُ وَاَعَانَهٗ عَلَيۡهِ قَوۡمٌ اٰخَرُوۡنَ ۛۚ فَقَدۡ جَآءُوۡ ظُلۡمًا وَّزُوۡرًا ۛۚ ٤
০৫. তারা বলে: 'এ-তো সেকালের লোকদের কাহিনী যা সে লিখিয়ে নিয়েছে এবং সকাল সন্ধ্যায় এগুলো তার কাছে পাঠ করা হয়।'	وَ قَالُوۡۤا اَسَاطِيۡرُ الۡاَوَّلِيۡنَ اكۡتَتَبَهَا فَهِىَ تُمۡلٰى عَلَيۡهِ بُكۡرَةً وَّاَصِيۡلًا ٥
০৬. তুমি বলো: 'এ (কুরআন) নাযিল করেছেন তিনি, যিনি জানেন মহাকাশ ও পৃথিবীর সমস্ত রহস্য। নিশ্চয়ই তিনি ক্ষমাশীল দয়াবান।'	قُلۡ اَنۡزَلَهُ الَّذِىۡ يَعۡلَمُ السِّرَّ فِى السَّمٰوٰتِ وَالۡاَرۡضِ ؕ اِنَّهٗ كَانَ غَفُوۡرًا رَّحِيۡمًا ٦
০৭. তারা আরো বলে: "এ কেমন রসূল, যে খাবারও খায় এবং হাট-বাজারেও চলাফেরা করে! তার কাছে কোনো ফেরেশতা কেন নাযিল করা হলো না, যে তার সাথে সতর্ককারী হিসেবে থাকতো?	وَ قَالُوۡا مَالِ هٰذَا الرَّسُوۡلِ يَاۡكُلُ الطَّعَامَ وَ يَمۡشِىۡ فِى الۡاَسۡوَاقِ ؕ لَوۡ لَاۤ اُنۡزِلَ اِلَيۡهِ مَلَكٌ فَيَكُوۡنَ مَعَهٗ نَذِيۡرًا ۙ ٧
০৮. অথবা তাকে কোনো ধন-ভাণ্ডার দেয়া হয়নি কেন, কিংবা তার একটি বাগান থাকলো না কেন যা থেকে সে নিজের আহার সংগ্রহ করতো?" যালিমরা আরো বলছে: 'তোমরা তো একটা জাদুগ্রস্ত লোকের পেছনে ছুটছো।'	اَوۡ يُلۡقٰۤى اِلَيۡهِ كَنۡزٌ اَوۡ تَكُوۡنُ لَهٗ جَنَّةٌ يَّاۡكُلُ مِنۡهَا ؕ وَ قَالَ الظّٰلِمُوۡنَ اِنۡ تَتَّبِعُوۡنَ اِلَّا رَجُلًا مَّسۡحُوۡرًا ٨
০৯. দেখো, তারা তোমার কী উদ্ভট ধরনের দৃষ্টান্ত দিচ্ছে? তারা বিপথগামী হয়ে গেছে। সুতরাং তারা আর পথ খুঁজে পাবেনা।	اُنۡظُرۡ كَيۡفَ ضَرَبُوۡا لَكَ الۡاَمۡثَالَ فَضَلُّوۡا فَلَا يَسۡتَطِيۡعُوۡنَ سَبِيۡلًا ٩
১০. বড়ই বরকতওয়ালা তিনি, যিনি চাইলে তোমাকে দিতে পারেন এর চাইতে উত্তম উদ্যানসমূহ, যেগুলোর নীচে দিয়ে বহমান থাকবে নদ-নদী-নহর। এছাড়া তিনি তোমাকে দিতে পারেন প্রাসাদসমূহ।	تَبٰرَكَ الَّذِىۡۤ اِنۡ شَآءَ جَعَلَ لَكَ خَيۡرًا مِّنۡ ذٰلِكَ جَنّٰتٍ تَجۡرِىۡ مِنۡ تَحۡتِهَا الۡاَنۡهٰرُ ۙ وَيَجۡعَلۡ لَّكَ قُصُوۡرًا ١٠
১১. আসল কথা হলো, তারা কিয়ামতকেই অস্বীকার করছে, আর আমরা কিয়ামত	بَلۡ كَذَّبُوۡا بِالسَّاعَةِ ۟ وَ اَعۡتَدۡنَا لِمَنۡ

রুকু ০১

অস্বীকারকারীদের জন্যে প্রস্তুত করে রেখেছি সায়ীর (জ্বলন্ত আগুন)।	كَذَّبَ بِالسَّاعَةِ سَعِيْرًا ﴿١١﴾
১২. তারা যখন দূর থেকে সেটাকে দেখবে, তখন তারা শুনতে পাবে সেটার ক্রুদ্ধ গর্জন এবং (সেখানকার) আর্তচিৎকার।	اِذَا رَاَتْهُمْ مِّنْ مَّكَانٍۭ بَعِيْدٍ سَمِعُوْا لَهَا تَغَيُّظًا وَّ زَفِيْرًا ﴿١٢﴾
১৩. যখন তাদেরকে শৃঙ্খলিত অবস্থায় সেটার কোনো এক সংকীর্ণ স্থানে নিক্ষেপ করা হবে, তখন তারা সেখানে মৃত্যুকে ডাকবে।	وَاِذَاۤ اُلْقُوْا مِنْهَا مَكَانًا ضَيِّقًا مُّقَرَّنِيْنَ دَعَوْا هُنَالِكَ ثُبُوْرًا ﴿١٣﴾
১৪. তাদের বলা হবে: 'আজ তোমরা একটি মৃত্যুকে ডেকোনা, ডাকো অনেক মৃত্যুকে।'	لَا تَدْعُوا الْيَوْمَ ثُبُوْرًا وَّاحِدًا وَّادْعُوْا ثُبُوْرًا كَثِيْرًا ﴿١٤﴾
১৫. ওদের জিজ্ঞেস করো: 'এটাই কি ভালো, নাকি চিরস্থায়ী জান্নাত যার ওয়াদা মুত্তাকিদের দেয়া হয়েছে?' ওটাই হবে তাদের পুরস্কার এবং ফিরে যাবার জায়গা।	قُلْ اَذٰلِكَ خَيْرٌ اَمْ جَنَّةُ الْخُلْدِ الَّتِيْ وُعِدَ الْمُتَّقُوْنَ ؕ كَانَتْ لَهُمْ جَزَآءً وَّمَصِيْرًا ﴿١٥﴾
১৬. চিরকাল তারা সেখানে যা চাইবে, তাই পাবে। এই ওয়াদা পালন করা তোমার প্রভুর দায়িত্ব।	لَهُمْ فِيْهَا مَا يَشَآءُوْنَ خٰلِدِيْنَ ؕ كَانَ عَلٰى رَبِّكَ وَعْدًا مَّسْـُٔوْلًا ﴿١٦﴾
১৭. যেদিন তাদেরকে হাশর (সমবেত) করা হবে এবং তারা আল্লাহ্ ছাড়া আর যাদের ইবাদত করতো তাদেরকেও, সেদিন তিনি তাদের জিজ্ঞেস করবেন: 'তোমরাই কি আমার এই বান্দাদের বিপথগামী করেছো। নাকি তারা নিজেরাই সঠিক পথ থেকে বিচ্যুত হয়েছে?'	وَ يَوْمَ يَحْشُرُهُمْ وَ مَا يَعْبُدُوْنَ مِنْ دُوْنِ اللّٰهِ فَيَقُوْلُ ءَاَنْتُمْ اَضْلَلْتُمْ عِبَادِيْ هٰۤؤُلَآءِ اَمْ هُمْ ضَلُّوا السَّبِيْلَ ﴿١٧﴾
১৮. তারা বলবে: 'তুমি পবিত্র ও মহান, আমরা তো তোমার পরিবর্তে অন্যদেরকে অলি হিসেবে গ্রহণ করতে পারিনা। তবে তুমিই তো তাদেরকে এবং তাদের বাপ দাদাদেরকে ভোগের সামগ্রী দিয়েছিলে; ফলে তারা আয্ যিকির (আল কিতাব) ভুলে গেছে এবং তারা পরিণত হয়েছে এক বুরা (ধ্বংস প্রাপ্ত) জাতিতে।	قَالُوْا سُبْحٰنَكَ مَا كَانَ يَنْۢبَغِيْ لَنَاۤ اَنْ نَّتَّخِذَ مِنْ دُوْنِكَ مِنْ اَوْلِيَآءَ وَلٰكِنْ مَّتَّعْتَهُمْ وَاٰبَآءَهُمْ حَتّٰى نَسُوا الذِّكْرَ ۚ وَ كَانُوْا قَوْمًاۢ بُوْرًا ﴿١٨﴾
১৯. (আল্লাহ্ মুশরিকদের বলবেন:) তোমরা যা বলতে তারা (তোমাদের সেই অলিরা) তো তোমাদের সে কথা অস্বীকার করছে। সুতরাং তোমরা শাস্তি ফেরাতে পারবেনা এবং সাহায্যও পাবেনা। তোমাদের মধ্যে যে কেউ যুলুম করবে, তাকে আমরা আস্বাদন করাবো বড় আযাব।	فَقَدْ كَذَّبُوْكُمْ بِمَا تَقُوْلُوْنَ ۙ فَمَا تَسْتَطِيْعُوْنَ صَرْفًا وَّ لَا نَصْرًا ۚ وَ مَنْ يَّظْلِمْ مِّنْكُمْ نُذِقْهُ عَذَابًا كَبِيْرًا ﴿١٩﴾
২০. তোমার আগে আমরা যতো রসূলই পাঠিয়েছি, তারা সবাই খাবার খেতো এবং হাট-বাজারে যাতায়াত করতো। আমরা তোমাদের পরস্পরকে পরস্পরের জন্যে বানিয়েছি ফিতনা। তোমরা কি সবর অবলম্বন করবে? তোমার প্রভু সর্বদ্রষ্টা।	وَ مَاۤ اَرْسَلْنَا قَبْلَكَ مِنَ الْمُرْسَلِيْنَ اِلَّاۤ اِنَّهُمْ لَيَاْكُلُوْنَ الطَّعَامَ وَ يَمْشُوْنَ فِي الْاَسْوَاقِ ؕ وَجَعَلْنَا بَعْضَكُمْ لِبَعْضٍ فِتْنَةً ؕ اَتَصْبِرُوْنَ ۚ وَكَانَ رَبُّكَ بَصِيْرًا ﴿٢٠﴾

রুকু ০২

২১. যারা আমাদের সাক্ষাতের আশা করেনা তারা বলে: আমাদের কাছে কেন ফেরেশতা নাযিল হয়না, কিংবা আমরা কেন আমাদের প্রভুকে দেখছিনা? তারা তাদের মনে পোষণ করে অহংকার, আর তারা সীমালজ্ঘন করেছে বড় আকারের।	وَقَالَ الَّذِينَ لَا يَرْجُونَ لِقَاءَنَا لَوْلَا أُنْزِلَ عَلَيْنَا الْمَلَائِكَةُ أَوْ نَرَىٰ رَبَّنَا ۗ لَقَدِ اسْتَكْبَرُوا فِي أَنْفُسِهِمْ وَعَتَوْا عُتُوًّا كَبِيرًا ﴿٢١﴾
২২. যেদিন তারা ফেরেশতা দেখবে, সেদিন অপরাধীদের জন্যে কোনো সুসংবাদ থাকবেনা। সেদিন তারা বলবে: 'এ-তো কঠিন অন্তরায়, রক্ষা করো, রক্ষা করো।'	يَوْمَ يَرَوْنَ الْمَلَائِكَةَ لَا بُشْرَىٰ يَوْمَئِذٍ لِلْمُجْرِمِينَ وَيَقُولُونَ حِجْرًا مَحْجُورًا ﴿٢٢﴾
২৩. তারা যে আমলই করুক না কেন আমরা তা লক্ষ্য রাখি, আমরা তাদের আমলকে বিক্ষিপ্ত ধূলিকণায় পরিণত করবো (নিষ্ফল করে দেবো)।	وَقَدِمْنَا إِلَىٰ مَا عَمِلُوا مِنْ عَمَلٍ فَجَعَلْنَاهُ هَبَاءً مَنْثُورًا ﴿٢٣﴾
২৪. সেদিন জান্নাতবাসীদের আবাস হবে কল্যাণময়, আর তাদের বিশ্রামের জায়গা হবে অতীব মনোরম।	أَصْحَابُ الْجَنَّةِ يَوْمَئِذٍ خَيْرٌ مُسْتَقَرًّا وَأَحْسَنُ مَقِيلًا ﴿٢٤﴾
২৫. সেদিন মেঘমালাসহ বিদীর্ণ হয়ে পড়বে আকাশ, আর ক্রমান্বয়ে নাযিল করা হবে ফেরেশতাদের।	وَيَوْمَ تَشَقَّقُ السَّمَاءُ بِالْغَمَامِ وَنُزِّلَ الْمَلَائِكَةُ تَنْزِيلًا ﴿٢٥﴾
২৬. সেদিন সমস্ত কর্তৃত্ব থাকবে বাস্তবিকই রহমানের মুষ্টিবদ্ধে। কাফিরদের জন্যে সেই দিনটি হবে বড়ই কঠিন।	الْمُلْكُ يَوْمَئِذٍ الْحَقُّ لِلرَّحْمَٰنِ ۚ وَكَانَ يَوْمًا عَلَى الْكَافِرِينَ عَسِيرًا ﴿٢٦﴾
২৭. যালিম সেদিন নিজের দু'হাত কামড়াতে কামড়াতে বলবে: "হায় আমার ধ্বংস, আমি যদি রসূলের সাথে সঠিক পথ অবলম্বন করতাম!	وَيَوْمَ يَعَضُّ الظَّالِمُ عَلَىٰ يَدَيْهِ يَقُولُ يَا لَيْتَنِي اتَّخَذْتُ مَعَ الرَّسُولِ سَبِيلًا ﴿٢٧﴾
২৮. হায়, দুর্ভাগ্য আমার, আমি যদি অমুককে বন্ধু হিসেবে গ্রহণ না করতাম!	يَا وَيْلَتَىٰ لَيْتَنِي لَمْ أَتَّخِذْ فُلَانًا خَلِيلًا ﴿٢٨﴾
২৯. সে-ই তো আমাকে আয্‌ যিকির (আল কুরআন) থেকে বিভ্রান্ত করেছিল, আমার কাছে আয্‌ যিকির (আল কুরআন) পৌঁছার পর। বাস্তবিকই, শয়তান মানুষের জন্যে মহাপ্রতারক।"	لَقَدْ أَضَلَّنِي عَنِ الذِّكْرِ بَعْدَ إِذْ جَاءَنِي ۗ وَكَانَ الشَّيْطَانُ لِلْإِنْسَانِ خَذُولًا ﴿٢٩﴾
৩০. আর রসূল বলবে: 'হে প্রভু! আমার লোকেরাই এ কুরআনকে পরিত্যাগ করে রেখে দিয়েছিল।'	وَقَالَ الرَّسُولُ يَا رَبِّ إِنَّ قَوْمِي اتَّخَذُوا هَٰذَا الْقُرْآنَ مَهْجُورًا ﴿٣٠﴾
৩১. এভাবেই আমরা প্রত্যেক নবীর পিছে শত্রু নিয়োগ করেছিলাম অপরাধীদের থেকে। হাদী (পথ প্রদর্শক) এবং নাসির (সাহায্যকারী) হিসেবে তোমার প্রভুই কাফী।	وَكَذَٰلِكَ جَعَلْنَا لِكُلِّ نَبِيٍّ عَدُوًّا مِنَ الْمُجْرِمِينَ ۗ وَكَفَىٰ بِرَبِّكَ هَادِيًا وَنَصِيرًا ﴿٣١﴾
৩২. কাফিররা বলে: 'সমগ্র কুরআন তার কাছে একবারে নাযিল করা হলো না কেন?' (আমরা) এভাবেই করে থাকি এর মাধ্যমে তোমার অন্তরকে মজবুত করার জন্যে, আর এ কারণেই	وَقَالَ الَّذِينَ كَفَرُوا لَوْلَا نُزِّلَ عَلَيْهِ الْقُرْآنُ جُمْلَةً وَاحِدَةً ۚ كَذَٰلِكَ لِنُثَبِّتَ

আমরা কুরআনকে তারতিলের সাথে (ধীরে ধীরে) নাযিল করেছি।	بِهٖ فُؤَادَكَ وَرَتَّلْنٰهُ تَرْتِيْلًا ﴿٣٢﴾
৩৩. তারা তোমার কাছে এমন কোনো সমস্যা উত্থাপন করেনা যার বাস্তব সমাধান এবং উত্তম তফসির (ব্যাখ্যা) আমরা তোমাকে প্রদান করিনা।	وَلَا يَاْتُوْنَكَ بِمَثَلٍ اِلَّا جِئْنٰكَ بِالْحَقِّ وَ اَحْسَنَ تَفْسِيْرًا ﴿٣٣﴾
৩৪. তাদেরকে উপুড় করে মুখের উপর ভর দিয়ে জাহান্নামে নিয়ে হাশর (সমবেত) করা হবে। তারা অতি নিকৃষ্ট স্থানের এবং অধিক পথভ্রষ্ট লোক। (রুকু ০৩)	اَلَّذِيْنَ يُحْشَرُوْنَ عَلٰى وُجُوْهِهِمْ اِلٰى جَهَنَّمَ ۙ اُولٰٓئِكَ شَرٌّ مَّكَانًا وَّاَضَلُّ سَبِيْلًا ﴿٣٤﴾
৩৫. আমরা মূসাকে কিতাব দিয়েছিলাম এবং তার ভাই হারূণকে তার সাথে বানিয়ে দিয়েছিলাম উযির।	وَلَقَدْ اٰتَيْنَا مُوْسَى الْكِتٰبَ وَجَعَلْنَا مَعَهٗٓ اَخَاهُ هٰرُوْنَ وَزِيْرًا ﴿٣٥﴾
৩৬. তারপর আমরা তাদের বলেছিলাম: তোমরা দু'জন যাও সেই কওমের কাছে যারা প্রত্যাখ্যান করেছে আমাদের আয়াতকে। তারপর আমরা তাদেরকে সম্পূর্ণ বিধ্বস্ত করে দিয়েছিলাম।	فَقُلْنَا اذْهَبَآ اِلَى الْقَوْمِ الَّذِيْنَ كَذَّبُوْا بِاٰيٰتِنَا ؕ فَدَمَّرْنٰهُمْ تَدْمِيْرًا ﴿٣٦﴾
৩৭. আর নূহের কওমকেও, যখন তারা প্রত্যাখ্যান করেছিল রসূলদের, তখন আমরা তাদের ডুবিয়ে দিয়েছিলাম আর তাদের বানিয়ে দিয়েছিলাম মানবজাতির জন্যে একটি নিদর্শন। আর আমরা যালিমদের জন্যে প্রস্তুত করে রেখেছি বেদনাদায়ক আযাব।	وَقَوْمَ نُوْحٍ لَّمَّا كَذَّبُوا الرُّسُلَ اَغْرَقْنٰهُمْ وَ جَعَلْنٰهُمْ لِلنَّاسِ اٰيَةً ؕ وَ اَعْتَدْنَا لِلظّٰلِمِيْنَ عَذَابًا اَلِيْمًا ﴿٣٧﴾
৩৮. এছাড়াও আমরা ধ্বংস করে দিয়েছি আদ ও সামুদ জাতিকে, কূপওয়ালাদেরকে এবং এদের মধ্যবর্তী বহু প্রজন্মকে।	وَّ عَادًا وَّ ثَمُوْدَاۡ وَ اَصْحٰبَ الرَّسِّ وَقُرُوْنًۢا بَيْنَ ذٰلِكَ كَثِيْرًا ﴿٣٨﴾
৩৯. আমরা এদের প্রত্যেকের জন্যে শিক্ষামূলক দৃষ্টান্ত বর্ণনা করেছিলাম এবং এদের প্রত্যেককেই আমরা ধ্বংস করে দিয়েছিলাম।	وَ كُلًّا ضَرَبْنَا لَهُ الْاَمْثَالَ ۫ وَكُلًّا تَبَّرْنَا تَتْبِيْرًا ﴿٣٩﴾
৪০. তারা তো সেই (বিরান) জনপদ দিয়েই যাতায়াত করে যার উপর বর্ষিত হয়েছিল নিকৃষ্ট ধরনের বৃষ্টি। তবে কি তারা তা দেখেনা? বরং তারা পুনরুত্থানেই বিশ্বাস রাখেনা।	وَلَقَدْ اَتَوْا عَلَى الْقَرْيَةِ الَّتِيْۤ اُمْطِرَتْ مَطَرَ السَّوْءِ ؕ اَفَلَمْ يَكُوْنُوْا يَرَوْنَهَا ۚ بَلْ كَانُوْا لَا يَرْجُوْنَ نُشُوْرًا ﴿٤٠﴾
৪১. তারা যখন তোমাকে দেখে, তোমাকে কেবল বিদ্রূপের পাত্রই বানায়। তারা বলে: "এ ব্যক্তিকেই কি আল্লাহ্ রসূল বানিয়েছেন?	وَ اِذَا رَاَوْكَ اِنْ يَّتَّخِذُوْنَكَ اِلَّا هُزُوًا ؕ اَهٰذَا الَّذِيْ بَعَثَ اللّٰهُ رَسُوْلًا ﴿٤١﴾
৪২. সে তো আমাদেরকে আমাদের ইলাহ্দের (দেবদেবীর) থেকে দূরে সরিয়ে দিতো যদি আমরা তাদের আনুগত্যে অটল না থাকতাম।" যখন তারা আযাব দেখবে তখনই তারা জানতে পারবে কে সঠিক পথ থেকে বিচ্যুত হয়ে চলে গেছে বহুদূর?	اِنْ كَادَ لَيُضِلُّنَا عَنْ اٰلِهَتِنَا لَوْ لَاۤ اَنْ صَبَرْنَا عَلَيْهَا ؕ وَسَوْفَ يَعْلَمُوْنَ حِيْنَ يَرَوْنَ الْعَذَابَ مَنْ اَضَلُّ سَبِيْلًا ﴿٤٢﴾

৪৩. ঐ বক্তির ব্যাপারে তোমার রায় কি, যে তার কামনা বাসনাকে নিজের ইলাহ্ (উপাস্য) বানিয়ে নিয়েছে? তুমি কি হবে তার উকিল?	اَرَءَيْتَ مَنِ اتَّخَذَ اِلٰهَهٗ هَوٰىهُ ؕ اَفَاَنْتَ تَكُوْنُ عَلَيْهِ وَكِيْلًا ﴿٤٣﴾
৪৪. তুমি কি মনে করো যে তাদের অধিকাংশ লোক শুনে এবং বুঝে? আসলে তারা তো হলো পশুর মতো বরং তার চাইতেও অধিক পথভ্রান্ত।	اَمْ تَحْسَبُ اَنَّ اَكْثَرَهُمْ يَسْمَعُوْنَ اَوْ يَعْقِلُوْنَ ؕ اِنْ هُمْ اِلَّا كَالْاَنْعَامِ بَلْ هُمْ اَضَلُّ سَبِيْلًا ﴿٤٤﴾
৪৫. তুমি কি তোমার প্রভুর (অনুগ্রহের) প্রতি লক্ষ্য করোনা, কিভাবে তিনি ছায়াকে সম্প্রসারিত করেন? তিনি ইচ্ছা করলে তা স্থির করে রাখতে পারতেন। তারপর তিনি সূর্যকে বানিয়েছেন তার (ছায়ার) দলিল (গাইড, দিশারি, পথ প্রদর্শক)।	اَلَمْ تَرَ اِلٰى رَبِّكَ كَيْفَ مَدَّ الظِّلَّ ۚ وَلَوْ شَآءَ لَجَعَلَهٗ سَاكِنًا ۚ ثُمَّ جَعَلْنَا الشَّمْسَ عَلَيْهِ دَلِيْلًا ﴿٤٥﴾
৪৬. আর আমরা তাকে (ছায়াকে) আমাদের দিকে ধীরে ধীরে গুটিয়ে আনি।	ثُمَّ قَبَضْنٰهُ اِلَيْنَا قَبْضًا يَّسِيْرًا ﴿٤٦﴾
৪৭. তিনিই তো তোমাদের জন্যে রাতকে বানিয়েছেন আবরণ, আর নিদ্রাকে বানিয়েছেন বিশ্রামের জন্যে শান্তিময় এবং দিনকে বানিয়েছেন জীবন্তর হয়ে উঠার সময়।	وَهُوَ الَّذِيْ جَعَلَ لَكُمُ الَّيْلَ لِبَاسًا وَّالنَّوْمَ سُبَاتًا وَّجَعَلَ النَّهَارَ نُشُوْرًا ﴿٤٧﴾
৪৮. তিনিই তাঁর রহমত (বৃষ্টি) বর্ষণের আগে বাতাসকে পাঠান সুসংবাদের বাহক হিসেবে এবং (তখন) আমরাই নাযিল করি আসমান থেকে বিশুদ্ধ পানি।	وَهُوَ الَّذِيْٓ اَرْسَلَ الرِّيٰحَ بُشْرًۢا بَيْنَ يَدَيْ رَحْمَتِهٖ ۚ وَاَنْزَلْنَا مِنَ السَّمَآءِ مَآءً طَهُوْرًا ﴿٤٨﴾
৪৯. তা দিয়ে আমরা জীবিত করে তুলি মৃত জমিনকে এবং তা আমরা পান করাই আমাদের সৃষ্টি করা বহু জীব জানোয়ার এবং মানুষকে।	لِّنُحْيِۦَ بِهٖ بَلْدَةً مَّيْتًا وَّنُسْقِيَهٗ مِمَّا خَلَقْنَآ اَنْعَامًا وَّاَنَاسِيَّ كَثِيْرًا ﴿٤٩﴾
৫০. আমরা এই পানি তাদের মধ্যে বিভিন্নভাবে বিতরণ করি, যাতে করে তারা শিক্ষা গ্রহণ করে। কিন্তু অধিকাংশ মানুষই অকৃতজ্ঞতার মাধ্যমে তা অস্বীকার করে।	وَلَقَدْ صَرَّفْنٰهُ بَيْنَهُمْ لِيَذَّكَّرُوْا ۖ فَاَبٰۤى اَكْثَرُ النَّاسِ اِلَّا كُفُوْرًا ﴿٥٠﴾
৫১. আমরা চাইলে প্রত্যেক জনপদেই একজন সতর্ককারী (রসূল) পাঠাতে পারতাম।	وَلَوْ شِئْنَا لَبَعَثْنَا فِيْ كُلِّ قَرْيَةٍ نَّذِيْرًا ﴿٥١﴾
৫২. সুতরাং তুমি কাফিরদের আনুগত্য করোনা এবং তুমি এই (কুরআনের) সাহায্যে তাদের সাথে প্রচণ্ড জিহাদ চালিয়ে যাও।	فَلَا تُطِعِ الْكٰفِرِيْنَ وَجَاهِدْهُمْ بِهٖ جِهَادًا كَبِيْرًا ﴿٥٢﴾
৫৩. তিনিই তো দুই দরিয়াকে মিলিতভাবে প্রবাহিত করেছেন, এটি মিষ্টি সুপেয়, আর ওটি লোনা, উভয়ের মাঝে তিনি সৃষ্টি করে দিয়েছেন একটি অন্তরায়, একটি অলঙ্ঘনীয় ব্যবধান।	وَهُوَ الَّذِيْ مَرَجَ الْبَحْرَيْنِ هٰذَا عَذْبٌ فُرَاتٌ وَّهٰذَا مِلْحٌ اُجَاجٌ ۚ وَجَعَلَ بَيْنَهُمَا بَرْزَخًا وَّحِجْرًا مَّحْجُوْرًا ﴿٥٣﴾
৫৪. তিনিই সৃষ্টি করেছেন পানি থেকে মানুষ, তারপর তাদের মাঝে বংশীয় এবং বৈবাহিক বন্ধন স্থাপন করে দিয়েছেন। জেনে রাখো, তোমার প্রভু শক্তিমান।	وَهُوَ الَّذِيْ خَلَقَ مِنَ الْمَآءِ بَشَرًا فَجَعَلَهٗ نَسَبًا وَّصِهْرًا ؕ وَكَانَ رَبُّكَ قَدِيْرًا ﴿٥٤﴾

রুকু ০৪

৫৫. তারা আল্লাহ্‌র পরিবর্তে অন্যদের ইবাদত করে, যারা তাদের না কোনো উপকার করতে পারে, আর না অপকার। কাফিররা তো তাদের প্রকৃত প্রভুর বিরুদ্ধেই অবস্থান গ্রহণ করে।	وَيَعْبُدُوْنَ مِنْ دُوْنِ اللّٰهِ مَا لَا يَنْفَعُهُمْ وَلَا يَضُرُّهُمْ ؕ وَكَانَ الْكَافِرُ عَلٰى رَبِّهٖ ظَهِيْرًا ﴿٥٥﴾
৫৬. (হে মুহাম্মদ!) আমরা তোমাকে সুসংবাদ দানকারী এবং সতর্ককারী হিসেবে ছাড়া অন্য কোনো দায়িত্ব দিয়ে পাঠাইনি।	وَمَآ اَرْسَلْنٰكَ اِلَّا مُبَشِّرًا وَّنَذِيْرًا ﴿٥٦﴾
৫৭. তুমি বলো: 'আমি এ দায়িত্ব পালনের জন্যে তোমাদের কাছে কোনো পারিশ্রমিক চাইনা, তবে যে ইচ্ছা করে সে যেনো তার প্রভুর পথ অবলম্বন করে।	قُلْ مَآ اَسْـَٔلُكُمْ عَلَيْهِ مِنْ اَجْرٍ اِلَّا مَنْ شَآءَ اَنْ يَّتَّخِذَ اِلٰى رَبِّهٖ سَبِيْلًا ﴿٥٧﴾
৫৮. সেই চিরঞ্জীব সত্তার উপর তুমি তাওয়াক্কুল করো যাঁর কখনো মউত হবেনা এবং তাঁর প্রশংসার সাথে তসবিহ করো। নিজ বান্দাদের পাপের খবর রাখার জন্যে তিনিই কাফী (যথেষ্ট)।	وَ تَوَكَّلْ عَلَى الْحَيِّ الَّذِيْ لَا يَمُوْتُ وَ سَبِّحْ بِحَمْدِهٖ ؕ وَ كَفٰى بِهٖ بِذُنُوْبِ عِبَادِهٖ خَبِيْرَا ﴿٥٨﴾
৫৯. তিনিই সৃষ্টি করেছেন মহাকাশ এবং পৃথিবী আর এ দুয়ের মধ্যবর্তী যা কিছু আছে সবকিছু ছয়টি কালে। তারপর তিনি সমাসীন হয়েছেন আরশের উপর। তিনি আর রহমান–পরম দয়াবান, তাঁর সম্পর্কে যে খবর রাখে তাকে জিজ্ঞাসা করে দেখো।	ۨالَّذِيْ خَلَقَ السَّمٰوٰتِ وَ الْاَرْضَ وَمَا بَيْنَهُمَا فِيْ سِتَّةِ اَيَّامٍ ثُمَّ اسْتَوٰى عَلَى الْعَرْشِ ۚ اَلرَّحْمٰنُ فَسْـَٔلْ بِهٖ خَبِيْرًا ﴿٥٩﴾
৬০. তাদেরকে যখন বলা হয় রহমানকে সাজদা করো, তখন তারা বলে: 'রহমান আবার কে? তুমি কাউকেও সাজদা করতে বললেই কি আমরা তাকে সাজদা করবো।' এর ফলে তাদের পলায়নই বৃদ্ধি পায়। **(সাজদা)**	وَ اِذَا قِيْلَ لَهُمُ اسْجُدُوْا لِلرَّحْمٰنِ قَالُوْا وَ مَا الرَّحْمٰنُ ۗ اَنَسْجُدُ لِمَا تَاْمُرُنَا وَ زَادَهُمْ نُفُوْرًا ﴿٦٠﴾ السجدة
৬১. কতো যে বরকতওয়ালা তিনি, যিনি আকাশে তোমাদের জন্যে স্থাপন করেছেন বুরুজ (বিশাল বিশাল নক্ষত্ররাজি) এবং তার মধ্যে রেখেছেন একটি প্রদীপ (সূর্য) আর একটি আলোকিত চাঁদ।	تَبٰرَكَ الَّذِيْ جَعَلَ فِي السَّمَآءِ بُرُوْجًا وَّ جَعَلَ فِيْهَا سِرٰجًا وَّ قَمَرًا مُّنِيْرًا ﴿٦١﴾
৬২. তিনিই সৃষ্টি করেছেন রাত আর দিন। তারা একে অপরের পেছনে আসে। এ ব্যবস্থা করেছেন তাদের জন্যে যারা শিক্ষা গ্রহণ করার এরাদা করে, কিংবা এরাদা করে শোকর আদায় করার।	وَ هُوَ الَّذِيْ جَعَلَ الَّيْلَ وَ النَّهَارَ خِلْفَةً لِّمَنْ اَرَادَ اَنْ يَّذَّكَّرَ اَوْ اَرَادَ شُكُوْرًا ﴿٦٢﴾
৬৩. রহমানের দাস তো তারাই যারা জমিনের উপর চলাফেরা করে বিনয়ী হয়ে। অজ্ঞ লোকেরা যখন তাদের সাথে বিতর্ক করতে চায়, তারা বলে: 'সালাম।'	وَعِبَادُ الرَّحْمٰنِ الَّذِيْنَ يَمْشُوْنَ عَلَى الْاَرْضِ هَوْنًا وَّ اِذَا خَاطَبَهُمُ الْجٰهِلُوْنَ قَالُوْا سَلٰمًا ﴿٦٣﴾
৬৪. তারা রাত কাটায় তাদের প্রভুর সন্তুষ্টির উদ্দেশ্যে সাজদা করে করে এবং দাঁড়িয়ে দাঁড়িয়ে।	وَالَّذِيْنَ يَبِيْتُوْنَ لِرَبِّهِمْ سُجَّدًا وَّ قِيَامًا ﴿٦٤﴾
৬৫. তারা দোয়া করে (এভাবে:) 'আমাদের প্রভু! আমাদের থেকে দূর করে দিও জাহান্নামের আযাব, কারণ তার আযাব তো সর্বগ্রাসী।	وَالَّذِيْنَ يَقُوْلُوْنَ رَبَّنَا اصْرِفْ عَنَّا عَذَابَ جَهَنَّمَ ۖ اِنَّ عَذَابَهَا كَانَ غَرَامًا ﴿٦٥﴾

রুকু ০৫

৬৬. আর জাহান্নাম তো নিশ্চিতই বাসস্থান এবং আশ্রয়স্থল হিসেবে অতীব নিকৃষ্ট।’	اِنَّهَا سَآءَتْ مُسْتَقَرًّا وَّ مُقَامًا ﴿٦٦﴾
৬৭. তারা যখন খরচ করে, তখন অপব্যয়ও করেনা, কার্পণ্যও করেনা। বরং এই দুইয়ের মাঝখানে অবলম্বন করে মধ্যপন্থা।	وَ الَّذِیْنَ اِذَاۤ اَنْفَقُوْا لَمْ یُسْرِفُوْا وَ لَمْ یَقْتُرُوْا وَ كَانَ بَیْنَ ذٰلِكَ قَوَامًا ﴿٦٧﴾
৬৮. তারা আল্লাহ্কে ছাড়া আর কাউকেও ইলাহ্ (বানিয়ে নিয়ে) ডাকে না। আল্লাহ্ যাকে হত্যা করা হারাম করেছেন এমন কোনো ব্যক্তিকে হত্যা করেনা, তবে যথার্থ কারণ থাকলে সঠিক পন্থায়। তারা জিনা করেনা। যে এগুলো করবে, সে অবশ্যি শাস্তি ভোগ করবে।	وَ الَّذِیْنَ لَا یَدْعُوْنَ مَعَ اللّٰهِ اِلٰهًا اٰخَرَ وَ لَا یَقْتُلُوْنَ النَّفْسَ الَّتِیْ حَرَّمَ اللّٰهُ اِلَّا بِالْحَقِّ وَ لَا یَزْنُوْنَ ۚ وَ مَنْ یَّفْعَلْ ذٰلِكَ یَلْقَ اَثَامًا ﴿٦٨﴾
৬৯. কিয়ামতের দিন তার দণ্ড করা হবে দ্বিগুণ এবং সেখানে সে থাকবে স্থায়ীভাবে লাঞ্ছিত অবস্থায়।	یُّضٰعَفْ لَهُ الْعَذَابُ یَوْمَ الْقِیٰمَةِ وَ یَخْلُدْ فِیْهٖ مُهَانًا ﴿٦٩﴾
৭০. তবে যারা তওবা করবে, ঈমান আনবে এবং আমলে সালেহ্ করবে, তিনি তাদের পাপ বদল করে দেবেন পুণ্যের মাধ্যমে। আর আল্লাহ্ তো পরম ক্ষমাশীল ও দয়াময় আছেনেই।	اِلَّا مَنْ تَابَ وَ اٰمَنَ وَ عَمِلَ عَمَلًا صَالِحًا فَاُولٰٓئِكَ یُبَدِّلُ اللّٰهُ سَیِّاٰتِهِمْ حَسَنٰتٍ ؕ وَ كَانَ اللّٰهُ غَفُوْرًا رَّحِیْمًا ﴿٧٠﴾
৭১. আর যে তওবা করবে এবং আমলে সালেহ্ করবে, সে তো অনুতপ্ত হয়ে পুরোপুরি আল্লাহ্র অভিমুখীই হবে।	وَ مَنْ تَابَ وَ عَمِلَ صَالِحًا فَاِنَّهٗ یَتُوْبُ اِلَی اللّٰهِ مَتَابًا ﴿٧١﴾
৭২. তারা মিথ্যা সাক্ষ্য দেয় না। তারা যখন অর্থহীন কার্যকলাপের সম্মুখীন হয়, তখন আত্মমর্যাদা রক্ষা করে চলে যায়।	وَ الَّذِیْنَ لَا یَشْهَدُوْنَ الزُّوْرَ ۙ وَ اِذَا مَرُّوْا بِاللَّغْوِ مَرُّوْا كِرَامًا ﴿٧٢﴾
৭৩. তাদেরকে যখন আল্লাহ্র আয়াত স্মরণ করিয়ে দেয়া হয়, তখন তারা অন্ধ ও বধিরের মতো পড়ে থাকে না।	وَ الَّذِیْنَ اِذَا ذُكِّرُوْا بِاٰیٰتِ رَبِّهِمْ لَمْ یَخِرُّوْا عَلَیْهَا صُمًّا وَّ عُمْیَانًا ﴿٧٣﴾
৭৪. তারা দোয়া করে এভাবে: আমাদের প্রভু! আমাদের স্ত্রী/স্বামী ও সন্তানদের আমাদের চক্ষু শীতলকারী বানাও। আর আমাদের বানাও মুত্তাকিদের অগ্রগামী।	وَ الَّذِیْنَ یَقُوْلُوْنَ رَبَّنَا هَبْ لَنَا مِنْ اَزْوَاجِنَا وَ ذُرِّیّٰتِنَا قُرَّةَ اَعْیُنٍ وَّ اجْعَلْنَا لِلْمُتَّقِیْنَ اِمَامًا ﴿٧٤﴾
৭৫. এদেরই প্রতিদান হবে জান্নাতের বিলাস বহুল কক্ষসমূহ তাদের সবর অবলম্বনের কারণে, আর তাদেরকে সেখানে অভ্যর্থনা দেয়া হবে অভিবাদন এবং সালাম সহকারে।	اُولٰٓئِكَ یُجْزَوْنَ الْغُرْفَةَ بِمَا صَبَرُوْا وَ یُلَقَّوْنَ فِیْهَا تَحِیَّةً وَّ سَلٰمًا ﴿٧٥﴾
৭৬. সেখানে থাকবে তারা চিরকাল! কতো যে মনোরম আশ্রয়স্থান ও আবাস।	خٰلِدِیْنَ فِیْهَا ؕ حَسُنَتْ مُسْتَقَرًّا وَّ مُقَامًا ﴿٧٦﴾
৭৭. হে নবী! বলো: তোমরা আমার প্রভুকে না ডাকলে তাঁর কিছুই আসে যায় না। তোমরা তো প্রত্যাখ্যানই করেছো, এখন অচিরেই তোমাদের প্রতি নেমে আসবে অপরিহার্য আযাব।	قُلْ مَا یَعْبَؤُا بِكُمْ رَبِّیْ لَوْ لَا دُعَآؤُكُمْ ۚ فَقَدْ كَذَّبْتُمْ فَسَوْفَ یَكُوْنُ لِزَامًا ﴿٧٧﴾

রুকু ০৬

সূরা ২৬ আশ্ শোয়ারা

মদিনায় অবতীর্ণ, আয়াত সংখ্যা: ২২৭, রুকু সংখ্যা: ১১

এই সূরার আলোচ্যসূচি (আয়াত ভিত্তিক আলোচ্য বিষয়)

০১-০৯: লোকেরা কুরআনের প্রতি ঈমান আনছেনা বলে নবীর পেরেশানি।

১০-৬৮: ফিরাউনের কাছে মূসা আ. এর দাওয়াত এবং মূসার সাথে ফিরাউনের দ্বন্দে জড়িয়ে পড়ার ইতিহাস।

৬৯-১০৪: ইবরাহিম আ. কর্তৃক নিজ পিতা ও জাতির কাছে তাওহীদের দাওয়াত দান এবং তাদের প্রতি তাঁর উপদেশ।

১০৫-১২২: নূহ আ. এর দাওয়াত এবং তাঁর সাথে তাঁর জাতির সংঘাত।

১২৩-১৪০: আদ জাতির কাছে হুদ আ. এর দাওয়াত। আদ জাতির দাওয়াত প্রত্যাখ্যান এবং তাদের ধ্বংস।

১৪১-১৫৯: সামুদ জাতির কাছে সালেহ্ আ. এর দাওয়াত। সামুদ জাতির হঠকারিতা ও ধ্বংস।

১৬০-১৭৫: লুত আ. এর জাতির কাছে তাঁর দাওয়াত। তাদের অবাধ্যতা ও তাদের ধ্বংসের ইতিহাস।

১৭৬-১৯১: আইকাবাসীর কাছে শুয়াইব আ. এর দাওয়াত, শুয়াইবকে তাদের প্রত্যাখ্যান ও তাদের ধ্বংস।

১৯২-২১২: কুরআন অকাট্যভাবে রাব্বুল আলামিনের কিতাব। কুরআনের ব্যাপারে প্রত্যাখ্যানকারীদের অভিযোগের জবাব।

২১৩-২২৭: নবীর প্রতি শিরকের ব্যাপারে সতর্কবাণী। নিকট আত্মীয়দের দাওয়াত দানের নির্দেশ। অনুসারীদের প্রতি দয়া পরবশ হওয়ার নির্দেশ। কবিদের আদর্শহীনতা। ঈমানদার কবিরাই সঠিক পথে থাকতে পারে।

সূরা আশ্ শোয়ারা (কবি) পরম করুণাময় পরম দয়াবান আল্লাহ্‌র নামে	سُوْرَةُ الشُّعَرَاءِ بِسۡمِ اللّٰهِ الرَّحۡمٰنِ الرَّحِیۡمِ
০১. তোয়া সিন মিম।	طٰسٓمّٓ ①
০২. এগুলো সুস্পষ্ট কিতাবের আয়াত।	تِلۡكَ اٰیٰتُ الۡكِتٰبِ الۡمُبِیۡنِ ②
০৩. তারা মুমিন হচ্ছে না বলে তুমি হয়তো মনের দুঃখে নিজেকেই ধ্বংসের দিকে ঠেলে দেবে।	لَعَلَّكَ بَاخِعٌ نَّفۡسَكَ اَلَّا یَكُوۡنُوۡا مُؤۡمِنِیۡنَ ③
০৪. আমরা চাইলে আসমান থেকে তাদের জন্যে একটি নিদর্শন নাযিল করতাম, তখন সেটার প্রতি তাদের গর্দান নুইয়ে পড়তো।	اِنۡ نَّشَاۡ نُنَزِّلۡ عَلَیۡهِمۡ مِّنَ السَّمَآءِ اٰیَةً فَظَلَّتۡ اَعۡنَاقُهُمۡ لَهَا خٰضِعِیۡنَ ④
০৫. যখনই তাদের কাছে রহমানের পক্ষ থেকে নতুন কোনো যিকির (উপদেশ বার্তা) আসে, তারা তা থেকে মুখ ফিরিয়ে নেয়।	وَ مَا یَاۡتِیۡهِمۡ مِّنۡ ذِكۡرٍ مِّنَ الرَّحۡمٰنِ مُحۡدَثٍ اِلَّا كَانُوۡا عَنۡهُ مُعۡرِضِیۡنَ ⑤
০৬. তারা তো অস্বীকার করেছে। সুতরাং তারা যা নিয়ে বিদ্রূপ করছে তার প্রকৃত খবর তাদের কাছে অচিরেই এসে পড়বে।	فَقَدۡ كَذَّبُوۡا فَسَیَاۡتِیۡهِمۡ اَنۡۢبٰٓؤُا مَا كَانُوۡا بِهٖ یَسۡتَهۡزِءُوۡنَ ⑥

০৭. তারা কি জমিনের দিকে তাকিয়ে দেখেনা ? আমরা তাতে সব ধরনের কতো যে উত্তম উদ্ভিদ উৎপন্ন করেছি!	اَوَ لَمۡ يَرَوۡا اِلَى الۡاَرۡضِ كَمۡ اَنۡۢبَتۡنَا فِيۡهَا مِنۡ كُلِّ زَوۡجٍ كَرِيۡمٍ ۞٧
০৮. অবশ্যি এতে রয়েছে একটি নিদর্শন, কিন্তু তাদের অধিকাংশই মুমিন নয়।	اِنَّ فِىۡ ذٰلِكَ لَاٰيَةً ؕ وَمَا كَانَ اَكۡثَرُهُمۡ مُّؤۡمِنِيۡنَ ۞٨
০৯. নিশ্চয়ই তোমার প্রভু মহাপরাক্রমশালী, পরম দয়াবান।	وَاِنَّ رَبَّكَ لَهُوَ الۡعَزِيۡزُ الرَّحِيۡمُ ۞٩
১০. স্মরণ করো, তোমার প্রভু মূসাকে ডেকে বলেছিলেন, তুমি যালিম কওমের কাছে যাও,	وَاِذۡ نَادٰى رَبُّكَ مُوۡسٰٓى اَنِ ائۡتِ الۡقَوۡمَ الظّٰلِمِيۡنَ ۞١٠
১১. ফেরাউনের কওমের কাছে। তাদের বলো: 'তারা কি সতর্ক হবেনা?'	قَوۡمَ فِرۡعَوۡنَ ؕ اَلَا يَتَّقُوۡنَ ۞١١
১২. তখন মূসা বললো: "আমার প্রভু! আমার আশংকা হয়, তারা আমাকে প্রত্যাখ্যান করবে।	قَالَ رَبِّ اِنِّىۡۤ اَخَافُ اَنۡ يُّكَذِّبُوۡنِ ۞١٢
১৩. আমার মন ছোট হয়ে আসছে আর আমার যবানও সঞ্চালিত হচ্ছে না, সুতরাং তুমি হারূণকে রিসালাত দান করো।	وَيَضِيۡقُ صَدۡرِىۡ وَلَا يَنۡطَلِقُ لِسَانِىۡ فَاَرۡسِلۡ اِلٰى هٰرُوۡنَ ۞١٣
১৪. আমার বিরুদ্ধে তাদের একটা অভিযোগও আছে, তাই আমি আশংকা করছি তারা আমাকে হত্যা করবে।"	وَلَهُمۡ عَلَىَّ ذَنۡۢبٌ فَاَخَافُ اَنۡ يَّقۡتُلُوۡنِ ۞١٤
১৫. আল্লাহ্ বললেন: 'কখনো নয়। সুতরাং তোমরা দু'জনই যাও আমাদের নিদর্শনসমূহ নিয়ে, আমরাও তোমাদের সাথে থাকবো, সব শুনবো।'	قَالَ كَلَّا ۚ فَاذۡهَبَا بِاٰيٰتِنَاۤ اِنَّا مَعَكُمۡ مُّسۡتَمِعُوۡنَ ۞١٥
১৬. তোমরা ফেরাউনের কাছে যাও, তাকে বলো: "আমরা রাব্বুল আলামিনের রসূল।	فَاۡتِيَا فِرۡعَوۡنَ فَقُوۡلَاۤ اِنَّا رَسُوۡلُ رَبِّ الۡعٰلَمِيۡنَ ۞١٦
১৭. তুমি বনি ইসরাঈলকে আমাদের সাথে যেতে দাও।"	اَنۡ اَرۡسِلۡ مَعَنَا بَنِىۡۤ اِسۡرَآءِيۡلَ ۞١٧
১৮. ফেরাউন বললো: "আমরা কি শৈশবে তোমাকে আমাদের মধ্যে লালন পালন করিনি? তুমি তো তোমার জীবনের অনেক বছর আমাদের মধ্যে কাটিয়েছো।	قَالَ اَلَمۡ نُرَبِّكَ فِيۡنَا وَلِيۡدًا وَّلَبِثۡتَ فِيۡنَا مِنۡ عُمُرِكَ سِنِيۡنَ ۞١٨
১৯. আর তুমি তোমার একটা কর্ম করেছিলে। তুমি এক অকৃতজ্ঞ।"	وَفَعَلۡتَ فَعۡلَتَكَ الَّتِىۡ فَعَلۡتَ وَاَنۡتَ مِنَ الۡكٰفِرِيۡنَ ۞١٩
২০. মূসা বললো: "আমি তো সে কাজটি করেছিলাম তখন, যখন আমি ছিলাম জ্ঞানহীন।	قَالَ فَعَلۡتُهَاۤ اِذًا وَّاَنَا مِنَ الضَّآلِّيۡنَ ۞٢٠
২১. তখন তো আমি তোমাদের ভয়ে পালিয়ে চলে গিয়েছিলাম। তারপর আমার প্রভু আমাকে জ্ঞান ও প্রজ্ঞা দান করেন এবং আমাকে রসূলদের একজন মনোনীত করেন।	فَفَرَرۡتُ مِنۡكُمۡ لَمَّا خِفۡتُكُمۡ فَوَهَبَ لِىۡ رَبِّىۡ حُكۡمًا وَّجَعَلَنِىۡ مِنَ الۡمُرۡسَلِيۡنَ ۞٢١

রুকু ০১

২২. আমার প্রতি তোমার যে অনুগ্রহের কথা উল্লেখ করেছো, তার কারণ তো হলো, তুমি বনি ইসরাঈলকে দাসে পরিণত করে রেখেছো।”	وَ تِلْكَ نِعْمَةٌ تَمُنُّهَا عَلَيَّ اَنْ عَبَّدْتَّ بَنِيْٓ اِسْرَآءِيْلَ ﴿۲۲﴾
২৩. ফেরাউন বললো: ‘রাব্বুল আলামিন কে?’	قَالَ فِرْعَوْنُ وَ مَا رَبُّ الْعٰلَمِيْنَ ﴿۲۳﴾
২৪. মূসা বললো: ‘তিনি হলেন মালিক মহাকাশ ও পৃথিবীর এবং এ দুয়ের মাঝখানে যা কিছু আছে সবকিছুর যদি তোমরা একীন রাখো।’	قَالَ رَبُّ السَّمٰوٰتِ وَ الْاَرْضِ وَ مَا بَيْنَهُمَا ؕ اِنْ كُنْتُمْ مُّوْقِنِيْنَ ﴿۲۴﴾
২৫. ফেরাউন তার পারিষদবর্গকে লক্ষ্য করে বললো: ‘(মূসা কী বলছে) তোমরা কি শুনছো না?’	قَالَ لِمَنْ حَوْلَهٗٓ اَلَا تَسْتَمِعُوْنَ ﴿۲۵﴾
২৬. মূসা বললো: ‘তিনি তোমাদেরও রব এবং তোমাদের পূর্ব পুরুষদেরও রব।’	قَالَ رَبُّكُمْ وَ رَبُّ اٰبَآئِكُمُ الْاَوَّلِيْنَ ﴿۲۶﴾
২৭. ফেরাউন বললো: ‘তোমাদের প্রতি প্রেরিত তোমাদের এই রসূল তো একজন পাগল।’	قَالَ اِنَّ رَسُوْلَكُمُ الَّذِيْٓ اُرْسِلَ اِلَيْكُمْ لَمَجْنُوْنٌ ﴿۲۷﴾
২৮. মূসা বললো: ‘তিনি মাশরিক, মাগরিব এবং এই উভয়ের মাঝখানে যা কিছু আছে, সবকিছুর রব যদি তোমরা আকল রাখো।’	قَالَ رَبُّ الْمَشْرِقِ وَ الْمَغْرِبِ وَ مَا بَيْنَهُمَا ؕ اِنْ كُنْتُمْ تَعْقِلُوْنَ ﴿۲۸﴾
২৯. ফেরাউন বললো: ‘তুমি যদি আমাকে ছাড়া আর কাউকেও ইলাহ্ হিসেবে গ্রহণ করো, তাহলে অবশ্যি আমি তোমাকে কারাগারে অবরুদ্ধ করে রাখবো।’	قَالَ لَئِنِ اتَّخَذْتَ اِلٰهًا غَيْرِيْ لَاَجْعَلَنَّكَ مِنَ الْمَسْجُوْنِيْنَ ﴿۲۹﴾
৩০. মূসা বললো: ‘আমি যদি তোমার কাছে সুস্পষ্ট নির্দশন হাজির করি, তবু?’	قَالَ اَوَ لَوْ جِئْتُكَ بِشَيْءٍ مُّبِيْنٍ ﴿۳۰﴾
৩১. ফেরাউন বললো: ‘তবে হাজির করো যদি সত্যবাদী হও।’	قَالَ فَاْتِ بِهٖٓ اِنْ كُنْتَ مِنَ الصّٰدِقِيْنَ ﴿۳۱﴾
৩২. তখন মূসা তার লাঠি নিক্ষেপ করলো আর সাথে সাথে তা সুস্পষ্ট অজগরে পরিণত হয়ে গেলো।	فَاَلْقٰى عَصَاهُ فَاِذَا هِيَ ثُعْبَانٌ مُّبِيْنٌ ﴿۳۲﴾
৩৩. এরপর (মূসা তার বগলে হাত ঢুকিয়ে) হাত বের করে আনলো, সাথে সাথে তা দর্শকদের দৃষ্টিতে ধবধবে সাদা দেখাতে লাগলো।	وَّ نَزَعَ يَدَهٗ فَاِذَا هِيَ بَيْضَآءُ لِلنّٰظِرِيْنَ ﴿۳۳﴾
৩৪. ফেরাউন তাকে পরিবেষ্টন করে থাকা তার পারিষদবর্গকে বললো: ‘এ-তো এক পণ্ডিত ম্যাজেসিয়ান।	قَالَ لِلْمَلَاِ حَوْلَهٗٓ اِنَّ هٰذَا لَسٰحِرٌ عَلِيْمٌ ﴿۳۴﴾
৩৫. সে তার ম্যাজিকের সাহায্যে তোমাদেরকে তোমাদের দেশ থেকে বের করে দিতে চায়। এখন তোমরা তার ব্যাপারে কী করতে বলো?’	يُّرِيْدُ اَنْ يُّخْرِجَكُمْ مِّنْ اَرْضِكُمْ بِسِحْرِهٖ ۖ فَمَاذَا تَاْمُرُوْنَ ﴿۳۵﴾
৩৬. তারা বললো: ‘তাকে আর তার ভাইকে কিছু অবকাশ দিন এবং বিভিন্ন শহরে সংগ্রহকারীদের পাঠান।	قَالُوْٓا اَرْجِهْ وَ اَخَاهُ وَ ابْعَثْ فِي الْمَدَآئِنِ حٰشِرِيْنَ ﴿۳۶﴾
৩৭. তারা আপনার জন্যে দক্ষ ম্যাজেসিয়ানদের হাজির করবে।’	يَاْتُوْكَ بِكُلِّ سَحَّارٍ عَلِيْمٍ ﴿۳۷﴾

রুকু ০২

৩৮. তারপর নির্দিষ্ট দিনে এবং নির্দিষ্ট সময়ে ম্যাজেসিয়ানদের জমা করা হলো,	فَجُمِعَ السَّحَرَةُ لِمِيقَاتِ يَوْمٍ مَّعْلُومٍ ﴿٣٨﴾
৩৯. জনগণকে বলা হলো: 'তোমরাও কি জমায়েত হচ্ছো?'	وَّقِيلَ لِلنَّاسِ هَلْ اَنْتُمْ مُّجْتَمِعُونَ ﴿٣٩﴾
৪০. 'হয়তো আমরা ম্যাজেসিয়ানদের অনুসরণ করতে পারি যদি তারা বিজয়ী হয়।'	لَعَلَّنَا نَتَّبِعُ السَّحَرَةَ اِنْ كَانُوْا هُمُ الْغٰلِبِيْنَ ﴿٤٠﴾
৪১. ম্যাজেসিয়ানরা হাজির হলে তারা ফেরাউনকে বললো: 'আমরা জয়ী হলে আমাদের জন্যে পুরস্কার থাকবে তো?'	فَلَمَّا جَآءَ السَّحَرَةُ قَالُوْا لِفِرْعَوْنَ اَئِنَّ لَنَا لَاَجْرًا اِنْ كُنَّا نَحْنُ الْغٰلِبِيْنَ ﴿٤١﴾
৪২. ফেরাউন বললো: 'হ্যাঁ, তাছাড়া তোমরা আমার সভাসদদের অন্তরভুক্ত হবে।'	قَالَ نَعَمْ وَاِنَّكُمْ اِذًا لَّمِنَ الْمُقَرَّبِيْنَ ﴿٤٢﴾
৪৩. মূসা তাদের বললো: 'তোমরা যা নিক্ষেপ করার নিক্ষেপ করো।'	قَالَ لَهُمْ مُّوْسٰى اَلْقُوْا مَآ اَنْتُمْ مُّلْقُوْنَ ﴿٤٣﴾
৪৪. তারা তাদের সব রশি এবং লাঠি নিক্ষেপ করলো। তারা বললো: 'ফেরাউনের ইয্যতের কসম, আমরাই জয়ী হবো।'	فَاَلْقَوْا حِبَالَهُمْ وَ عِصِيَّهُمْ وَ قَالُوْا بِعِزَّةِ فِرْعَوْنَ اِنَّا لَنَحْنُ الْغٰلِبُوْنَ ﴿٤٤﴾
৪৫. অত:পর মূসা তার লাঠি নিক্ষেপ করলো। সাথে সাথে সেটি কৃত্রিম সৃষ্টিগুলোকে গ্রাস করতে থাকলো।	فَاَلْقٰى مُوْسٰى عَصَاهُ فَاِذَا هِيَ تَلْقَفُ مَا يَاْفِكُوْنَ ﴿٤٥﴾
৪৬. তখন ম্যাজেসিয়ানরা সাজদায় আনত হয়ে পড়লো।	فَاُلْقِيَ السَّحَرَةُ سٰجِدِيْنَ ﴿٤٦﴾
৪৭. তারা বললো: 'আমরা ঈমান আনলাম রাব্বুল আলামিনের প্রতি,	قَالُوْٓا اٰمَنَّا بِرَبِّ الْعٰلَمِيْنَ ﴿٤٧﴾
৪৮. যিনি হারূণ এবং মূসারও রব।'	رَبِّ مُوْسٰى وَ هٰرُوْنَ ﴿٤٨﴾
৪৯. ফেরাউন বললো: 'আমি তোমাদের অনুমতি দেয়ার আগেই তোমরা তার প্রতি ঈমান আনলে? নিশ্চয়ই সে তোমাদের প্রধান, সে-ই তোমাদের ম্যাজিক শিখিয়েছে, অচিরেই তোমরা জানতে পারবে (এর পরিণতি)। আমি অবশ্যি বিপরীত দিক থেকে তোমাদের হাত পা কেটে দেবো এবং তোমাদের সবাইকে শূলবিদ্ধ করে ছাড়বো।'	قَالَ اٰمَنْتُمْ لَهٗ قَبْلَ اَنْ اٰذَنَ لَكُمْ ۚ اِنَّهٗ لَكَبِيْرُكُمُ الَّذِيْ عَلَّمَكُمُ السِّحْرَ ۚ فَلَسَوْفَ تَعْلَمُوْنَ ۬ؕ لَاُقَطِّعَنَّ اَيْدِيَكُمْ وَاَرْجُلَكُمْ مِّنْ خِلَافٍ وَّلَاُصَلِّبَنَّكُمْ اَجْمَعِيْنَ ﴿٤٩﴾
৫০. তারা বললো: "ক্ষতি নেই, আমরা আমাদের প্রভুর কাছে ফিরে যাবো।	قَالُوْا لَا ضَيْرَ ۫ اِنَّآ اِلٰى رَبِّنَا مُنْقَلِبُوْنَ ﴿٥٠﴾
৫১. আমরা আকাঙ্ক্ষা করি, আমাদের প্রভু আমাদের গুনাহ্ খাতা ক্ষমা করে দেবেন, কারণ আমরা সবার আগে মুমিন হয়েছি।"	اِنَّا نَطْمَعُ اَنْ يَّغْفِرَ لَنَا رَبُّنَا خَطٰيٰنَآ اَنْ كُنَّآ اَوَّلَ الْمُؤْمِنِيْنَ ﴿٥١﴾ (রুকু ০৩)
৫২. আমরা মূসার প্রতি অহি করে নির্দেশ দিয়েছিলাম: আমার দাসদের নিয়ে রাতের বেলায় বেরিয়ে পড়ো, তোমাদের কিন্তু পিছে থেকে ধাওয়া করা হবে।	وَ اَوْحَيْنَآ اِلٰى مُوْسٰٓى اَنْ اَسْرِ بِعِبَادِيْٓ اِنَّكُمْ مُّتَّبَعُوْنَ ﴿٥٢﴾

৫৩. তারপর ফেরাউন শহরে শহরে লোক সংগ্রহকারী পাঠিয়ে দিলো,	فَاَرۡسَلَ فِرۡعَوۡنُ فِی الۡمَدَآئِنِ حٰشِرِیۡنَ ﴿۵۳﴾
৫৪. এই বলে যে, এরা তো অল্প কিছু লোক,	اِنَّ هٰۤؤُلَآءِ لَشِرۡذِمَۃٌ قَلِیۡلُوۡنَ ﴿۵۴﴾
৫৫. এবং তারা আমাদের ক্রোধ উদ্রেককারী।	وَ اِنَّهُمۡ لَنَا لَغَآئِظُوۡنَ ﴿۵۵﴾
৫৬. আর আমরা সবাই তো সদা সতর্ক।	وَ اِنَّا لَجَمِیۡعٌ حٰذِرُوۡنَ ﴿۵۶﴾
৫৭. অত:পর আমরা তাদের (ফেরাউন এবং তার দলবলকে) বের করে এনেছি তাদের মনোরম উদ্যান আর ঝরণাধারাসমূহ থেকে,	فَاَخۡرَجۡنٰهُمۡ مِّنۡ جَنّٰتٍ وَّ عُیُوۡنٍ ﴿۵۷﴾
৫৮. ধন-ভাণ্ডারসমূহ এবং বিলাসবহুল প্রাসাদসমূহ থেকে।	وَّ کُنُوۡزٍ وَّ مَقَامٍ کَرِیۡمٍ ﴿۵۸﴾
৫৯. তাদের সাথে এমনটিই ঘটেছিল। অপরদিকে বনি ইসরাঈলকে আমরা সবকিছুর ওয়ারিশ বানিয়ে দিয়েছিলাম।	کَذٰلِکَ ؕ وَ اَوۡرَثۡنٰهَا بَنِیۡۤ اِسۡرَآءِیۡلَ ﴿۵۹﴾
৬০. তারা সূর্যোদয়ের সময় তাদের পেছনে এসে পড়েছিল।	فَاَتۡبَعُوۡهُمۡ مُّشۡرِقِیۡنَ ﴿۶۰﴾
৬১. তারপর দুইদল যখন একে অপরকে দেখলো, মূসার সাথিরা বলে উঠলো: 'নিশ্চয়ই আমরা ধরা পড়ে যাচ্ছি।'	فَلَمَّا تَرَآءَ الۡجَمۡعٰنِ قَالَ اَصۡحٰبُ مُوۡسٰۤی اِنَّا لَمُدۡرَکُوۡنَ ﴿۶۱﴾
৬২. মূসা বললো: 'না, কখনো নয়, নিশ্চয়ই আমার সাথে আমার প্রভু রয়েছেন, তিনি আমাকে পথ দেখাবেন।'	قَالَ کَلَّا ۚ اِنَّ مَعِیَ رَبِّیۡ سَیَهۡدِیۡنِ ﴿۶۲﴾
৬৩. তখন আমরা অহির মাধ্যমে মূসাকে নির্দেশ দিলাম: 'তোমার লাঠি দিয়ে সমুদ্রে আঘাত করো।' সাথে সাথে তা বিভক্ত হয়ে গেলো এবং প্রত্যেক ভাগ বড় পর্বতের মতো হয়ে গেলো।	فَاَوۡحَیۡنَاۤ اِلٰی مُوۡسٰۤی اَنِ اضۡرِبۡ بِّعَصَاکَ الۡبَحۡرَ ؕ فَانۡفَلَقَ فَکَانَ کُلُّ فِرۡقٍ کَالطَّوۡدِ الۡعَظِیۡمِ ﴿۶۳﴾
৬৪. তারপর আমরা সেখানে এনে হাজির করলাম পরের দলটিকে।	وَ اَزۡلَفۡنَا ثَمَّ الۡاٰخَرِیۡنَ ﴿۶۴﴾
৬৫. আমরা মূসা আর তার সাথিদের সবাইকে উদ্ধার করলাম,	وَ اَنۡجَیۡنَا مُوۡسٰی وَ مَنۡ مَّعَهٗۤ اَجۡمَعِیۡنَ ﴿۶۵﴾
৬৬. তারপর ডুবিয়ে মারলাম পরবর্তীদের।	ثُمَّ اَغۡرَقۡنَا الۡاٰخَرِیۡنَ ﴿۶۶﴾
৬৭. নিশ্চয়ই এর মধ্যে রয়েছে একটি নিদর্শন, তবে তাদের অধিকাংশই বিশ্বাসী নয়।	اِنَّ فِیۡ ذٰلِکَ لَاٰیَۃً ؕ وَ مَا کَانَ اَکۡثَرُهُمۡ مُّؤۡمِنِیۡنَ ﴿۶۷﴾
(রুকু ০৪) ৬৮. আর তোমার প্রভু অবশ্যি মহাপরাক্রমশালী, পরম দয়াবান।	وَ اِنَّ رَبَّکَ لَهُوَ الۡعَزِیۡزُ الرَّحِیۡمُ ﴿۶۸﴾
৬৯. তাদের প্রতি ইবরাহিমের সংবাদ তিলাওয়াত করো।	وَ اتۡلُ عَلَیۡهِمۡ نَبَاَ اِبۡرٰهِیۡمَ ﴿۶۹﴾
৭০. যখন সে তার বাপ ও কওমকে বলেছিল: 'তোমরা কোন্ জিনিসের ইবাদত করছো?'	اِذۡ قَالَ لِاَبِیۡهِ وَ قَوۡمِهٖ مَا تَعۡبُدُوۡنَ ﴿۷۰﴾

৭১. তারা বলেছিল: 'আমরা ভাস্কর্যদের (মূর্তি দেবতাদের) পূজা করি এবং আমরা নিষ্ঠার সাথে তাদের প্রতি নত হই।'	قَالُوْا نَعْبُدُ اَصْنَامًا فَنَظَلُّ لَهَا عٰكِفِيْنَ ﴿٧١﴾
৭২. ইবরাহিম বললো: "তোমরা দোয়া করলে তারা কি তোমাদের দোয়া শুনে?	قَالَ هَلْ يَسْمَعُوْنَكُمْ اِذْ تَدْعُوْنَ ﴿٧٢﴾
৭৩. তারা কি তোমাদের উপকার কিংবা ক্ষতি করতে পারে?"	اَوْ يَنْفَعُوْنَكُمْ اَوْ يَضُرُّوْنَ ﴿٧٣﴾
৭৪. তারা বললো: 'না, তবে আমরা আমাদের পূর্ব পুরুষদের এভাবে করতে দেখেছি।'	قَالُوْا بَلْ وَجَدْنَاۤ اٰبَآءَنَا كَذٰلِكَ يَفْعَلُوْنَ ﴿٧٤﴾
৭৫. ইবরাহিম বললো: "তোমরা কিসের পূজা উপাসনা করছো তা কি ভেবে দেখছোনা?	قَالَ اَفَرَءَيْتُمْ مَّا كُنْتُمْ تَعْبُدُوْنَ ﴿٧٥﴾
৭৬. তোমরা এবং তোমাদের অতীত বাপ দাদারা?	اَنْتُمْ وَاٰبَآؤُكُمُ الْاَقْدَمُوْنَ ﴿٧٦﴾
৭৭. তারা সবাই আমার দুশমন, রাব্বুল আলামিন ছাড়া।	فَاِنَّهُمْ عَدُوٌّ لِّيْۤ اِلَّا رَبَّ الْعٰلَمِيْنَ ﴿٧٧﴾
৭৮. কারণ, তিনি আমাকে সৃষ্টি করেছেন এবং তিনিই আমাকে সঠিক পথে পরিচালিত করেন।	الَّذِيْ خَلَقَنِيْ فَهُوَ يَهْدِيْنِ ﴿٧٨﴾
৭৯. তিনি আমাকে খাওয়ান, পান করান।	وَالَّذِيْ هُوَ يُطْعِمُنِيْ وَيَسْقِيْنِ ﴿٧٩﴾
৮০. আমি রোগগ্রস্ত হলে তিনিই আমাকে নিরাময় করে দেন।	وَاِذَا مَرِضْتُ فَهُوَ يَشْفِيْنِ ﴿٨٠﴾
৮১. তিনিই আমার মউত ঘটাবেন এবং পুনরায় হায়াত দেবেন।	وَالَّذِيْ يُمِيْتُنِيْ ثُمَّ يُحْيِيْنِ ﴿٨١﴾
৮২. তাঁর ব্যাপারে আমি আশা করি, তিনি আমাকে আমার গুনাহ খাতা ক্ষমা করে দেবেন প্রতিদান দিবসে।	وَالَّذِيْۤ اَطْمَعُ اَنْ يَّغْفِرَ لِيْ خَطِيْٓـَٔتِيْ يَوْمَ الدِّيْنِ ﴿٨٢﴾
৮৩. আমার প্রভু! আমাকে প্রজ্ঞা দান করো এবং মিলিত করো সালেহ্ লোকদের সাথে।	رَبِّ هَبْ لِيْ حُكْمًا وَّاَلْحِقْنِيْ بِالصّٰلِحِيْنَ ﴿٨٣﴾
৮৪. পরবর্তী লোকদের মধ্যে আমার সুখ্যাতি দান করো।	وَاجْعَلْ لِّيْ لِسَانَ صِدْقٍ فِي الْاٰخِرِيْنَ ﴿٨٤﴾
৮৫. আমাকে জান্নাতুন নায়ীমের ওয়ারিশদের অন্তরভুক্ত করো।	وَاجْعَلْنِيْ مِنْ وَّرَثَةِ جَنَّةِ النَّعِيْمِ ﴿٨٥﴾
৮৬. আমার বাবাকে ক্ষমা করে দাও, কারণ তিনি গোমরাহ্দেরই একজন।	وَاغْفِرْ لِاَبِيْۤ اِنَّهٗ كَانَ مِنَ الضَّآلِّيْنَ ﴿٨٦﴾
৮৭. পুনরুত্থান দিবসে তুমি আমাকে অপমাণিত করোনা,	وَلَا تُخْزِنِيْ يَوْمَ يُبْعَثُوْنَ ﴿٨٧﴾
৮৮. যেদিন মাল সম্পদ এবং সন্তান-সন্ততি কোনো উপকারে আসবেনা,	يَوْمَ لَا يَنْفَعُ مَالٌ وَّلَا بَنُوْنَ ﴿٨٨﴾
৮৯. তবে উপকার লাভ করবে সে, যে হাজির হবে শুদ্ধ শান্ত কল্ব নিয়ে।"	اِلَّا مَنْ اَتَى اللّٰهَ بِقَلْبٍ سَلِيْمٍ ﴿٨٩﴾
৯০. সেদিন মুত্তাকিদের কাছেই নিয়ে আসা হবে জান্নাত।	وَاُزْلِفَتِ الْجَنَّةُ لِلْمُتَّقِيْنَ ﴿٩٠﴾

	৯১. আর বিভ্রান্তদের জন্যে খুলে দেয়া হবে জাহান্নাম।	وَبُرِّزَتِ الْجَحِيْمُ لِلْغٰوِيْنَ ﴿٩١﴾
	৯২. তাদের বলা হবে: "তারা এখন কোথায়, তোমরা যাদের ইবাদত (উপাসনা) করতে	وَقِيْلَ لَهُمْ اَيْنَمَا كُنْتُمْ تَعْبُدُوْنَ ﴿٩٢﴾
	৯৩. আল্লাহ্‌র পরিবর্তে ? তারা কি এখন তোমাদের সাহায্য করতে পারবে, নাকি তারা আত্মরক্ষা করতে পারবে?"	مِنْ دُوْنِ اللّٰهِ ؕ هَلْ يَنْصُرُوْنَكُمْ اَوْ يَنْتَصِرُوْنَ ﴿٩٣﴾
	৯৪. তারপর তাদের এবং বিপথগামীদের জাহান্নামে নিক্ষেপ করা হবে মাথা নীচের দিকে দিয়ে।	فَكُبْكِبُوْا فِيْهَا هُمْ وَالْغَاوٗنَ ﴿٩٤﴾
	৯৫. এবং ইবলিস বাহিনীর সবাইকেও।	وَجُنُوْدُ اِبْلِيْسَ اَجْمَعُوْنَ ﴿٩٥﴾
	৯৬. তারা সেখানে তর্কাতর্কি করে বলবে:	قَالُوْا وَهُمْ فِيْهَا يَخْتَصِمُوْنَ ﴿٩٦﴾
	৯৭. আল্লাহ্‌র কসম, আমরা স্পষ্ট গোমরাহিতে লিপ্ত ছিলাম।	تَاللّٰهِ اِنْ كُنَّا لَفِيْ ضَلٰلٍ مُّبِيْنٍ ﴿٩٧﴾
	৯৮. যখন আমরা তোমাদেরকে রাব্বুল আলামিনের বরাবর মনে করতাম।	اِذْ نُسَوِّيْكُمْ بِرَبِّ الْعٰلَمِيْنَ ﴿٩٨﴾
	৯৯. অপরাধীরাই আমাদের বিপথগামী করেছিল।	وَمَاۤ اَضَلَّنَاۤ اِلَّا الْمُجْرِمُوْنَ ﴿٩٩﴾
	১০০. ফলে আজ আমাদের কোনো শাফায়াতকারী নেই,	فَمَا لَنَا مِنْ شَافِعِيْنَ ﴿١٠٠﴾
	১০১. এবং কোনো প্রাণের বন্ধুও নেই।	وَلَا صَدِيْقٍ حَمِيْمٍ ﴿١٠١﴾
	১০২. আমরা যদি একবার সুযোগ পেতাম ফিরে যাবার, তাহলে অবশ্যি মুমিন হয়ে যেতাম।	فَلَوْ اَنَّ لَنَا كَرَّةً فَنَكُوْنَ مِنَ الْمُؤْمِنِيْنَ ﴿١٠٢﴾
	১০৩. এর মধ্যে রয়েছে একটি নিদর্শন, আর তাদের অধিকাংশই মুমিন ছিলনা।	اِنَّ فِيْ ذٰلِكَ لَاٰيَةً ؕ وَمَا كَانَ اَكْثَرُهُمْ مُّؤْمِنِيْنَ ﴿١٠٣﴾
রুকু ০৫	১০৪. নিশ্চয়ই তোমার প্রভু, তিনি মহাপরাক্রমশীল, অতীব দয়াবান।	وَاِنَّ رَبَّكَ لَهُوَ الْعَزِيْزُ الرَّحِيْمُ ﴿١٠٤﴾
	১০৫. নূহের কওমও রসূলদের প্রত্যাখ্যান করেছিল।	كَذَّبَتْ قَوْمُ نُوْحِ ِۨالْمُرْسَلِيْنَ ﴿١٠٥﴾
	১০৬. স্মরণ করো, তাদের ভাই নূহ তাদের বলেছিল: "তোমরা কি সতর্ক হবেনা?	اِذْ قَالَ لَهُمْ اَخُوْهُمْ نُوْحٌ اَلَا تَتَّقُوْنَ ﴿١٠٦﴾
	১০৭. আমি তোমাদের প্রতি একজন বিশ্বস্ত রসূল।	اِنِّيْ لَكُمْ رَسُوْلٌ اَمِيْنٌ ﴿١٠٧﴾
	১০৮. অতএব, তোমরা আল্লাহ্‌কে ভয় করো এবং আমার আনুগত্য করো।	فَاتَّقُوا اللّٰهَ وَاَطِيْعُوْنِ ﴿١٠٨﴾
	১০৯. তোমাদের (সতর্ক করার) একাজ করার জন্যে আমি তোমাদের কাছে কোনো পারিশ্রমিক চাইনা। আমাকে প্রতিদান দেয়ার দায়িত্ব রাব্বুল আলামিনের।	وَمَاۤ اَسْـَٔلُكُمْ عَلَيْهِ مِنْ اَجْرٍ ۚ اِنْ اَجْرِيَ اِلَّا عَلٰى رَبِّ الْعٰلَمِيْنَ ﴿١٠٩﴾
	১১০. অতএব, তোমরা আল্লাহ্‌কে ভয় করো এবং আমার আনুগত্য করো।"	فَاتَّقُوا اللّٰهَ وَاَطِيْعُوْنِ ﴿١١٠﴾

বাংলা অনুবাদ	
১১১. (জবাবে) তারা বলেছিল: 'আমরা তোমার প্রতি ঈমান আনবো? তোমাকে অনুসরণ করে তো নিম্ন শ্রেণীর লোকেরা।'	قَالُوْٓا اَنُؤْمِنُ لَكَ وَ اتَّبَعَكَ الْاَرْذَلُوْنَ ﴿١١١﴾
১১২. নূহ বলেছিল: "তারা (আগে) কী করতো তা আমি জানিনা।	قَالَ وَ مَا عِلْمِیْ بِمَا كَانُوْا یَعْمَلُوْنَ ﴿١١٢﴾
১১৩. তাদের হিসাব নেয়ার দায়িত্ব তো আল্লাহ্‌র, যদি তোমরা বুঝতে!	اِنْ حِسَابُهُمْ اِلَّا عَلٰی رَبِّیْ لَوْ تَشْعُرُوْنَ ﴿١١٣﴾
১১৪. মুমিনদের আমার কাছ থেকে তাড়িয়ে দেয়া আমার কাজ নয়।	وَ مَاۤ اَنَا بِطَارِدِ الْمُؤْمِنِیْنَ ﴿١١٤﴾
১১৫. আমি তো একজন স্পষ্ট সতর্ককারী ছাড়া আর কিছু নই।"	اِنْ اَنَا اِلَّا نَذِیْرٌ مُّبِیْنٌ ﴿١١٥﴾
১১৬. তখন তারা বলেছিল: 'হে নূহ! তুমি যদি এ কাজ থেকে বিরত না হও, তাহলে পাথর নিক্ষেপ করে যাদের মারা হয়েছে তুমিও তাদের অন্তরভুক্ত হবে।'	قَالُوْا لَئِنْ لَّمْ تَنْتَهِ یٰنُوْحُ لَتَكُوْنَنَّ مِنَ الْمَرْجُوْمِیْنَ ﴿١١٦﴾
১১৭. নূহ ফরিয়াদ করে বললো: "আমার প্রভু! আমার কওম আমাকে প্রত্যাখ্যান করেছে।	قَالَ رَبِّ اِنَّ قَوْمِیْ كَذَّبُوْنِ ﴿١١٧﴾
১১৮. সুতরাং তুমি আমার ও তাদের মাঝে একটা চূড়ান্ত ফায়সালা করে দাও আর নাজাত দাও আমাকে এবং আমার সাথি মুমিনদের।"	فَافْتَحْ بَیْنِیْ وَ بَیْنَهُمْ فَتْحًا وَّ نَجِّنِیْ وَ مَنْ مَّعِیَ مِنَ الْمُؤْمِنِیْنَ ﴿١١٨﴾
১১৯. তখন আমি তাকে এবং তার সাথিদেরকে নৌযানে বোঝাই করে রক্ষা করেছি,	فَاَنْجَیْنٰهُ وَ مَنْ مَّعَهٗ فِی الْفُلْكِ الْمَشْحُوْنِ ﴿١١٩﴾
১২০. আর বাকি সবাইকে ডুবিয়ে দিয়েছি পানিতে।	ثُمَّ اَغْرَقْنَا بَعْدُ الْبٰقِیْنَ ﴿١٢٠﴾
১২১. নিশ্চয়ই এতে রয়েছে একটি নিদর্শন। আর তাদের অধিকাংশই মুমিন ছিলনা।	اِنَّ فِیْ ذٰلِكَ لَاٰیَةً ؕ وَ مَا كَانَ اَكْثَرُهُمْ مُّؤْمِنِیْنَ ﴿١٢١﴾
১২২. আর তোমার প্রভু, নিশ্চয়ই তিনি মহাশক্তিধর, পরম দয়াবান।	وَ اِنَّ رَبَّكَ لَهُوَ الْعَزِیْزُ الرَّحِیْمُ ﴿١٢٢﴾ রুকু ০৬
১২৩. আদ জাতিও প্রত্যাখ্যান করেছিল রসূলদের।	كَذَّبَتْ عَادُ ِۨ الْمُرْسَلِیْنَ ﴿١٢٣﴾
১২৪. স্মরণ করো, তাদের ভাই হুদ তাদের বলেছিল: "তোমরা কি সতর্ক হবেনা?	اِذْ قَالَ لَهُمْ اَخُوْهُمْ هُوْدٌ اَلَا تَتَّقُوْنَ ﴿١٢٤﴾
১২৫. আমি তোমাদের প্রতি একজন বিশ্বস্ত রসূল।	اِنِّیْ لَكُمْ رَسُوْلٌ اَمِیْنٌ ﴿١٢٥﴾
১২৬. অতএব, তোমরা আল্লাহ্‌কে ভয় করো এবং আমার আনুগত্য করো।	فَاتَّقُوا اللّٰهَ وَ اَطِیْعُوْنِ ﴿١٢٦﴾
১২৭. আমি তো তোমাদের (সতর্ক করার) এ দায়িত্ব পালনের জন্যে তোমাদের কাছে কোনো পারিশ্রমিক চাইনা, আমাকে প্রতিদান দেয়ার দায়িত্ব রাব্বুল আলামিনের।	وَ مَاۤ اَسْـَٔلُكُمْ عَلَیْهِ مِنْ اَجْرٍ ۚ اِنْ اَجْرِیَ اِلَّا عَلٰی رَبِّ الْعٰلَمِیْنَ ﴿١٢٧﴾
১২৮. তোমরা কেন প্রতিটি উঁচু স্থানে অনর্থক স্মৃতি স্তম্ভ নির্মাণ করছো?	اَتَبْنُوْنَ بِكُلِّ رِیْعٍ اٰیَةً تَعْبَثُوْنَ ﴿١٢٨﴾

১২৯. তোমরা এমন সব শৈল্পিক প্রাসাদ নির্মাণ করছো যেনো তোমরা এখানে চিরস্থায়ী হবে!	وَتَتَّخِذُوْنَ مَصَانِعَ لَعَلَّكُمْ تَخْلُدُوْنَ ﴿١٢٩﴾
১৩০. যখন তোমরা ক্ষমতা পাও, তখন স্বৈরাচারি ক্ষমতা প্রয়োগ করো।	وَاِذَا بَطَشْتُمْ بَطَشْتُمْ جَبَّارِيْنَ ﴿١٣٠﴾
১৩১. সুতরাং আল্লাহ্‌কে ভয় করো এবং আমার আনুগত্য করো।	فَاتَّقُوا اللّٰهَ وَاَطِيْعُوْنِ ﴿١٣١﴾
১৩২. ভয় করো তাঁকে যিনি তোমাদের সব (উত্তম সামগ্রী) দিয়ে সাহায্য করেছেন যা তোমরা জানো।	وَاتَّقُوا الَّذِيْٓ اَمَدَّكُمْ بِمَا تَعْلَمُوْنَ ﴿١٣٢﴾
১৩৩. তিনি তোমাদের সাহায্য করেছেন পশু সম্পদ এবং সন্তান সন্ততি দিয়ে,	اَمَدَّكُمْ بِاَنْعَامٍ وَّبَنِيْنَ ﴿١٣٣﴾
১৩৪. বাগ-বাগিচা এবং ঝরণাধারা দিয়ে।	وَجَنّٰتٍ وَّعُيُوْنٍ ﴿١٣٤﴾
১৩৫. আমি আশংকা করছি তোমাদের উপর আল্লাহ্‌র পক্ষ থেকে বড় কোনো আযাব এসে পড়ার।”	اِنِّيْٓ اَخَافُ عَلَيْكُمْ عَذَابَ يَوْمٍ عَظِيْمٍ ﴿١٣٥﴾
১৩৬. তখন তারা বলেছিল: “তুমি আমাদের ওয়ায করো কিংবা না করো দুটোই সমান।	قَالُوْا سَوَآءٌ عَلَيْنَآ اَوَعَظْتَ اَمْ لَمْ تَكُنْ مِّنَ الْوٰعِظِيْنَ ﴿١٣٦﴾
১৩৭. আগেকার লোকদের এটাই (ওয়ায করা বা উপদেশ দেয়াটাই) স্বভাব।	اِنْ هٰذَآ اِلَّا خُلُقُ الْاَوَّلِيْنَ ﴿١٣٧﴾
১৩৮. যাদের শাস্তি দেয়া হবে আমরা তাদের অন্তরভুক্ত নই।”	وَمَا نَحْنُ بِمُعَذَّبِيْنَ ﴿١٣٨﴾
১৩৯. এভাবে তারা তাকে (হুদকে) প্রত্যাখ্যান করে, ফলে আমরাও তাদের ধ্বংস করে দেই। নিশ্চয়ই এতে রয়েছে একটি নিদর্শন। আর তাদের অধিকাংশই মুমিন ছিলনা।	فَكَذَّبُوْهُ فَاَهْلَكْنٰهُمْ ؕ اِنَّ فِيْ ذٰلِكَ لَاٰيَةً ؕ وَمَا كَانَ اَكْثَرُهُمْ مُّؤْمِنِيْنَ ﴿١٣٩﴾
(রুকু ০৭) ১৪০. আর তোমার প্রভু, নিশ্চয়ই তিনি মহাশক্তিধর অতীব দয়াবান।	وَاِنَّ رَبَّكَ لَهُوَ الْعَزِيْزُ الرَّحِيْمُ ﴿١٤٠﴾
১৪১. সামুদ জাতিও রসূলদের প্রত্যাখ্যান করেছিল।	كَذَّبَتْ ثَمُوْدُ الْمُرْسَلِيْنَ ﴿١٤١﴾
১৪২. স্মরণ করো, তাদের ভাই সালেহ্ তাদের বলেছিল: “তোমরা কি সতর্ক হবেনা?	اِذْ قَالَ لَهُمْ اَخُوْهُمْ صٰلِحٌ اَلَا تَتَّقُوْنَ ﴿١٤٢﴾
১৪৩. আমি তোমাদের জন্যে একজন বিশ্বস্ত রসূল।	اِنِّيْ لَكُمْ رَسُوْلٌ اَمِيْنٌ ﴿١٤٣﴾
১৪৪. অতএব তোমরা আল্লাহ্‌কে ভয় করো এবং আমার আনুগত্য করো।	فَاتَّقُوا اللّٰهَ وَاَطِيْعُوْنِ ﴿١٤٤﴾
১৪৫. (তোমাদের সতর্ক করার) এ কাজের জন্যে আমি তোমাদের কাছে কোনো পারিশ্রমিক চাইনা। আমার প্রতিদানের দায়িত্ব রাব্বুল আলামিনের।	وَمَآ اَسْـَٔلُكُمْ عَلَيْهِ مِنْ اَجْرٍ ۚ اِنْ اَجْرِيَ اِلَّا عَلٰى رَبِّ الْعٰلَمِيْنَ ﴿١٤٥﴾
১৪৬. তোমরা এখানে যে হালে আছো, তোমাদের কি এ রকম নিরাপদ ছেড়ে দেয়া হবে?	اَتُتْرَكُوْنَ فِيْ مَا هٰهُنَآ اٰمِنِيْنَ ﴿١٤٦﴾

১৪৭. এসব বাগ-বাগিচা এবং ঝরণাধারার মধ্যে?	فِيْ جَنّٰتٍ وَّعُيُوْنٍ ١٤٧
১৪৮. এসব (সবুজ) শস্যক্ষেত আর সুকোমল ছড়া বিশিষ্ট খেজুরের বাগানে?	وَّزُرُوْعٍ وَّنَخْلٍ طَلْعُهَا هَضِيْمٌ ١٤٨
১৪৯. তোমরা তো দক্ষতার সাথে পাহাড় কেটে আবাস নির্মাণ করছো।	وَتَنْحِتُوْنَ مِنَ الْجِبَالِ بُيُوْتًا فٰرِهِيْنَ ١٤٩
১৫০. অতএব, তোমরা আল্লাহ্কে ভয় করো এবং আমার আনুগত্য করো।	فَاتَّقُوا اللّٰهَ وَاَطِيْعُوْنِ ١٥٠
১৫১. সীমা লঙ্ঘনকারীদের হুকুম মতো চলোনা,	وَلَا تُطِيْعُوْٓا اَمْرَ الْمُسْرِفِيْنَ ١٥١
১৫২. যারা দেশে ফাসাদ সৃষ্টি করে বেড়াচ্ছে এবং কোনো প্রকার সংশোধনের কাজ করছেনা।"	الَّذِيْنَ يُفْسِدُوْنَ فِي الْاَرْضِ وَلَا يُصْلِحُوْنَ ١٥٢
১৫৩. (জবাবে) তারা বলেছিল: "তুমি তো একজন জাদুগ্রস্ত।	قَالُوْٓا اِنَّمَآ اَنْتَ مِنَ الْمُسَحَّرِيْنَ ١٥٣
১৫৪. তুমি তো আমাদের মতোই একজন মানুষ ছাড়া আর কিছু নও। তুমি সত্যবাদী হয়ে থাকলে (তোমার রসূল হবার) কোনো প্রমাণ হাজির করো।"	مَآ اَنْتَ اِلَّا بَشَرٌ مِّثْلُنَا ۚ فَاْتِ بِاٰيَةٍ اِنْ كُنْتَ مِنَ الصّٰدِقِيْنَ ١٥٤
১৫৫. তখন সে বলেছিল: "(প্রমাণ হলো) এই উটনী। কুয়ার পানি পানে এর জন্যেও পালা থাকবে, তোমাদের জন্যেও পালা থাকবে নির্দিষ্ট দিনে।	قَالَ هٰذِهٖ نَاقَةٌ لَّهَا شِرْبٌ وَّلَكُمْ شِرْبُ يَوْمٍ مَّعْلُوْمٍ ١٥٥
১৫৬. এর ক্ষতি করার উদ্দেশ্যে তোমরা একে স্পর্শও করোনা, করলে তোমাদের পাকড়াও করবে এক মহাদিবসের আযাব।"	وَلَا تَمَسُّوْهَا بِسُوْٓءٍ فَيَاْخُذَكُمْ عَذَابُ يَوْمٍ عَظِيْمٍ ١٥٦
১৫৭. কিন্তু তারা সেটিকে হত্যা করলো। পরিণামে তারা হলো লাঞ্ছিত।	فَعَقَرُوْهَا فَاَصْبَحُوْا نٰدِمِيْنَ ١٥٧
১৫৮. আর তাদের গ্রাস করলো আযাব। নিশ্চয়ই এতে রয়েছে একটি নিদর্শন, আর তাদের অধিকাংশই মুমিন ছিলনা।	فَاَخَذَهُمُ الْعَذَابُ ۗ اِنَّ فِيْ ذٰلِكَ لَاٰيَةً ۗ وَمَا كَانَ اَكْثَرُهُمْ مُّؤْمِنِيْنَ ١٥٨
১৫৯. নিশ্চয়ই তোমার প্রভু, তিনি মহাশক্তিধর, অতীব দয়াবান।	وَاِنَّ رَبَّكَ لَهُوَ الْعَزِيْزُ الرَّحِيْمُ ١٥٩
১৬০. লুতের কওমও রসূলদের প্রত্যাখ্যান করেছিল।	كَذَّبَتْ قَوْمُ لُوْطِ ِۨ الْمُرْسَلِيْنَ ١٦٠
১৬১. স্মরণ করো, তাদের ভাই লুত তাদের বলেছিল: "তোমরা কি সতর্ক হবেনা?	اِذْ قَالَ لَهُمْ اَخُوْهُمْ لُوْطٌ اَلَا تَتَّقُوْنَ ١٦١
১৬২. আমি তোমাদের প্রতি একজন বিশ্বস্ত রসূল।	اِنِّيْ لَكُمْ رَسُوْلٌ اَمِيْنٌ ١٦٢
১৬৩. অতএব, তোমরা আল্লাহ্কে ভয় করো এবং আমার আনুগত্য করো।	فَاتَّقُوا اللّٰهَ وَاَطِيْعُوْنِ ١٦٣

রুকু ০৮

১৬৪. (তোমাদের সতর্ক করার) এ দায়িত্ব পালনের জন্যে আমি তোমাদের কাছে কোনো পারিশ্রমিক চাইনা। আমার প্রতিদানের দায়িত্ব রাব্বুল আলামিনের।	وَ مَاۤ اَسۡـَٔلُکُمۡ عَلَیۡهِ مِنۡ اَجۡرٍ ۚ اِنۡ اَجۡرِیَ اِلَّا عَلٰی رَبِّ الۡعٰلَمِیۡنَ ﴿۱۶۴﴾
১৬৫. জগতের মধ্যে তোমরাই পুরুষদের সাথে যৌনকর্ম করছো,	اَتَاۡتُوۡنَ الذُّکۡرَانَ مِنَ الۡعٰلَمِیۡنَ ﴿۱۶۵﴾
১৬৬. আর তোমরা বর্জন করছো তোমাদের স্ত্রীদের, যাদেরকে তোমাদের প্রভু তোমাদের জন্যে সৃষ্টি করেছেন। তোমরা এক চরম সীমালঙ্ঘনকারী কওম।”	وَ تَذَرُوۡنَ مَا خَلَقَ لَکُمۡ رَبُّکُمۡ مِّنۡ اَزۡوَاجِکُمۡ ؕ بَلۡ اَنۡتُمۡ قَوۡمٌ عٰدُوۡنَ ﴿۱۶۶﴾
১৬৭. (জবাবে) তারা বলেছিল: ‘হে লুত! তুমি যদি তোমার এ কাজ থেকে বিরত না হও, তাহলে অবশ্যি তোমাকে (এ দেশ থেকে) বের করে দেয়া হবে।’	قَالُوۡا لَئِنۡ لَّمۡ تَنۡتَهِ یٰلُوۡطُ لَتَکُوۡنَنَّ مِنَ الۡمُخۡرَجِیۡنَ ﴿۱۶۷﴾
১৬৮. লুত বলেছিল: “আমি তোমাদের এ কাজকে অবশ্যি ঘৃণা করি।	قَالَ اِنِّیۡ لِعَمَلِکُمۡ مِّنَ الۡقَالِیۡنَ ﴿۱۶۸﴾ؕ
১৬৯. হে আমার প্রভু! আমাকে এবং আমার পরিবার পরিজনকে তাদের এ কর্মকাণ্ড থেকে রক্ষা করো।”	رَبِّ نَجِّنِیۡ وَ اَهۡلِیۡ مِمَّا یَعۡمَلُوۡنَ ﴿۱۶۹﴾
১৭০. ফলে, আমরা তাকে এবং তার পরিবারের সবাইকে নাজাত দিয়েছিলাম	فَنَجَّیۡنٰهُ وَ اَهۡلَهٗۤ اَجۡمَعِیۡنَ ﴿۱۷۰﴾ۙ
১৭১. এক বৃদ্ধাকে ছাড়া, সে হয়েছিল অবস্থানকারীদের অন্তরভুক্ত।	اِلَّا عَجُوۡزًا فِی الۡغٰبِرِیۡنَ ﴿۱۷۱﴾ۚ
১৭২. তারপর বাকি সবাইকে আমরা ধ্বংস করে দিয়েছিলাম।	ثُمَّ دَمَّرۡنَا الۡاٰخَرِیۡنَ ﴿۱۷۲﴾ۚ
১৭৩. আমরা তাদের উপর বর্ষণ করেছিলাম এক চূড়ান্ত বর্ষণ! যাদের সতর্ক করা হয়েছিল তাদের জন্যে এ বর্ষণ ছিলো কতো যে নিকৃষ্ট!	وَ اَمۡطَرۡنَا عَلَیۡهِمۡ مَّطَرًا ۚ فَسَآءَ مَطَرُ الۡمُنۡذَرِیۡنَ ﴿۱۷۳﴾
১৭৪. এর মধ্যেও রয়েছে একটি নিদর্শন। আর তাদের অধিকাংশই মুমিন ছিলনা।	اِنَّ فِیۡ ذٰلِکَ لَاٰیَةً ؕ وَ مَا کَانَ اَکۡثَرُهُمۡ مُّؤۡمِنِیۡنَ ﴿۱۷۴﴾
(রুকু ০৯) ১৭৫. তোমার প্রভু, নিশ্চিতই তিনি মহাপরাক্রমশীল, অতীব দয়াবান।	وَ اِنَّ رَبَّکَ لَهُوَ الۡعَزِیۡزُ الرَّحِیۡمُ ﴿۱۷۵﴾
১৭৬. আইকাবাসীরাও রসূলদের প্রত্যাখ্যান করেছিল।	کَذَّبَ اَصۡحٰبُ لۡئَیۡکَةِ الۡمُرۡسَلِیۡنَ ﴿۱۷۶﴾
১৭৭. স্মরণ করো, শুয়াইব তাদের বলেছিল: “তোমরা কি সতর্ক হবেনা?	اِذۡ قَالَ لَهُمۡ شُعَیۡبٌ اَلَا تَتَّقُوۡنَ ﴿۱۷۷﴾ۚ
১৭৮. আমি তোমাদের জন্যে একজন বিশ্বস্ত রসূল।	اِنِّیۡ لَکُمۡ رَسُوۡلٌ اَمِیۡنٌ ﴿۱۷۸﴾ۙ
১৭৯. অতএব, তোমরা আল্লাহ্‌কে ভয় করো এবং আমার আনুগত্য করো।	فَاتَّقُوا اللّٰهَ وَ اَطِیۡعُوۡنِ ﴿۱۷۹﴾ۚ
১৮০. (তোমাদের সতর্ক করার) এ দায়িত্ব পালনের জন্যে আমি তোমাদের কাছে কোনো	وَ مَاۤ اَسۡـَٔلُکُمۡ عَلَیۡهِ مِنۡ اَجۡرٍ ۚ اِنۡ اَجۡرِیَ

পারিশ্রমিক চাইনা। আমার প্রতিদানের দায়িত্ব রাব্বুল আলামিনের উপর।	اِلَّا عَلٰى رَبِّ الْعٰلَمِيْنَ ﴿١٨٠﴾
১৮১. মাপ পূর্ণ করে দেবে। যারা মাপে কম দেয় তোমরা তাদের অন্তরভুক্ত হয়োনা।	اَوْفُوا الْكَيْلَ وَلَا تَكُوْنُوْا مِنَ الْمُخْسِرِيْنَ ﴿١٨١﴾
১৮২. ওজন দেবে সঠিক দাঁড়িপাল্লায়।	وَزِنُوْا بِالْقِسْطَاسِ الْمُسْتَقِيْمِ ﴿١٨٢﴾
১৮৩. মানুষকে তাদের জিনিসপত্র কম দিওনা এবং দেশে ফাসাদ সৃষ্টিকারী হয়োনা।	وَ لَا تَبْخَسُوا النَّاسَ اَشْيَآءَهُمْ وَ لَا تَعْثَوْا فِي الْاَرْضِ مُفْسِدِيْنَ ﴿١٨٣﴾
১৮৪. সেই মহান সত্তাকে ভয় করো, যিনি তোমাদের সৃষ্টি করেছেন এবং তোমাদের আগে যারা বিগত হয়েছে তাদেরও সৃষ্টি করেছেন।”	وَ اتَّقُوا الَّذِيْ خَلَقَكُمْ وَ الْجِبِلَّةَ الْاَوَّلِيْنَ ﴿١٨٤﴾
১৮৫. তখন তারা বলেছিল: “তুমি তো একজন জাদুগ্রস্ত।	قَالُوْٓا اِنَّمَآ اَنْتَ مِنَ الْمُسَحَّرِيْنَ ﴿١٨٥﴾
১৮৬. তুমি তো আমাদেরই মতো একজন মানুষ ছাড়া আর কিছু নও। আমরা তো মনে করি তুমি মিথ্যাবাদীদেরই একজন।	وَ مَآ اَنْتَ اِلَّا بَشَرٌ مِّثْلُنَا وَ اِنْ نَّظُنُّكَ لَمِنَ الْكٰذِبِيْنَ ﴿١٨٦﴾
১৮৭. তুমি সত্যবাদী হয়ে থাকলে আকাশ ভেঙ্গে তার একটি খণ্ড আমাদের উপর ফেলো।”	فَاَسْقِطْ عَلَيْنَا كِسَفًا مِّنَ السَّمَآءِ اِنْ كُنْتَ مِنَ الصّٰدِقِيْنَ ﴿١٨٧﴾
১৮৮. তখন সে বলেছিল: ‘তোমরা যা করছো আমার প্রভু তা ভালোভাবেই জানেন।’	قَالَ رَبِّيْٓ اَعْلَمُ بِمَا تَعْمَلُوْنَ ﴿١٨٨﴾
১৮৯. এভাবে তারা তাকে প্রত্যাখ্যান করে। ফলে এক মেঘাচ্ছন্ন দিবসের আযাব তাদের গ্রাস করে নেয়। সেটা ছিলো এক ভয়াবহ দিনের আযাব।	فَكَذَّبُوْهُ فَاَخَذَهُمْ عَذَابُ يَوْمِ الظُّلَّةِ ؕ اِنَّهٗ كَانَ عَذَابَ يَوْمٍ عَظِيْمٍ ﴿١٨٩﴾
১৯০. নিশ্চয়ই এতে রয়েছে একটি নিদর্শন। তাদের অধিকাংশই মুমিন ছিলনা।	اِنَّ فِيْ ذٰلِكَ لَاٰيَةً ؕ وَ مَا كَانَ اَكْثَرُهُمْ مُّؤْمِنِيْنَ ﴿١٩٠﴾
১৯১. আর তোমার প্রভু, নিশ্চয়ই তিনি মহাশক্তিধর, অতীব দয়াবান।	وَاِنَّ رَبَّكَ لَهُوَ الْعَزِيْزُ الرَّحِيْمُ ﴿١٩١﴾
১৯২. নিশ্চয়ই এ কুরআন রাব্বুল আলামিনের নাযিলকৃত।	وَاِنَّهٗ لَتَنْزِيْلُ رَبِّ الْعٰلَمِيْنَ ﴿١٩٢﴾
১৯৩. এটি নিয়ে নাযিল হয়েছে রুহুল আমিন (জিবরিল)	نَزَلَ بِهِ الرُّوْحُ الْاَمِيْنُ ﴿١٩٣﴾
১৯৪. তোমার হৃদয়ে, যাতে করে তুমি হতে পারো একজন সতর্ককারী।	عَلٰى قَلْبِكَ لِتَكُوْنَ مِنَ الْمُنْذِرِيْنَ ﴿١٩٤﴾
১৯৫. (সেটি নাযিল করা হয়েছে) সুস্পষ্ট আরবি ভাষায়।	بِلِسَانٍ عَرَبِيٍّ مُّبِيْنٍ ﴿١٩٥﴾

রুকু ১০

১৯৬. আগের কিতাবগুলোতেও এর উল্লেখ আছে।	وَاِنَّهٗ لَفِیۡ زُبُرِ الۡاَوَّلِیۡنَ ﴿۱۹۶﴾
১৯৭. এটা কি তাদের জন্যে একটা নিদর্শন নয় যে, এ বিষয়ে অবগত রয়েছে বনি ইসরাঈলের আলেমরা?	اَوَلَمۡ یَکُنۡ لَّهُمۡ اٰیَةً اَنۡ یَّعۡلَمَهٗ عُلَمٰٓؤُا بَنِیۡۤ اِسۡرَآءِیۡلَ ﴿۱۹۷﴾
১৯৮. আমরা যদি এ (কুরআন) নাযিল করতাম কোনো অনারবের উপর,	وَلَوۡ نَزَّلۡنٰهُ عَلٰی بَعۡضِ الۡاَعۡجَمِیۡنَ ﴿۱۹۸﴾
১৯৯. আর সে যদি এটি তাদের কাছে পাঠ করতো, তবে তারা এর প্রতি ঈমান আনতোনা।	فَقَرَاَهٗ عَلَیۡهِمۡ مَّا کَانُوۡا بِهٖ مُؤۡمِنِیۡنَ ﴿۱۹۹﴾
২০০. এভাবেই আমরা অপরাধীদের অন্তরে (অবিশ্বাস) সঞ্চার করে দিয়েছি।	کَذٰلِکَ سَلَکۡنٰهُ فِیۡ قُلُوۡبِ الۡمُجۡرِمِیۡنَ ﴿۲۰۰﴾
২০১. তারা ঈমান আনবেনা যতোদিন না সচোক্ষে দেখতে পায় বেদনাদায়ক আযাব।	لَا یُؤۡمِنُوۡنَ بِهٖ حَتّٰی یَرَوُا الۡعَذَابَ الۡاَلِیۡمَ ﴿۲۰۱﴾
২০২. হ্যাঁ, সেটা এসে পড়বে আকস্মিক এবং তারা টেরই পাবেনা।	فَیَاۡتِیَهُمۡ بَغۡتَةً وَّهُمۡ لَا یَشۡعُرُوۡنَ ﴿۲۰۲﴾
২০৩. তখন তারা বলবে: 'আমাদের কি অবকাশ দেয়া হবে?'	فَیَقُوۡلُوۡا هَلۡ نَحۡنُ مُنۡظَرُوۡنَ ﴿۲۰۳﴾
২০৪. তারা কি দ্রুত আগমন চায় আমাদের আযাবের?	اَفَبِعَذَابِنَا یَسۡتَعۡجِلُوۡنَ ﴿۲۰۴﴾
২০৫. তুমি কি দেখোনি, আমরা তো অনেক বছর তাদের ভোগ বিলাস করতে দিয়েছি।	اَفَرَءَیۡتَ اِنۡ مَّتَّعۡنٰهُمۡ سِنِیۡنَ ﴿۲۰۵﴾
২০৬. তার পরেই এসেছিল সেই জিনিস (তাদের ধ্বংস) যার ওয়াদা তাদের দেয়া হয়েছিল।	ثُمَّ جَآءَهُمۡ مَّا کَانُوۡا یُوۡعَدُوۡنَ ﴿۲۰۶﴾
২০৭. তাদের ভোগ বিলাসের উপকরণসমূহ তাদের কোনো কাজেই আসেনি।	مَاۤ اَغۡنٰی عَنۡهُمۡ مَّا کَانُوۡا یُمَتَّعُوۡنَ ﴿۲۰۷﴾
২০৮. আমরা এমন কোনো জনপদ হালাক করিনি যার জন্যে সতর্ককারীরা ছিলনা।	وَمَاۤ اَهۡلَکۡنَا مِنۡ قَرۡیَةٍ اِلَّا لَهَا مُنۡذِرُوۡنَ ﴿۲۰۸﴾
২০৯. এটি একটি উপদেশ। (তাদের ব্যাপারে) আমরা অন্যায় আচরণ করিনি।	ذِکۡرٰی ۛ وَمَا کُنَّا ظٰلِمِیۡنَ ﴿۲۰۹﴾
২১০. এ কুরআন নিয়ে শয়তানরা নাযিল হয়নি।	وَمَا تَنَزَّلَتۡ بِهِ الشَّیٰطِیۡنُ ﴿۲۱۰﴾
২১১. এ কাজের তারা যোগ্যও নয় এবং এ কাজের সামর্থও তাদের নেই।	وَمَا یَنۡۢبَغِیۡ لَهُمۡ وَمَا یَسۡتَطِیۡعُوۡنَ ﴿۲۱۱﴾
২১২. তাদেরকে তো এটা শোনার সুযোগ থেকে দূরে রাখা হয়েছে।	اِنَّهُمۡ عَنِ السَّمۡعِ لَمَعۡزُوۡلُوۡنَ ﴿۲۱۲﴾
২১৩. সুতরাং তুমি আল্লাহ্‌র সাথে অন্য কোনো ইলাহ্ ডেকোনা, ডাকলে দণ্ডপ্রাপ্তদের অন্তরভুক্ত হয়ে পড়বে।	فَلَا تَدۡعُ مَعَ اللّٰهِ اِلٰهًا اٰخَرَ فَتَکُوۡنَ مِنَ الۡمُعَذَّبِیۡنَ ﴿۲۱۳﴾

২১৪. তোমার নিকটাত্মীয়দের সতর্ক করো।	وَ اَنۡذِرۡ عَشِیۡرَتَکَ الۡاَقۡرَبِیۡنَ ﴿۲۱۴﴾
২১৫. আর যারা তোমার অনুসরণ করে সেসব মুমিনদের প্রতি তুমি স্নেহ-মমতার ডানা অবনমিত করো।	وَ اخۡفِضۡ جَنَاحَکَ لِمَنِ اتَّبَعَکَ مِنَ الۡمُؤۡمِنِیۡنَ ﴿۲۱۵﴾
২১৬. তারা যদি তোমার অবাধ্য হয়, তবে তুমি বলো: 'তোমাদের কর্মকাণ্ড থেকে আমি দায়মুক্ত।'	فَاِنۡ عَصَوۡکَ فَقُلۡ اِنِّیۡ بَرِیۡٓءٌ مِّمَّا تَعۡمَلُوۡنَ ﴿۲۱۶﴾
২১৭. মহাশক্তিধর, অতীব দয়াবানের উপর তাওয়াক্কুল করো,	وَ تَوَکَّلۡ عَلَی الۡعَزِیۡزِ الرَّحِیۡمِ ﴿۲۱۷﴾
২১৮. যিনি তোমাকে দেখেন যখন তুমি দাঁড়াও (সালাতে)।	الَّذِیۡ یَرٰىکَ حِیۡنَ تَقُوۡمُ ﴿۲۱۸﴾
২১৯. তাছাড়া সাজদাকারীদের সাথে তোমার উঠাবসাও তিনি দেখেন।	وَ تَقَلُّبَکَ فِی السّٰجِدِیۡنَ ﴿۲۱۹﴾
২২০. তিনি সর্বশ্রোতা, সর্বজ্ঞানী।	اِنَّہٗ ہُوَ السَّمِیۡعُ الۡعَلِیۡمُ ﴿۲۲۰﴾
২২১. (হে মানুষ!) তোমাদের সংবাদ দেবো কি, শয়তানরা কার ঘাড়ে সওয়ার হয়?	ہَلۡ اُنَبِّئُکُمۡ عَلٰی مَنۡ تَنَزَّلُ الشَّیٰطِیۡنُ ﴿۲۲۱﴾
২২২. তারা তো সওয়ার হয় প্রত্যেক কট্টর মিথ্যাবাদী পাপিষ্ঠের ঘাড়ে।	تَنَزَّلُ عَلٰی کُلِّ اَفَّاکٍ اَثِیۡمٍ ﴿۲۲۲﴾
২২৩. তারা কান পেতে থাকে এবং তাদের অধিকাংশই মিথ্যাবাদী।	یُّلۡقُوۡنَ السَّمۡعَ وَ اَکۡثَرُہُمۡ کٰذِبُوۡنَ ﴿۲۲۳﴾
২২৪. কবিদের অনুসরণ করে তো বিভ্রান্তরাই।	وَ الشُّعَرَآءُ یَتَّبِعُہُمُ الۡغَاوٗنَ ﴿۲۲۴﴾
২২৫. তুমি দেখোনা তারা উদ্ভ্রান্তের মতো প্রত্যেক উপত্যকায়ই ঘুমিয়ে পড়ে?	اَلَمۡ تَرَ اَنَّہُمۡ فِیۡ کُلِّ وَادٍ یَّہِیۡمُوۡنَ ﴿۲۲۵﴾
২২৬. আর তারা তাই বলে, যা তারা করেনা।	وَ اَنَّہُمۡ یَقُوۡلُوۡنَ مَا لَا یَفۡعَلُوۡنَ ﴿۲۲۶﴾
২২৭. তবে তারা নয়, যারা ঈমান আনে, আমলে সালেহ্ করে, আল্লাহ্কে বেশি বেশি স্মরণ করে এবং অত্যাচারিত হবার পরই প্রতিশোধ গ্রহণ করে। যারা যুলুম করে তারা শীঘ্রি জানতে পারবে কোন্ ফিরে যাবার জায়গায় তারা ফিরে যাবে?	اِلَّا الَّذِیۡنَ اٰمَنُوۡا وَ عَمِلُوا الصّٰلِحٰتِ وَ ذَکَرُوا اللّٰہَ کَثِیۡرًا وَّ انۡتَصَرُوۡا مِنۡۢ بَعۡدِ مَا ظُلِمُوۡا ؕ وَ سَیَعۡلَمُ الَّذِیۡنَ ظَلَمُوۡۤا اَیَّ مُنۡقَلَبٍ یَّنۡقَلِبُوۡنَ ﴿۲۲۷﴾

রুকু ১১

সূরা ২৭ আন নামল

মক্কায় অবতীর্ণ, আয়াত সংখ্যা: ৯৩, রুকু সংখ্যা: ০৭

এই সূরার আলোচ্যসূচি (আয়াত ভিত্তিক আলোচ্য বিষয়)

০১-০৬: কুরআন কাদের দিশারি, আর কাদের দিশারি নয়?

০৭-১৪: মূসা আ.-কে নবুয়্যত ও মুজিযা প্রদান। ফিরাউন কর্তৃক আল্লাহ্‌র নিদর্শন প্রত্যাখ্যান।

১৫-৪৪: সুলাইমান আ.-কে আল্লাহ্ সমৃদ্ধ সাম্রাজ্য দিয়েছিলেন। সুলাইমান আ. কর্তৃক সাবার রাণীকে দাওয়াত দানের ইতিহাস।

৪৫-৫৩: সামুদ জাতির কাছে সালেহ্ আ.-এর দাওয়াত দানের ইতিহাস। সালেহ্ আ. এর বিরুদ্ধে তাদের জঘন্য ষড়যন্ত্র ও তাদের ধ্বংস।
৫৪-৫৯: লুত আ. কর্তৃক তাঁর জাতিকে সংশোধনের চেষ্টা। তাদের প্রত্যাখ্যান ও ধ্বংস।
৬০-৮২: নবীদের প্রতি সালাম। তাওহীদের যুক্তি এবং শিরক খণ্ডণ। দাব্বাতুল আরদ প্রকাশিত হবে।
৮৩-৯৩: হাশর ও বিচার। ভালো আমলকারীদের পরিণতি এবং মন্দ আমলকারীদের পরিণতি। আল্লাহ্‌র দাসত্ব, আল্লাহ্‌র প্রতি আত্মসমর্পণ এবং কুরআনের অনুসরণই মুক্তির পথ।

সূরা আন নামল (পিঁপড়া) পরম করুণাময় পরম দয়াবান আল্লাহ্‌র নামে	سُوْرَةُ النَّمْلِ بِسْمِ اللّٰهِ الرَّحْمٰنِ الرَّحِيْمِ
০১. তোয়া সিন। এগুলো আয়াত আল কুরআন ও সুস্পষ্ট কিতাবের,	طٰسٓ ۚ تِلْكَ اٰيٰتُ الْقُرْاٰنِ وَ كِتَابٍ مُّبِيْنٍ ۙ①
০২. হিদায়াত ও সুসংবাদ সেইসব মুমিনদের জন্যে,	هُدًى وَّ بُشْرٰى لِلْمُؤْمِنِيْنَ ۙ②
০৩. যারা কায়েম করে সালাত, প্রদান করে যাকাত এবং তারা আখিরাতের প্রতি রাখে একীন।	الَّذِيْنَ يُقِيْمُوْنَ الصَّلٰوةَ وَ يُؤْتُوْنَ الزَّكٰوةَ وَهُمْ بِالْاٰخِرَةِ هُمْ يُوْقِنُوْنَ③
০৪. আর যারা ঈমান রাখেনা আখিরাতের প্রতি, আমরা তাদের চোখে তাদের কর্মকাণ্ডকে চাকচিক্যময় করে দিয়েছি, ফলে তারা বিভ্রান্তের মতো ঘুরে বেড়ায়।	اِنَّ الَّذِيْنَ لَا يُؤْمِنُوْنَ بِالْاٰخِرَةِ زَيَّنَّا لَهُمْ اَعْمَالَهُمْ فَهُمْ يَعْمَهُوْنَ ؕ④
০৫. এরা সেইসব লোক যাদের জন্যে রয়েছে নিকৃষ্ট ধরনের আযাব, আর আখিরাতে তারাই হবে ক্ষতিগ্রস্ত।	اُولٰٓئِكَ الَّذِيْنَ لَهُمْ سُوْٓءُ الْعَذَابِ وَ هُمْ فِي الْاٰخِرَةِ هُمُ الْاَخْسَرُوْنَ⑤
০৬. তোমাকে এই কুরআন দেয়া হচ্ছে প্রজ্ঞাবান সর্বজ্ঞানী আল্লাহর পক্ষ থেকে।	وَ اِنَّكَ لَتُلَقَّى الْقُرْاٰنَ مِنْ لَّدُنْ حَكِيْمٍ عَلِيْمٍ⑥
০৭. স্মরণ করো, মূসা তার পরিবারবর্গকে বলেছিল: 'আমি আগুন দেখেছি। শীঘ্রি আমি সেখান থেকে তোমাদের জন্যে কোনো খবর নিয়ে আসবো, অথবা নিয়ে আসবো সেখান থেকে জ্বলন্ত অঙ্গার, যেনো তোমরা আগুন পোহাতে পারো।	اِذْ قَالَ مُوْسٰى لِاَهْلِهٖٓ اِنِّيْٓ اٰنَسْتُ نَارًا ؕ سَاٰتِيْكُمْ مِّنْهَا بِخَبَرٍ اَوْ اٰتِيْكُمْ بِشِهَابٍ قَبَسٍ لَّعَلَّكُمْ تَصْطَلُوْنَ⑦
০৮. মূসা সেখানে আসতেই ঘোষণা দেয়া হলো: 'কল্যাণের অধিকারী করে দেয়া হলো যারা আছে এই আগুনের মধ্যে এবং এর চারপাশে, আর আল্লাহ্ রাব্বুল আলামিন পবিত্র ও মহান।'	فَلَمَّا جَآءَهَا نُوْدِيَ اَنْۢ بُوْرِكَ مَنْ فِي النَّارِ وَ مَنْ حَوْلَهَا ؕ وَ سُبْحٰنَ اللّٰهِ رَبِّ الْعٰلَمِيْنَ⑧

০৯. হে মূসা! নিশ্চয়ই আমি আল্লাহ্, আযিযুল হাকিম (মহাশক্তিধর, প্রজ্ঞাময়)।	يٰمُوْسٰۤى اِنَّهٗۤ اَنَا اللّٰهُ الْعَزِيْزُ الْحَكِيْمُ ۙ﴿۹﴾
১০. তোমার লাঠি নিক্ষেপ করো। তারপর সে যখন দেখলো সেটি সাপের মতো ছুটাছুটি করছে, সে পেছনে ফিরে দৌড়াতে থাকলো এবং ফিরেও তাকালোনা। তখন তাকে ডেকে বলা হলো: "হে মূসা! ভয় পেয়োনা, নিশ্চয়ই আমার কাছে এসে রসূলরা ভয় পায়না।	وَ اَلْقِ عَصَاكَ ؕ فَلَمَّا رَاٰهَا تَهْتَزُّ كَاَنَّهَا جَآنٌّ وَّلّٰى مُدْبِرًا وَّ لَمْ يُعَقِّبْ ؕ يٰمُوْسٰى لَا تَخَفْ ۫ اِنِّیْ لَا يَخَافُ لَدَیَّ الْمُرْسَلُوْنَ ۖ﴿۱۰﴾
১১. তবে যারা যুলুম করে, এবং তারপর মন্দ কাজের পরিবর্তে পুণ্য কাজ করে, তাদের প্রতি আমি পরম ক্ষমাশীল দয়াময়।	اِلَّا مَنْ ظَلَمَ ثُمَّ بَدَّلَ حُسْنًۢا بَعْدَ سُوْٓءٍ فَاِنِّیْ غَفُوْرٌ رَّحِيْمٌ ﴿۱۱﴾
১২. আর তোমার হাত তোমার জেবে (বগলে) দাখিল করো, দেখবে সেটি ধবধবে সাদা হয়ে বের হবে কোনো ক্ষতি ছাড়াই। (এ দুটি) ফেরাউন ও তার কওমের প্রতি দেয়া নয়টি নিদর্শনের অন্তরভুক্ত। তারা অবশ্যি এক ফাসিক (সীমালঙ্ঘনকারী) কওম।"	وَ اَدْخِلْ يَدَكَ فِیْ جَيْبِكَ تَخْرُجْ بَيْضَآءَ مِنْ غَيْرِ سُوْٓءٍ ۫ فِیْ تِسْعِ اٰيٰتٍ اِلٰى فِرْعَوْنَ وَ قَوْمِهٖ ؕ اِنَّهُمْ كَانُوْا قَوْمًا فٰسِقِيْنَ ﴿۱۲﴾
১৩. তারপর তাদের কাছে যখন আমাদের সুস্পষ্ট নিদর্শনসমূহ এলো, তারা বললো: 'এতো সুস্পষ্ট ম্যাজিক।'	فَلَمَّا جَآءَتْهُمْ اٰيٰتُنَا مُبْصِرَةً قَالُوْا هٰذَا سِحْرٌ مُّبِيْنٌ ۚ﴿۱۳﴾
১৪. তারা যুলুম ও দাম্ভিকতার সাথে নিদর্শনগুলো প্রত্যাখ্যান করে, যদিও তাদের অন্তরে সেগুলো সত্য বলে একীন হয়েছিল। এখন দেখো, ফাসাদ সৃষ্টিকারীদের পরিণতি কী রকম হয়েছিল!	وَ جَحَدُوْا بِهَا وَ اسْتَيْقَنَتْهَاۤ اَنْفُسُهُمْ ظُلْمًا وَّ عُلُوًّا ؕ فَانْظُرْ كَيْفَ كَانَ عَاقِبَةُ الْمُفْسِدِيْنَ ۠﴿۱۴﴾
১৫. আমরা দাউদ এবং সুলাইমানকে দিয়েছিলাম বিশেষ এলেম। তারা বলেছিল: আল হামদুলিল্লাহ- সমস্ত প্রশংসা আল্লাহ্‌র, যিনি আমাদের মর্যাদা দিয়েছেন তাঁর বহু মুমিন বান্দার উপর।	وَ لَقَدْ اٰتَيْنَا دَاوٗدَ وَ سُلَيْمٰنَ عِلْمًا ۚ وَ قَالَا الْحَمْدُ لِلّٰهِ الَّذِیْ فَضَّلَنَا عَلٰى كَثِيْرٍ مِّنْ عِبَادِهِ الْمُؤْمِنِيْنَ ﴿۱۵﴾
১৬. সুলাইমান হয়েছিল দাউদের ওয়ারিশ। সে বলেছিল: 'হে মানুষ! আমাদেরকে পাখির ভাষা শেখানো হয়েছে এবং সবকিছুই দেয়া হয়েছে আমাদের। অবশ্যি এটা আল্লাহ্‌র একটা সুস্পষ্ট অনুগ্রহ।'	وَ وَرِثَ سُلَيْمٰنُ دَاوٗدَ وَ قَالَ يٰۤاَيُّهَا النَّاسُ عُلِّمْنَا مَنْطِقَ الطَّيْرِ وَ اُوْتِيْنَا مِنْ كُلِّ شَیْءٍ ؕ اِنَّ هٰذَا لَهُوَ الْفَضْلُ الْمُبِيْنُ ﴿۱۶﴾
১৭. সুলাইমানের জন্যে হাশর (সমবেত) করা হয় তার বাহিনীকে, যাদের মধ্যে ছিলো জিন, ইনসান ও পাখি। তাদের বিন্যস্ত করা হয় বিভিন্ন গ্রুপে।	وَ حُشِرَ لِسُلَيْمٰنَ جُنُوْدُهٗ مِنَ الْجِنِّ وَ الْاِنْسِ وَ الطَّيْرِ فَهُمْ يُوْزَعُوْنَ ﴿۱۷﴾

রুকু ০১

১৮. তারা যখন পিঁপড়ার উপত্যকায় এসে পৌঁছে, তখন একটি পিঁপড়া বলে উঠে: 'হে পিঁপীলিকার দল! তোমরা দাখিল হয়ে যাও তোমাদের ঘরে। সুলাইমান এবং তার বাহিনী অজ্ঞাতসারে তোমাদের পায়ের তলায় পিষে না ফেলে।'	حَتّٰۤى اِذَاۤ اَتَوْا عَلٰى وَادِ النَّمْلِ ۙ قَالَتْ نَمْلَةٌ يّٰۤاَيُّهَا النَّمْلُ ادْخُلُوْا مَسٰكِنَكُمْ ۚ لَا يَحْطِمَنَّكُمْ سُلَيْمٰنُ وَ جُنُوْدُهٗ ۙ وَ هُمْ لَا يَشْعُرُوْنَ ﴿١٨﴾
১৯. তার কথায় সুলাইমান মৃদু হেসে বললো: 'আমার প্রভু! আমাকে সামর্থ দাও, আমি যেনো তোমার নিয়ামতের শোকর আদায় করতে পারি, যা তুমি দান করেছো আমার প্রতি এবং আমার পিতামাতার প্রতি, আর আমি যেনো সেই রকম পুণ্য আমল করতে পারি যাতে তুমি সন্তুষ্ট হবে, আর দয়া করে আমাকে দাখিল করো তোমার পুণ্যবান দাসদের মধ্যে।'	فَتَبَسَّمَ ضَاحِكًا مِّنْ قَوْلِهَا وَ قَالَ رَبِّ اَوْزِعْنِیْۤ اَنْ اَشْكُرَ نِعْمَتَكَ الَّتِیْۤ اَنْعَمْتَ عَلَیَّ وَ عَلٰی وَالِدَیَّ وَ اَنْ اَعْمَلَ صَالِحًا تَرْضٰىهُ وَ اَدْخِلْنِیْ بِرَحْمَتِكَ فِیْ عِبَادِكَ الصّٰلِحِیْنَ ﴿١٩﴾
২০. সুলাইমান সন্ধান নিলো পাখিদের। সে বললো, কী হলো হুদহুদকে দেখছিনা যে? সে অনুপস্থিত নাকি?	وَ تَفَقَّدَ الطَّیْرَ فَقَالَ مَا لِیَ لَاۤ اَرَى الْهُدْهُدَ ۖ٘ اَمْ كَانَ مِنَ الْغَآىِٕبِیْنَ ﴿٢٠﴾
২১. সে সুস্পষ্ট প্রমাণ না নিয়ে এলে আমি অবশ্যি তাকে কঠোর শাস্তি দেবো অথবা যবেহ্ করে ফেলবো।	لَاُعَذِّبَنَّهٗ عَذَابًا شَدِیْدًا اَوْ لَاۡاَذْبَحَنَّهٗۤ اَوْ لَیَاْتِیَنِّیْ بِسُلْطٰنٍ مُّبِیْنٍ ﴿٢١﴾
২২. তারপর অবিলম্বেই সে এসে উপস্থিত হলো এবং বললো: "আমি অবগত হয়েছি এমন একটা বিষয় যেটি আপনি অবগত নন। আমি আপনার জন্যে সাবা থেকে একটি নিশ্চিত সংবাদ নিয়ে এসেছি।	فَمَكَثَ غَیْرَ بَعِیْدٍ فَقَالَ اَحَطْتُّ بِمَا لَمْ تُحِطْ بِهٖ وَ جِئْتُكَ مِنْ سَبَاٍۭ بِنَبَاٍ یَّقِیْنٍ ﴿٢٢﴾
২৩. আমি এক নারীকে দেখতে পেয়েছি তাদের উপর রাজত্ব করছেন। সমস্ত বস্তু সম্ভার তাকে দেয়া হয়েছে এবং তার রয়েছে এক বিশাল সিংহাসন।	اِنِّیْ وَجَدْتُّ امْرَاَةً تَمْلِكُهُمْ وَ اُوْتِیَتْ مِنْ كُلِّ شَیْءٍ وَّ لَهَا عَرْشٌ عَظِیْمٌ ﴿٢٣﴾
২৪. আমি তাকে এবং তার কওমকে দেখতে পেলাম তারা আল্লাহ্‌র পরিবর্তে সূর্যকে সাজদা করছে। শয়তান তাদের কর্মকাণ্ড তাদের কাছে চাকচিক্যময় করে রেখেছে এবং সে তাদের সঠিক পথে আসার ব্যাপারে প্রতিবন্ধক হয়ে আছে, ফলে তারা হিদায়াত লাভ করছেনা।"	وَجَدْتُّهَا وَ قَوْمَهَا یَسْجُدُوْنَ لِلشَّمْسِ مِنْ دُوْنِ اللّٰهِ وَ زَیَّنَ لَهُمُ الشَّیْطٰنُ اَعْمَالَهُمْ فَصَدَّهُمْ عَنِ السَّبِیْلِ فَهُمْ لَا یَهْتَدُوْنَ ﴿٢٤﴾
২৫. সে প্রতিবন্ধক হয়ে আছে এ জন্যে, যাতে তারা আল্লাহ্‌কে সাজদা না করে, যিনি মহাকাশ ও পৃথিবীর গুপ্ত বস্তুকে প্রকাশ করেন এবং যিনি	اَلَّا یَسْجُدُوْا لِلّٰهِ الَّذِیْ یُخْرِجُ الْخَبْءَ فِی السَّمٰوٰتِ وَ الْاَرْضِ وَ یَعْلَمُ مَا

জানেন তোমরা যা গোপন করো এবং যা করো এলান (প্রকাশ)।	تُخْفُوْنَ وَ مَا تُعْلِنُوْنَ ﴿٢٥﴾
২৬. আল্লাহ্, তিনি ছাড়া নেই কোনো ইলাহ্, তিনি মহান আরশের মালিক।' **(সাজদা)**	اَللّٰهُ لَاۤ اِلٰهَ اِلَّا هُوَ رَبُّ الْعَرْشِ الْعَظِيْمِ ﴿٢٦﴾ السجدة
২৭. সুলাইমান বললো: "আমি দেখবো, তুমি সত্য বলছো, নাকি তুমি মিথ্যাবাদী।	قَالَ سَنَنْظُرُ اَصَدَقْتَ اَمْ كُنْتَ مِنَ الْكٰذِبِيْنَ ﴿٢٧﴾
২৮. তুমি আমার এই পত্রটি নিয়ে যাও এবং তাদের কাছে পৌঁছে দাও। তারপর তাদের থেকে সরে থাকবে এবং লক্ষ্য করবে তাদের প্রতিক্রিয়া।"	اِذْهَبْ بِّكِتٰبِيْ هٰذَا فَاَلْقِهْ اِلَيْهِمْ ثُمَّ تَوَلَّ عَنْهُمْ فَانْظُرْ مَاذَا يَرْجِعُوْنَ ﴿٢٨﴾
২৯. সে (রাণী) বললো: "হে আমার পারিষদবর্গ! আমার কাছে পৌঁছেছে একটি সম্মানিত পত্র,	قَالَتْ يٰۤاَيُّهَا الْمَلَؤُا اِنِّيْۤ اُلْقِيَ اِلَيَّ كِتٰبٌ كَرِيْمٌ ﴿٢٩﴾
৩০. এটি প্রেরিত হয়েছে সুলাইমানের পক্ষ থেকে এবং সেটির বক্তব্য হলো: বিসমিল্লাহির রাহমানির রাহীম।	اِنَّهٗ مِنْ سُلَيْمٰنَ وَ اِنَّهٗ بِسْمِ اللّٰهِ الرَّحْمٰنِ الرَّحِيْمِ ﴿٣٠﴾
৩১. আমার উপর ঔদ্ধত্য করোনা, বশ্যতা স্বীকার করে আমার কাছে উপস্থিত হও।"	اَلَّا تَعْلُوْا عَلَيَّ وَ اْتُوْنِيْ مُسْلِمِيْنَ ﴿٣١﴾
৩২. রাণী বললো: "হে আমার পারিষদবর্গ। তোমরা আমাকে ফতোয়া (মত) দাও এ বিষয়ে আমার করণীয় সম্পর্কে। আমি তো কোনো বিষয়ে সিদ্ধান্ত গ্রহণ করিনা তোমাদের উপস্থিতি (পরামর্শ) ছাড়া।'	قَالَتْ يٰۤاَيُّهَا الْمَلَؤُا اَفْتُوْنِيْ فِيْۤ اَمْرِيْ ۚ مَا كُنْتُ قَاطِعَةً اَمْرًا حَتّٰى تَشْهَدُوْنِ ﴿٣٢﴾
৩৩. তারা বললো: 'আমরা তো একটি শক্তিশালী এবং কঠোর যোদ্ধা জাতি। তবে সিদ্ধান্ত গ্রহণের ক্ষমতা তো আপনারই। আপনি ভেবে দেখুন কী নির্দেশ দেবেন।'	قَالُوْا نَحْنُ اُولُوْا قُوَّةٍ وَّ اُولُوْا بَاْسٍ شَدِيْدٍ ۙ وَّ الْاَمْرُ اِلَيْكِ فَانْظُرِيْ مَاذَا تَاْمُرِيْنَ ﴿٣٣﴾
৩৪. সে (রাণী) বললো: "রাজা বাদশারা যখন (যুদ্ধের জন্যে) কোনো জনপদে প্রবেশ করে, তারা সে জনপদকে বিপর্যস্ত করে দেয় এবং সেখানকার সম্মানিত ব্যক্তিদের করে ছাড়ে অপদস্থ। এরাও এ রকমই করবে।	قَالَتْ اِنَّ الْمُلُوْكَ اِذَا دَخَلُوْا قَرْيَةً اَفْسَدُوْهَا وَ جَعَلُوْۤا اَعِزَّةَ اَهْلِهَاۤ اَذِلَّةً ۚ وَ كَذٰلِكَ يَفْعَلُوْنَ ﴿٣٤﴾
৩৫. আমি তাদের কাছে হাদিয়া (উপঢৌকন) পাঠাতে চাই। দেখি, আমার দূতেরা তাদের কী প্রতিক্রিয়া নিয়ে ফিরে আসে?"	وَ اِنِّيْ مُرْسِلَةٌ اِلَيْهِمْ بِهَدِيَّةٍ فَنٰظِرَةٌۢ بِمَ يَرْجِعُ الْمُرْسَلُوْنَ ﴿٣٥﴾

রুকু ০২

৩৬. দূত যখন সুলাইমানের কাছে এলো, সুলাইমান বললো: "তোমরা কি আমাকে ধনমাল দিয়ে সাহায্য করতে চাও? আল্লাহ্ আমাকে যা দিয়েছেন, তা তোমাদের যা দিয়েছেন তার চাইতে উত্তম। তোমরা তো তোমাদের হাদিয়া নিয়ে আনন্দবোধ করছো।	فَلَمَّا جَآءَ سُلَيْمٰنَ قَالَ اَتُمِدُّوْنَنِ بِمَالٍ فَمَآ اٰتٰىنِۦَ اللّٰهُ خَيْرٌ مِّمَّآ اٰتٰىكُمْ ۚ بَلْ اَنْتُمْ بِهَدِيَّتِكُمْ تَفْرَحُوْنَ ﴿٣٦﴾
৩৭. তুমি তাদের কাছে ফিরে যাও, আমি তাদের বিরুদ্ধে এমন এক সৈন্যবাহিনী নিয়ে আসবো যার মোকাবেলা করার শক্তি তাদের নেই। আমি অবশ্যি তাদেরকে সে দেশ থেকে লাঞ্ছিত করে বহিষ্কার করবো এবং তখন তারা ছোট হয়ে থাকবে।"	اِرْجِعْ اِلَيْهِمْ فَلَنَاْتِيَنَّهُمْ بِجُنُوْدٍ لَّا قِبَلَ لَهُمْ بِهَا وَلَنُخْرِجَنَّهُمْ مِّنْهَآ اَذِلَّةً وَّهُمْ صٰغِرُوْنَ ﴿٣٧﴾
৩৮. সুলাইমান বললো: 'হে আমার পারিষদবর্গ! তারা আমার কাছে বশ্যতা স্বীকার করে এসে পৌঁছার আগেই তোমাদের কে তার সিংহাসনটি আমার কাছে নিয়ে আসবে?'	قَالَ يٰۤاَيُّهَا الْمَلَؤُا اَيُّكُمْ يَاْتِيْنِيْ بِعَرْشِهَا قَبْلَ اَنْ يَّاْتُوْنِيْ مُسْلِمِيْنَ ﴿٣٨﴾
৩৯. এক শক্তিশালী জিন বললো: 'সেটি আমি নিয়ে আসবো আপনি আপনার আসন থেকে উঠার আগেই এবং এ ব্যাপারে আমি শক্তিশালী ও বিশ্বস্ত।'	قَالَ عِفْرِيْتٌ مِّنَ الْجِنِّ اَنَا اٰتِيْكَ بِهٖ قَبْلَ اَنْ تَقُوْمَ مِنْ مَّقَامِكَ ۚ وَاِنِّيْ عَلَيْهِ لَقَوِيٌّ اَمِيْنٌ ﴿٣٩﴾
৪০. যার কাছে কিতাবের এলেম ছিলো, এমন এক ব্যক্তি উঠে বললো: 'আপনি চোখের পলক ফেলার আগেই আমি সেটা আপনাকে এনে দিচ্ছি।' সুলাইমান যখন সেটা নিজের সামনে রক্ষিত অবস্থায় দেখতে পেলো, বললো: 'এটা আমার প্রভুর অনুগ্রহ, এর দ্বারা তিনি আমাকে পরীক্ষা করতে চান আমি কৃতজ্ঞ থাকি, নাকি অকৃতজ্ঞ হই। আর যে কেউ শোকর আদায় করে সে নিজের কল্যাণেই শোকর আদায় করে। আর যে কেউ অকৃতজ্ঞ হয়, সে জেনে রাখুক, আমার প্রভু মুখাপেক্ষাহীন, মর্যাদাবান।'	قَالَ الَّذِيْ عِنْدَهٗ عِلْمٌ مِّنَ الْكِتٰبِ اَنَا اٰتِيْكَ بِهٖ قَبْلَ اَنْ يَّرْتَدَّ اِلَيْكَ طَرْفُكَ ؕ فَلَمَّا رَاٰهُ مُسْتَقِرًّا عِنْدَهٗ قَالَ هٰذَا مِنْ فَضْلِ رَبِّيْ ۖ لِيَبْلُوَنِيْۤ ءَاَشْكُرُ اَمْ اَكْفُرُ ؕ وَمَنْ شَكَرَ فَاِنَّمَا يَشْكُرُ لِنَفْسِهٖ ۚ وَمَنْ كَفَرَ فَاِنَّ رَبِّيْ غَنِيٌّ كَرِيْمٌ ﴿٤٠﴾
৪১. সুলাইমান বললো: 'তার সিংহাসনটি ওলটপালট করে তার জন্যে আনকোরা করে দাও। দেখি, সে কি চিনতে পারে, নাকি না চেনাদের অন্তরভুক্ত হয়?'	قَالَ نَكِّرُوْا لَهَا عَرْشَهَا نَنْظُرْ اَتَهْتَدِيْۤ اَمْ تَكُوْنُ مِنَ الَّذِيْنَ لَا يَهْتَدُوْنَ ﴿٤١﴾
৪২. যখন রাণী এসে পৌঁছালো, তাকে বলা হলো: 'আপনার সিংহাসন কি এ রকম?' সে বললো: 'এটা যেনো সেটাই? আমাদের ইতোপূর্বে অবগত করানো হয়েছে এবং আমরা বশ্যতা স্বীকার করে নিয়েছি।'	فَلَمَّا جَآءَتْ قِيْلَ اَهٰكَذَا عَرْشُكِ ؕ قَالَتْ كَاَنَّهٗ هُوَ ۚ وَاُوْتِيْنَا الْعِلْمَ مِنْ قَبْلِهَا وَكُنَّا مُسْلِمِيْنَ ﴿٤٢﴾

৪৩. সে আল্লাহ্‌র পরিবর্তে যার ইবাদত করতো তাই তাকে সত্য থেকে প্রতিবন্ধকতা সৃষ্টি করে রেখেছিল। সে তো কাফির কওমেরই একজন ছিলো।	وَ صَدَّهَا مَا كَانَتْ تَّعْبُدُ مِنْ دُوْنِ اللّٰهِ ؕ اِنَّهَا كَانَتْ مِنْ قَوْمٍ كٰفِرِيْنَ ﴿۴۳﴾
৪৪. তাকে বলা হলো: 'এই প্রাসাদে দাখিল হোন।' সে যখন তা দেখলো, মনে করলো একটি জলাশয়। তখন তার পায়ের কিছু অংশ থেকে বস্ত্র গুটিয়ে উন্মুক্ত করে নিলো। সুলাইমান বললো: 'এতো (পানি নয়) স্বচ্ছ স্ফটিকের তৈরি প্রাসাদ।' তখন সে (রাণী) বললো: 'আমার প্রভু! আমি আমার নিজের প্রতি অবিচার করে আসছিলাম, এখন আমি সুলাইমানের সাথে আল্লাহ্‌ রাব্বুল আলামিনের উদ্দেশ্যে আত্মসমর্পণ করলাম।'	قِيْلَ لَهَا ادْخُلِي الصَّرْحَ ۚ فَلَمَّا رَاَتْهُ حَسِبَتْهُ لُجَّةً وَّ كَشَفَتْ عَنْ سَاقَيْهَا ؕ قَالَ اِنَّهٗ صَرْحٌ مُّمَرَّدٌ مِّنْ قَوَارِيْرَ ؕ۬ قَالَتْ رَبِّ اِنِّيْ ظَلَمْتُ نَفْسِيْ وَ اَسْلَمْتُ مَعَ سُلَيْمٰنَ لِلّٰهِ رَبِّ الْعٰلَمِيْنَ ﴿۴۴﴾
৪৫. আমরা সামুদ জাতির কাছে তাদের ভাই সালেহ্‌কে পাঠিয়েছিলাম এই নির্দেশ দিয়ে: 'তোমরা এক আল্লাহ্‌র ইবাদত (আনুগত্য দাসত্ব, পূজা উপাসনা) করো।' তখন তারা দ্বিধাবিভক্ত হয়ে তর্কে জড়িয়ে পড়ে।	وَ لَقَدْ اَرْسَلْنَاۤ اِلٰى ثَمُوْدَ اَخَاهُمْ صٰلِحًا اَنِ اعْبُدُوا اللّٰهَ فَاِذَا هُمْ فَرِيْقٰنِ يَخْتَصِمُوْنَ ﴿۴۵﴾
৪৬. সালেহ্‌ বলেছিল: 'হে আমার কওম! তোমরা কল্যাণের আগে দ্রুত অকল্যাণ চাইছো কেন? তোমরা কেন আল্লাহ্‌র কাছে ক্ষমা চাইছোনা, যাতে করে তোমরা রহম প্রাপ্ত হও।'	قَالَ يٰقَوْمِ لِمَ تَسْتَعْجِلُوْنَ بِالسَّيِّئَةِ قَبْلَ الْحَسَنَةِ ۚ لَوْ لَا تَسْتَغْفِرُوْنَ اللّٰهَ لَعَلَّكُمْ تُرْحَمُوْنَ ﴿۴۶﴾
৪৭. তারা বললো: 'আমরা তোমাকে এবং তোমার সাথিদেরকে আমাদের অমঙ্গলের কারণ মনে করি।' সে বললো: 'তোমাদের মঙ্গল অমঙ্গল তো আল্লাহ্‌র এখতিয়ারে। বরং তোমরা এমন একটি কওম যাদের পরীক্ষা করা হচ্ছে।'	قَالُوا اطَّيَّرْنَا بِكَ وَ بِمَنْ مَّعَكَ ؕ قَالَ طٰٓئِرُكُمْ عِنْدَ اللّٰهِ بَلْ اَنْتُمْ قَوْمٌ تُفْتَنُوْنَ ﴿۴۷﴾
৪৮. সেই শহরে ছিলো নয় ব্যক্তি যারা দেশে ফাসাদ সৃষ্টি করতো এবং সংশোধন হতোনা।	وَ كَانَ فِي الْمَدِيْنَةِ تِسْعَةُ رَهْطٍ يُّفْسِدُوْنَ فِي الْاَرْضِ وَ لَا يُصْلِحُوْنَ ﴿۴۸﴾
৪৯. তারা বলেছিল: 'তোমরা নিজেদের মধ্যে আল্লাহ্‌র নামে কসম খেয়ে বলো: আমরা অবশ্যি রাতের বেলায় তাকে (সালেহ্‌কে) এবং তার পরিবারবর্গকে আক্রমণ করে হত্যা করবো, তারপর তার অলিকে বলবো: তার পরিবারবর্গকে কারা হত্যা করেছে তা আমরা দেখিনি। আমরা অবশ্যি সত্যবাদী।'	قَالُوْا تَقَاسَمُوْا بِاللّٰهِ لَنُبَيِّتَنَّهٗ وَ اَهْلَهٗ ثُمَّ لَنَقُوْلَنَّ لِوَلِيِّهٖ مَا شَهِدْنَا مَهْلِكَ اَهْلِهٖ وَ اِنَّا لَصٰدِقُوْنَ ﴿۴۹﴾

রুকু ০৩

৫০. তারা এই জঘন্য চক্রান্ত করেছিল, আর এদিকে আমরাও করেছি একটি কৌশল যা তারা টেরই পায়নি।	وَ مَكَرُوْا مَكْرًا وَّ مَكَرْنَا مَكْرًا وَّ هُمْ لَا يَشْعُرُوْنَ ﴿٥٠﴾
৫১. অত:পর লক্ষ্য করে দেখো তাদের চক্রান্তের পরিণতি কী হয়েছে, আমরা তাদেরকে এবং তাদের গোটা জাতিকে ধ্বংস করে দিয়েছি।	فَانْظُرْ كَيْفَ كَانَ عَاقِبَةُ مَكْرِهِمْ ۙ اَنَّا دَمَّرْنٰهُمْ وَ قَوْمَهُمْ اَجْمَعِيْنَ ﴿٥١﴾
৫২. ঐ তো তাদের ঘরবাড়ি বিরাণ হয়ে আছে তাদের যুলুমের পরিণতিতে। নিশ্চয়ই এতে রয়েছে একটি নিদর্শন জ্ঞানী লোকদের জন্যে।	فَتِلْكَ بُيُوْتُهُمْ خَاوِيَةًۢ بِمَا ظَلَمُوْا ؕ اِنَّ فِيْ ذٰلِكَ لَاٰيَةً لِّقَوْمٍ يَّعْلَمُوْنَ ﴿٥٢﴾
৫৩. আমরা (সেই অশুভ পরিণতি থেকে) নাজাত দিয়েছিলাম তাদেরকে, যারা ঈমান এনেছিল এবং অবলম্বন করেছিল তাকওয়া।	وَ اَنْجَيْنَا الَّذِيْنَ اٰمَنُوْا وَ كَانُوْا يَتَّقُوْنَ ﴿٥٣﴾
৫৪. স্মরণ করো লুতের কথা! সে তার কওমকে বলেছিল: "তোমরা জেনে শুনে কেন ফাহেশা কাজ করছো?	وَ لُوْطًا اِذْ قَالَ لِقَوْمِهٖۤ اَتَاْتُوْنَ الْفَاحِشَةَ وَ اَنْتُمْ تُبْصِرُوْنَ ﴿٥٤﴾
৫৫. তোমরা যৌন কামনা চরিতার্থ করার জন্যে নারীর পরিবর্তে পুরুষ গমন করছো? তোমরা তো এক চরম জাহেল সম্প্রদায়।"	اَئِنَّكُمْ لَتَاْتُوْنَ الرِّجَالَ شَهْوَةً مِّنْ دُوْنِ النِّسَآءِ ؕ بَلْ اَنْتُمْ قَوْمٌ تَجْهَلُوْنَ ﴿٥٥﴾
৫৬. জবাবে তার কওম কেবল একথাই বলেছিল: 'লুতের অনুসারীদেরকে তোমাদের জনপদ থেকে বের করে দাও। তারা বড় পবিত্র থাকতে চাইছে!'	فَمَا كَانَ جَوَابَ قَوْمِهٖۤ اِلَّاۤ اَنْ قَالُوْۤا اَخْرِجُوْۤا اٰلَ لُوْطٍ مِّنْ قَرْيَتِكُمْ ۚ اِنَّهُمْ اُنَاسٌ يَّتَطَهَّرُوْنَ ﴿٥٦﴾
৫৭. ফলে আমরা নাজাত দিয়েছিলাম তাকে এবং তার পরিবারবর্গকে তার স্ত্রীকে ছাড়া। তাকে আমরা ধ্বংস প্রাপ্তদের অন্তরভুক্ত করে দিয়েছিলাম।	فَاَنْجَيْنٰهُ وَ اَهْلَهٗۤ اِلَّا امْرَاَتَهٗ ۫ قَدَّرْنٰهَا مِنَ الْغٰبِرِيْنَ ﴿٥٧﴾
৫৮. আমরা তাদের উপর বর্ষণ করেছিলাম ভয়ংকর (পাথর) বর্ষণ। যাদেরকে সতর্ক করা হয়েছে তাদের প্রতি বর্ষণ ছিলো কতো যে নিকৃষ্ট!	وَ اَمْطَرْنَا عَلَيْهِمْ مَّطَرًا ۚ فَسَآءَ مَطَرُ الْمُنْذَرِيْنَ ﴿٥٨﴾
৫৯. বলো: 'সমস্ত প্রশংসা আল্লাহ্‌র, আর তাঁর মনোনীত বান্দাদের প্রতি সালাম। শ্রেষ্ঠ কি আল্লাহ্‌, নাকি ওরা যাদেরকে তাঁর সাথে শরিক করে তারা?' (অবশ্যি আল্লাহ্‌)।	قُلِ الْحَمْدُ لِلّٰهِ وَ سَلٰمٌ عَلٰى عِبَادِهِ الَّذِيْنَ اصْطَفٰى ؕ آٰللّٰهُ خَيْرٌ اَمَّا يُشْرِكُوْنَ ﴿٥٩﴾

রুকু ০৪

৬০. তিনিই কি শ্রেষ্ঠ নন, যিনি সৃষ্টি করেছেন মহাকাশ এবং এই পৃথিবী এবং যিনি আসমান থেকে তোমাদের জন্যে নাযিল করেন পানি। তারপর আমরা তা থেকে উদগত করি মনোরম উদ্যান, যার গাছ-গাছালি সৃষ্টি করার ক্ষমতা তোমাদের নেই। তারপরও কি আল্লাহ্‌র সাথে কোনো ইলাহ্ আছে বলে মনে করো? আসলে তারা এমন একটি কওম যারা (অন্যদেরকে) আল্লাহ্‌র সমকক্ষ বানায়।	**اَمَّنْ خَلَقَ السَّمٰوٰتِ وَ الْاَرْضَ وَاَنْزَلَ** لَكُمْ مِّنَ السَّمَآءِ مَآءً ۚ فَاَنْۢبَتْنَا بِهٖ حَدَآئِقَ ذَاتَ بَهْجَةٍ ۚ مَا كَانَ لَكُمْ اَنْ تُنْۢبِتُوْا شَجَرَهَا ؕ ءَاِلٰهٌ مَّعَ اللّٰهِ ؕ بَلْ هُمْ قَوْمٌ يَّعْدِلُوْنَ ﴿٦٠﴾
৬১. তিনিই কি (একমাত্র ইলাহ্) নন, যিনি পৃথিবীকে বানিয়েছেন বাস উপযোগী এবং এর মাঝে মাঝে সৃষ্টি করে দিয়েছেন নদ-নদী-নহর? তাকে স্থিতিশীল রাখার জন্যে স্থাপন করে দিয়েছেন পাহাড় পর্বত এবং দুই দরিয়ার মাঝে সৃষ্টি করে দিয়েছেন অন্তরায়। তা সত্ত্বেও আল্লাহ্‌র সাথে আরো ইলাহ্ আছে কি? বরং তাদের অধিকাংশই জানেনা।	اَمَّنْ جَعَلَ الْاَرْضَ قَرَارًا وَّ جَعَلَ خِلٰلَهَآ اَنْهٰرًا وَّ جَعَلَ لَهَا رَوَاسِيَ وَ جَعَلَ بَيْنَ الْبَحْرَيْنِ حَاجِزًا ؕ ءَاِلٰهٌ مَّعَ اللّٰهِ ؕ بَلْ اَكْثَرُهُمْ لَا يَعْلَمُوْنَ ﴿٦١﴾
৬২. তিনিই কি (একমাত্র ইলাহ্) নন, যিনি অশান্ত হৃদয়ের প্রার্থনাকারীর ডাকে সাড়া দেন এবং দূর করে দেন তার দুঃখ দুর্দশা? তিনিই তো তোমাদেরকে পৃথিবীতে খলিফা বানিয়েছেন। তারপরও তাঁর সাথে আরো ইলাহ্ আছে কি? তোমরা খুব কমই শিক্ষা গ্রহণ করো।	اَمَّنْ يُّجِيْبُ الْمُضْطَرَّ اِذَا دَعَاهُ وَيَكْشِفُ السُّوْٓءَ وَيَجْعَلُكُمْ خُلَفَآءَ الْاَرْضِ ؕ ءَاِلٰهٌ مَّعَ اللّٰهِ ؕ قَلِيْلًا مَّا تَذَكَّرُوْنَ ﴿٦٢﴾
৬৩. তিনিই কি (একমাত্র ইলাহ্) নন, যিনি তোমাদেরকে স্থল ও পানি পথের অন্ধকারে পথনির্দেশ দান করেন এবং যিনি সুসংবাদবাহী বাতাস পাঠান তাঁর রহমত (বৃষ্টি) বর্ষণের আগে। তারপরও তাঁর সাথে আরো ইলাহ্ আছে কি? তারা তাঁর সাথে যাদেরকে শরিক করে, তাদের থেকে তিনি অনেক উর্ধ্বে।	اَمَّنْ يَّهْدِيْكُمْ فِيْ ظُلُمٰتِ الْبَرِّ وَ الْبَحْرِ وَ مَنْ يُّرْسِلُ الرِّيٰحَ بُشْرًۢا بَيْنَ يَدَيْ رَحْمَتِهٖ ؕ ءَاِلٰهٌ مَّعَ اللّٰهِ ؕ تَعٰلَى اللّٰهُ عَمَّا يُشْرِكُوْنَ ﴿٦٣﴾
৬৪. বরং তিনিই (একমাত্র ইলাহ্) যিনি সৃষ্টির সূচনা করেন, তারপর পুনরায় সৃষ্টি করবেন। আসমান ও জমিন থেকে কে তোমাদের রিযিক দেয়? তারপরও তাঁর সাথে আরো ইলাহ্ আছে কি? বলো: 'তোমাদের প্রমাণ হাজির করো যদি তোমরা সত্যবাদী হয়ে থাকো।'	اَمَّنْ يَّبْدَؤُا الْخَلْقَ ثُمَّ يُعِيْدُهٗ وَ مَنْ يَّرْزُقُكُمْ مِّنَ السَّمَآءِ وَ الْاَرْضِ ؕ ءَاِلٰهٌ مَّعَ اللّٰهِ ؕ قُلْ هَاتُوْا بُرْهَانَكُمْ اِنْ كُنْتُمْ صٰدِقِيْنَ ﴿٦٤﴾
৬৫. বলো: 'মহাকাশ এবং পৃথিবীতে যারাই আছে, আল্লাহ্ ছাড়া কেউই গায়েব জানেনা। তারা কখন পুনরুত্থিত হবে তাও তারা জানেনা।'	قُلْ لَّا يَعْلَمُ مَنْ فِي السَّمٰوٰتِ وَ الْاَرْضِ الْغَيْبَ اِلَّا اللّٰهُ ؕ وَمَا يَشْعُرُوْنَ اَيَّانَ يُبْعَثُوْنَ ﴿٦٥﴾
৬৬. না, আখিরাত সম্পর্কে তাদের কোনো জ্ঞান নেই, বরং তারা সে সম্পর্কে সন্দেহে আছে, বরং সে বিষয়ে তারা অন্ধ।	بَلِ ادّٰرَكَ عِلْمُهُمْ فِي الْاٰخِرَةِ ۟ بَلْ هُمْ فِيْ شَكٍّ مِّنْهَا ۟ بَلْ هُمْ مِّنْهَا عَمُوْنَ ﴿٦٦﴾

রুকু ০৫

৬৭. কাফিররা বলে: "আমরা এবং আমাদের পূর্ব পুরুষরা যখন মাটির সাথে মিশে যাবো, তখন কি আমাদের পুনরায় জীবিত করে উঠিয়ে আনা হবে?	وَ قَالَ الَّذِيۡنَ كَفَرُوۡۤا ءَاِذَا كُنَّا تُرٰبًا وَّ اٰبَآؤُنَاۤ اَئِنَّا لَمُخۡرَجُوۡنَ ﴿۶۷﴾
৬৮. এ বিষয়ে তো আমাদেরকে এবং আমাদের পূর্ব পুরুষদেরকে ইতোপূর্বেও ধমক দেয়া হয়েছিল। এ-তো আগের কালের লোকদের কাহিনী ছাড়া আর কিছুই নয়।"	لَقَدۡ وُعِدۡنَا هٰذَا نَحۡنُ وَ اٰبَآؤُنَا مِنۡ قَبۡلُ ۙ اِنۡ هٰذَاۤ اِلَّاۤ اَسَاطِيۡرُ الۡاَوَّلِيۡنَ ﴿۶۸﴾
৬৯. হে নবী! বলো: 'পৃথিবী ভ্রমণ করে দেখো, অপরাধীদের পরিণতি কী হয়েছিল?'	قُلۡ سِيۡرُوۡا فِى الۡاَرۡضِ فَانۡظُرُوۡا كَيۡفَ كَانَ عَاقِبَةُ الۡمُجۡرِمِيۡنَ ﴿۶۹﴾
৭০. তাদের ব্যাপারে দুঃখ করোনা, আর তাদের চক্রান্তের কারণে মনও ছোট করোনা।	وَ لَا تَحۡزَنۡ عَلَيۡهِمۡ وَ لَا تَكُنۡ فِىۡ ضَيۡقٍ مِّمَّا يَمۡكُرُوۡنَ ﴿۷۰﴾
৭১. তারা বলে: 'কখন আসবে এই ওয়াদার সময়টি, সত্যবাদী হয়ে থাকলে বলো।'	وَ يَقُوۡلُوۡنَ مَتٰى هٰذَا الۡوَعۡدُ اِنۡ كُنۡتُمۡ صٰدِقِيۡنَ ﴿۷۱﴾
৭২. তুমি বলো: 'তোমরা যা নিয়ে তাড়াহুড়া করছো তার কিছু কিছু বিষয় তোমাদের নিকটবর্তী হয়ে গেছে।'	قُلۡ عَسٰۤى اَنۡ يَّكُوۡنَ رَدِفَ لَـكُمۡ بَعۡضُ الَّذِىۡ تَسۡتَعۡجِلُوۡنَ ﴿۷۲﴾
৭৩. নিশ্চয়ই তোমার প্রভু মানুষের প্রতি বড়ই অনুগ্রহশীল, কিন্তু অধিকাংশ মানুষই শোকর আদায় করেনা।	وَ اِنَّ رَبَّكَ لَذُوۡ فَضۡلٍ عَلَى النَّاسِ وَ لٰـكِنَّ اَكۡثَرَهُمۡ لَا يَشۡكُرُوۡنَ ﴿۷۳﴾
৭৪. তোমার প্রভু অবশ্যি জানেন তাদের মন যা গোপন করে আর যা তারা এলান (প্রকাশ) করে।	وَ اِنَّ رَبَّكَ لَيَعۡلَمُ مَا تُكِنُّ صُدُوۡرُهُمۡ وَ مَا يُعۡلِنُوۡنَ ﴿۷۴﴾
৭৫. আসমান ও জমিনে এমন কোনো গায়েব নেই, যা এক সুস্পষ্ট কিতাবে রেকর্ড করা নেই।	وَ مَا مِنۡ غَآئِبَةٍ فِى السَّمَآءِ وَ الۡاَرۡضِ اِلَّا فِىۡ كِتٰبٍ مُّبِيۡنٍ ﴿۷۵﴾
৭৬. বনি ইসরাঈল যেসব বিষয়ে মতভেদ করে, তার অধিকাংশই এ কুরআন তাদের বলে দেয়।	اِنَّ هٰذَا الۡقُرۡاٰنَ يَقُصُّ عَلٰى بَنِىۡۤ اِسۡرَآءِيۡلَ اَكۡثَرَ الَّذِىۡ هُمۡ فِيۡهِ يَخۡتَلِفُوۡنَ ﴿۷۶﴾
৭৭. আর নিশ্চয়ই এ কুরআন মুমিনদের জন্যে হিদায়াত এবং রহমত।	وَ اِنَّهٗ لَهُدًى وَّ رَحۡمَةٌ لِّلۡمُؤۡمِنِيۡنَ ﴿۷۷﴾
৭৮. তোমার প্রভু তাঁর বিধান মতো তাদের মাঝে ফায়সালা করে দেবেন। নিশ্চয়ই তিনি মহাশক্তিধর, মহাজ্ঞানী।	اِنَّ رَبَّكَ يَقۡضِىۡ بَيۡنَهُمۡ بِحُكۡمِهٖ ۚ وَ هُوَ الۡعَزِيۡزُ الۡعَلِيۡمُ ﴿۷۸﴾
৭৯. অতএব তাওয়াক্কুল করো আল্লাহ্র উপর। নিশ্চয়ই তুমি সুস্পষ্ট সত্যের উপর প্রতিষ্ঠিত।	فَتَوَكَّلۡ عَلَى اللّٰهِ ؕ اِنَّكَ عَلَى الۡحَقِّ الۡمُبِيۡنِ ﴿۷۹﴾
৮০. তুমি তো মৃতকে কথা শুনাতে পারবেনা এবং বধিরকেও পারবেনা আহ্বান শুনাতে, যখন তারা মুখ ফিরিয়ে চলে যায়।	اِنَّكَ لَا تُسۡمِعُ الۡمَوۡتٰى وَ لَا تُسۡمِعُ الصُّمَّ الدُّعَآءَ اِذَا وَلَّوۡا مُدۡبِرِيۡنَ ﴿۸۰﴾

৮১. তুমি অন্ধদের সঠিক পথে আনতে পারবেনা তাদের ভুল পথ থেকে। তুমি শুনাতে পারবে তো কেবল তাদেরকে, যারা আমাদের আয়াতের প্রতি ঈমান আনে, আর তারাই হয়ে থাকে আত্মসমর্পণকারী।

وَمَآ اَنْتَ بِهٰدِى الْعُمْىِ عَنْ ضَلٰلَتِهِمْ ؕ اِنْ تُسْمِعُ اِلَّا مَنْ يُّؤْمِنُ بِاٰيٰتِنَا فَهُمْ مُّسْلِمُوْنَ ﴿٨١﴾

৮২. যখন ঘোষিত শাস্তি তাদের নিকটবর্তী হবে, তখন আমরা মাটির ভেতর থেকে তাদের জন্যে বের করে আনবো একটি জীব (দাব্বাতুল আর্‌দ), যে তাদের সাথে কথা বলবে। কারণ, মানুষ আমাদের আয়াতের প্রতি একীন রাখেনা।

وَاِذَا وَقَعَ الْقَوْلُ عَلَيْهِمْ اَخْرَجْنَا لَهُمْ دَآبَّةً مِّنَ الْاَرْضِ تُكَلِّمُهُمْ ۙ اَنَّ النَّاسَ كَانُوْا بِاٰيٰتِنَا لَا يُوْقِنُوْنَ ﴿٨٢﴾

রুকু ০৬

৮৩. স্মরণ করো সেদিনের কথা, যেদিন আমরা প্রত্যেক উম্মত থেকে একটি দলকে সমবেত করবো। যারা আমাদের আয়াতকে প্রত্যাখ্যান করতো; তাদেরকে সারিবদ্ধ করা হবে।

وَيَوْمَ نَحْشُرُ مِنْ كُلِّ اُمَّةٍ فَوْجًا مِّمَّنْ يُّكَذِّبُ بِاٰيٰتِنَا فَهُمْ يُوْزَعُوْنَ ﴿٨٣﴾

৮৪. যখন তারা উপস্থিত হবে, আল্লাহ্ বলবেন: তোমরাই কি আমার আয়াতকে প্রত্যাখ্যান করেছিলে? অথচ সেটাকে তোমাদের জ্ঞানে ধারণ করতে পারোনি? এছাড়াও তোমরা আর কী কী করেছিলে?

حَتّٰٓى اِذَا جَآءُوْ قَالَ اَكَذَّبْتُمْ بِاٰيٰتِىْ وَلَمْ تُحِيْطُوْا بِهَا عِلْمًا اَمَّا ذَا كُنْتُمْ تَعْمَلُوْنَ ﴿٨٤﴾

৮৫. তাদের যুলুমের কারণে তাদের উপর ঘোষিত শাস্তি এসে পড়বে, ফলে তারা কথাই বলতে পারবেনা।

وَوَقَعَ الْقَوْلُ عَلَيْهِمْ بِمَا ظَلَمُوْا فَهُمْ لَا يَنْطِقُوْنَ ﴿٨٥﴾

৮৬. তারা কি দেখেনা আমরা রাতকে সৃষ্টি করেছি তাদের বিশ্রামের জন্যে, আর দিনকে বানিয়েছি দৃশ্যমান। বিশ্বাসীদের জন্যে অবশ্যি এতে রয়েছে নিদর্শন।

اَلَمْ يَرَوْا اَنَّا جَعَلْنَا الَّيْلَ لِيَسْكُنُوْا فِيْهِ وَالنَّهَارَ مُبْصِرًا ؕ اِنَّ فِىْ ذٰلِكَ لَاٰيٰتٍ لِّقَوْمٍ يُّؤْمِنُوْنَ ﴿٨٦﴾

৮৭. যেদিন শিঙ্গায় (প্রথমবার) ফুৎকার দেয়া হবে, সেদিন মহাকাশ ও পৃথিবীর সবাই বিহ্বল হয়ে পড়বে, তবে আল্লাহ্ যাদের চাইবেন তারা ছাড়া। সবাই বিনীত হয়ে তাঁর কাছে উপস্থিত হবে।

وَيَوْمَ يُنْفَخُ فِى الصُّوْرِ فَفَزِعَ مَنْ فِى السَّمٰوٰتِ وَمَنْ فِى الْاَرْضِ اِلَّا مَنْ شَآءَ اللّٰهُ ؕ وَكُلٌّ اَتَوْهُ دٰخِرِيْنَ ﴿٨٧﴾

৮৮. তুমি পাহাড় পর্বত দেখছো, মনে করছো সেগুলো অটল, অথচ সেদিন সেগুলো মেঘমালার মতোই ধাবিত হবে। এটাই আল্লাহ্র সৃষ্টি-কৌশল, যিনি প্রতিটি বস্তুকে করেছেন সুষম। তোমরা যা করো সে বিষয়ে তিনি খবর রাখেন।

وَتَرَى الْجِبَالَ تَحْسَبُهَا جَامِدَةً وَّهِىَ تَمُرُّ مَرَّ السَّحَابِ ؕ صُنْعَ اللّٰهِ الَّذِىْٓ اَتْقَنَ كُلَّ شَىْءٍ ؕ اِنَّهٗ خَبِيْرٌۢ بِمَا تَفْعَلُوْنَ ﴿٨٨﴾

৮৯. যে ভালো কাজ নিয়ে আসবে, সে পাবে তার চাইতে উত্তম প্রতিফল। তারা সেদিনকার শংকা থেকে থাকবে মুক্ত।

مَنْ جَآءَ بِالْحَسَنَةِ فَلَهٗ خَيْرٌ مِّنْهَا ۚ وَهُمْ مِّنْ فَزَعٍ يَّوْمَئِذٍ اٰمِنُوْنَ ﴿٨٩﴾

৯০. আর যে মন্দ কাজ নিয়ে আসবে তাকে উপুড় করে নিক্ষেপ করা হবে জাহান্নামে। তোমরা যা করতে তারই প্রতিফল তোমাদের দেয়া হবে।

وَمَنْ جَآءَ بِالسَّيِّئَةِ فَكُبَّتْ وُجُوْهُهُمْ فِى النَّارِ ؕ هَلْ تُجْزَوْنَ اِلَّا مَا كُنْتُمْ تَعْمَلُوْنَ ﴿٩٠﴾

৯১. নিশ্চয়ই আমাকে নির্দেশ দেয়া হয়েছে এই নগরীর প্রভুর ইবাদত করতে যিনি এটিকে করেছেন সম্মানিত। সব কিছুই তাঁর। আমাকে আরো আদেশ দেয়া হয়েছে আমি যেনো আত্মসমর্পণকারীদের অন্তরভুক্ত হই।	إِنَّمَآ أُمِرْتُ أَنْ أَعْبُدَ رَبَّ هٰذِهِ الْبَلْدَةِ الَّذِىْ حَرَّمَهَا وَلَهٗ كُلُّ شَىْءٍ ۖ وَّأُمِرْتُ أَنْ أَكُوْنَ مِنَ الْمُسْلِمِيْنَ ﴿٩١﴾
৯২. আমাকে আরো নির্দেশ দেয়া হয়েছে, আমি যেনো তিলাওয়াত (অনুসরণ) করি আল কুরআন। অত:পর যে কেউ সঠিক পথে চলবে, সে সঠিক পথে চলবে নিজেরই কল্যাণে। আর যে কেউ ভুল পথ অবলম্বন করবে, তুমি তার ব্যাপারে বলবে: আমি তো একজন সতর্ককারী মাত্র।	وَأَنْ أَتْلُوَا الْقُرْاٰنَ ۚ فَمَنِ اهْتَدٰى فَإِنَّمَا يَهْتَدِىْ لِنَفْسِهٖ ۚ وَمَنْ ضَلَّ فَقُلْ إِنَّمَآ أَنَا مِنَ الْمُنْذِرِيْنَ ﴿٩٢﴾
৯৩. বলো: আল হামদুলিল্লাহ! তিনি শীঘ্রি তোমাদের দেখাবেন তাঁর নিদর্শনসমূহ, তখন তোমরা তা বুঝতে পারবে। তোমরা যা আমল করছো সে ব্যাপারে তোমার প্রভু গাফিল নন।	وَقُلِ الْحَمْدُ لِلّٰهِ سَيُرِيْكُمْ اٰيٰتِهٖ فَتَعْرِفُوْنَهَا ۗ وَمَا رَبُّكَ بِغَافِلٍ عَمَّا تَعْمَلُوْنَ ﴿٩٣﴾

রুকু ০৭

সূরা ২৮ আল কাসাস

মক্কায় অবতীর্ণ, আয়াত সংখ্যা: ৮৮, রুকু সংখ্যা: ০৯

এই সূরার আলোচ্যসূচি (আয়াত ভিত্তিক আলোচ্য বিষয়)

০১-২১: ফিরাউন কর্তৃক বনি ইসরাঈলিদের নির্যাতন। মূসার জন্ম। ফিরাউনের ঘরে তাঁর লালন পালন। যুবক মূসা কর্তৃক এক মিশরীয়কে অনিচ্ছাকৃত হত্যা। মূসাকে গ্রেফতারের অভিযান এবং মূসার মিশর ত্যাগ।

২২-২৮: মূসা আ. এর মাদায়িনে আগমন। দুই যুবতীর পশুকে পানি পানে সহযোগিতা। তাদের পিতা কর্তৃক মূসাকে আশ্রয়দান। তাঁদের এক বোনকে মূসার সাথে বিয়ে। সেখানে কয়েক বছর অতিবাহিত।

২৯-৩৫: সপরিবারে মূসার মিশর রওনা। পথিমধ্যে তূরে সায়নায় নবুয়্যত ও মুজিযা লাভ। ফিরাউনের কাছে দাওয়াত নিয়ে যাওয়ার নির্দেশ। ভাই হারূণকেও সাহায্যকারী হিসেবে নবুয়্যত দান।

৩৬-৪২: ফিরাউনের কাছে মূসার দাওয়াত। ফিরাউন ও তার বাহিনী কর্তৃক মূসাকে প্রত্যাখ্যান।

৪৩-৫০: আল্লাহ্ কখন কি অবস্থায় বিভিন্ন জাতির কাছে রসূল পাঠিয়েছেন এবং সেসব জাতি রসূলদের সাথে কি আচরণ করেছে? মুহাম্মদ সা. এর উদ্দেশ্যে সে সবের বর্ণনা।

৫১-৭৫: কিতাবের প্রতি কোন্ ধরনের লোকেরা ঈমান আনে? আল্লাহ্ কখন কোনো জাতিকে ধ্বংস করেন? যাদের কাছে রসূল পাঠানো হয়েছে কিয়ামতের দিন তাদের জিজ্ঞাসা করা হবে। যাদেরকে আল্লাহ্‌র শরিক বানানো হয় তাদের শরিক হবার পক্ষে কোনো প্রমাণ নাই।

৭৬-৮২: কারূণের প্রতি আল্লাহ্‌র বিশাল অনুগ্রহ। আল্লাহ্‌র প্রতি কারূণের অকৃজ্ঞতা। কারূণের কৃপণতা এবং তার ধ্বংস।

৮৩-৮৮: আখিরাতের পুরস্কার কারা লাভ করবে? রসূলকে মক্কায় ফিরিয়ে নেয়ার ভবিষ্যতবাণী। নবী সা. রিসালাত লাভের আকাঙ্খিত ছিলেন না। এটা ছিলো আল্লাহ্‌র অনুগ্রহ।

সূরা আল কাসাস (কিস্‌সাসমূহ) পরম করুণাময় পরম দয়াবান আল্লাহ্‌র নামে	**سُوْرَةُ الْقَصَصِ** بِسْمِ اللّٰهِ الرَّحْمٰنِ الرَّحِيْمِ
০১. তোয়া সিন মিম।	طٰسٓمّٓ ﴿١﴾
০২. এগুলো কিতাবুম মুবিনের (সুস্পষ্ট কিতাবের) আয়াত।	تِلْكَ اٰيٰتُ الْكِتٰبِ الْمُبِيْنِ ﴿٢﴾
০৩. বিশ্বাসী লোকদের জন্যে আমরা মূসা ও ফেরাউনের কিছু সংবাদ নিখুঁতভাবে তিলাওয়াত (বর্ণনা) করছি।	نَتْلُوْا عَلَيْكَ مِنْ نَّبَاِ مُوْسٰى وَفِرْعَوْنَ بِالْحَقِّ لِقَوْمٍ يُّؤْمِنُوْنَ ﴿٣﴾
০৪. ফেরাউন দেশে হঠকারী নীতি অবলম্বন করে এবং নাগরিকদের বিভিন্ন শ্রেণীতে বিভক্ত করে একদল লোককে দুর্বল করে রেখেছিল। তাদের পুত্রদের যবাই করছিল এবং মেয়েদের জীবিত রাখছিল। সে ছিলো একজন ফাসাদ (বিপর্যয়) সৃষ্টিকারী।	اِنَّ فِرْعَوْنَ عَلَا فِى الْاَرْضِ وَ جَعَلَ اَهْلَهَا شِيَعًا يَّسْتَضْعِفُ طَآئِفَةً مِّنْهُمْ يُذَبِّحُ اَبْنَآءَهُمْ وَ يَسْتَحْىٖ نِسَآءَهُمْ ؕ اِنَّهٗ كَانَ مِنَ الْمُفْسِدِيْنَ ﴿٤﴾
০৫. তখন আমরা এরাদা করেছিলাম, যাদের দুর্বল করে রাখা হয়েছিল তাদের প্রতি অনুগ্রহ করবো, তাদের নেতৃত্ব দান করবো এবং তাদের ওয়ারিশ বানাবো,	وَنُرِيْدُ اَنْ نَّمُنَّ عَلَى الَّذِيْنَ اسْتُضْعِفُوْا فِى الْاَرْضِ وَ نَجْعَلَهُمْ اَئِمَّةً وَّ نَجْعَلَهُمُ الْوٰرِثِيْنَ ﴿٥﴾
০৬. এবং জমিনে তাদের প্রতিষ্ঠিত করবো। আর ফেরাউন, হামান এবং তাদের দুজনের বাহিনীকে তাদের (দুর্বল করে রাখাদের) থেকে সেই জিনিসটা দেখাবো যার আশংকা তারা করছিল (অর্থাৎ ক্ষমতাচ্যুতির)।	وَ نُمَكِّنَ لَهُمْ فِى الْاَرْضِ وَ نُرِىَ فِرْعَوْنَ وَ هَامٰنَ وَ جُنُوْدَهُمَا مِنْهُمْ مَّا كَانُوْا يَحْذَرُوْنَ ﴿٦﴾
০৭. এ উদ্দেশ্যে আমরা মূসার মা'কে অহি (ইশারা) করে নির্দেশ দিয়েছিলাম: "ওকে (মূসাকে) বুকের দুধ পান করাতে থাকো। যখন তার (জীবনের) ব্যাপারে আশংকা করবে, তখন তাকে (বাক্সে করে) দরিয়ায় ভাসিয়ে দেবে। এ ক্ষেত্রে তুমি ভয়ও করোনা, দুশ্চিন্তাও করোনা। ওকে আমরা তোমার কোলেই ফিরিয়ে দেবো এবং তাকে আমরা বানাবো রসূলদের একজন।"	وَاَوْحَيْنَاۤ اِلٰۤى اُمِّ مُوْسٰۤى اَنْ اَرْضِعِيْهِ ۚ فَاِذَا خِفْتِ عَلَيْهِ فَاَلْقِيْهِ فِى الْيَمِّ وَ لَا تَخَافِىْ وَ لَا تَحْزَنِىْ ۚ اِنَّا رَآدُّوْهُ اِلَيْكِ وَ جَاعِلُوْهُ مِنَ الْمُرْسَلِيْنَ ﴿٧﴾
০৮. তারপর ফেরাউনের পরিবারের লোকজন তাকে উঠিয়ে নেয়, যাতে করে (অবশেষে) সে তাদের শত্রু ও দুশ্চিন্তার কারণ হয়। নিশ্চয়ই ফেরাউন, হামান এবং তাদের বাহিনী ছিলো অপরাধী।	فَالْتَقَطَهٗۤ اٰلُ فِرْعَوْنَ لِيَكُوْنَ لَهُمْ عَدُوًّا وَّ حَزَنًا ؕ اِنَّ فِرْعَوْنَ وَ هَامٰنَ وَ جُنُوْدَهُمَا كَانُوْا خٰطِئِيْنَ ﴿٨﴾
০৯. ফেরাউনের স্ত্রী বলেছিল: 'শিশুটি আমার ও তোমার চোখ জুড়াবে। ওকে হত্যা করোনা। হয়তো সে আমাদের উপকারে আসবে, অথবা আমরা তাকে সন্তান হিসেবেই গ্রহণ করতে পারি।' অথচ তারা এর পরিণতি অনুভব করতে পারেনি।	وَ قَالَتِ امْرَاَتُ فِرْعَوْنَ قُرَّتُ عَيْنٍ لِّىْ وَ لَكَ ؕ لَا تَقْتُلُوْهُ ۖ عَسٰۤى اَنْ يَّنْفَعَنَاۤ اَوْ نَتَّخِذَهٗ وَلَدًا وَّ هُمْ لَا يَشْعُرُوْنَ ﴿٩﴾

১০. এদিকে মূসার মার অন্তর অস্থির হয়ে পড়েছিল। যাতে করে সে আস্থাশীল থাকে সে জন্যে আমরা তার অন্তরকে মজবুত করে না দিলে সে তার পরিচয়ই প্রকাশ করে দিতো।	وَ اَصْبَحَ فُؤَادُ اُمِّ مُوْسٰى فٰرِغًا ؕ اِنْ كَادَتْ لَتُبْدِیْ بِهٖ لَوْ لَاۤ اَنْ رَّبَطْنَا عَلٰى قَلْبِهَا لِتَكُوْنَ مِنَ الْمُؤْمِنِیْنَ ﴿۱۰﴾
১১. সে (মূসার মা) মূসার বোনকে বলেছিল: 'তুই যা ওর পেছনে পেছনে।' তখন সে তাদের অজ্ঞাতসারে দূর থেকে ওকে দেখতে দেখতে গিয়েছিল।	وَ قَالَتْ لِاُخْتِهٖ قُصِّیْهِ ۫ فَبَصُرَتْ بِهٖ عَنْ جُنُبٍ وَّ هُمْ لَا یَشْعُرُوْنَ ۙ﴿۱۱﴾
১২. আমরা আগে থেকেই ধাত্রীর দুধপান তার (মূসার) জন্যে হারাম করে দিয়েছিলাম। সে (মূসার বোন) তাদের বলেছিল: 'আমি কি আপনাদের এমন একটি পরিবারের সন্ধান দেবো যারা আপনাদের হয়ে একে লালন পালন করবে এবং তারা ওর কল্যাণকামীও হবে?'	وَ حَرَّمْنَا عَلَیْهِ الْمَرَاضِعَ مِنْ قَبْلُ فَقَالَتْ هَلْ اَدُلُّكُمْ عَلٰۤى اَهْلِ بَیْتٍ یَّكْفُلُوْنَهٗ لَكُمْ وَ هُمْ لَهٗ نٰصِحُوْنَ ﴿۱۲﴾
১৩. এভাবেই আমরা তাকে ফিরিয়ে দিয়েছিলাম তার মায়ের কাছে যাতে করে তার চক্ষু শীতল হয় এবং সে দুশ্চিন্তা না করে, আর সে যেনো জানতে পারে আল্লাহ্‌র ওয়াদা সত্য। তবে অধিকাংশ লোকই জানেনা।	فَرَدَدْنٰهُ اِلٰۤى اُمِّهٖ كَیْ تَقَرَّ عَیْنُهَا وَ لَا تَحْزَنَ وَ لِتَعْلَمَ اَنَّ وَعْدَ اللّٰهِ حَقٌّ وَّ لٰكِنَّ اَكْثَرَهُمْ لَا یَعْلَمُوْنَ ﴿۱۳﴾
১৪. মূসা যখন পূর্ণ বালেগ হলো এবং বয়েসের দিক থেকে পরিণত হলো, তখন আমরা তাকে প্রজ্ঞা ও জ্ঞান দান করলাম। কল্যাণপরায়ণদের এভাবেই আমরা পুরস্কৃত করি।	وَ لَمَّا بَلَغَ اَشُدَّهٗ وَ اسْتَوٰۤى اٰتَیْنٰهُ حُكْمًا وَّ عِلْمًا ؕ وَ كَذٰلِكَ نَجْزِی الْمُحْسِنِیْنَ ﴿۱۴﴾
১৫. সে (মূসা) নগরীতে প্রবেশ করলো, যখন তার অধিবাসীরা ছিলো অসতর্ক। সেখানে সে দুটি লোককে দেখলো সংঘর্ষে লিপ্ত। একজন তার নিজ গোত্রের, আরেকজন তার শত্রুপক্ষের। তার গোত্রের লোকটি শত্রুর বিরুদ্ধে তার সাহায্য চাইলো। তখন মূসা তাকে ঘুষি মারে এবং তাকে হত্যা করে বসে। (এই আকস্মিক ঘটনায়) মূসা বললো: এটা শয়তানের কাণ্ড। সে তো সুস্পষ্ট শত্রু এবং বিভ্রান্তকারী।	وَ دَخَلَ الْمَدِیْنَةَ عَلٰى حِیْنِ غَفْلَةٍ مِّنْ اَهْلِهَا فَوَجَدَ فِیْهَا رَجُلَیْنِ یَقْتَتِلٰنِ ۫ هٰذَا مِنْ شِیْعَتِهٖ وَ هٰذَا مِنْ عَدُوِّهٖ ۚ فَاسْتَغَاثَهُ الَّذِیْ مِنْ شِیْعَتِهٖ عَلَى الَّذِیْ مِنْ عَدُوِّهٖ ۙ فَوَكَزَهٗ مُوْسٰى فَقَضٰى عَلَیْهِ ۫ قَالَ هٰذَا مِنْ عَمَلِ الشَّیْطٰنِ ؕ اِنَّهٗ عَدُوٌّ مُّضِلٌّ مُّبِیْنٌ ﴿۱۵﴾
১৬. মূসা আরো বললো: 'আমার রব! আমি নিজের প্রতি যুলুম করে ফেলেছি, তুমি আমাকে মাফ করে দাও।' তখন তিনি তাকে মাফ করে দেন। কারণ, তিনি পরম ক্ষমাশীল, পরম দয়াবান।	قَالَ رَبِّ اِنِّیْ ظَلَمْتُ نَفْسِیْ فَاغْفِرْ لِیْ فَغَفَرَ لَهٗ ؕ اِنَّهٗ هُوَ الْغَفُوْرُ الرَّحِیْمُ ﴿۱۶﴾
১৭. মূসা বললো: আমার প্রভু! যেহেতু তুমি আমার প্রতি অনুগ্রহ করেছো, তাই আমি আর কখনো অপরাধীদের সাহায্য করবো না।	قَالَ رَبِّ بِمَاۤ اَنْعَمْتَ عَلَیَّ فَلَنْ اَكُوْنَ ظَهِیْرًا لِّلْمُجْرِمِیْنَ ﴿۱۷﴾
১৮. ভীত সন্ত্রস্ত অবস্থায় নগরীতে মূসার সকাল	فَاَصْبَحَ فِی الْمَدِیْنَةِ خَآئِفًا یَّتَرَقَّبُ فَاِذَا

রুকু ০১

হলো। হঠাৎ সে শুনতে পায় গতকাল যে ব্যক্তি তার সাহায্য চেয়েছিল সে তার সাহায্যের জন্যে চীৎকার করছে। মূসা তাকে বললো: ‘তুমি এক সুস্পষ্ট বিপথগামী ব্যক্তি।’	الَّذِي اسْتَنْصَرَهُ بِالْأَمْسِ يَسْتَصْرِخُهُ ۚ قَالَ لَهُ مُوسَىٰ إِنَّكَ لَغَوِيٌّ مُبِينٌ ﴿١٨﴾
১৯. মূসা যখন উভয়ের শত্রুকে ধরতে উদ্যত হলো, সে ব্যক্তি বলে উঠলো: ‘হে মূসা! তুমি যেভাবে গতকাল এক ব্যক্তিকে হত্যা করেছো, সেভাবে কি আমাদেরও হত্যা করতে চাইছো? তুমি তো দেশে স্বেচ্ছাচারী হতে চাইছো, সংশোধনকামী হতে চাচ্ছোনা।	فَلَمَّا أَنْ أَرَادَ أَنْ يَبْطِشَ بِالَّذِي هُوَ عَدُوٌّ لَهُمَا قَالَ يَا مُوسَىٰ أَتُرِيدُ أَنْ تَقْتُلَنِي كَمَا قَتَلْتَ نَفْسًا بِالْأَمْسِ ۖ إِنْ تُرِيدُ إِلَّا أَنْ تَكُونَ جَبَّارًا فِي الْأَرْضِ وَمَا تُرِيدُ أَنْ تَكُونَ مِنَ الْمُصْلِحِينَ ﴿١٩﴾
২০. (এ সময়) নগরীর দূরপ্রান্ত থেকে এক ব্যক্তি দৌড়ে এসে বললো: ‘হে মূসা। ফেরাউনের পারিষদবর্গ তোমাকে হত্যা করার জন্যে পরামর্শ করছে, তুমি (মিশর) থেকে বেরিয়ে যাও, আমি তোমার কল্যাণ চাই।’	وَجَاءَ رَجُلٌ مِنْ أَقْصَى الْمَدِينَةِ يَسْعَىٰ قَالَ يَا مُوسَىٰ إِنَّ الْمَلَأَ يَأْتَمِرُونَ بِكَ لِيَقْتُلُوكَ فَاخْرُجْ إِنِّي لَكَ مِنَ النَّاصِحِينَ ﴿٢٠﴾
২১. মূসা ভয়ে সতর্কভাবে (দেশ থেকে) বেরিয়ে পড়লো। সে বললো: ‘আমার প্রভু! আমাকে যালিম কওমের কবল থেকে রক্ষা করো।’	فَخَرَجَ مِنْهَا خَائِفًا يَتَرَقَّبُ ۖ قَالَ رَبِّ نَجِّنِي مِنَ الْقَوْمِ الظَّالِمِينَ ﴿٢١﴾
২২. মূসা যখন মাদায়েনের উদ্দেশ্যে রওয়ানা করলো, তখন বললো: ‘আশা করি আমার প্রভু আমাকে সঠিক পথ দেখাবেন।’	وَلَمَّا تَوَجَّهَ تِلْقَاءَ مَدْيَنَ قَالَ عَسَىٰ رَبِّي أَنْ يَهْدِيَنِي سَوَاءَ السَّبِيلِ ﴿٢٢﴾
২৩. যখন সে মাদায়েনের কূপের কাছে পৌঁছে, সেখানে দেখতে পায় একদল লোক পশুদের পানি পান করাচ্ছে। সবার পেছনে দুই নারীকে দেখতে পায়, তারা তাদের পশুকে আগলে রাখছে। মূসা তাদের বললো: ‘আপনাদের ব্যাপার কী?’ তারা বললো: ‘আমরা আমাদের পশুদের পানি পান করাতে পারিনা, যতোক্ষণ রাখালেরা তাদের পশুদের পানি পান করিয়ে চলে না যায়। আমাদের পিতা একজন অতি বৃদ্ধ ব্যক্তি।’	وَلَمَّا وَرَدَ مَاءَ مَدْيَنَ وَجَدَ عَلَيْهِ أُمَّةً مِنَ النَّاسِ يَسْقُونَ وَوَجَدَ مِنْ دُونِهِمُ امْرَأَتَيْنِ تَذُودَانِ ۖ قَالَ مَا خَطْبُكُمَا ۖ قَالَتَا لَا نَسْقِي حَتَّىٰ يُصْدِرَ الرِّعَاءُ ۖ وَأَبُونَا شَيْخٌ كَبِيرٌ ﴿٢٣﴾
২৪. মূসা তাদের পক্ষে তাদের পশুকে পানি পান করিয়ে দিলো। তারপর ছায়ার নীচে ফিরে এসে বললো: ‘আমার প্রভু! তুমি আমাকে যে আতিথ্যের ব্যবস্থাই করে দেবে, আমি তার মুখাপেক্ষী।’	فَسَقَىٰ لَهُمَا ثُمَّ تَوَلَّىٰ إِلَى الظِّلِّ فَقَالَ رَبِّ إِنِّي لِمَا أَنْزَلْتَ إِلَيَّ مِنْ خَيْرٍ فَقِيرٌ ﴿٢٤﴾
২৫. তখন সেই দুই নারীর একজন লজ্জায় জড়োসড়ো হয়ে তার কাছে এলো এবং বললো: ‘আমার আব্বু আপনাকে ডাকছেন আমাদের পশুগুলোকে পানি পান করানোর পারিশ্রমিক দিতে।’ মূসা যখন তার কাছে এলো এবং নিজের সব ঘটনা বিস্তারিত খুলে বললো, সে বললো:	فَجَاءَتْهُ إِحْدَاهُمَا تَمْشِي عَلَى اسْتِحْيَاءٍ قَالَتْ إِنَّ أَبِي يَدْعُوكَ لِيَجْزِيَكَ أَجْرَ مَا سَقَيْتَ لَنَا ۚ فَلَمَّا جَاءَهُ وَقَصَّ عَلَيْهِ الْقَصَصَ قَالَ لَا

রুকু ০২

‘তুমি আর ভয় পেয়োনা, তুমি যালিম কওমের কবল থেকে নাজাত পেয়ে গেছো।’	تَخَفْ ۫ نَجَوْتَ مِنَ الْقَوْمِ الظّٰلِمِيْنَ ﴿٢٥﴾
২৬. সেই দুই নারীর একজন বললো: ‘আব্বু! তুমি তাকে কর্মচারী নিয়ুক্ত করো, তোমার কর্মচারী হিসেবে উত্তম হবেন তো এমন ব্যক্তি যিনি শক্তিশালী এবং বিশ্বস্ত।’	قَالَتْ اِحْدٰىهُمَا يٰۤاَبَتِ اسْتَاْجِرْهُ ۫ اِنَّ خَيْرَ مَنِ اسْتَاْجَرْتَ الْقَوِيُّ الْاَمِيْنُ ﴿٢٦﴾
২৭. সে মূসাকে বললো: ‘শুনো, আমি আমার এই দুই কন্যার একজনকে তোমার সাথে বিয়ে দিতে চাই এই শর্তে যে, তুমি আট বছর আমার চাকুরি করবে, তবে দশ বছর যদি পূর্ণ করতে চাও সেটা তোমার ইচ্ছা। আমি তোমাকে কষ্ট দিতে চাইনা। আল্লাহ্ চান তো, তুমি আমাকে ন্যায়বান পাবে।’	قَالَ اِنِّيْۤ اُرِيْدُ اَنْ اُنْكِحَكَ اِحْدَى ابْنَتَيَّ هٰتَيْنِ عَلٰۤى اَنْ تَاْجُرَنِيْ ثَمٰنِيَ حِجَجٍ ۚ فَاِنْ اَتْمَمْتَ عَشْرًا فَمِنْ عِنْدِكَ ۚ وَمَاۤ اُرِيْدُ اَنْ اَشُقَّ عَلَيْكَ ؕ سَتَجِدُنِيْۤ اِنْ شَآءَ اللّٰهُ مِنَ الصّٰلِحِيْنَ ﴿٢٧﴾
২৮. মূসা বললো: ‘আমার এবং আপনার মাঝে এই চুক্তিই হলো। এ দুটি মেয়াদের যে কোনো একটি পূর্ণ করলে আমার বিরুদ্ধে কোনো অভিযোগ থাকবেনা। আমরা যা বলছি আল্লাহ্ তার সাক্ষী।’	قَالَ ذٰلِكَ بَيْنِيْ وَبَيْنَكَ ؕ اَيَّمَا الْاَجَلَيْنِ قَضَيْتُ فَلَا عُدْوَانَ عَلَيَّ ؕ وَاللّٰهُ عَلٰى مَا نَقُوْلُ وَكِيْلٌ ﴿٢٨﴾
২৯. মূসা যখন নির্ধারিত মেয়াদ পূর্ণ করলো এবং সপরিবারে যাত্রা করলো, তুর পাহাড়ের কাছে এসে পাহাড়ের দিকে আগুন দেখতে পেলো। সে তার পরিবারবর্গকে বললো: তোমরা এখানে অপেক্ষা করো, আমি আগুন দেখেছি, হয়তো সেখান থেকে তোমাদের জন্যে কোনো খবর নিয়ে আসবো কিংবা নিয়ে আসবো এক খণ্ড জ্বলন্ত কাঠ, তাতে তোমরা আগুন পোহাতে পারবে।’	فَلَمَّا قَضٰى مُوْسَى الْاَجَلَ وَسَارَ بِاَهْلِهٖۤ اٰنَسَ مِنْ جَانِبِ الطُّوْرِ نَارًا ۚ قَالَ لِاَهْلِهِ امْكُثُوْۤا اِنِّيْۤ اٰنَسْتُ نَارًا لَّعَلِّيْۤ اٰتِيْكُمْ مِّنْهَا بِخَبَرٍ اَوْ جَذْوَةٍ مِّنَ النَّارِ لَعَلَّكُمْ تَصْطَلُوْنَ ﴿٢٩﴾
৩০. মূসা যখন আগুনের দিকে এলো, তখন (তোয়া) উপত্যকার ডান পাশে পবিত্র ভূমির এক গাছের দিক থেকে তাকে ডেকে বলা হলো: ‘হে মূসা! আমি আল্লাহ্ রাব্বুল আলামিন।’	فَلَمَّاۤ اَتٰىهَا نُوْدِيَ مِنْ شَاطِئِ الْوَادِ الْاَيْمَنِ فِي الْبُقْعَةِ الْمُبٰرَكَةِ مِنَ الشَّجَرَةِ اَنْ يّٰمُوْسٰۤى اِنِّيْۤ اَنَا اللّٰهُ رَبُّ الْعٰلَمِيْنَ ﴿٣٠﴾
৩১. তাকে আরো বলা হলো: ‘তোমার লাঠি নিক্ষেপ করো।’ তারপর মূসা যখন দেখলো, সেটা সাপের মতো ছুটাছুটি করছে, তখন সে পিছে ফিরে দৌড়াতে থাকলো এবং পেছনে ফিরে তাকিয়েও দেখলোনা। তাকে ডেকে বলা হলো: “হে মূসা! সামনে ফিরে আসো, ভয় পেয়োনা, তুমি নিরাপদ।	وَاَنْ اَلْقِ عَصَاكَ ؕ فَلَمَّا رَاٰهَا تَهْتَزُّ كَاَنَّهَا جَآنٌّ وَّلّٰى مُدْبِرًا وَّلَمْ يُعَقِّبْ ؕ يٰمُوْسٰۤى اَقْبِلْ وَلَا تَخَفْ ۟ اِنَّكَ مِنَ الْاٰمِنِيْنَ ﴿٣١﴾
৩২. তোমার হাত তোমার বগলে রাখো, দেখবে সেটি অনাবিল উজ্জ্বল হয়ে বেরিয়ে আসবে কোনো প্রকার ক্ষতি ছাড়াই। ভয় দূর করার জন্য তোমার দুই হাত তোমার বুকে চেপে ধরো। এ	اُسْلُكْ يَدَكَ فِيْ جَيْبِكَ تَخْرُجْ بَيْضَآءَ مِنْ غَيْرِ سُوْٓءٍ ۫ وَّاضْمُمْ اِلَيْكَ جَنَاحَكَ مِنَ الرَّهْبِ فَذٰنِكَ بُرْهَانٰنِ مِنْ رَّبِّكَ

রুকু ০৩

দুটি তোমার প্রভুর দেয়া প্রমাণ ফেরাউন আর তার পারিষদবর্গের জন্যে। তারা একটি ফাসিক কওম।”	إِلَىٰ فِرْعَوْنَ وَمَلَإِيْهِ ۚ إِنَّهُمْ كَانُوا قَوْمًا فَاسِقِينَ ﴿٣٢﴾
৩৩. মূসা বললো: “আমার প্রভু! আমি তাদের এক ব্যক্তিকে হত্যা করে ফেলেছিলাম, তাই আমি আশংকা করছি তারা আমাকে হত্যা করবে।	قَالَ رَبِّ إِنِّي قَتَلْتُ مِنْهُمْ نَفْسًا فَأَخَافُ أَن يَقْتُلُونِ ﴿٣٣﴾
৩৪. আমার ভাই হারূণ, সে আমার চাইতে ভালো বক্তা, তুমি তাকে আমার সাথে সাহায্যকারী হিসেবে রসূল বানিয়ে দাও। সে আমার সত্যায়ন করবে। আমার আশংকা হয় তারা আমাকে প্রত্যাখ্যান করবে।”	وَأَخِي هَارُونُ هُوَ أَفْصَحُ مِنِّي لِسَانًا فَأَرْسِلْهُ مَعِيَ رِدْءًا يُصَدِّقُنِي ۖ إِنِّي أَخَافُ أَن يُكَذِّبُونِ ﴿٣٤﴾
৩৫. আল্লাহ্ বললেন: “আমরা তোমার ভাইকে দিয়ে তোমার হাতকে শক্তিশালী করবো এবং তোমাদের দুজনকেই আমরা সনদগত ক্ষমতা প্রদান করবো। ফলে তারা (তোমাদের ক্ষতির উদ্দেশ্যে) তোমাদের কাছেই পৌঁছাতে পারবেনা। তোমরা এবং তোমাদের অনুসারীরাই আমাদের নিদর্শনের সাহায্যে বিজয়ী হবে।”	قَالَ سَنَشُدُّ عَضُدَكَ بِأَخِيكَ وَنَجْعَلُ لَكُمَا سُلْطَانًا فَلَا يَصِلُونَ إِلَيْكُمَا ۚ بِآيَاتِنَا ۚ أَنتُمَا وَمَنِ اتَّبَعَكُمَا الْغَالِبُونَ ﴿٣٥﴾
৩৬. মূসা যখন তাদের কাছে আমাদের সুস্পষ্ট নিদর্শনসমূহ নিয়ে উপস্থিত হলো, তারা বললো: ‘এ-তো এক মিথ্যা- ম্যাজিক ছাড়া আর কিছুই নয়। এ ধরনের কথা আমাদের বাপ-দাদাদের কালেও আমরা শুনিনি।’	فَلَمَّا جَاءَهُم مُّوسَىٰ بِآيَاتِنَا بَيِّنَاتٍ قَالُوا مَا هَٰذَا إِلَّا سِحْرٌ مُّفْتَرًى وَمَا سَمِعْنَا بِهَٰذَا فِي آبَائِنَا الْأَوَّلِينَ ﴿٣٦﴾
৩৭. মূসা বললো: ‘আমার প্রভুই অধিক জানেন কে তাঁর পক্ষ থেকে হিদায়াত নিয়ে এসেছে এবং কার শেষ পরিণাম শুভ হবে। নিশ্চয়ই কখনো সফল হবেনা যালিমরা।’	وَقَالَ مُوسَىٰ رَبِّي أَعْلَمُ بِمَن جَاءَ بِالْهُدَىٰ مِنْ عِندِهِ وَمَن تَكُونُ لَهُ عَاقِبَةُ الدَّارِ ۖ إِنَّهُ لَا يُفْلِحُ الظَّالِمُونَ ﴿٣٧﴾
৩৮. ফেরাউন বললো: ‘হে আমার পারিষদবর্গ! আমি ছাড়া তোমাদের আর কোনো ইলাহ্ আছে বলে তো আমি জানিনা। হে হামান! তুমি আমার জন্যে ইট পোড়াও এবং উঁচু এক প্রাসাদ তৈরি করো। হয়তো আমি তাতে উঠে মূসার ইলাহ্‌কে দেখতে পাবো। তবে আমি মনে করি সে মিথ্যাবাদী।’	وَقَالَ فِرْعَوْنُ يَا أَيُّهَا الْمَلَأُ مَا عَلِمْتُ لَكُم مِّنْ إِلَٰهٍ غَيْرِي فَأَوْقِدْ لِي يَا هَامَانُ عَلَى الطِّينِ فَاجْعَل لِّي صَرْحًا لَّعَلِّي أَطَّلِعُ إِلَىٰ إِلَٰهِ مُوسَىٰ وَإِنِّي لَأَظُنُّهُ مِنَ الْكَاذِبِينَ ﴿٣٨﴾
৩৯. সে এবং তার বাহিনী অন্যায়ভাবে দেশে অহংকার করে। তারা ধারণা করেছিল তাদেরকে আমাদের কাছে ফিরিয়ে আনা হবেনা।	وَاسْتَكْبَرَ هُوَ وَجُنُودُهُ فِي الْأَرْضِ بِغَيْرِ الْحَقِّ وَظَنُّوا أَنَّهُمْ إِلَيْنَا لَا يُرْجَعُونَ ﴿٣٩﴾
৪০. তারপর আমরা পাকড়াও করি তাকে এবং তার বাহিনীকে এবং তাদের নিক্ষেপ করি দরিয়ায়। দেখো, কী (মন্দ) পরিণতি হয়েছিল যালিমদের!	فَأَخَذْنَاهُ وَجُنُودَهُ فَنَبَذْنَاهُمْ فِي الْيَمِّ ۖ فَانظُرْ كَيْفَ كَانَ عَاقِبَةُ الظَّالِمِينَ ﴿٤٠﴾
৪১. আমরা তাদের বানিয়ে দিয়েছিলাম	وَجَعَلْنَاهُمْ أَئِمَّةً يَدْعُونَ إِلَى النَّارِ ۖ وَ

জাহান্নামের দিকে আহ্বান করার ইমাম (নেতা)। কিয়ামতের দিন তাদের কোনো সাহায্য করা হবেনা।	يَوْمَ الْقِيٰمَةِ لَا يُنْصَرُوْنَ ﴿٤١﴾
৪২. এ দুনিয়ায় আমরা তাদের অনুগামী করে দিয়েছি লা'নত আর কিয়ামতের দিন তারা হবে ঘৃণিত।	وَاَتْبَعْنٰهُمْ فِيْ هٰذِهِ الدُّنْيَا لَعْنَةً ۚ وَيَوْمَ الْقِيٰمَةِ هُمْ مِّنَ الْمَقْبُوْحِيْنَ ﴿٤٢﴾
৪৩. আগেকার বহু মানব প্রজন্মকে হালাক করে দেয়ার পর আমরা মূসাকে দিয়েছিলাম কিতাব মানুষের জন্যে জ্ঞানের আলো, হিদায়াত এবং রহমত হিসেবে, যাতে করে তারা শিক্ষা গ্রহণ করে।	وَلَقَدْ اٰتَيْنَا مُوْسَى الْكِتٰبَ مِنْۢ بَعْدِ مَاۤ اَهْلَكْنَا الْقُرُوْنَ الْاُوْلٰى بَصَآئِرَ لِلنَّاسِ وَهُدًى وَّرَحْمَةً لَّعَلَّهُمْ يَتَذَكَّرُوْنَ ﴿٤٣﴾
৪৪. (হে মুহাম্মদ!) তুমি (তুর পাহাড়ের) পশ্চিম প্রান্তে উপস্থিত ছিলেনা আমরা যখন মূসাকে বিধান দিয়েছিলাম এবং তুমি বিষয়টা নিজের চোখেও দেখোনি।	وَمَا كُنْتَ بِجَانِبِ الْغَرْبِيِّ اِذْ قَضَيْنَاۤ اِلٰى مُوْسَى الْاَمْرَ وَمَا كُنْتَ مِنَ الشّٰهِدِيْنَ ﴿٤٤﴾
৪৫. বরং আমরা বহু মানব প্রজন্ম সৃষ্টি করেছি এবং তাদের উপর বহু যুগ অতিবাহিত হয়ে গেছে। তুমি তো মাদায়েনবাসীদের মধ্যে উপস্থিত ছিলেনা তাদের কাছে আমাদের আয়াত তিলাওয়াত করার জন্যে। বরং আমরাই ছিলাম সেখানে রসূল প্রেরণকারী।	وَلٰكِنَّاۤ اَنْشَاْنَا قُرُوْنًا فَتَطَاوَلَ عَلَيْهِمُ الْعُمُرُ ۚ وَمَا كُنْتَ ثَاوِيًا فِيْۤ اَهْلِ مَدْيَنَ تَتْلُوْا عَلَيْهِمْ اٰيٰتِنَا ۙ وَلٰكِنَّا كُنَّا مُرْسِلِيْنَ ﴿٤٥﴾
৪৬. আমরা যখন মূসাকে ডেকেছিলাম, তখন তো তুমি তুর পাহাড়ের পাশে উপস্থিত ছিলেনা। বরং এটা (এই অহি) তোমার প্রভুর রহমত যাতে করে তুমি এমন একটি কওমকে সতর্ক করতে পারো, যাদের কাছে তোমার আগে কোনো সতর্ককারী আসেনি, আর তারা যেনো শিক্ষা গ্রহণ করে।	وَمَا كُنْتَ بِجَانِبِ الطُّوْرِ اِذْ نَادَيْنَا وَلٰكِنْ رَّحْمَةً مِّنْ رَّبِّكَ لِتُنْذِرَ قَوْمًا مَّاۤ اَتٰىهُمْ مِّنْ نَّذِيْرٍ مِّنْ قَبْلِكَ لَعَلَّهُمْ يَتَذَكَّرُوْنَ ﴿٤٦﴾
৪৭. রসূল যদি না পাঠাতাম, তাহলে তাদের কর্মকাণ্ডের জন্যে যদি তাদের কোনো মসিবত আসতো তারা বলতো: 'আমাদের প্রভু! তুমি কেন আমাদের কাছে একজন রসূল পাঠালেনা? পাঠালে তো আমরা তোমার আয়াতের ইত্তেবা (অনুসরণ) করতে পারতাম এবং আমরা মুমিন হয়ে যেতাম।'	وَلَوْلَاۤ اَنْ تُصِيْبَهُمْ مُّصِيْبَةٌۢ بِمَا قَدَّمَتْ اَيْدِيْهِمْ فَيَقُوْلُوْا رَبَّنَا لَوْلَاۤ اَرْسَلْتَ اِلَيْنَا رَسُوْلًا فَنَتَّبِعَ اٰيٰتِكَ وَنَكُوْنَ مِنَ الْمُؤْمِنِيْنَ ﴿٤٧﴾
৪৮. কিন্তু যখন আমাদের পক্ষ থেকে তাদের কাছে সত্য এলো, তারা বললো: 'মূসাকে যেমন (নিদর্শন) দেয়া হয়েছিল, তাকে সে রকম দেয়া হলো না কেন? কিন্তু মূসাকে যা দেয়া হয়েছিল তা কি তারা অস্বীকার করেনি? তারা বলেছে: '(কুরআন ও তাওরাত) দুটিই ম্যাজিক, পরস্পরের সমর্থক। তারা আরো বলেছিল আমরা প্রত্যেকটিই অস্বীকার করি।'	فَلَمَّا جَآءَهُمُ الْحَقُّ مِنْ عِنْدِنَا قَالُوْا لَوْلَاۤ اُوْتِيَ مِثْلَ مَاۤ اُوْتِيَ مُوْسٰى ؕ اَوَلَمْ يَكْفُرُوْا بِمَاۤ اُوْتِيَ مُوْسٰى مِنْ قَبْلُ ۚ قَالُوْا سِحْرٰنِ تَظٰهَرَا ۫ وَقَالُوْۤا اِنَّا بِكُلٍّ كٰفِرُوْنَ ﴿٤٨﴾

রুকু ০৪

৪৯. হে নবী! বলো: ‘তোমরা যদি সত্যবাদী হয়ে থাকো, তবে তোমরাই আল্লাহ্‌র কাছ থেকে একখানা কিতাব নিয়ে আসো যেটি এ দুটি (কুরআন ও তাওরাত) থেকে অধিকতর হিদায়াতওয়ালা কিতাব হবে, আমিও সে কিতাবের অনুসরণ করবো।’	قُلْ فَاْتُوْا بِكِتٰبٍ مِّنْ عِنْدِ اللّٰهِ هُوَ اَهْدٰى مِنْهُمَآ اَتَّبِعْهُ اِنْ كُنْتُمْ صٰدِقِيْنَ ﴿٤٩﴾
৫০. তারা যদি তোমার আহ্বানে সাড়া না দেয়, তবে জেনে রাখো, তারা কেবল নিজেদের খেয়াল খুশিরই ইত্তেবা করে। ঐ ব্যক্তির চাইতে অধিকতর বিপথগামী আর কে আছে, যে আল্লাহ্‌র হিদায়াত উপেক্ষা করে নিজের খেয়াল খুশির ইত্তেবা করে? নিশ্চয়ই আল্লাহ্ যালিম কওমকে সঠিক পথ দেখাননা।	فَاِنْ لَّمْ يَسْتَجِيْبُوْا لَكَ فَاعْلَمْ اَنَّمَا يَتَّبِعُوْنَ اَهْوَآءَهُمْ ؕ وَمَنْ اَضَلُّ مِمَّنِ اتَّبَعَ هَوٰىهُ بِغَيْرِ هُدًى مِّنَ اللّٰهِ ؕ اِنَّ اللّٰهَ لَا يَهْدِى الْقَوْمَ الظّٰلِمِيْنَ ﴿٥٠﴾ রুকু ০৫
৫১. আমরা তাদের কাছে লাগাতার বাণী পৌঁছে দিয়েছি যাতে করে তারা উপদেশ গ্রহণ করে।	وَلَقَدْ وَصَّلْنَا لَهُمُ الْقَوْلَ لَعَلَّهُمْ يَتَذَكَّرُوْنَ ؕ ﴿٥١﴾
৫২. যাদেরকে আমরা ইতোপূর্বে কিতাব দিয়েছিলাম, তারা (তাদের কেউ কেউ) এর প্রতি (কুরআনের প্রতি) ঈমান রাখে।	اَلَّذِيْنَ اٰتَيْنٰهُمُ الْكِتٰبَ مِنْ قَبْلِهٖ هُمْ بِهٖ يُؤْمِنُوْنَ ﴿٥٢﴾
৫৩. তাদের প্রতি যখন এটি (কুরআন) তিলাওয়াত করা হয়, তারা বলে: আমরা এটির প্রতি ঈমান এনেছি, নিশ্চয়ই আমাদের প্রভুর পক্ষ থেকে এটি সত্য। আমরা তো পূর্বেও মুসলিমই ছিলাম।	وَاِذَا يُتْلٰى عَلَيْهِمْ قَالُوْٓا اٰمَنَّا بِهٖٓ اِنَّهُ الْحَقُّ مِنْ رَّبِّنَآ اِنَّا كُنَّا مِنْ قَبْلِهٖ مُسْلِمِيْنَ ﴿٥٣﴾
৫৪. এরাই সেইসব লোক যাদেরকে পুরস্কার দেয়া হবে দুইবার তাদের সবরের কারণে। তারা মন্দের মুকাবেলা করে ভালো দিয়ে এবং তাদেরকে আমরা যে রিযিক দিয়েছি তা থেকে তারা খরচ করে (আল্লাহ্‌র পথে)।	اُولٰٓئِكَ يُؤْتَوْنَ اَجْرَهُمْ مَّرَّتَيْنِ بِمَا صَبَرُوْا وَيَدْرَءُوْنَ بِالْحَسَنَةِ السَّيِّئَةَ وَمِمَّا رَزَقْنٰهُمْ يُنْفِقُوْنَ ﴿٥٤﴾
৫৫. তারা যখনই অর্থহীন কিছু শুনে তা থেকে মুখ ফিরিয়ে নিয়ে চলে যায়। তারা বলে: ‘আমাদের কাজের ফল আমরা পাবো আর তোমাদের কাজের ফল পাবে তোমরা। তোমাদের প্রতি সালাম। আমরা জাহিলদের সাথিত্ব চাইনা।’	وَاِذَا سَمِعُوا اللَّغْوَ اَعْرَضُوْا عَنْهُ وَقَالُوْا لَنَآ اَعْمَالُنَا وَلَكُمْ اَعْمَالُكُمْ ۫ سَلٰمٌ عَلَيْكُمْ ۫ لَا نَبْتَغِى الْجٰهِلِيْنَ ﴿٥٥﴾
৫৬. তুমি যাকে মহব্বত করো, তুমি চাইলেই তাকে হিদায়াত করতে পারবেনা। কিন্তু আল্লাহ্ যাকে চান হিদায়াত করেন। কারা হিদায়াতপ্রাপ্ত সেটা তিনিই ভালো জানেন।	اِنَّكَ لَا تَهْدِيْ مَنْ اَحْبَبْتَ وَلٰكِنَّ اللّٰهَ يَهْدِيْ مَنْ يَّشَآءُ ۚ وَهُوَ اَعْلَمُ بِالْمُهْتَدِيْنَ ﴿٥٦﴾
৫৭. তারা বলে: ‘আমরা যদি তোমার সাথে হিদায়াতের পথে চলি, তাহলে আমাদেরকে আমাদের দেশ থেকে উৎখাত করা হবে।’ আমরা কি তোমাদেরকে একটি নিরাপদ হারামে	وَقَالُوْٓا اِنْ نَّتَّبِعِ الْهُدٰى مَعَكَ نُتَخَطَّفْ مِنْ اَرْضِنَا ؕ اَوَلَمْ نُمَكِّنْ لَّهُمْ حَرَمًا اٰمِنًا

প্রতিষ্ঠিত করিনি, যেখানে সব ধরনের ফল ফলারি আমদানি হয় আমাদের পক্ষ থেকে রিযিক হিসেবে। তবে অধিকাংশ লোকই সত্য জানেনা।	يُّجْبٰۤى اِلَيْهِ ثَمَرٰتُ كُلِّ شَیْءٍ رِّزْقًا مِّنْ لَّدُنَّا وَ لٰكِنَّ اَكْثَرَهُمْ لَا يَعْلَمُوْنَ ﴿۵۷﴾
৫৮. কতো যে জনপদ আমরা ধ্বংস করে দিয়েছি, যেগুলোর অধিবাসীরা নিজেদের সম্পদ ও জীবিকার দম্ভ করে বেড়াতো! এই যে এগুলো তাদের ঘর-বাড়ি, তাদের পরে এগুলোতে লোকজন সামান্যই বসবাস করেছে। আর প্রকৃত ওয়ারিশ তো আমরাই।	وَ كَمْ اَهْلَكْنَا مِنْ قَرْيَةٍۭ بَطِرَتْ مَعِيْشَتَهَا ۚ فَتِلْكَ مَسٰكِنُهُمْ لَمْ تُسْكَنْ مِّنْۢ بَعْدِهِمْ اِلَّا قَلِيْلًا ؕ وَ كُنَّا نَحْنُ الْوٰرِثِيْنَ ﴿۵۸﴾
৫৯. তোমার রব জনপদসমূহকে ধ্বংস করেন না, যতোক্ষণ না সেগুলোর কেন্দ্রে রসূল পাঠিয়েছেন তাদের প্রতি আমাদের আয়াত তিলাওয়াত করার জন্যে। আমরা যেসব জনপদ ধ্বংস করেছি সেগুলোর অধিবাসীরা ছিলো যালিম।	وَ مَا كَانَ رَبُّكَ مُهْلِكَ الْقُرٰى حَتّٰى يَبْعَثَ فِیْۤ اُمِّهَا رَسُوْلًا يَّتْلُوْا عَلَيْهِمْ اٰيٰتِنَا ۚ وَ مَا كُنَّا مُهْلِكِی الْقُرٰۤى اِلَّا وَ اَهْلُهَا ظٰلِمُوْنَ ﴿۵۹﴾
৬০. তোমাদের যা কিছু দেয়া হয়েছে সেগুলো তো পার্থিব জীবনের ভোগ্য ও সৌন্দর্য। আর আল্লাহ্‌র কাছে যা রয়েছে তাই উত্তম ও চিরস্থায়ী। তোমরা কি আকল খাটাবেনা? (রুকু ০৬)	وَ مَاۤ اُوْتِيْتُمْ مِّنْ شَیْءٍ فَمَتَاعُ الْحَيٰوةِ الدُّنْيَا وَ زِيْنَتُهَا ۚ وَ مَا عِنْدَ اللّٰهِ خَيْرٌ وَّ اَبْقٰى ؕ اَفَلَا تَعْقِلُوْنَ ﴿۶۰﴾
৬১. যে ব্যক্তিকে আমরা উত্তম পুরস্কার প্রদানের ওয়াদা দিয়েছি আর সে অবশ্যি সে পুরস্কারের সাক্ষাত লাভ করবে, সে কি ঐ ব্যক্তির সমতুল্য, যাকে আমরা দুনিয়ার জীবনের ভোগের সামগ্রী দিয়েছি, তারপর কিয়ামতের দিন তাকে হাজির করা হবে আসামী হিসেবে?	اَفَمَنْ وَّعَدْنٰهُ وَعْدًا حَسَنًا فَهُوَ لَاقِيْهِ كَمَنْ مَّتَّعْنٰهُ مَتَاعَ الْحَيٰوةِ الدُّنْيَا ثُمَّ هُوَ يَوْمَ الْقِيٰمَةِ مِنَ الْمُحْضَرِيْنَ ﴿۶۱﴾
৬২. সেদিন তিনি তাদের ডেকে বলবেন: 'কোথায় আজ তারা যাদেরকে তোমরা আমার শরিক বলে ধারণা করতে?'	وَ يَوْمَ يُنَادِيْهِمْ فَيَقُوْلُ اَيْنَ شُرَكَآءِیَ الَّذِيْنَ كُنْتُمْ تَزْعُمُوْنَ ﴿۶۲﴾
৬৩. যাদের উপর শাস্তির বাণী অবধারিত হবে, তারা বলবে: 'আমাদের প্রভু! এদেরকে আমরাই বিভ্রান্ত করেছিলাম, এদেরকে বিভ্রান্ত করেছিলাম যেমন আমরা বিভ্রান্ত হয়েছিলাম। আমরা আপনার কাছে এদের দুষ্কর্মের দায়িত্ব থেকে অব্যাহতি চাইছি। তারা তো আমাদের ইবাদত করতোনা।'	قَالَ الَّذِيْنَ حَقَّ عَلَيْهِمُ الْقَوْلُ رَبَّنَا هٰۤؤُلَآءِ الَّذِيْنَ اَغْوَيْنَا ۚ اَغْوَيْنٰهُمْ كَمَا غَوَيْنَا ۚ تَبَرَّاْنَاۤ اِلَيْكَ ۫ مَا كَانُوْۤا اِيَّانَا يَعْبُدُوْنَ ﴿۶۳﴾
৬৪. তাদের বলা হবে: তোমরা যাদেরকে আল্লাহ্‌র শরিক বানিয়েছিলে তাদের ডাকো, তখন তারা তাদের ডাকবে, কিন্তু তারা তাদের ডাকের জবাব দেবেনা। তারা তখন আযাব দেখতে পাবে। হায়, তারা যদি হিদায়াতের পথ অনুসরণ করতো?	وَ قِيْلَ ادْعُوْا شُرَكَآءَكُمْ فَدَعَوْهُمْ فَلَمْ يَسْتَجِيْبُوْا لَهُمْ وَ رَاَوُا الْعَذَابَ ۚ لَوْ اَنَّهُمْ كَانُوْا يَهْتَدُوْنَ ﴿۶۴﴾
৬৫. আল্লাহ্ সেদিন তাদের ডেকে বলবেন: 'তোমরা রসূলদের কী জবাব দিয়েছিলে?'	وَ يَوْمَ يُنَادِيْهِمْ فَيَقُوْلُ مَاذَاۤ اَجَبْتُمُ الْمُرْسَلِيْنَ ﴿۶۵﴾

৬৬. সেদিন সব তথ্য তাদের থেকে বিস্মৃত হয়ে যাবে এবং তারা একে অপরকে জিজ্ঞাসাও করতে পারবেনা।	فَعَمِيَتْ عَلَيْهِمُ الْاَنْۢبَآءُ يَوْمَئِذٍ فَهُمْ لَا يَتَسَآءَلُوْنَ ﴿٦٦﴾
৬৭. তবে যে ব্যক্তি তওবা করবে, ঈমান আনবে এবং আমলে সালেহ্ করবে, আশা করা যায়, সে সফলতা অর্জনকারীদের অন্তরভুক্ত হবে।	فَاَمَّا مَنْ تَابَ وَ اٰمَنَ وَ عَمِلَ صَالِحًا فَعَسٰۤى اَنْ يَّكُوْنَ مِنَ الْمُفْلِحِيْنَ ﴿٦٧﴾
৬৮. তোমার প্রভু যা ইচ্ছা সৃষ্টি করেন এবং যাকে ইচ্ছা মনোনীত করেন, এতে তাদের কোনো হাত নেই। আল্লাহ্ সে সব থেকে পবিত্র ও মহান, যাদের তারা তাঁর সাথে শরিক করছে।	وَرَبُّكَ يَخْلُقُ مَا يَشَآءُ وَ يَخْتَارُ ؕ مَا كَانَ لَهُمُ الْخِيَرَةُ ؕ سُبْحٰنَ اللّٰهِ وَتَعٰلٰى عَمَّا يُشْرِكُوْنَ ﴿٦٨﴾
৬৯. তোমার প্রভু জানেন তাদের অন্তর যা গোপন করে এবং যা প্রকাশ করে।	وَرَبُّكَ يَعْلَمُ مَا تُكِنُّ صُدُوْرُهُمْ وَمَا يُعْلِنُوْنَ ﴿٦٩﴾
৭০. তিনিই আল্লাহ্, তিনি ছাড়া কোনো ইলাহ্ নেই। সমস্ত প্রশংসা তাঁর দুনিয়া ও আখিরাতে। সার্বভৌমত্ব তাঁরই এবং তাঁর কাছেই ফিরিয়ে নেয়া হবে তোমাদের।	وَهُوَ اللّٰهُ لَآ اِلٰهَ اِلَّا هُوَ ؕ لَهُ الْحَمْدُ فِى الْاُوْلٰى وَالْاٰخِرَةِ ۫ وَلَهُ الْحُكْمُ وَاِلَيْهِ تُرْجَعُوْنَ ﴿٧٠﴾
৭১. হে নবী! বলো: তোমরা ভেবে দেখেছো কি, আল্লাহ্ যদি রাতকে কিয়ামতকাল পর্যন্ত তোমাদের উপর স্থায়ী করে দেন, তবে আল্লাহ্ ছাড়া এমন কোনো ইলাহ্ আছে কি, যে তোমাদের আলো এনে দেবে? তোমরা কি (উপদেশ) শুনবেনা?	قُلْ اَرَءَيْتُمْ اِنْ جَعَلَ اللّٰهُ عَلَيْكُمُ الَّيْلَ سَرْمَدًا اِلٰى يَوْمِ الْقِيٰمَةِ مَنْ اِلٰهٌ غَيْرُ اللّٰهِ يَاْتِيْكُمْ بِضِيَآءٍ ؕ اَفَلَا تَسْمَعُوْنَ ﴿٧١﴾
৭২. বলো: তোমরা ভেবে দেখেছো কি, আল্লাহ্ যদি দিনকে তোমাদের উপর কিয়ামতকাল পর্যন্ত স্থায়ী করে দেন, তবে কোন্ ইলাহ্ আছে, যে তোমাদের রাত এনে দেবে যাতে তোমরা বিশ্রাম গ্রহণ করতে পারো? তোমরা কি ভেবে দেখবেনা?	قُلْ اَرَءَيْتُمْ اِنْ جَعَلَ اللّٰهُ عَلَيْكُمُ النَّهَارَ سَرْمَدًا اِلٰى يَوْمِ الْقِيٰمَةِ مَنْ اِلٰهٌ غَيْرُ اللّٰهِ يَاْتِيْكُمْ بِلَيْلٍ تَسْكُنُوْنَ فِيْهِ ؕ اَفَلَا تُبْصِرُوْنَ ﴿٧٢﴾
৭৩. তিনিই নিজ দয়ায় তোমাদের জন্যে রাত এবং দিন সৃষ্টি করেছেন যাতে তোমরা তাতে বিশ্রাম নিতে পারো এবং যাতে তোমরা তাঁর অনুগ্রহ সন্ধান করতে পারো আর যাতে করে তোমরা তাঁর শোকর আদায় করতে পারো।	وَمِنْ رَّحْمَتِهٖ جَعَلَ لَكُمُ الَّيْلَ وَالنَّهَارَ لِتَسْكُنُوْا فِيْهِ وَلِتَبْتَغُوْا مِنْ فَضْلِهٖ وَلَعَلَّكُمْ تَشْكُرُوْنَ ﴿٧٣﴾
৭৪. সেদিন তিনি তাদের ডেকে বলবেন, তোমরা যাদেরকে আমার শরিক বলে ধারণা করতে তারা এখন কোথায়?	وَيَوْمَ يُنَادِيْهِمْ فَيَقُوْلُ اَيْنَ شُرَكَآءِىَ الَّذِيْنَ كُنْتُمْ تَزْعُمُوْنَ ﴿٧٤﴾
৭৫. আমরা প্রতিটি উম্মত থেকে একজন করে সাক্ষী বের করে আনবো এবং তাদের বলবো: 'হাজির করো তোমাদের প্রমাণ।' তখনই তারা জানতে পারবে ইলাহ্ হবার অধিকার একমাত্র আল্লাহ্র। আর যাদেরকে তারা (মিথ্যা) ইলাহ্ বানিয়ে নিয়েছিল তারা সবাই উধাও হয়ে যাবে।	وَنَزَعْنَا مِنْ كُلِّ اُمَّةٍ شَهِيْدًا فَقُلْنَا هَاتُوْا بُرْهَانَكُمْ فَعَلِمُوْۤا اَنَّ الْحَقَّ لِلّٰهِ وَضَلَّ عَنْهُمْ مَّا كَانُوْا يَفْتَرُوْنَ ﴿٧٥﴾

রুকু ০৭

৭৬. কারূণ ছিলো মূসার কওমেরই একজন। সে তাদের বিরুদ্ধে ঔদ্ধত্য প্রকাশ করেছিল। তাকে আমরা দান করেছিলাম এমন ধনভাণ্ডার যার চাবিগুলো বহন করা একদল শক্তিশালী লোকের পক্ষেও ছিলো কষ্টসাধ্য। তার কওম তাকে বলেছিল: "দম্ভ করোনা, আল্লাহ্ দাম্ভিকদের পছন্দ করেন না।	اِنَّ قَارُوْنَ كَانَ مِنْ قَوْمِ مُوْسٰى فَبَغٰى عَلَيْهِمْ ۖ وَ اٰتَيْنٰهُ مِنَ الْكُنُوْزِ مَآ اِنَّ مَفَاتِحَهٗ لَتَنُوْٓاُ بِالْعُصْبَةِ اُولِى الْقُوَّةِ ۗ اِذْ قَالَ لَهٗ قَوْمُهٗ لَا تَفْرَحْ اِنَّ اللّٰهَ لَا يُحِبُّ الْفَرِحِيْنَ ۝٧٦
৭৭. আল্লাহ্ তোমাকে যা দিয়েছেন তা দিয়ে আখিরাতের ঘর সন্ধান করো। দুনিয়ায় তোমার দায়িত্বের অংশ ভুলে যেয়োনা। মানুষের প্রতি ইহ্সান করো, যেভাবে আল্লাহ্ ইহ্সান করেছেন তোমার প্রতি। দেশে বিপর্যয় সৃষ্টির চেষ্টা করোনা। নিশ্চয়ই আল্লাহ্ ফাসাদ সৃষ্টিকারীদের পছন্দ করেননা।"	وَ ابْتَغِ فِيْمَآ اٰتٰىكَ اللّٰهُ الدَّارَ الْاٰخِرَةَ وَ لَا تَنْسَ نَصِيْبَكَ مِنَ الدُّنْيَا وَ اَحْسِنْ كَمَآ اَحْسَنَ اللّٰهُ اِلَيْكَ وَ لَا تَبْغِ الْفَسَادَ فِى الْاَرْضِ ؕ اِنَّ اللّٰهَ لَا يُحِبُّ الْمُفْسِدِيْنَ ۝٧٧
৭৮. সে বললো: 'এসব সম্পদ আমি লাভ করেছি আমার বিশেষ জ্ঞানের মাধ্যমে।' সে কি জানেনা, আল্লাহ্ তার আগেও বহু মানব প্রজন্মকে ধ্বংস করে দিয়েছেন যারা ছিলো শক্তিতে তার চাইতেও প্রবল এবং তাদের জনসংখ্যাও ছিলো অধিক। অপরাধীদের জিজ্ঞাসা করা হবেনা তারা কী অপরাধ করেছিল?	قَالَ اِنَّمَآ اُوْتِيْتُهٗ عَلٰى عِلْمٍ عِنْدِيْ ؕ اَوَ لَمْ يَعْلَمْ اَنَّ اللّٰهَ قَدْ اَهْلَكَ مِنْ قَبْلِهٖ مِنَ الْقُرُوْنِ مَنْ هُوَ اَشَدُّ مِنْهُ قُوَّةً وَّ اَكْثَرُ جَمْعًا ؕ وَ لَا يُسْـَٔلُ عَنْ ذُنُوْبِهِمُ الْمُجْرِمُوْنَ ۝٧٨
৭৯. কারূণ তার কওমের লোকদের সামনে উপস্থিত হয়েছিল জাঁকজমকের সাথে। যারা দুনিয়ার হায়াতটাকেই প্রাধান্য দিতো, তখন তারা বলেছিল: 'হায়, কারূণকে যেসব সম্পদ দেয়া হয়েছে আমাদেরকেও যদি সেসব দেয়া হতো! সে তো বিরাট ভাগ্যবান।'	فَخَرَجَ عَلٰى قَوْمِهٖ فِيْ زِيْنَتِهٖ ؕ قَالَ الَّذِيْنَ يُرِيْدُوْنَ الْحَيٰوةَ الدُّنْيَا يٰلَيْتَ لَنَا مِثْلَ مَآ اُوْتِيَ قَارُوْنُ ۙ اِنَّهٗ لَذُوْ حَظٍّ عَظِيْمٍ ۝٧٩
৮০. আর যাদেরকে এলেম দেয়া হয়েছিল তারা বলেছিল: 'ধ্বংস হও তোমরা, যারা ঈমান এনেছে এবং আমলে সালেহ্ করেছে তাদের জন্যে তো আল্লাহ্‌র সওয়াবই (পুরস্কারই) সর্বোত্তম। আর তা তো কেবল সবর অবলম্বনকারীরাই লাভ করবে।'	وَ قَالَ الَّذِيْنَ اُوْتُوا الْعِلْمَ وَيْلَكُمْ ثَوَابُ اللّٰهِ خَيْرٌ لِّمَنْ اٰمَنَ وَ عَمِلَ صَالِحًا ۚ وَ لَا يُلَقّٰهَآ اِلَّا الصّٰبِرُوْنَ ۝٨٠
৮১. ফলে আমরা তাকে (কারূণকে) তার ঘর-বাড়ি ও প্রাসাদ-অট্টালিকাসহ দাবিয়ে দিয়েছি মাটির নীচে। তখন তাকে আল্লাহ্‌র পাকড়াওর বিরুদ্ধে সাহায্য করার কেউই ছিলনা এবং সে নিজেও আত্মরক্ষায় সমর্থ ছিলনা।	فَخَسَفْنَا بِهٖ وَ بِدَارِهِ الْاَرْضَ ۫ فَمَا كَانَ لَهٗ مِنْ فِئَةٍ يَّنْصُرُوْنَهٗ مِنْ دُوْنِ اللّٰهِ ۗ وَمَا كَانَ مِنَ الْمُنْتَصِرِيْنَ ۝٨١
৮২. গতকালও যারা তার মতো হবার তামান্না (আকাঙ্ক্ষা) করেছিল, তারা বলতে লাগলো: 'দেখলে তো, আল্লাহ্ তাঁর বান্দাদের যাকে ইচ্ছা	وَاَصْبَحَ الَّذِيْنَ تَمَنَّوْا مَكَانَهٗ بِالْاَمْسِ يَقُوْلُوْنَ وَيْكَاَنَّ اللّٰهَ يَبْسُطُ الرِّزْقَ لِمَنْ

রিযিক প্রশস্ত করে দেন, আর যাকে ইচ্ছা সীমিত করে দেন। যদি আল্লাহ্ আমাদের প্রতি অনুগ্রহ না করতেন, তবে আমাদেরকে সহই ধ্বসিয়ে দিতেন। দেখলে তো কাফিররা সাফল্য অর্জন করেনা।'	يَّشَآءُ مِنْ عِبَادِهٖ وَ يَقْدِرُ ۚ لَوْ لَاۤ اَنْ مَّنَّ اللّٰهُ عَلَيْنَا لَخَسَفَ بِنَا ؕ وَيْكَاَنَّهٗ لَا يُفْلِحُ الْكٰفِرُوْنَ ﴿٨٢﴾	রুকু ০৮
৮৩. আখিরাতের সেই ঘর আমরা তৈরি করে রেখেছি তাদের জন্যে, যারা পৃথিবীতে উদ্ধত হতে চায়না এবং সৃষ্টি করতে চায়না ফাসাদ, আর শুভ পরিণাম তো মুত্তাকিদের জন্যেই।	تِلْكَ الدَّارُ الْاٰخِرَةُ نَجْعَلُهَا لِلَّذِيْنَ لَا يُرِيْدُوْنَ عُلُوًّا فِي الْاَرْضِ وَ لَا فَسَادًا ؕ وَ الْعَاقِبَةُ لِلْمُتَّقِيْنَ ﴿٨٣﴾	
৮৪. যে কেউ (সেখানে) কোনো ভালো কাজ নিয়ে উপস্থিত হবে, সে তার চাইতে উত্তম প্রতিফল লাভ করবে। আর যে কেউ মন্দ কাজ নিয়ে উপস্থিত হবে, তবে যারাই মন্দ কাজ করেছে তাদেরকে প্রতিদান দেয়া হবে কেবল তাদের আমলের অনুরূপ।	مَنْ جَآءَ بِالْحَسَنَةِ فَلَهٗ خَيْرٌ مِّنْهَا ۚ وَ مَنْ جَآءَ بِالسَّيِّئَةِ فَلَا يُجْزَى الَّذِيْنَ عَمِلُوا السَّيِّاٰتِ اِلَّا مَا كَانُوْا يَعْمَلُوْنَ ﴿٨٤﴾	
৮৫. যিনি তোমার প্রতি কুরআনকে বিধান বানিয়ে দিয়েছেন, তিনি অবশ্যি তোমাকে ফেরত আনবেন তোমার জন্মভূমিতে। বলো: 'আমার প্রভুই অধিক জানেন কে হিদায়াত নিয়ে এসেছে, আর কে রয়েছে সুস্পষ্ট বিপথগামিতায় নিমজ্জিত।'	اِنَّ الَّذِيْ فَرَضَ عَلَيْكَ الْقُرْاٰنَ لَرَآدُّكَ اِلٰى مَعَادٍ ؕ قُلْ رَّبِّيْۤ اَعْلَمُ مَنْ جَآءَ بِالْهُدٰى وَ مَنْ هُوَ فِيْ ضَلٰلٍ مُّبِيْنٍ ﴿٨٥﴾	
৮৬. তোমার প্রতি কিতাব নাযিল করা হবে তুমি তো কখনো সেই আশা পোষণ করোনি। এটা তো তোমার প্রভুরই অনুগ্রহ! সুতরাং তুমি কখনো কাফিরদের সাহায্যকারী হয়োনা।	وَ مَا كُنْتَ تَرْجُوْۤا اَنْ يُّلْقٰۤى اِلَيْكَ الْكِتٰبُ اِلَّا رَحْمَةً مِّنْ رَّبِّكَ فَلَا تَكُوْنَنَّ ظَهِيْرًا لِّلْكٰفِرِيْنَ ﴿٨٦﴾	
৮৭. তোমার প্রতি আল্লাহ্র আয়াত নাযিল হবার পর তারা যেনো তা থেকে তোমাকে কিছুতেই বিরত না রাখতে পারে। তুমি মানুষকে দাওয়াত দাও তোমার প্রভুর দিকে এবং কিছুতেই তুমি মুশরিকদের অন্তরভুক্ত হয়োনা।	وَ لَا يَصُدُّنَّكَ عَنْ اٰيٰتِ اللّٰهِ بَعْدَ اِذْ اُنْزِلَتْ اِلَيْكَ وَ ادْعُ اِلٰى رَبِّكَ وَ لَا تَكُوْنَنَّ مِنَ الْمُشْرِكِيْنَ ﴿٨٧﴾	
৮৮. তুমি আল্লাহ্র সাথে অন্য ইলাহ্ ডেকোনা। কারণ, তিনি ছাড়া আর কোনো ইলাহ্ নেই। তাঁর সত্তা ছাড়া প্রতিটি জিনিসই ধ্বংসশীল। সর্বময় ক্ষমতা তাঁরই এবং তোমাদেরকে তাঁরই কাছে ফিরিয়ে নেয়া হবে।	وَ لَا تَدْعُ مَعَ اللّٰهِ اِلٰهًا اٰخَرَ ۘ لَاۤ اِلٰهَ اِلَّا هُوَ ۟ كُلُّ شَيْءٍ هَالِكٌ اِلَّا وَجْهَهٗ ؕ لَهُ الْحُكْمُ وَ اِلَيْهِ تُرْجَعُوْنَ ﴿٨٨﴾	রুকু ০৯

সূরা ২৯ আনকাবুত

মক্কায় অবতীর্ণ, আয়াত সংখ্যা: ৬৯, রুকু সংখ্যা: ০৭

এই সূরার আলোচ্যসূচি (আয়াত ভিত্তিক আলোচ্যবিষয়)

০১-১৩: ঈমানের পরীক্ষা অনিবার্য। শিরক ও কুফুরির পক্ষে পিতা মাতার আদেশ মানা যাবেনা। মানুষের অত্যাচার আর আল্লাহ্‌র আযাব এক নয়। কাফিররা তাদের অনুসারীদের পাপের আযাব থেকে মুক্ত করতে পারবেনা।

১৪-৪৪: নূহ, ইবরাহিম, লুত, শুয়াইব ও মূসা আ. কর্তৃক তাদের জাতিসমূহকে সংশোধনের দাওয়াত; কিন্তু তাদের জাতিসমূহের দাওয়াত প্রত্যাখ্যান এবং তাদের ধ্বংসের ইতিহাস। মানুষ আল্লাহ্‌কে ছাড়া যাদেরকে অলি বা ইলাহ্ হিসেবে গ্রহণ করে তারা মাকড়সার ঘরের মতোই দুর্বল।

৪৫-৬৯: আল্লাহ্‌র কিতাবের অনুসরণ এবং সালাত কায়েমের নির্দেশ। মুসলিম এবং আহলে কিতাবরা একই ইলাহ্‌কে মানে। কুরআনের ব্যাপারে বিভিন্ন অভিযোগের জবাব। হিজরতের অনুমতি, তাওহীদের যুক্তি।

সূরা আনকাবুত (মাকড়াসা) পরম করুণাময় পরম দয়ালু আল্লাহ্‌র নামে।	سُوْرَةُ الْعَنْكَبُوْتِ بِسْمِ اللّٰهِ الرَّحْمٰنِ الرَّحِيْمِ
০১. আলিফ লাম মিম।	الٓمّٓ ①
০২. মানুষ কি ধারণা করে নিয়েছে যে, 'আমরা ঈমান এনেছি' একথা বললেই তাদের ছেড়ে দেয়া হবে, আর তাদের পরীক্ষা করা হবেনা?	اَحَسِبَ النَّاسُ اَنْ يُّتْرَكُوْۤا اَنْ يَّقُوْلُوْۤا اٰمَنَّا وَهُمْ لَا يُفْتَنُوْنَ ②
০৩. আমরা তাদের আগেকার লোকদেরও পরীক্ষা করেছি। আল্লাহ্ অবশ্য অবশ্যি (পরীক্ষার মাধ্যমে বাস্তবে) জেনে নেবেন তাদেরকে, যারা (ঈমানের দাবিতে) সত্যবাদী, এবং জেনে নেবেন তাদেরকে, যারা (ঈমানের দাবিতে) মিথ্যাবাদী।	وَ لَقَدْ فَتَنَّا الَّذِيْنَ مِنْ قَبْلِهِمْ فَلَيَعْلَمَنَّ اللّٰهُ الَّذِيْنَ صَدَقُوْا وَ لَيَعْلَمَنَّ الْكٰذِبِيْنَ ③
০৪. যারা মন্দ কর্মে লিপ্ত তারা কি ধারণা করেছে যে, তারা আমাদের অতিক্রম করে চলে যাবে? তাদের সিদ্ধান্ত কতো যে নিকৃষ্ট!	اَمْ حَسِبَ الَّذِيْنَ يَعْمَلُوْنَ السَّيِّاٰتِ اَنْ يَّسْبِقُوْنَا ؕ سَآءَ مَا يَحْكُمُوْنَ ④
০৫. যে ব্যক্তি আল্লাহ্‌র সাক্ষাত কামনা করে, (সে জেনে রাখুক) সাক্ষাতের সেই নির্ধারিত সময়টি অবশ্যি আসবে। তিনি সবকিছু শুনেন, সবকিছু জানেন।	مَنْ كَانَ يَرْجُوْا لِقَآءَ اللّٰهِ فَاِنَّ اَجَلَ اللّٰهِ لَاٰتٍ ؕ وَهُوَ السَّمِيْعُ الْعَلِيْمُ ⑤
০৬. যে জিহাদ করে, সে তো নিজের জন্যেই জিহাদ করে। আল্লাহ্ জগতবাসী থেকে মুখাপেক্ষাহীন।	وَ مَنْ جَاهَدَ فَاِنَّمَا يُجَاهِدُ لِنَفْسِهٖ ؕ اِنَّ اللّٰهَ لَغَنِيٌّ عَنِ الْعٰلَمِيْنَ ⑥
০৭. যারা ঈমান এনেছে এবং আমলে সালেহ্ করেছে, আমরা অবশ্যি তাদের থেকে মুছে দেবো তাদের সব মন্দকর্ম এবং তাদের প্রতিদান দেবো তাদের সর্বোত্তম আমলের ভিত্তিতে।	وَالَّذِيْنَ اٰمَنُوْا وَعَمِلُوا الصّٰلِحٰتِ لَنُكَفِّرَنَّ عَنْهُمْ سَيِّاٰتِهِمْ وَلَنَجْزِيَنَّهُمْ اَحْسَنَ الَّذِيْ كَانُوْا يَعْمَلُوْنَ ⑦

০৮. আমরা অসিয়ত (নির্দেশ) করেছি মানুষকে তার পিতা-মাতার সাথে সর্বোত্তম আচরণ করতে এবং (একথাও বলে দিয়েছি) তারা যদি আল্লাহ্‌র সাথে এমন কিছু বা কাউকেও শরিক করতে তোমার উপর চাপ প্রয়োগ করে, যার আল্লাহ্‌র শরিক হবার ব্যাপারে তোমার কোনো জ্ঞান নেই, তবে (সেক্ষেত্রে) তুমি তাদের আনুগত্য করোনা। কারণ আমার কাছেই তোমাদের ফিরে আসতে হবে, তখন আমি তোমাদের সংবাদ দেবো তোমরা কী আমল করেছিলে?	وَ وَصَّيْنَا الْاِنْسَانَ بِوَالِدَيْهِ حُسْنًا ؕ وَ اِنْ جَاهَدٰكَ لِتُشْرِكَ بِيْ مَا لَيْسَ لَكَ بِهٖ عِلْمٌ فَلَا تُطِعْهُمَا ؕ اِلَيَّ مَرْجِعُكُمْ فَاُنَبِّئُكُمْ بِمَا كُنْتُمْ تَعْمَلُوْنَ ﴿۸﴾
০৯. আর যারা ঈমান আনে এবং আমলে সালেহ্ করে, আমরা অবশ্যি তাদের অন্তরভুক্ত করবো পুণ্যবানদের।	وَ الَّذِيْنَ اٰمَنُوْا وَ عَمِلُوا الصّٰلِحٰتِ لَنُدْخِلَنَّهُمْ فِي الصّٰلِحِيْنَ ﴿۹﴾
১০. মানুষের মধ্যে কিছু লোক বলে: 'আমরা আল্লাহ্‌র প্রতি ঈমান এনেছি।' কিন্তু আল্লাহ্‌র কাজ করার কারণে তাদেরকে যখন কষ্ট দেয়া হয়, তখন মানুষের ফিতনাকে (নির্যাতনকে) তারা আল্লাহ্‌র আযাবের মতো গণ্য করে। তবে যখনই তোমার প্রভুর সাহায্য আসবে, তখনই তারা বলবে: 'আমরা তো আপনাদের সাথেই ছিলাম।' নিজের সৃষ্টি জগতের অন্তরে কী আছে তা কি আল্লাহ্ অবগত নন?	وَ مِنَ النَّاسِ مَنْ يَّقُوْلُ اٰمَنَّا بِاللّٰهِ فَاِذَاۤ اُوْذِيَ فِي اللّٰهِ جَعَلَ فِتْنَةَ النَّاسِ كَعَذَابِ اللّٰهِ ؕ وَ لَئِنْ جَآءَ نَصْرٌ مِّنْ رَّبِّكَ لَيَقُوْلُنَّ اِنَّا كُنَّا مَعَكُمْ ؕ اَوَ لَيْسَ اللّٰهُ بِاَعْلَمَ بِمَا فِيْ صُدُوْرِ الْعٰلَمِيْنَ ﴿۱۰﴾
১১. আল্লাহ্ অবশ্যি প্রকাশ করবেন তাদেরকে যারা ঈমান এনেছে এবং অবশ্যি প্রকাশ করবেন মুনাফিকদের।	وَ لَيَعْلَمَنَّ اللّٰهُ الَّذِيْنَ اٰمَنُوْا وَ لَيَعْلَمَنَّ الْمُنٰفِقِيْنَ ﴿۱۱﴾
১২. কাফিররা ঈমানদারদের বলে: 'তোমরা আমাদের পথ অনুসরণ করো, আমরা তোমাদের পাপ বহন করবো।' অথচ তারা তাদের পাপ কিছুমাত্র বহন করবেনা। তারা অবশ্যি মিথ্যাবাদী।	وَ قَالَ الَّذِيْنَ كَفَرُوْا لِلَّذِيْنَ اٰمَنُوا اتَّبِعُوْا سَبِيْلَنَا وَ لْنَحْمِلْ خَطٰيٰكُمْ ؕ وَ مَا هُمْ بِحٰمِلِيْنَ مِنْ خَطٰيٰهُمْ مِّنْ شَيْءٍ ؕ اِنَّهُمْ لَكٰذِبُوْنَ ﴿۱۲﴾
১৩. তারা নিজেদের বোঝা (loads) তো বহন করবেই, সেই সাথে বহন করবে আরো (loads) বোঝা। কিয়ামতের দিন তাদের (এসব) মিথ্যা রচনার ব্যাপারে অবশ্যি তাদের জিজ্ঞাসাবাদ করা হবে।	وَ لَيَحْمِلُنَّ اَثْقَالَهُمْ وَ اَثْقَالًا مَّعَ اَثْقَالِهِمْ ۫ وَ لَيُسْـَٔلُنَّ يَوْمَ الْقِيٰمَةِ عَمَّا كَانُوْا يَفْتَرُوْنَ ﴿۱۳﴾
১৪. আমরা নূহকে পাঠিয়েছিলাম তার কওমের কাছে। সে তাদের মধ্যে অবস্থান করেছিল পঞ্চাশ কম এক হাজার বছর। অবশেষে তাদের পাকড়াও করে তুফান (প্লাবন), কারণ তারা ছিলো যালিম।	وَ لَقَدْ اَرْسَلْنَا نُوْحًا اِلٰى قَوْمِهٖ فَلَبِثَ فِيْهِمْ اَلْفَ سَنَةٍ اِلَّا خَمْسِيْنَ عَامًا ؕ فَاَخَذَهُمُ الطُّوْفَانُ وَ هُمْ ظٰلِمُوْنَ ﴿۱۴﴾

রুকু ০১

১৫. তারপর আমরা নাজাত দিয়েছিলাম তাকে (নূহকে) এবং নৌযানে আরোহীদেরকে আর এ ঘটনাকে করে দিয়েছি জগতবাসীর জন্যে একটি নিদর্শন।	فَاَنْجَيْنٰهُ وَاَصْحٰبَ السَّفِيْنَةِ وَجَعَلْنٰهَآ اٰيَةً لِّلْعٰلَمِيْنَ ﴿١٥﴾
১৬. স্মরণ করো ইবরাহিমের কথা, সে তার কওমকে বলেছিল: "তোমরা এক আল্লাহ্‌র ইবাদত করো এবং তাঁকে ভয় করো, এটাই তোমাদের জন্যে উত্তম, যদি তোমরা জ্ঞান রাখো।	وَاِبْرٰهِيْمَ اِذْ قَالَ لِقَوْمِهِ اعْبُدُوا اللّٰهَ وَاتَّقُوْهُ ؕ ذٰلِكُمْ خَيْرٌ لَّكُمْ اِنْ كُنْتُمْ تَعْلَمُوْنَ ﴿١٦﴾
১৭. তোমরা তো আল্লাহ্‌র পরিবর্তে উপাসনা করছো মূর্তি-ভাস্কর্যের, আর রচনা করছো মিথ্যা। তোমরা আল্লাহ্‌র পরিবর্তে যাদের ইবাদত করছো, তারা তোমাদের রিযিক দেয়ার মালিক নয়। সুতরাং তোমরা রিযিক চাও আল্লাহ্‌র কাছে, এবং তাঁরই ইবাদত করো আর তাঁরই প্রতি শোকরিয়া আদায় করো। কারণ, তাঁর কাছেই তোমাদের ফিরিয়ে নেয়া হবে।	اِنَّمَا تَعْبُدُوْنَ مِنْ دُوْنِ اللّٰهِ اَوْثَانًا وَّتَخْلُقُوْنَ اِفْكًا ؕ اِنَّ الَّذِيْنَ تَعْبُدُوْنَ مِنْ دُوْنِ اللّٰهِ لَا يَمْلِكُوْنَ لَكُمْ رِزْقًا فَابْتَغُوْا عِنْدَ اللّٰهِ الرِّزْقَ وَاعْبُدُوْهُ وَاشْكُرُوْا لَهٗ ؕ اِلَيْهِ تُرْجَعُوْنَ ﴿١٧﴾
১৮. তোমরা যদি (রসূলকে) প্রত্যাখ্যান করো, তবে তোমাদের আগেও বহু জাতি প্রত্যাখ্যান করেছিল। স্পষ্টভাবে বার্তা পৌঁছে দেয়া ছাড়া রসূলের আর কোনো দায়িত্ব নেই।"	وَاِنْ تُكَذِّبُوْا فَقَدْ كَذَّبَ اُمَمٌ مِّنْ قَبْلِكُمْ ؕ وَمَا عَلَى الرَّسُوْلِ اِلَّا الْبَلٰغُ الْمُبِيْنُ ﴿١٨﴾
১৯. তারা কি চিন্তা করে দেখেনা, আল্লাহ্ কিভাবে সৃষ্টিকে অস্তিত্ব দান করেন, তারপর পুনরায় সৃষ্টি করেন? একাজ আল্লাহ্‌র জন্যে একেবারেই সহজ।	اَوَلَمْ يَرَوْا كَيْفَ يُبْدِئُ اللّٰهُ الْخَلْقَ ثُمَّ يُعِيْدُهٗ ؕ اِنَّ ذٰلِكَ عَلَى اللّٰهِ يَسِيْرٌ ﴿١٩﴾
২০. হে নবী! বলো: 'তোমরা জমিনে ভ্রমণ করে দেখো, আল্লাহ্ কী প্রক্রিয়ায় সৃষ্টির সূচনা করেন, তারপর সৃষ্টি করেন পরবর্তী সৃষ্টি? নিশ্চয়ই আল্লাহ্ প্রতিটি বিষয়ে সর্বশক্তিমান।'	قُلْ سِيْرُوْا فِى الْاَرْضِ فَانْظُرُوْا كَيْفَ بَدَاَ الْخَلْقَ ثُمَّ اللّٰهُ يُنْشِئُ النَّشْاَةَ الْاٰخِرَةَ ؕ اِنَّ اللّٰهَ عَلٰى كُلِّ شَيْءٍ قَدِيْرٌ ﴿٢٠﴾
২১. তিনি যাকে ইচ্ছা করেন আযাব দেন এবং যাকে ইচ্ছা করেন রহম করেন এবং তাঁর কাছেই হবে তোমাদের প্রত্যাবর্তন।	يُعَذِّبُ مَنْ يَّشَآءُ وَيَرْحَمُ مَنْ يَّشَآءُ ۚ وَاِلَيْهِ تُقْلَبُوْنَ ﴿٢١﴾
২২. তোমরা পৃথিবীতেও পালাতে পারবেনা, আসমানেও নয়। আর আল্লাহ্ ছাড়া তোমাদের কোনো অলিও নেই, সাহায্যকারীও নেই।	وَمَآ اَنْتُمْ بِمُعْجِزِيْنَ فِى الْاَرْضِ وَلَا فِى السَّمَآءِ ۫ وَمَا لَكُمْ مِّنْ دُوْنِ اللّٰهِ مِنْ وَّلِيٍّ وَّلَا نَصِيْرٍ ﴿٢٢﴾
২৩. যারা আল্লাহ্‌র আয়াতকে এবং তাঁর সাথে	وَالَّذِيْنَ كَفَرُوْا بِاٰيٰتِ اللّٰهِ وَلِقَآئِهٖ

রুকু ০২

সাক্ষাত হওয়াকে অস্বীকার করে, তারাই হয় আমার রহমত থেকে নিরাশ, আর তাদের জন্যে রয়েছে বেদনাদায়ক আযাব।

أُولَٰٓئِكَ يَئِسُوا مِن رَّحْمَتِي وَأُولَٰٓئِكَ لَهُمْ عَذَابٌ أَلِيمٌ ﴿٢٣﴾

২৪. তার (ইবরাহিমের) কওমের জওয়াব একটাই ছিলো, তারা বলেছিল: 'তাকে (ইবরাহিমকে) হত্যা করো অথবা আগুনে পোড়াও।' কিন্তু আল্লাহ্ তাকে আগুনে দগ্ধ হওয়া থেকে রক্ষা করেন। এতে রয়েছে নিদর্শন বিশ্বাসী লোকদের জন্যে।

فَمَا كَانَ جَوَابَ قَوْمِهِۦٓ إِلَّآ أَن قَالُوا اقْتُلُوهُ أَوْ حَرِّقُوهُ فَأَنجَىٰهُ اللَّهُ مِنَ النَّارِ ۚ إِنَّ فِي ذَٰلِكَ لَءَايَٰتٍ لِّقَوْمٍ يُؤْمِنُونَ ﴿٢٤﴾

২৫. ইবরাহিম বলেছিল: 'তোমরা তো আল্লাহ্র পরিবর্তে ভাস্কর্যদের উপাস্য হিসেবে গ্রহণ করেছো দুনিয়ার জীবনে তোমাদের পারস্পারিক বন্ধুত্বের খাতিরে। কিন্তু কিয়ামতের দিন এই তোমরাই পরস্পরকে অস্বীকার করবে এবং পরস্পরকে লা'নত দেবে। তোমাদের আবাস হবে জাহান্নাম এবং তোমাদের কোনো সাহায্যকারী হবেনা।'

وَقَالَ إِنَّمَا اتَّخَذْتُم مِّن دُونِ اللَّهِ أَوْثَٰنًا مَّوَدَّةَ بَيْنِكُمْ فِي الْحَيَوٰةِ الدُّنْيَا ۖ ثُمَّ يَوْمَ الْقِيَٰمَةِ يَكْفُرُ بَعْضُكُم بِبَعْضٍ وَيَلْعَنُ بَعْضُكُم بَعْضًا وَمَأْوَىٰكُمُ النَّارُ وَمَا لَكُم مِّن نَّٰصِرِينَ ﴿٢٥﴾

২৬. তখন লুত তার প্রতি ঈমান আনে। ইবরাহিম বলেছিল: 'আমি আমার প্রভুর উদ্দেশ্যে হিজরত করছি, নিশ্চয়ই তিনি মহাশক্তিধর, প্রজ্ঞাবান।'

فَـَٔامَنَ لَهُۥ لُوطٌ ۘ وَقَالَ إِنِّي مُهَاجِرٌ إِلَىٰ رَبِّيٓ ۖ إِنَّهُۥ هُوَ الْعَزِيزُ الْحَكِيمُ ﴿٢٦﴾

২৭. আমরা তাকে দান করেছিলাম (পুত্র) ইসহাক এবং (নাতি) ইয়াকুবকে। আমরা তার বংশধরদের মধ্যে দিয়েছি নবুয়্যত আর কিতাব। এছাড়া আমরা তাকে তার পুরস্কার দান করেছি দুনিয়ায়, আর আখিরাতে। অবশ্যি সে অন্তরভুক্ত হবে পুণ্যবানদের।

وَوَهَبْنَا لَهُۥٓ إِسْحَٰقَ وَيَعْقُوبَ وَجَعَلْنَا فِي ذُرِّيَّتِهِ النُّبُوَّةَ وَالْكِتَٰبَ وَءَاتَيْنَٰهُ أَجْرَهُۥ فِي الدُّنْيَا ۖ وَإِنَّهُۥ فِي الْءَاخِرَةِ لَمِنَ الصَّٰلِحِينَ ﴿٢٧﴾

২৮. স্মরণ করো লুতের কথা, সে তার কওমকে বলেছিল: 'তোমরা এমন ফাহেশা কাজ করছো, যা তোমাদের আগে জগতের কেউ করেনি।'

وَلُوطًا إِذْ قَالَ لِقَوْمِهِۦٓ إِنَّكُمْ لَتَأْتُونَ الْفَٰحِشَةَ مَا سَبَقَكُم بِهَا مِنْ أَحَدٍ مِّنَ الْعَٰلَمِينَ ﴿٢٨﴾

২৯. 'তোমরা কি পুরুষের সাথে যৌন মিলন করে যাবে? জনপথে ডাকাতি করে যাবে? আর জনসম্মুখে অসৎকাজ করতে থাকবে?' এর জওয়াবে তার কওম একথাই বলেছিল: 'তুমি যদি সত্যবাদী হয়ে থাকো, তবে আমাদের প্রতি আল্লাহ্র আযাব এনে দেখাও।'

أَئِنَّكُمْ لَتَأْتُونَ الرِّجَالَ وَتَقْطَعُونَ السَّبِيلَ ۙ وَتَأْتُونَ فِي نَادِيكُمُ الْمُنكَرَ ۖ فَمَا كَانَ جَوَابَ قَوْمِهِۦٓ إِلَّآ أَن قَالُوا ائْتِنَا بِعَذَابِ اللَّهِ إِن كُنتَ مِنَ الصَّٰدِقِينَ ﴿٢٩﴾

৩০. তখন লুত বলেছিল: 'হে আমার প্রভু! ফাসাদ সৃষ্টিকারী লোকদের বিরুদ্ধে আমাকে সাহায্য করো।'

قَالَ رَبِّ انصُرْنِي عَلَى الْقَوْمِ الْمُفْسِدِينَ ﴿٣٠﴾

রুকু ০৩

৩১. আমাদের দূতরা (ফেরেশ্‌তারা) যখন ইবরাহিমের কাছে এসেছিল সুসংবাদ নিয়ে, তখন তারা বলেছিল: 'এই জনপদবাসীকে আমরা ধ্বংস করে দেবো, এর অধিবাসিরা যালিম।'	وَ لَمَّا جَآءَتْ رُسُلُنَآ اِبْرٰهِيْمَ بِالْبُشْرٰى قَالُوْٓا اِنَّا مُهْلِكُوْٓا اَهْلِ هٰذِهِ الْقَرْيَةِ ۚ اِنَّ اَهْلَهَا كَانُوْا ظٰلِمِيْنَ ﴿۳۱﴾
৩২. ইবরাহিম বললো: 'সেখানে তো লুতও রয়েছে।' তারা বললো: 'সেখানে কারা আছে আমরা ভালো করেই জানি। আমরা লুতকে এবং তার পরিবার পরিজনকে রক্ষা করবো, তবে তার স্ত্রীকে নয়। সে পেছনে পড়াদের অন্তরভুক্ত হয়ে যাবে।'	قَالَ اِنَّ فِيْهَا لُوْطًا ؕ قَالُوْا نَحْنُ اَعْلَمُ بِمَنْ فِيْهَا ٝ لَنُنَجِّيَنَّهٗ وَ اَهْلَهٗٓ اِلَّا امْرَاَتَهٗ ۫ كَانَتْ مِنَ الْغٰبِرِيْنَ ﴿۳۲﴾
৩৩. আমাদের দূতরা যখন লুতের কাছে এসে পৌঁছালো, তাদের দেখে সে বিষণ্ন হয়ে পড়লো এবং নিজেকে তাদের রক্ষায় অসমর্থ মনে করলো। তারা বললো: "আপনি ভয়ও পাবেননা, চিন্তিতও হবেননা। আমরা রক্ষা করবো আপনাকে এবং আপনার পরিবারবর্গকে আপনার স্ত্রীকে বাদে। আপনার স্ত্রী পেছনে পড়াদের অন্তরভুক্ত হবে।	وَ لَمَّآ اَنْ جَآءَتْ رُسُلُنَا لُوْطًا سِیْٓءَ بِهِمْ وَ ضَاقَ بِهِمْ ذَرْعًا وَّ قَالُوْا لَا تَخَفْ وَ لَا تَحْزَنْ ۫ اِنَّا مُنَجُّوْكَ وَ اَهْلَكَ اِلَّا امْرَاَتَكَ كَانَتْ مِنَ الْغٰبِرِيْنَ ﴿۳۳﴾
৩৪. আমরা এই জনপদবাসীর উপর আসমান থেকে আযাব নাযিল করবো তাদের পাপাচারের কারণে।"	اِنَّا مُنْزِلُوْنَ عَلٰٓى اَهْلِ هٰذِهِ الْقَرْيَةِ رِجْزًا مِّنَ السَّمَآءِ بِمَا كَانُوْا يَفْسُقُوْنَ ﴿۳۴﴾
৩৫. যারা বিবেক বুদ্ধি খাটিয়ে চলে আমরা এ ঘটনার মধ্যে তাদের জন্যে রেখে দিয়েছি একটি সুস্পষ্ট নিদর্শন।	وَ لَقَدْ تَّرَكْنَا مِنْهَآ اٰيَةًۢ بَيِّنَةً لِّقَوْمٍ يَّعْقِلُوْنَ ﴿۳۵﴾
৩৬. আমরা মাদায়েনে পাঠিয়েছিলাম তাদের ভাই শুয়াইবকে। সে তাদের বলেছিল: 'হে আমার কওম! তোমরা এক আল্লাহ্‌র দাসত্ব করো এবং শেষ দিনকে ভয় করো, আর পৃথিবীতে ফাসাদ সৃষ্টি করে বেড়িয়োনা।'	وَ اِلٰى مَدْيَنَ اَخَاهُمْ شُعَيْبًا ۙ فَقَالَ يٰقَوْمِ اعْبُدُوا اللّٰهَ وَ ارْجُوا الْيَوْمَ الْاٰخِرَ وَ لَا تَعْثَوْا فِی الْاَرْضِ مُفْسِدِيْنَ ﴿۳۶﴾
৩৭. কিন্তু তারা তাকে প্রত্যাখ্যান করে। ফলে তাদেরকে আঘাত করে ভূমিকম্প, আর তারা পড়ে থাকে নিজেদের ঘরে উপুড় হয়ে।	فَكَذَّبُوْهُ فَاَخَذَتْهُمُ الرَّجْفَةُ فَاَصْبَحُوْا فِیْ دَارِهِمْ جٰثِمِيْنَ ﴿۳۷﴾
৩৮. আর আমরা আদ এবং সামুদ জাতিকেও ধ্বংস করে দিয়েছিলাম। তাদের (বিরান) বাড়িঘরই তোমাদের জন্যে সুস্পষ্ট প্রমাণ। শয়তান তাদের মন্দ কর্মকাণ্ড তাদের কাছে চাকচিক্যময় করে রেখেছিল। ফলে সে তাদেরকে	وَ عَادًا وَّ ثَمُوْدَاۡ وَ قَدْ تَّبَيَّنَ لَكُمْ مِّنْ مَّسٰكِنِهِمْ ۫ وَ زَيَّنَ لَهُمُ الشَّيْطٰنُ اَعْمَالَهُمْ فَصَدَّهُمْ عَنِ السَّبِيْلِ وَ

সঠিক পথে আসতে বাধা সৃষ্টি করে, তারা খুব চালাক এবং বিচক্ষণও ছিলো।	كَانُوْا مُسْتَبْصِرِيْنَ ۟ۙ٣٨
৩৯. কারূণ, ফেরাউন ও হামান, এদের কাছে এসেছিল মূসা সুস্পষ্ট নিদর্শনাবলি নিয়ে। তখন তারা দেশে হঠকারী শাসন চালাচ্ছিল। কিন্তু তারা (আমার শাস্তিকে) অতিক্রম করতে পারেনি।	وَ قَارُوْنَ وَ فِرْعَوْنَ وَ هَامٰنَ ۟ وَ لَقَدْ جَآءَهُمْ مُّوْسٰی بِالْبَیِّنٰتِ فَاسْتَكْبَرُوْا فِی الْاَرْضِ وَ مَا كَانُوْا سٰبِقِیْنَ ۟ۚۖ٣٩
৪০. এদের প্রত্যেককেই আমরা তাদের অপরাধের জন্যে শাস্তি দিয়েছি। তাদের কারো প্রতি আমরা পাঠিয়েছি পাথর বৃষ্টি, কাউকেও আঘাত করেছে প্রকাণ্ড শব্দ, কাউকেও দাবিয়ে দিয়েছিলাম ভূ-গর্ভে, কাউকেও ডুবিয়ে দিয়েছিলাম সমুদ্রে। আল্লাহ্ তাদের প্রতি যুলুম করেননি, তারা নিজেরাই যুলুম করেছিল নিজেদের প্রতি।	فَكُلًّا اَخَذْنَا بِذَنْۢبِهٖ ۚ فَمِنْهُمْ مَّنْ اَرْسَلْنَا عَلَیْهِ حَاصِبًا ۚ وَ مِنْهُمْ مَّنْ اَخَذَتْهُ الصَّیْحَةُ ۚ وَ مِنْهُمْ مَّنْ خَسَفْنَا بِهِ الْاَرْضَ ۚ وَ مِنْهُمْ مَّنْ اَغْرَقْنَا ۚ وَ مَا كَانَ اللّٰهُ لِیَظْلِمَهُمْ وَ لٰكِنْ كَانُوْۤا اَنْفُسَهُمْ یَظْلِمُوْنَ ۟٤٠
৪১. যারা আল্লাহ্‌র পরিবর্তে অন্যদেরকে অলি হিসেবে গ্রহণ করে, তাদের দৃষ্টান্ত হলো মাকড়সার দৃষ্টান্ত, সে নিজের জন্যে ঘর বানায়, আর ঘরের মধ্যে মাকড়সার ঘরই সবচাইতে দুর্বল, যদি তারা জ্ঞান রাখতো!	مَثَلُ الَّذِیْنَ اتَّخَذُوْا مِنْ دُوْنِ اللّٰهِ اَوْلِیَآءَ كَمَثَلِ الْعَنْكَبُوْتِ ۖۚ اِتَّخَذَتْ بَیْتًا ؕ وَ اِنَّ اَوْهَنَ الْبُیُوْتِ لَبَیْتُ الْعَنْكَبُوْتِ ۘ لَوْ كَانُوْا یَعْلَمُوْنَ ۟٤١
৪২. তারা আল্লাহ্‌র পরিবর্তে যা কিছুকেই ডাকে, আল্লাহ্ তা জানেন। তিনি মহাশক্তিধর, মহাবিজ্ঞানী।	اِنَّ اللّٰهَ یَعْلَمُ مَا یَدْعُوْنَ مِنْ دُوْنِهٖ مِنْ شَیْءٍ ؕ وَ هُوَ الْعَزِیْزُ الْحَكِیْمُ ۟٤٢
৪৩. আমরা মানুষের জন্যে দিয়ে থাকি এসব দৃষ্টান্ত, কিন্তু জ্ঞানীরা ছাড়া কেউ তা বুঝেনা।	وَ تِلْكَ الْاَمْثَالُ نَضْرِبُهَا لِلنَّاسِ ۚ وَ مَا یَعْقِلُهَاۤ اِلَّا الْعٰلِمُوْنَ ۟٤٣
৪৪. আল্লাহ্ই সৃষ্টি করেছেন মহাকাশ এবং এই পৃথিবী বাস্তবতার ভিত্তিতে। অবশ্যি এতে রয়েছে একটি নিদর্শন মুমিনদের জন্যে।	خَلَقَ اللّٰهُ السَّمٰوٰتِ وَ الْاَرْضَ بِالْحَقِّ ؕ اِنَّ فِیْ ذٰلِكَ لَاٰیَةً لِّلْمُؤْمِنِیْنَ ۟٤٤

রুকু ০৪

পারা ২১

৪৫. তিলাওয়াত করো কিতাব যা তোমার প্রতি অহি করা হয়েছে এবং কায়েম করো সালাত। নিশ্চয়ই সালাত বিরত রাখে ফাহেশা এবং মুনকার (মন্দকর্ম) থেকে। আল্লাহ্‌র যিকিরই সর্বশ্রেষ্ঠ। আল্লাহ্ জানেন তোমরা যা করো।

اُتۡلُ مَاۤ اُوۡحِیَ اِلَیۡكَ مِنَ الۡكِتٰبِ وَاَقِمِ الصَّلٰوةَ ؕ اِنَّ الصَّلٰوةَ تَنۡهٰی عَنِ الۡفَحۡشَآءِ وَ الۡمُنۡكَرِ ؕ وَلَذِكۡرُ اللّٰهِ اَكۡبَرُ ؕ وَاللّٰهُ یَعۡلَمُ مَا تَصۡنَعُوۡنَ ﴿۴۵﴾

৪৬. সৌজন্যমূলক ও যুক্তিসংগত পন্থা ছাড়া আহলে কিতাবের সাথে বিতর্ক করোনা, তবে তাদের মধ্যে যারা যুলুম করে তাদের কথা ভিন্ন। তোমরা তাদের বলো: 'আমরা ঈমান এনেছি সেই কিতাবের প্রতি যা নাযিল করা হয়েছে আমাদের প্রতি এবং যা নাযিল করা হয়েছে তোমাদের প্রতি, আর আমাদের ইলাহ্ ও তোমাদের ইলাহ্ একই ইলাহ্, আমরা তাঁরই প্রতি আত্মসমর্পণকারী।'

وَ لَا تُجَادِلُوۡۤا اَهۡلَ الۡكِتٰبِ اِلَّا بِالَّتِیۡ هِیَ اَحۡسَنُ ٭ۖ اِلَّا الَّذِیۡنَ ظَلَمُوۡا مِنۡهُمۡ وَ قُوۡلُوۡۤا اٰمَنَّا بِالَّذِیۡۤ اُنۡزِلَ اِلَیۡنَا وَ اُنۡزِلَ اِلَیۡكُمۡ وَ اِلٰهُنَا وَ اِلٰهُكُمۡ وَاحِدٌ وَّ نَحۡنُ لَهٗ مُسۡلِمُوۡنَ ﴿۴۶﴾

৪৭. এভাবেই আমরা নাযিল করেছি তোমার প্রতি এই কিতাব। যাদের আমরা কিতাব দিয়েছি তারা এটির প্রতি ঈমান রাখে এবং এখনকার এদের (আহলে কিতাবের) কেউ কেউও এটির প্রতি ঈমান রাখে। কাফিররা ছাড়া আর কেউই আমাদের আয়াত অস্বীকার করেনা।

وَ كَذٰلِكَ اَنۡزَلۡنَاۤ اِلَیۡكَ الۡكِتٰبَ ؕ فَالَّذِیۡنَ اٰتَیۡنٰهُمُ الۡكِتٰبَ یُؤۡمِنُوۡنَ بِهٖ ۚ وَ مِنۡ هٰۤؤُلَآءِ مَنۡ یُّؤۡمِنُ بِهٖ ؕ وَ مَا یَجۡحَدُ بِاٰیٰتِنَاۤ اِلَّا الۡكٰفِرُوۡنَ ﴿۴۷﴾

৪৮. তুমি তো এর আগে কোনো কিতাব তিলাওয়াত করতেনা এবং নিজ হাতে কোনো কিতাব লিখতেও না, তেমনটি হলে হয়তো মিথ্যাবাদীরা সন্দেহ পোষণ করতে পারতো।

وَ مَا كُنۡتَ تَتۡلُوۡا مِنۡ قَبۡلِهٖ مِنۡ كِتٰبٍ وَّ لَا تَخُطُّهٗ بِیَمِیۡنِكَ اِذًا لَّارۡتَابَ الۡمُبۡطِلُوۡنَ ﴿۴۸﴾

৪৯. বরং যাদের এলেম দেয়া হয়েছে তাদের অন্তরে এটি একটি সুস্পষ্ট নিদর্শন। যালিমরা ছাড়া আর কেউই আমাদের আয়াত অস্বীকার করেনা।

بَلۡ هُوَ اٰیٰتٌۢ بَیِّنٰتٌ فِیۡ صُدُوۡرِ الَّذِیۡنَ اُوۡتُوا الۡعِلۡمَ ؕ وَ مَا یَجۡحَدُ بِاٰیٰتِنَاۤ اِلَّا الظّٰلِمُوۡنَ ﴿۴۹﴾

৫০. তারা বলে: 'তার প্রভুর নিকট থেকে তার কাছে কোনো নিদর্শন আসেনা কেন?' তুমি বলো: 'নিদর্শন পাঠানোর বিষয়টা তো আল্লাহর এখতিয়ারে। আমি তো কেবল একজন সুস্পষ্ট সতর্ককারী ছাড়া আর কিছু নই।'

وَ قَالُوۡا لَوۡ لَاۤ اُنۡزِلَ عَلَیۡهِ اٰیٰتٌ مِّنۡ رَّبِّهٖ ؕ قُلۡ اِنَّمَا الۡاٰیٰتُ عِنۡدَ اللّٰهِ ؕ وَ اِنَّمَاۤ اَنَا نَذِیۡرٌ مُّبِیۡنٌ ﴿۵۰﴾

৫১. তাদের জন্যে এটা কি যথেষ্ট নয় যে, আমরা তোমার প্রতি এই কিতাব নাযিল করেছি, যা তাদের প্রতি তিলাওয়াত করা হয়। নিশ্চয়ই এতে রয়েছে রহমত ও উপদেশ সেইসব লোকদের জন্যে যারা ঈমান রাখে।

রুকু ০৫

اَوَ لَمۡ یَكۡفِهِمۡ اَنَّاۤ اَنۡزَلۡنَا عَلَیۡكَ الۡكِتٰبَ یُتۡلٰی عَلَیۡهِمۡ ؕ اِنَّ فِیۡ ذٰلِكَ لَرَحۡمَةً وَّ ذِكۡرٰی لِقَوۡمٍ یُّؤۡمِنُوۡنَ ﴿۵۱﴾

৫২. তুমি বলো: 'আমার ও তোমাদের মাঝে শহীদ (সাক্ষী) হিসেবে আল্লাহ্ই যথেষ্ট। তিনি জানেন মহাকাশ ও পৃথিবীতে যা কিছু আছে। যারা বাতিলের প্রতি ঈমান রাখে এবং কুফুরি করে আল্লাহ্র প্রতি, তারাই আসল ক্ষতিগ্রস্ত।'	قُلْ كَفٰى بِاللّٰهِ بَيْنِيْ وَبَيْنَكُمْ شَهِيْدًا ۚ يَعْلَمُ مَا فِى السَّمٰوٰتِ وَالْاَرْضِ ؕ وَالَّذِيْنَ اٰمَنُوْا بِالْبَاطِلِ وَكَفَرُوْا بِاللّٰهِ ۙ اُولٰٓئِكَ هُمُ الْخٰسِرُوْنَ ﴿۵۲﴾
৫৩. তারা তোমার কাছে আহ্বান জানায় দ্রুত আযাব এনে দিতে। যদি সময় নির্ধারিত না থাকতো, তাহলে অবশ্যি তাদের উপর আযাব এসে যেতো। আযাব অবশ্যি তাদের উপর আসবে আকস্মিকভাবে এবং তারা টেরও পাবেনা।	وَيَسْتَعْجِلُوْنَكَ بِالْعَذَابِ ؕ وَلَوْلَاۤ اَجَلٌ مُّسَمًّى لَّجَآءَهُمُ الْعَذَابُ ؕ وَلَيَاْتِيَنَّهُمْ بَغْتَةً وَّهُمْ لَا يَشْعُرُوْنَ ﴿۵۳﴾
৫৪. তারা তোমাকে দ্রুত আযাব এনে দিতে বলে। জাহান্নাম অবশ্যি কাফিরদের পরিবেষ্টন করবে।	يَسْتَعْجِلُوْنَكَ بِالْعَذَابِ ؕ وَاِنَّ جَهَنَّمَ لَمُحِيْطَةٌۢ بِالْكٰفِرِيْنَ ۙ ﴿۵۴﴾
৫৫. সেদিন তাদের উপর থেকে এবং তাদের পায়ের নিচে থেকে আযাব এসে তাদের ঢেকে ফেলবে এবং তিনি বলবেন: তোমরা যেসব আমল করতে তার স্বাদ গ্রহণ করো।	يَوْمَ يَغْشٰهُمُ الْعَذَابُ مِنْ فَوْقِهِمْ وَمِنْ تَحْتِ اَرْجُلِهِمْ وَيَقُوْلُ ذُوْقُوْا مَا كُنْتُمْ تَعْمَلُوْنَ ﴿۵۵﴾
৫৬. হে আমার সেইসব বান্দারা যারা ঈমান এনেছো! আমার পৃথিবী অনেক প্রশস্ত, সুতরাং তোমরা কেবল আমারই ইবাদত করো।	يٰعِبَادِيَ الَّذِيْنَ اٰمَنُوْۤا اِنَّ اَرْضِيْ وَاسِعَةٌ فَاِيَّايَ فَاعْبُدُوْنِ ﴿۵۶﴾
৫৭. প্রত্যেক ব্যক্তিই মৃত্যুর স্বাদ গ্রহণ করবে। তারপর আমাদের কাছেই তোমাদের ফিরিয়ে আনা হবে।	كُلُّ نَفْسٍ ذَآئِقَةُ الْمَوْتِ ۟ ثُمَّ اِلَيْنَا تُرْجَعُوْنَ ﴿۵۷﴾
৫৮. আর যারা ঈমান আনবে এবং আমলে সালেহ্ করবে আমরা অবশ্যি তাদের বসবাসের জন্যে জান্নাতে উঁচু প্রাসাদ দান করবো। সেসবের নিচে দিয়ে বহমান থাকবে নদ নদী নহর। চিরদিন থাকবে তারা সেখানে। কতো যে উত্তম প্রতিদান নেক আমলকারীদের জন্যে,	وَالَّذِيْنَ اٰمَنُوْا وَعَمِلُوا الصّٰلِحٰتِ لَنُبَوِّئَنَّهُمْ مِّنَ الْجَنَّةِ غُرَفًا تَجْرِيْ مِنْ تَحْتِهَا الْاَنْهٰرُ خٰلِدِيْنَ فِيْهَا ؕ نِعْمَ اَجْرُ الْعٰمِلِيْنَ ۖ ﴿۵۸﴾
৫৯. যারা সবর অবলম্বন করে এবং তাওয়াক্কুল করে তাদের প্রভুর উপর!	الَّذِيْنَ صَبَرُوْا وَعَلٰى رَبِّهِمْ يَتَوَكَّلُوْنَ ﴿۵۹﴾
৬০. এমন অনেক জীব-জানোয়ার আছে যারা নিজেদের রিযিক মওজুদ করে রাখেনা, আল্লাহ্ই তাদের রিযিক দেন এবং তোমাদেরকেও। তিনি সব শুনেন, সব জানেন।	وَكَاَيِّنْ مِّنْ دَآبَّةٍ لَّا تَحْمِلُ رِزْقَهَا ۖ اَللّٰهُ يَرْزُقُهَا وَاِيَّاكُمْ ۖ وَهُوَ السَّمِيْعُ الْعَلِيْمُ ﴿۶۰﴾
৬১. তুমি যদি তাদের জিজ্ঞেস করো: 'আসমান জমিন কে সৃষ্টি করেছে এবং কে নিয়ন্ত্রণ করছে সূর্য আর চাঁদ?' তারা অবশ্যি বলবে: 'আল্লাহ্।'	وَلَئِنْ سَاَلْتَهُمْ مَّنْ خَلَقَ السَّمٰوٰتِ وَالْاَرْضَ وَسَخَّرَ الشَّمْسَ وَالْقَمَرَ

তাহলে তারা কোথা থেকে প্রতারিত হচ্ছে?	لَيَقُوْلُنَّ اللّٰهُ ۚ فَاَنّٰى يُؤْفَكُوْنَ ﴿٦١﴾
৬২. আল্লাহ্ই বৃদ্ধি করে দেন রিযিক যাকে চান তাঁর বান্দাদের মধ্যে এবং নিয়ন্ত্রণ করে দেন যাকে চান। নিশ্চয়ই আল্লাহ্ প্রতিটি বিষয়ে অবগত।	اَللّٰهُ يَبْسُطُ الرِّزْقَ لِمَنْ يَّشَآءُ مِنْ عِبَادِهٖ وَ يَقْدِرُ لَهٗ ؕ اِنَّ اللّٰهَ بِكُلِّ شَیْءٍ عَلِيْمٌ ﴿٦٢﴾
৬৩. তুমি যদি তাদের জিজ্ঞেস করো, কে নাযিল করেন আসমান থেকে পানি, তারপর তা দিয়ে জীবিত করেন জমিনকে তা মরে (শুকিয়ে) যাবার পর? অবশ্যি তারা বলবে: 'আল্লাহ্।' বলো: 'আলহামদু লিল্লাহ!' বরং তাদের অধিকাংশই আকল-বুদ্ধি রাখেনা।	وَ لَئِنْ سَاَلْتَهُمْ مَّنْ نَّزَّلَ مِنَ السَّمَآءِ مَآءً فَاَحْيَا بِهِ الْاَرْضَ مِنْۢ بَعْدِ مَوْتِهَا لَيَقُوْلُنَّ اللّٰهُ ؕ قُلِ الْحَمْدُ لِلّٰهِ ؕ بَلْ اَكْثَرُهُمْ لَا يَعْقِلُوْنَ ﴿٦٣﴾
৬৪. এই দুনিয়ার জীবনটা খেলতামাশা ছাড়া আর কিছুই নয়। আখিরাতের জীবনই চিরন্তন জীবন, যদি তারা জানতো!	وَ مَا هٰذِهِ الْحَيٰوةُ الدُّنْيَاۤ اِلَّا لَهْوٌ وَّ لَعِبٌ ؕ وَ اِنَّ الدَّارَ الْاٰخِرَةَ لَهِیَ الْحَيَوَانُ ۘ لَوْ كَانُوْا يَعْلَمُوْنَ ﴿٦٤﴾
৬৫. তারা যখন নৌযানে আরোহণ করে, তখন আন্তরিক নিষ্ঠার সাথে তারা আল্লাহ্কে ডাকে, তারপর যখন তিনি তাদেরকে নাজাত দিয়ে কূলে নিয়ে আসেন, তখন তারা শিরক করতে থাকে,	فَاِذَا رَكِبُوْا فِی الْفُلْكِ دَعَوُا اللّٰهَ مُخْلِصِيْنَ لَهُ الدِّيْنَ ۚ فَلَمَّا نَجّٰىهُمْ اِلَى الْبَرِّ اِذَا هُمْ يُشْرِكُوْنَ ﴿٦٥﴾
৬৬. যাতে তাদের প্রতি আমার দান তারা অস্বীকার করে এবং ভোগবিলাসে লিপ্ত থাকে। অচিরেই তারা জানতে পারবে (এর পরিনতি)।	لِيَكْفُرُوْا بِمَاۤ اٰتَيْنٰهُمْ ۚۛ وَ لِيَتَمَتَّعُوْا ۛ فَسَوْفَ يَعْلَمُوْنَ ﴿٦٦﴾
৬৭. তারা কি দেখেনা, আমরা হারাম (শরিফকে) নিরাপদ স্থান বানিয়ে দিয়েছি, অথচ তার চারপাশে যারা আছে তাদের উপর হামলা করা হয়? তারা কি বাতিলের প্রতি ঈমান রাখে, আর কুফুরি করে আল্লাহ্র নিয়ামতের প্রতি?	اَوَ لَمْ يَرَوْا اَنَّا جَعَلْنَا حَرَمًا اٰمِنًا وَّ يُتَخَطَّفُ النَّاسُ مِنْ حَوْلِهِمْ ؕ اَفَبِالْبَاطِلِ يُؤْمِنُوْنَ وَ بِنِعْمَةِ اللّٰهِ يَكْفُرُوْنَ ﴿٦٧﴾
৬৮. ঐ ব্যক্তির চাইতে বড় যালিম আর কে, যে মিথ্যা রচনা করে আল্লাহ্র উপর আরোপ করে, কিংবা সত্য আসার পর তা প্রত্যাখ্যান করে? কাফিরদের আবাস কি জাহান্নাম নয়?	وَ مَنْ اَظْلَمُ مِمَّنِ افْتَرٰی عَلَى اللّٰهِ كَذِبًا اَوْ كَذَّبَ بِالْحَقِّ لَمَّا جَآءَهٗ ؕ اَلَيْسَ فِیْ جَهَنَّمَ مَثْوًی لِّلْكٰفِرِيْنَ ﴿٦٨﴾
৬৯. যারা আমাদের জন্যে (উদ্দেশ্যে) জিহাদ করে, আমরা অবশ্যি তাদের পরিচালিত করি আমাদের পথে, আর অবশ্যি আল্লাহ্ কল্যাণপরায়ণদের সাথে থাকেন।	وَ الَّذِيْنَ جَاهَدُوْا فِيْنَا لَنَهْدِيَنَّهُمْ سُبُلَنَا ؕ وَ اِنَّ اللّٰهَ لَمَعَ الْمُحْسِنِيْنَ ﴿٦٩﴾

রুকু ০৬ (margin, at verse ৬৩)

রুকু ০৭ (margin, at verse ৬৯)

সূরা ৩০ আর রূম

মক্কায় অবতীর্ণ, আয়াত সংখ্যা: ৬০, রুকু সংখ্যা: ০৬

এই সূরার আলোচ্যসূচি (আয়াত ভিত্তিক আলোচ্য বিষয়)

০১-০৬: রোম সাম্রাজ্যের পরাজয় এবং বিজয় সম্পর্কে ভবিষ্যতবাণী।
০৭-১৯: তাওহীদ ও আখিরাতের পক্ষে যুক্তি।
২০-২৯: মানুষের জন্যে আল্লাহ্‌র বিভিন্ন অনুগ্রহের বিবরণ এবং সেগুলো আল্লাহ্‌র একত্বের নিদর্শন।
৩০-৪০: উপদেশ, নসিহত। শিরকের খণ্ডণ।
৪১-৬০: পৃথিবীতে বিপর্যয় সৃষ্টি হবার কারণ মানুষের মন্দকর্ম। মানুষের মুক্তির উপায় এক আল্লাহ্‌র আনুগত্য। পুনরুত্থানের পক্ষে যুক্তি। কুরআনে সব বিষয়ের উপদেশ দেয়া হয়েছে।

সূরা আর রূম (রোম সাম্রাজ্য) পরম করুণাময় পরম দয়াবান আল্লাহ্‌র নামে	سُوْرَةُ الرُّوْمِ بِسْمِ اللّٰهِ الرَّحْمٰنِ الرَّحِيْمِ
০১. আলিফ লাম মিম।	الٓمّٓ ۟ ①
০২. রোমানরা পরাজিত হয়েছে	غُلِبَتِ الرُّوْمُ ۙ ②
০৩. নিকটবর্তী ভূ-খণ্ডে, তবে তারা তাদের পরাজয়ের পর অচিরেই আবার বিজয়ী হবে	فِیْۤ اَدْنَی الْاَرْضِ وَ هُمْ مِّنْۢ بَعْدِ غَلَبِهِمْ سَیَغْلِبُوْنَ ۙ ③
০৪. কয়েক (তিন থেকে নয়) বছরের মধ্যেই। সব বিষয়ে ফায়সালার এখতিয়ার আল্লাহ্‌রই ইতোপূর্বেও এবং পরেও। সেদিন মুমিনরা হবে উৎফুল্ল।	فِیْ بِضْعِ سِنِیْنَ ؕ لِلّٰهِ الْاَمْرُ مِنْ قَبْلُ وَ مِنْۢ بَعْدُ ؕ وَ یَوْمَئِذٍ یَّفْرَحُ الْمُؤْمِنُوْنَ ۙ ④
০৫. আল্লাহ্‌ নিজ সাহায্যে যাকে ইচ্ছা সাহায্য করেন। তিনি মহাশক্তিধর, পরম করুণাময়।	بِنَصْرِ اللّٰهِ ؕ یَنْصُرُ مَنْ یَّشَآءُ ؕ وَ هُوَ الْعَزِیْزُ الرَّحِیْمُ ۙ ⑤
০৬. এটা আল্লাহ্‌র ওয়াদা। আল্লাহ্‌ খেলাফ করেননা তাঁর ওয়াদা। তবে, অধিকাংশ মানুষই জানেনা।	وَعْدَ اللّٰهِ ؕ لَا یُخْلِفُ اللّٰهُ وَعْدَهٗ وَ لٰكِنَّ اَكْثَرَ النَّاسِ لَا یَعْلَمُوْنَ ⑥
০৭. তারা দুনিয়ার জীবনের বাহ্যিক দিকটাই জানে, আর আখিরাত সম্পর্কে তারা একেবারেই গাফিল-অজ্ঞ।	یَعْلَمُوْنَ ظَاهِرًا مِّنَ الْحَیٰوةِ الدُّنْیَا ۚۖ وَ هُمْ عَنِ الْاٰخِرَةِ هُمْ غٰفِلُوْنَ ⑦
০৮. তারা কি নিজেদের মনে মনে ভেবে দেখেনা, মহাকাশ, এই পৃথিবী আর এ দুয়ের মাঝখানে যা কিছু আছে এসবই আল্লাহ্‌ সৃষ্টি করেছেন সত্য ও বাস্তবতার নিরিখে এবং নির্দিষ্ট সময়ের জন্যে? অনেক মানুষই তাদের প্রভুর সাক্ষাত লাভের বিষয়ে অবিশ্বাসী।	اَوَ لَمْ یَتَفَكَّرُوْا فِیْۤ اَنْفُسِهِمْ ۫ مَا خَلَقَ اللّٰهُ السَّمٰوٰتِ وَ الْاَرْضَ وَ مَا بَیْنَهُمَاۤ اِلَّا بِالْحَقِّ وَ اَجَلٍ مُّسَمًّی ؕ وَ اِنَّ كَثِیْرًا مِّنَ النَّاسِ بِلِقَآئِ رَبِّهِمْ لَكٰفِرُوْنَ ⑧

০৯. তারা কি পৃথিবী পরিভ্রমণ করে দেখেনা, তাদের পূর্ববর্তীদের পরিণতি কী হয়েছিল? শক্তিতে তারা ছিলো এদের চাইতে দুর্ধর্ষ। তারা জমিন চাষ করতো এবং তা আবাদ করতো এদের আবাদ করার চাইতে অধিক রকম। তাদের কাছে এসেছিল তাদের রসূলরা সুস্পষ্ট নিদর্শনাবলি নিয়ে। আল্লাহ্ তাদের প্রতি যুলুমকারী নন, বরং তারা নিজেরাই নিজেদের প্রতি যুলুম করেছে।	اَوَلَمْ يَسِيْرُوْا فِى الْاَرْضِ فَيَنْظُرُوْا كَيْفَ كَانَ عَاقِبَةُ الَّذِيْنَ مِنْ قَبْلِهِمْ ۗ كَانُوْٓا اَشَدَّ مِنْهُمْ قُوَّةً وَّاَثَارُوا الْاَرْضَ وَ عَمَرُوْهَآ اَكْثَرَ مِمَّا عَمَرُوْهَا وَجَآءَتْهُمْ رُسُلُهُمْ بِالْبَيِّنٰتِ ۗ فَمَا كَانَ اللّٰهُ لِيَظْلِمَهُمْ وَلٰكِنْ كَانُوْٓا اَنْفُسَهُمْ يَظْلِمُوْنَ ﴿٩﴾
১০. তারপর যারা মন্দ কাজ করেছিল তাদের পরিণাম মন্দই হয়েছিল, কারণ তারা মিথ্যা বলে প্রত্যাখ্যান করেছিল আমাদের আয়াত এবং তারা তা নিয়ে ঠাট্টা বিদ্রুপ করেছিল।	ثُمَّ كَانَ عَاقِبَةَ الَّذِيْنَ اَسَآءُوا السُّوْٓاٰى اَنْ كَذَّبُوْا بِاٰيٰتِ اللّٰهِ وَ كَانُوْا بِهَا يَسْتَهْزِءُوْنَ ﴿١٠﴾
১১. আল্লাহ্ই সূচনা করেন সৃষ্টির, তারপর তিনি পুন:সৃষ্টি করেন, তারপর তোমাদের ফিরিয়ে নেয়া হবে তাঁরই কাছে।	اَللّٰهُ يَبْدَؤُا الْخَلْقَ ثُمَّ يُعِيْدُهٗ ثُمَّ اِلَيْهِ تُرْجَعُوْنَ ﴿١١﴾
১২. আর যেদিন কায়েম হবে কিয়ামত, সেদিন হতাশ-হতবাক হয়ে পড়বে অপরাধীরা।	وَ يَوْمَ تَقُوْمُ السَّاعَةُ يُبْلِسُ الْمُجْرِمُوْنَ ﴿١٢﴾
১৩. সেদিন তাদের (মনগড়া) দেবদেবীরা তাদের জন্যে সুপারিশকারী হবেনা এবং তারা তাদের দেবদেবীদের সেদিন প্রত্যাখ্যান করবে।	وَلَمْ يَكُنْ لَّهُمْ مِّنْ شُرَكَآئِهِمْ شُفَعٰٓؤُا وَكَانُوْا بِشُرَكَآئِهِمْ كٰفِرِيْنَ ﴿١٣﴾
১৪. যেদিন কিয়ামত হবে সেদিন সব মানুষ বিভক্ত হয়ে পড়বে।	وَيَوْمَ تَقُوْمُ السَّاعَةُ يَوْمَئِذٍ يَّتَفَرَّقُوْنَ ﴿١٤﴾
১৫. তবে যারা ঈমান আনবে এবং আমলে সালেহ্ করবে, তারা থাকবে জান্নাতে আনন্দে উৎফুল্লে।	فَاَمَّا الَّذِيْنَ اٰمَنُوْا وَ عَمِلُوا الصّٰلِحٰتِ فَهُمْ فِىْ رَوْضَةٍ يُّحْبَرُوْنَ ﴿١٥﴾
১৬. আর যারা কুফুরি করবে এবং প্রত্যাখ্যান করবে আমাদের আয়াত ও আখিরাতের সাক্ষাত, তাদেরই হাজির রাখা হবে আযাবে।	وَ اَمَّا الَّذِيْنَ كَفَرُوْا وَ كَذَّبُوْا بِاٰيٰتِنَا وَ لِقَآئِ الْاٰخِرَةِ فَاُولٰٓئِكَ فِى الْعَذَابِ مُحْضَرُوْنَ ﴿١٦﴾
১৭. সুতরাং সকাল ও সন্ধ্যায় তোমরা 'সুবহানাল্লাহ' (আল্লাহ্র তসবিহ্) ঘোষণা করো।	فَسُبْحٰنَ اللّٰهِ حِيْنَ تُمْسُوْنَ وَ حِيْنَ تُصْبِحُوْنَ ﴿١٧﴾
১৮. সমস্ত প্রশংসা তাঁরই মহাবিশ্বে এবং পৃথিবীতে, আর (সুবহানাল্লাহ ঘোষণা করো) অপরাহ্নে ও যুহরের সময়ও।	وَ لَهُ الْحَمْدُ فِى السَّمٰوٰتِ وَ الْاَرْضِ وَ عَشِيًّا وَّ حِيْنَ تُظْهِرُوْنَ ﴿١٨﴾

রুকু ০১

১৯. তিনি বের করেন মৃত থেকে জীবিতকে এবং জীবিত থেকে মৃতকে। মরে শুকিয়ে যাবার পর তিনিই জমিনকে জীবিত করেন, আর এভাবেই তোমাদের বের করে আনা হবে (মাটির নীচে থেকে)।	يُخْرِجُ الْحَيَّ مِنَ الْمَيِّتِ وَ يُخْرِجُ الْمَيِّتَ مِنَ الْحَيِّ وَ يُحْيِ الْاَرْضَ بَعْدَ مَوْتِهَا ؕ وَ كَذٰلِكَ تُخْرَجُوْنَ ﴿۱۹﴾
২০. তাঁর একটি নিদর্শন হলো, তিনি তোমাদের মাটি থেকে সৃষ্টি করেছেন তারপর এখন তোমরা সেই মানুষই ছড়িয়ে পড়েছো সবখানে।	وَ مِنْ اٰيٰتِهٖۤ اَنْ خَلَقَكُمْ مِّنْ تُرَابٍ ثُمَّ اِذَاۤ اَنْتُمْ بَشَرٌ تَنْتَشِرُوْنَ ﴿۲۰﴾
২১. তাঁর আরেকটি নিদর্শন হলো, তিনি তোমাদের থেকেই সৃষ্টি করেছেন তোমাদের জন্যে জুড়ি (স্বামী-স্ত্রী), যাতে করে তোমরা তাদের কাছে প্রশান্তি লাভ করো। এ উদ্দেশ্যে তিনি তোমাদের মাঝে সৃষ্টি করে দিয়েছেন বন্ধুতা-ভালবাসা এবং দয়া-অনুকম্পা। এতে রয়েছে অনেক নিদর্শন চিন্তাশীল লোকদের জন্যে।	وَ مِنْ اٰيٰتِهٖۤ اَنْ خَلَقَ لَكُمْ مِّنْ اَنْفُسِكُمْ اَزْوَاجًا لِّتَسْكُنُوْۤا اِلَيْهَا وَ جَعَلَ بَيْنَكُمْ مَّوَدَّةً وَّ رَحْمَةً ؕ اِنَّ فِيْ ذٰلِكَ لَاٰيٰتٍ لِّقَوْمٍ يَّتَفَكَّرُوْنَ ﴿۲۱﴾
২২. তাঁর আরেকটি নিদর্শন হলো মহাকাশ ও পৃথিবীর সৃষ্টি এবং তোমাদের ভাষা ও বর্ণের বিভিন্নতা। এতেও রয়েছে অনেক নিদর্শন জ্ঞানী লোকদের জন্যে।	وَ مِنْ اٰيٰتِهٖ خَلْقُ السَّمٰوٰتِ وَ الْاَرْضِ وَ اخْتِلَافُ اَلْسِنَتِكُمْ وَ اَلْوَانِكُمْ ؕ اِنَّ فِيْ ذٰلِكَ لَاٰيٰتٍ لِّلْعٰلِمِيْنَ ﴿۲۲﴾
২৩. তাঁর আরো একটি নিদর্শন হলো রাত এবং দিনের বেলায় তোমাদের ঘুম আর আল্লাহ্‌র অনুগ্রহ থেকে তোমাদের (জীবিকা) অন্বেষণ। এতেও রয়েছে অনেক নিদর্শন মনোযোগী লোকদের জন্য।	وَ مِنْ اٰيٰتِهٖ مَنَامُكُمْ بِالَّيْلِ وَ النَّهَارِ وَ ابْتِغَآؤُكُمْ مِّنْ فَضْلِهٖ ؕ اِنَّ فِيْ ذٰلِكَ لَاٰيٰتٍ لِّقَوْمٍ يَّسْمَعُوْنَ ﴿۲۳﴾
২৪. তাঁর নিদর্শনাবলির মধ্যে আরো রয়েছে, তিনি তোমাদের দেখান বিদ্যুতের চমকানি, তাতে থাকে তোমাদের ভয় এবং আশা, তারপর তিনি নাযিল করেন আসমান থেকে পানি আর তা দিয়ে জীবিত করেন মরা জমিন। নিশ্চয়ই এতে রয়েছে অনেক নিদর্শন বুঝ-বুদ্ধি সম্পন্ন লোকদের জন্যে।	وَ مِنْ اٰيٰتِهٖ يُرِيْكُمُ الْبَرْقَ خَوْفًا وَّ طَمَعًا وَّ يُنَزِّلُ مِنَ السَّمَآءِ مَآءً فَيُحْيٖ بِهِ الْاَرْضَ بَعْدَ مَوْتِهَا ؕ اِنَّ فِيْ ذٰلِكَ لَاٰيٰتٍ لِّقَوْمٍ يَّعْقِلُوْنَ ﴿۲۴﴾
২৫. তাঁর নিদর্শনাবলির মধ্যে আরো রয়েছে, তাঁর নির্দেশেই কায়েম রয়েছে আসমান ও জমিন। তারপর আল্লাহ্‌ যখন তোমাদের জমিন থেকে উঠে আসার জন্যে ডাক দেবেন একটিমাত্র ডাক, তখন তোমরা সাথে সাথে উঠে আসবে।	وَمِنْ اٰيٰتِهٖۤ اَنْ تَقُوْمَ السَّمَآءُ وَالْاَرْضُ بِاَمْرِهٖ ؕ ثُمَّ اِذَا دَعَاكُمْ دَعْوَةً ۖۗ مِّنَ الْاَرْضِ ۖۗ اِذَاۤ اَنْتُمْ تَخْرُجُوْنَ ﴿۲۵﴾
২৬. মহাকাশ এবং পৃথিবীতে যা কিছু আছে সবই তাঁর। প্রত্যেকেই তাঁর প্রতি বিনত।	وَ لَهٗ مَنْ فِي السَّمٰوٰتِ وَ الْاَرْضِ ؕ كُلٌّ لَّهٗ قٰنِتُوْنَ ﴿۲۶﴾
২৭. তিনি সেই মহান সত্তা যিনি সৃষ্টির সূচনা করেন, তারপর পুনরায় সৃষ্টি করবেন এবং সেটা হবে তাঁর জন্যে একেবারেই সহজ। মহাকাশ	وَهُوَ الَّذِيْ يَبْدَؤُا الْخَلْقَ ثُمَّ يُعِيْدُهٗ وَهُوَ اَهْوَنُ عَلَيْهِ ؕ وَلَهُ الْمَثَلُ الْاَعْلٰى فِي السَّمٰوٰتِ

রুকু ০২

রুকু ০৩

এবং পৃথিবীতে সর্বোচ্চ মর্যাদা কেবল তাঁর। তিনি মহাশক্তিধর, মহাবিজ্ঞানী।	وَالْاَرْضِ ۚ وَهُوَ الْعَزِيْزُ الْحَكِيْمُ ﴿٢٧﴾
২৮. তিনি তোমাদের জন্যে তোমাদের নিজেদের থেকেই একটি দৃষ্টান্ত পেশ করছেন: তোমাদেরকে আমরা যে রিযিক দিয়েছি, তোমাদের অধিকারভুক্ত দাস-দাসীদের কেউ কি তাতে অংশীদার? এবং তোমরা এই অংশীদারিত্বের ব্যাপারে কি সমান অধিকারী? তোমরা কি তাদেরকে সে রকম ভয় করো যে রকম তোমাদের পরস্পরকে ভয় করো? এভাবেই আমরা আয়াত বর্ণনা করি তফসিলসহ সমুঝদার লোকদের জন্যে।	ضَرَبَ لَكُمْ مَّثَلًا مِّنْ اَنْفُسِكُمْ ؕ هَلْ لَّكُمْ مِّنْ مَّا مَلَكَتْ اَيْمَانُكُمْ مِّنْ شُرَكَآءَ فِيْ مَا رَزَقْنٰكُمْ فَاَنْتُمْ فِيْهِ سَوَآءٌ تَخَافُوْنَهُمْ كَخِيْفَتِكُمْ اَنْفُسَكُمْ ؕ كَذٰلِكَ نُفَصِّلُ الْاٰيٰتِ لِقَوْمٍ يَّعْقِلُوْنَ ﴿٢٨﴾
২৯. বরং যালিমরা না জেনে শুনে তাদের খেয়াল খুশিরই অনুগামী হয়ে চলছে। আল্লাহ্ যাকে বিপথগামী করে দেন, কে তাকে সঠিক পথে চালাবে? আর তাদের জন্যে কোনো সাহায্যকারীই থাকবেনা।	بَلِ اتَّبَعَ الَّذِيْنَ ظَلَمُوْٓا اَهْوَآءَهُمْ بِغَيْرِ عِلْمٍ ۚ فَمَنْ يَّهْدِيْ مَنْ اَضَلَّ اللّٰهُ ؕ وَمَا لَهُمْ مِّنْ نّٰصِرِيْنَ ﴿٢٩﴾
৩০. তুমি একনিষ্ঠভাবে নিজেকে দীনের জন্যে কায়েম করো। আল্লাহ্র ফিতরতের (প্রকৃতির) উপর প্রতিষ্ঠিত হও, যে ফিতরতের উপর তিনি মানুষ সৃষ্টি করেছেন। আল্লাহ্র সৃষ্টি-প্রকৃতির কোনো পরিবর্তন হয়না। এটাই সঠিক সুষম দীন। তবে অধিকাংশ মানুষই জানেনা।	فَاَقِمْ وَجْهَكَ لِلدِّيْنِ حَنِيْفًا ؕ فِطْرَتَ اللّٰهِ الَّتِيْ فَطَرَ النَّاسَ عَلَيْهَا ؕ لَا تَبْدِيْلَ لِخَلْقِ اللّٰهِ ؕ ذٰلِكَ الدِّيْنُ الْقَيِّمُ ۙ وَلٰكِنَّ اَكْثَرَ النَّاسِ لَا يَعْلَمُوْنَ ۙ﴿٣٠﴾
৩১. বিনীত হৃদয়ে তাঁর অভিমুখী হও এবং তাঁকে ভয় করো, সালাত কায়েম করো আর মুশরিকদের অন্তরভুক্ত হয়োনা।	مُنِيْبِيْنَ اِلَيْهِ وَاتَّقُوْهُ وَاَقِيْمُوا الصَّلٰوةَ وَلَا تَكُوْنُوْا مِنَ الْمُشْرِكِيْنَ ۙ﴿٣١﴾
৩২. যারা নিজেদের দীনের মধ্যে বিভিন্ন মত সৃষ্টি করেছে, তারা বিভিন্ন দলে-উপদলে বিভক্ত হয়েছে। প্রত্যেক দলই নিজ নিজ মত নিয়ে উৎফুল্ল।	مِنَ الَّذِيْنَ فَرَّقُوْا دِيْنَهُمْ وَكَانُوْا شِيَعًا ؕ كُلُّ حِزْبٍۢ بِمَا لَدَيْهِمْ فَرِحُوْنَ ﴿٣٢﴾
৩৩. মানুষকে যখন দুঃখ-দুর্দশা স্পর্শ করে, তখন তারা তাদের প্রভুকে ডাকে তাঁর প্রতি বিনীত হয়ে। আবার যখন তিনি তাদেরকে তাঁর অনুগ্রহের কিছু স্বাদ আস্বাদন করান, তখন তাদের একদল তাদের প্রভুর সাথে শিরক করতে থাকে,	وَاِذَا مَسَّ النَّاسَ ضُرٌّ دَعَوْا رَبَّهُمْ مُّنِيْبِيْنَ اِلَيْهِ ثُمَّ اِذَآ اَذَاقَهُمْ مِّنْهُ رَحْمَةً اِذَا فَرِيْقٌ مِّنْهُمْ بِرَبِّهِمْ يُشْرِكُوْنَ ۙ﴿٣٣﴾
৩৪. তাদেরকে আমরা যা দিয়েছি তার প্রতি কুফুরি করার জন্যে। সুতরাং ভোগ বিলাস করে নাও, শীঘ্রি তোমরা জানতে পারবে (এর পরিণতি)।	لِيَكْفُرُوْا بِمَآ اٰتَيْنٰهُمْ ؕ فَتَمَتَّعُوْا فَسَوْفَ تَعْلَمُوْنَ ﴿٣٤﴾
৩৫. নাকি আমরা তাদের কাছে কোনো সনদ পাঠিয়েছি এবং সেটি আল্লাহ্র সাথে শিরক করার ব্যাপারে তাদের পক্ষে কথা বলে?	اَمْ اَنْزَلْنَا عَلَيْهِمْ سُلْطٰنًا فَهُوَ يَتَكَلَّمُ بِمَا كَانُوْا بِهٖ يُشْرِكُوْنَ ﴿٣٥﴾
৩৬. যখনই আমরা মানুষকে আমাদের অনুগ্রহের কিছু স্বাদ আস্বাদন করাই, তখন তারা উৎফুল্ল হয়ে উঠে। আবার তাদেরকে যখন কোনো দুঃখ-	وَاِذَآ اَذَقْنَا النَّاسَ رَحْمَةً فَرِحُوْا بِهَا ؕ وَاِنْ تُصِبْهُمْ سَيِّئَةٌۢ بِمَا قَدَّمَتْ اَيْدِيْهِمْ

দুর্দশা স্পর্শ করে তাদের কৃতকর্মের কারণে, তখন তারা হয়ে পড়ে নিরাশ।	اِذَا هُمْ يَقْنَطُوْنَ ٣٦
৩৭. তারা কি দেখেনা, আল্লাহ্ যার জন্যে ইচ্ছা রিযিক প্রশস্ত করে দেন এবং (যাকে ইচ্ছা) সীমিত করে দেন? এতেও বিশ্বাসীদের জন্যে রয়েছে অনেক নিদর্শন।	اَوَ لَمْ يَرَوْا اَنَّ اللّٰهَ يَبْسُطُ الرِّزْقَ لِمَنْ يَّشَآءُ وَ يَقْدِرُ ۭ اِنَّ فِيْ ذٰلِكَ لَاٰيٰتٍ لِّقَوْمٍ يُّؤْمِنُوْنَ ٣٧
৩৮. অতএব, আত্মীয়দের দিয়ে দাও তাদের হক এবং মিসকিন আর পথিকদেরকেও। এটাই কল্যাণকর সেইসব লোকদের জন্যে যারা এরাদা করে আল্লাহ্র সন্তুষ্টি লাভের, আর তারাই হবে সফলতা অর্জনকারী।	فَاٰتِ ذَا الْقُرْبٰى حَقَّهٗ وَ الْمِسْكِيْنَ وَابْنَ السَّبِيْلِ ۭ ذٰلِكَ خَيْرٌ لِّلَّذِيْنَ يُرِيْدُوْنَ وَجْهَ اللّٰهِ ۡ وَاُولٰٓئِكَ هُمُ الْمُفْلِحُوْنَ ٣٨
৩৯. মানুষের অর্থ-সম্পদে বৃদ্ধি পাওয়ার উদ্দেশ্যে তোমরা যে সূদ দিয়ে থাকো, আল্লাহ্র দৃষ্টিতে তা অর্থ-সম্পদ বৃদ্ধি করেনা। তবে আল্লাহ্র সন্তুষ্টি লাভের উদ্দেশ্যে তোমরা যে যাকাত দিয়ে থাকো, তাই বৃদ্ধি পায় এবং তারাই বৃদ্ধিকারী।	وَمَآ اٰتَيْتُمْ مِّنْ رِّبًا لِّيَرْبُوَاْ فِيْٓ اَمْوَالِ النَّاسِ فَلَا يَرْبُوْا عِنْدَ اللّٰهِ ۚ وَمَآ اٰتَيْتُمْ مِّنْ زَكٰوةٍ تُرِيْدُوْنَ وَجْهَ اللّٰهِ فَاُولٰٓئِكَ هُمُ الْمُضْعِفُوْنَ ٣٩
৪০. আল্লাহ্, তিনিই তো তোমাদের সৃষ্টি করেছেন, তারপর তোমাদের রিযিক দিয়েছেন, তারপর তোমাদের মৃত্যু ঘটাবেন, তারপর তোমাদের পুনরায় জীবিত করবেন। তোমরা যাদেরকে আল্লাহ্র শরিকদার বানিয়েছো, তাদের কেউ কি এসবের কিছু করতে পারে? তারা যাদেরকে আল্লাহর শরিক বানায়, আল্লাহ্ তা থেকে পবিত্র, মহান।	اَللّٰهُ الَّذِيْ خَلَقَكُمْ ثُمَّ رَزَقَكُمْ ثُمَّ يُمِيْتُكُمْ ثُمَّ يُحْيِيْكُمْ ۭ هَلْ مِنْ شُرَكَآئِكُمْ مَّنْ يَّفْعَلُ مِنْ ذٰلِكُمْ مِّنْ شَيْءٍ ۭ سُبْحٰنَهٗ وَتَعٰلٰى عَمَّا يُشْرِكُوْنَ ٤٠
৪১. বিপর্যয় ছড়িয়ে পড়েছে স্থলে ও সমুদ্রে মানুষের কর্মফলে, এরি মাধ্যমে আল্লাহ্ তাদের কোনো কোনো কাজের শাস্তি তাদের আস্বাদন করান, যাতে করে তারা ফিরে আসে।	ظَهَرَ الْفَسَادُ فِي الْبَرِّ وَالْبَحْرِ بِمَا كَسَبَتْ اَيْدِي النَّاسِ لِيُذِيْقَهُمْ بَعْضَ الَّذِيْ عَمِلُوْا لَعَلَّهُمْ يَرْجِعُوْنَ ٤١
৪২. বলো: পৃথিবীতে ভ্রমণ করে দেখো, তোমাদের আগেকার লোকদের কী পরিণতি হয়েছিল? তাদের অধিকাংশই ছিলো মুশরিক।	قُلْ سِيْرُوْا فِي الْاَرْضِ فَانْظُرُوْا كَيْفَ كَانَ عَاقِبَةُ الَّذِيْنَ مِنْ قَبْلُ ۭ كَانَ اَكْثَرُهُمْ مُّشْرِكِيْنَ ٤٢
৪৩. তুমি নিজেকে কায়েম করো সঠিক সুষম দীনের উপর সেই দিনটি আসার আগেই, আল্লাহ্র পক্ষ থেকে যে দিনটির আগমন কেউই রুখতে পারবেনা। সেদিন মানুষ বিভক্ত হয়ে পড়বে।	فَاَقِمْ وَجْهَكَ لِلدِّيْنِ الْقَيِّمِ مِنْ قَبْلِ اَنْ يَّاْتِيَ يَوْمٌ لَّا مَرَدَّ لَهٗ مِنَ اللّٰهِ يَوْمَئِذٍ يَّصَّدَّعُوْنَ ٤٣
৪৪. যে কুফুরি করে, তারই উপর পড়বে কুফুরির শাস্তি। আর যারা আমলে সালেহ্ করে তারা নিজেদের জন্যেই রচনা করে সুখশয্যা।	مَنْ كَفَرَ فَعَلَيْهِ كُفْرُهٗ ۚ وَمَنْ عَمِلَ صَالِحًا فَلِاَنْفُسِهِمْ يَمْهَدُوْنَ ٤٤

রুকু ০৪

৪৫. যাতে করে, যারা ঈমান আনে এবং আমলে সালেহ্ করে তাদেরকে আল্লাহ্ নিজ অনুগ্রহে পুরস্কৃত করেন। নিশ্চয়ই আল্লাহ্ কাফিরদের পছন্দ করেন না।	لِيَجْزِيَ الَّذِينَ آمَنُوا وَعَمِلُوا الصَّالِحَاتِ مِن فَضْلِهِ ۚ إِنَّهُ لَا يُحِبُّ الْكَافِرِينَ ﴿٤٥﴾
৪৬. তাঁর নিদর্শনাবলির একটি হলো, তোমাদেরকে সুসংবাদ দেয়ার জন্যে এবং তোমাদেরকে তাঁর রহমত থেকে আস্বাদন করানোর জন্যে তিনি বাতাস পাঠান, এছাড়া তাঁর নির্দেশ অনুযায়ী যেনো নৌযানগুলো চলাচল করে এবং তোমরা যেনো শোকর আদায় করতে পারো।	وَمِنْ آيَاتِهِ أَن يُرْسِلَ الرِّيَاحَ مُبَشِّرَاتٍ وَلِيُذِيقَكُم مِّن رَّحْمَتِهِ وَلِتَجْرِيَ الْفُلْكُ بِأَمْرِهِ وَلِتَبْتَغُوا مِن فَضْلِهِ وَلَعَلَّكُمْ تَشْكُرُونَ ﴿٤٦﴾
৪৭. তোমার আগে আমরা বহু রসূল পাঠিয়েছি তাদের নিজ নিজ কওমের কাছে। তারা তাদের কাছে সুস্পষ্ট নিদর্শনাবলি নিয়ে এসেছিল। তারপর আমরা অপরাধীদের থেকে প্রতিশোধ নিয়েছিলাম। আর মুমিনদের সাহায্য করা আমাদের দায়িত্ব।	وَلَقَدْ أَرْسَلْنَا مِن قَبْلِكَ رُسُلًا إِلَىٰ قَوْمِهِمْ فَجَاءُوهُم بِالْبَيِّنَاتِ فَانتَقَمْنَا مِنَ الَّذِينَ أَجْرَمُوا ۖ وَكَانَ حَقًّا عَلَيْنَا نَصْرُ الْمُؤْمِنِينَ ﴿٤٧﴾
৪৮. আল্লাহ্ই বাতাস পাঠান, তা মেঘমালাকে উড়িয়ে নিয়ে চলে, তারপর তিনি এগুলোকে যেভাবে ইচ্ছা আকাশে ছড়িয়ে দেন। পরে এগুলো খণ্ড খণ্ড করেন এবং তুমি দেখতে পাও সেগুলো থেকে বেরিয়ে আসে বারিধারা, তখন তাঁর বান্দাদের মধ্যে যাদের ইচ্ছে তা পৌঁছে দেন, তখন তারা হয়ে উঠে চরম আনন্দিত।	اللَّهُ الَّذِي يُرْسِلُ الرِّيَاحَ فَتُثِيرُ سَحَابًا فَيَبْسُطُهُ فِي السَّمَاءِ كَيْفَ يَشَاءُ وَيَجْعَلُهُ كِسَفًا فَتَرَى الْوَدْقَ يَخْرُجُ مِنْ خِلَالِهِ ۖ فَإِذَا أَصَابَ بِهِ مَن يَشَاءُ مِنْ عِبَادِهِ إِذَا هُمْ يَسْتَبْشِرُونَ ﴿٤٨﴾
৪৯. যদিও ইতোপূর্বে বৃষ্টি নাযিলের আগে তারা ছিলো হতাশ।	وَإِن كَانُوا مِن قَبْلِ أَن يُنَزَّلَ عَلَيْهِم مِّن قَبْلِهِ لَمُبْلِسِينَ ﴿٤٩﴾
৫০. অতএব আল্লাহ্র রহমতের প্রভাব সম্পর্কে চিন্তা করো, তিনি কিভাবে জমিনকে মরে (শুকিয়ে) যাবার পর আবার জীবিত করেন। এভাবেই তিনি মৃতদের জীবিত করবেন। তিনি প্রতিটি বিষয়ে শক্তিমান।	فَانظُرْ إِلَىٰ آثَارِ رَحْمَتِ اللَّهِ كَيْفَ يُحْيِي الْأَرْضَ بَعْدَ مَوْتِهَا ۚ إِنَّ ذَٰلِكَ لَمُحْيِي الْمَوْتَىٰ ۖ وَهُوَ عَلَىٰ كُلِّ شَيْءٍ قَدِيرٌ ﴿٥٠﴾
৫১. আমরা যদি এমন বাতাস পাঠাই যার ফলস্বরূপ তারা দেখে শস্য হলুদ বর্ণ ধারণ করেছে, তখন তারা অকৃতজ্ঞ হয়ে পড়ে।	وَلَئِنْ أَرْسَلْنَا رِيحًا فَرَأَوْهُ مُصْفَرًّا لَّظَلُّوا مِن بَعْدِهِ يَكْفُرُونَ ﴿٥١﴾
৫২. তুমি মৃতকে শুনাতে পারবেনা, বধিরকেও পারবেনা তোমার আহ্বান শুনাতে, যেহেতু তারা মুখ ফিরিয়ে চলে যায়।	فَإِنَّكَ لَا تُسْمِعُ الْمَوْتَىٰ وَلَا تُسْمِعُ الصُّمَّ الدُّعَاءَ إِذَا وَلَّوْا مُدْبِرِينَ ﴿٥٢﴾
৫৩. তুমি অন্ধদের সঠিক পথে আনতে পারবেনা তাদের বিপথগামিতা থেকে। তুমি তো শুনাতে পারবে তাদেরকেই, যারা ঈমান আনে আমাদের আয়াতের প্রতি, তারপর আত্মসমর্পণ করে দেয়।	وَمَا أَنتَ بِهَادِ الْعُمْيِ عَن ضَلَالَتِهِمْ ۖ إِن تُسْمِعُ إِلَّا مَن يُؤْمِنُ بِآيَاتِنَا فَهُم مُّسْلِمُونَ ﴿٥٣﴾

রুকু
০৫

৫৪. আল্লাহ্, তিনিই তোমাদের সৃষ্টি করেন দুর্বল অবস্থায়। তারপর দুর্বলতার পরে দেন শক্তি। শক্তির পর পুনরায় দেন দুর্বলতা ও বার্ধক্য। তিনি যা ইচ্ছা সৃষ্টি করেন। তিনি সর্বজ্ঞানী, সর্বশক্তিমান।	اَللّٰهُ الَّذِیۡ خَلَقَكُمۡ مِّنۡ ضُعۡفٍ ثُمَّ جَعَلَ مِنۡۢ بَعۡدِ ضُعۡفٍ قُوَّۃً ثُمَّ جَعَلَ مِنۡۢ بَعۡدِ قُوَّۃٍ ضُعۡفًا وَّ شَیۡبَۃً ؕ یَخۡلُقُ مَا یَشَآءُ ۚ وَ هُوَ الۡعَلِیۡمُ الۡقَدِیۡرُ ﴿۵۴﴾
৫৫. যেদিন কিয়ামত অনুষ্ঠিত হবে, সেদিন অপরাধীরা কসম খেয়ে বলবে: তারা ঘণ্টাখানেকের বেশি অবস্থান করেনি। এভাবেই তারা (দুনিয়ার জীবনেও) হতো সত্যভ্রষ্ট।	وَ یَوۡمَ تَقُوۡمُ السَّاعَۃُ یُقۡسِمُ الۡمُجۡرِمُوۡنَ ۬ۙ مَا لَبِثُوۡا غَیۡرَ سَاعَۃٍ ؕ كَذٰلِكَ كَانُوۡا یُؤۡفَكُوۡنَ ﴿۵۵﴾
৫৬. যাদেরকে এলেম এবং ঈমান দেয়া হয়েছে, তারা বলবে: তোমরা আল্লাহ্‌র রেকর্ড অনুযায়ী পুনরুত্থান দিবস পর্যন্ত অবস্থান করেছো। আজ সেই পুনরুত্থান দিবস। কিন্তু তোমরা ছিলে অজ্ঞ।	وَ قَالَ الَّذِیۡنَ اُوۡتُوا الۡعِلۡمَ وَ الۡاِیۡمَانَ لَقَدۡ لَبِثۡتُمۡ فِیۡ كِتٰبِ اللّٰهِ اِلٰی یَوۡمِ الۡبَعۡثِ ۫ فَهٰذَا یَوۡمُ الۡبَعۡثِ وَ لٰكِنَّكُمۡ كُنۡتُمۡ لَا تَعۡلَمُوۡنَ ﴿۵۶﴾
৫৭. সেদিন যালিমদের ওজর আপত্তি কোনো কাজে আসবেনা এবং তাদেরকে আল্লাহ্‌র সন্তুষ্টি লাভেরও সুযোগ দেয়া হবেনা।	فَیَوۡمَئِذٍ لَّا یَنۡفَعُ الَّذِیۡنَ ظَلَمُوۡا مَعۡذِرَتُهُمۡ وَ لَا هُمۡ یُسۡتَعۡتَبُوۡنَ ﴿۵۷﴾
৫৮. আমরা মানুষের জন্যে এ কুরআনে সব ধরনের দৃষ্টান্ত দিয়েছি। তুমি যদি তাদের সামনে কোনো নিদর্শন হাজিরও করো, কাফিররা অবশ্যি বলবে: 'তোমরা মিথ্যা বাতিল নিয়ে এসেছো।'	وَ لَقَدۡ ضَرَبۡنَا لِلنَّاسِ فِیۡ هٰذَا الۡقُرۡاٰنِ مِنۡ كُلِّ مَثَلٍ ؕ وَ لَئِنۡ جِئۡتَهُمۡ بِاٰیَۃٍ لَّیَقُوۡلَنَّ الَّذِیۡنَ كَفَرُوۡۤا اِنۡ اَنۡتُمۡ اِلَّا مُبۡطِلُوۡنَ ﴿۵۸﴾
৫৯. এভাবেই আল্লাহ্ অজ্ঞ লোকদের অন্তরে সীলমোহর মেরে দেন।	كَذٰلِكَ یَطۡبَعُ اللّٰهُ عَلٰی قُلُوۡبِ الَّذِیۡنَ لَا یَعۡلَمُوۡنَ ﴿۵۹﴾
৬০. অতএব, সবর অবলম্বন করো, অবশ্যি আল্লাহ্‌র ওয়াদা সত্য। যারা একীন রাখেনা, তারা যেনো তোমাকে (আহ্বান জানানোর কাজ থেকে) টলাতে না পারে।	فَاصۡبِرۡ اِنَّ وَعۡدَ اللّٰهِ حَقٌّ وَّ لَا یَسۡتَخِفَّنَّكَ الَّذِیۡنَ لَا یُوۡقِنُوۡنَ ﴿۶۰﴾

রুকু ০৬

সূরা ৩১ লুকমান

মক্কায় অবতীর্ণ, আয়াত সংখ্যা: ৩৪, রুকু সংখ্যা: ০৪

এই সূরার আলোচ্যসূচি (আয়াত ভিত্তিক আলোচ্য বিষয়)

০১-১১: কুরআন কাদেরকে সঠিক পথ দেখায়? আল্লাহ্‌র একত্ব। শিরকের খণ্ডণ।

১২-১৯: নিজ পুত্রের প্রতি লুকমান হাকিমের উপদেশ।

২০-৩৪: মানুষের প্রতি আল্লাহ্‌র সীমাহীন অনুগ্রহ। অবিশ্বাসীদের জন্য রয়েছে কঠিন আযাব। মহাবিশ্বের মালিক আল্লাহ্। আল্লাহ্‌র প্রশংসা লিখে শেষ করা যাবেনা। তাওহীদের যুক্তি ও শিরকের খণ্ডণ। হিসাবের দিনকে ভয় করার আহ্বান। পাঁচটি বিষয় আল্লাহ্ ছাড়া আর কেউ জানেনা।

সূরা লুকমান (লুকমান হাকিম) পরম করুণাময় পরম দয়াবান আল্লাহ্‌র নামে	سُوْرَةُ لُقْمٰنَ بِسْمِ اللّٰهِ الرَّحْمٰنِ الرَّحِيْمِ
০১. আলিফ লাম মিম।	الٓمّٓ ۝١
০২. এগুলো কিতাবুল হাকিম-এর (বিজ্ঞানময় কিতাব আল কুরআনের) আয়াত।	تِلْكَ اٰيٰتُ الْكِتٰبِ الْحَكِيْمِ ۝٢
০৩. এগুলো হিদায়াত এবং রহমত কল্যাণপরায়ণদের জন্যে,	هُدًى وَّ رَحْمَةً لِّلْمُحْسِنِيْنَ ۝٣
০৪. যারা কায়েম করে সালাত, প্রদান করে যাকাত এবং আখিরাতের প্রতি তারা রাখে একীন।	الَّذِيْنَ يُقِيْمُوْنَ الصَّلٰوةَ وَ يُؤْتُوْنَ الزَّكٰوةَ وَهُمْ بِالْاٰخِرَةِ هُمْ يُوْقِنُوْنَ ۝٤
০৫. তারাই রয়েছে তাদের প্রভুর পক্ষ থেকে হিদায়াতের উপর এবং তারাই হবে সফলকাম।	اُولٰٓئِكَ عَلٰى هُدًى مِّنْ رَّبِّهِمْ وَ اُولٰٓئِكَ هُمُ الْمُفْلِحُوْنَ ۝٥
০৬. কোনো কোনো ব্যক্তি এলেম ছাড়াই মানুষকে আল্লাহ্‌র পথ থেকে বিপথগামী করার উদ্দেশ্যে অসার কাহিনী কিনে আনে এবং আল্লাহ্‌র পথ সম্পর্কে বিদ্রুপ করে। এদের জন্যে রয়েছে অপমানকর আযাব।	وَمِنَ النَّاسِ مَنْ يَّشْتَرِىْ لَهْوَ الْحَدِيْثِ لِيُضِلَّ عَنْ سَبِيْلِ اللّٰهِ بِغَيْرِ عِلْمٍ ۖ وَّ يَتَّخِذَهَا هُزُوًا ؕ اُولٰٓئِكَ لَهُمْ عَذَابٌ مُّهِيْنٌ ۝٦
০৭. যখন তার কাছে আল্লাহ্‌র আয়াত তিলাওয়াত করা হয়, সে হঠকারিতা প্রদর্শন করে মুখ ফিরিয়ে নেয়, যেনো সে তা শুনতেই পায়নি। তার কান দুটিও যেনো বধির। এ ব্যক্তিকে সংবাদ দাও বেদনাদায়ক আযাবের।	وَاِذَا تُتْلٰى عَلَيْهِ اٰيٰتُنَا وَلّٰى مُسْتَكْبِرًا كَاَنْ لَّمْ يَسْمَعْهَا كَاَنَّ فِىْٓ اُذُنَيْهِ وَقْرًا ۚ فَبَشِّرْهُ بِعَذَابٍ اَلِيْمٍ ۝٧
০৮. যারা ঈমান আনে এবং আমলে সালেহ্ করে, তাদের জন্যে রয়েছে জান্নাতুন নায়ীম।	اِنَّ الَّذِيْنَ اٰمَنُوْا وَ عَمِلُوا الصّٰلِحٰتِ لَهُمْ جَنّٰتُ النَّعِيْمِ ۝٨
০৯. সেখানেই থাকবে তারা চিরকাল। আল্লাহ্‌র ওয়াদা সত্য। তিনি মহাশক্তিধর, মহাপ্রজ্ঞাবান।	خٰلِدِيْنَ فِيْهَا ؕ وَعْدَ اللّٰهِ حَقًّا ؕ وَ هُوَ الْعَزِيْزُ الْحَكِيْمُ ۝٩
১০. তিনি মহাকাশ সৃষ্টি করেছেন খুঁটি ছাড়াই, তাতো তোমরা দেখতেই পাচ্ছো। আর পৃথিবীতে তিনি স্থাপন করে দিয়েছেন পাহাড় পর্বত, যাতে করে পৃথিবী তোমাদের নিয়ে ঢলে না পড়ে। তাছাড়া পৃথিবীতে তিনি ছড়িয়ে দিয়েছেন সব ধরনের জীব জানোয়ার। এছাড়া আমরা আসমান থেকে নাযিল করি পানি আর তা দিয়ে আমরা উৎপন্ন করি সব ধরনের উপকারী উদ্ভিদ।	خَلَقَ السَّمٰوٰتِ بِغَيْرِ عَمَدٍ تَرَوْنَهَا وَ اَلْقٰى فِى الْاَرْضِ رَوَاسِىَ اَنْ تَمِيْدَ بِكُمْ وَ بَثَّ فِيْهَا مِنْ كُلِّ دَآبَّةٍ ؕ وَ اَنْزَلْنَا مِنَ السَّمَآءِ مَآءً فَاَنْۢبَتْنَا فِيْهَا مِنْ كُلِّ زَوْجٍ كَرِيْمٍ ۝١٠
১১. এ হলো আল্লাহ্‌র সৃষ্টি। এখন আমাকে দেখাও, আল্লাহ্ ছাড়া যাদেরকে তোমরা ইলাহ্	هٰذَا خَلْقُ اللّٰهِ فَاَرُوْنِىْ مَاذَا خَلَقَ الَّذِيْنَ

মানো, তারা কী সৃষ্টি করেছে? বরং যালিমরা রয়েছে সুস্পষ্ট বিপথগামিতায়।	مِنْ دُوْنِهٖ ؕ بَلِ الظّٰلِمُوْنَ فِیْ ضَلٰلٍ مُّبِیْنٍ ﴿۱۱﴾
১২. আমরা লুকমানকে দান করেছিলাম হিকমাহ্ (প্রজ্ঞা) এবং তাকে বলেছিলাম: শোকর আদায় করো আল্লাহ্‌র। যে কেউ শোকর আদায় করে, সে তো শোকর আদায় করে নিজের কল্যাণের জন্যেই। আর যে কেউ অকৃতজ্ঞ হয়, তার জেনে রাখা উচিত আল্লাহ্ মুখাপেক্ষাহীন সপ্রশংসিত।	وَ لَقَدْ اٰتَیْنَا لُقْمٰنَ الْحِكْمَةَ اَنِ اشْكُرْ لِلّٰهِ ؕ وَ مَنْ یَّشْكُرْ فَاِنَّمَا یَشْكُرُ لِنَفْسِهٖ ۚ وَ مَنْ كَفَرَ فَاِنَّ اللّٰهَ غَنِیٌّ حَمِیْدٌ ﴿۱۲﴾
১৩. স্মরণ করো, লুকমান তার ছেলেকে উপদেশ দিতে গিয়ে বলেছিল: "হে আমার পুত্র! শিরক করোনা আল্লাহ্‌র সাথে। কারণ, শিরক তো একটা বিরাট যুলুম।"	وَ اِذْ قَالَ لُقْمٰنُ لِابْنِهٖ وَ هُوَ یَعِظُهٗ یٰبُنَیَّ لَا تُشْرِكْ بِاللّٰهِ ؕؔ اِنَّ الشِّرْكَ لَظُلْمٌ عَظِیْمٌ ﴿۱۳﴾
১৪. আমরা মানুষকে অসিয়ত (নির্দেশ) করেছি তার বাবা-মার সাথে উত্তম আচরণ করতে। কারণ, তার মা তাকে কষ্টের পর কষ্ট স্বীকার করে গর্ভে ধারণ করে এবং তার দুধ ছাড়ানো হয় দুই বছরে। সুতরাং শোকরগুজার হও আমার প্রতি, আর তোমার বাবা-মার প্রতি। তোমাদের ফিরে আসতে তো হবে আমারই কাছে।	وَ وَصَّیْنَا الْاِنْسَانَ بِوَالِدَیْهِ ۚ حَمَلَتْهُ اُمُّهٗ وَهْنًا عَلٰی وَهْنٍ وَّ فِصٰلُهٗ فِیْ عَامَیْنِ اَنِ اشْكُرْ لِیْ وَ لِوَالِدَیْكَ ؕ اِلَیَّ الْمَصِیْرُ ﴿۱۴﴾
১৫. তোমার বাবা-মা যদি তোমাকে আমার সাথে শরিক করতে পীড়াপীড়ি করে, যে ব্যাপারে তোমার কোনো এলেম নেই, সেক্ষেত্রে তুমি তাদের আনুগত্য করোনা। তবে তাদের সাথে বসবাস করো সুন্দরভাবে, আর ইত্তেবা (অনুসরণ) করো তার পথের, যে আমার অভিমুখী হয়। তারপর তোমাদের ফিরিয়ে আনা হবে তো আমারই কাছে, অত:পর আমি তোমাদের সংবাদ দেবো তোমরা যা আমল করতে।	وَ اِنْ جَاهَدٰكَ عَلٰۤی اَنْ تُشْرِكَ بِیْ مَا لَیْسَ لَكَ بِهٖ عِلْمٌ ۙ فَلَا تُطِعْهُمَا وَ صَاحِبْهُمَا فِی الدُّنْیَا مَعْرُوْفًا ۫ وَّ اتَّبِعْ سَبِیْلَ مَنْ اَنَابَ اِلَیَّ ۚ ثُمَّ اِلَیَّ مَرْجِعُكُمْ فَاُنَبِّئُكُمْ بِمَا كُنْتُمْ تَعْمَلُوْنَ ﴿۱۵﴾
১৬. (লুকমান আরো বলেছিল:) "হে আমার পুত্র! কোনো ক্ষুদ্র বস্তু যদি সরিষার দানা পরিমাণও হয় আর তা যদি থাকে কোনো পাথর খণ্ডের ভেতরে, কিংবা যদি থাকে মহাকাশে, অথবা যদি থাকে ভূ-গর্ভে, আল্লাহ্ তাও এনে হাজির করবেন। নিশ্চয়ই আল্লাহ্ অতীব সূক্ষ্মদর্শী, গভীরভাবে অবহিত।	یٰبُنَیَّ اِنَّهَاۤ اِنْ تَكُ مِثْقَالَ حَبَّةٍ مِّنْ خَرْدَلٍ فَتَكُنْ فِیْ صَخْرَةٍ اَوْ فِی السَّمٰوٰتِ اَوْ فِی الْاَرْضِ یَاْتِ بِهَا اللّٰهُ ؕ اِنَّ اللّٰهَ لَطِیْفٌ خَبِیْرٌ ﴿۱۶﴾
১৭. হে আমার পুত্র! কায়েম করবে সালাত, আদেশ করবে ভালো কাজের, নিষেধ করবে মন্দ কাজ করতে এবং ধৈর্য ধারণ করবে বিপদ-মসিবতে। নিশ্চয়ই এটা মজবুত সংকল্পের কাজ।	یٰبُنَیَّ اَقِمِ الصَّلٰوةَ وَ اْمُرْ بِالْمَعْرُوْفِ وَ انْهَ عَنِ الْمُنْكَرِ وَ اصْبِرْ عَلٰی مَاۤ اَصَابَكَ ؕ اِنَّ ذٰلِكَ مِنْ عَزْمِ الْاُمُوْرِ ﴿۱۷﴾
১৮. দম্ভ করে মানুষকে অবজ্ঞা করবেনা, জমিনে ঔদ্ধত্যের সাথে চলাফেরা করবেনা, কারণ আল্লাহ্ উদ্ধত দাম্ভিকদের পছন্দ করেননা।	وَ لَا تُصَعِّرْ خَدَّكَ لِلنَّاسِ وَ لَا تَمْشِ فِی الْاَرْضِ مَرَحًا ؕ اِنَّ اللّٰهَ لَا یُحِبُّ كُلَّ مُخْتَالٍ فَخُوْرٍ ﴿۱۸﴾

রুকু ০১

রুকু ০২

১৯. চলাফেরায় মধ্যপন্থা অবলম্বন করবে এবং তোমার কণ্ঠস্বর রাখবে সংযত। নিশ্চয়ই সবচাইতে অস্বস্তিকর আওয়ায হলো গাধার ধ্বনি।”	وَ اقۡصِدۡ فِیۡ مَشۡیِكَ وَ اغۡضُضۡ مِنۡ صَوۡتِكَ ؕ اِنَّ اَنۡكَرَ الۡاَصۡوَاتِ لَصَوۡتُ الۡحَمِیۡرِ ﴿۱۹﴾
২০. তোমরা কি দেখছো না, আল্লাহ্ তোমাদের কল্যাণে নিয়োজিত করে রেখেছেন মহাকাশ এবং পৃথিবীতে যা কিছু আছে সবই এবং তোমাদের প্রতি সম্পূর্ণ করেছেন তাঁর প্রকাশ্য ও অপ্রকাশ্য সব নিয়ামত। কিছু লোক এলেম ছাড়াই আল্লাহ্র ব্যাপারে বিতর্কে লিপ্ত হয়, তাদের না আছে সঠিকজ্ঞান, আর না আছে দেদীপ্যমান কিতাব।	اَلَمۡ تَرَوۡا اَنَّ اللّٰهَ سَخَّرَ لَكُمۡ مَّا فِی السَّمٰوٰتِ وَ مَا فِی الۡاَرۡضِ وَ اَسۡبَغَ عَلَیۡكُمۡ نِعَمَهٗ ظَاهِرَۃً وَّ بَاطِنَۃً ؕ وَ مِنَ النَّاسِ مَنۡ یُّجَادِلُ فِی اللّٰهِ بِغَیۡرِ عِلۡمٍ وَّ لَا هُدًی وَّ لَا كِتٰبٍ مُّنِیۡرٍ ﴿۲۰﴾
২১. তাদের যখন বলা হয়: ‘তোমরা ইত্তেবা করো আল্লাহ্ যা অবতীর্ণ করেছে সেটার,’ তখন তারা বলে: ‘আমরা বরং ইত্তেবা করবো সেটার, যার উপর পেয়েছি আমাদের পূর্বপুরুষদের।’ শয়তান যদি তাদের জ্বলন্ত আগুনের আযাবের দিকে ডাকে তবু কি (তারা তাই করবে)?	وَ اِذَا قِیۡلَ لَهُمُ اتَّبِعُوۡا مَاۤ اَنۡزَلَ اللّٰهُ قَالُوۡا بَلۡ نَتَّبِعُ مَا وَجَدۡنَا عَلَیۡهِ اٰبَآءَنَا ؕ اَوَ لَوۡ كَانَ الشَّیۡطٰنُ یَدۡعُوۡهُمۡ اِلٰی عَذَابِ السَّعِیۡرِ ﴿۲۱﴾
২২. যে কেউ আল্লাহ্র প্রতি আত্মসমর্পণ করে এবং কল্যাণপরায়ণ হয়, সে তো আঁকড়ে ধরে এক মজবুত হাতল। সব কাজের পরিণাম আল্লাহ্র এখতিয়ারে।	وَ مَنۡ یُّسۡلِمۡ وَجۡهَهٗۤ اِلَی اللّٰهِ وَ هُوَ مُحۡسِنٌ فَقَدِ اسۡتَمۡسَكَ بِالۡعُرۡوَۃِ الۡوُثۡقٰی ؕ وَ اِلَی اللّٰهِ عَاقِبَۃُ الۡاُمُوۡرِ ﴿۲۲﴾
২৩. আর যে কেউ কুফুরি করে, তার কুফুরি যেনো তোমাকে চিন্তিত না করে। তাদের প্রত্যাবর্তন তো হবে আমারই কাছে। তখন আমরা তাদের অবহিত করবো তারা কী আমল করছিল? নিশ্চয়ই আল্লাহ্ অবগত আছেন অন্তরের খবর।	وَ مَنۡ كَفَرَ فَلَا یَحۡزُنۡكَ كُفۡرُهٗ ؕ اِلَیۡنَا مَرۡجِعُهُمۡ فَنُنَبِّئُهُمۡ بِمَا عَمِلُوۡا ؕ اِنَّ اللّٰهَ عَلِیۡمٌۢ بِذَاتِ الصُّدُوۡرِ ﴿۲۳﴾
২৪. আমরা কিছুকাল তাদের সুযোগ দেবো ভোগবিলাসের, তারপর আমরা তাদের বাধ্য করবো ভোগ করতে কঠোর আযাব।	نُمَتِّعُهُمۡ قَلِیۡلًا ثُمَّ نَضۡطَرُّهُمۡ اِلٰی عَذَابٍ غَلِیۡظٍ ﴿۲۴﴾
২৫. তুমি যদি তাদের জিজ্ঞেস করো, মহাকাশ ও পৃথিবী কে সৃষ্টি করেছেন? জবাবে তারা অবশ্যি বলবে: ‘আল্লাহ্।’ বলো: ‘আলহামদু লিল্লাহ্’। বরং তাদের অধিকাংশই জানেনা।	وَ لَئِنۡ سَاَلۡتَهُمۡ مَّنۡ خَلَقَ السَّمٰوٰتِ وَ الۡاَرۡضَ لَیَقُوۡلُنَّ اللّٰهُ ؕ قُلِ الۡحَمۡدُ لِلّٰهِ ؕ بَلۡ اَكۡثَرُهُمۡ لَا یَعۡلَمُوۡنَ ﴿۲۵﴾
২৬. মহাকাশ এবং পৃথিবীতে যা কিছু আছে সবই আল্লাহ্র। নিশ্চয়ই আল্লাহ্ মুখাপেক্ষাহীন, সপ্রশংসিত।	لِلّٰهِ مَا فِی السَّمٰوٰتِ وَ الۡاَرۡضِ ؕ اِنَّ اللّٰهَ هُوَ الۡغَنِیُّ الۡحَمِیۡدُ ﴿۲۶﴾
২৭. পৃথিবীর সমস্ত গাছ যদি কলম হয়, আর সমস্ত সমুদ্র যদি হয় কালি এবং এর সাথে যদি আরো যুক্ত করা হয় সাত সমুদ্র, তবু আল্লাহ্র (প্রশংসার) বাণী লিখে শেষ করা যাবেনা। নিশ্চয়ই আল্লাহ্ পরাক্রমশালী, বিজ্ঞানময়।	وَ لَوۡ اَنَّ مَا فِی الۡاَرۡضِ مِنۡ شَجَرَۃٍ اَقۡلَامٌ وَّ الۡبَحۡرُ یَمُدُّهٗ مِنۡۢ بَعۡدِهٖ سَبۡعَۃُ اَبۡحُرٍ مَّا نَفِدَتۡ كَلِمٰتُ اللّٰهِ ؕ اِنَّ اللّٰهَ عَزِیۡزٌ حَكِیۡمٌ ﴿۲۷﴾

২৮. তোমাদের সবার সৃষ্টি এবং পুনরুত্থান এক ব্যক্তির সৃষ্টি আর পুনরুত্থানেরই মতো। নিশ্চয়ই আল্লাহ্ সব শুনেন, সব দেখেন।	مَا خَلْقُكُمْ وَ لَا بَعْثُكُمْ اِلَّا كَنَفْسٍ وَّاحِدَةٍ ؕ اِنَّ اللّٰهَ سَمِيْعٌۢ بَصِيْرٌ ﴿۲۸﴾
২৯. তুমি কি দেখোনা, আল্লাহ্ রাতকে দিনের এবং দিনকে রাতের মধ্যে প্রবেশ করিয়ে দেন এবং তিনি সূর্য আর চাঁদকে তোমাদের কল্যাণে নিয়োজিত করে রেখেছেন? প্রত্যেকেই চলছে একটি নির্দিষ্টকাল পর্যন্ত। আর তোমরা যা আমল করো, আল্লাহ্ তা খবর রাখেন।	اَلَمْ تَرَ اَنَّ اللّٰهَ يُوْلِجُ الَّيْلَ فِي النَّهَارِ وَ يُوْلِجُ النَّهَارَ فِي الَّيْلِ وَ سَخَّرَ الشَّمْسَ وَ الْقَمَرَ ۫ كُلٌّ يَّجْرِيْۤ اِلٰۤى اَجَلٍ مُّسَمًّى وَّ اَنَّ اللّٰهَ بِمَا تَعْمَلُوْنَ خَبِيْرٌ ﴿۲۹﴾
৩০. এগুলো (প্রমাণ করে যে) আল্লাহ্ মহাসত্য এবং তারা আল্লাহ্র পরিবর্তে যাদের ডাকে তারা মিথ্যা। নিশ্চয়ই আল্লাহ অতীব উঁচু, অতীব মহান।	ذٰلِكَ بِاَنَّ اللّٰهَ هُوَ الْحَقُّ وَ اَنَّ مَا يَدْعُوْنَ مِنْ دُوْنِهِ الْبَاطِلُ ۙ وَ اَنَّ اللّٰهَ هُوَ الْعَلِيُّ الْكَبِيْرُ ﴿۳۰﴾ রুকু ০৩
৩১. তোমরা কি দেখোনা, আল্লাহ্র অনুগ্রহে নৌযানগুলো জারি হয় সমুদ্রে। এর মাধ্যমে আল্লাহ্ তোমাদের দেখাতে চান তাঁর কিছু নিদর্শন। নিশ্চয়ই এতে রয়েছে নিদর্শন প্রত্যেক ধৈর্যশীল কৃতজ্ঞ ব্যক্তির জন্যে।	اَلَمْ تَرَ اَنَّ الْفُلْكَ تَجْرِيْ فِي الْبَحْرِ بِنِعْمَتِ اللّٰهِ لِيُرِيَكُمْ مِّنْ اٰيٰتِهٖ ؕ اِنَّ فِيْ ذٰلِكَ لَاٰيٰتٍ لِّكُلِّ صَبَّارٍ شَكُوْرٍ ﴿۳۱﴾
৩২. যখন মেঘমালার মতো (বিক্ষুব্ধ) তরঙ্গ সেগুলোকে আচ্ছন্ন করে নেয়, তখন তারা আল্লাহ্র জন্যে আনুগত্যকে একনিষ্ঠ করে তাঁকে ডাকতে থাকে। আর যখনই তিনি তাদের নাজাত দেন কূলে পৌঁছে দিয়ে, তখন তাদের কিছু লোক (ঈমান ও কুফরের) মধ্য পথ অবলম্বন করে। কেবল বিশ্বাসঘাতক অকৃতজ্ঞরাই অস্বীকার করে আমাদের আয়াত।	وَ اِذَا غَشِيَهُمْ مَّوْجٌ كَالظُّلَلِ دَعَوُا اللّٰهَ مُخْلِصِيْنَ لَهُ الدِّيْنَ ۚ فَلَمَّا نَجّٰىهُمْ اِلَى الْبَرِّ فَمِنْهُمْ مُّقْتَصِدٌ ؕ وَ مَا يَجْحَدُ بِاٰيٰتِنَاۤ اِلَّا كُلُّ خَتَّارٍ كَفُوْرٍ ﴿۳۲﴾
৩৩. হে মানুষ! তোমরা ভয় করো তোমাদের প্রভুকে। আরো ভয় করো সেই দিনটিকে, যেদিন বাপ সন্তানের কোনো উপকারে আসবেনা, আর সন্তানও কোনো উপকারে আসবেনা তার বাপের। আল্লাহ্র ওয়াদা অবশ্যি সত্য। সুতরাং দুনিয়ার হায়াত যেনো তোমাদের প্রতারিত না করে এবং তোমাদেরকে কিছুতেই যেনো আল্লাহ্র ব্যাপারে প্রতারিত না করে মহাপ্রতারক (শয়তান)।	يٰۤاَيُّهَا النَّاسُ اتَّقُوْا رَبَّكُمْ وَ اخْشَوْا يَوْمًا لَّا يَجْزِيْ وَالِدٌ عَنْ وَّلَدِهٖ ۫ وَ لَا مَوْلُوْدٌ هُوَ جَازٍ عَنْ وَّالِدِهٖ شَيْـًٔا ؕ اِنَّ وَعْدَ اللّٰهِ حَقٌّ فَلَا تَغُرَّنَّكُمُ الْحَيٰوةُ الدُّنْيَا ٚ وَ لَا يَغُرَّنَّكُمْ بِاللّٰهِ الْغَرُوْرُ ﴿۳۳﴾
৩৪. অবশ্যি কিয়ামতের জ্ঞান রয়েছে কেবল আল্লাহ্র কাছে। তিনিই নাযিল করেন বৃষ্টি। তিনিই জানেন মাতৃগর্ভে কী (ধরনের সন্তান) আছে? কোনো ব্যক্তিই জানেনা আগামীকাল সে কী অর্জন করবে এবং কোনো ব্যক্তি জানেনা কোন্ স্থানে হবে তার মরণ। নিশ্চয়ই আল্লাহ্ জ্ঞানী এবং সব বিষয়ে অবহিত।	اِنَّ اللّٰهَ عِنْدَهٗ عِلْمُ السَّاعَةِ ۚ وَ يُنَزِّلُ الْغَيْثَ ۚ وَ يَعْلَمُ مَا فِي الْاَرْحَامِ ؕ وَ مَا تَدْرِيْ نَفْسٌ مَّا ذَا تَكْسِبُ غَدًا ؕ وَ مَا تَدْرِيْ نَفْسٌۢ بِاَيِّ اَرْضٍ تَمُوْتُ ؕ اِنَّ اللّٰهَ عَلِيْمٌ خَبِيْرٌ ﴿۳۴﴾ রুকু ০৪

সূরা ৩২ আস্ সাজদা

মক্কায় অবতীর্ণ, আয়াত সংখ্যা: ৩০, রুকু সংখ্যা: ০৩

এই সূরার আলোচ্যসূচি (আয়াত ভিত্তিক আলোচ্য বিষয়)

০১-০৩: কুরআন আল্লাহ্‌র কিতাব, কুরআন নাযিলের উদ্দেশ্য।

০৪-১৪: আল্লাহ্‌র মহাবিশ্ব সৃষ্টি এবং পরিচালন ব্যবস্থা নিখুঁত। তিনি নিখুঁতভাবে মানুষ সৃষ্টি করেছেন। মানুষের অবিশ্বাস এক বড় বোকামি। অবিশ্বাসীদের পরকালীন করুণ পরিণতি।

১৫-১৯: যারা আল্লাহ্‌র আয়াতের প্রতি ঈমান আনে তাদের বৈশিষ্ট্য ও শুভ পরিণতি।

২০-৩০: সীমালঙ্ঘনকারীদের করুণ পরিণতি। যারা আল্লাহ্‌র আয়াত থেকে মুখ ফিরিয়ে নেয় তাদের কঠিন শাস্তি। অটলভাবে আল্লাহ্‌র কিতাব মেনে চলার মধ্যেই রয়েছে সাফল্য।

সূরা আস্ সাজদা পরম করুণাময় পরম দয়াবান আল্লাহ্‌র নামে	سُوْرَةُ السَّجْدَةِ بِسْمِ اللّٰهِ الرَّحْمٰنِ الرَّحِيْمِ
০১. আলিফ লাম মিম।	الٓمّٓ ﴿١﴾
০২. এতে কোনো সন্দেহ নেই যে, এ কিতাব রাব্বুল আলামিনের নাযিলকৃত।	تَنْزِيْلُ الْكِتٰبِ لَا رَيْبَ فِيْهِ مِنْ رَّبِّ الْعٰلَمِيْنَ ﴿٢﴾
০৩. তারা কি বলে: 'এটি সে নিজে রচনা করে নিয়েছে?' বরং তোমার প্রভুর পক্ষ থেকে এ এক মহাসত্য। এটি নাযিলের উদ্দেশ্য হলো: সেই কওমকে সতর্ক করা, যাদের মধ্যে তোমার পূর্বে কোনো সতর্ককারী আসেনি। হয়তো তারা সঠিক পথ ধরবে।	اَمْ يَقُوْلُوْنَ افْتَرٰىهُ ۚ بَلْ هُوَ الْحَقُّ مِنْ رَّبِّكَ لِتُنْذِرَ قَوْمًا مَّآ اَتٰىهُمْ مِّنْ نَّذِيْرٍ مِّنْ قَبْلِكَ لَعَلَّهُمْ يَهْتَدُوْنَ ﴿٣﴾
০৪. আল্লাহ্, তিনিই সৃষ্টি করেছেন মহাকাশ, পৃথিবী এবং এ দুয়ের মধ্যবর্তী সবকিছু ছয়টি সময়কালে, তারপর তিনি সমাসীন হন আরশে। তিনি ছাড়া তোমাদের কোনো অলিও নেই শফীও (শাফায়াতকারীও) নেই। তারপরও কি তোমরা শিক্ষা গ্রহণ করবেনা?	اَللّٰهُ الَّذِيْ خَلَقَ السَّمٰوٰتِ وَ الْاَرْضَ وَ مَا بَيْنَهُمَا فِيْ سِتَّةِ اَيَّامٍ ثُمَّ اسْتَوٰى عَلَى الْعَرْشِ ؕ مَا لَكُمْ مِّنْ دُوْنِهٖ مِنْ وَّلِيٍّ وَّ لَا شَفِيْعٍ ؕ اَفَلَا تَتَذَكَّرُوْنَ ﴿٤﴾
০৫. তিনিই আসমান থেকে জমিন পর্যন্ত সব বিষয় পরিচালনা করেন, তারপর একদিন সবকিছুই তাঁর কাছে উত্থাপন করা হবে, তোমাদের হিসাব অনুযায়ী যে দিনটির পরিমাণ হাজার বছর।	يُدَبِّرُ الْاَمْرَ مِنَ السَّمَآءِ اِلَى الْاَرْضِ ثُمَّ يَعْرُجُ اِلَيْهِ فِيْ يَوْمٍ كَانَ مِقْدَارُهٗۤ اَلْفَ سَنَةٍ مِّمَّا تَعُدُّوْنَ ﴿٥﴾
০৬. তিনিই আল্লাহ্, তিনি গায়েব (অদৃশ্যের) এবং শাহাদাতের (দৃশ্যের) জ্ঞানী, মহাশক্তিধর, অতীব দয়াবান।	ذٰلِكَ عٰلِمُ الْغَيْبِ وَ الشَّهَادَةِ الْعَزِيْزُ الرَّحِيْمُ ۙ﴿٦﴾
০৭. তিনি অতি উত্তম ও সুষম করেছেন প্রতিটি জিনিসের সৃষ্টি এবং তিনি মানুষ সৃষ্টির সূচনা করেছেন কাদামাটি থেকে।	الَّذِيْۤ اَحْسَنَ كُلَّ شَيْءٍ خَلَقَهٗ وَ بَدَاَ خَلْقَ الْاِنْسَانِ مِنْ طِيْنٍ ۚ﴿٧﴾

০৮. তারপর তিনি তার (মানুষের) বংশ চালু করেছেন তুচ্ছ পানির নির্যাস থেকে।	ثُمَّ جَعَلَ نَسۡلَهٗ مِنۡ سُلٰلَةٍ مِّنۡ مَّآءٍ مَّهِيۡنٍ ۚ﴿۸﴾
০৯. তারপর তিনি তাকে সুষম ও সুঠাম করেন এবং তাতে ফুঁকে দেন তাঁর থেকে রূহ। আর তিনি তার শোনার জন্যে দিয়েছেন কান, দেখার জন্যে বানিয়ে দিয়েছেন চোখ এবং ভাববার জন্যে সৃষ্টি করে দিয়েছেন অন্তর। তোমরা খুব কমই শোকর আদায় করো।	ثُمَّ سَوّٰىهُ وَ نَفَخَ فِيۡهِ مِنۡ رُّوۡحِهٖ وَ جَعَلَ لَكُمُ السَّمۡعَ وَ الۡاَبۡصَارَ وَ الۡاَفۡـِٕدَةَ ؕ قَلِيۡلًا مَّا تَشۡكُرُوۡنَ ﴿۹﴾
১০. তারা বলে: 'আমরা যখন মাটিতে বিলীন হয়ে যাবো, তখন কি আমাদের পুনরায় নতুন করে সৃষ্টি করা হবে?' বরং তারা তাদের প্রভুর সাথে সাক্ষাতের বিষয়টিকেই অস্বীকার করছে।	وَقَالُوۡۤا ءَاِذَا ضَلَلۡنَا فِى الۡاَرۡضِ ءَاِنَّا لَفِىۡ خَلۡقٍ جَدِيۡدٍ ؕ بَلۡ هُمۡ بِلِقَآئِ رَبِّهِمۡ كٰفِرُوۡنَ ﴿۱۰﴾
১১. বলো: 'তোমাদের ওফাত ঘটাবে মালাকুল মউত (মউতের ফেরেশতা) যাকে তোমাদের মৃত্যু ঘটাবার জন্যে নিযুক্ত করা হয়েছে। তারপর তোমাদের ফিরিয়ে নেয়া হবে তোমাদের প্রভুর কাছে।'	قُلۡ يَتَوَفّٰىكُمۡ مَّلَكُ الۡمَوۡتِ الَّذِىۡ وُكِّلَ بِكُمۡ ثُمَّ اِلٰى رَبِّكُمۡ تُرۡجَعُوۡنَ ﴿۱۱﴾
১২. হায়, তুমি যদি দেখতে, অপরাধীরা যখন তাদের প্রভুর সামনে মাথা নত করে বলবে: 'আমাদের প্রভু! আমরা সবকিছু দেখলাম এবং শুনলাম, এখন তুমি আমাদের আবার পৃথিবীতে পাঠাও, আমরা সৎকাজ করবো এবং আমরা মজবুত বিশ্বাসী হয়েছি।'	وَلَوۡ تَرٰۤى اِذِ الۡمُجۡرِمُوۡنَ نَاكِسُوۡا رُءُوۡسِهِمۡ عِنۡدَ رَبِّهِمۡ ؕ رَبَّنَاۤ اَبۡصَرۡنَا وَ سَمِعۡنَا فَارۡجِعۡنَا نَعۡمَلۡ صَالِحًا اِنَّا مُوۡقِنُوۡنَ ﴿۱۲﴾
১৩. আমরা চাইলে প্রত্যেক ব্যক্তিকেই হিদায়াতের পথে নিয়ে আসতাম, কিন্তু আমি তো ফায়সালা করে রেখেছি: 'আমি অবশ্যি পরিপূর্ণ করবো জাহান্নামকে জিন ও মানুষ উভয়কে দিয়ে।'	وَ لَوۡ شِئۡنَا لَاٰتَيۡنَا كُلَّ نَفۡسٍ هُدٰىهَا وَ لٰكِنۡ حَقَّ الۡقَوۡلُ مِنِّىۡ لَاَمۡلَئَنَّ جَهَنَّمَ مِنَ الۡجِنَّةِ وَالنَّاسِ اَجۡمَعِيۡنَ ﴿۱۳﴾
১৪. সুতরাং আজকের এই দিনের সাক্ষাতের কথা তোমরা যেহেতু ভুলে গিয়েছিলে তাই আস্বাদন করো আযাব। আমরাও তোমাদের ভুলে গেলাম, সুতরাং তোমাদের কর্মকাণ্ডের ফল হিসেবে আস্বাদন করো চিরস্থায়ী আযাব।	فَذُوۡقُوۡا بِمَا نَسِيۡتُمۡ لِقَآءَ يَوۡمِكُمۡ هٰذَا ۚ اِنَّا نَسِيۡنٰكُمۡ وَ ذُوۡقُوۡا عَذَابَ الۡخُلۡدِ بِمَا كُنۡتُمۡ تَعۡمَلُوۡنَ ﴿۱۴﴾
১৫. আমাদের আয়াতের প্রতি ঈমান রাখে তো তারা, যাদেরকে তা স্মরণ করিয়ে দেয়া হলে তারা সাজদায় অবনত হয়ে পড়ে এবং তাদের প্রভুর হামদসহ তসবিহ করতে থাকে, আর তারা দম্ভ করে বেড়ায়না। **(সাজদা)**	اِنَّمَا يُؤۡمِنُ بِاٰيٰتِنَا الَّذِيۡنَ اِذَا ذُكِّرُوۡا بِهَا خَرُّوۡا سُجَّدًا وَّ سَبَّحُوۡا بِحَمۡدِ رَبِّهِمۡ وَهُمۡ لَا يَسۡتَكۡبِرُوۡنَ ﴿۱۵﴾ السجدة
১৬. তারা তাদের দেহকে শয্যা থেকে আলগা করে উঠিয়ে নিয়ে তাদের প্রভুকে ডাকে ভয় ও আশা নিয়ে, আর আমরা তাদের যে রিযিক দিয়েছি তা থেকে তারা খরচ করে (আল্লাহ্র সন্তুষ্টির উদ্দেশ্যে)।	تَتَجَافٰى جُنُوۡبُهُمۡ عَنِ الۡمَضَاجِعِ يَدۡعُوۡنَ رَبَّهُمۡ خَوۡفًا وَّ طَمَعًا ۫ وَّ مِمَّا رَزَقۡنٰهُمۡ يُنۡفِقُوۡنَ ﴿۱۶﴾

রুকু ০১

১৭. কেউই জানেনা, তাদের জন্যে চোখ জুড়ানো যেসব (নিয়ামত রাজি) গোপন করে রাখা হয়েছে তাদের আমলের পুরস্কার হিসেবে!	فَلَا تَعۡلَمُ نَفۡسٌ مَّاۤ اُخۡفِیَ لَهُمۡ مِّنۡ قُرَّةِ اَعۡیُنٍ ۚ جَزَآءًۢ بِمَا كَانُوۡا یَعۡمَلُوۡنَ ﴿۱۷﴾
১৮. যে ব্যক্তি মুমিন, সে কি ফাসিকের সমতুল্য? না, তারা সমান নয়।	اَفَمَنۡ كَانَ مُؤۡمِنًا كَمَنۡ كَانَ فَاسِقًا ؕ لَا یَسۡتَوٗنَ ﴿۱۸﴾
১৯. হাঁ, যারা ঈমান আনে এবং আমলে সালেহ্ করে, তাদের জন্যে রয়েছে জান্নাতুল মা'ওয়া (স্থায়ী জান্নাত) তাদের আমলের আতিথ্য হিসেবে।	اَمَّا الَّذِیۡنَ اٰمَنُوۡا وَ عَمِلُوا الصّٰلِحٰتِ فَلَهُمۡ جَنّٰتُ الۡمَاۡوٰی ۫ نُزُلًۢا بِمَا كَانُوۡا یَعۡمَلُوۡنَ ﴿۱۹﴾
২০. আর যারা ফাসেকি (সীমালংঘন ও পাপাচার) করে, তাদের আবাস হবে জাহান্নাম, যখনই তারা সেখান থেকে বের হতে চাইবে, তখনই তাদের সেখানে ঠেলে দেয়া হবে। তাদের বলা হবে: আস্বাদন করো সেই জাহান্নামের আযাব, যাকে তোমরা অস্বীকার করতে।	وَ اَمَّا الَّذِیۡنَ فَسَقُوۡا فَمَاۡوٰىهُمُ النَّارُ ؕ كُلَّمَاۤ اَرَادُوۡۤا اَنۡ یَّخۡرُجُوۡا مِنۡهَاۤ اُعِیۡدُوۡا فِیۡهَا وَ قِیۡلَ لَهُمۡ ذُوۡقُوۡا عَذَابَ النَّارِ الَّذِیۡ كُنۡتُمۡ بِهٖ تُكَذِّبُوۡنَ ﴿۲۰﴾
২১. 'আযাবুল আকবার' (গুরুদণ্ড) আস্বাদন করাবার আগে আমরা তাদের (এই দুনিয়াতে) কিছু কিছু 'আযাবুল আদনা' (লঘুদণ্ড) আস্বাদন করাবো, যাতে করে তারা ফিরে আসে।	وَ لَنُذِیۡقَنَّهُمۡ مِّنَ الۡعَذَابِ الۡاَدۡنٰی دُوۡنَ الۡعَذَابِ الۡاَكۡبَرِ لَعَلَّهُمۡ یَرۡجِعُوۡنَ ﴿۲۱﴾
২২. ঐ ব্যক্তির চাইতে বড় যালিম আর কে, যাকে বারবার তার প্রভুর আয়াত স্মরণ করিয়ে দেয়া হয়েছে, তারপরও সে তা উপেক্ষা করে চলেছে। আমরা অবশ্যি অপরাধীদের থেকে প্রতিশোধ নেবো।	وَ مَنۡ اَظۡلَمُ مِمَّنۡ ذُكِّرَ بِاٰیٰتِ رَبِّهٖ ثُمَّ اَعۡرَضَ عَنۡهَا ؕ اِنَّا مِنَ الۡمُجۡرِمِیۡنَ مُنۡتَقِمُوۡنَ ﴿۲۲﴾
২৩. আমরা মূসাকেও কিতাব দিয়েছিলাম। সুতরাং তুমি তার সাক্ষাতের ব্যাপারে সন্দেহের মধ্যে থেকোনা। আমরা সেই (মূসার) কিতাবকে বানিয়েছিলাম বনি ইসরাঈলের জন্যে জীবন যাপন পদ্ধতি।	وَ لَقَدۡ اٰتَیۡنَا مُوۡسَی الۡكِتٰبَ فَلَا تَكُنۡ فِیۡ مِرۡیَةٍ مِّنۡ لِّقَآئِهٖ وَ جَعَلۡنٰهُ هُدًی لِّبَنِیۡۤ اِسۡرَآءِیۡلَ ﴿۲۳﴾
২৪. আমরা তাদের মধ্য থেকে বহু ইমাম (নেতা) বানিয়েছিলাম যখন তারা সবর অবলম্বন করেছিল। তারা আমার নির্দেশ অনুসারে মানুষকে সঠিক পথ দেখাতো। আর তারা একীন রাখতো আমাদের আয়াতের প্রতি।	وَ جَعَلۡنَا مِنۡهُمۡ اَئِمَّةً یَّهۡدُوۡنَ بِاَمۡرِنَا لَمَّا صَبَرُوۡا ۟ؕ وَ كَانُوۡا بِاٰیٰتِنَا یُوۡقِنُوۡنَ ﴿۲۴﴾
২৫. তারা যেসব বিষয়ে এখতেলাফ করতো, তোমার প্রভু সেসব বিষয়ে তাদের মাঝে ফায়সালা করে দেবেন কিয়ামতের দিন।	اِنَّ رَبَّكَ هُوَ یَفۡصِلُ بَیۡنَهُمۡ یَوۡمَ الۡقِیٰمَةِ فِیۡمَا كَانُوۡا فِیۡهِ یَخۡتَلِفُوۡنَ ﴿۲۵﴾
২৬. তাদের জন্যে কি এ জিনিসটাও পথ নির্দেশ নয় যে, তাদের আগে আমরা কতো প্রজন্মকে হালাক করে দিয়েছিলাম! আজ তারা তাদের সেই আবাসভূমি দিয়ে চলাফেরা করছে। এতেও রয়েছে অনেক নিদর্শন। তারা কি শুনবেনা?	اَوَ لَمۡ یَهۡدِ لَهُمۡ كَمۡ اَهۡلَكۡنَا مِنۡ قَبۡلِهِمۡ مِّنَ الۡقُرُوۡنِ یَمۡشُوۡنَ فِیۡ مَسٰكِنِهِمۡ ؕ اِنَّ فِیۡ ذٰلِكَ لَاٰیٰتٍ ؕ اَفَلَا یَسۡمَعُوۡنَ ﴿۲۶﴾

রুকু ০২

২৭. তারা কি দেখেনা, আমরা ঊষর (dry) জমিনে পানি বইয়ে দিয়ে তার সাহায্যে উৎপাদন করি শস্য, যা থেকে তাদের পশুরাও খায়, তারাও খায়। তারা কি ভেবে দেখবেনা?	أَوَلَمْ يَرَوْا أَنَّا نَسُوقُ الْمَاءَ إِلَى الْأَرْضِ الْجُرُزِ فَنُخْرِجُ بِهِ زَرْعًا تَأْكُلُ مِنْهُ أَنْعَامُهُمْ وَأَنْفُسُهُمْ ۖ أَفَلَا يُبْصِرُونَ ﴿٢٧﴾
২৮. তারা বলে: 'তোমরা যদি সত্যবাদী হও, তবে বলো, কখন হবে সেই জয়ের ফায়সালা?'	وَيَقُولُونَ مَتَىٰ هَٰذَا الْفَتْحُ إِنْ كُنْتُمْ صَادِقِينَ ﴿٢٨﴾
২৯. তুমি বলো: 'ফায়সালার দিন কাফিররা ঈমান আনলে তা তাদের কোনো কাজে আসবেনা, আর সেদিন তাদের অবকাশও দেয়া হবেনা।'	قُلْ يَوْمَ الْفَتْحِ لَا يَنْفَعُ الَّذِينَ كَفَرُوا إِيمَانُهُمْ وَلَا هُمْ يُنْظَرُونَ ﴿٢٩﴾
৩০. সুতরাং তাদের উপেক্ষা করো এবং অপেক্ষা করো, আর তারাও অপেক্ষায় থাকুক।	فَأَعْرِضْ عَنْهُمْ وَانْتَظِرْ إِنَّهُمْ مُنْتَظِرُونَ ﴿٣٠﴾

রুকু ০৩

সূরা ৩৩ আহযাব

মদিনায় অবতীর্ণ, আয়াত সংখ্যা: ৭৩, রুকু সংখ্যা: ০৯

এই সূরার আলোচ্যসূচি (আয়াত ভিত্তিক আলোচ্য বিষয়)

- ০১-০৮: মুনাফিকদের আনুগত্য করার নিষেধাজ্ঞা। মুখবোলা ছেলেরা পুত্র নয়, তারা দীনি ভাই। নবীর স্ত্রীরা মুমিনদের মা। আল্লাহ্ সকল নবীর কাছ থেকে অঙ্গীকার গ্রহণ করেছিলেন।
- ০৯-২৭: আহযাব যুদ্ধে আল্লাহ্র সাহায্যের বিবরণ। মুনাফিকদের পলায়ন ও মুনাফিকি। মুমিনদের আদর্শ আল্লাহ্র রসূল। মুমিনদের কর্মনীতি। ইহুদিদের মদিনা থেকে উৎখাত।
- ২৮-৩৪: নবীর স্ত্রীদের জন্য উপদেশ ও বিশেষ বিধান।
- ৩৫-৩৬: মুমিনদের বিশেষ গুণাবলি।
- ৩৭-৪৮: নবীকে মুখবোলা পুত্রের স্ত্রী বিয়ে না করার ভ্রান্ত রসম ভাঙ্গার নির্দেশ, ফলে আল্লাহ্র নির্দেশে তিনি যায়েদের তালাক দেয়া স্ত্রীকে বিয়ে করেন। কারণ নবী ইসলামি আদর্শের প্রতীক।
- ৪৯: তালাকের কিছু বিধান।
- ৫০-৫২: নবীর জন্য চারের অধিক বিয়ে বৈধ, নবী কাদেরকে বিয়ে করতে পারবেন।
- ৫৩-৬২ : নবীর ঘরে দাওয়াত খাওয়া এবং নবীর স্ত্রীদের কাছে কিছু চাওয়ার প্রটোকল। নবীর পরে নবীর স্ত্রীদের বিয়ে করা নিষিদ্ধ। পর্দার কিছু বিধান।
- ৬৩-৭৩: কিয়ামতের জ্ঞান একমাত্র আল্লাহ্র কাছে। পরকালে কাফিরদের দুরবস্থা। মুমিনদেরকে মূসার উম্মতের মতো আচরণ করার নিষেধাজ্ঞা। মুমিনদের প্রতি উপদেশ। মানুষের উপর আল্লাহ্র আমানতের ভার বহনের দায়িত্ব অর্পণের কারণ।

সূরা আহযাব (বাহিনী সমূহ) পরম করুণাময় পরম দয়াবান আল্লাহ্র নামে	سُورَةُ الْأَحْزَابِ بِسْمِ اللَّهِ الرَّحْمَٰنِ الرَّحِيمِ
০১. হে নবী! আল্লাহ্কে ভয় করো এবং কাফির আর মুনাফিকদের আনুগত্য করোনা। আল্লাহ্ সর্বজ্ঞানী প্রজ্ঞাবান।	يَا أَيُّهَا النَّبِيُّ اتَّقِ اللَّهَ وَلَا تُطِعِ الْكَافِرِينَ وَالْمُنَافِقِينَ ۗ إِنَّ اللَّهَ كَانَ عَلِيمًا حَكِيمًا ﴿١﴾

০২. তোমার প্রভুর পক্ষ থেকে তোমার প্রতি যে অহি করা হচ্ছে তার ইত্তেবা করো। নিশ্চয়ই তোমরা যা আমল করো আল্লাহ্ তার খবর রাখেন।	وَّ اتَّبِعْ مَا يُوْحٰۤى اِلَيْكَ مِنْ رَّبِّكَ ؕ اِنَّ اللّٰهَ كَانَ بِمَا تَعْمَلُوْنَ خَبِيْرًا ۙ﴿٢﴾
০৩. আর তাওয়াক্কুল করো আল্লাহ্‌র উপর। উকিল হিসেবে তোমার জন্যে আল্লাহ্ই কাফী।	وَّتَوَكَّلْ عَلَى اللّٰهِ ؕ وَكَفٰى بِاللّٰهِ وَكِيْلًا ﴿٣﴾
০৪. আল্লাহ্ বানাননি কোনো ব্যক্তির জন্যে তার অভ্যন্তরে দুটি অন্তর। আর তোমরা তোমাদের যেসব স্ত্রীর সাথে যিহার করো আল্লাহ্ তাদেরকে তোমাদের মা বানাননি এবং তোমাদের মুখডাকা পুত্রদেরকেও বানাননি তোমাদের পুত্র। এগুলো তো তোমাদের মুখের কথা। আল্লাহ্ সত্য কথা বলেন এবং দেখান সঠিক পথ।	مَا جَعَلَ اللّٰهُ لِرَجُلٍ مِّنْ قَلْبَيْنِ فِىْ جَوْفِهٖ ۚ وَمَا جَعَلَ اَزْوَاجَكُمُ الّٰٓـِٔىْ تُظٰهِرُوْنَ مِنْهُنَّ اُمَّهٰتِكُمْ ۚ وَمَا جَعَلَ اَدْعِيَآءَكُمْ اَبْنَآءَكُمْ ؕ ذٰلِكُمْ قَوْلُكُمْ بِاَفْوَاهِكُمْ ؕ وَاللّٰهُ يَقُوْلُ الْحَقَّ وَهُوَ يَهْدِى السَّبِيْلَ ﴿٤﴾
০৫. তোমরা তাদের ডাকো তাদের পিতার পরিচয়ে। আল্লাহ্‌র দৃষ্টিতে এটাই ন্যায়সংগত। তোমরা যদি তাদের পিতার পরিচয় জানতে না পারো, তবে তারা তোমাদের দীনি ভাই এবং বন্ধু। ইতোপূর্বে তোমরা এ ব্যাপারে যে ভুল করেছো সেটার জন্যে তোমাদের অপরাধ ধরা হবেনা। তবে অপরাধ হতে পারে তোমাদের অন্তরের সংকল্পের কারণে। আর আল্লাহ্ পরম ক্ষমাশীল দয়াবান।	اُدْعُوْهُمْ لِاٰبَآئِهِمْ هُوَ اَقْسَطُ عِنْدَ اللّٰهِ ۚ فَاِنْ لَّمْ تَعْلَمُوْۤا اٰبَآءَهُمْ فَاِخْوَانُكُمْ فِى الدِّيْنِ وَمَوَالِيْكُمْ ؕ وَلَيْسَ عَلَيْكُمْ جُنَاحٌ فِيْمَاۤ اَخْطَاْتُمْ بِهٖ ۙ وَلٰكِنْ مَّا تَعَمَّدَتْ قُلُوْبُكُمْ ؕ وَكَانَ اللّٰهُ غَفُوْرًا رَّحِيْمًا ﴿٥﴾
০৬. এই নবী (মুহাম্মদ) মুমিনদের কাছে তাদের নিজেদের চেয়েও ঘনিষ্ঠতর এবং তার স্ত্রীরা তাদের মা। আল্লাহ্‌র কিতাব অনুযায়ী মুমিন ও মুহাজিরদের চেয়ে আত্মীয়রা পরস্পরের নিকটতর। তবে তোমরা যদি তোমাদের বন্ধু ও পৃষ্ঠপোষকদের প্রতি আনুকূল্য দেখাতে চাও, তাতে কোনো দোষ নেই। এসব বিধান কিতাবে লিপিবদ্ধ।	اَلنَّبِىُّ اَوْلٰى بِالْمُؤْمِنِيْنَ مِنْ اَنْفُسِهِمْ وَاَزْوَاجُهٗۤ اُمَّهٰتُهُمْ ؕ وَاُولُوا الْاَرْحَامِ بَعْضُهُمْ اَوْلٰى بِبَعْضٍ فِىْ كِتٰبِ اللّٰهِ مِنَ الْمُؤْمِنِيْنَ وَالْمُهٰجِرِيْنَ اِلَّاۤ اَنْ تَفْعَلُوْۤا اِلٰۤى اَوْلِيٰٓـئِكُمْ مَّعْرُوْفًا ؕ كَانَ ذٰلِكَ فِى الْكِتٰبِ مَسْطُوْرًا ﴿٦﴾
০৭. স্মরণ করো, যখন আমরা নবীদের কাছ থেকে তাদের অংগীকার নিয়েছিলাম এবং তোমার থেকেও, নূহের থেকেও, ইবরাহিম, মূসা এবং ঈসা ইবনে মরিয়ম থেকেও। আমরা তাদের থেকে গ্রহণ করেছিলাম শক্ত অংগীকার,	وَاِذْ اَخَذْنَا مِنَ النَّبِيّٖنَ مِيْثَاقَهُمْ وَمِنْكَ وَمِنْ نُّوْحٍ وَّاِبْرٰهِيْمَ وَمُوْسٰى وَعِيْسَى ابْنِ مَرْيَمَ ۪ وَاَخَذْنَا مِنْهُمْ مِّيْثَاقًا غَلِيْظًا ۙ﴿٧﴾
০৮. সত্যপন্থীদেরকে তাদের সত্য পথে অটল থাকার বিষয়ে জিজ্ঞাসাবাদ করার জন্যে। তিনি কাফিরদের জন্যে তৈরি করে রেখেছেন বেদনাদায়ক আযাব।	لِّيَسْــَٔلَ الصّٰدِقِيْنَ عَنْ صِدْقِهِمْ ۚ وَاَعَدَّ لِلْكٰفِرِيْنَ عَذَابًا اَلِيْمًا ﴿٨﴾

রুকু ০১

০৯. হে ঈমানদার লোকেরা! যিকির করো তোমাদের প্রতি আল্লাহ্‌র নিয়ামতের কথা, যখন তোমাদের দিকে শত্রুবাহিনী এসে গিয়েছিল, তখন আমরা তাদের বিরুদ্ধে পাঠিয়েছিলাম ঝড়ো হাওয়া এবং এমন এক বাহিনী, যাদের তোমরা দেখতে পাওনি। তোমরা যা করো তা আল্লাহ্‌র দৃষ্টির মধ্যেই রয়েছে।	يٰۤاَيُّهَا الَّذِيۡنَ اٰمَنُوا اذۡكُرُوۡا نِعۡمَةَ اللّٰهِ عَلَيۡكُمۡ اِذۡ جَآءَتۡكُمۡ جُنُوۡدٌ فَاَرۡسَلۡنَا عَلَيۡهِمۡ رِيۡحًا وَّ جُنُوۡدًا لَّمۡ تَرَوۡهَا ؕ وَكَانَ اللّٰهُ بِمَا تَعۡمَلُوۡنَ بَصِيۡرًا ۚ﴿۹﴾
১০. যখন তারা এসেছিল তোমাদের উপরের দিক থেকে এবং নিচের দিক থেকে এবং (তাদের দেখে) তোমাদের চোখ বিস্ফারিত হয়ে পড়েছিল এবং তোমাদের প্রাণ হয়ে পড়েছিল কণ্ঠাগত আর তোমরা আল্লাহ্‌র ব্যাপারে করছিলে নানা রকম ধারণা।	اِذۡ جَآءُوۡكُمۡ مِّنۡ فَوۡقِكُمۡ وَ مِنۡ اَسۡفَلَ مِنۡكُمۡ وَ اِذۡ زَاغَتِ الۡاَبۡصَارُ وَبَلَغَتِ الۡقُلُوۡبُ الۡحَنَاجِرَ وَتَظُنُّوۡنَ بِاللّٰهِ الظُّنُوۡنَا ﴿۱۰﴾
১১. এখানেই পরীক্ষা করা হয়েছিল মুমিনদের। তাঁরা কেঁপে উঠেছিল ভীষণ কম্পনে।	هُنَالِكَ ابۡتُلِىَ الۡمُؤۡمِنُوۡنَ وَ زُلۡزِلُوۡا زِلۡزَالًا شَدِيۡدًا ﴿۱۱﴾
১২. এ অবস্থায় মুনাফিকরা এবং যাদের অন্তরে রোগ ছিলো, তারা বলছিল: 'আল্লাহ্ এবং তাঁর রসূল আমাদের যে ওয়াদা দিয়েছেন, সেটা একটা প্রতারণা ছাড়া আর কিছুই নয়।'	وَ اِذۡ يَقُوۡلُ الۡمُنٰفِقُوۡنَ وَ الَّذِيۡنَ فِىۡ قُلُوۡبِهِمۡ مَّرَضٌ مَّا وَعَدَنَا اللّٰهُ وَ رَسُوۡلُهٗۤ اِلَّا غُرُوۡرًا ﴿۱۲﴾
১৩. তখন তাদেরই একটি দল বলেছিল: 'হে ইয়াস্‌রিববাসী! এখানে তোমাদের কোনো স্থান নেই, তোমরা ফিরে চলো।' তাদের আরেকদল নবীর কাছে অব্যাহতির প্রার্থনা করে বলছিল: 'আমাদের বাড়িঘর অরক্ষিত', অথচ তাদের বাড়িঘর অরক্ষিত ছিলনা। আসলে তাদের উদ্দেশ্য ছিলো ভেগে যাওয়া।	وَ اِذۡ قَالَتۡ طَّآئِفَةٌ مِّنۡهُمۡ يٰۤاَهۡلَ يَثۡرِبَ لَا مُقَامَ لَكُمۡ فَارۡجِعُوۡا ۚ وَ يَسۡتَاۡذِنُ فَرِيۡقٌ مِّنۡهُمُ النَّبِىَّ يَقُوۡلُوۡنَ اِنَّ بُيُوۡتَنَا عَوۡرَةٌ ۛؕ وَ مَا هِىَ بِعَوۡرَةٍ ۛۚ اِنۡ يُّرِيۡدُوۡنَ اِلَّا فِرَارًا ﴿۱۳﴾
১৪. শত্রুরা যদি চারদিক থেকে (মদিনা) আক্রমণ করতো এবং তাদেরকে বিদ্রোহের জন্যে প্ররোচিত করতো, তারা কালবিলম্ব না করে সহজেই তা করতো।	وَ لَوۡ دُخِلَتۡ عَلَيۡهِمۡ مِّنۡ اَقۡطَارِهَا ثُمَّ سُئِلُوا الۡفِتۡنَةَ لَاٰتَوۡهَا وَ مَا تَلَبَّثُوۡا بِهَاۤ اِلَّا يَسِيۡرًا ﴿۱۴﴾
১৫. অথচ ইতোপূর্বে তারা আল্লাহ্‌র সাথে অংগীকার করেছিল, তারা পিছু হটবে না। আল্লাহ্‌র সাথে অংগীকার সম্পর্কে অবশ্যি জিজ্ঞাসাবাদ করা হবে।	وَ لَقَدۡ كَانُوۡا عَاهَدُوا اللّٰهَ مِنۡ قَبۡلُ لَا يُوَلُّوۡنَ الۡاَدۡبَارَ ؕ وَكَانَ عَهۡدُ اللّٰهِ مَسۡـُٔوۡلًا ﴿۱۵﴾
১৬. হে নবী! বলো: তোমাদের কোনোই ফায়দা হবেনা যদি তোমরা মউত কিংবা কতল হবার ভয়ে পলায়ন করো। সেক্ষেত্রে তোমাদেরকে ভোগের সুযোগ খুব কমই দেয়া হবে।	قُلۡ لَّنۡ يَّنۡفَعَكُمُ الۡفِرَارُ اِنۡ فَرَرۡتُمۡ مِّنَ الۡمَوۡتِ اَوِ الۡقَتۡلِ وَ اِذًا لَّا تُمَتَّعُوۡنَ اِلَّا قَلِيۡلًا ﴿۱۶﴾
১৭. বলো: কে তোমাদের রক্ষা করবে আল্লাহ্‌র	قُلۡ مَنۡ ذَا الَّذِىۡ يَعۡصِمُكُمۡ مِّنَ اللّٰهِ اِنۡ

থেকে যদি তিনি তোমাদের অমঙ্গল করার এরাদা করেন? অথবা তিনি যদি তোমাদের মঙ্গল করার এরাদা করেন, তবে কে তোমাদের ক্ষতি করবে? তারা নিজেদের জন্যে আল্লাহ্‌র পরিবর্তে কোনো অলি কিংবা সাহায্যকারী পাবেনা।	أَرَادَ بِكُمْ سُوٓءًا أَوْ أَرَادَ بِكُمْ رَحْمَةً ۚ وَلَا يَجِدُونَ لَهُم مِّن دُونِ اللّٰهِ وَلِيًّا وَّلَا نَصِيرًا ﴿١٧﴾
১৮. আল্লাহ্‌ অবশ্যি জানেন তোমাদের মধ্যে কারা প্রতিবন্ধকতা সৃষ্টিকারী, আর কারা তাদের ভাইদের বলে: 'আমাদের সাথে আসো।' তারা যুদ্ধে অংশ নেয়না, সামান্য ছাড়া	قَدْ يَعْلَمُ اللّٰهُ الْمُعَوِّقِينَ مِنكُمْ وَالْقَآئِلِينَ لِإِخْوَانِهِمْ هَلُمَّ إِلَيْنَا ۖ وَلَا يَأْتُونَ الْبَأْسَ إِلَّا قَلِيلًا ﴿١٨﴾
১৯. তোমাদের প্রতি সংকীর্ণ মনোভাবের কারণে। যখন ভয়ের সময় আসে, তুমি তাদের দেখো, মরণের ভয়ে মূর্ছা যাওয়া ব্যক্তির মতো তারা চোখ উল্টিয়ে তোমার দিকে তাকায়। আবার যখন ভয় চলে যায় তখন সম্পদের লোভে তারা তোমাদের প্রতি ভাষার তীর নিক্ষেপ করে। এরা ঈমান আনেনি। ফলে, আল্লাহ্‌ তাদের আমল বিনষ্ট করে দিয়েছেন, আর এটা আল্লাহর জন্যে খুবই সহজ।	أَشِحَّةً عَلَيْكُمْ ۖ فَإِذَا جَآءَ الْخَوْفُ رَأَيْتَهُمْ يَنظُرُونَ إِلَيْكَ تَدُورُ أَعْيُنُهُمْ كَالَّذِى يُغْشٰى عَلَيْهِ مِنَ الْمَوْتِ ۖ فَإِذَا ذَهَبَ الْخَوْفُ سَلَقُوكُم بِأَلْسِنَةٍ حِدَادٍ أَشِحَّةً عَلَى الْخَيْرِ ۚ أُولٰٓئِكَ لَمْ يُؤْمِنُوا فَأَحْبَطَ اللّٰهُ أَعْمَالَهُمْ ۚ وَكَانَ ذٰلِكَ عَلَى اللّٰهِ يَسِيرًا ﴿١٩﴾
২০. তারা ধারণা করছিল সম্মিলিত বাহিনী চলে যায়নি। সম্মিলিত বাহিনী যদি আবার এসে পড়ে, তখন তারা কামনা করবে যে, ভালো হতো তারা যদি বেদুঈনদের সাথে থেকে তোমাদের খোঁজখবর নিতো! তোমাদের মাঝে অবস্থান করলেও তারা যুদ্ধ করতো সামান্যই।	يَحْسَبُونَ الْأَحْزَابَ لَمْ يَذْهَبُوا ۖ وَإِن يَأْتِ الْأَحْزَابُ يَوَدُّوا لَوْ أَنَّهُم بَادُونَ فِى الْأَعْرَابِ يَسْأَلُونَ عَنْ أَنۢبَآئِكُمْ ۖ وَلَوْ كَانُوا فِيكُم مَّا قٰتَلُوٓا إِلَّا قَلِيلًا ﴿٢٠﴾
২১. তোমাদের যারা আল্লাহ্‌র সন্তুষ্টি ও শেষ দিনের সাফল্যের আশা করে এবং আল্লাহ্‌কে বেশি বেশি যিকির করে তাদের জন্যে আল্লাহ্‌র রসূলের মধ্যে রয়েছে উত্তম আদর্শ।	لَقَدْ كَانَ لَكُمْ فِى رَسُولِ اللّٰهِ أُسْوَةٌ حَسَنَةٌ لِّمَن كَانَ يَرْجُوا اللّٰهَ وَالْيَوْمَ الْاٰخِرَ وَذَكَرَ اللّٰهَ كَثِيرًا ﴿٢١﴾
২২. মুমিনরা যখন সম্মিলিত বাহিনী দেখেছিল, তারা বলে উঠেছিল: 'এর ওয়াদাই তো আল্লাহ এবং তাঁর রসূল আমাদের দিয়েছেন এবং আল্লাহ্‌ ও তাঁর রসূল সত্য বলেছেন।' ফলে তাদের ঈমান ও আত্মসমর্পণের মাত্রা বেড়ে গিয়েছিল।	وَلَمَّا رَاَ الْمُؤْمِنُونَ الْأَحْزَابَ ۙ قَالُوا هٰذَا مَا وَعَدَنَا اللّٰهُ وَرَسُولُهُ وَصَدَقَ اللّٰهُ وَرَسُولُهُ ۚ وَمَا زَادَهُمْ إِلَّآ إِيمَانًا وَّتَسْلِيمًا ﴿٢٢﴾
২৩. একদল মুমিন আল্লাহ্‌র সাথে করা তাদের অংগীকার সত্যে পরিণত করেছে, তাদের কেউ কেউ নিজেদের নজরানা পূর্ণ করেছে, আর কেউ	مِنَ الْمُؤْمِنِينَ رِجَالٌ صَدَقُوا مَا عَاهَدُوا اللّٰهَ عَلَيْهِ ۖ فَمِنْهُم مَّن قَضٰى نَحْبَهُ وَ

রুকু ০২

কেউ অপেক্ষায় আছে। তারা তাদের নীতি কিছুমাত্র বদলায়নি।	مِنْهُمْ مَّنْ يَّنْتَظِرُ ۖ وَمَا بَدَّلُوْا تَبْدِيْلًا ۝٢٣
২৪. যাতে করে আল্লাহ্ সত্যপন্থীদের পুরস্কৃত করেন তাদের সত্যবাদিতার জন্যে, আর ইচ্ছা করলে মুনাফিকদের শাস্তি দেন, কিংবা তাদের তওবা কবুল করেন। নিশ্চয়ই আল্লাহ্ পরম ক্ষমাশীল, অতীব দয়াবান।	لِّيَجْزِيَ اللّٰهُ الصّٰدِقِيْنَ بِصِدْقِهِمْ وَ يُعَذِّبَ الْمُنٰفِقِيْنَ اِنْ شَآءَ اَوْ يَتُوْبَ عَلَيْهِمْ ۗ اِنَّ اللّٰهَ كَانَ غَفُوْرًا رَّحِيْمًا ۝٢٤
২৫. আল্লাহ্ কাফিরদের ফিরিয়ে দিলেন তাদের ক্ষোভসহ। তারা কোনো ফায়দা হাসিল করেনি। যুদ্ধে মুমিনদের জন্যে আল্লাহ্ই যথেষ্ট। আর আল্লাহ্ অতীব শক্তিধর মহাপরাক্রমশালী।	وَ رَدَّ اللّٰهُ الَّذِيْنَ كَفَرُوْا بِغَيْظِهِمْ لَمْ يَنَالُوْا خَيْرًا ۗ وَكَفَى اللّٰهُ الْمُؤْمِنِيْنَ الْقِتَالَ ۗ وَكَانَ اللّٰهُ قَوِيًّا عَزِيْزًا ۝٢٥
২৬. আহলে কিতাবদের (ইহুদিদের) যারা তাদের সাহায্য করেছিল, আল্লাহ্ তাদেরকে তাদের দুর্গ থেকে নামিয়ে দিলেন এবং তাদের অন্তরে ঢুকিয়ে দিলেন ভয়। এখন তোমরা তাদের কিছু সংখ্যককে হত্যা করছো আর কিছু সংখ্যককে করছো বন্দী।	وَ اَنْزَلَ الَّذِيْنَ ظَاهَرُوْهُمْ مِّنْ اَهْلِ الْكِتٰبِ مِنْ صَيَاصِيْهِمْ وَ قَذَفَ فِيْ قُلُوْبِهِمُ الرُّعْبَ فَرِيْقًا تَقْتُلُوْنَ وَ تَاْسِرُوْنَ فَرِيْقًا ۝٢٦
২৭. আর তিনি তোমাদেরকে ওয়ারিশ বানিয়ে দিলেন তাদের জমিন, ঘরবাড়ি ও মাল-সম্পদের এবং এমন ভূমির যাতে তোমরা কখনো আগমন করোনি। আল্লাহ সব বিষয়ে সর্বশক্তিমান।	وَ اَوْرَثَكُمْ اَرْضَهُمْ وَ دِيَارَهُمْ وَ اَمْوَالَهُمْ وَ اَرْضًا لَّمْ تَطَـُٔوْهَا ۗ وَكَانَ اللّٰهُ عَلٰى كُلِّ شَيْءٍ قَدِيْرًا ۝٢٧
২৮. হে নবী! তোমার স্ত্রীদের বলো: "তোমরা যদি দুনিয়ার জীবন ও তার চাকচিক্য কামনা করো, তবে আসো আমি তোমাদের ভোগ-বিলাসের সামগ্রী দিয়ে সুন্দরভাবে বিদায় করে দেই।	يٰۤاَيُّهَا النَّبِيُّ قُلْ لِّاَزْوَاجِكَ اِنْ كُنْتُنَّ تُرِدْنَ الْحَيٰوةَ الدُّنْيَا وَ زِيْنَتَهَا فَتَعَالَيْنَ اُمَتِّعْكُنَّ وَ اُسَرِّحْكُنَّ سَرَاحًا جَمِيْلًا ۝٢٨
২৯. আর যদি তোমরা আল্লাহ্ ও তাঁর রসূলকে চাও এবং আখিরাত চাও, সেক্ষেত্রে আল্লাহ্ তোমাদের মধ্যকার কল্যাণপরায়ণ নারীদের জন্যে প্রস্তুত রেখেছেন মহাপুরস্কার।"	وَ اِنْ كُنْتُنَّ تُرِدْنَ اللّٰهَ وَ رَسُوْلَهٗ وَ الدَّارَ الْاٰخِرَةَ فَاِنَّ اللّٰهَ اَعَدَّ لِلْمُحْسِنٰتِ مِنْكُنَّ اَجْرًا عَظِيْمًا ۝٢٩
৩০. হে নবীর স্ত্রীরা! তোমাদের মধ্যে কেউ যদি সুস্পষ্ট ফাহেশা কাজ করে, তার আযাব (দণ্ড) করা হবে দ্বিগুণ এবং এটা আল্লাহ্‌র জন্যে খুবই সহজ।	يٰنِسَآءَ النَّبِيِّ مَنْ يَّاْتِ مِنْكُنَّ بِفَاحِشَةٍ مُّبَيِّنَةٍ يُّضٰعَفْ لَهَا الْعَذَابُ ضِعْفَيْنِ ۗ وَ كَانَ ذٰلِكَ عَلَى اللّٰهِ يَسِيْرًا ۝٣٠

রুকু ০৩

পারা ২২

৩১. আর তোমাদের মধ্যে যে কেউ আল্লাহ্ ও তাঁর রসূলের জন্যে বিনয়ী হবে এবং আমলে সালেহ্ করবে, তাকে আমরা পুরস্কার দেবো দুইবার, আর তার জন্যে আমরা প্রস্তুত রেখেছি সম্মানজনক জীবিকা।	**وَمَنْ يَّقْنُتْ مِنْكُنَّ لِلّٰهِ وَرَسُوْلِهٖ وَتَعْمَلْ** صَالِحًا نُّؤْتِهَاۤ اَجْرَهَا مَرَّتَيْنِ ۙ وَاَعْتَدْنَا لَهَا رِزْقًا كَرِيْمًا ﴿٣١﴾
৩২. হে নবীর স্ত্রীরা! তোমরা অন্য কোনো নারীর মতো নও। যদি তোমরা আল্লাহ্‌কে ভয় করো, তবে পর পুরুষের সাথে এমন ললিত কণ্ঠে কথা বলোনা, যাতে করে এমন কোনো ব্যক্তি প্রলুব্ধ হয়ে পড়ে যার অন্তরে রোগ আছে। তোমরা প্রচলিত পন্থায় যথাযথ কথা বলো।	يٰنِسَآءَ النَّبِيِّ لَسْتُنَّ كَاَحَدٍ مِّنَ النِّسَآءِ اِنِ اتَّقَيْتُنَّ فَلَا تَخْضَعْنَ بِالْقَوْلِ فَيَطْمَعَ الَّذِيْ فِيْ قَلْبِهٖ مَرَضٌ وَّقُلْنَ قَوْلًا مَّعْرُوْفًا ﴿٣٢﴾
৩৩. তোমরা নিজেদের ঘরে অবস্থান করো। তোমরা পূর্বের জাহেলি যুগের মতো নিজেদের প্রদর্শন করে বেড়াবেনা, সালাত কায়েম করো, যাকাত প্রদান করো এবং আল্লাহ্ ও তাঁর রসূলের আনুগত্য করো। আল্লাহ্ চান তোমাদের থেকে অপবিত্রতা দূর করতে হে আহলে বাইত (নবীর পরিবার) এবং তোমাদের সম্পূর্ণরূপে পাক পবিত্র করতে।	وَقَرْنَ فِيْ بُيُوْتِكُنَّ وَلَا تَبَرَّجْنَ تَبَرُّجَ الْجَاهِلِيَّةِ الْاُوْلٰى وَاَقِمْنَ الصَّلٰوةَ وَاٰتِيْنَ الزَّكٰوةَ وَاَطِعْنَ اللّٰهَ وَرَسُوْلَهٗ ؕ اِنَّمَا يُرِيْدُ اللّٰهُ لِيُذْهِبَ عَنْكُمُ الرِّجْسَ اَهْلَ الْبَيْتِ وَيُطَهِّرَكُمْ تَطْهِيْرًا ﴿٣٣﴾
৩৪. তোমরা যিকির করো (আলোচনা ও পাঠ করো) তোমাদের ঘরে যে আল্লাহ্‌র আয়াত ও হিকমতের কথা তিলাওয়াত করা হয়, তা। নিশ্চয়ই আল্লাহ্ অতীব সূক্ষ্মদর্শী ও গভীরভাবে জ্ঞাত।	وَاذْكُرْنَ مَا يُتْلٰى فِيْ بُيُوْتِكُنَّ مِنْ اٰيٰتِ اللّٰهِ وَالْحِكْمَةِ ؕ اِنَّ اللّٰهَ كَانَ لَطِيْفًا خَبِيْرًا ﴿٣٤﴾
৩৫. নিশ্চয়ই মুসলিম (আত্মসমর্পণকারী) পুরুষ ও মুসলিম নারী, মুমিন পুরুষ ও মুমিন নারী, অনুগত পুরুষ ও অনুগত নারী, সত্যবাদী পুরুষ ও সত্যবাদী নারী, ধৈর্যশীল পুরুষ ও ধৈর্যশীল নারী, বিনয়ী পুরুষ ও বিনয়ী নারী, দানশীল পুরুষ ও দানশীল নারী, সওম পালনকারী পুরুষ ও সওম পালনকারী নারী, যৌনাংগ হিফাযতকারী পুরুষ ও যৌনাংগ হিফাযতকারী নারী, বেশি বেশি আল্লাহ্‌র যিকিরকারী পুরুষ ও নারী, আল্লাহ্ এদের জন্যে প্রস্তুত রেখেছেন মাগফিরাত আর শ্রেষ্ঠ প্রতিদান।	اِنَّ الْمُسْلِمِيْنَ وَالْمُسْلِمٰتِ وَالْمُؤْمِنِيْنَ وَالْمُؤْمِنٰتِ وَالْقٰنِتِيْنَ وَالْقٰنِتٰتِ وَالصّٰدِقِيْنَ وَالصّٰدِقٰتِ وَالصّٰبِرِيْنَ وَالصّٰبِرٰتِ وَالْخٰشِعِيْنَ وَالْخٰشِعٰتِ وَالْمُتَصَدِّقِيْنَ وَالْمُتَصَدِّقٰتِ وَالصَّآئِمِيْنَ وَالصّٰٓئِمٰتِ وَالْحٰفِظِيْنَ فُرُوْجَهُمْ وَالْحٰفِظٰتِ وَالذّٰكِرِيْنَ اللّٰهَ كَثِيْرًا وَّالذّٰكِرٰتِ ۙ اَعَدَّ اللّٰهُ لَهُمْ مَّغْفِرَةً وَّاَجْرًا عَظِيْمًا ﴿٣٥﴾
৩৬. আল্লাহ্ এবং তাঁর রসূল কোনো বিষয়ে ফায়সালা দেয়ার পর সে বিষয়ে কোনো মুমিন পুরুষ বা নারীর ভিন্ন সিদ্ধান্ত নেয়ার কোনো এখতিয়ার নেই। যে কেউ আল্লাহ্ এবং তাঁর রসূলকে অমান্য করবে, সে হবে সুস্পষ্ট বিপথগামী।	وَمَا كَانَ لِمُؤْمِنٍ وَّلَا مُؤْمِنَةٍ اِذَا قَضَى اللّٰهُ وَرَسُوْلُهٗۤ اَمْرًا اَنْ يَّكُوْنَ لَهُمُ الْخِيَرَةُ مِنْ اَمْرِهِمْ ؕ وَمَنْ يَّعْصِ اللّٰهَ وَرَسُوْلَهٗ فَقَدْ ضَلَّ ضَلٰلًا مُّبِيْنًا ﴿٣٦﴾
৩৭. স্মরণ করো, আল্লাহ্ যাকে (যায়েদকে) অনুগ্রহ করেছেন এবং তুমিও যার প্রতি অনুগ্রহ করেছো,	وَاِذْ تَقُوْلُ لِلَّذِيْۤ اَنْعَمَ اللّٰهُ عَلَيْهِ وَ

রুকু ০৪

তুমি তাকে বলছিলে: ‘তুমি তোমার স্ত্রীর সাথে সম্পর্ক বজায় রাখো এবং আল্লাহ্কে ভয় করো।’ তুমি তোমার মনে যে কথা গোপন রাখছো আল্লাহ্ সে কথা প্রকাশ করে দিচ্ছেন। তুমি ভয় করছো, পাছে লোক কিছু বলে। অথচ তোমার জন্যে অধিকতর সংগত হলো আল্লাহ্কে ভয় করা। তারপর যায়েদ যখন তার (যয়নবের) সাথে বিবাহ সম্পর্ক ছিন্ন করলো, তখন আমি তাকে তোমার সাথে বিবাহ বন্ধনে আবদ্ধ করে দিলাম, যাতে করে মুমিনদের মুখডাকা পুত্ররা নিজেদের স্ত্রীর সাথে বিবাহ বন্ধন ছিন্ন করলে সেসব নারীদের বিয়ে করার ক্ষেত্রে মুমিনরা কোনো প্রকার সংকোচ না করে। আল্লাহ্‌র নির্দেশ অবশ্যি কার্যকর হতে হবে।	اَنْعَمْتَ عَلَيْهِ اَمْسِكْ عَلَيْكَ زَوْجَكَ وَ اتَّقِ اللّٰهَ وَ تُخْفِيْ فِيْ نَفْسِكَ مَا اللّٰهُ مُبْدِيْهِ وَ تَخْشَى النَّاسَ ۚ وَ اللّٰهُ اَحَقُّ اَنْ تَخْشٰىهُ ؕ فَلَمَّا قَضٰى زَيْدٌ مِّنْهَا وَطَرًا زَوَّجْنٰكَهَا لِكَيْ لَا يَكُوْنَ عَلَى الْمُؤْمِنِيْنَ حَرَجٌ فِيْۤ اَزْوَاجِ اَدْعِيَآئِهِمْ اِذَا قَضَوْا مِنْهُنَّ وَطَرًا ؕ وَ كَانَ اَمْرُ اللّٰهِ مَفْعُوْلًا ﴿٣٧﴾
৩৮. আল্লাহ্ নবীর জন্যে যা ফরয (আইন সংগত) করে দিয়েছেন তা বাস্তবায়ন করতে তার কোনো বাধা নেই। যেসব নবী অতীত হয়েছে, তাদের ক্ষেত্রেও এটাই ছিলো আল্লাহ্‌র সুন্নত (নিয়ম)। আর আল্লাহ্‌র নির্দেশ অবশ্যি একটি সুনিশ্চিত ফায়সালা।	مَا كَانَ عَلَى النَّبِيِّ مِنْ حَرَجٍ فِيْمَا فَرَضَ اللّٰهُ لَهٗ ؕ سُنَّةَ اللّٰهِ فِي الَّذِيْنَ خَلَوْا مِنْ قَبْلُ ؕ وَ كَانَ اَمْرُ اللّٰهِ قَدَرًا مَّقْدُوْرَا ۙ ﴿٣٨﴾
৩৯. তারা আল্লাহ্‌র রিসালাত (বার্তা) পৌঁছে দিতো, তাঁকে ভয় করতো এবং তাঁকে ছাড়া আর কাউকেও ভয় করতো না। আর হিসাব গ্রহণকারী হিসেবে আল্লাহ্ই কাফী (যথেষ্ট)।	الَّذِيْنَ يُبَلِّغُوْنَ رِسٰلٰتِ اللّٰهِ وَ يَخْشَوْنَهٗ وَ لَا يَخْشَوْنَ اَحَدًا اِلَّا اللّٰهَ ؕ وَ كَفٰى بِاللّٰهِ حَسِيْبًا ﴿٣٩﴾
৪০. মুহাম্মদ তোমাদের কোনো পুরুষের পিতা নয়, বরং আল্লাহ্‌র রসূল এবং সর্বশেষ নবী। আল্লাহ্ প্রতিটি বিষয়ে জ্ঞাত।	مَا كَانَ مُحَمَّدٌ اَبَاۤ اَحَدٍ مِّنْ رِّجَالِكُمْ وَ لٰكِنْ رَّسُوْلَ اللّٰهِ وَ خَاتَمَ النَّبِيّٖنَ ؕ وَ كَانَ اللّٰهُ بِكُلِّ شَيْءٍ عَلِيْمًا ﴿٤٠﴾
৪১. হে ঈমানদার লোকেরা! তোমরা আল্লাহ্কে যিকির করো বেশি বেশি যিকির,	يٰۤاَيُّهَا الَّذِيْنَ اٰمَنُوا اذْكُرُوا اللّٰهَ ذِكْرًا كَثِيْرًا ۙ ﴿٤١﴾
৪২. এবং তাঁর তসবিহ্ করো সকাল আর সন্ধ্যায়।	وَّ سَبِّحُوْهُ بُكْرَةً وَّ اَصِيْلًا ﴿٤٢﴾
৪৩. তিনি তোমাদের প্রতি সালাত (রহমত ও অনুগ্রহ) করেন আর তাঁর ফেরেশতারাও তোমাদের জন্যে তাঁর রহমত প্রার্থনা করে তোমাদেরকে অন্ধকাররাশি থেকে বের করে আলোতে নিয়ে আসার জন্যে। তিনি মুমিনদের প্রতি অতীব দয়াবান।	هُوَ الَّذِيْ يُصَلِّيْ عَلَيْكُمْ وَ مَلٰٓئِكَتُهٗ لِيُخْرِجَكُمْ مِّنَ الظُّلُمٰتِ اِلَى النُّوْرِ ؕ وَ كَانَ بِالْمُؤْمِنِيْنَ رَحِيْمًا ﴿٤٣﴾
৪৪. যেদিন তারা আল্লাহ্‌র সাথে সাক্ষাত করবে সেদিন তাদের প্রতি অভিবাদন হবে ‘সালাম’ এবং তিনি তাদের জন্যে প্রস্তুত রেখেছেন সম্মানজনক প্রতিদান।	تَحِيَّتُهُمْ يَوْمَ يَلْقَوْنَهٗ سَلٰمٌ ۖۚ وَ اَعَدَّ لَهُمْ اَجْرًا كَرِيْمًا ﴿٤٤﴾

রুকু ০৫

৪৫. হে নবী! আমরা তোমাকে পাঠিয়েছি সাক্ষী, সুসংবাদদাতা ও সতর্ককারী হিসেবে,	يٰٓاَيُّهَا النَّبِيُّ اِنَّآ اَرْسَلْنٰكَ شَاهِدًا وَّ مُبَشِّرًا وَّ نَذِيْرًا ﴿٤٥﴾
৪৬. আর আল্লাহ্‌র অনুমতিক্রমে তাঁর দিকে আহ্বানকারী হিসেবে এবং এক উজ্জ্বল প্রদীপ হিসেবে।	وَّ دَاعِيًا اِلَى اللّٰهِ بِاِذْنِهٖ وَ سِرَاجًا مُّنِيْرًا ﴿٤٦﴾
৪৭. তুমি মুমিনদের সুসংবাদ দাও যে, তাদের জন্যে আল্লাহ্‌র পক্ষ থেকে রয়েছে বিরাট অনুগ্রহ।	وَ بَشِّرِ الْمُؤْمِنِيْنَ بِاَنَّ لَهُمْ مِّنَ اللّٰهِ فَضْلًا كَبِيْرًا ﴿٤٧﴾
৪৮. তুমি কাফির এবং মুনাফিকদের আনুগত্য করোনা, তাদের দেয়া কষ্ট উপেক্ষা করো, আর তাওয়াক্কুল করো আল্লাহ্‌র উপর। আর উকিল হিসেবে আল্লাহ্‌ই কাফী।	وَ لَا تُطِعِ الْكٰفِرِيْنَ وَ الْمُنٰفِقِيْنَ وَ دَعْ اَذٰىهُمْ وَ تَوَكَّلْ عَلَى اللّٰهِ ؕ وَ كَفٰى بِاللّٰهِ وَكِيْلًا ﴿٤٨﴾
৪৯. হে ঈমানদার লোকেরা! তোমরা মুমিন নারীদের বিয়ে করার পর, তাদের স্পর্শ করার আগেই যদি তালাক দাও, সেক্ষেত্রে তোমাদের জন্যে তাদের কোনো ইদ্দত পালন করতে হবেনা, যা তোমরা গণনা করবে। এ অবস্থায় তোমরা তাদেরকে কিছু অর্থ সামগ্রী দেবে এবং সুন্দরভাবে তাদের বিদায় করবে।	يٰٓاَيُّهَا الَّذِيْنَ اٰمَنُوْٓا اِذَا نَكَحْتُمُ الْمُؤْمِنٰتِ ثُمَّ طَلَّقْتُمُوْهُنَّ مِنْ قَبْلِ اَنْ تَمَسُّوْهُنَّ فَمَا لَكُمْ عَلَيْهِنَّ مِنْ عِدَّةٍ تَعْتَدُّوْنَهَا ۚ فَمَتِّعُوْهُنَّ وَ سَرِّحُوْهُنَّ سَرَاحًا جَمِيْلًا ﴿٤٩﴾
৫০. হে নবী! আমরা তোমার জন্যে হালাল করেছি তোমার স্ত্রীদের, যাদের তুমি মোহরানা দিয়ে বিয়ে করেছো এবং হালাল করেছি ফায় হিসেবে আল্লাহ্ তোমাকে যা দিয়েছেন তা থেকে যারা তোমার মালিকানাধীন হয়েছে তাদেরকে। (এছাড়া তোমার জন্যে বিয়ে করা হালাল করেছি) তোমার চাচার কন্যাদের, তোমার ফুফুর কন্যাদের, তোমার মামার কন্যাদের, তোমার খালার কন্যাদের-যারা তোমার সাথে হিজরত করেছে। আর যে মুমিন নারী নিজেকে বিয়ে করার জন্যে নবীর কাছে নিবেদন (offer) করে এবং নবী তাকে বিয়ে করতে চাইলে (তাকে বিয়ে করাও হালাল করেছি)। এ বৈধতা বিশেষভাবে তোমার জন্যে, অন্য মুমিনদের জন্যে নয়, যাতে করে তোমার কোনো অসুবিধা না হয়। মুমিনদের স্ত্রী এবং তাদের মালিকানাধীন দাসীদের ব্যাপারে যে বিধান (আগেই) দিয়েছি, তা আমি জানি। আল্লাহ্ পরম ক্ষমাশীল, অতীব দয়াবান।	يٰٓاَيُّهَا النَّبِيُّ اِنَّآ اَحْلَلْنَا لَكَ اَزْوَاجَكَ الّٰتِيْٓ اٰتَيْتَ اُجُوْرَهُنَّ وَ مَا مَلَكَتْ يَمِيْنُكَ مِمَّآ اَفَآءَ اللّٰهُ عَلَيْكَ وَ بَنٰتِ عَمِّكَ وَ بَنٰتِ عَمّٰتِكَ وَ بَنٰتِ خَالِكَ وَ بَنٰتِ خٰلٰتِكَ الّٰتِيْ هَاجَرْنَ مَعَكَ ۫ وَ امْرَاَةً مُّؤْمِنَةً اِنْ وَّهَبَتْ نَفْسَهَا لِلنَّبِيِّ اِنْ اَرَادَ النَّبِيُّ اَنْ يَّسْتَنْكِحَهَا ۗ خَالِصَةً لَّكَ مِنْ دُوْنِ الْمُؤْمِنِيْنَ ؕ قَدْ عَلِمْنَا مَا فَرَضْنَا عَلَيْهِمْ فِيْٓ اَزْوَاجِهِمْ وَ مَا مَلَكَتْ اَيْمَانُهُمْ لِكَيْلَا يَكُوْنَ عَلَيْكَ حَرَجٌ ؕ وَ كَانَ اللّٰهُ غَفُوْرًا رَّحِيْمًا ﴿٥٠﴾
৫১. তুমি তাদের (নিজ স্ত্রীদের) যাকে ইচ্ছা (নিয়ম মাফিক) দূরে রাখতে পারো এবং যাকে ইচ্ছা কাছে রাখতে পারো। আর তুমি যাকে দূরে	تُرْجِيْ مَنْ تَشَآءُ مِنْهُنَّ وَ تُـْٔوِيْٓ اِلَيْكَ مَنْ تَشَآءُ ؕ وَ مَنِ ابْتَغَيْتَ مِمَّنْ عَزَلْتَ

রেখেছো তাকে কামনা করলে তোমার কোনো অপরাধ হবেনা। এটাই সহজতর, যাতে তোমার স্ত্রীদের চক্ষু শীতল হয়, তারা দুঃখ না পায় এবং তুমি যা দেবে তাতে তাদের প্রত্যেকেই সন্তুষ্ট থাকে। আল্লাহ্ জানেন তোমাদের অন্তরে কী আছে? আল্লাহ্ সর্বজ্ঞানী, সহনশীল।	فَلَا جُنَاحَ عَلَيْكَ ۚ ذٰلِكَ اَدْنٰٓى اَنْ تَقَرَّ اَعْيُنُهُنَّ وَ لَا يَحْزَنَّ وَ يَرْضَيْنَ بِمَآ اٰتَيْتَهُنَّ كُلُّهُنَّ ۚ وَ اللّٰهُ يَعْلَمُ مَا فِىْ قُلُوْبِكُمْ ۚ وَكَانَ اللّٰهُ عَلِيْمًا حَلِيْمًا ﴿٥١﴾
৫২. এর পর তোমার জন্যে আর কোনো নারীকে বিয়ে করা বৈধ নয় এবং তোমার স্ত্রীদের পরিবর্তন করে অন্য স্ত্রী গ্রহণ করাও বৈধ নয়, যদিও তাদের সৌন্দর্য তোমাকে মুগ্ধ করে। তবে তোমার অধিকারভুক্ত দাসীদের ব্যাপারে এই বিধান প্রযোজ্য নয়। আল্লাহ্ প্রতিটি বিষয়ে সূক্ষ্মভাবে দৃষ্টিদাতা।	لَا يَحِلُّ لَكَ النِّسَآءُ مِنْۢ بَعْدُ وَ لَآ اَنْ تَبَدَّلَ بِهِنَّ مِنْ اَزْوَاجٍ وَّ لَوْ اَعْجَبَكَ حُسْنُهُنَّ اِلَّا مَا مَلَكَتْ يَمِيْنُكَ ۗ وَ كَانَ اللّٰهُ عَلٰى كُلِّ شَىْءٍ رَّقِيْبًا ﴿٥٢﴾
৫৩. হে ঈমানদার লোকেরা! তোমাদের অনুমতি না দেয়া পর্যন্ত খাবার প্রস্তুতির জন্যে অপেক্ষা না করে খাবার গ্রহণের জন্যে নবীর ঘরে প্রবেশ করোনা। তবে যখন ডাকা হয় তখন প্রবেশ করো। আর যখনই খাবার গ্রহণ শেষ হয়, তখন চলে যেয়ো কথাবার্তায় মশগুল না হয়ে। কারণ তোমাদের এ ধরণের আচরণ নবীকে কষ্ট দেয় এবং তোমাদের উঠিয়ে দিতে সে সংকোচ বোধ করে। তবে আল্লাহ্ সত্য বলতে সংকোচ বোধ করেন না। তোমরা নবী পত্নীদের কাছে কিছু চাইলে হিজাবের অন্তরাল থেকে চাইবে। এ পন্থাই তোমাদের এবং তাদের অন্তরের জন্যে অধিকতর পবিত্র। তোমাদের কারো জন্যে সংগত নয় আল্লাহ্র রসূলকে কষ্ট দেয়া এবং তাঁর মৃত্যুর পর কখনো তাঁর স্ত্রীদের বিয়ে করা। আল্লাহ্র দৃষ্টিতে তোমাদের এসব কাজে জড়ানো গুরুতর অপরাধ।	يٰٓاَيُّهَا الَّذِيْنَ اٰمَنُوْا لَا تَدْخُلُوْا بُيُوْتَ النَّبِىِّ اِلَّآ اَنْ يُّؤْذَنَ لَكُمْ اِلٰى طَعَامٍ غَيْرَ نٰظِرِيْنَ اِنٰىهُ ۙ وَ لٰكِنْ اِذَا دُعِيْتُمْ فَادْخُلُوْا فَاِذَا طَعِمْتُمْ فَانْتَشِرُوْا وَ لَا مُسْتَاْنِسِيْنَ لِحَدِيْثٍ ۚ اِنَّ ذٰلِكُمْ كَانَ يُؤْذِى النَّبِىَّ فَيَسْتَحْىٖ مِنْكُمْ ۫ وَ اللّٰهُ لَا يَسْتَحْىٖ مِنَ الْحَقِّ ۚ وَ اِذَا سَاَلْتُمُوْهُنَّ مَتَاعًا فَسْـَٔلُوْهُنَّ مِنْ وَّرَآءِ حِجَابٍ ۚ ذٰلِكُمْ اَطْهَرُ لِقُلُوْبِكُمْ وَ قُلُوْبِهِنَّ ۚ وَ مَا كَانَ لَكُمْ اَنْ تُؤْذُوْا رَسُوْلَ اللّٰهِ وَ لَآ اَنْ تَنْكِحُوْٓا اَزْوَاجَهٗ مِنْۢ بَعْدِهٖٓ اَبَدًا ۚ اِنَّ ذٰلِكُمْ كَانَ عِنْدَ اللّٰهِ عَظِيْمًا ﴿٥٣﴾
৫৪. তোমরা কোনো কিছু প্রকাশ করো কিংবা গোপন করো, জেনে রাখো, আল্লাহ্ সব বিষয়ে জ্ঞানী।	اِنْ تُبْدُوْا شَيْـًٔا اَوْ تُخْفُوْهُ فَاِنَّ اللّٰهَ كَانَ بِكُلِّ شَىْءٍ عَلِيْمًا ﴿٥٤﴾
৫৫. তবে তাদের (নবীর স্ত্রীদের) জন্যে দোষ হবেনা (হিজাব না করলে) তাদের পিতা, কিংবা সন্তান, কিংবা ভাই, অথবা ভাইয়ের ছেলে, নতুবা বোনের ছেলে, তাদের সেবিকা এবং অধিকারভুক্ত দাসদাসীদের সামনে। তোমরা আল্লাহ্কে ভয় করো। আল্লাহ্ প্রতিটি বিষয়ে প্রত্যক্ষদর্শী।	لَا جُنَاحَ عَلَيْهِنَّ فِىْٓ اٰبَآئِهِنَّ وَ لَآ اَبْنَآئِهِنَّ وَ لَآ اِخْوَانِهِنَّ وَ لَآ اَبْنَآءِ اِخْوَانِهِنَّ وَ لَآ اَبْنَآءِ اَخَوٰتِهِنَّ وَ لَا نِسَآئِهِنَّ وَ لَا مَا مَلَكَتْ اَيْمَانُهُنَّ ۚ وَ اتَّقِيْنَ اللّٰهَ ۗ اِنَّ اللّٰهَ كَانَ عَلٰى كُلِّ شَىْءٍ شَهِيْدًا ﴿٥٥﴾

রুকু ০৬

৫৬. নিশ্চয়ই আল্লাহ্ তাঁর নবীর প্রতি সালাত (অনুগ্রহ, অনুকম্পা, মর্যাদাদান) করেন এবং তাঁর ফেরেশতারা নবীর জন্যে সালাত (অনুগ্রহ) প্রার্থনা করে। হে ঈমানদার লোকেরা! তোমরাও নবীর জন্যে সালাত (অনুগ্রহ ও মর্যাদা) প্রার্থনা করো এবং তাঁকে যথার্থভাবে সালাম জানাও।	اِنَّ اللّٰهَ وَ مَلٰٓئِكَتَهٗ يُصَلُّوْنَ عَلَى النَّبِيِّ ؕ يٰٓاَيُّهَا الَّذِيْنَ اٰمَنُوْا صَلُّوْا عَلَيْهِ وَ سَلِّمُوْا تَسْلِيْمًا ﴿۵۶﴾
৫৭. নিশ্চয়ই যারা আল্লাহ্‌কে এবং তাঁর রসূলকে কষ্ট দেয়, আল্লাহ্ দুনিয়া এবং আখিরাতে তাদের লা'নত করেন এবং তাদের জন্যে তিনি প্রস্তুত রেখেছেন অপমানজনক আযাব।	اِنَّ الَّذِيْنَ يُؤْذُوْنَ اللّٰهَ وَ رَسُوْلَهٗ لَعَنَهُمُ اللّٰهُ فِي الدُّنْيَا وَ الْاٰخِرَةِ وَ اَعَدَّ لَهُمْ عَذَابًا مُّهِيْنًا ﴿۵۷﴾
৫৮. যারা বিনা অপরাধে মুমিন পুরুষ এবং নারীদের কষ্ট দেয়, তারা নিজেদের ঘাড়ে বহন করে অপবাদ এবং সুস্পষ্ট পাপের বোঝা।	وَالَّذِيْنَ يُؤْذُوْنَ الْمُؤْمِنِيْنَ وَالْمُؤْمِنٰتِ بِغَيْرِ مَا اكْتَسَبُوْا فَقَدِ احْتَمَلُوْا بُهْتَانًا وَّ اِثْمًا مُّبِيْنًا ﴿۵۸﴾
৫৯. হে নবী! তোমার স্ত্রী, কন্যা এবং মুমিনদের নারীদের বলো, তারা যেনো তাদের চাদরের অংশ তাদের উপর টেনে দেয়। এতে করে তাদের পরিচয় জানতে সহজতর হবে এবং তাদের উত্যক্ত করা হবেনা। আল্লাহ্ অতীব ক্ষমাশীল, পরম দয়াবান।	يٰٓاَيُّهَا النَّبِيُّ قُلْ لِّاَزْوَاجِكَ وَ بَنٰتِكَ وَ نِسَآءِ الْمُؤْمِنِيْنَ يُدْنِيْنَ عَلَيْهِنَّ مِنْ جَلَابِيْبِهِنَّ ؕ ذٰلِكَ اَدْنٰۤى اَنْ يُّعْرَفْنَ فَلَا يُؤْذَيْنَ ؕ وَ كَانَ اللّٰهُ غَفُوْرًا رَّحِيْمًا ﴿۵۹﴾
৬০. মুনাফিকরা, যাদের অন্তরে রোগ আছে তারা, আর যারা শহরে গুজব রটায় তারা নিজেদের অপতৎপরতা থেকে বিরত না হলে তাদের বিরুদ্ধে আমরা তোমাকে প্রবল করে তুলবো, তারপর এই নগরীতে তারা তোমার প্রতিবেশি হিসেবে খুব কম সময়ই থাকতে পারবে।	لَئِنْ لَّمْ يَنْتَهِ الْمُنٰفِقُوْنَ وَ الَّذِيْنَ فِيْ قُلُوْبِهِمْ مَّرَضٌ وَّ الْمُرْجِفُوْنَ فِي الْمَدِيْنَةِ لَنُغْرِيَنَّكَ بِهِمْ ثُمَّ لَا يُجَاوِرُوْنَكَ فِيْهَاۤ اِلَّا قَلِيْلًا ﴿۶۰﴾
৬১. অভিশপ্ত হবে তারা। যেখানেই তাদের পাওয়া যাবে, ধরা হবে এবং হত্যা করা হবে হত্যা করার মতো।	مَّلْعُوْنِيْنَ ۛۚ اَيْنَمَا ثُقِفُوْۤا اُخِذُوْا وَ قُتِّلُوْا تَقْتِيْلًا ﴿۶۱﴾
৬২. যারা অতীত হয়েছে, তাদের ব্যাপারেও এটাই ছিলো আল্লাহ্‌র সুন্নত (নিয়ম), তুমি কখনো আল্লাহ্‌র সুন্নতে পরিবর্তন পাবেনা।	سُنَّةَ اللّٰهِ فِي الَّذِيْنَ خَلَوْا مِنْ قَبْلُ ۚ وَ لَنْ تَجِدَ لِسُنَّةِ اللّٰهِ تَبْدِيْلًا ﴿۶۲﴾
৬৩. লোকেরা তোমাকে কিয়ামত সম্পর্কে জিজ্ঞাসা করে। তুমি বলো: 'সেটার জ্ঞান আল্লাহ্‌র কাছেই রয়েছে।' সেটা তুমি জানবে কী করে? হয়তো বা কিয়ামত খুব শীঘ্রি অনুষ্ঠিত হবে।	يَسْـَٔلُكَ النَّاسُ عَنِ السَّاعَةِ ؕ قُلْ اِنَّمَا عِلْمُهَا عِنْدَ اللّٰهِ ؕ وَ مَا يُدْرِيْكَ لَعَلَّ السَّاعَةَ تَكُوْنُ قَرِيْبًا ﴿۶۳﴾
৬৪. আল্লাহ্ লা'নত করেছেন কাফিরদের এবং তাদের জন্যে প্রস্তুত রেখেছেন জ্বলন্ত আগুন।	اِنَّ اللّٰهَ لَعَنَ الْكٰفِرِيْنَ وَ اَعَدَّ لَهُمْ سَعِيْرًا ﴿۶۴﴾

রুকু ০৭

৬৫. সেখানেই থাকবে তারা অনন্তকাল। তারা কোনো অলিও পাবেনা, সাহায্যকারীও পাবেনা।

خٰلِدِیۡنَ فِیۡهَاۤ اَبَدًا ۚ لَا یَجِدُوۡنَ وَلِیًّا وَّ لَا نَصِیۡرًا ﴿۶۵﴾

৬৬. যেদিন তাদের মুখমণ্ডল আগুনে ওলটপালট করা হবে, সেদিন তারা বলবেঃ "হায়, আমরা যদি আল্লাহ্‌র আনুগত্য করতাম এবং রসূলকে মেনে চলতাম!'

یَوۡمَ تُقَلَّبُ وُجُوۡهُهُمۡ فِی النَّارِ یَقُوۡلُوۡنَ یٰلَیۡتَنَاۤ اَطَعۡنَا اللّٰهَ وَ اَطَعۡنَا الرَّسُوۡلَا ﴿۶۶﴾

৬৭. তারা আরো বলবেঃ 'আমাদের প্রভু! আমরা আমাদের নেতা এবং মুরুব্বিদের আনুগত্য করেছি, কিন্তু তারা আমাদের পথভ্রষ্ট করেছে,

وَ قَالُوۡا رَبَّنَاۤ اِنَّاۤ اَطَعۡنَا سَادَتَنَا وَ کُبَرَآءَنَا فَاَضَلُّوۡنَا السَّبِیۡلَا ﴿۶۷﴾

৬৮. আমাদের প্রভু! তুমি তাদের দ্বিগুণ শাস্তি দাও, আর তাদের লা'নত করো গুরুতর লা'নত।"

رَبَّنَاۤ اٰتِهِمۡ ضِعۡفَیۡنِ مِنَ الۡعَذَابِ وَ الۡعَنۡهُمۡ لَعۡنًا کَبِیۡرًا ﴿۶۸﴾

রুকু ০৮

৬৯. হে ঈমানদার লোকেরা! তোমরা ঐসব লোকদের মতো হয়োনা, যারা মূসাকে কষ্ট দিয়েছিল। তারা যা রটিয়েছিল, আল্লাহ্ তা থেকে তাকে নির্দোষ প্রমাণিত করেন এবং সে ছিলো আল্লাহ্‌র কাছে মর্যাদাবান।

یٰۤاَیُّهَا الَّذِیۡنَ اٰمَنُوۡا لَا تَکُوۡنُوۡا کَالَّذِیۡنَ اٰذَوۡا مُوۡسٰی فَبَرَّاَهُ اللّٰهُ مِمَّا قَالُوۡا ؕ وَ کَانَ عِنۡدَ اللّٰهِ وَجِیۡهًا ﴿ؕ۶۹﴾

৭০. হে ঈমানদার লোকেরা! তোমরা আল্লাহকে ভয় করো এবং সরল সঠিক কথা বলো।

یٰۤاَیُّهَا الَّذِیۡنَ اٰمَنُوا اتَّقُوا اللّٰهَ وَ قُوۡلُوۡا قَوۡلًا سَدِیۡدًا ﴿۷۰﴾

৭১. (তাহলে) তিনি তোমাদের জন্যে ইস্‌লাহ করে দেবেন তোমাদের আমল এবং ক্ষমা করে দেবেন তোমাদের অপরাধ। যে কেউ আল্লাহ্ এবং তাঁর রসূলের আনুগত্য করবে, অবশ্যি সে সাফল্য অর্জন করবে মহাসাফল্য।

یُّصۡلِحۡ لَکُمۡ اَعۡمَالَکُمۡ وَ یَغۡفِرۡ لَکُمۡ ذُنُوۡبَکُمۡ ؕ وَ مَنۡ یُّطِعِ اللّٰهَ وَ رَسُوۡلَهٗ فَقَدۡ فَازَ فَوۡزًا عَظِیۡمًا ﴿۷۱﴾

৭২. আমরা মহাকাশ, পৃথিবী এবং পাহাড়-পর্বতের কাছে এই আমানত পেশ করেছিলাম, কিন্তু তারা তা বহন করতে অপারগতা প্রকাশ করে এবং শংকিত হয়ে পড়ে। কিন্তু মানুষ তা বহন করলো। সে তো ভীষণ যালিম, অতিরিক্ত অজ্ঞ।

اِنَّا عَرَضۡنَا الۡاَمَانَۃَ عَلَی السَّمٰوٰتِ وَ الۡاَرۡضِ وَ الۡجِبَالِ فَاَبَیۡنَ اَنۡ یَّحۡمِلۡنَهَا وَ اَشۡفَقۡنَ مِنۡهَا وَ حَمَلَهَا الۡاِنۡسَانُ ؕ اِنَّهٗ کَانَ ظَلُوۡمًا جَهُوۡلًا ﴿ۙ۷۲﴾

৭৩. পরিণামে আল্লাহ্ আযাব দেবেন মুনাফিক পুরুষ আর মুনাফিক নারীদের এবং মুশরিক পুরুষ আর মুশরিক নারীদের। আর আল্লাহ্ তওবা কবুল করবেন মুমিন পুরুষ আর মুমিন নারীদের এবং আল্লাহ্ তো পরম ক্ষমাশীল অতীব দয়াবান আছেনই।

لِّیُعَذِّبَ اللّٰهُ الۡمُنٰفِقِیۡنَ وَ الۡمُنٰفِقٰتِ وَ الۡمُشۡرِکِیۡنَ وَ الۡمُشۡرِکٰتِ وَ یَتُوۡبَ اللّٰهُ عَلَی الۡمُؤۡمِنِیۡنَ وَ الۡمُؤۡمِنٰتِ ؕ وَ کَانَ اللّٰهُ غَفُوۡرًا رَّحِیۡمًا ﴿۷۳﴾

রুকু ০৯

সূরা ৩৪ সাবা

মক্কায় অবতীর্ণ, আয়াত সংখ্যা: ৫৪, রুকু সংখ্যা: ০৬

এই সূরার আলোচ্যসূচি (আয়াত ভিত্তিক আলোচ্য বিষয়)

০১-০৯: তাওহীদ, রিসালাত ও আখিরাতের যুক্তি।
১০-১৪: দাউদ ও সুলাইমানের প্রতি আল্লাহ্‌র অনুগ্রহ। জিনেরা গায়েব জানেনা।
১৫-২১: সাবাবাসীদের প্রতি আল্লাহ্‌র অনুগ্রহ। তাদের অকৃতজ্ঞতার পরিণাম।
২২-৩৬: শিরকের বাতুলতা। মুহাম্মদ সা. গোটা বিশ্ববাসীর রসূল। কুরআন প্রত্যাখ্যানকারীদের পরিণাম।
৩৭-৫৪: সন্তান ও সম্পদ কাজে আসবেনা, কাজে আসবে ঈমান ও আমলে সালেহ্। লোকেরা আল্লাহ্‌র রসূল ও কিতাবকে প্রত্যাখ্যান করে বাপ দাদার ধর্ম আঁকড়ে ধরে। নবীর দেখানো পথই সঠিক পথ। কিয়ামত এসে পড়লে ঈমানের ঘোষণা কোনো কাজে আসবেনা।

সূরা সাবা (সাবা সাম্রাজ্য) পরম করুণাময় পরম দয়াবান আল্লাহ্‌র নামে	سُوْرَةُ سَبَاٍ بِسْمِ اللّٰهِ الرَّحْمٰنِ الرَّحِيْمِ
০১. সমস্ত প্রশংসা আল্লাহ্‌র, যিনি মালিক মহাকাশ ও পৃথিবীতে যা কিছু আছে সব কিছুর, আখিরাতেও সমস্ত প্রশংসা তাঁর। তিনি প্রজ্ঞাবান, সর্ববিষয়ে জ্ঞাত।	اَلْحَمْدُ لِلّٰهِ الَّذِیْ لَهٗ مَا فِی السَّمٰوٰتِ وَ مَا فِی الْاَرْضِ وَ لَهُ الْحَمْدُ فِی الْاٰخِرَةِ ؕ وَ هُوَ الْحَكِیْمُ الْخَبِیْرُ ①
০২. তিনি জানেন যা প্রবেশ করে জমিনে এবং যা বের হয় জমিন থেকে। তিনি জানেন যা নাযিল হয় আসমান থেকে এবং যা মেরাজ হয় (উঠে) আকাশে। তিনি পরম করুণাময়, অতীব ক্ষমাশীল।	یَعْلَمُ مَا یَلِجُ فِی الْاَرْضِ وَ مَا یَخْرُجُ مِنْهَا وَ مَا یَنْزِلُ مِنَ السَّمَآءِ وَ مَا یَعْرُجُ فِیْهَا ؕ وَ هُوَ الرَّحِیْمُ الْغَفُوْرُ ②
০৩. কাফিররা বলে: ‘কিয়ামত আমাদের কাছে আসবেই না।’ তুমি বলো: ‘হাঁ, আমার প্রভুর শপথ, সেটা অবশ্যি তোমাদের কাছে আসবে। তিনি গায়েবের জ্ঞানী, মহাকাশ এবং পৃথিবীতে অণু পরিমাণ, কিংবা তার চাইতে ছোট বা বড় কোনো কিছুই তাঁর অগোচরে নেই। সবকিছুই রেকর্ড করা আছে সুস্পষ্ট কিতাবে।’	وَ قَالَ الَّذِیْنَ كَفَرُوْا لَا تَاْتِیْنَا السَّاعَةُ ؕ قُلْ بَلٰی وَ رَبِّیْ لَتَاْتِیَنَّكُمْ ۙ عٰلِمِ الْغَیْبِ ۚ لَا یَعْزُبُ عَنْهُ مِثْقَالُ ذَرَّةٍ فِی السَّمٰوٰتِ وَ لَا فِی الْاَرْضِ وَ لَاۤ اَصْغَرُ مِنْ ذٰلِكَ وَ لَاۤ اَكْبَرُ اِلَّا فِیْ كِتٰبٍ مُّبِیْنٍ ③
০৪. এর কারণ, যারা ঈমান আনে এবং আমলে সালেহ্ করে তিনি তাদের পুরস্কার দেবেন এবং তাদের জন্যে রয়েছে মাগফিরাত ও সম্মানজনক রিযিক।	لِّیَجْزِیَ الَّذِیْنَ اٰمَنُوْا وَ عَمِلُوا الصّٰلِحٰتِ ؕ اُولٰٓئِكَ لَهُمْ مَّغْفِرَةٌ وَّ رِزْقٌ كَرِیْمٌ ④
০৫. আর যারা আমাদের আয়াতকে ব্যর্থ করার চেষ্টা করে তাদের জন্যে রয়েছে ভয়ংকর বেদনাদায়ক আযাব।	وَ الَّذِیْنَ سَعَوْ فِیْۤ اٰیٰتِنَا مُعٰجِزِیْنَ اُولٰٓئِكَ لَهُمْ عَذَابٌ مِّنْ رِّجْزٍ اَلِیْمٌ ⑤
০৬. যাদের জ্ঞান দেয়া হয়েছে, তাদের রায় হলো,	وَ یَرَی الَّذِیْنَ اُوْتُوا الْعِلْمَ الَّذِیْۤ اُنْزِلَ

তোমার প্রভুর পক্ষ থেকে যা নাযিল হয়েছে সেটা সত্য। সেটি পথ দেখায় মহাশক্তিধর সপ্রশংসিত আল্লাহ্‌র পথ।	إِلَيْكَ مِن رَّبِّكَ هُوَ الْحَقَّ ۙ وَيَهْدِيٓ إِلَىٰ صِرَاطِ الْعَزِيزِ الْحَمِيدِ ﴿٦﴾
০৭. কাফিররা বলে: "আমরা কি তোমাদের এমন এক ব্যক্তির সন্ধান দেবো, যে তোমাদের বলে: তোমাদের দেহ পুরোপুরি মাটির সাথে মিশে যাবার পর তোমাদের নতুন করে সৃষ্টি করা হবে?"	وَقَالَ الَّذِينَ كَفَرُوا هَلْ نَدُلُّكُمْ عَلَىٰ رَجُلٍ يُنَبِّئُكُمْ إِذَا مُزِّقْتُمْ كُلَّ مُمَزَّقٍ ۙ إِنَّكُمْ لَفِي خَلْقٍ جَدِيدٍ ﴿٧﴾
০৮. সে কি মিথ্যা রচনা করে আল্লাহ্‌র প্রতি আরোপ করে? নাকি তাকে জিনে ধরেছে? বরং যারা আখিরাতের প্রতি ঈমান রাখেনা তারা রয়েছে আযাবের মধ্যে এবং ঘোরতর ভুলপথে।	أَفْتَرَىٰ عَلَى اللَّهِ كَذِبًا أَم بِهِ جِنَّةٌ ۗ بَلِ الَّذِينَ لَا يُؤْمِنُونَ بِالْآخِرَةِ فِي الْعَذَابِ وَالضَّلَالِ الْبَعِيدِ ﴿٨﴾
০৯. তারা কি তাদের সামনের পেছনের আসমান জমিনে যা আছে সেগুলোর প্রতি লক্ষ্য করেনা? আমরা চাইলে তাদেরকেসহ জমিনকে খসিয়ে দিতে পারি, অথবা তাদের উপর আকাশ ভেংগে ফেলতে পারি। নিশ্চয়ই এতে রয়েছে একটি নিদর্শন প্রতিটি আল্লাহ্‌মুখী বান্দার জন্যে।	أَفَلَمْ يَرَوْا إِلَىٰ مَا بَيْنَ أَيْدِيهِمْ وَمَا خَلْفَهُم مِّنَ السَّمَاءِ وَالْأَرْضِ ۚ إِن نَّشَأْ نَخْسِفْ بِهِمُ الْأَرْضَ أَوْ نُسْقِطْ عَلَيْهِمْ كِسَفًا مِّنَ السَّمَاءِ ۚ إِنَّ فِي ذَٰلِكَ لَآيَةً لِّكُلِّ عَبْدٍ مُّنِيبٍ ﴿٩﴾
১০. আমরা আমাদের পক্ষ থেকে দাউদের প্রতি অনুগ্রহ করেছিলাম। আমরা নির্দেশ দিয়েছিলাম: 'হে পর্বতমালা! তোমরা দাউদের সাথে আমার পবিত্রতা ঘোষণা করো এবং পাখিদেরকেও দিয়েছিলাম এ নির্দেশ। আর আমরা তার জন্যে লোহা গলাবার ব্যবস্থা করে দিয়েছিলাম।'	وَلَقَدْ آتَيْنَا دَاوُودَ مِنَّا فَضْلًا ۖ يَا جِبَالُ أَوِّبِي مَعَهُ وَالطَّيْرَ ۖ وَأَلَنَّا لَهُ الْحَدِيدَ ﴿١٠﴾
১১. বলেছিলাম: 'তুমি পূর্ণ মাপের বর্ম তৈরি করো এবং বুননের ক্ষেত্রে পরিমাণ রক্ষা করো। তোমরা আমলে সালেহ্ করো। তোমরা যা আমল করো সেদিকে আমি দৃষ্টি রাখছি।'	أَنِ اعْمَلْ سَابِغَاتٍ وَقَدِّرْ فِي السَّرْدِ ۖ وَاعْمَلُوا صَالِحًا ۖ إِنِّي بِمَا تَعْمَلُونَ بَصِيرٌ ﴿١١﴾
১২. আমরা সুলাইমানের জন্যে নিয়োজিত রেখেছিলাম বাতাসকে, যা একমাসের পথ অতিক্রম করতো সকালে এবং এক মাসের পথ অতিক্রম করতো বিকেলে। আমরা তার জন্যে প্রবাহিত করে দিয়েছিলাম গলিত তামার একটি ঝরণাধারা। তার প্রভুর অনুমতিক্রমে একদল জিন তার সামনে কাজ করতো। তাদের কেউ আমাদের নির্দেশ অমান্য করলে আমরা তাকে আস্বাদন করাবো জ্বলন্ত আগুনের আযাব।	وَلِسُلَيْمَانَ الرِّيحَ غُدُوُّهَا شَهْرٌ وَرَوَاحُهَا شَهْرٌ ۖ وَأَسَلْنَا لَهُ عَيْنَ الْقِطْرِ ۖ وَمِنَ الْجِنِّ مَن يَعْمَلُ بَيْنَ يَدَيْهِ بِإِذْنِ رَبِّهِ ۖ وَمَن يَزِغْ مِنْهُمْ عَنْ أَمْرِنَا نُذِقْهُ مِنْ عَذَابِ السَّعِيرِ ﴿١٢﴾
১৩. তারা সুলাইমানের ইচ্ছা অনুযায়ী কাজ করতো প্রাসাদ নির্মাণের, চিত্রাংকনের, হাউজের মতো বড় আকারের পাত্র নির্মাণের এবং মজবুতভাবে স্থাপিত ডেক নির্মাণের। হে দাউদের পরিবার! তোমরা	يَعْمَلُونَ لَهُ مَا يَشَاءُ مِن مَّحَارِيبَ وَتَمَاثِيلَ وَجِفَانٍ كَالْجَوَابِ وَقُدُورٍ رَّاسِيَاتٍ ۚ اعْمَلُوا آلَ دَاوُودَ شُكْرًا ۚ وَقَلِيلٌ

রুকু ০১

কৃতজ্ঞতার সাথে কাজ করো। তবে আমার বান্দাদের অল্প লোকই শোকর আদায়কারী।	مِنْ عِبَادِيَ الشَّكُوْرُ ﴿١٣﴾
১৪. আমরা যখন সুলাইমানের মউত ঘটালাম, তখন তার মৃত্যুর ঘটনা জানালো কেবল মাটির পোকা, যারা তার লাঠি খাচ্ছিল। যখন সে পড়ে গেলো, তখন জিনেরা বুঝতে পারলো যে, তারা যদি গায়েব জানতো, তাহলে তাদেরকে এই লাঞ্ছনাকর শাস্তিতে আবদ্ধ থাকতে হতো না।	فَلَمَّا قَضَيْنَا عَلَيْهِ الْمَوْتَ مَا دَلَّهُمْ عَلٰى مَوْتِهٖۤ اِلَّا دَآبَّةُ الْاَرْضِ تَاْكُلُ مِنْسَاَتَهٗ ۚ فَلَمَّا خَرَّ تَبَيَّنَتِ الْجِنُّ اَنْ لَّوْ كَانُوْا يَعْلَمُوْنَ الْغَيْبَ مَا لَبِثُوْا فِي الْعَذَابِ الْمُهِيْنِ ﴿١٤﴾
১৫. সাবা বাসীদের জন্যে তাদের বসত ভূমিতে ছিলো একটি নিদর্শন। দুটি উদ্যান ছিলো, একটি ডানদিকে, একটি বামদিকে। তাদের বলা হয়েছিল: তোমরা তোমাদের প্রভুর দেয়া জীবিকা ভোগ করো আর তাঁর কৃতজ্ঞতা প্রকাশ করো। উত্তম নগরী এবং ক্ষমাশীল প্রভু।	لَقَدْ كَانَ لِسَبَاٍ فِيْ مَسْكَنِهِمْ اٰيَةٌ ۚ جَنَّتٰنِ عَنْ يَّمِيْنٍ وَّ شِمَالٍ ؕ كُلُوْا مِنْ رِّزْقِ رَبِّكُمْ وَاشْكُرُوْا لَهٗ ؕ بَلْدَةٌ طَيِّبَةٌ وَّ رَبٌّ غَفُوْرٌ ﴿١٥﴾
১৬. পরে তারা অবাধ্য হয়ে পড়ে। ফলে আমরা তাদের উপর প্রবাহিত করে দিলাম বাঁধভাংগা বন্যা, আর উদ্যান দুটিকে বদল করে দিলাম এমন দুটি উদ্যানে যেগুলোতে উৎপন্ন হয় বিস্বাদ ফলমূল, ঝাউ গাছ আর কিছু কুল গাছ।	فَاَعْرَضُوْا فَاَرْسَلْنَا عَلَيْهِمْ سَيْلَ الْعَرِمِ وَبَدَّلْنٰهُمْ بِجَنَّتَيْهِمْ جَنَّتَيْنِ ذَوَاتَيْ اُكُلٍ خَمْطٍ وَّ اَثْلٍ وَّ شَيْءٍ مِّنْ سِدْرٍ قَلِيْلٍ ﴿١٦﴾
১৭. আমরা তাদের এই শাস্তি দিয়েছিলাম তাদের কুফুরির কারণে। আমরা অকৃতজ্ঞদের ছাড়া আর কাউকেও এ রকম শাস্তি দেই না।	ذٰلِكَ جَزَيْنٰهُمْ بِمَا كَفَرُوْا ؕ وَ هَلْ نُجْزِيْۤ اِلَّا الْكَفُوْرَ ﴿١٧﴾
১৮. তাদের এবং যেসব জনপদের প্রতি আমরা অনুগ্রহ করেছিলাম, সেগুলোর মধ্যবর্তী স্থানে প্রকাশ্য বহু জনপদ স্থাপন করেছিলাম এবং সেসব জনপদে ভ্রমণের যথাযথ ব্যবস্থা করেছিলাম আর তাদের বলেছিলাম: তোমরা এসব জনপদে নিরাপদে ভ্রমণ করো দিনে এবং রাতে।	وَ جَعَلْنَا بَيْنَهُمْ وَبَيْنَ الْقُرَى الَّتِيْ بٰرَكْنَا فِيْهَا قُرًى ظَاهِرَةً وَّ قَدَّرْنَا فِيْهَا السَّيْرَ ؕ سِيْرُوْا فِيْهَا لَيَالِيَ وَاَيَّامًا اٰمِنِيْنَ ﴿١٨﴾
১৯. কিন্তু তারা বলেছিল: 'আমাদের প্রভু! আমাদের সফরের মনযিলের ব্যবধান বাড়িয়ে দাও।' তারা নিজেদের প্রতি যুলুম করেছিল। ফলে আমরা তাদেরকে কাহিনীর বিষয়বস্তুতে পরিণত করে দিয়েছিলাম, আর তাদেরকে ছিন্নভিন্ন করে দিয়েছিলাম। নিশ্চয়ই এতে রয়েছে অনেক নিদর্শন প্রত্যেক ধৈর্যশীল কৃতজ্ঞ ব্যক্তির জন্যে।	فَقَالُوْا رَبَّنَا بٰعِدْ بَيْنَ اَسْفَارِنَا وَظَلَمُوْۤا اَنْفُسَهُمْ فَجَعَلْنٰهُمْ اَحَادِيْثَ وَمَزَّقْنٰهُمْ كُلَّ مُمَزَّقٍ ؕ اِنَّ فِيْ ذٰلِكَ لَاٰيٰتٍ لِّكُلِّ صَبَّارٍ شَكُوْرٍ ﴿١٩﴾
২০. তাদের উপর ইবলিস তার ধারণা সত্য প্রমাণ করেছিল, ফলে তাদের মধ্যে একটি মুমিন পক্ষ ছাড়া বাকি সকলেই তার ইত্তেবা করেছিল।	وَلَقَدْ صَدَّقَ عَلَيْهِمْ اِبْلِيْسُ ظَنَّهٗ فَاتَّبَعُوْهُ اِلَّا فَرِيْقًا مِّنَ الْمُؤْمِنِيْنَ ﴿٢٠﴾

২১. অথচ তাদের উপর ইবলিসের কোনো আধিপত্য ছিলনা। কারা আখিরাতে বিশ্বাসী, আর কারা তাতে সন্দিহান তা প্রকাশ করে দেয়াই ছিলো আমার উদ্দেশ্য। তোমার প্রভু প্রতিটি বিষয়ে হিফাযতকারী।	وَ مَا كَانَ لَهٗ عَلَيۡهِمۡ مِّنۡ سُلۡطٰنٍ اِلَّا لِنَعۡلَمَ مَنۡ يُّؤۡمِنُ بِالۡاٰخِرَةِ مِمَّنۡ هُوَ مِنۡهَا فِىۡ شَكٍّ ؕ وَ رَبُّكَ عَلٰى كُلِّ شَىۡءٍ حَفِيۡظٌ ﴿۲۱﴾ রুকু ০২
২২. বলো: "তোমরা আল্লাহ্‌র পরিবর্তে যাদের ইলাহ্ মনে করো তাদের ডাকো। তারা মহাকাশ এবং পৃথিবীতে অণু পরিমাণ কিছুরও মালিক নয়। মহাকাশ এবং পৃথিবীর মধ্যে কোনো কিছুতেই তাদের কোনো শিরক (অংশ) নেই এবং কেউই তাঁর (আল্লাহ্‌র) সাহায্যকারীও নয়।	قُلِ ادۡعُوا الَّذِيۡنَ زَعَمۡتُمۡ مِّنۡ دُوۡنِ اللّٰهِ ۚ لَا يَمۡلِكُوۡنَ مِثۡقَالَ ذَرَّةٍ فِى السَّمٰوٰتِ وَ لَا فِى الۡاَرۡضِ وَ مَا لَهُمۡ فِيۡهِمَا مِنۡ شِرۡكٍ وَّ مَا لَهٗ مِنۡهُمۡ مِّنۡ ظَهِيۡرٍ ﴿۲۲﴾
২৩. তাঁর ওখানে কারো কোনো শাফায়াত বিন্দুমাত্র কাজে আসবেনা, তবে তিনি নিজেই যদি কাউকেও (কারো ব্যাপারে) সুপারিশ করার অনুমতি দেন সেটা ভিন্ন কথা। পরে যখন তাদের মন থেকে ভয় দূর হবে, তখন তারা একে অপরকে জিজ্ঞাসা করবে: 'তোমাদের প্রভু কী বললেন?' তারা বলবে: 'তিনি সত্য বলেছেন।' আর তিনি অতি মর্যাদাবান, অতিশয় মহান।'	وَ لَا تَنۡفَعُ الشَّفَاعَةُ عِنۡدَهٗۤ اِلَّا لِمَنۡ اَذِنَ لَهٗ ؕ حَتّٰۤى اِذَا فُزِّعَ عَنۡ قُلُوۡبِهِمۡ قَالُوۡا مَا ذَا ۙ قَالَ رَبُّكُمۡ ؕ قَالُوا الۡحَقَّ ۚ وَ هُوَ الۡعَلِىُّ الۡكَبِيۡرُ ﴿۲۳﴾
২৪. বলো: 'আসমান এবং জমিন থেকে তোমাদের কে রিযিক দেন?' বলো: 'আল্লাহ্।' হয় আমরা, না হয় তোমরা হিদায়াতের উপর প্রতিষ্ঠিত, অথবা সুস্পষ্ট গোমরাহিতে নিমজ্জিত।'	قُلۡ مَنۡ يَّرۡزُقُكُمۡ مِّنَ السَّمٰوٰتِ وَ الۡاَرۡضِ ؕ قُلِ اللّٰهُ ۙ وَ اِنَّاۤ اَوۡ اِيَّاكُمۡ لَعَلٰى هُدًى اَوۡ فِىۡ ضَلٰلٍ مُّبِيۡنٍ ﴿۲۴﴾
২৫. বলো: 'আমাদের অপরাধের জন্যে তোমাদের জিজ্ঞাসাবাদ করা হবেনা, আর তোমাদের কর্মকাণ্ডের জন্যেও আমাদের জিজ্ঞাসাবাদ করা হবেনা।'	قُلۡ لَّا تُسۡـَٔلُوۡنَ عَمَّاۤ اَجۡرَمۡنَا وَ لَا نُسۡـَٔلُ عَمَّا تَعۡمَلُوۡنَ ﴿۲۵﴾
২৬. বলো: 'আমাদের প্রভু আমাদের সবাইকে একত্র করবেন তারপর আমাদের মাঝে ফায়সালা করে দেবেন ন্যায়সংগতভাবে। তিনিই সর্বশ্রেষ্ঠ ফায়সালাকারী, সর্বজ্ঞানী।'	قُلۡ يَجۡمَعُ بَيۡنَنَا رَبُّنَا ثُمَّ يَفۡتَحُ بَيۡنَنَا بِالۡحَقِّ ؕ وَ هُوَ الۡفَتَّاحُ الۡعَلِيۡمُ ﴿۲۶﴾
২৭. বলো: 'তোমরা যাদেরকে শরিক হিসেবে তাঁর সাথে জুড়ে দিয়েছো তাদের দেখাও তো আমাকে। না, কখনো নয় (তারা শরিক হতে পারে না), বরং একমাত্র আল্লাহ্ই মহাপরাক্রমশালী, মহাপ্রজ্ঞাবান।'	قُلۡ اَرُوۡنِىَ الَّذِيۡنَ اَلۡحَقۡتُمۡ بِهٖ شُرَكَآءَ كَلَّا ؕ بَلۡ هُوَ اللّٰهُ الۡعَزِيۡزُ الۡحَكِيۡمُ ﴿۲۷﴾
২৮. আমরা তোমাকে রসূল বানিয়ে পাঠিয়েছি সমগ্র মানবজাতির জন্যে সুসংবাদদাতা ও সতর্ককারী হিসেবে। কিন্তু অধিকাংশ মানুষই এলেম রাখেনা।	وَ مَاۤ اَرۡسَلۡنٰكَ اِلَّا كَآفَّةً لِّلنَّاسِ بَشِيۡرًا وَّ نَذِيۡرًا وَّ لٰكِنَّ اَكۡثَرَ النَّاسِ لَا يَعۡلَمُوۡنَ ﴿۲۸﴾
২৯. তারা জিজ্ঞাসা করে: 'তোমরা যদি সত্যবাদী হও, তবে বলো, এই ওয়াদা কখন বাস্তবায়িত হবে?'	وَ يَقُوۡلُوۡنَ مَتٰى هٰذَا الۡوَعۡدُ اِنۡ كُنۡتُمۡ صٰدِقِيۡنَ ﴿۲۹﴾

৩০. তুমি বলো: 'তোমাদের জন্যে রয়েছে একটি নির্ধারিত দিন, যা তোমরা মুহূর্তকালও না পিছিয়ে নিতে পারবে, আর না এগিয়ে আনতে পারবে।'

قُلْ لَّكُمْ مِّيْعَادُ يَوْمٍ لَّا تَسْتَاْخِرُوْنَ عَنْهُ سَاعَةً وَّلَا تَسْتَقْدِمُوْنَ ﴿٣٠﴾

রুকু ০৩

৩১. কাফিররা বলে: 'আমরা কখনো এই কুরআনের প্রতি ঈমান আনবো না, এর আগের কিতাবসমূহের প্রতিও ঈমান আনবো না।' হায়, তোমরা যদি দেখতে, এই যালিমদের যখন তাদের প্রভুর সামনে দাঁড় করানো হবে, তখন তারা পরস্পর বাদ-প্রতিবাদ করতে থাকবে। যাদেরকে (পৃথিবীতে) দুর্বল করে রাখা হয়েছিল, তারা ক্ষমতাদর্পীদের বলবে: 'তোমরা না থাকলে আমরা অবশ্যি মুমিন হতাম।'

وَ قَالَ الَّذِيْنَ كَفَرُوْا لَنْ نُّؤْمِنَ بِهٰذَا الْقُرْاٰنِ وَلَا بِالَّذِيْ بَيْنَ يَدَيْهِ ؕ وَلَوْ تَرٰٓى اِذِ الظّٰلِمُوْنَ مَوْقُوْفُوْنَ عِنْدَ رَبِّهِمْ ۖۚ يَرْجِعُ بَعْضُهُمْ اِلٰى بَعْضِ ِۨالْقَوْلَ ۚ يَقُوْلُ الَّذِيْنَ اسْتُضْعِفُوْا لِلَّذِيْنَ اسْتَكْبَرُوْا لَوْ لَآ اَنْتُمْ لَكُنَّا مُؤْمِنِيْنَ ﴿٣١﴾

৩২. দাম্ভিক ক্ষমতাদর্পীরা দুর্বল করে রাখাদের বলবে: 'তোমাদের কাছে হিদায়াত সুস্পষ্টভাবে এসে যাওয়ার পরও কি আমরাই তোমাদেরকে তা থেকে বাধা দিয়েছিলাম? বরং তোমরা নিজেরাই ছিলে অপরাধী।'

قَالَ الَّذِيْنَ اسْتَكْبَرُوْا لِلَّذِيْنَ اسْتُضْعِفُوْٓا اَنَحْنُ صَدَدْنٰكُمْ عَنِ الْهُدٰى بَعْدَ اِذْ جَآءَكُمْ بَلْ كُنْتُمْ مُّجْرِمِيْنَ ﴿٣٢﴾

৩৩. দুর্বল করে রাখা লোকেরা ক্ষমতাদর্পীদের বলবে: 'তোমরাই তো দিনরাত ষড়যন্ত্রে লিপ্ত ছিলে, আমাদের নির্দেশ দিয়েছিলে যেনো আমরা আল্লাহ্র প্রতি কুফুরি করি এবং তাঁর সাথে শরিক করি।' যখন তারা আযাব দেখতে পাবে, তখন তারা লজ্জা ও অনুতাপ গোপন করবে এবং আমরা কাফিরদের গলায় শিকল পরিয়ে দেবো। তারা যেসব কর্মকাণ্ডে লিপ্ত ছিলো, তাদেরকে তারই প্রতিফল দেয়া হবে মাত্র।

وَقَالَ الَّذِيْنَ اسْتُضْعِفُوْا لِلَّذِيْنَ اسْتَكْبَرُوْا بَلْ مَكْرُ الَّيْلِ وَ النَّهَارِ اِذْ تَاْمُرُوْنَنَآ اَنْ نَّكْفُرَ بِاللّٰهِ وَنَجْعَلَ لَهٗٓ اَنْدَادًا ؕ وَاَسَرُّوا النَّدَامَةَ لَمَّا رَاَوُا الْعَذَابَ ؕ وَ جَعَلْنَا الْاَغْلٰلَ فِيْٓ اَعْنَاقِ الَّذِيْنَ كَفَرُوْا ؕ هَلْ يُجْزَوْنَ اِلَّا مَا كَانُوْا يَعْمَلُوْنَ ﴿٣٣﴾

৩৪. আমরা যখনই কোনো জনপদে সতর্ককারী পাঠিয়েছি, তখনই সেখানকার সম্পদশালী সীমালংঘনকারীরা বলেছে: 'তোমরা যা নিয়ে প্রেরিত হয়েছো, তা আমরা অস্বীকার করছি।'

وَ مَآ اَرْسَلْنَا فِيْ قَرْيَةٍ مِّنْ نَّذِيْرٍ اِلَّا قَالَ مُتْرَفُوْهَآ ۙ اِنَّا بِمَآ اُرْسِلْتُمْ بِهٖ كٰفِرُوْنَ ﴿٣٤﴾

৩৫. তারা আরো বলেছে: 'ধনে জনে আমরা সমৃদ্ধশালী, আমাদের প্রতি কিছুতেই আযাব আসতে পারবে না।'

وَ قَالُوْا نَحْنُ اَكْثَرُ اَمْوَالًا وَّ اَوْلَادًا ۙ وَّ مَا نَحْنُ بِمُعَذَّبِيْنَ ﴿٣٥﴾

৩৬. বলো: 'নিশ্চয়ই আমার প্রভু যাকে ইচ্ছা রিযিক বাড়িয়ে দেন এবং যাকে ইচ্ছা করে দেন সীমিত। তবে অধিকাংশ মানুষই তা জানেনা।'

قُلْ اِنَّ رَبِّيْ يَبْسُطُ الرِّزْقَ لِمَنْ يَّشَآءُ وَ يَقْدِرُ وَلٰكِنَّ اَكْثَرَ النَّاسِ لَا يَعْلَمُوْنَ ﴿٣٦﴾

রুকু ০৪

৩৭. তোমাদের ধনমাল এবং সন্তান-সন্ততি এমন জিনিস নয় যা তোমাদেরকে আমাদের নিকটবর্তী করে দেবে। তবে যারা ঈমান আনে এবং আমলে সালেহ্ করে, তারাই তাদের আমলের জন্যে পাবে বহুগুণ বেশি পুরস্কার। তারা প্রাসাদসমূহের মধ্যে থাকবে সদা নিরাপদ।

وَمَآ اَمْوَالُكُمْ وَلَآ اَوْلَادُكُمْ بِالَّتِيْ تُقَرِّبُكُمْ عِنْدَنَا زُلْفٰٓى اِلَّا مَنْ اٰمَنَ وَعَمِلَ صَالِحًا ۫ فَاُولٰٓئِكَ لَهُمْ جَزَآءُ الضِّعْفِ بِمَا عَمِلُوْا وَهُمْ فِي الْغُرُفٰتِ اٰمِنُوْنَ ﴿٣٧﴾

৩৮. যারা আমাদের আয়াতকে ব্যর্থ করার চেষ্টা করবে, তারাই সদা উপস্থিত থাকবে আযাবের মধ্যে।	وَ الَّذِيْنَ يَسْعَوْنَ فِيْۤ اٰيٰتِنَا مُعٰجِزِيْنَ اُولٰٓئِكَ فِي الْعَذَابِ مُحْضَرُوْنَ ٣٨
৩৯. বলো: 'আমার প্রভু তার বান্দাদের যাকে ইচ্ছা রিযিক বাড়িয়ে দেন এবং যাকে ইচ্ছা করে দেন সীমিত। তোমরা আল্লাহ্‌র পথে যা কিছু ব্যয় করবে, আল্লাহ্ তার প্রতিদান দেবেন। তিনিই সর্বশ্রেষ্ঠ রিযিকদাতা।'	قُلْ اِنَّ رَبِّيْ يَبْسُطُ الرِّزْقَ لِمَنْ يَّشَآءُ مِنْ عِبَادِهٖ وَ يَقْدِرُ لَهٗ ؕ وَمَاۤ اَنْفَقْتُمْ مِّنْ شَيْءٍ فَهُوَ يُخْلِفُهٗ ۚ وَهُوَ خَيْرُ الرّٰزِقِيْنَ ٣٩
৪০. যেদিন তিনি তাদের সবাইকে হাশর করবেন, তারপর ফেরেশতাদের বলবেন: 'এরা কি তোমাদের ইবাদত করতো?'	وَ يَوْمَ يَحْشُرُهُمْ جَمِيْعًا ثُمَّ يَقُوْلُ لِلْمَلٰٓئِكَةِ اَهٰۤؤُلَآءِ اِيَّاكُمْ كَانُوْا يَعْبُدُوْنَ ٤٠
৪১. তারা বলবে: 'তুমি পবিত্র ও মহান, ওরা নয়, তুমিই আমাদের প্রভু, বরং তারা ইবাদত করতো জিনদের (শয়তানদের)। তাদের অধিকাংশই তাদের প্রতি ঈমান রাখতো।'	قَالُوْا سُبْحٰنَكَ اَنْتَ وَلِيُّنَا مِنْ دُوْنِهِمْ ۚ بَلْ كَانُوْا يَعْبُدُوْنَ الْجِنَّ ۚ اَكْثَرُهُمْ بِهِمْ مُّؤْمِنُوْنَ ٤١
৪২. ফলে আজ তোমাদের একের ক্ষমতা নেই অপরের লাভ কিংবা ক্ষতি করার। আমরা যালিমদের বলবো: 'আগুনের আযাবের স্বাদ গ্রহণ করো, যে আযাবকে তোমরা অস্বীকার করতে।'	فَالْيَوْمَ لَا يَمْلِكُ بَعْضُكُمْ لِبَعْضٍ نَّفْعًا وَّ لَا ضَرًّا ؕ وَ نَقُوْلُ لِلَّذِيْنَ ظَلَمُوْا ذُوْقُوْا عَذَابَ النَّارِ الَّتِيْ كُنْتُمْ بِهَا تُكَذِّبُوْنَ ٤٢
৪৩. যখন তাদের প্রতি আমাদের সুস্পষ্ট আয়াত তিলাওয়াত করা হতো তারা বলতো: 'তোমাদের পূর্ব পুরুষরা যাদের ইবাদত করতো এ ব্যক্তি তো তাদের ইবাদত থেকে তোমাদের বাধা দিতে চায়।' তারা আরো বলতো: 'এ তো এক মিথ্যা রচনা ছাড়া আর কিছুই নয়।' কাফিররা সত্য আসার পর সত্য সম্পর্কে আরো বলতো: 'এ তো এক সুস্পষ্ট ম্যাজিক।'	وَ اِذَا تُتْلٰى عَلَيْهِمْ اٰيٰتُنَا بَيِّنٰتٍ قَالُوْا مَا هٰذَاۤ اِلَّا رَجُلٌ يُّرِيْدُ اَنْ يَّصُدَّكُمْ عَمَّا كَانَ يَعْبُدُ اٰبَآؤُكُمْ ۚ وَ قَالُوْا مَا هٰذَاۤ اِلَّاۤ اِفْكٌ مُّفْتَرًى ؕ وَ قَالَ الَّذِيْنَ كَفَرُوْا لِلْحَقِّ لَمَّا جَآءَهُمْ ۙ اِنْ هٰذَاۤ اِلَّا سِحْرٌ مُّبِيْنٌ ٤٣
৪৪. আমরা তাদেরকে পূর্বে কোনো কিতাব দিইনি যা তারা পড়তো এবং তোমার আগে তাদের কাছে আমরা কোনো সতর্ককারীও পাঠাইনি।	وَمَاۤ اٰتَيْنٰهُمْ مِّنْ كُتُبٍ يَّدْرُسُوْنَهَا وَمَاۤ اَرْسَلْنَاۤ اِلَيْهِمْ قَبْلَكَ مِنْ نَّذِيْرٍ ٤٤
৪৫. তাদের আগেকার লোকেরাও অস্বীকার করেছিল। আমরা তাদেরকে যা দিয়েছিলাম এরা তার এক দশমাংশও পায়নি। তা সত্ত্বেও তারা আমার রসূলদের প্রত্যাখ্যান করেছিল। ফলে কতো যে ভয়াবহ হয়েছিল আমার শাস্তি!	وَ كَذَّبَ الَّذِيْنَ مِنْ قَبْلِهِمْ ۙ وَ مَا بَلَغُوْا مِعْشَارَ مَاۤ اٰتَيْنٰهُمْ فَكَذَّبُوْا رُسُلِيْ ۫ فَكَيْفَ كَانَ نَكِيْرِ ٤٥
৪৬. বলো, আমি তোমাদের একটি বিষয়ে উপদেশ দিচ্ছি তাহলো: তোমরা আল্লাহ্‌র উদ্দেশ্যে দাঁড়াও দুইজন এবং একজন করে, তারপর তোমরা চিন্তা করে দেখো, তোমাদের সাথি মোটেও জিনে ধরা ব্যক্তি নয়। সে তো কেবল তোমাদের জন্যে একজন সতর্ককারী আসন্ন কঠিন আযাব সম্পর্কে।	قُلْ اِنَّمَاۤ اَعِظُكُمْ بِوَاحِدَةٍ ۚ اَنْ تَقُوْمُوْا لِلّٰهِ مَثْنٰى وَ فُرَادٰى ثُمَّ تَتَفَكَّرُوْا ۫ مَا بِصَاحِبِكُمْ مِّنْ جِنَّةٍ ؕ اِنْ هُوَ اِلَّا نَذِيْرٌ لَّكُمْ بَيْنَ يَدَيْ عَذَابٍ شَدِيْدٍ ٤٦

রুকু ০৫

৪৭. বলো: 'আমি তো তোমাদের কাছে কোনো পারিশ্রমিক চেয়ে থাকলে তা তোমাদেরই। আমার পুরস্কার তো রয়েছে আল্লাহ্র কাছে। তিনি প্রতিটি বিষয়ের সাক্ষী।'	قُلْ مَا سَاَلْتُكُمْ مِّنْ اَجْرٍ فَهُوَ لَكُمْ ؕ اِنْ اَجْرِیَ اِلَّا عَلَى اللّٰهِ ۚ وَهُوَ عَلٰى كُلِّ شَیْءٍ شَهِیْدٌ ﴿٤٧﴾
৪৮. বলো: 'আমার প্রভু সত্য দিয়ে (অসত্যকে) আঘাত করেন। তিনি গায়েবের আল্লামা (মহাজ্ঞানী)।'	قُلْ اِنَّ رَبِّیْ یَقْذِفُ بِالْحَقِّ ۚ عَلَّامُ الْغُیُوْبِ ﴿٤٨﴾
৪৯. বলো: 'সত্য এসেছে, আর অসত্য নতুন সৃষ্টি করতেও পারে না এবং তা পুনসৃষ্টিও করতে পারে না।'	قُلْ جَآءَ الْحَقُّ وَ مَا یُبْدِئُ الْبَاطِلُ وَ مَا یُعِیْدُ ﴿٤٩﴾
৫০. বলো: 'আমি যদি পথভ্রষ্ট হয়েই থাকি, তবে সেটার পরিণতি আমাকেই ভোগ করতে হবে। আর আমি যদি সঠিক পথে থেকে থাকি, তবে তার কারণ, আমার প্রভু আমার প্রতি অহি করেন। তিনি সর্বশ্রোতা, নিকটবর্তী।'	قُلْ اِنْ ضَلَلْتُ فَاِنَّمَاۤ اَضِلُّ عَلٰى نَفْسِیْ ۚ وَ اِنِ اهْتَدَیْتُ فَبِمَا یُوْحِیْۤ اِلَیَّ رَبِّیْ ؕ اِنَّهٗ سَمِیْعٌ قَرِیْبٌ ﴿٥٠﴾
৫১. তুমি যদি দেখতে, যখন তারা ভীত সন্ত্রস্ত হয়ে পড়বে, তখন তারা অব্যাহতি পাবে না এবং খুব কাছে থেকেই তাদের ধরা হবে।	وَلَوْ تَرٰۤی اِذْ فَزِعُوْا فَلَا فَوْتَ وَ اُخِذُوْا مِنْ مَّكَانٍ قَرِیْبٍ ﴿٥١﴾
৫২. তখন তারা বলবে: 'আমরা সেটার (পরকালের) প্রতি ঈমান আনলাম', কিন্তু এখন আর নাগালের বাইরে চলে যাওয়া জিনিসের নাগাল পাবে কিভাবে?	وَّ قَالُوْۤا اٰمَنَّا بِهٖ ۚ وَ اَنّٰی لَهُمُ التَّنَاوُشُ مِنْ مَّكَانٍۭ بَعِیْدٍ ﴿٥٢﴾
৫৩. ইতোপূর্বে (পৃথিবীতে) তো তারা সেটার প্রতি কুফুরি করেছিল এবং আন্দাজে অনেক দূর থেকে কথা বানিয়ে আনতো।	وَّ قَدْ كَفَرُوْا بِهٖ مِنْ قَبْلُ ۚ وَ یَقْذِفُوْنَ بِالْغَیْبِ مِنْ مَّكَانٍۭ بَعِیْدٍ ﴿٥٣﴾
৫৪. তাদের এবং তাদের চাওয়ার মধ্যে অন্তরায় সৃষ্টি করে দেয়া হয়েছে, যেমন ইতোপূর্বে করা হয়েছিল তাদের সমপন্থীদের ক্ষেত্রে। তারা ছিলো বিভ্রান্তিকর সন্দেহের মধ্যে।	وَ حِیْلَ بَیْنَهُمْ وَ بَیْنَ مَا یَشْتَهُوْنَ كَمَا فُعِلَ بِاَشْیَاعِهِمْ مِّنْ قَبْلُ ؕ اِنَّهُمْ كَانُوْا فِیْ شَكٍّ مُّرِیْبٍ ﴿٥٤﴾

রুকু ০৬

সূরা ৩৫ ফাতির

মক্কায় অবতীর্ণ, আয়াত সংখ্যা: ৪৫, রুকু সংখ্যা: ০৫

এই সূরার আলোচ্যসূচি (আয়াত ভিত্তিক আলোচ্যসূচি)

০১-০৭: আল্লাহ্ ফেরেশ্তাদের বার্তাবাহক বানান এবং তাদের ডানা আছে। পূর্ববর্তী অনেক রসূলকেই প্রত্যাখ্যান করা হয়েছিল। দুনিয়ার জীবন এবং শয়তান যেনো তোমাদের প্রতারিত না করে।

০৮-১৪: প্রত্যাখ্যানকারীদের জন্য দুঃখ করোনা। পুনরুত্থানের যুক্তি। তাওহীদের যুক্তি।

১৫-৩৭: মানুষ আল্লাহ্র মুখাপেক্ষী। কেউ কারো পাপের বোঝা বইবেনা। আত্মশুদ্ধিতে ব্যক্তিরই কল্যাণ। অন্ধকার আর আলো এক নয়। চিন্তাশীল, জ্ঞানীরাই আল্লাহ্কে ভয় করে। ভালো কাজের প্রতিযোগিতাকারীদের জন্য সুসংবাদ।

৩৮-৩৯: আল্লাহ্ মানুষকে পৃথিবীর প্রতিনিধি বানিয়েছেন। অকৃতজ্ঞদের জন্য রয়েছে ধ্বংস।

৪০-৪৫: যাদেরকে আল্লাহ্‌র সাথে শরিক করা হয় তারা সম্পূর্ণ অক্ষম। রসূলকে প্রত্যাখ্যানকারীরা আল্লাহ্‌র পাকড়াও থেকে রক্ষা পাবেনা। দুনিয়ার জীবনে আল্লাহ্ কিছুটা অবকাশ দেন মাত্র।

সূরা ফাতির (সৃষ্টির সূচনাকারী) পরম করুণাময় পরম দয়াবান আল্লাহ্‌র নামে	سُوْرَةُ فَاطِرٍ بِسْمِ اللّٰهِ الرَّحْمٰنِ الرَّحِيْمِ
০১. আলহামদুলিল্লাহ- সমস্ত প্রশংসা আল্লাহ্‌র, যিনি মহাকাশ ও পৃথিবীর স্রষ্টা, যিনি ফেরেশতাদের বার্তাবাহক নিয়োগ করেন, যারা দুই দুই, তিন তিন কিংবা চার চার পাখা বিশিষ্ট। তিনি সৃষ্টিতে বৃদ্ধি করেন যা ইচ্ছা করেন। নিশ্চয়ই আল্লাহ্ প্রতিটি বিষয়ের উপর শক্তিমান।	اَلْحَمْدُ لِلّٰهِ فَاطِرِ السَّمٰوٰتِ وَ الْاَرْضِ جَاعِلِ الْمَلٰٓئِكَةِ رُسُلًا اُولِيْٓ اَجْنِحَةٍ مَّثْنٰى وَ ثُلٰثَ وَ رُبٰعَ ؕ يَزِيْدُ فِي الْخَلْقِ مَا يَشَآءُ ؕ اِنَّ اللّٰهَ عَلٰى كُلِّ شَيْءٍ قَدِيْرٌ ①
০২. আল্লাহ্ মানুষের প্রতি কোনো রহমত খুলে দিলে তা রোধ করার কেউ নেই। আর তিনি নিজেই কিছু বন্ধ করে দিতে চাইলে তারপর তা উন্মুক্ত করারও কেউ নেই। তিনি মহাপরাক্রমশালী, অতীব প্রজ্ঞাবান।	مَا يَفْتَحِ اللّٰهُ لِلنَّاسِ مِنْ رَّحْمَةٍ فَلَا مُمْسِكَ لَهَا ۚ وَ مَا يُمْسِكْ ۙ فَلَا مُرْسِلَ لَهٗ مِنْۢ بَعْدِهٖ ؕ وَ هُوَ الْعَزِيْزُ الْحَكِيْمُ ②
০৩. হে মানুষ! তোমরা স্মরণ করো তোমাদের প্রতি আল্লাহ্‌র অনুগ্রহের কথা। আল্লাহ্ ছাড়া এমন কোনো স্রষ্টা আছে কি, যে আকাশ এবং পৃথিবী থেকে তোমাদের রিযিক প্রদান করে। কোনো ইলাহ্ নেই তিনি ছাড়া। সুতরাং তোমরা ভুল পথে যাচ্ছো কোথায়?	يٰۤاَيُّهَا النَّاسُ اذْكُرُوْا نِعْمَتَ اللّٰهِ عَلَيْكُمْ ؕ هَلْ مِنْ خَالِقٍ غَيْرُ اللّٰهِ يَرْزُقُكُمْ مِّنَ السَّمَآءِ وَ الْاَرْضِ ؕ لَاۤ اِلٰهَ اِلَّا هُوَ ۫ۖ فَاَنّٰى تُؤْفَكُوْنَ ③
০৪. তারা যদি তোমাকে মিথ্যা বলে প্রত্যাখ্যান করেই, তবে তোমার আগেও বহু রসূলকে প্রত্যাখ্যান করা হয়েছে। সব বিষয় শেষ পর্যন্ত ফিরে যায় আল্লাহ্‌র কাছেই।	وَ اِنْ يُّكَذِّبُوْكَ فَقَدْ كُذِّبَتْ رُسُلٌ مِّنْ قَبْلِكَ ؕ وَ اِلَى اللّٰهِ تُرْجَعُ الْاُمُوْرُ ④
০৫. হে মানুষ! নিশ্চয়ই আল্লাহ্‌র ওয়াদা সত্য। সুতরাং দুনিয়ার জীবন যেনো তোমাদের প্রতারিত না করে। আর বড় প্রতারকও যেনো তোমাদেরকে আল্লাহ্‌র ব্যাপারে প্রতারিত না করে।	يٰۤاَيُّهَا النَّاسُ اِنَّ وَعْدَ اللّٰهِ حَقٌّ فَلَا تَغُرَّنَّكُمُ الْحَيٰوةُ الدُّنْيَا ٚ وَ لَا يَغُرَّنَّكُمْ بِاللّٰهِ الْغَرُوْرُ ⑤
০৬. শয়তান তোমাদের শত্রু। সুতরাং তাকে শত্রু হিসেবে গ্রহণ করো। সে তো তার অনুসারী দলবলকে আহ্বান জানায়, যেনো তারা সায়ীরের (জাহান্নামের) পথিক হয়ে যায়।	اِنَّ الشَّيْطٰنَ لَكُمْ عَدُوٌّ فَاتَّخِذُوْهُ عَدُوًّا ؕ اِنَّمَا يَدْعُوْا حِزْبَهٗ لِيَكُوْنُوْا مِنْ اَصْحٰبِ السَّعِيْرِ ؕ ⑥
০৭. যারা কুফুরি করে তাদের জন্যে রয়েছে কঠিন আযাব। আর যারা ঈমান আনে এবং আমলে সালেহ্ করে, তাদের জন্যে রয়েছে মাগফিরাত এবং মহাপুরস্কার।	اَلَّذِيْنَ كَفَرُوْا لَهُمْ عَذَابٌ شَدِيْدٌ ؕ۬ وَ الَّذِيْنَ اٰمَنُوْا وَ عَمِلُوا الصّٰلِحٰتِ لَهُمْ مَّغْفِرَةٌ وَّ اَجْرٌ كَبِيْرٌ ⑦

রুকু ০১

০৮. ঐ ব্যক্তি যার কাছে তার মন্দ কাজ চাকচিক্যময় করে দেয়া হয় এবং সে সেটাকেই উত্তম মনে করে, সে কি সঠিক পথের অনুসারীর সমতুল্য? নিশ্চয়ই আল্লাহ্ যাকে ইচ্ছা গোমরাহ করেন, আর সঠিক পথ দেখান যাকে ইচ্ছা করেন। অতএব তুমি তাদের জন্যে আক্ষেপ করে তোমার জীবন ধ্বংস করোনা। নিশ্চয়ই আল্লাহ্ জানেন তারা যা করে।	اَفَمَنْ زُيِّنَ لَهٗ سُوْٓءُ عَمَلِهٖ فَرَاٰهُ حَسَنًا ۭ فَاِنَّ اللّٰهَ يُضِلُّ مَنْ يَّشَآءُ وَ يَهْدِيْ مَنْ يَّشَآءُ ۖ فَلَا تَذْهَبْ نَفْسُكَ عَلَيْهِمْ حَسَرٰتٍ ۭ اِنَّ اللّٰهَ عَلِيْمٌۢ بِمَا يَصْنَعُوْنَ ۝٨
০৯. আল্লাহ্, তিনিই বাতাস পাঠান, তা দিয়ে পরিচালিত করেন মেঘমালা। তারপর আমরা তা মৃত ভূ-খণ্ডের দিকে পরিচালিত করি। তারপর তা দিয়ে আমরা মৃত জমিনকে জীবিত করি। এভাবেই মৃত্যুর পর (মানুষকে) পুনরায় জীবিত করে উঠানো হবে।	وَ اللّٰهُ الَّذِيْٓ اَرْسَلَ الرِّيٰحَ فَتُثِيْرُ سَحَابًا فَسُقْنٰهُ اِلٰى بَلَدٍ مَّيِّتٍ فَاَحْيَيْنَا بِهِ الْاَرْضَ بَعْدَ مَوْتِهَا ۭ كَذٰلِكَ النُّشُوْرُ ۝٩
১০. কেউ যদি ইযযত লাভ করতে চায়, সে জেনে রাখুক, ইযযত পুরোটাই আল্লাহ্র। তাঁর দিকেই উত্থিত হয় পবিত্র বাণীসমূহ এবং সেগুলোকে উত্থিত করে আমলে সালেহ্। যারা দুষ্কর্মের চক্রান্ত করে, তাদের জন্যে রয়েছে কঠিন আযাব। আর তাদের ষড়যন্ত্র ব্যর্থ হবেই।	مَنْ كَانَ يُرِيْدُ الْعِزَّةَ فَلِلّٰهِ الْعِزَّةُ جَمِيْعًا ۭ اِلَيْهِ يَصْعَدُ الْكَلِمُ الطَّيِّبُ وَ الْعَمَلُ الصَّالِحُ يَرْفَعُهٗ ۭ وَ الَّذِيْنَ يَمْكُرُوْنَ السَّيِّاٰتِ لَهُمْ عَذَابٌ شَدِيْدٌ ۭ وَ مَكْرُ اُولٰٓئِكَ هُوَ يَبُوْرُ ۝١٠
১১. আল্লাহ্ তোমাদের সৃষ্টি করেছেন মাটি থেকে, তারপর নোতফা (শুক্রবিন্দু) থেকে, তারপর তোমাদের বানিয়ে দিয়েছেন যুগল। আল্লাহ্র এলেমের মধ্যে ছাড়া কোনো নারী গর্ভও ধারণ করেনা, প্রসবও করেনা। কোনো দীর্ঘায়ু ব্যক্তির বয়স বাড়ানো হয়না, কিংবা তা থেকে কমানোও হয়না, যা একটি কিতাবে লেখা থাকেনা। এটা আল্লাহ্র জন্যে খুবই সহজ।	وَ اللّٰهُ خَلَقَكُمْ مِّنْ تُرَابٍ ثُمَّ مِنْ نُّطْفَةٍ ثُمَّ جَعَلَكُمْ اَزْوَاجًا ۭ وَ مَا تَحْمِلُ مِنْ اُنْثٰى وَ لَا تَضَعُ اِلَّا بِعِلْمِهٖ ۭ وَ مَا يُعَمَّرُ مِنْ مُّعَمَّرٍ وَّ لَا يُنْقَصُ مِنْ عُمُرِهٖٓ اِلَّا فِيْ كِتٰبٍ ۭ اِنَّ ذٰلِكَ عَلَى اللّٰهِ يَسِيْرٌ ۝١١
১২. দরিয়া দুটি সমতুল্য নয়। এটির পানি মুখরোচক, মিষ্টি, সুপেয়। আর ওটির পানি লোনা, খর। প্রত্যেকটি থেকেই তোমরা তাজা গোশ্ত (মাছ) আহার করো এবং বের করে আনো অলংকার সামগ্রী যা তোমরা পরিধান করো। তোমরা দেখতে পাও, সেগুলোর বুক চিরে চলাচল করে নৌযান, যাতে তোমরা তাঁর অনুগ্রহ সন্ধান করতে পারো এবং আদায় করতে পারো তাঁর শোকরিয়া।	وَ مَا يَسْتَوِي الْبَحْرٰنِ ۖ هٰذَا عَذْبٌ فُرَاتٌ سَآئِغٌ شَرَابُهٗ وَ هٰذَا مِلْحٌ اُجَاجٌ ۭ وَمِنْ كُلٍّ تَاْكُلُوْنَ لَحْمًا طَرِيًّا وَّتَسْتَخْرِجُوْنَ حِلْيَةً تَلْبَسُوْنَهَا ۚ وَتَرَى الْفُلْكَ فِيْهِ مَوَاخِرَ لِتَبْتَغُوْا مِنْ فَضْلِهٖ وَلَعَلَّكُمْ تَشْكُرُوْنَ ۝١٢
১৩. তিনি রাতকে প্রবেশ করিয়ে দেন দিনের মধ্যে এবং দিনকে প্রবেশ করিয়ে দেন রাতের মধ্যে। তিনি তাঁর নিয়মের অধীন করে দিয়েছেন সূর্য আর চাঁদকে। প্রত্যেকেই ভ্রমণ করে একটি	يُوْلِجُ الَّيْلَ فِي النَّهَارِ وَ يُوْلِجُ النَّهَارَ فِي الَّيْلِ ۙ وَ سَخَّرَ الشَّمْسَ وَ الْقَمَرَ ۖ كُلٌّ

নির্দিষ্ট সময়ের জন্যে। তিনিই আল্লাহ্, তোমাদের প্রভু। সমগ্র কর্তৃত্ব তাঁর। তোমরা তাঁর পরিবর্তে যাদেরকে ডাকো তারা খেজুর আঁটির উপরের আবরণের সমান কর্তৃত্বও রাখেনা।	يَجْرِىْ لِاَجَلٍ مُّسَمًّى ؕ ذٰلِكُمُ اللّٰهُ رَبُّكُمْ لَهُ الْمُلْكُ ؕ وَ الَّذِيْنَ تَدْعُوْنَ مِنْ دُوْنِهٖ مَا يَمْلِكُوْنَ مِنْ قِطْمِيْرٍ ؕ﴿۱۳﴾
১৪. তোমরা তাদের ডাকলে তারা তোমাদের ডাক শুনেনা, শুনলেও সাড়া দেয়না। তোমরা যে তাদের শরিক বানিয়েছো কিয়ামতের দিন তারা তা অস্বীকার করবে। সর্বজ্ঞানী আল্লাহ্র মতো কেউই তোমাকে সংবাদ দিতে পারেনা।	اِنْ تَدْعُوْهُمْ لَا يَسْمَعُوْا دُعَآءَكُمْ ۚ وَ لَوْ سَمِعُوْا مَا اسْتَجَابُوْا لَكُمْ ؕ وَ يَوْمَ الْقِيٰمَةِ يَكْفُرُوْنَ بِشِرْكِكُمْ ؕ وَ لَا يُنَبِّئُكَ مِثْلُ خَبِيْرٍ ﴿۱۴﴾ (রুকু ০২)
১৫. হে মানুষ! তোমরা আল্লাহ্র নিকট ফকির-আল্লাহ্র মুখাপেক্ষী, অথচ আল্লাহ্ মুখাপেক্ষাহীন সপ্রশংসিত।	يٰۤاَيُّهَا النَّاسُ اَنْتُمُ الْفُقَرَآءُ اِلَى اللّٰهِ ۚ وَ اللّٰهُ هُوَ الْغَنِيُّ الْحَمِيْدُ ﴿۱۵﴾
১৬. তিনি চাইলে তোমাদের সরিয়ে দিতে পারেন এবং নিয়ে আসতে পারেন একটি নতুন সৃষ্টি।	اِنْ يَّشَاْ يُذْهِبْكُمْ وَ يَاْتِ بِخَلْقٍ جَدِيْدٍ ﴿۱۶﴾
১৭. এটা আল্লাহ্র জন্যে মোটেও কঠিন নয়।	وَ مَا ذٰلِكَ عَلَى اللّٰهِ بِعَزِيْزٍ ﴿۱۷﴾
১৮. কোনো বোঝা বহনকারী অপরের বোঝা বহন করবেনা। কোনো ভারবাহী ব্যক্তি যদি কাউকেও তার বোঝা বহন করতে ডাকে, তবে নিকটাত্মীয় হলেও সামান্য ভারও বহন করে দেবেনা। তুমি তো কেবল তাদেরকেই সতর্ক করতে পারো, যারা না দেখেও তাদের প্রভুকে ভয় করে এবং সালাত কায়েম করে। যে আত্মোন্নয়ন করবে, সে আত্মোন্নয়ন করবে নিজের কল্যাণের জন্যেই। সবার প্রত্যাবর্তন হবে আল্লাহ্রই দিকে।	وَ لَا تَزِرُ وَازِرَةٌ وِّزْرَ اُخْرٰى ؕ وَ اِنْ تَدْعُ مُثْقَلَةٌ اِلٰى حِمْلِهَا لَا يُحْمَلْ مِنْهُ شَيْءٌ وَّ لَوْ كَانَ ذَا قُرْبٰى ؕ اِنَّمَا تُنْذِرُ الَّذِيْنَ يَخْشَوْنَ رَبَّهُمْ بِالْغَيْبِ وَ اَقَامُوا الصَّلٰوةَ ؕ وَ مَنْ تَزَكّٰى فَاِنَّمَا يَتَزَكّٰى لِنَفْسِهٖ ؕ وَ اِلَى اللّٰهِ الْمَصِيْرُ ﴿۱۸﴾
১৯. অন্ধ আর চক্ষুষ্মান সমতুল্য নয়,	وَ مَا يَسْتَوِى الْاَعْمٰى وَ الْبَصِيْرُ ﴿۱۹﴾
২০. আর সমতুল্য নয় অন্ধকাররাশি আর আলো,	وَ لَا الظُّلُمٰتُ وَ لَا النُّوْرُ ﴿۲۰﴾
২১. সমতুল্য নয় রোদ আর ছায়া,	وَ لَا الظِّلُّ وَ لَا الْحَرُوْرُ ﴿۲۱﴾
২২. এবং সমতুল্য নয় জীবিতরা আর মৃতরা। আল্লাহ্ যাকে ইচ্ছা করেন শুনার (বুঝার) তৌফিক দেন, কিন্তু যারা কবরে রয়েছে তুমি কিছুতেই তাদের শুনাতে পারবেনা।	وَ مَا يَسْتَوِى الْاَحْيَآءُ وَ لَا الْاَمْوَاتُ ؕ اِنَّ اللّٰهَ يُسْمِعُ مَنْ يَّشَآءُ ۚ وَ مَاۤ اَنْتَ بِمُسْمِعٍ مَّنْ فِى الْقُبُوْرِ ﴿۲۲﴾
২৩. তুমি একজন সতর্ককারী ছাড়া কিছু নও।	اِنْ اَنْتَ اِلَّا نَذِيْرٌ ﴿۲۳﴾
২৪. আমরা সত্যসহ তোমাকে রসূল বানিয়ে পাঠিয়েছি সুসংবাদদাতা এবং সতর্ককারী হিসেবে। এমন কোনো উম্মত ছিলনা যার কাছে আমরা সতর্ককারী পাঠাইনি।	اِنَّاۤ اَرْسَلْنٰكَ بِالْحَقِّ بَشِيْرًا وَّ نَذِيْرًا ؕ وَ اِنْ مِّنْ اُمَّةٍ اِلَّا خَلَا فِيْهَا نَذِيْرٌ ﴿۲۴﴾

২৫. এরা যদি তোমাকে মিথ্যা বলে প্রত্যাখ্যান করে, তবে তাদের আগেকার লোকেরাও এভাবে প্রত্যাখ্যান করেছিল। তাদের কাছে রসূলরা সুস্পষ্ট নিদর্শনসমূহ নিয়ে এসেছিল, গ্রন্থাবলি এবং আলোদানকারী কিতাব নিয়ে এসেছিল,	وَإِنْ يُكَذِّبُوكَ فَقَدْ كَذَّبَ الَّذِينَ مِنْ قَبْلِهِمْ ۚ جَاءَتْهُمْ رُسُلُهُمْ بِالْبَيِّنَاتِ وَبِالزُّبُرِ وَبِالْكِتَابِ الْمُنِيرِ ٢٥
২৬. তারপর যারা কুফুরি করেছিল আমরা তাদের পাকড়াও করেছিলাম, কী যে ভয়ংকর ছিলো সে পাকড়াও।	ثُمَّ أَخَذْتُ الَّذِينَ كَفَرُوا ۖ فَكَيْفَ كَانَ نَكِيرِ ٢٦
২৭. তুমি দেখোনা, আল্লাহ্ নাযিল করেন আসমান থেকে পানি, তারপর তা দিয়ে আমরা উৎপন্ন করি নানা রঙের ফলফলারি? আর পাহাড়ের মধ্যেও আছে নানা বর্ণের পাথর-শুভ্র সাদা, বিচিত্র লাল, নিকষ কালো।	أَلَمْ تَرَ أَنَّ اللَّهَ أَنْزَلَ مِنَ السَّمَاءِ مَاءً فَأَخْرَجْنَا بِهِ ثَمَرَاتٍ مُخْتَلِفًا أَلْوَانُهَا ۚ وَمِنَ الْجِبَالِ جُدَدٌ بِيضٌ وَحُمْرٌ مُخْتَلِفٌ أَلْوَانُهَا وَغَرَابِيبُ سُودٌ ٢٧
২৮. এভাবে মানুষ, জীব-জন্তু এবং পশুর মধ্যেও রয়েছে নানা রঙ, নানা বর্ণ। নিশ্চয়ই আল্লাহ্কে ভয় করে তাঁর বান্দাদের মধ্যে যারা জ্ঞানী তারা। অবশ্যি আল্লাহ্ মহাপরাক্রমশালী, অতীব ক্ষমাশীল।	وَمِنَ النَّاسِ وَالدَّوَابِّ وَالْأَنْعَامِ مُخْتَلِفٌ أَلْوَانُهُ كَذَٰلِكَ ۗ إِنَّمَا يَخْشَى اللَّهَ مِنْ عِبَادِهِ الْعُلَمَاءُ ۗ إِنَّ اللَّهَ عَزِيزٌ غَفُورٌ ٢٨
২৯. নিশ্চয়ই যারা তিলাওয়াত করে আল্লাহ্র কিতাব, কায়েম করে সালাত, আর আল্লাহ্ তাদের যে রিযিক দিয়েছেন তা থেকে (আল্লাহ্র সন্তুষ্টির উদ্দেশ্যে) ব্যয় করে গোপনে এবং প্রকাশ্যে, তারাই আশা করে এমন ব্যবসায়ের যার কোনোই ক্ষয় নেই।	إِنَّ الَّذِينَ يَتْلُونَ كِتَابَ اللَّهِ وَأَقَامُوا الصَّلَاةَ وَأَنْفَقُوا مِمَّا رَزَقْنَاهُمْ سِرًّا وَعَلَانِيَةً يَرْجُونَ تِجَارَةً لَنْ تَبُورَ ٢٩
৩০. কারণ, আল্লাহ্ তাদের প্রচেষ্টার পূর্ণ প্রতিদান দেবেন এবং নিজের অনুগ্রহ থেকে আরো অধিক দেবেন। নিশ্চয়ই তিনি ক্ষমাশীল গুণগ্রাহী।	لِيُوَفِّيَهُمْ أُجُورَهُمْ وَيَزِيدَهُمْ مِنْ فَضْلِهِ ۚ إِنَّهُ غَفُورٌ شَكُورٌ ٣٠
৩১. আমরা তোমার প্রতি যে কিতাব নাযিল করেছি তা মহাসত্য, এটি তার পূর্ববর্তী কিতাবসমূহের সত্যায়নকারী। নিশ্চয়ই আল্লাহ্ তাঁর দাসদের সবকিছু জানেন এবং দেখেন।	وَالَّذِي أَوْحَيْنَا إِلَيْكَ مِنَ الْكِتَابِ هُوَ الْحَقُّ مُصَدِّقًا لِمَا بَيْنَ يَدَيْهِ ۗ إِنَّ اللَّهَ بِعِبَادِهِ لَخَبِيرٌ بَصِيرٌ ٣١
৩২. তারপর আমরা কিতাবের ওয়ারিশ বানালাম আমাদের বান্দাদের মধ্যে যাদের মনোনীত করেছি তাদের। তাদের মধ্যে রয়েছে কেউ নিজের প্রতি যুলুমকারী, কেউ মধ্যপন্থী, আর কেউ আল্লাহ্র ইচ্ছায় কল্যাণের কাজে অগ্রগামী। এ এক মহাঅনুগ্রহ।	ثُمَّ أَوْرَثْنَا الْكِتَابَ الَّذِينَ اصْطَفَيْنَا مِنْ عِبَادِنَا ۖ فَمِنْهُمْ ظَالِمٌ لِنَفْسِهِ وَمِنْهُمْ مُقْتَصِدٌ وَمِنْهُمْ سَابِقٌ بِالْخَيْرَاتِ بِإِذْنِ اللَّهِ ۚ ذَٰلِكَ هُوَ الْفَضْلُ الْكَبِيرُ ٣٢
৩৩. চিরস্থায়ী জান্নাতে তারা দাখিল হবে। সেখানে তাদের অলংকার পরানো হবে সোনার কংকন, মুক্তার অলংকার আর তাদের পোশাক হবে রেশমি।	جَنَّاتُ عَدْنٍ يَدْخُلُونَهَا يُحَلَّوْنَ فِيهَا مِنْ أَسَاوِرَ مِنْ ذَهَبٍ وَلُؤْلُؤًا ۖ وَلِبَاسُهُمْ فِيهَا حَرِيرٌ ٣٣

রুকু ০৩

৩৪. তারা বলবে: "সমস্ত প্রশংসা আল্লাহ্‌র, যিনি দূর করে দিয়েছেন আমাদের সব দুঃখ-দুশ্চিন্তা। নিশ্চয়ই আমাদের প্রভু পরম ক্ষমাশীল, গুণগ্রাহী,	وَ قَالُوا الْحَمْدُ لِلّٰهِ الَّذِیْۤ اَذْهَبَ عَنَّا الْحَزَنَ ؕ اِنَّ رَبَّنَا لَغَفُوْرٌ شَكُوْرُ ۙ﴿۳۴﴾
৩৫. যিনি অনুগ্রহ করে আমাদের দিয়েছেন স্থায়ী আবাস, যেখানে আমাদের স্পর্শ করেনা কোনো কষ্ট, কিংবা কোনো ক্লান্তি।"	الَّذِیْۤ اَحَلَّنَا دَارَ الْمُقَامَةِ مِنْ فَضْلِهٖ ۚ لَا یَمَسُّنَا فِیْهَا نَصَبٌ وَّ لَا یَمَسُّنَا فِیْهَا لُغُوْبٌ ﴿۳۵﴾
৩৬. আর যারা কুফুরি করে তাদের জন্যে রয়েছে জাহান্নাম। সেখানে তাদের জন্যে মৃত্যুর ফায়সালা দেয়া হবেনা, ফলে তারা আর মরবেনা এবং তাদের থেকে আযাবও লাঘব করা হবেনা। এভাবেই আমরা শাস্তি দেবো প্রত্যেক অকৃতজ্ঞকে।	وَ الَّذِیْنَ كَفَرُوْا لَهُمْ نَارُ جَهَنَّمَ ۚ لَا یُقْضٰی عَلَیْهِمْ فَیَمُوْتُوْا وَ لَا یُخَفَّفُ عَنْهُمْ مِّنْ عَذَابِهَا ؕ كَذٰلِكَ نَجْزِیْ كُلَّ كَفُوْرٍ ﴿۳۶﴾
৩৭. তারা সেখানে আর্তনাদ করে বলবে: 'আমাদের প্রভু! আমাদের এখান থেকে বের করো। এতোদিন আমরা যে আমল করেছি, তার পরিবর্তে আমরা এখন থেকে পুণ্য কাজ করবো।' (আল্লাহ্ বলবেন:) 'আমরা কি তোমাদের একটা দীর্ঘ জীবন দেইনি, যাতে কেউ সতর্ক হতে চাইলে সতর্ক হতে পারতো? তাছাড়া তোমাদের কাছে সতর্ককারীও এসেছিল। সুতরাং এখন আস্বাদন করো আযাব, যালিমদের জন্যে কোনো সাহায্যকারী নেই।'	وَ هُمْ یَصْطَرِخُوْنَ فِیْهَا ۚ رَبَّنَاۤ اَخْرِجْنَا نَعْمَلْ صَالِحًا غَیْرَ الَّذِیْ كُنَّا نَعْمَلُ ؕ اَوَ لَمْ نُعَمِّرْكُمْ مَّا یَتَذَكَّرُ فِیْهِ مَنْ تَذَكَّرَ وَ جَآءَكُمُ النَّذِیْرُ ؕ فَذُوْقُوْا فَمَا لِلظّٰلِمِیْنَ مِنْ نَّصِیْرٍ ﴿۳۷﴾ রুকু ০৪
৩৮. নিশ্চয়ই আল্লাহ্ মহাকাশ এবং পৃথিবীর গায়েব-এর জ্ঞানী, নিশ্চয়ই আল্লাহ্ তোমাদের অন্তরে যা আছে সে বিষয়ে জ্ঞানী।	اِنَّ اللّٰهَ عٰلِمُ غَیْبِ السَّمٰوٰتِ وَ الْاَرْضِ ؕ اِنَّهٗ عَلِیْمٌۢ بِذَاتِ الصُّدُوْرِ ﴿۳۸﴾
৩৯. তিনিই তোমাদের বানিয়েছেন পৃথিবীর প্রতিনিধি। সুতরাং যে কেউ কুফুরি করবে, তার কুফুরির দায় তাকেই বহন করতে হবে। কাফিরদের কুফুরি কেবল তাদের প্রভুর ক্রোধই বৃদ্ধি করে এবং কাফিরদের কুফুরি কেবল তাদের ক্ষতিই বাড়িয়ে দেয়।	هُوَ الَّذِیْ جَعَلَكُمْ خَلٰٓئِفَ فِی الْاَرْضِ ؕ فَمَنْ كَفَرَ فَعَلَیْهِ كُفْرُهٗ ؕ وَ لَا یَزِیْدُ الْكٰفِرِیْنَ كُفْرُهُمْ عِنْدَ رَبِّهِمْ اِلَّا مَقْتًا ۚ وَ لَا یَزِیْدُ الْكٰفِرِیْنَ كُفْرُهُمْ اِلَّا خَسَارًا ﴿۳۹﴾
৪০. হে নবী! তাদের বলো: 'তোমরা ভেবে দেখেছো কি তোমাদের সেইসব শরিকদের কথা, আল্লাহ্‌র পরিবর্তে তোমরা যাদের ডাকো, আমাকে দেখাও আল্লাহ্‌র পরিবর্তে তারা কী সৃষ্টি করেছে? নাকি মহাকাশ সৃষ্টিতে তাদের কোনো অংশ আছে? নাকি আমরা তাদের কোনো কিতাব দিয়েছি যার প্রমাণের উপর তারা নির্ভর করে? বরং যালিমরা নিজেরাই নিজেদের পরস্পরকে মিথ্যা ও প্রতারণামূলক ওয়াদা দিয়ে থাকে।'	قُلْ اَرَءَیْتُمْ شُرَكَآءَكُمُ الَّذِیْنَ تَدْعُوْنَ مِنْ دُوْنِ اللّٰهِ ؕ اَرُوْنِیْ مَا ذَا خَلَقُوْا مِنَ الْاَرْضِ اَمْ لَهُمْ شِرْكٌ فِی السَّمٰوٰتِ ۚ اَمْ اٰتَیْنٰهُمْ كِتٰبًا فَهُمْ عَلٰی بَیِّنَتٍ مِّنْهُ ۚ بَلْ اِنْ یَّعِدُ الظّٰلِمُوْنَ بَعْضُهُمْ بَعْضًا اِلَّا غُرُوْرًا ﴿۴۰﴾

৪১. আল্লাহ্ই মহাকাশ ও পৃথিবীকে সংরক্ষণ করে রাখেন যাতে সেগুলোর পতন না হয়। সেগুলোর যদি পতন হয়ই তবে তিনি ছাড়া আর কে আছে, যে সেগুলোর পতন রোধ করবে? তিনি অতীব সহনশীল ক্ষমাপরায়ণ।	اِنَّ اللّٰهَ يُمۡسِكُ السَّمٰوٰتِ وَ الۡاَرۡضَ اَنۡ تَزُوۡلَا ۚ وَ لَئِنۡ زَالَتَاۤ اِنۡ اَمۡسَكَهُمَا مِنۡ اَحَدٍ مِّنۡۢ بَعۡدِهٖ ؕ اِنَّهٗ كَانَ حَلِيۡمًا غَفُوۡرًا ﴿۴۱﴾
৪২. তারা দৃঢ়তার সাথে আল্লাহ্র কসম খেয়ে বলতো, তাদের কাছে যদি সতর্ককারী আসে, তবে তারা অন্যান্য সম্প্রদায়ের চাইতে হিদায়াতের অধিকতর অনুসারী হবে। কিন্তু যখন তাদের কাছে সতর্ককারী এলো, তখন তার আগমন তাদের পলায়নই বৃদ্ধি করে দিলো,	وَ اَقۡسَمُوۡا بِاللّٰهِ جَهۡدَ اَيۡمَانِهِمۡ لَئِنۡ جَآءَهُمۡ نَذِيۡرٌ لَّيَكُوۡنُنَّ اَهۡدٰى مِنۡ اِحۡدَى الۡاُمَمِ ۚ فَلَمَّا جَآءَهُمۡ نَذِيۡرٌ مَّا زَادَهُمۡ اِلَّا نُفُوۡرَا ۙ ﴿۴۲﴾
৪৩. পৃথিবীতে তাদের দাম্ভিকতা প্রকাশ ও নিকৃষ্ট কুটকৌশলের কারণে। নিকৃষ্ট কুটকৌশল তার উদ্যোক্তাদেরই পরিবেষ্টন করে। তবে কি তারা আগেকার লোকদের রীতিরই অপেক্ষা করছে? তোমরা কখনো আল্লাহ্র সুন্নতে কোনো পরিবর্তন পাবেনা এবং তোমরা আল্লাহ্র সুন্নতে (বিধানে) কোনো ব্যতিক্রমও পাবেনা।	اسۡتِكۡبَارًا فِى الۡاَرۡضِ وَمَكۡرَ السَّيِّئِ ؕ وَلَا يَحِيۡقُ الۡمَكۡرُ السَّيِّئُ اِلَّا بِاَهۡلِهٖ ؕ فَهَلۡ يَنۡظُرُوۡنَ اِلَّا سُنَّتَ الۡاَوَّلِيۡنَ ۚ فَلَنۡ تَجِدَ لِسُنَّتِ اللّٰهِ تَبۡدِيۡلًا ۚ وَ لَنۡ تَجِدَ لِسُنَّتِ اللّٰهِ تَحۡوِيۡلًا ﴿۴۳﴾
৪৪. তারা কি পৃথিবীতে ভ্রমণ করে দেখেনা? তাহলে তাদের আগেকার লোকদের পরিণতি কী হয়েছিল তা দেখতে পেতো। তারা তো এদের চাইতেও অধিকতর শক্তিশালী ছিলো। মহাকাশ ও পৃথিবীতে কোনো কিছুই আল্লাহ্কে অক্ষম করার ক্ষমতা রাখেনা। নিশ্চয়ই তিনি অতীব জ্ঞানী এবং শক্তিমান।	اَوَ لَمۡ يَسِيۡرُوۡا فِى الۡاَرۡضِ فَيَنۡظُرُوۡا كَيۡفَ كَانَ عَاقِبَةُ الَّذِيۡنَ مِنۡ قَبۡلِهِمۡ وَ كَانُوۡۤا اَشَدَّ مِنۡهُمۡ قُوَّةً ؕ وَ مَا كَانَ اللّٰهُ لِيُعۡجِزَهٗ مِنۡ شَىۡءٍ فِى السَّمٰوٰتِ وَ لَا فِى الۡاَرۡضِ ؕ اِنَّهٗ كَانَ عَلِيۡمًا قَدِيۡرًا ﴿۴۴﴾
৪৫. আল্লাহ্ যদি মানুষকে তাদের কৃতকর্মের জন্যে পাকড়াও করতেন, জমিনের বুকে কোনো জীব-জন্তুকেই রেহাই দিতেন না। তবে তিনি একটি নির্দিষ্টকাল পর্যন্ত তাদের অবকাশ দিয়ে থাকেন। কিন্তু যখনই তাদের নির্ধারিত কাল এসে যাবে, আল্লাহ্ অবশ্যি বান্দাদের প্রতি দৃষ্টি রাখবেন।	وَ لَوۡ يُؤَاخِذُ اللّٰهُ النَّاسَ بِمَا كَسَبُوۡا مَا تَرَكَ عَلٰى ظَهۡرِهَا مِنۡ دَآبَّةٍ وَّ لٰـكِنۡ يُّؤَخِّرُهُمۡ اِلٰٓى اَجَلٍ مُّسَمًّى ۚ فَاِذَا جَآءَ اَجَلُهُمۡ فَاِنَّ اللّٰهَ كَانَ بِعِبَادِهٖ بَصِيۡرًا ﴿۴۵﴾

রুকু ০৫

সূরা ৩৬ ইয়াসিন

মক্কায় অবতীর্ণ, আয়াত সংখ্যা: ৮৩, রুকু সংখ্যা: ০৫

এই সূরার আলোচ্যসূচি (আয়াত ভিত্তিক আলোচ্য বিষয়)

০১-৩২: রিসালাতে মুহাম্মদীর সত্যতা। তাঁকে পাঠানোর উদ্দেশ্য। মানুষের সমস্ত কর্ম ও কর্মের প্রভাব রেকর্ড করা হয়। অতীতের রসূলদেরও প্রত্যাখ্যান করা হয়েছে। অনেককে হত্যাও করা হয়েছে। পুনরুত্থান এবং বিচার অনিবার্য।

৩৩-৫০: মানুষের প্রতি আল্লাহ্র অনুগ্রহরাজি এবং তাদের অকৃতজ্ঞতা। মানুষের কল্যাণে চাঁদ ও সূর্যের জন্যে আল্লাহ্ কক্ষপথ ও অক্ষপথ নির্ধারণ করেছেন। কিয়ামত সংঘটিত হবে একটিমাত্র প্রচণ্ড শব্দে।

৫১-৬৭: দ্বিতীয়বার সিংগায় ফুৎকার দেয়ার সাথে সাথে মানুষ পুনরুত্থিত হবে। মানুষের পৃথিবীর জীবনের কর্মকাণ্ডের ন্যায্য বিচার করা হবে। সেদিন ভালো লোকদের থেকে পাপীদের আলাদা করে ফেলা হবে। শয়তানের ব্যাপারে মানুষকে দুনিয়াতেই সতর্ক করা হয়েছে। পাপীদের অঙ্গ প্রত্যঙ্গ সেদিন তাদের বিরুদ্ধে সাক্ষ্য দেবে।

৬৮-৮৩: কুরআন সুস্পষ্ট উপদেশ ও সতর্কবার্তা। মানুষের প্রতি আল্লাহ্‌র অনুগ্রহ, অথচ তারা আল্লাহ্‌র সাথে শরিক করে। আল্লাহ্‌ অবশ্যই মানুষকে পুন: সৃষ্টি করবেন এবং বিচার করবেন।

সূরা ইয়াসিন পরম করুণাময় পরম দয়াবান আল্লাহ্‌র নামে	**سُوْرَةُ يٰسٓ** بِسْمِ اللّٰهِ الرَّحْمٰنِ الرَّحِيْمِ
০১. ইয়াসিন!	يٰسٓ ﴿١﴾
০২. শপথ বিজ্ঞানময় কুরআনের,	وَالْقُرْاٰنِ الْحَكِيْمِ ﴿٢﴾
০৩. অবশ্য অবশ্যি তুমি রসূলদের একজন,	اِنَّكَ لَمِنَ الْمُرْسَلِيْنَ ﴿٣﴾
০৪. (প্রতিষ্ঠিত আছো) সিরাতুল মুস্‌তাকিমের উপর।	عَلٰى صِرَاطٍ مُّسْتَقِيْمٍ ﴿٤﴾
০৫. (এই কুরআন) নাযিল হচ্ছে মহাশক্তিধর অতীব দয়াবানের পক্ষ থেকে,	تَنْزِيْلَ الْعَزِيْزِ الرَّحِيْمِ ﴿٥﴾
০৬. যাতে তুমি সতর্ক করতে পারো এমন একটি কওমকে, যাদের পূর্ব পুরুষদের সতর্ক করা হয়নি। ফলে তারা গাফিল (অসতর্ক)।	لِتُنْذِرَ قَوْمًا مَّاۤ اُنْذِرَ اٰبَآؤُهُمْ فَهُمْ غٰفِلُوْنَ ﴿٦﴾
০৭. তাদের অধিকাংশের জন্যে সেই বাণী (শাস্তি) অবধারিত হয়ে গেছে, ফলে তারা আর ঈমান আনবেনা।	لَقَدْ حَقَّ الْقَوْلُ عَلٰۤى اَكْثَرِهِمْ فَهُمْ لَا يُؤْمِنُوْنَ ﴿٧﴾
০৮. আমরা চিবুক পর্যন্ত তাদের গলায় বেড়ি পরিয়ে দিয়েছি, ফলে তারা উর্ধ্বমুখী হয়ে আছে।	اِنَّا جَعَلْنَا فِيْۤ اَعْنَاقِهِمْ اَغْلٰلًا فَهِىَ اِلَى الْاَذْقَانِ فَهُمْ مُّقْمَحُوْنَ ﴿٨﴾
০৯. আমরা তাদের সামনে প্রাচীর এবং পেছনেও প্রাচীর স্থাপন করে দিয়েছি, আর তাদের চোখে সৃষ্টি করে দিয়েছি আবরণ, ফলে তারা দেখতে পায়না।	وَجَعَلْنَا مِنْۢ بَيْنِ اَيْدِيْهِمْ سَدًّا وَّمِنْ خَلْفِهِمْ سَدًّا فَاَغْشَيْنٰهُمْ فَهُمْ لَا يُبْصِرُوْنَ ﴿٩﴾
১০. তুমি তাদের সতর্ক করো কিংবা সতর্ক না করো দুটোই তাদের জন্যে সমান, তারা ঈমান আনবেনা।	وَسَوَآءٌ عَلَيْهِمْ ءَاَنْذَرْتَهُمْ اَمْ لَمْ تُنْذِرْهُمْ لَا يُؤْمِنُوْنَ ﴿١٠﴾
১১. তুমি তো সতর্ক করতে পারো তাকে, যে আয্‌ যিকির (আল কুরআন)-এর অনুসরণ করে এবং না দেখেও দয়াময় রহমানকে ভয় করে। তাকে সুসংবাদ দাও মাগফিরাতের আর সম্মানজনক পুরস্কারের।	اِنَّمَا تُنْذِرُ مَنِ اتَّبَعَ الذِّكْرَ وَخَشِىَ الرَّحْمٰنَ بِالْغَيْبِ ۚ فَبَشِّرْهُ بِمَغْفِرَةٍ وَّاَجْرٍ كَرِيْمٍ ﴿١١﴾

রুকু ০১

১২. আমরা অবশ্যি মৃতদের জীবিত করবো, আর আমরা তো লিখে রাখি তারা যা আগে পাঠায় আর যা পেছনে রেখে যায়। প্রতিটি বস্তুই আমরা স্পষ্ট কিতাবে (রেকর্ড পত্রে) সংরক্ষিত রেখেছি।	إِنَّا نَحْنُ نُحْيِ الْمَوْتَىٰ وَنَكْتُبُ مَا قَدَّمُوا وَآثَارَهُمْ ۚ وَكُلَّ شَيْءٍ أَحْصَيْنَاهُ فِي إِمَامٍ مُبِينٍ ﴿١٢﴾
১৩. তাদের কাছে বর্ণনা করো দৃষ্টান্ত সেই জনপদের বাসিন্দাদের, যখন তাদের কাছে রসূলরা এসেছিল।	وَاضْرِبْ لَهُمْ مَثَلًا أَصْحَابَ الْقَرْيَةِ إِذْ جَاءَهَا الْمُرْسَلُونَ ﴿١٣﴾
১৪. যখন তাদের কাছে আমরা পাঠিয়েছিলাম দুজন রসূল, তারা দুজনকেই প্রত্যাখ্যান করেছিল। তখন আমরা তাদের শক্তিশালী করেছিলাম তৃতীয় একজনকে পাঠিয়ে। তারা তাদের বলেছিলঃ ‘আমরা তোমাদের প্রতি আল্লাহ্‌র প্রেরিত রসূল।’	إِذْ أَرْسَلْنَا إِلَيْهِمُ اثْنَيْنِ فَكَذَّبُوهُمَا فَعَزَّزْنَا بِثَالِثٍ فَقَالُوا إِنَّا إِلَيْكُمْ مُرْسَلُونَ ﴿١٤﴾
১৫. (বিরোধী পক্ষ) বললোঃ ‘তোমরা তো আমাদের মতোই মানুষ ছাড়া আর কিছু নও, রহমান তোমাদের প্রতি কিছুই নাযিল করেননি। তোমরা তো কেবল মিথ্যা কথাই বলছো।’	قَالُوا مَا أَنْتُمْ إِلَّا بَشَرٌ مِثْلُنَا وَمَا أَنْزَلَ الرَّحْمَٰنُ مِنْ شَيْءٍ إِنْ أَنْتُمْ إِلَّا تَكْذِبُونَ ﴿١٥﴾
১৬. তারা বললোঃ ‘আমাদের প্রভু জানেন, আমরা তোমাদের প্রতি প্রেরিত রসূল।	قَالُوا رَبُّنَا يَعْلَمُ إِنَّا إِلَيْكُمْ لَمُرْسَلُونَ ﴿١٦﴾
১৭. সুস্পষ্টভাবে বার্তা পৌছে দেয়াই আমাদের দায়িত্ব।’	وَمَا عَلَيْنَا إِلَّا الْبَلَاغُ الْمُبِينُ ﴿١٧﴾
১৮. তারা বললোঃ ‘আমরা তোমাদের কুলক্ষণে মনে করি। তোমরা যদি বিরত না হও, আমরা অবশ্যি তোমাদের পাথর নিক্ষেপ করে হত্যা করবো এবং আমাদের পক্ষ থেকে তোমাদের স্পর্শ করবে বেদনাদায়ক আযাব।’	قَالُوا إِنَّا تَطَيَّرْنَا بِكُمْ ۖ لَئِنْ لَمْ تَنْتَهُوا لَنَرْجُمَنَّكُمْ وَلَيَمَسَّنَّكُمْ مِنَّا عَذَابٌ أَلِيمٌ ﴿١٨﴾
১৯. তারা (রসূলরা) বললোঃ ‘তোমাদের কুলক্ষণ তোমাদেরই সাথে। এটা কি এজন্যে যে, আমরা তোমাদের উপদেশ দিয়ে যাচ্ছি? বরং তোমরা একটি সীমালংঘনকারী কওম (জাতি)।’	قَالُوا طَائِرُكُمْ مَعَكُمْ ۚ أَئِنْ ذُكِّرْتُمْ ۚ بَلْ أَنْتُمْ قَوْمٌ مُسْرِفُونَ ﴿١٩﴾
২০. নগর প্রান্ত থেকে এক ব্যক্তি দৌড়ে এলো। সে বললোঃ “হে আমার কওম! তোমরা রসূলদের অনুসরণ করো,	وَجَاءَ مِنْ أَقْصَى الْمَدِينَةِ رَجُلٌ يَسْعَىٰ قَالَ يَا قَوْمِ اتَّبِعُوا الْمُرْسَلِينَ ﴿٢٠﴾
২১. তোমরা তাদের ইত্তেবা (অনুসরণ) করো, যারা তোমাদের কাছে কোনো প্রতিদান চান না এবং যারা হিদায়াতপ্রাপ্ত।	اتَّبِعُوا مَنْ لَا يَسْأَلُكُمْ أَجْرًا وَهُمْ مُهْتَدُونَ ﴿٢١﴾

পারা ২৩

২২. কী কারণে আমি তাঁর ইবাদত করবো না, যিনি আমাকে সৃষ্টি করেছেন এবং যাঁর কাছে তোমাদের ফিরিয়ে নেয়া হবে?	وَمَا لِيَ لَآ اَعْبُدُ الَّذِيْ فَطَرَنِيْ وَاِلَيْهِ تُرْجَعُوْنَ ﴿٢٢﴾
২৩. আমি কি তাঁর পরিবর্তে অন্য ইলাহ্ গ্রহণ করবো? রহমান যদি আমার ক্ষতি করতে চান, তবে তাদের সুপারিশ আমার কোনো কাজে আসবেনা এবং তারা আমাকে রক্ষাও করতে পারবেনা।	ءَاَتَّخِذُ مِنْ دُوْنِهٖٓ اٰلِهَةً اِنْ يُّرِدْنِ الرَّحْمٰنُ بِضُرٍّ لَّا تُغْنِ عَنِّيْ شَفَاعَتُهُمْ شَيْـًٔا وَّلَا يُنْقِذُوْنِ ﴿٢٣﴾
২৪. এমনটি করলে তো আমি নিমজ্জিত হবো সুস্পষ্ট গোমরাহিতে।	اِنِّيْٓ اِذًا لَّفِيْ ضَلٰلٍ مُّبِيْنٍ ﴿٢٤﴾
২৫. আমি তোমাদের প্রভুর প্রতি ঈমান আনলাম, তোমরা আমার কথা মেনে নাও!”	اِنِّيْٓ اٰمَنْتُ بِرَبِّكُمْ فَاسْمَعُوْنِ ﴿٢٥﴾
২৬. তাকে বলা হলো: ‘দাখিল হও জান্নাতে।’ সে বলে উঠলো: ‘হায়, আমার কওম যদি জানতে পারতো	قِيْلَ ادْخُلِ الْجَنَّةَ ؕ قَالَ يٰلَيْتَ قَوْمِيْ يَعْلَمُوْنَ ﴿٢٦﴾
২৭. কী কারণে আমার প্রভু আমাকে ক্ষমা করেছেন এবং আমাকে সম্মানিতদের অন্তরভুক্ত করেছেন।’	بِمَا غَفَرَ لِيْ رَبِّيْ وَجَعَلَنِيْ مِنَ الْمُكْرَمِيْنَ ﴿٢٧﴾
২৮. আমরা তার (মৃত্যুর) পর তার জাতির বিরুদ্ধে আসমান থেকে কোনো বাহিনী নাযিল করিনি আর আমরা নাযিল করতামও না।	وَمَآ اَنْزَلْنَا عَلٰى قَوْمِهٖ مِنْۢ بَعْدِهٖ مِنْ جُنْدٍ مِّنَ السَّمَآءِ وَمَا كُنَّا مُنْزِلِيْنَ ﴿٢٨﴾
২৯. একটা মহাবিকট শব্দই যথেষ্ট ছিলো, সাথে সাথে তারা নিথর হয়ে গেলো।	اِنْ كَانَتْ اِلَّا صَيْحَةً وَّاحِدَةً فَاِذَا هُمْ خٰمِدُوْنَ ﴿٢٩﴾
৩০. পরিতাপ বান্দাদের জন্যে! যখনই তাদের কাছে কোনো রসূল এসেছে, তারা তাদের নিয়ে বিদ্রুপ করেছে।	يٰحَسْرَةً عَلَى الْعِبَادِ ۚ مَا يَاْتِيْهِمْ مِّنْ رَّسُوْلٍ اِلَّا كَانُوْا بِهٖ يَسْتَهْزِءُوْنَ ﴿٣٠﴾
৩১. তারা কি দেখেনা তাদের আগে আমরা কতো প্রজন্মকে ধ্বংস করে দিয়েছিলাম! তারা আর তাদের মাঝে ফিরে আসবেনা।	اَلَمْ يَرَوْا كَمْ اَهْلَكْنَا قَبْلَهُمْ مِّنَ الْقُرُوْنِ اَنَّهُمْ اِلَيْهِمْ لَا يَرْجِعُوْنَ ؕ ﴿٣١﴾
৩২. তবে অবশ্যি তাদের সবাইকে একত্রে আমার কাছে হাজির করা হবে।	وَاِنْ كُلٌّ لَّمَّا جَمِيْعٌ لَّدَيْنَا مُحْضَرُوْنَ ﴿٣٢﴾
৩৩. তাদের জন্যে একটি নিদর্শন হলো মৃত জমিন, আমরা তাকে জীবিত করি এবং তা থেকে বের করে আনি শস্য, যা থেকে তারা খায়।	وَاٰيَةٌ لَّهُمُ الْاَرْضُ الْمَيْتَةُ ۚ اَحْيَيْنٰهَا وَاَخْرَجْنَا مِنْهَا حَبًّا فَمِنْهُ يَاْكُلُوْنَ ﴿٣٣﴾
৩৪. তাতে আমরা সৃষ্টি করি খেজুর আর আঙুরের বাগান এবং তাতে আমরা জারি করে দেই ঝরণাধারা,	وَجَعَلْنَا فِيْهَا جَنّٰتٍ مِّنْ نَّخِيْلٍ وَّاَعْنَابٍ وَّفَجَّرْنَا فِيْهَا مِنَ الْعُيُوْنِ ﴿٣٤﴾
৩৫. যাতে করে তারা খেতে পারে তার ফল। অথচ তাদের হাত তা সৃষ্টি করেনি। তবু কি তোমরা শোকর আদায় করবেনা?	لِيَاْكُلُوْا مِنْ ثَمَرِهٖ ۙ وَمَا عَمِلَتْهُ اَيْدِيْهِمْ ؕ اَفَلَا يَشْكُرُوْنَ ﴿٣٥﴾

রুকু ০২

৩৬. তিনি পবিত্র ও মহান। তিনি উদ্ভিদকে, মানুষকে এবং তারা যাদের জানেনা তাদের সবাইকে সৃষ্টি করেছেন জোড়ায় জোড়ায়।	سُبۡحٰنَ الَّذِیۡ خَلَقَ الۡاَزۡوَاجَ کُلَّهَا مِمَّا تُنۡۢبِتُ الۡاَرۡضُ وَ مِنۡ اَنۡفُسِهِمۡ وَ مِمَّا لَا یَعۡلَمُوۡنَ ﴿۳۶﴾
৩৭. তাদের জন্যে আরেকটি নিদর্শন হলো রাত, তা থেকে আমরা অপসারিত করি দিনের আলো, তখন তারা নিমজ্জিত হয়ে পড়ে অন্ধকারে।	وَ اٰیَةٌ لَّهُمُ الَّیۡلُ ۚۖ نَسۡلَخُ مِنۡهُ النَّهَارَ فَاِذَا هُمۡ مُّظۡلِمُوۡنَ ﴿۳۷﴾
৩৮. সূর্য চলে তার নির্দিষ্ট গন্তব্যের দিকে, এটা মহাপরাক্রমশালী মহাজ্ঞানী কর্তৃক নির্ধারিত।	وَ الشَّمۡسُ تَجۡرِیۡ لِمُسۡتَقَرٍّ لَّهَا ؕ ذٰلِکَ تَقۡدِیۡرُ الۡعَزِیۡزِ الۡعَلِیۡمِ ﴿۳۸﴾
৩৯. আর আমরা চাঁদের জন্যে নির্দিষ্ট করে দিয়েছি মনযিলসমূহ। অবশেষে তা শুকনা বাঁকা পুরানো খেজুর ডালের আকৃতি ধারণ করে।	وَ الۡقَمَرَ قَدَّرۡنٰهُ مَنَازِلَ حَتّٰی عَادَ کَالۡعُرۡجُوۡنِ الۡقَدِیۡمِ ﴿۳۹﴾
৪০. সূর্যের পক্ষে সম্ভব নয় চাঁদের নাগাল পাওয়া এবং রাতের পক্ষেও সম্ভব নয় দিনকে অতিক্রম করা। এরা প্রত্যেকে নিজ নিজ কক্ষপথ ও অক্ষপথে চলছে সাঁতার কেটে।	لَا الشَّمۡسُ یَنۡۢبَغِیۡ لَهَاۤ اَنۡ تُدۡرِکَ الۡقَمَرَ وَ لَا الَّیۡلُ سَابِقُ النَّهَارِ ؕ وَ کُلٌّ فِیۡ فَلَکٍ یَّسۡبَحُوۡنَ ﴿۴۰﴾
৪১. তাদের জন্যে আরেকটি নিদর্শন হলো, আমরা তাদের বংশধরদের (পূর্ব পুরুষদের) বোঝাই করে আরোহন করিয়েছিলাম নৌযানে,	وَ اٰیَةٌ لَّهُمۡ اَنَّا حَمَلۡنَا ذُرِّیَّتَهُمۡ فِی الۡفُلۡکِ الۡمَشۡحُوۡنِ ﴿۴۱﴾
৪২. আর তাদের জন্যে অনুরূপ নৌযান সৃষ্টি করেছি, যাতে তারা আরোহণ করে।	وَ خَلَقۡنَا لَهُمۡ مِّنۡ مِّثۡلِهٖ مَا یَرۡکَبُوۡنَ ﴿۴۲﴾
৪৩. আমরা চাইলে তাদের ডুবিয়ে দিতে পারি, তখন তাদের কোনো সাহায্যকারী থাকবেনা এবং তাদের রক্ষাও করতে পারবেনা কেউ।	وَ اِنۡ نَّشَاۡ نُغۡرِقۡهُمۡ فَلَا صَرِیۡخَ لَهُمۡ وَ لَا هُمۡ یُنۡقَذُوۡنَ ﴿۴۳﴾
৪৪. তবে আমাদের রহমত পেলে এবং আমরা কিছু সময়ের জন্যে জীবন উপভোগ করার সুযোগ দিলে ভিন্ন কথা।	اِلَّا رَحۡمَةً مِّنَّا وَ مَتَاعًا اِلٰی حِیۡنٍ ﴿۴۴﴾
৪৫. যখন তাদের বলা হয়: 'সতর্ক হও সেই সম্পর্কে, যা তোমাদের সামনে রয়েছে এবং সেই ব্যাপারে যা তোমাদের পেছনে রয়েছে, যাতে করে তোমরা রহমতপ্রাপ্ত হও।'	وَ اِذَا قِیۡلَ لَهُمُ اتَّقُوۡا مَا بَیۡنَ اَیۡدِیۡکُمۡ وَ مَا خَلۡفَکُمۡ لَعَلَّکُمۡ تُرۡحَمُوۡنَ ﴿۴۵﴾
৪৬. যখনই তাদের কাছে আল্লাহ্‌র নিদর্শনসমূহের কোনো নিদর্শন এসেছে, তারা তা থেকে মুখ ফিরিয়ে নিয়েছে।	وَ مَا تَاۡتِیۡهِمۡ مِّنۡ اٰیَةٍ مِّنۡ اٰیٰتِ رَبِّهِمۡ اِلَّا کَانُوۡا عَنۡهَا مُعۡرِضِیۡنَ ﴿۴۶﴾
৪৭. যখনই তাদের বলা হয়েছে, আল্লাহ্ তোমাদের যে রিযিক দিয়েছেন তা থেকে (আল্লাহ্‌র পথে) ব্যয় করো, তখনই কাফিররা মুমিনদের বলেছে: 'আল্লাহ্ চাইলে যাকে খাওয়াতে পারতেন, তাকে কি আমরা খাওয়াবো? তোমরা তো স্পষ্ট বিভ্রান্তিতে রয়েছো।'	وَ اِذَا قِیۡلَ لَهُمۡ اَنۡفِقُوۡا مِمَّا رَزَقَکُمُ اللّٰهُ ۙ قَالَ الَّذِیۡنَ کَفَرُوۡا لِلَّذِیۡنَ اٰمَنُوۡۤا اَنُطۡعِمُ مَنۡ لَّوۡ یَشَآءُ اللّٰهُ اَطۡعَمَهٗۤ ٭ۖ اِنۡ اَنۡتُمۡ اِلَّا فِیۡ ضَلٰلٍ مُّبِیۡنٍ ﴿۴۷﴾

৪৮. তারা আরো বলে: 'তোমরা সত্যবাদী হয়ে থাকলে বলো, কখন আসবে সেই ওয়াদা করা সময়টি (কিয়ামত)?'	وَيَقُوْلُوْنَ مَتٰى هٰذَا الْوَعْدُ اِنْ كُنْتُمْ صٰدِقِيْنَ ﴿٤٨﴾
৪৯. হ্যাঁ, তারা যে জিনিসের অপেক্ষা করছে, তা এক মহাবিকট শব্দ ছাড়া আর কিছু নয়। সেটা তাদের আঘাত করবে তাদের বিবাদকালেই।	مَا يَنْظُرُوْنَ اِلَّا صَيْحَةً وَّاحِدَةً تَاْخُذُهُمْ وَهُمْ يَخِصِّمُوْنَ ﴿٤٩﴾
৫০. তখন তারা কোনো অসিয়ত করতেও সমর্থ হবেনা এবং তাদের পরিবারবর্গের কাছে ফিরে যাবারও সুযোগ পাবেনা।	فَلَا يَسْتَطِيْعُوْنَ تَوْصِيَةً وَّلَاۤ اِلٰۤى اَهْلِهِمْ يَرْجِعُوْنَ ﴿٥٠﴾
৫১. যখন (দ্বিতীয়বার) শিঙায় ফুৎকার দেয়া হবে, তখন সাথে সাথে তারা কবর থেকে উঠে ছুটে আসবে তাদের প্রভুর দিকে।	وَنُفِخَ فِي الصُّوْرِ فَاِذَا هُمْ مِّنَ الْاَجْدَاثِ اِلٰى رَبِّهِمْ يَنْسِلُوْنَ ﴿٥١﴾
৫২. তারা বলবে: 'হায়, ধ্বংস আমাদের, কে উঠালো আমাদেরকে আমাদের নিদ্রাস্থল থেকে?' (বলা হবে:) এটাই হলো সেটা, দয়াময়-রহমান যার ওয়াদা দিয়েছিলেন। আর রসূলরাও সত্য বলেছিলেন।	قَالُوْا يٰوَيْلَنَا مَنْۢ بَعَثَنَا مِنْ مَّرْقَدِنَا ۜسكتة هٰذَا مَا وَعَدَ الرَّحْمٰنُ وَصَدَقَ الْمُرْسَلُوْنَ ﴿٥٢﴾
৫৩. সেটাও হবে মহাবিকট শব্দ, যা সংঘটিত হবার সাথে সাথে সবাইকে হাজির করা হবে আমাদের সামনে।	اِنْ كَانَتْ اِلَّا صَيْحَةً وَّاحِدَةً فَاِذَا هُمْ جَمِيْعٌ لَّدَيْنَا مُحْضَرُوْنَ ﴿٥٣﴾
৫৪. আজ কারো প্রতি বিন্দুমাত্র যুলম করা হবেনা এবং তোমরা যা আমল করতে কেবল তারই প্রতিদান দেয়া হবে।	فَالْيَوْمَ لَا تُظْلَمُ نَفْسٌ شَيْـًٔا وَّلَا تُجْزَوْنَ اِلَّا مَا كُنْتُمْ تَعْمَلُوْنَ ﴿٥٤﴾
৫৫. নিশ্চয়ই আজ জান্নাতের অধিবাসীরা থাকবে আনন্দ আর উৎফুল্লে মশ্গুল।	اِنَّ اَصْحٰبَ الْجَنَّةِ الْيَوْمَ فِيْ شُغُلٍ فٰكِهُوْنَ ﴿٥٥﴾
৫৬. তারা এবং তাদের স্ত্রীরা/স্বামীরা থাকবে সুমধুর ছায়ায় সুসজ্জিত আসনে সমাসীন।	هُمْ وَاَزْوَاجُهُمْ فِيْ ظِلٰلٍ عَلَى الْاَرَآئِكِ مُتَّكِـُٔوْنَ ﴿٥٦﴾
৫৭. তাদের জন্যে সেখানে থাকবে ফলফলারি এবং তারা যা চাইবে সবকিছু।	لَهُمْ فِيْهَا فَاكِهَةٌ وَّلَهُمْ مَّا يَدَّعُوْنَ ﴿٥٧﴾
৫৮. তাদের প্রতি পরম দয়াবান প্রভুর পক্ষ থেকে সম্ভাষণ হবে-'সালাম'।	سَلٰمٌ ۣ قَوْلًا مِّنْ رَّبٍّ رَّحِيْمٍ ﴿٥٨﴾
৫৯. সেদিন বলা হবে: 'হে অপরাধীরা! তোমরা আজ আলাদা হয়ে যাও।'	وَامْتَازُوا الْيَوْمَ اَيُّهَا الْمُجْرِمُوْنَ ﴿٥٩﴾
৬০. হে বনি আদম! আমি কি তোমাদের নির্দেশ দেইনি: "তোমরা শয়তানের ইবাদত করোনা, কারণ সে তোমাদের সুস্পষ্ট দুশমন।	اَلَمْ اَعْهَدْ اِلَيْكُمْ يٰبَنِيْۤ اٰدَمَ اَنْ لَّا تَعْبُدُوا الشَّيْطٰنَ ۚ اِنَّهٗ لَكُمْ عَدُوٌّ مُّبِيْنٌ ﴿٦٠﴾
৬১. আর কেবল আমারই ইবাদত করো, এটাই সিরাতুল মুস্তাকিম (সরল সঠিক পথ)?"	وَّاَنِ اعْبُدُوْنِيْ ۚ هٰذَا صِرَاطٌ مُّسْتَقِيْمٌ ﴿٦١﴾

রুকু ০৩

৬২. শয়তান তো তোমাদের বহু মানবদলকে পথভ্রান্ত করেছিল, তবু কি তোমরা বুঝতে পারোনি?	وَلَقَدْ اَضَلَّ مِنْكُمْ جِبِلًّا كَثِيْرًا ؕ اَفَلَمْ تَكُوْنُوْا تَعْقِلُوْنَ ﴿٦٢﴾
৬৩. এ হলো সেই জাহান্নাম, যার ওয়াদা তোমাদের দেয়া হয়েছিল।	هٰذِهٖ جَهَنَّمُ الَّتِيْ كُنْتُمْ تُوْعَدُوْنَ ﴿٦٣﴾
৬৪. এতেই আজ প্রবেশ করো, কারণ তোমরা কুফুরি করেছিলে।	اِصْلَوْهَا الْيَوْمَ بِمَا كُنْتُمْ تَكْفُرُوْنَ ﴿٦٤﴾
৬৫. আমরা আজ তাদের মুখ সীলমোহর করে দেবো এবং আমাদের সাথে কথা বলবে তাদের হাত আর সাক্ষ্য দেবে তাদের পা সে সম্পর্কে, যা তারা কামাই করেছিল।	اَلْيَوْمَ نَخْتِمُ عَلٰۤى اَفْوَاهِهِمْ وَتُكَلِّمُنَاۤ اَيْدِيْهِمْ وَتَشْهَدُ اَرْجُلُهُمْ بِمَا كَانُوْا يَكْسِبُوْنَ ﴿٦٥﴾
৬৬. আমরা চাইলে তাদের চোখ বিলুপ্ত (অন্ধ) করে দিতে পারতাম, তখন তারা পথ চলতে চাইলে কি চলতে পারতো?	وَلَوْ نَشَآءُ لَطَمَسْنَا عَلٰۤى اَعْيُنِهِمْ فَاسْتَبَقُوا الصِّرَاطَ فَاَنّٰى يُبْصِرُوْنَ ﴿٦٦﴾
৬৭. আমরা চাইলে তাদের স্বস্থানে তাদের আকৃতি পরিবর্তন করে বিকৃত করে দিতে পারতাম, তখন তারা কোথাও যেতেও পারতোনা, ফিরেও আসতে পারতোনা। (রুকু ০৪)	وَلَوْ نَشَآءُ لَمَسَخْنٰهُمْ عَلٰى مَكَانَتِهِمْ فَمَا اسْتَطَاعُوْا مُضِيًّا وَّلَا يَرْجِعُوْنَ ﴿٦٧﴾
৬৮. আমরা যাকে দীর্ঘ জীবন দান করি, তার সৃষ্টিগত প্রকৃতির অবনতি ঘটিয়ে দেই। তবু কি তারা বুঝার চেষ্টা করবেনা?	وَمَنْ نُّعَمِّرْهُ نُنَكِّسْهُ فِي الْخَلْقِ ؕ اَفَلَا يَعْقِلُوْنَ ﴿٦٨﴾
৬৯. তাকে (মুহাম্মদকে) আমরা কবিতা রচনা করতে শিখাইনি এবং এটা তাঁর জন্যে উপযুক্ত কাজও নয়। এ-তো একটা উপদেশ এবং সুস্পষ্ট কুরআন ছাড়া আর কিছুই নয়,	وَمَا عَلَّمْنٰهُ الشِّعْرَ وَمَا يَنْۢبَغِيْ لَهٗ ؕ اِنْ هُوَ اِلَّا ذِكْرٌ وَّقُرْاٰنٌ مُّبِيْنٌ ﴿٦٩﴾
৭০. যাতে সে জীবিত লোকদের সতর্ক করতে পারে এবং যাতে কাফিরদের বিরুদ্ধে শাস্তির ফায়সালা সত্য হতে পারে।	لِّيُنْذِرَ مَنْ كَانَ حَيًّا وَّيَحِقَّ الْقَوْلُ عَلَى الْكٰفِرِيْنَ ﴿٧٠﴾
৭১. তারা কি দেখেনা, আমরা আমাদের হাতে যেসব জিনিস তৈরি করেছি, তার মধ্যে তাদের জন্যে পশুও তৈরি করেছি এবং তারাই সেগুলোর মালিক হয়?	اَوَلَمْ يَرَوْا اَنَّا خَلَقْنَا لَهُمْ مِّمَّا عَمِلَتْ اَيْدِيْنَاۤ اَنْعَامًا فَهُمْ لَهَا مٰلِكُوْنَ ﴿٧١﴾
৭২. আর আমরা সেগুলোকে করে দিয়েছি তাদের বশীভূত। ফলে সেগুলোর কিছু পশুকে তারা ব্যবহার করে বাহন হিসেবে, আর তারা আহার করে কিছু পশুর গোশ্‌ত।	وَذَلَّلْنٰهَا لَهُمْ فَمِنْهَا رَكُوْبُهُمْ وَمِنْهَا يَاْكُلُوْنَ ﴿٧٢﴾
৭৩. সেগুলোতে তাদের জন্যে রয়েছে বহু রকম মুনাফা, রয়েছে পানীয় (দুধ)। তবু কি তারা শোকর আদায় করবেনা?	وَلَهُمْ فِيْهَا مَنَافِعُ وَمَشَارِبُ ؕ اَفَلَا يَشْكُرُوْنَ ﴿٧٣﴾

৭৪. অথচ তারা আল্লাহ্‌র পরিবর্তে অন্যদের ইলাহ্ হিসেবে গ্রহণ করে এই আশা নিয়ে যে, তাদের সাহায্য করা হবে।	وَ اتَّخَذُوْا مِنْ دُوْنِ اللّٰهِ اٰلِهَةً لَّعَلَّهُمْ يُنْصَرُوْنَ ﴿٧٤﴾
৭৫. এসব ইলাহ্ তাদের সাহায্য করার সামর্থ রাখেনা। তাদেরকে তাদের (পূজারীদের) বিরুদ্ধে বাহিনী হিসেবে হাজির করা হবে।	لَا يَسْتَطِيْعُوْنَ نَصْرَهُمْ ۙ وَ هُمْ لَهُمْ جُنْدٌ مُّحْضَرُوْنَ ﴿٧٥﴾
৭৬. সুতরাং তাদের কথাবার্তা যেনো তোমাকে দুঃখ না দেয়। আমরা জানি তারা যা গোপন করে, আর যা করে প্রকাশ।	فَلَا يَحْزُنْكَ قَوْلُهُمْ ۘ اِنَّا نَعْلَمُ مَا يُسِرُّوْنَ وَ مَا يُعْلِنُوْنَ ﴿٧٦﴾
৭৭. মানুষ কি দেখেনা, আমরা তাদের সৃষ্টি করেছি নোতফা (শুক্রবিন্দু) থেকে? কিন্তু তারপর তারা (আমাদের বিরুদ্ধেই) সুস্পষ্ট বিতর্ককারী হয়ে দাঁড়ায়।	اَوَ لَمْ يَرَ الْاِنْسَانُ اَنَّا خَلَقْنٰهُ مِنْ نُّطْفَةٍ فَاِذَا هُوَ خَصِيْمٌ مُّبِيْنٌ ﴿٧٧﴾
৭৮. সে আমাদের সম্পর্কে দৃষ্টান্ত তৈরি করে এবং ভুলে যায় তার সৃষ্টির কথা। সে বলে: 'পঁচে গলে মাটির সাথে মিশে যাবার পর হাড়গোড়ে কে সঞ্চার করবে প্রাণ?	وَ ضَرَبَ لَنَا مَثَلًا وَّ نَسِيَ خَلْقَهٗ ؕ قَالَ مَنْ يُّحْيِ الْعِظَامَ وَ هِيَ رَمِيْمٌ ﴿٧٨﴾
৭৯. তুমি বলো: 'তাতে প্রাণ সঞ্চার করবেন তিনি, যিনি তা প্রথমবার সৃষ্টি করেছেন এবং তিনি প্রতিটি সৃষ্টি সম্পর্কে অগাধ জ্ঞানী।'	قُلْ يُحْيِيْهَا الَّذِيْۤ اَنْشَاَهَاۤ اَوَّلَ مَرَّةٍ ؕ وَ هُوَ بِكُلِّ خَلْقٍ عَلِيْمُۨ ﴿٧٩﴾
৮০. তিনি সেই সত্তা, যিনি তোমাদের জন্যে সবুজ গাছ থেকে উৎপাদন করেন আগুন এবং তোমরা তা প্রজ্জ্বলিত করো।	الَّذِيْ جَعَلَ لَكُمْ مِّنَ الشَّجَرِ الْاَخْضَرِ نَارًا فَاِذَاۤ اَنْتُمْ مِّنْهُ تُوْقِدُوْنَ ﴿٨٠﴾
৮১. যিনি মহাকাশ এবং পৃথিবী সৃষ্টি করেছেন, তিনি কি তাদের অনুরূপ সৃষ্টি করতে সক্ষম নন? হ্যাঁ, (অবশ্যি) তিনি মহাজ্ঞানী মহান স্রষ্টা।	اَوَ لَيْسَ الَّذِيْ خَلَقَ السَّمٰوٰتِ وَ الْاَرْضَ بِقٰدِرٍ عَلٰۤى اَنْ يَّخْلُقَ مِثْلَهُمْ ؕ بَلٰى ۗ وَ هُوَ الْخَلّٰقُ الْعَلِيْمُ ﴿٨١﴾
৮২. তাঁর সৃষ্টির নির্দেশ কার্যকর হয় তো এভাবে, তিনি যখন কিছু চান, তাকে বলেন, 'হও', সঙ্গে সঙ্গে তা হয়ে যায়।	اِنَّمَاۤ اَمْرُهٗۤ اِذَاۤ اَرَادَ شَيْـًٔا اَنْ يَّقُوْلَ لَهٗ كُنْ فَيَكُوْنُ ﴿٨٢﴾
৮৩. সুতরাং পবিত্র ও মহান তিনি, যাঁর হাতে রয়েছে প্রতিটি জিনিসের কর্তৃত্ব এবং তাঁরই কাছে ফেরত নেয়া হবে তোমাদের।	فَسُبْحٰنَ الَّذِيْ بِيَدِهٖ مَلَكُوْتُ كُلِّ شَيْءٍ وَّ اِلَيْهِ تُرْجَعُوْنَ ﴿٨٣﴾

রুকু ০৫

সূরা ৩৭ আস্ সাফ্ফাত

মক্কায় অবতীর্ণ, আয়াত সংখ্যা: ১৮২, রুকু সংখ্যা: ০৫

এই সূরার আলোচ্যসূচি (আয়াত ভিত্তিক আলোচ্য বিষয়)

০১-৭৪: তাওহীদ, রিসালাত ও আখিরাতের ব্যাপারে লোকদের অস্বীকৃতি ও অভিযোগ। অস্বীকারকারীদের পরকালীন দুরবস্থা।

৭৫-৮২: দুষ্কৃতকারীদের বিরুদ্ধে আল্লাহ্ নূহ আ. এর দোয়া কবুল করেন।

৮৩-১১৩: ভাস্কর্য পূজারীদের বিরুদ্ধে ইবরাহিমের অকাট্য যুক্তি। ইবরাহিমের অগ্নি পরীক্ষা। পুত্র কুরবানির স্বপ্ন। পশু কুরবানির সূচনা।

১১৪-১২২: মূসা ও হারূণের প্রতি আল্লাহ্র অনুগ্রহ।
১২৩-১৩২: নিজ কওমের প্রতি ইলিয়াসের দাওয়াত। তাঁর জাতি কর্তৃক তাঁকে প্রত্যাখ্যান।
১৩৩-১৩৮: লুত আ. এর মুক্তি ও তাঁর জাতির ধ্বংস। তাদের ধ্বংসের নিদর্শনসমূহ এখনো বর্তমান।
১৩৯-১৪৮: অবাধ্য জাতি থেকে ইউনুসের পলায়ন। তিমির গ্রাস হন ইউনুস। আল্লাহ্ তাঁকে বাঁচিয়ে রাখেন। পুনরায় জাতির কাছে তাঁর আগমন। এবার তাঁর জাতি ঈমান আনে।
১৪৯-১৮২: শিরকের পক্ষে কোনো প্রমাণ নাই। নবীরা আল্লাহ্র সাহায্য পাবেন।

সূরা আস্ সাফ্ফাত (সফে দাঁড়ানো) পরম করুণাময় পরম দয়াবান আল্লাহ্র নামে	سُوْرَةُ الصّٰفّٰتِ بِسۡمِ اللّٰهِ الرَّحۡمٰنِ الرَّحِیۡمِ
১. শপথ সেইসব (ফেরেশ্তাদের) যারা সফে (সারিতে) দাঁড়ানো।	وَ الصّٰٓفّٰتِ صَفًّا ①
২. শপথ সেইসব (ফেরেশ্তাদের) যারা (মেঘমালা) পরিচালনাকারী।	فَالزّٰجِرٰتِ زَجۡرًا ②
৩. শপথ সেইসব (ফেরেশ্তাদের), যারা তিলাওয়াত করে বা বহন করে আনে আল কুরআন (আল্লাহ্র নিকট থেকে)।	فَالتّٰلِیٰتِ ذِکۡرًا ③
৪. নিশ্চয়ই তোমাদের ইলাহ্ এক ও একক।	اِنَّ اِلٰهَکُمۡ لَوَاحِدٌ ④
৫. তিনিই মালিক মহাকাশ ও পৃথিবীর এবং এ দুয়ের মধ্যবর্তী সবকিছুর, আর তিনিই মালিক উদয়াচলের।	رَبُّ السَّمٰوٰتِ وَ الۡاَرۡضِ وَ مَا بَیۡنَهُمَا وَ رَبُّ الۡمَشَارِقِ ⑤
৬. আমরা দুনিয়ার আকাশকে সৌন্দর্যমণ্ডিত করেছি নক্ষত্ররাজি দিয়ে,	اِنَّا زَیَّنَّا السَّمَآءَ الدُّنۡیَا بِزِیۡنَةِ ۣالۡکَوَاکِبِ ⑥
৭. এবং রক্ষা করেছি প্রত্যেক বিদ্রোহী শয়তান থেকে।	وَ حِفۡظًا مِّنۡ کُلِّ شَیۡطٰنٍ مَّارِدٍ ⑦
৮. ফলে তারা ঊর্ধ্ব জগতের কিছু শুনতে পায়না এবং তাদের আঘাত করা হয় সবদিক থেকে	لَا یَسَّمَّعُوۡنَ اِلَی الۡمَلَاِ الۡاَعۡلٰی وَ یُقۡذَفُوۡنَ مِنۡ کُلِّ جَانِبٍ ⑧
৯. তাদের তাড়ানোর জন্যে। আর তাদের জন্যে রয়েছে অবিরাম আযাব।	دُحُوۡرًا وَّ لَهُمۡ عَذَابٌ وَّاصِبٌ ⑨
১০. তবে হঠাৎ কেউ কিছু শুনে ফেললে তার পেছনে ছুটে যায় জ্বলন্ত উল্কা পিণ্ড।	اِلَّا مَنۡ خَطِفَ الۡخَطۡفَةَ فَاَتۡبَعَهٗ شِهَابٌ ثَاقِبٌ ⑩
১১. তাদের (কাফিরদের) জিজ্ঞেস করো, তারাই কি মজবুত সৃষ্টি, নাকি আমরা অন্য যাদের সৃষ্টি করেছি তারা? এদেরকে তো আমরা সৃষ্টি করেছি আঠাল মাটি দিয়ে।	فَاسۡتَفۡتِهِمۡ اَهُمۡ اَشَدُّ خَلۡقًا اَمۡ مَّنۡ خَلَقۡنَا ؕ اِنَّا خَلَقۡنٰهُمۡ مِّنۡ طِیۡنٍ لَّازِبٍ ⑪
১২. তুমি তো বিস্ময়বোধ করছো, অথচ তারা করছে বিদ্রূপ।	بَلۡ عَجِبۡتَ وَ یَسۡخَرُوۡنَ ⑫

১৩. তাদের যখন উপদেশ দেয়া হয়, তারা সেদিকে মনোযোগ দেয়না।	وَاِذَا ذُكِّرُوْا لَا يَذْكُرُوْنَ ۝١٣
১৪. যখনই তারা কোনো নিদর্শন দেখে, উপহাস করে।	وَاِذَا رَاَوْا اٰيَةً يَّسْتَسْخِرُوْنَ ۝١٤
১৫. তারা বলে: "এ তো এক পরিষ্কার ম্যাজিক ছাড়া কিছু নয়।	وَقَالُوْٓا اِنْ هٰذَآ اِلَّا سِحْرٌ مُّبِيْنٌ ۝١٥
১৬. আমরা যখন মরে যাবো এবং মাটি ও অস্থিমজ্জায় পরিণত হবো, তখন কি আমাদের পুনরায় উঠানো হবে?	ءَاِذَا مِتْنَا وَكُنَّا تُرَابًا وَّعِظَامًا ءَاِنَّا لَمَبْعُوْثُوْنَ ۝١٦
১৭. আমাদের পূর্ব পুরুষদেরকেও?"	اَوَاٰبَآؤُنَا الْاَوَّلُوْنَ ۝١٧
১৮. বলো: 'হ্যাঁ, আর তখন তোমরা হবে লাঞ্ছিত।'	قُلْ نَعَمْ وَاَنْتُمْ دَاخِرُوْنَ ۝١٨
১৯. সেটা হবে একটা প্রচণ্ড শব্দ, আর তখনই তারা তা দেখতে পাবে।	فَاِنَّمَا هِيَ زَجْرَةٌ وَّاحِدَةٌ فَاِذَا هُمْ يَنْظُرُوْنَ ۝١٩
২০. তারা আরো বলবে: 'হায় ধ্বংস আমাদের, এটা তো প্রতিফল দিবস।'	وَقَالُوْا يٰوَيْلَنَا هٰذَا يَوْمُ الدِّيْنِ ۝٢٠
২১. (তখন তাদের বলা হবে:) 'এটা হলো ফায়সালার দিন, যে দিনটিকে তোমরা করছিলে অস্বীকার।'	هٰذَا يَوْمُ الْفَصْلِ الَّذِيْ كُنْتُمْ بِهٖ تُكَذِّبُوْنَ ۝٢١
২২. (ফেরেশতাদের বলা হবে:) এনে জমা করো যালিমদের, তাদের সাথি সংগিদের এবং তাদের উপাস্যদের, যাদের তারা ইবাদত করতো	اُحْشُرُوا الَّذِيْنَ ظَلَمُوْا وَاَزْوَاجَهُمْ وَمَا كَانُوْا يَعْبُدُوْنَ ۝٢٢
২৩. আল্লাহ্‌র পরিবর্তে। তাদের পরিচালিত করো জাহান্নামের দিকে।	مِنْ دُوْنِ اللّٰهِ فَاهْدُوْهُمْ اِلٰى صِرَاطِ الْجَحِيْمِ ۝٢٣
২৪. তবে তাদের থামাও, কারণ তাদের জিজ্ঞাসাবাদ করা হবে।	وَقِفُوْهُمْ اِنَّهُمْ مَّسْـُٔوْلُوْنَ ۝٢٤
২৫. তোমাদের কী হয়েছে, তোমরা পরস্পরকে সাহায্য করছো না কেন?	مَا لَكُمْ لَا تَنَاصَرُوْنَ ۝٢٥
২৬. বরং তারা সেদিন আত্মসমর্পণ করে দেবে।	بَلْ هُمُ الْيَوْمَ مُسْتَسْلِمُوْنَ ۝٢٦
২৭. তারা একে অপরের সামনা সামনি হয়ে পরস্পরকে প্রশ্ন করবে,	وَاَقْبَلَ بَعْضُهُمْ عَلٰى بَعْضٍ يَّتَسَآءَلُوْنَ ۝٢٧
২৮. তারা বলবে: 'তোমরা তো ডান দিক থেকে (তোমাদের শক্তি দেখিয়ে) আমাদের কাছে আসতে।'	قَالُوْٓا اِنَّكُمْ كُنْتُمْ تَاْتُوْنَنَا عَنِ الْيَمِيْنِ ۝٢٨
২৯. তারা জবাবে বলবে: "তোমরা তো নিজেরাই বিশ্বাসী ছিলে না,	قَالُوْا بَلْ لَّمْ تَكُوْنُوْا مُؤْمِنِيْنَ ۝٢٩
৩০. আর তোমাদের উপর আমাদের কোনো	وَمَا كَانَ لَنَا عَلَيْكُمْ مِّنْ سُلْطٰنٍ ۚ بَلْ

রুকু ০১

কর্তৃত্বও ছিলনা। বরং তোমরা ছিলে আল্লাদ্রোহী লোক।	كُنْتُمْ قَوْمًا طٰغِيْنَ ﴿٣٠﴾
৩১. তাই আমাদের বিরুদ্ধে আমাদের প্রভুর কথা সত্য প্রমাণিত হয়েছে। আমাদেরকে অবশ্যি শাস্তি ভোগ করতে হবে।	فَحَقَّ عَلَيْنَا قَوْلُ رَبِّنَآ ۖ اِنَّا لَذَآئِقُوْنَ ﴿٣١﴾
৩২. আমরা তোমাদের বিপথগামী করেছিলাম, কারণ আমরা নিজেরাও ছিলাম বিপথগামী।”	فَاَغْوَيْنٰكُمْ اِنَّا كُنَّا غٰوِيْنَ ﴿٣٢﴾
৩৩. সেদিন তারা সবাই শরিকদার হবে আযাবের।	فَاِنَّهُمْ يَوْمَئِذٍ فِى الْعَذَابِ مُشْتَرِكُوْنَ ﴿٣٣﴾
৩৪. আমরা অপরাধীদের সাথে এ রকমই আচরণ করি।	اِنَّا كَذٰلِكَ نَفْعَلُ بِالْمُجْرِمِيْنَ ﴿٣٤﴾
৩৫. তাদের যখন বলা হতো: ‘কোনো ইলাহ্ নেই আল্লাহ্ ছাড়া’, তখন তারা হঠকারিতা প্রদর্শন করতো।	اِنَّهُمْ كَانُوْٓا اِذَا قِيْلَ لَهُمْ لَآ اِلٰهَ اِلَّا اللّٰهُ يَسْتَكْبِرُوْنَ ﴿٣٥﴾
৩৬. তারা বলতো: ‘আমরা কি একজন পাগল কবির জন্যে আমাদের ইলাহ্দের পরিত্যাগ করবো?’	وَ يَقُوْلُوْنَ اَئِنَّا لَتَارِكُوْٓا اٰلِهَتِنَا لِشَاعِرٍ مَّجْنُوْنٍ ﴿٣٦﴾
৩৭. বরং সে তো সত্য নিয়ে এসেছে এবং (অতীত) রসূলদের সত্য বলে মেনে নিয়েছে।	بَلْ جَآءَ بِالْحَقِّ وَ صَدَّقَ الْمُرْسَلِيْنَ ﴿٣٧﴾
৩৮. তোমরা অবশ্যি আস্বাদন করবে বেদনাদায়ক আযাব।	اِنَّكُمْ لَذَآئِقُوا الْعَذَابِ الْاَلِيْمِ ﴿٣٨﴾
৩৯. এবং তোমরা যেসব কর্মকাণ্ড করতে সেগুলোরই প্রতিদান পাবে।	وَ مَا تُجْزَوْنَ اِلَّا مَا كُنْتُمْ تَعْمَلُوْنَ ﴿٣٩﴾
৪০. তবে তারা নয়, যারা আল্লাহ্‌র বাছাই করা দাস।	اِلَّا عِبَادَ اللّٰهِ الْمُخْلَصِيْنَ ﴿٤٠﴾
৪১. তাদের জন্যে রয়েছে পরিচিত রিযিক।	اُولٰٓئِكَ لَهُمْ رِزْقٌ مَّعْلُوْمٌ ﴿٤١﴾
৪২. রয়েছে ফলফলারি, আর তারা হবে সম্মানিত,	فَوَاكِهُ ۚ وَ هُمْ مُّكْرَمُوْنَ ﴿٤٢﴾
৪৩. জান্নাতুন নায়ীমে (নিয়ামতে ভরা জান্নাতে)।	فِىْ جَنّٰتِ النَّعِيْمِ ﴿٤٣﴾
৪৪. সেখানে তারা উপবেশন করবে মুখোমুখি আসনে।	عَلٰى سُرُرٍ مُّتَقٰبِلِيْنَ ﴿٤٤﴾
৪৫. তাদের ঘুরে ঘুরে পরিবেশন করা হবে (মদের) পেয়ালা বহমান ঝরণা থেকে।	يُطَافُ عَلَيْهِمْ بِكَاْسٍ مِّنْ مَّعِيْنٍ ﴿٤٥﴾
৪৬. শুভ্র সাদা শরাব, যা হবে পানকারীদের জন্যে সুস্বাদু।	بَيْضَآءَ لَذَّةٍ لِّلشّٰرِبِيْنَ ﴿٤٦﴾
৪৭. তাতে ক্ষতিকর কিছু থাকবে না এবং তাতে মাতালও হবেনা কেউ।	لَا فِيْهَا غَوْلٌ وَّ لَا هُمْ عَنْهَا يُنْزَفُوْنَ ﴿٤٧﴾
৪৮. তাদের কাছে থাকবে আনত নয়না এবং আয়তলোচনা নারীরা।	وَ عِنْدَهُمْ قٰصِرٰتُ الطَّرْفِ عِيْنٌ ﴿٤٨﴾
৪৯. সেসব নারীরা হবে যেনো সযত্নে লালিত সাদা ডিম।	كَاَنَّهُنَّ بَيْضٌ مَّكْنُوْنٌ ﴿٤٩﴾

৫০. তারা পরস্পরের সামনাসামনি হয়ে প্রশ্ন করবে।	فَأَقْبَلَ بَعْضُهُمْ عَلَىٰ بَعْضٍ يَتَسَاءَلُونَ ٥٠
৫১. তাদের কেউ কেউ বলবে: (দুনিয়ায়) আমার ছিলো এক সাথি,	قَالَ قَائِلٌ مِّنْهُمْ إِنِّي كَانَ لِي قَرِينٌ ٥١
৫২. সে বলতো তুমি কি একথায় বিশ্বাসী যে:	يَقُولُ أَإِنَّكَ لَمِنَ الْمُصَدِّقِينَ ٥٢
৫৩. 'আমরা যখন মরে যাবো এবং মাটি ও অস্থিমজ্জায় পরিণত হবো, তখন কি আমাদের প্রতিফল দেয়া হবে?'	أَإِذَا مِتْنَا وَكُنَّا تُرَابًا وَعِظَامًا أَإِنَّا لَمَدِينُونَ ٥٣
৫৪. কেউ একজন বলবে: তোমরা কি দেখতে চাও সে এখন কোথায়?	قَالَ هَلْ أَنتُم مُّطَّلِعُونَ ٥٤
৫৫. তখন সে ঝুঁকে পড়ে দেখবে এবং তাকে দেখতে পাবে জাহান্নামের মাঝ বরাবর।	فَاطَّلَعَ فَرَآهُ فِي سَوَاءِ الْجَحِيمِ ٥٥
৫৬. সে তাকে বলবে: 'আল্লাহ্র কসম, তুমি তো আমাকে প্রায় ধ্বংসই করে দিয়েছিলে।	قَالَ تَاللَّهِ إِن كِدتَّ لَتُرْدِينِ ٥٦
৫৭. যদি আমার প্রভুর অনুগ্রহ না হতো, তাহলে তো আমিও (জাহান্নামে) হাজির করা লোকদের অন্তরভুক্ত হতাম।'	وَلَوْلَا نِعْمَةُ رَبِّي لَكُنتُ مِنَ الْمُحْضَرِينَ ٥٧
৫৮. সে বলবে: 'তাহলে কি আমাদের আর মৃত্যু হবেনা	أَفَمَا نَحْنُ بِمَيِّتِينَ ٥٨
৫৯. প্রথম মৃত্যুর পর এবং আমাদের কি আযাবও দেয়া হবেনা?'	إِلَّا مَوْتَتَنَا الْأُولَىٰ وَمَا نَحْنُ بِمُعَذَّبِينَ ٥٩
৬০. নিশ্চয়ই এ হলো মহাসাফল্য।	إِنَّ هَٰذَا لَهُوَ الْفَوْزُ الْعَظِيمُ ٦٠
৬১. এ রকম সাফল্যের জন্যেই কর্মীদের কাজ করা উচিত।	لِمِثْلِ هَٰذَا فَلْيَعْمَلِ الْعَامِلُونَ ٦١
৬২. আতিথ্য হিসেবে এটা ভালো, নাকি যাক্কুম গাছ?	أَذَٰلِكَ خَيْرٌ نُّزُلًا أَمْ شَجَرَةُ الزَّقُّومِ ٦٢
৬৩. যালিমদের জন্যে আমরা এ গাছটি সৃষ্টি করেছি ফিতনা হিসেবে।	إِنَّا جَعَلْنَاهَا فِتْنَةً لِّلظَّالِمِينَ ٦٣
৬৪. সেটি এমন একটি গাছ, যা উৎপন্ন হয় জাহান্নামের তলদেশ থেকে।	إِنَّهَا شَجَرَةٌ تَخْرُجُ فِي أَصْلِ الْجَحِيمِ ٦٤
৬৫. সেটার মোচা দেখতে যেনো শয়তানের মাথা।	طَلْعُهَا كَأَنَّهُ رُءُوسُ الشَّيَاطِينِ ٦٥
৬৬. তারা অবশ্যি তা থেকে খাবে এবং তা দিয়ে ভর্তি করবে পেট।	فَإِنَّهُمْ لَآكِلُونَ مِنْهَا فَمَالِئُونَ مِنْهَا الْبُطُونَ ٦٦
৬৭. তার উপর তাদের জন্যে থাকবে পুঁজ মিশ্রিত টগবগে ফুটন্ত পানি।	ثُمَّ إِنَّ لَهُمْ عَلَيْهَا لَشَوْبًا مِّنْ حَمِيمٍ ٦٧
৬৮. তাদের গন্তব্য পথ হবে অবশ্যি জাহান্নামের দিকে।	ثُمَّ إِنَّ مَرْجِعَهُمْ لَإِلَى الْجَحِيمِ ٦٨
৬৯. সেখানে তারা তাদের পূর্ব পুরুষদের দেখতে পাবে বিপথগামী,	إِنَّهُمْ أَلْفَوْا آبَاءَهُمْ ضَالِّينَ ٦٩

৭০. এবং তারা তাদের পদাংক অনুসরণ করে চলেছিল।	فَهُمۡ عَلٰۤی اٰثٰرِهِمۡ یُهۡرَعُوۡنَ ﴿۷۰﴾
৭১. তাদের আগেও আগেকার অধিকাংশ লোকই বিপথগামী হয়েছিল।	وَلَقَدۡ ضَلَّ قَبۡلَهُمۡ اَکۡثَرُ الۡاَوَّلِیۡنَ ﴿۷۱﴾
৭২. আমরা তাদের মাঝে পাঠিয়েছিলাম সতর্ককারী।	وَلَقَدۡ اَرۡسَلۡنَا فِیۡهِمۡ مُّنۡذِرِیۡنَ ﴿۷۲﴾
৭৩. সুতরাং চেয়ে দেখো, যাদের সতর্ক করা হয়েছিল, কী জঘন্য পরিণতি হয়েছে তাদের ?	فَانۡظُرۡ کَیۡفَ کَانَ عَاقِبَۃُ الۡمُنۡذَرِیۡنَ ﴿۷۳﴾
রুকু ০২ — ৭৪. তবে আল্লাহ্র বাছাই করা বান্দাদের কথা ভিন্ন।	اِلَّا عِبَادَ اللّٰهِ الۡمُخۡلَصِیۡنَ ﴿۷۴﴾
৭৫. নূহ আমাদের ডেকেছিল, আর আমরা ডাকে কতোইনা উত্তম সাড়াদানকারী!	وَلَقَدۡ نَادٰىنَا نُوۡحٌ فَلَنِعۡمَ الۡمُجِیۡبُوۡنَ ﴿۷۵﴾
৭৬. আমরা তাকে এবং তার পরিবার পরিজনকে উদ্ধার করেছিলাম মহাসংকট থেকে।	وَنَجَّیۡنٰهُ وَاَهۡلَهٗ مِنَ الۡکَرۡبِ الۡعَظِیۡمِ ﴿۷۶﴾
৭৭. তার বংশধরদেরই আমরা অবশিষ্ট রেখেছি (প্রজন্মের পর প্রজন্ম)।	وَجَعَلۡنَا ذُرِّیَّتَهٗ هُمُ الۡبٰقِیۡنَ ﴿۷۷﴾
৭৮. আমরা তার (সুনাম) স্মরণীয় করে রেখেছি পরবর্তীদের মাঝে।	وَتَرَکۡنَا عَلَیۡهِ فِی الۡاٰخِرِیۡنَ ﴿۷۸﴾
৭৯. সমগ্র জগতের মধ্যে নূহের প্রতি ‘সালাম’ (শান্তি বর্ষিত হোক)।	سَلٰمٌ عَلٰی نُوۡحٍ فِی الۡعٰلَمِیۡنَ ﴿۷۹﴾
৮০. এভাবেই আমরা পুরস্কৃত করে থাকি কল্যাণপরায়ণদের।	اِنَّا کَذٰلِکَ نَجۡزِی الۡمُحۡسِنِیۡنَ ﴿۸۰﴾
৮১. সে ছিলো আমার মুমিন বান্দাদের একজন।	اِنَّهٗ مِنۡ عِبَادِنَا الۡمُؤۡمِنِیۡنَ ﴿۸۱﴾
৮২. তারপর বাকি সবাইকে আমরা ডুবিয়ে দিয়েছি পানিতে।	ثُمَّ اَغۡرَقۡنَا الۡاٰخَرِیۡنَ ﴿۸۲﴾
৮৩. আর তার অনুগামীদেরই একজন ছিলো ইবরাহিম।	وَاِنَّ مِنۡ شِیۡعَتِهٖ لَاِبۡرٰهِیۡمَ ﴿۸۳﴾
৮৪. সে তার প্রভুর কাছে উপস্থিত হয়েছিল প্রশান্ত হৃদয় নিয়ে।	اِذۡ جَآءَ رَبَّهٗ بِقَلۡبٍ سَلِیۡمٍ ﴿۸۴﴾
৮৫. সে তার পিতা এবং তার কওমকে বলেছিল: “আপনারা কিসের ইবাদত (উপাসনা) করছেন?	اِذۡ قَالَ لِاَبِیۡهِ وَقَوۡمِهٖ مَاذَا تَعۡبُدُوۡنَ ﴿۸۵﴾
৮৬. আপনারা কি আল্লাহ্র পরিবর্তে মনগড়া ইলাহ্দের চান?	اَئِفۡکًا اٰلِهَۃً دُوۡنَ اللّٰهِ تُرِیۡدُوۡنَ ﴿۸۶﴾
৮৭. ‘রাব্বুল আলামিনের’ (বিশ্বজগতের প্রভুর) ব্যাপারে আপনাদের ধারণা কী?”	فَمَا ظَنُّکُمۡ بِرَبِّ الۡعٰلَمِیۡنَ ﴿۸۷﴾
৮৮. অত:পর সে একবার তারকারাজির দিকে তাকালো	فَنَظَرَ نَظۡرَۃً فِی النُّجُوۡمِ ﴿۸۸﴾
৮৯. এবং বললো: ‘আমি অসুস্থ।’	فَقَالَ اِنِّیۡ سَقِیۡمٌ ﴿۸۹﴾
৯০. তখন তারা তাকে ফেলে চলে গেলো।	فَتَوَلَّوۡا عَنۡهُ مُدۡبِرِیۡنَ ﴿۹۰﴾
৯১. অত:পর সে সতর্কভাবে তাদের ইলাহ্ (দেবতা) গুলোর কাছে গেলো। তাদের বললো: ‘তোমরা কি খাবেনা?’	فَرَاغَ اِلٰۤی اٰلِهَتِهِمۡ فَقَالَ اَلَا تَاۡکُلُوۡنَ ﴿۹۱﴾

৯২. 'তোমাদের কী হয়েছে, তোমরা কথা বলোনা কেন?'	مَا لَكُمْ لَا تَنْطِقُوْنَ ﴿٩٢﴾
৯৩. তারপর সে তাদের আঘাত হানলো শক্তভাবে।	فَرَاغَ عَلَيْهِمْ ضَرْبًا بِالْيَمِيْنِ ﴿٩٣﴾
৯৪. তখন লোকেরা ছুটে এলো তার দিকে।	فَاَقْبَلُوْٓا اِلَيْهِ يَزِفُّوْنَ ﴿٩٤﴾
৯৫. সে বললো: "তোমরা নিজেরা যেগুলোকে খোদাই করে তৈয়ার করো, তোমরা কি সেগুলোরই পূজা করো?	قَالَ اَتَعْبُدُوْنَ مَا تَنْحِتُوْنَ ﴿٩٥﴾
৯৬. অথচ তোমাদের তো সৃষ্টি করেছেন আল্লাহ্ এবং তোমরা যা তৈরি করো সেগুলোকেও।"	وَاللّٰهُ خَلَقَكُمْ وَمَا تَعْمَلُوْنَ ﴿٩٦﴾
৯৭. তারা বললো: 'তার জন্যে ঘেরাও করা প্রাচীরের একটা ইমারত নির্মাণ করো। অতপর তাকে সেই অগ্নিকুন্ডে নিক্ষেপ করো।'	قَالُوا ابْنُوْا لَهٗ بُنْيَانًا فَاَلْقُوْهُ فِي الْجَحِيْمِ ﴿٩٧﴾
৯৮. তখন তারা তার বিরুদ্ধে এক চরম চক্রান্ত করে, কিন্তু আমরা তাদের নিচু করে দিয়েছি।	فَاَرَادُوْا بِهٖ كَيْدًا فَجَعَلْنٰهُمُ الْاَسْفَلِيْنَ ﴿٩٨﴾
৯৯. সে বলেছিল: "আমি আমার প্রভুর দিকে চললাম, তিনি আমাকে সঠিক পথ দেখাবেন।	وَقَالَ اِنِّيْ ذَاهِبٌ اِلٰى رَبِّيْ سَيَهْدِيْنِ ﴿٩٩﴾
১০০. আমার প্রভু! আমাকে একটি যোগ্য সন্তান দান করো।"	رَبِّ هَبْ لِيْ مِنَ الصّٰلِحِيْنَ ﴿١٠٠﴾
১০১. তখন আমরা তাকে সুসংবাদ দিলাম এক স্থির বুদ্ধিসম্পন্ন পুত্র সন্তানের।	فَبَشَّرْنٰهُ بِغُلٰمٍ حَلِيْمٍ ﴿١٠١﴾
১০২. যখন সে তার পিতার সাথে কাজ করার বয়েসে উপনীত হয়, তখন সে (ইবরাহিম) বলেছিল: 'আমার পুত্র! আমি স্বপ্ন দেখেছি, আমি তোমাকে যবেহ্ করছি। এখন তুমি বলো এ বিষয়ে তোমার অভিমত কী?' সে বলেছিল: 'আব্বু! আপনাকে যা নির্দেশ দেয়া হয়েছে আপনি তাই করুন। ইনশাল্লাহ (আল্লাহ্ চাইলে) আপনি আমাকে পাবেন ধৈর্যশীল।'	فَلَمَّا بَلَغَ مَعَهُ السَّعْيَ قَالَ يٰبُنَيَّ اِنِّيْٓ اَرٰى فِي الْمَنَامِ اَنِّيْٓ اَذْبَحُكَ فَانْظُرْ مَاذَا تَرٰى ؕ قَالَ يٰٓاَبَتِ افْعَلْ مَا تُؤْمَرُ ۫ سَتَجِدُنِيْٓ اِنْ شَآءَ اللّٰهُ مِنَ الصّٰبِرِيْنَ ﴿١٠٢﴾
১০৩. যখন তারা দুজনই আত্মসমর্পণ করলো এবং ইবরাহিম তার পুত্রকে উপুড় করে শুইয়ে দিলো,	فَلَمَّآ اَسْلَمَا وَتَلَّهٗ لِلْجَبِيْنِ ﴿١٠٣﴾
১০৪. তখন আমরা তাকে ডেকে বললাম: 'হে ইবরাহিম!	وَنَادَيْنٰهُ اَنْ يّٰٓاِبْرٰهِيْمُ ﴿١٠٤﴾
১০৫. অবশ্যি তুমি স্বপ্নকে সত্যে পরিণত করেছো। আমরা এভাবেই পুরস্কৃত করে থাকি পুণ্যবানদের।	قَدْ صَدَّقْتَ الرُّءْيَا ۚ اِنَّا كَذٰلِكَ نَجْزِي الْمُحْسِنِيْنَ ﴿١٠٥﴾
১০৬. নিশ্চয়ই এটা ছিলো একটা সুস্পষ্ট পরীক্ষা।	اِنَّ هٰذَا لَهُوَ الْبَلٰٓؤُا الْمُبِيْنُ ﴿١٠٦﴾
১০৭. অত:পর আমরা তাকে মুক্ত করেছিলাম এক মহাকুরবানির বিনিময়ে।	وَفَدَيْنٰهُ بِذِبْحٍ عَظِيْمٍ ﴿١٠٧﴾

১০৮. আর আমরা পরবর্তীদের মধ্যেও এই কুরবানির রীতি চালু রেখেছি।	وَتَرَكْنَا عَلَيْهِ فِي الْاٰخِرِيْنَ ۝١٠٨
১০৯. সালাম (শান্তি বর্ষিত হোক) ইবরাহিমের প্রতি।	سَلٰمٌ عَلٰٓى اِبْرٰهِيْمَ ۝١٠٩
১১০. পুণ্যবানদের আমরা এভাবেই পুরস্কৃত করি।	كَذٰلِكَ نَجْزِي الْمُحْسِنِيْنَ ۝١١٠
১১১. সে ছিলো আমাদের বিশ্বাসী দাসদের একজন।	اِنَّهٗ مِنْ عِبَادِنَا الْمُؤْمِنِيْنَ ۝١١١
১১২. তারপর আমরা তাকে সুসংবাদ দিয়েছিলাম (পুত্র) ইসহাকের। সেও ছিলো একজন যোগ্য নবী।	وَبَشَّرْنٰهُ بِاِسْحٰقَ نَبِيًّا مِّنَ الصّٰلِحِيْنَ ۝١١٢
১১৩. আমরা বরকত দান করেছিলাম তাকে এবং ইসহাককেও। তাদের বংশধরদের মধ্যে কিছু কল্যাণপরায়ণ লোকও আছে, আর কিছু আছে নিজেদের প্রতি সুস্পষ্ট যুলুমকারীও।	وَبٰرَكْنَا عَلَيْهِ وَعَلٰٓى اِسْحٰقَ ؕ وَمِنْ ذُرِّيَّتِهِمَا مُحْسِنٌ وَّظَالِمٌ لِّنَفْسِهٖ مُبِيْنٌ ۝١١٣
১১৪. আমরা ইহ্‌সান করেছিলাম মূসা এবং হারূণের প্রতি,	وَلَقَدْ مَنَنَّا عَلٰى مُوْسٰى وَهٰرُوْنَ ۝١١٤
১১৫. এবং আমরা নাজাত দিয়েছিলাম তাদেরকে এবং তাদের কওমকে মহাসংকট থেকে।	وَنَجَّيْنٰهُمَا وَقَوْمَهُمَا مِنَ الْكَرْبِ الْعَظِيْمِ ۝١١٥
১১৬. আমরা তাদের সাহায্য করেছিলাম, ফলে তারাই হয়েছিল বিজয়ী।	وَنَصَرْنٰهُمْ فَكَانُوْا هُمُ الْغٰلِبِيْنَ ۝١١٦
১১৭. আমরা তাদের উভয়কে দিয়েছিলাম সুবিস্তারিত কিতাব।	وَاٰتَيْنٰهُمَا الْكِتٰبَ الْمُسْتَبِيْنَ ۝١١٧
১১৮. উভয়কেই পরিচালিত করেছিলাম সিরাতুল মুসতাকিমে (সরল সঠিক পথে)।	وَهَدَيْنٰهُمَا الصِّرَاطَ الْمُسْتَقِيْمَ ۝١١٨
১১৯. পরবর্তীদের মাঝে তাদের খ্যাতি সংরক্ষণ করেছি।	وَتَرَكْنَا عَلَيْهِمَا فِي الْاٰخِرِيْنَ ۝١١٩
১২০. সালাম মূসা এবং হারূণের প্রতি।	سَلٰمٌ عَلٰى مُوْسٰى وَهٰرُوْنَ ۝١٢٠
১২১. আমরা এভাবেই পুরস্কৃত করি পুণ্যবানদের।	اِنَّا كَذٰلِكَ نَجْزِي الْمُحْسِنِيْنَ ۝١٢١
১২২. তারা উভয়েই ছিলো আমাদের বিশ্বাসী দাসদের অন্তরভুক্ত।	اِنَّهُمَا مِنْ عِبَادِنَا الْمُؤْمِنِيْنَ ۝١٢٢
১২৩. নিশ্চয়ই ইলিয়াসও ছিলো রসূলদের একজন।	وَاِنَّ اِلْيَاسَ لَمِنَ الْمُرْسَلِيْنَ ۝١٢٣
১২৪. স্মরণ করো, সে তার কওমকে বলেছিল: "তোমরা কি সতর্ক হবেনা?	اِذْ قَالَ لِقَوْمِهٖٓ اَلَا تَتَّقُوْنَ ۝١٢٤
১২৫. তোমরা কি বা'আল (দেবতা)-কেই ডাকবে, আর পরিত্যাগ করবে সর্বশ্রেষ্ঠ স্রষ্টা	اَتَدْعُوْنَ بَعْلًا وَّتَذَرُوْنَ اَحْسَنَ الْخٰلِقِيْنَ ۝١٢٥
১২৬. আল্লাহ্‌কে, যিনি তোমাদের রব এবং তোমাদের পূর্ব পুরুষদেরও রব?"	اللّٰهَ رَبَّكُمْ وَرَبَّ اٰبَآئِكُمُ الْاَوَّلِيْنَ ۝١٢٦
১২৭. কিন্তু তারা তাকে মিথ্যাবাদী বলে প্রত্যাখ্যান করে। সুতরাং তাদেরকে অবশ্যি (শাস্তির জন্যে) হাজির করা হবে।	فَكَذَّبُوْهُ فَاِنَّهُمْ لَمُحْضَرُوْنَ ۝١٢٧

রুকু ০৩

১২৮. তবে আমাদের মুখলিস (নিষ্ঠাবান) বান্দাদের কথা ভিন্ন।	إِلَّا عِبَادَ اللَّهِ الْمُخْلَصِينَ ١٢٨
১২৯. আমরা তাকে স্মরণীয় করে রেখেছি পরবর্তীদের মাঝে।	وَتَرَكْنَا عَلَيْهِ فِي الْآخِرِينَ ١٢٩
১৩০. সালাম ইলয়াসিনের (ইলিয়াসের) প্রতি।	سَلَامٌ عَلَىٰ إِلْ يَاسِينَ ١٣٠
১৩১. এভাবেই আমরা পুরস্কৃত করি কল্যাণপরায়ণদের।	إِنَّا كَذَٰلِكَ نَجْزِي الْمُحْسِنِينَ ١٣١
১৩২. সে ছিলো আমাদের বিশ্বাসী দাসদের একজন।	إِنَّهُ مِنْ عِبَادِنَا الْمُؤْمِنِينَ ١٣٢
১৩৩. নিশ্চয়ই লুতও ছিলো রসূলদের একজন।	وَإِنَّ لُوطًا لَمِنَ الْمُرْسَلِينَ ١٣٣
১৩৪. আমরা তাকে এবং তার পরিবার পরিজন সবাইকে নাজাত দিয়েছিলাম	إِذْ نَجَّيْنَاهُ وَأَهْلَهُ أَجْمَعِينَ ١٣٤
১৩৫. এক বৃদ্ধাকে ছাড়া। সে ছিলো পেছনে পড়াদের একজন।	إِلَّا عَجُوزًا فِي الْغَابِرِينَ ١٣٥
১৩৬. (তাদের নাজাত দিয়ে) বাকিদের আমরা ধ্বংস করে দিয়েছিলাম।	ثُمَّ دَمَّرْنَا الْآخَرِينَ ١٣٦
১৩৭. তোমরা তাদের ধ্বংসাবশেষগুলো অতিক্রম করো সকালে	وَإِنَّكُمْ لَتَمُرُّونَ عَلَيْهِمْ مُصْبِحِينَ ١٣٧
১৩৮. এবং রাত্রে। তবু কি তোমরা আকল খাটাবেনা?	وَبِاللَّيْلِ ۗ أَفَلَا تَعْقِلُونَ ١٣٨ (রুকু ০৪)
১৩৯. ইউনুস অবশ্যি রসূলদের একজন।	وَإِنَّ يُونُسَ لَمِنَ الْمُرْسَلِينَ ١٣٩
১৪০. স্মরণ করো, যখন সে পালিয়ে এসে বোঝাই করা নৌযানের কাছে পৌছালো।	إِذْ أَبَقَ إِلَى الْفُلْكِ الْمَشْحُونِ ١٤٠
১৪১. তারপর সে লটারিতে যোগ দিলো এবং পরাজিত হলো।	فَسَاهَمَ فَكَانَ مِنَ الْمُدْحَضِينَ ١٤١
১৪২. (ফলে তারা তাকে ফেলে দিলো দরিয়ায়) এবং একটা বিশাল মাছ তাকে গিলে ফেললো। তখন সে নিজেকে তিরস্কার করতে থাকলো।	فَالْتَقَمَهُ الْحُوتُ وَهُوَ مُلِيمٌ ١٤٢
১৪৩. সে যদি আল্লাহ্‌র তসবিহ ঘোষণাকারী না হতো,	فَلَوْلَا أَنَّهُ كَانَ مِنَ الْمُسَبِّحِينَ ١٤٣
১৪৪. তাহলে তাকে তার পেটেই থাকতে হতো পুনরুত্থান দিবস পর্যন্ত।	لَلَبِثَ فِي بَطْنِهِ إِلَىٰ يَوْمِ يُبْعَثُونَ ١٤٤
১৪৫. তখন আমরা তাকে নিক্ষেপ করলাম এক তরুলতাবিহীন প্রান্তরে এবং তখন ভীষণ অসুস্থ ছিলো সে।	فَنَبَذْنَاهُ بِالْعَرَاءِ وَهُوَ سَقِيمٌ ١٤٥
১৪৬. আমরা তার উপর উদগত করে দিলাম একটি লাউ গাছ।	وَأَنْبَتْنَا عَلَيْهِ شَجَرَةً مِنْ يَقْطِينٍ ١٤٦
১৪৭. তারপর আমরা তাকে পুনরায় পাঠালাম এক লাখ বা তার চাইতে বেশি লোকের জনপদে।	وَأَرْسَلْنَاهُ إِلَىٰ مِائَةِ أَلْفٍ أَوْ يَزِيدُونَ ١٤٧

১৪৮. তখন তারা ঈমান আনলো, ফলে আমরা তাদেরকে কিছু কালের জন্যে জীবন ভোগ করতে দিয়েছিলাম।	فَاٰمَنُوْا فَمَتَّعْنٰهُمْ اِلٰى حِيْنٍ ﴿۱۴۸﴾
১৪৯. এখন তুমি তাদের জিজ্ঞেস করো: সব কন্যা সন্তান কি তোমার প্রভুর জন্যে, আর তাদের জন্যে কি সব পুত্র সন্তান?	فَاسْتَفْتِهِمْ اَلِرَبِّكَ الْبَنَاتُ وَ لَهُمُ الْبَنُوْنَ ﴿۱۴۹﴾
১৫০. নাকি আমরা ফেরেশতাদের নারী করে সৃষ্টি করেছি এবং এ ব্যাপারে তারা ছিলো প্রত্যক্ষদর্শী?	اَمْ خَلَقْنَا الْمَلٰٓئِكَةَ اِنَاثًا وَّهُمْ شٰهِدُوْنَ ﴿۱۵۰﴾
১৫১. সাবধান, তারা কথা রচনা করে বলে:	اَلَآ اِنَّهُمْ مِّنْ اِفْكِهِمْ لَيَقُوْلُوْنَ ﴿۱۵۱﴾
১৫২. 'আল্লাহ্ সন্তান জন্ম দিয়েছেন।' আসলে তারা চরম মিথ্যাবাদী।	وَلَدَ اللّٰهُ ۙ وَاِنَّهُمْ لَكٰذِبُوْنَ ﴿۱۵۲﴾
১৫৩. তিনি কি পুত্র সন্তানের পরিবর্তে কন্যা সন্তান বেছে নিয়েছেন?	اَصْطَفَى الْبَنَاتِ عَلَى الْبَنِيْنَ ﴿۱۵۳﴾
১৫৪. তোমাদের হয়েছে কী, তোমাদের এ কেমন বিচার?	مَا لَكُمْ ۫ كَيْفَ تَحْكُمُوْنَ ﴿۱۵۴﴾
১৫৫. তোমরা কি উপদেশ গ্রহণ করবে না?	اَفَلَا تَذَكَّرُوْنَ ﴿۱۵۵﴾
১৫৬. নাকি তোমাদের কাছে সুস্পষ্ট প্রমাণ আছে?	اَمْ لَكُمْ سُلْطٰنٌ مُّبِيْنٌ ﴿۱۵۶﴾
১৫৭. তবে তোমরা সত্যবাদী হয়ে থাকলে তোমাদের কিতাব নিয়ে আসো।	فَاْتُوْا بِكِتٰبِكُمْ اِنْ كُنْتُمْ صٰدِقِيْنَ ﴿۱۵۷﴾
১৫৮. তারা আল্লাহ্ এবং জিনদের মাঝেও আত্মীয়তার সম্পর্ক স্থির করে। অথচ জিনরা জানে, অবশ্যি তাদেরকে হাজির করা হবে বিচারের জন্যে।	وَجَعَلُوْا بَيْنَهٗ وَبَيْنَ الْجِنَّةِ نَسَبًا ۗ وَلَقَدْ عَلِمَتِ الْجِنَّةُ اِنَّهُمْ لَمُحْضَرُوْنَ ﴿۱۵۸﴾
১৫৯. তারা আল্লাহ্র প্রতি যা আরোপ করে তিনি তা থেকে পবিত্র, মহান।	سُبْحٰنَ اللّٰهِ عَمَّا يَصِفُوْنَ ﴿۱۵۹﴾
১৬০. তবে আল্লাহ্র মুখলিস (একনিষ্ঠ) বান্দারা তা করে না।	اِلَّا عِبَادَ اللّٰهِ الْمُخْلَصِيْنَ ﴿۱۶۰﴾
১৬১. জেনে রাখো, তোমরা নিজেরা এবং তোমরা যাদের ইবাদত (পূজা, উপাসনা) করো, তারা (সবাই মিলে)	فَاِنَّكُمْ وَمَا تَعْبُدُوْنَ ﴿۱۶۱﴾
১৬২. তোমরা কাউকেও আল্লাহ্র ব্যাপারে বিভ্রান্ত করতে পারবে না।	مَآ اَنْتُمْ عَلَيْهِ بِفٰتِنِيْنَ ﴿۱۶۲﴾
১৬৩. কেবল জাহিমে (জাহান্নামে) প্রবেশকারীকে ছাড়া।	اِلَّا مَنْ هُوَ صَالِ الْجَحِيْمِ ﴿۱۶۳﴾
১৬৪. (ফেরেশতারা বলে:)! "আমাদের প্রত্যেকের জন্যেই রয়েছে নির্ধারিত স্থান।	وَمَا مِنَّآ اِلَّا لَهٗ مَقَامٌ مَّعْلُوْمٌ ﴿۱۶۴﴾
১৬৫. আমরা অবশ্যি সারিবদ্ধভাবে দণ্ডায়মান।	وَّاِنَّا لَنَحْنُ الصَّآفُّوْنَ ﴿۱۶۵﴾
১৬৬. আমরা অবশ্যি আল্লাহ্র তসবিহ্ (পবিত্রতা ও শ্রেষ্ঠত্ব) ঘোষণাকারী।"	وَاِنَّا لَنَحْنُ الْمُسَبِّحُوْنَ ﴿۱۶۶﴾

১৬৭. তারা তো বলে আসছে:	وَاِنْ كَانُوْا لَيَقُوْلُوْنَ ﴿١٦٧﴾
১৬৮. "আগেকার কিতাবের মতো কোনো কিতাব যদি আমাদের কাছে থাকতো,	لَوْ اَنَّ عِنْدَنَا ذِكْرًا مِّنَ الْاَوَّلِيْنَ ﴿١٦٨﴾
১৬৯. তবে অবশ্যি আমরা আল্লাহ্‌র মুখলিস (নিষ্ঠাবান) বান্দা হয়ে যেতাম।"	لَكُنَّا عِبَادَ اللّٰهِ الْمُخْلَصِيْنَ ﴿١٦٩﴾
১৭০. কিন্তু তারা সেটির (কুরআনের) প্রতি কুফুরি করলো, এখন অচিরেই তারা জানতে পারবে (এর পরিণাম)।	فَكَفَرُوْا بِهٖ فَسَوْفَ يَعْلَمُوْنَ ﴿١٧٠﴾
১৭১. আমার রসূলদের ব্যাপারে আমার এই ফায়সালা পূর্ব থেকেই স্থির হয়ে আছে যে,	وَلَقَدْ سَبَقَتْ كَلِمَتُنَا لِعِبَادِنَا الْمُرْسَلِيْنَ ﴿١٧١﴾
১৭২. তারা অবশ্যি সাহায্যপ্রাপ্ত হবে,	اِنَّهُمْ لَهُمُ الْمَنْصُوْرُوْنَ ﴿١٧٢﴾
১৭৩. এবং আমাদের বাহিনীই হবে বিজয়ী।	وَاِنَّ جُنْدَنَا لَهُمُ الْغٰلِبُوْنَ ﴿١٧٣﴾
১৭৪. সুতরাং কিছুকালের জন্যে তুমি তাদের উপেক্ষা করে চলো।	فَتَوَلَّ عَنْهُمْ حَتّٰى حِيْنٍ ﴿١٧٤﴾
১৭৫. এবং তাদের পর্যবেক্ষণ করতে থাকো, শীঘ্রি তারা দেখতে পাবে।	وَّاَبْصِرْهُمْ فَسَوْفَ يُبْصِرُوْنَ ﴿١٧٥﴾
১৭৬. তারা কি আমাদের আযাব দ্রুত করার কামনা করে?	اَفَبِعَذَابِنَا يَسْتَعْجِلُوْنَ ﴿١٧٦﴾
১৭৭. তাদের আঙিনায় যখন আযাব নেমে আসবে, তখন তারা দেখতে পাবে, যাদের সতর্ক করা হয়েছে তাদের সকাল বেলাটা কতো নিকৃষ্ট!	فَاِذَا نَزَلَ بِسَاحَتِهِمْ فَسَآءَ صَبَاحُ الْمُنْذَرِيْنَ ﴿١٧٧﴾
১৭৮. সুতরাং কিছু কালের জন্যে তাদের উপেক্ষা করো।	وَتَوَلَّ عَنْهُمْ حَتّٰى حِيْنٍ ﴿١٧٨﴾
১৭৯. এবং পর্যবেক্ষণ করো। অচিরেই তারা দেখতে পাবে (তাদের পরিণতি)।	وَّاَبْصِرْ فَسَوْفَ يُبْصِرُوْنَ ﴿١٧٩﴾
১৮০. তারা তাঁর প্রতি যা আরোপ করে, তা থেকে তোমার প্রভু পবিত্র ও মহান এবং সকল ক্ষমতার অধিকারী।	سُبْحٰنَ رَبِّكَ رَبِّ الْعِزَّةِ عَمَّا يَصِفُوْنَ ﴿١٨٠﴾
১৮১. এবং সালাম রসূলদের প্রতি।	وَسَلٰمٌ عَلَى الْمُرْسَلِيْنَ ﴿١٨١﴾
১৮২. আর সমস্ত প্রশংসা আল্লাহ্ রাব্বুল আলামিনের জন্যে।	وَالْحَمْدُ لِلّٰهِ رَبِّ الْعٰلَمِيْنَ ﴿١٨٢﴾

রুকু ০৫

সূরা ৩৮ সোয়াদ

মক্কায় অবতীর্ণ, আয়াত সংখ্যা: ৮৮, রুকু সংখ্যা: ০৫

এই সূরার আলোচ্যসূচি (আয়াত ভিত্তিক আলোচ্য বিষয়)

০১-১৬: আল্লাহ্‌র কিতাব, আল্লাহ্‌র রসূল ও আল্লাহ্‌র একত্বের বিরুদ্ধে কাফিরদের অভিযোগ আপত্তি। তাদের জন্য আল্লাহ্‌র আযাব অনিবার্য।

১৭-২৬: মুহম্মদ সা. কে সবর অবলম্বনের নির্দেশ। দাউদ আ.-এর উপমা। দাউদের প্রতি রাষ্ট্র ও জনগণকে পরিচালনার ক্ষেত্রে নিজের ইচ্ছা বাসনা পরিহার করার নির্দেশ।

২৭-২৯: আল্লাহ্ অকারণে মহাবিশ্ব সৃষ্টি করেননি। তিনি কুরআন নাযিল করেছেন অনুধাবন ও অনুসরণ করার জন্যে।
৩০-৪০: দাউদের পুত্র সুলাইমানের প্রতি আল্লাহ্র অনুগ্রহ।
৪১-৪৪: আইউব আ.-এর প্রতি আল্লাহ্র অনুগ্রহ।
৪৫-৪৮: ইবরাহিম, ইসহাক, ইয়াকুব, ইসমাঈল, ইউশা ও যুলকিফল-এর প্রতি আল্লাহ্র অনুগ্রহ।
৪৯-৭০: মুত্তাকিদের পরিণতি ও বিদ্রোহীদের পরিণতি। মানুষের সাথে ইবলিসের শত্রুতার সূচনা ও ইতিহাস। শয়তানের অনুসারীরা শয়তানের সাথেই জাহান্নামে যাবে।

সূরা সোয়াদ পরম করুণাময় পরম দয়াবান আল্লাহ্র নামে।	سُوْرَةُ صٓ بِسۡمِ اللّٰهِ الرَّحۡمٰنِ الرَّحِیۡمِ
০১. সোয়াদ, উপদেশে পরিপূর্ণ আল কুরআনের শপথ।	صٓ وَ الۡقُرۡاٰنِ ذِی الذِّکۡرِ ①
০২. বরং যারা কুফুরি করেছে তারাই রয়েছে চরম হঠকারিতা আর বিরোধিতায় নিমজ্জিত।	بَلِ الَّذِیۡنَ کَفَرُوۡا فِیۡ عِزَّۃٍ وَّ شِقَاقٍ ②
০৩. তাদের আগে আমরা ধ্বংস করেছি কতো যে প্রজন্মকে, তখন তারা আর্তচিৎকার করেছিল, কিন্তু উদ্ধার পাওয়ার কোনো উপায় আর তখন ছিলনা।	کَمۡ اَهۡلَکۡنَا مِنۡ قَبۡلِهِمۡ مِّنۡ قَرۡنٍ فَنَادَوۡا وَّ لَاتَ حِیۡنَ مَنَاصٍ ③
০৪. তারা বিস্ময় প্রকাশ করছে যে, তাদের মধ্য থেকেই তাদের কাছে একজন সতর্ককারী এসেছে। কাফিররা বলছে: "এতো এক মিথ্যাবাদী ম্যাজেসিয়ান।	وَ عَجِبُوۡۤا اَنۡ جَآءَهُمۡ مُّنۡذِرٌ مِّنۡهُمۡ ۫ وَ قَالَ الۡکٰفِرُوۡنَ هٰذَا سٰحِرٌ کَذَّابٌ ④
০৫. সে কি সব ইলাহ্কে এক ইলাহ্ বানিয়ে নিয়েছে? এ তো এক বিস্ময়কর জিনিস।"	اَجَعَلَ الۡاٰلِهَۃَ اِلٰـهًا وَّاحِدًا ۚۖ اِنَّ هٰذَا لَشَیۡءٌ عُجَابٌ ⑤
০৬. তাদের সরদাররা তাদের এ বলে বেরিয়ে যায়: "তোমরা যাও এবং তোমাদের দেবতাদের পূজায় অবিচল থাকো। নিশ্চয়ই এটা একটা উদ্দেশ্যমূলক ব্যাপার।	وَ انۡطَلَقَ الۡمَلَاُ مِنۡهُمۡ اَنِ امۡشُوۡا وَ اصۡبِرُوۡا عَلٰۤی اٰلِهَتِکُمۡ ۚۖ اِنَّ هٰذَا لَشَیۡءٌ یُّرَادُ ⑥
০৭. আমরা তো অন্যান্য ধর্মে এ ধরণের কথা শুনিনি। এগুলো মনগড়া কথা ছাড়া আর কিছু নয়।	مَا سَمِعۡنَا بِهٰذَا فِی الۡمِلَّۃِ الۡاٰخِرَۃِ ۚۖ اِنۡ هٰذَاۤ اِلَّا اخۡتِلَاقٌ ⑦
০৮. আমাদের মধ্য থেকে কি তার প্রতিই যিকির (কুরআন) নাযিল করা হলো?" আসল কথা হলো, আমার যিকির (কুরআন) সম্পর্কেই তাদের সন্দেহ রয়েছে। তারা তো এখনো আমার আযাবের স্বাদ আস্বাদন করেনি।	ءَاُنۡزِلَ عَلَیۡهِ الذِّکۡرُ مِنۡۢ بَیۡنِنَا ؕ بَلۡ هُمۡ فِیۡ شَکٍّ مِّنۡ ذِکۡرِیۡ ۚ بَلۡ لَّمَّا یَذُوۡقُوۡا عَذَابِ ⑧
০৯. নাকি, তাদের কাছে রয়েছে তোমার প্রভুর রহমতের ভাণ্ডার, যিনি মহাশক্তিধর ও মহাদানশীল?	اَمۡ عِنۡدَهُمۡ خَزَآئِنُ رَحۡمَۃِ رَبِّکَ الۡعَزِیۡزِ الۡوَهَّابِ ⑨

১০. নাকি মহাকাশ, পৃথিবী এবং এগুলোর মধ্যবর্তী সবকিছুর কর্তৃত্ব তাদের হাতে? তাহলে তারা সিঁড়ি লাগিয়ে উপরে উঠুক।	اَمْ لَهُمْ مُّلْكُ السَّمٰوٰتِ وَ الْاَرْضِ وَ مَا بَيْنَهُمَا ۟ فَلْيَرْتَقُوْا فِي الْاَسْبَابِ ۝١٠
১১. (অতীতে ধ্বংস হওয়া) বহু দলের মধ্যে এতো ছোট্ট একটি দল। দলের এই বাহিনীও পরাজিত হবে।	جُنْدٌ مَّا هُنَالِكَ مَهْزُوْمٌ مِّنَ الْاَحْزَابِ ۝١١
১২. এদের আগেও রসূলদের প্রত্যাখ্যান করেছিল নূহের কওম, আদ জাতি এবং খুঁটি ও লাঠির অধিপতি ফেরাউন,	كَذَّبَتْ قَبْلَهُمْ قَوْمُ نُوْحٍ وَّ عَادٌ وَّ فِرْعَوْنُ ذُو الْاَوْتَادِ ۝١٢
১৩. সামুদ জাতি, লুতের কওম এবং আইকার অধিবাসীরা। তারা প্রত্যেকেই ছিলো বিশাল বিশাল বাহিনী।	وَ ثَمُوْدُ وَ قَوْمُ لُوْطٍ وَّ اَصْحٰبُ لْـَٔيْكَةِ ؕ اُولٰٓئِكَ الْاَحْزَابُ ۝١٣
১৪. এরা প্রত্যেকেই রসূলদের প্রত্যাখ্যান করেছিল। ফলে তাদের প্রতি সত্য প্রমাণিত হয়েছে শাস্তির ওয়াদা।	اِنْ كُلٌّ اِلَّا كَذَّبَ الرُّسُلَ فَحَقَّ عِقَابِ ۝١٤ (রুকু ০১)
১৫. তারা তো অপেক্ষা করছে একটি প্রচণ্ড শব্দের জন্যে, যাতে কোনো বিরতি থাকবে না।	وَ مَا يَنْظُرُ هٰٓؤُلَآءِ اِلَّا صَيْحَةً وَّاحِدَةً مَّا لَهَا مِنْ فَوَاقٍ ۝١٥
১৬. তারা বলে: 'আমাদের প্রভু, বিচার দিনের আগেই আমাদের প্রাপ্য অংশ আমাদের দিয়ে দিন।'	وَ قَالُوْا رَبَّنَا عَجِّلْ لَّنَا قِطَّنَا قَبْلَ يَوْمِ الْحِسَابِ ۝١٦
১৭. তারা যা বলে, তার জন্যে তুমি সবর অবলম্বন করো আর স্মরণ করো আমার হাতওয়ালা (ক্ষমতাপ্রাপ্ত) দাস দাউদকে। সে ছিলো আমার অভিমুখী।	اِصْبِرْ عَلٰى مَا يَقُوْلُوْنَ وَ اذْكُرْ عَبْدَنَا دَاوٗدَ ذَا الْاَيْدِ ۚ اِنَّهٗٓ اَوَّابٌ ۝١٧
১৮. আমরা পাহাড় পর্বতকে নিয়োজিত রেখেছিলাম যেনো সকাল-সন্ধ্যায় তার সাথে আমার তসবিহ্ করে।	اِنَّا سَخَّرْنَا الْجِبَالَ مَعَهٗ يُسَبِّحْنَ بِالْعَشِيِّ وَ الْاِشْرَاقِ ۝١٨
১৯. আর পাখিরাও তার কাছে জড়ো হতো, প্রত্যেকেই ছিলো তার অনুগত।	وَ الطَّيْرَ مَحْشُوْرَةً ؕ كُلٌّ لَّهٗٓ اَوَّابٌ ۝١٩
২০. আমরা তার সাম্রাজ্যকে সুদৃঢ় করে দিয়েছিলাম আর তাকে দিয়েছিলাম হিকমা (প্রজ্ঞা) এবং সিদ্ধান্তকর বক্তব্য রাখার ক্ষমতা।	وَ شَدَدْنَا مُلْكَهٗ وَ اٰتَيْنٰهُ الْحِكْمَةَ وَ فَصْلَ الْخِطَابِ ۝٢٠
২১. তোমার কাছে কি বিবাদকারীদের সংবাদ পৌঁছেছে? যখন তারা প্রাচীর ডিঙ্গিয়ে মেহরাবে এসেছিল।	وَهَلْ اَتٰىكَ نَبَؤُا الْخَصْمِ ۘ اِذْ تَسَوَّرُوا الْمِحْرَابَ ۝٢١
২২. তারা দাউদের কাছে প্রবেশ করেছিল। তাদের দেখে দাউদ ভীত হয়ে পড়ে। তারা বললো: "আপনি ভীত হবেননা, আমরা দুটি বিবদমান পক্ষ। একে অপরের প্রতি বাড়াবাড়ি করেছি। আপনি আমাদের মাঝে ন্যায় বিচার	اِذْ دَخَلُوْا عَلٰى دَاوٗدَ فَفَزِعَ مِنْهُمْ قَالُوْا لَا تَخَفْ ۚ خَصْمٰنِ بَغٰى بَعْضُنَا عَلٰى بَعْضٍ فَاحْكُمْ بَيْنَنَا بِالْحَقِّ وَلَا تُشْطِطْ وَ

করে দিন। অবিচার করবেন না এবং আমাদেরকে সঠিক পথের নির্দেশনা দিন:	اهْدِنَآ اِلٰى سَوَآءِ الصِّرَاطِ ﴿٢٢﴾
২৩. এ আমার ভাই। তার আছে নিরানব্বইটি দুম্বা আর আমার আছে মাত্র একটি দুম্বা। তবু সে বলে: 'তোমারটি আমার যিম্মায় দিয়ে দাও' এবং কথায় সে আমার প্রতি কঠোর হয়েছে।"	اِنَّ هٰذَآ اَخِيْ ۟ لَهٗ تِسْعٌ وَّ تِسْعُوْنَ نَعْجَةً وَّلِيَ نَعْجَةٌ وَّاحِدَةٌ ۟ فَقَالَ اَكْفِلْنِيْهَا وَ عَزَّنِيْ فِي الْخِطَابِ ﴿٢٣﴾
২৪. দাউদ বললো: 'তোমার দুম্বাটিকে তার দুম্বার সাথে একত্র করার দাবি করে সে তোমার প্রতি যুলুম (অন্যায়) করেছে। শরিকদের অনেকেই একে অপরের উপর যুলুম করে থাকে, তবে যারা ঈমান আনে এবং আমলে সালেহ্ করে তারা নয়, অবশ্য তারা সংখ্যায় স্বল্প।' দাউদ বুঝতে পারলো, আমরা তাকে পরীক্ষা করেছি, তাই সে তার প্রভুর কাছে ক্ষমা প্রার্থনা করলো এবং নত হয়ে লুটিয়ে পড়লো এবং তাঁর অভিমুখী হলো। **(সাজদা)**	قَالَ لَقَدْ ظَلَمَكَ بِسُؤَالِ نَعْجَتِكَ اِلٰى نِعَاجِهٖ ؕ وَاِنَّ كَثِيْرًا مِّنَ الْخُلَطَآءِ لَيَبْغِيْ بَعْضُهُمْ عَلٰى بَعْضٍ اِلَّا الَّذِيْنَ اٰمَنُوْا وَ عَمِلُوا الصّٰلِحٰتِ وَ قَلِيْلٌ مَّا هُمْ ؕ وَ ظَنَّ دَاوٗدُ اَنَّمَا فَتَنّٰهُ فَاسْتَغْفَرَ رَبَّهٗ وَخَرَّ رَاكِعًا وَّ اَنَابَ ﴿٢٤﴾ السجدة
২৫. তখন আমরা তাকে ক্ষমা করে দিলাম। আমাদের কাছে তার জন্যে রয়েছে নৈকট্যের মর্যাদা আর সুন্দর পরিণাম।	فَغَفَرْنَا لَهٗ ذٰلِكَ ؕ وَ اِنَّ لَهٗ عِنْدَنَا لَزُلْفٰى وَ حُسْنَ مَاٰبٍ ﴿٢٥﴾
২৬. (আমরা তাকে বলেছিলাম:) 'হে দাউদ! আমরা তোমাকে ভূ-খণ্ডের খলিফা (শাসক) বানিয়েছি, সুতরাং তুমি জনগণের মাঝে সুবিচার করো, নিজস্ব চিন্তা-বাসনার অনুসরণ করোনা, সেটা করলে তোমাকে আল্লাহ্‌র পথ থেকে বিচ্যুত করে দেবে। নিশ্চয়ই যারা আল্লাহ্‌র পথ থেকে বিচ্যুত হয়, তাদের জন্যে রয়েছে কঠিন আযাব, কারণ তারা হিসাবের দিনটিকে ভুলে যায়।'	يٰدَاوٗدُ اِنَّا جَعَلْنٰكَ خَلِيْفَةً فِي الْاَرْضِ فَاحْكُمْ بَيْنَ النَّاسِ بِالْحَقِّ وَلَا تَتَّبِعِ الْهَوٰى فَيُضِلَّكَ عَنْ سَبِيْلِ اللّٰهِ ؕ اِنَّ الَّذِيْنَ يَضِلُّوْنَ عَنْ سَبِيْلِ اللّٰهِ لَهُمْ عَذَابٌ شَدِيْدٌۢ بِمَا نَسُوْا يَوْمَ الْحِسَابِ ﴿٢٦﴾
২৭. আমরা আসমান, জমিন এবং এ দুয়ের মাঝখানে যা কিছু আছে কোনো কিছুই নিরর্থক সৃষ্টি করিনি। অনর্থক সৃষ্টির ধারণা করে তো কাফিররা। সুতরাং কাফিরদের জন্যে রয়েছে আগুনের আযাব।	وَمَا خَلَقْنَا السَّمَآءَ وَالْاَرْضَ وَمَا بَيْنَهُمَا بَاطِلًا ؕ ذٰلِكَ ظَنُّ الَّذِيْنَ كَفَرُوْا ۚ فَوَيْلٌ لِّلَّذِيْنَ كَفَرُوْا مِنَ النَّارِ ﴿٢٧﴾
২৮. যারা ঈমান আনে এবং আমলে সালেহ্ করে তাদেরকে কি আমরা পৃথিবীতে বিপর্যয় সৃষ্টিকারীদের সমতুল্য গণ্য করবো, নাকি মুত্তাকিদের গণ্য করবো ফুজ্জারদের (পাপিষ্ঠদের) সমতুল্য?	اَمْ نَجْعَلُ الَّذِيْنَ اٰمَنُوْا وَ عَمِلُوا الصّٰلِحٰتِ كَالْمُفْسِدِيْنَ فِي الْاَرْضِ ۟ اَمْ نَجْعَلُ الْمُتَّقِيْنَ كَالْفُجَّارِ ﴿٢٨﴾
২৯. এই কল্যাণময় কিতাব (আল কুরআন) আমরা তোমার প্রতি নাযিল করেছি, যেনো মানুষ এর আয়াতসমূহ অনুধাবন করে এবং বুদ্ধিমান লোকেরা গ্রহণ করে উপদেশ।	كِتٰبٌ اَنْزَلْنٰهُ اِلَيْكَ مُبٰرَكٌ لِّيَدَّبَّرُوْٓا اٰيٰتِهٖ وَلِيَتَذَكَّرَ اُولُوا الْاَلْبَابِ ﴿٢٩﴾
৩০. আমরা দাউদকে দান করেছিলাম (পুত্র) সুলাইমানকে। সে ছিলো আমাদের উত্তম দাস	وَ وَهَبْنَا لِدَاوٗدَ سُلَيْمٰنَ ؕ نِعْمَ الْعَبْدُ ؕ

রুকু ০২

এবং অধিক অধিক আল্লাহ্‌মুখী।	إِنَّهٗٓ أَوَّابٌ ۝٣٠
৩১. যখন অপরাহ্নে তার সামনে ধাবনোদ্যত উত্তম ঘোড়াগুলো হাজির করা হলো,	إِذْ عُرِضَ عَلَيْهِ بِالْعَشِيِّ الصّٰفِنٰتُ الْجِيَادُ ۝٣١
৩২. সে বললো: “আমি তো আমার প্রভুর যিকির থেকে ঐশ্বর্যপ্রিয়তার দিকে অধিক নিমগ্ন হয়ে পড়েছি, এদিকে সূর্য পর্দার অন্তরালে চলে গেলো।	فَقَالَ إِنِّيْٓ أَحْبَبْتُ حُبَّ الْخَيْرِ عَنْ ذِكْرِ رَبِّيْ ۚ حَتّٰى تَوَارَتْ بِالْحِجَابِ ۝٣٢
৩৩. এগুলোকে আবার আমার সামনে নিয়ে এসো।” তারপর সে সেগুলোর পা এবং গলায় হাত বুলিয়ে দিলো।	رُدُّوْهَا عَلَيَّ ۖ فَطَفِقَ مَسْحًا بِالسُّوْقِ وَ الْأَعْنَاقِ ۝٣٣
৩৪. আমরা সুলাইমানকে পরীক্ষা করেছিলাম এবং তার কুরসির (চেয়ারের) উপর রেখেছিলাম একটি দেহ, ফলে সে আমার অভিমুখী হয়।	وَ لَقَدْ فَتَنَّا سُلَيْمٰنَ وَ أَلْقَيْنَا عَلٰى كُرْسِيِّهٖ جَسَدًا ثُمَّ أَنَابَ ۝٣٤
৩৫. সে বললো: ‘আমার প্রভু! আমাকে ক্ষমা করে দাও এবং আমাকে দান করো এমন একটি সাম্রাজ্য, যেমনটির অধিকারী যেনো আমার পরে আর কেউ না হয়। নিশ্চয়ই তুমি মহান দাতা।’	قَالَ رَبِّ اغْفِرْ لِيْ وَهَبْ لِيْ مُلْكًا لَّا يَنْۢبَغِيْ لِأَحَدٍ مِّنْۢ بَعْدِيْ ۚ إِنَّكَ أَنْتَ الْوَهَّابُ ۝٣٥
৩৬. ফলে আমরা বাতাসকে তার অধীন করে দিয়েছিলাম। বাতাস তার আদেশে কোমলভাবে প্রবাহিত হতো যেখানে সে ইচ্ছা করতো।	فَسَخَّرْنَا لَهُ الرِّيْحَ تَجْرِيْ بِأَمْرِهٖ رُخَآءً حَيْثُ أَصَابَ ۝٣٦
৩৭. এবং শয়তানদেরকেও (জিনদেরকেও) তার অধীন করে দিয়েছিলাম। তারা ছিলো ইমারত নির্মাণকারী আর ডুবুরি।	وَالشَّيٰطِيْنَ كُلَّ بَنَّآءٍ وَّ غَوَّاصٍ ۝٣٧
৩৮. আর শৃংখলে আবদ্ধ অনেককেও।	وَّاٰخَرِيْنَ مُقَرَّنِيْنَ فِي الْأَصْفَادِ ۝٣٨
৩৯. (আমরা তাকে বলেছি: তোমার প্রতি) এগুলো আমাদের দান। এগুলো থেকে তুমি অন্যদের দিতে পারো কিংবা নিজে রাখতে পারো, এর জন্যে তোমাকে হিসাব দিতে হবেনা।	هٰذَا عَطَآؤُنَا فَامْنُنْ أَوْ أَمْسِكْ بِغَيْرِ حِسَابٍ ۝٣٩
৪০. আমাদের এখানে তার জন্যে রয়েছে নৈকট্যের মর্যাদা এবং উত্তম পরিণাম।	وَإِنَّ لَهٗ عِنْدَنَا لَزُلْفٰى وَ حُسْنَ مَاٰبٍ ۝٤٠
৪১. স্মরণ করো আমাদের দাস আইউবকে। সে তার প্রভুকে ডেকে বলেছিল: ‘(প্রভু!) শয়তান আমাকে যন্ত্রণা আর কষ্টে ফেলেছে।’	وَ اذْكُرْ عَبْدَنَآ أَيُّوْبَ ۘ إِذْ نَادٰى رَبَّهٗٓ أَنِّيْ مَسَّنِيَ الشَّيْطٰنُ بِنُصْبٍ وَّ عَذَابٍ ۝٤١
৪২. (আমরা তাকে বলেছিলাম:) ‘তুমি তোমার পা দিয়ে জমিনে আঘাত করো। এ হলো তোমার গোসলের সুশীতল পানি এবং পানীয় পানি।’	اُرْكُضْ بِرِجْلِكَ ۚ هٰذَا مُغْتَسَلٌۢ بَارِدٌ وَّ شَرَابٌ ۝٤٢
৪৩. আমরা তাকে দান করেছি তার পরিবারবর্গকে এবং অনুরূপ আরো, আমাদের পক্ষ থেকে রহমত (অনুগ্রহ) হিসাবে এবং বুদ্ধিমান লোকদের জন্যে উপদেশ হিসেবে।	وَ وَهَبْنَا لَهٗٓ أَهْلَهٗ وَ مِثْلَهُمْ مَّعَهُمْ رَحْمَةً مِّنَّا وَ ذِكْرٰى لِأُولِي الْأَلْبَابِ ۝٤٣

রুকু ০৩

৪৪. আমরা তাকে আরো আদেশ করলাম, এক মুষ্টি তৃণ নাও, তা দিয়ে আঘাত করো এবং শপথ ভঙ্গ করোনা। আমরা তাকে পেয়েছি ধৈর্যশীল। কতো যে উত্তম দাস ছিলো সে! আর সে ছিলো আমার অভিমুখী।

وَ خُذْ بِيَدِكَ ضِغْثًا فَاضْرِبْ بِّهٖ وَ لَا تَحْنَثْ ؕ اِنَّا وَجَدْنٰهُ صَابِرًا ؕ نِعْمَ الْعَبْدُ ؕ اِنَّهٗۤ اَوَّابٌ ﴿۴۴﴾

৪৫. স্মরণ করো আমাদের দাস ইবরাহিম, ইসহাক এবং ইয়াকুবকে। তারা ছিলো হাত এবং চোখওয়ালা (শক্তিশালী এবং দূরদৃষ্টি সম্পন্ন)।

وَ اذْكُرْ عِبٰدَنَاۤ اِبْرٰهِيْمَ وَ اِسْحٰقَ وَ يَعْقُوْبَ اُولِي الْاَيْدِيْ وَ الْاَبْصَارِ ﴿۴۵﴾

৪৬. আমরা তাদের মনোনীত করেছিলাম বিশেষ গুণের জন্যে, আর তা ছিলো পরকালের স্মরণ।

اِنَّاۤ اَخْلَصْنٰهُمْ بِخَالِصَةٍ ذِكْرَى الدَّارِ ﴿۴۶﴾

৪৭. তারা ছিলো আমাদের মনোনীত উত্তম দাস।

وَ اِنَّهُمْ عِنْدَنَا لَمِنَ الْمُصْطَفَيْنَ الْاَخْيَارِ ؕ﴿۴۷﴾

৪৮. স্মরণ করো ইসমাঈল, আলইয়াসা এবং যুলকিফলের কথা। তারা সবাই ছিলো (আমাদের) উত্তম (দাস)।

وَ اذْكُرْ اِسْمٰعِيْلَ وَ الْيَسَعَ وَ ذَا الْكِفْلِ ؕ وَ كُلٌّ مِّنَ الْاَخْيَارِ ؕ﴿۴۸﴾

৪৯. এগুলো সবই উপদেশ। আর মুত্তাকিদের জন্যে রয়েছে উত্তম আবাস,

هٰذَا ذِكْرٌ ؕ وَ اِنَّ لِلْمُتَّقِيْنَ لَحُسْنَ مَاٰبٍ ﴿۴۹﴾

৫০. (তা হলো) চিরস্থায়ী জান্নাত, যার দ্বার রয়েছে তাদের জন্যে উন্মুক্ত।

جَنّٰتِ عَدْنٍ مُّفَتَّحَةً لَّهُمُ الْاَبْوَابُ ﴿۵۰﴾

৫১. সেখানে তারা আসন গ্রহণ করবে হেলান দিয়ে। সেখানে তারা চাইবে নানা রকম ফলফলারি আর পানীয়।

مُتَّكِـِٕيْنَ فِيْهَا يَدْعُوْنَ فِيْهَا بِفَاكِهَةٍ كَثِيْرَةٍ وَّ شَرَابٍ ﴿۵۱﴾

৫২. তাদের কাছে থাকবে আয়তনয়না সমবয়েসী নারীরা।

وَ عِنْدَهُمْ قٰصِرٰتُ الطَّرْفِ اَتْرَابٌ ﴿۵۲﴾

৫৩. তোমাদেরকে এসব কিছুর প্রতিশ্রুতি দেয়া হলো হিসাবের দিন দেয়ার জন্যে।

هٰذَا مَا تُوْعَدُوْنَ لِيَوْمِ الْحِسَابِ ﴿۵۳﴾

৫৪. এগুলো হবে আমাদের পক্ষ থেকে রিযিক। এগুলো কখনো ফুরাবে না।

اِنَّ هٰذَا لَرِزْقُنَا مَا لَهٗ مِنْ نَّفَادٍ ۚۖ﴿۵۴﴾

৫৫. এই হবে (মুত্তাকিদের অবস্থা), আর সীমালংঘনকারীদের জন্যে রয়েছে নিকৃষ্ট পরিণাম।

هٰذَا ؕ وَ اِنَّ لِلطّٰغِيْنَ لَشَرَّ مَاٰبٍ ﴿۵۵﴾

৫৬. তাহলো জাহান্নাম। তাতেই প্রবেশ করবে তারা, আর সেটা কতো যে নিকৃষ্ট বিশ্রামাগার।

جَهَنَّمَ ۚ يَصْلَوْنَهَا ۚ فَبِئْسَ الْمِهَادُ ﴿۵۶﴾

৫৭. এটাই হবে সীমা লঙ্ঘনকারীদের পরিণাম। সুতরাং তারা আস্বাদন করুক টগবগে ফুটন্ত গরম পানি আর পূঁজ,

هٰذَا ۙ فَلْيَذُوْقُوْهُ حَمِيْمٌ وَّ غَسَّاقٌ ﴿۵۷﴾

৫৮. এবং এ রকম আরো অনেক ধরণের আযাব।

وَّ اٰخَرُ مِنْ شَكْلِهٖۤ اَزْوَاجٌ ؕ﴿۵۸﴾

৫৯. (নিজেদের অনুসারীদের জাহান্নামে প্রবেশ করতে দেখে তারা বলবে:) 'এই তো এক বাহিনী তোমাদের সাথে প্রবেশ করছে। তাদের প্রতি নেই কোনো অভিনন্দন। তারা তো জাহান্নামেই দগ্ধ হবে।'

هٰذَا فَوْجٌ مُّقْتَحِمٌ مَّعَكُمْ ۚ لَا مَرْحَبًۢا بِهِمْ ؕ اِنَّهُمْ صَالُوا النَّارِ ﴿۵۹﴾

৬০. তারা (অনুসারীরা) বলবে: 'বরং তোমাদের জন্যেও নেই কোনো অভিনন্দন। তোমরাই তো আগে আমাদের জন্যে এর ব্যবস্থা করেছো। এটা কতো যে নিকৃষ্ট আবাস।'	قَالُوْا بَلْ اَنْتُمْ ۟ لَا مَرْحَبًا بِكُمْ ؕ اَنْتُمْ قَدَّمْتُمُوْهُ لَنَا ۚ فَبِئْسَ الْقَرَارُ ۝٦٠
৬১. তারা বলবে: 'আমাদের প্রভু! যে আমাদেরকে এর (জাহান্নামের) সম্মুখীন করেছে, তাকে জাহান্নামে দ্বিগুণ শাস্তি বাড়িয়ে দাও।'	قَالُوْا رَبَّنَا مَنْ قَدَّمَ لَنَا هٰذَا فَزِدْهُ عَذَابًا ضِعْفًا فِي النَّارِ ۝٦١
৬২. তারা আরো বলবে: "কী হলো, (পৃথিবীতে) আমরা যাদের খারাপ লোক বলে গণ্য করতাম তাদেরকে যে (জাহান্নামে) দেখছি না!	وَ قَالُوْا مَا لَنَا لَا نَرٰى رِجَالًا كُنَّا نَعُدُّهُمْ مِّنَ الْاَشْرَارِ ۝٦٢
৬৩. তাহলে কি আমরা তাদেরকে অন্যায়ভাবে বিদ্রুপ করেছি? নাকি তাদের ব্যাপারে আমাদের দৃষ্টি বিভ্রম ঘটেছে?"	اَتَّخَذْنٰهُمْ سِخْرِيًّا اَمْ زَاغَتْ عَنْهُمُ الْاَبْصَارُ ۝٦٣
৬৪. এতো নিশ্চিত ব্যাপার, জাহান্নামীদের মধ্যে এই বাকবিতণ্ডা হবে।	اِنَّ ذٰلِكَ لَحَقٌّ تَخَاصُمُ اَهْلِ النَّارِ ۝٦٤
৬৫. হে নবী! বলো: আমি তো একজন সতর্ককারী মাত্র। প্রবল প্রতাপশালী আল্লাহ্ ছাড়া কোনো ইলাহ্ নেই।	قُلْ اِنَّمَاۤ اَنَا مُنْذِرٌ ۖۗ وَّ مَا مِنْ اِلٰهٍ اِلَّا اللّٰهُ الْوَاحِدُ الْقَهَّارُ ۝٦٥
৬৬. তিনিই মালিক মহাকাশ এবং পৃথিবীর এবং এ দুয়ের মধ্যবর্তী সবকিছুর। তিনি মহাশক্তিধর, ক্ষমাশীল।	رَبُّ السَّمٰوٰتِ وَ الْاَرْضِ وَ مَا بَيْنَهُمَا الْعَزِيْزُ الْغَفَّارُ ۝٦٦
৬৭. বলো: "এ এক মহাসংবাদ,	قُلْ هُوَ نَبَؤٌا عَظِيْمٌ ۝٦٧
৬৮. যা থেকে তোমরা মুখ ফিরিয়ে নিচ্ছো।	اَنْتُمْ عَنْهُ مُعْرِضُوْنَ ۝٦٨
৬৯. ঊর্ধ্বলোকে তাদের বিতর্ক সম্পর্কে আমার কোনো এলেম ছিলনা।	مَا كَانَ لِيَ مِنْ عِلْمٍۭ بِالْمَلَاِ الْاَعْلٰۤى اِذْ يَخْتَصِمُوْنَ ۝٦٩
৭০. আমার কাছে তো এই অহি এসেছে যে, আমি একজন স্পষ্ট সতর্ককারী।"	اِنْ يُّوْحٰۤى اِلَيَّ اِلَّاۤ اَنَّمَاۤ اَنَا نَذِيْرٌ مُّبِيْنٌ ۝٧٠
৭১. স্মরণ করো, তোমার প্রভু ফেরেশতাদের বলেছিলেন, আমি কাদামাটি থেকে মানুষ সৃষ্টি করতে যাচ্ছি,	اِذْ قَالَ رَبُّكَ لِلْمَلٰٓئِكَةِ اِنِّيْ خَالِقٌۢ بَشَرًا مِّنْ طِيْنٍ ۝٧١
৭২. আমি যখন তাকে নিখুঁত ও সুষম করবো এবং তার মধ্যে সঞ্চার করে দেবো রূহ, তখন তোমরা তার প্রতি সাজদায় অবনত হয়ো।	فَاِذَا سَوَّيْتُهٗ وَ نَفَخْتُ فِيْهِ مِنْ رُّوْحِيْ فَقَعُوْا لَهٗ سٰجِدِيْنَ ۝٧٢
৭৩. অতএব, ফেরেশতারা সবাই সাজদায় অবনত হয়,	فَسَجَدَ الْمَلٰٓئِكَةُ كُلُّهُمْ اَجْمَعُوْنَ ۝٧٣
৭৪. শুধুমাত্র ইবলিস ছাড়া। সে অহংকার করে এবং কাফিরদের অন্তরভুক্ত হয়ে পড়ে।	اِلَّاۤ اِبْلِيْسَ ؕ اِسْتَكْبَرَ وَ كَانَ مِنَ الْكٰفِرِيْنَ ۝٧٤

রুকু ০৪

৭৫. আল্লাহ্ বললেন: 'হে ইবলিস! আমি যাকে নিজ হাতে তৈরি করেছি, তাকে সাজদা করা থেকে কিসে তোকে বাধা দিয়েছে? তুই কি অহংকার করলি, না কি তুই উচ্চ মর্যাদাসম্পন্ন?'	قَالَ يَٰٓإِبۡلِيسُ مَا مَنَعَكَ أَن تَسۡجُدَ لِمَا خَلَقۡتُ بِيَدَيَّۖ أَسۡتَكۡبَرۡتَ أَمۡ كُنتَ مِنَ ٱلۡعَالِينَ ﴿٧٥﴾
৭৬. সে বললো: 'আমি তার চাইতে শ্রেষ্ঠ, কারণ, আপনি আমাকে তৈরি করেছেন আগুন দিয়ে এবং তাকে তৈরি করেছেন কাদামাটি দিয়ে।'	قَالَ أَنَا۠ خَيۡرٞ مِّنۡهُۖ خَلَقۡتَنِي مِن نَّارٖ وَخَلَقۡتَهُۥ مِن طِينٖ ﴿٧٦﴾
৭৭. আল্লাহ্ বললেন: "বেরিয়ে যা তুই এখান থেকে, এখন থেকে তুই বিতাড়িত।	قَالَ فَٱخۡرُجۡ مِنۡهَا فَإِنَّكَ رَجِيمٞ ﴿٧٧﴾
৭৮. আর তোর প্রতি আমার লা'নত (বর্ষিত হতে থাকবে) প্রতিদান দিবস পর্যন্ত।"	وَإِنَّ عَلَيۡكَ لَعۡنَتِيٓ إِلَىٰ يَوۡمِ ٱلدِّينِ ﴿٧٨﴾
৭৯. সে বললো: 'প্রভু! আমাকে পুনরুত্থান দিবস পর্যন্ত অবকাশ দিন।'	قَالَ رَبِّ فَأَنظِرۡنِيٓ إِلَىٰ يَوۡمِ يُبۡعَثُونَ ﴿٧٩﴾
৮০. তিনি বললেন: "তোকে অবকাশ দেয়া হলো।	قَالَ فَإِنَّكَ مِنَ ٱلۡمُنظَرِينَ ﴿٨٠﴾
৮১. নির্দিষ্ট সময় উপস্থিত হবার দিন পর্যন্ত।"	إِلَىٰ يَوۡمِ ٱلۡوَقۡتِ ٱلۡمَعۡلُومِ ﴿٨١﴾
৮২. সে বললো: "আপনার ইযযতের শপথ, আমি তাদের সবাইকেই বিপথগামী করে দেবো,	قَالَ فَبِعِزَّتِكَ لَأُغۡوِيَنَّهُمۡ أَجۡمَعِينَ ﴿٨٢﴾
৮৩. তবে তাদের মধ্যে আপনার বাছাই করা দাসেরা ছাড়া।"	إِلَّا عِبَادَكَ مِنۡهُمُ ٱلۡمُخۡلَصِينَ ﴿٨٣﴾
৮৪. তিনি বললেন: "এটাই সত্য আর আমি সত্য বলি:	قَالَ فَٱلۡحَقُّ وَٱلۡحَقَّ أَقُولُ ﴿٨٤﴾
৮৫. আমি তোকে আর তোর অনুসারীদের দিয়ে পরিপূর্ণ করবো জাহান্নাম।"	لَأَمۡلَأَنَّ جَهَنَّمَ مِنكَ وَمِمَّن تَبِعَكَ مِنۡهُمۡ أَجۡمَعِينَ ﴿٨٥﴾
৮৬. হে নবী! বলো: 'আমি তো এ কাজের জন্যে তোমাদের কাছে কোনো পারিশ্রমিক চাইনা। আর যারা মিথ্যা দাবি করে আমি সে রকম লোকও নই।'	قُلۡ مَآ أَسۡـَٔلُكُمۡ عَلَيۡهِ مِنۡ أَجۡرٖ وَمَآ أَنَا۠ مِنَ ٱلۡمُتَكَلِّفِينَ ﴿٨٦﴾
৮৭. এ (কুরআন) তো জগতবাসীর জন্যে একটি উপদেশ ছাড়া কিছু নয়।	إِنۡ هُوَ إِلَّا ذِكۡرٞ لِّلۡعَٰلَمِينَ ﴿٨٧﴾
রুকু ০৫ — ৮৮. তোমরা অবশ্যি এর সংবাদ জানতে পারবে অল্পকাল পরেই।	وَلَتَعۡلَمُنَّ نَبَأَهُۥ بَعۡدَ حِينِۭ ﴿٨٨﴾

সূরা ৩৯ আয্ যুমার

মক্কায় অবতীর্ণ, আয়াত সংখ্যা: ৭৫, রুকু সংখ্যা: ০৮

এই সূরার আলোচ্যসূচি (আয়াত ভিত্তিক আলোচ্য বিষয়)

০১-২১: শিরকমুক্ত ইবাদতই মুক্তির পথ। মহাবিশ্ব এবং মানুষকে আল্লাহ্ই সৃষ্টি করেছেন। তাঁর কোনো শরিক নাই। জ্ঞানী আর অজ্ঞরা সমান নয়। আল্লাহ্র বিশুদ্ধ আনুগত্য ও ইবাদতের নির্দেশ। যারা তাগুতকে পরিহার করে আল্লাহ্মুখী হয়, তারাই আল্লাহ্র প্রিয় দাস। তারাই সঠিক পথের অনুসারী।

২২-৩১: আল্লাহ্ ইসলামের জন্য যার অন্তর উন্মুক্ত করেছেন, সেই আছে আল্লাহ্র দেয়া আলোর পথে। কুরআন সর্বোত্তম হাদিস (বাণী)। কুরআনই আল্লাহ্র পথের দিশারি। কুরআনে সব বিষয়ের উপদেশ রয়েছে। সব মানুষের মতো নবীও মরণশীল।

৩২-৪১: সত্যকে প্রত্যাখ্যানকারীরা সবচেয়ে বড় যালিম। সত্য গ্রহণকারীরাই মুত্তাকি। গোটা মানব জাতির জন্যে সত্যের দিশারি আল কুরআন।

৪২-৫২: মানুষের নিদ্রা আল্লাহ্‌র একটি নিদর্শন। শাফায়াত পুরোপুরি আল্লাহ্‌র হাতে। মানুষ বিপদের সময় আল্লাহ্‌কে ডাকে। আল্লাহ্ বিপদ দূর করে দিলে সে নিজের বিজ্ঞতার প্রশংসা করে। কাউকেও প্রশস্ত ও কাউকে সীমিত রিযিক দেয়া আল্লাহ্‌র একটি নিদর্শন।

৫৩-৬৩: তোমরা আল্লাহ্‌র রহমত থেকে নিরাশ হয়োনা। আল্লাহ্‌র অবতীর্ণ কিতাবের অনুসরণ করো।

৬৪-৭০: শিরকের অসারতা, কিয়ামত অনুষ্ঠিত হবে, সাক্ষীদের হাজির করা হবে, প্রত্যেককে তার আমলের বিনিময় দেয়া হবে পুরোপুরি।

৭১-৭৫: কাফিরদের জাহান্নামে যাওয়ার দৃশ্য, মুত্তাকিদের জান্নাতে যাওয়ার দৃশ্য, অবশেষে ফেরেশতারা আল্লাহ্‌র তসবিহ্‌তে নিরত হবে।

সূরা আয্ যুমার (দলে দলে)

পরম করুণাময় পরম দয়াবান আল্লাহ্‌র নামে।

سُوْرَةُ الزُّمَرِ

بِسْمِ اللّٰهِ الرَّحْمٰنِ الرَّحِيْمِ

০১. এই কিতাব তোমার কাছে নাযিল হচ্ছে সত্যিকারভাবে মহাপরাক্রমশালী প্রজ্ঞাময়ের পক্ষ থেকে।

تَنْزِيْلُ الْكِتٰبِ مِنَ اللّٰهِ الْعَزِيْزِ الْحَكِيْمِ ①

০২. আমরা তোমার কাছে এই কিতাব নাযিল করছি সত্যসহ। অতএব কেবল আল্লাহ্‌রই ইবাদত করো নিজের আনুগত্যকে তাঁর জন্যে একনিষ্ঠ করে।

اِنَّاۤ اَنْزَلْنَاۤ اِلَيْكَ الْكِتٰبَ بِالْحَقِّ فَاعْبُدِ اللّٰهَ مُخْلِصًا لَّهُ الدِّيْنَ ②

০৩. একনিষ্ঠ আনুগত্য কেবল আল্লাহ্‌র জন্যে। যারা আল্লাহ্‌র পরিবর্তে অন্যদেরকে অলি হিসেবে গ্রহণ করেছে, তারা বলে: 'আমরা তো তাদের ইবাদত করি কেবল এ জন্যে যে, তারা আমাদেরকে আল্লাহ্‌র সান্নিধ্যে পৌঁছে দেবে।' অবশ্যি তারা যা নিয়ে মতভেদ করছে (কিয়ামতের দিন) আল্লাহ্ সে বিষয়ে তাদের মাঝে ফায়সালা করে দেবেন। মিথ্যাবাদী কাফিরদের আল্লাহ্ সঠিক পথ দেখান না।

اَلَا لِلّٰهِ الدِّيْنُ الْخَالِصُ ؕ وَ الَّذِيْنَ اتَّخَذُوْا مِنْ دُوْنِهٖۤ اَوْلِيَآءَ ۘ مَا نَعْبُدُهُمْ اِلَّا لِيُقَرِّبُوْنَاۤ اِلَى اللّٰهِ زُلْفٰى ؕ اِنَّ اللّٰهَ يَحْكُمُ بَيْنَهُمْ فِيْ مَا هُمْ فِيْهِ يَخْتَلِفُوْنَ ۬ؕ اِنَّ اللّٰهَ لَا يَهْدِيْ مَنْ هُوَ كٰذِبٌ كَفَّارٌ ③

০৪. আল্লাহ্ যদি সন্তান গ্রহণ করতে চাইতেনই, তবে তাঁর সৃষ্টির মাঝে যাকে ইচ্ছা বাছাই করে নিতেন। কিন্তু সন্তান গ্রহণ থেকে তিনি সম্পূর্ণ পবিত্র ও মুক্ত। আল্লাহ্ তো এক এবং মহাপরাক্রমশালী।

لَوْ اَرَادَ اللّٰهُ اَنْ يَّتَّخِذَ وَلَدًا لَّاصْطَفٰى مِمَّا يَخْلُقُ مَا يَشَآءُ ۙ سُبْحٰنَهٗ ؕ هُوَ اللّٰهُ الْوَاحِدُ الْقَهَّارُ ④

০৫. তিনি বাস্তবভাবে সৃষ্টি করেছেন মহাকাশ ও পৃথিবী। তিনি রাতকে দিয়ে দিনকে আচ্ছাদিত করেন এবং দিনকে দিয়ে আচ্ছাদিত করেন রাতকে। তিনি সূর্য এবং চাঁদকে নিয়মের অধীন করেছেন। এরা প্রত্যেকেই ভ্রমণ করে একটি নির্দিষ্টকাল পর্যন্ত। জেনে রাখো তিনি মহাক্ষমতাধর, অতীব ক্ষমাশীল।

خَلَقَ السَّمٰوٰتِ وَ الْاَرْضَ بِالْحَقِّ ۚ يُكَوِّرُ الَّيْلَ عَلَى النَّهَارِ وَ يُكَوِّرُ النَّهَارَ عَلَى الَّيْلِ وَ سَخَّرَ الشَّمْسَ وَ الْقَمَرَ ؕ كُلٌّ يَّجْرِيْ لِاَجَلٍ مُّسَمًّى ؕ اَلَا هُوَ الْعَزِيْزُ الْغَفَّارُ ⑤

অনুবাদ	আয়াত
০৬. তিনি তোমাদের সৃষ্টি করেছেন একজন মাত্র ব্যক্তি থেকে, তারপর তার থেকে সৃষ্টি করেছেন তার স্ত্রীকে। তিনি তোমাদের দিয়েছেন আট জোড়া (প্রজাতির) গবাদি পশু। তিনি তোমাদের সৃষ্টি করেন তোমাদের মাতৃগর্ভে তিনটি অন্ধকার স্তর পার করে। তিনিই আল্লাহ্, তোমাদের প্রভু। সমস্ত কর্তৃত্ব তাঁরই। কোনো ইলাহ্ নেই তিনি ছাড়া। সুতরাং তোমরা মুখ ফিরিয়ে চলেছো কোথায়?	خَلَقَكُمۡ مِّنۡ نَّفۡسٍ وَّاحِدَةٍ ثُمَّ جَعَلَ مِنۡهَا زَوۡجَهَا وَاَنۡزَلَ لَكُمۡ مِّنَ الۡاَنۡعَامِ ثَمٰنِيَةَ اَزۡوَاجٍ ؕ يَخۡلُقُكُمۡ فِىۡ بُطُوۡنِ اُمَّهٰتِكُمۡ خَلۡقًا مِّنۡۢ بَعۡدِ خَلۡقٍ فِىۡ ظُلُمٰتٍ ثَلٰثٍ ؕ ذٰلِكُمُ اللّٰهُ رَبُّكُمۡ لَهُ الۡمُلۡكُ ؕ لَاۤ اِلٰهَ اِلَّا هُوَ ۚ فَاَنّٰى تُصۡرَفُوۡنَ ﴿۶﴾
০৭. তোমরা যদি কুফুরি করো, তবে জেনে রাখো, আল্লাহ্ তোমাদের মুখাপেক্ষী নন। তিনি তাঁর বান্দাদের জন্যে কুফুরি পছন্দ করেন না। তোমরা কৃতজ্ঞ হলে তিনি সেটাই পছন্দ করেন তোমাদের জন্যে। কেউই অপরের (পাপের) বোঝা বহন করবে না। অত:পর তোমাদের প্রভুর কাছেই তোমাদের ফিরে যেতে হবে। তখন তিনি তোমাদের অবহিত করবেন তোমরা কী আমল করেছিলে? মনে কী আছে সে বিষয়েও তিনি অবগত।	اِنۡ تَكۡفُرُوۡا فَاِنَّ اللّٰهَ غَنِىٌّ عَنۡكُمۡ ۟ وَلَا يَرۡضٰى لِعِبَادِهِ الۡكُفۡرَ ۚ وَاِنۡ تَشۡكُرُوۡا يَرۡضَهُ لَكُمۡ ؕ وَلَا تَزِرُ وَازِرَةٌ وِّزۡرَ اُخۡرٰى ؕ ثُمَّ اِلٰى رَبِّكُمۡ مَّرۡجِعُكُمۡ فَيُنَبِّئُكُمۡ بِمَا كُنۡتُمۡ تَعۡمَلُوۡنَ ؕ اِنَّهٗ عَلِيۡمٌۢ بِذَاتِ الصُّدُوۡرِ ﴿۷﴾
০৮. মানুষকে যখন দুঃখ-দুর্দশা স্পর্শ করে, তখন সে তার প্রভুকে ডাকে একনিষ্ঠ মনোভাব নিয়ে। অত:পর যখন তিনি তার প্রতি অনুগ্রহ করেন, তখন সে ভুলে যায় আগে যে সে তাঁকে একনিষ্ঠভাবে ডেকেছিল। সে আল্লাহ্র শরিক দাঁড় করায় যেনো সে তাকে আল্লাহ্র পথ থেকে বিভ্রান্ত করে। বলো: কুফুরি নিয়ে জীবনটাকে ক'টা দিন ভোগ করো। জেনে রাখো তুমি জাহান্নামী।	وَاِذَا مَسَّ الۡاِنۡسَانَ ضُرٌّ دَعَا رَبَّهٗ مُنِيۡبًا اِلَيۡهِ ثُمَّ اِذَا خَوَّلَهٗ نِعۡمَةً مِّنۡهُ نَسِىَ مَا كَانَ يَدۡعُوۡۤا اِلَيۡهِ مِنۡ قَبۡلُ وَجَعَلَ لِلّٰهِ اَنۡدَادًا لِّيُضِلَّ عَنۡ سَبِيۡلِهٖ ؕ قُلۡ تَمَتَّعۡ بِكُفۡرِكَ قَلِيۡلًا ۖۗ اِنَّكَ مِنۡ اَصۡحٰبِ النَّارِ ﴿۸﴾
০৯. যে ব্যক্তি রাতের বিভিন্ন অংশে সাজদা করে এবং দাঁড়িয়ে দাঁড়িয়ে তার প্রভুর প্রতি আনুগত্য প্রকাশ করে, আখিরাতকে ভয় করে এবং তার প্রভুর রহমত প্রত্যাশা করে, সে কি ঐ ব্যক্তির সমতুল্য যে এসব করেনা? বলো: জ্ঞানীরা আর অজ্ঞরা কি সমান? উপদেশ গ্রহণ করে তো বুদ্ধিমান লোকেরাই।	اَمَّنۡ هُوَ قَانِتٌ اٰنَآءَ الَّيۡلِ سَاجِدًا وَّقَآئِمًا يَّحۡذَرُ الۡاٰخِرَةَ وَيَرۡجُوۡا رَحۡمَةَ رَبِّهٖ ؕ قُلۡ هَلۡ يَسۡتَوِى الَّذِيۡنَ يَعۡلَمُوۡنَ وَالَّذِيۡنَ لَا يَعۡلَمُوۡنَ ؕ اِنَّمَا يَتَذَكَّرُ اُولُوا الۡاَلۡبَابِ ﴿۹﴾
১০. (হে নবী! আমার পক্ষ থেকে) বলে দাও: 'হে আমার দাসেরা, যারা ঈমান এনেছো, তোমাদের প্রভুকে ভয় করো। যারা এই দুনিয়ায় কল্যাণের কাজ করে, তাদের জন্যে রয়েছে কল্যাণ। আল্লাহ্র জমিন তো প্রশস্ত। ধৈর্যশীলদেরকে তাদের প্রতিদান দেয়া হবে অফুরন্ত।'	قُلۡ يٰعِبَادِ الَّذِيۡنَ اٰمَنُوا اتَّقُوۡا رَبَّكُمۡ ؕ لِلَّذِيۡنَ اَحۡسَنُوۡا فِىۡ هٰذِهِ الدُّنۡيَا حَسَنَةٌ ؕ وَاَرۡضُ اللّٰهِ وَاسِعَةٌ ؕ اِنَّمَا يُوَفَّى الصّٰبِرُوۡنَ اَجۡرَهُمۡ بِغَيۡرِ حِسَابٍ ﴿۱۰﴾
১১. বলো: "আমাকে নির্দেশ দেয়া হয়েছে আমি যেনো আমার আনুগত্যকে একনিষ্ঠ করে শুধুমাত্র আল্লাহ্র ইবাদত করি।	قُلۡ اِنِّىۡۤ اُمِرۡتُ اَنۡ اَعۡبُدَ اللّٰهَ مُخۡلِصًا لَّهُ الدِّيۡنَ ﴿۱۱﴾

রুকু ০১

১২. আমাকে আরো নির্দেশ দেয়া হয়েছে, আমি যেনো হই মুসলিমদের (আত্মসমর্পনকারীদের) প্রথম।"

وَأُمِرْتُ لِأَنْ أَكُونَ أَوَّلَ الْمُسْلِمِينَ ﴿١٢﴾

১৩. বলো: 'আমি যদি আমার প্রভুর অবাধ্য হই, তবে আমি এক মহাদিবসের আযাবের আশংকা করি।'

قُلْ إِنِّي أَخَافُ إِنْ عَصَيْتُ رَبِّي عَذَابَ يَوْمٍ عَظِيمٍ ﴿١٣﴾

১৪. বলো: 'আমি কেবল আল্লাহ্‌রই ইবাদত করি তাঁর প্রতি আমার আনুগত্যকে একনিষ্ঠ করে।'

قُلِ اللَّهَ أَعْبُدُ مُخْلِصًا لَهُ دِينِي ﴿١٤﴾

১৫. তোমরা আল্লাহ্‌র পরিবর্তে যাদের ইচ্ছা ইবাদত করো। বলো: 'প্রকৃত ক্ষতিগ্রস্ত লোক তারাই, যারা কিয়ামতের দিন ক্ষতিগ্রস্ত করবে নিজেদেরকে এবং নিজেদের পরিবার পরিজনকে। সাবধান, সেটাই সুস্পষ্ট ক্ষতি।'

فَاعْبُدُوا مَا شِئْتُمْ مِنْ دُونِهِ ۗ قُلْ إِنَّ الْخَاسِرِينَ الَّذِينَ خَسِرُوا أَنْفُسَهُمْ وَأَهْلِيهِمْ يَوْمَ الْقِيَامَةِ ۗ أَلَا ذَٰلِكَ هُوَ الْخُسْرَانُ الْمُبِينُ ﴿١٥﴾

১৬. তাদের জন্যে থাকবে তাদের উপরে আগুনের আচ্ছাদন এবং নিচেও আগুনের বিছানা। এর মাধ্যমে আল্লাহ্ তার বান্দাদের সতর্ক করেন। হে আমার দাসেরা! তোমরা সতর্ক হও, আমাকে ভয় করো।

لَهُمْ مِنْ فَوْقِهِمْ ظُلَلٌ مِنَ النَّارِ وَمِنْ تَحْتِهِمْ ظُلَلٌ ۗ ذَٰلِكَ يُخَوِّفُ اللَّهُ بِهِ عِبَادَهُ ۗ يَا عِبَادِ فَاتَّقُونِ ﴿١٦﴾

১৭. যারা তাগুতের ইবাদত (পূজা, উপাসনা, আনুগত্য) থেকে বিরত থাকবে এবং আল্লাহ্‌র অভিমুখী হবে, তাদের জন্যে রয়েছে সুসংবাদ। সুতরাং আমার দাসদের সুসংবাদ দাও,

وَالَّذِينَ اجْتَنَبُوا الطَّاغُوتَ أَنْ يَعْبُدُوهَا وَأَنَابُوا إِلَى اللَّهِ لَهُمُ الْبُشْرَىٰ ۚ فَبَشِّرْ عِبَادِ ﴿١٧﴾

১৮. যারা মনোযোগ দিয়ে কথা শুনে এবং তাতে যা উত্তম তা গ্রহণ করে। এরাই সেইসব লোক, যাদের আল্লাহ্ হিদায়াত করেছেন এবং তারাই বুদ্ধিমান লোক।

الَّذِينَ يَسْتَمِعُونَ الْقَوْلَ فَيَتَّبِعُونَ أَحْسَنَهُ ۗ أُولَٰئِكَ الَّذِينَ هَدَاهُمُ اللَّهُ وَأُولَٰئِكَ هُمْ أُولُو الْأَلْبَابِ ﴿١٨﴾

১৯. ঐ ব্যক্তিকে রক্ষা করবে কে, যার জন্যে আযাবের আদেশ অবধারিত হয়ে গেছে? তুমি কি সেই ব্যক্তিকে রক্ষা করতে পারবে যে রয়েছে জাহান্নামে?

أَفَمَنْ حَقَّ عَلَيْهِ كَلِمَةُ الْعَذَابِ ۗ أَفَأَنْتَ تُنْقِذُ مَنْ فِي النَّارِ ﴿١٩﴾

২০. তবে যারা তাদের প্রভুকে ভয় করে, তাদের জন্যে রয়েছে প্রাসাদ, তার উপরে আরো প্রাসাদ, তার নিচে দিয়ে রয়েছে বহমান নদ নদী নহর। এটা আল্লাহ্‌র ওয়াদা। আল্লাহ্ তাঁর ওয়াদার বরখেলাফ করেন না।

لَٰكِنِ الَّذِينَ اتَّقَوْا رَبَّهُمْ لَهُمْ غُرَفٌ مِنْ فَوْقِهَا غُرَفٌ مَبْنِيَّةٌ تَجْرِي مِنْ تَحْتِهَا الْأَنْهَارُ ۖ وَعْدَ اللَّهِ ۗ لَا يُخْلِفُ اللَّهُ الْمِيعَادَ ﴿٢٠﴾

২১. তুমি কি দেখোনা, আল্লাহ্ নাযিল করেন আসমান থেকে পানি, তারপর তিনি তা নির্ঝরের মতো প্রবাহিত করেন জমিনে। তা থেকে উৎপন্ন করেন শস্য নানা বর্ণের, তারপর তা শুকিয়ে যায়। ফলে তুমি তা দেখতে পাও হলুদ বর্ণ হয়ে গেছে। অবশেষে তিনি তা খড়কুটায় পরিণত করেন। এতে অবশ্যি রয়েছে উপদেশ বুঝবুদ্ধি সম্পন্ন লোকদের জন্যে।

أَلَمْ تَرَ أَنَّ اللَّهَ أَنْزَلَ مِنَ السَّمَاءِ مَاءً فَسَلَكَهُ يَنَابِيعَ فِي الْأَرْضِ ثُمَّ يُخْرِجُ بِهِ زَرْعًا مُخْتَلِفًا أَلْوَانُهُ ثُمَّ يَهِيجُ فَتَرَاهُ مُصْفَرًّا ثُمَّ يَجْعَلُهُ حُطَامًا ۚ إِنَّ فِي ذَٰلِكَ لَذِكْرَىٰ لِأُولِي الْأَلْبَابِ ﴿٢١﴾

রুকু ০২

২২. আল্লাহ্ যার বক্ষ খুলে দেন ইসলামের জন্যে এবং যে রয়েছে তার প্রভুর প্রদত্ত আলোতে, সে কি ঐ ব্যক্তির সমতুল্য যার অবস্থা এ রকম নয়? ধ্বংস সেইসব কঠোর হৃদয় লোকদের জন্যে যারা আল্লাহ্র স্মরণ থেকে বিমুখ। এরা রয়েছে সুস্পষ্ট বিপথগামিতায়।	اَفَمَنْ شَرَحَ اللّٰهُ صَدْرَهٗ لِلْاِسْلَامِ فَهُوَ عَلٰى نُوْرٍ مِّنْ رَّبِّهٖ ؕ فَوَيْلٌ لِّلْقٰسِيَةِ قُلُوْبُهُمْ مِّنْ ذِكْرِ اللّٰهِ ؕ اُولٰٓئِكَ فِيْ ضَلٰلٍ مُّبِيْنٍ ﴿٢٢﴾
২৩. আল্লাহ্ নাযিল করেছেন সর্বোত্তম বাণী সম্বলিত কিতাব, যা সুসামঞ্জস্যপূর্ণ এবং যা বার বার পাঠ করা হয়। যারা তাদের প্রভুকে ভয় করে, এর (পাঠে এবং শ্রবনে) তাদের চর্ম রোমাঞ্চিত হয়ে উঠে, তারপর তাদের দেহমন কোমল হয়ে আল্লাহ্র স্মরণে ঝুঁকে পড়ে। এটাই আল্লাহ্র হুদা (জ্ঞান ও জীবন পদ্ধতি), তিনি যাকে ইচ্ছা এর দ্বারা পথ দেখান। আল্লাহ্ যাকে বিপথগামী করে দেন, তার কোনো পথ প্রদর্শক নেই।	اَللّٰهُ نَزَّلَ اَحْسَنَ الْحَدِيْثِ كِتٰبًا مُّتَشَابِهًا مَّثَانِيَ ۖ تَقْشَعِرُّ مِنْهُ جُلُوْدُ الَّذِيْنَ يَخْشَوْنَ رَبَّهُمْ ۚ ثُمَّ تَلِيْنُ جُلُوْدُهُمْ وَ قُلُوْبُهُمْ اِلٰى ذِكْرِ اللّٰهِ ؕ ذٰلِكَ هُدَى اللّٰهِ يَهْدِيْ بِهٖ مَنْ يَّشَآءُ ؕ وَ مَنْ يُّضْلِلِ اللّٰهُ فَمَا لَهٗ مِنْ هَادٍ ﴿٢٣﴾
২৪. যে ব্যক্তি কিয়ামতের দিন তার মুখমণ্ডল দিয়ে কঠিন আযাব ঠেকাতে চাইবে, সে কি তার সমতুল্য, যে এ থেকে নিরাপদ? যালিমদের বলা হবে: তোমাদের উপার্জনের স্বাদ গ্রহণ করো।	اَفَمَنْ يَّتَّقِيْ بِوَجْهِهٖ سُوْٓءَ الْعَذَابِ يَوْمَ الْقِيٰمَةِ ؕ وَ قِيْلَ لِلظّٰلِمِيْنَ ذُوْقُوْا مَا كُنْتُمْ تَكْسِبُوْنَ ﴿٢٤﴾
২৫. এদের আগেকার লোকেরাও (রসূলদের) প্রত্যাখ্যান করেছিল, তারপর তাদের গ্রাস করেছিল আযাব এমনভাবে, যা তারা ধারণাও করতে পারেনি।	كَذَّبَ الَّذِيْنَ مِنْ قَبْلِهِمْ فَاَتٰىهُمُ الْعَذَابُ مِنْ حَيْثُ لَا يَشْعُرُوْنَ ﴿٢٥﴾
২৬. ফলে আল্লাহ্ তাদেরকে দুনিয়ার জীবনের লাঞ্ছনাও ভোগ করান, আর তাদের আখিরাতের আযাব হবে কঠিনতর। যদি তারা জানতো!	فَاَذَاقَهُمُ اللّٰهُ الْخِزْيَ فِي الْحَيٰوةِ الدُّنْيَا ۚ وَ لَعَذَابُ الْاٰخِرَةِ اَكْبَرُ ۘ لَوْ كَانُوْا يَعْلَمُوْنَ ﴿٢٦﴾
২৭. এই কুরআনে আমরা মানুষের জন্যে সব ধরনের উপমা উপস্থাপন করেছি যাতে করে তারা গ্রহণ করে উপদেশ।	وَ لَقَدْ ضَرَبْنَا لِلنَّاسِ فِيْ هٰذَا الْقُرْاٰنِ مِنْ كُلِّ مَثَلٍ لَّعَلَّهُمْ يَتَذَكَّرُوْنَ ۚ ﴿٢٧﴾
২৮. আরবি ভাষার এ কুরআন সম্পূর্ণ বক্রতামুক্ত, যাতে করে তারা সতর্কতা অবলম্বন করে।	قُرْاٰنًا عَرَبِيًّا غَيْرَ ذِيْ عِوَجٍ لَّعَلَّهُمْ يَتَّقُوْنَ ﴿٢٨﴾
২৯. আল্লাহ্ একটি দৃষ্টান্ত দিচ্ছেন: এক ব্যক্তির প্রভু অনেক, তারা পরস্পর বিরোধী মনোভাবের। আরেক ব্যক্তির প্রভু শুধুমাত্র একজন। এই দুইজনের অবস্থা কি সমান। সমস্ত প্রশংসা আল্লাহ্র, কিন্তু তাদের অধিকাংশই তা জানেনা।	ضَرَبَ اللّٰهُ مَثَلًا رَّجُلًا فِيْهِ شُرَكَآءُ مُتَشٰكِسُوْنَ وَ رَجُلًا سَلَمًا لِّرَجُلٍ ؕ هَلْ يَسْتَوِيٰنِ مَثَلًا ؕ اَلْحَمْدُ لِلّٰهِ ۚ بَلْ اَكْثَرُهُمْ لَا يَعْلَمُوْنَ ﴿٢٩﴾
৩০. নিশ্চয়ই তুমি মরে যাবে এবং নিশ্চয়ই তারাও মরে যাবে।	اِنَّكَ مَيِّتٌ وَّ اِنَّهُمْ مَّيِّتُوْنَ ۫ ﴿٣٠﴾
৩১. তারপর কিয়ামতের দিন তোমরা তোমাদের প্রভুর সামনে নিজ নিজ অভিযোগ পেশ করবে।	ثُمَّ اِنَّكُمْ يَوْمَ الْقِيٰمَةِ عِنْدَ رَبِّكُمْ تَخْتَصِمُوْنَ ۠ ﴿٣١﴾

রুকু ০৩

৩২. ঐ ব্যক্তির চাইতে বড় যালিম আর কে, যে আল্লাহ্‌র প্রতি মিথ্যারোপ করে এবং সত্য আসার পর সত্যকে প্রত্যাখ্যান করে। কাফিরদের আবাসস্থল কি জাহান্নাম নয়?	فَمَنْ اَظْلَمُ مِمَّنْ كَذَبَ عَلَى اللّٰهِ وَكَذَّبَ بِالصِّدْقِ اِذْ جَآءَهٗ ؕ اَلَيْسَ فِيْ جَهَنَّمَ مَثْوًى لِّلْكٰفِرِيْنَ ﴿۳۲﴾
৩৩. যে সত্য (কুরআন) নিয়ে এসেছে এবং (যারা) সত্যকে সত্য বলে মেনে নিয়েছে, তারাই মুত্তাকি।	وَ الَّذِيْ جَآءَ بِالصِّدْقِ وَ صَدَّقَ بِهٖۤ اُولٰٓئِكَ هُمُ الْمُتَّقُوْنَ ﴿۳۳﴾
৩৪. তাদের জন্যে তাদের প্রভুর কাছে রয়েছে সবই তারা যা চাইবে। এটাই পুণ্যবানদের পুরস্কার।	لَهُمْ مَّا يَشَآءُوْنَ عِنْدَ رَبِّهِمْ ؕ ذٰلِكَ جَزٰٓؤُا الْمُحْسِنِيْنَ ﴿۳۴﴾
৩৫. যাতে করে তারা যেসব মন্দ কাজ করেছিল আল্লাহ্ তা ক্ষমা করে দেন এবং তাদেরকে তাদের উত্তম আমলের জন্যে প্রদান করেন পুরস্কার।	لِيُكَفِّرَ اللّٰهُ عَنْهُمْ اَسْوَاَ الَّذِيْ عَمِلُوْا وَيَجْزِيَهُمْ اَجْرَهُمْ بِاَحْسَنِ الَّذِيْ كَانُوْا يَعْمَلُوْنَ ﴿۳۵﴾
৩৬. আল্লাহ্ কি তার বান্দার জন্যে যথেষ্ট নন? অথচ তারা তোমাকে আল্লাহ্‌র পরিবর্তে অন্যদের ভয় দেখায়। আল্লাহ্ যাকে গোমরাহ করে দেন, তার জন্যে কোনো পথ প্রদর্শক নেই।	اَلَيْسَ اللّٰهُ بِكَافٍ عَبْدَهٗ ؕ وَيُخَوِّفُوْنَكَ بِالَّذِيْنَ مِنْ دُوْنِهٖ ؕ وَمَنْ يُّضْلِلِ اللّٰهُ فَمَا لَهٗ مِنْ هَادٍ ﴿۳۶﴾
৩৭. আর আল্লাহ্ যাকে সঠিক পথ দেখান, তাকে বিপথগামী করারও কেউ নেই। আল্লাহ্ কি মহাপরাক্রমশালী এবং প্রতিশোধ গ্রহণে ক্ষমতাবান নন?	وَ مَنْ يَّهْدِ اللّٰهُ فَمَا لَهٗ مِنْ مُّضِلٍّ ؕ اَلَيْسَ اللّٰهُ بِعَزِيْزٍ ذِي انْتِقَامٍ ﴿۳۷﴾
৩৮. তুমি যদি তাদের জিজ্ঞেস করো: 'কে সৃষ্টি করেছেন মহাকাশ এবং পৃথিবী?' তারা অবশ্যি বলবে: 'আল্লাহ্'। বলো: 'তোমরা কি ভেবে দেখেছো, তোমরা আল্লাহ্‌র পরিবর্তে যাদের ডাকো, আল্লাহ্ আমার কোনো অনিষ্ট করতে চাইলে, তারা কি আমার সেই অনিষ্ট দূর করে দিতে পারবে? অথবা তিনি যদি আমার প্রতি কোনো অনুগ্রহ করতে চান, তারা কি সেই অনুগ্রহ প্রতিরোধ করতে পারবে?' বলো: 'আল্লাহ্ই আমার জন্যে যথেষ্ট, তাওয়াক্কুলকারীরা তাঁর উপরই তাওয়াক্কুল করে।'	وَلَئِنْ سَاَلْتَهُمْ مَّنْ خَلَقَ السَّمٰوٰتِ وَالْاَرْضَ لَيَقُوْلُنَّ اللّٰهُ ؕ قُلْ اَفَرَءَيْتُمْ مَّا تَدْعُوْنَ مِنْ دُوْنِ اللّٰهِ اِنْ اَرَادَنِيَ اللّٰهُ بِضُرٍّ هَلْ هُنَّ كٰشِفٰتُ ضُرِّهٖۤ اَوْ اَرَادَنِيْ بِرَحْمَةٍ هَلْ هُنَّ مُمْسِكٰتُ رَحْمَتِهٖ ؕ قُلْ حَسْبِيَ اللّٰهُ ؕ عَلَيْهِ يَتَوَكَّلُ الْمُتَوَكِّلُوْنَ ﴿۳۸﴾
৩৯. বলো: "হে আমার কওম! তোমরা নিজ নিজ অবস্থানে কাজ করতে থাকো, আমিও আমার কাজ করে যাচ্ছি, অচিরেই তোমরা দেখতে পাবে	قُلْ يٰقَوْمِ اعْمَلُوْا عَلٰى مَكَانَتِكُمْ اِنِّيْ عَامِلٌ ۚ فَسَوْفَ تَعْلَمُوْنَ ﴿۳۹﴾
৪০. কার উপর এসে পড়ে অপমানকর আযাব এবং কার জন্যে বৈধ হয়ে যাবে স্থায়ী আযাব?"	مَنْ يَّاْتِيْهِ عَذَابٌ يُّخْزِيْهِ وَ يَحِلُّ عَلَيْهِ عَذَابٌ مُّقِيْمٌ ﴿۴۰﴾

রুকু ০৪

৪১. আমরা মানবজাতির জন্যে বাস্তবতার ভিত্তিতে তোমার প্রতি নাযিল করেছি আল কিতাব (আল কুরআন), এখন যে কেউ সঠিক পথ গ্রহণ করবে, তাতে তারই কল্যাণ হবে, আর যে কেউ বিপথগামী হবে, সে ডেকে আনবে নিজেরই ধ্বংস। তুমি তাদের উকিল নও।	اِنَّاۤ اَنۡزَلۡنَا عَلَیۡکَ الۡکِتٰبَ لِلنَّاسِ بِالۡحَقِّ ۚ فَمَنِ اهۡتَدٰی فَلِنَفۡسِهٖ ۚ وَ مَنۡ ضَلَّ فَاِنَّمَا یَضِلُّ عَلَیۡهَا ۚ وَ مَاۤ اَنۡتَ عَلَیۡهِمۡ بِوَکِیۡلٍ ﴿۴۱﴾
৪২. আল্লাহ্ সমস্ত প্রাণীর ওফাত ঘটান তাদের মৃত্যুর সময় এবং যাদের মৃত্যু এখনো আসেনি তাদের প্রাণও নিদ্রার সময়। তারপর তিনি যার জন্যে মৃত্যুর সিদ্ধান্ত করেন, তার প্রাণ তিনি ধরে রাখেন আর অন্যদের প্রাণ ফেরত দেন একটা নির্দিষ্ট সময়ের জন্যে। এতে রয়েছে নিদর্শন, চিন্তাশীল লোকদের জন্যে।	اَللّٰهُ یَتَوَفَّی الۡاَنۡفُسَ حِیۡنَ مَوۡتِهَا وَ الَّتِیۡ لَمۡ تَمُتۡ فِیۡ مَنَامِهَا ۚ فَیُمۡسِکُ الَّتِیۡ قَضٰی عَلَیۡهَا الۡمَوۡتَ وَ یُرۡسِلُ الۡاُخۡرٰۤی اِلٰۤی اَجَلٍ مُّسَمًّی ؕ اِنَّ فِیۡ ذٰلِکَ لَاٰیٰتٍ لِّقَوۡمٍ یَّتَفَکَّرُوۡنَ ﴿۴۲﴾
৪৩. তারা কি আল্লাহ্র পরিবর্তে অন্যদের সুপারিশকারী ধরেছে? তাদের বলো: 'তাদের কোনো ক্ষমতা না থাকলেও এবং তারা কোনো কিছু না বুঝলেও কি (তারা সুপারিশ করবে)?'	اَمِ اتَّخَذُوۡا مِنۡ دُوۡنِ اللّٰهِ شُفَعَآءَ ؕ قُلۡ اَوَ لَوۡ کَانُوۡا لَا یَمۡلِکُوۡنَ شَیۡئًا وَّ لَا یَعۡقِلُوۡنَ ﴿۴۳﴾
৪৪. বলো: 'সমস্ত শাফায়াত (সুপারিশ) আল্লাহ্র এখতিয়ারে, মহাকাশ এবং পৃথিবীর কর্তৃত্ব তাঁরই। তোমাদের ফিরিয়ে নেয়া হবে তাঁর দিকেই।'	قُلۡ لِّلّٰهِ الشَّفَاعَۃُ جَمِیۡعًا ؕ لَهٗ مُلۡکُ السَّمٰوٰتِ وَ الۡاَرۡضِ ؕ ثُمَّ اِلَیۡهِ تُرۡجَعُوۡنَ ﴿۴۴﴾
৪৫. শুধু এক এবং একমাত্র আল্লাহ্র কথা বলা হলে আখিরাতে অবিশ্বাসীদের অন্তর বিরাগ বিতৃষ্ণায় সংকুচিত হয়ে যায়। আল্লাহ্র পরিবর্তে দেবতাগুলোকে উল্লেখ করা হলে তারা আনন্দে উৎফুল্ল হয়ে উঠে।	وَ اِذَا ذُکِرَ اللّٰهُ وَحۡدَهُ اشۡمَاَزَّتۡ قُلُوۡبُ الَّذِیۡنَ لَا یُؤۡمِنُوۡنَ بِالۡاٰخِرَۃِ ۚ وَ اِذَا ذُکِرَ الَّذِیۡنَ مِنۡ دُوۡنِهٖۤ اِذَا هُمۡ یَسۡتَبۡشِرُوۡنَ ﴿۴۵﴾
৪৬. বলো: 'আয় আল্লাহ্! মহাকাশ ও পৃথিবীর স্রষ্টা, দৃশ্য ও গায়েবের জ্ঞানী, তোমার বান্দারা যে বিষয়ে এখতেলাফ (মতবিরোধ) করছে, তুমিই তার ফায়সালা করে দেবে।'	قُلِ اللّٰهُمَّ فَاطِرَ السَّمٰوٰتِ وَ الۡاَرۡضِ عٰلِمَ الۡغَیۡبِ وَ الشَّهَادَۃِ اَنۡتَ تَحۡکُمُ بَیۡنَ عِبَادِکَ فِیۡ مَا کَانُوۡا فِیۡهِ یَخۡتَلِفُوۡنَ ﴿۴۶﴾
৪৭. যারা যুলুম করে, পৃথিবীতে যা কিছু আছে সেগুলো এবং আরো সমপরিমাণ সম্পদও যদি তাদের থাকে, তবে কিয়ামতের দিন কঠিন আযাব থেকে বাঁচার জন্যে মুক্তিপণ হিসেবে তারা সবই দিয়ে দেবে। আর তাদের জন্যে আল্লাহ্র নিকট থেকে এমন কিছু প্রকাশ হবে যা তারা কল্পনাও করতে পারেনি।	وَ لَوۡ اَنَّ لِلَّذِیۡنَ ظَلَمُوۡا مَا فِی الۡاَرۡضِ جَمِیۡعًا وَّ مِثۡلَهٗ مَعَهٗ لَافۡتَدَوۡا بِهٖ مِنۡ سُوۡٓءِ الۡعَذَابِ یَوۡمَ الۡقِیٰمَۃِ ؕ وَ بَدَا لَهُمۡ مِّنَ اللّٰهِ مَا لَمۡ یَکُوۡنُوۡا یَحۡتَسِبُوۡنَ ﴿۴۷﴾
৪৮. তাদের কৃতকর্মের নিকৃষ্ট পরিণাম তাদের কাছে প্রকাশ হয়ে পড়বে এবং তারা যে ঠাট্টা বিদ্রূপ করতো, তা তাদেরকে পরিবেষ্টন করে নেবে।	وَ بَدَا لَهُمۡ سَیِّاٰتُ مَا کَسَبُوۡا وَ حَاقَ بِهِمۡ مَّا کَانُوۡا بِهٖ یَسۡتَهۡزِءُوۡنَ ﴿۴۸﴾
৪৯. মানুষকে যখন দুঃখ-দুর্দশা স্পর্শ করে, তখন তারা আমাদেরকে ডাকে, কিন্তু যখনই তাদেরকে আমরা কোনো নিয়ামত দিয়ে অনুগ্রহ করি, তখন	فَاِذَا مَسَّ الۡاِنۡسَانَ ضُرٌّ دَعَانَا ۫ ثُمَّ اِذَا خَوَّلۡنٰهُ نِعۡمَۃً مِّنَّا ۙ قَالَ اِنَّمَاۤ اُوۡتِیۡتُهٗ عَلٰی عِلۡمٍ ؕ

সে বলে: 'আমি তো এটা লাভ করেছি আমার বিশেষ জ্ঞানের কারণে।' বরং এটা একটা পরীক্ষা, কিন্তু অধিকাংশ লোকই তা জানেনা।	بَلْ هِيَ فِتْنَةٌ وَّلٰكِنَّ اَكْثَرَهُمْ لَا يَعْلَمُوْنَ ﴿٤٩﴾
৫০. তাদের আগেকার লোকেরাও এ রকমই বলতো, কিন্তু তাদের যাবতীয় অর্জন তাদের কোনো কাজেই আসেনি।	قَدْ قَالَهَا الَّذِيْنَ مِنْ قَبْلِهِمْ فَمَآ اَغْنٰى عَنْهُمْ مَّا كَانُوْا يَكْسِبُوْنَ ﴿٥٠﴾
৫১. তাদের উপর আপতিত হয়েছিল তাদের সমস্ত মন্দ অর্জন আর মন্দ কৃতকর্ম। (এখনকার) এদের মধ্যেও যারা যুলুম করে তাদের উপরও তাদের মন্দ কৃতকর্মের ফল আপতিত হবে, এবং তারা তা ঠেকাতে পারবে না।	فَاَصَابَهُمْ سَيِّاٰتُ مَا كَسَبُوْا ؕ وَ الَّذِيْنَ ظَلَمُوْا مِنْ هٰۤؤُلَآءِ سَيُصِيْبُهُمْ سَيِّاٰتُ مَا كَسَبُوْا ۙ وَمَا هُمْ بِمُعْجِزِيْنَ ﴿٥١﴾
৫২. তারা কি জানেনা, আল্লাহ্ যাকে চান রিযিক প্রশস্ত করে দেন, আর যাকে চান সীমিত করে দেন? অবশ্যি বিশ্বাসী লোকদের জন্যে এতে রয়েছে নিদর্শন।	اَوَ لَمْ يَعْلَمُوْۤا اَنَّ اللّٰهَ يَبْسُطُ الرِّزْقَ لِمَنْ يَّشَآءُ وَيَقْدِرُ ؕ اِنَّ فِيْ ذٰلِكَ لَاٰيٰتٍ لِّقَوْمٍ يُّؤْمِنُوْنَ ﴿٥٢﴾ (রুকু ০৫)
৫৩. (হে নবী! লোকদেরকে আমার একথা) বলে দাও: "হে আমার দাসেরা! যারা নিজেদের প্রতি যুলুম-অবিচার করেছো, আল্লাহ্র রহমত থেকে নিরাশ হয়োনা, আল্লাহ্ সমস্ত পাপই ক্ষমা করে দেবেন, কারণ তিনি তো পরম ক্ষমাশীল, অতীব দয়াবান।	قُلْ يٰعِبَادِيَ الَّذِيْنَ اَسْرَفُوْا عَلٰۤى اَنْفُسِهِمْ لَا تَقْنَطُوْا مِنْ رَّحْمَةِ اللّٰهِ ؕ اِنَّ اللّٰهَ يَغْفِرُ الذُّنُوْبَ جَمِيْعًا ؕ اِنَّهٗ هُوَ الْغَفُوْرُ الرَّحِيْمُ ﴿٥٣﴾
৫৪. (ক্ষমা লাভের উপায় হলো) তোমরা তোমাদের প্রভুর অভিমুখী হও এবং তাঁর কাছে আত্মসমর্পণ করো তোমাদের উপর আযাব এসে যাবার আগেই, তখন কিন্তু তোমাদের আর সাহায্য করা হবেনা।	وَ اَنِيْبُوْۤا اِلٰى رَبِّكُمْ وَ اَسْلِمُوْا لَهٗ مِنْ قَبْلِ اَنْ يَّاْتِيَكُمُ الْعَذَابُ ثُمَّ لَا تُنْصَرُوْنَ ﴿٥٤﴾
৫৫. তোমরা অনুসরণ করো তোমাদের প্রভুর নিকট থেকে যে উত্তম (কিতাব) নাযিল হয়েছে সেটিকে, তোমাদের প্রতি হঠাৎ তোমাদের বুঝে উঠার আগেই আযাব এসে যাবার পূর্বে,	وَ اتَّبِعُوْۤا اَحْسَنَ مَاۤ اُنْزِلَ اِلَيْكُمْ مِّنْ رَّبِّكُمْ مِّنْ قَبْلِ اَنْ يَّاْتِيَكُمُ الْعَذَابُ بَغْتَةً وَّاَنْتُمْ لَا تَشْعُرُوْنَ ﴿٥٥﴾
৫৬. তখন যাতে কাউকেও বলতে না হয়: 'হায়, আল্লাহ্র প্রতি কর্তব্য পালনে আমি যে গাফলতি করেছি তার জন্যে আফসুস্! আমি তো বিদ্রুপকারীদেরই একজন ছিলাম।'	اَنْ تَقُوْلَ نَفْسٌ يّٰحَسْرَتٰى عَلٰى مَا فَرَّطْتُ فِيْ جَنْۢبِ اللّٰهِ وَ اِنْ كُنْتُ لَمِنَ السّٰخِرِيْنَ ﴿٥٦﴾
৫৭. কিংবা একথা বলতে না হয়: 'আল্লাহ্ যদি আমাকে হিদায়াত করতেন, তবে অবশ্যি আমি মুত্তাকিদের অন্তরভুক্ত হতাম।'	اَوْ تَقُوْلَ لَوْ اَنَّ اللّٰهَ هَدٰىنِيْ لَكُنْتُ مِنَ الْمُتَّقِيْنَ ﴿٥٧﴾
৫৮. কিংবা আযাব দেখার পর একথা বলতে না হয়: 'হায়, আমাকে যদি একবার পৃথিবীতে ফিরে যাবার সুযোগ দেয়া হতো, তাহলে অবশ্যি আমি পুণ্যবানদের অন্তরভুক্ত হতাম।"	اَوْ تَقُوْلَ حِيْنَ تَرَى الْعَذَابَ لَوْ اَنَّ لِيْ كَرَّةً فَاَكُوْنَ مِنَ الْمُحْسِنِيْنَ ﴿٥٨﴾

৫৯. হাঁ, তোমার কাছে তো আমার আয়াত এসেই ছিলো, কিন্তু তুমি তা প্রত্যাখ্যান করেছিলে এবং হঠকারিতা প্রদর্শন করেছিলে এবং কাফিরদের অন্তরভুক্ত হয়েছিলে।	بَلٰى قَدْ جَآءَتْكَ اٰيٰتِىْ فَكَذَّبْتَ بِهَا وَاسْتَكْبَرْتَ وَكُنْتَ مِنَ الْكٰفِرِيْنَ ﴿٥٩﴾
৬০. কিয়ামতের দিন আল্লাহ্‌র প্রতি মিথ্যারোপকারীদের চেহারা দেখবে কালো! দাম্ভিকদের (উপযুক্ত) আবাস কি জাহান্নামই নয়?	وَيَوْمَ الْقِيٰمَةِ تَرَى الَّذِيْنَ كَذَبُوْا عَلَى اللّٰهِ وُجُوْهُهُمْ مُّسْوَدَّةٌ ؕ اَلَيْسَ فِىْ جَهَنَّمَ مَثْوًى لِّلْمُتَكَبِّرِيْنَ ﴿٦٠﴾
৬১. তাকওয়া অবলম্বনকারীদের আল্লাহ্ সেদিন উদ্ধার করবেন তাদের সাফল্যসহ। তাদেরকে স্পর্শ করবেনা অমঙ্গল আর তারা কোনো দুঃখ-দুশ্চিন্তায়ও থাকবে না।	وَيُنَجِّى اللّٰهُ الَّذِيْنَ اتَّقَوْا بِمَفَازَتِهِمْ ۡ لَا يَمَسُّهُمُ السُّوْٓءُ وَلَا هُمْ يَحْزَنُوْنَ ﴿٦١﴾
৬২. প্রতিটি বস্তুর স্রষ্টা আল্লাহ্। তিনিই প্রতিটি বস্তুর উকিল (কর্মসম্পাদক)।	اَللّٰهُ خَالِقُ كُلِّ شَىْءٍ ۡ وَّهُوَ عَلٰى كُلِّ شَىْءٍ وَّكِيْلٌ ﴿٦٢﴾
৬৩. মহাকাশ এবং পৃথিবীর চাবির মালিক তিনিই। যারা আল্লাহ্‌র আয়াতের প্রতি কুফুরি করে তারাই আসল ক্ষতিগ্রস্ত।	لَهٗ مَقَالِيْدُ السَّمٰوٰتِ وَالْاَرْضِ ؕ وَالَّذِيْنَ كَفَرُوْا بِاٰيٰتِ اللّٰهِ اُولٰٓئِكَ هُمُ الْخٰسِرُوْنَ ﴿٦٣﴾
৬৪. হে নবী! বলো: 'হে জাহিলরা! তোমরা কি আমাকে আল্লাহ্‌র পরিবর্তে অন্যদের ইবাদত করতে বলছো?'	قُلْ اَفَغَيْرَ اللّٰهِ تَاْمُرُوْٓنِّىْٓ اَعْبُدُ اَيُّهَا الْجٰهِلُوْنَ ﴿٦٤﴾
৬৫. তোমার প্রতি এবং তোমার পূর্ববর্তী (রসূলদের) প্রতি এই অহিই করা হয়েছে: 'তুমি যদি আল্লাহ্‌র সাথে শরিক সাব্যস্ত করো, তোমার সমস্ত আমল নিষ্ফল হয়ে যাবে এবং তুমি অবশ্যি অন্তরভুক্ত হবে ক্ষতিগ্রস্তদের।'	وَلَقَدْ اُوْحِىَ اِلَيْكَ وَاِلَى الَّذِيْنَ مِنْ قَبْلِكَ لَئِنْ اَشْرَكْتَ لَيَحْبَطَنَّ عَمَلُكَ وَلَتَكُوْنَنَّ مِنَ الْخٰسِرِيْنَ ﴿٦٥﴾
৬৬. 'বরং আল্লাহ্‌রই ইবাদত করো এবং অন্তরভুক্ত হও শোকর গুজারদের।'	بَلِ اللّٰهَ فَاعْبُدْ وَكُنْ مِّنَ الشّٰكِرِيْنَ ﴿٦٦﴾
৬৭. তারা আল্লাহ্‌কে তাঁর যথার্থ মর্যাদা দেয়না। কিয়ামতের দিন গোটা পৃথিবী থাকবে তাঁর মুষ্টিতে, আর মহাকাশ থাকবে ভাঁজ করা অবস্থায় তাঁর ডান হাতে, তিনি অতীব পবিত্র ও মহান তারা যাদের শরিক করে তাদের থেকে।	وَمَا قَدَرُوا اللّٰهَ حَقَّ قَدْرِهٖ ۖ وَالْاَرْضُ جَمِيْعًا قَبْضَتُهٗ يَوْمَ الْقِيٰمَةِ وَالسَّمٰوٰتُ مَطْوِيّٰتٌۢ بِيَمِيْنِهٖ ؕ سُبْحٰنَهٗ وَتَعٰلٰى عَمَّا يُشْرِكُوْنَ ﴿٦٧﴾
৬৮. আর শিংগায় ফুৎকার দেয়া হবে, সাথে সাথে আসমান ও জমিনে যারাই আছে সবাই মরে পড়ে যাবে। তবে আল্লাহ্ যাদের (জীবিত রাখতে) চাইবেন, তাদের কথা ভিন্ন। তারপর শিংগায় আরেকটি ফুৎকার দেয়া হবে। তখন সাথে সাথে সবাই জীবিত হয়ে দাঁড়িয়ে যাবে এবং তাকাতে থাকবে (অথবা, অপেক্ষা করতে থাকবে)।	وَنُفِخَ فِى الصُّوْرِ فَصَعِقَ مَنْ فِى السَّمٰوٰتِ وَمَنْ فِى الْاَرْضِ اِلَّا مَنْ شَآءَ اللّٰهُ ؕ ثُمَّ نُفِخَ فِيْهِ اُخْرٰى فَاِذَا هُمْ قِيَامٌ يَّنْظُرُوْنَ ﴿٦٨﴾
৬৯. পৃথিবী উদ্ভাসিত হয়ে উঠবে তার প্রভুর নূরে। কিতাব (আমলের রেকর্ড) এনে হাজির	وَاَشْرَقَتِ الْاَرْضُ بِنُوْرِ رَبِّهَا وَوُضِعَ

রুকু ০৬

করা হবে এবং নবীদের ও সাক্ষীদের এনে হাজির করা হবে। আর তাদের মাঝে ফায়সালা করে দেয়া হবে হক ফায়সালা এবং তাদের প্রতি কোনো প্রকার যুলুম করা হবেনা।	الْكِتٰبُ وَ جِايْٓءَ بِالنَّبِيّٖنَ وَ الشُّهَدَآءِ وَ قُضِيَ بَيْنَهُمْ بِالْحَقِّ وَ هُمْ لَا يُظْلَمُوْنَ ٦٩
৭০. প্রত্যেক ব্যক্তিকেই তার আমলের প্রতিদান দেয়া হবে পুরোপুরি। আর মানুষ যা করে তা তো তিনিই (আল্লাহ্ই) সর্বাধিক জানেন।	وَ وُفِّيَتْ كُلُّ نَفْسٍ مَّا عَمِلَتْ وَ هُوَ اَعْلَمُ بِمَا يَفْعَلُوْنَ ٧٠
৭১. (বিচার ফায়সালার পর) যারা কুফুরি করেছে (বলে প্রমাণিত হবে), তাদের দলে দলে হাঁকিয়ে নিয়ে যাওয়া হবে জাহান্নামের অভিমুখে। যখন তারা সেখানে পৌঁছুবে, জাহান্নামের দরজাসমূহ খুলে দেয়া হবে এবং এর ব্যবস্থাপকরা তাদের জিজ্ঞেস করবে: 'তোমাদের কাছে কি তোমাদের মধ্য থেকে রসূলরা (আল্লাহ্র বার্তা বাহকরা) আসেননি? তারা কি তোমাদের কাছে তোমাদের প্রভুর আয়াতসমূহ তিলাওয়াত করেননি এবং তোমাদের সতর্ক করেননি যে, তোমাদেরকে একদিন এই দিনটির সম্মুখীন হতে হবে?' তারা বলবে: 'হাঁ, তাঁরা এসেছিলেন, কিন্তু আযাবের সিদ্ধান্ত কাফিরদের জন্যে অবধারিত হয়ে গেছে।'	وَسِيْقَ الَّذِيْنَ كَفَرُوْٓا اِلٰى جَهَنَّمَ زُمَرًا ؕ حَتّٰٓى اِذَا جَآءُوْهَا فُتِحَتْ اَبْوَابُهَا وَقَالَ لَهُمْ خَزَنَتُهَآ اَلَمْ يَاْتِكُمْ رُسُلٌ مِّنْكُمْ يَتْلُوْنَ عَلَيْكُمْ اٰيٰتِ رَبِّكُمْ وَيُنْذِرُوْنَكُمْ لِقَآءَ يَوْمِكُمْ هٰذَا ؕ قَالُوْا بَلٰى وَ لٰكِنْ حَقَّتْ كَلِمَةُ الْعَذَابِ عَلَى الْكٰفِرِيْنَ ٧١
৭২. বলা হবে: 'দাখিল হও জাহান্নামের দরজাসমূহ দিয়ে। চিরকাল তোমরা সেখানেই থাকবে। কতো যে নিকৃষ্ট অহংকারীদের আবাস।'	قِيْلَ ادْخُلُوْٓا اَبْوَابَ جَهَنَّمَ خٰلِدِيْنَ فِيْهَا ۚ فَبِئْسَ مَثْوَى الْمُتَكَبِّرِيْنَ ٧٢
৭৩. যারা তাদের প্রভুর অবাধ্য হওয়া থেকে আত্মরক্ষা করে জীবন যাপন করেছে, তাদের দলে দলে নিয়ে যাওয়া হবে জান্নাতের অভিমুখে। যখন তারা সেখানে পৌঁছুবে, খুলে দেয়া হবে জান্নাতের সব দরজা। সেখানকার ব্যবস্থাপকরা বলবে: 'আপনাদের প্রতি সালাম, আপনারা উত্তম কাজ করে এসেছেন। সুতরাং চিরদিনের জন্যে প্রবেশ করুন এখানে (এই জান্নাতে)।'	وَ سِيْقَ الَّذِيْنَ اتَّقَوْا رَبَّهُمْ اِلَى الْجَنَّةِ زُمَرًا ؕ حَتّٰٓى اِذَا جَآءُوْهَا وَ فُتِحَتْ اَبْوَابُهَا وَ قَالَ لَهُمْ خَزَنَتُهَا سَلٰمٌ عَلَيْكُمْ طِبْتُمْ فَادْخُلُوْهَا خٰلِدِيْنَ ٧٣
৭৪. তারা বলবে: 'সমস্ত শুকরিয়া আল্লাহ্র, তিনি আমাদেরকে দেয়া ওয়াদা সত্যে পরিণত করেছেন এবং আমাদেরকে ওয়ারিশ বানিয়েছেন এই পৃথিবীর। এখন জান্নাতের যেখানে ইচ্ছা আমরা আবাস বানাবো। পুণ্যকর্মীদের পুরস্কার কতো যে উত্তম!'	وَ قَالُوا الْحَمْدُ لِلّٰهِ الَّذِيْ صَدَقَنَا وَعْدَهٗ وَ اَوْرَثَنَا الْاَرْضَ نَتَبَوَّاُ مِنَ الْجَنَّةِ حَيْثُ نَشَآءُ ۚ فَنِعْمَ اَجْرُ الْعٰمِلِيْنَ ٧٤
৭৫. আর তুমি দেখতে পাবে, ফেরেশ্তারা আরশের চারপাশে বৃত্ত বানিয়ে ঘোষণা করছে তাদের প্রভুর প্রশংসার তসবিহ্। এভাবেই নিখাদ ন্যায্যভাবে ফায়সালা করে দেয়া হবে মানুষের মাঝে, আর ঘোষণা করা হবে: 'সমস্ত প্রশংসা আল্লাহ্ রাব্বুল আলামিনের।'	وَ تَرَى الْمَلٰٓئِكَةَ حَآفِّيْنَ مِنْ حَوْلِ الْعَرْشِ يُسَبِّحُوْنَ بِحَمْدِ رَبِّهِمْ ۚ وَ قُضِيَ بَيْنَهُمْ بِالْحَقِّ وَ قِيْلَ الْحَمْدُ لِلّٰهِ رَبِّ الْعٰلَمِيْنَ ٧٥

রুকু ০৭

রুকু ০৮

সূরা ৪০ আল মুমিন/গাফির

মক্কায় অবতীর্ণ, আয়াত সংখ্যা: ৮৫, রুকু সংখ্যা: ০৯

এই সূরার আলোচ্যসূচি (আয়াত+আলোচ্য বিষয়)

০১-২০: আল্লাহ্‌র একত্বের বিষয়ে সব যুগেই কাফিররা বিতর্ক করেছে। আল্লাহ্‌র আরশ বহণকারী ফেরেশতারা আল্লাহ্‌র প্রশংসা করে এবং মুমিনদের জন্য ক্ষমা প্রার্থনা করে। কাফিরদের পরকালীন দুরবস্থা। যালিমদের জন্য কোনো বন্ধু ও সুপারিশকারী থাকবে না।

২১-২৭: মূসা আ.-এর বিরুদ্ধে ফিরাউন, হামান ও কারূণদের ষড়যন্ত্র।

২৮-৪৫: ফিরাউনের পারিষদবর্গের মধ্যে একজন তার ঈমান আনার কথা গোপন রেখেছিলেন। ফিরাউন কর্তৃক মূসাকে হত্যা করার ঘোষণা করায় তিনি ফিরাউনদের উদ্দেশ্যে এক মর্মস্পর্শী দাওয়াতি ভাষণ দেন। তাঁর সে ভাষণের বিবরণ।

৪৬-৫০: বরযখ জীবনে ফিরাউনের অনুসারীদের সকাল সন্ধ্যা জাহান্নাম দেখানো হয়। জাহান্নামে কাফির নেতাদের সাথে তাদের অনুসারীরা বিতর্ক করবে। জাহান্নামীরা আযাব হালকা করার আবেদন করবে।

৫১-৭৭: কিয়ামতের দিন আল্লাহ্‌ তাঁর রসূল ও মুমিনদের সাহায্য করবেন। রসূলের প্রতি ক্ষমা প্রার্থনা ও তসবিহ করার নির্দেশ। কিয়ামত অবশ্যি আসবে। মানুষের প্রতি আল্লাহ্‌র অনুগ্রহ। আল্লাহ্‌র আয়াত নিয়ে বিতর্ককারীরা ভ্রান্ত পথে দৌড়াচ্ছে। তাদের গ্রেফতার করে জাহান্নামে ফেলা হবে।

৭৮-৮৫: অতীতে অনেক রসূল পাঠানো হয়েছে, মুহাম্মদ সা. এর কাছে সবার বিবরণ পেশ করা হয়নি। মানুষের প্রতি রয়েছে আল্লাহ্‌র অসংখ্য অনুগ্রহ ও নিদর্শন। তারপরও তারা শরিক করে।

সূরা আল মুমিন/গাফির পরম করুণাময় পরম দয়াবান আল্লাহ্‌র নামে	سُوْرَةُ الْمُؤْمِنِ / غَافِرِ بِسْمِ اللّٰهِ الرَّحْمٰنِ الرَّحِيْمِ
০১. হা-মিম।	حٰمٓ ①
০২. এই কিতাব নাযিল হচ্ছে মহাশক্তিধর মহাজ্ঞানী আল্লাহ্‌র পক্ষ থেকে।	تَنْزِيْلُ الْكِتٰبِ مِنَ اللّٰهِ الْعَزِيْزِ الْعَلِيْمِ ②
০৩. যিনি পাপ ক্ষমাকারী, তওবা কবুলকারী এবং কঠোর শাস্তিদাতা ও পরম দয়াবান। কোনো ইলাহ্‌ নেই তিনি ছাড়া। সবাইকে ফিরে যেতে হবে তাঁরই কাছে।	غَافِرِ الذَّنْۢبِ وَ قَابِلِ التَّوْبِ شَدِيْدِ الْعِقَابِ ذِى الطَّوْلِ ؕ لَاۤ اِلٰهَ اِلَّا هُوَ ؕ اِلَيْهِ الْمَصِيْرُ ③
০৪. কাফিররা ছাড়া আর কেউই আল্লাহ্‌র আয়াত নিয়ে তর্ক করেনা। দেশে দেশে তাদের অবাধ বিচরণ যেনো তোমাকে প্রতারিত না করে।	مَا يُجَادِلُ فِىۡۤ اٰيٰتِ اللّٰهِ اِلَّا الَّذِيْنَ كَفَرُوْا فَلَا يَغْرُرْكَ تَقَلُّبُهُمْ فِى الْبِلَادِ ④
০৫. তাদের আগেও (আল্লাহ্‌র রসূলকে) প্রত্যাখ্যান করেছিল নূহের জাতি এবং তাদের পরে অন্যান্য সম্প্রদায়। প্রত্যেক উম্মতই তাদের নিজ নিজ রসূলকে আবদ্ধ করার চক্রান্ত করেছিল	كَذَّبَتْ قَبْلَهُمْ قَوْمُ نُوْحٍ وَّ الْاَحْزَابُ مِنْۢ بَعْدِهِمْ ۪ وَ هَمَّتْ كُلُّ اُمَّةٍۭ بِرَسُوْلِهِمْ لِيَاْخُذُوْهُ وَ جٰدَلُوْا

এবং তারা অর্থহীন বিতর্কে লিপ্ত হয়েছিল সত্যকে ব্যর্থ করার উদ্দেশ্যে। ফলে আমি তাদের পাকড়াও করেছিলাম এবং কতো যে নিকৃষ্ট ছিলো আমার সেই আযাব।	بِالْبَاطِلِ لِيُدْحِضُوْا بِهِ الْحَقَّ فَاَخَذْتُهُمْ ۫ فَكَيْفَ كَانَ عِقَابِ ۝٥
০৬. এভাবেই কাফিরদের জন্যে প্রযোজ্য হয়েছিল তোমার প্রভুর এই ফায়সালা যে, তারা জাহান্নামী।	وَ كَذٰلِكَ حَقَّتْ كَلِمَتُ رَبِّكَ عَلَى الَّذِيْنَ كَفَرُوْٓا اَنَّهُمْ اَصْحٰبُ النَّارِ ۝٦
০৭. যারা (যেসব ফেরেশ্‌তা) আল্লাহ্‌র আরশ ধারণ করে আছে এবং যারা আছে আরশের চারপাশে, তারা তাদের প্রভুর প্রশংসাসহ তসবিহ করছে। তারা তাঁর প্রতি ঈমান রাখে এবং তারা মুমিনদের জন্যে ক্ষমা প্রার্থনা করে। তারা বলে: "আমাদের প্রভু! সর্বত্র পরিব্যাপ্ত রয়েছে তোমার রহমত এবং এলেম। সুতরাং তুমি সেইসব লোকদের ক্ষমা করে দাও যারা তওবা করেছে এবং তোমার পথের অনুসরণ করেছে, আর তুমি তাদের রক্ষা করো জাহিমের (জাহান্নামের) আযাব থেকে।	اَلَّذِيْنَ يَحْمِلُوْنَ الْعَرْشَ وَ مَنْ حَوْلَهٗ يُسَبِّحُوْنَ بِحَمْدِ رَبِّهِمْ وَ يُؤْمِنُوْنَ بِهٖ وَ يَسْتَغْفِرُوْنَ لِلَّذِيْنَ اٰمَنُوْا ۚ رَبَّنَا وَسِعْتَ كُلَّ شَيْءٍ رَّحْمَةً وَّ عِلْمًا فَاغْفِرْ لِلَّذِيْنَ تَابُوْا وَ اتَّبَعُوْا سَبِيْلَكَ وَ قِهِمْ عَذَابَ الْجَحِيْمِ ۝٧
০৮. আমাদের প্রভু! তুমি তাদের দাখিল করো চিরস্থায়ী জান্নাতে, যার ওয়াদা তুমি তাদের দিয়েছো এবং তাদের বাবা-মা, স্বামী-স্ত্রী ও সন্তানদের যারা শুদ্ধতার ও পুণ্যের কাজ করছে তাদেরকেও দাখিল করো তাতে। নিশ্চয়ই তুমি মহাশক্তিমান ও প্রজ্ঞাময়।	رَبَّنَا وَ اَدْخِلْهُمْ جَنّٰتِ عَدْنِ ِۨ الَّتِيْ وَعَدْتَّهُمْ وَ مَنْ صَلَحَ مِنْ اٰبَآئِهِمْ وَ اَزْوَاجِهِمْ وَ ذُرِّيّٰتِهِمْ ؕ اِنَّكَ اَنْتَ الْعَزِيْزُ الْحَكِيْمُ ۙ۝٨
০৯. আর তুমি তাদের রক্ষা করো সমস্ত অনিষ্ট ও অমঙ্গল থেকে, আর সেদিন তুমি যাকে রক্ষা করবে অনিষ্ট-অমঙ্গল থেকে, অবশ্যি তার প্রতি রহম (অনুগ্রহ) করবে। আর এটাই হবে (তার জন্যে) মহাসাফল্য।"	وَ قِهِمُ السَّيِّاٰتِ ؕ وَ مَنْ تَقِ السَّيِّاٰتِ يَوْمَئِذٍ فَقَدْ رَحِمْتَهٗ ؕ وَ ذٰلِكَ هُوَ الْفَوْزُ الْعَظِيْمُ ۝٩ (রুকু ০১)
১০. যারা কুফুরি করেছে তাদের ডেকে বলা হবে, 'তোমাদের নিজেদের প্রতি নিজেদের ক্ষোভের চাইতে তোমাদের প্রতি আল্লাহ্‌র অসন্তুষ্টিই ছিলো অধিক, যখন তোমাদের ডাকা হয়েছিল ঈমানের দিকে, অথচ তোমরা অস্বীকার করছিলে ঈমান আনতে।'	اِنَّ الَّذِيْنَ كَفَرُوْا يُنَادَوْنَ لَمَقْتُ اللّٰهِ اَكْبَرُ مِنْ مَّقْتِكُمْ اَنْفُسَكُمْ اِذْ تُدْعَوْنَ اِلَى الْاِيْمَانِ فَتَكْفُرُوْنَ ۝١٠
১১. তখন তারা বলবে: 'প্রভু! তুমি আমাদের দুইবার প্রাণহীন (মৃত) অবস্থায় রেখেছিলে আর জীবিত করেছো দুইবার। আমরা আমাদের অপরাধ স্বীকার করছি। এখন এখান থেকে বের হবার কোনো পথ পাওয়া যাবে কি?'	قَالُوْا رَبَّنَآ اَمَتَّنَا اثْنَتَيْنِ وَ اَحْيَيْتَنَا اثْنَتَيْنِ فَاعْتَرَفْنَا بِذُنُوْبِنَا فَهَلْ اِلٰى خُرُوْجٍ مِّنْ سَبِيْلٍ ۝١١
১২. (বলা হবে:) 'তোমাদের এই শাস্তি তো এ কারণে যে, যখন এক আল্লাহ্‌কে ডাকা হতো তোমরা তাঁর প্রতি কুফুরি করতে, অথচ তাঁর	ذٰلِكُمْ بِاَنَّهٗٓ اِذَا دُعِيَ اللّٰهُ وَحْدَهٗ كَفَرْتُمْ ۚ

সাথে কেউ শরিক সাব্যস্ত করলে সে কথার প্রতি তোমরা ঈমান আনতে।' মূলত সমস্ত কর্তৃত্বের মালিক তো এক সর্বোচ্চ মহান আল্লাহ্।	وَإِنْ يُشْرَكْ بِهِ تُؤْمِنُوا ۚ فَالْحُكْمُ لِلَّهِ الْعَلِيِّ الْكَبِيرِ ﴿١٢﴾
১৩. আল্লাহ্ তোমাদেরকে তাঁর নিদর্শনাবলি দেখান এবং আসমান থেকে নাযিল করেন তোমাদের রিযিক। আল্লাহ্র অভিমুখী ব্যক্তিই কেবল উপদেশ গ্রহণ করে।	هُوَ الَّذِي يُرِيكُمْ آيَاتِهِ وَيُنَزِّلُ لَكُمْ مِنَ السَّمَاءِ رِزْقًا ۚ وَمَا يَتَذَكَّرُ إِلَّا مَنْ يُنِيبُ ﴿١٣﴾
১৪. অতএব, আল্লাহ্কে ডাকো তাঁর প্রতি আনুগত্যকে একনিষ্ঠ করে, যদিও কাফিররা এটা পছন্দ করেনা।	فَادْعُوا اللَّهَ مُخْلِصِينَ لَهُ الدِّينَ وَلَوْ كَرِهَ الْكَافِرُونَ ﴿١٤﴾
১৫. তিনি উঁচু মর্যাদার অধিকারী, আরশের অধিপতি। তিনি তাঁর বান্দাদের যার প্রতি ইচ্ছা তাঁর নির্দেশ প্রেরণ করেন অহির মাধ্যমে, যাতে করে সে সাক্ষাতের দিন সম্পর্কে (মানুষকে) সতর্ক করতে পারে।	رَفِيعُ الدَّرَجَاتِ ذُو الْعَرْشِ يُلْقِي الرُّوحَ مِنْ أَمْرِهِ عَلَىٰ مَنْ يَشَاءُ مِنْ عِبَادِهِ لِيُنْذِرَ يَوْمَ التَّلَاقِ ﴿١٥﴾
১৬. সেদিন তাদের সব কিছু প্রকাশ হয়ে পড়বে। আল্লাহ্র কাছে তাদের কিছুই গোপন নেই। (সেদিন জিজ্ঞাসা করা হবে:) আজ সমস্ত কর্তৃত্ব কার? (সমস্ত সৃষ্টি বলে উঠবে:) আল্লাহ্র, যিনি এক, মহাপরাক্রমশালী।	يَوْمَ هُمْ بَارِزُونَ ۖ لَا يَخْفَىٰ عَلَى اللَّهِ مِنْهُمْ شَيْءٌ ۚ لِمَنِ الْمُلْكُ الْيَوْمَ ۖ لِلَّهِ الْوَاحِدِ الْقَهَّارِ ﴿١٦﴾
১৭. আজ প্রত্যেক ব্যক্তিকে তার কৃতকর্মের প্রতিদান দেয়া হবে। আজ কারো প্রতি কোনো প্রকার যুলুম (অবিচার) করা হবেনা। আল্লাহ্ দ্রুত হিসাব গ্রহণকারী।	الْيَوْمَ تُجْزَىٰ كُلُّ نَفْسٍ بِمَا كَسَبَتْ ۚ لَا ظُلْمَ الْيَوْمَ ۚ إِنَّ اللَّهَ سَرِيعُ الْحِسَابِ ﴿١٧﴾
১৮. তাদের সতর্ক করে দাও আসন্ন দিন সম্পর্কে যখন দুঃখ-দুদর্শায় তাদের প্রাণ হবে কণ্ঠাগত। যালিমদের জন্যে কোনো সহমর্মী থাকবে না এবং এমন কোনো সুপারিশকারীও থাকবে না, যার সুপারিশ গ্রহণ করা যেতে পারে।	وَأَنْذِرْهُمْ يَوْمَ الْآزِفَةِ إِذِ الْقُلُوبُ لَدَى الْحَنَاجِرِ كَاظِمِينَ ۚ مَا لِلظَّالِمِينَ مِنْ حَمِيمٍ وَلَا شَفِيعٍ يُطَاعُ ﴿١٨﴾
১৯. চোখের খিয়ানত এবং অন্তরের গোপন কথা তিনি জানেন।	يَعْلَمُ خَائِنَةَ الْأَعْيُنِ وَمَا تُخْفِي الصُّدُورُ ﴿١٩﴾
২০. আল্লাহ্ ন্যায় বিচার করবেন। তারা আল্লাহ্র পরিবর্তে যাদের ডাকে, তারা বিচার করতে অক্ষম। নিশ্চয়ই আল্লাহ্ সর্বশ্রোতা, সর্বদ্রষ্টা।	وَاللَّهُ يَقْضِي بِالْحَقِّ ۖ وَالَّذِينَ يَدْعُونَ مِنْ دُونِهِ لَا يَقْضُونَ بِشَيْءٍ ۗ إِنَّ اللَّهَ هُوَ السَّمِيعُ الْبَصِيرُ ﴿٢٠﴾
২১. তারা কি জমিনে পরিভ্রমণ করে দেখেনা, তাদের আগেকার (কাফির) লোকদের কী অবস্থা হয়েছিল? তারা ছিলো এদের চাইতেও শক্তিশালী এবং পৃথিবীতে অধিক প্রভাব প্রতিপত্তির অধিকারী। আল্লাহ্ তাদের অপরাধের জন্যে তাদেরকেও পাকড়াও করেছিলেন। আল্লাহ্র পাকড়াও থেকে তাদেরকে রক্ষাকারী কেউ ছিলনা।	أَوَلَمْ يَسِيرُوا فِي الْأَرْضِ فَيَنْظُرُوا كَيْفَ كَانَ عَاقِبَةُ الَّذِينَ كَانُوا مِنْ قَبْلِهِمْ ۚ كَانُوا هُمْ أَشَدَّ مِنْهُمْ قُوَّةً وَآثَارًا فِي الْأَرْضِ فَأَخَذَهُمُ اللَّهُ بِذُنُوبِهِمْ وَمَا كَانَ لَهُمْ مِنَ اللَّهِ مِنْ وَاقٍ ﴿٢١﴾

রুকু ০২

২২. এর কারণ, তাদের কাছে তাদের রসূলরা এসেছিল সুস্পষ্ট নিদর্শনাবলি নিয়ে, কিন্তু তারা (ঈমান আনতে) অস্বীকার করে। ফলে আল্লাহ্ তাদের পাকড়াও করেন। তিনি অতি শক্তিশালী, কঠোর শাস্তিদাতা।	ذٰلِكَ بِاَنَّهُمْ كَانَتْ تَّاْتِيْهِمْ رُسُلُهُمْ بِالْبَيِّنٰتِ فَكَفَرُوْا فَاَخَذَهُمُ اللّٰهُ ؕ اِنَّهٗ قَوِيٌّ شَدِيْدُ الْعِقَابِ ﴿۲۲﴾
২৩. আমরা মূসাকে পাঠিয়েছিলাম আমাদের নিদর্শন এবং সুস্পষ্ট প্রমাণসহ	وَلَقَدْ اَرْسَلْنَا مُوْسٰى بِاٰيٰتِنَا وَسُلْطٰنٍ مُّبِيْنٍ ۙ﴿۲۳﴾
২৪. ফেরাউন, হামান ও কারূণের কাছে। কিন্তু তারা তাকে বলেছিল: 'এতো এক ম্যাজেসিয়ান কট্টর মিথ্যাবাদী।'	اِلٰى فِرْعَوْنَ وَ هَامٰنَ وَ قَارُوْنَ فَقَالُوْا سٰحِرٌ كَذَّابٌ ﴿۲۴﴾
২৫. যখন তাদের কাছে আমার পক্ষ থেকে সত্য পৌঁছালো, তারা বললো: 'মূসার সাথে যারা ঈমান এনেছে তাদের পুত্র সন্তানদের হত্যা করো, আর জীবিত রাখো তাদের নারীদের।' কাফিরদের চক্রান্ত ব্যর্থ হতে বাধ্য।	فَلَمَّا جَآءَهُمْ بِالْحَقِّ مِنْ عِنْدِنَا قَالُوا اقْتُلُوْۤا اَبْنَآءَ الَّذِيْنَ اٰمَنُوْا مَعَهٗ وَ اسْتَحْيُوْا نِسَآءَهُمْ ؕ وَ مَا كَيْدُ الْكٰفِرِيْنَ اِلَّا فِيْ ضَلٰلٍ ﴿۲۵﴾
২৬. ফেরাউন বললো: 'তোমরা আমাকে ছেড়ে দাও, আমি মূসাকে কতল করে ফেলবো, সে তার প্রভুকে ডেকে দেখুক (তাকে রক্ষা করতে পারে কিনা)। আমি আশংকা করছি সে তোমাদের দীন (রাষ্ট্র ব্যবস্থা ও রাষ্ট্রক্ষমতা) বদল করে ফেলবে, কিংবা দেশে সৃষ্টি করবে বিপর্যয় বিশৃংখলা।'	وَ قَالَ فِرْعَوْنُ ذَرُوْنِيْۤ اَقْتُلْ مُوْسٰى وَ لْيَدْعُ رَبَّهٗ ۚ اِنِّيْۤ اَخَافُ اَنْ يُّبَدِّلَ دِيْنَكُمْ اَوْ اَنْ يُّظْهِرَ فِي الْاَرْضِ الْفَسَادَ ﴿۲۶﴾
২৭. মূসা বললো: 'হিসাবের দিনের প্রতি ঈমান রাখেনা এমন প্রত্যেক দাম্ভিক ব্যক্তি থেকে আমি আমার ও তোমাদের প্রভুর আশ্রয় গ্রহণ করেছি।'	وَ قَالَ مُوْسٰۤى اِنِّيْ عُذْتُ بِرَبِّيْ وَ رَبِّكُمْ مِّنْ كُلِّ مُتَكَبِّرٍ لَّا يُؤْمِنُ بِيَوْمِ الْحِسَابِ ﴿۲۷﴾ রুকু ০৩
২৮. তখন ফেরাউন সভাসদদের এক মুমিন ব্যক্তি, যে এতোদিন তার ঈমান গোপন করে রেখেছিল, বললো: "আল্লাহ আমার প্রভু' শুধু একথাটি বলার কারণেই কি তোমরা একজন মহাপুরুষকে হত্যা করবে? অথচ তিনি তো তোমাদের মালিকের পক্ষ থেকে সুস্পষ্ট প্রমাণ ও নিদর্শন নিয়ে এসেছেন। তোমরা যে তাঁকে মিথ্যাবাদী বলছো, তিনি মিথ্যাবাদী হয়ে থাকলে তাঁর মিথ্যার দায় দায়িত্ব তো তাঁর। কিন্তু তিনি যদি সত্যবাদী হয়ে থাকেন, তবে যেসব ভয়ংকর পরিণতির কথা তিনি বলছেন তার কিছুটা হলেও তো গ্রাস করবে তোমাদের। আল্লাহ্ সীমালংঘনকারী মিথ্যাবাদীদের সঠিক পথ দেখান না।	وَقَالَ رَجُلٌ مُّؤْمِنٌ ۖۗ مِّنْ اٰلِ فِرْعَوْنَ يَكْتُمُ اِيْمَانَهٗۤ اَتَقْتُلُوْنَ رَجُلًا اَنْ يَّقُوْلَ رَبِّيَ اللّٰهُ وَقَدْ جَآءَكُمْ بِالْبَيِّنٰتِ مِنْ رَّبِّكُمْ ؕ وَ اِنْ يَّكُ كَاذِبًا فَعَلَيْهِ كَذِبُهٗ ۚ وَاِنْ يَّكُ صَادِقًا يُّصِبْكُمْ بَعْضُ الَّذِيْ يَعِدُكُمْ ؕ اِنَّ اللّٰهَ لَا يَهْدِيْ مَنْ هُوَ مُسْرِفٌ كَذَّابٌ ﴿۲۸﴾
২৯. হে আমার জাতির ভাইয়েরা! আজ তোমরা রাজত্বের অধিকারী এবং এই ভূখণ্ডের বিজয়ী শক্তি। কিন্তু আল্লাহ্র আযাব এসে পড়লে আমাদের	يٰقَوْمِ لَكُمُ الْمُلْكُ الْيَوْمَ ظٰهِرِيْنَ فِي الْاَرْضِ ۫ فَمَنْ يَّنْصُرُنَا مِنْۢ بَاْسِ اللّٰهِ اِنْ

সাহায্য করার কে আছে?” ফেরাউন (তার বক্তব্যের মাঝখানে) বলে উঠে: ‘আমি যে পথ ভালো মনে করছি সে পথই তোমাদের দেখাচ্ছি আর আমি তো তোমাদের সঠিক পথই দেখাচ্ছি।’	جَآءَنَا ؕ قَالَ فِرْعَوْنُ مَآ اُرِيْكُمْ اِلَّا مَآ اَرٰى وَ مَآ اَهْدِيْكُمْ اِلَّا سَبِيْلَ الرَّشَادِ ﴿۲۹﴾
৩০. যে ঈমান এনেছিল সে বললো: “হে আমার জাতির ভাইয়েরা! আমি আশংকা করছি, তোমাদের উপর সে রকম আযাব না এসে যায়, যে রকম আযাব এসেছিল ইতোপূর্বে (নিজেদের নবীকে অস্বীকার ও অমান্য করার কারণে) বিভিন্ন জাতির উপর।	وَ قَالَ الَّذِيْٓ اٰمَنَ يٰقَوْمِ اِنِّيْٓ اَخَافُ عَلَيْكُمْ مِّثْلَ يَوْمِ الْاَحْزَابِ ﴿۳۰﴾
৩১. যেমন এসেছিল নূহের কওম, আদ, সামুদ এবং তাদের পরবর্তী জাতিসমূহের উপর। আর একথা জেনে রেখো, আল্লাহ্ কখনো তাঁর দাসদের প্রতি অবিচার করেননা।	مِثْلَ دَاْبِ قَوْمِ نُوْحٍ وَّ عَادٍ وَّ ثَمُوْدَ وَ الَّذِيْنَ مِنْۢ بَعْدِهِمْ ؕ وَ مَا اللّٰهُ يُرِيْدُ ظُلْمًا لِّلْعِبَادِ ﴿۳۱﴾
৩২. হে আমার কওম! আমি আশংকা করছি, তোমাদের উপর এমন একটি সময় এসে পড়বে, যখন তোমরা ফরিয়াদ করবে, অনুশোচনা করবে, একে অপরকে ডাকতে থাকবে।	وَ يٰقَوْمِ اِنِّيْٓ اَخَافُ عَلَيْكُمْ يَوْمَ التَّنَادِ ﴿۳۲﴾
৩৩. সেদিন তোমরা দৌড়ে পালাতে থাকবে, কিন্তু তখন আল্লাহ্র পাকড়াও থেকে তোমাদের বাঁচাবার কেউ থাকবেনা। আসলে আল্লাহ্ যাকে বিপথগামী করে দেন তাকে কেউ সঠিক পথ দেখাতে পারেনা।”	يَوْمَ تُوَلُّوْنَ مُدْبِرِيْنَ ۚ مَا لَكُمْ مِّنَ اللّٰهِ مِنْ عَاصِمٍ ۚ وَ مَنْ يُّضْلِلِ اللّٰهُ فَمَا لَهٗ مِنْ هَادٍ ﴿۳۳﴾
৩৪. ইতোপূর্বে সুস্পষ্ট প্রমাণ ও নিদর্শন নিয়ে তোমাদের কাছে এসেছিলেন (আল্লাহ্র নবী) ইউসুফ। তোমরা তাঁর আনীত শিক্ষার ব্যাপারেও সন্দেহই পোষণ করেছিলে। তাঁর মৃত্যুর পর তোমরা বলেছিলে: ‘এখন আল্লাহ আর কোনো রসূল পাঠাবেন না। এভাবেই আল্লাহ্ সেসব লোকদের গোমরাহিতে নিক্ষেপ করেন, যারা সীমালংঘনকারী সংশয়পরায়ণ।’	وَ لَقَدْ جَآءَكُمْ يُوْسُفُ مِنْ قَبْلُ بِالْبَيِّنٰتِ فَمَا زِلْتُمْ فِيْ شَكٍّ مِّمَّا جَآءَكُمْ بِهٖ ؕ حَتّٰۤى اِذَا هَلَكَ قُلْتُمْ لَنْ يَّبْعَثَ اللّٰهُ مِنْۢ بَعْدِهٖ رَسُوْلًا ؕ كَذٰلِكَ يُضِلُّ اللّٰهُ مَنْ هُوَ مُسْرِفٌ مُّرْتَابُۨ ﴿۳۴﴾
৩৫. তারা আল্লাহর আয়াতের (নিদর্শনের) ব্যাপারে বিবাদ করে, অথচ এ ব্যাপারে তাদের মতের সপক্ষে কোনো সার্টিফিকেট আসেনি। আল্লাহ্র কাছে এবং ঈমানদারদের কাছে বড়ই ঘৃণা ও ক্রোধ উদ্রেককারী তাদের এ আচরণ। এভাবেই তিনি সীল মোহর মেরে দেন প্রত্যেক দাম্ভিক স্বৈরাচারীর কলবে।	الَّذِيْنَ يُجَادِلُوْنَ فِيْٓ اٰيٰتِ اللّٰهِ بِغَيْرِ سُلْطٰنٍ اَتٰىهُمْ ؕ كَبُرَ مَقْتًا عِنْدَ اللّٰهِ وَ عِنْدَ الَّذِيْنَ اٰمَنُوْا ؕ كَذٰلِكَ يَطْبَعُ اللّٰهُ عَلٰى كُلِّ قَلْبِ مُتَكَبِّرٍ جَبَّارٍ ﴿۳۵﴾
৩৬. ফেরাউন বললো: “হে হামান! আমার জন্যে একটি উঁচু টাওয়ার নির্মাণ করো, যাতে আমি পথসমূহে উঠতে পারি,	وَ قَالَ فِرْعَوْنُ يٰهَامٰنُ ابْنِ لِيْ صَرْحًا لَّعَلِّيْٓ اَبْلُغُ الْاَسْبَابَ ﴿۳۶﴾

৩৭. আসমানের পথসমূহে, যেখান থেকে আমি মূসার ইলাহ্‌কে উঁকি মেরে দেখতে পাবো। তবে আমি তাকে (মূসাকে) মিথ্যাবাদী বলেই মনে করি।" এভাবেই ফেরাউনের জন্যে তার দুষ্কর্মসমূহ সুশোভিত করে দেয়া হয়েছে এবং থামিয়ে দেয়া হয়েছে তার জন্যে সোজা পথে চলা। তবে ফেরাউনের সব চক্রান্ত তাকেই ঠেলে দিয়েছে ধ্বংসের পথে।	اَسْبَابَ السَّمٰوٰتِ فَاَطَّلِعَ اِلٰٓى اِلٰهِ مُوْسٰى وَ اِنِّىْ لَاَظُنُّهٗ كَاذِبًا ؕ وَ كَذٰلِكَ زُيِّنَ لِفِرْعَوْنَ سُوْٓءُ عَمَلِهٖ وَ صُدَّ عَنِ السَّبِيْلِ ؕ وَ مَا كَيْدُ فِرْعَوْنَ اِلَّا فِىْ تَبَابٍ ﴿٣٧﴾
৩৮. যে ঈমান এনেছিল, সে আরো বললো: "হে আমার কওম! তোমরা আমাকে অনুসরণ করো, আমি তোমাদের সঠিক পথ দেখাবো।	وَ قَالَ الَّذِىْٓ اٰمَنَ يٰقَوْمِ اتَّبِعُوْنِ اَهْدِكُمْ سَبِيْلَ الرَّشَادِ ﴿٣٨﴾
৩৯. হে আমার কওম! এই দুনিয়ার জীবনটা তো সামান্য ভোগের সময় মাত্র। আর আখিরাতই হলো চিরস্থায়ী আবাস।	يٰقَوْمِ اِنَّمَا هٰذِهِ الْحَيٰوةُ الدُّنْيَا مَتَاعٌ ؗ وَّ اِنَّ الْاٰخِرَةَ هِىَ دَارُ الْقَرَارِ ﴿٣٩﴾
৪০. যে কেউ কোনো মন্দ কাজ করবে, তাকে ততোটুকু প্রতিফলই দেয়া হবে। কিন্তু যে কোনো মুমিন পুরুষ বা নারী আমলে সালেহ্ করবে, তারা প্রবেশ করবে জান্নাতে। সেখানে তাদের রিযিক দেয়া হবে বেহিসাব।	مَنْ عَمِلَ سَيِّئَةً فَلَا يُجْزٰٓى اِلَّا مِثْلَهَا ۚ وَ مَنْ عَمِلَ صَالِحًا مِّنْ ذَكَرٍ اَوْ اُنْثٰى وَ هُوَ مُؤْمِنٌ فَاُولٰٓئِكَ يَدْخُلُوْنَ الْجَنَّةَ يُرْزَقُوْنَ فِيْهَا بِغَيْرِ حِسَابٍ ﴿٤٠﴾
৪১. হে আমার কওম! এটা কেমন ব্যাপার, আমি তোমাদের দাওয়াত দিচ্ছি নাজাতের দিকে, অথচ তোমরা আমাকে দাওয়াত দিচ্ছো জাহান্নামের দিকে!	وَ يٰقَوْمِ مَا لِىْٓ اَدْعُوْكُمْ اِلَى النَّجٰوةِ وَ تَدْعُوْنَنِىْٓ اِلَى النَّارِ ﴿٤١﴾
৪২. তোমরা আমাকে দাওয়াত দিচ্ছো, যেনো আমি আল্লাহ্‌র প্রতি কুফুরি করি এবং তাঁর সাথে শিরক করি, যে ব্যাপারে আমার কোনো এলেম নেই। অথচ আমি তোমাদের দাওয়াত দিচ্ছি মহাপরাক্রমশালী অতীব দয়াবানের দিকে।	تَدْعُوْنَنِىْ لِاَكْفُرَ بِاللّٰهِ وَ اُشْرِكَ بِهٖ مَا لَيْسَ لِىْ بِهٖ عِلْمٌ ۫ وَّ اَنَا اَدْعُوْكُمْ اِلَى الْعَزِيْزِ الْغَفَّارِ ﴿٤٢﴾
৪৩. সন্দেহ নেই, প্রকৃত ব্যাপার হচ্ছে, তোমরা আমাকে যেসব জিনিসের দিকে দাওয়াত দিচ্ছো, সেগুলো এই দুনিয়ার জীবনেও দোয়া কবুল করার যোগ্যতা রাখেনা, আখিরাতেও নয়। আমাদের ফিরে যেতে হবে আল্লাহ্‌রই দিকে। আর অবশ্যি সীমালংঘনকারীরা হবে জাহান্নামের অধিবাসী।	لَا جَرَمَ اَنَّمَا تَدْعُوْنَنِىْٓ اِلَيْهِ لَيْسَ لَهٗ دَعْوَةٌ فِى الدُّنْيَا وَ لَا فِى الْاٰخِرَةِ وَ اَنَّ مَرَدَّنَآ اِلَى اللّٰهِ وَ اَنَّ الْمُسْرِفِيْنَ هُمْ اَصْحٰبُ النَّارِ ﴿٤٣﴾
৪৪. আমি তোমাদের যেসব কথা বলছি, তোমরা অচিরেই তা স্মরণ করবে। আমি আমার নিজের বিষয়টা ছেড়ে দিচ্ছি আল্লাহ্‌র উপর। নিশ্চয়ই আল্লাহ্ তাঁর দাসদের প্রতি লক্ষ্য রাখেন।"	فَسَتَذْكُرُوْنَ مَآ اَقُوْلُ لَكُمْ ؕ وَ اُفَوِّضُ اَمْرِىْٓ اِلَى اللّٰهِ ؕ اِنَّ اللّٰهَ بَصِيْرٌۢ بِالْعِبَادِ ﴿٤٤﴾
৪৫. ফলে আল্লাহ্ তাকে রক্ষা করেন তাদের ন্যাক্কারজনক চক্রান্ত থেকে। পক্ষান্তরে নিকৃষ্ট ধরনের আযাবের চক্রে পড়ে যায় ফেরাউনের সাংগ পাংগরাই।	فَوَقٰىهُ اللّٰهُ سَيِّاٰتِ مَا مَكَرُوْا وَ حَاقَ بِاٰلِ فِرْعَوْنَ سُوْٓءُ الْعَذَابِ ﴿٤٥﴾

রুকু ০৪

৪৬. সকাল সন্ধ্যায় তাদেরকে পেশ করা হয় জাহান্নামের সামনে। আর যেদিন কায়েম হবে কিয়ামত, সেদিন বলা হবে: 'ফেরাউনের অনুসারীদের নিক্ষেপ করো কঠিন আযাবে।'	اَلنَّارُ يُعْرَضُوْنَ عَلَيْهَا غُدُوًّا وَّ عَشِيًّا ۚ وَ يَوْمَ تَقُوْمُ السَّاعَةُ ۗ اَدْخِلُوْۤا اٰلَ فِرْعَوْنَ اَشَدَّ الْعَذَابِ ﴿٤٦﴾
৪৭. জাহান্নামের মধ্যে যখন তারা পরস্পর বিতর্কে লিপ্ত হবে তখন দুর্বলরা দাম্ভিকদের বলবে: 'আমরা তো তোমাদের অনুসারী ছিলাম। এখন তোমরা কি আমাদের থেকে জাহান্নামের আগুনের কিছু অংশ নিবারণ করতে পারবে?	وَ اِذْ يَتَحَآجُّوْنَ فِي النَّارِ فَيَقُوْلُ الضُّعَفٰٓؤُا لِلَّذِيْنَ اسْتَكْبَرُوْۤا اِنَّا كُنَّا لَكُمْ تَبَعًا فَهَلْ اَنْتُمْ مُّغْنُوْنَ عَنَّا نَصِيْبًا مِّنَ النَّارِ ﴿٤٧﴾
৪৮. তখন দাম্ভিকরা বলবে: 'আমরা প্রত্যেকেই তো জাহান্নামে আছি। আল্লাহ্ তো তাঁর বান্দাদের মধ্যে ফায়সালা করেই দিয়েছেন।'	قَالَ الَّذِيْنَ اسْتَكْبَرُوْۤا اِنَّا كُلٌّ فِيْهَاۤ ۙ اِنَّ اللّٰهَ قَدْ حَكَمَ بَيْنَ الْعِبَادِ ﴿٤٨﴾
৪৯. জাহান্নামীরা জাহান্নামের রক্ষীদের বলবে: 'তোমাদের প্রভুর কাছে প্রার্থনা করো তিনি যেনো আমাদের থেকে একদিনের জন্যে আযাব লাঘব করে দেন।'	وَقَالَ الَّذِيْنَ فِي النَّارِ لِخَزَنَةِ جَهَنَّمَ ادْعُوْا رَبَّكُمْ يُخَفِّفْ عَنَّا يَوْمًا مِّنَ الْعَذَابِ ﴿٤٩﴾
৫০. তারা বলবে: 'তোমাদের কাছে কি তোমাদের রসূলরা সুস্পষ্ট নিদর্শনাবলি নিয়ে যাননি।' তারা বলবে: 'হ্যাঁ, গিয়েছিলেন।' তখন প্রহরীরা বলবে: 'তাহলে তোমরাই প্রার্থনা করো, আর কাফিরদের প্রার্থনা ব্যর্থ হয়েই থাকে।'	قَالُوْۤا اَوَ لَمْ تَكُ تَاْتِيْكُمْ رُسُلُكُمْ بِالْبَيِّنٰتِ ؕ قَالُوْا بَلٰى ؕ قَالُوْا فَادْعُوْا ۚ وَ مَا دُعٰٓؤُا الْكٰفِرِيْنَ اِلَّا فِيْ ضَلٰلٍ ﴿٥٠﴾
৫১. আমরা অবশ্য অবশ্যি সাহায্য করবো আমাদের রসূলদের এবং মুমিনদের, দুনিয়ার জীবনেও এবং সেদিনও, যেদিন দাঁড়াবে সাক্ষীরা।	اِنَّا لَنَنْصُرُ رُسُلَنَا وَ الَّذِيْنَ اٰمَنُوْا فِي الْحَيٰوةِ الدُّنْيَا وَ يَوْمَ يَقُوْمُ الْاَشْهَادُ ﴿٥١﴾
৫২. সেদিন যালিমদের ওজর-আপত্তিতে কোনো লাভ হবেনা। তাদের প্রতি লানত এবং তাদের জন্যে রয়েছে নিকৃষ্ট আবাস।	يَوْمَ لَا يَنْفَعُ الظّٰلِمِيْنَ مَعْذِرَتُهُمْ وَ لَهُمُ اللَّعْنَةُ وَ لَهُمْ سُوْٓءُ الدَّارِ ﴿٥٢﴾
৫৩. আমরা মূসাকে দিয়েছিলাম সত্য জীবন ব্যবস্থা সম্বলিত কিতাব, আর বনি ইসরাঈলকে ওয়ারিশ বানিয়েছিলাম সেই কিতাবের,	وَ لَقَدْ اٰتَيْنَا مُوْسَى الْهُدٰى وَ اَوْرَثْنَا بَنِيْۤ اِسْرَآءِيْلَ الْكِتٰبَ ﴿٥٣﴾
৫৪. যা ছিলো জীবন যাপনের নির্দেশনা এবং বুঝবুদ্ধি সম্পন্ন লোকদের জন্যে উপদেশ।	هُدًى وَّ ذِكْرٰى لِاُولِي الْاَلْبَابِ ﴿٥٤﴾
৫৫. অতএব (হে নবী!) তুমি সবর করো। আল্লাহ্‌র ওয়াদা অবশ্যি সত্য। আর তুমি ক্ষমা প্রার্থনা করো তোমার ভুলত্রুটির জন্যে। তোমার প্রভুর হামদসহ তসবিহ্ ঘোষণা করো সন্ধ্যায় এবং সকালে।	فَاصْبِرْ اِنَّ وَعْدَ اللّٰهِ حَقٌّ وَّ اسْتَغْفِرْ لِذَنْۢبِكَ وَ سَبِّحْ بِحَمْدِ رَبِّكَ بِالْعَشِيِّ وَ الْاِبْكَارِ ﴿٥٥﴾
৫৬. কোনো প্রমাণ প্রাপ্তি ছাড়াই যারা আল্লাহ্‌র আয়াত সম্পর্কে বিতর্কে লিপ্ত হয়, অবশ্যি তাদের অন্তরে রয়েছে অহংকার, যে পর্যন্ত তারা পৌঁছুতে	اِنَّ الَّذِيْنَ يُجَادِلُوْنَ فِيْۤ اٰيٰتِ اللّٰهِ بِغَيْرِ سُلْطٰنٍ اَتٰىهُمْ ۙ اِنْ فِيْ صُدُوْرِهِمْ اِلَّا كِبْرٌ

রুকু ০৫

পারবেনা। অতএব আল্লাহ্‌র আশ্রয় প্রার্থনা করো। নিশ্চয়ই তিনি সব শুনেন, সব দেখেন।	مَّا هُمْ بِبَالِغِيْهِ ۚ فَاسْتَعِذْ بِاللّٰهِ ۭ اِنَّهٗ هُوَ السَّمِيْعُ الْبَصِيْرُ ﴿٥٦﴾
৫৭. মহাকাশ এবং পৃথিবী সৃষ্টির কাজ মানুষ সৃষ্টির চেয়ে অনেক কঠিন কাজ। কিন্তু অধিকাংশ মানুষই জানেনা।	لَخَلْقُ السَّمٰوٰتِ وَ الْاَرْضِ اَكْبَرُ مِنْ خَلْقِ النَّاسِ وَ لٰكِنَّ اَكْثَرَ النَّاسِ لَا يَعْلَمُوْنَ ﴿٥٧﴾
৫৮. অন্ধ আর দৃষ্টিশক্তি সম্পন্ন ব্যক্তি সমান নয়। যারা ঈমান আনে এবং আমলে সালেহ্ করে তারা, আর দুর্নীতিবাজরা সমতুল্য নয়। তোমরা খুব কমই শিক্ষা গ্রহণ করে থাকো।	وَ مَا يَسْتَوِي الْاَعْمٰى وَ الْبَصِيْرُ ۙ وَ الَّذِيْنَ اٰمَنُوْا وَ عَمِلُوا الصّٰلِحٰتِ وَ لَا الْمُسِيْٓءُ ۭ قَلِيْلًا مَّا تَتَذَكَّرُوْنَ ﴿٥٨﴾
৫৯. কিয়ামত অবশ্যি আসবে, এতে কোনো সন্দেহ নেই। কিন্তু অধিকাংশ মানুষই ঈমান রাখেনা।	اِنَّ السَّاعَةَ لَاٰتِيَةٌ لَّا رَيْبَ فِيْهَا وَ لٰكِنَّ اَكْثَرَ النَّاسِ لَا يُؤْمِنُوْنَ ﴿٥٩﴾
৬০. তোমাদের প্রভু বলেছেন: 'তোমরা আমাকে ডাকো, আমি তোমাদের ডাকের (দোয়ার) জবাব দেবো (দোয়া কবুল করবো)। নিশ্চয়ই যারা আমার ইবাদতের ব্যাপারে হঠকারিতা প্রদর্শন করে, শীঘ্রি তারা দাখিল হবে জাহান্নামে অপদস্ত হয়ে।	وَ قَالَ رَبُّكُمُ ادْعُوْنِيْٓ اَسْتَجِبْ لَكُمْ ۭ اِنَّ الَّذِيْنَ يَسْتَكْبِرُوْنَ عَنْ عِبَادَتِيْ سَيَدْخُلُوْنَ جَهَنَّمَ دٰخِرِيْنَ ﴿٦٠﴾ রুকু ০৬
৬১. আল্লাহ্‌ই রাত বানিয়েছেন তোমাদের বিশ্রামের জন্যে এবং দিন বানিয়েছেন আলোকোজ্জ্বল (তোমাদের জীবিকা অন্বেষণের জন্যে)। নিশ্চয়ই আল্লাহ্ মানুষের প্রতি বিশাল অনুগ্রহপরায়ণ, তবে অধিকাংশ মানুষই শোকর আদায় করেনা।	اَللّٰهُ الَّذِيْ جَعَلَ لَكُمُ الَّيْلَ لِتَسْكُنُوْا فِيْهِ وَ النَّهَارَ مُبْصِرًا ۭ اِنَّ اللّٰهَ لَذُوْ فَضْلٍ عَلَى النَّاسِ وَ لٰكِنَّ اَكْثَرَ النَّاسِ لَا يَشْكُرُوْنَ ﴿٦١﴾
৬২. তোমাদের প্রভু আল্লাহ্‌ই প্রতিটি বস্তুর স্রষ্টা। তিনি ছাড়া আর কোনো ইলাহ্ নেই। ফলে মিথ্যার ফানুসে বিভ্রান্ত করে তোমাদের কোথায় নেয়া হচ্ছে?	ذٰلِكُمُ اللّٰهُ رَبُّكُمْ خَالِقُ كُلِّ شَيْءٍ ۘ لَآ اِلٰهَ اِلَّا هُوَ ۡ فَاَنّٰى تُؤْفَكُوْنَ ﴿٦٢﴾
৬৩. এভাবেই বিভ্রান্ত করে মিথ্যার পথে নিয়ে যাওয়া হয় তাদেরকে, যারা আল্লাহ্‌র আয়াতকে অস্বীকার করে।	كَذٰلِكَ يُؤْفَكُ الَّذِيْنَ كَانُوْا بِاٰيٰتِ اللّٰهِ يَجْحَدُوْنَ ﴿٦٣﴾
৬৪. আল্লাহ্‌ই পৃথিবীকে বানিয়েছেন তোমাদের বাসোপযোগী, আর আসমানকে বানিয়েছেন ছাদ। তিনিই তোমাদের সুরত (আকৃতি) গঠন করেছেন উত্তম ও সুন্দরতম আকৃতিতে। তিনিই ব্যবস্থা করেছেন তোমাদের জন্যে উত্তম জীবিকার। তিনিই আল্লাহ্, তোমাদের প্রভু। কতো যে মহান বরকতওয়ালা মহাজগতের প্রভু আল্লাহ্।	اَللّٰهُ الَّذِيْ جَعَلَ لَكُمُ الْاَرْضَ قَرَارًا وَّ السَّمَآءَ بِنَآءً وَّ صَوَّرَكُمْ فَاَحْسَنَ صُوَرَكُمْ وَ رَزَقَكُمْ مِّنَ الطَّيِّبٰتِ ۭ ذٰلِكُمُ اللّٰهُ رَبُّكُمْ ښ فَتَبٰرَكَ اللّٰهُ رَبُّ الْعٰلَمِيْنَ ﴿٦٤﴾
৬৫. তিনি চিরঞ্জীব, তিনি ছাড়া কোনো ইলাহ্ নেই। তাঁর জন্যে আনুগত্যকে একনিষ্ঠ করে তোমরা কেবল তাঁকেই ডাকো। সমস্ত প্রশংসা আল্লাহ্ রাব্বুল আলামিনের।	هُوَ الْحَيُّ لَآ اِلٰهَ اِلَّا هُوَ فَادْعُوْهُ مُخْلِصِيْنَ لَهُ الدِّيْنَ ۭ اَلْحَمْدُ لِلّٰهِ رَبِّ الْعٰلَمِيْنَ ﴿٦٥﴾

৬৬. বলো: 'তোমরা আল্লাহ্‌র পরিবর্তে যাদের কাছে দোয়া-প্রার্থনা করো, তাদের ইবাদত করতে আমাকে নিষেধ করা হয়েছে, যেহেতু আমার প্রভুর পক্ষ থেকে আমার কাছে সুস্পষ্ট দলিল-প্রমাণ এসেছে। আমাকে আরো নির্দেশ দেয়া হয়েছে আমি যেনো আত্মসমর্পণ করি আল্লাহ্‌ রাব্বুল আলামিনের জন্যে।'	قُلْ اِنِّيْ نُهِيْتُ اَنْ اَعْبُدَ الَّذِيْنَ تَدْعُوْنَ مِنْ دُوْنِ اللّٰهِ لَمَّا جَآءَنِيَ الْبَيِّنٰتُ مِنْ رَّبِّيْ ۫ وَ اُمِرْتُ اَنْ اُسْلِمَ لِرَبِّ الْعٰلَمِيْنَ ﴿۶۶﴾
৬৭. তিনি তোমাদের সৃষ্টি করেছেন মাটি থেকে, তারপর নোতফা (শুক্রবিন্দু) থেকে, তারপর আলাকা (জরায়ুর সাথে শক্তভাবে আটকে থাকা ভ্রূণ) থেকে। তারপর তিনি তোমাদের বের করে আনেন শিশু হিসেবে। তারপর তোমাদের পৌঁছে দেয়া হয় যৌবনে। তারপর তোমরা পরিণত হও বৃদ্ধে। তোমাদের কারো কারো ওফাত ঘটানো হয় এর আগেই। যাতে করে তোমরা তোমাদের জন্যে নির্ধারিত সময়কাল পূর্ণ করো এবং যেনো তোমরা বুঝবুদ্ধিকে কাজে লাগাও।	هُوَ الَّذِيْ خَلَقَكُمْ مِّنْ تُرَابٍ ثُمَّ مِنْ نُّطْفَةٍ ثُمَّ مِنْ عَلَقَةٍ ثُمَّ يُخْرِجُكُمْ طِفْلًا ثُمَّ لِتَبْلُغُوْۤا اَشُدَّكُمْ ثُمَّ لِتَكُوْنُوْا شُيُوْخًا ۚ وَ مِنْكُمْ مَّنْ يُّتَوَفّٰى مِنْ قَبْلُ وَلِتَبْلُغُوْۤا اَجَلًا مُّسَمًّى وَّلَعَلَّكُمْ تَعْقِلُوْنَ ﴿۶۷﴾
৬৮. তিনিই জীবন দান করেন এবং মউত ঘটান। তিনি যখন কিছু করার সিদ্ধান্ত নেন তখন সেটাকে বলেন: 'হও', সাথে সাথে তা হয়ে যায়। (রুকু ০৭)	هُوَ الَّذِيْ يُحْيٖ وَ يُمِيْتُ ۚ فَاِذَا قَضٰۤى اَمْرًا فَاِنَّمَا يَقُوْلُ لَهٗ كُنْ فَيَكُوْنُ ﴿۶۸﴾
৬৯. তুমি কি তাদের দেখোনা, যারা আল্লাহ্‌র আয়াত নিয়ে বিতর্কে লিপ্ত হয়? কীভাবে তাদের বিপথে নিয়ে যাওয়া হচ্ছে?	اَلَمْ تَرَ اِلَى الَّذِيْنَ يُجَادِلُوْنَ فِيْۤ اٰيٰتِ اللّٰهِ ؕ اَنّٰى يُصْرَفُوْنَ ﴿۶۹﴾
৭০. যারা প্রত্যাখ্যান করে আল্লাহ্‌র কিতাবকে এবং যা নিয়ে আমরা আমাদের রসূলদের পাঠিয়েছি সেটাকে। অচিরেই তারা জানতে পারবে (এর পরিণতি),	اَلَّذِيْنَ كَذَّبُوْا بِالْكِتٰبِ وَ بِمَاۤ اَرْسَلْنَا بِهٖ رُسُلَنَا ۛ۫ فَسَوْفَ يَعْلَمُوْنَ ﴿۷۰﴾
৭১. যখন তাদের গলায় পরানো থাকবে বেড়ি আর শিকল এবং তাদের নিয়ে যাওয়া হবে টেনে হিঁচড়ে	اِذِ الْاَغْلٰلُ فِيْۤ اَعْنَاقِهِمْ وَ السَّلٰسِلُ ؕ يُسْحَبُوْنَ ﴿۷۱﴾
৭২. টগবগে ফুটন্ত গরম পানির দিকে। তারপর তাদের দগ্ধ করা হবে আগুনে।	فِي الْحَمِيْمِ ۙ۬ ثُمَّ فِي النَّارِ يُسْجَرُوْنَ ﴿۷۲﴾
৭৩. তারপর তাদের বলা হবে: 'তারা এখন কোথায় যাদেরকে তোমরা শরিক বানিয়েছিলে	ثُمَّ قِيْلَ لَهُمْ اَيْنَ مَا كُنْتُمْ تُشْرِكُوْنَ ﴿۷۳﴾
৭৪. আল্লাহ্‌র পরিবর্তে?' তারা বলবে: 'তারা আমাদের থেকে উধাও হয়ে গেছে। আসলে আমরা পূর্বে (পৃথিবীর জীবনে) কাউকেও ডাকিনি।' এভাবেই আল্লাহ্‌ কাফিরদের ফেলে রাখেন বিভ্রান্তিতে।	مِنْ دُوْنِ اللّٰهِ ؕ قَالُوْا ضَلُّوْا عَنَّا بَلْ لَّمْ نَكُنْ نَّدْعُوْا مِنْ قَبْلُ شَيْـًٔا ؕ كَذٰلِكَ يُضِلُّ اللّٰهُ الْكٰفِرِيْنَ ﴿۷۴﴾
৭৫. এর কারণ, তোমরা পৃথিবীতে অযথা উল্লাসে মেতেছিলে এবং এর আরো কারণ হলো, তোমরা নিমজ্জিত ছিলে দাম্ভিকতায়।	ذٰلِكُمْ بِمَا كُنْتُمْ تَفْرَحُوْنَ فِي الْاَرْضِ بِغَيْرِ الْحَقِّ وَ بِمَا كُنْتُمْ تَمْرَحُوْنَ ﴿۷۵﴾

৭৬. এখন দাখিল হও জাহান্নামের দরজাসমূহ দিয়ে সেখানে চিরকাল অবস্থানের জন্যে। অহংকারীদের আবাস কতো যে নিকৃষ্ট!	اُدْخُلُوْۤا اَبْوَابَ جَهَنَّمَ خٰلِدِيْنَ فِيْهَا ۚ فَبِئْسَ مَثْوَى الْمُتَكَبِّرِيْنَ ﴿٧٦﴾
৭৭. (হে নবী!) তুমি সবর করো। নিশ্চয়ই আল্লাহ্‌র ওয়াদা সত্য। আমরা ওদেরকে যে ওয়াদা দিচ্ছি তার কিছু যদি তোমাকে দেখিয়ে দেই, কিংবা যদি তোমার ওফাত ঘটাই, তাদেরকে তো আমার কাছেই ফেরত আনা হবে।	فَاصْبِرْ اِنَّ وَعْدَ اللّٰهِ حَقٌّ ۚ فَاِمَّا نُرِيَنَّكَ بَعْضَ الَّذِيْ نَعِدُهُمْ اَوْ نَتَوَفَّيَنَّكَ فَاِلَيْنَا يُرْجَعُوْنَ ﴿٧٧﴾
৭৮. তোমার আগেও আমরা বহু রসূল পাঠিয়েছি, তাদের মধ্যকার কিছু রসূলের বিবরণ তোমাকে দিয়েছি, আর কিছু রসূলের বিবরণ তোমাকে দেইনি। আল্লাহ্‌র অনুমতি ছাড়া নিদর্শন হাজির করা কোনো রসূলের কাজ নয়। আল্লাহ্‌র নির্দেশ যখন এসে যাবে, তখন ফায়সালা করে দেয়া হবে ন্যায়সংগতভাবে। আর তখনই ক্ষতিগ্রস্ত হয়ে পড়বে বাতিলপন্থী মিথ্যাবাদীরা।	وَلَقَدْ اَرْسَلْنَا رُسُلًا مِّنْ قَبْلِكَ مِنْهُمْ مَّنْ قَصَصْنَا عَلَيْكَ وَمِنْهُمْ مَّنْ لَّمْ نَقْصُصْ عَلَيْكَ ؕ وَمَا كَانَ لِرَسُوْلٍ اَنْ يَّاْتِيَ بِاٰيَةٍ اِلَّا بِاِذْنِ اللّٰهِ ۚ فَاِذَا جَآءَ اَمْرُ اللّٰهِ قُضِيَ بِالْحَقِّ وَخَسِرَ هُنَالِكَ الْمُبْطِلُوْنَ ﴿٧٨﴾ (রুকু ০৮)
৭৯. আল্লাহ্ তোমাদের জন্যে চারপায়ী পশু সৃষ্টি করেছেন, যাতে করে তোমরা সেগুলোর কিছু পশুতে আরোহণ করতে পারো, আর খেতে পারো কিছু পশু।	اَللّٰهُ الَّذِيْ جَعَلَ لَكُمُ الْاَنْعَامَ لِتَرْكَبُوْا مِنْهَا وَمِنْهَا تَاْكُلُوْنَ ﴿٧٩﴾
৮০. এছাড়াও সেগুলোর মধ্যে রয়েছে তোমাদের জন্যে অনেক মুনাফা। তোমরা যেসব প্রয়োজনের কথা ভাবো এর মাধ্যমে যেনো তা পূর্ণ করতে পারো এবং সেগুলোতে আর নৌযানে যেনো তোমরা বহন ও আরোহণ করতে পারো।	وَلَكُمْ فِيْهَا مَنَافِعُ وَلِتَبْلُغُوْا عَلَيْهَا حَاجَةً فِيْ صُدُوْرِكُمْ وَعَلَيْهَا وَعَلَى الْفُلْكِ تُحْمَلُوْنَ ﴿٨٠﴾
৮১. তিনি তোমাদেরকে তাঁর নিদর্শনাবলি দেখিয়ে থাকেন। তোমরা তাঁর কোন্ নিদর্শন অস্বীকার করবে?	وَيُرِيْكُمْ اٰيٰتِهٖ ۖ فَاَيَّ اٰيٰتِ اللّٰهِ تُنْكِرُوْنَ ﴿٨١﴾
৮২. তারা কি পৃথিবী ভ্রমণ করে দেখেনা, তাদের আগেকার অস্বীকারকারীদের কী পরিণতি হয়েছিল? তারা ছিলো এদের চাইতে অধিক সংখ্যক ও অধিক শক্তিশালী এবং জমিনে অধিক প্রভাব বিস্তারকারী। কিন্তু তাদের কীর্তি তাদের কোনো উপকারেই আসেনি।	اَفَلَمْ يَسِيْرُوْا فِي الْاَرْضِ فَيَنْظُرُوْا كَيْفَ كَانَ عَاقِبَةُ الَّذِيْنَ مِنْ قَبْلِهِمْ ؕ كَانُوْۤا اَكْثَرَ مِنْهُمْ وَاَشَدَّ قُوَّةً وَّاٰثَارًا فِي الْاَرْضِ فَمَاۤ اَغْنٰى عَنْهُمْ مَّا كَانُوْا يَكْسِبُوْنَ ﴿٨٢﴾
৮৩. যখনই তাদের রসূলরা সুস্পষ্ট নিদর্শনাবলি নিয়ে তাদের কাছে এসেছে, তারা নিজেদের এলেমের দম্ভ করেছে। তারপর তারা যা নিয়ে বিদ্রুপ করেছে সেটাই তাদের পরিবেষ্টন করে নিয়েছে।	فَلَمَّا جَآءَتْهُمْ رُسُلُهُمْ بِالْبَيِّنٰتِ فَرِحُوْا بِمَا عِنْدَهُمْ مِّنَ الْعِلْمِ وَحَاقَ بِهِمْ مَّا كَانُوْا بِهٖ يَسْتَهْزِءُوْنَ ﴿٨٣﴾
৮৪. যখন তারা আমার শাস্তি সামনে উপস্থিত দেখেছে, বলেছে: 'আমরা এক আল্লাহ্‌র প্রতি ঈমান আনলাম এবং আমরা তাঁর সাথে যাদের শরিক করতাম তাদের প্রতি কুফুরি করলাম।'	فَلَمَّا رَاَوْا بَاْسَنَا قَالُوْۤا اٰمَنَّا بِاللّٰهِ وَحْدَهٗ وَكَفَرْنَا بِمَا كُنَّا بِهٖ مُشْرِكِيْنَ ﴿٨٤﴾

৮৫. আমাদের আযাব দেখার পর তারা যে ঈমানের ঘোষণা দিতো, সে ঈমান তাদের কোনো উপকারে আসেনি। আল্লাহ্‌র এই সুন্নত (বিধান) পূর্ব থেকেই তাঁর বান্দাদের মধ্যে চলে আসছে, আর সেখানে ক্ষতিগ্রস্ত হয়েছে কাফিররাই।	فَلَمْ يَكُ يَنْفَعُهُمْ اِيْمَانُهُمْ لَمَّا رَاَوْا بَاْسَنَا ؕ سُنَّتَ اللّٰهِ الَّتِیْ قَدْ خَلَتْ فِیْ عِبَادِهٖ ۚ وَخَسِرَ هُنَالِكَ الْكٰفِرُوْنَ ﴿۸۵﴾

রুকু ০৯

সূরা ৪১ হা মিম আস্‌ সাজদা/ফুস্‌সিলাত

মক্কায় অবতীর্ণ, আয়াত সংখ্যা: ৫৪, রুকু সংখ্যা: ০৬

এই সূরার আলোচ্যসূচি (আয়াত+আলোচ্য বিষয়)

০১-০৮: মুশরিকরা কিতাবের দাওয়াত শুনেনা, তাই তাদের জন্য ধ্বংস।

০৯-১৮: মানুষ কি করে কুফুরি করে সেই আল্লাহ্‌র প্রতি, যিনি এই মহাবিশ্ব সৃষ্টি করেছেন। নবীর দাওয়াত প্রত্যাখ্যান করলে আদ ও সামুদ জাতির মতো পরিণতি হবে।

১৯-২৫: হাশরের দিন আল্লাহ্‌র দুশমনদের বিরুদ্ধে তাদের কান, চোখ ও চর্ম সাক্ষ্য দিবে।

২৬-২৯: কাফিররা জনগণকে কুরআন শুনতে নিষেধ করে। তারা যাদেরকে পথভ্রষ্ট করে, বিচারের দিন তারা তাদেরকে পদদলিত করতে চাইবে।

৩০-৪৪: যারা এক আল্লাহ্‌কে প্রভু মেনে নেয় তাদের শুভ পরিণতি। দাওয়াত দানের সর্বোত্তম পদ্ধতি। চন্দ্র সূর্য মানুষের মতোই আল্লাহ্‌র সৃষ্টি, উপাস্য নয়। কুরআন আল্লাহ্‌র কিতাব তাতে কোনো ভ্রান্তি নেই। কুরআন মুমিনদের জন্য দিশারি এবং নিরাময়।

৪৫-৫৪: মূসার কিতাব নিয়েও মতভেদ করা হয়েছে। ভালো কাজ ব্যক্তির কল্যাণ এবং মন্দ কাজ অকল্যাণ করবে। মানুষ সুখে থাকলে আল্লাহ্‌কে ভুলে যায়, বিপদে পড়লে আল্লাহ্‌কে ডাকে। অচিরেই আল্লাহ্‌ মহাবিশ্বে এবং মানুষের নিজের মধ্যে নিদর্শনসমূহ প্রকাশ করবেন। তখন মানুষ কুরআনকে সত্য বলে মেনে নিবে।

সূরা হামিম আস্‌ সাজদা/ফুস্‌সিলাত পরম করুণাময় পরম দয়াবান আল্লাহ্‌র নামে	**سُوْرَةُ فُصِّلَتْ/ حٰمٓ اَلسَّجْدَة** بِسْمِ اللّٰهِ الرَّحْمٰنِ الرَّحِيْمِ
০১. হা মিম!	حٰمٓ ﴿۱﴾
০২. রহমানুর রহিমের পক্ষ থেকে নাযিল হচ্ছে (এই কিতাব)।	تَنْزِيْلٌ مِّنَ الرَّحْمٰنِ الرَّحِيْمِ ﴿۲﴾
০৩. এটি এমন একটি কিতাব, যার আয়াতসমূহ বিশদ বিবরণ সম্বলিত। এটি আরবি ভাষায় (অবতীর্ণ) কুরআন, যেসব লোক এলেম চর্চা করে তাদের জন্যে।	كِتٰبٌ فُصِّلَتْ اٰيٰتُهٗ قُرْاٰنًا عَرَبِيًّا لِّقَوْمٍ يَّعْلَمُوْنَ ﴿۳﴾
০৪. এটি সুসংবাদবাহী ও সতর্ককারী (কিতাব)। কিন্তু অধিকাংশ লোক মুখ ফিরিয়ে নিয়েছে, ফলে তারা আর শুনবে না।	بَشِيْرًا وَّ نَذِيْرًا ۚ فَاَعْرَضَ اَكْثَرُهُمْ فَهُمْ لَا يَسْمَعُوْنَ ﴿۴﴾
০৫. তারা বলে: 'তুমি যেদিকে আমাদের ডাকছো, সে বিষয়ে আমাদের অন্তর আচ্ছাদিত, আমাদের কানে তুলা, আর আমাদের ও তোমার মাঝে রয়েছে একটি হিজাব (অন্তরাল)। সুতরাং তুমি তোমার কাজ করো, আমরা আমাদের কাজ করি।'	وَقَالُوْا قُلُوْبُنَا فِیْۤ اَكِنَّةٍ مِّمَّا تَدْعُوْنَاۤ اِلَيْهِ وَفِیْۤ اٰذَانِنَا وَقْرٌ وَّمِنْۢ بَيْنِنَا وَبَيْنِكَ حِجَابٌ فَاعْمَلْ اِنَّنَا عٰمِلُوْنَ ﴿۵﴾

০৬. তুমি বলো: ‘আমি তোমাদের মতোই একজন মানুষ। আমার প্রতি অহি করা হয়েছে যে, তোমাদের ইলাহ্ (আল্লাহ্ই) একমাত্র ইলাহ্। তোমরা মজবুতভাবে তাঁর পথ অবলম্বন করো এবং তাঁর কাছে ক্ষমা প্রার্থনা করো। আর সেইসব মুশরিকদের জন্যে রয়েছে দুঃখ-দুর্ভোগ,	قُلْ اِنَّمَآ اَنَا بَشَرٌ مِّثْلُكُمْ يُوْحٰۤى اِلَىَّ اَنَّمَآ اِلٰهُكُمْ اِلٰهٌ وَّاحِدٌ فَاسْتَقِيْمُوْۤا اِلَيْهِ وَاسْتَغْفِرُوْهُ ؕ وَوَيْلٌ لِّلْمُشْرِكِيْنَ ۙ﴿٦﴾
০৭. যারা যাকাত প্রদান করে না এবং তারা আখিরাতের প্রতি অবিশ্বাসী।	الَّذِيْنَ لَا يُؤْتُوْنَ الزَّكٰوةَ وَ هُمْ بِالْاٰخِرَةِ هُمْ كٰفِرُوْنَ ﴿٧﴾
০৮. আর যারা ঈমান আনে এবং আমলে সালেহ্ করে তাদের জন্যে রয়েছে অফুরন্ত পুরস্কার।	اِنَّ الَّذِيْنَ اٰمَنُوْا وَ عَمِلُوا الصّٰلِحٰتِ لَهُمْ اَجْرٌ غَيْرُ مَمْنُوْنٍ ﴿٨﴾
০৯. বলো: তোমরা কি সেই মহান সত্তার সাথে কুফুরি করবে, যিনি এই পৃথিবী সৃষ্টি করেছেন দুই দিনে (দুটি কালে) এবং তোমরা কি তাঁর সমকক্ষ সাব্যস্ত করবে? তিনি তো রাব্বুল আলামিন (মহাজগতের প্রভু)।	قُلْ اَئِنَّكُمْ لَتَكْفُرُوْنَ بِالَّذِيْ خَلَقَ الْاَرْضَ فِيْ يَوْمَيْنِ وَ تَجْعَلُوْنَ لَهٗۤ اَنْدَادًا ؕ ذٰلِكَ رَبُّ الْعٰلَمِيْنَ ۚ﴿٩﴾
১০. আর তিনি ভূ-পৃষ্ঠে স্থাপন করেছেন অটল পাহাড় পর্বত। তাতে (ভূ-পৃষ্ঠে) রেখেছেন প্রভূত বরকত। চারটি কালে তাতে ব্যবস্থা করেছেন তার সামর্থ (উৎপাদিত জীবিকা) প্রার্থনাকারীদের জন্যে তাদের প্রয়োজনীয় সামগ্রী।	وَ جَعَلَ فِيْهَا رَوَاسِيَ مِنْ فَوْقِهَا وَ بٰرَكَ فِيْهَا وَ قَدَّرَ فِيْهَاۤ اَقْوَاتَهَا فِيْۤ اَرْبَعَةِ اَيَّامٍ ؕ سَوَآءً لِّلسَّآئِلِيْنَ ﴿١٠﴾
১১. তারপর তিনি মনোনিবেশ করেন আকাশের দিকে। তখন তা ছিলো ধুম্রপুঞ্জ। তারপর তিনি আকাশ ও পৃথিবীকে বললেন, তোমরা অস্তিত্ব ধারণ করো ইচ্ছায় হোক কিংবা অনিচ্ছায়। তারা বললো: ‘আমরা নত শিরে অস্তিত্ব ধারণ করলাম।’	ثُمَّ اسْتَوٰۤى اِلَى السَّمَآءِ وَ هِيَ دُخَانٌ فَقَالَ لَهَا وَ لِلْاَرْضِ ائْتِيَا طَوْعًا اَوْ كَرْهًا ؕ قَالَتَاۤ اَتَيْنَا طَآئِعِيْنَ ﴿١١﴾
১২. তারপর তিনি দুটি কালে আকাশকে সপ্তাকাশে পরিণত করলেন এবং প্রত্যেক আকাশকে তার বিধান অহি করে দিলেন। দুনিয়ার (কাছের) আকাশকে সুশোভিত করলেন প্রদীপমালা দিয়ে এবং হিফাযতের উদ্দেশ্যে। এ হচ্ছে মহাপরাক্রমশালী সর্বজ্ঞানীর ব্যবস্থাপনা।	فَقَضٰىهُنَّ سَبْعَ سَمٰوَاتٍ فِيْ يَوْمَيْنِ وَ اَوْحٰى فِيْ كُلِّ سَمَآءٍ اَمْرَهَا ؕ وَ زَيَّنَّا السَّمَآءَ الدُّنْيَا بِمَصَابِيْحَ ۖ وَ حِفْظًا ؕ ذٰلِكَ تَقْدِيْرُ الْعَزِيْزِ الْعَلِيْمِ ﴿١٢﴾
১৩. তারা যদি মুখ ফিরিয়ে নেয়, তাদের বলো: ‘আমি তোমাদের সতর্ক করছি এক ধ্বংসকর শাস্তির, আদ ও সামুদ জাতির শাস্তির অনুরূপ শাস্তির।’	فَاِنْ اَعْرَضُوْا فَقُلْ اَنْذَرْتُكُمْ صٰعِقَةً مِّثْلَ صٰعِقَةِ عَادٍ وَّ ثَمُوْدَ ؕ﴿١٣﴾
১৪. তাদের আগে পিছে রসূলরা এসেছিল এবং তাদের বলেছিল: ‘তোমরা আল্লাহ্ ছাড়া আর কারো দাসত্ব করোনা।’ তখন তারা বলেছিল: ‘আমাদের প্রভু চাইলে তো ফেরেশতাই পাঠাতেন। সুতরাং তোমরা যা নিয়ে এসেছো, আমরা সেটার প্রতি কুফুরি করছি।’	اِذْ جَآءَتْهُمُ الرُّسُلُ مِنْۢ بَيْنِ اَيْدِيْهِمْ وَ مِنْ خَلْفِهِمْ اَلَّا تَعْبُدُوْۤا اِلَّا اللّٰهَ ؕ قَالُوْا لَوْ شَآءَ رَبُّنَا لَاَنْزَلَ مَلٰٓئِكَةً فَاِنَّا بِمَاۤ اُرْسِلْتُمْ بِهٖ كٰفِرُوْنَ ﴿١٤﴾

রুকু ০১

১৫. আদ জাতি অন্যায়ভাবে দেশে দম্ভ করেছিল। তারা বলেছিল: 'আমাদের চেয়ে শক্তিমান আর কে আছে?' তবে কি তারা ভেবে দেখেনি যে, আল্লাহ্ তাদের সৃষ্টি করেছেন এবং তিনি তাদের চেয়ে অধিক শক্তিমান। আসলে তারা আমাদের আয়াতকেই অস্বীকার করতো।

فَاَمَّا عَادٌ فَاسْتَكْبَرُوْا فِي الْاَرْضِ بِغَيْرِ الْحَقِّ وَ قَالُوْا مَنْ اَشَدُّ مِنَّا قُوَّةً ؕ اَوَ لَمْ يَرَوْا اَنَّ اللّٰهَ الَّذِيْ خَلَقَهُمْ هُوَ اَشَدُّ مِنْهُمْ قُوَّةً ؕ وَ كَانُوْا بِاٰيٰتِنَا يَجْحَدُوْنَ ﴿١٥﴾

১৬. ফলে আমরা তাদের প্রতি পাঠিয়েছিলাম প্রচণ্ড ঝড়বায়ু এক অশুভ দিনে, তাদেরকে দুনিয়ার জীবনের লাঞ্ছনাকর আযাবের স্বাদ আস্বাদন করাতে। তাছাড়া আখিরাতের আযাব তো এর চাইতেও অপমানকর এবং তাদেরকে সাহায্য করা হবেনা।

فَاَرْسَلْنَا عَلَيْهِمْ رِيْحًا صَرْصَرًا فِيْۤ اَيَّامٍ نَّحِسَاتٍ لِّنُذِيْقَهُمْ عَذَابَ الْخِزْيِ فِي الْحَيٰوةِ الدُّنْيَا ؕ وَ لَعَذَابُ الْاٰخِرَةِ اَخْزٰى وَ هُمْ لَا يُنْصَرُوْنَ ﴿١٦﴾

১৭. আর সামুদ জাতির ঘটনা হলো, আমরা তাদের সঠিক পথ দেখিয়েছিলাম। কিন্তু তারা হিদায়াতের উপর অন্ধতাকে অগ্রাধিকার প্রদান করে। ফলে তাদেরকে আঘাত হানে লাঞ্ছনাকর আযাবের এক বজ্রধ্বনি তাদের কর্মকাণ্ডের ফলে।

وَ اَمَّا ثَمُوْدُ فَهَدَيْنٰهُمْ فَاسْتَحَبُّوا الْعَمٰى عَلَى الْهُدٰى فَاَخَذَتْهُمْ صٰعِقَةُ الْعَذَابِ الْهُوْنِ بِمَا كَانُوْا يَكْسِبُوْنَ ﴿١٧﴾

রুকু ০২

১৮. আর আমরা রক্ষা করেছিলাম তাদেরকে, যারা ঈমান এনেছিল এবং অবলম্বন করেছিল তাকওয়া।

وَ نَجَّيْنَا الَّذِيْنَ اٰمَنُوْا وَ كَانُوْا يَتَّقُوْنَ ﴿١٨﴾

১৯. যেদিন আল্লাহ্র দুশমনদের জাহান্নামের দিকে হাশর (সমবেত) করা হবে, সেদিন তাদের বিন্যাস করা হবে বিভিন্ন দলে।

وَ يَوْمَ يُحْشَرُ اَعْدَآءُ اللّٰهِ اِلَى النَّارِ فَهُمْ يُوْزَعُوْنَ ﴿١٩﴾

২০. অত:পর যখন তারা জাহান্নামের কাছে পৌঁছাবে, তখন তাদের কান, চোখ এবং চামড়া তাদের বিরুদ্ধে সাক্ষ্য দিয়ে বলে দেবে, (পৃথিবীতে) তারা কী কী করেছিল?

حَتّٰۤى اِذَا مَا جَآءُوْهَا شَهِدَ عَلَيْهِمْ سَمْعُهُمْ وَ اَبْصَارُهُمْ وَ جُلُوْدُهُمْ بِمَا كَانُوْا يَعْمَلُوْنَ ﴿٢٠﴾

২১. তারা তাদের চামড়াকে বলবে: 'তোমরা কেন আমাদের বিরুদ্ধে সাক্ষ্য দিলে?' তারা বলবে: 'আল্লাহ্ই আমাদের বাকশক্তি দিয়েছেন, যিনি সবকিছুকে বাকশক্তি দিয়েছেন। তিনিই তোমাদের প্রথমবার সৃষ্টি করেছেন এবং তাঁর কাছেই তোমাদের ফেরত নেয়া হবে।'

وَ قَالُوْا لِجُلُوْدِهِمْ لِمَ شَهِدْتُّمْ عَلَيْنَا ؕ قَالُوْۤا اَنْطَقَنَا اللّٰهُ الَّذِيْۤ اَنْطَقَ كُلَّ شَيْءٍ وَّ هُوَ خَلَقَكُمْ اَوَّلَ مَرَّةٍ وَّ اِلَيْهِ تُرْجَعُوْنَ ﴿٢١﴾

২২. তোমরা যা কিছু গোপন করেছো এ জন্যে করেছো যে, তোমরা মনে করতে তোমাদের কান, চোখ এবং চামড়া তোমাদের বিরুদ্ধে সাক্ষ্য দেবেনা। বরং তোমাদের ধারণা ছিলো, তোমরা যা করো তার অনেক কিছুই আল্লাহ্ জানেন না।

وَ مَا كُنْتُمْ تَسْتَتِرُوْنَ اَنْ يَّشْهَدَ عَلَيْكُمْ سَمْعُكُمْ وَ لَاۤ اَبْصَارُكُمْ وَ لَا جُلُوْدُكُمْ وَ لٰكِنْ ظَنَنْتُمْ اَنَّ اللّٰهَ لَا يَعْلَمُ كَثِيْرًا مِّمَّا تَعْمَلُوْنَ ﴿٢٢﴾

২৩. তোমাদের প্রভু সম্পর্কে তোমাদের এ ধারণাই তোমাদের ডুবিয়েছে, ফলে তোমরা হয়েছো চরম ক্ষতিগ্রস্ত।	وَذٰلِكُمْ ظَنُّكُمُ الَّذِىْ ظَنَنْتُمْ بِرَبِّكُمْ اَرْدٰىكُمْ فَاَصْبَحْتُمْ مِّنَ الْخٰسِرِيْنَ ﴿٢٣﴾
২৪. এখন তারা ধৈর্য ধারণ করলেও তাদের আবাস হবে জাহান্নাম, আর তারা অনুগ্রহ চাইলেও তাদের প্রতি অনুগ্রহ করা হবেনা।	فَاِنْ يَّصْبِرُوْا فَالنَّارُ مَثْوًى لَّهُمْ ۚ وَاِنْ يَّسْتَعْتِبُوْا فَمَا هُمْ مِّنَ الْمُعْتَبِيْنَ ﴿٢٤﴾
২৫. আমরা তাদের জন্যে নির্ধারণ করে দিয়েছিলাম অনেক বন্ধু ও সাথি, যারা তাদের সামনের পেছনের সবকিছু তাদেরকে শোভনীয় করে দেখিয়েছিল। ফলে তাদের উপর (শাস্তির) বাণী সত্য সাব্যস্ত হয়, যেমনটি হয়েছিল তাদের আগেকার জিন ও মানুষদের জন্যে। শেষ পর্যন্ত তারা হয়েছে চরম ক্ষতিগ্রস্ত।	وَقَيَّضْنَا لَهُمْ قُرَنَآءَ فَزَيَّنُوْا لَهُمْ مَّا بَيْنَ اَيْدِيْهِمْ وَمَا خَلْفَهُمْ وَحَقَّ عَلَيْهِمُ الْقَوْلُ فِيْٓ اُمَمٍ قَدْ خَلَتْ مِنْ قَبْلِهِمْ مِّنَ الْجِنِّ وَالْاِنْسِ ۚ اِنَّهُمْ كَانُوْا خٰسِرِيْنَ ﴿٢٥﴾

রুকু ০৩

২৬. কাফিররা বলে: 'তোমরা এ কুরআন শুনবেনা এবং যেখানেই তা পাঠ করা হবে, হৈ হট্টগোল সৃষ্টি করবে, যাতে করে তোমরা জয়ী হতে পারো।'	وَقَالَ الَّذِيْنَ كَفَرُوْا لَا تَسْمَعُوْا لِهٰذَا الْقُرْاٰنِ وَالْغَوْا فِيْهِ لَعَلَّكُمْ تَغْلِبُوْنَ ﴿٢٦﴾
২৭. আমরা কাফিরদের আস্বাদন করাবো কঠিন আযাবের স্বাদ এবং তাদের প্রতিফল দেবো তাদের নিকৃষ্ট কর্মকাণ্ডের।	فَلَنُذِيْقَنَّ الَّذِيْنَ كَفَرُوْا عَذَابًا شَدِيْدًا وَّلَنَجْزِيَنَّهُمْ اَسْوَاَ الَّذِىْ كَانُوْا يَعْمَلُوْنَ ﴿٢٧﴾
২৮. জাহান্নামই আল্লাহ্‌র দুশমনদের উপযুক্ত প্রতিফল। সেখানে থাকবে তাদের চিরস্থায়ী আবাস। এ হলো আমাদের আয়াত অস্বীকার করার প্রতিদান।	ذٰلِكَ جَزَآءُ اَعْدَآءِ اللّٰهِ النَّارُ ۚ لَهُمْ فِيْهَا دَارُ الْخُلْدِ ۗ جَزَآءًۢ بِمَا كَانُوْا بِاٰيٰتِنَا يَجْحَدُوْنَ ﴿٢٨﴾
২৯. কাফিররা (সেদিন) বলবে: 'আমাদের প্রভু! জিন ও ইনসানের যারাই আমাদের পথভ্রষ্ট করেছিল, তাদেরকে দেখিয়ে দাও, আমরা তাদের পদদলিত করবো, যাতে করে তারা অপদস্থ হয়।'	وَقَالَ الَّذِيْنَ كَفَرُوْا رَبَّنَآ اَرِنَا الَّذَيْنِ اَضَلّٰنَا مِنَ الْجِنِّ وَالْاِنْسِ نَجْعَلْهُمَا تَحْتَ اَقْدَامِنَا لِيَكُوْنَا مِنَ الْاَسْفَلِيْنَ ﴿٢٩﴾
৩০. নিশ্চয়ই যারা বলে: 'আল্লাহ্ আমাদের প্রভু', অত:পর একথার উপর অটল-অবিচল থাকে, তাদের প্রতি ফেরেশতা নাযিল হয়ে বলে: "আপনারা ভয় পাবেন না, চিন্তিতও হবেননা। আপনারা খুশি হয়ে যান সেই জান্নাতের জন্যে যার ওয়াদা আপনাদের দেয়া হয়েছিল।	اِنَّ الَّذِيْنَ قَالُوْا رَبُّنَا اللّٰهُ ثُمَّ اسْتَقَامُوْا تَتَنَزَّلُ عَلَيْهِمُ الْمَلٰٓئِكَةُ اَلَّا تَخَافُوْا وَلَا تَحْزَنُوْا وَاَبْشِرُوْا بِالْجَنَّةِ الَّتِىْ كُنْتُمْ تُوْعَدُوْنَ ﴿٣٠﴾
৩১. আমরা দুনিয়ার জীবনেও আপনাদের অলি (বন্ধু, পৃষ্ঠপোষক) এবং আখিরাতেও। সেখানে আপনাদের জন্যে মওজুদ রয়েছে যা আপনাদের মন চাইবে এবং আপনাদের জন্যে মওজুদ রয়েছে যা আপনারা আদেশ করবেন সবই।	نَحْنُ اَوْلِيٰٓؤُكُمْ فِى الْحَيٰوةِ الدُّنْيَا وَفِى الْاٰخِرَةِ ۚ وَلَكُمْ فِيْهَا مَا تَشْتَهِىْٓ اَنْفُسُكُمْ وَلَكُمْ فِيْهَا مَا تَدَّعُوْنَ ﴿٣١﴾

রুকু ০৪

৩২. এ হলো পরম ক্ষমাশীল দয়াবানের পক্ষ থেকে আতিথ্য।”	نُزُلًا مِّنْ غَفُوْرٍ رَّحِيْمٍ ﴿٣٢﴾
৩৩. ঐ ব্যক্তির চাইতে সুন্দর কথা আর কে বলে, যে মানুষকে দাওয়াত দেয় আল্লাহ্‌র দিকে এবং আমলে সালেহ্ করে, আর বলে: ‘নিশ্চয়ই আমি একজন মুসলিম (আল্লাহ্‌র অনুগত)।’	وَ مَنْ اَحْسَنُ قَوْلًا مِّمَّنْ دَعَاۤ اِلَى اللّٰهِ وَ عَمِلَ صَالِحًا وَّ قَالَ اِنَّنِيْ مِنَ الْمُسْلِمِيْنَ ﴿٣٣﴾
৩৪. ভালো আর মন্দ সমান নয়। মন্দকে দূরীভূত করো সর্বোত্তম (আচরণ) দিয়ে। তাহলে তোমার জানের শত্রুও হয়ে যাবে প্রাণের বন্ধু।	وَ لَا تَسْتَوِي الْحَسَنَةُ وَ لَا السَّيِّئَةُ ؕ اِدْفَعْ بِالَّتِيْ هِيَ اَحْسَنُ فَاِذَا الَّذِيْ بَيْنَكَ وَبَيْنَهٗ عَدَاوَةٌ كَاَنَّهٗ وَلِيٌّ حَمِيْمٌ ﴿٣٤﴾
৩৫. এই মহৎ গুণের অধিকারী করা হয় কেবল তাদেরকেই যারা সবর অবলম্বন করে। এ গুণের অধিকারী হয় কেবল তারাই যারা অতীব ভাগ্যবান।	وَ مَا يُلَقّٰىهَاۤ اِلَّا الَّذِيْنَ صَبَرُوْا ۚ وَ مَا يُلَقّٰىهَاۤ اِلَّا ذُوْ حَظٍّ عَظِيْمٍ ﴿٣٥﴾
৩৬. যদি শয়তান তোমাকে কোনো কুমন্ত্রণা দিচ্ছে বলে অনুভব করো, তবে আল্লাহ্‌র আশ্রয় প্রার্থনা করো। নিশ্চয়ই তিনি সর্বশ্রোতা, সর্বজ্ঞানী।	وَ اِمَّا يَنْزَغَنَّكَ مِنَ الشَّيْطٰنِ نَزْغٌ فَاسْتَعِذْ بِاللّٰهِ ؕ اِنَّهٗ هُوَ السَّمِيْعُ الْعَلِيْمُ ﴿٣٦﴾
৩৭. তাঁর নিদর্শনাবলির মধ্যে রয়েছে রাত, দিন এবং সূর্য ও চাঁদ। তোমরা সূর্যকে সাজদা করোনা, চাঁদকেও নয়। সাজদা করো আল্লাহ্‌কে, যিনি ওগুলোকে সৃষ্টি করেছেন, যদি তোমরা সত্যি সত্যি তাঁর ইবাদত করো।	وَمِنْ اٰيٰتِهِ الَّيْلُ وَ النَّهَارُ وَالشَّمْسُ وَ الْقَمَرُ ؕ لَا تَسْجُدُوْا لِلشَّمْسِ وَ لَا لِلْقَمَرِ وَاسْجُدُوْا لِلّٰهِ الَّذِيْ خَلَقَهُنَّ اِنْ كُنْتُمْ اِيَّاهُ تَعْبُدُوْنَ ﴿٣٧﴾
৩৮. কিন্তু তারা দম্ভ করলেও যারা তোমার প্রভুর কাছে রয়েছে তারা কিন্তু তাঁর তসবিহ করে রাত-দিন এবং ক্লান্তিবোধ করেনা। **(সাজদা)**	فَاِنِ اسْتَكْبَرُوْا فَالَّذِيْنَ عِنْدَ رَبِّكَ يُسَبِّحُوْنَ لَهٗ بِالَّيْلِ وَ النَّهَارِ وَ هُمْ لَا يَسْـَٔمُوْنَ ﴿٣٨﴾ السجدة
৩৯. তাঁর নিদর্শনাবলির মধ্যে রয়েছে, তুমি জমিনকে দেখতে পাও শুকনো ধূসর। কিন্তু যখনই আমরা তাতে পানি বর্ষণ করি, তখন তা আন্দোলিত ও স্ফীত হয়ে উঠে। যিনি এই মরা জমিনকে জীবিত করেন, তিনি অবশ্যি মৃতদের পুনর্জীবিত করবেন। তিনি প্রতিটি বিষয়ে সর্বশক্তিমান।	وَ مِنْ اٰيٰتِهٖۤ اَنَّكَ تَرَى الْاَرْضَ خَاشِعَةً فَاِذَاۤ اَنْزَلْنَا عَلَيْهَا الْمَآءَ اهْتَزَّتْ وَرَبَتْ ؕ اِنَّ الَّذِيْۤ اَحْيَاهَا لَمُحْيِ الْمَوْتٰى ؕ اِنَّهٗ عَلٰى كُلِّ شَيْءٍ قَدِيْرٌ ﴿٣٩﴾
৪০. যারা বিকৃত করে আমাদের আয়াতকে, তারা	اِنَّ الَّذِيْنَ يُلْحِدُوْنَ فِيْۤ اٰيٰتِنَا لَا

আমাদের থেকে গোপন নয়। কিয়ামতের দিন যাকে জাহান্নামে নিক্ষেপ করা হবে সে ভালো, নাকি যে নিরাপদে থাকবে, সে ভালো? তোমাদের যা ইচ্ছা করতে থাকো। নিশ্চয়ই তিনি দেখেন তোমরা যা আমল করো।	يَخْفَوْنَ عَلَيْنَا ۗ اَفَمَنْ يُّلْقٰى فِى النَّارِ خَيْرٌ اَمْ مَّنْ يَّاْتِىْٓ اٰمِنًا يَّوْمَ الْقِيٰمَةِ ۗ اِعْمَلُوْا مَا شِئْتُمْ ۙ اِنَّهٗ بِمَا تَعْمَلُوْنَ بَصِيْرٌ ﴿٤٠﴾
৪১. যারা যিকির (কুরআন) আসার পর তার প্রতি কুফুরি করেছে, (তাদের জন্যে রয়েছে কঠিন আযাব), তাদের জেনে রাখা উচিত, এ এক মহাশক্তিধর কিতাব।	اِنَّ الَّذِيْنَ كَفَرُوْا بِالذِّكْرِ لَمَّا جَآءَهُمْ ۚ وَاِنَّهٗ لَكِتٰبٌ عَزِيْزٌ ﴿٤١﴾
৪২. এ কিতাবে সামনে বা পেছনে থেকে কোনো বাতিল প্রবেশ করতে পারেনা। এটি নাযিল হয়েছে মহাজ্ঞানী সপ্রশংসিতের পক্ষ থেকে।	لَّا يَاْتِيْهِ الْبَاطِلُ مِنْۢ بَيْنِ يَدَيْهِ وَلَا مِنْ خَلْفِهٖ ۗ تَنْزِيْلٌ مِّنْ حَكِيْمٍ حَمِيْدٍ ﴿٤٢﴾
৪৩. (হে নবী! কাফিরদের পক্ষ থেকে) তোমাকে এমন কিছুই বলা হয়নি, যা তোমার পূর্বেকার রসূলদের বলা হয়নি। নিশ্চয়ই তোমার প্রভু বড়ই ক্ষমাওয়ালা, আবার কঠিন শাস্তিদাতাও।	مَا يُقَالُ لَكَ اِلَّا مَا قَدْ قِيْلَ لِلرُّسُلِ مِنْ قَبْلِكَ ۗ اِنَّ رَبَّكَ لَذُوْ مَغْفِرَةٍ وَّذُوْ عِقَابٍ اَلِيْمٍ ﴿٤٣﴾
৪৪. আমরা যদি এটিকে অনারবি ভাষার কুরআন করতাম, তারা অবশ্যি বলতো: 'এর আয়াতগুলো (আমাদের ভাষায়) কেন ব্যাখা করে দেয়া হয়নি। এটা কেমন ব্যাপার, কিতাব হলো অনারবি আর রসূল হলো আরব?' হে নবী! বলো: 'এ কুরআন মুমিনদের জন্যে জীবন পদ্ধতির দিশারি এবং নিরাময়। আর যারা ঈমান আনেনা, তাদের কানে তুলা এবং এ কুরআন তাদের জন্যে একটা অন্ধত্ব। এরা এমন, যেনো তাদের ডাকা হচ্ছে বহুদূর থেকে।'	وَلَوْ جَعَلْنٰهُ قُرْاٰنًا اَعْجَمِيًّا لَّقَالُوْا لَوْلَا فُصِّلَتْ اٰيٰتُهٗ ۗ ءَاَعْجَمِيٌّ وَّعَرَبِيٌّ ۗ قُلْ هُوَ لِلَّذِيْنَ اٰمَنُوْا هُدًى وَّشِفَآءٌ ۗ وَالَّذِيْنَ لَا يُؤْمِنُوْنَ فِىْٓ اٰذَانِهِمْ وَقْرٌ وَّهُوَ عَلَيْهِمْ عَمًى ۗ اُولٰٓئِكَ يُنَادَوْنَ مِنْ مَّكَانٍۢ بَعِيْدٍ ﴿٤٤﴾
৪৫. আমরা মূসাকেও কিতাব দিয়েছিলাম, অত:পর তা নিয়েও মতভেদ করা হয়েছিল। যদি তোমার প্রভুর পক্ষ থেকে পূর্ব সিদ্ধান্ত না থাকতো, তাহলে তাদের মাঝে ফায়সালা হয়ে যেতো। আসলে তারা এ বিষয়ে রয়েছে বিভ্রান্তিকর সন্দেহের মধ্যে।	وَلَقَدْ اٰتَيْنَا مُوْسَى الْكِتٰبَ فَاخْتُلِفَ فِيْهِ ۗ وَلَوْلَا كَلِمَةٌ سَبَقَتْ مِنْ رَّبِّكَ لَقُضِىَ بَيْنَهُمْ ۗ وَاِنَّهُمْ لَفِىْ شَكٍّ مِّنْهُ مُرِيْبٍ ﴿٤٥﴾
৪৬. যে ভালো কাজ করে, সে তা করে নিজের কল্যাণেই, আর যে মন্দ কাজ করে তার প্রতিফল সে নিজেই ভোগ করবে। তোমার প্রভু তাঁর দাসদের প্রতি বিন্দুমাত্র যালিম নন।	مَنْ عَمِلَ صَالِحًا فَلِنَفْسِهٖ وَمَنْ اَسَآءَ فَعَلَيْهَا ۗ وَمَا رَبُّكَ بِظَلَّامٍ لِّلْعَبِيْدِ ﴿٤٦﴾

রুকু ০৫

পারা ২৫

৪৭. কিয়ামতের জ্ঞান আল্লাহ্ পর্যন্তই সীমাবদ্ধ। তাঁর এলেম ছাড়া কোনো ফল আবরণ থেকে বের হয়না, কোনো নারী গর্ভ ধারণ করেনা এবং সন্তানও প্রসব করেনা। যেদিন তাদের ডেকে বলা হবে: 'কোথায় তোমাদের বানানো শরিকরা?' তারা বলবে, আপনার অনুমতি প্রার্থনা করে বলছি: 'এ ব্যাপারে আমাদের কেউই কিছু সচোক্ষে দেখিনি।'	إِلَيْهِ يُرَدُّ عِلْمُ السَّاعَةِ ۚ وَمَا تَخْرُجُ مِن ثَمَرَٰتٍ مِّنْ أَكْمَامِهَا وَمَا تَحْمِلُ مِنْ أُنثَىٰ وَلَا تَضَعُ إِلَّا بِعِلْمِهِۦ ۚ وَيَوْمَ يُنَادِيهِمْ أَيْنَ شُرَكَآءِى قَالُوٓا۟ ءَاذَنَّٰكَ مَا مِنَّا مِن شَهِيدٍ ﴿٤٧﴾
৪৮. দুনিয়ার জীবনে তারা যাদের ডাকতো, সেদিন তারা সবাই তাদের থেকে উধাও হয়ে যাবে, তখন তারা উপলব্ধি করবে, তাদের রক্ষা পাওয়ার কোনো পথ নেই।	وَضَلَّ عَنْهُم مَّا كَانُوا۟ يَدْعُونَ مِن قَبْلُ ۖ وَظَنُّوا۟ مَا لَهُم مِّن مَّحِيصٍ ﴿٤٨﴾
৪৯. মানুষ অর্থ সম্পদ প্রার্থনার ক্ষেত্রে কোনো ক্লান্তিবোধ করেনা। কিন্তু যখন তাকে দুঃখ-দুর্দশা স্পর্শ করে, তখন সে নিরাশ ও হতাশ হয়ে পড়ে।	لَّا يَسْـَٔمُ ٱلْإِنسَٰنُ مِن دُعَآءِ ٱلْخَيْرِ وَإِن مَّسَّهُ ٱلشَّرُّ فَيَـُٔوسٌ قَنُوطٌ ﴿٤٩﴾
৫০. আমরা যখন দুঃখ-দুর্দশা স্পর্শ করার পর তাকে আমাদের রহমত আস্বাদন করাই, তখন সে বলে: 'এটা তো আমার প্রাপ্য এবং আমি মনে করিনা যে, কিয়ামত সংঘটিত হবে। আর আমি যদি আমার প্রভুর কাছে ফিরেও যাই, তার কাছে তো আমার জন্যে কল্যাণই থাকবে।' আমরা কাফিরদের অবশ্যি তাদের কৃতকর্ম সম্পর্কে অবহিত করবো এবং তাদের আস্বাদন করাবো শক্ত আযাব।	وَلَئِنْ أَذَقْنَٰهُ رَحْمَةً مِّنَّا مِنۢ بَعْدِ ضَرَّآءَ مَسَّتْهُ لَيَقُولَنَّ هَٰذَا لِى وَمَآ أَظُنُّ ٱلسَّاعَةَ قَآئِمَةً وَلَئِن رُّجِعْتُ إِلَىٰ رَبِّىٓ إِنَّ لِى عِندَهُۥ لَلْحُسْنَىٰ ۚ فَلَنُنَبِّئَنَّ ٱلَّذِينَ كَفَرُوا۟ بِمَا عَمِلُوا۟ وَلَنُذِيقَنَّهُم مِّنْ عَذَابٍ غَلِيظٍ ﴿٥٠﴾
৫১. আমরা যখন মানুষের প্রতি অনুগ্রহ করি, তখন সে মুখ ফিরিয়ে নেয় এবং দূরে সরে যায়, আবার যখন তাকে স্পর্শ করে দুঃখ-দুর্দশা, তখন সে নিরত হয় দীর্ঘ প্রার্থনায়।	وَإِذَآ أَنْعَمْنَا عَلَى ٱلْإِنسَٰنِ أَعْرَضَ وَنَـَٔا بِجَانِبِهِۦ وَإِذَا مَسَّهُ ٱلشَّرُّ فَذُو دُعَآءٍ عَرِيضٍ ﴿٥١﴾
৫২. বলো: 'তোমরা ভেবে দেখেছো কি, যদি এ কুরআন আল্লাহ্‌র পক্ষ থেকে নাযিল হয়ে থাকে আর তোমরা তা অস্বীকার করো, তবে যে ব্যক্তি বিরোধিতায় বহুদূর এগিয়ে গেছে তার চাইতে বড় বিপথগামী আর কেউ আছে কি?'	قُلْ أَرَءَيْتُمْ إِن كَانَ مِنْ عِندِ ٱللَّهِ ثُمَّ كَفَرْتُم بِهِۦ مَنْ أَضَلُّ مِمَّنْ هُوَ فِى شِقَاقٍۭ بَعِيدٍ ﴿٥٢﴾
৫৩. আমরা অচিরেই তাদের দেখাবো আমাদের নিদর্শনাবলি মহাবিশ্বে এবং তাদের নিজেদের মধ্যে, তখন তাদের কাছে স্পষ্ট হয়ে যাবে যে, এ কুরআন এক মহাসত্য। তোমার প্রভুর ব্যাপারে কি একথা যথেষ্ট নয় যে, তিনি প্রতিটি বিষয়ে প্রত্যক্ষদর্শী?	سَنُرِيهِمْ ءَايَٰتِنَا فِى ٱلْءَافَاقِ وَفِىٓ أَنفُسِهِمْ حَتَّىٰ يَتَبَيَّنَ لَهُمْ أَنَّهُ ٱلْحَقُّ ۗ أَوَلَمْ يَكْفِ بِرَبِّكَ أَنَّهُۥ عَلَىٰ كُلِّ شَىْءٍ شَهِيدٌ ﴿٥٣﴾
৫৪. সাবধান, তারা তাদের প্রভুর সাথে সাক্ষাতের বিষয়ে সন্দেহে নিমজ্জিত। জেনে রাখো, আল্লাহ্ প্রতিটি বস্তু পরিবেষ্টন করে আছেন।	أَلَآ إِنَّهُمْ فِى مِرْيَةٍ مِّن لِّقَآءِ رَبِّهِمْ ۗ أَلَآ إِنَّهُۥ بِكُلِّ شَىْءٍ مُّحِيطٌۢ ﴿٥٤﴾

রুকু ০৬

সূরা ৪২ আশ্ শূরা

মক্কায় অবতীর্ণ, আয়াত সংখ্যা: ৫৩, রুকু সংখ্যা: ০৫

এই সূরার আলোচ্যসূচি (আয়াত ভিত্তিক আলোচ্য বিষয়)

০১-১২: যারা আল্লাহ্র সাথে শরিক করে, তাদের রক্ষক আল্লাহ্, শরিকরা নয়। কুরআন নাযিলের উদ্দেশ্য। আল্লাহ্ অনুপম। তাঁর মতো কেউ এবং কিছুই নেই। মহাবিশ্বের ভান্ডারের চাবিকাঠি তাঁর হাতে।

১৩-১৯: মুহাম্মদ সা. সেই দীনেরই বাহক, পূর্ববর্তী রসূলরা যে দীনের বাহক ছিলেন। যারা কিয়ামত সম্পর্কে সন্দেহ করে তারা নিমজ্জিত চরম বিভ্রান্তিতে।

২০-২৯: যে আখিরাতের ফসল চায় আল্লাহ্ তার আখিরাতের ফসল বৃদ্ধি করে দেন। আল্লাহ্ তাঁর বান্দাদের তওবা কবুল করেন এবং মুমিনদের ডাকে সাড়া দেন।

৩০-৩৫: মসিবত মানুষের কর্মফল।

৩৬-৪৩: আখিরাতকে অগ্রাধিকার দানকারী মুমিনদের বৈশিষ্ট্য।

৪৪-৪৮: যালিমদের পরকালীন দুরবস্থা। কিয়ামতের দিন যারা নিজেদেরকে এবং নিজেদের পরিবার পরিজনকে ক্ষতিগ্রস্ত করবে তারাই আসল ক্ষতিগ্রস্ত। যারা নবীর দাওয়াতকে উপেক্ষা করে, নবী তাদের রক্ষক নন।

৪৯-৫৩: কাকে কি সন্তান দিবেন এবং কাকে বন্ধ্যা করে রাখবেন তা আল্লাহ্র ইচ্ছা। আল্লাহ্ কোনো মানুষের সাথে সরাসরি ও প্রত্যক্ষ পদ্ধতিতে কথা বলেন না। অহি নাযিলের পদ্ধতি। কুরআন আল্লাহ্র নূর এবং মানবতার মুক্তির দিশারি।

সূরা আশ্ শূরা (পরামর্শ) পরম করুণাময় পরম দয়াবান আল্লাহ্র নামে	سُوْرَةُ الشُّوْرٰى بِسْمِ اللّٰهِ الرَّحْمٰنِ الرَّحِيْمِ
০১. হা মিম।	حٰمٓ ﴿١﴾
০২. আঈন সিন কাফ।	عٓسٓقٓ ﴿٢﴾
০৩. (হে মুহাম্মদ!) এভাবেই মহাক্ষমতাবান মহাজ্ঞানী আল্লাহ তোমার প্রতি এবং আগের (নবী রসূলদের) প্রতি অহি করে আসছেন।	كَذٰلِكَ يُوْحِيْٓ اِلَيْكَ وَ اِلَى الَّذِيْنَ مِنْ قَبْلِكَ ۙ اللّٰهُ الْعَزِيْزُ الْحَكِيْمُ ﴿٣﴾
০৪. মহাবিশ্ব এবং পৃথিবীতে যা কিছু আছে, সবই তাঁর। তিনি সর্বোচ্চ, অতি মহান।	لَهٗ مَا فِي السَّمٰوٰتِ وَ مَا فِي الْاَرْضِ ؕ وَ هُوَ الْعَلِيُّ الْعَظِيْمُ ﴿٤﴾
০৫. (এই মহান আল্লাহ্র সাথেই তারা শিরক করছে, যার ফলে) তাদের উপর আকাশ ভেংগে পড়ার উপক্রম হয়েছে। (আল্লাহ এতোই মহান ও উদার যে,) তা সত্ত্বেও ফেরেশতারা তাদের প্রভুর প্রশংসার তসবিহ্ করার সাথে সাথে পৃথিবীর অধিবাসীদের জন্যেও ক্ষমা ভিক্ষা করছে। এখনো সতর্ক হয়ে যাও, নিশ্চয়ই আল্লাহ পরম ক্ষমাশীল, অতীব দয়ালু।	تَكَادُ السَّمٰوٰتُ يَتَفَطَّرْنَ مِنْ فَوْقِهِنَّ وَالْمَلٰٓئِكَةُ يُسَبِّحُوْنَ بِحَمْدِ رَبِّهِمْ وَيَسْتَغْفِرُوْنَ لِمَنْ فِي الْاَرْضِ ؕ اَلَآ اِنَّ اللّٰهَ هُوَ الْغَفُوْرُ الرَّحِيْمُ ﴿٥﴾
০৬. যারা আল্লাহ ছাড়া অন্যদেরকে অলি (বন্ধু, রক্ষক, প্রভু ও অভিভাবক) হিসেবে গ্রহণ করে, (তারা তো নিজেদের জন্যে অতি ঠুনকো ও	وَ الَّذِيْنَ اتَّخَذُوْا مِنْ دُوْنِهٖٓ اَوْلِيَآءَ اللّٰهُ

নিকৃষ্ট অলি গ্রহণ করে), প্রকৃত পক্ষে আল্লাহই তাদের রক্ষক ও হিফাযতকারী। তুমি তাদের (কার্যক্রমের) জিম্মাদার নও।	حَفِيْظٌ عَلَيْهِمْ ۖ وَمَآ اَنْتَ عَلَيْهِمْ بِوَكِيْلٍ ۝٦
০৭. (হে মুহাম্মদ!) এভাবেই আমি তোমার প্রতি আরবি ভাষায় একটি কুরআন অবতীর্ণ করেছি, যাতে করে তুমি সতর্ক করে দিতে পারো মানব বসতির কেন্দ্র (মক্কা) এবং তার চারপাশের লোকদের। যেনো তুমি সতর্ক করতে পারো, সেদিনটি সম্পর্কে যেদিন সবাইকে (বিচারের জন্যে) একত্র করা হবে এবং সেদিনটির আগমন সম্পর্কে কোনোই সন্দেহ নেই। সেদিন একদল লোককে থাকতে দেয়া হবে জান্নাতে, আরেক দলকে নিক্ষেপ করা হবে প্রজ্জ্বলিত আগুনে।	وَ كَذٰلِكَ اَوْحَيْنَآ اِلَيْكَ قُرْاٰنًا عَرَبِيًّا لِّتُنْذِرَ اُمَّ الْقُرٰى وَ مَنْ حَوْلَهَا وَ تُنْذِرَ يَوْمَ الْجَمْعِ لَا رَيْبَ فِيْهِ ؕ فَرِيْقٌ فِى الْجَنَّةِ وَ فَرِيْقٌ فِى السَّعِيْرِ ۝٧
০৮. আল্লাহ চাইলে তাদেরকে (মানুষকে) এক উম্মতে পরিণত করতে (এক আদর্শের অনুসারী জাতি বানাতে) পারতেন। কিন্তু তিনি তা করেন না, বরং তিনি যাকে চান তাকে নিজ রহমতের মধ্যে শামিল করে নেন। আর যালিমদের না আছে কোনো অলি, আর না আছে কোনো সাহায্যকারী।	وَلَوْ شَآءَ اللّٰهُ لَجَعَلَهُمْ اُمَّةً وَّاحِدَةً وَّلٰكِنْ يُّدْخِلُ مَنْ يَّشَآءُ فِىْ رَحْمَتِهٖ ؕ وَالظّٰلِمُوْنَ مَا لَهُمْ مِّنْ وَّلِىٍّ وَّلَا نَصِيْرٍ ۝٨
০৯. নাকি এরা আল্লাহকে ছাড়া অন্যদের অলি বানিয়ে নিয়েছে? অথচ আল্লাহই তো একমাত্র অলি। তিনিই তো মৃতকে জীবিত করেন আর একমাত্র তিনিই তো সক্ষম সবকিছু করতে।	اَمِ اتَّخَذُوْا مِنْ دُوْنِهٖٓ اَوْلِيَآءَ ۚ فَاللّٰهُ هُوَ الْوَلِىُّ وَ هُوَ يُحْىِ الْمَوْتٰى ۫ وَ هُوَ عَلٰى كُلِّ شَىْءٍ قَدِيْرٌ ۝٩
১০. তোমরা যে ব্যাপারেই মতভেদ করো না কেন, তার ফায়সালা দেয়ার মালিক তো একমাত্র আল্লাহ। (হে মুহাম্মদ! ঘোষণা করে দাও) এই আল্লাহই আমার রব। তাঁর উপরই আমি আস্থা স্থাপন করেছি এবং (সকল ব্যাপারে) আমি কেবল তাঁরই দিকে প্রত্যাবর্তন করি।	وَمَا اخْتَلَفْتُمْ فِيْهِ مِنْ شَىْءٍ فَحُكْمُهٗٓ اِلَى اللّٰهِ ؕ ذٰلِكُمُ اللّٰهُ رَبِّىْ عَلَيْهِ تَوَكَّلْتُ ۖۗ وَ اِلَيْهِ اُنِيْبُ ۝١٠
১১. মহাবিশ্ব এবং এই পৃথিবীর তিনিই সৃষ্টিকর্তা। তিনি তোমাদের থেকেই তোমাদের জোড়া (নারী-পুরুষ) সৃষ্টি করেছেন এবং অন্যান্য জীব-জানোয়ারেরও জোড়া সৃষ্টি করেছেন (তাদের প্রজাতি থেকেই)। এই (নারী-পুরুষ মিলন) প্রক্রিয়াতেই তিনি তোমাদের সৃষ্টি করেন। কিছুই নেই তাঁর মতো, তাঁর সদৃশ। সর্বশ্রোতা তিনি, সর্বদ্রষ্টা তিনি।	فَاطِرُ السَّمٰوٰتِ وَ الْاَرْضِ ؕ جَعَلَ لَكُمْ مِّنْ اَنْفُسِكُمْ اَزْوَاجًا وَّ مِنَ الْاَنْعَامِ اَزْوَاجًا ۚ يَذْرَؤُكُمْ فِيْهِ ؕ لَيْسَ كَمِثْلِهٖ شَىْءٌ ۚ وَ هُوَ السَّمِيْعُ الْبَصِيْرُ ۝١١
১২. মহাবিশ্ব এবং এই পৃথিবীর (সমস্ত সম্পদ ভান্ডারের) চাবিকাঠি তাঁরই হাতে। তিনি যাকে ইচ্ছা জীবিকা প্রশস্ত করে দেন, আর সীমাবদ্ধ করে দেন (যাকে ইচ্ছা)। (কারণ) সকল বিষয়ে তিনি সর্বজ্ঞানী।	لَهٗ مَقَالِيْدُ السَّمٰوٰتِ وَ الْاَرْضِ ۚ يَبْسُطُ الرِّزْقَ لِمَنْ يَّشَآءُ وَ يَقْدِرُ ؕ اِنَّهٗ بِكُلِّ شَىْءٍ عَلِيْمٌ ۝١٢

রুকু ০১

১৩. তিনি তোমাদের জন্যে স্থির করে দিয়েছেন সেই একই দীন (জীবন-পদ্ধতি), যা নির্ধারণ করে দিয়েছিলেন নূহকে এবং যা এখন আমরা অহি করছি (হে মুহাম্মদ!) তোমাকে। এটাই সেই দীন (জীবন-পদ্ধতি) যা আমরা স্থির করে দিয়েছিলাম ইবরাহিম এবং মূসা ও ঈসাকে। (তাদের সবাইকে নির্দেশ দিয়েছিলাম:) এই দীনকে বাস্তব ক্ষেত্রে প্রতিষ্ঠিত করো এবং তাতে কোনো বিভক্তি সৃষ্টি করোনা। (হে মুহাম্মদ!) মুশরিকদের জন্যে (এই দীন) বড়ই অসহনীয়-যার দিকে তুমি তাদের ডাকছো। আল্লাহ যাকে ইচ্ছা নিজের জন্যে মনোনীত করেন এবং তিনি নিজের দিকে পথ দেখান সে ব্যক্তিকেই, যে (অনুশোচনা, আনুগত্য ও) বিনয়ের সাথে তাঁর প্রতি রুজু হয়।	شَرَعَ لَكُمْ مِّنَ الدِّيْنِ مَا وَصّٰى بِهٖ نُوْحًا وَّالَّذِيْٓ اَوْحَيْنَآ اِلَيْكَ وَمَا وَصَّيْنَا بِهٖٓ اِبْرٰهِيْمَ وَمُوْسٰى وَعِيْسٰٓى اَنْ اَقِيْمُوا الدِّيْنَ وَلَا تَتَفَرَّقُوْا فِيْهِ ؕ كَبُرَ عَلَى الْمُشْرِكِيْنَ مَا تَدْعُوْهُمْ اِلَيْهِ ؕ اَللّٰهُ يَجْتَبِيْٓ اِلَيْهِ مَنْ يَّشَآءُ وَيَهْدِيْٓ اِلَيْهِ مَنْ يُّنِيْبُ ﴿۱۳﴾
১৪. প্রকৃত জ্ঞান আসার পরেই লোকেরা বিভক্ত হয়ে পড়েছে নিজেদের মধ্যে পারস্পারিক (স্বার্থগত) বাড়াবাড়ির কারণে। তোমার প্রভুর পক্ষ থেকে একটি নির্দিষ্ট সময় পর্যন্ত অবকাশ প্রদানের পূর্ব সিদ্ধান্ত না থাকলে অবশ্যি তাদের এই (বিবাদ বিভক্তির) চূড়ান্ত ফায়সালা করে দেয়া হতো। প্রথম দিকের লোকদের পরে যারা কিতাবের উত্তরাধিকারী হয়েছে, তারা (আল্লাহ্‌র দীন ও কিতাব) সম্পর্কে বিভ্রান্তিকর সন্দেহে নিমজ্জিত রয়েছে।	وَمَا تَفَرَّقُوْٓا اِلَّا مِنْۢ بَعْدِ مَا جَآءَهُمُ الْعِلْمُ بَغْيًۢا بَيْنَهُمْ ؕ وَلَوْلَا كَلِمَةٌ سَبَقَتْ مِنْ رَّبِّكَ اِلٰٓى اَجَلٍ مُّسَمًّى لَّقُضِيَ بَيْنَهُمْ ؕ وَاِنَّ الَّذِيْنَ اُوْرِثُوا الْكِتٰبَ مِنْۢ بَعْدِهِمْ لَفِيْ شَكٍّ مِّنْهُ مُرِيْبٍ ﴿۱۴﴾
১৫. এমতাবস্থায় তুমি সরাসরি কেবল আল্লাহ্‌র দীনের দিকেই মানুষকে আহবান করো এবং এর উপরই অটল অবিচল থাকো, যেভাবে তোমাকে নির্দেশ দেয়া হয়েছে। লোকেরা যা চায়, তা মেনে চলোনা; বরং তাদের বলো: 'আমি তো আল্লাহ্‌র অবতীর্ণ কিতাবের প্রতি ঈমান এনেছি (তাই আমি এ কিতাব বাদ দিয়ে মানুষের ইচ্ছার অনুসরণ করতে পারিনা), তাছাড়া তোমাদের মাঝে ন্যায়বিচার করার নির্দেশ আমাকে দেয়া হয়েছে। আল্লাহই আমাদের প্রভু এবং তোমাদেরও প্রভু। আমাদের কর্ম আমাদের জন্যে আর তোমাদের কর্ম তোমাদের জন্যে। আমাদের ও তোমাদের মাঝে কোনো বিতর্ক নেই। একদিন আল্লাহ আমাদের সবাইকে একস্থানে জমায়েত করবেন আর শেষ পর্যন্ত সবাইকে ফিরে যেতে হবে তাঁরই কাছে।'	فَلِذٰلِكَ فَادْعُ ۚ وَاسْتَقِمْ كَمَآ اُمِرْتَ ۚ وَلَا تَتَّبِعْ اَهْوَآءَهُمْ ۚ وَقُلْ اٰمَنْتُ بِمَآ اَنْزَلَ اللّٰهُ مِنْ كِتٰبٍ ۚ وَاُمِرْتُ لِاَعْدِلَ بَيْنَكُمْ ؕ اَللّٰهُ رَبُّنَا وَرَبُّكُمْ ؕ لَنَآ اَعْمَالُنَا وَلَكُمْ اَعْمَالُكُمْ ؕ لَا حُجَّةَ بَيْنَنَا وَبَيْنَكُمْ ؕ اَللّٰهُ يَجْمَعُ بَيْنَنَا ۚ وَاِلَيْهِ الْمَصِيْرُ ﴿۱۵﴾
১৬. আল্লাহ্‌র দেয়া দীন ও জীবন পদ্ধতি গ্রহণ করার পর যারা দীনের এই প্রকৃত অনুসারীদের সাথে বিতর্কে লিপ্ত হয়, তাদের প্রভুর দৃষ্টিতে তাদের এই বিতর্ক অর্থহীন-বাতিল। তাদের উপর আপতিত হয় প্রচণ্ড গজব। আর তাদের জন্যে রয়েছে দু:সহ আযাব।	وَالَّذِيْنَ يُحَآجُّوْنَ فِي اللّٰهِ مِنْۢ بَعْدِ مَا اسْتُجِيْبَ لَهٗ حُجَّتُهُمْ دَاحِضَةٌ عِنْدَ رَبِّهِمْ وَعَلَيْهِمْ غَضَبٌ وَّلَهُمْ عَذَابٌ شَدِيْدٌ ﴿۱۶﴾

১৭. আল্লাহ, নিঃসন্দেহে তিনিই নাযিল করেছেন 'আল কিতাব' (আল কুরআন) এবং 'আল মীযান' (জীবন-যাপনের সুষম বিধান)। তুমি কী করে জানবে হয়তো কিয়ামত একেবারে সন্নিকটে?	اَللّٰهُ الَّذِيْٓ اَنْزَلَ الْكِتٰبَ بِالْحَقِّ وَالْمِيْزَانَ ؕ وَمَا يُدْرِيْكَ لَعَلَّ السَّاعَةَ قَرِيْبٌ ﴿١٧﴾
১৮. যারা ঐ দিনটিকে বিশ্বাস করেনা, তারাই সে দিনটির জন্যে তাড়াহুড়া করে। আর যারা সে দিনটির প্রতি ঈমান এনেছে তারা তার ভয়ে ভীত। তারা জানে, সে দিনটি মহাসত্য। সাবধান! যারা সে দিনটির আগমন সম্পর্কে বিতর্ক করে, তারা নিমজ্জিত দুস্তর ভুলের মধ্যে।	يَسْتَعْجِلُ بِهَا الَّذِيْنَ لَا يُؤْمِنُوْنَ بِهَا ۚ وَ الَّذِيْنَ اٰمَنُوْا مُشْفِقُوْنَ مِنْهَا ۙ وَ يَعْلَمُوْنَ اَنَّهَا الْحَقُّ ؕ اَلَآ اِنَّ الَّذِيْنَ يُمَارُوْنَ فِي السَّاعَةِ لَفِيْ ضَلٰلٍۭ بَعِيْدٍ ﴿١٨﴾
১৯. আল্লাহ তাঁর বান্দাদের প্রতি পরম দয়াবান। তিনি যাকে ইচ্ছা জীবিকার প্রাচুর্য দিয়ে থাকেন। তিনি সর্বশক্তিমান এবং সর্বময় ক্ষমতার অধিকারী।	اَللّٰهُ لَطِيْفٌۢ بِعِبَادِهٖ يَرْزُقُ مَنْ يَّشَآءُ ۚ وَ هُوَ الْقَوِيُّ الْعَزِيْزُ ﴿١٩﴾
২০. যে (নিজের কর্মের মাধ্যমে) আখিরাতের ফসল (পুরস্কার) কামনা করে, আমি প্রবৃদ্ধি দান করি তার সেই ফসলে। আর যে (নিজের কর্মের মাধ্যমে) পেতে চায় ইহজাগতিক ফসল (পুরস্কার), আমি তাকে সেখান থেকে কিছু অংশ দিয়ে থাকি। কিন্তু তার জন্যে কিছুই নেই আখিরাতে।	مَنْ كَانَ يُرِيْدُ حَرْثَ الْاٰخِرَةِ نَزِدْ لَهٗ فِيْ حَرْثِهٖ ۚ وَ مَنْ كَانَ يُرِيْدُ حَرْثَ الدُّنْيَا نُؤْتِهٖ مِنْهَا وَ مَا لَهٗ فِي الْاٰخِرَةِ مِنْ نَّصِيْبٍ ﴿٢٠﴾
২১. নাকি তারা আল্লাহ্‌র শরিকদার বানিয়ে নিয়েছে এবং সেই শরিকদাররা তাদের জন্যে এমন কোনো জীবন-বিধান প্রবর্তন করেছে, যার অনুমতি আল্লাহ দেননি? (আখিরাতে) ফায়সালা করার ঘোষণা যদি দেয়া না থাকতো, তবে তাদের (এই বিরোধের) ফায়সালা (এখানেই) করে দেয়া হতো। আর এই যালিমদের জন্যে অবশ্যি রয়েছে যন্ত্রণাদায়ক আযাব।	اَمْ لَهُمْ شُرَكٰٓؤُا شَرَعُوْا لَهُمْ مِّنَ الدِّيْنِ مَا لَمْ يَاْذَنْۢ بِهِ اللّٰهُ ؕ وَ لَوْ لَا كَلِمَةُ الْفَصْلِ لَقُضِيَ بَيْنَهُمْ ؕ وَ اِنَّ الظّٰلِمِيْنَ لَهُمْ عَذَابٌ اَلِيْمٌ ﴿٢١﴾
২২. তুমি দেখতে পাবে (বিচারের দিন) এই যালিমরা তাদের কৃতকর্মের জন্যে ভীত আতংকিত। অথচ তা (আল্লাহ্‌র আযাব) তাদের উপর আপতিত হবেই। পক্ষান্তরে যারা 'ঈমান এনেছে' এবং 'আমলে সালেহ্' করেছে, তারা বসবাস করবে জান্নাতের মনোরম বাগ-বাগিচায়। তারা যা যা ইচ্ছা করবে তাদের প্রভুর কাছে সবই পাবে। এ হলো সর্বশ্রেষ্ঠ অনুগ্রহ (Supreme Grace)।	تَرَى الظّٰلِمِيْنَ مُشْفِقِيْنَ مِمَّا كَسَبُوْا وَ هُوَ وَاقِعٌۢ بِهِمْ ؕ وَ الَّذِيْنَ اٰمَنُوْا وَ عَمِلُوا الصّٰلِحٰتِ فِيْ رَوْضٰتِ الْجَنّٰتِ ۚ لَهُمْ مَّا يَشَآءُوْنَ عِنْدَ رَبِّهِمْ ؕ ذٰلِكَ هُوَ الْفَضْلُ الْكَبِيْرُ ﴿٢٢﴾
২৩. এটাই সেই মহোত্তম পুরস্কার, আল্লাহ এরই সুসংবাদ দিচ্ছেন তাঁর সেইসব দাসদের, যারা 'ঈমান এনেছে' এবং 'আমলে সালেহ' করেছে। হে মুহাম্মদ! (তোমার জাতির লোকদের) বলো: 'এর (এই দাওয়াত ও আহবানের) বিনিময়ে আমি তোমাদের কাছে আত্মীয়তার সৌজন্য ছাড়া আর কোনো প্রতিদান চাইনা।' যে কল্যাণকর কাজ	ذٰلِكَ الَّذِيْ يُبَشِّرُ اللّٰهُ عِبَادَهُ الَّذِيْنَ اٰمَنُوْا وَ عَمِلُوا الصّٰلِحٰتِ ؕ قُلْ لَّآ اَسْـَٔلُكُمْ عَلَيْهِ اَجْرًا اِلَّا الْمَوَدَّةَ فِي الْقُرْبٰى ؕ وَ مَنْ يَّقْتَرِفْ حَسَنَةً نَّزِدْ لَهٗ

রুকু ০২

فِيْهَا حُسْنًا ؕ اِنَّ اللّٰهَ غَفُوْرٌ شَكُوْرٌ ﴿۲۳﴾	করে, আমি তাতে তার কল্যাণের মাত্রা বাড়িয়ে দিই। নিশ্চয়ই আল্লাহ পরম ক্ষমাশীল এবং ভালো কাজের মর্যাদা দানকারী।
اَمْ يَقُوْلُوْنَ افْتَرٰى عَلَى اللّٰهِ كَذِبًا ۚ فَاِنْ يَّشَاِ اللّٰهُ يَخْتِمْ عَلٰى قَلْبِكَ ؕ وَ يَمْحُ اللّٰهُ الْبَاطِلَ وَ يُحِقُّ الْحَقَّ بِكَلِمٰتِهٖ ؕ اِنَّهٗ عَلِيْمٌۢ بِذَاتِ الصُّدُوْرِ ﴿۲۴﴾	২৪. নাকি তারা বলে: 'সে (মুহাম্মদ) আল্লাহ্‌র বিরুদ্ধে মিথ্যা-মনগড়া কথা বলছে?'আল্লাহ চাইলে তোমার দিলে মোহর মেরে দিতে পারেন। আসলে আল্লাহ তো মিথ্যাকেই মুছে (নির্মূল করে) দেন, আর নিজ বাণী (আল কুরআন) দিয়ে প্রমাণিত ও প্রতিষ্ঠিত করে দেন সত্যকে। অবশ্যি তিনি মানব মনের গোপন বিষয়ও ভালোভাবে অবগত।
وَ هُوَ الَّذِيْ يَقْبَلُ التَّوْبَةَ عَنْ عِبَادِهٖ وَ يَعْفُوْا عَنِ السَّيِّاٰتِ وَ يَعْلَمُ مَا تَفْعَلُوْنَ ﴿۲۵﴾	২৫. আর তিনিই সেই মহান সত্তা, যিনি নিজ বান্দাদের তওবা (অনুশোচনা) কবুল করেন এবং গুনাহ খাতা মাফ করেন। তিনি অবগত আছেন তোমরা যা করো।
وَ يَسْتَجِيْبُ الَّذِيْنَ اٰمَنُوْا وَ عَمِلُوا الصّٰلِحٰتِ وَ يَزِيْدُهُمْ مِّنْ فَضْلِهٖ ؕ وَ الْكٰفِرُوْنَ لَهُمْ عَذَابٌ شَدِيْدٌ ﴿۲۶﴾	২৬. যারা 'ঈমান আনে' এবং 'আমলে সালেহ্' করে, তিনি তাদের দোয়া কবুল করেন এবং তাদের প্রতি বাড়িয়ে দেন নিজের অনুগ্রহ। অন্যদিকে রয়েছে কাফিররা, তাদের জন্যে রয়েছে শক্ত আযাব।
وَ لَوْ بَسَطَ اللّٰهُ الرِّزْقَ لِعِبَادِهٖ لَبَغَوْا فِي الْاَرْضِ وَ لٰكِنْ يُّنَزِّلُ بِقَدَرٍ مَّا يَشَآءُ ؕ اِنَّهٗ بِعِبَادِهٖ خَبِيْرٌۢ بَصِيْرٌ ﴿۲۷﴾	২৭. আল্লাহ যদি তাঁর সব বান্দাকেই অঢেল সম্পদ-সামগ্রী দান করতেন, তবে অবশ্যি তারা পৃথিবীতে বিদ্রোহ- বাড়াবাড়িতে লিপ্ত হতো। বরং তিনি একটি পরিমাণ মতো নাযিল করেন-যা তিনি চান। নিজ বান্দাদের প্রতি তিনি পূর্ণ সতর্ক ও দৃষ্টিবান।
وَ هُوَ الَّذِيْ يُنَزِّلُ الْغَيْثَ مِنْۢ بَعْدِ مَا قَنَطُوْا وَ يَنْشُرُ رَحْمَتَهٗ ؕ وَ هُوَ الْوَلِيُّ الْحَمِيْدُ ﴿۲۸﴾	২৮. তিনিই সে মহীয়ান সত্তা, মানুষ নিরাশ হয়ে পড়ার পর যিনি বৃষ্টি বর্ষণ করেন এবং তাদের প্রতি বিস্তার করেন নিজের করুণা। আর তিনিই সুপ্রশংসিত প্রকৃত অভিভাবক।
وَ مِنْ اٰيٰتِهٖ خَلْقُ السَّمٰوٰتِ وَ الْاَرْضِ وَ مَا بَثَّ فِيْهِمَا مِنْ دَآبَّةٍ ؕ وَ هُوَ عَلٰى جَمْعِهِمْ اِذَا يَشَآءُ قَدِيْرٌ ﴿۲۹﴾	২৯. মহাবিশ্ব আর এই পৃথিবীর সৃষ্টি এবং এগুলোতে তিনি ছড়িয়ে রেখেছেন যেসব প্রাণীকুল, তাতে রয়েছে তাঁর অন্যতম নিদর্শন। যখন চাইবেন, তখনই তিনি এদের সবাইকে একত্র জমায়েত করতে সক্ষম।
وَ مَاۤ اَصَابَكُمْ مِّنْ مُّصِيْبَةٍ فَبِمَا كَسَبَتْ اَيْدِيْكُمْ وَ يَعْفُوْا عَنْ كَثِيْرٍ ﴿۳۰﴾	৩০. তোমাদের জীবনে যে দুর্দশা-দুর্ঘটনাই (misfortune) ঘটে, তা তোমাদেরই হাতের কামাই। আর অনেক অপরাধ তো তিনি ক্ষমাই করে দেন।
وَ مَاۤ اَنْتُمْ بِمُعْجِزِيْنَ فِي الْاَرْضِ ۚۖ وَ مَا لَكُمْ مِّنْ دُوْنِ اللّٰهِ مِنْ وَّلِيٍّ وَّ لَا نَصِيْرٍ ﴿۳۱﴾	৩১. তোমরা পৃথিবীতে আল্লাহ্‌র পাকড়াও থেকে পলায়ন করতে পারবেনা। আর আল্লাহ ছাড়া তোমাদের না আছে কোনো অভিভাবক আর না আছে কোনো সাহায্যকারী।
وَ مِنْ اٰيٰتِهِ الْجَوَارِ فِي الْبَحْرِ كَالْاَعْلَامِ ﴿۳۲﴾	৩২. সমুদ্রে চলমান পর্বতমালার মতো নৌযানগুলোও তাঁর অন্যতম নিদর্শন।

রুকু ০৩

৩৩. তিনি চাইলে বাতাসকে থামিয়ে দিতে পারেন, তখন নৌযানগুলো দাঁড়িয়ে থাকবে সমুদ্রের পিঠে। অবশ্যি এর মধ্যে নিদর্শন রয়েছে প্রত্যেক ধৈর্যশীল কৃতজ্ঞ ব্যক্তির জন্যে।	إِنْ يَّشَأْ يُسْكِنِ الرِّيْحَ فَيَظْلَلْنَ رَوَاكِدَ عَلٰى ظَهْرِهٖ ؕ إِنَّ فِيْ ذٰلِكَ لَاٰيٰتٍ لِّكُلِّ صَبَّارٍ شَكُوْرٍ ٣٣
৩৪. কিংবা তাদের কৃতকর্মের জন্যে তিনি সেগুলোকে ডুবিয়েও দিতে পারেন। আর অনেক (বা অনেকের) অপরাধ তো তিনিই ক্ষমা করে দেন।	أَوْ يُوْبِقْهُنَّ بِمَا كَسَبُوْا وَيَعْفُ عَنْ كَثِيْرٍ ٣٤
৩৫. যারা আমাদের আয়াতসমূহ সম্পর্কে বিতর্কে লিপ্ত হয়, (এতে করে) তারা যেনো জানতে পারে তাদের আশ্রয়ের কোনো জায়গা নেই।	وَّيَعْلَمَ الَّذِيْنَ يُجَادِلُوْنَ فِيْٓ اٰيٰتِنَا ؕ مَا لَهُمْ مِّنْ مَّحِيْصٍ ٣٥
৩৬. সুতরাং যা কিছু তোমাদের দেয়া হয়েছে, তা পার্থিব জীবনের ক্ষণস্থায়ী ভোগের সামগ্রী মাত্র। অন্যদিকে আল্লাহ্‌র কাছে যা রয়েছে, সেগুলো যেমনি উত্তম, তেমনি চিরস্থায়ী সেইসব লোকদের জন্যে, যারা ঈমান আনে এবং তারা তাদের প্রভুর উপর তাওয়াক্কুল করে;	فَمَآ اُوْتِيْتُمْ مِّنْ شَيْءٍ فَمَتَاعُ الْحَيٰوةِ الدُّنْيَا ۚ وَمَا عِنْدَ اللّٰهِ خَيْرٌ وَّاَبْقٰى لِلَّذِيْنَ اٰمَنُوْا وَعَلٰى رَبِّهِمْ يَتَوَكَّلُوْنَ ٣٦
৩৭. যারা কবিরা গুনাহ ও অশ্লীল কাজ পরিহার করে চলে, এবং ক্রোধান্বিত হলে ক্ষমা করে দেয়;	وَالَّذِيْنَ يَجْتَنِبُوْنَ كَبٰٓئِرَ الْاِثْمِ وَالْفَوَاحِشَ وَاِذَا مَا غَضِبُوْا هُمْ يَغْفِرُوْنَ ٣٧
৩৮. যারা তাদের প্রভুর আহবানে সাড়া দেয়, সালাত কায়েম করে, পারস্পরিক পরামর্শের ভিত্তিতে নিজেদের বিষয়াদি পরিচালনা করে এবং আমার দেয়া রিযিক থেকে খরচ করে;	وَالَّذِيْنَ اسْتَجَابُوْا لِرَبِّهِمْ وَاَقَامُوا الصَّلٰوةَ ۪ وَاَمْرُهُمْ شُوْرٰى بَيْنَهُمْ ۪ وَمِمَّا رَزَقْنٰهُمْ يُنْفِقُوْنَ ٣٨
৩৯. আর (তাদের উপর) অন্যায় অত্যাচার করা হলে প্রতিশোধ গ্রহণ করে।	وَالَّذِيْنَ اِذَآ اَصَابَهُمُ الْبَغْيُ هُمْ يَنْتَصِرُوْنَ ٣٩
৪০. মন্দের বিনিময় তো অনুরূপ মন্দ। তবে যে ক্ষমা করে দেয় এবং নিষ্পত্তি করে নেয়, তার পুরস্কার আল্লাহ্‌র জিম্মায়। তিনি অত্যাচারীদের মোটেও পছন্দ করেননা।	وَجَزٰٓؤُا سَيِّئَةٍ سَيِّئَةٌ مِّثْلُهَا ۚ فَمَنْ عَفَا وَاَصْلَحَ فَاَجْرُهٗ عَلَى اللّٰهِ ؕ اِنَّهٗ لَا يُحِبُّ الظّٰلِمِيْنَ ٤٠
৪১. তবে যারা অত্যাচারিত হবার পর প্রতিশোধ গ্রহণ করে, তাদের অপরাধ ধরা হবেনা।	وَلَمَنِ انْتَصَرَ بَعْدَ ظُلْمِهٖ فَاُولٰٓئِكَ مَا عَلَيْهِمْ مِّنْ سَبِيْلٍ ٤١
৪২. অপরাধী সাব্যস্ত করা হবে তদেরকে, যারা মানুষের উপর অত্যাচার করে এবং পৃথিবীতে অন্যায় বাড়াবাড়িতে লিপ্ত হয়। তাদের জন্যে রয়েছে যন্ত্রণাদায়ক আযাব।	اِنَّمَا السَّبِيْلُ عَلَى الَّذِيْنَ يَظْلِمُوْنَ النَّاسَ وَيَبْغُوْنَ فِي الْاَرْضِ بِغَيْرِ الْحَقِّ ؕ اُولٰٓئِكَ لَهُمْ عَذَابٌ اَلِيْمٌ ٤٢
৪৩. যে সবর অবলম্বন করে এবং ক্ষমা করে দেয়, তার সে কাজ অবশ্যি আল্লাহ্‌র পছন্দনীয় মহোত্তম সংকল্পের কাজ।	وَلَمَنْ صَبَرَ وَغَفَرَ اِنَّ ذٰلِكَ لَمِنْ عَزْمِ الْاُمُوْرِ ٤٣

রুকু ০৪

৪৪. আল্লাহ যাকে পথভ্রষ্ট করে দেন, আল্লাহ ছাড়া তার কোনো রক্ষাকারী নেই। এই যালিমরা যখন আযাবের সম্মুখীন হবে, তখন তুমি তাদের বলতে দেখবে: '(পৃথিবীতে) ফিরে যাবার কোনো পথ আছে কি?'	وَ مَنۡ یُّضۡلِلِ اللّٰہُ فَمَا لَہٗ مِنۡ وَّلِیٍّ مِّنۡۢ بَعۡدِہٖ ؕ وَ تَرَی الظّٰلِمِیۡنَ لَمَّا رَاَوُا الۡعَذَابَ یَقُوۡلُوۡنَ ہَلۡ اِلٰی مَرَدٍّ مِّنۡ سَبِیۡلٍ ﴿۴۴﴾
৪৫. তুমি দেখতে পাবে, অবনত অপদস্থ করে এদের জাহান্নামে নেয়া হচ্ছে এবং নত চোখ বাঁকা করে তারা তাকে দেখছে। সেদিন মুমিনরা বলবে: 'আসল ক্ষতিগ্রস্ত তারাই, যারা আজ নিজেদেরকে এবং নিজেদের পরিবার পরিজনকে ক্ষতির মধ্যে নিক্ষেপ করেছে।' সাবধান, যালিমরা অবশ্যি থাকবে চিরস্থায়ী আযাবের মধ্যে।	وَ تَرٰىہُمۡ یُعۡرَضُوۡنَ عَلَیۡہَا خٰشِعِیۡنَ مِنَ الذُّلِّ یَنۡظُرُوۡنَ مِنۡ طَرۡفٍ خَفِیٍّ ؕ وَ قَالَ الَّذِیۡنَ اٰمَنُوۡۤا اِنَّ الۡخٰسِرِیۡنَ الَّذِیۡنَ خَسِرُوۡۤا اَنۡفُسَہُمۡ وَ اَہۡلِیۡہِمۡ یَوۡمَ الۡقِیٰمَۃِ ؕ اَلَاۤ اِنَّ الظّٰلِمِیۡنَ فِیۡ عَذَابٍ مُّقِیۡمٍ ﴿۴۵﴾
৪৬. আল্লাহ ছাড়া তাদের সাহায্য করার জন্যে তাদের আর কোনোই অলি-অভিভাবক থাকবেনা। আল্লাহ যাকে পথভ্রষ্ট করে দেন, তার রক্ষা পাবার আর কোনো পথ থাকেনা।	وَ مَا کَانَ لَہُمۡ مِّنۡ اَوۡلِیَآءَ یَنۡصُرُوۡنَہُمۡ مِّنۡ دُوۡنِ اللّٰہِ ؕ وَ مَنۡ یُّضۡلِلِ اللّٰہُ فَمَا لَہٗ مِنۡ سَبِیۡلٍ ﴿۴۶﴾
৪৭. সুতরাং, তোমরা আল্লাহ্‌র আহবানে সাড়া দাও (তাঁর নির্দেশ মতো জীবন পরিচালনা করো) সেই দিনটি আসার আগেই, যার আগমন অপ্রতিরোধ্য। সেদিন তোমাদের কোনো আশ্রয়স্থল থাকবেনা এবং তোমাদেরকে বাঁচানোর চেষ্টা করারও কেউ থাকবেনা।	اِسۡتَجِیۡبُوۡا لِرَبِّکُمۡ مِّنۡ قَبۡلِ اَنۡ یَّاۡتِیَ یَوۡمٌ لَّا مَرَدَّ لَہٗ مِنَ اللّٰہِ ؕ مَا لَکُمۡ مِّنۡ مَّلۡجَاٍ یَّوۡمَئِذٍ وَّ مَا لَکُمۡ مِّنۡ نَّکِیۡرٍ ﴿۴۷﴾
৪৮. এরপরও যদি তারা মুখ ফিরিয়ে নেয়, তবে আমরা তো তোমাকে তাদের রক্ষক বানিয়ে পাঠাইনি। বার্তা পৌঁছে দেয়া ছাড়া তোমার কোনো দায় দায়িত্ব নেই। মানুষের অবস্থা তো হলো এই যে, আমরা যখন তাকে আমাদের রহমতের স্বাদ গ্রহণ করাই, সে উল্লসিত হয়ে উঠে। আবার যখন তাদের কৃতকর্মের ফলে তাদের উপর দু:খ দুর্দশা চেপে বসে, তখন মানুষ হয়ে পড়ে চরম অকৃতজ্ঞ।	فَاِنۡ اَعۡرَضُوۡا فَمَاۤ اَرۡسَلۡنٰکَ عَلَیۡہِمۡ حَفِیۡظًا ؕ اِنۡ عَلَیۡکَ اِلَّا الۡبَلٰغُ ؕ وَ اِنَّاۤ اِذَاۤ اَذَقۡنَا الۡاِنۡسَانَ مِنَّا رَحۡمَۃً فَرِحَ بِہَا ۚ وَ اِنۡ تُصِبۡہُمۡ سَیِّئَۃٌۢ بِمَا قَدَّمَتۡ اَیۡدِیۡہِمۡ فَاِنَّ الۡاِنۡسَانَ کَفُوۡرٌ ﴿۴۸﴾
৪৯. মহাবিশ্ব এবং এই পৃথিবীর শাসন-কর্তৃত্ব একমাত্র আল্লাহ্‌র। তিনি তাই সৃষ্টি করেন, যা তিনি চান। তিনি যাকে চান কন্যা সন্তান দান করেন, আর যাকে চান দান করেন পুত্র সন্তান।	لِلّٰہِ مُلۡکُ السَّمٰوٰتِ وَ الۡاَرۡضِ ؕ یَخۡلُقُ مَا یَشَآءُ ؕ یَہَبُ لِمَنۡ یَّشَآءُ اِنَاثًا وَّ یَہَبُ لِمَنۡ یَّشَآءُ الذُّکُوۡرَ ﴿ۙ۴۹﴾
৫০. যাকে চান তিনি পুত্র-কন্যা উভয় সন্তানই দান করেন, আর যাকে ইচ্ছা করে রাখেন বন্ধ্যা। তিনি সর্বজ্ঞানী এবং সর্বশক্তিমান।	اَوۡ یُزَوِّجُہُمۡ ذُکۡرَانًا وَّ اِنَاثًا ۚ وَ یَجۡعَلُ مَنۡ یَّشَآءُ عَقِیۡمًا ؕ اِنَّہٗ عَلِیۡمٌ قَدِیۡرٌ ﴿۵۰﴾

৫১. কোনো মানুষকে এ মর্যাদা দেয়া হয়নি যে, আল্লাহ তার সাথে (সরাসরি) কথা বলবেন। তিনি কারো সাথে কথা বললে বলে থাকেন অহির (সুক্ষ্ম ইংগিতের) মাধ্যমে, অথবা পর্দার অন্তরাল থেকে, কিংবা তার কাছে বার্তাবাহক (ফেরেশতা) পাঠিয়ে দেন এবং সে তাঁর হুকুম মতো তিনি যা চান, তা অহি করে। নি:সন্দেহে তিনি অতি মহান ও মহাবিজ্ঞ।	وَ مَا كَانَ لِبَشَرٍ اَنْ يُّكَلِّمَهُ اللّٰهُ اِلَّا وَحْيًا اَوْ مِنْ وَّرَآئِ حِجَابٍ اَوْ يُرْسِلَ رَسُوْلًا فَيُوْحِيَ بِاِذْنِهٖ مَا يَشَآءُ ؕ اِنَّهٗ عَلِيٌّ حَكِيْمٌ ﴿۵۱﴾
৫২. (হে মুহাম্মদ) এ পদ্ধতিতেই আমরা আমাদের নির্দেশ (Command)-এর একটি 'রূহ' তোমার কাছে অহি করেছি। তুমি তো কিছুই জানতে না, কিতাব কী? ঈমান কী? (আসল কথা হলো, আমরা তোমার কাছে প্রেরিত) সেই রূহটিকে (তোমার জন্যে) একটি আলোকবর্তিকা বানিয়ে দিয়েছি। এই আলোকবর্তিকা দিয়েই আমরা আমাদের দাসদের যাকে ইচ্ছা সঠিক পথ দেখিয়ে থাকি। আর নি:সন্দেহে (হে মুহাম্মদ!) তুমি সিরাতুল মুস্তাকিমের (সঠিক পথের) দিকেই ডাকছো।	وَ كَذٰلِكَ اَوْحَيْنَاۤ اِلَيْكَ رُوْحًا مِّنْ اَمْرِنَا ؕ مَا كُنْتَ تَدْرِيْ مَا الْكِتٰبُ وَ لَا الْاِيْمَانُ وَ لٰكِنْ جَعَلْنٰهُ نُوْرًا نَّهْدِيْ بِهٖ مَنْ نَّشَآءُ مِنْ عِبَادِنَا ؕ وَ اِنَّكَ لَتَهْدِيْۤ اِلٰى صِرَاطٍ مُّسْتَقِيْمٍ ﴿۵۲﴾
৫৩. (তুমি মানুষকে) সেই মহান (আল্লাহ্র) পথের দিকেই ডাকছো, মহাবিশ্ব এবং এই পৃথিবীর সবকিছুর যিনি মালিক। সতর্ক হও, নি:সন্দেহে সমস্ত বিষয় (চূড়ান্ত ফায়সালার জন্যে) ফিরে যায় আল্লাহ্রই কাছে।	صِرَاطِ اللّٰهِ الَّذِيْ لَهٗ مَا فِي السَّمٰوٰتِ وَ مَا فِي الْاَرْضِ ؕ اَلَاۤ اِلَى اللّٰهِ تَصِيْرُ الْاُمُوْرُ ﴿۵۳﴾

রুকু ০৫

সূরা ৪৩ আয্ যুখরুফ

মক্কায় অবতীর্ণ, আয়াত সংখ্যা: ৮৯, রুকু সংখ্যা: ০৭

এই সূরার আলোচ্যসূচি (আয়াত ভিত্তিক আলোচ্য বিষয়)

০১-২৫: কুরআন সংরক্ষিত আছে উম্মুল কিতাবে। সকল নবীর সাথেই বিদ্রূপ করা হয়েছে। মানুষের প্রতি আল্লাহ্র অনুগ্রহ। কিন্তু অকৃতজ্ঞ মানুষ আল্লাহ্র সাথে শরিক করে এবং আল্লাহ্র রসূলদের প্রত্যাখ্যান করে।

২৬-৩৫: শিরক করার কারণে ইবরাহিম তার পিতা ও জাতির সাথে সম্পর্ক ছিন্ন করেন। আল্লাহ্ অর্থনৈতিকভাবে মানুষের মর্যাদা উঁচু নিচু করেছেন যাতে তারা কর্মচারী নিয়োগ করতে পারে।

৩৬-৪৫: যে আল্লাহ্র কিতাব থেকে বিমুখ হয়, আল্লাহ্ তার পিছে শয়তান লাগিয়ে রাখেন। তারা তাকে আল্লাহ্র পথে চলতে বাধা দেয়। কুরআনকে শক্ত করে আঁকড়ে ধরো।

৪৬-৫৬: মূসাকেও প্রত্যাখ্যান করেছিল ফিরাউন ও তার পারিষদবর্গ।

৫৭-৬৬: ঈসা আল্লাহ্র দাস। ঈসার দাওয়াত কী ছিলো?

৬৭-৮৯: দুনিয়ার বিপথগামী বন্ধুরা কিয়ামতের দিন পরস্পরের শত্রু হয়ে যাবে। আল্লাহ্র মুমিন দাসদের পরকালীন পুরস্কার। অপরাধীদের দূরবস্থা। ফেরেশতারা মানুষের আমল রেকর্ড করে রাখছেন। মহাকাশ ও পৃথিবী সর্বত্র আল্লাহ্ই একমাত্র ইলাহ্। মুশরিকদের বানানো শরিকরা সুপারিশ করতে পারবে না।

সূরা আয্ যুখরুফ (স্বর্ণের সাজ সজ্জা) পরম করুণাময় পরম দয়াবান আল্লাহ্‌র নামে	سُوْرَةُ الزُّخْرُفِ بِسْمِ اللّٰهِ الرَّحْمٰنِ الرَّحِيْمِ
০১. হা মিম!	حٰمٓ ۚ ۟ ①
০২. সুস্পষ্ট কিতাবের শপথ!	وَالْكِتٰبِ الْمُبِيْنِ ۙ ۟ ②
০৩. আমরা এই কুরআন আরবি ভাষায় করেছি যেনো তোমরা বুঝতে পারো।	اِنَّا جَعَلْنٰهُ قُرْءٰنًا عَرَبِيًّا لَّعَلَّكُمْ تَعْقِلُوْنَ ۚ ۟ ③
০৪. এটি আমাদের কাছে উম্মুল কিতাবে (মূল গ্রন্থে, Mother Book-এ) সংরক্ষিত আছে। এটি অতি উঁচু মর্যাদাসম্পন্ন, বিজ্ঞানময়।	وَاِنَّهٗ فِيْۤ اُمِّ الْكِتٰبِ لَدَيْنَا لَعَلِيٌّ حَكِيْمٌ ۟ ④
০৫. যেহেতু তোমরা একটি সীমালংঘনকারী জাতি, সে জন্যে কি আমরা তোমাদের থেকে এই উপদেশ গ্রন্থ পুরোপুরি প্রত্যাহার করে নেবো?	اَفَنَضْرِبُ عَنْكُمُ الذِّكْرَ صَفْحًا اَنْ كُنْتُمْ قَوْمًا مُّسْرِفِيْنَ ۟ ⑤
০৬. আগেকার লোকদের কাছে আমরা বহু নবী পাঠিয়েছি।	وَكَمْ اَرْسَلْنَا مِنْ نَّبِيٍّ فِي الْاَوَّلِيْنَ ۟ ⑥
০৭. যখনই তাদের কাছে কোনো নবী এসেছিল, তারা তাকে নিয়ে ঠাট্টা বিদ্রুপ করেছিল।	وَ مَا يَاْتِيْهِمْ مِّنْ نَّبِيٍّ اِلَّا كَانُوْا بِهٖ يَسْتَهْزِءُوْنَ ۟ ⑦
০৮. তাদের আমরা ধ্বংস করে দিয়েছিলাম, তারা ছিলো এদের চাইতেও প্রবল শক্তিধর। যারা অতীত হয়েছে এ রকমই ছিলো তাদের দৃষ্টান্ত।	فَاَهْلَكْنَاۤ اَشَدَّ مِنْهُمْ بَطْشًا وَّ مَضٰى مَثَلُ الْاَوَّلِيْنَ ۟ ⑧
০৯. তুমি যদি তাদের জিজ্ঞেস করো, কে সৃষ্টি করেছেন মহাকাশ আর পৃথিবী? তারা অবশ্যি বলবে: 'মহাশক্তিধর মহাজ্ঞানী আল্লাহ্ সৃষ্টি করেছেন সেগুলো।'	وَلَئِنْ سَاَلْتَهُمْ مَّنْ خَلَقَ السَّمٰوٰتِ وَالْاَرْضَ لَيَقُوْلُنَّ خَلَقَهُنَّ الْعَزِيْزُ الْعَلِيْمُ ۙ ۟ ⑨
১০. তিনিই তোমাদের জন্যে পৃথিবীকে করেছেন শয্যা-সমতল এবং তাতে তোমাদের জন্যে তৈরি করে দিয়েছেন চলাচলের পথ, যাতে করে তোমরা সঠিক পথে চলতে পারো,	الَّذِيْ جَعَلَ لَكُمُ الْاَرْضَ مَهْدًا وَّجَعَلَ لَكُمْ فِيْهَا سُبُلًا لَّعَلَّكُمْ تَهْتَدُوْنَ ۚ ۟ ⑩
১১. এবং তিনিই আসমান থেকে নাযিল করেন পানি পরিমাণ মতো, তা দিয়ে আমরা জীবিত করে তুলি মরা জমিনকে। এভাবেই পুনরুত্থিত করা হবে তোমাদেরকেও।	وَالَّذِيْ نَزَّلَ مِنَ السَّمَآءِ مَآءًۢ بِقَدَرٍ ۚ فَاَنْشَرْنَا بِهٖ بَلْدَةً مَّيْتًا ۚ كَذٰلِكَ تُخْرَجُوْنَ ۟ ⑪
১২. তিনিই সৃষ্টি করেন প্রতিটি জিনিসের জোড়া, আর তিনিই তোমাদের জন্যে সৃষ্টি করেন নৌযান ও পশু, যাতে তোমরা আরোহণ করো।	وَالَّذِيْ خَلَقَ الْاَزْوَاجَ كُلَّهَا وَجَعَلَ لَكُمْ مِّنَ الْفُلْكِ وَالْاَنْعَامِ مَا تَرْكَبُوْنَ ۙ ۟ ⑫
১৩. যাতে করে তোমরা তাদের পিঠে স্থির হয়ে বসতে পারো। এবার তোমাদের প্রতি তোমাদের প্রভুর অনুগ্রহ স্মরণ করো, যখন	لِتَسْتَوٗا عَلٰى ظُهُوْرِهٖ ثُمَّ تَذْكُرُوْا نِعْمَةَ رَبِّكُمْ اِذَا اسْتَوَيْتُمْ عَلَيْهِ وَ تَقُوْلُوْا

তোমরা সেগুলোর উপর স্থির হয়ে বসো এবং বলো: "পবিত্র ও মহান তিনি, যিনি আমাদের নিয়ন্ত্রণাধীন করে দিয়েছেন এটিকে। আমরা তো এটাকে বশীভূত করতে সমর্থ ছিলাম না।	سُبْحٰنَ الَّذِیْ سَخَّرَ لَنَا هٰذَا وَ مَا كُنَّا لَهٗ مُقْرِنِیْنَ ﴿۱۳﴾
১৪. আমরা অবশ্যি ফিরে যাবো আমাদের প্রভুর কাছে।"	وَ اِنَّاۤ اِلٰی رَبِّنَا لَمُنْقَلِبُوْنَ ﴿۱۴﴾
১৫. কিন্তু তারা তাঁর দাসদের মধ্য থেকে তাঁর অংশ (অংশীদার) সাব্যস্ত করে নিয়েছে। মানুষ একেবারেই সুস্পষ্ট অকৃতজ্ঞ।	وَ جَعَلُوْا لَهٗ مِنْ عِبَادِهٖ جُزْءًا ؕ اِنَّ الْاِنْسَانَ لَكَفُوْرٌ مُّبِیْنٌ ﴿۱۵﴾
১৬. তিনি কি নিজের সৃষ্টির মধ্য থেকে নিজের জন্যে কন্যা সন্তান গ্রহণ করেছেন, আর তোমাদের গুণান্বিত করেছেন পুত্র সন্তান দিয়ে?	اَمِ اتَّخَذَ مِمَّا یَخْلُقُ بَنٰتٍ وَّ اَصْفٰىكُمْ بِالْبَنِیْنَ ﴿۱۶﴾
১৭. তারা রহমানের জন্যে যে দৃষ্টান্ত আরোপ করে, তাদের কাউকেও সেই (কন্যা সন্তানের) সংবাদ দেয়া হলে তার মুখ কালো হয়ে যায় এবং সে জর্জরিত হয় দু:সহ মর্ম বেদনায়।	وَ اِذَا بُشِّرَ اَحَدُهُمْ بِمَا ضَرَبَ لِلرَّحْمٰنِ مَثَلًا ظَلَّ وَجْهُهٗ مُسْوَدًّا وَّ هُوَ كَظِیْمٌ ﴿۱۷﴾
১৮. তারা কি আল্লাহ্র প্রতি এমন সন্তান আরোপ করে, যে অলংকারে সজ্জিত হয়ে লালিত পালিত হয় এবং বিতর্কের ক্ষেত্রেও সুস্পষ্ট নয়?	اَوَ مَنْ یُّنَشَّؤُا فِی الْحِلْیَةِ وَ هُوَ فِی الْخِصَامِ غَیْرُ مُبِیْنٍ ﴿۱۸﴾
১৯. ফেরেশতা, যারা রহমানের দাস, তাদেরকে তারা নারী গণ্য করে। তারা কি তাদের সৃষ্টির সময় উপস্থিত ছিলো? তাদের সাক্ষ্য অবশ্যি লিখে নেয়া হবে এবং তাদের জেরা করা হবে।	وَ جَعَلُوا الْمَلٰٓىِٕكَةَ الَّذِیْنَ هُمْ عِبٰدُ الرَّحْمٰنِ اِنَاثًا ؕ اَشَهِدُوْا خَلْقَهُمْ ؕ سَتُكْتَبُ شَهَادَتُهُمْ وَ یُسْـَٔلُوْنَ ﴿۱۹﴾
২০. তারা বলে ? 'রহমান চাইলে আমরা তাদের (ফেরেশতাদের) পূজা করতাম না।' এ বিষয়ে তাদের কোনো জ্ঞানই নেই। তারা তো কেবল মনগড়া কথাই বলছে।	وَ قَالُوْا لَوْ شَآءَ الرَّحْمٰنُ مَا عَبَدْنٰهُمْ ؕ مَا لَهُمْ بِذٰلِكَ مِنْ عِلْمٍ ۗ اِنْ هُمْ اِلَّا یَخْرُصُوْنَ ﴿۲۰﴾
২১. নাকি আমরা এই কুরআনের আগে তাদের কোনো কিতাব দিয়েছিলাম, এবং তারা সেটিকে মজবুত করে আঁকড়ে ধরতে চাইছে?	اَمْ اٰتَیْنٰهُمْ كِتٰبًا مِّنْ قَبْلِهٖ فَهُمْ بِهٖ مُسْتَمْسِكُوْنَ ﴿۲۱﴾
২২. বরং তারা বলে: 'আমাদের পূর্ব পুরুষদের আমরা একটি ধর্ম বিশ্বাসের উপর পেয়েছি, আমরা তাদেরই অনুসরণ করে চলবো।'	بَلْ قَالُوْۤا اِنَّا وَجَدْنَاۤ اٰبَآءَنَا عَلٰۤی اُمَّةٍ وَّ اِنَّا عَلٰۤی اٰثٰرِهِمْ مُّهْتَدُوْنَ ﴿۲۲﴾
২৩. এভাবে তোমার আগে আমরা যখনই কোনো জনপদে কোনো সতর্ককারী (রসূল) পাঠিয়েছি, সেখানকার বিত্তশালী প্রভাবশালীরা বলেছে: 'আমরা আমাদের পূর্ব পুরুষদের একটি ধর্ম বিশ্বাসের উপর পেয়েছি। আমরা তাদেরই একতেদা (অনুকরণ) করে চলবো।'	وَ كَذٰلِكَ مَاۤ اَرْسَلْنَا مِنْ قَبْلِكَ فِیْ قَرْیَةٍ مِّنْ نَّذِیْرٍ اِلَّا قَالَ مُتْرَفُوْهَاۤ ۙ اِنَّا وَجَدْنَاۤ اٰبَآءَنَا عَلٰۤی اُمَّةٍ وَّ اِنَّا عَلٰۤی اٰثٰرِهِمْ مُّقْتَدُوْنَ ﴿۲۳﴾
২৪. সেই সতর্ককারী তাদের বলতো: 'তোমরা	قٰلَ اَوَ لَوْ جِئْتُكُمْ بِاَهْدٰی مِمَّا وَجَدْتُّمْ

রুকু ০১

তোমাদের পূর্ব পুরুষদের যে বিশ্বাস ও আচারের উপর পেয়েছো, আমি যদি তোমাদের জন্যে তার চাইতে উত্তম জীবন পদ্ধতি এনে থাকি, তবু কি তোমরা তাদের পদাংকই অনুসরণ করবে?’ তারা বলতো: ‘তোমরা যা নিয়ে এসেছো আমরা সেটার প্রতি কুফুরি (সেটা প্রত্যাখ্যান) করছি।’	عَلَيْهِ اٰبَآءَكُمْ ؕ قَالُوْۤا اِنَّا بِمَاۤ اُرْسِلْتُمْ بِهٖ كٰفِرُوْنَ ﴿۲۴﴾
২৫. ফলে আমরা তাদের থেকে প্রতিশোধ নিয়েছি। এখন চেয়ে দেখো, প্রত্যাখ্যানকারীদের পরিণতি কী রকম হয়ে থাকে?	فَانْتَقَمْنَا مِنْهُمْ فَانْظُرْ كَيْفَ كَانَ عَاقِبَةُ الْمُكَذِّبِيْنَ ﴿۲۵﴾
২৬. স্মরণ করো, ইবরাহিম তার পিতাকে এবং তার জাতিকে বলেছিল: “আপনারা যাদের পূজা করছেন, আমি তাদের সাথে সম্পর্ক ছিন্ন করলাম।	وَ اِذْ قَالَ اِبْرٰهِيْمُ لِاَبِيْهِ وَ قَوْمِهٖۤ اِنَّنِيْ بَرَآءٌ مِّمَّا تَعْبُدُوْنَ ﴿۲۶﴾
২৭. আমার সম্পর্ক শুধু তাঁর সাথে গড়ে নিলাম, যিনি আমাকে সৃষ্টি করেছেন এবং তিনিই আমাকে সঠিক পথ দেখিয়েছেন।”	اِلَّا الَّذِيْ فَطَرَنِيْ فَاِنَّهٗ سَيَهْدِيْنِ ﴿۲۷﴾
২৮. ইবরাহিম তার এই ঘোষণাকে স্থায়ী বাণী হিসেবে রেখে গেছে তার পরবর্তীদের জন্যে যাতে করে তারা ফিরে আসে (আল্লাহ্‌র দিকে)।	وَ جَعَلَهَا كَلِمَةًۢ بَاقِيَةً فِيْ عَقِبِهٖ لَعَلَّهُمْ يَرْجِعُوْنَ ﴿۲۸﴾
২৯. বরং আমিই তাদের এবং তাদের পূর্ব পুরুষদের দিয়েছি ভোগের সামগ্রী, অবশেষে তাদের কাছে সত্য এসেছে এবং এসেছে এক সুস্পষ্ট বার্তাবাহক রসূল।	بَلْ مَتَّعْتُ هٰۤؤُلَآءِ وَ اٰبَآءَهُمْ حَتّٰى جَآءَهُمُ الْحَقُّ وَ رَسُوْلٌ مُّبِيْنٌ ﴿۲۹﴾
৩০. যখন তাদের কাছে সত্য এলো, তারা বললো: ‘এতো ম্যাজিক, আমরা একে প্রত্যাখ্যান করছি।’	وَ لَمَّا جَآءَهُمُ الْحَقُّ قَالُوْا هٰذَا سِحْرٌ وَّ اِنَّا بِهٖ كٰفِرُوْنَ ﴿۳۰﴾
৩১. তারা আরো বলেছে: ‘দুই জনপদের (মক্কা ও তায়েফের) কোনো মহান ব্যক্তিত্বের কাছে কেন এই কুরআন নাযিল হলোনা?’	وَ قَالُوْا لَوْ لَا نُزِّلَ هٰذَا الْقُرْاٰنُ عَلٰى رَجُلٍ مِّنَ الْقَرْيَتَيْنِ عَظِيْمٍ ﴿۳۱﴾
৩২. তারাই কি বণ্টন করে তোমার প্রভুর রহমত? আমরাই তো তাদের মাঝে তাদের জীবিকা বণ্টন করে দেই পার্থিব জীবনে এবং একজনকে আরেকজনের উপর শ্রেষ্ঠ করি মর্যাদায়, যাতে করে তারা একে অপরকে কাজ আদায় করার জন্যে (কর্মচারী) নিয়োগ করতে পারে। তারা যা সঞ্চয় করে তার চাইতে তোমার প্রভুর রহমতই শ্রেষ্ঠ।	اَهُمْ يَقْسِمُوْنَ رَحْمَتَ رَبِّكَ ؕ نَحْنُ قَسَمْنَا بَيْنَهُمْ مَّعِيْشَتَهُمْ فِي الْحَيٰوةِ الدُّنْيَا وَ رَفَعْنَا بَعْضَهُمْ فَوْقَ بَعْضٍ دَرَجٰتٍ لِّيَتَّخِذَ بَعْضُهُمْ بَعْضًا سُخْرِيًّا ؕ وَ رَحْمَتُ رَبِّكَ خَيْرٌ مِّمَّا يَجْمَعُوْنَ ﴿۳۲﴾
৩৩. সত্য প্রত্যাখ্যান করে মানুষ একই পথের অনুসারী হয়ে পড়বে-এ আশঙ্কা না থাকলে রহমানের প্রতি যারা কুফুরি করে, তাদেরকে আমরা দিতাম তাদের ঘরের জন্যে রূপার ছাদ ও সিঁড়ি, যা দিয়ে তারা বেয়ে উঠে,	وَ لَوْ لَاۤ اَنْ يَّكُوْنَ النَّاسُ اُمَّةً وَّاحِدَةً لَّجَعَلْنَا لِمَنْ يَّكْفُرُ بِالرَّحْمٰنِ لِبُيُوْتِهِمْ سُقُفًا مِّنْ فِضَّةٍ وَّ مَعَارِجَ عَلَيْهَا يَظْهَرُوْنَ ﴿۳۳﴾

রুকু ০২

অনুবাদ	আয়াত
৩৪. আর তাদের ঘরের জন্যে দরজা এবং খাট পালঙ্ক -যাতে পিঠ রেখে তারা বিশ্রাম করে।	وَلِبُيُوْتِهِمْ اَبْوَابًا وَّسُرُرًا عَلَيْهَا يَتَّكِـُٔوْنَ ۙ٣٤
৩৫. আর সোনার তৈরিও। আর এগুলো সবই তো দুনিয়ার জীবনের ভোগ-সম্ভার। আর আখিরাতের সম্ভার (শান শওকত) তোমার প্রভুর কাছে সংরক্ষিত রয়েছে মুত্তাকিদের জন্যে।	وَ زُخْرُفًا ؕ وَاِنْ كُلُّ ذٰلِكَ لَمَّا مَتَاعُ الْحَيٰوةِ الدُّنْيَا ؕ وَالْاٰخِرَةُ عِنْدَ رَبِّكَ لِلْمُتَّقِيْنَ ٣٥
৩৬. যে ব্যক্তি রহমানের যিকির থেকে বিমুখ হয়ে জীবন যাপন করে, আমরা তার পেছনে নিয়োগ করে দেই একটা শয়তান, সে হয়ে যায় তার সংগি।	وَ مَنْ يَّعْشُ عَنْ ذِكْرِ الرَّحْمٰنِ نُقَيِّضْ لَهٗ شَيْطٰنًا فَهُوَ لَهٗ قَرِيْنٌ ٣٦
৩৭. এই শয়তানেরাই মানুষকে বাধা দিয়ে রাখে আল্লাহ্‌র পথ থেকে। অথচ তারা মনে করে তারা সঠিক পথেই আছে।	وَ اِنَّهُمْ لَيَصُدُّوْنَهُمْ عَنِ السَّبِيْلِ وَ يَحْسَبُوْنَ اَنَّهُمْ مُّهْتَدُوْنَ ٣٧
৩৮. অবশেষে সে যখন আমাদের কাছে এসে উপস্থিত হয়, তখন সে শয়তানকে বলে: 'হায়, তোর এবং আমার মাঝে যদি পূর্ব-পশ্চিমের দূরত্ব থাকতো।' কতো যে নিকৃষ্ট সংগি এই শয়তান।	حَتّٰۤى اِذَا جَآءَنَا قَالَ يٰلَيْتَ بَيْنِيْ وَ بَيْنَكَ بُعْدَ الْمَشْرِقَيْنِ فَبِئْسَ الْقَرِيْنُ ٣٨
৩৯. আজ তোমাদের এই অনুতাপ কোনো কাজেই আসবেনা যেহেতু তোমরা সীমালংঘন করেছিলে। তোমরা সবাই শরিক হবে আযাবে।	وَ لَنْ يَّنْفَعَكُمُ الْيَوْمَ اِذْ ظَّلَمْتُمْ اَنَّكُمْ فِي الْعَذَابِ مُشْتَرِكُوْنَ ٣٩
৪০. তা হলে তুমি কি শুনাবে বধিরকে, কিংবা সঠিক পথ দেখাবে অন্ধকে, আর ঐ ব্যক্তিকে যে রয়েছে সুস্পষ্ট বিভ্রান্তিতে?	اَفَاَنْتَ تُسْمِعُ الصُّمَّ اَوْ تَهْدِى الْعُمْىَ وَ مَنْ كَانَ فِيْ ضَلٰلٍ مُّبِيْنٍ ٤٠
৪১. আমরা যদি তোমাকে নিয়ে যাই, তবু তাদের থেকে প্রতিশোধ নেবো।	فَاِمَّا نَذْهَبَنَّ بِكَ فَاِنَّا مِنْهُمْ مُّنْتَقِمُوْنَ ۙ٤١
৪২. অথবা আমরা তাদেরকে শাস্তির যে ওয়াদা দিয়েছি তা যদি (তোমার জীবদ্দশাতেই) তোমাকে দেখাই। তাদের উপর আমাদের পূর্ণ ক্ষমতা রয়েছে।	اَوْ نُرِيَنَّكَ الَّذِيْ وَعَدْنٰهُمْ فَاِنَّا عَلَيْهِمْ مُّقْتَدِرُوْنَ ٤٢
৪৩. অতএব তোমার প্রতি যে অহি করা হয়েছে, তা শক্তভাবে আঁকড়ে ধরো। অবশ্যি তুমি রয়েছো সিরাতুল মুস্‌তাকিমের (সরল সঠিক পথের) উপর।	فَاسْتَمْسِكْ بِالَّذِيْۤ اُوْحِىَ اِلَيْكَ ۚ اِنَّكَ عَلٰى صِرَاطٍ مُّسْتَقِيْمٍ ٤٣
৪৪.এ কুরআন তোমার জন্যে এবং তোমার কওমের জন্যে একটি সম্মানের প্রতীক। শীঘ্রি এ (কুরআনের) বিষয়ে তোমাদের জিজ্ঞাসা করা হবে।	وَ اِنَّهٗ لَذِكْرٌ لَّكَ وَ لِقَوْمِكَ ۚ وَ سَوْفَ تُسْـَٔلُوْنَ ٤٤
৪৫. তোমার আগে আমরা যেসব রসূল পাঠিয়েছিলাম তাদের জিজ্ঞাসা করো, আমরা কি রহমানের পরিবর্তে অন্য ইলাহ্‌দের (দেবতাদের) নির্ধারণ করেছিল, যাদের ইবাদত করা যেতে পারে?	وَ سْـَٔلْ مَنْ اَرْسَلْنَا مِنْ قَبْلِكَ مِنْ رُّسُلِنَاۤ اَجَعَلْنَا مِنْ دُوْنِ الرَّحْمٰنِ اٰلِهَةً يُّعْبَدُوْنَ ٤٥

রুকু ০৩

রুকু ০৪

৪৬. আমরা মূসাকে আমাদের নিদর্শনাবলি নিয়ে পাঠিয়েছিলাম ফেরাউন ও তার পারিষদবর্গের কাছে। মূসা তাদের বলেছিল: 'আমি রাব্বুল আলামিনের রসূল।'	وَلَقَدْ اَرْسَلْنَا مُوْسٰى بِاٰيٰتِنَآ اِلٰى فِرْعَوْنَ وَمَلَا۟ئِهٖ فَقَالَ اِنِّيْ رَسُوْلُ رَبِّ الْعٰلَمِيْنَ ﴿٤٦﴾
৪৭. সে যখন তাদের কাছে আমাদের নিদর্শনাবলি নিয়ে উপস্থিত হয়, তখন তারা তাকে নিয়ে ঠাট্টা বিদ্রুপ করতে থাকে।	فَلَمَّا جَآءَهُمْ بِاٰيٰتِنَآ اِذَا هُمْ مِّنْهَا يَضْحَكُوْنَ ﴿٤٧﴾
৪৮. আমরা তাদের যে নিদর্শনই দেখিয়েছি, সেটি ছিলো সেটির বোনের (অনুরূপ নিদর্শনের) চাইতে বড়। আমরা তাদের আযাব দিয়েছিলাম যাতে করে তারা ফিরে আসে।	وَمَا نُرِيْهِمْ مِّنْ اٰيَةٍ اِلَّا هِيَ اَكْبَرُ مِنْ اُخْتِهَا وَاَخَذْنٰهُمْ بِالْعَذَابِ لَعَلَّهُمْ يَرْجِعُوْنَ ﴿٤٨﴾
৪৯. তারা (মূসাকে) বলেছিল: 'হে ম্যাজেসিয়ান! তোমার প্রভুর কাছে তুমি সেই জিনিস প্রার্থনা করো যা তিনি তোমার সাথে অংগীকার করেছেন। তাহলে অবশ্যি আমরা হিদায়াতের পথে চলে আসবো।'	وَقَالُوْا يٰۤاَيُّهَ السّٰحِرُ ادْعُ لَنَا رَبَّكَ بِمَا عَهِدَ عِنْدَكَ ۚ اِنَّنَا لَمُهْتَدُوْنَ ﴿٤٩﴾
৫০. তারপর যখনই আমরা তাদের থেকে আযাব দূরীভূত করে দিতাম, তখনই তারা তাদের প্রতিশ্রুতি ভংগ করতো।	فَلَمَّا كَشَفْنَا عَنْهُمُ الْعَذَابَ اِذَا هُمْ يَنْكُثُوْنَ ﴿٥٠﴾
৫১. ফেরাউন তার কওমের মধ্যে ঘোষণা করলো: "হে আমার জাতি! এই মিশর সাম্রাজ্যের মালিক কি আমি নই, এবং আমার পাদদেশ দিয়ে প্রবাহিত এই নদীগুলোর? তোমরা কি দেখতে পাওনা?	وَنَادٰى فِرْعَوْنُ فِيْ قَوْمِهٖ قَالَ يٰقَوْمِ اَلَيْسَ لِيْ مُلْكُ مِصْرَ وَهٰذِهِ الْاَنْهٰرُ تَجْرِيْ مِنْ تَحْتِيْ ۚ اَفَلَا تُبْصِرُوْنَ ﴿٥١﴾
৫২. আর এই হীন স্পষ্ট কথা বলতে অক্ষম লোকটি থেকে আমিই তো শ্রেষ্ঠ।	اَمْ اَنَا خَيْرٌ مِّنْ هٰذَا الَّذِيْ هُوَ مَهِيْنٌ ۙ وَّلَا يَكَادُ يُبِيْنُ ﴿٥٢﴾
৫৩. তাকে কেন দেয়া হলো না সোনার কঙ্কন, কিংবা ফেরেশতারা কেন এলো না তার সাথে দলবদ্ধ হয়ে?"	فَلَوْلَآ اُلْقِيَ عَلَيْهِ اَسْوِرَةٌ مِّنْ ذَهَبٍ اَوْ جَآءَ مَعَهُ الْمَلٰٓئِكَةُ مُقْتَرِنِيْنَ ﴿٥٣﴾
৫৪. এভাবে সে তার কওমকে হতবুদ্ধি করে দিলো, ফলে তারা তারই আনুগত্য করলো। তারা তো ছিলো এক সীমালংঘনকারী জাতি।	فَاسْتَخَفَّ قَوْمَهٗ فَاَطَاعُوْهُ ۚ اِنَّهُمْ كَانُوْا قَوْمًا فٰسِقِيْنَ ﴿٥٤﴾
৫৫. তারা যখন আমাদের ক্রোধান্বিত করলো, আমরা তাদের থেকে প্রতিশোধ গ্রহণ করলাম এবং ডুবিয়ে মারলাম তাদের সবাইকে।	فَلَمَّآ اٰسَفُوْنَا انْتَقَمْنَا مِنْهُمْ فَاَغْرَقْنٰهُمْ اَجْمَعِيْنَ ﴿٥٥﴾
৫৬. তারপর পরবর্তীদের জন্যে আমরা তাদের করে রাখলাম অতীত (ইতিহাস) আর উদাহরণ।	فَجَعَلْنٰهُمْ سَلَفًا وَّمَثَلًا لِّلْاٰخِرِيْنَ ﴿٥٦﴾
৫৭. যখন মরিয়ম পুত্রের দৃষ্টান্ত উপস্থিত করা হয়, তখন তোমার কওম তাতে শোরগোল বাধিয়ে দেয়।	وَلَمَّا ضُرِبَ ابْنُ مَرْيَمَ مَثَلًا اِذَا قَوْمُكَ مِنْهُ يَصِدُّوْنَ ﴿٥٧﴾

রুকু ০৫

৫৮. তারা বলে: 'আমাদের ইলাহ্‌রা (দেবতারা) শ্রেষ্ঠ নাকি সে (ঈসা)?' তারা তো কেবল ঝগড়া বাধানোর উদ্দেশ্যেই তোমাকে এসব বলে। আসলেই তারা একটি ঝগড়াটে কওম (জাতি)।	وَ قَالُوْٓا ءَاٰلِهَتُنَا خَيْرٌ اَمْ هُوَ ؕ مَا ضَرَبُوْهُ لَكَ اِلَّا جَدَلًا ؕ بَلْ هُمْ قَوْمٌ خَصِمُوْنَ ۝٥٨
৫৯. সে তো আমার এক দাস ছাড়া আর কিছু নয়। তার প্রতি আমরা অনুগ্রহ করেছি। আর তাকে বানিয়েছি বনি ইসরাঈলের জন্যে দৃষ্টান্ত।	اِنْ هُوَ اِلَّا عَبْدٌ اَنْعَمْنَا عَلَيْهِ وَجَعَلْنٰهُ مَثَلًا لِّبَنِيْٓ اِسْرَآءِيْلَ ۝٥٩
৬০. আমরা চাইলে তোমাদের পরিবর্তে (এখানে) ফেরেশতা সৃষ্টি করতে পারতাম, তখন তারা পৃথিবীতে তোমাদের উত্তরাধিকারী হতো।	وَلَوْ نَشَآءُ لَجَعَلْنَا مِنْكُمْ مَّلٰٓئِكَةً فِي الْاَرْضِ يَخْلُفُوْنَ ۝٦٠
৬১. ঈসা তো কিয়ামতের জ্ঞানের একটি নিশ্চিত নিদর্শন। সুতরাং তোমরা কিয়ামতের প্রতি সন্দেহ করোনা, আমাকে অনুসরণ করো। এটাই সিরাতুল মুসতাকিম (সরল সঠিক পথ)।	وَ اِنَّهٗ لَعِلْمٌ لِّلسَّاعَةِ فَلَا تَمْتَرُنَّ بِهَا وَ اتَّبِعُوْنِ ؕ هٰذَا صِرَاطٌ مُّسْتَقِيْمٌ ۝٦١
৬২. শয়তান যেনো তোমাদের কিছুতেই সঠিক পথ থেকে বাধা দিতে না পারে। জেনে রাখো, সে তোমাদের সুস্পষ্ট দুশমন।	وَلَا يَصُدَّنَّكُمُ الشَّيْطٰنُ ۚ اِنَّهٗ لَكُمْ عَدُوٌّ مُّبِيْنٌ ۝٦٢
৬৩. ঈসা যখন সুস্পষ্ট নিদর্শনাবলি নিয়ে এসেছিল, সে বলেছিল: "আমি তোমাদের কাছে এসেছি হিকমা (প্রজ্ঞা) সহ এবং তোমরা যে ক'টি বিষয় নিয়ে ইখতেলাফ (মতভেদ) করছো তা স্পষ্ট করে দেয়ার জন্যে। সুতরাং আল্লাহ্‌কে ভয় করো এবং আমার আনুগত্য করো।	وَلَمَّا جَآءَ عِيْسٰى بِالْبَيِّنٰتِ قَالَ قَدْ جِئْتُكُمْ بِالْحِكْمَةِ وَ لِاُبَيِّنَ لَكُمْ بَعْضَ الَّذِيْ تَخْتَلِفُوْنَ فِيْهِ ۚ فَاتَّقُوا اللّٰهَ وَاَطِيْعُوْنِ ۝٦٣
৬৪. আল্লাহ্‌ই আমার রব (প্রভু) এবং তোমাদেরও রব, সুতরাং তোমরা কেবল তাঁরই ইবাদত করো, এটাই সিরাতুল মুসতাকিম।"	اِنَّ اللّٰهَ هُوَ رَبِّيْ وَ رَبُّكُمْ فَاعْبُدُوْهُ ؕ هٰذَا صِرَاطٌ مُّسْتَقِيْمٌ ۝٦٤
৬৫. কিন্তু তাদের বিভিন্ন দল মতানৈক্য সৃষ্টি করলো। সুতরাং যালিমদের জন্যে রয়েছে দুর্দশা এক বেদনাদায়ক দিনের আযাবের।	فَاخْتَلَفَ الْاَحْزَابُ مِنْۢ بَيْنِهِمْ ۚ فَوَيْلٌ لِّلَّذِيْنَ ظَلَمُوْا مِنْ عَذَابِ يَوْمٍ اَلِيْمٍ ۝٦٥
৬৬. তারা কি অপেক্ষা করছে তাদের অজ্ঞাতে আকস্মিক কিয়ামত এসে পড়ার জন্যে?	هَلْ يَنْظُرُوْنَ اِلَّا السَّاعَةَ اَنْ تَاْتِيَهُمْ بَغْتَةً وَّ هُمْ لَا يَشْعُرُوْنَ ۝٦٦
৬৭. সেদিন বন্ধুরা পরস্পরের শত্রু হয়ে যাবে, মুত্তাকিরা ছাড়া। (রুকু ০৬)	اَلْاَخِلَّآءُ يَوْمَئِذٍۢ بَعْضُهُمْ لِبَعْضٍ عَدُوٌّ اِلَّا الْمُتَّقِيْنَ ۝٦٧
৬৮. হে আমার দাসেরা! আজ তোমাদের কোনো ভয় নেই, দুশ্চিন্তাও নেই,	يٰعِبَادِ لَا خَوْفٌ عَلَيْكُمُ الْيَوْمَ وَ لَآ اَنْتُمْ تَحْزَنُوْنَ ۝٦٨
৬৯. তোমরা যারা ঈমান এনেছো আমাদের আয়াতের প্রতি এবং মুসলিম হয়েছিলে,	اَلَّذِيْنَ اٰمَنُوْا بِاٰيٰتِنَا وَكَانُوْا مُسْلِمِيْنَ ۝٦٩
৭০. তোমরা দাখিল হও জান্নাতে তোমাদের স্ত্রী/স্বামীকে নিয়ে আনন্দচিত্তে।	اُدْخُلُوا الْجَنَّةَ اَنْتُمْ وَاَزْوَاجُكُمْ تُحْبَرُوْنَ ۝٧٠

৭১. সোনার থালা ও পানপাত্র নিয়ে তাদের তাওয়াফ করা হবে। সেখানে থাকবে সেসবই, যা মন চাইবে এবং যাতে চোখ জুড়াবে। সেখানে চিরস্থায়ী হবে তোমরা।	يُطَافُ عَلَيْهِمْ بِصِحَافٍ مِّنْ ذَهَبٍ وَّ اَكْوَابٍ ۚ وَ فِيْهَا مَا تَشْتَهِيْهِ الْاَنْفُسُ وَ تَلَذُّ الْاَعْيُنُ ۚ وَ اَنْتُمْ فِيْهَا خٰلِدُوْنَ ﴿٧١﴾
৭২. এই সেই জান্নাত, যার ওয়ারিশ তোমাদের বানানো হয়েছে তোমাদের কর্মফল হিসেবে।	وَ تِلْكَ الْجَنَّةُ الَّتِيْۤ اُوْرِثْتُمُوْهَا بِمَا كُنْتُمْ تَعْمَلُوْنَ ﴿٧٢﴾
৭৩. তোমাদের জন্যে তাতে রয়েছে প্রচুর ফলফলারি, তা থেকে তোমরা আহার করবে।	لَكُمْ فِيْهَا فَاكِهَةٌ كَثِيْرَةٌ مِّنْهَا تَاْكُلُوْنَ ﴿٧٣﴾
৭৪. অপরাধীরা থাকবে জাহান্নামের আযাবে চিরকাল।	اِنَّ الْمُجْرِمِيْنَ فِيْ عَذَابِ جَهَنَّمَ خٰلِدُوْنَ ﴿٧٤﴾
৭৫. তাদের আযাব লাঘব করা হবেনা, সেখানে তারা থাকবে হতাশা নিরাশায় নিমজ্জিত।	لَا يُفَتَّرُ عَنْهُمْ وَ هُمْ فِيْهِ مُبْلِسُوْنَ ﴿٧٥﴾
৭৬. আমরা তাদের প্রতি যুলুম করিনি, বরং তারাই যুলুম করেছে নিজেদের প্রতি।	وَ مَا ظَلَمْنٰهُمْ وَ لٰكِنْ كَانُوْا هُمُ الظّٰلِمِيْنَ ﴿٧٦﴾
৭৭. তারা চীৎকার করে বলবে: 'হে মালিক ((জাহান্নামের কর্তা)! তোমার প্রভু যেনো আমাদের মরণ ঘটিয়ে দেয়।' সে বলবে: 'এভাবেই তোমাদের থাকতে হবে।'	وَ نَادَوْا يٰمٰلِكُ لِيَقْضِ عَلَيْنَا رَبُّكَ ؕ قَالَ اِنَّكُمْ مّٰكِثُوْنَ ﴿٧٧﴾
৭৮. (আল্লাহ্ বলবেন:) 'আমরা তোমাদের কাছে সত্য পাঠিয়েছিলাম, কিন্তু তোমাদের অধিকাংশই ছিলো সত্য অপছন্দকারী।'	لَقَدْ جِئْنٰكُمْ بِالْحَقِّ وَ لٰكِنَّ اَكْثَرَكُمْ لِلْحَقِّ كٰرِهُوْنَ ﴿٧٨﴾
৭৯. তারা কি কোনো বিষয়ে চূড়ান্ত সিদ্ধান্ত নিয়ে ফেলেছে? কিন্তু চূড়ান্ত সিদ্ধান্ত গ্রহণকারী তো আমরা।	اَمْ اَبْرَمُوْۤا اَمْرًا فَاِنَّا مُبْرِمُوْنَ ﴿٧٩﴾
৮০. নাকি তারা ধারণা করছে, আমরা তাদের গোপন বিষয় আর কানাঘুষার খবর রাখি না? হাঁ, আমাদের রসূলরা (দূতরা) তাদের সাথেই রয়েছে এবং রেকর্ড করছে।	اَمْ يَحْسَبُوْنَ اَنَّا لَا نَسْمَعُ سِرَّهُمْ وَ نَجْوٰىهُمْ ؕ بَلٰى وَ رُسُلُنَا لَدَيْهِمْ يَكْتُبُوْنَ ﴿٨٠﴾
৮১. তুমি বলো: 'রহমানের যদি কোনো সন্তান থাকতোই, তবে আমি হতাম তার প্রথম ইবাদতকারী।'	قُلْ اِنْ كَانَ لِلرَّحْمٰنِ وَلَدٌ ۖ فَاَنَا اَوَّلُ الْعٰبِدِيْنَ ﴿٨١﴾
৮২. মহাবিশ্ব ও পৃথিবীর প্রভু আরশের অধিপতির প্রতি তারা যা আরোপ করছে, তা থেকে তিনি পবিত্র, মহান।	سُبْحٰنَ رَبِّ السَّمٰوٰتِ وَ الْاَرْضِ رَبِّ الْعَرْشِ عَمَّا يَصِفُوْنَ ﴿٨٢﴾
৮৩. সুতরাং যে দিনটির ওয়াদা তাদের দেয়া হয়েছে, তার সম্মুখীন হবার আগ পর্যন্ত তাদের বাকবিতর্ক এবং খেলতামাশা করার অবকাশ দাও।	فَذَرْهُمْ يَخُوْضُوْا وَ يَلْعَبُوْا حَتّٰى يُلٰقُوْا يَوْمَهُمُ الَّذِيْ يُوْعَدُوْنَ ﴿٨٣﴾
৮৪. আসমানেও তিনি ইলাহ্, পৃথিবীতেও তিনিই ইলাহ্, তিনি মহাপ্রজ্ঞাবান, মহাজ্ঞানী।	وَ هُوَ الَّذِيْ فِي السَّمَآءِ اِلٰهٌ وَّ فِي الْاَرْضِ اِلٰهٌ ؕ وَ هُوَ الْحَكِيْمُ الْعَلِيْمُ ﴿٨٤﴾

৮৫. কতো যে বরকতওয়ালা মহান তিনি, মহাকাশ, পৃথিবী এবং এ দুয়ের মধ্যবর্তী সবকিছুর কর্তৃত্ব যার। কিয়ামতের জ্ঞান রয়েছে কেবল তাঁরই কাছে, আর সবাইকে ফেরত নেয়া হবে কেবল তাঁরই দিকে।	وَ تَبٰرَكَ الَّذِیْ لَهٗ مُلْكُ السَّمٰوٰتِ وَ الْاَرْضِ وَ مَا بَیْنَهُمَا ۚ وَ عِنْدَهٗ عِلْمُ السَّاعَةِ ۚ وَ اِلَیْهِ تُرْجَعُوْنَ ﴿۸۵﴾
৮৬. তারা আল্লাহ্র পরিবর্তে যাদের ডাকে, তারা শাফায়াতের মালিক নয়। তবে যারা সত্যের সাক্ষ্য দেয় এবং জানে তারা ছাড়া।	وَلَا یَمْلِكُ الَّذِیْنَ یَدْعُوْنَ مِنْ دُوْنِهِ الشَّفَاعَةَ اِلَّا مَنْ شَهِدَ بِالْحَقِّ وَهُمْ یَعْلَمُوْنَ ﴿۸۶﴾
৮৭. তুমি যদি তাদের জিজ্ঞেস করো: কে সৃষ্টি করেছে তাদের? তারা অবশ্যি বলবে: 'আল্লাহ্', তবু কোথায় ফিরে যাচ্ছে তারা?	وَلَئِنْ سَاَلْتَهُمْ مَّنْ خَلَقَهُمْ لَیَقُوْلُنَّ اللّٰهُ فَاَنّٰى یُؤْفَكُوْنَ ﴿۸۷﴾
৮৮. তার (রসূলের) একথা আমার জানা আছে: 'হে প্রভু! নিশ্চয়ই এরা এমন একটি মানব দল যারা ঈমান আনবেনা।'	وَ قِیْلِهٖ یٰرَبِّ اِنَّ هٰۤؤُلَآءِ قَوْمٌ لَّا یُؤْمِنُوْنَ ﴿۸۸﴾
৮৯. (ঠিক আছে,) তুমি তাদের উপেক্ষা করো এবং বলো: 'সালাম'। অচিরেই তারা জানতে পারবে।	فَاصْفَحْ عَنْهُمْ وَقُلْ سَلٰمٌ ؕ فَسَوْفَ یَعْلَمُوْنَ ﴿۸۹﴾

রুকু ০৭

সূরা ৪৪ আদ্ দুখান

মক্কায় অবতীর্ণ, আয়াত সংখ্যা: ৫৯, রুকু সংখ্যা: ০৩

এই সূরার আলোচ্যসূচি (আয়াত ও আলোচ্য বিষয়)

০১-০৭: কুরআন নাযিলের রাতের মর্যাদা, মহাবিশ্বের প্রভু আল্লাহ্ কুরআন নাযিল করেছেন।
০৮-১৬: একদিন মহাকাশ ধোঁয়ায় পরিপূর্ণ হয়ে যাবে। সব মানুষ ধোঁয়ায় ঢাকা পড়বে।
১৭-৩৩: ফেরাউনের হাতে বনি ইসরাঈলীদের পরীক্ষা।
৩৪-৫৯: পুনরুত্থানকে অস্বীকারকারীদের ভ্রান্তি। পাপিষ্ঠদের পরকালীন খাদ্য হবে যাক্কুম গাছ ও প্রচণ্ড গরম পানি। মুত্তাকিদের পরকালীন নিরাপত্তা ও নিয়ামত। কুরআনকে সহজ করা হয়েছে উপদেশ গ্রহণের জন্য।

সূরা আদ্ দুখান (ধোঁয়া) পরম করুণাময় পরম দয়াবান আল্লাহ্র নামে	سُوْرَةُ الدُّخَانِ بِسْمِ اللّٰهِ الرَّحْمٰنِ الرَّحِیْمِ
০১. হা মিম।	حٰمٓ ﴿۱﴾
০২. শপথ এই সুস্পষ্ট কিতাবের।	وَ الْكِتٰبِ الْمُبِیْنِ ﴿۲﴾
০৩. আমরা এটিকে নাযিল করেছি এক মুবারক রাতে। আমরা তো সতর্ককারী।	اِنَّاۤ اَنْزَلْنٰهُ فِیْ لَیْلَةٍ مُّبٰرَكَةٍ اِنَّا كُنَّا مُنْذِرِیْنَ ﴿۳﴾
০৪. সেই রাতে ফায়সালা করা হয় প্রতিটি বিজ্ঞানময় বিষয়	فِیْهَا یُفْرَقُ كُلُّ اَمْرٍ حَكِیْمٍ ﴿۴﴾
০৫. আমাদের নির্দেশক্রমে। আমরা তো রসূল পাঠিয়ে থাকি	اَمْرًا مِّنْ عِنْدِنَا ؕ اِنَّا كُنَّا مُرْسِلِیْنَ ﴿۵﴾

০৬. তোমার প্রভুর পক্ষ থেকে অনুগ্রহ হিসেবে। নিশ্চয়ই তিনি সর্বশ্রোতা, সর্বজ্ঞানী।	رَحْمَةً مِّنْ رَّبِّكَ ۚ إِنَّهُ هُوَ السَّمِيعُ الْعَلِيمُ ۝٦
০৭. তিনি মহাকাশ ও পৃথিবীর প্রভু এবং এ দুয়ের মাঝে যা কিছু আছে সেগুলোরও, যদি তোমরা একীন রেখে থাকো।	رَبِّ السَّمٰوٰتِ وَالْأَرْضِ وَمَا بَيْنَهُمَا ۘ إِنْ كُنْتُمْ مُّوقِنِينَ ۝٧
০৮. কোনো ইলাহ্ নেই তিনি ছাড়া। তিনি হায়াত দান করেন এবং মউত ঘটান। তিনিই তোমাদের এবং তোমাদের পূর্ব পুরুষদের প্রভু।	لَا إِلٰهَ إِلَّا هُوَ يُحْيِي وَيُمِيتُ ۖ رَبُّكُمْ وَرَبُّ اٰبَآئِكُمُ الْأَوَّلِينَ ۝٨
০৯. বরং তারা সন্দেহে থেকে খেলতামাশায় লিপ্ত হয়েছে।	بَلْ هُمْ فِي شَكٍّ يَّلْعَبُونَ ۝٩
১০. অতএব তুমি অপেক্ষা করো সেই দিনটির যেদিন আসমান হয়ে পড়বে ঘোরতর ধোঁয়াচ্ছন্ন,	فَارْتَقِبْ يَوْمَ تَأْتِي السَّمَآءُ بِدُخَانٍ مُّبِينٍ ۝١٠
১১. এবং তা ঢেকে ফেলবে সমস্ত মানুষকেও। এ হবে এক বেদনাদায়ক আযাব।	يَّغْشَى النَّاسَ ۖ هٰذَا عَذَابٌ أَلِيمٌ ۝١١
১২. তখন তারা বলতে থাকবে: ‘আমাদের প্রভু! আমাদের থেকে সরিয়ে নাও আযাব। আমরা এখনই ঈমান আনছি।’	رَبَّنَا اكْشِفْ عَنَّا الْعَذَابَ إِنَّا مُؤْمِنُونَ ۝١٢
১৩. কেমন করে তারা গ্রহণ করবে উপদেশ, অথচ তাদের কাছে এসেছিল একজন সুস্পষ্ট রসূল।	أَنّٰى لَهُمُ الذِّكْرٰى وَقَدْ جَآءَهُمْ رَسُولٌ مُّبِينٌ ۝١٣
১৪. তখন তারা একথা বলে তার থেকে মুখ ফিরিয়ে নেয়: ‘এ তো এক প্রশিক্ষণপ্রাপ্ত পাগল।’	ثُمَّ تَوَلَّوْا عَنْهُ وَقَالُوا مُعَلَّمٌ مَّجْنُونٌ ۝١٤
১৫. আমি কিছু কালের জন্যে আযাব সরিয়ে নিচ্ছি, কিন্তু তোমরা তো পূর্বাবস্থায় ফিরে যাবে।	إِنَّا كَاشِفُوا الْعَذَابِ قَلِيلًا إِنَّكُمْ عَآئِدُونَ ۝١٥
১৬. যেদিন আমরা তোমাদের প্রবলভাবে পাকড়াও করবো, সেদিন অবশ্যি আমরা তোমাদের থেকে প্রতিশোধ নেবো।	يَوْمَ نَبْطِشُ الْبَطْشَةَ الْكُبْرٰى ۚ إِنَّا مُنْتَقِمُونَ ۝١٦
১৭. এদের আগে আমরা ফেরাউনের জাতিকেও পরীক্ষা করেছিলাম এবং তাদের কাছে এসেছিল একজন সম্মানিত রসূল।	وَلَقَدْ فَتَنَّا قَبْلَهُمْ قَوْمَ فِرْعَوْنَ وَجَآءَهُمْ رَسُولٌ كَرِيمٌ ۝١٧
১৮. সে তাদের বলেছিল: “আল্লাহ্‌র বান্দাদের (বনি ইসরাঈলকে) আমার হাতে প্রত্যার্পণ করো। আমি তোমাদের জন্যে একজন বিশ্বস্ত রসূল।	أَنْ أَدُّوا إِلَيَّ عِبَادَ اللّٰهِ ۖ إِنِّي لَكُمْ رَسُولٌ أَمِينٌ ۝١٨
১৯. আল্লাহ্‌র বিরুদ্ধে বড়াই করোনা, আমি (আল্লাহ্‌র পক্ষ থেকে) তোমাদের কাছে নিয়ে এসেছি সুস্পষ্ট প্রমাণ।	وَأَنْ لَّا تَعْلُوا عَلَى اللّٰهِ ۚ إِنِّي اٰتِيكُمْ بِسُلْطٰنٍ مُّبِينٍ ۝١٩
২০. তোমরা যেনো আমাকে পাথর মেরে হত্যা করতে না পারো, সে জন্যে আমি আমার প্রভু এবং তোমাদের প্রভু (আল্লাহ্‌র) আশ্রয় গ্রহণ করেছি।	وَإِنِّي عُذْتُ بِرَبِّي وَرَبِّكُمْ أَنْ تَرْجُمُونِ ۝٢٠

২১. তোমরা যদি আমার প্রতি ঈমান না আনো, তাহলে আমার থেকে দূরে থাকো।”	وَاِنۡ لَّمۡ تُؤۡمِنُوۡا لِیۡ فَاعۡتَزِلُوۡنِ ﴿۲۱﴾
২২. অত:পর মূসা তার প্রভুকে ডেকে বললো: ‘এরা তো এক অপরাধী জাতি।’	فَدَعَا رَبَّهٗۤ اَنَّ هٰۤؤُلَآءِ قَوۡمٌ مُّجۡرِمُوۡنَ ﴿۲۲﴾
২৩. (তখন আমরা তাকে নির্দেশ দিয়েছি:) ‘তুমি রাতের বেলায় আমার দাসদের নিয়ে বেরিয়ে পড়ো। পেছনে থেকে তোমাদের ধাওয়া করা হবে।’	فَاَسۡرِ بِعِبَادِیۡ لَیۡلًا اِنَّکُمۡ مُّتَّبَعُوۡنَ ﴿۲۳﴾
২৪. সমুদ্রকে স্থির থাকতে দাও, ওরা সেই বাহিনী যারা ডুবে মরবে।	وَاتۡرُکِ الۡبَحۡرَ رَهۡوًا ؕ اِنَّهُمۡ جُنۡدٌ مُّغۡرَقُوۡنَ ﴿۲۴﴾
২৫. কতো যে বাগবাগিচা আর ঝরণাধারা পেছনে রেখে এসেছিল তারা!	کَمۡ تَرَکُوۡا مِنۡ جَنّٰتٍ وَّ عُیُوۡنٍ ﴿۲۵﴾
২৬. রেখে এসেছিল শস্য ক্ষেত, বিলাসবহুল প্রাসাদ,	وَّ زُرُوۡعٍ وَّ مَقَامٍ کَرِیۡمٍ ﴿۲۶﴾
২৭. আর কতো যে বিলাস সামগ্রী, যেগুলোতে তারা ছিলো উল্লাসে মত্ত।	وَّ نَعۡمَۃٍ کَانُوۡا فِیۡهَا فٰکِهِیۡنَ ﴿۲۷﴾
২৮. এমনটিই ঘটেছিল, আর আমরা এসব কিছুর ওয়ারিশ বানিয়েছিলাম অপর একদল লোককে।	کَذٰلِکَ ۟ وَ اَوۡرَثۡنٰهَا قَوۡمًا اٰخَرِیۡنَ ﴿۲۸﴾
২৯. আসমান কিংবা জমিন কেউই তাদের জন্যে অশ্রুপাত করেনি এবং তাদের কোনো প্রকার অবকাশও দেয়া হয়নি।	فَمَا بَکَتۡ عَلَیۡهِمُ السَّمَآءُ وَ الۡاَرۡضُ وَ مَا کَانُوۡا مُنۡظَرِیۡنَ ﴿۲۹﴾
৩০. (এভাবে) আমরা নাজাত (মুক্তি) দিয়েছিলাম বনি ইসরাঈলকে লাঞ্ছনাকর আযাব থেকে,	وَ لَقَدۡ نَجَّیۡنَا بَنِیۡۤ اِسۡرَآءِیۡلَ مِنَ الۡعَذَابِ الۡمُهِیۡنِ ﴿۳۰﴾
৩১. ফেরাউনের কবল থেকে, সে ছিলো এক উদ্ধত সীমালংঘনকারী।	مِنۡ فِرۡعَوۡنَ ؕ اِنَّهٗ کَانَ عَالِیًا مِّنَ الۡمُسۡرِفِیۡنَ ﴿۳۱﴾
৩২. আমরা জেনে বুঝেই জমিনে তাদের দিয়েছিলাম শ্রেষ্ঠত্ব।	وَ لَقَدِ اخۡتَرۡنٰهُمۡ عَلٰی عِلۡمٍ عَلَی الۡعٰلَمِیۡنَ ﴿۳۲﴾
৩৩. আর আমরা তাদের দিয়েছিলাম নিদর্শনাবলি, যাতে ছিলো সুস্পষ্ট পরীক্ষা।	وَ اٰتَیۡنٰهُمۡ مِّنَ الۡاٰیٰتِ مَا فِیۡهِ بَلٰٓـؤٌا مُّبِیۡنٌ ﴿۳۳﴾
৩৪. এখন কিনা এরা বলছে:	اِنَّ هٰۤؤُلَآءِ لَیَقُوۡلُوۡنَ ﴿۳۴﴾
৩৫. “আমাদের প্রথম মউত ছাড়া আর কিছু নেই, আমাদের পুনরুত্থিত করা হবেনা।	اِنۡ هِیَ اِلَّا مَوۡتَتُنَا الۡاُوۡلٰی وَ مَا نَحۡنُ بِمُنۡشَرِیۡنَ ﴿۳۵﴾
৩৬. তোমরা সত্যবাদী হলে আমাদের পূর্ব পুরুষদের উঠিয়ে এনে দেখাও।”	فَاۡتُوۡا بِاٰبَآئِنَاۤ اِنۡ کُنۡتُمۡ صٰدِقِیۡنَ ﴿۳۶﴾
৩৭. এরাই কি শ্রেষ্ঠ, নাকি তুব্বা জাতি এবং তাদের আগেকার লোকেরা? আমরা তাদের হালাক (ধ্বংস) করে দিয়েছিলাম, কারণ তারা ছিলো অপরাধী।	اَهُمۡ خَیۡرٌ اَمۡ قَوۡمُ تُبَّعٍ ۙ وَّ الَّذِیۡنَ مِنۡ قَبۡلِهِمۡ ؕ اَهۡلَکۡنٰهُمۡ ۫ اِنَّهُمۡ کَانُوۡا مُجۡرِمِیۡنَ ﴿۳۷﴾

রুকু ০১

৩৮. আমরা মহাকাশ, এই পৃথিবী এবং এদের মধ্যবর্তী সবকিছু খেলাচ্ছলে সৃষ্টি করিনি।	وَمَا خَلَقْنَا السَّمٰوٰتِ وَالْاَرْضَ وَمَا بَيْنَهُمَا لٰعِبِيْنَ ﴿۳۸﴾
৩৯. আমরা এ দুটো (মহাকাশ ও পৃথিবী) বাস্তব কারণ ছাড়া সৃষ্টি করিনি। কিন্তু অধিকাংশ মানুষই জানেনা।	مَا خَلَقْنٰهُمَآ اِلَّا بِالْحَقِّ وَلٰكِنَّ اَكْثَرَهُمْ لَا يَعْلَمُوْنَ ﴿۳۹﴾
৪০. বিচারের দিনই হলো তাদের মিকাত (শেষ সীমা ও শেষ সময়)।	اِنَّ يَوْمَ الْفَصْلِ مِيْقَاتُهُمْ اَجْمَعِيْنَ ﴿۴۰﴾
৪১. সেদিন বন্ধু বন্ধুর উপকারে আসবেনা এবং সাহায্যও করা হবেনা তাদের।	يَوْمَ لَا يُغْنِىْ مَوْلًى عَنْ مَّوْلًى شَيْـًٔا وَّ لَا هُمْ يُنْصَرُوْنَ ﴿۴۱﴾
৪২. তবে আল্লাহ্ যার প্রতি রহম করবেন, তার কথা ভিন্ন। নিশ্চয়ই তিনি মহাশক্তিধর, পরম করুণাময়।	اِلَّا مَنْ رَّحِمَ اللّٰهُ ؕ اِنَّهٗ هُوَ الْعَزِيْزُ الرَّحِيْمُ ﴿۴۲﴾
৪৩. নিশ্চয়ই যাক্কুম গাছ হবে	اِنَّ شَجَرَتَ الزَّقُّوْمِ ﴿۴۳﴾
৪৪. পাপিষ্ঠদের খাদ্য,	طَعَامُ الْاَثِيْمِ ﴿۴۴﴾
৪৫. গলিত তামার মতো ফুটতে থাকবে তাদের পেটে,	كَالْمُهْلِ ۚ يَغْلِىْ فِى الْبُطُوْنِ ﴿۴۵﴾
৪৬. যেভাবে ফোটে টগবগে ফুটন্ত পানি।	كَغَلْىِ الْحَمِيْمِ ﴿۴۶﴾
৪৭. (বলা হবে:) ওকে পাকড়াও করো এবং টেনে নিয়ে যাও জাহিমের (জাহান্নামের) মাঝখানে,	خُذُوْهُ فَاعْتِلُوْهُ اِلٰى سَوَآءِ الْجَحِيْمِ ﴿۴۷﴾
৪৮. তারপর তার মাথায় ঢালো টগবগে ফুটন্ত পানির আযাব।	ثُمَّ صُبُّوْا فَوْقَ رَاْسِهٖ مِنْ عَذَابِ الْحَمِيْمِ ﴿۴۸﴾
৪৯. (তাকে আরো বলা হবে:) স্বাদ গ্রহণ করো, তুমি ছিলে বড় ইযযতওয়ালা, অভিজাত।	ذُقْ ۚ اِنَّكَ اَنْتَ الْعَزِيْزُ الْكَرِيْمُ ﴿۴۹﴾
৫০. এ হলো সেই জিনিস, যে বিষয়ে তোমরা সন্দেহ করতে।	اِنَّ هٰذَا مَا كُنْتُمْ بِهٖ تَمْتَرُوْنَ ﴿۵۰﴾
৫১. নিশ্চয়ই মুত্তাকিরা থাকবে নিরাপদ জায়গায়	اِنَّ الْمُتَّقِيْنَ فِىْ مَقَامٍ اَمِيْنٍ ﴿۵۱﴾
৫২. উদ্যানরাজি আর ঝরণাধারা সমূহের মাঝে,	فِىْ جَنّٰتٍ وَّعُيُوْنٍ ﴿۵۲﴾
৫৩. তারা সেখানে পরবে মিহি ও পুরো রেশমের পোশাক এবং বসবে মুখোমুখি হয়ে।	يَّلْبَسُوْنَ مِنْ سُنْدُسٍ وَّاِسْتَبْرَقٍ مُّتَقٰبِلِيْنَ ﴿۵۳﴾
৫৪. এমনটিই ঘটবে, আর আমরা তাদের সংগিনী হিসেবে তাদের সাথে বিয়ে দেবো বড় চোখওয়ালা নারীদের।	كَذٰلِكَ ۗ وَزَوَّجْنٰهُمْ بِحُوْرٍ عِيْنٍ ﴿۵۴﴾
৫৫. সেখানে তারা সব রকমের ফলফলারি আনতে বলবে প্রশান্ত হৃদয়ে।	يَدْعُوْنَ فِيْهَا بِكُلِّ فَاكِهَةٍ اٰمِنِيْنَ ﴿۵۵﴾

রুকু ০২

৫৬. প্রথম যে মৃত্যু হয়েছে তাছাড়া আর কোনো মৃত্যু তারা আস্বাদন করবেনা এবং তাদের রক্ষা করা হবে জাহিমের (জাহান্নামের) আযাব থেকে।	لَا يَذُوْقُوْنَ فِيْهَا الْمَوْتَ اِلَّا الْمَوْتَةَ الْاُوْلٰى ۚ وَوَقٰىهُمْ عَذَابَ الْجَحِيْمِ ﴿٥٦﴾
৫৭. এসবই তোমার প্রভুর অনুগ্রহ। এটাই হবে মহাসাফল্য।	فَضْلًا مِّنْ رَّبِّكَ ؕ ذٰلِكَ هُوَ الْفَوْزُ الْعَظِيْمُ ﴿٥٧﴾
৫৮. এই কুরআনকে আমরা তোমার ভাষায় সহজ করে দিয়েছি, যাতে করে তারা উপদেশ গ্রহণ করে।	فَاِنَّمَا يَسَّرْنٰهُ بِلِسَانِكَ لَعَلَّهُمْ يَتَذَكَّرُوْنَ ﴿٥٨﴾
রুকু ০৩ ৫৯. অতএব তুমি অপেক্ষা করো, তারাও প্রতীক্ষায়ই আছে।	فَارْتَقِبْ اِنَّهُمْ مُّرْتَقِبُوْنَ ﴿٥٩﴾

সূরা ৪৫ আল জাসিয়া

মক্কায় অবতীর্ণ, আয়াত সংখ্যাঃ ৩৭, রুকু সংখ্যাঃ ০৪

এই সূরার আলোচ্যসূচি (আয়াত ভিত্তিক আলোচ্য বিষয়)

০১-১১: মহাবিশ্বে মুমিনদের জন্য রয়েছে অসংখ্য নিদর্শন। এই কুরআন নিঃসন্দেহে আল্লাহ্‌র কিতাব এবং তাঁর দেয়া হিদায়াত।

১২-২১: আল্লাহ্‌ মহাবিশ্বের সবকিছু এবং সমুদ্রকে মানুষের নিয়ন্ত্রণাধীন করে দিয়েছেন। যে ভালো কাজ করবে তাতে তারই কল্যাণ। বনি ইসরাঈলের প্রতি আল্লাহ্‌র বিশাল অনুগ্রহ সত্ত্বেও তারা আল্লাহ্‌র এই কিতাব নিয়ে মতভেদ করছে। মহানবী সা. কে প্রদত্ত শরিয়ত অনুসরণের নির্দেশ। কুরআন মহাসত্যের প্রমাণ।

২২-২৬: তাওহীদ, রিসালাত ও আখিরাত অস্বীকারকারীদের ভ্রান্তযুক্তি।

২৭-৩৭: কিয়ামতের দিন বাতিলপন্থীরা পুরোপুরি ক্ষতিগ্রস্ত হবে। আমলনামা সত্য কথা বলবে। আখিরাত অস্বীকারকারীদের পরকালীন অসহায়ত্ব।

সূরা আল জাসিয়া (নতজানু) পরম করুণাময় পরম দয়াবান আল্লাহ্‌র নামে	سُوْرَةُ الْجَاثِيَةِ بِسْمِ اللّٰهِ الرَّحْمٰنِ الرَّحِيْمِ
০১. হা মিম।	حٰمٓ ﴿١﴾
০২. এই কিতাব নাযিল হচ্ছে পরম পরাক্রমশালী মহাজ্ঞানী আল্লাহ্‌র পক্ষ থেকে।	تَنْزِيْلُ الْكِتٰبِ مِنَ اللّٰهِ الْعَزِيْزِ الْحَكِيْمِ ﴿٢﴾
০৩. নিশ্চয়ই মহাকাশ ও পৃথিবীতে রয়েছে বহু নিদর্শন বিশ্বাসীদের জন্যে,	اِنَّ فِى السَّمٰوٰتِ وَالْاَرْضِ لَاٰيٰتٍ لِّلْمُؤْمِنِيْنَ ﴿٣﴾
০৪. তোমাদের সৃষ্টির মধ্যেও। আর জীবজন্তুর বিস্তারের মধ্যে রয়েছে নিদর্শন সেইসব লোকদের জন্যে যারা একীন রাখে।	وَفِىْ خَلْقِكُمْ وَمَا يَبُثُّ مِنْ دَآبَّةٍ اٰيٰتٌ لِّقَوْمٍ يُّوْقِنُوْنَ ﴿٤﴾
০৫. যারা আকল (বুঝবুদ্ধি) খাটায়, তাদের জন্যে আরো নিদর্শন রয়েছে রাত আর দিনের পরিবর্তনের মধ্যে। আর আল্লাহ্‌ যে আসমান থেকে রিযিক	وَاخْتِلَافِ الَّيْلِ وَالنَّهَارِ وَمَآ اَنْزَلَ اللّٰهُ مِنَ السَّمَآءِ مِنْ رِّزْقٍ فَاَحْيَا بِهِ الْاَرْضَ

(পানি) নাযিল করেন এবং তা দিয়ে মরা জমিনকে জীবিত করেন তার মধ্যেও এবং বাতাসের গতি পরিবর্তনের মধ্যেও (রয়েছে নিদর্শন)।	بَعْدَ مَوْتِهَا وَ تَصْرِيْفِ الرِّيٰحِ اٰيٰتٌ لِّقَوْمٍ يَّعْقِلُوْنَ ۝٥
০৬. এগুলো আল্লাহ্‌র আয়াত আমরা তিলাওয়াত করছি তোমার প্রতি বাস্তবসম্মত ভাবে। সুতরাং তারা আল্লাহ্‌র পরিবর্তে এবং তাঁর আয়াতের পরিবর্তে আর কোন্ হাদিসটার (কথাটার) প্রতি ঈমান আনবে?	تِلْكَ اٰيٰتُ اللّٰهِ نَتْلُوْهَا عَلَيْكَ بِالْحَقِّ ۚ فَبِاَيِّ حَدِيْثٍۭ بَعْدَ اللّٰهِ وَاٰيٰتِهٖ يُؤْمِنُوْنَ ۝٦
০৭. প্রত্যেক কট্টর মিথ্যাবাদী পাপিষ্ঠের জন্যে রয়েছে চরম দুর্ভোগ।	وَيْلٌ لِّكُلِّ اَفَّاكٍ اَثِيْمٍ ۝٧
০৮. সে আল্লাহ্‌র আয়াতের তিলাওয়াত শুনে, অথচ দাম্ভিকতার সাথে অবিচল থাকে (কুফুরির উপর) যেনো সে তা শুনেইনি। সুতরাং তাকে সংবাদ দাও বেদনাদায়ক আযাবের।	يَّسْمَعُ اٰيٰتِ اللّٰهِ تُتْلٰى عَلَيْهِ ثُمَّ يُصِرُّ مُسْتَكْبِرًا كَاَنْ لَّمْ يَسْمَعْهَا ۚ فَبَشِّرْهُ بِعَذَابٍ اَلِيْمٍ ۝٨
০৯. যখন সে আমার কোনো আয়াত অবগত হয়, তা নিয়ে বিদ্রুপ করে। এদের জন্যে রয়েছে অপমানকর আযাব।	وَ اِذَا عَلِمَ مِنْ اٰيٰتِنَا شَيْـًٔا ۟اتَّخَذَهَا هُزُوًا ؕ اُولٰٓئِكَ لَهُمْ عَذَابٌ مُّهِيْنٌ ۝٩
১০. তাদের পেছনেই রয়েছে জাহান্নাম। তাদের অর্জনসমূহ তাদের কোনো কাজেই আসবেনা। আল্লাহ্‌র পরিবর্তে তারা যাদের অলি বানিয়ে নিয়েছিল তারাও তাদের কোনো কাজে আসবেনা। তাদের জন্যে রয়েছে বিশাল আযাব।	مِنْ وَّرَآئِهِمْ جَهَنَّمُ ۚ وَ لَا يُغْنِيْ عَنْهُمْ مَّا كَسَبُوْا شَيْـًٔا وَّ لَا مَا اتَّخَذُوْا مِنْ دُوْنِ اللّٰهِ اَوْلِيَآءَ ۚ وَ لَهُمْ عَذَابٌ عَظِيْمٌ ۝١٠
১১. এ (কুরআন) জীবন যাপনের দিশারি। যারা তাদের প্রভুর আয়াতের প্রতি কুফুরি করে তাদের জন্যে রয়েছে অতিশয় বেদনাদায়ক আযাব।	هٰذَا هُدًى ۚ وَ الَّذِيْنَ كَفَرُوْا بِاٰيٰتِ رَبِّهِمْ لَهُمْ عَذَابٌ مِّنْ رِّجْزٍ اَلِيْمٌ ۝١١
১২. আল্লাহ্‌ই সমুদ্রকে তোমাদের কল্যাণে নিয়োজিত করেছেন, যাতে আল্লাহ্‌র অনুমতিক্রমে তাতে নৌযানসমূহ চলাচল করতে পারে এবং তোমরা সন্ধান করতে পারো তাঁর অনুগ্রহ এবং যাতে করে তোমরা শোকর আদায় করো।	اَللّٰهُ الَّذِيْ سَخَّرَ لَكُمُ الْبَحْرَ لِتَجْرِيَ الْفُلْكُ فِيْهِ بِاَمْرِهٖ وَ لِتَبْتَغُوْا مِنْ فَضْلِهٖ وَ لَعَلَّكُمْ تَشْكُرُوْنَ ۝١٢
১৩. তিনিই তোমাদের কল্যাণে নিয়োজিত করে দিয়েছেন মহাকাশ এবং পৃথিবীতে যা কিছু আছে সবই তাঁর অনুগ্রহে। নিশ্চয়ই এতে রয়েছে অনেক নিদর্শন চিন্তাশীল লোকদের জন্যে।	وَ سَخَّرَ لَكُمْ مَّا فِي السَّمٰوٰتِ وَ مَا فِي الْاَرْضِ جَمِيْعًا مِّنْهُ ؕ اِنَّ فِيْ ذٰلِكَ لَاٰيٰتٍ لِّقَوْمٍ يَّتَفَكَّرُوْنَ ۝١٣
১৪. (হে নবী!) তাদের বলো: যারা ঈমান এনেছে, তারা যেনো ঐ লোকদের ক্ষমা করে দেয়, যারা আল্লাহ্‌র দিনগুলোর প্রত্যাশা করেনা। এর কারণ, প্রত্যেক কওমকে তার কর্মের প্রতিদান দেবেন আল্লাহ্ নিজেই।	قُلْ لِّلَّذِيْنَ اٰمَنُوْا يَغْفِرُوْا لِلَّذِيْنَ لَا يَرْجُوْنَ اَيَّامَ اللّٰهِ لِيَجْزِيَ قَوْمًۢا بِمَا كَانُوْا يَكْسِبُوْنَ ۝١٤

রুকু ০১

১৫. যে কেউ আমলে সালেহ্ করবে, সে তা করবে নিজেরই জন্যে। আর যে কেউ মন্দ কাজ করবে, সে তা করবে নিজেরই বিরুদ্ধে। তারপর তোমাদের ফিরিয়ে নেয়া হবে তোমাদেরই প্রভুর কাছে।	مَنْ عَمِلَ صَالِحًا فَلِنَفْسِهٖ ۚ وَ مَنْ اَسَآءَ فَعَلَيْهَا ۫ ثُمَّ اِلٰى رَبِّكُمْ تُرْجَعُوْنَ ﴿۱۵﴾
১৬. আমরা বনি ইসরাঈলকে কিতাব দিয়েছিলাম, আরো দিয়েছিলাম কর্তৃত্ব আর নবুয়্যত। তাছাড়া আমরা তাদের উত্তম জীবিকা দিয়েছিলাম এবং তাদের মর্যাদা দিয়েছিলাম জগদ্বাসীর উপর।	وَ لَقَدْ اٰتَيْنَا بَنِيْٓ اِسْرَآءِيْلَ الْكِتٰبَ وَ الْحُكْمَ وَ النُّبُوَّةَ وَ رَزَقْنٰهُمْ مِّنَ الطَّيِّبٰتِ وَ فَضَّلْنٰهُمْ عَلَى الْعٰلَمِيْنَ ﴿۱۶﴾
১৭. আমরা তাদেরকে দীন সম্পর্কে সুস্পষ্ট প্রমাণ দিয়েছিলাম। তাদের কাছে জ্ঞান আসার পর তারা পরস্পর বিদ্বেষের কারণে বিরোধিতা করেছিল। তারা যে বিষয়ে বিরোধিতা করে কিয়ামতের দিন সে বিষয়ে তাদের মধ্যে ফায়সালা করে দেবেন তোমার প্রভু।	وَ اٰتَيْنٰهُمْ بَيِّنٰتٍ مِّنَ الْاَمْرِ ۚ فَمَا اخْتَلَفُوْٓا اِلَّا مِنْۢ بَعْدِ مَا جَآءَهُمُ الْعِلْمُ ۙ بَغْيًۢا بَيْنَهُمْ ؕ اِنَّ رَبَّكَ يَقْضِيْ بَيْنَهُمْ يَوْمَ الْقِيٰمَةِ فِيْمَا كَانُوْا فِيْهِ يَخْتَلِفُوْنَ ﴿۱۷﴾
১৮. তারপরে আমরা তোমাকে প্রতিষ্ঠিত করেছি দীনের বিশেষ শরিয়তের উপর। অতএব তুমি কেবল এ শরিয়তকেই অনুসরণ করো। অজ্ঞদের খেয়াল খুশির অনুসরণ করোনা।	ثُمَّ جَعَلْنٰكَ عَلٰى شَرِيْعَةٍ مِّنَ الْاَمْرِ فَاتَّبِعْهَا وَ لَا تَتَّبِعْ اَهْوَآءَ الَّذِيْنَ لَا يَعْلَمُوْنَ ﴿۱۸﴾
১৯. আল্লাহ্র মোকাবেলায় তারা তোমার কোনো উপকারই করতে পারবেনা। যালিমরা পরস্পরের অলি (বন্ধু, পৃষ্ঠপোষক), আর আল্লাহ্ হলেন মুত্তাকিদের অলি।	اِنَّهُمْ لَنْ يُّغْنُوْا عَنْكَ مِنَ اللّٰهِ شَيْـًٔا ؕ وَ اِنَّ الظّٰلِمِيْنَ بَعْضُهُمْ اَوْلِيَآءُ بَعْضٍ ۚ وَ اللّٰهُ وَلِيُّ الْمُتَّقِيْنَ ﴿۱۹﴾
২০. এ কুরআন মানুষের জন্যে সুস্পষ্ট প্রমাণ এবং নিশ্চিত বিশ্বাসী লোকদের জন্যে পথনির্দেশ ও রহমত।	هٰذَا بَصَآئِرُ لِلنَّاسِ وَ هُدًى وَّ رَحْمَةٌ لِّقَوْمٍ يُّوْقِنُوْنَ ﴿۲۰﴾
২১. দুষ্কৃতকারীরা কি ধরে নিয়েছে যে, আমরা জীবন ও মৃত্যুর দিক দিয়ে তাদেরকে ঐসব লোকদের সমতুল্য গণ্য করবো, যারা ঈমান আনে এবং আমলে সালেহ করে? তাদের সিদ্ধান্ত খুবই মন্দ।	اَمْ حَسِبَ الَّذِيْنَ اجْتَرَحُوا السَّيِّاٰتِ اَنْ نَّجْعَلَهُمْ كَالَّذِيْنَ اٰمَنُوْا وَ عَمِلُوا الصّٰلِحٰتِ ۙ سَوَآءً مَّحْيَاهُمْ وَ مَمَاتُهُمْ ؕ سَآءَ مَا يَحْكُمُوْنَ ﴿۲۱﴾
২২. আল্লাহ্ই সৃষ্টি করেছেন মহাকাশ ও পৃথিবী সত্য ও বাস্তবতার সাথে এবং যাতে করে প্রত্যেক ব্যক্তিকে তার কর্ম অনুযায়ী দেয়া যেতে পারে প্রতিদান। কোনো প্রকার যুলুম করা হবেনা তাদের প্রতি।	وَ خَلَقَ اللّٰهُ السَّمٰوٰتِ وَ الْاَرْضَ بِالْحَقِّ وَ لِتُجْزٰى كُلُّ نَفْسٍۭ بِمَا كَسَبَتْ وَ هُمْ لَا يُظْلَمُوْنَ ﴿۲۲﴾

রুকু ০২

২৩. তুমি কি ঐ ব্যক্তিকে দেখোনি, যে নিজের কামনা বাসনাকে নিজের ইলাহ্ (হুকুমকর্তা) বানিয়ে নিয়েছে এবং আল্লাহ্ তাঁর বিশেষ জ্ঞানের ভিত্তিতে বিভ্রান্ত করে দিয়েছেন তাকে, তার কান ও অন্তরে সীলমোহর করে দিয়েছেন, আর তার চোখে ফেলে দিয়েছেন আবরণ? ফলে আল্লাহ্ ছাড়া তাকে আর কে সঠিক পথ দেখাবে? তোমরা কি শিক্ষা গ্রহণ করবে না?

أَفَرَءَيْتَ مَنِ اتَّخَذَ إِلٰهَهُ هَوٰىهُ وَأَضَلَّهُ اللّٰهُ عَلٰى عِلْمٍ وَّخَتَمَ عَلٰى سَمْعِهٖ وَقَلْبِهٖ وَجَعَلَ عَلٰى بَصَرِهٖ غِشٰوَةً ۗ فَمَنْ يَّهْدِيْهِ مِنْۢ بَعْدِ اللّٰهِ ۗ أَفَلَا تَذَكَّرُوْنَ ﴿٢٣﴾

২৪. তারা বলে: 'আমাদের এ জীবনের পরে আর কোনো জীবন নেই। এখানেই আমাদের জীবন মৃত্যু ঘটবে এবং কাল (সময়) ছাড়া আর কোনো কিছুই ধ্বংস করেনা আমাদের।' অথচ এ বিষয়ে তাদের কোনো জ্ঞান নেই। তারা তো কেবল মনগড়া কথাই বলে চলেছে।

وَقَالُوْا مَا هِيَ إِلَّا حَيَاتُنَا الدُّنْيَا نَمُوْتُ وَنَحْيَا وَمَا يُهْلِكُنَآ إِلَّا الدَّهْرُ ۚ وَمَا لَهُمْ بِذٰلِكَ مِنْ عِلْمٍ ۚ إِنْ هُمْ إِلَّا يَظُنُّوْنَ ﴿٢٤﴾

২৫. যখন তাদের কাছে আমাদের সুস্পষ্ট আয়াতসমূহ পাঠ করা হয়, তখন তাদের কাছে আর কোনো যুক্তিই থাকে না। তখন তারা শুধু একথাই বলে: 'তোমরা সত্যবাদী হলে আমাদের পূর্ব পুরুষদের পুনরুত্থিত করে এনে দেখাও।'

وَإِذَا تُتْلٰى عَلَيْهِمْ اٰيٰتُنَا بَيِّنٰتٍ مَّا كَانَ حُجَّتَهُمْ إِلَّآ أَنْ قَالُوا ائْتُوْا بِاٰبَآئِنَآ إِنْ كُنْتُمْ صٰدِقِيْنَ ﴿٢٥﴾

২৬. তুমি বলো: 'আল্লাহ্ই তোমাদের হায়াত দান করেন এবং মউত ঘটান, অত:পর তিনিই তোমাদের কিয়ামতের দিন পুনরুত্থিত করে একত্রিত করবেন, এতে কোনো প্রকার সন্দেহ নেই। তবে অধিকাংশ মানুষই জানেনা।'

قُلِ اللّٰهُ يُحْيِيْكُمْ ثُمَّ يُمِيْتُكُمْ ثُمَّ يَجْمَعُكُمْ إِلٰى يَوْمِ الْقِيٰمَةِ لَا رَيْبَ فِيْهِ وَلٰكِنَّ أَكْثَرَ النَّاسِ لَا يَعْلَمُوْنَ ﴿٢٦﴾

রুকু ০৩

২৭. মহাকাশ এবং পৃথিবীর কর্তৃত্ব একমাত্র আল্লাহ্‌র। যেদিন কিয়ামত অনুষ্ঠিত হবে, সেদিন ক্ষতিগ্রস্ত হবে মিথ্যাবাদীরা।

وَلِلّٰهِ مُلْكُ السَّمٰوٰتِ وَالْأَرْضِ ۗ وَيَوْمَ تَقُوْمُ السَّاعَةُ يَوْمَئِذٍ يَّخْسَرُ الْمُبْطِلُوْنَ ﴿٢٧﴾

২৮. সেদিন তুমি দেখবে, প্রতিটি উম্মত (সম্প্রদায়) ভয়ে নতজানু। প্রতিটি উম্মতকে ডাকা হবে তাদের কিতাবের (আমলনামার) দিকে। বলা হবে: আজ প্রতিদান ও প্রতিফল দেয়া হবে তোমাদের দুনিয়ার জীবনের কৃতকর্মের।

وَتَرٰى كُلَّ أُمَّةٍ جَاثِيَةً ۗ كُلُّ أُمَّةٍ تُدْعٰٓى إِلٰى كِتٰبِهَا ۗ اَلْيَوْمَ تُجْزَوْنَ مَا كُنْتُمْ تَعْمَلُوْنَ ﴿٢٨﴾

২৯. এই যে আমাদের করা রেকর্ড, এটি কথা বলবে তোমাদের বিরুদ্ধে একেবারে সত্য ও হুবহু। তোমরা পৃথিবীর জীবনে যা করতে আমরা সবই রেকর্ড করে রেখেছি।

هٰذَا كِتٰبُنَا يَنْطِقُ عَلَيْكُمْ بِالْحَقِّ ۗ إِنَّا كُنَّا نَسْتَنْسِخُ مَا كُنْتُمْ تَعْمَلُوْنَ ﴿٢٩﴾

৩০. যারা ঈমান এনেছে এবং আমলে সালেহ করেছে, তাদের অবস্থা হবে সম্পূর্ণ ভিন্ন। তাদের প্রভু তাদের দাখিল করবেন তাঁর রহমতে (জান্নাতে)। এটাই সুস্পষ্ট সফলতা।	فَاَمَّا الَّذِيْنَ اٰمَنُوْا وَ عَمِلُوا الصّٰلِحٰتِ فَيُدْخِلُهُمْ رَبُّهُمْ فِيْ رَحْمَتِهٖ ؕ ذٰلِكَ هُوَ الْفَوْزُ الْمُبِيْنُ ﴿۳۰﴾
৩১. যারা কুফুরি করেছে, তাদের বলা হবে: তোমাদের প্রতি কি আমাদের আয়াত তিলাওয়াত করে (তোমাদের দাওয়াত) দেয়া হয়নি? কিন্তু তোমরা ঔদ্ধত্য প্রকাশ করেছিলে এবং তোমরা ছিলে অপরাধী গোষ্ঠী।	وَ اَمَّا الَّذِيْنَ كَفَرُوْا ۟ اَفَلَمْ تَكُنْ اٰيٰتِيْ تُتْلٰى عَلَيْكُمْ فَاسْتَكْبَرْتُمْ وَ كُنْتُمْ قَوْمًا مُّجْرِمِيْنَ ﴿۳۱﴾
৩২. যখন বলা হতো: 'আল্লাহ্‌র ওয়াদা সত্য, কিয়ামত সত্য, তাতে কোনো প্রকার সন্দেহ নেই।' তখন তোমরা বলতে: 'কিয়ামত কী আমরা তা বুঝি না, আমরা মনে করি এটা একটা অলীক ধারণা মাত্র, আমরা এতে বিশ্বাসী নই।'	وَ اِذَا قِيْلَ اِنَّ وَعْدَ اللّٰهِ حَقٌّ وَّ السَّاعَةُ لَا رَيْبَ فِيْهَا قُلْتُمْ مَّا نَدْرِيْ مَا السَّاعَةُ ۙ اِنْ نَّظُنُّ اِلَّا ظَنًّا وَّ مَا نَحْنُ بِمُسْتَيْقِنِيْنَ ﴿۳۲﴾
৩৩. তখন তাদের সমস্ত বদ আমল তাদের কাছে প্রকাশ হয়ে পড়বে এবং যে বিষয়টা নিয়ে তারা বিদ্রুপ করতো, সেটা তাদের পরিবেষ্টন করে নেবে।	وَ بَدَا لَهُمْ سَيِّاٰتُ مَا عَمِلُوْا وَ حَاقَ بِهِمْ مَّا كَانُوْا بِهٖ يَسْتَهْزِءُوْنَ ﴿۳۳﴾
৩৪. তাদের বলা হবে: "আজ আমরা তোমাদের ভুলে থাকবো, যেভাবে তোমরা আজকের সাক্ষাতের বিষয়টাকে ভুলে ছিলে। তোমাদের আবাস হবে জাহান্নাম এবং তোমাদের কোনো সাহায্যকারী থাকবে না।	وَقِيْلَ الْيَوْمَ نَنْسٰىكُمْ كَمَا نَسِيْتُمْ لِقَآءَ يَوْمِكُمْ هٰذَا وَمَاْوٰىكُمُ النَّارُ وَمَا لَكُمْ مِّنْ نّٰصِرِيْنَ ﴿۳۴﴾
৩৫. এর কারণ, তোমরা আল্লাহ্‌র আয়াত নিয়ে বিদ্রুপ করেছিলে এবং দুনিয়ার জীবন তোমাদের প্রতারিত করে রেখেছিল। সুতরাং সেদিন তাদের জাহান্নাম থেকে বের করা হবেনা এবং আল্লাহ্‌র সন্তুষ্টি লাভেরও কোনো সুযোগ দেয়া হবেনা।"	ذٰلِكُمْ بِاَنَّكُمُ اتَّخَذْتُمْ اٰيٰتِ اللّٰهِ هُزُوًا وَّ غَرَّتْكُمُ الْحَيٰوةُ الدُّنْيَا ۚ فَالْيَوْمَ لَا يُخْرَجُوْنَ مِنْهَا وَلَا هُمْ يُسْتَعْتَبُوْنَ ﴿۳۵﴾
৩৬. সুতরাং সমস্ত প্রশংসা ও কৃতজ্ঞতা মহাকাশ ও পৃথিবীর প্রভু আল্লাহ্ রাব্বুল আলামিনের জন্যে।	فَلِلّٰهِ الْحَمْدُ رَبِّ السَّمٰوٰتِ وَ رَبِّ الْاَرْضِ رَبِّ الْعٰلَمِيْنَ ﴿۳۶﴾
৩৭. মহাকাশ এবং পৃথিবীতে সমস্ত শ্রেষ্ঠত্ব ও অহংকার কেবল তাঁরই এবং তিনি মহাশক্তিধর মহাপ্রজ্ঞাবান।	وَلَهُ الْكِبْرِيَآءُ فِي السَّمٰوٰتِ وَالْاَرْضِ ۪ وَ هُوَ الْعَزِيْزُ الْحَكِيْمُ ﴿۳۷﴾

রুকু ০৩

সূরা ৪৬ আল আহকাফ

মক্কায় অবতীর্ণ, আয়াত সংখ্যা: ৩৫, রুকু সংখ্যা: ০৪

এই সূরার আলোচ্যসূচি (আয়াত ভিত্তিক আলোচ্য বিষয়)

০১-০৬: যারা আল্লাহ্ ছাড়া অন্যদের কাছে দোয়া প্রার্থনা করে, তাদের অসহায়ত্ব।
০৭-১২: আল্লাহ্‌র কিতাব ও রিসালাতকে অস্বীকার করার ভ্রান্তি।
১৩-২০: আল্লাহ্‌র একত্বে বিশ্বাসীদের কোনো ভয় থাকবে না। বাবা মার প্রতি ইহ্‌সানের নির্দেশ। মুমিন পিতা মাতার অবাধ্য হওয়ার মন্দ পরিণতি।
২১-২৮: অতীত জাতিগুলো নবীদের দাওয়াত প্রত্যাখ্যান করায় তারা ধ্বংস হয়েছে।
২৯-৩৫: একদল জিনের কুরআন শুনা, ঈমান আনা এবং নিজেদের জাতির কাছে দাওয়াত দানের বিবরণ।

সূরা আল আহকাফ (প্রাচীন শহর) পরম করুণাময় পরম দয়াবান আল্লাহ্‌র নামে	سُوْرَةُ الْاَحْقَافِ بِسْمِ اللّٰهِ الرَّحْمٰنِ الرَّحِيْمِ
০১. হা মিম।	حٰمٓ ۚ ﴿١﴾
০২. এ কিতাব নাযিল হচ্ছে মহাশক্তিধর মহাপ্রজ্ঞাবান আল্লাহ্‌র পক্ষ থেকে।	تَنْزِيْلُ الْكِتٰبِ مِنَ اللّٰهِ الْعَزِيْزِ الْحَكِيْمِ ﴿٢﴾
০৩. মহাকাশ, পৃথিবী এবং এ দুয়ের মধ্যবর্তী যা কিছু আছে সবই আমরা বাস্তবভাবে এবং নির্দিষ্ট সময়ের জন্যে সৃষ্টি করেছি। কিন্তু কাফিররা উপেক্ষা করে চলছে, যে বিষয়ে তাদের সতর্ক করা হয়েছে।	مَا خَلَقْنَا السَّمٰوٰتِ وَ الْاَرْضَ وَ مَا بَيْنَهُمَآ اِلَّا بِالْحَقِّ وَ اَجَلٍ مُّسَمًّى ؕ وَ الَّذِيْنَ كَفَرُوْا عَمَّآ اُنْذِرُوْا مُعْرِضُوْنَ ﴿٣﴾
০৪. হে নবী! বলো: ‘তোমরা ভেবে দেখেছো কি, তোমরা আল্লাহ্‌র পরিবর্তে যাদের ডাকো, তারা পৃথিবীতে কী সৃষ্টি করেছে? আমাকে দেখাও। নাকি আকাশ সৃষ্টিতে তাদের কোনো অংশীদারিত্ব আছে? পূর্বের কোনো কিতাব কিংবা সূত্রভিত্তিক কোনো জ্ঞান এ বিষয়ের থাকলে তোমরা তা হাজির করো, যদি তোমরা সত্যবাদী হয়ে থাকো।’	قُلْ اَرَءَيْتُمْ مَّا تَدْعُوْنَ مِنْ دُوْنِ اللّٰهِ اَرُوْنِيْ مَا ذَا خَلَقُوْا مِنَ الْاَرْضِ اَمْ لَهُمْ شِرْكٌ فِي السَّمٰوٰتِ ؕ اِيْتُوْنِيْ بِكِتٰبٍ مِّنْ قَبْلِ هٰذَآ اَوْ اَثٰرَةٍ مِّنْ عِلْمٍ اِنْ كُنْتُمْ صٰدِقِيْنَ ﴿٤﴾
০৫. ঐ ব্যক্তির চাইতে বড় বিভ্রান্ত আর কে, যে আল্লাহ্‌র পরিবর্তে যাদেরকে ডাকে, তারা কিয়ামত পর্যন্ত তার ডাকে সাড়া দেবে না? তারা তার ডাক শুনবে কী করে? তারা তো অচেতন।	وَ مَنْ اَضَلُّ مِمَّنْ يَّدْعُوْا مِنْ دُوْنِ اللّٰهِ مَنْ لَّا يَسْتَجِيْبُ لَهٗٓ اِلٰى يَوْمِ الْقِيٰمَةِ وَهُمْ عَنْ دُعَآئِهِمْ غٰفِلُوْنَ ﴿٥﴾
০৬. যেদিন মানুষকে হাশর করা হবে (বিচারের জন্যে), সেদিন তারা এদের শত্রু হয়ে যাবে এবং এরা তাদের ইবাদত (পূজা উপাসনা) করেছে বলে তারা অস্বীকার করবে।	وَ اِذَا حُشِرَ النَّاسُ كَانُوْا لَهُمْ اَعْدَآءً وَّكَانُوْا بِعِبَادَتِهِمْ كٰفِرِيْنَ ﴿٦﴾
০৭. আমাদের স্পষ্ট আয়াতসমূহ যখন তাদের সামনে তিলাওয়াত করা হয়, তখন মহাসত্য তাদের কাছে পৌঁছার পর কাফিররা বলে: ‘এতো এক সুস্পষ্ট ম্যাজিক।’	وَ اِذَا تُتْلٰى عَلَيْهِمْ اٰيٰتُنَا بَيِّنٰتٍ قَالَ الَّذِيْنَ كَفَرُوْا لِلْحَقِّ لَمَّا جَآءَهُمْ ۙ هٰذَا سِحْرٌ مُّبِيْنٌ ؕ ﴿٧﴾

পারা ২৬

০৮. নাকি তারা বলে: 'মুহাম্মদ এ কুরআন রচনা করেছে?' তুমি বলো: 'আমি যদি এটি রচনা করে আল্লাহ্‌র নামে চালাতাম, তবে তোমরা সবাই মিলেও কিছুতেই আমাকে আল্লাহ্‌র শাস্তি থেকে রক্ষা করতে পারতেনা। তোমরা যে বিষয়ে বিতর্কে লিপ্ত হচ্ছো সে বিষয়ে আল্লাহ্ই অধিক জানেন। এ বিষয়ে আমার এবং তোমাদের মাঝে সাক্ষী হিসেবে তিনিই যথেষ্ট। আর তিনি মহাক্ষমাশীল মহাদয়াবান।	أَمْ يَقُولُونَ افْتَرٰىهُ ۖ قُلْ إِنِ افْتَرَيْتُهُ فَلَا تَمْلِكُونَ لِي مِنَ اللّٰهِ شَيْئًا ۖ هُوَ أَعْلَمُ بِمَا تُفِيضُونَ فِيهِ ۖ كَفٰى بِهٖ شَهِيدًا بَيْنِي وَبَيْنَكُمْ ۖ وَهُوَ الْغَفُورُ الرَّحِيمُ ﴿٨﴾
০৯. বলো: 'আমি কোনো নতুন-অভিনব রসূল নই। আমার ও তোমাদের ব্যাপারে কী করা হবে তা আমি জানি না। আমি কেবল তারই অনুসরণ করি, যা অহি করা হয় আমার কাছে। আমি একজন সুস্পষ্ট সতর্ককারী ছাড়া আর কিছুই নই।	قُلْ مَا كُنْتُ بِدْعًا مِّنَ الرُّسُلِ وَمَا أَدْرِي مَا يُفْعَلُ بِي وَلَا بِكُمْ ۖ إِنْ أَتَّبِعُ إِلَّا مَا يُوحٰى إِلَيَّ وَمَا أَنَا إِلَّا نَذِيرٌ مُّبِينٌ ﴿٩﴾
১০. বলো: তোমরা ভেবে দেখেছো কি, এ কুরআন যদি আল্লাহ্‌র পক্ষ থেকে এসে থাকে আর তোমরা তা অস্বীকার করো, অথচ বনি ইসরাঈলের একজন সাক্ষী (আবদুল্লাহ ইবনে সালাম) এ কিতাবের প্রতি সাক্ষ্য দিয়েছে যে, এটি (তাওরাতেরই অনুরূপ) এবং সে ঈমান এনেছে, আর তোমরা হঠকারিতা প্রদর্শন করো, তাহলে তোমাদের পরিণাম কী হবে? নিশ্চয়ই আল্লাহ্ কখনো যালিমদের সঠিক পথ দেখান না।	قُلْ أَرَءَيْتُمْ إِنْ كَانَ مِنْ عِنْدِ اللّٰهِ وَكَفَرْتُمْ بِهٖ وَشَهِدَ شَاهِدٌ مِّنْ بَنِيْٓ إِسْرَآءِيلَ عَلٰى مِثْلِهٖ فَاٰمَنَ وَاسْتَكْبَرْتُمْ ۖ إِنَّ اللّٰهَ لَا يَهْدِي الْقَوْمَ الظّٰلِمِينَ ﴿١٠﴾
১১. কাফিররা মুমিনদের বলে: 'এটা (এই কুরআন) যদি ভালো হতো, তবে তারা আমাদের আগে তা গ্রহণ করতে পারতো না।' আর যেহেতু তারা এর দ্বারা সঠিক পথ লাভ করেনি, তাই তারা বলে, 'এটা পুরানো মিথ্যা।'	وَقَالَ الَّذِينَ كَفَرُوا لِلَّذِينَ اٰمَنُوا لَوْ كَانَ خَيْرًا مَّا سَبَقُونَآ إِلَيْهِ ۚ وَإِذْ لَمْ يَهْتَدُوا بِهٖ فَسَيَقُولُونَ هٰذَآ إِفْكٌ قَدِيمٌ ﴿١١﴾
১২. এর আগে ছিলো মূসার কিতাব পথ প্রদর্শক ও রহমত। আর এই কিতাব (কুরআন) সেটার সত্যায়নকারী, আরবি ভাষায়। এটি নাযিল করা হয়েছে যালিমদের সতর্ক করার উদ্দেশ্যে এবং কল্যাণপরায়ণদের জন্যে এটি সুসংবাদ।	وَمِنْ قَبْلِهٖ كِتٰبُ مُوسٰىٓ إِمَامًا وَّرَحْمَةً ۚ وَهٰذَا كِتٰبٌ مُّصَدِّقٌ لِّسَانًا عَرَبِيًّا لِّيُنْذِرَ الَّذِينَ ظَلَمُوا ۖ وَبُشْرٰى لِلْمُحْسِنِينَ ﴿١٢﴾
১৩. নিশ্চয়ই যারা বলে: 'আল্লাহ্ আমাদের রব', তারপর একথার উপর অটল অবিচল হয়ে থাকে, তাদের কোনো ভয় নেই এবং তারা চিন্তিতও হবেনা।	إِنَّ الَّذِينَ قَالُوا رَبُّنَا اللّٰهُ ثُمَّ اسْتَقَامُوا فَلَا خَوْفٌ عَلَيْهِمْ وَلَا هُمْ يَحْزَنُونَ ﴿١٣﴾
১৪. তারা হবে জান্নাতের অধিবাসী, চিরদিন থাকবে তারা সেখানে, তাদের কৃতকর্মের প্রতিদান হিসেবে।	أُولٰٓئِكَ أَصْحٰبُ الْجَنَّةِ خٰلِدِينَ فِيهَا ۚ جَزَآءًۢ بِمَا كَانُوا يَعْمَلُونَ ﴿١٤﴾
১৫. আমরা মানুষকে অসিয়ত (নির্দেশ) করেছি তার মাতা-পিতার প্রতি সদয় আচরণ করতে। তার মা তাকে গর্ভে ধারণ করেছে কষ্টের সাথে, প্রসব করেছে কষ্টের সাথে। তাকে গর্ভে ধারণ	وَوَصَّيْنَا الْإِنْسَانَ بِوٰلِدَيْهِ إِحْسٰنًا ۖ حَمَلَتْهُ أُمُّهٗ كُرْهًا وَّوَضَعَتْهُ كُرْهًا ۖ وَ

রুকু ০১

حَمْلُهٗ وَ فِصٰلُهٗ ثَلٰثُوْنَ شَهْرًا ؕ حَتّٰۤی اِذَا بَلَغَ اَشُدَّهٗ وَ بَلَغَ اَرْبَعِیْنَ سَنَةً ۙ قَالَ رَبِّ اَوْزِعْنِیْۤ اَنْ اَشْكُرَ نِعْمَتَكَ الَّتِیْۤ اَنْعَمْتَ عَلَیَّ وَ عَلٰی وَالِدَیَّ وَ اَنْ اَعْمَلَ صَالِحًا تَرْضٰىهُ وَ اَصْلِحْ لِیْ فِیْ ذُرِّیَّتِیْ ؕ اِنِّیْ تُبْتُ اِلَیْكَ وَ اِنِّیْ مِنَ الْمُسْلِمِیْنَ ﴿۱۵﴾

করতে এবং তার বুকের দুধ ছাড়াতে লেগেছে ত্রিশ মাস। তারপর সে যখন সুঠাম দেহে পৌঁছে এবং উপনীত হয় চল্লিশ বছরে, তখন সে বলে: 'আমার প্রভু! আমাকে তৌফিক দাও, আমি যেনো তোমার অনুগ্রহের কৃতজ্ঞতা প্রকাশ করতে পারি, যে অনুগ্রহ তুমি করেছো আমার প্রতি এবং আমার পিতা-মাতার প্রতি। আমাকে এমন আমলে সালেহ্ করার তৌফিক দাও যাতে তুমি সন্তুষ্ট হবে, আর আমার জন্যে আমার সন্তানদের সৎ ও যোগ্য করে গড়ে তোলো। আমি তোমার দিকে মুখ ফেরালাম এবং অবশ্যি আমি আত্মসমর্পণকারীদের অন্তরভুক্ত হলাম।'

اُولٰٓئِكَ الَّذِیْنَ نَتَقَبَّلُ عَنْهُمْ اَحْسَنَ مَا عَمِلُوْا وَ نَتَجَاوَزُ عَنْ سَیِّاٰتِهِمْ فِیْۤ اَصْحٰبِ الْجَنَّةِ ؕ وَعْدَ الصِّدْقِ الَّذِیْ كَانُوْا یُوْعَدُوْنَ ﴿۱۶﴾

১৬. এরাই সেইসব লোক আমরা যাদের উত্তম আমলসমূহ কবুল করবো এবং তাদের মন্দ কাজগুলো ক্ষমা করে দেবো এবং তাদের অন্তরভুক্ত করবো জান্নাতের অধিবাসীদের। তাদের যে ওয়াদা দেয়া হলো তা সত্য ওয়াদা।

وَ الَّذِیْ قَالَ لِوَالِدَیْهِ اُفٍّ لَّكُمَاۤ اَتَعِدٰنِنِیْۤ اَنْ اُخْرَجَ وَ قَدْ خَلَتِ الْقُرُوْنُ مِنْ قَبْلِیْ ۚ وَ هُمَا یَسْتَغِیْثٰنِ اللّٰهَ وَیْلَكَ اٰمِنْ ۖۗ اِنَّ وَعْدَ اللّٰهِ حَقٌّ ۚۖ فَیَقُوْلُ مَا هٰذَاۤ اِلَّاۤ اَسَاطِیْرُ الْاَوَّلِیْنَ ﴿۱۷﴾

১৭. আর এমন লোকও আছে, যে তার মাতা-পিতাকে বলে: 'উহ্, তোমাদের জ্বালাতনে আর বাঁচলাম না। তোমরা কি আমাকে এই ভয় দেখাতে চাও যে, আমি পুনরুত্থিত হবো, যদিও আমার আগে বহু প্রজন্ম গত হয়েছে?' তখন তার মাতা-পিতা আল্লাহ্‌র কাছে ফরিয়াদ করে বলে: 'দুর্ভোগ তোমার! তুমি ঈমান আনো। আল্লাহ্‌র ওয়াদা সত্য।' তখন সে বলে: 'এতো আগেকার কালের কাহিনী ছাড়া কিছু নয়।'

اُولٰٓئِكَ الَّذِیْنَ حَقَّ عَلَیْهِمُ الْقَوْلُ فِیْۤ اُمَمٍ قَدْ خَلَتْ مِنْ قَبْلِهِمْ مِّنَ الْجِنِّ وَ الْاِنْسِ ؕ اِنَّهُمْ كَانُوْا خٰسِرِیْنَ ﴿۱۸﴾

১৮. এদের আগে যে জিন ও মানবগোষ্ঠী গত হয়েছে তাদের মতো এদের প্রতিও আল্লাহ্‌র বাণী সত্য হয়েছে, নিশ্চয়ই এরা হবে ক্ষতিগ্রস্ত।

وَ لِكُلٍّ دَرَجٰتٌ مِّمَّا عَمِلُوْا ۚ وَ لِیُوَفِّیَهُمْ اَعْمَالَهُمْ وَ هُمْ لَا یُظْلَمُوْنَ ﴿۱۹﴾

১৯. প্রত্যেকের মর্যাদা নির্ধারিত হবে তার আমল অনুযায়ী। প্রত্যেকের আমলেরই পূর্ণ প্রতিফল দেয়া হবে এবং তাদের প্রতি করা হবেনা কোনো প্রকার যুলুম।

وَ یَوْمَ یُعْرَضُ الَّذِیْنَ كَفَرُوْا عَلَی النَّارِ ؕ اَذْهَبْتُمْ طَیِّبٰتِكُمْ فِیْ حَیَاتِكُمُ الدُّنْیَا وَ اسْتَمْتَعْتُمْ بِهَا ۚ فَالْیَوْمَ تُجْزَوْنَ عَذَابَ الْهُوْنِ بِمَا كُنْتُمْ تَسْتَكْبِرُوْنَ فِی الْاَرْضِ بِغَیْرِ الْحَقِّ وَ بِمَا كُنْتُمْ تَفْسُقُوْنَ ﴿۲۰﴾

২০. যেদিন কাফিরদের উপস্থিত করা হবে জাহান্নামের কিনারে, সেদিন তাদের বলা হবে: তোমরা তোমাদের পৃথিবীর জীবনেই যাবতীয় সুখ সম্ভোগ করে নিয়েছো। সুতরাং আজ তোমাদের প্রতিদান দেয়া হবে অপমানকর আযাব, কারণ তোমরা পৃথিবীতে অন্যায়ভাবে দাম্ভিকতা প্রকাশ করেছিলে এবং সীমালংঘন করেছিলে।

রুকু ০২

২১. স্মরণ করো, আদ জাতির ভাই (হুদের) কথা, সে তার আহকাফবাসী জাতিকে সতর্ক করেছিল। তার আগে পরেও সতর্ককারীরা বিগত হয়েছিল। সে তাদের বলেছিল: 'তোমরা আল্লাহ্ ছাড়া আর কারো ইবাদত করোনা। আমি তোমাদের উপর এক কঠিন দিনের আযাবের আশংকা করছি।'	وَ اذْكُرْ اَخَا عَادٍ ؕ اِذْ اَنْذَرَ قَوْمَهٗ بِالْاَحْقَافِ وَ قَدْ خَلَتِ النُّذُرُ مِنْۢ بَيْنِ يَدَيْهِ وَ مِنْ خَلْفِهٖۤ اَلَّا تَعْبُدُوْۤا اِلَّا اللّٰهَ ؕ اِنِّیْۤ اَخَافُ عَلَیْكُمْ عَذَابَ یَوْمٍ عَظِیْمٍ ﴿۲۱﴾
২২. তারা বলেছিল: 'তুমি কি আমাদেরকে আমাদের ইলাহ্দের (দেব-দেবীর) পূজা উপাসনা থেকে বারণ করতে এসেছো? তুমি যদি সত্যবাদী হয়ে থাকো, তাহলে আমাদেরকে যে জিনিসের ভয় দেখাচ্ছো, তা এনে দেখাও।'	قَالُوْۤا اَجِئْتَنَا لِتَاْفِكَنَا عَنْ اٰلِهَتِنَا ۚ فَاْتِنَا بِمَا تَعِدُنَاۤ اِنْ كُنْتَ مِنَ الصّٰدِقِیْنَ ﴿۲۲﴾
২৩. সে বলেছিল: 'সে জিনিসের এলেম তো কেবল আল্লাহ্র কাছেই রয়েছে। আমাকে যে জিনিস নিয়ে পাঠানো হয়েছে আমি তোমাদেরকে কেবল সেই বার্তাই পৌঁছে দিচ্ছি। কিন্তু আমি দেখছি, তোমরা তো একটি জাহেল কওম।	قَالَ اِنَّمَا الْعِلْمُ عِنْدَ اللّٰهِ ۖ٘ وَ اُبَلِّغُكُمْ مَّاۤ اُرْسِلْتُ بِهٖ وَ لٰكِنِّیْۤ اَرٰىكُمْ قَوْمًا تَجْهَلُوْنَ ﴿۲۳﴾
২৪. তারপর তারা যখন তাদের উপত্যকাসমূহের দিক থেকে মেঘ আসতে দেখলো, তখন তারা বললো: 'এতো মেঘ, এখন আমাদের এখানে বৃষ্টিপাত হবে।' হুদ বললো: 'না, বরং এই তো সেই জিনিস, তোমরা যার ব্যাপারে তাড়াহুড়া করছিলে। এ হলো সেই ঝড় যাতে রয়েছে বেদনাদায়ক আযাব।'	فَلَمَّا رَاَوْهُ عَارِضًا مُّسْتَقْبِلَ اَوْدِیَتِهِمْ ۙ قَالُوْا هٰذَا عَارِضٌ مُّمْطِرُنَا ؕ بَلْ هُوَ مَا اسْتَعْجَلْتُمْ بِهٖ ؕ رِیْحٌ فِیْهَا عَذَابٌ اَلِیْمٌ ﴿۲۴﴾
২৫. এ ঝড় আল্লাহ্র নির্দেশে ধ্বংস করে দেবে সবকিছুই। তারপর যখন সকাল হলো, তখন বসতি ছাড়া সেখানে আর কিছুই ছিলনা। এভাবেই আমরা শাস্তি দিয়ে থাকি অপরাধীদের।	تُدَمِّرُ كُلَّ شَیْءٍۭ بِاَمْرِ رَبِّهَا فَاَصْبَحُوْا لَا یُرٰۤى اِلَّا مَسٰكِنُهُمْ ؕ كَذٰلِكَ نَجْزِی الْقَوْمَ الْمُجْرِمِیْنَ ﴿۲۵﴾
২৬. আমরা তাদেরকে যতোটা প্রতিষ্ঠা দিয়েছিলাম, তোমাদের ততোটা প্রতিষ্ঠা দেইনি। আমরা তাদের দিয়েছিলাম শ্রবণশক্তি, দৃষ্টিশক্তি এবং অন্তর। কিন্তু তাদের শ্রবণশক্তি, দৃষ্টিশক্তি এবং অন্তর তাদের কোনো কাজেই আসেনি, যেহেতু তারা আল্লাহ্র আয়াতসমূহকে করেছিল অস্বীকার। ফলে তাদের পরিবেষ্টন করে নিয়েছিল সেই জিনিস, যা নিয়ে তারা করতো বিদ্রুপ।	وَ لَقَدْ مَكَّنّٰهُمْ فِیْمَاۤ اِنْ مَّكَّنّٰكُمْ فِیْهِ وَ جَعَلْنَا لَهُمْ سَمْعًا وَّ اَبْصَارًا وَّ اَفْـِٕدَةً ۖ٘ فَمَاۤ اَغْنٰى عَنْهُمْ سَمْعُهُمْ وَ لَاۤ اَبْصَارُهُمْ وَ لَاۤ اَفْـِٕدَتُهُمْ مِّنْ شَیْءٍ اِذْ كَانُوْا یَجْحَدُوْنَ ۙ بِاٰیٰتِ اللّٰهِ وَ حَاقَ بِهِمْ مَّا كَانُوْا بِهٖ یَسْتَهْزِءُوْنَ ﴿۲۶﴾
২৭. আমরা তোমাদের চারপাশের জনপদসমূহ ধ্বংস করে দিয়েছিলাম এবং বিভিন্ন পদ্ধতিতে আমাদের নিদর্শনাবলি বর্ণনা করেছিলাম, যাতে করে তারা ফিরে আসে।	وَ لَقَدْ اَهْلَكْنَا مَا حَوْلَكُمْ مِّنَ الْقُرٰى وَ صَرَّفْنَا الْاٰیٰتِ لَعَلَّهُمْ یَرْجِعُوْنَ ﴿۲۷﴾
২৮. তারা আল্লাহ্র সান্নিধ্য লাভের উদ্দেশ্যে, আল্লাহ্র পরিবর্তে যেসব ইলাহ্ গ্রহণ করেছিল, তারা (সেসব ইলাহ্) তাদের সাহায্য করলোনা কেন? বরং তখন তারা তাদের থেকে উধাও হয়ে	فَلَوْ لَا نَصَرَهُمُ الَّذِیْنَ اتَّخَذُوْا مِنْ دُوْنِ اللّٰهِ قُرْبَانًا اٰلِهَةً ؕ بَلْ ضَلُّوْا عَنْهُمْ ۚ

রুকু ০৩

গিয়েছিল। তাদের মিথ্যা ও মনগড়া খোদাদের অবস্থা এ রকমই।	وَ ذٰلِكَ اِفْكُهُمْ وَ مَا كَانُوْا يَفْتَرُوْنَ ﴿٢٨﴾
২৯. স্মরণ করো, আমরা একদল জিনকে তোমার প্রতি আকৃষ্ট করেছিলাম। তারা কুরআন শুনছিল। যখন তারা সেখানে হাজির হয়েছিল, তারা বলেছিল: 'নীরব থাকো, শুনো।' যখন কুরআন পাঠ শেষ হলো, তখন তারা ফিরে গেলো তাদের কওমের কাছে সতর্ককারী হিসেবে।	وَ اِذْ صَرَفْنَاۤ اِلَيْكَ نَفَرًا مِّنَ الْجِنِّ يَسْتَمِعُوْنَ الْقُرْاٰنَ ۚ فَلَمَّا حَضَرُوْهُ قَالُوْۤا اَنْصِتُوْا ۚ فَلَمَّا قُضِيَ وَ لَّوْا اِلٰى قَوْمِهِمْ مُّنْذِرِيْنَ ﴿٢٩﴾
৩০. তারা গিয়ে বলেছিল: "হে আমাদের কওম! আমরা এমন একটি কিতাবের (কুরআনের) পাঠ শুনেছি, যা নাযিল হয়েছে মূসার পরে, এ কিতাব তার পূর্ববর্তী কিতাবকে সত্যায়ন করে এবং পথ দেখায় সত্যের দিকে ও সরল সঠিক পথের দিকে।	قَالُوْا يٰقَوْمَنَاۤ اِنَّا سَمِعْنَا كِتٰبًا اُنْزِلَ مِنْۢ بَعْدِ مُوْسٰى مُصَدِّقًا لِّمَا بَيْنَ يَدَيْهِ يَهْدِيْۤ اِلَى الْحَقِّ وَ اِلٰى طَرِيْقٍ مُّسْتَقِيْمٍ ﴿٣٠﴾
৩১. হে আমাদের কওম! আল্লাহ্‌র দিকে আহ্বানকারীর ডাকে সাড়া দাও এবং ঈমান আনো তার প্রতি, তিনি ক্ষমা করে দেবেন তোমাদের পাপসমূহ এবং তোমাদের রক্ষা করবেন বেদনাদায়ক আযাব থেকে।"	يٰقَوْمَنَاۤ اَجِيْبُوْا دَاعِيَ اللّٰهِ وَ اٰمِنُوْا بِهٖ يَغْفِرْ لَكُمْ مِّنْ ذُنُوْبِكُمْ وَ يُجِرْكُمْ مِّنْ عَذَابٍ اَلِيْمٍ ﴿٣١﴾
৩২. যে আল্লাহ্‌র দিকে আহ্বানকারীর ডাকে সাড়া দেবে না, সে পৃথিবীতে আল্লাহ্‌র সিদ্ধান্ত ব্যর্থ করতে পারবে না। তার জন্যে আল্লাহ্‌র পরিবর্তে কোনো সাহায্যকারীও থাকবে না। এরাই রয়েছে সুস্পষ্ট বিভ্রান্তিতে।	وَ مَنْ لَّا يُجِبْ دَاعِيَ اللّٰهِ فَلَيْسَ بِمُعْجِزٍ فِي الْاَرْضِ وَ لَيْسَ لَهٗ مِنْ دُوْنِهٖۤ اَوْلِيَآءُ ؕ اُولٰٓئِكَ فِيْ ضَلٰلٍ مُّبِيْنٍ ﴿٣٢﴾
৩৩. তারা কি দেখেনা যে, আল্লাহ্‌ই সৃষ্টি করেছেন মহাকাশ এবং পৃথিবী এবং এসবের সৃষ্টিতে তিনি কোনো প্রকার ক্লান্তিবোধ করেননি, তিনি মৃতকে জীবিত করতেও সক্ষম। হ্যাঁ, তিনি প্রতিটি বিষয়েই সর্বশক্তিমান।	اَوَ لَمْ يَرَوْا اَنَّ اللّٰهَ الَّذِيْ خَلَقَ السَّمٰوٰتِ وَالْاَرْضَ وَلَمْ يَعْيَ بِخَلْقِهِنَّ بِقٰدِرٍ عَلٰۤى اَنْ يُّحْيِيَ الْمَوْتٰى ؕ بَلٰۤى اِنَّهٗ عَلٰى كُلِّ شَيْءٍ قَدِيْرٌ ﴿٣٣﴾
৩৪. যেদিন কাফিরদের উপস্থিত করা হবে জাহান্নামের কিনারে, তখন তাদের বলা হবে: 'এ (জাহান্নাম) কি সত্য নয়?' তারা বলবে: 'হ্যাঁ, আমাদের প্রভুর শপথ, এটা সত্য।' আল্লাহ্ বলবেন: 'তোমাদের কুফুরি করার কারণে তোমরা আস্বাদন করো আযাব।'	وَ يَوْمَ يُعْرَضُ الَّذِيْنَ كَفَرُوْا عَلَى النَّارِ ؕ اَلَيْسَ هٰذَا بِالْحَقِّ ؕ قَالُوْا بَلٰى وَ رَبِّنَا ؕ قَالَ فَذُوْقُوا الْعَذَابَ بِمَا كُنْتُمْ تَكْفُرُوْنَ ﴿٣٤﴾
৩৫. তুমি সবর অবলম্বন করো, যেমন সবর অবলম্বন করেছিল দৃঢ়তা অবলম্বনকারী রসূলরা। তুমি তাদের (কাফিরদের) ব্যাপারে তাড়াহুড়া করোনা। তাদেরকে যে বিষয়ে সতর্ক করা হয়েছে সে জিনিসটা যেদিন তারা দেখবে, সেদিন তাদের মনে হবে, তারা যেনো দিনের ঘণ্টাখানেকের বেশি পৃথিবীতে অবস্থান করেনি। এটি (এই কুরআন) একটি সুস্পষ্ট বার্তা। ফাসিকদের (সীমালংঘনকারীদের) ছাড়া কাউকেও কি ধ্বংস করা হবে?	فَاصْبِرْ كَمَا صَبَرَ اُولُوا الْعَزْمِ مِنَ الرُّسُلِ وَ لَا تَسْتَعْجِلْ لَّهُمْ ؕ كَاَنَّهُمْ يَوْمَ يَرَوْنَ مَا يُوْعَدُوْنَ ۙ لَمْ يَلْبَثُوْۤا اِلَّا سَاعَةً مِّنْ نَّهَارٍ ؕ بَلٰغٌ ۚ فَهَلْ يُهْلَكُ اِلَّا الْقَوْمُ الْفٰسِقُوْنَ ﴿٣٥﴾ রুকু ০৪

সূরা ৪৭ মুহাম্মদ

মদিনায় অবতীর্ণ, আয়াত সংখ্যা: ৩৮, রুকু সংখ্যা: ০৪

এই সূরার আলোচ্যসূচি (আয়াত ভিত্তিক আলোচ্য বিষয়)

০১-১১: কাফিররা আল্লাহ্‌র পথে বাধাদান করে, তাই তাদের সব কর্মকাণ্ড ব্যর্থ হয়ে যাবে। মুহাম্মদ সা. এর উপর অবতীর্ণ কিতাবের প্রতি যারা ঈমান আনে, আল্লাহ্ তাদের সাহায্য করবেন, কারণ তিনি তাদের মাওলা। কাফিরদের কোনো মাওলা নেই।

১২-১৯: মুমিনদের প্রাপ্য জান্নাত আর কাফিরদের প্রাপ্য জাহান্নামের তুলনা। যারা হিদায়াতের পথে চলে আল্লাহ্ তাদের হিদায়াত ও তাকওয়া বাড়িয়ে দেন। নবীকে তাঁর ত্রুটি বিচ্যুতির জন্য ক্ষমা প্রার্থনার নির্দেশ।

২০-৩০: মুনাফিক ও দুর্বল মুমিনদের অবস্থার বিবরণ। দুর্বলতার কারণ কুরআন অনুধাবন না করা। যারা ঈমানের দাওয়াতকে প্রত্যাখ্যান করে, মৃত্যুকালে তাদের পেটানো হয়।

৩১-৩৮: আল্লাহ্ মুমিনদের পরীক্ষা করেন খাঁটি মুজাহিদদের বাছাই করার জন্য। কুফুরির উপর মৃত্যুবরণকারীদের আল্লাহ্ কখনো ক্ষমা করবেন না। আল্লাহ্‌র পথে ব্যয়ে কৃপণতা করা মুমিনের কাজ নয়।

সূরা মুহাম্মদ পরম করুণাময় পরম দয়াবান আল্লাহ্‌র নামে	سُوْرَةُ مُحَمَّدٍ بِسْمِ اللّٰهِ الرَّحْمٰنِ الرَّحِيْمِ
০১. যারা কুফুরির পথ ধরেছে এবং আল্লাহ্‌র পথে বাধা সৃষ্টি করছে, তিনি ব্যর্থ করে দিয়েছেন তাদের সমস্ত কর্মকাণ্ড।	اَلَّذِيْنَ كَفَرُوْا وَ صَدُّوْا عَنْ سَبِيْلِ اللّٰهِ اَضَلَّ اَعْمَالَهُمْ ①
০২. আর যারা ঈমান এনেছে এবং আমলে সালেহ্ করেছে আর মুহাম্মদের প্রতি যা (যে কিতাব) নাযিল করা হয়েছে তার প্রতি ঈমান এনেছে, আর তা তো তাদের প্রভুর পক্ষ থেকে মহাসত্য, তিনি তাদের থেকে দূরীভূত করে দেবেন তাদের মন্দ আমলগুলো এবং সংশোধন করে দেবেন তাদের অবস্থা।	وَ الَّذِيْنَ اٰمَنُوْا وَ عَمِلُوا الصّٰلِحٰتِ وَ اٰمَنُوْا بِمَا نُزِّلَ عَلٰى مُحَمَّدٍ وَّ هُوَ الْحَقُّ مِنْ رَّبِّهِمْ ۙ كَفَّرَ عَنْهُمْ سَيِّاٰتِهِمْ وَ اَصْلَحَ بَالَهُمْ ②
০৩. এর কারণ হলো, যারা কুফুরি করে তারা অনুসরণ করে মিথ্যা-বাতিলের। আর যারা ঈমান আনে তারা ইত্তেবা (অনুসরণ) করে তাদের প্রভুর পক্ষ থেকে অবতীর্ণ মহাসত্যের। এভাবেই আল্লাহ্ দৃষ্টান্ত দিয়ে থাকেন মানুষের জন্যে।	ذٰلِكَ بِاَنَّ الَّذِيْنَ كَفَرُوا اتَّبَعُوا الْبَاطِلَ وَ اَنَّ الَّذِيْنَ اٰمَنُوا اتَّبَعُوا الْحَقَّ مِنْ رَّبِّهِمْ ؕ كَذٰلِكَ يَضْرِبُ اللّٰهُ لِلنَّاسِ اَمْثَالَهُمْ ③
০৪. তোমরা যখন যুদ্ধে কাফিরদের মোকাবেলা করবে, তখন তাদের গর্দানে আঘাত করবে এবং তাদেরকে কচু কাটা করে ছাড়বে। অবশেষে যখন তোমরা তাদের পরাস্ত করবে, তখন তাদের কষে বাঁধবে। তারপর হয় দয়া, নয়তো মুক্তিপণ। তোমরা যুদ্ধ চালিয়ে যাবে, যতোক্ষণ না যুদ্ধ তার অস্ত্র নামিয়ে ফেলে। এটাই নিয়ম। আল্লাহ্ ইচ্ছা	فَاِذَا لَقِيْتُمُ الَّذِيْنَ كَفَرُوْا فَضَرْبَ الرِّقَابِ ؕ حَتّٰۤى اِذَاۤ اَثْخَنْتُمُوْهُمْ فَشُدُّوا الْوَثَاقَ ۙ فَاِمَّا مَنًّۢا بَعْدُ وَ اِمَّا فِدَآءً حَتّٰى تَضَعَ الْحَرْبُ اَوْزَارَهَا ۚ ذٰلِكَ ؕ وَ لَوْ يَشَآءُ اللّٰهُ لَانْتَصَرَ مِنْهُمْ وَ لٰكِنْ لِّيَبْلُوَا

করলে তাদের শাস্তি দিতে পারতেন, কিন্তু তিনি চান তোমাদের একের দ্বারা অন্যকে পরীক্ষা করতে। আর যারা আল্লাহ্‌র পথে নিহত হয়, তিনি কখনো তাদের আমল বিনষ্ট করেন না।	بَعْضَكُمْ بِبَعْضٍ ؕ وَ الَّذِيْنَ قُتِلُوْا فِيْ سَبِيْلِ اللّٰهِ فَلَنْ يُّضِلَّ اَعْمَالَهُمْ ۴
০৫. তিনি তাদের সঠিক পথে পরিচালিত করেন এবং সংশোধন করে দেন তাদের অবস্থা।	سَيَهْدِيْهِمْ وَ يُصْلِحُ بَالَهُمْ ۵ۚ
০৬. তিনি তাদের দাখিল করবেন জান্নাতে, যার পরিচয় তিনি তাদের জানিয়ে দিয়েছেন।	وَيُدْخِلُهُمُ الْجَنَّةَ عَرَّفَهَا لَهُمْ ۶
০৭. হে ঈমানদার লোকেরা! তোমরা যদি আল্লাহ্‌কে সাহায্য করো, তিনিও সাহায্য করবেন তোমাদের, এবং অটল অবিচল রাখবেন তোমাদের কদম।	يٰۤاَيُّهَا الَّذِيْنَ اٰمَنُوْۤا اِنْ تَنْصُرُوا اللّٰهَ يَنْصُرْكُمْ وَ يُثَبِّتْ اَقْدَامَكُمْ ۷
০৮. আর যারা কুফুরি করেছে তাদের জন্যে রয়েছে দুর্দশা এবং তিনি ব্যর্থ করে দেবেন তাদের সমস্ত কর্মকাণ্ড।	وَ الَّذِيْنَ كَفَرُوْا فَتَعْسًا لَّهُمْ وَ اَضَلَّ اَعْمَالَهُمْ ۸
০৯. এর কারণ, আল্লাহ্ যা (যে বিধান) অবতীর্ণ করেছেন তা তারা অপছন্দ করে, ফলে তিনি নিষ্ফল করে দেবেন তাদের সমস্ত আমল।	ذٰلِكَ بِاَنَّهُمْ كَرِهُوْا مَاۤ اَنْزَلَ اللّٰهُ فَاَحْبَطَ اَعْمَالَهُمْ ۹
১০. তারা কি পৃথিবীতে পরিভ্রমণ করে দেখতে পায়না, তাদের আগেকার (প্রত্যাখ্যানকারীদের) কী পরিণতি হয়েছিল? আল্লাহ্ তাদের ধ্বংস করে দিয়েছিলেন। আর এই কাফিরদের জন্যেও রয়েছে একই পরিণাম।	اَفَلَمْ يَسِيْرُوْا فِي الْاَرْضِ فَيَنْظُرُوْا كَيْفَ كَانَ عَاقِبَةُ الَّذِيْنَ مِنْ قَبْلِهِمْ ؕ دَمَّرَ اللّٰهُ عَلَيْهِمْ ۫ وَ لِلْكٰفِرِيْنَ اَمْثَالُهَا ۱۰
১১. এর কারণ, আল্লাহ্ মুমিনদের মাওলা (অভিভাবক), আর কাফিরদের কোনো মাওলা নেই।	ذٰلِكَ بِاَنَّ اللّٰهَ مَوْلَى الَّذِيْنَ اٰمَنُوْا وَ اَنَّ الْكٰفِرِيْنَ لَا مَوْلٰى لَهُمْ ۱۱ۚ
১২. যারা ঈমান এনেছে এবং আমলে সালেহ্ করেছে আল্লাহ্ তাদের দাখিল করবেন জান্নাতে, যার নিচে দিয়ে জারি থাকবে নদ-নদী-নহর। আর যারা কুফুরি করেছে, তারা মত্ত আছে ভোগ-বিলাসে এবং খায় জানোয়ারের মতো। জাহান্নামই হবে তাদের আবাস।	اِنَّ اللّٰهَ يُدْخِلُ الَّذِيْنَ اٰمَنُوْا وَعَمِلُوا الصّٰلِحٰتِ جَنّٰتٍ تَجْرِيْ مِنْ تَحْتِهَا الْاَنْهٰرُ ؕ وَالَّذِيْنَ كَفَرُوْا يَتَمَتَّعُوْنَ وَيَاْكُلُوْنَ كَمَا تَاْكُلُ الْاَنْعَامُ وَالنَّارُ مَثْوًى لَّهُمْ ۱۲
১৩. তোমাকে যে জনপদ থেকে তারা বের করে দিয়েছে তার চাইতে অনেক বেশি শক্তিধর কতো যে জনপদ ছিলো, আমরা তাদের ধ্বংস করে দিয়েছি, তাদের কোনো সাহায্যকারী ছিলনা।	وَ كَاَيِّنْ مِّنْ قَرْيَةٍ هِيَ اَشَدُّ قُوَّةً مِّنْ قَرْيَتِكَ الَّتِيْۤ اَخْرَجَتْكَ ۚ اَهْلَكْنٰهُمْ فَلَا نَاصِرَ لَهُمْ ۱۳
১৪. যে ব্যক্তি তার প্রভুর পক্ষ থেকে প্রাপ্ত সুস্পষ্ট প্রমাণের উপর প্রতিষ্ঠিত, সে কি ঐসব ব্যক্তির সমতুল্য, যাদের কাছে নিজেদের মন্দ কর্মকাণ্ড মনে হয় চমৎকার এবং যারা দৌড়ায় নিজেদের কামনা-বাসনার পেছনে?	اَفَمَنْ كَانَ عَلٰى بَيِّنَةٍ مِّنْ رَّبِّهٖ كَمَنْ زُيِّنَ لَهٗ سُوْٓءُ عَمَلِهٖ وَ اتَّبَعُوْۤا اَهْوَآءَهُمْ ۱۴

রুকু ০১

১৫. মুত্তাকিদের যে জান্নাতের প্রতিশ্রুতি দেয়া হয়েছে তার দৃষ্টান্ত হলো, তাতে রয়েছে অনাবিল পানির নদ-নদী-নহর। রয়েছে দুধের নহর, যার স্বাদ কখনো পরিবর্তন হয়না। রয়েছে সুরা পায়ীদের জন্যে সুস্বাদু সুরার নহর। রয়েছে পরিশোধিত মধুর নহর। তাছাড়া সেখানে তাদের জন্যে থাকবে সব ধরনের ফলফলারি, থাকবে মাগফিরাত তাদের প্রভুর পক্ষ থেকে। এরা কি ওদের সমতুল্য, যারা চিরকাল জ্বলতে থাকবে জাহান্নামে, যাদের পান করানো হবে টগবগে ফুটন্ত গরম পানি, যা ছিন্ন ভিন্ন করে দেবে তাদের নাড়িভুড়ি?	مَثَلُ الْجَنَّةِ الَّتِيْ وُعِدَ الْمُتَّقُوْنَ ؕ فِيْهَآ اَنْهٰرٌ مِّنْ مَّآءٍ غَيْرِ اٰسِنٍ ۚ وَ اَنْهٰرٌ مِّنْ لَّبَنٍ لَّمْ يَتَغَيَّرْ طَعْمُهٗ ۚ وَ اَنْهٰرٌ مِّنْ خَمْرٍ لَّذَّةٍ لِّلشّٰرِبِيْنَ ۚ وَ اَنْهٰرٌ مِّنْ عَسَلٍ مُّصَفًّى ؕ وَ لَهُمْ فِيْهَا مِنْ كُلِّ الثَّمَرٰتِ وَ مَغْفِرَةٌ مِّنْ رَّبِّهِمْ ؕ كَمَنْ هُوَ خَالِدٌ فِي النَّارِ وَ سُقُوْا مَآءً حَمِيْمًا فَقَطَّعَ اَمْعَآءَهُمْ ﴿١٥﴾
১৬. তাদের মধ্যে এমন কিছু লোক আছে যারা তোমার কথা শুনে, তারপর তোমার কাছ থেকে বাইরে গিয়ে যাদের জ্ঞান দেয়া হয়েছে তাদের বলে: 'এইমাত্র সে কী বললো ?' আসলে এরা সেইসব লোক, আল্লাহ্ যাদের অন্তর সীলমোহর করে দিয়েছেন এবং যারা নিজেদের কামনা-বাসনার পেছনে দৌড়ায়।	وَ مِنْهُمْ مَّنْ يَّسْتَمِعُ اِلَيْكَ ۚ حَتّٰۤى اِذَا خَرَجُوْا مِنْ عِنْدِكَ قَالُوْا لِلَّذِيْنَ اُوْتُوا الْعِلْمَ مَا ذَا قَالَ اٰنِفًا ۟ اُولٰٓئِكَ الَّذِيْنَ طَبَعَ اللّٰهُ عَلٰى قُلُوْبِهِمْ وَ اتَّبَعُوْۤا اَهْوَآءَهُمْ ﴿١٦﴾
১৭. যারা হিদায়াতের পথ অবলম্বন করে, আল্লাহ্ তাদের ঈমান বৃদ্ধি করে দেন এবং তাদের দান করেন তাদের তাকওয়া।	وَ الَّذِيْنَ اهْتَدَوْا زَادَهُمْ هُدًى وَّ اٰتٰىهُمْ تَقْوٰىهُمْ ﴿١٧﴾
১৮. তারা কি এ জন্যে অপেক্ষা করছে যে, আকস্মিক কিয়ামত তাদের উপর এসে পড়ুক? জেনে রাখো, কিয়ামতের লক্ষণ তো দেখা দিয়েছে। কিয়ামত এসে পড়লে কেমন করে গ্রহণ করবে তারা উপদেশ?	فَهَلْ يَنْظُرُوْنَ اِلَّا السَّاعَةَ اَنْ تَاْتِيَهُمْ بَغْتَةً ۚ فَقَدْ جَآءَ اَشْرَاطُهَا ۚ فَاَنّٰى لَهُمْ اِذَا جَآءَتْهُمْ ذِكْرٰىهُمْ ﴿١٨﴾
১৯. জেনে রাখো, আল্লাহ্ ছাড়া কোনো ইলাহ্ নেই। সুতরাং তুমি ক্ষমা প্রার্থনা করো তোমার এবং মুমিন পুরুষ ও নারীদের ত্রুটির জন্যে। আল্লাহ্ জানেন তোমাদের সব গতিবিধি এবং অবস্থান।	فَاعْلَمْ اَنَّهٗ لَاۤ اِلٰهَ اِلَّا اللّٰهُ وَ اسْتَغْفِرْ لِذَنْۢبِكَ وَ لِلْمُؤْمِنِيْنَ وَ الْمُؤْمِنٰتِ ؕ وَ اللّٰهُ يَعْلَمُ مُتَقَلَّبَكُمْ وَ مَثْوٰىكُمْ ﴿١٩﴾
২০. মুমিনরা বলে: 'এমন একটি সূরা নাযিল হয়না কেন (যাতে যুদ্ধের নির্দেশ থাকবে?)' তারপর যখন কোনো সুস্পষ্ট সিদ্ধান্তকর সূরা নাযিল হয়, যাতে যুদ্ধের নির্দেশ থাকে, তখন তুমি দেখবে, যাদের অন্তরে রোগ আছে তারা মরণের ভয়ে হতভম্ব মানুষের মতো তোমার দিকে তাকাচ্ছে। তাদের জন্যে উত্তম হতো	وَ يَقُوْلُ الَّذِيْنَ اٰمَنُوْا لَوْ لَا نُزِّلَتْ سُوْرَةٌ ۚ فَاِذَاۤ اُنْزِلَتْ سُوْرَةٌ مُّحْكَمَةٌ وَّ ذُكِرَ فِيْهَا الْقِتَالُ ۙ رَاَيْتَ الَّذِيْنَ فِيْ قُلُوْبِهِمْ مَّرَضٌ يَّنْظُرُوْنَ اِلَيْكَ نَظَرَ الْمَغْشِيِّ عَلَيْهِ مِنَ الْمَوْتِ ؕ فَاَوْلٰى لَهُمْ ﴿٢٠﴾
২১. আনুগত্য করা এবং পজেটিভ কথা বলা। সুতরাং সিদ্ধান্ত যখন চূড়ান্ত হয়, তখন যদি তারা	طَاعَةٌ وَّ قَوْلٌ مَّعْرُوْفٌ ۟ فَاِذَا عَزَمَ الْاَمْرُ ۟

রুকু ০২

আল্লাহ্‌কে দেয়া অংগীকার পূর্ণ করতো, সেটাই হতো তাদের জন্যে কল্যাণকর।	فَلَوْ صَدَقُوا اللّٰهَ لَكَانَ خَيْرًا لَّهُمْ ﴿٢١﴾
২২. তবে কি তোমরা ক্ষমতায় অধিষ্ঠিত হলে দেশে বিপর্যয় সৃষ্টি করবে এবং আত্মীয়তার সম্পর্ক ছিন্ন করবে?	فَهَلْ عَسَيْتُمْ اِنْ تَوَلَّيْتُمْ اَنْ تُفْسِدُوْا فِي الْاَرْضِ وَ تُقَطِّعُوْٓا اَرْحَامَكُمْ ﴿٢٢﴾
২৩. এরা হলো সেইসব লোক, যাদের প্রতি আল্লাহ্ লানত করেন এবং যাদের বধির ও দৃষ্টিহীন করে দেন।	اُولٰٓئِكَ الَّذِيْنَ لَعَنَهُمُ اللّٰهُ فَاَصَمَّهُمْ وَ اَعْمٰٓى اَبْصَارَهُمْ ﴿٢٣﴾
২৪. তারা কি কুরআন নিয়ে চিন্তা-গবেষণা করে না? নাকি তাদের অন্তর তালাবদ্ধ?	اَفَلَا يَتَدَبَّرُوْنَ الْقُرْاٰنَ اَمْ عَلٰى قُلُوْبٍ اَقْفَالُهَا ﴿٢٤﴾
২৫. হিদায়াত সুস্পষ্ট হবার পর যারা তা পরিত্যাগ করে, শয়তান তাদের মন্দ কাজসমূহকে তাদের কাছে শোভনীয় করে তুলে ধরে এবং তাদের মিথ্যা আশা দেয়।	اِنَّ الَّذِيْنَ ارْتَدُّوْا عَلٰٓى اَدْبَارِهِمْ مِّنْۢ بَعْدِ مَا تَبَيَّنَ لَهُمُ الْهُدَى ۙ الشَّيْطٰنُ سَوَّلَ لَهُمْ ؕ وَ اَمْلٰى لَهُمْ ﴿٢٥﴾
২৬. এর কারণ, আল্লাহ্ যা নাযিল করেছেন সেটা তারা অপছন্দ করে এবং তারা বলে: 'আমরা কোনো কোনো বিষয় মেনে নেবো।' আল্লাহ্ তাদের গোপন অভিসন্ধি অবগত আছেন।	ذٰلِكَ بِاَنَّهُمْ قَالُوْا لِلَّذِيْنَ كَرِهُوْا مَا نَزَّلَ اللّٰهُ سَنُطِيْعُكُمْ فِيْ بَعْضِ الْاَمْرِ ۚ وَ اللّٰهُ يَعْلَمُ اِسْرَارَهُمْ ﴿٢٦﴾
২৭. তখন কেমন হবে, যখন ফেরেশতারা তাদের ওফাত ঘটাতে এসে মুখমণ্ডল আর পিঠে কষাঘাত করতে থাকবে?	فَكَيْفَ اِذَا تَوَفَّتْهُمُ الْمَلٰٓئِكَةُ يَضْرِبُوْنَ وُجُوْهَهُمْ وَ اَدْبَارَهُمْ ﴿٢٧﴾
২৮. এর কারণ, তারা (সারাজীবন) সেই জিনিসের পেছনেই ছুটেছে যা আল্লাহ্‌কে করেছে অসন্তুষ্ট এবং তারা অপছন্দ করেছে সেই পথ যাতে আল্লাহ্ হতেন সন্তুষ্ট। ফলে তিনি নিষ্ফল করে দিয়েছেন তাদের সমস্ত কৃতকর্ম।	ذٰلِكَ بِاَنَّهُمُ اتَّبَعُوْا مَآ اَسْخَطَ اللّٰهَ وَ كَرِهُوْا رِضْوَانَهٗ فَاَحْبَطَ اَعْمَالَهُمْ ﴿٢٨﴾ (রুকু ০৩)
২৯. যাদের অন্তরে রোগ আছে তারা কি ধরে নিয়েছে যে, আল্লাহ্ কখনো তাদের মনের বিদ্বেষ প্রকাশ করে দেবেন না?	اَمْ حَسِبَ الَّذِيْنَ فِيْ قُلُوْبِهِمْ مَّرَضٌ اَنْ لَّنْ يُّخْرِجَ اللّٰهُ اَضْغَانَهُمْ ﴿٢٩﴾
৩০. আমরা চাইলে তোমাকে তাদের পরিচয় দিয়ে দিতাম, ফলে লক্ষণ দেখলেই তাদের তুমি চিনতে পারতে। তবে তুমি অবশ্যি তাদের কথার ভংগিতে তাদের চিনতে পারবে। তাদের আমল সম্পর্কে আল্লাহ্ অবগত।	وَ لَوْ نَشَآءُ لَاَرَيْنٰكَهُمْ فَلَعَرَفْتَهُمْ بِسِيْمٰهُمْ ؕ وَ لَتَعْرِفَنَّهُمْ فِيْ لَحْنِ الْقَوْلِ ؕ وَ اللّٰهُ يَعْلَمُ اَعْمَالَكُمْ ﴿٣٠﴾
৩১. আমরা অবশ্যি তোমাদের পরীক্ষা করবো, যতোদিন না আমরা (বাস্তবে) জেনে নেবো তোমাদের মধ্যকার (প্রকৃত) মুজাহিদ ও সবর	وَ لَنَبْلُوَنَّكُمْ حَتّٰى نَعْلَمَ الْمُجٰهِدِيْنَ

(দৃঢ়তা) অবলম্বনকারীদের। এ জন্যে আমরা তোমাদের অবস্থা পরীক্ষা করি।	مِنْكُمْ وَالصّٰبِرِيْنَ ۙ وَنَبْلُوَاۡ اَخْبَارَكُمْ ﴿٣١﴾
৩২. যারা কুফুরি করে, মানুষকে আল্লাহ্‌র পথে আসতে বাধা দেয় এবং নিজেদের কাছে সঠিক পথ সুস্পষ্ট হবার পরও রসূলের বিরোধিতা করে, তারা কখনো আল্লাহ্‌র ক্ষতি করতে পারবে না। তিনি অচিরেই ধ্বংস করে দেবেন তাদের সমস্ত আমল।	اِنَّ الَّذِيْنَ كَفَرُوْا وَصَدُّوْا عَنْ سَبِيْلِ اللّٰهِ وَشَآقُّوا الرَّسُوْلَ مِنْۢ بَعْدِ مَا تَبَيَّنَ لَهُمُ الْهُدٰى ۙ لَنْ يَّضُرُّوا اللّٰهَ شَيْـًٔا ؕ وَسَيُحْبِطُ اَعْمَالَهُمْ ﴿٣٢﴾
৩৩. হে ঈমানদার লোকেরা! তোমরা আনুগত্য করো আল্লাহ্‌র, আনুগত্য করো রসূলের এবং তোমরা বিনষ্ট করোনা তোমাদের আমল।	يٰۤاَيُّهَا الَّذِيْنَ اٰمَنُوْۤا اَطِيْعُوا اللّٰهَ وَاَطِيْعُوا الرَّسُوْلَ وَلَا تُبْطِلُوْۤا اَعْمَالَكُمْ ﴿٣٣﴾
৩৪. যারা কুফুরি করে এবং মানুষকে আল্লাহ্‌র পথে আসতে বাধা দেয়, তারপর কাফির অবস্থায় মারা যায়, তাদেরকে আল্লাহ্ কখনো ক্ষমা করবেন না।	اِنَّ الَّذِيْنَ كَفَرُوْا وَصَدُّوْا عَنْ سَبِيْلِ اللّٰهِ ثُمَّ مَاتُوْا وَهُمْ كُفَّارٌ فَلَنْ يَّغْفِرَ اللّٰهُ لَهُمْ ﴿٣٤﴾
৩৫. তোমরা ভয় পেয়োনা এবং সন্ধির প্রস্তাব করোনা, তোমরাই উপরে থাকবে। আল্লাহ্ তোমাদের সাথে আছেন। তিনি কখনো তোমাদের আমল বিনষ্ট করবেন না।	فَلَا تَهِنُوْا وَتَدْعُوْۤا اِلَى السَّلْمِ ۖۗ وَاَنْتُمُ الْاَعْلَوْنَ ۖۗ وَاللّٰهُ مَعَكُمْ وَلَنْ يَّتِرَكُمْ اَعْمَالَكُمْ ﴿٣٥﴾
৩৬. দুনিয়ার জীবনটা তো একটা খেল তামাশা। তোমরা যদি ঈমান আনো এবং তাকওয়া অবলম্বন করো, তাহলে আল্লাহ্ তোমাদের পুরস্কার দেবেন। তিনি তোমাদের থেকে তোমাদের মাল-সম্পদ চান না।	اِنَّمَا الْحَيٰوةُ الدُّنْيَا لَعِبٌ وَّلَهْوٌ ؕ وَاِنْ تُؤْمِنُوْا وَتَتَّقُوْا يُؤْتِكُمْ اُجُوْرَكُمْ وَلَا يَسْـَٔلْكُمْ اَمْوَالَكُمْ ﴿٣٦﴾
৩৭. তিনি যদি তোমাদের মাল-সম্পদ চাইতেন এবং সেজন্যে তোমাদের চাপ দিতেন, তাহলে তোমরা বখিলি করতে। তখন তিনি তোমাদের বিদ্বেষী মনোভাব প্রকাশ করে দিতেন।	اِنْ يَّسْـَٔلْكُمُوْهَا فَيُحْفِكُمْ تَبْخَلُوْا وَيُخْرِجْ اَضْغَانَكُمْ ﴿٣٧﴾
৩৮. হাঁ, তোমরাই তো তারা, যাদের আল্লাহ্‌র পথে ব্যয় করতে ডাকা হচ্ছে, অথচ তোমাদের কেউ কেউ বখিলি করছে। যারা বখিলি করে তারা তো বখিলি করে নিজেদের প্রতিই। আল্লাহ্ প্রাচুর্যশীল আর তোমরা হলে অভাবী। তোমরা যদি মুখ ফিরিয়ে নাও, তিনি তোমাদের বদলে অন্য লোকদেরকে তোমাদের স্থলাভিষিক্ত করবেন, তারা তোমাদের মতো হবেনা।	هٰۤاَنْتُمْ هٰۤؤُلَآءِ تُدْعَوْنَ لِتُنْفِقُوْا فِيْ سَبِيْلِ اللّٰهِ ۚ فَمِنْكُمْ مَّنْ يَّبْخَلُ ۚ وَمَنْ يَّبْخَلْ فَاِنَّمَا يَبْخَلُ عَنْ نَّفْسِهٖ ؕ وَاللّٰهُ الْغَنِيُّ وَاَنْتُمُ الْفُقَرَآءُ ۚ وَاِنْ تَتَوَلَّوْا يَسْتَبْدِلْ قَوْمًا غَيْرَكُمْ ۙ ثُمَّ لَا يَكُوْنُوْۤا اَمْثَالَكُمْ ﴿٣٨﴾

রুকু ০৪

সূরা ৪৮ আল ফাত্হ

মদিনায় অবতীর্ণ, আয়াত সংখ্যা : ২৯, রুকু সংখ্যা: ০৪

এই সূরার আলোচ্যসূচি (আয়াত ভিত্তিক আলোচ্য বিষয়)

০১-১০: হুদাইবিয়ার সন্ধিকে সুস্পষ্ট বিজয় বলে ঘোষণা। আল্লাহ্ মুমিনদের অন্তরে প্রশান্তি নাযিল করেন। মুনাফিক ও মুশরিকদের প্রতি আল্লাহ্র গজব। মুহাম্মদ রসূলুল্লাহ সা. আল্লাহ্র পক্ষ থেকে সত্যের সাক্ষ্য, সুসংবাদদাতা ও সতর্ককারী। রসূলের কাছে বায়াত গ্রহণকারীরা মূলত আল্লাহ্র কাছে বায়াত গ্রহণ করেছে।

১১-১৭: পিছে অবস্থানকারীদের পরিণতি।

১৮-২৭: হুদাইবিয়ার বায়াত ও সন্ধির প্রশংসা। আল্লাহ্ রসূলের স্বপ্নকে সত্য প্রমাণিত করেছেন।

২৮-২৯: রসূলকে সত্য দীন নিয়ে পাঠানোর উদ্দেশ্য। মুহাম্মদ সা. ও তাঁর সাথিদের বৈশিষ্ট্য, তাঁদের জীবন লক্ষ্য এবং তাওরাত ও ইঞ্জিলে তাদের উপমা।

সূরা আল ফাত্হ (বিজয়) পরম করুণাময় পরম দয়াবান আল্লাহ্র নামে	سُوْرَةُ الْفَتْحِ بِسْمِ اللّٰهِ الرَّحْمٰنِ الرَّحِيْمِ
০১. নিশ্চয়ই আমরা তোমাকে বিজয় দিয়েছি সুস্পষ্ট বিজয়।	اِنَّا فَتَحْنَا لَكَ فَتْحًا مُّبِيْنًا ۙ﴿۱﴾
০২. যেনো আল্লাহ্ ক্ষমা করে দেন তোমার অতীত ও ভবিষ্যত ত্রুটিসমূহ, যেনো তোমার প্রতি পূর্ণ করেন তাঁর নিয়ামতসমূহ আর পরিচালিত করেন তোমাকে সিরাতুল মুস্তাকিমের উপর।	لِّيَغْفِرَ لَكَ اللّٰهُ مَا تَقَدَّمَ مِنْ ذَنْۢبِكَ وَ مَا تَاَخَّرَ وَ يُتِمَّ نِعْمَتَهٗ عَلَيْكَ وَ يَهْدِيَكَ صِرَاطًا مُّسْتَقِيْمًا ۙ﴿۲﴾
০৩. এবং যেনো আল্লাহ্ তোমাদের সাহায্য করেন অপ্রতিরোধ্য সাহায্য।	وَّ يَنْصُرَكَ اللّٰهُ نَصْرًا عَزِيْزًا ﴿۳﴾
০৪. তিনিই মুমিনদের অন্তরে নাযিল করেন প্রশান্তি, যাতে করে তারা তাদের ঈমানের সাথে ঈমান বৃদ্ধি করে নেয়। মহাকাশ ও পৃথিবীর বাহিনীসমূহ আল্লাহ্র। আর আল্লাহ্ সর্বজ্ঞানী ও প্রজ্ঞাবান।	هُوَ الَّذِيْۤ اَنْزَلَ السَّكِيْنَةَ فِيْ قُلُوْبِ الْمُؤْمِنِيْنَ لِيَزْدَادُوْۤا اِيْمَانًا مَّعَ اِيْمَانِهِمْ ؕ وَ لِلّٰهِ جُنُوْدُ السَّمٰوٰتِ وَ الْاَرْضِ ؕ وَكَانَ اللّٰهُ عَلِيْمًا حَكِيْمًا ۙ﴿۴﴾
০৫. যেনো তিনি মুমিন পুরুষ ও নারীদের দাখিল করেন জান্নাতে, যার নিচে দিয়ে বহমান থাকবে নদ-নদী-নহর। চিরদিন থাকবে তারা সেখানে এবং যেনো তিনি মোচন করে দেন তাদের পাপসমূহ, আর আল্লাহ্র দৃষ্টিতে এটাই মহাসাফল্য।	لِّيُدْخِلَ الْمُؤْمِنِيْنَ وَ الْمُؤْمِنٰتِ جَنّٰتٍ تَجْرِيْ مِنْ تَحْتِهَا الْاَنْهٰرُ خٰلِدِيْنَ فِيْهَا وَ يُكَفِّرَ عَنْهُمْ سَيِّاٰتِهِمْ ؕ وَ كَانَ ذٰلِكَ عِنْدَ اللّٰهِ فَوْزًا عَظِيْمًا ۙ﴿۵﴾
০৬. আর তিনি শাস্তি দেবেন মুনাফিক পুরুষ ও মুনাফিক নারীদের, মুশরিক পুরুষ ও মুশরিক নারীদের, কারণ তারা আল্লাহ্র ব্যাপারে মন্দ ধারণা পোষণকারী। তাদের ঘেরাও করে রেখেছে	وَّيُعَذِّبَ الْمُنٰفِقِيْنَ وَالْمُنٰفِقٰتِ وَالْمُشْرِكِيْنَ وَ الْمُشْرِكٰتِ الظَّآنِّيْنَ بِاللّٰهِ ظَنَّ السَّوْءِ ؕ عَلَيْهِمْ دَآئِرَةُ السَّوْءِ

দুষ্ট চক্র (vicious circle)। তাদের প্রতি আল্লাহ্ রুষ্ট হয়েছেন, তিনি তাদের লানত করেছেন এবং তাদের জন্যে তৈরি করে রেখেছেন জাহান্নাম, আর আবাস হিসেবে সেটা কতো যে মন্দ!	وَغَضِبَ اللّٰهُ عَلَيۡهِمۡ وَلَعَنَهُمۡ وَاَعَدَّ لَهُمۡ جَهَنَّمَ ؕ وَسَآءَتۡ مَصِيۡرًا ﴿۶﴾
০৭. মহাকাশ ও পৃথিবীর বাহিনীসমূহ আল্লাহ্‌র। আর আল্লাহ্ মহাপরাক্রমশালী, মহাপ্রজ্ঞাবান।	وَلِلّٰهِ جُنُوۡدُ السَّمٰوٰتِ وَ الۡاَرۡضِ ؕ وَكَانَ اللّٰهُ عَزِيۡزًا حَكِيۡمًا ﴿۷﴾
০৮. হে নবী! আমরা তোমাকে পাঠিয়েছি সাক্ষী, সুসংবাদদাতা ও সতর্ককারী হিসেবে।	اِنَّاۤ اَرۡسَلۡنٰكَ شَاهِدًا وَّمُبَشِّرًا وَّنَذِيۡرًا ﴿۸﴾
০৯. যাতে করে তোমরা ঈমান আনো আল্লাহ্‌র প্রতি ও তাঁর রসূলের প্রতি, আর যেনো রসূলকে সাহায্য করো এবং তাকে সম্মান করো। এছাড়া যেনো আল্লাহ্‌র তসবিহ্ ঘোষণা করো সকাল-সন্ধ্যায়।	لِّتُؤۡمِنُوۡا بِاللّٰهِ وَ رَسُوۡلِهٖ وَتُعَزِّرُوۡهُ وَتُوَقِّرُوۡهُ ؕ وَتُسَبِّحُوۡهُ بُكۡرَةً وَّاَصِيۡلًا ﴿۹﴾
১০. যারা তোমার কাছে বায়াত করেছে, তারা মূলত আল্লাহ্‌র কাছেই বায়াত করেছে। আল্লাহ্‌র হাত ছিলো তাদের হাতের উপর। অত:পর যে তা ভঙ্গ করবে, ভঙ্গ করার পরিণতি তার উপরই বর্তাবে। যে কেউ আল্লাহ্‌র সাথে কৃত অঙ্গীকার পূর্ণ করে, আল্লাহ্ তাকে প্রদান করবেন মহাপুরস্কার।	اِنَّ الَّذِيۡنَ يُبَايِعُوۡنَكَ اِنَّمَا يُبَايِعُوۡنَ اللّٰهَ ؕ يَدُ اللّٰهِ فَوۡقَ اَيۡدِيۡهِمۡ ۚ فَمَنۡ نَّكَثَ فَاِنَّمَا يَنۡكُثُ عَلٰى نَفۡسِهٖ ۚ وَ مَنۡ اَوۡفٰى بِمَا عٰهَدَ عَلَيۡهُ اللّٰهَ فَسَيُؤۡتِيۡهِ اَجۡرًا عَظِيۡمًا ﴿۱۰﴾
১১. যেসব মরুবাসী পেছনে রয়ে গেছে, তারা তোমাকে বলবে: 'আমাদের মাল-সম্পদ এবং পরিবার-পরিজন আমাদের ব্যস্ত রেখেছে, আমাদের জন্যে ক্ষমা প্রার্থনা করুন।' তারা মুখে যা বলে, তা তাদের অন্তরে নেই। তুমি বলো: "আল্লাহ্ তোমাদের কারো কোনো ক্ষতি কিংবা উপকার করতে চাইলে কে তাঁকে প্রতিরোধ করতে পারবে? তোমরা যা করো সে বিষয়ে আল্লাহ্ অবহিত।	سَيَقُوۡلُ لَكَ الۡمُخَلَّفُوۡنَ مِنَ الۡاَعۡرَابِ شَغَلَتۡنَاۤ اَمۡوَالُنَا وَ اَهۡلُوۡنَا فَاسۡتَغۡفِرۡ لَنَا ۚ يَقُوۡلُوۡنَ بِاَلۡسِنَتِهِمۡ مَّا لَيۡسَ فِىۡ قُلُوۡبِهِمۡ ؕ قُلۡ فَمَنۡ يَّمۡلِكُ لَكُمۡ مِّنَ اللّٰهِ شَيۡـًٔا اِنۡ اَرَادَ بِكُمۡ ضَرًّا اَوۡ اَرَادَ بِكُمۡ نَفۡعًا ؕ بَلۡ كَانَ اللّٰهُ بِمَا تَعۡمَلُوۡنَ خَبِيۡرًا ﴿۱۱﴾
১২. বরং তোমরা তো মনে করেছিলে রসূল এবং মুমিনরা আর কখনো তাদের পরিবারবর্গের কাছে ফিরে আসতে পারবে না। এই ধারণা তোমাদের অন্তরে চমৎকার মনে হয়েছিল। তোমরা চরম নিকৃষ্ট ধারণা করেছিলে। আসলে তোমরা একটি ধ্বংসমুখী কওম।	بَلۡ ظَنَنۡتُمۡ اَنۡ لَّنۡ يَّنۡقَلِبَ الرَّسُوۡلُ وَ الۡمُؤۡمِنُوۡنَ اِلٰٓى اَهۡلِيۡهِمۡ اَبَدًا وَّ زُيِّنَ ذٰلِكَ فِىۡ قُلُوۡبِكُمۡ وَ ظَنَنۡتُمۡ ظَنَّ السَّوۡءِ ۖۚ وَ كُنۡتُمۡ قَوۡمًۢا بُوۡرًا ﴿۱۲﴾
১৩. যারা আল্লাহ্ এবং তাঁর রসূলের প্রতি ঈমান আনেনা, আমরা সেইসব কাফিরদের জন্যে তৈরি করে রেখেছি জ্বলন্ত আগুন।	وَ مَنۡ لَّمۡ يُؤۡمِنۡۢ بِاللّٰهِ وَ رَسُوۡلِهٖ فَاِنَّاۤ اَعۡتَدۡنَا لِلۡكٰفِرِيۡنَ سَعِيۡرًا ﴿۱۳﴾
১৪. মহাকাশ এবং পৃথিবীর সর্বময় কর্তৃত্ব আল্লাহ্‌র। যাকে ইচ্ছা তিনি ক্ষমা করে দেন এবং যাকে ইচ্ছা আযাব দেন। আল্লাহ্ পরম	وَ لِلّٰهِ مُلۡكُ السَّمٰوٰتِ وَ الۡاَرۡضِ ؕ يَغۡفِرُ لِمَنۡ يَّشَآءُ وَ يُعَذِّبُ مَنۡ يَّشَآءُ ؕ وَ كَانَ

রুকু ০১

ক্ষমাশীল করুণাময়।	اللّٰهُ غَفُوْرًا رَّحِيْمًا ⑭
১৫. তোমরা যখন গণিমতের মাল সংগ্রহের জন্যে যাবে, তখন পেছনে পড়ে থাকা লোকেরা বলবে: 'ছেড়ে দাও, আমরা তোমাদের সাথে যাবো।' তারা আল্লাহ্র ফায়সালা পরিবর্তন করতে চায়। বলো: 'তোমরা কখনো আমাদের সাথি হতে পারবে না। আল্লাহ্ আগেই এ রকম ঘোষণা দিয়েছেন।' তখন তারা অবশ্যি বলবে: 'তোমরা তো আমাদের সাথে বিদ্বেষ পোষণ করছো।' আসল কথা হলো, কথা বুঝার যোগ্যতাই ওদের সামান্য।	سَيَقُوْلُ الْمُخَلَّفُوْنَ اِذَا انْطَلَقْتُمْ اِلٰى مَغَانِمَ لِتَاْخُذُوْهَا ذَرُوْنَا نَتَّبِعْكُمْ ۚ يُرِيْدُوْنَ اَنْ يُّبَدِّلُوْا كَلٰمَ اللّٰهِ ؕ قُلْ لَّنْ تَتَّبِعُوْنَا كَذٰلِكُمْ قَالَ اللّٰهُ مِنْ قَبْلُ ۚ فَسَيَقُوْلُوْنَ بَلْ تَحْسُدُوْنَنَا ؕ بَلْ كَانُوْا لَا يَفْقَهُوْنَ اِلَّا قَلِيْلًا ⑮
১৬. পিছে পড়া মরুবাসী বেদুঈনদের বলো: 'তোমাদের ডাকা হবে প্রবল যোদ্ধা এক জাতির বিরুদ্ধে যুদ্ধ করতে। তোমরা তাদের সাথে যুদ্ধ করে যাবে যতোক্ষণ না তারা আত্মসমর্পণ করে। তোমরা যদি একথা মেনে নাও, তবে আল্লাহ্ তোমাদের উত্তম পুরস্কার দেবেন, আর যদি তোমরা আগের মতোই পেছনে হটে যাও, আল্লাহ্ তোমাদের আযাব দেবেন এক বেদনাদায়ক আযাব।'	قُلْ لِّلْمُخَلَّفِيْنَ مِنَ الْاَعْرَابِ سَتُدْعَوْنَ اِلٰى قَوْمٍ اُولِيْ بَاْسٍ شَدِيْدٍ تُقَاتِلُوْنَهُمْ اَوْ يُسْلِمُوْنَ ۚ فَاِنْ تُطِيْعُوْا يُؤْتِكُمُ اللّٰهُ اَجْرًا حَسَنًا ۚ وَاِنْ تَتَوَلَّوْا كَمَا تَوَلَّيْتُمْ مِّنْ قَبْلُ يُعَذِّبْكُمْ عَذَابًا اَلِيْمًا ⑯
১৭. অন্ধদের কোনো দোষ হবেনা, পঙ্গুদের কোনো দোষ হবেনা এবং রোগীদেরও কোনো দোষ হবেনা (যদি তারা যুদ্ধে অংশগ্রহণ না করে)। যে কেউ আল্লাহ্র এবং তাঁর রসূলের আনুগত্য করবে, তিনি তাকে দাখিল করবেন জান্নাতে, যার নিচে দিয়ে বহমান থাকবে নদ-নদী-নহর। আর কেউ যদি পিছে হটে যায়, তিনি তাকে আযাব দেবেন এক বেদনাদায়ক আযাব।	لَيْسَ عَلَى الْاَعْمٰى حَرَجٌ وَّلَا عَلَى الْاَعْرَجِ حَرَجٌ وَّلَا عَلَى الْمَرِيْضِ حَرَجٌ ؕ وَمَنْ يُّطِعِ اللّٰهَ وَرَسُوْلَهٗ يُدْخِلْهُ جَنّٰتٍ تَجْرِيْ مِنْ تَحْتِهَا الْاَنْهٰرُ ۚ وَمَنْ يَّتَوَلَّ يُعَذِّبْهُ عَذَابًا اَلِيْمًا ⑰
১৮. আল্লাহ্ মুমিনদের প্রতি রাজি হয়েছেন যখন তারা গাছের নিচে তোমার কাছে বায়াত গ্রহণ করেছিল। তাদের অন্তরে যা ছিলো তিনি তা অবহিত ছিলেন। ফলে তিনি তাদের প্রতি নাযিল করলেন প্রশান্তি এবং তাদের পুরস্কার দিলেন এক নিকটবর্তী বিজয়।	لَقَدْ رَضِيَ اللّٰهُ عَنِ الْمُؤْمِنِيْنَ اِذْ يُبَايِعُوْنَكَ تَحْتَ الشَّجَرَةِ فَعَلِمَ مَا فِيْ قُلُوْبِهِمْ فَاَنْزَلَ السَّكِيْنَةَ عَلَيْهِمْ وَاَثَابَهُمْ فَتْحًا قَرِيْبًا ⑱
১৯. আর বিপুল পরিমাণ গণিমতের মাল যা তারা হস্তগত করবে। আল্লাহ্ সর্বশক্তিমান, মহাপ্রজ্ঞাবান।	وَّمَغَانِمَ كَثِيْرَةً يَّاْخُذُوْنَهَا ؕ وَكَانَ اللّٰهُ عَزِيْزًا حَكِيْمًا ⑲
২০. আল্লাহ্ তোমাদের ওয়াদা দিয়েছেন তোমরা বিপুল পরিমাণ গণিমতের মালের অধিকারী হবে। তিনি এটা তোমাদের জন্যে জল্দি করছেন এবং তোমাদের থেকে মানুষের হাত গুটিয়ে দিয়েছেন যেনো এটা হয় মুমিনদের জন্যে একটি নিদর্শন এবং আল্লাহ্ তোমাদের পরিচালিত করেন সরল সঠিক পথে।	وَعَدَكُمُ اللّٰهُ مَغَانِمَ كَثِيْرَةً تَاْخُذُوْنَهَا فَعَجَّلَ لَكُمْ هٰذِهٖ وَكَفَّ اَيْدِيَ النَّاسِ عَنْكُمْ ۚ وَلِتَكُوْنَ اٰيَةً لِّلْمُؤْمِنِيْنَ وَيَهْدِيَكُمْ صِرَاطًا مُّسْتَقِيْمًا ⑳

রুকু ০২

২১. এছাড়া তোমাদের জন্যে রয়েছে আরো অনেক পুরস্কার যা এখনো তোমাদের আয়ত্তে আসেনি। আল্লাহ সেগুলো পরিবেষ্টন করে রেখেছেন। আল্লাহ্ প্রতিটি বিষয়ে সর্বশক্তিমান।	وَّ اُخۡرٰی لَمۡ تَقۡدِرُوۡا عَلَیۡهَا قَدۡ اَحَاطَ اللّٰهُ بِهَا ؕ وَ کَانَ اللّٰهُ عَلٰی کُلِّ شَیۡءٍ قَدِیۡرًا ﴿٢١﴾
২২. কাফিররা যদি তোমাদের বিরুদ্ধে যুদ্ধ করেই, তবে তারা পেছনে ফিরে পালাবে এবং তারা কোনো অলি (বন্ধু) এবং সাহায্যকারী পাবেনা।	وَ لَوۡ قٰتَلَکُمُ الَّذِیۡنَ کَفَرُوۡا لَوَلَّوُا الۡاَدۡبَارَ ثُمَّ لَا یَجِدُوۡنَ وَلِیًّا وَّ لَا نَصِیۡرًا ﴿٢٢﴾
২৩. এটাই আল্লাহ্‌র সুন্নত (নিয়ম), প্রাচীনকাল থেকে চলে আসছে। তুমি আল্লাহ্‌র সুন্নতে কোনো পরিবর্তন পাবেনা।	سُنَّۃَ اللّٰهِ الَّتِیۡ قَدۡ خَلَتۡ مِنۡ قَبۡلُ ۚۖ وَ لَنۡ تَجِدَ لِسُنَّۃِ اللّٰهِ تَبۡدِیۡلًا ﴿٢٣﴾
২৪. তিনি মক্কা উপত্যকায় তাদের হাত তোমাদের থেকে গুটিয়ে রেখেছিলেন এবং তোমাদের হাত গুটিয়ে রেখেছিলেন তাদের থেকে তাদের উপর তোমাদের বিজয়ী করার পর। তোমরা যা করো আল্লাহ্ তার প্রতি দৃষ্টিবান।	وَ هُوَ الَّذِیۡ کَفَّ اَیۡدِیَهُمۡ عَنۡکُمۡ وَ اَیۡدِیَکُمۡ عَنۡهُمۡ بِبَطۡنِ مَکَّۃَ مِنۡۢ بَعۡدِ اَنۡ اَظۡفَرَکُمۡ عَلَیۡهِمۡ ؕ وَ کَانَ اللّٰهُ بِمَا تَعۡمَلُوۡنَ بَصِیۡرًا ﴿٢٤﴾
২৫. তারাই তো কুফুরি করেছিল এবং তোমাদেরকে মসজিদুল হারামে যেতে বাধা দিয়েছিল এবং কুরবানির পশুগুলো যথাস্থানে পৌঁছাতেও। তোমাদেরকে যুদ্ধের আদেশ দেয়া হতো যদি মুমিন পুরুষ ও নারীরা সেখানে না থাকতো। তোমরা তাদের জানোনা। তখন তোমরা অজ্ঞাতসারে তাদের পদদলিত করতে, ফলে তাদের জন্যে তোমরা ক্ষতিগ্রস্ত হতে। যুদ্ধের নির্দেশ দেয়া হয়নি এ কারণে যে, তিনি যাকে ইচ্ছা নিজ অনুগ্রহ দান করবেন। যদি তারা পৃথক হতো তবে তাদের মধ্যকার কাফিরদের আমরা এক বেদনাদায়ক শাস্তি দিতাম।	هُمُ الَّذِیۡنَ کَفَرُوۡا وَ صَدُّوۡکُمۡ عَنِ الۡمَسۡجِدِ الۡحَرَامِ وَ الۡهَدۡیَ مَعۡکُوۡفًا اَنۡ یَّبۡلُغَ مَحِلَّهٗ ؕ وَ لَوۡ لَا رِجَالٌ مُّؤۡمِنُوۡنَ وَ نِسَآءٌ مُّؤۡمِنٰتٌ لَّمۡ تَعۡلَمُوۡهُمۡ اَنۡ تَطَـُٔوۡهُمۡ فَتُصِیۡبَکُمۡ مِّنۡهُمۡ مَّعَرَّۃٌۢ بِغَیۡرِ عِلۡمٍ ۚ لِیُدۡخِلَ اللّٰهُ فِیۡ رَحۡمَتِهٖ مَنۡ یَّشَآءُ ۚ لَوۡ تَزَیَّلُوۡا لَعَذَّبۡنَا الَّذِیۡنَ کَفَرُوۡا مِنۡهُمۡ عَذَابًا اَلِیۡمًا ﴿٢٥﴾
২৬. যখন কাফিররা তাদের অন্তরে দম্ভ পোষণ করতো জাহেলি যুগের দম্ভ, তখন আল্লাহ্ তাঁর রসূল ও মুমিনদের প্রতি নাযিল করলেন নিজের থেকে প্রশান্তি, আর তাদের মজবুত করলেন তাকওয়ার বাক্যে। কারণ, তারাই ছিলো এর অধিকতর যোগ্য ও উপযুক্ত। আল্লাহ্ প্রতিটি বিষয়ে জ্ঞানী।	اِذۡ جَعَلَ الَّذِیۡنَ کَفَرُوۡا فِیۡ قُلُوۡبِهِمُ الۡحَمِیَّۃَ حَمِیَّۃَ الۡجَاهِلِیَّۃِ فَاَنۡزَلَ اللّٰهُ سَکِیۡنَتَهٗ عَلٰی رَسُوۡلِهٖ وَ عَلَی الۡمُؤۡمِنِیۡنَ وَ اَلۡزَمَهُمۡ کَلِمَۃَ التَّقۡوٰی وَ کَانُوۡۤا اَحَقَّ بِهَا وَ اَهۡلَهَا ؕ وَ کَانَ اللّٰهُ بِکُلِّ شَیۡءٍ عَلِیۡمًا ﴿٢٦﴾
২৭. নিশ্চয়ই আল্লাহ্ তাঁর রসূলের দেখা স্বপ্নটি যথাযথভাবে সত্যে পরিণত করেছেন। ইনশাল্লাহ (আল্লাহ্ চাইলে) তোমরা অবশ্যি মসজিদুল হারামে দাখিল হবে নিরাপদে মাথা কামিয়ে এবং চুল ছেঁটে। তোমরা কাউকেও ভয় পাবেনা। আল্লাহ্ জানেন তোমরা যা জানো না। এছাড়াও তিনি তোমাদের দেবেন এক নিকটবর্তী বিজয়।	لَقَدۡ صَدَقَ اللّٰهُ رَسُوۡلَهُ الرُّءۡیَا بِالۡحَقِّ ۚ لَتَدۡخُلُنَّ الۡمَسۡجِدَ الۡحَرَامَ اِنۡ شَآءَ اللّٰهُ اٰمِنِیۡنَ ۙ مُحَلِّقِیۡنَ رُءُوۡسَکُمۡ وَ مُقَصِّرِیۡنَ ۙ لَا تَخَافُوۡنَ ؕ فَعَلِمَ مَا لَمۡ تَعۡلَمُوۡا فَجَعَلَ مِنۡ دُوۡنِ ذٰلِکَ فَتۡحًا قَرِیۡبًا ﴿٢٧﴾

রুকু ০৩

هُوَ الَّذِيْٓ اَرْسَلَ رَسُوْلَهٗ بِالْهُدٰى وَ دِيْنِ الْحَقِّ لِيُظْهِرَهٗ عَلَى الدِّيْنِ كُلِّهٖ ؕ وَ كَفٰى بِاللّٰهِ شَهِيْدًا ﴿٢٨﴾

২৮. আল্লাহ্ তাঁর রসূলকে পাঠিয়েছেন হিদায়াত এবং সত্য দীন নিয়ে, যাতে করে সে এটিকে বিজয়ী করে অন্য সব দীনের উপর। আর সাক্ষী হিসেবে আল্লাহ্ই যথেষ্ট।

مُحَمَّدٌ رَّسُوْلُ اللّٰهِ ؕ وَ الَّذِيْنَ مَعَهٗٓ اَشِدَّآءُ عَلَى الْكُفَّارِ رُحَمَآءُ بَيْنَهُمْ تَرٰىهُمْ رُكَّعًا سُجَّدًا يَّبْتَغُوْنَ فَضْلًا مِّنَ اللّٰهِ وَ رِضْوَانًا ؗ سِيْمَاهُمْ فِيْ وُجُوْهِهِمْ مِّنْ اَثَرِ السُّجُوْدِ ؕ ذٰلِكَ مَثَلُهُمْ فِي التَّوْرٰىةِ ۛۚ وَ مَثَلُهُمْ فِي الْاِنْجِيْلِ ۛ۫ كَزَرْعٍ اَخْرَجَ شَطْـَٔهٗ فَاٰزَرَهٗ فَاسْتَغْلَظَ فَاسْتَوٰى عَلٰى سُوْقِهٖ يُعْجِبُ الزُّرَّاعَ لِيَغِيْظَ بِهِمُ الْكُفَّارَ ؕ وَعَدَ اللّٰهُ الَّذِيْنَ اٰمَنُوْا وَ عَمِلُوا الصّٰلِحٰتِ مِنْهُمْ مَّغْفِرَةً وَّ اَجْرًا عَظِيْمًا ﴿٢٩﴾

রুকু ০৪

২৯. মুহাম্মদ আল্লাহ্র রসূল, আর যারা তার সাথে রয়েছে, তারা কাফিরদের প্রতি কঠোর এবং নিজেদের মধ্যে একে অপরের প্রতি পরম দয়াবান। তুমি লক্ষ্য করছো, তারা রুকু ও সাজদায় অবনত হয়ে কামনা করছে আল্লাহ্র অনুগ্রহ এবং সন্তুষ্টি। তাদের লক্ষণ হলো, তাদের মুখমণ্ডলে পরিস্ফুট দেখবে সাজদার প্রভাব। তাওরাতেও তাদের এ বৈশিষ্ট্য বর্ণনা করা হয়েছে এবং ইনজিলেও তাদের এই বৈশিষ্ট্য বর্ণনা করা হয়েছে। তাদের দৃষ্টান্ত হলো: একটি চারাগাছ। তা থেকে বের হয় কিশলয়, তারপর তা হয় শক্ত ও পুষ্ট, অত:পর সেটি দাঁড়ায় তার কাণ্ডের উপর মজবুত হয়ে, যা আনন্দিত করে তোলে চাষীকে। এভাবে মুমিনদের ক্রমবৃদ্ধিও সৃষ্টি করে কাফিরদের অন্তরজ্বালা। যারা ঈমান আনে এবং আমলে সালেহ্ করে, আল্লাহ্ তাদের ওয়াদা দিয়েছেন মাগফিরাতের (ক্ষমা করে দেয়ার) এবং এক মহাপুরস্কারের।

সূরা ৪৯ আল হুজুরাত

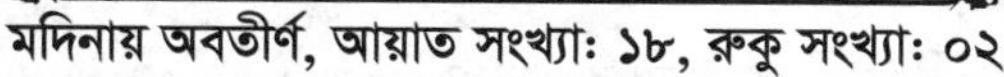

মদিনায় অবতীর্ণ, আয়াত সংখ্যা: ১৮, রুকু সংখ্যা: ০২

এই সূরার আলোচ্যসূচি (আয়াত ভিত্তিক আলোচ্য বিষয়)

০১-০৫: আল্লাহ্র রসূলের প্রটোকল।
০৬-১০: ফাসিকের সংবাদ গ্রহণে সতর্ক হওয়ার নির্দেশ। রসূলের আনুগত্যের নির্দেশ। মুমিনদের দু'পক্ষ বিবাদে জড়িয়ে পড়লে বিরোধ মীমাংসার পদ্ধতি।
১১-১২: মুমিনদের প্রতি কতিপয় মন্দ গুণাবলি পরিহার করার নির্দেশ।
১৩: সৃষ্টিগতভাবে সব মানুষ সমান। আল্লাহ্র কাছে অধিক মর্যাদাবান লোক তারা, যারা তাকওয়ার দিক থেকে অগ্রগামী।
১৪-১৮: প্রকৃত মুমিন কারা? ইসলাম গ্রহণ করা আল্লাহ্র উপকার করা নয়, বরং এটা ইসলাম গ্রহণকারীদের প্রতি আল্লাহ্র অনুগ্রহ।

سُوْرَةُ الْحُجُرٰتِ

بِسْمِ اللّٰهِ الرَّحْمٰنِ الرَّحِيْمِ

সূরা আল হুজুরাত (বাসগৃহসমূহ)

পরম করুণাময় পরম দয়াবান আল্লাহ্র নামে

يٰٓاَيُّهَا الَّذِيْنَ اٰمَنُوْا لَا تُقَدِّمُوْا بَيْنَ يَدَيِ اللّٰهِ وَ رَسُوْلِهٖ وَ اتَّقُوا اللّٰهَ ؕ اِنَّ اللّٰهَ سَمِيْعٌ عَلِيْمٌ ﴿١﴾

০১. হে ঈমানদার লোকেরা! তোমরা আল্লাহ্ ও তাঁর রসূলের সামনে কোনো বিষয়ে অগ্রগামী হয়ে যেয়োনা। আল্লাহ্কে ভয় করো। নিশ্চয়ই আল্লাহ্ সব দেখেন, সব শুনেন।

০২. হে ঈমানদার লোকেরা! তোমরা নবীর আওয়াযের উপর নিজেদের আওয়াযকে উঁচু করোনা এবং নিজেদের মধ্যে যেভাবে উঁচু স্বরে কথা বলো তার সাথে সেভাবে উঁচু স্বরে কথা বলোনা। কারণ, এর ফলে নিষ্ফল হয়ে যাবে তোমাদের আমল, যা তোমরা টেরও পাবেনা।

يٰۤاَيُّهَا الَّذِيْنَ اٰمَنُوْا لَا تَرْفَعُوْۤا اَصْوَاتَكُمْ فَوْقَ صَوْتِ النَّبِيِّ وَلَا تَجْهَرُوْا لَهٗ بِالْقَوْلِ كَجَهْرِ بَعْضِكُمْ لِبَعْضٍ اَنْ تَحْبَطَ اَعْمَالُكُمْ وَاَنْتُمْ لَا تَشْعُرُوْنَ ۝٢

০৩. নিশ্চয়ই যারা আল্লাহ্‌র রসূলের সামনে নিজেদের আওয়ায নিচু করে, আল্লাহ্ তাদের অন্তরকে তাকওয়ার জন্যে পরীক্ষা করে নিয়েছেন। তাদের জন্যে রয়েছে মাগফিরাত এবং এক মহাপুরস্কার।

اِنَّ الَّذِيْنَ يَغُضُّوْنَ اَصْوَاتَهُمْ عِنْدَ رَسُوْلِ اللّٰهِ اُولٰٓئِكَ الَّذِيْنَ امْتَحَنَ اللّٰهُ قُلُوْبَهُمْ لِلتَّقْوٰى ؕ لَهُمْ مَّغْفِرَةٌ وَّاَجْرٌ عَظِيْمٌ ۝٣

০৪. (হে নবী !) নিশ্চয়ই যারা তোমাকে তোমার ঘরের বাইরে থেকে ডাকাডাকি করে, তাদের অধিকাংশই বে-আকল।

اِنَّ الَّذِيْنَ يُنَادُوْنَكَ مِنْ وَّرَآءِ الْحُجُرٰتِ اَكْثَرُهُمْ لَا يَعْقِلُوْنَ ۝٤

০৫. তুমি বের হয়ে তাদের কাছে আসা পর্যন্ত যদি তারা ধৈর্য ধরতো, সেটাই হতো তাদের জন্যে কল্যাণকর। আল্লাহ্ ক্ষমাশীল, দয়াময়।

وَلَوْ اَنَّهُمْ صَبَرُوْا حَتّٰى تَخْرُجَ اِلَيْهِمْ لَكَانَ خَيْرًا لَّهُمْ ؕ وَاللّٰهُ غَفُوْرٌ رَّحِيْمٌ ۝٥

০৬. হে ঈমানদার লোকেরা! কোনো ফাসিক ব্যক্তি যদি তোমাদের কাছে কোনো খবর নিয়ে আসে, তোমরা তাকে পরীক্ষা করে দেখবে। কারণ, অজ্ঞতাবশত যেনো তোমরা কোনো গোষ্ঠীকে ক্ষতিগ্রস্ত করে না বসো এবং পরে যেনো তোমাদের কৃতকর্মের জন্যে তোমাদের অনুতপ্ত হতে না হয়।

يٰۤاَيُّهَا الَّذِيْنَ اٰمَنُوْۤا اِنْ جَآءَكُمْ فَاسِقٌۢ بِنَبَاٍ فَتَبَيَّنُوْۤا اَنْ تُصِيْبُوْا قَوْمًۢا بِجَهَالَةٍ فَتُصْبِحُوْا عَلٰى مَا فَعَلْتُمْ نٰدِمِيْنَ ۝٦

০৭. তোমরা মনে রাখবে, তোমাদের মধ্যে রয়েছেন আল্লাহ্‌র রসূল। সে অনেক বিষয়ে তোমাদের কথা মেনে নিলে তোমরাই সমস্যায় পড়বে। কিন্তু আল্লাহ্ তোমাদের কাছে ঈমানকে প্রিয় বানিয়ে দিয়েছেন এবং ঈমানকে তোমাদের হৃদয়ে করেছেন সুশোভিত। আর তিনি তোমাদের অপ্রিয় করে দিয়েছেন কুফুরি, ফাসেকি এবং অবাধ্যতাকে। এরাই সঠিক পথের অনুসারী,

وَاعْلَمُوْۤا اَنَّ فِيْكُمْ رَسُوْلَ اللّٰهِ ؕ لَوْ يُطِيْعُكُمْ فِيْ كَثِيْرٍ مِّنَ الْاَمْرِ لَعَنِتُّمْ وَلٰكِنَّ اللّٰهَ حَبَّبَ اِلَيْكُمُ الْاِيْمَانَ وَزَيَّنَهٗ فِيْ قُلُوْبِكُمْ وَكَرَّهَ اِلَيْكُمُ الْكُفْرَ وَالْفُسُوْقَ وَالْعِصْيَانَ ؕ اُولٰٓئِكَ هُمُ الرّٰشِدُوْنَ ۝٧

০৮. আল্লাহ্‌র অনুগ্রহ এবং দান হিসেবে। আল্লাহ্ সর্বজ্ঞানী, প্রজ্ঞাবান।

فَضْلًا مِّنَ اللّٰهِ وَنِعْمَةً ؕ وَاللّٰهُ عَلِيْمٌ حَكِيْمٌ ۝٨

০৯. মুমিনদের দুটি দল যদি দ্বন্দ-সংঘাতে লিপ্ত হয়, তবে তোমরা তাদের মাঝে মীমাংসা করে দেবে। তাদের একটি দল যদি অপর দলের বিরুদ্ধে বাড়াবাড়ি করে, তবে যারা বাড়াবাড়ি করে তাদের বিরুদ্ধে তোমরা যুদ্ধ করবে যতোক্ষণ না তারা আল্লাহ্‌র নির্দেশের দিকে ফিরে আসে। যদি তারা ফিরে আসে, তখন তাদের মাঝে ন্যায়সংগত ভাবে ফায়সালা করে দাও এবং সুবিচার করো, নিশ্চয়ই আল্লাহ্ পছন্দ করেন সুবিচারকদের।

وَاِنْ طَآئِفَتٰنِ مِنَ الْمُؤْمِنِيْنَ اقْتَتَلُوْا فَاَصْلِحُوْا بَيْنَهُمَا ۚ فَاِنْۢ بَغَتْ اِحْدٰىهُمَا عَلَى الْاُخْرٰى فَقَاتِلُوا الَّتِيْ تَبْغِيْ حَتّٰى تَفِيْٓءَ اِلٰۤى اَمْرِ اللّٰهِ ۚ فَاِنْ فَآءَتْ فَاَصْلِحُوْا بَيْنَهُمَا بِالْعَدْلِ وَاَقْسِطُوْا ؕ اِنَّ اللّٰهَ يُحِبُّ الْمُقْسِطِيْنَ ۝٩

১০. মুমিনরা পরস্পর ভাই ভাই, সুতরাং তোমরা ভাইদের মাঝে মীমাংসা করে দাও এবং আল্লাহ্‌কে ভয় করো, যাতে করে তোমরা রহমত প্রাপ্ত হও।	إِنَّمَا الْمُؤْمِنُونَ إِخْوَةٌ فَأَصْلِحُوا بَيْنَ أَخَوَيْكُمْ وَاتَّقُوا اللَّهَ لَعَلَّكُمْ تُرْحَمُونَ ﴿١٠﴾
১১. হে ঈমানদার লোকেরা! কোনো পুরুষ যেনো অন্য পুরুষকে তিরস্কার না করে। কারণ যাকে তিরস্কার করা হয়, সে তিরস্কারকারী থেকে উত্তম হতে পারে। কোনো নারীও যেনো অপর নারীকে উপহাস না করে। কারণ, যাকে উপহাস করা হয়, সে উপহাসকারিণীর চাইতে উত্তম হতে পারে। তোমরা পরস্পরের প্রতি দোষারোপ করোনা এবং একে অপরকে মন্দ নামে ডেকোনা। ঈমান আনার পর মন্দ নামে ডাকা অতি মন্দ। (এমনটি করার পর) যারা তওবা করবে না (অনুতপ্ত হবেনা) তারা যালিম।	يَا أَيُّهَا الَّذِينَ آمَنُوا لَا يَسْخَرْ قَوْمٌ مِّن قَوْمٍ عَسَىٰ أَن يَكُونُوا خَيْرًا مِّنْهُمْ وَلَا نِسَاءٌ مِّن نِّسَاءٍ عَسَىٰ أَن يَكُنَّ خَيْرًا مِّنْهُنَّ ۖ وَلَا تَلْمِزُوا أَنفُسَكُمْ وَلَا تَنَابَزُوا بِالْأَلْقَابِ ۖ بِئْسَ الِاسْمُ الْفُسُوقُ بَعْدَ الْإِيمَانِ ۚ وَمَن لَّمْ يَتُبْ فَأُولَٰئِكَ هُمُ الظَّالِمُونَ ﴿١١﴾
১২. হে ঈমানদার লোকেরা! তোমরা বেশি বেশি ধারণা অনুমান করা থেকে দূরে থাকো, কারণ কোনো কোনো ধারণা অনুমান পাপ। তোমরা অপরের গোপন বিষয় সন্ধান করোনা এবং একে অপরের গীবত করোনা। তোমাদের কেউ কি তার মরা ভাইয়ের গোশ্‌ত খেতে চাইবে? তোমরা এমন কাজকে ঘৃণাই করো। আল্লাহ্‌কে ভয় করো। নিশ্চয়ই আল্লাহ্‌ তওবা কবুলকারী, পরম দয়াবান।	يَا أَيُّهَا الَّذِينَ آمَنُوا اجْتَنِبُوا كَثِيرًا مِّنَ الظَّنِّ إِنَّ بَعْضَ الظَّنِّ إِثْمٌ ۖ وَلَا تَجَسَّسُوا وَلَا يَغْتَب بَّعْضُكُم بَعْضًا ۚ أَيُحِبُّ أَحَدُكُمْ أَن يَأْكُلَ لَحْمَ أَخِيهِ مَيْتًا فَكَرِهْتُمُوهُ ۚ وَاتَّقُوا اللَّهَ ۚ إِنَّ اللَّهَ تَوَّابٌ رَّحِيمٌ ﴿١٢﴾
১৩. হে মানুষ! আমরা তোমাদের সৃষ্টি করেছি একজন পুরুষ এবং একজন নারী থেকে, তারপর তোমাদের বিভক্ত করেছি বিভিন্ন জাতি ও গোত্রে, যাতে করে তোমরা পরস্পরের সাথে পরিচিত হতে পারো। নিশ্চয়ই আল্লাহ্‌র কাছে তোমাদের মধ্যে সে ব্যক্তিই অধিক মর্যাদাবান, যে অধিক মুত্তাকি। নিশ্চয়ই আল্লাহ্‌ জ্ঞানী এবং অবগত।	يَا أَيُّهَا النَّاسُ إِنَّا خَلَقْنَاكُم مِّن ذَكَرٍ وَأُنثَىٰ وَجَعَلْنَاكُمْ شُعُوبًا وَقَبَائِلَ لِتَعَارَفُوا ۚ إِنَّ أَكْرَمَكُمْ عِندَ اللَّهِ أَتْقَاكُمْ ۚ إِنَّ اللَّهَ عَلِيمٌ خَبِيرٌ ﴿١٣﴾
১৪. বেদুঈনরা বলে: 'আমরা ঈমান এনেছি।' তুমি বলো: 'তোমরা ঈমান আনোনি, বরং তোমরা বলো: 'আমরা আত্মসমর্পণ করেছি।' কারণ, ঈমান এখনো তোমাদের অন্তরে প্রবেশ করেনি। তোমরা যদি আল্লাহ্‌ ও তাঁর রসূলের আনুগত্য করো, তাহলে তোমাদের আমল কিছুমাত্র কমানো হবেনা। নিশ্চয়ই আল্লাহ্‌ পরম ক্ষমাশীল, পরম দয়াবান।	قَالَتِ الْأَعْرَابُ آمَنَّا ۖ قُل لَّمْ تُؤْمِنُوا وَلَٰكِن قُولُوا أَسْلَمْنَا وَلَمَّا يَدْخُلِ الْإِيمَانُ فِي قُلُوبِكُمْ ۖ وَإِن تُطِيعُوا اللَّهَ وَرَسُولَهُ لَا يَلِتْكُم مِّنْ أَعْمَالِكُمْ شَيْئًا ۚ إِنَّ اللَّهَ غَفُورٌ رَّحِيمٌ ﴿١٤﴾
১৫. মুমিন হলো তারা, যারা ঈমান এনেছে আল্লাহ্‌র প্রতি ও তাঁর রসূলের প্রতি এবং অত:পর আর সন্দেহ পোষণ করেনি, বরং আল্লাহ্‌র পথে জিহাদ করেছে মাল-সম্পদ এবং জান-প্রাণ দিয়ে, এরাই (ঈমানের দাবিতে) সত্যবাদী।	إِنَّمَا الْمُؤْمِنُونَ الَّذِينَ آمَنُوا بِاللَّهِ وَرَسُولِهِ ثُمَّ لَمْ يَرْتَابُوا وَجَاهَدُوا بِأَمْوَالِهِمْ وَأَنفُسِهِمْ فِي سَبِيلِ اللَّهِ ۚ أُولَٰئِكَ هُمُ الصَّادِقُونَ ﴿١٥﴾

রুকু ০১

১৬. বলো: 'তোমরা কি তোমাদের দীন সম্পর্কে আল্লাহ্‌কে জ্ঞান দিতে চাও? অথচ মহাকাশ ও পৃথিবীতে যা কিছু আছে সবই আল্লাহ্‌ জানেন। আল্লাহ্‌ প্রতিটি বিষয়ে জ্ঞানী।'	قُلْ اَتُعَلِّمُوْنَ اللّٰهَ بِدِيْنِكُمْ ؕ وَ اللّٰهُ يَعْلَمُ مَا فِي السَّمٰوٰتِ وَ مَا فِي الْاَرْضِ ؕ وَ اللّٰهُ بِكُلِّ شَيْءٍ عَلِيْمٌ ⑯
১৭. তারা মনে করে, ইসলামে প্রবেশ করে তারা তোমাকে ধন্য করেছে। বলো: 'তোমাদের ইসলামে প্রবেশ আমাকে ধন্য করেছে মনে করোনা। বরং তোমাদেরকে ঈমানের দিকে পরিচালিত করে আল্লাহ্‌ই তোমাদের ধন্য করেছেন। যদি তোমরা সত্যবাদী হয়ে থাকো (তবে একথা স্বীকার করো)।	يَمُنُّوْنَ عَلَيْكَ اَنْ اَسْلَمُوْا ؕ قُلْ لَّا تَمُنُّوْا عَلَيَّ اِسْلَامَكُمْ ۚ بَلِ اللّٰهُ يَمُنُّ عَلَيْكُمْ اَنْ هَدٰىكُمْ لِلْاِيْمَانِ اِنْ كُنْتُمْ صٰدِقِيْنَ ⑰
১৮. নিশ্চয়ই আল্লাহ্‌ জানেন মহাকাশ এবং পৃথিবীর সমস্ত গায়েব (অদৃশ্য)। তোমরা যা করো, আল্লাহ তা দেখেন।	اِنَّ اللّٰهَ يَعْلَمُ غَيْبَ السَّمٰوٰتِ وَ الْاَرْضِ ؕ وَ اللّٰهُ بَصِيْرٌۢ بِمَا تَعْمَلُوْنَ ⑱

রুকু ০২

সূরা ৫০ কাফ

মক্কায় অবতীর্ণ, আয়াত সংখ্যা: ৪৫, রুকু সংখ্যা: ০৩

এই সূরার আলোচ্যসূচি (আয়াত ভিত্তিক আলোচ্য বিষয়)

০১-১১: আখিরাত ও পুনরুত্থানের যুক্তি।

১২-৪৫: যারা রসূলদের দাওয়াতকে প্রত্যাখ্যান করেছে তাদের পরিণতি। হাশর, বিচার এবং শাস্তি ও পুরস্কারের অনিবার্যতা। অতীতের ধ্বংসপ্রাপ্ত জাতিসূহের ইতিহাস থেকে চিন্তাশীল লোকেরা উপদেশ গ্রহণ করে। কিয়ামতের আগমন ও পুনরুত্থান অনিবার্য। মানুষকে কুরআন দিয়ে সতর্ক করো।

সূরা কাফ পরম করুণাময় পরম দয়াবান আল্লাহ্‌র নামে	سُوْرَةُ قٓ بِسْمِ اللّٰهِ الرَّحْمٰنِ الرَّحِيْمِ
০১. কাফ, কুরআন মজিদের শপথ।	قٓ ۚ وَ الْقُرْاٰنِ الْمَجِيْدِ ①
০২. বরং তারা বিস্মিত হচ্ছে এ কারণে যে, তাদের মধ্য থেকেই তাদের কাছে এসেছে একজন সতর্ককারী। কাফিররা বলে: "এতো এক আজব ব্যাপার!	بَلْ عَجِبُوْۤا اَنْ جَآءَهُمْ مُّنْذِرٌ مِّنْهُمْ فَقَالَ الْكٰفِرُوْنَ هٰذَا شَيْءٌ عَجِيْبٌ ②
০৩. আমাদের যখন মৃত্যু ঘটবে এবং আমরা যখন মাটিতে পরিণত হবো, তখন কি আমাদের পুনরুত্থিত করা হবে? সেই প্রত্যাবর্তন এক অবাস্তব ব্যাপার।"	ءَاِذَا مِتْنَا وَ كُنَّا تُرَابًا ۚ ذٰلِكَ رَجْعٌۢ بَعِيْدٌ ③
০৪. মাটি তাদের কতোটুকু ক্ষয় করে তা আমরা জানি। আমাদের কাছে রয়েছে এক সুরক্ষিত কিতাব।	قَدْ عَلِمْنَا مَا تَنْقُصُ الْاَرْضُ مِنْهُمْ ۚ وَ عِنْدَنَا كِتٰبٌ حَفِيْظٌ ④
০৫. তাদের কাছে সত্য আসার পর তারা তা প্রত্যাখ্যান করেছে। ফলে তারা সন্দেহে দোদুল্যমান।	بَلْ كَذَّبُوْا بِالْحَقِّ لَمَّا جَآءَهُمْ فَهُمْ فِيْۤ اَمْرٍ مَّرِيْجٍ ⑤

০৬. তারা কি উপরে আকাশের দিকে তাকিয়ে দেখেনা, আমরা কিভাবে সেটাকে বানিয়েছি এবং সুশোভিত করেছি। আর তাতে নেই কোনো ফাটল।	اَفَلَمْ يَنْظُرُوْٓا اِلَى السَّمَآءِ فَوْقَهُمْ كَيْفَ بَنَيْنٰهَا وَ زَيَّنّٰهَا وَ مَا لَهَا مِنْ فُرُوْجٍ ۝٦
০৭. আর জমিনকে আমরা বিছিয়ে দিয়েছি এবং তাতে স্থাপন করে দিয়েছি পাহাড় পর্বত আর তাতে উদগত করেছি সব ধরণের নয়নাভিরাম উদ্ভিদ।	وَ الْاَرْضَ مَدَدْنٰهَا وَ اَلْقَيْنَا فِيْهَا رَوَاسِيَ وَ اَنْۢبَتْنَا فِيْهَا مِنْ كُلِّ زَوْجٍۭ بَهِيْجٍ ۝٧
০৮. এসবই ভেবে দেখার বিষয় এবং উপদেশ প্রত্যেক আল্লাহ্ অভিমুখী বান্দার জন্যে।	تَبْصِرَةً وَّ ذِكْرٰى لِكُلِّ عَبْدٍ مُّنِيْبٍ ۝٨
০৯. আমরা আসমান থেকে নাযিল করি মুবারক (কল্যাণময়) পানি। অত:পর তা দিয়ে উৎপাদন করি বাগবাগিচা আর পরিপক্ক শস্য সম্ভার,	وَ نَزَّلْنَا مِنَ السَّمَآءِ مَآءً مُّبٰرَكًا فَاَنْۢبَتْنَا بِهٖ جَنّٰتٍ وَّ حَبَّ الْحَصِيْدِ ۝٩
১০. আরো উৎপাদন করি সমুন্নত খেজুর গাছ, তাতে থাকে ছড়ায় ছড়ায় খেজুর,	وَ النَّخْلَ بٰسِقٰتٍ لَّهَا طَلْعٌ نَّضِيْدٌ ۝١٠
১১. আমার বান্দাদের জীবিকা হিসেবে। তাছাড়া সেই পানি দিয়ে আমরা জীবিত করি মৃত জমিনকে। এভাবেই ঘটানো হবে (মানুষের) পুনরুত্থান।	رِّزْقًا لِّلْعِبَادِ ۙ وَ اَحْيَيْنَا بِهٖ بَلْدَةً مَّيْتًا ؕ كَذٰلِكَ الْخُرُوْجُ ۝١١
১২. তাদের আগেও নূহের কওম (রসূলদের) প্রত্যাখান করেছিল এবং রাস্ আর সামুদ সম্প্রদায়ও,	كَذَّبَتْ قَبْلَهُمْ قَوْمُ نُوْحٍ وَّ اَصْحٰبُ الرَّسِّ وَ ثَمُوْدُ ۝١٢
১৩. আদ, ফেরাউন এবং লুত সম্প্রদায়ও,	وَ عَادٌ وَّ فِرْعَوْنُ وَ اِخْوَانُ لُوْطٍ ۝١٣
১৪. আইকাবাসী আর তুব্বা সম্প্রদায়ও। এরা প্রত্যেকেই রসূলদের প্রত্যাখ্যান করেছিল, ফলে তাদের উপর অনিবার্য হয়ে পড়েছিল আমার ওয়াদা বাস্তবায়ন।	وَّ اَصْحٰبُ الْاَيْكَةِ وَ قَوْمُ تُبَّعٍ ؕ كُلٌّ كَذَّبَ الرُّسُلَ فَحَقَّ وَعِيْدِ ۝١٤
১৫. প্রথমবারের সৃষ্টিই কি আমাদের ক্লান্ত করে ফেলেছে? বরং পুনসৃষ্টির ব্যাপারে তারা রয়েছে সন্দেহে নিমজ্জিত।	اَفَعَيِيْنَا بِالْخَلْقِ الْاَوَّلِ ؕ بَلْ هُمْ فِيْ لَبْسٍ مِّنْ خَلْقٍ جَدِيْدٍ ۝١٥ (রুকু ০১)
১৬. আমরাই সৃষ্টি করেছি মানুষকে এবং তার প্রবৃত্তি তাকে কী কুমন্ত্রণা দেয় তা আমরা জানি। আমরা তার গলার ধমনীর চেয়েও তার অধিকতর নিকটতর।	وَ لَقَدْ خَلَقْنَا الْاِنْسَانَ وَ نَعْلَمُ مَا تُوَسْوِسُ بِهٖ نَفْسُهٗ ۚۖ وَ نَحْنُ اَقْرَبُ اِلَيْهِ مِنْ حَبْلِ الْوَرِيْدِ ۝١٦
১৭. মনে রেখো, দুই গ্রহণকারী ফেরেশতা তার ডানে এবং বামে বসে রেকর্ড করে।	اِذْ يَتَلَقَّى الْمُتَلَقِّيٰنِ عَنِ الْيَمِيْنِ وَ عَنِ الشِّمَالِ قَعِيْدٌ ۝١٧
১৮. মানুষ যে কথাই উচ্চারণ করে তা রেকর্ড করার দায়িত্বে নিয়োজিত একজন প্রহরী তার কাছেই রয়েছে।	مَا يَلْفِظُ مِنْ قَوْلٍ اِلَّا لَدَيْهِ رَقِيْبٌ عَتِيْدٌ ۝١٨
১৯. মৃত্যু যন্ত্রণা সত্য সত্যি আসবে। এ থেকেই তোমরা অব্যাহতি চেয়ে আসছো।	وَ جَآءَتْ سَكْرَةُ الْمَوْتِ بِالْحَقِّ ؕ ذٰلِكَ مَا كُنْتَ مِنْهُ تَحِيْدُ ۝١٩

২০. আর শিঙায় ফুৎকার দেয়া হবে এবং সেটাই হবে শাস্তির দিন।	وَ نُفِخَ فِي الصُّوْرِ ۭ ذٰلِكَ يَوْمُ الْوَعِيْدِ ۝٢٠
২১. সেদিন প্রত্যেক ব্যক্তিই উপস্থিত হবে। তার সাথে থাকবে একজন চৌকিদার এবং একজন সাক্ষী।	وَ جَآءَتْ كُلُّ نَفْسٍ مَّعَهَا سَآئِقٌ وَّ شَهِيْدٌ ۝٢١
২২. (তার সাথি ফেরেশতা বলবে:) এই দিনটি সম্পর্কেই তুমি ছিলে গাফলতির মধ্যে। এখন আমরা তোমার সামনে থেকে পর্দা সরিয়ে দিয়েছি। আজ তোমার দৃষ্টি প্রখর ও তীক্ষ্ণ।	لَقَدْ كُنْتَ فِيْ غَفْلَةٍ مِّنْ هٰذَا فَكَشَفْنَا عَنْكَ غِطَآءَكَ فَبَصَرُكَ الْيَوْمَ حَدِيْدٌ ۝٢٢
২৩. তার সাথি বলবে: এই তো আমার কাছে তোমার আমলের রেকর্ড প্রস্তুত।	وَ قَالَ قَرِيْنُهٗ هٰذَا مَا لَدَيَّ عَتِيْدٌ ۝٢٣
২৪. নির্দেশ দেয়া হবে: তোমরা দু'জনে জাহান্নামে নিক্ষেপ করো প্রত্যেক দাম্ভিক কাফিরকে,	اَلْقِيَا فِيْ جَهَنَّمَ كُلَّ كَفَّارٍ عَنِيْدٍ ۝٢٤
২৫. যে ভালো কাজে প্রচণ্ড বাধাদানকারী এবং সীমালংঘনকারী ও সন্দেহপরায়ণ,	مَّنَّاعٍ لِّلْخَيْرِ مُعْتَدٍ مُّرِيْبِ ۝٢٥
২৬. যে আল্লাহ্‌র সাথে অন্য ইলাহ্ গ্রহণ করতো। তাকে নিক্ষেপ করো কঠোর আযাবে।	الَّذِيْ جَعَلَ مَعَ اللّٰهِ اِلٰهًا اٰخَرَ فَاَلْقِيٰهُ فِي الْعَذَابِ الشَّدِيْدِ ۝٢٦
২৭. তার সাথি (শয়তান) বলবে: 'আমাদের প্রভু! আমি তাকে অবাধ্য বানাইনি। বরং সে নিজেই ছিলো ঘোরতর গোমরাহিতে নিমজ্জিত।'	قَالَ قَرِيْنُهٗ رَبَّنَا مَآ اَطْغَيْتُهٗ وَ لٰكِنْ كَانَ فِيْ ضَلٰلٍ بَعِيْدٍ ۝٢٧
২৮. আল্লাহ্ বলবেন: 'তোমরা আমার সামনে বিবাদ বিতর্ক করোনা। আমি তো আগেই তোমাদের সতর্ক করেছি।	قَالَ لَا تَخْتَصِمُوْا لَدَيَّ وَ قَدْ قَدَّمْتُ اِلَيْكُمْ بِالْوَعِيْدِ ۝٢٨
২৯. আমার কথার রদবদল হয়না, আর আমি বান্দাদের প্রতি যালিমও নই।	مَا يُبَدَّلُ الْقَوْلُ لَدَيَّ وَ مَآ اَنَا بِظَلَّامٍ لِّلْعَبِيْدِ ۝٢٩
৩০. সেদিন আমরা জাহান্নামকে জিজ্ঞেস করবো: 'তুমি কি পরিপূর্ণ হয়েছো?' সে বলবে: 'আরো আছে কি?'	يَوْمَ نَقُوْلُ لِجَهَنَّمَ هَلِ امْتَلَاْتِ وَ تَقُوْلُ هَلْ مِنْ مَّزِيْدٍ ۝٣٠
৩১. আর জান্নাতকে মুত্তাকিদের নিকটে আনা হবে, মোটেই দূরে রাখা হবেনা।	وَ اُزْلِفَتِ الْجَنَّةُ لِلْمُتَّقِيْنَ غَيْرَ بَعِيْدٍ ۝٣١
৩২. এর ওয়াদাই তোমাদের দেয়া হয়েছিল, প্রত্যেক আল্লাহ্‌মুখী হিফাযতকারীর জন্যে	هٰذَا مَا تُوْعَدُوْنَ لِكُلِّ اَوَّابٍ حَفِيْظٍ ۝٣٢
৩৩. যারা না দেখেও রহমানকে ভয় করে এবং হাজির হয় বিনয়ী হৃদয় নিয়ে।	مَنْ خَشِيَ الرَّحْمٰنَ بِالْغَيْبِ وَ جَآءَ بِقَلْبٍ مُّنِيْبِ ۝٣٣
৩৪. তাদের বলা হবে: শান্তি ও নিরাপত্তার সাথে দাখিল হও (জান্নাতে)। এটা চিরন্তন জীবনের দিন।	ادْخُلُوْهَا بِسَلٰمٍ ۭ ذٰلِكَ يَوْمُ الْخُلُوْدِ ۝٣٤
৩৫. সেখানে তারা সবই পাবে যা তারা চাইবে এবং আমাদের কাছে রয়েছে আরো অনেক।	لَهُمْ مَّا يَشَآءُوْنَ فِيْهَا وَ لَدَيْنَا مَزِيْدٌ ۝٣٥

রুকু ০২

৩৬. আমরা তাদের আগে কতো যে মানব প্রজন্মকে ধ্বংস করে দিয়েছি, ওরা ছিলো এদের চাইতেও প্রবলতর শক্তিশালী। তারা বিভিন্ন দেশে ঘুরে বেড়াতো। তাদের পালাবার কোনো জাগায়ই ছিলোনা।	وَ كَمْ اَهْلَكْنَا قَبْلَهُمْ مِّنْ قَرْنٍ هُمْ اَشَدُّ مِنْهُمْ بَطْشًا فَنَقَّبُوْا فِي الْبِلَادِ ؕ هَلْ مِنْ مَّحِيْصٍ ﴿٣٦﴾
৩৭. নিশ্চয়ই এতে রয়েছে উপদেশ তার জন্যে, যে অন্তরের অধিকারী, কিংবা যে মনোযোগ দিয়ে শুনে নিবিষ্ট চিত্তে।	اِنَّ فِيْ ذٰلِكَ لَذِكْرٰى لِمَنْ كَانَ لَهٗ قَلْبٌ اَوْ اَلْقَى السَّمْعَ وَ هُوَ شَهِيْدٌ ﴿٣٧﴾
৩৮. আমরা মহাকাশ, পৃথিবী এবং এ দুয়ের মধ্যবর্তী সবকিছু সৃষ্টি করেছি ছয়টি কালে। কোনো ক্লান্তি আমাদের স্পর্শ করেনি।	وَ لَقَدْ خَلَقْنَا السَّمٰوٰتِ وَ الْاَرْضَ وَ مَا بَيْنَهُمَا فِيْ سِتَّةِ اَيَّامٍ ۖۗ وَّ مَا مَسَّنَا مِنْ لُّغُوْبٍ ﴿٣٨﴾
৩৯. ওরা যা বলে তাতে তুমি সবর অবলম্বন করো, আর তোমার প্রভুর হামদসহ তসবিহ করো সূর্যোদয়ের আগে এবং সূর্যাস্তের আগে।	فَاصْبِرْ عَلٰى مَا يَقُوْلُوْنَ وَ سَبِّحْ بِحَمْدِ رَبِّكَ قَبْلَ طُلُوْعِ الشَّمْسِ وَ قَبْلَ الْغُرُوْبِ ﴿٣٩﴾
৪০. আর রাতের বেলায়ও তাঁর তসবিহ করো এবং সাজদার (সালাতের) পরে।	وَ مِنَ الَّيْلِ فَسَبِّحْهُ وَ اَدْبَارَ السُّجُوْدِ ﴿٤٠﴾
৪১. মনোযোগ দিয়ে শুনো, যেদিন এক ঘোষণাকারী খুব কাছে থেকে ঘোষণা দেবে,	وَ اسْتَمِعْ يَوْمَ يُنَادِ الْمُنَادِ مِنْ مَّكَانٍ قَرِيْبٍ ﴿٤١﴾
৪২. সেদিন অবশ্যি মানুষ শুনতে পাবে এক মহাবিকট শব্দ সত্যিকারভাবে। সেটাই হবে মাটির নিচে থেকে বেরিয়ে আসার দিন।	يَّوْمَ يَسْمَعُوْنَ الصَّيْحَةَ بِالْحَقِّ ؕ ذٰلِكَ يَوْمُ الْخُرُوْجِ ﴿٤٢﴾
৪৩. আমরাই হায়াত দান করি এবং আমরাই মউত ঘটাই, আর আমাদের কাছেই হবে সবার প্রত্যাবর্তন।	اِنَّا نَحْنُ نُحْيٖ وَ نُمِيْتُ وَ اِلَيْنَا الْمَصِيْرُ ﴿٤٣﴾
৪৪. সেদিন তাদের উপরস্থ জমিন ফেটে যাবে এবং তারা ব্যস্ত হয়ে দ্রুত বেরিয়ে আসবে। এই হাশর (সমবেত) করা আমাদের জন্যে একেবারেই সহজ।	يَوْمَ تَشَقَّقُ الْاَرْضُ عَنْهُمْ سِرَاعًا ؕ ذٰلِكَ حَشْرٌ عَلَيْنَا يَسِيْرٌ ﴿٤٤﴾
৪৫. তারা কী বলে, তা আমরা জানি। তুমি তাদের উপর শক্তি প্রয়োগকারী নও। যারা আমার শাস্তিকে ভয় করে তাদের উপদেশ দিয়ে যাও এই কুরআনের সাহায্যে।	نَحْنُ اَعْلَمُ بِمَا يَقُوْلُوْنَ وَ مَاۤ اَنْتَ عَلَيْهِمْ بِجَبَّارٍ ۟ فَذَكِّرْ بِالْقُرْاٰنِ مَنْ يَّخَافُ وَعِيْدِ ﴿٤٥﴾

রুকু ০৩

সূরা ৫১ আয্ যারিয়াত

মক্কায় অবতীর্ণ, আয়াত সংখ্যা: ৬০, রুকু সংখ্যা: ০৩

এই সূরার আলোচ্যসূচি (আয়াত ভিত্তিক আলোচ্য বিষয়)

০১-২৩: প্রতিদান দিবস অবশ্যই আসবে। সন্দেহ পোষণকারীরা অবশ্যই শাস্তি ভোগ করবে। মহত গুণের অধিকারী মুত্তাকিরা অবশ্যই জান্নাতে যাবে।

২৪-৪৬: নবীদের দাওয়াত প্রত্যাখ্যানকারীদের ধ্বংস করে দেয়া হয়েছে।

৪৭-৫১: আল্লাহ্ মহাকাশের পরিধি বৃদ্ধি করে চলেছেন। প্রতিটি জিনিসকে তিনি সৃষ্টি করেছেন জোড়ায় জোড়ায় । তাঁর কোনো শরিক নেই।

৫২-৫৫: অতীতের সব রসূলকেই ম্যাজিসিয়ান কিংবা পাগল বলা হয়েছে। উপদেশ দিয়ে যাও, উপদেশ মুমিনদের জন্য উপকারি।

৫৬-৬০: জিন ও মানুষ সৃষ্টি করা হয়েছে আল্লাহ্র দাসত্ব করার জন্য। প্রতিশ্রুত দিনটিতে কাফিরদের জন্য হবে ধ্বংস।

সূরা আয্ যারিয়াত (উড়ন্ত অণু বা ধূলা) পরম করুণাময় পরম দয়াবান আল্লাহ্র নামে	سُوْرَةُ الذّٰرِيٰتِ بِسۡمِ اللّٰهِ الرَّحۡمٰنِ الرَّحِیۡمِ
০১. শপথ অণু ঝড়ের,	وَ الذّٰرِیٰتِ ذَرۡوًا ۙ﴿۱﴾
০২. শপথ ভারি পানি বহনকারী মেঘমালার,	فَالۡحٰمِلٰتِ وِقۡرًا ۙ﴿۲﴾
০৩. শপথ সহজ গতির নৌযানের,	فَالۡجٰرِیٰتِ یُسۡرًا ۙ﴿۳﴾
০৪. শপথ কাজ বণ্টনকারী (ফেরেশ্তা)দের,	فَالۡمُقَسِّمٰتِ اَمۡرًا ۙ﴿۴﴾
০৫. তোমাদের যে ওয়াদা দেয়া হয়েছে তা অবশ্য অবশ্যি সত্য।	اِنَّمَا تُوۡعَدُوۡنَ لَصَادِقٌ ۙ﴿۵﴾
০৬. প্রতিফল দিবস অবশ্যি সংঘটিত হবে।	وَّ اِنَّ الدِّیۡنَ لَوَاقِعٌ ؕ﴿۶﴾
০৭. শপথ অনেক পথ বিশিষ্ট আসমানের,	وَ السَّمَآءِ ذَاتِ الۡحُبُكِ ۙ﴿۷﴾
০৮. নিশ্চয়ই তোমরা লিপ্ত (আল্লাহর রসূল ও কুরআন সম্পর্কে) পরস্পর বিরোধী কথাবার্তায়।	اِنَّكُمۡ لَفِیۡ قَوۡلٍ مُّخۡتَلِفٍ ۙ﴿۸﴾
০৯. তা থেকে (কুরআন থেকে) মুখ ফিরিয়ে নেয় তো ঐ ব্যক্তি যে সত্যভ্রষ্ট।	یُّؤۡفَكُ عَنۡهُ مَنۡ اُفِكَ ؕ﴿۹﴾
১০. মিথ্যাবাদীরা মারা পড়েছে,	قُتِلَ الۡخَرّٰصُوۡنَ ﴿ۙ۱۰﴾
১১. যারা নিমজ্জিত অজ্ঞতা আর উদাসীনতায়।	الَّذِیۡنَ هُمۡ فِیۡ غَمۡرَةٍ سَاهُوۡنَ ﴿ۙ۱۱﴾
১২. তারা তোমাকে জিজ্ঞাসা করে, কবে আসবে প্রতিদান দিবস?	یَسۡـَٔلُوۡنَ اَیَّانَ یَوۡمُ الدِّیۡنِ ﴿ؕ۱۲﴾
১৩. সেদিন আসবে প্রতিদান দিবস, যেদিন তাদের শাস্তি দেয়া হবে জাহান্নামে।	یَوۡمَ هُمۡ عَلَی النَّارِ یُفۡتَنُوۡنَ ﴿۱۳﴾
১৪. তোমরা আস্বাদন করো তোমাদের শাস্তি। এই আযাবই তোমরা দ্রুত চেয়েছিলে।	ذُوۡقُوۡا فِتۡنَتَكُمۡ ؕ هٰذَا الَّذِیۡ كُنۡتُمۡ بِهٖ تَسۡتَعۡجِلُوۡنَ ﴿۱۴﴾

১৫. মুত্তাকিরা থাকবে জান্নাতে আর ঝরণা ধারায়,	اِنَّ الْمُتَّقِيْنَ فِيْ جَنّٰتٍ وَّ عُيُوْنٍ ﴿١٥﴾
১৬. তারা সেখানে উপভোগ করবে তাদের প্রভুর দেয়া নিয়ামতরাজি। কারণ ইতোপূর্বে (পৃথিবীর জীবনে) তারা ছিলো কল্যাণপরায়ণ পুণ্যবান।	اٰخِذِيْنَ مَآ اٰتٰىهُمْ رَبُّهُمْ ؕ اِنَّهُمْ كَانُوْا قَبْلَ ذٰلِكَ مُحْسِنِيْنَ ؕ ﴿١٦﴾
১৭. তারা রাতের সামান্য অংশই ব্যয় করতো নিদ্রায়,	كَانُوْا قَلِيْلًا مِّنَ الَّيْلِ مَا يَهْجَعُوْنَ ﴿١٧﴾
১৮. শেষ রাতে তারা ক্ষমা প্রার্থনা করতো,	وَبِالْاَسْحَارِ هُمْ يَسْتَغْفِرُوْنَ ﴿١٨﴾
১৯. তাদের অর্থ-সম্পদে ছিলো অধিকার সাহায্যপ্রার্থী এবং বঞ্চিতদের।	وَفِيْٓ اَمْوَالِهِمْ حَقٌّ لِّلسَّآئِلِ وَالْمَحْرُوْمِ ﴿١٩﴾
২০. পৃথিবীতেই রয়েছে নিদর্শন বিশ্বাসীদের জন্যে,	وَفِي الْاَرْضِ اٰيٰتٌ لِّلْمُوْقِنِيْنَ ۙ ﴿٢٠﴾
২১. এবং তোমাদের নিজেদের মধ্যেও। তোমরা কি ভেবে দেখবে না?	وَفِيْٓ اَنْفُسِكُمْ ؕ اَفَلَا تُبْصِرُوْنَ ﴿٢١﴾
২২. আর তোমাদের জীবিকা রয়েছে আসমানে এবং তোমাদের যা কিছুর ওয়াদা দেয়া হয়েছে সেগুলোও।	وَفِي السَّمَآءِ رِزْقُكُمْ وَمَا تُوْعَدُوْنَ ﴿٢٢﴾
২৩. আকাশ ও পৃথিবীর প্রভুর শপথ, তোমাদের পারস্পরিক কথাবার্তার মতোই এ (কুরআন) এক মহাসত্য।	فَوَرَبِّ السَّمَآءِ وَالْاَرْضِ اِنَّهٗ لَحَقٌّ مِّثْلَ مَآ اَنَّكُمْ تَنْطِقُوْنَ ﴿٢٣﴾
২৪. তোমার কাছে কি এসেছে ইবরাহিমের সম্মানিত মেহমানদের ঘটনা?	هَلْ اَتٰىكَ حَدِيْثُ ضَيْفِ اِبْرٰهِيْمَ الْمُكْرَمِيْنَ ﴿٢٤﴾
২৫. তারা যখন তার ঘরে প্রবেশ করেছিল, বলেছিল: 'সালাম।' জবাবে সেও বলেছিল: 'সালাম।' সে আরো বলেছিল: আপনারা তো অপরিচিত লোক!'	اِذْ دَخَلُوْا عَلَيْهِ فَقَالُوْا سَلٰمًا ؕ قَالَ سَلٰمٌ ۚ قَوْمٌ مُّنْكَرُوْنَ ﴿٢٥﴾
২৬. তখন সে তার পরিবারের (স্ত্রীর) কাছে ছুটে গেলো এবং একটি মাংসল গো-বাছুর ভুনা করে নিয়ে এলো।	فَرَاغَ اِلٰٓى اَهْلِهٖ فَجَآءَ بِعِجْلٍ سَمِيْنٍ ۙ ﴿٢٦﴾
২৭. সেটি তাদের কাছে রাখলো। তারপর বললো: 'আপনারা খাচ্ছেন না যে?'	فَقَرَّبَهٗٓ اِلَيْهِمْ قَالَ اَلَا تَاْكُلُوْنَ ﴿٢٧﴾
২৮. এতে করে তাদের ব্যাপারে তার মনে ভয়ের সঞ্চার হয়। তখন তারা বললো: 'আপনি ভয় পাবেন না।' তারা তাকে সুসংবাদ দিলো এক জ্ঞানী পুত্র সন্তানের।	فَاَوْجَسَ مِنْهُمْ خِيْفَةً ؕ قَالُوْا لَا تَخَفْ ؕ وَبَشَّرُوْهُ بِغُلٰمٍ عَلِيْمٍ ﴿٢٨﴾
২৯. তখন তার স্ত্রী চীৎকার করতে করতে সামনে এগিয়ে এলো এবং গাল চাপড়িয়ে বললো: 'এই বন্ধ্যা বৃদ্ধার সন্তান হবে?'	فَاَقْبَلَتِ امْرَاَتُهٗ فِيْ صَرَّةٍ فَصَكَّتْ وَجْهَهَا وَقَالَتْ عَجُوْزٌ عَقِيْمٌ ﴿٢٩﴾
৩০. তারা বললো: 'আপনার প্রভু একথাই বলেছেন, তিনি প্রজ্ঞাবান সর্বজ্ঞানী।'	قَالُوْا كَذٰلِكِ ۙ قَالَ رَبُّكِ ؕ اِنَّهٗ هُوَ الْحَكِيْمُ الْعَلِيْمُ ﴿٣٠﴾

রুকু ০১

৩১. ইবরাহিম বললো: 'হে প্রেরিত ফেরেশতারা! আপনারা বিশেষ কী দায়িত্ব নিয়ে এসেছেন?'	قَالَ فَمَا خَطْبُكُمْ اَيُّهَا الْمُرْسَلُوْنَ ﴿٣١﴾
৩২. তারা বললো: "আমাদের পাঠানো হয়েছে অপরাধী (লুত) সম্প্রদায়ের প্রতি	قَالُوْۤا اِنَّاۤ اُرْسِلْنَاۤ اِلٰى قَوْمٍ مُّجْرِمِيْنَ ﴿٣٢﴾
৩৩. তাদের উপর পোড়া মাটির ঢিল নিক্ষেপ করার জন্যে,	لِنُرْسِلَ عَلَيْهِمْ حِجَارَةً مِّنْ طِيْنٍ ﴿٣٣﴾
৩৪. সেগুলো সীমালংঘনকারীদের জন্যে চিহ্নিত আপনার প্রভুর পক্ষ থেকে।	مُّسَوَّمَةً عِنْدَ رَبِّكَ لِلْمُسْرِفِيْنَ ﴿٣٤﴾
৩৫. সেখানে যারা মুমিন ছিলো তাদেরকে আমরা বের করে এনেছিলাম,	فَاَخْرَجْنَا مَنْ كَانَ فِيْهَا مِنَ الْمُؤْمِنِيْنَ ﴿٣٥﴾
৩৬. আর সেখানে আমরা একটির বেশি মুসলিম পরিবার পাইনি।"	فَمَا وَجَدْنَا فِيْهَا غَيْرَ بَيْتٍ مِّنَ الْمُسْلِمِيْنَ ﴿٣٦﴾
৩৭. যারা যন্ত্রণাদায়ক আযাবকে ভয় করে, তাদের জন্যে আমরা সেখানে একটি নিদর্শন রেখেছি।	وَ تَرَكْنَا فِيْهَاۤ اٰيَةً لِّلَّذِيْنَ يَخَافُوْنَ الْعَذَابَ الْاَلِيْمَ ﴿٣٧﴾
৩৮. নিদর্শন রেখেছি আমরা মূসার ঘটনাতেও, যখন আমরা তাকে পাঠিয়েছিলাম ফেরাউনের কাছে সুস্পষ্ট প্রমাণ নিয়ে।	وَ فِيْ مُوْسٰۤى اِذْ اَرْسَلْنٰهُ اِلٰى فِرْعَوْنَ بِسُلْطٰنٍ مُّبِيْنٍ ﴿٣٨﴾
৩৯. তখন সে (ফেরাউন) ক্ষমতার দম্ভে মুখ ফিরিয়ে নিয়ে বলেছিল: 'এতো একজন ম্যাজেসিয়ান, কিংবা পাগল।'	فَتَوَلّٰى بِرُكْنِهٖ وَقَالَ سٰحِرٌ اَوْ مَجْنُوْنٌ ﴿٣٩﴾
৪০. ফলে আমরা পাকড়াও করেছিলাম তাকে এবং তার বাহিনীকে এবং তাদের নিক্ষেপ করেছিলাম সমুদ্রে। সে এক তিরস্কারযোগ্য ব্যক্তি।	فَاَخَذْنٰهُ وَ جُنُوْدَهٗ فَنَبَذْنٰهُمْ فِي الْيَمِّ وَ هُوَ مُلِيْمٌ ﴿٤٠﴾
৪১. নিদর্শন রয়েছে আদ সম্প্রদায়ের ঘটনাতেও। আমরা তাদের উপর পাঠিয়েছিলাম এক বন্ধ্যা ঝড়।	وَ فِيْ عَادٍ اِذْ اَرْسَلْنَا عَلَيْهِمُ الرِّيْحَ الْعَقِيْمَ ﴿٤١﴾
৪২. তা যা কিছুর উপর দিয়ে বয়ে গিয়েছিল, সবই ধূলিস্যাত করে দিয়েছিল।	مَا تَذَرُ مِنْ شَيْءٍ اَتَتْ عَلَيْهِ اِلَّا جَعَلَتْهُ كَالرَّمِيْمِ ﴿٤٢﴾
৪৩. সামুদ সম্প্রদায়ের ঘটনাতেও রয়েছে নিদর্শন। তাদের বলা হয়েছিল: 'সামান্য ক'দিন ভোগ করে নাও।'	وَ فِيْ ثَمُوْدَ اِذْ قِيْلَ لَهُمْ تَمَتَّعُوْا حَتّٰى حِيْنٍ ﴿٤٣﴾
৪৪. কিন্তু তারা অমান্য করে তাদের প্রভুর নির্দেশ। ফলে তাদের পাকড়াও করে প্রচণ্ড বজ্রাঘাত এবং তারা তা দেখছিল।	فَعَتَوْا عَنْ اَمْرِ رَبِّهِمْ فَاَخَذَتْهُمُ الصّٰعِقَةُ وَ هُمْ يَنْظُرُوْنَ ﴿٤٤﴾
৪৫. তারা উঠেও দাঁড়াতে পারেনি এবং প্রতিরোধও করতে পারেনি।	فَمَا اسْتَطَاعُوْا مِنْ قِيَامٍ وَّ مَا كَانُوْا مُنْتَصِرِيْنَ ﴿٤٥﴾

৪৬. আরো আগে আমরা ধ্বংস করে দিয়েছিলাম নূহের জাতিকেও। তারা ছিলো এক ফাসিক (সীমালংঘনকারী সত্যত্যাগী) জাতি।	وَ قَوْمَ نُوْحٍ مِّنْ قَبْلُ ؕ اِنَّهُمْ كَانُوْا قَوْمًا فٰسِقِيْنَ ﴿۴۶﴾	রুকু ০২
৪৭. আমরা আকাশ বানিয়েছি শক্ত হাতে এবং নিশ্চয়ই আমরা এর বিস্তৃতি সম্প্রসারণ করতে সক্ষম।	وَالسَّمَآءَ بَنَيْنٰهَا بِاَيْىدٍ وَّ اِنَّا لَمُوْسِعُوْنَ ﴿۴۷﴾	
৪৮. আর পৃথিবীকে আমরা বিছিয়ে দিয়েছি, কতো যে উত্তম প্রসারণকারী আমরা!	وَالْاَرْضَ فَرَشْنٰهَا فَنِعْمَ الْمٰهِدُوْنَ ﴿۴۸﴾	
৪৯. প্রতিটি বস্তুকে আমরা সৃষ্টি করেছি জোড়ায় জোড়ায়, যাতে করে তোমরা শিক্ষা গ্রহণ করো।	وَ مِنْ كُلِّ شَیْءٍ خَلَقْنَا زَوْجَیْنِ لَعَلَّكُمْ تَذَكَّرُوْنَ ﴿۴۹﴾	
৫০. অতএব তোমরা দৌড়াও আল্লাহ্‌র দিকে, আমি তোমাদের প্রতি আল্লাহ্‌র পক্ষ থেকে এক সুস্পষ্ট সতর্ককারী।	فَفِرُّوْۤا اِلَى اللّٰهِ ؕ اِنِّیْ لَكُمْ مِّنْهُ نَذِیْرٌ مُّبِیْنٌ ﴿۵۰﴾	
৫১. তোমরা আল্লাহ্‌র সাথে অপর কোনো ইলাহ্ সাব্যস্ত করোনা। আমি তাঁর পক্ষ থেকে তোমাদের জন্যে এক সুস্পষ্ট সতর্ককারী।	وَ لَا تَجْعَلُوْا مَعَ اللّٰهِ اِلٰهًا اٰخَرَ ؕ اِنِّیْ لَكُمْ مِّنْهُ نَذِیْرٌ مُّبِیْنٌ ﴿۵۱﴾	
৫২. এভাবে তাদের আগেকার লোকদের কাছেও যখনই কোনো রসূল এসেছিল, তারা তাকে বলেছিল: 'তুমি একজন ম্যাজেসিয়ান কিংবা পাগল।'	كَذٰلِكَ مَاۤ اَتَى الَّذِیْنَ مِنْ قَبْلِهِمْ مِّنْ رَّسُوْلٍ اِلَّا قَالُوْا سَاحِرٌ اَوْ مَجْنُوْنٌ ﴿۵۲﴾	
৫৩. তারা কি একে অপরকে (ধারাবাহিকভাবে) এই অসিয়তই করে আসছে? আসলে তারা একটি সীমালংঘনকারী কওম।	اَتَوَاصَوْا بِهٖ ۚ بَلْ هُمْ قَوْمٌ طَاغُوْنَ ﴿۵۳﴾	
৫৪. সুতরাং তুমি তাদের উপেক্ষা করো। এর জন্যে তুমি তিরস্কৃত হবেনা।	فَتَوَلَّ عَنْهُمْ فَمَاۤ اَنْتَ بِمَلُوْمٍ ﴿۵۴﴾	
৫৫. তুমি উপদেশ দিতে থাকো। কারণ, উপদেশ মুমিনদের উপকারে আসে।	وَّ ذَكِّرْ فَاِنَّ الذِّكْرٰى تَنْفَعُ الْمُؤْمِنِیْنَ ﴿۵۵﴾	
৫৬. আমরা জিন এবং ইনসানকে এজন্যেই সৃষ্টি করেছি যে, তারা একমাত্র আমারই ইবাদত করবে।	وَمَا خَلَقْتُ الْجِنَّ وَالْاِنْسَ اِلَّا لِیَعْبُدُوْنِ ﴿۵۶﴾	
৫৭. আমি তো তাদের কাছে রিযিক চাই না এবং এটাও চাই না যে, তারা আমাকে খাবার খাওয়াবে।	مَاۤ اُرِیْدُ مِنْهُمْ مِّنْ رِّزْقٍ وَّ مَاۤ اُرِیْدُ اَنْ یُّطْعِمُوْنِ ﴿۵۷﴾	
৫৮. নিশ্চয়ই রাজজাক (রিযিক সরবরাহকারী) তো হলেন আল্লাহ্ এবং তিনি মহাশক্তিধর, প্রবল পরাক্রান্ত।	اِنَّ اللّٰهَ هُوَ الرَّزَّاقُ ذُو الْقُوَّةِ الْمَتِیْنُ ﴿۵۸﴾	
৫৯. যালিমদের ভাগ্যে তাই রয়েছে, অতীতে তাদের সমমতের লোকেরা যা ভোগ করেছিল। ফলে তারা যেনো তাড়াহুড়া না করে।	فَاِنَّ لِلَّذِیْنَ ظَلَمُوْا ذَنُوْبًا مِّثْلَ ذَنُوْبِ اَصْحٰبِهِمْ فَلَا یَسْتَعْجِلُوْنِ ﴿۵۹﴾	
৬০. কাফিরদের জন্যে রয়েছে সেই দিনের দুর্ভোগ, যার ওয়াদা তাদের দেয়া হয়েছে।	فَوَیْلٌ لِّلَّذِیْنَ كَفَرُوْا مِنْ یَّوْمِهِمُ الَّذِیْ یُوْعَدُوْنَ ﴿۶۰﴾	রুকু ০৩

সূরা ৫২ আত্ তুর

মক্কায় অবতীর্ণ, আয়াত সংখ্যা: ৪৯, রুকু সংখ্যা: ০২

এই সূরার আলোচ্যসূচি (আয়াত ভিত্তিক আলোচ্য বিষয়)

০১-১৬: কিয়ামত অবশ্যি অনুষ্ঠিত হবে, পুনরুত্থান অস্বীকারকারীরা অবশ্যি তাদের পাপের সাজা ভোগ করবে।
১৭-২৮: আখিরাতে মুত্তাকিদের অফুরন্ত নিয়ামতের বিবরণ।
২৯-৩৪: যারা রসূল ও কুরআনকে অস্বীকার করে তাদের ভ্রান্তি।
৩৫-৪৯: তাওহীদের পক্ষে যুক্তি।

সূরা আত্ তুর (তুর পাহাড়) পরম করুণাময় পরম দয়াবান আল্লাহ্‌র নামে	**سُوْرَةُ الطُّوْرِ** بِسْمِ اللّٰهِ الرَّحْمٰنِ الرَّحِيْمِ
০১. শপথ তুর (পাহাড়)-এর।	وَالطُّوْرِ ۙ﴿١﴾
০২. শপথ সেই কিতাবের যা ছত্রে ছত্রে লিখিত	وَكِتٰبٍ مَّسْطُوْرٍ ۙ﴿٢﴾
০৩. খোলা পৃষ্ঠায়।	فِيْ رَقٍّ مَّنْشُوْرٍ ۙ﴿٣﴾
০৪. শপথ বাইতুল মামুরের।	وَّالْبَيْتِ الْمَعْمُوْرِ ﴿٤﴾
০৫. শপথ উঁচু ছাদের (আকাশের),	وَالسَّقْفِ الْمَرْفُوْعِ ۙ﴿٥﴾
০৬. শপথ উত্তাল সাগরের।	وَالْبَحْرِ الْمَسْجُوْرِ ۙ﴿٦﴾
০৭. নিশ্চয়ই তোমার প্রভুর আযাব সংঘটিত হবেই।	اِنَّ عَذَابَ رَبِّكَ لَوَاقِعٌ ۙ﴿٧﴾
০৮. তা প্রতিরোধ করার কেউ নেই।	مَّا لَهٗ مِنْ دَافِعٍ ۙ﴿٨﴾
০৯. যেদিন আসমান চলতে থাকবে প্রচণ্ড গতিতে,	يَّوْمَ تَمُوْرُ السَّمَآءُ مَوْرًا ﴿٩﴾
১০. (ভয়ংকর) তীব্র গতিতে চলতে থাকবে পাহাড় পর্বত,	وَّتَسِيْرُ الْجِبَالُ سَيْرًا ؕ﴿١٠﴾
১১. সেদিন হবে চরম দুর্ভোগ প্রত্যাখ্যানকারীদের,	فَوَيْلٌ يَّوْمَئِذٍ لِّلْمُكَذِّبِيْنَ ۙ﴿١١﴾
১২. যারা খেল তামাশার অসার কাজে লিপ্ত।	الَّذِيْنَ هُمْ فِيْ خَوْضٍ يَّلْعَبُوْنَ ﴿١٢﴾
১৩. সেদিন তাদের ধাক্কা মারতে মারতে নিয়ে যাওয়া হবে জাহান্নামের আগুনের দিকে।	يَوْمَ يُدَعُّوْنَ اِلٰى نَارِ جَهَنَّمَ دَعًّا ؕ﴿١٣﴾
১৪. (বলা হবে:) এই সেই জাহান্নাম, যাকে তোমরা মিথ্যা বলে প্রত্যাখ্যান করেছিলে।	هٰذِهِ النَّارُ الَّتِيْ كُنْتُمْ بِهَا تُكَذِّبُوْنَ ﴿١٤﴾
১৫. এটা কি ম্যাজিক, নাকি তোমরা দেখছো না?	اَفَسِحْرٌ هٰذَاۤ اَمْ اَنْتُمْ لَا تُبْصِرُوْنَ ۚ﴿١٥﴾
১৬. এতে প্রবেশ করো, এর আযাব তোমরা সহ্য করতে পারো বা না পারো দুটোই সমান। তোমাদেরকে তো তোমাদেরই কৃতকর্মের প্রতিফল দেয়া হয়েছে।	اِصْلَوْهَا فَاصْبِرُوْۤا اَوْ لَا تَصْبِرُوْا ۚ سَوَآءٌ عَلَيْكُمْ ؕ اِنَّمَا تُجْزَوْنَ مَا كُنْتُمْ تَعْمَلُوْنَ ﴿١٦﴾

১৭. নিশ্চয়ই মুত্তাকিদের জন্যে রয়েছে জান্নাত আর নিয়ামতরাজি।	اِنَّ الْمُتَّقِيْنَ فِيْ جَنّٰتٍ وَّ نَعِيْمٍ ﴿١٧﴾
১৮. তাদের প্রভু তাদের যেসব পুরস্কার দেবেন তারা সেসব ভোগ করতে থাকবে এবং তাদের প্রভু তাদের রক্ষা করবেন জাহিমের (জাহান্নামের) আযাব থেকে।	فٰكِهِيْنَ بِمَآ اٰتٰىهُمْ رَبُّهُمْ ۚ وَ وَقٰىهُمْ رَبُّهُمْ عَذَابَ الْجَحِيْمِ ﴿١٨﴾
১৯. (তাদের বলা হবে:) 'তোমরা খাও এবং পান করো তৃপ্তি সহকারে তোমাদের নেক আমলের ফল।	كُلُوْا وَ اشْرَبُوْا هَنِيْٓـًٔۢا بِمَا كُنْتُمْ تَعْمَلُوْنَ ﴿١٩﴾
২০. তারা সেখানে আসন গ্রহণ করবে হেলান দিয়ে সারিবদ্ধভাবে। আমরা তাদের জুড়ি হিসেবে দেবো আয়াতলোচনা হুরদের।	مُتَّكِـِٕيْنَ عَلٰى سُرُرٍ مَّصْفُوْفَةٍ ۚ وَ زَوَّجْنٰهُمْ بِحُوْرٍ عِيْنٍ ﴿٢٠﴾
২১. আর যারা নিজেরা ঈমান এনেছে এবং তাদের সন্তানরাও ঈমানের পথে তাদের অনুগামী হয়েছে, আমরা তাদের সন্তানদেরকে তাদের সাথে একত্র করে দেবো এবং তাদের আমলের প্রতিদান কিছুমাত্র হ্রাস করবো না। প্রত্যেক ব্যক্তিই নিজ নিজ কৃতকর্মের জন্যে দায়ী।	وَ الَّذِيْنَ اٰمَنُوْا وَ اتَّبَعَتْهُمْ ذُرِّيَّتُهُمْ بِاِيْمَانٍ اَلْحَقْنَا بِهِمْ ذُرِّيَّتَهُمْ وَ مَآ اَلَتْنٰهُمْ مِّنْ عَمَلِهِمْ مِّنْ شَيْءٍ ؕ كُلُّ امْرِئٍۭ بِمَا كَسَبَ رَهِيْنٌ ﴿٢١﴾
২২. আমরা তাদের সহযোগিতা করবো ফলফলারি এবং গোশ্‌ত দিয়ে, যা-ই তারা পছন্দ করবে।	وَ اَمْدَدْنٰهُمْ بِفَاكِهَةٍ وَّ لَحْمٍ مِّمَّا يَشْتَهُوْنَ ﴿٢٢﴾
২৩. তারা সেখানে পরস্পরের মধ্যে আদান প্রদান করতে থাকবে পানপাত্র, যা থেকে পান করলে কেউ অর্থহীন কথাবার্তাও বলবে না এবং কোনো প্রকার পাপ কাজেও লিপ্ত হবেনা।	يَتَنَازَعُوْنَ فِيْهَا كَاْسًا لَّا لَغْوٌ فِيْهَا وَ لَا تَاْثِيْمٌ ﴿٢٣﴾
২৪. তাদের সেবায় ঘোরাঘুরি করতে থাকবে কিশোরেরা যারা নিয়োজিত থাকবে কেবল তাদেরই সেবায় এবং তারা দেখতে যেনো সুরক্ষিত মুক্তা।	وَ يَطُوْفُ عَلَيْهِمْ غِلْمَانٌ لَّهُمْ كَاَنَّهُمْ لُؤْلُؤٌ مَّكْنُوْنٌ ﴿٢٤﴾
২৫. তারা একে অপরের মুখোমুখি হয়ে জিজ্ঞাসা করবে,	وَ اَقْبَلَ بَعْضُهُمْ عَلٰى بَعْضٍ يَّتَسَآءَلُوْنَ ﴿٢٥﴾
২৬. বলবে: "ইতোপূর্বে (পৃথিবীর জীবনে) আমরা তো পরিবার পরিজনের মধ্যে আল্লাহ্‌র ভয়ে ভীত ছিলাম।	قَالُوْٓا اِنَّا كُنَّا قَبْلُ فِيْٓ اَهْلِنَا مُشْفِقِيْنَ ﴿٢٦﴾
২৭. ফলে আল্লাহ্ আমাদের প্রতি অনুগ্রহ করেছেন এবং আমাদের রক্ষা করেছেন অগ্নি বায়ুর আযাব থেকে।	فَمَنَّ اللّٰهُ عَلَيْنَا وَ وَقٰىنَا عَذَابَ السَّمُوْمِ ﴿٢٧﴾
২৮. আমরা ইতোপূর্বে (পৃথিবীর জীবনে) তাঁকেই ডাকতাম, নিশ্চয়ই তিনি পরম অনুগ্রহশীল, পরম দয়াবান।"	اِنَّا كُنَّا مِنْ قَبْلُ نَدْعُوْهُ ؕ اِنَّهٗ هُوَ الْبَرُّ الرَّحِيْمُ ﴿٢٨﴾ রুকু ০১
২৯. অতএব, তুমি উপদেশ দিয়ে যাও, তোমার প্রভুর অনুগ্রহে তুমি গণকও নও, পাগলও নও।	فَذَكِّرْ فَمَآ اَنْتَ بِنِعْمَتِ رَبِّكَ بِكَاهِنٍ وَّ لَا مَجْنُوْنٍ ﴿٢٩﴾

৩০. নাকি তারা বলে: 'সে একজন কবি? আমরা তার জন্যে সময়ের আবর্তনের অপেক্ষা করছি।'	اَمۡ یَقُوۡلُوۡنَ شَاعِرٌ نَّتَرَبَّصُ بِهٖ رَیۡبَ الۡمَنُوۡنِ ﴿۳۰﴾
৩১. তুমি বলো: 'তোমরা প্রতীক্ষা করো, আমিও তোমাদের সাথে প্রতীক্ষায় থাকলাম।'	قُلۡ تَرَبَّصُوۡا فَاِنِّیۡ مَعَکُمۡ مِّنَ الۡمُتَرَبِّصِیۡنَ ﴿ؕ۳۱﴾
৩২. নাকি তাদের বুদ্ধি তাদেরকে এর জন্যে প্রলুব্ধ করে? আর নাকি তারা সীমালংঘনকারী সম্প্রদায়?	اَمۡ تَاۡمُرُهُمۡ اَحۡلَامُهُمۡ بِهٰذَاۤ اَمۡ هُمۡ قَوۡمٌ طَاغُوۡنَ ﴿ۚ۳۲﴾
৩৩. নাকি তারা বলে: 'এ কুরআন সে নিজে রচনা করে নিয়েছে?' আসল কথা হলো, তারা বিশ্বাসই রাখেনা।	اَمۡ یَقُوۡلُوۡنَ تَقَوَّلَهٗ ۚ بَلۡ لَّا یُؤۡمِنُوۡنَ ﴿ۚ۳۳﴾
৩৪. তারা সত্যবাদী হয়ে থাকলে এ কুরআনের মতো কোনো বাণী উপস্থিত করুক।	فَلۡیَاۡتُوۡا بِحَدِیۡثٍ مِّثۡلِهٖۤ اِنۡ کَانُوۡا صٰدِقِیۡنَ ﴿ؕ۳۴﴾
৩৫. নাকি তারা স্রষ্টা ছাড়াই সৃষ্টি হয়েছে? আর নাকি তারা নিজেরাই স্রষ্টা?	اَمۡ خُلِقُوۡا مِنۡ غَیۡرِ شَیۡءٍ اَمۡ هُمُ الۡخٰلِقُوۡنَ ﴿ؕ۳۵﴾
৩৬. নাকি মহাকাশ এবং পৃথিবী তারা নিজেরাই সৃষ্টি করেছে? বরং তারা একীনই রাখেনা।	اَمۡ خَلَقُوا السَّمٰوٰتِ وَ الۡاَرۡضَ ۚ بَلۡ لَّا یُوۡقِنُوۡنَ ﴿ؕ۳۶﴾
৩৭. নাকি তোমার প্রভুর ভাণ্ডার তাদের কাছে রয়েছে? আর নাকি তারা এসব কিছুর পাহারাদার?	اَمۡ عِنۡدَهُمۡ خَزَآئِنُ رَبِّکَ اَمۡ هُمُ الۡمُصَۜیۡطِرُوۡنَ ﴿ؕ۳۷﴾
৩৮. নাকি তাদের কাছে (আকাশে) আরোহণ করার সিঁড়ি আছে যা দিয়ে উঠে কথা শুনে? থাকলে তাদের সেই শ্রোতা সুস্পষ্ট প্রমাণ হাজির করুক।	اَمۡ لَهُمۡ سُلَّمٌ یَّسۡتَمِعُوۡنَ فِیۡهِ ۚ فَلۡیَاۡتِ مُسۡتَمِعُهُمۡ بِسُلۡطٰنٍ مُّبِیۡنٍ ﴿ؕ۳۸﴾
৩৯. নাকি কন্যা সন্তান আল্লাহ্‌র, আর সব পুত্র সন্তান তোমাদের ?	اَمۡ لَهُ الۡبَنٰتُ وَ لَکُمُ الۡبَنُوۡنَ ﴿ؕ۳۹﴾
৪০. নাকি তুমি তাদের কাছে (তাদের উপদেশ দেয়ার জন্যে) পারিশ্রমিক চাইছো, আর তারা সেটাকে তাদের জন্যে বোঝা মনে করছে?	اَمۡ تَسۡـَٔلُهُمۡ اَجۡرًا فَهُمۡ مِّنۡ مَّغۡرَمٍ مُّثۡقَلُوۡنَ ﴿ؕ۴۰﴾
৪১. নাকি তারা গায়েব জানে এবং তা তারা লিখে রাখছে?	اَمۡ عِنۡدَهُمُ الۡغَیۡبُ فَهُمۡ یَکۡتُبُوۡنَ ﴿ؕ۴۱﴾
৪২. নাকি তারা কোনো চক্রান্ত করছে? জেনে রেখো, চক্রান্তের শিকার হয় কাফিররা নিজেরাই।	اَمۡ یُرِیۡدُوۡنَ کَیۡدًا ؕ فَالَّذِیۡنَ کَفَرُوۡا هُمُ الۡمَکِیۡدُوۡنَ ﴿ؕ۴۲﴾
৪৩. নাকি আল্লাহ্‌র পরিবর্তে তাদের কোনো ইলাহ্ আছে? তাদের কৃত শিরক থেকে আল্লাহ্ পবিত্র ও মহান।	اَمۡ لَهُمۡ اِلٰهٌ غَیۡرُ اللّٰهِ ؕ سُبۡحٰنَ اللّٰهِ عَمَّا یُشۡرِکُوۡنَ ﴿۴۳﴾

৪৪. তারা আকাশ থেকে কোনো টুকরা ভেঙ্গে পড়তে দেখলে বলবে: 'এতো মেঘপুঞ্জ।'	وَ اِنۡ یَّرَوۡا کِسۡفًا مِّنَ السَّمَآءِ سَاقِطًا یَّقُوۡلُوۡا سَحَابٌ مَّرۡکُوۡمٌ ﴿۴۴﴾
৪৫. সুতরাং তাদের উপেক্ষা করো-যতোদিন না তারা সেই দিনটির সাক্ষাত লাভ করে যেদিন বজ্রের আঘাতে তারা হতচকিত হয়ে উঠবে।	فَذَرۡهُمۡ حَتّٰی یُلٰقُوۡا یَوۡمَهُمُ الَّذِیۡ فِیۡهِ یُصۡعَقُوۡنَ ﴿۴۵﴾
৪৬. সেদিন তাদের চক্রান্ত তাদের কোনো কাজেই আসবেনা এবং সেদিন তাদের কোনো সাহায্যও করা হবেনা।	یَوۡمَ لَا یُغۡنِیۡ عَنۡهُمۡ کَیۡدُهُمۡ شَیۡئًا وَّ لَا هُمۡ یُنۡصَرُوۡنَ ﴿۴۶﴾
৪৭. যালিমদের জন্যে এছাড়াও আরো আযাব রয়েছে। কিন্তু অধিকাংশ লোকই জানেনা।	وَ اِنَّ لِلَّذِیۡنَ ظَلَمُوۡا عَذَابًا دُوۡنَ ذٰلِکَ وَ لٰکِنَّ اَکۡثَرَهُمۡ لَا یَعۡلَمُوۡنَ ﴿۴۷﴾
৪৮. তুমি তোমার প্রভুর নির্দেশের অপেক্ষায় সবর অবলম্বন করো। তুমি আমাদের দৃষ্টি পথেই রয়েছো। আর তোমার প্রভুর হামদসহ তাঁর তসবিহ করতে থাকো যখন শয্যা ত্যাগ করে উঠবে	وَ اصۡبِرۡ لِحُکۡمِ رَبِّکَ فَاِنَّکَ بِاَعۡیُنِنَا وَ سَبِّحۡ بِحَمۡدِ رَبِّکَ حِیۡنَ تَقُوۡمُ ﴿۴۸﴾
৪৯. এবং রাত্রিবেলায়, আর তাঁর তসবিহ করতে থাকো তারকারাজির অস্তগমনের পর।	وَ مِنَ الَّیۡلِ فَسَبِّحۡهُ وَ اِدۡبَارَ النُّجُوۡمِ ﴿۴۹﴾

রুকু ০২

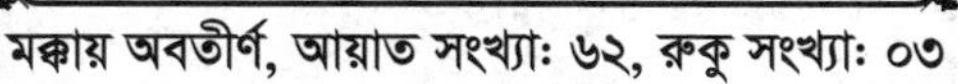

সূরা ৫৩ আন নজম

মক্কায় অবতীর্ণ, আয়াত সংখ্যা: ৬২, রুকু সংখ্যা: ০৩

এই সূরার আলোচ্যসূচি (আয়াত ভিত্তিক আলোচ্য বিষয়)

০১-১৮: মুহাম্মদ সা.-এর রিসালাতের সত্যতা।
১৯-২৫: শিরকের অসারতা।
২৬-৩২: আখিরাতে অবিশ্বাস এক বিরাট অজ্ঞতা। আখিরাত অনুষ্ঠিত হবে ভালো ও মন্দ কাজের প্রতিফল দেয়ার জন্য। যারা কবিরা গুণাহ্ থেকে বিরত থাকে তাদের জন্য রয়েছে আল্লাহ্‌র পক্ষ থেকে ক্ষমা।
৩৩-৫৫: মূসা ও ইবরাহিমের কিতাবে যে উপদেশ ছিলো।
৫৬-৬২: রিসালাতে মুহাম্মদীর সত্যতা।

সূরা আন নজম (নক্ষত্র) পরম করুণাময় পরম দয়াবান আল্লাহ্‌র নামে	سُوۡرَةُ النَّجۡمِ بِسۡمِ اللّٰهِ الرَّحۡمٰنِ الرَّحِیۡمِ
০১. শপথ নক্ষত্রের, যখন তারা অস্তমিত হয়,	وَ النَّجۡمِ اِذَا هَوٰی ﴿۱﴾
০২. তোমাদের সাথি বিপথগামীও হয়নি, বিভ্রান্তও হয়নি।	مَا ضَلَّ صَاحِبُکُمۡ وَ مَا غَوٰی ﴿۲﴾
০৩. সে নিজের খেয়াল খুশি মতো কথা বলেনা।	وَ مَا یَنۡطِقُ عَنِ الۡهَوٰی ﴿۳﴾
০৪. সে যা বলে তা তো অহি, যা তার কাছে পাঠানো হয়।	اِنۡ هُوَ اِلَّا وَحۡیٌ یُّوۡحٰی ﴿۴﴾
০৫. তাকে (এ কুরআন) শিক্ষা দেয় এক শক্তিধর	عَلَّمَهٗ شَدِیۡدُ الۡقُوٰی ﴿۵﴾

০৬. প্রজ্ঞাবান (জিবরিল)। নিজের আকৃতিতে সে স্থির হয়েছিল,	ذُوْ مِرَّةٍ ؕ فَاسْتَوٰى ۙ﴿۶﴾
০৭. তখন সে ছিলো উপর দিগন্তে,	وَهُوَ بِالْاُفُقِ الْاَعْلٰى ؕ﴿۷﴾
০৮. তারপর সে তার কাছে আসে এবং অতি কাছে,	ثُمَّ دَنَا فَتَدَلّٰى ۙ﴿۸﴾
০৯. ফলে তাদের মাঝখানে ব্যবধান বাকি থাকে মাত্র দুই ধনুকের ব্যবধান অথবা তার চাইতেও কম।	فَكَانَ قَابَ قَوْسَيْنِ اَوْ اَدْنٰى ۚ﴿۹﴾
১০. তখন আল্লাহ্ তাঁর বান্দার প্রতি অহি করেন (জিবরিলের মাধ্যমে) যা অহি করার।	فَاَوْحٰۤى اِلٰى عَبْدِهٖ مَاۤ اَوْحٰى ﴿۱۰﴾
১১. সে যা দেখেছে তার অন্তর তা মিথ্যা বলেনি।	مَا كَذَبَ الْفُؤَادُ مَا رَاٰى ﴿۱۱﴾
১২. সে যা দেখেছে তোমরা কি সে বিষয়ে তার সাথে বিতর্ক করবে?	اَفَتُمٰرُوْنَهٗ عَلٰى مَا يَرٰى ﴿۱۲﴾
১৩. নিশ্চয়ই সে তাকে পরেও একবার দেখেছিল	وَلَقَدْ رَاٰهُ نَزْلَةً اُخْرٰى ۙ﴿۱۳﴾
১৪. সিদরাতুল মুনতাহার কাছে।	عِنْدَ سِدْرَةِ الْمُنْتَهٰى ﴿۱۴﴾
১৫. তার কাছেই রয়েছে জান্নাতুল মা'ওয়া।	عِنْدَهَا جَنَّةُ الْمَاْوٰى ؕ﴿۱۵﴾
১৬. যখন সে সিদরাটি (কুল গাছটি) যা দিয়ে ঢাকার তা দিয়ে আচ্ছাদিত ছিলো।	اِذْ يَغْشَى السِّدْرَةَ مَا يَغْشٰى ۙ﴿۱۶﴾
১৭. তার নজর বিভ্রম ঘটেনি এবং সে বিচ্যুতও হয়নি।	مَا زَاغَ الْبَصَرُ وَمَا طَغٰى ﴿۱۷﴾
১৮. সে তো তার প্রভুর শ্রেষ্ঠ নিদর্শনাবলি দেখেছে।	لَقَدْ رَاٰى مِنْ اٰيٰتِ رَبِّهِ الْكُبْرٰى ﴿۱۸﴾
১৯. তোমরা কি লাত ও উযযার বিষয়টি ভেবে দেখেছো?	اَفَرَءَيْتُمُ اللّٰتَ وَالْعُزّٰى ۙ﴿۱۹﴾
২০. আর তৃতীয় আরেকটি মানাতের বিষয়টি?	وَمَنٰوةَ الثَّالِثَةَ الْاُخْرٰى ﴿۲۰﴾
২১. তবে কি তোমাদের জন্যে পুত্র সন্তান আর আল্লাহ্‌র জন্যে কন্যা সন্তান?	اَلَكُمُ الذَّكَرُ وَلَهُ الْاُنْثٰى ﴿۲۱﴾
২২. এ ধরণের ভাগ তো সম্পূর্ণ অন্যায়।	تِلْكَ اِذًا قِسْمَةٌ ضِيْزٰى ﴿۲۲﴾
২৩. তোমাদের এগুলো তো কতোগুলো নামমাত্র, তোমরা এবং তোমাদের পূর্ব পুরুষরা এসব নাম দিয়েছো। আল্লাহ্ তো এগুলোর সমর্থনে কোনো প্রমাণ নাযিল করেননি। তোমরা তো অনুমান এবং কামনা-বাসনারই অনুসরণ করো। অথচ এদের কাছে তাদের প্রভুর পক্ষ থেকে হিদায়াত এসেছে।	اِنْ هِىَ اِلَّاۤ اَسْمَآءٌ سَمَّيْتُمُوْهَاۤ اَنْتُمْ وَاٰبَآؤُكُمْ مَّاۤ اَنْزَلَ اللّٰهُ بِهَا مِنْ سُلْطٰنٍ ؕ اِنْ يَّتَّبِعُوْنَ اِلَّا الظَّنَّ وَمَا تَهْوَى الْاَنْفُسُ ۚ وَلَقَدْ جَآءَهُمْ مِّنْ رَّبِّهِمُ الْهُدٰى ؕ﴿۲۳﴾
২৪. নাকি মানুষ যা চায়, তাই পায়?	اَمْ لِلْاِنْسَانِ مَا تَمَنّٰى ۫﴿۲۴﴾
২৫. প্রকৃতপক্ষে, ইহকাল এবং আখিরাত সবই আল্লাহ্‌র।	فَلِلّٰهِ الْاٰخِرَةُ وَالْاُوْلٰى ۠﴿۲۵﴾
২৬. মহাকাশে কতো যে ফেরেশতা রয়েছে, তাদের শাফায়াতে কিছুমাত্র লাভ হবেনা, তবে আল্লাহ্ যদি অনুমতি দেন তারপর, এবং তিনি	وَكَمْ مِّنْ مَّلَكٍ فِى السَّمٰوٰتِ لَا تُغْنِىْ شَفَاعَتُهُمْ شَيْـًٔا اِلَّا مِنْۢ بَعْدِ اَنْ يَّاْذَنَ

রুকু ০১

যার জন্যে অনুমতি দেন, আর তিনি যার প্রতি সন্তুষ্ট হন।	اللّٰهُ لِمَنْ يَّشَآءُ وَ يَرْضٰى ﴿٢٦﴾
২৭. নিশ্চয়ই যারা আখিরাতের প্রতি ঈমান আনেনা, তারাই ফেরেশতাদের নারীবাচক নাম দিয়ে থাকে।	اِنَّ الَّذِيْنَ لَا يُؤْمِنُوْنَ بِالْاٰخِرَةِ لَيُسَمُّوْنَ الْمَلٰٓئِكَةَ تَسْمِيَةَ الْاُنْثٰى ﴿٢٧﴾
২৮. অথচ এ ব্যাপারে তাদের কোনো এলেমই নেই। তারা তো কেবল অনুমানের পিছে ছুটে। কিন্তু অনুমান সত্যের মোকাবেলায় কোনো কাজেই লাগেনা।	وَ مَا لَهُمْ بِهٖ مِنْ عِلْمٍ ؕ اِنْ يَّتَّبِعُوْنَ اِلَّا الظَّنَّ ۚ وَ اِنَّ الظَّنَّ لَا يُغْنِيْ مِنَ الْحَقِّ شَيْـًٔا ﴿٢٨﴾
২৯. সুতরাং যে আমার যিকির থেকে বিমুখ, তাকে উপেক্ষা করে চলো। সে তো দুনিয়ার জীবন ছাড়া আর কিছুই কামনা করেনা।	فَاَعْرِضْ عَنْ مَّنْ تَوَلّٰى ۬ عَنْ ذِكْرِنَا وَ لَمْ يُرِدْ اِلَّا الْحَيٰوةَ الدُّنْيَا ﴿٢٩﴾
৩০. তাদের জ্ঞানের দৌড় এ পর্যন্তই শেষ। তোমার প্রভু ভালো করেই জানেন, কে তাঁর পথ থেকে বিচ্যুত হয়েছে, আর তিনি তাকেও ভালো করেই জানেন, যে সঠিক পথের অনুসারী।	ذٰلِكَ مَبْلَغُهُمْ مِّنَ الْعِلْمِ ؕ اِنَّ رَبَّكَ هُوَ اَعْلَمُ بِمَنْ ضَلَّ عَنْ سَبِيْلِهٖ ۙ وَ هُوَ اَعْلَمُ بِمَنِ اهْتَدٰى ﴿٣٠﴾
৩১. মহাকাশ এবং পৃথিবীতে যা কিছু আছে সবই আল্লাহ্‌র, যাতে করে যারা বদ আমল করে তাদের মন্দ প্রতিফল দিয়ে দেন, আর যারা নেক আমল করে, তাদের শুভ প্রতিফল দান করেন।	وَ لِلّٰهِ مَا فِي السَّمٰوٰتِ وَ مَا فِي الْاَرْضِ ۙ لِيَجْزِيَ الَّذِيْنَ اَسَآءُوْا بِمَا عَمِلُوْا وَ يَجْزِيَ الَّذِيْنَ اَحْسَنُوْا بِالْحُسْنٰى ﴿٣١﴾
৩২. যারা কবিরা গুনাহ্ এবং ফাহেশা কাজ থেকে বিরত থাকে, যদিও ছোট খাটো গুনাহ্ হয়েই থাকে, তোমার প্রভু (তাদের ব্যাপারে) উদার ক্ষমাশীল। তিনি তোমাদের সম্পর্কে অবগত আছেন, যখন তিনি তোমাদের সৃষ্টি করেছিলেন মাটি থেকে এবং যখন তোমরা মায়ের গর্ভে ছিলে ভ্রূণ হিসেবে। সুতরাং তোমরা নিজেদেরকে শুদ্ধতার সার্টিফিকেট দিওনা। তিনি ভালো করেই জানেন কে বেশি মুত্তাকি?	اَلَّذِيْنَ يَجْتَنِبُوْنَ كَبٰٓئِرَ الْاِثْمِ وَ الْفَوَاحِشَ اِلَّا اللَّمَمَ ؕ اِنَّ رَبَّكَ وَاسِعُ الْمَغْفِرَةِ ؕ هُوَ اَعْلَمُ بِكُمْ اِذْ اَنْشَاَكُمْ مِّنَ الْاَرْضِ وَ اِذْ اَنْتُمْ اَجِنَّةٌ فِيْ بُطُوْنِ اُمَّهٰتِكُمْ ۚ فَلَا تُزَكُّوْۤا اَنْفُسَكُمْ ؕ هُوَ اَعْلَمُ بِمَنِ اتَّقٰى ﴿٣٢﴾
৩৩. তুমি কি ঐ ব্যক্তিকে দেখেছো, যে মুখ ফিরিয়ে নেয় (ইসলাম থেকে)?	اَفَرَءَيْتَ الَّذِيْ تَوَلّٰى ﴿٣٣﴾
৩৪. যে সামান্যই দান করে এবং পরে (তাও) বন্ধ করে দেয়?	وَ اَعْطٰى قَلِيْلًا وَّ اَكْدٰى ﴿٣٤﴾
৩৫. তার কাছে কি গায়েবের জ্ঞান আছে এবং সে কি সব দেখতে পায়?	اَعِنْدَهٗ عِلْمُ الْغَيْبِ فَهُوَ يَرٰى ﴿٣٥﴾
৩৬. তাকে কি অবহিত করা হয়নি যা রয়েছে মূসার কিতাবে?	اَمْ لَمْ يُنَبَّاْ بِمَا فِيْ صُحُفِ مُوْسٰى ﴿٣٦﴾
৩৭. এবং ইবরাহিমের কিতাবে, যে পূর্ণ করেছিল তার কর্তব্য?	وَ اِبْرٰهِيْمَ الَّذِيْ وَفّٰۤى ﴿٣٧﴾

রুকু ০২

৩৮. (সেসব কিতাবে রয়েছে:) কোনো বোঝা বহনকারী অপরের (পাপের) বোঝা বহন করবে না।	اَلَّا تَزِرُ وَازِرَةٌ وِّزْرَ اُخْرٰى ﴿٣٨﴾
৩৯. মানুষ তাই পাবে, যা সে চেষ্টা করবে।	وَاَنْ لَّيْسَ لِلْاِنْسَانِ اِلَّا مَا سَعٰى ﴿٣٩﴾
৪০. এবং শীঘ্রি তাকে দেখানো হবে তার প্রচেষ্টা,	وَاَنَّ سَعْيَهٗ سَوْفَ يُرٰى ﴿٤٠﴾
৪১. তারপর তাকে দেয়া হবে পূর্ণ প্রতিফল,	ثُمَّ يُجْزٰىهُ الْجَزَآءَ الْاَوْفٰى ﴿٤١﴾
৪২. (সেসব কিতাবে) আরো রয়েছে যে, সব কিছুর সমাপ্তি হবে তোমার প্রভুর কাছে গিয়েই।	وَاَنَّ اِلٰى رَبِّكَ الْمُنْتَهٰى ﴿٤٢﴾
৪৩. তিনিই হাসাবেন এবং তিনিই কাঁদাবেন।	وَاَنَّهٗ هُوَ اَضْحَكَ وَاَبْكٰى ﴿٤٣﴾
৪৪. তিনিই মউত ঘটান এবং তিনিই হায়াত দান করেন	وَاَنَّهٗ هُوَ اَمَاتَ وَاَحْيَا ﴿٤٤﴾
৪৫. তিনিই সৃষ্টি করেন পুরুষ ও নারীর জোড়া	وَاَنَّهٗ خَلَقَ الزَّوْجَيْنِ الذَّكَرَ وَالْاُنْثٰى ﴿٤٥﴾
৪৬. নোতফা (শুক্র বিন্দু) থেকে যখন বীর্যপাত করা হয়।	مِنْ نُّطْفَةٍ اِذَا تُمْنٰى ﴿٤٦﴾
৪৭. পুনরুত্থান ঘটানোর দায়িত্বও তাঁরই।	وَاَنَّ عَلَيْهِ النَّشْاَةَ الْاُخْرٰى ﴿٤٧﴾
৪৮. তিনিই অভাবমুক্ত করেন এবং দান করেন প্রাচুর্য।	وَاَنَّهٗ هُوَ اَغْنٰى وَاَقْنٰى ﴿٤٨﴾
৪৯. তিনিই প্রভু শে'রা নক্ষত্রের।	وَاَنَّهٗ هُوَ رَبُّ الشِّعْرٰى ﴿٤٩﴾
৫০. তিনিই হালাক (ধ্বংস) করেছিলেন প্রথম আদকে,	وَاَنَّهٗٓ اَهْلَكَ عَادَا ِۨ الْاُوْلٰى ﴿٥٠﴾
৫১. সামুদ জাতিকেও-যাদের একজনকেও বাকি রাখেননি।	وَثَمُوْدَا۟ فَمَآ اَبْقٰى ﴿٥١﴾
৫২. এর আগে (ধ্বংস করেছিলেন) নূহের জাতিকেও। এরা সবাই ছিলো বড় যালিম আর চরম বিদ্রোহী।	وَقَوْمَ نُوْحٍ مِّنْ قَبْلُ ۭ اِنَّهُمْ كَانُوْا هُمْ اَظْلَمَ وَاَطْغٰى ﴿٥٢﴾
৫৩. এছাড়াও (সেসব কিতাবে) রয়েছে যে, তিনি ধ্বংস করে দিয়েছিলেন উল্টে দেয়া জনপদকেও (লুতের জাতির শহরকে),	وَالْمُؤْتَفِكَةَ اَهْوٰى ﴿٥٣﴾
৫৪. তারপর তাদের আচ্ছন্ন করে নিয়েছিল- আচ্ছন্নকারী আযাব।	فَغَشّٰىهَا مَا غَشّٰى ﴿٥٤﴾
৫৫. এখন বলো, তোমার প্রভুর কোন্ নিয়ামত সম্পর্কে সন্দেহ করবে?	فَبِاَيِّ اٰلَاۤءِ رَبِّكَ تَتَمَارٰى ﴿٥٥﴾
৫৬. এ নবীও একজন সতর্ককারী অতীতের সতর্ককারীদের মতোই।	هٰذَا نَذِيْرٌ مِّنَ النُّذُرِ الْاُوْلٰى ﴿٥٦﴾
৫৭. কিয়ামত সন্নিকটে,	اَزِفَتِ الْاٰزِفَةُ ﴿٥٧﴾
৫৮. আল্লাহ্ ছাড়া কেউই তা উন্মুক্ত করতে সক্ষম নয়।	لَيْسَ لَهَا مِنْ دُوْنِ اللّٰهِ كَاشِفَةٌ ﴿٥٨﴾
৫৯. তোমরা কি এই বাণীর (কুরআনের) ব্যাপারে বিস্ময়বোধ করছো?	اَفَمِنْ هٰذَا الْحَدِيْثِ تَعْجَبُوْنَ ﴿٥٩﴾

৬০. হাসাহাসি করছো? অথচ কাঁদছো না?	وَتَضْحَكُوْنَ وَلَا تَبْكُوْنَ ۟
৬১. আসলে তোমরা গাফিল।	وَاَنْتُمْ سٰمِدُوْنَ ۝
৬২. অতএব, তোমরা সাজদা করো আল্লাহ্‌কে এবং ইবাদত করো কেবল তাঁরই। (সাজদা)	فَاسْجُدُوْا لِلّٰهِ وَاعْبُدُوْا ۝ السجدة

রুকু ০৩

সূরা ৫৪ আল কামার

মক্কায় অবতীর্ণ, আয়াত সংখ্যা: ৫৫, রুকু সংখ্যা: ০৩

এই সূরার আলোচ্যসূচি (আয়াত ভিত্তিক আলোচ্য বিষয়)

০১-০৮: প্রত্যাখ্যানকারীদের উপেক্ষা করো। একদিন তারা মাটির নীচে থেকে উঠে আসবে বিচ্ছিন্ন ফড়িংয়ের মতো।
০৯-১৬: নূহের জাতির দাওয়াত প্রত্যাখ্যান এবং তাদের ধ্বংস।
১৭: কুরআন সহজ, তা থেকে উপদেশ গ্রহণ করার কেউ আছে কি?
১৮-২১: আদ জাতি কর্তৃক রসূলকে প্রত্যাখ্যান এবং তাদের ধ্বংস।
২২: উপদেশ গ্রহণ করার জন্য কুরআনকে সহজ করা হয়েছে।
২৩-৩১: সামুদ জাতি কর্তৃক তাদের রসূলকে প্রত্যাখ্যান এবং তাদের ধ্বংস।
৩২: কুরআনকে উপদেশ গ্রহণ করার জন্য সহজ করা হয়েছে।
৩৩-৩৯: লুত জাতি কর্তৃক তাদের রসূলকে প্রত্যাখ্যান এবং তাদের ধ্বংস।
৪০: উপদেশ গ্রহণ করার জন্য কুরআনকে সহজ করা হয়েছে।
৪১-৪২: ফিরাউন কর্তৃক রসূলদের প্রত্যাখ্যান এবং ফিরাউনের ধ্বংস।
৪৩-৫৫: মুহাম্মদ রসূলুল্লাহ সা.-কে প্রত্যাখ্যানকারীদের প্রতি সতর্ক বাণী।

সূরা আল কামার (চাঁদ) পরম করুণাময় পরম দয়াবান আল্লাহ্‌র নামে	سُوْرَةُ الْقَمَرِ بِسْمِ اللّٰهِ الرَّحْمٰنِ الرَّحِيْمِ
০১. কিয়ামত করিব (নিকটবর্তী) হয়েছে এবং দ্বিখন্ডিত হয়েছে চাঁদ।	اِقْتَرَبَتِ السَّاعَةُ وَانْشَقَّ الْقَمَرُ ۝
০২. তারা যখন কোনো নিদর্শন দেখে মুখ ফিরিয়ে নেয় এবং বলে: 'এতো আগে থেকে চলে আসা ম্যাজিক।'	وَاِنْ يَّرَوْا اٰيَةً يُّعْرِضُوْا وَيَقُوْلُوْا سِحْرٌ مُّسْتَمِرٌّ ۝
০৩. তারা প্রত্যাখ্যান করে সত্যকে এবং অনুগামী হয় খেয়াল খুশির। প্রতিটি বিষয় অবশ্যি লক্ষ্যে পৌঁছুবে।	وَكَذَّبُوْا وَاتَّبَعُوْٓا اَهْوَآءَهُمْ وَكُلُّ اَمْرٍ مُّسْتَقِرٌّ ۝
০৪. তাদের কাছে এসেছে এক মহাসংবাদ যাতে রয়েছে সতর্কবাণী।	وَلَقَدْ جَآءَهُمْ مِّنَ الْاَنْۢبَآءِ مَا فِيْهِ مُزْدَجَرٌ ۝
০৫. এ এক পূর্ণাঙ্গ জ্ঞান (আল কুরআন)। তবে (আহ্বানকারীদের) সতর্কবাণী তাদের কোনো উপকারে আসেনি।	حِكْمَةٌۢ بَالِغَةٌ فَمَا تُغْنِ النُّذُرُ ۝
০৬. সুতরাং তাদের উপেক্ষা করো। যেদিন আহ্বানকারী আহ্বান করবে এক অপছন্দনীয় জিনিসের দিকে।	فَتَوَلَّ عَنْهُمْ ۘ يَوْمَ يَدْعُ الدَّاعِ اِلٰى شَيْءٍ نُّكُرٍ ۝

০৭. অপমানে চোখ নিচু করে তারা সেদিন কবর থেকে বের হয়ে আসবে বিক্ষিপ্ত ফড়িং-এর মতো।	خُشَّعًا اَبۡصَارُهُمۡ يَخۡرُجُوۡنَ مِنَ الۡاَجۡدَاثِ كَاَنَّهُمۡ جَرَادٌ مُّنۡتَشِرٌ ۙ﴿٧﴾
০৮. তারা ভীত সন্ত্রস্ত হয়ে আহ্বানকারীর দিকে ছুটে আসবে। কাফিররা বলবে: 'আজ এক ভয়াবহ কঠিন দিন।'	مُّهۡطِعِيۡنَ اِلَى الدَّاعِ ؕ يَقُوۡلُ الۡكٰفِرُوۡنَ هٰذَا يَوۡمٌ عَسِرٌ ﴿٨﴾
০৯. তাদের আগে নূহের জাতিও প্রত্যাখ্যান করেছিল (তাদের রসূলকে), তারা প্রত্যাখ্যান করেছিল আমাদের দাসকে এবং বলেছিল: 'এ এক তিরস্কৃত ও ধমক খাওয়া পাগল।'	كَذَّبَتۡ قَبۡلَهُمۡ قَوۡمُ نُوۡحٍ فَكَذَّبُوۡا عَبۡدَنَا وَقَالُوۡا مَجۡنُوۡنٌ وَّازۡدُجِرَ ﴿٩﴾
১০. তখন সে তার প্রভুর কাছে দোয়া করে বলেছিল: 'আমি পরাস্ত হয়েছি, আমাকে সাহায্য করো।'	فَدَعَا رَبَّهٗۤ اَنِّىۡ مَغۡلُوۡبٌ فَانۡتَصِرۡ ﴿١٠﴾
১১. ফলে আমরা প্রবল পানি বর্ষণের জন্যে খুলে দিয়েছিলাম আসমানের দুয়ার।	فَفَتَحۡنَاۤ اَبۡوَابَ السَّمَآءِ بِمَآءٍ مُّنۡهَمِرٍ ﴿١١﴾
১২. এবং জমিন থেকে উৎসারিত করে দিয়েছিলাম বিপুল প্রস্রবন। তারপর সব পানি মিলে গেলো এক নির্দিষ্ট পরিকল্পনা মাফিক।	وَّفَجَّرۡنَا الۡاَرۡضَ عُيُوۡنًا فَالۡتَقَى الۡمَآءُ عَلٰۤى اَمۡرٍ قَدۡ قُدِرَ ﴿١٢﴾
১৩. তখন আমরা নূহকে আরোহণ করিয়ে নিয়েছিলাম পাত ও পেরেক দিয়ে তৈরি করা নৌযানে।	وَحَمَلۡنٰهُ عَلٰى ذَاتِ اَلۡوَاحٍ وَّدُسُرٍ ۙ﴿١٣﴾
১৪. সেটি চলছিল আমাদের তত্ত্বাবধানে, যারা কুফুরি করেছিল, তাদের প্রতিফল দেয়ার জন্যে।	تَجۡرِىۡ بِاَعۡيُنِنَا ۚ جَزَآءً لِّمَنۡ كَانَ كُفِرَ ﴿١٤﴾
১৫. আমরা সেটাকে রেখে দিয়েছি একটি নিদর্শন হিসেবে। উপদেশ গ্রহণ করার কেউ আছে কি?	وَلَقَدۡ تَّرَكۡنٰهَاۤ اٰيَةً فَهَلۡ مِنۡ مُّدَّكِرٍ ﴿١٥﴾
১৬. এবার ভেবে দেখো, কী যে কঠোর ছিলো আমার আযাব এবং সতর্কবাণী!	فَكَيۡفَ كَانَ عَذَابِىۡ وَنُذُرِ ﴿١٦﴾
১৭. আমরা কুরআনকে বুঝার ও উপদেশ গ্রহণ করার জন্যে সহজ করে দিয়েছি, অতএব উপদেশ গ্রহণকারী কেউ আছে কি?	وَلَقَدۡ يَسَّرۡنَا الۡقُرۡاٰنَ لِلذِّكۡرِ فَهَلۡ مِنۡ مُّدَّكِرٍ ﴿١٧﴾
১৮. আদ জাতিও (রসূলকে) প্রত্যাখ্যান করেছিল। এর ফলে কেমন ছিলো আমার আযাব আর সতর্কবাণী?	كَذَّبَتۡ عَادٌ فَكَيۡفَ كَانَ عَذَابِىۡ وَنُذُرِ ﴿١٨﴾
১৯. আমরা তাদের উপর পাঠিয়েছিলাম ঝড়ো বায়ু এক বিরামহীন দুর্ভাগ্যের দিনে,	اِنَّاۤ اَرۡسَلۡنَا عَلَيۡهِمۡ رِيۡحًا صَرۡصَرًا فِىۡ يَوۡمِ نَحۡسٍ مُّسۡتَمِرٍّ ۙ﴿١٩﴾
২০. সে ঝড় মানুষকে উৎখাত করে রেখে দিয়েছিল সমূলে উৎপাটিত খেজুর গাছের কান্ডের মতো।	تَنۡزِعُ النَّاسَ ۙ كَاَنَّهُمۡ اَعۡجَازُ نَخۡلٍ مُّنۡقَعِرٍ ﴿٢٠﴾
২১. ফলে কেমন ছিলো আমার আযাব আর সতর্কবাণী?	فَكَيۡفَ كَانَ عَذَابِىۡ وَنُذُرِ ﴿٢١﴾

রুকু ০১

২২. আমরা কুরআনকে বুঝা ও উপদেশ গ্রহণ করার জন্যে সহজ করে দিয়েছি, অতএব উপদেশ গ্রহণকারী কেউ আছে কি?	وَلَقَدْ يَسَّرْنَا الْقُرْاٰنَ لِلذِّكْرِ فَهَلْ مِنْ مُّدَّكِرٍ ﴿٢٢﴾
২৩. সামুদ জাতিও সতর্কবাণীসমূহ প্রত্যাখ্যান করেছিল।	كَذَّبَتْ ثَمُوْدُ بِالنُّذُرِ ﴿٢٣﴾
২৪. তারা বলেছিল: "একজন মানুষকে? আমাদেরই এক ব্যক্তিকে আমরা অনুসরণ করবো? তাহলে তো আমরা পথভ্রষ্ট এবং উন্মাতাল হয়ে পড়বো।	فَقَالُوْٓا اَبَشَرًا مِّنَّا وَاحِدًا نَّتَّبِعُهٗٓ ۙ اِنَّآ اِذًا لَّفِيْ ضَلٰلٍ وَّسُعُرٍ ﴿٢٤﴾
২৫. আমাদের মধ্যে কি কেবল তার প্রতি যিকির (অহি) নাযিল হলো? বরং সে এক উদ্ধত মিথ্যাবাদী।"	ءَاُلْقِيَ الذِّكْرُ عَلَيْهِ مِنْۢ بَيْنِنَا بَلْ هُوَ كَذَّابٌ اَشِرٌ ﴿٢٥﴾
২৬. কালই তারা জানতে পারবে কে উদ্ধত মিথ্যাবাদী?	سَيَعْلَمُوْنَ غَدًا مَّنِ الْكَذَّابُ الْاَشِرُ ﴿٢٦﴾
২৭. আমরা তাদের পরীক্ষার জন্যে পাঠালাম এই উটনী। সুতরাং তুমি এর ব্যাপারে তাদের আচরণ পর্যবেক্ষণ করো এবং সবর করো।	اِنَّا مُرْسِلُوا النَّاقَةِ فِتْنَةً لَّهُمْ فَارْتَقِبْهُمْ وَاصْطَبِرْ ﴿٢٧﴾
২৮. তাদের তুমি সংবাদ দাও, তাদের মধ্যে পানি বণ্টন নির্দিষ্ট করে দেয়া হয়েছে। নিজ নিজ ভাগের পানির জন্যে প্রত্যেকে উপস্থিত হবে পালাক্রমে।	وَنَبِّئْهُمْ اَنَّ الْمَآءَ قِسْمَةٌۢ بَيْنَهُمْ ۚ كُلُّ شِرْبٍ مُّحْتَضَرٌ ﴿٢٨﴾
২৯. তারপর তারা তাদের এক সাথিকে ডাকলো, সে দায়িত্ব গ্রহণ করলো এবং ওটিকে হত্যা করে ফেললো।	فَنَادَوْا صَاحِبَهُمْ فَتَعَاطٰى فَعَقَرَ ﴿٢٩﴾
৩০. এবার দেখো, কী কঠোর ছিলো আমার আযাব এবং আমার সতর্কবাণী!	فَكَيْفَ كَانَ عَذَابِيْ وَنُذُرِ ﴿٣٠﴾
৩১. আমরা তাদের প্রতি পাঠিয়েছিলাম এক প্রচণ্ড শব্দের আযাব, তাতেই তারা হয়ে পড়লো শুকনো মোড়ানো খড়ের কাঁদির মতো।	اِنَّآ اَرْسَلْنَا عَلَيْهِمْ صَيْحَةً وَّاحِدَةً فَكَانُوْا كَهَشِيْمِ الْمُحْتَظِرِ ﴿٣١﴾
৩২. আমরা কুরআনকে বুঝা ও উপদেশ গ্রহণ করার জন্যে সহজ করেছি, অতএব উপদেশ গ্রহণকারী কেউ আছে কি?	وَلَقَدْ يَسَّرْنَا الْقُرْاٰنَ لِلذِّكْرِ فَهَلْ مِنْ مُّدَّكِرٍ ﴿٣٢﴾
৩৩. লুতের কওমও সতর্কবাণীসমূহ প্রত্যাখ্যান করেছিল,	كَذَّبَتْ قَوْمُ لُوْطٍۢ بِالنُّذُرِ ﴿٣٣﴾
৩৪. আমরা তাদের উপর পাঠিয়েছিলাম পাথর বহনকারী প্রচণ্ড ঝড়, তবে লুত পরিবারকে রক্ষা করেছিলাম। তাদের আমরা উদ্ধার করেছিলাম সেহেরীর সময় (শেষ রাত),	اِنَّآ اَرْسَلْنَا عَلَيْهِمْ حَاصِبًا اِلَّآ اٰلَ لُوْطٍ ۭ نَجَّيْنٰهُمْ بِسَحَرٍ ﴿٣٤﴾
৩৫. আমাদের পক্ষ থেকে বিশেষ অনুগ্রহ হিসেবে। যারা শোকর আদায় করে, আমরা এভাবেই তাদের পুরস্কৃত করি।	نِّعْمَةً مِّنْ عِنْدِنَا ۭ كَذٰلِكَ نَجْزِيْ مَنْ شَكَرَ ﴿٣٥﴾
৩৬. সে (লুত) তাদের সতর্ক করে দিয়েছিল	وَلَقَدْ اَنْذَرَهُمْ بَطْشَتَنَا فَتَمَارَوْا

আমাদের কঠোর শাস্তি সম্পর্কে। কিন্তু তারা সতর্কবাণী নিয়ে সন্দেহ করে এবং হয় বিতর্কে লিপ্ত।	بِالنُّذُرِ ۝٣٦
৩৭. তারা লুতের কাছে তার মেহমানদের দাবি করে অসৎ উদ্দেশ্যে। তখন আমরা তাদের দৃষ্টিশক্তি লোপ করে দিয়েছিলাম এবং বলেছিলাম: স্বাদ গ্রহণ করো আমার আযাবের এবং সতর্কবাণী (অমান্য করার) পরিণতির।	وَ لَقَدْ رَاوَدُوْهُ عَنْ ضَيْفِهٖ فَطَمَسْنَآ اَعْيُنَهُمْ فَذُوْقُوْا عَذَابِيْ وَ نُذُرِ ۝٣٧
৩৮. একেবারে বেন বেলায়ই তাদের আঘাত করে এক অপ্রতিরোধ্য আযাব।	وَ لَقَدْ صَبَّحَهُمْ بُكْرَةً عَذَابٌ مُّسْتَقِرٌّ ۝٣٨
৩৯. 'স্বাদ গ্রহণ করো আমার আযাব আর সতর্ক বাণী (অমান্য করার) পরিণতির।'	فَذُوْقُوْا عَذَابِيْ وَ نُذُرِ ۝٣٩
৪০. আমরা কুরআনকে বুঝা ও উপদেশ গ্রহণ করার জন্যে সহজ করেছি, অতএব উপদেশ গ্রহণকারী কেউ আছে কি?	وَ لَقَدْ يَسَّرْنَا الْقُرْاٰنَ لِلذِّكْرِ فَهَلْ مِنْ مُّدَّكِرٍ ۝٤٠
৪১. ফেরাউন সম্প্রদায়ের কাছেও এসেছিল আমাদের সতর্কবাণী।	وَ لَقَدْ جَآءَ اٰلَ فِرْعَوْنَ النُّذُرُ ۝٤١
৪২. তারা আমাদের সবগুলো নিদর্শনই প্রত্যাখ্যান করেছিল, তখন আমরা তাদের পাকড়াও করি পরাক্রমশালী শক্তিধরের পাকড়াও।	كَذَّبُوْا بِاٰيٰتِنَا كُلِّهَا فَاَخَذْنٰهُمْ اَخْذَ عَزِيْزٍ مُّقْتَدِرٍ ۝٤٢
৪৩. তোমাদের কাফিররা কি তাদের চেয়ে উত্তম? নাকি পূর্ববর্তী কিতাবে তোমাদের অব্যাহতি লাভের কোনো সময় আছে?	اَكُفَّارُكُمْ خَيْرٌ مِّنْ اُولٰٓئِكُمْ اَمْ لَكُمْ بَرَآءَةٌ فِي الزُّبُرِ ۝٤٣
৪৪. নাকি তারা বলে: 'আমরা একটি সংঘবদ্ধ অপরাজেয় দল?'	اَمْ يَقُوْلُوْنَ نَحْنُ جَمِيْعٌ مُّنْتَصِرٌ ۝٤٤
৪৫. এই সংঘবদ্ধ দল তো শীঘ্রি পরাজিত হবে এবং পেছনে ফিরে পালাবে।	سَيُهْزَمُ الْجَمْعُ وَ يُوَلُّوْنَ الدُّبُرَ ۝٤٥
৪৬. তাদের আসল শাস্তির প্রতিশ্রুত সময় হলো কিয়ামত। কিয়ামত হবে অধিকতর কঠিন এবং অধিকতর তিক্ত।	بَلِ السَّاعَةُ مَوْعِدُهُمْ وَ السَّاعَةُ اَدْهٰى وَ اَمَرُّ ۝٤٦
৪৭. নিশ্চয়ই অপরাধীরা রয়েছে বিভ্রান্তিতে এবং উন্মাতাল অবস্থায়।	اِنَّ الْمُجْرِمِيْنَ فِيْ ضَلٰلٍ وَّ سُعُرٍ ۝٤٧
৪৮. যেদিন তাদের উপুড় করে টেনেহিঁচড়ে নিয়ে যাওয়া হবে জাহান্নামে, সেদিন তাদের বলা হবে: স্বাদ গ্রহণ করো জাহান্নামের যন্ত্রণার।	يَوْمَ يُسْحَبُوْنَ فِي النَّارِ عَلٰى وُجُوْهِهِمْ ذُوْقُوْا مَسَّ سَقَرَ ۝٤٨
৪৯. আমরা প্রতিটি বস্তু সৃষ্টি করেছি পরিমাণ মাফিক।	اِنَّا كُلَّ شَيْءٍ خَلَقْنٰهُ بِقَدَرٍ ۝٤٩
৫০. আমাদের নির্দেশ তো এক কথায়ই সম্পন্ন হয়ে যায় চোখের পলকের মতো।	وَ مَآ اَمْرُنَآ اِلَّا وَاحِدَةٌ كَلَمْحٍ بِالْبَصَرِ ۝٥٠
৫১. আমরা (ইতোপূর্বে) তোমাদের অনুরূপ দলগুলোকে ধ্বংস করে দিয়েছি। (সুতরাং) উপদেশ গ্রহণ করার কেউ আছে কি?	وَ لَقَدْ اَهْلَكْنَآ اَشْيَاعَكُمْ فَهَلْ مِنْ مُّدَّكِرٍ ۝٥١

রুকু ০২

৫২. তারা যা করছে প্রতিটি জিনিসই রয়েছে রেকর্ডে,	وَكُلُّ شَيْءٍ فَعَلُوْهُ فِي الزُّبُرِ ﴿٥٢﴾
৫৩. প্রতিটি ক্ষুদ্র এবং বৃহৎ (বিষয়ই) রেকর্ড করা রয়েছে।	وَكُلُّ صَغِيْرٍ وَّ كَبِيْرٍ مُّسْتَطَرٌ ﴿٥٣﴾
৫৪. নিশ্চয়ই মুত্তাকিরা থাকবে জান্নাত এবং নদ নদী নহরে,	اِنَّ الْمُتَّقِيْنَ فِيْ جَنّٰتٍ وَّ نَهَرٍ ﴿٥٤﴾
৫৫. যথাযোগ্য আসনে মহাশক্তিধর সর্বময় কর্তৃত্বের মালিকের কাছে।	فِيْ مَقْعَدِ صِدْقٍ عِنْدَ مَلِيْكٍ مُّقْتَدِرٍ ﴿٥٥﴾

রুকু ০৩

সূরা ৫৫ আর রাহমান

মক্কায় মতান্তরে মদিনায় অবতীর্ণ, আয়াত সংখ্যা: ৭৮, রুকু সংখ্যা: ০৩

এই সূরার আলোচ্যসূচি (আয়াত ভিত্তিক আলোচ্য বিষয়)

০১-১৩ : মানুষের প্রতি আল্লাহ্র সীমাহীন দয়ার প্রমাণ।
১৪-২৫ : মানুষ ও জিন সৃষ্টির উপাদান এবং তাদের প্রতি আল্লাহ্র অনুগ্রহ।
২৬-৪০ : সব কিছু ধ্বংস হয়ে যাবে এবং কিয়ামত অনুষ্ঠিত হবে। তখন ইনসান ও জিনের কৃতকর্মের বিচার করা হবে।
৪১-৪৫ : পাপীদের চিহ্নিত করা হবে এবং শাস্তি দেয়া হবে।
৪৬-৭৮ : যারা পৃথিবীতে আল্লাহ্কে ভয় করে জীবন যাপন করবে পরকালে তাদের অফুরন্ত নিয়ামতের বিবরণ। মহামর্যাদাবান আল্লাহ্র কোনো নিদর্শন ও অনুগ্রহকে অস্বীকার করতে পারবে না কোনো জিন কিংবা ইনসান।

সূরা আর রাহমান (পরম দয়াবান) পরম করুণাময় পরম দয়াবান আল্লাহ্র নামে	سُوْرَةُ الرَّحْمٰنِ بِسْمِ اللّٰهِ الرَّحْمٰنِ الرَّحِيْمِ
০১. তিনি রহমান (পরম দয়াবান),	اَلرَّحْمٰنُ ﴿١﴾
০২. (কারণ) তিনি তালিম দিয়েছেন আল কুরআন,	عَلَّمَ الْقُرْاٰنَ ﴿٢﴾
০৩. সৃষ্টি করেছেন ইনসান,	خَلَقَ الْاِنْسَانَ ﴿٣﴾
০৪. তাকে তালিম দিয়েছেন বয়ান (ভাষা বা ভাব প্রকাশ পদ্ধতি)।	عَلَّمَهُ الْبَيَانَ ﴿٤﴾
০৫. সূর্য আর চাঁদ হিসাব মতো চলে (তাঁরই হুকুমে)।	اَلشَّمْسُ وَ الْقَمَرُ بِحُسْبَانٍ ﴿٥﴾
০৬. তারকারাজি এবং বৃক্ষলতা সাজদারত (তাঁরই প্রতি)।	وَّ النَّجْمُ وَ الشَّجَرُ يَسْجُدٰنِ ﴿٦﴾
০৭. আকাশকে তিনি উপরে উঠিয়েছেন, এবং স্থাপন করেছেন ভারসাম্য।	وَ السَّمَآءَ رَفَعَهَا وَ وَضَعَ الْمِيْزَانَ ﴿٧﴾
০৮. তাই তোমরাও লংঘন (নষ্ট) করোনা ভারসাম্য।	اَلَّا تَطْغَوْا فِي الْمِيْزَانِ ﴿٨﴾
০৯. কায়েম করো ওজন ন্যায্যভাবে এবং ক্ষতিগ্রস্ত করোনা ভারসাম্য।	وَ اَقِيْمُوا الْوَزْنَ بِالْقِسْطِ وَ لَا تُخْسِرُوا الْمِيْزَانَ ﴿٩﴾

১০. আর পৃথিবী, এটিকে তিনি স্থাপন করেছেন সৃষ্টি কুলের জন্যে।	وَالْاَرْضَ وَضَعَهَا لِلْاَنَامِ ﴿١٠﴾
১১. তাতে রয়েছে ফলফলারি, আর খেজুর গাছ, যার ফল আবরণযুক্ত।	فِيْهَا فَاكِهَةٌ وَّالنَّخْلُ ذَاتُ الْاَكْمَامِ ﴿١١﴾
১২. তাতে আরো রয়েছে খোসাযুক্ত শস্য, আর সুগন্ধ ফুল-ফল-গাছ।	وَالْحَبُّ ذُو الْعَصْفِ وَالرَّيْحَانُ ﴿١٢﴾
১৩. তাহলে (হে জিন ও মানুষ) তোমাদের প্রভুর কোন্ দানকে তোমরা করবে অস্বীকার?	فَبِاَيِّ اٰلَاۤءِ رَبِّكُمَا تُكَذِّبٰنِ ﴿١٣﴾
১৪. তিনি সৃষ্টি করেছেন মানুষকে ঠনঠনে মাটি থেকে যা পোড়া মাটির মতো।	خَلَقَ الْاِنْسَانَ مِنْ صَلْصَالٍ كَالْفَخَّارِ ﴿١٤﴾
১৫. আর সৃষ্টি করেছেন জিনকে ধূমবিহীন আগুনের শিখা থেকে।	وَخَلَقَ الْجَآنَّ مِنْ مَّارِجٍ مِّنْ نَّارٍ ﴿١٥﴾
১৬. তাহলে (হে জিন ও মানুষ) তোমাদের প্রভুর কোন্ দানকে তোমরা করবে অস্বীকার?	فَبِاَيِّ اٰلَاۤءِ رَبِّكُمَا تُكَذِّبٰنِ ﴿١٦﴾
১৭. তিনি প্রভু পরিচালক দুই উদয়াচল ও দুই অস্তাচলের।	رَبُّ الْمَشْرِقَيْنِ وَرَبُّ الْمَغْرِبَيْنِ ﴿١٧﴾
১৮. তাহলে (হে জিন ও মানুষ) তোমাদের প্রভুর কোন্ দানকে তোমরা করবে অস্বীকার?	فَبِاَيِّ اٰلَاۤءِ رَبِّكُمَا تُكَذِّبٰنِ ﴿١٨﴾
১৯. তিনি প্রবাহিত করেছেন দুইটি সমুদ্র, তারা প্রবাহিত হয় পরস্পর মিলে।	مَرَجَ الْبَحْرَيْنِ يَلْتَقِيٰنِ ﴿١٩﴾
২০. তাদের উভয়ের মাঝে রয়েছে একটি অন্তরাল, যা তারা অতিক্রম করতে পারেনা।	بَيْنَهُمَا بَرْزَخٌ لَّا يَبْغِيٰنِ ﴿٢٠﴾
২১. তাহলে (হে জিন ও মানুষ) তোমাদের প্রভুর কোন্ দানকে তোমরা করবে অস্বীকার?	فَبِاَيِّ اٰلَاۤءِ رَبِّكُمَا تُكَذِّبٰنِ ﴿٢١﴾
২২. উভয় সমুদ্র থেকে বেরিয়ে আসে মুক্তা (pearl) ও প্রবাল (coral)।	يَخْرُجُ مِنْهُمَا اللُّؤْلُؤُ وَالْمَرْجَانُ ﴿٢٢﴾
২৩. তাহলে (হে জিন ও মানুষ) তোমাদের প্রভুর কোন্ দানকে তোমরা করবে অস্বীকার?	فَبِاَيِّ اٰلَاۤءِ رَبِّكُمَا تُكَذِّبٰنِ ﴿٢٣﴾
২৪. সমুদ্রে চলাচলকারী পর্বতসম জাহাজগুলো তাঁরই নিয়ন্ত্রণাধীন।	وَلَهُ الْجَوَارِ الْمُنْشَئٰتُ فِي الْبَحْرِ كَالْاَعْلَامِ ﴿٢٤﴾
রুকু ০১ — ২৫. তাহলে (হে জিন ও মানুষ) তোমাদের প্রভুর কোন্ দানকে তোমরা করবে অস্বীকার?	فَبِاَيِّ اٰلَاۤءِ رَبِّكُمَا تُكَذِّبٰنِ ﴿٢٥﴾
২৬. পৃথিবীতে যা কিছু আছে সবই বিলীন হয়ে যাবে,	كُلُّ مَنْ عَلَيْهَا فَانٍ ﴿٢٦﴾
২৭. বাকি থাকবে কেবল তোমার মহা মর্যাদাবান, মহানুভব প্রভুর মুখমণ্ডল (সত্তা)।	وَّيَبْقٰى وَجْهُ رَبِّكَ ذُو الْجَلٰلِ وَالْاِكْرَامِ ﴿٢٧﴾
২৮. তাহলে (হে জিন ও মানুষ) তোমাদের প্রভুর কোন্ দানকে তোমরা করবে অস্বীকার?	فَبِاَيِّ اٰلَاۤءِ رَبِّكُمَا تُكَذِّبٰنِ ﴿٢٨﴾

২৯. মহাকাশ এবং পৃথিবীতে যারাই আছে সবাই তাঁর মুখাপেক্ষী। প্রতিদিন তিনি নিরত থাকেন গুরুত্বপূর্ণ কাজে।	يَسْـَٔلُهٗ مَنْ فِي السَّمٰوٰتِ وَ الْاَرْضِ ؕ كُلَّ يَوْمٍ هُوَ فِيْ شَاْنٍ ۚ﴿۲۹﴾
৩০. তাহলে (হে জিন ও মানুষ) তোমাদের প্রভুর কোন্ দানকে তোমরা করবে অস্বীকার?	فَبِاَيِّ اٰلَآءِ رَبِّكُمَا تُكَذِّبٰنِ ﴿۳۰﴾
৩১. (হে মানুষ ও জিন!) অচিরেই আমরা তোমাদের প্রতি মনোযোগ দেবো (তোমাদের হিসাব নেয়া ও বিচার করার জন্যে)।	سَنَفْرُغُ لَكُمْ اَيُّهَ الثَّقَلٰنِ ۚ﴿۳۱﴾
৩২. তাহলে (হে জিন ও মানুষ) তোমাদের প্রভুর কোন্ দানকে তোমরা করবে অস্বীকার?	فَبِاَيِّ اٰلَآءِ رَبِّكُمَا تُكَذِّبٰنِ ﴿۳۲﴾
৩৩. হে জিন ও মানব সম্প্রদায়! তোমরা যদি মহাকাশ এবং পৃথিবীর সীমানা অতিক্রম করতে সক্ষম হও, তবে অতিক্রম করো। কিন্তু তোমরা অতিক্রম করতে পারবেনা আমার সনদ ছাড়া।	يٰمَعْشَرَ الْجِنِّ وَ الْاِنْسِ اِنِ اسْتَطَعْتُمْ اَنْ تَنْفُذُوْا مِنْ اَقْطَارِ السَّمٰوٰتِ وَ الْاَرْضِ فَانْفُذُوْا ؕ لَا تَنْفُذُوْنَ اِلَّا بِسُلْطٰنٍ ۚ﴿۳۳﴾
৩৪. তাহলে (হে জিন ও মানুষ) তোমাদের প্রভুর কোন্ দানকে তোমরা করবে অস্বীকার?	فَبِاَيِّ اٰلَآءِ رَبِّكُمَا تُكَذِّبٰنِ ﴿۳۴﴾
৩৫. তোমাদের প্রতি পাঠানো হবে আগুনের শিখা এবং ধোঁয়াপুঞ্জ, তোমরা তা প্রতিরোধ করতে পারবেনা।	يُرْسَلُ عَلَيْكُمَا شُوَاظٌ مِّنْ نَّارٍ ۬ۙ وَّ نُحَاسٌ فَلَا تَنْتَصِرٰنِ ۚ﴿۳۵﴾
৩৬. তাহলে (হে জিন ও মানুষ) তোমাদের প্রভুর কোন্ দানকে তোমরা করবে অস্বীকার?	فَبِاَيِّ اٰلَآءِ رَبِّكُمَا تُكَذِّبٰنِ ﴿۳۶﴾
৩৭. যেদিন আকাশ ফেটে যাবে সেদিন হয়ে যাবে তা রক্তবর্ণ চামড়ার মতো।	فَاِذَا انْشَقَّتِ السَّمَآءُ فَكَانَتْ وَرْدَةً كَالدِّهَانِ ۚ﴿۳۷﴾
৩৮. তাহলে (হে জিন ও মানুষ) তোমাদের প্রভুর কোন্ দানকে তোমরা করবে অস্বীকার?	فَبِاَيِّ اٰلَآءِ رَبِّكُمَا تُكَذِّبٰنِ ﴿۳۸﴾
৩৯. সেদিন কোনো মানুষকে তার পাপ সম্পর্কে জিজ্ঞাসা করা হবেনা, কোনো জিনকেও নয়।	فَيَوْمَئِذٍ لَّا يُسْـَٔلُ عَنْ ذَنْۢبِهٖۤ اِنْسٌ وَّ لَا جَآنٌّ ۚ﴿۳۹﴾
৪০. তাহলে (হে জিন ও মানুষ) তোমাদের প্রভুর কোন্ দানকে তোমরা করবে অস্বীকার?	فَبِاَيِّ اٰلَآءِ رَبِّكُمَا تُكَذِّبٰنِ ﴿۴۰﴾
৪১. অপরাধীদের চেনা যাবে তাদের লক্ষণ দেখেই, তখন তাদের পাকড়াও করা হবে মাথার ঝুঁটি আর পা ধরে।	يُعْرَفُ الْمُجْرِمُوْنَ بِسِيْمٰهُمْ فَيُؤْخَذُ بِالنَّوَاصِيْ وَ الْاَقْدَامِ ۚ﴿۴۱﴾
৪২. তাহলে (হে জিন ও মানুষ) তোমাদের প্রভুর কোন্ দানকে তোমরা করবে অস্বীকার?	فَبِاَيِّ اٰلَآءِ رَبِّكُمَا تُكَذِّبٰنِ ﴿۴۲﴾
৪৩. এই সেই জাহান্নাম, অপরাধীরা যাকে অস্বীকার করতো,	هٰذِهٖ جَهَنَّمُ الَّتِيْ يُكَذِّبُ بِهَا الْمُجْرِمُوْنَ ﴿۴۳﴾
৪৪. তারা জাহান্নামের আগুন আর টগবগে ফুটন্ত পানির মাঝে ছুটাছুটি করতে থাকবে।	يَطُوْفُوْنَ بَيْنَهَا وَ بَيْنَ حَمِيْمٍ اٰنٍ ۚ﴿۴۴﴾

রুকু ০২

৪৫. তাহলে (হে জিন ও মানুষ) তোমাদের প্রভুর কোন্ দানকে তোমরা করবে অস্বীকার?	فَبِاَیِّ اٰلَآءِ رَبِّكُمَا تُكَذِّبٰنِ ﴿٤٥﴾
৪৬. যে ব্যক্তি তার প্রভুর সামনে (হিসাব দেয়ার জন্যে) উপস্থিত হওয়ার বিষয়টাকে ভয় করে, সে পাবে দুটি জান্নাত।	وَلِمَنْ خَافَ مَقَامَ رَبِّهٖ جَنَّتٰنِ ﴿٤٦﴾
৪৭. তাহলে (হে জিন ও মানুষ) তোমাদের প্রভুর কোন্ দানকে তোমরা করবে অস্বীকার?	فَبِاَیِّ اٰلَآءِ رَبِّكُمَا تُكَذِّبٰنِ ﴿٤٧﴾
৪৮. দুটোই বহু শাখা-প্রশাখা আর পত্র পল্লবওয়ালা।	ذَوَاتَاۤ اَفْنَانٍ ﴿٤٨﴾
৪৯. তাহলে (হে জিন ও মানুষ) তোমাদের প্রভুর কোন্ দানকে তোমরা করবে অস্বীকার?	فَبِاَیِّ اٰلَآءِ رَبِّكُمَا تُكَذِّبٰنِ ﴿٤٩﴾
৫০. উভয় জান্নাতেই থাকবে বহমান দুই ঝরণাধারা।	فِیْهِمَا عَیْنٰنِ تَجْرِیٰنِ ﴿٥٠﴾
৫১. তাহলে (হে জিন ও মানুষ) তোমাদের প্রভুর কোন্ দানকে তোমরা করবে অস্বীকার?	فَبِاَیِّ اٰلَآءِ رَبِّكُمَا تُكَذِّبٰنِ ﴿٥١﴾
৫২. উভয় জান্নাতেই থাকবে সব ধরণের ফলফলারি জোড়ায় জোড়ায়।	فِیْهِمَا مِنْ كُلِّ فَاكِهَةٍ زَوْجٰنِ ﴿٥٢﴾
৫৩. তাহলে (হে জিন ও মানুষ) তোমাদের প্রভুর কোন্ দানকে তোমরা করবে অস্বীকার?	فَبِاَیِّ اٰلَآءِ رَبِّكُمَا تُكَذِّبٰنِ ﴿٥٣﴾
৫৪. সেখানে তারা হেলান দিয়ে বসবে পুরু রেশমি আস্তরের ফরাশে, দুই জান্নাতের ফলই থাকবে তাদের হাতের নাগালে।	مُتَّكِـِٕیْنَ عَلٰی فُرُشٍۭ بَطَآئِنُهَا مِنْ اِسْتَبْرَقٍ ؕ وَجَنَا الْجَنَّتَیْنِ دَانٍ ﴿٥٤﴾
৫৫. তাহলে (হে জিন ও মানুষ) তোমাদের প্রভুর কোন্ দানকে তোমরা করবে অস্বীকার?	فَبِاَیِّ اٰلَآءِ رَبِّكُمَا تُكَذِّبٰنِ ﴿٥٥﴾
৫৬. সেগুলোতে থাকবে আনতদৃষ্টি হুর (সুন্দরী নারীরা), পূর্বে যাদের স্পর্শ করেনি কোনো মানুষ কিংবা জিন।	فِیْهِنَّ قٰصِرٰتُ الطَّرْفِ ۙ لَمْ یَطْمِثْهُنَّ اِنْسٌ قَبْلَهُمْ وَلَا جَآنٌّ ﴿٥٦﴾
৫৭. তাহলে (হে জিন ও মানুষ) তোমাদের প্রভুর কোন্ দানকে তোমরা করবে অস্বীকার?	فَبِاَیِّ اٰلَآءِ رَبِّكُمَا تُكَذِّبٰنِ ﴿٥٧﴾
৫৮. সৌন্দর্যে তারা যেনো ইয়াকুত (পদ্মরাগ) এবং মারজান (প্রবাল)।	كَاَنَّهُنَّ الْیَاقُوْتُ وَالْمَرْجَانُ ﴿٥٨﴾
৫৯. তাহলে (হে জিন ও মানুষ) তোমাদের প্রভুর কোন্ দানকে তোমরা করবে অস্বীকার?	فَبِاَیِّ اٰلَآءِ رَبِّكُمَا تُكَذِّبٰنِ ﴿٥٩﴾
৬০. ইহ্সানের পুরস্কার ইহ্সান ছাড়া আর কি?	هَلْ جَزَآءُ الْاِحْسَانِ اِلَّا الْاِحْسَانُ ﴿٦٠﴾
৬১. তাহলে (হে জিন ও মানুষ) তোমাদের প্রভুর কোন্ দানকে তোমরা করবে অস্বীকার?	فَبِاَیِّ اٰلَآءِ رَبِّكُمَا تُكَذِّبٰنِ ﴿٦١﴾
৬২. সে দুটি ছাড়াও থাকবে আরো দুটি জান্নাত।	وَمِنْ دُوْنِهِمَا جَنَّتٰنِ ﴿٦٢﴾
৬৩. তাহলে (হে জিন ও মানুষ) তোমাদের প্রভুর কোন্ দানকে তোমরা করবে অস্বীকার?	فَبِاَیِّ اٰلَآءِ رَبِّكُمَا تُكَذِّبٰنِ ﴿٦٣﴾
৬৪. দুটি উদ্যানই হবে ঘন নিবিড় সবুজ।	مُدْهَآمَّتٰنِ ﴿٦٤﴾

৬৫. তাহলে (হে জিন ও মানুষ) তোমাদের প্রভুর কোন্ দানকে তোমরা করবে অস্বীকার?	فَبِاَيِّ اٰلَآءِ رَبِّكُمَا تُكَذِّبٰنِ ۝٦٥	
৬৬. উভয় জান্নাতেই থাকবে উচ্ছলিত দুই ঝরণাধারা।	فِيْهِمَا عَيْنٰنِ نَضَّاخَتٰنِ ۝٦٦	
৬৭. তাহলে (হে জিন ও মানুষ) তোমাদের প্রভুর কোন্ দানকে তোমরা করবে অস্বীকার?	فَبِاَيِّ اٰلَآءِ رَبِّكُمَا تُكَذِّبٰنِ ۝٦٧	
৬৮. উভয় জান্নাতেই থাকবে বিপুল ফলমূল, খেজুর আর আনার।	فِيْهِمَا فَاكِهَةٌ وَّ نَخْلٌ وَّ رُمَّانٌ ۝٦٨	
৬৯. তাহলে (হে জিন ও মানুষ) তোমাদের প্রভুর কোন্ দানকে তোমরা করবে অস্বীকার?	فَبِاَيِّ اٰلَآءِ رَبِّكُمَا تُكَذِّبٰنِ ۝٦٩	
৭০. সেগুলোতেও থাকবে সুশীল সুন্দরী নারীরা।	فِيْهِنَّ خَيْرٰتٌ حِسَانٌ ۝٧٠	
৭১. তাহলে (হে জিন ও মানুষ) তোমাদের প্রভুর কোন্ দানকে তোমরা করবে অস্বীকার?	فَبِاَيِّ اٰلَآءِ رَبِّكُمَا تُكَذِّبٰنِ ۝٧١	
৭২. তারা হলো হুর (অপরূপ সুন্দরী নারী) তাঁবুতে অবস্থানকারিণী।	حُوْرٌ مَّقْصُوْرٰتٌ فِي الْخِيَامِ ۝٧٢	
৭৩. তাহলে (হে জিন ও মানুষ) তোমাদের প্রভুর কোন্ দানকে তোমরা করবে অস্বীকার?	فَبِاَيِّ اٰلَآءِ رَبِّكُمَا تُكَذِّبٰنِ ۝٧٣	
৭৪. পূর্বে তাদের স্পর্শ করেনি কোনো মানুষ কিংবা জিন।	لَمْ يَطْمِثْهُنَّ اِنْسٌ قَبْلَهُمْ وَ لَا جَآنٌّ ۝٧٤	
৭৫. তাহলে (হে জিন ও মানুষ) তোমাদের প্রভুর কোন্ দানকে তোমরা করবে অস্বীকার?	فَبِاَيِّ اٰلَآءِ رَبِّكُمَا تُكَذِّبٰنِ ۝٧٥	
৭৬. তারা হেলান দিয়ে আসন গ্রহণ করবে সবুজ তাকিয়া আর চমৎকার সুন্দর গালিচার উপরে।	مُتَّكِـِٕيْنَ عَلٰى رَفْرَفٍ خُضْرٍ وَّ عَبْقَرِيٍّ حِسَانٍ 	
৭৭. তাহলে (হে জিন ও মানুষ) তোমাদের প্রভুর কোন্ দানকে তোমরা করবে অস্বীকার?	فَبِاَيِّ اٰلَآءِ رَبِّكُمَا تُكَذِّبٰنِ ۝٧٧	
৭৮. অতিশয় মহান কল্যাণময় তোমার প্রভুর নাম, যিনি অতীব মর্যাদাবান মহানুভব।	تَبٰرَكَ اسْمُ رَبِّكَ ذِي الْجَلٰلِ وَالْاِكْرَامِ ۝٧٨	রুকু ০৩

সূরা ৫৬ আল ওয়াকিয়া

মক্কায় অবতীর্ণ, আয়াত সংখ্যা: ৯৬, রুকু সংখ্যা: ০৩

এই সূরার আলোচ্যসূচি (আয়াত ভিত্তিক আলোচ্য বিষয়)

০১-১০: কিয়ামত অবশ্যি অনুষ্ঠিত হবে। তখন মানুষ তিনভাগে বিভক্ত হবে: ১. সৌভাগ্যবান মানুষ, ২. দুর্ভাগা মানুষ, ৩. ভালো কাজে অগ্রগামী মানব দল অর্থাৎ সাবিকিন মুকাররাবিন।

১১-২৬: সাবিকিন হবে কারা? সাবিকিন-এর (ভালো কাজে অগ্রগামী লোকদের) অনন্ত পুরস্কারের বিবরণ। সাবিকিনরা আল্লাহ্‌র নৈকট্য লাভকারী।

২৭-৪০: সৌভাগ্যবান লোকদের পুরস্কারের বিবরণ। সৌভাগ্যবান লোক হবে কারা?

৪১-৫৬: দুর্ভাগা লোক হবে কারা? দুর্ভাগাদের পরকালীন কঠিন শাস্তির বিবরণ।

৫৭-৭৪: পুনরুত্থানের পক্ষে অকাট্য যুক্তি।

৭৫-৮৭: কুরআন আল্লাহ্‌র মর্যাদাবান কিতাব। এই কিতাবকে প্রত্যাখ্যান করা বিরাট বোকামি।

৮৮-৯৬: মুকাররাবিন এবং সৌভাগ্যবানদের শুভ পরিণতি। আল্লাহ্‌র বার্তা প্রত্যাখ্যানকারীদের অশুভ পরিণতি।

সূরা আল ওয়াকিয়া (ঘটনা) পরম করুণাময় পরম দয়াবান আল্লাহ্‌র নামে	سُوْرَةُ الْوَاقِعَةِ بِسْمِ اللّٰهِ الرَّحْمٰنِ الرَّحِيْمِ
০১. যখন ঘটনা (কিয়ামত) সংঘটিত হবে,	اِذَا وَقَعَتِ الْوَاقِعَةُ ۙ﴿۱﴾
০২. তখন সেই ঘটনাকে অস্বীকার করার কেউ থাকবে না।	لَيْسَ لِوَقْعَتِهَا كَاذِبَةٌ ۘ﴿۲﴾
০৩. সেটা কাউকে নামাবে নিচে, কাউকেও উঠাবে উপরে।	خَافِضَةٌ رَّافِعَةٌ ۙ﴿۳﴾
০৪. যখন পৃথিবী কেঁপে উঠবে প্রচণ্ড রকম।	اِذَا رُجَّتِ الْاَرْضُ رَجًّا ۙ﴿۴﴾
০৫. যখন চূর্ণবিচূর্ণ হয়ে যাবে পাহাড় পর্বত,	وَّ بُسَّتِ الْجِبَالُ بَسًّا ۙ﴿۵﴾
০৬. ফলে সেগুলো পরিণত হবে ছুঁড়ে মারা ধুলোবালির মতো।	فَكَانَتْ هَبَآءً مُّنْۢبَثًّا ۙ﴿۶﴾
০৭. তখন তোমরা বিভক্ত হয়ে পড়বে তিন ভাগে।	وَّ كُنْتُمْ اَزْوَاجًا ثَلٰثَةً ۘ﴿۷﴾
০৮. একটি হবে ডানদিকের দল। কী যে ভাগ্যবান হবে ডানদিকের দল!	فَاَصْحٰبُ الْمَيْمَنَةِ ۙ۬ مَاۤ اَصْحٰبُ الْمَيْمَنَةِ ؕ﴿۸﴾
০৯. একটি হবে বামদিকের দল। কী যে দুর্ভাগা হবে বামদিকের দল!	وَاَصْحٰبُ الْمَشْـَٔمَةِ ۙ۬ مَاۤ اَصْحٰبُ الْمَشْـَٔمَةِ ؕ﴿۹﴾
১০. আরেকটি হবে অগ্রগামী দল। তারা তো থাকবে অগ্রগামীই।	وَالسّٰبِقُوْنَ السّٰبِقُوْنَ ۚ﴿۱۰﴾
১১. তারা হবে সান্নিধ্য প্রাপ্ত,	اُولٰٓئِكَ الْمُقَرَّبُوْنَ ۚ﴿۱۱﴾
১২. থাকবে জান্নাতুন নায়ীমে (নিয়ামতে ভরা জান্নাতে)।	فِيْ جَنّٰتِ النَّعِيْمِ ﴿۱۲﴾
১৩. তাদের বেশিরভাগই হবে পূর্ববর্তীদের মধ্য থেকে,	ثُلَّةٌ مِّنَ الْاَوَّلِيْنَ ۙ﴿۱۳﴾
১৪. স্বল্প সংখ্যক হবে পরবর্তীদের মধ্য থেকে।	وَ قَلِيْلٌ مِّنَ الْاٰخِرِيْنَ ؕ﴿۱۴﴾
১৫. তারা থাকবে সোনা ও মনিমুক্তা খচিত আসনে।	عَلٰى سُرُرٍ مَّوْضُوْنَةٍ ۙ﴿۱۵﴾
১৬. তাতে তারা হেলান দিয়ে বসবে মুখোমুখি হয়ে।	مُّتَّكِـِٕيْنَ عَلَيْهَا مُتَقٰبِلِيْنَ ﴿۱۶﴾
১৭. তাদের (সেবায়) তাওয়াফ করতে থাকবে চির বালকেরা,	يَطُوْفُ عَلَيْهِمْ وِلْدَانٌ مُّخَلَّدُوْنَ ۙ﴿۱۷﴾
১৮. পানপাত্র, কুঁজা এবং বহমান ঝর্ণা থেকে নেয়া সুরার পাত্র নিয়ে।	بِاَكْوَابٍ وَّ اَبَارِيْقَ ۙ۬ وَ كَاْسٍ مِّنْ مَّعِيْنٍ ۙ﴿۱۸﴾
১৯. সেই সুরা পানে তাদের মাথাব্যথাও হবেনা এবং তারা জ্ঞান হারিয়ে মাতালও হবেনা।	لَّا يُصَدَّعُوْنَ عَنْهَا وَ لَا يُنْزِفُوْنَ ۙ﴿۱۹﴾

২০. থাকবে বিপুল ফলফলারি বেছে বেছে পছন্দসইটি গ্রহণ করার,	وَفَاكِهَةٍ مِّمَّا يَتَخَيَّرُونَ ٢٠
২১. থাকবে পাখির গোশ্‌ত যেটা তাদের মন চাইবে,	وَلَحْمِ طَيْرٍ مِّمَّا يَشْتَهُونَ ٢١
২২. থাকবে আয়তলোচনা হুর (সুন্দরী নারীকুল)	وَحُورٌ عِينٌ ٢٢
২৩. (ঝিনুকের মধ্যে) লুকানো মুক্তার মতো,	كَأَمْثَالِ اللُّؤْلُؤِ الْمَكْنُونِ ٢٣
২৪. তাদের আমলের প্রতিদান হিসেবে।	جَزَآءًۢ بِمَا كَانُوا يَعْمَلُونَ ٢٤
২৫. তারা সেখানে শুনবেনা কোনো অর্থহীন কথা কিংবা পাপালাপ।	لَا يَسْمَعُونَ فِيهَا لَغْوًا وَّلَا تَأْثِيمًا ٢٥
২৬. শুনবে কেবল সালাম আর সালাম।	إِلَّا قِيلًا سَلٰمًا سَلٰمًا ٢٦
২৭. আর ডানদিকের দল, কী যে ভাগ্যবান ডানদিকের দল!	وَأَصْحٰبُ الْيَمِينِ ۙ مَآ أَصْحٰبُ الْيَمِينِ ٢٧
২৮. তারা থাকবে কাঁটাবিহীন কুল বাগানে,	فِى سِدْرٍ مَّخْضُودٍ ٢٨
২৯. কাঁদিভরা কলার বাগানে,	وَطَلْحٍ مَّنضُودٍ ٢٩
৩০. বিস্তীর্ণ ছায়ার মাঝে,	وَظِلٍّ مَّمْدُودٍ ٣٠
৩১. সদা বহমান পানির মধ্যে,	وَمَآءٍ مَّسْكُوبٍ ٣١
৩২. এবং বিপুল ফলমূলের মাঝে,	وَفَاكِهَةٍ كَثِيرَةٍ ٣٢
৩৩. যা কখনো শেষও হবেনা, নিষিদ্ধও হবেনা।	لَّا مَقْطُوعَةٍ وَّلَا مَمْنُوعَةٍ ٣٣
৩৪. তারা থাকবে উঁচু উঁচু শয্যায়,	وَفُرُشٍ مَّرْفُوعَةٍ ٣٤
৩৫. আমরা তাদের (পৃথিবীর জান্নাতি স্ত্রীদের) সৃষ্টি করবো অপরূপ সৃষ্টিতে,	إِنَّآ أَنشَأْنٰهُنَّ إِنشَآءً ٣٥
৩৬. তাদের বানিয়ে দেবো কুমারী,	فَجَعَلْنٰهُنَّ أَبْكَارًا ٣٦
৩৭. স্বামীগত প্রাণ এবং সমবয়স্কা,	عُرُبًا أَتْرَابًا ٣٧
৩৮. ডানদিকের লোকদের জন্যে।	لِّأَصْحٰبِ الْيَمِينِ ٣٨ (রুকু ০১)
৩৯. তাদের অনেকেই হবে পূর্ববর্তী লোকদের থেকে,	ثُلَّةٌ مِّنَ الْأَوَّلِينَ ٣٩
৪০. এবং অনেকেই হবে পরবর্তী লোকদের থেকে।	وَثُلَّةٌ مِّنَ الْأٰخِرِينَ ٤٠
৪১. আর বামদিকের লোকেরা, কী যে হতভাগ্য বামদিকের লোকেরা!	وَأَصْحٰبُ الشِّمَالِ ۙ مَآ أَصْحٰبُ الشِّمَالِ ٤١
৪২. তারা থাকবে প্রচন্ড গরম বাতাস আর টগবগে ফুটন্ত গরম পানির মধ্যে,	فِى سَمُومٍ وَّحَمِيمٍ ٤٢
৪৩. থাকবে কালো ধুঁয়ার ছায়ায়,	وَظِلٍّ مِّن يَحْمُومٍ ٤٣

৪৪. তা ঠাণ্ডাও হবেনা, আরামদায়কও হবেনা।	لَّا بَارِدٍ وَّلَا كَرِيْمٍ ﴿٤٤﴾
৪৫. ইতোপূর্বে (পৃথিবীর জীবনে) তারা তো মত্ত ছিলো ভোগ বিলাসে	اِنَّهُمْ كَانُوْا قَبْلَ ذٰلِكَ مُتْرَفِيْنَ ﴿٤٥﴾
৪৬. এবং তারা অবিরাম লিপ্ত ছিলো গুরুতর পাপ কাজে।	وَكَانُوْا يُصِرُّوْنَ عَلَى الْحِنْثِ الْعَظِيْمِ ﴿٤٦﴾
৪৭. তারা বলতো: "আমরা যখন মরে যাবো এবং মাটি আর হাড়ে পরিণত হবো, তখন কি আমাদের পুনরুত্থিত করা হবে?	وَكَانُوْا يَقُوْلُوْنَ ۙ اَئِذَا مِتْنَا وَكُنَّا تُرَابًا وَّعِظَامًا ءَاِنَّا لَمَبْعُوْثُوْنَ ﴿٤٧﴾
৪৮. আমাদের পূর্ব পুরুষদেরকেও?"	اَوَ اٰبَآؤُنَا الْاَوَّلُوْنَ ﴿٤٨﴾
৪৯. বলো: পূর্বের এবং পরের সবাইকে,	قُلْ اِنَّ الْاَوَّلِيْنَ وَالْاٰخِرِيْنَ ﴿٤٩﴾
৫০. একত্র করা হবে একটি নির্ধারিত দিনের নির্দিষ্ট সময়ে,	لَمَجْمُوْعُوْنَ ۙ اِلٰى مِيْقَاتِ يَوْمٍ مَّعْلُوْمٍ ﴿٥٠﴾
৫১. তারপর হে বিভ্রান্ত অস্বীকারকারীরা!	ثُمَّ اِنَّكُمْ اَيُّهَا الضَّآلُّوْنَ الْمُكَذِّبُوْنَ ﴿٥١﴾
৫২. তোমরা অবশ্যি খাবে যাক্কুম গাছ থেকে,	لَاٰكِلُوْنَ مِنْ شَجَرٍ مِّنْ زَقُّوْمٍ ﴿٥٢﴾
৫৩. এবং তা দিয়ে পূর্ণ করবে তোমাদের উদর!	فَمَالِـُٔوْنَ مِنْهَا الْبُطُوْنَ ﴿٥٣﴾
৫৪. তার উপর পান করবে টগবগে ফুটন্ত গরম পানি।	فَشٰرِبُوْنَ عَلَيْهِ مِنَ الْحَمِيْمِ ﴿٥٤﴾
৫৫. আর তা তোমরা পান করবে তৃষার্ত উটের মতো।	فَشٰرِبُوْنَ شُرْبَ الْهِيْمِ ﴿٥٥﴾
৫৬. প্রতিদান দিবসে এটাই হবে তাদের আপ্যায়ন।	هٰذَا نُزُلُهُمْ يَوْمَ الدِّيْنِ ﴿٥٦﴾
৫৭. আমরাই তো তোমাদের সৃষ্টি করেছি, কেন তোমরা তা স্বীকার করছো না?	نَحْنُ خَلَقْنٰكُمْ فَلَوْلَا تُصَدِّقُوْنَ ﴿٥٧﴾
৫৮. তোমরা যে বীর্যপাত করো, সে বিষয়ে তোমরা ভেবে দেখেছো কি?	اَفَرَءَيْتُمْ مَّا تُمْنُوْنَ ﴿٥٨﴾
৫৯. তা কি তোমরা সৃষ্টি করো, নাকি আমরাই তার স্রষ্টা?	ءَاَنْتُمْ تَخْلُقُوْنَهٗۤ اَمْ نَحْنُ الْخٰلِقُوْنَ ﴿٥٩﴾
৬০. আমরা তোমাদের জন্যে নির্ধারণ করে রেখেছি মউত এবং আমরা অক্ষম নই	نَحْنُ قَدَّرْنَا بَيْنَكُمُ الْمَوْتَ وَمَا نَحْنُ بِمَسْبُوْقِيْنَ ﴿٦٠﴾
৬১. তোমাদের বদল করে তোমাদের স্থলে তোমাদের অনুরূপ অন্যদের নিয়ে আসতে এবং তোমাদের এমন এক আকৃতিতে সৃষ্টি করতে যা তোমরা জানো না।	عَلٰۤى اَنْ نُّبَدِّلَ اَمْثَالَكُمْ وَنُنْشِئَكُمْ فِيْ مَا لَا تَعْلَمُوْنَ ﴿٦١﴾
৬২. তোমরা তো কেবল প্রথম সৃষ্টির কথাই জানো। তবে কেন তোমরা শিক্ষা গ্রহণ করোনা?	وَلَقَدْ عَلِمْتُمُ النَّشْاَةَ الْاُوْلٰى فَلَوْلَا تَذَكَّرُوْنَ ﴿٦٢﴾
৬৩. তোমরা যে (ক্ষেত খামারে) বীজ বপন করে আসো, সে বিষয়ে তোমরা ভেবে দেখেছো কি?	اَفَرَءَيْتُمْ مَّا تَحْرُثُوْنَ ﴿٦٣﴾

৬৪. সেটি অংকুরিত করো কি তোমরা, নাকি আমরাই অংকুর সৃষ্টিকারী?	ءَاَنْتُمْ تَزْرَعُوْنَهٗۤ اَمْ نَحْنُ الزّٰرِعُوْنَ ٦٤
৬৫. আমরা ইচ্ছা করলে তা খড় কুটায় পরিণত করে দিতে পারি, তাতে তোমরা হতবুদ্ধি হয়ে পড়বে (এবং বলবে:)	لَوْ نَشَآءُ لَجَعَلْنٰهُ حُطَامًا فَظَلْتُمْ تَفَكَّهُوْنَ ٦٥
৬৬. "আমরা তো দেউলিয়া হয়ে পড়েছি।	اِنَّا لَمُغْرَمُوْنَ ٦٦
৬৭. বরং আমরা বঞ্চিত হয়ে গেছি।"	بَلْ نَحْنُ مَحْرُوْمُوْنَ ٦٧
৬৮. তোমরা যে পানি পান করো সে বিষয়ে ভেবে দেখেছো কি?	اَفَرَءَيْتُمُ الْمَآءَ الَّذِيْ تَشْرَبُوْنَ ٦٨
৬৯. মেঘ থেকে তা কি তোমরা নাযিল করো, নাকি আমরা নামিয়ে আনি?	ءَاَنْتُمْ اَنْزَلْتُمُوْهُ مِنَ الْمُزْنِ اَمْ نَحْنُ الْمُنْزِلُوْنَ ٦٩
৭০. আমরা ইচ্ছা করলে তা লোনা লবণাক্ত রেখে দিতে পারি, তবু কেন তোমরা শোকর আদায় করোনা?	لَوْ نَشَآءُ جَعَلْنٰهُ اُجَاجًا فَلَوْ لَا تَشْكُرُوْنَ ٧٠
৭১. তোমরা যে আগুন জ্বালাও, তার প্রতি লক্ষ্য করে দেখেছো কি?	اَفَرَءَيْتُمُ النَّارَ الَّتِيْ تُوْرُوْنَ ٧١
৭২. তোমরাই কি তার জ্বালানি সৃষ্টি করো, নাকি আমরাই তার স্রষ্টা?	ءَاَنْتُمْ اَنْشَاْتُمْ شَجَرَتَهَاۤ اَمْ نَحْنُ الْمُنْشِـُٔوْنَ ٧٢
৭৩. আমরা এটাকে করেছি একটি নিদর্শন এবং মরুচারীদের জন্যে অতীব প্রয়োজনীয়।	نَحْنُ جَعَلْنٰهَا تَذْكِرَةً وَّمَتَاعًا لِّلْمُقْوِيْنَ ٧٣
৭৪. অতএব তুমি তোমার মহান প্রভুর নাম নিয়ে তসবিহ করো।	فَسَبِّحْ بِاسْمِ رَبِّكَ الْعَظِيْمِ ٧٤ (রুক ০২)
৭৫. আমি শপথ করছি নক্ষত্র রাজির অস্তাচলের,	فَلَاۤ اُقْسِمُ بِمَوٰقِعِ النُّجُوْمِ ٧٥
৭৬. অবশ্যি এটা একটা বড় শপথ, যদি তোমরা এর গুরুত্ব বুঝতে!	وَاِنَّهٗ لَقَسَمٌ لَّوْ تَعْلَمُوْنَ عَظِيْمٌ ٧٦
৭৭. নিশ্চয়ই এটি একটি সম্মানিত কুরআন।	اِنَّهٗ لَقُرْاٰنٌ كَرِيْمٌ ٧٧
৭৮. এটি রয়েছে সুরক্ষিত কিতাবে (উম্মুল কিতাবে)।	فِيْ كِتٰبٍ مَّكْنُوْنٍ ٧٨
৭৯. পবিত্ররা (ফেরেশতারা) ছাড়া কেউ এটি স্পর্শ করেনা (নবীর কাছে বহন করে আনেনা)।	لَّا يَمَسُّهٗۤ اِلَّا الْمُطَهَّرُوْنَ ٧٩
৮০. এটি নাযিল হচ্ছে রাব্বুল আলামিনের পক্ষ থেকে।	تَنْزِيْلٌ مِّنْ رَّبِّ الْعٰلَمِيْنَ ٨٠
৮১. এই মহাবাণীকে তোমরা তুচ্ছ মনে করছো?	اَفَبِهٰذَا الْحَدِيْثِ اَنْتُمْ مُّدْهِنُوْنَ ٨١
৮২. আর মিথ্যা বলে প্রত্যাখ্যান করাকেই কি তোমরা বানিয়ে নিয়েছো তোমাদের উপজীব্য?	وَتَجْعَلُوْنَ رِزْقَكُمْ اَنَّكُمْ تُكَذِّبُوْنَ ٨٢

৮৩. যখন তোমাদের প্রাণ এসে পড়বে কণ্ঠনালীতে,	فَلَوْلَآ اِذَا بَلَغَتِ الْحُلْقُوْمَ ﴿٨٣﴾
৮৪. তখন তোমরা তাকিয়ে থাকবে এক দৃষ্টিতে,	وَاَنْتُمْ حِيْنَئِذٍ تَنْظُرُوْنَ ﴿٨٤﴾
৮৫. আর আমরা তোমাদের চাইতেও তার নিকটতর, কিন্তু তোমরা দেখতে পাওনা।	وَنَحْنُ اَقْرَبُ اِلَيْهِ مِنْكُمْ وَلٰكِنْ لَّا تُبْصِرُوْنَ ﴿٨٥﴾
৮৬. তোমরা যদি পুনরুত্থান ও প্রতিদান দিবসকে মেনে না নাও,	فَلَوْلَآ اِنْ كُنْتُمْ غَيْرَ مَدِيْنِيْنَ ﴿٨٦﴾
৮৭. তবে তোমরা তা (জীবন) ফিরাও না কেন তোমরা সত্যবাদী হয়ে থাকলে?	تَرْجِعُوْنَهَآ اِنْ كُنْتُمْ صٰدِقِيْنَ ﴿٨٧﴾
৮৮. সে যদি সান্নিধ্যপ্রাপ্তদের একজন হয়,	فَاَمَّآ اِنْ كَانَ مِنَ الْمُقَرَّبِيْنَ ﴿٨٨﴾
৮৯. তবে তখন তার জন্যে থাকবে সুরভিত এবং ফুলেল উদ্যান আর জান্নাতুন নায়ীম (নিয়ামতে ভরা জান্নাত)।	فَرَوْحٌ وَّرَيْحَانٌ ۙ وَّجَنَّتُ نَعِيْمٍ ﴿٨٩﴾
৯০. আর সে যদি হয় ডানদিকের লোকদের একজন,	وَاَمَّآ اِنْ كَانَ مِنْ اَصْحٰبِ الْيَمِيْنِ ﴿٩٠﴾
৯১. তাহলে তাকে বলা হবে: 'হে ডান পাশবর্তী! তোমার প্রতি সালাম।'	فَسَلٰمٌ لَّكَ مِنْ اَصْحٰبِ الْيَمِيْنِ ﴿٩١﴾
৯২. আর সে যদি হয় বিভ্রান্ত মিথ্যাবাদীদের একজন,	وَاَمَّآ اِنْ كَانَ مِنَ الْمُكَذِّبِيْنَ الضَّآلِّيْنَ ﴿٩٢﴾
৯৩. তাহলে তার আতিথ্য হবে টগবগে ফুটন্ত গরম পানি,	فَنُزُلٌ مِّنْ حَمِيْمٍ ﴿٩٣﴾
৯৪. আর জাহান্নামের দহন।	وَّتَصْلِيَةُ جَحِيْمٍ ﴿٩٤﴾
৯৫. এ এক নিশ্চিত সত্য বিষয়।	اِنَّ هٰذَا لَهُوَ حَقُّ الْيَقِيْنِ ﴿٩٥﴾
রুকু ০৩ — ৯৬. অতএব, তুমি তসবিহ্ করো তোমার মহান প্রভুর নামের।	فَسَبِّحْ بِاسْمِ رَبِّكَ الْعَظِيْمِ ﴿٩٦﴾

সূরা ৫৭ আল হাদিদ

মদিনায় অবতীর্ণ, আয়াত সংখ্যা: ২৯, রুকু সংখ্যা: ০৪

এই সূরার আলোচ্যসূচি (আয়াত ভিত্তিক আলোচ্য বিষয়)

০১-০৬: মহাবিশ্বের সবকিছু আল্লাহ্‌র হুকুম মতো চলছে। আল্লাহ্ মহাবিশ্বের মালিক, জীবন মৃত্যুর মালিক। তিনি আদি ও অন্ত। তিনি মহাবিশ্ব সৃষ্টি করেছেন ছয়টি কালে। তিনি মহাবিশ্বের সম্রাট ও সর্বময় কর্তৃত্বের মালিক।

০৭-১১: ঈমান আনার এবং আল্লাহ্‌র পথে ব্যয় করার আহ্বান।

১২-১৯: মুমিনদের পরকালীন নিষ্কৃতি। মুনাফিক ও কাফিরদের জন্য জাহান্নাম। আল্লাহ্‌র পথে দানকারীরা বহুগুণ বেশি ফেরত পাবে।

২০-২৪: দুনিয়ার জীবন প্রকৃত জীবন নয়, পরকালীন জীবনই প্রকৃত জীবন।

২৫: রসূলদের পাঠানোর উদ্দেশ্য।
২৬-২৯: অতীতের রসূলদের দাওয়াতও কিছু লোক গ্রহণ করেছিল, কিছুলোক গ্রহণ করেনি। ঈমানের পথ আলোকিত পথ।

সূরা আল হাদিদ (লোহা, ইস্পাত) পরম করুণাময় পরম দয়াবান আল্লাহ্‌র নামে	سُوْرَةُ الْحَدِيْدِ بِسْمِ اللّٰهِ الرَّحْمٰنِ الرَّحِيْمِ
০১. মহাকাশ ও পৃথিবীতে যা কিছু আছে সবাই আল্লাহ্‌র তসবিহ করছে এবং তিনি মহাশক্তিধর মহাপ্রজ্ঞাবান।	سَبَّحَ لِلّٰهِ مَا فِي السَّمٰوٰتِ وَ الْاَرْضِ ۚ وَ هُوَ الْعَزِيْزُ الْحَكِيْمُ ①
০২. মহাকাশ ও পৃথিবীর সর্বময় কর্তৃত্ব তাঁর। তিনিই জীবনদান করেন এবং মউত ঘটান। তিনি প্রতিটি বিষয়ে সর্বশক্তিমান।	لَهٗ مُلْكُ السَّمٰوٰتِ وَ الْاَرْضِ ۚ يُحْيٖ وَ يُمِيْتُ ۚ وَ هُوَ عَلٰى كُلِّ شَيْءٍ قَدِيْرٌ ②
০৩. তিনিই প্রথম, তিনিই শেষ, তিনি প্রকাশ্য, তিনি গোপন এবং প্রতিটি বিষয়ে তিনি জ্ঞানী।	هُوَ الْاَوَّلُ وَ الْاٰخِرُ وَ الظَّاهِرُ وَ الْبَاطِنُ ۚ وَ هُوَ بِكُلِّ شَيْءٍ عَلِيْمٌ ③
০৪. তিনি সেই সত্তা, যিনি সৃষ্টি করেছেন মহাকাশ ও পৃথিবী ছয়টি কালে, অত:পর তিনি সমাসীন হয়েছেন আরশে। তিনি জানেন যা প্রবেশ করে জমিনে এবং যা বের হয় জমিন থেকে, যা নাযিল হয় আসমান থেকে এবং যা মে'রাজ হয় (উঠে যায়) আসমানে। তিনি তোমাদের সাথে থাকেন, তোমরা যেখানেই থাকো। তোমরা যা করো তিনি সবকিছুর দ্রষ্টা।	هُوَ الَّذِيْ خَلَقَ السَّمٰوٰتِ وَ الْاَرْضَ فِيْ سِتَّةِ اَيَّامٍ ثُمَّ اسْتَوٰى عَلَى الْعَرْشِ ؕ يَعْلَمُ مَا يَلِجُ فِي الْاَرْضِ وَ مَا يَخْرُجُ مِنْهَا وَ مَا يَنْزِلُ مِنَ السَّمَآءِ وَ مَا يَعْرُجُ فِيْهَا ؕ وَ هُوَ مَعَكُمْ اَيْنَ مَا كُنْتُمْ ؕ وَ اللّٰهُ بِمَا تَعْمَلُوْنَ بَصِيْرٌ ④
০৫. মহাকাশ এবং পৃথিবীর সর্বময় কর্তৃত্ব তাঁরই। আল্লাহ্‌র দিকেই ফিরে যায় সমস্ত বিষয়।	لَهٗ مُلْكُ السَّمٰوٰتِ وَ الْاَرْضِ ؕ وَ اِلَى اللّٰهِ تُرْجَعُ الْاُمُوْرُ ⑤
০৬. তিনিই রাতকে ঢুকিয়ে দেন দিনের মধ্যে এবং দিনকে ঢুকিয়ে দেন রাতের মধ্যে এবং তিনিই অন্তরযামী।	يُوْلِجُ الَّيْلَ فِي النَّهَارِ وَ يُوْلِجُ النَّهَارَ فِي الَّيْلِ ؕ وَ هُوَ عَلِيْمٌۢ بِذَاتِ الصُّدُوْرِ ⑥
০৭. তোমরা ঈমান আনো আল্লাহ্‌র প্রতি, তাঁর রসূলের প্রতি, আর আল্লাহ্ তোমাদের যা কিছুর উত্তরাধিকারী করেছেন তা থেকে ব্যয় করো (আল্লাহ্‌র পথে)। তোমাদের মধ্য থেকে যারা ঈমান আনে এবং ব্যয় করে (আল্লাহ্‌র পথে) তাদের জন্যে রয়েছে মহাপুরস্কার।	اٰمِنُوْا بِاللّٰهِ وَ رَسُوْلِهٖ وَ اَنْفِقُوْا مِمَّا جَعَلَكُمْ مُّسْتَخْلَفِيْنَ فِيْهِ ؕ فَالَّذِيْنَ اٰمَنُوْا مِنْكُمْ وَ اَنْفَقُوْا لَهُمْ اَجْرٌ كَبِيْرٌ ⑦
০৮. তোমাদের কী হয়েছে, কেন তোমরা ঈমান আনোনা আল্লাহ্‌র প্রতি, অথচ রসূল তোমাদের দাওয়াত দিচ্ছেন ঈমান আনতে তোমাদের প্রভুর প্রতি, আর আল্লাহ্ তো তোমাদের থেকে মজবুত অংগীকার গ্রহণ করেছেনই, যদি তোমরা মুমিন হয়ে থাকো।	وَ مَا لَكُمْ لَا تُؤْمِنُوْنَ بِاللّٰهِ ۚ وَ الرَّسُوْلُ يَدْعُوْكُمْ لِتُؤْمِنُوْا بِرَبِّكُمْ وَ قَدْ اَخَذَ مِيْثَاقَكُمْ اِنْ كُنْتُمْ مُّؤْمِنِيْنَ ⑧

০৯. তিনিই তাঁর দাসের প্রতি নাযিল করেন সুস্পষ্ট আয়াতসমূহ যা তোমাদের বের করে আনে অন্ধকাররাশি থেকে আলোতে এবং অবশ্যি আল্লাহ্ তোমাদের প্রতি পরম করুণাময়, পরম দয়াবান।	هُوَ الَّذِیۡ یُنَزِّلُ عَلٰی عَبۡدِہٖۤ اٰیٰتٍۭ بَیِّنٰتٍ لِّیُخۡرِجَكُمۡ مِّنَ الظُّلُمٰتِ اِلَی النُّوۡرِ ؕ وَ اِنَّ اللّٰهَ بِكُمۡ لَرَءُوۡفٌ رَّحِیۡمٌ ﴿۹﴾
১০. তোমাদের কী হয়েছে, তোমরা কেন ব্যয় করবেনা আল্লাহ্র পথে? অথচ মহাকাশ এবং পৃথিবীর মালিকানা তো আল্লাহ্রই। তোমাদের যারা বিজয়ের আগে ব্যয় করেছে এবং যুদ্ধ করেছে, তারা ঐসব লোকদের চেয়ে মর্যাদায় শ্রেষ্ঠ, যারা ব্যয় করেছে এবং যুদ্ধ করেছে বিজয়ের পরে। তবে আল্লাহ্ উভয়ের জন্যেই কল্যাণের ওয়াদা দিয়েছেন। তোমরা যা আমল করো আল্লাহ্ সে বিষয়ে খবর রাখেন।	وَ مَا لَكُمۡ اَلَّا تُنۡفِقُوۡا فِیۡ سَبِیۡلِ اللّٰهِ وَ لِلّٰهِ مِیۡرَاثُ السَّمٰوٰتِ وَ الۡاَرۡضِ ؕ لَا یَسۡتَوِیۡ مِنۡكُمۡ مَّنۡ اَنۡفَقَ مِنۡ قَبۡلِ الۡفَتۡحِ وَ قٰتَلَ ؕ اُولٰٓئِكَ اَعۡظَمُ دَرَجَةً مِّنَ الَّذِیۡنَ اَنۡفَقُوۡا مِنۡۢ بَعۡدُ وَ قٰتَلُوۡا ؕ وَ كُلًّا وَّعَدَ اللّٰهُ الۡحُسۡنٰی ؕ وَ اللّٰهُ بِمَا تَعۡمَلُوۡنَ خَبِیۡرٌ ﴿۱۰﴾
১১. কে আছে আল্লাহ্কে 'করজে হাসানা' (উত্তম ঋণ) দেবে, তাহলে আল্লাহ্ তার জন্যে তা বহুগুণে বৃদ্ধি করে দেবেন। তাছাড়া তার জন্যে থাকবে সম্মানজনক পুরস্কার।	مَنۡ ذَا الَّذِیۡ یُقۡرِضُ اللّٰهَ قَرۡضًا حَسَنًا فَیُضٰعِفَهٗ لَهٗ وَ لَهٗۤ اَجۡرٌ كَرِیۡمٌ ﴿۱۱﴾
১২. সেদিন তুমি দেখবে, মুমিন পুরুষ এবং মুমিন নারীদের, তাদের নূর (আলো) তাদের সামনে এবং ডানে দৌড়াদৌড়ি করছে। তাদের বলা হবে: 'আজ তোমাদের জন্যে সুসংবাদ জান্নাতের, যার নিচে দিয়ে জারি থাকবে নদ নদী নহর। সেখানে থাকবে তোমরা চিরকাল। আর এটাই মহাসাফল্য।'	یَوۡمَ تَرَی الۡمُؤۡمِنِیۡنَ وَ الۡمُؤۡمِنٰتِ یَسۡعٰی نُوۡرُهُمۡ بَیۡنَ اَیۡدِیۡهِمۡ وَ بِاَیۡمَانِهِمۡ بُشۡرٰىكُمُ الۡیَوۡمَ جَنّٰتٌ تَجۡرِیۡ مِنۡ تَحۡتِهَا الۡاَنۡهٰرُ خٰلِدِیۡنَ فِیۡهَا ؕ ذٰلِكَ هُوَ الۡفَوۡزُ الۡعَظِیۡمُ ﴿۱۲﴾
১৩. সেদিন মুনাফিক পুরুষ এবং মুনাফিক নারীরা মুমিনদের বলবে: 'আপনারা আমাদের জন্যে একটু অপেক্ষা করুন, যাতে আমরা আপনাদের নূর থেকে কিছু (আলো) গ্রহণ করতে পারি।' তখন তাদের বলা হবে: 'তোমরা তোমাদের পেছনে ফিরে যাও এবং আলোর সন্ধান করোগিয়ে।' তখন উভয়ের মাঝখানে স্থাপিত হয়ে যাবে একটি প্রাচীর, যাতে থাকবে একটি দরজা। তার ভেতরভাগে থাকবে রহমত (জান্নাত), আর বহির্ভাগে থাকবে আযাব (জাহান্নাম)।	یَوۡمَ یَقُوۡلُ الۡمُنٰفِقُوۡنَ وَ الۡمُنٰفِقٰتُ لِلَّذِیۡنَ اٰمَنُوا انۡظُرُوۡنَا نَقۡتَبِسۡ مِنۡ نُّوۡرِكُمۡ ۚ قِیۡلَ ارۡجِعُوۡا وَرَآءَكُمۡ فَالۡتَمِسُوۡا نُوۡرًا ؕ فَضُرِبَ بَیۡنَهُمۡ بِسُوۡرٍ لَّهٗ بَابٌ ؕ بَاطِنُهٗ فِیۡهِ الرَّحۡمَةُ وَ ظَاهِرُهٗ مِنۡ قِبَلِهِ الۡعَذَابُ ﴿۱۳﴾
১৪. তখন মুনাফিকরা মুমিনদের ডেকে বলবে: 'আমরা কি (পৃথিবীতে) আপনাদের সাথে ছিলাম	یُنَادُوۡنَهُمۡ اَلَمۡ نَكُنۡ مَّعَكُمۡ ؕ قَالُوۡا بَلٰی

রুকু ০১

না?’ তখন তারা বলবে: ‘হ্যাঁ ছিলে, তবে তোমরা নিজেরাই নিজেদের ফিতনায় (পরীক্ষায়) ফেলেছিলে, তোমরা (আমাদের অমঙ্গলের) অপেক্ষা করছিলে, সন্দেহ পোষণ করছিলে এবং অবাস্তব আকাঙ্ক্ষা তোমাদের প্রতারিত করে রেখেছিল। এমনি করে আল্লাহ্‌র হুকুম (মৃত্যু কিংবা ইসলামের বিজয়) এসে পড়েছিল, আর মহাপ্রতারক (শয়তান) আল্লাহ্‌র ব্যাপারে তোমাদের প্রতারিত করে রেখেছিল।’	وَ لٰكِنَّكُمْ فَتَنْتُمْ اَنْفُسَكُمْ وَ تَرَبَّصْتُمْ وَ ارْتَبْتُمْ وَ غَرَّتْكُمُ الْاَمَانِيُّ حَتّٰى جَآءَ اَمْرُ اللّٰهِ وَ غَرَّكُمْ بِاللّٰهِ الْغَرُوْرُ ﴿۱۴﴾
১৫. সুতরাং আজ তোমাদের থেকে কোনো ফিদিয়া (মুক্তিপণ) গ্রহণ করা হবেনা এবং কাফিরদের থেকেও নয়। জাহান্নামই হবে তোমাদের আবাস এবং সেটাই হবে তোমাদের মাওলা (তত্ত্বাবধায়ক), আর সেটা যে কতো নিকৃষ্ট পরিণাম!	فَالْيَوْمَ لَا يُؤْخَذُ مِنْكُمْ فِدْيَةٌ وَّ لَا مِنَ الَّذِيْنَ كَفَرُوْا ؕ مَاْوٰىكُمُ النَّارُ ؕ هِيَ مَوْلٰىكُمْ ؕ وَ بِئْسَ الْمَصِيْرُ ﴿۱۵﴾
১৬. যারা ঈমান এনেছে, আল্লাহ্‌র যিকির এবং তিনি যে মহাসত্য (আল কুরআন) নাযিল করেছেন তার পাঠে তাদের হৃদয় বিগলিত হবার সময় কি এখনো হয়নি? ইতোপূর্বে যাদের কিতাব দেয়া হয়েছিল, এরা যেনো তাদের মতো না হয়। (তাদের অবস্থা এমন হয়েছিল যে,) একটা দীর্ঘসময় অতিবাহিত হবার পর তাদের অন্তর কঠিন হয়ে পড়েছিল এবং তাদের অনেকেই হয়ে পড়েছিল ফাসিক।	اَلَمْ يَاْنِ لِلَّذِيْنَ اٰمَنُوْٓا اَنْ تَخْشَعَ قُلُوْبُهُمْ لِذِكْرِ اللّٰهِ وَ مَا نَزَلَ مِنَ الْحَقِّ ۙ وَ لَا يَكُوْنُوْا كَالَّذِيْنَ اُوْتُوا الْكِتٰبَ مِنْ قَبْلُ فَطَالَ عَلَيْهِمُ الْاَمَدُ فَقَسَتْ قُلُوْبُهُمْ ؕ وَ كَثِيْرٌ مِّنْهُمْ فٰسِقُوْنَ ﴿۱۶﴾
১৭. জেনে রাখো, মরে শুকিয়ে যাবার পর আল্লাহ্ জমিনকে পুনর্জীবিত করেন। এভাবে আমরা তোমাদের জন্যে বিশদ বিবরণ দেই আমাদের আয়াতের, যাতে করে তোমরা বুঝতে পারো।	اِعْلَمُوْٓا اَنَّ اللّٰهَ يُحْيِ الْاَرْضَ بَعْدَ مَوْتِهَا ؕ قَدْ بَيَّنَّا لَكُمُ الْاٰيٰتِ لَعَلَّكُمْ تَعْقِلُوْنَ ﴿۱۷﴾
১৮. নিশ্চয়ই দানশীল পুরুষ এবং দানশীল নারীদের এবং যারা আল্লাহ্‌কে করযে হাসানা (উত্তম ঋণ) দেয়, তাদের (ফেরত) দেয়া হবে বহুগুণ বেশি এবং তাদের জন্যে রয়েছে সম্মানজনক পুরস্কার।	اِنَّ الْمُصَّدِّقِيْنَ وَ الْمُصَّدِّقٰتِ وَ اَقْرَضُوا اللّٰهَ قَرْضًا حَسَنًا يُّضٰعَفُ لَهُمْ وَ لَهُمْ اَجْرٌ كَرِيْمٌ ﴿۱۸﴾
১৯. যারা ঈমান আনে আল্লাহ্‌র প্রতি এবং তাঁর রসূলের প্রতি, তারাই তাদের প্রভুর কাছে সিদ্দিক (সত্যনিষ্ঠ) এবং শহীদ (সত্যের সাক্ষ্য)। তাদের প্রভুর কাছে রয়েছে তাদের পুরস্কার এবং নূর।	وَ الَّذِيْنَ اٰمَنُوْا بِاللّٰهِ وَ رُسُلِهٖٓ اُولٰٓئِكَ هُمُ الصِّدِّيْقُوْنَ ۖ وَ الشُّهَدَآءُ عِنْدَ رَبِّهِمْ ؕ لَهُمْ اَجْرُهُمْ وَ نُوْرُهُمْ ؕ وَ الَّذِيْنَ

রুকু ০২

আর যারা কুফুরি করে এবং অস্বীকার ও প্রত্যাখ্যান করে আমাদের আয়াত, তারাই হবে জাহিমের (জাহান্নামের) অধিবাসী।	كَفَرُوْا وَ كَذَّبُوْا بِاٰيٰتِنَاۤ اُولٰٓئِكَ اَصْحٰبُ الْجَحِيْمِ ﴿۱۹﴾
২০. জেনে রাখো, দুনিয়ার জীবনটা হলো খেল তামাশা, চাকচিক্য, পারস্পরিক অহমিকা এবং ধনমাল ও সন্তান-সন্ততির প্রাচুর্য লাভের প্রতিযোগিতা। এর উপমা হলো বৃষ্টি, যার উৎপাদিত শস্য কৃষকদের উৎফুল্ল করে। তারপর তা শুকিয়ে যায়। ফলে তুমি দেখতে পাও তা হলুদ বর্ণ হয়ে গেছে, অবশেষে তা পরিণত হয় খড়কুটায়। আর আখিরাতে রয়েছে কঠোর আযাব, মাগফিরাত (ক্ষমা) এবং আল্লাহ্‌র সন্তুষ্টি। দুনিয়ার জীবনটা প্রতারণার সামগ্রী ছাড়া আর কিছু নয়।	اِعْلَمُوْۤا اَنَّمَا الْحَيٰوةُ الدُّنْيَا لَعِبٌ وَّ لَهْوٌ وَّ زِيْنَةٌ وَّ تَفَاخُرٌۢ بَيْنَكُمْ وَ تَكَاثُرٌ فِي الْاَمْوَالِ وَ الْاَوْلَادِ ؕ كَمَثَلِ غَيْثٍ اَعْجَبَ الْكُفَّارَ نَبَاتُهٗ ثُمَّ يَهِيْجُ فَتَرٰىهُ مُصْفَرًّا ثُمَّ يَكُوْنُ حُطَامًا ؕ وَ فِي الْاٰخِرَةِ عَذَابٌ شَدِيْدٌ ۙ وَّ مَغْفِرَةٌ مِّنَ اللّٰهِ وَ رِضْوَانٌ ؕ وَ مَا الْحَيٰوةُ الدُّنْيَاۤ اِلَّا مَتَاعُ الْغُرُوْرِ ﴿۲۰﴾
২১. তোমরা প্রতিযোগিতা করে দৌড়ে এসো তোমাদের প্রভুর ক্ষমার দিকে আর সেই জান্নাতের দিকে, যার প্রশস্ততা আসমান জমিনের প্রশস্ততার মতো। এই জান্নাত প্রস্তুত রাখা হয়েছে তাদের জন্যে, যারা ঈমান আনে আল্লাহ্‌র প্রতি এবং রসূলদের প্রতি। এটা আল্লাহ্‌র অনুগ্রহ, তিনি যাকে ইচ্ছা তা দান করেন। আল্লাহ্ অতীব অনুগ্রহপরায়ণ।	سَابِقُوْۤا اِلٰى مَغْفِرَةٍ مِّنْ رَّبِّكُمْ وَ جَنَّةٍ عَرْضُهَا كَعَرْضِ السَّمَآءِ وَ الْاَرْضِ ۙ اُعِدَّتْ لِلَّذِيْنَ اٰمَنُوْا بِاللّٰهِ وَ رُسُلِهٖ ؕ ذٰلِكَ فَضْلُ اللّٰهِ يُؤْتِيْهِ مَنْ يَّشَآءُ ؕ وَ اللّٰهُ ذُو الْفَضْلِ الْعَظِيْمِ ﴿۲۱﴾
২২. পৃথিবীতে কিংবা তোমাদের জীবনে যে বিপদ মসিবত আসে, তা সংঘটিত করার আগেই লিপিবদ্ধ থাকে, এটা আল্লাহ্‌র জন্যে খুবই সহজ।	مَاۤ اَصَابَ مِنْ مُّصِيْبَةٍ فِي الْاَرْضِ وَ لَا فِيْۤ اَنْفُسِكُمْ اِلَّا فِيْ كِتٰبٍ مِّنْ قَبْلِ اَنْ نَّبْرَاَهَا ؕ اِنَّ ذٰلِكَ عَلَى اللّٰهِ يَسِيْرٌ ﴿۲۲﴾
২৩. যাতে করে তোমরা যা হারাও, তাতে বিমর্ষ না হয়ে পড়ো এবং যা তিনি তোমাদের দেন তাতে অতি উৎফুল্ল না হয়ে পড়ো। আল্লাহ্ তো উদ্ধত দাম্ভিকদের পছন্দ করেন না।	لِّكَيْلَا تَاْسَوْا عَلٰى مَا فَاتَكُمْ وَ لَا تَفْرَحُوْا بِمَاۤ اٰتٰىكُمْ ؕ وَ اللّٰهُ لَا يُحِبُّ كُلَّ مُخْتَالٍ فَخُوْرِ ﴿۲۳﴾
২৪. যারা বখিলি করে এবং মানুষকে বখিলি করার আদেশ করে এবং যারা মুখ ফিরিয়ে নেয়, তারা জেনে রাখুক, আল্লাহ্ অভাবমুক্ত সুপ্রশংসিত।	الَّذِيْنَ يَبْخَلُوْنَ وَ يَاْمُرُوْنَ النَّاسَ بِالْبُخْلِ ؕ وَ مَنْ يَّتَوَلَّ فَاِنَّ اللّٰهَ هُوَ الْغَنِيُّ الْحَمِيْدُ ﴿۲۴﴾
২৫. আমরা আমাদের রসূলদের পাঠিয়েছি সুস্পষ্ট প্রমাণাদি নিয়ে এবং তাদের সাথে আমরা নাযিল করেছি কিতাব আর মিজান (মানদণ্ড), যাতে করে	لَقَدْ اَرْسَلْنَا رُسُلَنَا بِالْبَيِّنٰتِ وَ اَنْزَلْنَا مَعَهُمُ الْكِتٰبَ وَ الْمِيْزَانَ لِيَقُوْمَ النَّاسُ

মানুষ সুবিচার প্রতিষ্ঠা করে। তাছাড়া আমরা নাযিল করেছি ইস্পাত, যাতে রয়েছে প্রচন্ড শক্তি এবং মানুষের জন্যে বহু রকম মুনাফা। এটা এ জন্যে, যাতে আল্লাহ্ বাস্তবে জেনে নেন, না দেখেও কারা আল্লাহ্কে এবং তাঁর রসূলদেরকে সাহায্য করে? নিশ্চয়ই আল্লাহ্ শক্তিমান, পরাক্রমশালী।	بِالْقِسْطِ ۚ وَ اَنْزَلْنَا الْحَدِيْدَ فِيْهِ بَاْسٌ شَدِيْدٌ وَّ مَنَافِعُ لِلنَّاسِ وَ لِيَعْلَمَ اللّٰهُ مَنْ يَّنْصُرُهٗ وَ رُسُلَهٗ بِالْغَيْبِ ؕ اِنَّ اللّٰهَ قَوِيٌّ عَزِيْزٌ ﴿٢٥﴾ (রুকু ০৩)
২৬. আমরা নূহ এবং ইবরাহিমকে রসূল বানিয়ে পাঠিয়েছিলাম এবং তাদের বংশধরদের মধ্যে দিয়েছিলাম নবুয়্যত এবং কিতাব। কিন্তু তাদের কিছু লোক হিদায়াতের পথ অনুসরণ করলেও অধিকাংশই ছিলো ফাসিক।	وَ لَقَدْ اَرْسَلْنَا نُوْحًا وَّ اِبْرٰهِيْمَ وَ جَعَلْنَا فِيْ ذُرِّيَّتِهِمَا النُّبُوَّةَ وَ الْكِتٰبَ فَمِنْهُمْ مُّهْتَدٍ ۚ وَ كَثِيْرٌ مِّنْهُمْ فٰسِقُوْنَ ﴿٢٦﴾
২৭. আর আমরা তাদের আদর্শের অনুগামী করেছিলাম আরো অনেক রসূলকে এবং অনুগামী করেছিলাম ঈসা ইবনে মরিয়মকে আর তাকে দিয়েছিলাম ইনজিল। তার অনুসারীদের অন্তরে দিয়েছিলাম, করুণা এবং দয়া। আর বৈরাগ্য-যা তারা নিজেরাই আল্লাহ্র সন্তুষ্টি অর্জনের জন্যে উদ্ভাবন করে নিয়েছিল, আমরা এই বিধান তাদের দেইনি। অথচ এটাও তারা যথাযথভাবে পালন করেনি। ফলে তাদের মধ্যে যারা ঈমান এনেছিল আমরা তাদের দিয়েছিলাম তাদের পুরস্কার। তবে তাদের অধিকাংশই ছিলো ফাসিক (সত্যত্যাগী)।	ثُمَّ قَفَّيْنَا عَلٰۤى اٰثَارِهِمْ بِرُسُلِنَا وَ قَفَّيْنَا بِعِيْسَى ابْنِ مَرْيَمَ وَ اٰتَيْنٰهُ الْاِنْجِيْلَ ۙ وَ جَعَلْنَا فِيْ قُلُوْبِ الَّذِيْنَ اتَّبَعُوْهُ رَاْفَةً وَّ رَحْمَةً ؕ وَ رَهْبَانِيَّةَ ِۨابْتَدَعُوْهَا مَا كَتَبْنٰهَا عَلَيْهِمْ اِلَّا ابْتِغَآءَ رِضْوَانِ اللّٰهِ فَمَا رَعَوْهَا حَقَّ رِعَايَتِهَا ۚ فَاٰتَيْنَا الَّذِيْنَ اٰمَنُوْا مِنْهُمْ اَجْرَهُمْ ۚ وَ كَثِيْرٌ مِّنْهُمْ فٰسِقُوْنَ ﴿٢٧﴾
২৮. হে ঈমানদার লোকেরা! তোমরা আল্লাহ্কে ভয় করো এবং ঈমান আনো তাঁর রসূলের প্রতি, তিনি তাঁর অনুগ্রহে তোমাদের দেবেন দ্বিগুণ পুরস্কার, আর তোমাদের দেবেন নূর (আলো) যার সাহায্যে তোমরা পথ চলবে (জীবন যাপন করবে) এবং তিনি তোমাদের ক্ষমা করে দেবেন। নিশ্চয়ই আল্লাহ্ পরম ক্ষমাশীল দয়াবান।	يٰۤاَيُّهَا الَّذِيْنَ اٰمَنُوا اتَّقُوا اللّٰهَ وَ اٰمِنُوْا بِرَسُوْلِهٖ يُؤْتِكُمْ كِفْلَيْنِ مِنْ رَّحْمَتِهٖ وَ يَجْعَلْ لَّكُمْ نُوْرًا تَمْشُوْنَ بِهٖ وَ يَغْفِرْ لَكُمْ ؕ وَ اللّٰهُ غَفُوْرٌ رَّحِيْمٌ ﴿٢٨﴾
২৯. এটা এজন্যে যে, আহলে কিতাবরা যেনো জানতে পারে, আল্লাহ্র সামান্যতম অনুগ্রহের উপরও তাদের কোনো অধিকার নেই। সমস্ত অনুগ্রহ আল্লাহ্রই এখতিয়ারে, তিনি যাকে ইচ্ছা তা দান করেন। আর আল্লাহ্ মহা অনুগ্রহশীল।	لِّئَلَّا يَعْلَمَ اَهْلُ الْكِتٰبِ اَلَّا يَقْدِرُوْنَ عَلٰى شَيْءٍ مِّنْ فَضْلِ اللّٰهِ وَ اَنَّ الْفَضْلَ بِيَدِ اللّٰهِ يُؤْتِيْهِ مَنْ يَّشَآءُ ؕ وَ اللّٰهُ ذُو الْفَضْلِ الْعَظِيْمِ ﴿٢٩﴾ (রুকু ০৪)

সূরা ৫৮ আল মুজাদালা

মদিনায় অবতীর্ণ, আয়াত সংখ্যা: ২২, রুকু সংখ্যা: ০৩

এই সূরার আলোচ্যসূচি (আয়াত ভিত্তিক আলোচ্য বিষয়)

০১-০৪: যিহারের বিধান।

০৫-০৬: নাস্তিকদের জন্য রয়েছে অপমানকর আযাব।

০৭-১৩: মজলিসে একান্তে কথা বলার বিধান। মজলিসে বসার বিধান।

১৪-২২: কাদের প্রতি আল্লাহ্‌র গজব? মুমিনরা আল্লাহ্‌র শত্রুদের বন্ধু বানায়না নিকট আত্মীয় হলেও।

সূরা আল মুজাদালা (বিতর্ক) পরম করুণাময় পরম দয়াবান আল্লাহ্‌র নামে	سُوْرَةُ الْمُجَادَلَةِ بِسْمِ اللّٰهِ الرَّحْمٰنِ الرَّحِيْمِ
পারা ২৮ **০১. আল্লাহ্ শুনেছেন সেই নারীর কথা, যে তার স্বামীর বিষয়ে বিতর্ক করছে তোমার সাথে এবং** শেকায়েত (অভিযোগ, ফরিয়াদ) করছে আল্লাহ্‌র কাছে। আল্লাহ্ তোমাদের কথোপকথন শুনেছেন। আল্লাহ্ সব শুনেন, সব দেখেন।	قَدْ سَمِعَ اللّٰهُ قَوْلَ الَّتِیْ تُجَادِلُكَ فِیْ زَوْجِهَا وَتَشْتَكِیْۤ اِلَى اللّٰهِ ۖ وَاللّٰهُ یَسْمَعُ تَحَاوُرَكُمَا ؕ اِنَّ اللّٰهَ سَمِیْعٌۢ بَصِیْرٌ ①
০২. তোমাদের যারা নিজেদের স্ত্রীদের সাথে যিহার করে তারা জেনে রাখুক তাদের স্ত্রীরা তাদের মা নয়। তাদের মা তো তারাই যারা তাদের জন্ম দিয়েছে। (যারা যিহার করে) তারা একটি অন্যায়, অসংগত ও অসত্য কথাই বলে। নিশ্চয়ই আল্লাহ্ দয়াময় ক্ষমাশীল।	اَلَّذِیْنَ یُظٰهِرُوْنَ مِنْكُمْ مِّنْ نِّسَآئِهِمْ مَّا هُنَّ اُمَّهٰتِهِمْ ؕ اِنْ اُمَّهٰتُهُمْ اِلَّا الّٰٓئِیْ وَلَدْنَهُمْ ؕ وَاِنَّهُمْ لَیَقُوْلُوْنَ مُنْكَرًا مِّنَ الْقَوْلِ وَزُوْرًا ؕ وَاِنَّ اللّٰهَ لَعَفُوٌّ غَفُوْرٌ ②
০৩. যারা নিজেদের স্ত্রীদের সাথে যিহার করে, তারপর নিজেদের বক্তব্য প্রত্যাহার করে নেয়, তাদের জন্যে বিধান হলো, তারা পরস্পরকে স্পর্শ করার আগে একটি দাসমুক্ত করবে। এভাবেই তোমাদের উপদেশ দেয়া হলো। তোমরা যা করো আল্লাহ্ সে বিষয়ে খবর রাখেন।	وَالَّذِیْنَ یُظٰهِرُوْنَ مِنْ نِّسَآئِهِمْ ثُمَّ یَعُوْدُوْنَ لِمَا قَالُوْا فَتَحْرِیْرُ رَقَبَةٍ مِّنْ قَبْلِ اَنْ یَّتَمَآسَّا ؕ ذٰلِكُمْ تُوْعَظُوْنَ بِهٖ ؕ وَاللّٰهُ بِمَا تَعْمَلُوْنَ خَبِیْرٌ ③
০৪. এই সামর্থ্য যার নেই, পরস্পরকে স্পর্শ করার আগে সে অবিরাম দুই মাস সিয়াম পালন করবে (রোযা রাখবে)। যে এটা করতেও অসমর্থ হবে, সে ষাটজন মিসকিনকে (অভাবীকে) খাবার খাওয়াবে। এ বিধান দেয়া হলো, যেনো তোমরা আল্লাহ্ ও তাঁর রসূলের প্রতি ঈমান রাখো, এটাই আল্লাহ্‌র বিধান। আল্লাহ্‌র বিধান অমান্যকারীদের জন্যে রয়েছে বেদনাদায়ক আযাব।	فَمَنْ لَّمْ یَجِدْ فَصِیَامُ شَهْرَیْنِ مُتَتَابِعَیْنِ مِنْ قَبْلِ اَنْ یَّتَمَآسَّا ۚ فَمَنْ لَّمْ یَسْتَطِعْ فَاِطْعَامُ سِتِّیْنَ مِسْكِیْنًا ؕ ذٰلِكَ لِتُؤْمِنُوْا بِاللّٰهِ وَرَسُوْلِهٖ ؕ وَتِلْكَ حُدُوْدُ اللّٰهِ ؕ وَلِلْكٰفِرِیْنَ عَذَابٌ اَلِیْمٌ ④

০৫. যারা আল্লাহ্ ও তাঁর রসূলের বিরোধিতা করে, তাদের অপদস্থ করা হবে, যেমন অপদস্থ করা হয়েছে তাদের আগের লোকদের। আমরা তো সুস্পষ্ট আয়াত নাযিল করেছি। অমান্যকারীদের জন্যে রয়েছে অপমানকর আযাব।	اِنَّ الَّذِیۡنَ یُحَآدُّوۡنَ اللّٰہَ وَ رَسُوۡلَہٗ کُبِتُوۡا کَمَا کُبِتَ الَّذِیۡنَ مِنۡ قَبۡلِہِمۡ وَ قَدۡ اَنۡزَلۡنَاۤ اٰیٰتٍۭ بَیِّنٰتٍ ؕ وَ لِلۡکٰفِرِیۡنَ عَذَابٌ مُّہِیۡنٌ ۚ﴿۵﴾
০৬. যেদিন আল্লাহ্ তাদের সবাইকে পুনরুত্থিত করবেন, সেদিন আল্লাহ্ তাদের কৃতকর্ম সম্পর্কে তাদের অবহিত করবেন। আল্লাহ্ তার (তাদের কৃতকর্মের) হিসাব রেখেছেন, কিন্তু তারা তা ভুলে গেছে। আল্লাহ্ প্রতিটি বিষয়ের প্রত্যক্ষদর্শী।	یَوۡمَ یَبۡعَثُہُمُ اللّٰہُ جَمِیۡعًا فَیُنَبِّئُہُمۡ بِمَا عَمِلُوۡا ؕ اَحۡصٰہُ اللّٰہُ وَ نَسُوۡہُ ؕ وَ اللّٰہُ عَلٰی کُلِّ شَیۡءٍ شَہِیۡدٌ ٪﴿۶﴾
০৭. তুমি কি দেখোনা যে, আল্লাহ্ জানেন মহাকাশ এবং পৃথিবীতে যা কিছু আছে? তিন ব্যক্তির মধ্যে কোনো গোপন সলাপরামর্শ হয়না যেখানে চতুর্থজন হিসেবে তিনি উপস্থিত থাকেননা। পাঁচ ব্যক্তির মধ্যেও হয়না, যেখানে ষষ্ঠজন হিসেবে তিনি হাজির থাকেন না। তারা এর চাইতে কম হোক কিংবা বেশি, তিনি তাদের সাথেই থাকেন যেখানেই তারা থাকুক। তারপর কিয়ামতের দিন তিনি তাদের অবহিত করবেন-তারা কী করেছিল? নিশ্চয়ই আল্লাহ্ প্রতিটি বিষয়ে জ্ঞানী।	اَلَمۡ تَرَ اَنَّ اللّٰہَ یَعۡلَمُ مَا فِی السَّمٰوٰتِ وَ مَا فِی الۡاَرۡضِ ؕ مَا یَکُوۡنُ مِنۡ نَّجۡوٰی ثَلٰثَۃٍ اِلَّا ہُوَ رَابِعُہُمۡ وَ لَا خَمۡسَۃٍ اِلَّا ہُوَ سَادِسُہُمۡ وَ لَاۤ اَدۡنٰی مِنۡ ذٰلِکَ وَ لَاۤ اَکۡثَرَ اِلَّا ہُوَ مَعَہُمۡ اَیۡنَ مَا کَانُوۡا ۚ ثُمَّ یُنَبِّئُہُمۡ بِمَا عَمِلُوۡا یَوۡمَ الۡقِیٰمَۃِ ؕ اِنَّ اللّٰہَ بِکُلِّ شَیۡءٍ عَلِیۡمٌ ﴿۷﴾
০৮. তুমি কি তাদের প্রতি লক্ষ্য করছো না, যাদের গোপন সলাপরামর্শ করতে নিষেধ করা হয়েছিল; কিন্তু নিষেধ করার পরও তারা সেটার পুনরাবৃত্তি করে এবং পাপ কাজ, সীমালংঘন ও রসূলের বিরুদ্ধাচরণের জন্যে গোপন সলাপরামর্শ করে? তারা যখন তোমার কাছে আসে, এমন ভাষায় তোমাকে অভিবাদন করে, যে ভাষায় আল্লাহ্ তোমাকে অভিবাদন করেননি। তারা মনে মনে বলে: 'আমরা যা বলি, তার জন্যে আল্লাহ্ আমাদের শাস্তি দেন না কেন?' তাদের জন্যে জাহান্নামই যথেষ্ট। তাতেই তারা দগ্ধ হবে, আর সেটা কতো যে নিকৃষ্ট আবাস!	اَلَمۡ تَرَ اِلَی الَّذِیۡنَ نُہُوۡا عَنِ النَّجۡوٰی ثُمَّ یَعُوۡدُوۡنَ لِمَا نُہُوۡا عَنۡہُ وَ یَتَنٰجَوۡنَ بِالۡاِثۡمِ وَ الۡعُدۡوَانِ وَ مَعۡصِیَتِ الرَّسُوۡلِ ۫ وَ اِذَا جَآءُوۡکَ حَیَّوۡکَ بِمَا لَمۡ یُحَیِّکَ بِہِ اللّٰہُ ۙ وَ یَقُوۡلُوۡنَ فِیۡۤ اَنۡفُسِہِمۡ لَوۡ لَا یُعَذِّبُنَا اللّٰہُ بِمَا نَقُوۡلُ ؕ حَسۡبُہُمۡ جَہَنَّمُ ۚ یَصۡلَوۡنَہَا ۚ فَبِئۡسَ الۡمَصِیۡرُ ﴿۸﴾
০৯. হে ঈমানদার লোকেরা! তোমরা যখন গোপন পরামর্শ করো, সেটা যেনো পাপালাপ, সীমালংঘন এবং রসূলের বিরুদ্ধাচরণের জন্যে না হয়। তোমরা গোপন পরামর্শ করলে তা করবে কল্যাণকর কাজ ও তাকওয়া অবলম্বনের	یٰۤاَیُّہَا الَّذِیۡنَ اٰمَنُوۡۤا اِذَا تَنَاجَیۡتُمۡ فَلَا تَتَنَاجَوۡا بِالۡاِثۡمِ وَ الۡعُدۡوَانِ وَ مَعۡصِیَتِ الرَّسُوۡلِ وَ تَنَاجَوۡا بِالۡبِرِّ وَ التَّقۡوٰی ؕ

রুকু ০১

উদ্দেশ্যে। তোমরা সেই আল্লাহ্‌কে ভয় করো, যাঁর কাছে তোমাদের হাশর করা হবে।	وَاتَّقُوا اللّٰهَ الَّذِيْٓ اِلَيْهِ تُحْشَرُوْنَ ﴿٩﴾
১০. গোপন সলাপরামর্শ হয় শয়তানের প্ররোচণায় মুমিনদের মনে কষ্ট দেয়ার জন্যে। আল্লাহ্‌র ইচ্ছা ছাড়া সে তাদের সামান্যতম ক্ষতি করতেও সক্ষম নয়। মুমিনরা আল্লাহ্‌র উপরই তাওয়াক্কুল করুক।	اِنَّمَا النَّجْوٰى مِنَ الشَّيْطٰنِ لِيَحْزُنَ الَّذِيْنَ اٰمَنُوْا وَ لَيْسَ بِضَآرِّهِمْ شَيْـًٔا اِلَّا بِاِذْنِ اللّٰهِ ؕ وَ عَلَى اللّٰهِ فَلْيَتَوَكَّلِ الْمُؤْمِنُوْنَ ﴿١٠﴾
১১. হে ঈমানদার লোকেরা! তোমাদের যখন বলা হয়: মজলিসে স্থান প্রশস্ত করে দাও, তখন তোমরা (অপরের জন্য) স্থান করে দিও, তাহলে আল্লাহ্‌ও তোমাদের জন্যে প্রশস্ত করে দেবেন। আর যখন তোমাদের বলা হয়: ‘উঠে যাও’, তখন তোমরা উঠে যেয়ো। তোমাদের মধ্যে যারা ঈমান এনেছে এবং যাদের জ্ঞান দান করা হয়েছে আল্লাহ্ তাদের উচ্চ মর্যাদায় অধিষ্ঠিত করবেন। তোমরা যা করো, আল্লাহ্ সে বিষয়ে অবহিত।	يٰۤاَيُّهَا الَّذِيْنَ اٰمَنُوْۤا اِذَا قِيْلَ لَكُمْ تَفَسَّحُوْا فِي الْمَجٰلِسِ فَافْسَحُوْا يَفْسَحِ اللّٰهُ لَكُمْ ۚ وَ اِذَا قِيْلَ انْشُزُوْا فَانْشُزُوْا يَرْفَعِ اللّٰهُ الَّذِيْنَ اٰمَنُوْا مِنْكُمْ ۙ وَالَّذِيْنَ اُوْتُوا الْعِلْمَ دَرَجٰتٍ ؕ وَاللّٰهُ بِمَا تَعْمَلُوْنَ خَبِيْرٌ ﴿١١﴾
১২. হে ঈমানদার লোকেরা! তোমরা রসূলের সাথে চুপে চুপে কথা বলতে চাইলে তার আগে হাদিয়া প্রদান করবে। এটা উত্তম এবং পবিত্র। যদি তা করতে তোমরা সমর্থ না হও, তবে আল্লাহ্ ক্ষমাশীল, দয়াময়।	يٰۤاَيُّهَا الَّذِيْنَ اٰمَنُوْۤا اِذَا نَاجَيْتُمُ الرَّسُوْلَ فَقَدِّمُوْا بَيْنَ يَدَيْ نَجْوٰىكُمْ صَدَقَةً ؕ ذٰلِكَ خَيْرٌ لَّكُمْ وَ اَطْهَرُ ؕ فَاِنْ لَّمْ تَجِدُوْا فَاِنَّ اللّٰهَ غَفُوْرٌ رَّحِيْمٌ ﴿١٢﴾
১৩. তোমরা কি চুপে চুপে কথা বলার আগে হাদিয়া প্রদানকে কষ্টকর মনে করো? যদি তোমরা হাদিয়া না দাও, আল্লাহ্ তোমাদের ক্ষমা করে দিয়েছেন। সুতরাং তোমরা সালাত কায়েম করো, যাকাত প্রদান করো এবং আল্লাহ্ ও তাঁর রসূলের আনুগত্য করো। তোমরা যা করো, আল্লাহ্ সে বিষয়ে খবর রাখেন।	ءَاَشْفَقْتُمْ اَنْ تُقَدِّمُوْا بَيْنَ يَدَيْ نَجْوٰىكُمْ صَدَقٰتٍ ؕ فَاِذْ لَمْ تَفْعَلُوْا وَ تَابَ اللّٰهُ عَلَيْكُمْ فَاَقِيْمُوا الصَّلٰوةَ وَاٰتُوا الزَّكٰوةَ وَاَطِيْعُوا اللّٰهَ وَرَسُوْلَهٗ ؕ وَاللّٰهُ خَبِيْرٌۢ بِمَا تَعْمَلُوْنَ ﴿١٣﴾
১৪. তুমি কি তাদের প্রতি লক্ষ্য করোনি, যারা সেই সম্প্রদায়ের সাথে (মুনাফিকদের সাথে) বন্ধুতা করে, যাদের প্রতি আল্লাহ্ ক্ষুব্ধ। তারা তোমাদের লোক নয়, তোমরাও তাদের লোক নও। তারা জেনে শুনে মিথ্যা হলফ করে।	اَلَمْ تَرَ اِلَى الَّذِيْنَ تَوَلَّوْا قَوْمًا غَضِبَ اللّٰهُ عَلَيْهِمْ ؕ مَا هُمْ مِّنْكُمْ وَ لَا مِنْهُمْ ۙ وَ يَحْلِفُوْنَ عَلَى الْكَذِبِ وَ هُمْ يَعْلَمُوْنَ ﴿١٤﴾
১৫. আল্লাহ্ তাদের জন্যে প্রস্তুত রেখেছেন কঠোর আযাব। তারা যা করে তা চরম নিকৃষ্ট।	اَعَدَّ اللّٰهُ لَهُمْ عَذَابًا شَدِيْدًا ؕ اِنَّهُمْ سَآءَ مَا كَانُوْا يَعْمَلُوْنَ ﴿١٥﴾

রুকু ০২

১৬. তারা তাদের শপথকে ঢাল হিসেবে ব্যবহার করে এবং তারা আল্লাহ্‌র পথে বাধা সৃষ্টি করে। সুতরাং তাদের জন্যে রয়েছে অপমানকর আযাব।	اِتَّخَذُوْٓا اَيْمَانَهُمْ جُنَّةً فَصَدُّوْا عَنْ سَبِيْلِ اللّٰهِ فَلَهُمْ عَذَابٌ مُّهِيْنٌ ﴿١٦﴾
১৭. তাদের ধন-সম্পদ এবং সন্তান-সন্ততি আল্লাহ্‌র মোকাবেলায় তাদের কোনো কাজেই আসবেনা। তারা হবে আগুনের অধিবাসী, সেখানেই থাকবে তারা চিরকাল।	لَنْ تُغْنِيَ عَنْهُمْ اَمْوَالُهُمْ وَلَآ اَوْلَادُهُمْ مِّنَ اللّٰهِ شَيْـًٔا ۭ اُولٰۗىِٕكَ اَصْحٰبُ النَّارِ ۭ هُمْ فِيْهَا خٰلِدُوْنَ ﴿١٧﴾
১৮. যেদিন আল্লাহ্ তাদের সবাইকে পুনরুত্থিত করবেন, সেদিনও তারা আল্লাহ্‌র সাথে ঠিক সে রকম হলফই করবে, যে রকম হলফ করে তোমাদের সাথে। তারা মনে করে তারা গুরুত্বপূর্ণ কিছুর উপর রয়েছে। জেনে রাখো, আসলে তারা মিথ্যাবাদী।	يَوْمَ يَبْعَثُهُمُ اللّٰهُ جَمِيْعًا فَيَحْلِفُوْنَ لَهٗ كَمَا يَحْلِفُوْنَ لَكُمْ وَيَحْسَبُوْنَ اَنَّهُمْ عَلٰي شَيْءٍ ۭ اَلَآ اِنَّهُمْ هُمُ الْكٰذِبُوْنَ ﴿١٨﴾
১৯. শয়তান তাদের উপর প্রভাব বিস্তার করে আছে। ফলে সে তাদের ভুলিয়ে দিয়েছে আল্লাহ্‌র যিকির। মূলত তারা হলো শয়তানের দল। আর জেনে রাখো, শয়তানের দল অবশ্যি ক্ষতিগ্রস্ত হবে।	اِسْتَحْوَذَ عَلَيْهِمُ الشَّيْطٰنُ فَاَنْسٰىهُمْ ذِكْرَ اللّٰهِ ۭ اُولٰۗىِٕكَ حِزْبُ الشَّيْطٰنِ ۭ اَلَآ اِنَّ حِزْبَ الشَّيْطٰنِ هُمُ الْخٰسِرُوْنَ ﴿١٩﴾
২০. যারা আল্লাহ্ ও তাঁর রসূলের বিরোধিতা করে, তারাই হবে লাঞ্ছিতদের অন্তরভুক্ত।	اِنَّ الَّذِيْنَ يُحَاۗدُّوْنَ اللّٰهَ وَرَسُوْلَهٗٓ اُولٰۗىِٕكَ فِي الْاَذَلِّيْنَ ﴿٢٠﴾
২১. আল্লাহ্ লিখে রেখেছেন, আমি অবশ্যি বিজয়ী হবো এবং আমার রসূলরাও। নিশ্চয়ই আল্লাহ্ শক্তিধর, পরাক্রমশালী।	كَتَبَ اللّٰهُ لَاَغْلِبَنَّ اَنَا وَرُسُلِيْ ۭ اِنَّ اللّٰهَ قَوِيٌّ عَزِيْزٌ ﴿٢١﴾
২২. যারা আল্লাহ্‌র প্রতি এবং আখিরাতের প্রতি ঈমান রাখে তুমি তাদের কাউকেও এমন পাবেনা, যে আল্লাহ্ ও তাঁর রসূলের বিরোধিতাকারীর সাথে বন্ধুতা ও ভালোবাসা রাখে, বিরোধিতাকারীরা তাদের বাবা-মা, ছেলে-মেয়ে, ভাই-বোন এবং আত্মীয়-স্বজন হলেও। এদের অন্তরে আল্লাহ্ লিখে দিয়েছেন ঈমান এবং তাদের সাহায্য করেছেন তাঁর পক্ষ থেকে রূহ (অহির জ্ঞান, কুরআন) দিয়ে। তিনি তাদের দাখিল করবেন জান্নাতে, যার নিচে দিয়ে বহমান থাকবে নদ নদী নহর, চিরকাল থাকবে তারা সেখানে। আল্লাহ্ তাদের প্রতি রাজি হয়ে গেছেন এবং তারাও তাঁর প্রতি রাজি হয়েছে। এরাই আল্লাহ্‌র দল। আর জেনে রাখো, আল্লাহ্‌র দলই হবে সফল।	لَا تَجِدُ قَوْمًا يُّؤْمِنُوْنَ بِاللّٰهِ وَالْيَوْمِ الْاٰخِرِ يُوَاۗدُّوْنَ مَنْ حَاۗدَّ اللّٰهَ وَرَسُوْلَهٗ وَلَوْ كَانُوْٓا اٰبَاۗءَهُمْ اَوْ اَبْنَاۗءَهُمْ اَوْ اِخْوَانَهُمْ اَوْ عَشِيْرَتَهُمْ ۭ اُولٰۗىِٕكَ كَتَبَ فِيْ قُلُوْبِهِمُ الْاِيْمَانَ وَاَيَّدَهُمْ بِرُوْحٍ مِّنْهُ ۭ وَيُدْخِلُهُمْ جَنّٰتٍ تَجْرِيْ مِنْ تَحْتِهَا الْاَنْهٰرُ خٰلِدِيْنَ فِيْهَا ۭ رَضِيَ اللّٰهُ عَنْهُمْ وَرَضُوْا عَنْهُ ۭ اُولٰۗىِٕكَ حِزْبُ اللّٰهِ ۭ اَلَآ اِنَّ حِزْبَ اللّٰهِ هُمُ الْمُفْلِحُوْنَ ﴿٢٢﴾

রুকু ০৩

সূরা ৫৯ আল হাশর

মদিনায় অবতীর্ণ, আয়াত সংখ্যা: ২৪, রুকু সংখ্যা: ০৩

এই সূরার আলোচ্যসূচি (আয়াত ভিত্তিক আলোচ্য বিষয়)

০১-০৬: ইহুদিদের বিশ্বাসঘাতকতা এবং তাদের উৎখাতের বিবরণ।
০৭-১০: ফায়দা লাভ করবে কারা?
১১-১৭: মুনাফিকদের আচরণ শয়তানের আচরণের মতো।
১৮-২৪: মুমিনদের প্রতি উপদেশ। কুরআনের মর্যাদা। আসমাউল হুসনা।

সূরা আল হাশর (সমাবেশ) পরম করুণাময় পরম দয়াবান আল্লাহ্‌র নামে	سُوْرَةُ الْحَشْرِ بِسْمِ اللّٰهِ الرَّحْمٰنِ الرَّحِيْمِ
০১. মহাকাশ এবং পৃথিবীতে যা কিছু আছে সবই তসবিহ করে আল্লাহ্‌র। তিনি মহাশক্তিধর, মহাপ্রজ্ঞাবান।	سَبَّحَ لِلّٰهِ مَا فِي السَّمٰوٰتِ وَ مَا فِي الْاَرْضِ ۚ وَ هُوَ الْعَزِيْزُ الْحَكِيْمُ ①
০২. তিনিই আহলে কিতাবের কাফিরদের (বনু নজিরের ইহুদিদের) বের করে দিয়েছেন তাদের আবাস থেকে প্রথমবার সমবেতভাবে। তারা বেরিয়ে যাবে বলে তো তোমরা কল্পনাও করোনি। আর তারা মনে করেছিল তাদের দুর্গগুলো তাদের রক্ষা করবে আল্লাহ্‌র পাকড়াও থেকে। কিন্তু আল্লাহ্ তাদের এমন একদিক থেকে শাস্তি দিলেন, যা ছিলো তাদের কল্পনারও বাইরে। আর তাদের অন্তরে সঞ্চার করে দিয়েছিলেন ভীতি। তারা নিজেদের হাতেই নিজেদের ঘরবাড়ি ধ্বংস করে ফেলছিল এবং মুমিনদের হাতেও। সুতরাং উপদেশ গ্রহণ করো হে চক্ষুষ্মান ব্যক্তিরা!	هُوَ الَّذِيْۤ اَخْرَجَ الَّذِيْنَ كَفَرُوْا مِنْ اَهْلِ الْكِتٰبِ مِنْ دِيَارِهِمْ لِاَوَّلِ الْحَشْرِ ؕ مَا ظَنَنْتُمْ اَنْ يَّخْرُجُوْا وَ ظَنُّوْۤا اَنَّهُمْ مَّانِعَتُهُمْ حُصُوْنُهُمْ مِّنَ اللّٰهِ فَاَتٰىهُمُ اللّٰهُ مِنْ حَيْثُ لَمْ يَحْتَسِبُوْا ۗ وَ قَذَفَ فِيْ قُلُوْبِهِمُ الرُّعْبَ يُخْرِبُوْنَ بُيُوْتَهُمْ بِاَيْدِيْهِمْ وَ اَيْدِي الْمُؤْمِنِيْنَ ۗ فَاعْتَبِرُوْا يٰۤاُولِي الْاَبْصَارِ ②
০৩. আল্লাহ্ তাদের নির্বাসনের সিদ্ধান্ত না দিলেও পৃথিবীতে তাদের অন্য কোনো শাস্তি দিতেন। আর আখিরাতে তাদের জন্যে রয়েছে আগুনের আযাব।	وَ لَوْ لَاۤ اَنْ كَتَبَ اللّٰهُ عَلَيْهِمُ الْجَلَآءَ لَعَذَّبَهُمْ فِي الدُّنْيَا ؕ وَ لَهُمْ فِي الْاٰخِرَةِ عَذَابُ النَّارِ ③
০৪. এর কারণ, তারা আল্লাহ্ ও তাঁর রসূলের বিরুদ্ধাচরণ করেছে। আর যারাই আল্লাহ্‌র বিরুদ্ধাচরণ করে, আল্লাহ্ অবশ্যি কঠোর শাস্তিদাতা।	ذٰلِكَ بِاَنَّهُمْ شَآقُّوا اللّٰهَ وَ رَسُوْلَهٗ ۚ وَ مَنْ يُّشَآقِّ اللّٰهَ فَاِنَّ اللّٰهَ شَدِيْدُ الْعِقَابِ ④
০৫. তোমরা যে খেজুরগাছগুলো কেটেছিলে কিংবা কাণ্ডের উপর রেখে দিয়েছিলে তাতো	مَا قَطَعْتُمْ مِّنْ لِّيْنَةٍ اَوْ تَرَكْتُمُوْهَا

আল্লাহ্‌রই অনুমতিক্রমে করেছিলে এবং এজন্যে, যেনো আল্লাহ্ তাদের লাঞ্ছিত করেন।	قَآئِمَةً عَلٰٓى اُصُوْلِهَا فَبِاِذْنِ اللّٰهِ وَلِيُخْزِىَ الْفٰسِقِيْنَ ۝٥
০৬. আল্লাহ্ ইহুদিদের থেকে তাঁর রসূলকে যে ফায় (যুদ্ধ ছাড়াই লব্ধ সম্পদ) পাইয়ে দিয়েছেন তার জন্যে তোমরা ঘোড়ায় কিংবা উটে আরোহণ করে যুদ্ধ করোনি। আল্লাহ্ যার উপর ইচ্ছা তাঁর রসূলকে কর্তৃত্ব প্রদান করেন। আল্লাহ্ প্রতিটি বিষয়ে সর্বশক্তিমান।	وَمَآ اَفَآءَ اللّٰهُ عَلٰى رَسُوْلِهٖ مِنْهُمْ فَمَآ اَوْجَفْتُمْ عَلَيْهِ مِنْ خَيْلٍ وَّ لَا رِكَابٍ وَّ لٰكِنَّ اللّٰهَ يُسَلِّطُ رُسُلَهٗ عَلٰى مَنْ يَّشَآءُ ؕ وَ اللّٰهُ عَلٰى كُلِّ شَىْءٍ قَدِيْرٌ ۝٦
০৭. আল্লাহ্ জনপদবাসীদের থেকে তাঁর রসূলকে যা কিছু দিয়েছেন, তা আল্লাহ্‌র, তাঁর রসূলের, রসূলের আত্মীয়দের, এতিমদের, মিসকিনদের এবং পথিকদের, যাতে করে তোমাদের মধ্যে যারা বিত্তশালী, কেবল তাদের মাঝেই অর্থ-সম্পদ আবর্তিত না হয়। রসূল তোমাদের যা দেয় তা গ্রহণ করো, আর যা থেকে তোমাদের নিষেধ করে, তা থেকে বিরত থাকো। আল্লাহ্‌কে ভয় করো নিশ্চয়ই আল্লাহ্ কঠোর শাস্তিদাতা।	مَآ اَفَآءَ اللّٰهُ عَلٰى رَسُوْلِهٖ مِنْ اَهْلِ الْقُرٰى فَلِلّٰهِ وَ لِلرَّسُوْلِ وَ لِذِى الْقُرْبٰى وَ الْيَتٰمٰى وَ الْمَسٰكِيْنِ وَ ابْنِ السَّبِيْلِ ۙ كَىْ لَا يَكُوْنَ دُوْلَةًۢ بَيْنَ الْاَغْنِيَآءِ مِنْكُمْ ؕ وَمَآ اٰتٰىكُمُ الرَّسُوْلُ فَخُذُوْهُ ۚ وَمَا نَهٰىكُمْ عَنْهُ فَانْتَهُوْا ۚ وَاتَّقُوا اللّٰهَ ؕ اِنَّ اللّٰهَ شَدِيْدُ الْعِقَابِ ۝٧
০৮. এই সম্পদ অভাবগ্রস্ত মুহাজিরদের জন্যে যারা নিজেদের ঘরবাড়ি ও অর্থ-সম্পদ থেকে উৎখাত হয়ে এসেছে। তারা আল্লাহ্‌র অনুগ্রহ এবং সন্তুষ্টি কামনা করে, তারা আল্লাহ্ ও তাঁর রসূলকে সাহায্য করে। তারা সত্যবাদী।	لِلْفُقَرَآءِ الْمُهٰجِرِيْنَ الَّذِيْنَ اُخْرِجُوْا مِنْ دِيَارِهِمْ وَاَمْوَالِهِمْ يَبْتَغُوْنَ فَضْلًا مِّنَ اللّٰهِ وَ رِضْوَانًا وَّيَنْصُرُوْنَ اللّٰهَ وَرَسُوْلَهٗ ؕ اُولٰٓئِكَ هُمُ الصّٰدِقُوْنَ ۝٨
০৯. আর তাদের জন্যেও, যারা মুহাজিরদের আসার পূর্ব থেকেই এ নগরীতে বসবাস করে আসছে এবং ঈমান এনেছে। তারা হিজরত করে আসা লোকদের ভালোবাসে। মুহাজিরদের যা দেয়া হয়েছে, তার জন্যে তারা অন্তরে আশা পোষণ করেনা। মূলত তারা তাদেরকে নিজেদের উপর অগ্রাধিকার দেয় নিজেরা অভাবগ্রস্ত হলেও। যারা মনের সংকীর্ণতা থেকে মুক্ত, তারাই সাফল্য অর্জনকারী।	وَ الَّذِيْنَ تَبَوَّؤُ الدَّارَ وَ الْاِيْمَانَ مِنْ قَبْلِهِمْ يُحِبُّوْنَ مَنْ هَاجَرَ اِلَيْهِمْ وَ لَا يَجِدُوْنَ فِىْ صُدُوْرِهِمْ حَاجَةً مِّمَّآ اُوْتُوْا وَ يُؤْثِرُوْنَ عَلٰٓى اَنْفُسِهِمْ وَ لَوْ كَانَ بِهِمْ خَصَاصَةٌ ؕ وَ مَنْ يُّوْقَ شُحَّ نَفْسِهٖ فَاُولٰٓئِكَ هُمُ الْمُفْلِحُوْنَ ۝٩
১০. যারা তাদের পরে এসেছে তারা বলে: ‘আমাদের প্রভু! ক্ষমা করে দাও আমাদেরকে, ঈমানের দিক থেকে আমাদের সাবেক (অগ্রগামী) ভাইদেরকে এবং আমাদের অন্তরে মুমিনদের	وَالَّذِيْنَ جَآءُوْ مِنْۢ بَعْدِهِمْ يَقُوْلُوْنَ رَبَّنَا اغْفِرْ لَنَا وَ لِاِخْوَانِنَا الَّذِيْنَ سَبَقُوْنَا

রুকু ০১

জন্যে কোনো বিদ্বেষ রেখোনা। আমাদের প্রভু! নিশ্চয়ই তুমি পরম দয়াবান, পরম করুণাময়।’	بِالْاِيْمَانِ وَلَا تَجْعَلْ فِيْ قُلُوْبِنَا غِلًّا لِّلَّذِيْنَ اٰمَنُوْا رَبَّنَآ اِنَّكَ رَءُوْفٌ رَّحِيْمٌ ﴿١٠﴾
১১. যারা মুনাফিকি করে, তুমি কি তাদের দেখোনা? তারা তাদের আহলে কিতাবের কাফির ভাইদের বলে: ‘তোমাদের যদি বহিষ্কার করা হয়, তবে আমরাও অবশ্যি তোমাদের সাথে দেশ ত্যাগ করবো এবং আমরা তোমাদের ব্যাপারে কখনো কারো কথা শুনবোনা। তোমরা আক্রান্ত হলে অবশ্যি আমরা তোমাদের সাহায্য করবো।’ আল্লাহ্ সাক্ষ্য দিচ্ছেন, তারা অবশ্য অবশ্যি মিথ্যাবাদী।	اَلَمْ تَرَ اِلَى الَّذِيْنَ نَافَقُوْا يَقُوْلُوْنَ لِاِخْوَانِهِمُ الَّذِيْنَ كَفَرُوْا مِنْ اَهْلِ الْكِتٰبِ لَئِنْ اُخْرِجْتُمْ لَنَخْرُجَنَّ مَعَكُمْ وَلَا نُطِيْعُ فِيْكُمْ اَحَدًا اَبَدًا ۙ وَّاِنْ قُوْتِلْتُمْ لَنَنْصُرَنَّكُمْ ؕ وَاللّٰهُ يَشْهَدُ اِنَّهُمْ لَكٰذِبُوْنَ ﴿١١﴾
১২. ওদেরকে বহিষ্কার করা হলে এরা দেশ ত্যাগ করবেনা, ওরা আক্রান্ত হলে এরা সাহায্যও করবেনা। এরা সাহায্য করতে গেলেও, পেছনে ফিরে পালাবে, তারপর তারা আর কোনো সাহায্য পাবেনা।	لَئِنْ اُخْرِجُوْا لَا يَخْرُجُوْنَ مَعَهُمْ ۚ وَلَئِنْ قُوْتِلُوْا لَا يَنْصُرُوْنَهُمْ ۚ وَلَئِنْ نَّصَرُوْهُمْ لَيُوَلُّنَّ الْاَدْبَارَ ۙ ثُمَّ لَا يُنْصَرُوْنَ ﴿١٢﴾
১৩. মূলত এদের মনে আল্লাহ্‌র চেয়ে তোমাদের ভয়ই বেশি, কারণ তারা বেবুঝ লোক।	لَاَنْتُمْ اَشَدُّ رَهْبَةً فِيْ صُدُوْرِهِمْ مِّنَ اللّٰهِ ؕ ذٰلِكَ بِاَنَّهُمْ قَوْمٌ لَّا يَفْقَهُوْنَ ﴿١٣﴾
১৪. তারা সবাই সংঘবদ্ধ হয়ে তোমাদের বিরুদ্ধে লড়াই করতে পারবেনা, করতে পারবে কেবল সুরক্ষিত জনপদের অভ্যন্তরে থেকে কিংবা দুর্গ প্রাচীরের অন্তরাল থেকে। তাদের পরস্পরের মধ্যেই তো যুদ্ধ প্রকট। তুমি মনে করছো তারা ঐক্যবদ্ধ, অথচ তাদের হৃদয়গুলো বিচ্ছিন্ন। এর কারণ, তারা বেআকল লোক।	لَا يُقَاتِلُوْنَكُمْ جَمِيْعًا اِلَّا فِيْ قُرًى مُّحَصَّنَةٍ اَوْ مِنْ وَّرَآءِ جُدُرٍ ؕ بَاْسُهُمْ بَيْنَهُمْ شَدِيْدٌ ؕ تَحْسَبُهُمْ جَمِيْعًا وَّقُلُوْبُهُمْ شَتّٰى ؕ ذٰلِكَ بِاَنَّهُمْ قَوْمٌ لَّا يَعْقِلُوْنَ ﴿١٤﴾
১৫. এদের অবস্থা তাদের অল্প আগের লোকদের মতো, যারা তাদের কৃতকর্মের শাস্তি আস্বাদন করেছে। এছাড়াও তাদের জন্যে রয়েছে বেদনাদায়ক আযাব।	كَمَثَلِ الَّذِيْنَ مِنْ قَبْلِهِمْ قَرِيْبًا ذَاقُوْا وَبَالَ اَمْرِهِمْ ۚ وَلَهُمْ عَذَابٌ اَلِيْمٌ ﴿١٥﴾
১৬. তাদের অবস্থা শয়তানের মতো। সে মানুষকে বলে: ‘কুফুরি করো।’ অত:পর সে যখন কুফুরি করে, তখন শয়তান বলে: ‘তোমার সাথে আমার কোনো সম্পর্ক নেই, আমি আল্লাহ্ রাব্বুল আলামিনকে ভয় করি।’	كَمَثَلِ الشَّيْطٰنِ اِذْ قَالَ لِلْاِنْسَانِ اكْفُرْ ۚ فَلَمَّا كَفَرَ قَالَ اِنِّيْ بَرِيْٓءٌ مِّنْكَ اِنِّيْٓ اَخَافُ اللّٰهَ رَبَّ الْعٰلَمِيْنَ ﴿١٦﴾
১৭. ফলে দু’জনের পরিণতিই হবে জাহান্নাম। সেখানেই থাকবে তারা চিরকাল। এটাই	فَكَانَ عَاقِبَتَهُمَآ اَنَّهُمَا فِي النَّارِ خَالِدَيْنِ

যালিমদের প্রতিদান।	فِيهَا ؕ وَذٰلِكَ جَزٰٓؤُا الظّٰلِمِينَ ﴿١٧﴾	রুকু ০২
১৮. হে ঈমানদার লোকেরা! তোমরা আল্লাহ্‌কে ভয় করো। প্রত্যেক ব্যক্তিই যেনো ভেবে দেখে, সে আগামিকালের (পরকালের) জন্যে কী অগ্রিম পাঠিয়েছে? আল্লাহ্‌কে ভয় করো। নিশ্চয়ই আল্লাহ্ খবর রাখেন তোমরা যা আমল করো।	يٰٓاَيُّهَا الَّذِيْنَ اٰمَنُوا اتَّقُوا اللّٰهَ وَلْتَنْظُرْ نَفْسٌ مَّا قَدَّمَتْ لِغَدٍ ۚ وَاتَّقُوا اللّٰهَ ؕ اِنَّ اللّٰهَ خَبِيْرٌۢ بِمَا تَعْمَلُوْنَ ﴿١٨﴾	
১৯. তোমরা ঐসব লোকদের মতো হয়োনা যারা আল্লাহ্‌কে ভুলে গেছে, ফলে আল্লাহ্‌ও তাদের আত্মবিস্মৃত করে দিয়েছেন। এরাই ফাসিক।	وَلَا تَكُوْنُوْا كَالَّذِيْنَ نَسُوا اللّٰهَ فَاَنْسٰىهُمْ اَنْفُسَهُمْ ؕ اُولٰٓئِكَ هُمُ الْفٰسِقُوْنَ ﴿١٩﴾	
২০. জাহান্নামিরা আর জান্নাতিরা সমান নয়। কারণ, জান্নাতিরা হবে সফলকাম।	لَا يَسْتَوِيْٓ اَصْحٰبُ النَّارِ وَاَصْحٰبُ الْجَنَّةِ ؕ اَصْحٰبُ الْجَنَّةِ هُمُ الْفَآئِزُوْنَ ﴿٢٠﴾	
২১. আমরা যদি এ কুরআনকে কোনো পাহাড়ের উপর নাযিল করতাম, তবে তুমি সেটাকে দেখতে আল্লাহ্‌র ভয়ে বিনীত ও বিদীর্ণ হয়ে পড়ছে। আমরা এসব দৃষ্টান্ত প্রদান করি মানুষের জন্যে যাতে করে তারা চিন্তা-ভাবনা করে।	لَوْ اَنْزَلْنَا هٰذَا الْقُرْاٰنَ عَلٰى جَبَلٍ لَّرَاَيْتَهٗ خَاشِعًا مُّتَصَدِّعًا مِّنْ خَشْيَةِ اللّٰهِ ؕ وَتِلْكَ الْاَمْثَالُ نَضْرِبُهَا لِلنَّاسِ لَعَلَّهُمْ يَتَفَكَّرُوْنَ ﴿٢١﴾	
২২. তিনিই আল্লাহ্, তিনি ছাড়া আর কোনো ইলাহ্ নেই। তিনি গায়েব ও দৃশ্যের জ্ঞানী। তিনি পরম করুণাময়, পরম দয়াবান।	هُوَ اللّٰهُ الَّذِيْ لَآ اِلٰهَ اِلَّا هُوَ ۚ عٰلِمُ الْغَيْبِ وَالشَّهَادَةِ ۚ هُوَ الرَّحْمٰنُ الرَّحِيْمُ ﴿٢٢﴾	
২৩. তিনিই আল্লাহ্, তিনি ছাড়া আর কোনো ইলাহ্ নেই। তিনিই সার্বভৌম সম্রাট, তিনি সব ত্রুটি থেকে পবিত্র, তিনি শান্তি (দাতা), তিনি নিরাপত্তাদাতা, তিনি রক্ষক, তিনি মহাশক্তিধর, তিনি প্রবল-প্রচণ্ড, তিনি সর্বোচ্চ-মহান। তারা (তাঁর সাথে) যাদের শরিক করে, তিনি সেগুলো থেকে পবিত্র-মহান।	هُوَ اللّٰهُ الَّذِيْ لَآ اِلٰهَ اِلَّا هُوَ ۚ اَلْمَلِكُ الْقُدُّوْسُ السَّلٰمُ الْمُؤْمِنُ الْمُهَيْمِنُ الْعَزِيْزُ الْجَبَّارُ الْمُتَكَبِّرُ ؕ سُبْحٰنَ اللّٰهِ عَمَّا يُشْرِكُوْنَ ﴿٢٣﴾	
২৪. তিনিই আল্লাহ্, স্রষ্টা, সৃষ্টির উদ্ভাবক, আকৃতিদাতা, সব সুন্দর নাম তাঁরই। মহাকাশ ও পৃথিবীর সবকিছুই তাঁর তসবিহ্ করে। তিনি মহাশক্তিধর, মহাপ্রজ্ঞাবান।	هُوَ اللّٰهُ الْخَالِقُ الْبَارِئُ الْمُصَوِّرُ لَهُ الْاَسْمَآءُ الْحُسْنٰى ؕ يُسَبِّحُ لَهٗ مَا فِي السَّمٰوٰتِ وَ الْاَرْضِ ۚ وَ هُوَ الْعَزِيْزُ الْحَكِيْمُ ﴿٢٤﴾	রুকু ০৩

সূরা ৬০ আল মুমতাহানা

মদিনায় অবতীর্ণ, আয়াত সংখ্যা ১৩, রুকু সংখ্যা: ০২

এই সূরার আলোচ্যসূচি (আয়াত ভিত্তিক আলোচ্য বিষয়)

০১-০৬: আল্লাহ্ ও মুমিনদের শত্রুদেরকে বন্ধু হিসাবে গ্রহণ করার নিষেধাজ্ঞা। এ ক্ষেত্রে ইবরাহিমের আদর্শ অনুসরণের পরামর্শ।

০৭-০৯: আল্লাহ্ মুমিনদের জন্যে শত্রুদের মধ্য থেকেও বন্ধু বের করে দিতে পারেন।

১০-১৩: মহিলারা হিজরত করে এলে তাদের ব্যাপারে যে পলিসি গ্রহণ করতে হবে।

সূরা আল মুমতাহানা (পরীক্ষনীয় নারী) পরম করুণাময় পরম দয়াবান আল্লাহ্র নামে।	سُوۡرَةُ الۡمُمۡتَحَنَةِ بِسۡمِ اللّٰهِ الرَّحۡمٰنِ الرَّحِيۡمِ
০১. হে ঈমানদার লোকেরা! তোমরা আমার শত্রু এবং তোমাদের শত্রুকে অলি (বন্ধু ও পৃষ্ঠপোষক) হিসেবে গ্রহণ করোনা। তোমরা কি তাদের কাছে বন্ধুত্বের বার্তা পাঠাচ্ছো? অথচ তোমাদের কাছে যে সত্য এসেছে তারা তার প্রতি কুফুরি করেছে। তোমরা তোমাদের প্রভু আল্লাহ্র প্রতি ঈমান এনেছো বলে তারা আল্লাহ্র রসূলকে এবং তোমাদেরকেও দেশ থেকে বের করে দিয়েছে। যদি তোমরা আমার পথে জিহাদে এবং আমার সন্তুষ্টি লাভের উদ্দেশ্যে বের হয়ে থাকো, তবে কেন তোমরা গোপনে তাদের সাথে বন্ধুতা করছো? তোমরা যা গোপন করো আর যা প্রকাশ করো, তা আমি জানি। তোমাদের যে কেউ এমন কাজ করে, সে তো সঠিক পথ থেকে বিচ্যুত হয়।	يٰۤاَيُّهَا الَّذِيۡنَ اٰمَنُوۡا لَا تَتَّخِذُوۡا عَدُوِّىۡ وَ عَدُوَّكُمۡ اَوۡلِيَآءَ تُلۡقُوۡنَ اِلَيۡهِمۡ بِالۡمَوَدَّةِ وَ قَدۡ كَفَرُوۡا بِمَا جَآءَكُمۡ مِّنَ الۡحَقِّ ۚ يُخۡرِجُوۡنَ الرَّسُوۡلَ وَ اِيَّاكُمۡ اَنۡ تُؤۡمِنُوۡا بِاللّٰهِ رَبِّكُمۡ ؕ اِنۡ كُنۡتُمۡ خَرَجۡتُمۡ جِهَادًا فِىۡ سَبِيۡلِىۡ وَ ابۡتِغَآءَ مَرۡضَاتِىۡ ۖ تُسِرُّوۡنَ اِلَيۡهِمۡ بِالۡمَوَدَّةِ ۖ وَ اَنَا اَعۡلَمُ بِمَاۤ اَخۡفَيۡتُمۡ وَ مَاۤ اَعۡلَنۡتُمۡ ؕ وَمَنۡ يَّفۡعَلۡهُ مِنۡكُمۡ فَقَدۡ ضَلَّ سَوَآءَ السَّبِيۡلِ ﴿۱﴾
০২. তারা তোমাদের কাবু করতে পারলে তোমাদের শত্রু হয়ে যাবে এবং হাতে ও মুখে তোমাদের অনিষ্ট সাধন করবে। তারা তো কামনা করে তোমরাও যেনো কুফুরি করো।	اِنۡ يَّثۡقَفُوۡكُمۡ يَكُوۡنُوۡا لَكُمۡ اَعۡدَآءً وَّيَبۡسُطُوۡۤا اِلَيۡكُمۡ اَيۡدِيَهُمۡ وَاَلۡسِنَتَهُمۡ بِالسُّوۡٓءِ وَوَدُّوۡا لَوۡ تَكۡفُرُوۡنَ ﴿۲﴾
০৩. কিয়ামতের দিন তোমাদের আত্মীয়-স্বজন এবং সন্তান-সন্ততি তোমাদের কোনো কাজে আসবে না। আল্লাহ্ তোমাদের মাঝে বিভক্তি সৃষ্টি করে দেবেন। তোমরা যা করো আল্লাহ্ তার প্রতি দৃষ্টি রাখছেন।	لَنۡ تَنۡفَعَكُمۡ اَرۡحَامُكُمۡ وَلَاۤ اَوۡلَادُكُمۡ ۚ يَوۡمَ الۡقِيٰمَةِ ۚ يَفۡصِلُ بَيۡنَكُمۡ ؕ وَاللّٰهُ بِمَا تَعۡمَلُوۡنَ بَصِيۡرٌ ﴿۳﴾
০৪. তোমাদের জন্যে রয়েছে একটি উত্তম আদর্শ ইবরাহিম এবং তার সাথিদের মধ্যে। তারা তাদের কওমকে বলেছিল: 'তোমাদের সাথে আমাদের কোনো সম্পর্ক নেই এবং তোমরা আল্লাহ্র	قَدۡ كَانَتۡ لَكُمۡ اُسۡوَةٌ حَسَنَةٌ فِىۡۤ اِبۡرٰهِيۡمَ وَ الَّذِيۡنَ مَعَهٗ ۚ اِذۡ قَالُوۡا لِقَوۡمِهِمۡ اِنَّا

بُرَءٰٓؤُا مِنْكُمْ وَمِمَّا تَعْبُدُوْنَ مِنْ دُوْنِ اللّٰهِ ۫ كَفَرْنَا بِكُمْ وَبَدَا بَيْنَنَا وَبَيْنَكُمُ الْعَدَاوَةُ وَالْبَغْضَآءُ اَبَدًا حَتّٰى تُؤْمِنُوْا بِاللّٰهِ وَحْدَهٗٓ اِلَّا قَوْلَ اِبْرٰهِيْمَ لِاَبِيْهِ لَاَسْتَغْفِرَنَّ لَكَ وَمَآ اَمْلِكُ لَكَ مِنَ اللّٰهِ مِنْ شَيْءٍ ؕ رَبَّنَا عَلَيْكَ تَوَكَّلْنَا وَاِلَيْكَ اَنَبْنَا وَاِلَيْكَ الْمَصِيْرُ ﴿٤﴾	পরিবর্তে যাদের ইবাদত (পূজা উপাসনা) করো তাদের সাথেও। আমরা তোমাদের অমান্য করছি। তোমাদের এবং আমাদের মাঝে শুরু হলো চিরন্তন শত্রুতা আর বিদ্বেষ যতোদিন না তোমরা এক আল্লাহ্‌র প্রতি ঈমান আনবে।' তবে ব্যতিক্রম শুধু নিজের পিতার প্রতি ইবরাহিমের এই কথাটা: 'আমি আপনার ব্যাপারে আল্লাহ্‌র কাছে ক্ষমা প্রার্থনা করে যাবো, তবে আপনার ব্যাপারে আমি আল্লাহ্‌র কাছে কোনো কিছু করার অধিকার রাখিনা।' "আমাদের প্রভু! আমরা তোমার প্রতি তাওয়াক্কুল করলাম, আমরা তোমারই অভিমুখী হলাম এবং প্রত্যাবর্তন তো হবে তোমারই কাছে।
رَبَّنَا لَا تَجْعَلْنَا فِتْنَةً لِّلَّذِيْنَ كَفَرُوْا وَاغْفِرْ لَنَا رَبَّنَا ۚ اِنَّكَ اَنْتَ الْعَزِيْزُ الْحَكِيْمُ ﴿٥﴾	০৫. আমাদের প্রভু! তুমি আমাদেরকে কাফিরদের নিপীড়নের পাত্র বানিয়ো না। হে প্রভু! তুমি আমাদের ক্ষমা করে দাও। নিশ্চয়ই তুমি মহাশক্তিধর, মহাপ্রজ্ঞাবান।"
لَقَدْ كَانَ لَكُمْ فِيْهِمْ اُسْوَةٌ حَسَنَةٌ لِّمَنْ كَانَ يَرْجُوا اللّٰهَ وَالْيَوْمَ الْاٰخِرَ ؕ وَمَنْ يَّتَوَلَّ فَاِنَّ اللّٰهَ هُوَ الْغَنِيُّ الْحَمِيْدُ ﴿٦﴾	০৬. তোমরা যারা আল্লাহ্‌র (সন্তুষ্টি) এবং পরকালের (সাফল্য) প্রত্যাশা করো, নিশ্চয়ই তাদের মধ্যে রয়েছে তোমাদের জন্যে উত্তম আদর্শ। কেউ যদি মুখ ফিরিয়ে নেয়, সে জেনে রাখুক, নিশ্চয়ই আল্লাহ্ অভাবমুক্ত সপ্রশংসিত।
عَسَى اللّٰهُ اَنْ يَّجْعَلَ بَيْنَكُمْ وَ بَيْنَ الَّذِيْنَ عَادَيْتُمْ مِّنْهُمْ مَّوَدَّةً ؕ وَ اللّٰهُ قَدِيْرٌ ؕ وَاللّٰهُ غَفُوْرٌ رَّحِيْمٌ ﴿٧﴾	০৭. যাদের সাথে তোমাদের শত্রুতা রয়েছে, হয়তো আল্লাহ্ তাদের ও তোমাদের মাঝে বন্ধুতা সৃষ্টি করে দেবেন। আল্লাহ্ সর্বশক্তিমান। আল্লাহ্ পরম ক্ষমাশীল, পরম দয়াবান।
لَا يَنْهٰىكُمُ اللّٰهُ عَنِ الَّذِيْنَ لَمْ يُقَاتِلُوْكُمْ فِى الدِّيْنِ وَلَمْ يُخْرِجُوْكُمْ مِّنْ دِيَارِكُمْ اَنْ تَبَرُّوْهُمْ وَ تُقْسِطُوْٓا اِلَيْهِمْ ؕ اِنَّ اللّٰهَ يُحِبُّ الْمُقْسِطِيْنَ ﴿٨﴾	০৮. দীনের ব্যাপারে যারা তোমাদের বিরুদ্ধে যুদ্ধ করেনি এবং তোমাদের ঘরবাড়ি থেকে বের করে দেয়নি, তাদের প্রতি সহানুভূতি দেখাতে এবং ন্যায়বিচার করতে আল্লাহ্ তোমাদের নিষেধ করেননা। নিশ্চয়ই আল্লাহ্ সুবিচারকারীদের ভালোবাসেন।
اِنَّمَا يَنْهٰىكُمُ اللّٰهُ عَنِ الَّذِيْنَ قٰتَلُوْكُمْ فِى الدِّيْنِ وَاَخْرَجُوْكُمْ مِّنْ دِيَارِكُمْ وَظٰهَرُوْا عَلٰٓى اِخْرَاجِكُمْ اَنْ تَوَلَّوْهُمْ ۚ وَمَنْ يَّتَوَلَّهُمْ فَاُولٰٓئِكَ هُمُ الظّٰلِمُوْنَ ﴿٩﴾	০৯. আল্লাহ্ তো কেবল তাদের সাথে বন্ধুতা করতেই নিষেধ করেন, যারা দীনের কারণে তোমাদের বিরুদ্ধে যুদ্ধ করেছে, তোমাদেরকে তোমাদের ঘরবাড়ি থেকে বের করে দিয়েছে এবং তোমাদের বের করে দিতে সাহায্য করেছে। যারা তাদের সাথে বন্ধুতা করে তারা যালিম।

রুকু ০১

يٰۤاَيُّهَا الَّذِيۡنَ اٰمَنُوۡۤا اِذَا جَآءَكُمُ الۡمُؤۡمِنٰتُ مُهٰجِرٰتٍ فَامۡتَحِنُوۡهُنَّ ؕ اَللّٰهُ اَعۡلَمُ بِاِيۡمَانِهِنَّ ۚ فَاِنۡ عَلِمۡتُمُوۡهُنَّ مُؤۡمِنٰتٍ فَلَا تَرۡجِعُوۡهُنَّ اِلَى الۡكُفَّارِ ؕ لَا هُنَّ حِلٌّ لَّهُمۡ وَ لَا هُمۡ يَحِلُّوۡنَ لَهُنَّ ؕ وَاٰتُوۡهُمۡ مَّاۤ اَنۡفَقُوۡا ؕ وَلَا جُنَاحَ عَلَيۡكُمۡ اَنۡ تَنۡكِحُوۡهُنَّ اِذَاۤ اٰتَيۡتُمُوۡهُنَّ اُجُوۡرَهُنَّ ؕ وَلَا تُمۡسِكُوۡا بِعِصَمِ الۡكَوَافِرِ وَ سۡـَٔلُوۡا مَاۤ اَنۡفَقۡتُمۡ وَ لۡيَسۡـَٔلُوۡا مَاۤ اَنۡفَقُوۡا ؕ ذٰلِكُمۡ حُكۡمُ اللّٰهِ ؕ يَحۡكُمُ بَيۡنَكُمۡ ؕ وَاللّٰهُ عَلِيۡمٌ حَكِيۡمٌ ﴿۱۰﴾

১০. হে ঈমানদার লোকেরা! মুমিন নারীরা মুহাজির হয়ে (তোমাদের) কাছে এলে তোমরা তাদের পরীক্ষা করে নিও। তাদের ঈমান সম্পর্কে আল্লাহ্ই অধিক জানেন। তোমরা যদি জানতে পারো, তারা সত্যি মুমিনা, তবে তাদের কাফিরদের কাছে ফেরত পাঠিয়োনা। কারণ তারা কাফিরদের জন্যে হালাল নয়, আর কাফিররাও তাদের জন্যে হালাল নয়। কাফিররা তাদের জন্যে যা (যে মোহরানা) ব্যয় করেছে তা তাদের ফেরত দেবে। অত:পর মোহরানা দিয়ে তাদের বিয়ে করলে তোমাদের কোনো দোষ হবেনা। তোমরা কাফির নারীদের সাথে বৈবাহিক সম্পর্ক বজায় রেখোনা। তোমরা তাদের জন্যে যা (যে মোহরানা) ব্যয় করেছো তা ফেরত চাইবে এবং কাফিররাও চাইবে তারা যা ব্যয় করেছে। এটাই আল্লাহ্র বিধান। তিনি তোমাদের মাঝে ফায়সালা করে দেন। তিনি জ্ঞানী এবং প্রজ্ঞাবান।

وَاِنۡ فَاتَكُمۡ شَىۡءٌ مِّنۡ اَزۡوَاجِكُمۡ اِلَى الۡكُفَّارِ فَعَاقَبۡتُمۡ فَاٰتُوا الَّذِيۡنَ ذَهَبَتۡ اَزۡوَاجُهُمۡ مِّثۡلَ مَاۤ اَنۡفَقُوۡا ؕ وَاتَّقُوا اللّٰهَ الَّذِىۡۤ اَنۡتُمۡ بِهٖ مُؤۡمِنُوۡنَ ﴿۱۱﴾

১১. তোমাদের কাফির স্ত্রীদেরকে দেয়া মোহরানার কিছু অংশ যদি তোমরা ফেরত না পাও এবং পরে যদি তোমরা সুযোগ পেয়ে যাও তাহলে যাদের স্ত্রীরা ওদিকে রয়ে গেছে তাদেরকে তাদের দেয়া মোহরানার সমপরিমাণ অর্থ দিয়ে দাও। তোমরা সেই আল্লাহ্কে ভয় করো যাঁর প্রতি তোমরা মুমিন (বিশ্বাসী)।

يٰۤاَيُّهَا النَّبِىُّ اِذَا جَآءَكَ الۡمُؤۡمِنٰتُ يُبَايِعۡنَكَ عَلٰٓى اَنۡ لَّا يُشۡرِكۡنَ بِاللّٰهِ شَيۡـًٔا وَّلَا يَسۡرِقۡنَ وَلَا يَزۡنِيۡنَ وَلَا يَقۡتُلۡنَ اَوۡلَادَهُنَّ وَلَا يَاۡتِيۡنَ بِبُهۡتَانٍ يَّفۡتَرِيۡنَهٗ بَيۡنَ اَيۡدِيۡهِنَّ وَاَرۡجُلِهِنَّ وَلَا يَعۡصِيۡنَكَ فِىۡ مَعۡرُوۡفٍ فَبَايِعۡهُنَّ وَاسۡتَغۡفِرۡ لَهُنَّ اللّٰهَ ؕ اِنَّ اللّٰهَ غَفُوۡرٌ رَّحِيۡمٌ ﴿۱۲﴾

১২. হে নবী! মুমিন নারীরা তোমার কাছে এসে বাইয়াত করতে চাইলে এসব শর্তে তাদের বাইয়াত গ্রহণ করে নাও: তারা আল্লাহ্র সাথে শরিক সাব্যস্ত করবেনা, চুরি করবেনা, জিনা করবেনা, নিজেদের সন্তানদের হত্যা করবেনা, জেনেশুনে অপবাদ রচনা করে রটাবেনা এবং ভালো কাজে তোমার নির্দেশ অমান্য করবেনা। তুমি আল্লাহ্র কাছে তাদের জন্যে ক্ষমা প্রার্থনা করবে। নিশ্চয়ই আল্লাহ্ পরম ক্ষমাশীল, অতীব দয়াবান।

يٰۤاَيُّهَا الَّذِيۡنَ اٰمَنُوۡا لَا تَتَوَلَّوۡا قَوۡمًا غَضِبَ اللّٰهُ عَلَيۡهِمۡ قَدۡ يَـئِسُوۡا مِنَ الۡاٰخِرَةِ كَمَا يَـئِسَ الۡكُفَّارُ مِنۡ اَصۡحٰبِ الۡقُبُوۡرِ ﴿۱۳﴾

১৩. হে ঈমানদার লোকেরা! আল্লাহ্ যে কওমটির প্রতি ক্ষুব্ধ, তোমরা তাদের সাথে বন্ধুতা করোনা। তারা তো আখিরাত সম্পর্কে হতাশ হয়ে পড়েছে, যেমন হতাশ হয়েছে কবরের অধিবাসী কাফিররা।

রুকু ০২

সূরা ৬১ আস্ সফ

মদিনায় অবতীর্ণ, আয়াত সংখ্যা: ১৪, রুকু সংখ্যা: ০২

এই সূরার আলোচ্যসূচি (আয়াত ভিত্তিক আলোচ্য বিষয়)

০১-০৬: মুমিনদের দ্বিমুখী আচরণের নিন্দা। মূসা এবং ঈসার সাথিরা তাদের কষ্ট দিয়েছিল। ঈসা আ. আহমদের আগমনের ভবিষ্যদ্বাণী করেছিলেন।

০৭-০৯: কাফিররা ইসলামের আলো নিভিয়ে দিতে চায়। রসূলকে পাঠানো হয়েছে ইসলামকে বিজয়ী করার উদ্দেশ্যে।

১০-১৪: আযাব থেকে মুক্তির উপায় ঈমান ও জিহাদ। মুমিনদেরকে আল্লাহ্‌র সাহায্যকারী হওয়ার নির্দেশ, যেমনটি হয়েছিল ঈসার সাথিরা।

সূরা আস্ সফ (সারি) পরম করুণাময় পরম দয়াবান আল্লাহ্‌র নামে	سُوْرَةُ الصَّفِّ بِسۡمِ اللّٰهِ الرَّحۡمٰنِ الرَّحِيۡمِ
০১. যা কিছু আছে মহাকাশে এবং যা কিছু আছে পৃথিবীতে সবই আল্লাহ্‌র তসবিহ্ করে এবং তিনি মহাশক্তিধর, মহাপ্রজ্ঞাবান।	سَبَّحَ لِلّٰهِ مَا فِي السَّمٰوٰتِ وَ مَا فِي الۡاَرۡضِ ۚ وَ هُوَ الۡعَزِيۡزُ الۡحَكِيۡمُ ①
০২. হে ঈমানদার লোকেরা! তোমরা এমন কথা কেন বলো, যা তোমরা করোনা?	يٰۤاَيُّهَا الَّذِيۡنَ اٰمَنُوۡا لِمَ تَقُوۡلُوۡنَ مَا لَا تَفۡعَلُوۡنَ ②
০৩. তোমরা যা করোনা, তোমাদের সেকথা বলাটা আল্লাহ্‌র কাছে খুবই অসন্তোষজনক।	كَبُرَ مَقۡتًا عِنۡدَ اللّٰهِ اَنۡ تَقُوۡلُوۡا مَا لَا تَفۡعَلُوۡنَ ③
০৪. আল্লাহ্ সেইসব লোকদের ভালোবাসেন, যারা তাঁর পথে লড়াই করে সীসা ঢেলে তৈরি করা মজবুত প্রাচীরের মতো সারিবদ্ধ হয়ে।	اِنَّ اللّٰهَ يُحِبُّ الَّذِيۡنَ يُقَاتِلُوۡنَ فِيۡ سَبِيۡلِهٖ صَفًّا كَاَنَّهُمۡ بُنۡيَانٌ مَّرۡصُوۡصٌ ④
০৫. মূসা যখন তার কওমকে বলেছিল: 'হে আমার কওম! তোমরা কেন আমাকে কষ্ট দাও? অথচ তোমরা তো জানো, আমি তোমাদের কাছে আল্লাহ্‌র রসূল। তারপর তারা যখন বক্রতা অবলম্বন করে তখন আল্লাহ্‌ও তাদের অন্তরকে বক্র করে দেন। আল্লাহ্ ফাসিকদের সঠিক পথ দেখাননা।	وَ اِذۡ قَالَ مُوۡسٰى لِقَوۡمِهٖ يٰقَوۡمِ لِمَ تُؤۡذُوۡنَنِيۡ وَ قَدۡ تَّعۡلَمُوۡنَ اَنِّيۡ رَسُوۡلُ اللّٰهِ اِلَيۡكُمۡ ؕ فَلَمَّا زَاغُوۡۤا اَزَاغَ اللّٰهُ قُلُوۡبَهُمۡ ؕ وَ اللّٰهُ لَا يَهۡدِي الۡقَوۡمَ الۡفٰسِقِيۡنَ ⑤
০৬. স্মরণ করো, মরিয়মের পুত্র ঈসা যখন বলেছিল: 'হে বনি ইসরাঈল! আমি তোমাদের প্রতি আল্লাহ্‌র রসূল। আমার আগে থেকেই তোমাদের কাছে যে তাওরাত রয়েছে আমি তার সত্যায়ন করছি এবং আমি সুসংবাদ দিচ্ছি,	وَ اِذۡ قَالَ عِيۡسَى ابۡنُ مَرۡيَمَ يٰبَنِيۡۤ اِسۡرَآءِيۡلَ اِنِّيۡ رَسُوۡلُ اللّٰهِ اِلَيۡكُمۡ مُّصَدِّقًا لِّمَا بَيۡنَ يَدَيَّ مِنَ التَّوۡرٰىةِ وَ مُبَشِّرًۢا بِرَسُوۡلٍ يَّاۡتِيۡ مِنۡۢ بَعۡدِي اسۡمُهٗۤ

আমার পরে একজন রসূল আসবেন, তাঁর নাম হবে আহমদ।' তারপর সে (আহমদ) যখন স্পষ্ট নিদর্শনাবলি নিয়ে তাদের কাছে এলো, তারা বললো: 'এতো এক স্পষ্ট ম্যাজিক।'	أَحْمَدُ ۖ فَلَمَّا جَاءَهُم بِالْبَيِّنَاتِ قَالُوا هَٰذَا سِحْرٌ مُّبِينٌ ﴿٦﴾
০৭. ঐ ব্যক্তির চাইতে বড় যালিম আর কে, যাকে ইসলামের দিকে ডাকা সত্ত্বেও সে মিথ্যা রচনা করে আল্লাহ্‌র প্রতি আরোপ করে? আল্লাহ্ যালিম লোকদের সঠিক পথে পরিচালিত করেন না।	وَمَنْ أَظْلَمُ مِمَّنِ افْتَرَىٰ عَلَى اللَّهِ الْكَذِبَ وَهُوَ يُدْعَىٰ إِلَى الْإِسْلَامِ ۚ وَاللَّهُ لَا يَهْدِي الْقَوْمَ الظَّالِمِينَ ﴿٧﴾
০৮. তারা ফুঁ দিয়ে নিভিয়ে দিতে চায় আল্লাহ্‌র নূরকে, অথচ আল্লাহ্ তাঁর নূরকে পরিপূর্ণ উদ্ভাসিত করবেনই, কাফিররা তা অপছন্দ করলেও।	يُرِيدُونَ لِيُطْفِئُوا نُورَ اللَّهِ بِأَفْوَاهِهِمْ وَاللَّهُ مُتِمُّ نُورِهِ وَلَوْ كَرِهَ الْكَافِرُونَ ﴿٨﴾
০৯. আল্লাহ্ তো সেই মহান সত্তা, যিনি তাঁর রসূলকে হিদায়াত এবং সত্য দীন দিয়ে পাঠিয়েছেন, তাকে অন্যসব দীনের উপর বিজয়ী করার উদ্দেশ্যে, মুশরিকরা তা অপছন্দ করলেও।	هُوَ الَّذِي أَرْسَلَ رَسُولَهُ بِالْهُدَىٰ وَدِينِ الْحَقِّ لِيُظْهِرَهُ عَلَى الدِّينِ كُلِّهِ وَلَوْ كَرِهَ الْمُشْرِكُونَ ﴿٩﴾
১০. হে ঈমানদার লোকেরা! আমি কি তোমাদের এমন এক ব্যবসায়ের সংবাদ দেবো, যা তোমাদের নাজাত (মুক্তি) দেবে বেদনাদায়ক আযাব থেকে?	يَا أَيُّهَا الَّذِينَ آمَنُوا هَلْ أَدُلُّكُمْ عَلَىٰ تِجَارَةٍ تُنجِيكُم مِّنْ عَذَابٍ أَلِيمٍ ﴿١٠﴾
১১. তাহলো: তোমরা ঈমান রাখবে আল্লাহ্‌র প্রতি এবং তাঁর রসূলের প্রতি, আর জিহাদ (চেষ্টা সংগ্রাম) করবে আল্লাহ্‌র পথে তোমাদের অর্থ সম্পদ এবং জান-প্রাণ দিয়ে। তোমাদের জন্যে এটাই কল্যাণকর যদি তোমরা জানো!	تُؤْمِنُونَ بِاللَّهِ وَرَسُولِهِ وَتُجَاهِدُونَ فِي سَبِيلِ اللَّهِ بِأَمْوَالِكُمْ وَأَنفُسِكُمْ ۚ ذَٰلِكُمْ خَيْرٌ لَّكُمْ إِن كُنتُمْ تَعْلَمُونَ ﴿١١﴾
১২. (এ তিজারত করলে) তিনি ক্ষমা করে দেবেন তোমাদের গুনাহ্ এবং তোমাদের দাখিল (প্রবেশ) করবেন জান্নাতে, যার নিচে দিয়ে থাকবে বহমান নদ নদী নহর। আরো থাকবে স্থায়ী জান্নাতে চমৎকার আবাস (বাসগৃহ) সমূহ। এটাই মহাসাফল্য!	يَغْفِرْ لَكُمْ ذُنُوبَكُمْ وَيُدْخِلْكُمْ جَنَّاتٍ تَجْرِي مِن تَحْتِهَا الْأَنْهَارُ وَمَسَاكِنَ طَيِّبَةً فِي جَنَّاتِ عَدْنٍ ۚ ذَٰلِكَ الْفَوْزُ الْعَظِيمُ ﴿١٢﴾
১৩. তোমাদের জন্যে আরো থাকবে যা তোমরা আকাঙ্ক্ষা করো সেটা (অর্থাৎ) আল্লাহ্‌র সাহায্য আর নিকটবর্তী (সময়ের মধ্যে) বিজয়। (হে নবী!) মুমিনদের সুসংবাদ দাও।	وَأُخْرَىٰ تُحِبُّونَهَا ۖ نَصْرٌ مِّنَ اللَّهِ وَفَتْحٌ قَرِيبٌ ۗ وَبَشِّرِ الْمُؤْمِنِينَ ﴿١٣﴾
১৪. হে ঈমানদার লোকেরা! তোমরা আল্লাহ্‌র সাহায্যকারী হয়ে যাও, যেমন ঈসা ইবনে মরিয়ম হাওয়ারীদের (তার সাথিদের) বলেছিল: 'আল্লাহ্‌র পথে কে হবে আমার সাহায্যকারী?' হাওয়ারীরা ও	يَا أَيُّهَا الَّذِينَ آمَنُوا كُونُوا أَنصَارَ اللَّهِ كَمَا قَالَ عِيسَى ابْنُ مَرْيَمَ لِلْحَوَارِيِّينَ مَنْ أَنصَارِي إِلَى اللَّهِ ۖ قَالَ الْحَوَارِيُّونَ

রুকু ০১

نَحْنُ اَنْصَارُ اللّٰهِ فَاٰمَنَتْ طَّآئِفَةٌ مِّنْۢ بَنِیْۤ اِسْرَآءِیْلَ وَ كَفَرَتْ طَّآئِفَةٌ ۚ فَاَیَّدْنَا الَّذِیْنَ اٰمَنُوْا عَلٰی عَدُوِّهِمْ فَاَصْبَحُوْا ظٰهِرِیْنَ ﴿۱۴﴾

বলেছিল: 'আমরা হবো আল্লাহ্‌র পথে সাহায্যকারী।' ফলে বনি ইসরাঈলের একদল লোক ঈমান আনে, আরেক দল করে কুফুরি। তখন আমরা ঈমান আনা লোকদের সাহায্য করলাম তাদের শত্রুদের মোকাবেলায় এবং তারা অর্জন করলো বিজয়।

রুকু ০২

সূরা ৬২ আল জুমা

মদিনায় অবতীর্ণ, আয়াত সংখ্যা: ১১, রুকু সংখ্যা: ০২

এই সূরার আলোচ্যসূচি (আয়াত ভিত্তিক আলোচ্য বিষয়)

০১-০৪: রসূল ও কিতাব পাঠানোর উদ্দেশ্য।

০৫-০৮: ইহুদিরা তাওরাতের সাথে গাধার মতো আচরণ করেছিল। ইহুদিদের ভ্রান্ত বিশ্বাস।

০৯-১১: জুমার সালাত আদায়ের নির্দেশ। আযান হলে ব্যবসা মুলতবি করার এবং সালাত শেষে উপার্জনে নেমে পড়ার নির্দেশ।

سُوْرَةُ الْجُمُعَةِ

بِسْمِ اللّٰهِ الرَّحْمٰنِ الرَّحِیْمِ

সূরা আল জুমা (জুমাবার)

পরম করুণাময় পরম দয়াবান আল্লাহ্‌র নামে

یُسَبِّحُ لِلّٰهِ مَا فِی السَّمٰوٰتِ وَ مَا فِی الْاَرْضِ الْمَلِكِ الْقُدُّوْسِ الْعَزِیْزِ الْحَكِیْمِ ﴿۱﴾

০১. মহাকাশ এবং পৃথিবীতে যা কিছু আছে, সবই তসবিহ করছে আল্লাহ্‌র, যিনি মহান সম্রাট, অতিশয় পবিত্র, মহাশক্তিধর, মহাপ্রজ্ঞাবান।

هُوَ الَّذِیْ بَعَثَ فِی الْاُمِّیّٖنَ رَسُوْلًا مِّنْهُمْ یَتْلُوْا عَلَیْهِمْ اٰیٰتِهٖ وَ یُزَكِّیْهِمْ وَ یُعَلِّمُهُمُ الْكِتٰبَ وَ الْحِكْمَةَ ۗ وَ اِنْ كَانُوْا مِنْ قَبْلُ لَفِیْ ضَلٰلٍ مُّبِیْنٍ ﴿۲﴾

০২. তিনি সেই মহান সত্তা, যিনি নিরক্ষরদের মাঝে পাঠিয়েছেন একজন রসূল তাদের মধ্য থেকেই, যে তাদের প্রতি তিলাওয়াত করে তাঁর আয়াত, তাদের পরিশুদ্ধ ও উন্নত করে এবং তাদের শিক্ষা দেয় আল কিতাব (আল কুরআন) আর হিকমাহ। যদিও ইতোপূর্বে তারা নিমজ্জিত ছিলো সুস্পষ্ট গোমরাহিতে;

وَّ اٰخَرِیْنَ مِنْهُمْ لَمَّا یَلْحَقُوْا بِهِمْ ؕ وَ هُوَ الْعَزِیْزُ الْحَكِیْمُ ﴿۳﴾

০৩. এবং তিনি এ রসূলকে পাঠিয়েছেন অন্যদের প্রতিও যারা এখনো তাদের সাথে মিলিত হয়নি। তিনি মহাপরাক্রমশালী, মহাপ্রজ্ঞাবান।

ذٰلِكَ فَضْلُ اللّٰهِ یُؤْتِیْهِ مَنْ یَّشَآءُ ؕ وَ اللّٰهُ ذُو الْفَضْلِ الْعَظِیْمِ ﴿۴﴾

০৪. এটা আল্লাহ্‌রই অনুগ্রহ, তিনি যাকে ইচ্ছা করেন, তা দিয়ে থাকেন। আর আল্লাহ্ তো মহা অনুগ্রহপরায়ণ।

مَثَلُ الَّذِیْنَ حُمِّلُوا التَّوْرٰىةَ ثُمَّ لَمْ یَحْمِلُوْهَا كَمَثَلِ الْحِمَارِ یَحْمِلُ اَسْفَارًا ؕ بِئْسَ مَثَلُ الْقَوْمِ الَّذِیْنَ كَذَّبُوْا بِاٰیٰتِ

০৫. যাদের উপর তাওরাতের দায়িত্বভার অর্পণ করা হয়েছিল, অথচ তারা সে দায়িত্ব পালন করেনি, তাদের দৃষ্টান্ত হলো গাধা, যারা কিতাবের বোঝা বহন করে (কিন্তু তা পাঠ করেনা, বুঝেনা এবং অনুসরণ ও বাস্তবায়ন করেনা)। কতো যে

নিকৃষ্ট সেই লোকদের দৃষ্টান্ত যারা আল্লাহ্‌র আয়াত প্রত্যাখ্যান করে। আল্লাহ্‌ যালিম লোকদের সঠিক পথে পরিচালিত করেননা।	اللّٰهِ ؕ وَاللّٰهُ لَا يَهۡدِى الۡقَوۡمَ الظّٰلِمِيۡنَ ۝٥
০৬. (হে নবী!) বলো: হে ইহুদিরা! তোমরা যদি মনে করো, তোমরাই আল্লাহ্‌র অলি, অন্য লোকেরা নয়, তাহলে তোমরা মউত কামনা করো যদি তোমরা সত্যবাদী হয়ে থাকো।	قُلۡ يٰۤاَيُّهَا الَّذِيۡنَ هَادُوۡۤا اِنۡ زَعَمۡتُمۡ اَنَّكُمۡ اَوۡلِيَآءُ لِلّٰهِ مِنۡ دُوۡنِ النَّاسِ فَتَمَنَّوُا الۡمَوۡتَ اِنۡ كُنۡتُمۡ صٰدِقِيۡنَ ۝٦
০৭. কিন্তু তারা তা কখনো কামনা করবেনা তারা যা কামাই করে পাঠিয়েছে তার কারণে। আল্লাহ্‌ এই যালিমদের ভালো করেই জানেন।	وَلَا يَتَمَنَّوۡنَهٗۤ اَبَدًۢا بِمَا قَدَّمَتۡ اَيۡدِيۡهِمۡ ؕ وَاللّٰهُ عَلِيۡمٌۢ بِالظّٰلِمِيۡنَ ۝٧
০৮. (হে নবী!) বলো তোমরা যে মউত থেকে পালাচ্ছো, সে মউত তোমাদের সাথে অবশ্যি মোলাকাত (সাক্ষাত) করবে। তারপর তোমাদের ফেরত নেয়া হবে গায়েব ও দৃশ্যের জ্ঞানীর কাছে। তখন তোমাদের অবহিত করা হবে, তোমরা (পৃথিবীর জীবনে) কী কাজ করেছিলে?	قُلۡ اِنَّ الۡمَوۡتَ الَّذِىۡ تَفِرُّوۡنَ مِنۡهُ فَاِنَّهٗ مُلٰقِيۡكُمۡ ثُمَّ تُرَدُّوۡنَ اِلٰى عٰلِمِ الۡغَيۡبِ وَ الشَّهَادَةِ فَيُنَبِّئُكُمۡ بِمَا كُنۡتُمۡ تَعۡمَلُوۡنَ ۝٨
রুকু ০১	
০৯. হে ঈমানদার লোকেরা! জুমাবারে যখন তোমাদের আহ্বান করা হয় সালাতের জন্যে, তখন তোমরা আল্লাহ্‌র যিকিরের (সালাতের) দিকে দৌড়াও এবং স্থগিত রাখো ব্যবসায়িক কার্যক্রম। এটাই তোমাদের জন্যে কল্যাণকর, যদি তোমরা জানতে!	يٰۤاَيُّهَا الَّذِيۡنَ اٰمَنُوۡۤا اِذَا نُوۡدِىَ لِلصَّلٰوةِ مِنۡ يَّوۡمِ الۡجُمُعَةِ فَاسۡعَوۡا اِلٰى ذِكۡرِ اللّٰهِ وَ ذَرُوا الۡبَيۡعَ ؕ ذٰلِكُمۡ خَيۡرٌ لَّـكُمۡ اِنۡ كُنۡتُمۡ تَعۡلَمُوۡنَ ۝٩
১০. তারপর সালাত শেষ হলে তোমরা ছড়িয়ে পড়ো জমিনে এবং সন্ধান করো আল্লাহ্‌র অনুগ্রহ, আর বেশি বেশি যিকির করো আল্লাহ্‌কে, অবশ্যি সফলকাম হবে তোমরা।	فَاِذَا قُضِيَتِ الصَّلٰوةُ فَانۡتَشِرُوۡا فِى الۡاَرۡضِ وَابۡتَغُوۡا مِنۡ فَضۡلِ اللّٰهِ وَاذۡكُرُوا اللّٰهَ كَثِيۡرًا لَّعَلَّكُمۡ تُفۡلِحُوۡنَ ۝١٠
১১. তারা যখন ব্যবসায় এবং তামাশা-কৌতুক দেখতে পেলো, তখন তোমাকে দাঁড়ানো অবস্থায় রেখে তারা ছুটে গেলো সেদিকে। তুমি বলো: আল্লাহ্‌র কাছে যা রয়েছে সেটা খেলতামাশা এবং ব্যবসার থেকে কল্যাণকর।' আল্লাহ্‌ই সর্বোত্তম রিযিকদাতা।	وَاِذَا رَاَوۡا تِجَارَةً اَوۡ لَهۡوَا۟ اۨنۡفَضُّوۡۤا اِلَيۡهَا وَ تَرَكُوۡكَ قَآئِمًا ؕ قُلۡ مَا عِنۡدَ اللّٰهِ خَيۡرٌ مِّنَ اللَّهۡوِ وَ مِنَ التِّجَارَةِ ؕ وَاللّٰهُ خَيۡرُ الرّٰزِقِيۡنَ ۝١١
রুকু ০২	

সূরা ৬৩ মুনাফিকুন

মদিনায় অবতীর্ণ, আয়াত সংখ্যা: ১১, রুকু সংখ্যা: ০২

এই সূরার আলোচ্যসূচি (আয়াত ভিত্তিক আলোচ্য বিষয়)

০১-০৮: মুনাফিকদের বৈশিষ্ট্য। মুনাফিকদের আল্লাহ্ কখনো ক্ষমা করবেন না।

০৯-১১: মুমিনদের প্রতি উপদেশ। সন্তান ও সম্পদ যেনো আল্লাহ্র পথে বাধা না হয়।

সূরা মুনাফিকুন (মুনাফিকরা) পরম করুণাময় পরম দয়াবান আল্লাহ্র নামে	سُوْرَةُ الْمُنَافِقُوْنَ بِسْمِ اللّٰهِ الرَّحْمٰنِ الرَّحِيْمِ
০১. মুনাফিকরা যখন তোমার কাছে আসে, তারা বলে: আমরা সাক্ষ্য দিচ্ছি, 'আপনি অবশ্যি আল্লাহ্র রসূল'। তুমি যে আল্লাহ্র রসূল তা আল্লাহ্ জানেন। তবে আল্লাহ্ সাক্ষ্য দিচ্ছেন, মুনাফিকরা অবশ্যি মিথ্যাবাদী।	اِذَا جَآءَكَ الْمُنٰفِقُوْنَ قَالُوْا نَشْهَدُ اِنَّكَ لَرَسُوْلُ اللّٰهِ ۘ وَ اللّٰهُ يَعْلَمُ اِنَّكَ لَرَسُوْلُهٗ ؕ وَ اللّٰهُ يَشْهَدُ اِنَّ الْمُنٰفِقِيْنَ لَكٰذِبُوْنَ ۚ ①
০২. তারা তাদের শপথকে ঢাল হিসেবে ব্যবহার করে, আর তারা আল্লাহ্র পথে (আসতে মানুষকে) বাধা দেয়। তাদের কর্মকাণ্ড কতো যে নিকৃষ্ট!	اِتَّخَذُوْٓا اَيْمَانَهُمْ جُنَّةً فَصَدُّوْا عَنْ سَبِيْلِ اللّٰهِ ؕ اِنَّهُمْ سَآءَ مَا كَانُوْا يَعْمَلُوْنَ ②
০৩. এর কারণ, তারা ঈমান এনেছিল, তারপর করেছে কুফুরি। ফলে তাদের অন্তরে মেরে দেয়া হয়েছে সীলমোহ্র, সুতরাং তারা বুঝেনা।	ذٰلِكَ بِاَنَّهُمْ اٰمَنُوْا ثُمَّ كَفَرُوْا فَطُبِعَ عَلٰى قُلُوْبِهِمْ فَهُمْ لَا يَفْقَهُوْنَ ③
০৪. তুমি যখন তাদের দেখো, তাদের দেহ-আকৃতি তোমাকে মুগ্ধ করে, আর তারা কথা বললে তুমি সাগ্রহে তাদের কথা শুনো, যদিও তারা মূলত দেয়ালে ঠেকানো (শুকনো) কাঠের কুঁদার মতো। তারা প্রতিটি শব্দ তাদের বিরুদ্ধে মনে করে। এরা তোমাদের শত্রু। এদের ব্যাপারে সতর্ক থাকো। আল্লাহ্ তাদের ধ্বংস করুন। বিভ্রান্ত হয়ে তারা কোথায় যাচ্ছে?	وَاِذَا رَاَيْتَهُمْ تُعْجِبُكَ اَجْسَامُهُمْ ؕ وَاِنْ يَّقُوْلُوْا تَسْمَعْ لِقَوْلِهِمْ ؕ كَاَنَّهُمْ خُشُبٌ مُّسَنَّدَةٌ ؕ يَحْسَبُوْنَ كُلَّ صَيْحَةٍ عَلَيْهِمْ ؕ هُمُ الْعَدُوُّ فَاحْذَرْهُمْ ؕ قٰتَلَهُمُ اللّٰهُ ۫ اَنّٰى يُؤْفَكُوْنَ ④
০৫. তাদের যখন বলা হয়: 'এসো আল্লাহ্র রসূল তোমাদের জন্যে ক্ষমা প্রার্থনা করবেন,' তখন তারা মুখ ফিরিয়ে নেয়। তুমি দেখছো, দাম্ভিকতার সাথে তারা ফিরে যায়।	وَ اِذَا قِيْلَ لَهُمْ تَعَالَوْا يَسْتَغْفِرْ لَكُمْ رَسُوْلُ اللّٰهِ لَوَّوْا رُءُوْسَهُمْ وَ رَاَيْتَهُمْ يَصُدُّوْنَ وَ هُمْ مُّسْتَكْبِرُوْنَ ⑤
০৬. তুমি তাদের জন্যে ক্ষমা প্রার্থনা করো আর নাই করো, দুটোই তাদের জন্যে সমান, আল্লাহ্ কখনো তাদের ক্ষমা করবেন না। আল্লাহ্ ফাসিকদের সঠিক পথে পরিচালিত করেন না।	سَوَآءٌ عَلَيْهِمْ اَسْتَغْفَرْتَ لَهُمْ اَمْ لَمْ تَسْتَغْفِرْ لَهُمْ ؕ لَنْ يَّغْفِرَ اللّٰهُ لَهُمْ ؕ اِنَّ اللّٰهَ لَا يَهْدِى الْقَوْمَ الْفٰسِقِيْنَ ⑥

০৭. তারা বলেঃ 'আল্লাহ্‌র রসূলের কাছে যারা আছে তোমরা তাদের জন্যে ব্যয় করোনা, যাতে করে তারা তার কাছ থেকে সরে পড়ে।' অথচ মহাকাশ এবং পৃথিবীর ভাণ্ডারের মালিক তো আল্লাহ্‌। তবে, মুনাফিকরা বুঝেনা।	هُمُ الَّذِيۡنَ يَقُوۡلُوۡنَ لَا تُنۡفِقُوۡا عَلٰی مَنۡ عِنۡدَ رَسُوۡلِ اللّٰهِ حَتّٰی يَنۡفَضُّوۡا ؕ وَ لِلّٰهِ خَزَآئِنُ السَّمٰوٰتِ وَ الۡاَرۡضِ وَ لٰكِنَّ الۡمُنٰفِقِيۡنَ لَا يَفۡقَهُوۡنَ ﴿۷﴾
০৮. তারা বলেঃ 'এবার আমরা মদিনায় ফিরে গেলে সেখান থেকে ইযযতওয়ালারা (সম্মানিতরা) নিচুদের বের করে দেবে।' অথচ সমস্ত ইযযত তো আল্লাহ্‌র, তাঁর রসূলের এবং মুমিনদের, কিন্তু মুনাফিকরা জানেনা।	يَقُوۡلُوۡنَ لَئِنۡ رَّجَعۡنَاۤ اِلَی الۡمَدِيۡنَةِ لَيُخۡرِجَنَّ الۡاَعَزُّ مِنۡهَا الۡاَذَلَّ ؕ وَ لِلّٰهِ الۡعِزَّةُ وَ لِرَسُوۡلِهٖ وَ لِلۡمُؤۡمِنِيۡنَ وَ لٰكِنَّ الۡمُنٰفِقِيۡنَ لَا يَعۡلَمُوۡنَ ﴿۸﴾
০৯. হে ঈমানদার লোকেরা! তোমাদের ধনমাল এবং সন্তান-সন্ততি যেনো তোমাদেরকে আল্লাহ্‌র যিকির থেকে উদাসীন না করে। যারা সে রকম হবে, তারাই হবে ক্ষতিগ্রস্ত।	يٰۤاَيُّهَا الَّذِيۡنَ اٰمَنُوۡا لَا تُلۡهِكُمۡ اَمۡوَالُكُمۡ وَ لَاۤ اَوۡلَادُكُمۡ عَنۡ ذِكۡرِ اللّٰهِ ۚ وَ مَنۡ يَّفۡعَلۡ ذٰلِكَ فَاُولٰٓئِكَ هُمُ الۡخٰسِرُوۡنَ ﴿۹﴾
১০. তোমাদের কারো মৃত্যু আসার আগেই তোমাদেরকে আমরা যে রিযিক দিয়েছি তা থেকে ব্যয় করো (আল্লাহ্‌র পথে)। তা না হলে মৃত্যু এলে বলবেঃ 'আমার প্রভু! আমাকে আরো কিছুকাল অবকাশ দাও, যাতে আমি দান করতে পারি এবং পুণ্যবান লোকদের অন্তরভুক্ত হতে পারি।'	وَ اَنۡفِقُوۡا مِنۡ مَّا رَزَقۡنٰكُمۡ مِّنۡ قَبۡلِ اَنۡ يَّاۡتِیَ اَحَدَكُمُ الۡمَوۡتُ فَيَقُوۡلَ رَبِّ لَوۡ لَاۤ اَخَّرۡتَنِیۡۤ اِلٰۤی اَجَلٍ قَرِيۡبٍ ۙ فَاَصَّدَّقَ وَ اَكُنۡ مِّنَ الصّٰلِحِيۡنَ ﴿۱۰﴾
১১. আল্লাহ্‌ কখনো দেরি করেন না, যখন কারো নির্ধারিত সময় উপস্থিত হয়ে যায়। তোমরা যা করো, আল্লাহ্‌ সে সম্পর্কে খবর রাখেন।	وَ لَنۡ يُّؤَخِّرَ اللّٰهُ نَفۡسًا اِذَا جَآءَ اَجَلُهَا ؕ وَ اللّٰهُ خَبِيۡرٌۢ بِمَا تَعۡمَلُوۡنَ ﴿۱۱﴾

রুকু ০১ (after verse 8)

রুকু ০২ (after verse 11)

সূরা ৬৪ আত তাগাবুন

মদিনায় অবতীর্ণ, আয়াত সংখ্যাঃ ১৮, রুকু সংখ্যাঃ ০২

এই সূরার আলোচ্যসূচি (আয়াত ভিত্তিক আলোচ্য বিষয়)

০১-০৭: তাওহীদ ও পুনরুত্থানের যুক্তি।
০৮-১০: ঈমান আনার আহ্বান। হাশরের দিন হবে হার জিতের দিন।
১১-১৩: আল্লাহ্‌র নির্দেশ ছাড়া মসিবত আসেনা। মুমিনরা যেনো আল্লাহ্‌র উপর ভরসা করে।
১৪-১৮: মুমিনদের স্বজন এবং সম্পদ পরীক্ষার বিষয়। সাফল্যের পথ তাকওয়া, আনুগত্য ও ইনফাক।

সূরা আত তাগাবুন (হারজিত) পরম করুণাময় পরম দয়াবান আল্লাহ্‌র নামে	سُوْرَةُ التَّغَابُنِ بِسْمِ اللّٰهِ الرَّحْمٰنِ الرَّحِيْمِ
০১. মহাকাশ ও পৃথিবীতে যা কিছু আছে সবই তসবিহ্ করছে আল্লাহ্‌র। সর্বময় কর্তৃত্ব তাঁরই, আর সমস্ত প্রশংসাও তাঁরই এবং প্রতিটি বিষয়ে তিনি সর্বশক্তিমান।	يُسَبِّحُ لِلّٰهِ مَا فِي السَّمٰوٰتِ وَ مَا فِي الْاَرْضِ ۚ لَهُ الْمُلْكُ وَ لَهُ الْحَمْدُ ۫ وَ هُوَ عَلٰى كُلِّ شَيْءٍ قَدِيْرٌ ١
০২. তিনিই তোমাদের সৃষ্টি করেছেন। তারপর তোমাদের মধ্যে হয়েছে কেউ কাফির আর কেউ হয়েছে মুমিন। তোমরা যা করো তা আল্লাহ্‌র দৃষ্টিতেই রয়েছে।	هُوَ الَّذِيْ خَلَقَكُمْ فَمِنْكُمْ كَافِرٌ وَّ مِنْكُمْ مُّؤْمِنٌ ؕ وَاللّٰهُ بِمَا تَعْمَلُوْنَ بَصِيْرٌ ٢
০৩. তিনি মহাকাশ ও পৃথিবী সৃষ্টি করেছেন সত্য ও যথাযথভাবে। তিনিই তোমাদের আকৃতি দিয়েছেন এবং তোমাদের আকৃতিকে সুন্দর করেছেন। তাঁরই কাছে হবে প্রত্যাবর্তন।	خَلَقَ السَّمٰوٰتِ وَ الْاَرْضَ بِالْحَقِّ وَ صَوَّرَكُمْ فَاَحْسَنَ صُوَرَكُمْ ۚ وَاِلَيْهِ الْمَصِيْرُ ٣
০৪. মহাকাশ এবং পৃথিবীতে যা কিছু আছে সবই তিনি জানেন। তোমরা যা গোপন করো এবং যা প্রকাশ করো তাও তিনি জানেন। আল্লাহ্ই অন্তরযামী।	يَعْلَمُ مَا فِي السَّمٰوٰتِ وَ الْاَرْضِ وَيَعْلَمُ مَا تُسِرُّوْنَ وَ مَا تُعْلِنُوْنَ ؕ وَاللّٰهُ عَلِيْمٌۢ بِذَاتِ الصُّدُوْرِ ٤
০৫. আগেকার কাফিরদের বার্তা কি তোমাদের কাছে পৌঁছেনি? তারা তাদের কর্মকাণ্ডের প্রতিফল ভোগ করেছে। তাছাড়াও তাদের জন্যে রয়েছে বেদনাদায়ক আযাব।	اَلَمْ يَاْتِكُمْ نَبَؤُا الَّذِيْنَ كَفَرُوْا مِنْ قَبْلُ ۫ فَذَاقُوْا وَبَالَ اَمْرِهِمْ وَ لَهُمْ عَذَابٌ اَلِيْمٌ ٥
০৬. এর কারণ, তাদের কাছে তাদের রসূলরা এসেছিল সুস্পষ্ট নিদর্শনাবলি নিয়ে। কিন্তু তারা বলেছিল: 'আমাদেরকে সঠিক পথের সন্ধান দেবে কি একজন মানুষ!' ফলে তারা কুফুরি করে এবং মুখ ফিরিয়ে নেয়। কিন্তু এতে আল্লাহ্‌র কিছুই আসে যায়না। আল্লাহ্ প্রাচুর্যশীল সপ্রশংসিত।	ذٰلِكَ بِاَنَّهٗ كَانَتْ تَّاْتِيْهِمْ رُسُلُهُمْ بِالْبَيِّنٰتِ فَقَالُوْۤا اَبَشَرٌ يَّهْدُوْنَنَا ۫ فَكَفَرُوْا وَ تَوَلَّوْا وَّ اسْتَغْنَى اللّٰهُ ؕ وَاللّٰهُ غَنِيٌّ حَمِيْدٌ ٦
০৭. অবিশ্বাসীরা ধারণা করছে, তাদেরকে কখনো পুনরুত্থিত করা হবেনা! তুমি বলো: "হ্যাঁ, আমার প্রভুর শপথ, অবশ্যি তোমাদের পুনরুত্থিত করা হবে। তারপর তোমাদের অবশ্যি অবহিত করা হবে সেসব (অপ)কর্ম, যা তোমরা (পৃথিবীর জীবনে) করতে। এ কাজ আল্লাহর জন্যে খুবই সহজ।"	زَعَمَ الَّذِيْنَ كَفَرُوْۤا اَنْ لَّنْ يُّبْعَثُوْا ؕ قُلْ بَلٰى وَ رَبِّيْ لَتُبْعَثُنَّ ثُمَّ لَتُنَبَّؤُنَّ بِمَا عَمِلْتُمْ ؕ وَ ذٰلِكَ عَلَى اللّٰهِ يَسِيْرٌ ٧

০৮. সুতরাং তোমরা ঈমান আনো আল্লাহ্‌র প্রতি, তাঁর রসূলের প্রতি এবং আমাদের নাযিল করা নূরের প্রতি। তোমরা যা করো আল্লাহ্ সে বিষয়ে খবর রাখেন।	فَاٰمِنُوْا بِاللّٰهِ وَ رَسُوْلِهٖ وَ النُّوْرِ الَّذِیْۤ اَنْزَلْنَا ؕ وَ اللّٰهُ بِمَا تَعْمَلُوْنَ خَبِیْرٌ ۟﴿۸﴾
০৯. যেদিন তিনি তোমাদের জমা করবেন জমায়েতের দিন, সেটাই হবে হারজিতের দিন। যে কেউ ঈমান আনবে আল্লাহ্‌র প্রতি এবং আমলে সালেহ্ করবে, তার থেকে মুছে দেয়া হবে তার পাপসমূহ এবং তাকে দাখিল করা হবে জান্নাতে, যার নিচে দিয়ে বহমান থাকবে নদ নদী নহর। চিরকাল থাকবে তারা সেখানে স্থায়ীভাবে। এটাই মহাসাফল্য।	یَوْمَ یَجْمَعُكُمْ لِیَوْمِ الْجَمْعِ ذٰلِكَ یَوْمُ التَّغَابُنِ ؕ وَ مَنْ یُّؤْمِنْۢ بِاللّٰهِ وَ یَعْمَلْ صَالِحًا یُّكَفِّرْ عَنْهُ سَیِّاٰتِهٖ وَ یُدْخِلْهُ جَنّٰتٍ تَجْرِیْ مِنْ تَحْتِهَا الْاَنْهٰرُ خٰلِدِیْنَ فِیْهَاۤ اَبَدًا ؕ ذٰلِكَ الْفَوْزُ الْعَظِیْمُ ۟﴿۹﴾
১০. আর যারা কুফুরি করবে এবং প্রত্যাখ্যান করবে আমাদের আয়াত, তারাই হবে আগুনের অধিবাসী, চিরকাল থাকবে তারা সেখানে। আর সেটা কতো যে নিকৃষ্ট ফিরে যাবার জায়গা!	وَ الَّذِیْنَ كَفَرُوْا وَ كَذَّبُوْا بِاٰیٰتِنَاۤ اُولٰٓئِكَ اَصْحٰبُ النَّارِ خٰلِدِیْنَ فِیْهَا ؕ وَ بِئْسَ الْمَصِیْرُ ۟﴿۱۰﴾
১১. কোনো মসিবতই আসেনা আল্লাহ্‌র অনুমতি ছাড়া। আর যে কেউ ঈমান আনবে আল্লাহ্‌র প্রতি, আল্লাহ্ তার অন্তরকে পরিচালিত করবেন সঠিক পথে। আল্লাহ্ প্রতিটি বিষয়ে জ্ঞানী।	مَاۤ اَصَابَ مِنْ مُّصِیْبَةٍ اِلَّا بِاِذْنِ اللّٰهِ ؕ وَ مَنْ یُّؤْمِنْۢ بِاللّٰهِ یَهْدِ قَلْبَهٗ ؕ وَ اللّٰهُ بِكُلِّ شَیْءٍ عَلِیْمٌ ۟﴿۱۱﴾
১২. তোমরা আনুগত্য করো আল্লাহ্‌র, আনুগত্য করো এই রসূলের, যদি মুখ ফিরিয়ে নাও, তবে জেনে রাখো, আমাদের রসূলের দায়িত্ব কেবল স্পষ্টভাবে বার্তা পৌঁছে দেয়া।	وَ اَطِیْعُوا اللّٰهَ وَ اَطِیْعُوا الرَّسُوْلَ ۚ فَاِنْ تَوَلَّیْتُمْ فَاِنَّمَا عَلٰی رَسُوْلِنَا الْبَلٰغُ الْمُبِیْنُ ۟﴿۱۲﴾
১৩. আল্লাহ্, তিনি ছাড়া কোনো ইলাহ্ নেই। মুমিনরা আল্লাহ্‌র উপর তাওয়াক্কুল করুক।	اَللّٰهُ لَاۤ اِلٰهَ اِلَّا هُوَ ؕ وَ عَلَی اللّٰهِ فَلْیَتَوَكَّلِ الْمُؤْمِنُوْنَ ۟﴿۱۳﴾
১৪. হে ঈমানদার লোকেরা! নিশ্চয়ই তোমাদের স্ত্রী ও সন্তানদের মধ্যে রয়েছে তোমাদের শত্রু, সুতরাং তাদের ব্যাপারে সতর্ক থাকো। আর যদি তাদের মাফ করে দাও, তাদের দোষত্রুটি উপেক্ষা করো এবং তাদের ক্ষমা করে দাও তবে অবশ্যি আল্লাহ্ পরম ক্ষমাশীল, দয়াবান।	یٰۤاَیُّهَا الَّذِیْنَ اٰمَنُوْۤا اِنَّ مِنْ اَزْوَاجِكُمْ وَ اَوْلَادِكُمْ عَدُوًّا لَّكُمْ فَاحْذَرُوْهُمْ ۚ وَ اِنْ تَعْفُوْا وَ تَصْفَحُوْا وَ تَغْفِرُوْا فَاِنَّ اللّٰهَ غَفُوْرٌ رَّحِیْمٌ ۟﴿۱۴﴾
১৫. নিশ্চয়ই তোমাদের মাল সম্পদ ও সন্তান-সন্ততি একটি পরীক্ষা, আর আল্লাহ্‌র কাছেই রয়েছে মহাপুরস্কার।	اِنَّمَاۤ اَمْوَالُكُمْ وَ اَوْلَادُكُمْ فِتْنَةٌ ؕ وَ اللّٰهُ عِنْدَهٗۤ اَجْرٌ عَظِیْمٌ ۟﴿۱۵﴾

রুকু ০১

১৬. অতএব, তোমরা আল্লাহ্কে ভয় করো তোমাদের সাধ্যমতো এবং শুনো, মেনে নাও আর খরচ করো (আল্লাহ্র পথে), এটাই তোমাদের নিজেদের জন্যে কল্যাণকর। যারা মনের সংকীর্ণতা থেকে মুক্ত হয়, তারাই অর্জন করে সফলতা।	فَاتَّقُوا اللّٰهَ مَا اسْتَطَعْتُمْ وَ اسْمَعُوْا وَ اَطِيْعُوْا وَ اَنْفِقُوْا خَيْرًا لِّاَنْفُسِكُمْ ۗ وَ مَنْ يُّوْقَ شُحَّ نَفْسِهٖ فَاُولٰٓئِكَ هُمُ الْمُفْلِحُوْنَ ﴿۱۶﴾
১৭. তোমরা যদি আল্লাহ্কে করজে হাসানা (উত্তম ঋণ) দাও, তিনি তা তোমাদের জন্যে বহুগুণে বৃদ্ধি করে ফেরত দেবেন, তোমাদের ক্ষমা করে দেবেন। অবশ্যি আল্লাহ্ গুণগ্রাহী, ধৈর্যশীল।	اِنْ تُقْرِضُوا اللّٰهَ قَرْضًا حَسَنًا يُّضٰعِفْهُ لَكُمْ وَ يَغْفِرْ لَكُمْ ۗ وَاللّٰهُ شَكُوْرٌ حَلِيْمٌ ﴿۱۷﴾
১৮. তিনি গায়েব ও দৃশ্যের জ্ঞানী, মহাপরাক্রমশীল, মহাপ্রজ্ঞাবান।	عٰلِمُ الْغَيْبِ وَ الشَّهَادَةِ الْعَزِيْزُ الْحَكِيْمُ ﴿۱۸﴾

রুকু ০২

সূরা ৬৫ আত্ তালাক

মদিনায় অবতীর্ণ, আয়াত সংখ্যা: ১২, রুকু সংখ্যা: ০২

এই সূরার আলোচ্যসূচি (আয়াত ভিত্তিক আলোচ্য বিষয়)

০১-০৩: তালাক দেয়ার এবং স্ত্রীকে ফিরিয়ে নেয়ার পদ্ধতি।

০৪-০৭: কার ইদ্দতকাল কতদিন? ইদ্দতকালে তালাকপ্রাপ্তা তার স্বামীর বাড়িতেই থাকবে। ইদ্দতকালে ভরণপোষণ। তালাকপ্রাপ্তা কর্তৃক তালাকদাতার সন্তান পালন পদ্ধতি।

০৮-১২: অতীতে যারা রসূলকে প্রত্যাখ্যান করেছিল তাদের পরিণতি। মুমিন বুদ্ধিজীবীদের কর্তব্য। আল্লাহ্ সর্বশক্তিমান।

সূরা আত্ তালাক (বিবাহ বিচ্ছেদ) পরম করুণাময় পরম দয়াবান আল্লাহ্র নামে	سُوْرَةُ الطَّلَاقِ بِسْمِ اللّٰهِ الرَّحْمٰنِ الرَّحِيْمِ
০১. হে নবী! তোমরা যখন তোমাদের স্ত্রীদের তালাক দেয়ার উদ্যোগ নাও, তখন তাদের তালাক দেবে ইদ্দত পূর্ণ করার উদ্দেশ্যে এবং ইদ্দতের হিসাব রাখবে। তোমাদের প্রভু আল্লাহ্কে ভয় করবে। তাদের বের করে দিয়োনা তাদের ঘর থেকে এবং তারা নিজেরাও যেনো বের হয়ে না যায়। তবে যদি তারা স্পষ্ট অশ্লীলতায় লিপ্ত হয়, সেক্ষেত্রে ভিন্ন কথা। এগুলো আল্লাহ্র হুদুদ (আইন)। যে কেউ লংঘন করবে আল্লাহ্র হুদুদ, সে নিজের প্রতিই যুলুম করবে। তুমি জানোনা, হয়তো এরপর আল্লাহ্ বের করে দেবেন কোনো উপায়।	يٰٓاَيُّهَا النَّبِيُّ اِذَا طَلَّقْتُمُ النِّسَآءَ فَطَلِّقُوْهُنَّ لِعِدَّتِهِنَّ وَ اَحْصُوا الْعِدَّةَ ۚ وَ اتَّقُوا اللّٰهَ رَبَّكُمْ ۚ لَا تُخْرِجُوْهُنَّ مِنْۢ بُيُوْتِهِنَّ وَ لَا يَخْرُجْنَ اِلَّآ اَنْ يَّاْتِيْنَ بِفَاحِشَةٍ مُّبَيِّنَةٍ ؕ وَ تِلْكَ حُدُوْدُ اللّٰهِ ؕ وَ مَنْ يَّتَعَدَّ حُدُوْدَ اللّٰهِ فَقَدْ ظَلَمَ نَفْسَهٗ ؕ لَا تَدْرِيْ لَعَلَّ اللّٰهَ يُحْدِثُ بَعْدَ ذٰلِكَ اَمْرًا ﴿۱﴾
০২. যখন তাদের ইদ্দতকাল পূর্ণ হয়ে আসবে, তখন তোমরা হয় প্রচলিত উত্তম পন্থায় তাদের রেখে দেবে, নতুবা প্রচলিত উত্তম পন্থায় তাদের বিদায় করে দেবে। আর এ সময় তোমাদের মধ্য থেকে দু'জন ন্যায়পরায়ণ ব্যক্তিকে সাক্ষী রাখবে এবং তোমরা আল্লাহ্র জন্যে সঠিক সাক্ষ্য দেবে। এর মাধ্যমে উপদেশ দেয়া হচ্ছে তোমাদের যারা	فَاِذَا بَلَغْنَ اَجَلَهُنَّ فَاَمْسِكُوْهُنَّ بِمَعْرُوْفٍ اَوْ فَارِقُوْهُنَّ بِمَعْرُوْفٍ وَّ اَشْهِدُوْا ذَوَيْ عَدْلٍ مِّنْكُمْ وَ اَقِيْمُوا الشَّهَادَةَ لِلّٰهِ ؕ ذٰلِكُمْ يُوْعَظُ بِهٖ مَنْ كَانَ

يُؤۡمِنُ بِاللّٰهِ وَ الۡيَوۡمِ الۡاٰخِرِ ۬ؕ وَ مَنۡ يَّتَّقِ اللّٰهَ يَجۡعَلۡ لَّهٗ مَخۡرَجًا ۙ﴿۲﴾

আল্লাহ্ ও পরকালের প্রতি ঈমান রাখে, তাদেরকে। যে কেউ আল্লাহ্‌কে ভয় করবে, তিনি তার জন্যে বের হবার পথ খোলাসা করে দেবেন,

وَّ يَرۡزُقۡهُ مِنۡ حَيۡثُ لَا يَحۡتَسِبُ ؕ وَ مَنۡ يَّتَوَكَّلۡ عَلَى اللّٰهِ فَهُوَ حَسۡبُهٗ ؕ اِنَّ اللّٰهَ بَالِغُ اَمۡرِهٖ ؕ قَدۡ جَعَلَ اللّٰهُ لِكُلِّ شَیۡءٍ قَدۡرًا ﴿۳﴾

০৩. এবং তাকে রিযিক দেবেন এমন উৎস থেকে যা সে ধারণাই করেনি। যে কেউ তাওয়াক্কুল করবে আল্লাহ্‌র উপর, তিনিই তার জন্যে যথেষ্ট। আল্লাহ্ তাঁর সিদ্ধান্ত বাস্তবায়ন করবেনই। তিনি প্রতিটি বস্তুর জন্যে নির্ধারণ করেছেন পরিমাণ ও মাত্রা।

وَ الّٰٓـِٔیۡ يَئِسۡنَ مِنَ الۡمَحِيۡضِ مِنۡ نِّسَآئِكُمۡ اِنِ ارۡتَبۡتُمۡ فَعِدَّتُهُنَّ ثَلٰثَةُ اَشۡهُرٍ ۙ وَّ الّٰٓـِٔیۡ لَمۡ يَحِضۡنَ ؕ وَ اُولَاتُ الۡاَحۡمَالِ اَجَلُهُنَّ اَنۡ يَّضَعۡنَ حَمۡلَهُنَّ ؕ وَ مَنۡ يَّتَّقِ اللّٰهَ يَجۡعَلۡ لَّهٗ مِنۡ اَمۡرِهٖ يُسۡرًا ﴿۴﴾

০৪. তোমাদের যেসব স্ত্রী মাসিক স্রাব হওয়ার ব্যাপারে নিরাশ হয়েছে, তাদের ইদ্দতকাল সম্পর্কে তোমাদের সন্দেহ হলে তাদের ইদ্দতকাল তিন মাস। আর যাদের এখনো মাসিক হতে শুরুই করেনি, তাদের ইদ্দতকালও অনুরূপ (তিন মাস)। আর গর্ভবতীদের ইদ্দতকাল সন্তান প্রসব পর্যন্ত। যে আল্লাহ্‌কে ভয় করবে, আল্লাহ্ তার সমস্যার সমাধান সহজ করে দেবেন।

ذٰلِكَ اَمۡرُ اللّٰهِ اَنۡزَلَهٗۤ اِلَيۡكُمۡ ؕ وَ مَنۡ يَّتَّقِ اللّٰهَ يُكَفِّرۡ عَنۡهُ سَيِّاٰتِهٖ وَ يُعۡظِمۡ لَهٗۤ اَجۡرًا ﴿۵﴾

০৫. এ হলো আল্লাহ্‌র বিধান, তিনি তা নাযিল করেছেন তোমাদের প্রতি। যে আল্লাহ্‌কে ভয় করবে, আল্লাহ্ তার পাপ মুছে দেবেন এবং বড় করে দেবেন তার পুরস্কার।

اَسۡكِنُوۡهُنَّ مِنۡ حَيۡثُ سَكَنۡتُمۡ مِّنۡ وُّجۡدِكُمۡ وَ لَا تُضَآرُّوۡهُنَّ لِتُضَيِّقُوۡا عَلَيۡهِنَّ ؕ وَ اِنۡ كُنَّ اُولَاتِ حَمۡلٍ فَاَنۡفِقُوۡا عَلَيۡهِنَّ حَتّٰى يَضَعۡنَ حَمۡلَهُنَّ ۚ فَاِنۡ اَرۡضَعۡنَ لَكُمۡ فَاٰتُوۡهُنَّ اُجُوۡرَهُنَّ ۚ وَ اۡتَمِرُوۡا بَيۡنَكُمۡ بِمَعۡرُوۡفٍ ۚ وَ اِنۡ تَعَاسَرۡتُمۡ فَسَتُرۡضِعُ لَهٗۤ اُخۡرٰى ؕ﴿۶﴾

০৬. তোমরা তোমাদের সামর্থ অনুযায়ী যে ধরণের ঘরে বাস করো, তাদেরকেও সে ধরণের ঘরে বাস করতে দেবে। তাদের উত্যক্ত করোনা তাদেরকে সংকটে ফেলার উদ্দেশ্যে। তারা গর্ভবতী হয়ে থাকলে সন্তান প্রসব পর্যন্ত তাদের নফকা (খোরপোষ) দাও। যদি তারা তোমাদের সন্তানদের বুকের দুধ পান করায়, তবে তাদের পারিশ্রমিক দেবে এবং সন্তানের কল্যাণ সম্পর্কে তোমরা প্রচলিত উত্তম পন্থায় নিজেদের মধ্যে পরামর্শ করবে। কিন্তু তোমরা যদি নিজ নিজ দাবিতে অনমনীয় হও, তাহলে তার পক্ষে অন্য নারী বুকের দুধ পান করাবে।

لِيُنۡفِقۡ ذُوۡ سَعَةٍ مِّنۡ سَعَتِهٖ ؕ وَ مَنۡ قُدِرَ عَلَيۡهِ رِزۡقُهٗ فَلۡيُنۡفِقۡ مِمَّاۤ اٰتٰىهُ اللّٰهُ ؕ لَا يُكَلِّفُ اللّٰهُ نَفۡسًا اِلَّا مَاۤ اٰتٰىهَا ؕ سَيَجۡعَلُ اللّٰهُ بَعۡدَ عُسۡرٍ يُّسۡرًا ﴿۷﴾

০৭. সামর্থবানরা নিজেদের সামর্থ অনুযায়ী নফকা দেবে, আর যার জীবিকা সীমিত, সে ব্যয় করবে আল্লাহ্ যা দিয়েছেন তা থেকেই। আল্লাহ্ যা দান করেছেন তার চেয়ে বেশি বোঝা তিনি কোনো ব্যক্তির উপর চাপান না। আল্লাহ্ কাঠিন্যের পর সহজতা দান করেন।

রুকু ০১

وَ كَاَيِّنۡ مِّنۡ قَرۡيَةٍ عَتَتۡ عَنۡ اَمۡرِ رَبِّهَا وَ رُسُلِهٖ فَحَاسَبۡنٰهَا حِسَابًا شَدِيۡدًا ۙ وَّ عَذَّبۡنٰهَا عَذَابًا نُّكۡرًا ﴿۸﴾

০৮. কতো যে জনপদ তাদের প্রভুর এবং তাঁর রসূলের নির্দেশের বিরুদ্ধাচরণ করেছে, ফলে আমরা তাদের থেকে নিয়েছি কঠোর হিসাব এবং তাদের আযাব দিয়েছি এক দুঃসহ আযাব।

০৯. তারা তাদের কার্যকলাপের পরিণতির স্বাদ গ্রহণ করেছে আর তাদের কার্যকলাপের পরিণতি ছিলো ক্ষতিকর।	فَذَاقَتْ وَبَالَ اَمْرِهَا وَ كَانَ عَاقِبَةُ اَمْرِهَا خُسْرًا ⑨
১০. আল্লাহ্ তাদের জন্যে প্রস্তুত রেখেছেন কঠোর শাস্তি। সুতরাং আল্লাহ্কে ভয় করো হে বুঝ-বুদ্ধিওয়ালা লোকেরা, যারা ঈমান এনেছো। আল্লাহ্ তো নাযিল করেছেন তোমাদের প্রতি একটি যিকির (আল কুরআন)	اَعَدَّ اللّٰهُ لَهُمْ عَذَابًا شَدِيْدًا ۙ فَاتَّقُوا اللّٰهَ يٰۤاُولِى الْاَلْبَابِ ۚۖ الَّذِيْنَ اٰمَنُوْا ۚۛ قَدْ اَنْزَلَ اللّٰهُ اِلَيْكُمْ ذِكْرًا ⑩
১১. (এবং) একজন রসূল, যে তিলাওয়াত করে তোমাদের প্রতি আল্লাহ্র সুস্পষ্ট আয়াত, যারা ঈমান এনেছে এবং আমলে সালেহ্ করেছে তাদেরকে অন্ধকার থেকে আলোতে বের করে আনার জন্যে। যে কেউ ঈমান আনবে আল্লাহ্র প্রতি এবং আমলে সালেহ্ করবে, তাকে তিনি দাখিল করবেন জান্নাতে, যার নিচে দিয়ে বহমান থাকবে নদ নদী নহর। সেখানে থাকবে তারা চিরকাল স্থায়ীভাবে। আল্লাহ্ তাকে প্রদান করবেন উত্তম জীবিকা।	رَّسُوْلًا يَّتْلُوْا عَلَيْكُمْ اٰيٰتِ اللّٰهِ مُبَيِّنٰتٍ لِّيُخْرِجَ الَّذِيْنَ اٰمَنُوْا وَ عَمِلُوا الصّٰلِحٰتِ مِنَ الظُّلُمٰتِ اِلَى النُّوْرِ ؕ وَ مَنْ يُّؤْمِنْۢ بِاللّٰهِ وَ يَعْمَلْ صَالِحًا يُّدْخِلْهُ جَنّٰتٍ تَجْرِىْ مِنْ تَحْتِهَا الْاَنْهٰرُ خٰلِدِيْنَ فِيْهَاۤ اَبَدًا ؕ قَدْ اَحْسَنَ اللّٰهُ لَهٗ رِزْقًا ⑪
১২. আল্লাহ্ই তো সৃষ্টি করেছেন সাত আকাশ, পৃথিবী ও অনুরূপ। সেগুলোর মাঝে নাযিল করা হয় তাঁর নির্দেশ, যাতে করে তোমরা বুঝতে পারো আল্লাহ্ প্রতিটি বিষয়ে সর্বশক্তিমান এবং আল্লাহ্ প্রতিটি বস্তুকে পরিবেষ্টন করে রেখেছেন তাঁর জ্ঞান দিয়ে।	اَللّٰهُ الَّذِىْ خَلَقَ سَبْعَ سَمٰوٰتٍ وَّ مِنَ الْاَرْضِ مِثْلَهُنَّ ؕ يَتَنَزَّلُ الْاَمْرُ بَيْنَهُنَّ لِتَعْلَمُوْۤا اَنَّ اللّٰهَ عَلٰى كُلِّ شَىْءٍ قَدِيْرٌ ۙ وَّ اَنَّ اللّٰهَ قَدْ اَحَاطَ بِكُلِّ شَىْءٍ عِلْمًا ⑫

রুকু ০২

সূরা ৬৬ আত্ তাহরিম

মদিনায় অবতীর্ণ, আয়াত সংখ্যা: ১২, রুকু সংখ্যা: ০২

এই সূরার আলোচ্যসূচি (আয়াত ভিত্তিক আলোচ্য বিষয়)

০১-০২: হালালকে হারাম করার অধিকার নবীর নেই। শপথের বিধান।
০৩-০৫: নবীর স্ত্রীদের প্রতি উপদেশ।
০৬-০৮: মুমিনদের প্রতি উপদেশ।
০৯-১২: নবীর প্রতি কাফির ও মুনাফিকদের বিরুদ্ধে কঠোর হওয়ার নির্দেশ। কাফিরদের জন্যে উপমা নূহ ও লুতের স্ত্রী। মুমিনদের জন্যে উপমা ফিরাউনের স্ত্রী ও মরিয়ম।

সূরা আত্ তাহরিম (হারাম বা নিষিদ্ধ করা) পরম করুণাময় পরম দয়াবান আল্লাহ্র নামে	سُوْرَةُ التَّحْرِيْمِ بِسْمِ اللّٰهِ الرَّحْمٰنِ الرَّحِيْمِ
০১. হে নবী! আল্লাহ্ তোমার জন্যে যা হালাল করেছেন, তুমি কেন তা হারাম করছো? তুমি কি তোমার স্ত্রীদের সন্তুষ্টি চাইছো। আল্লাহ্ পরম ক্ষমাশীল দয়াবান।	يٰۤاَيُّهَا النَّبِىُّ لِمَ تُحَرِّمُ مَاۤ اَحَلَّ اللّٰهُ لَكَ ۚ تَبْتَغِىْ مَرْضَاتَ اَزْوَاجِكَ ؕ وَ اللّٰهُ غَفُوْرٌ رَّحِيْمٌ ①

০২. আল্লাহ্ তোমাদের জন্যে কসম থেকে মুক্তি লাভের বিধান দিয়েছেন, কারণ তিনি তোমাদের মাওলা (অভিভাবক) এবং তিনি মহাজ্ঞানী, মহাপ্রজ্ঞাবান।	قَدْ فَرَضَ اللّٰهُ لَكُمْ تَحِلَّةَ اَيْمَانِكُمْ ۚ وَ اللّٰهُ مَوْلٰىكُمْ ۚ وَهُوَ الْعَلِيْمُ الْحَكِيْمُ ۝٢
০৩. স্মরণ করো, নবী তার কোনো একজন স্ত্রীকে গোপনে একটি কথা বলেছিল। তার সে (স্ত্রী) যখন তা অন্যজনকে বলে দিয়েছিল এবং আল্লাহ্ নবীকে তা জানিয়ে দিয়েছিলেন, তখন নবী এ বিষয়ে কিছু কথা ব্যক্ত করলো আর কিছু ব্যক্ত করতে উপেক্ষা করলো। নবী যখন তা তাঁর সেই স্ত্রীকে জানালো, তখন সে বললো: 'কে আপনাকে এটা অবহিত করেছে?' সে বললো: 'আমাকে তা জানিয়ে দিয়েছেন তিনি, যিনি সর্বজ্ঞানী এবং সব বিষয়ে অবহিত।'	وَ اِذْ اَسَرَّ النَّبِيُّ اِلٰى بَعْضِ اَزْوَاجِهٖ حَدِيْثًا ۚ فَلَمَّا نَبَّاَتْ بِهٖ وَ اَظْهَرَهُ اللّٰهُ عَلَيْهِ عَرَّفَ بَعْضَهٗ وَ اَعْرَضَ عَنْۢ بَعْضٍ ۚ فَلَمَّا نَبَّاَهَا بِهٖ قَالَتْ مَنْ اَنْۢبَاَكَ هٰذَا ؕ قَالَ نَبَّاَنِيَ الْعَلِيْمُ الْخَبِيْرُ ۝٣
০৪. যদি তোমরা দুজনেই (নবীর সেই দুই স্ত্রী) আল্লাহ্র দিকে তওবা করে (অনুতপ্ত হয়ে) ফিরে আসো তবে ভালো, কারণ তোমাদের অন্তর তো ঝুঁকে পড়েছে। কিন্তু তোমরা যদি নবীর বিরুদ্ধে পরস্পরকে সহযোগিতা করো, তবে জেনে রাখো, আল্লাহ্ তার (নবীর) মাওলা এবং জিবরিল আর পুণ্যবান মুমিনরাও তার সাহায্যকারী। তাছাড়া ফেরেশতারা তো তার সাহায্যকারী আছেই।	اِنْ تَتُوْبَاۤ اِلَى اللّٰهِ فَقَدْ صَغَتْ قُلُوْبُكُمَا ۚ وَ اِنْ تَظٰهَرَا عَلَيْهِ فَاِنَّ اللّٰهَ هُوَ مَوْلٰىهُ وَ جِبْرِيْلُ وَ صَالِحُ الْمُؤْمِنِيْنَ ۚ وَ الْمَلٰٓئِكَةُ بَعْدَ ذٰلِكَ ظَهِيْرٌ ۝٤
০৫. নবী যদি তোমাদের সবাইকে তালাক দিয়ে দেয়, তবে তার প্রভু অবশ্যি তোমাদের বদলে তাকে দেবেন তোমাদের চাইতেও উত্তম স্ত্রী, যারা হবে আত্মসমর্পিত, মুমিনা, অনুগত, তাওবাকারী, ইবাদতকারী, সিয়াম পালনকারী, অকুমারী এবং কুমারী।	عَسٰى رَبُّهٗۤ اِنْ طَلَّقَكُنَّ اَنْ يُّبْدِلَهٗۤ اَزْوَاجًا خَيْرًا مِّنْكُنَّ مُسْلِمٰتٍ مُّؤْمِنٰتٍ قٰنِتٰتٍ تٰٓئِبٰتٍ عٰبِدٰتٍ سٰٓئِحٰتٍ ثَيِّبٰتٍ وَّ اَبْكَارًا ۝٥
০৬. হে ঈমানদার লোকেরা! তোমরা নিজেদেরকে এবং নিজেদের পরিবারবর্গকে রক্ষা করো জাহান্নাম থেকে, যার জ্বালানি হবে মানুষ আর পাথর (ভাস্কর্য, মূর্তি), তার তত্ত্বাবধানে নিয়োজিত রয়েছে এমন সব ফেরেশতা, যারা শক্ত হৃদয় আর কঠোর স্বভাবের। তারা অমান্য করেনা তাদেরকে যা নির্দেশ দেয়া হয়। যা নির্দেশ দেয়া হয় তারা তাই করে।	يٰۤاَيُّهَا الَّذِيْنَ اٰمَنُوْا قُوْۤا اَنْفُسَكُمْ وَ اَهْلِيْكُمْ نَارًا وَّ قُوْدُهَا النَّاسُ وَ الْحِجَارَةُ عَلَيْهَا مَلٰٓئِكَةٌ غِلَاظٌ شِدَادٌ لَّا يَعْصُوْنَ اللّٰهَ مَاۤ اَمَرَهُمْ وَ يَفْعَلُوْنَ مَا يُؤْمَرُوْنَ ۝٦
০৭. হে কাফিররা! তোমরা আজ কোনো ওযর পেশ করোনা। অবশ্যি আজ তোমাদের প্রতিফল দেয়া হবে তোমাদের কাজ অনুযায়ী।	يٰۤاَيُّهَا الَّذِيْنَ كَفَرُوْا لَا تَعْتَذِرُوا الْيَوْمَ ؕ اِنَّمَا تُجْزَوْنَ مَا كُنْتُمْ تَعْمَلُوْنَ ۝٧
০৮. হে ঈমানদার লোকেরা! তোমরা তওবা করো (অনুতপ্ত হয়ে ফিরে আসো) আল্লাহ্র দিকে শুদ্ধ একনিষ্ঠ তওবা। তাহলে অবশ্যি তোমাদের	يٰۤاَيُّهَا الَّذِيْنَ اٰمَنُوْا تُوْبُوْۤا اِلَى اللّٰهِ تَوْبَةً نَّصُوْحًا ؕ عَسٰى رَبُّكُمْ اَنْ يُّكَفِّرَ عَنْكُمْ

রুকু ০১

প্রভু তোমাদের থেকে মুছে দেবেন তোমাদের পাপসমূহ এবং তোমাদের দাখিল করবেন জান্নাতে, যার নিচে দিয়ে বহমান থাকবে নদ নদী নহর। সেদিন আল্লাহ্ অপমানিত করবেন না তাঁর নবীকে এবং তাঁর সাথে যারা ঈমান এনেছে তাদেরকে। তাদের নূর সায়ী করবে (দৌড়াবে) তাদের সামনে দিয়ে এবং ডানে দিয়ে। তারা বলবে, আমাদের প্রভু! আমাদের জন্যে পূর্ণ করে দাও (জান্নাতে পৌঁছা পর্যন্ত) আমাদের নূর এবং ক্ষমা করে দাও আমাদের। নিশ্চয়ই তুমি প্রতিটি বিষয়ে সর্বশক্তিমান।	سَيِّاٰتِكُمْ وَ يُدْخِلَكُمْ جَنّٰتٍ تَجْرِىْ مِنْ تَحْتِهَا الْاَنْهٰرُ ۙ يَوْمَ لَا يُخْزِى اللّٰهُ النَّبِىَّ وَ الَّذِيْنَ اٰمَنُوْا مَعَهٗ ۚ نُوْرُهُمْ يَسْعٰى بَيْنَ اَيْدِيْهِمْ وَ بِاَيْمَانِهِمْ يَقُوْلُوْنَ رَبَّنَآ اَتْمِمْ لَنَا نُوْرَنَا وَ اغْفِرْ لَنَا ۚ اِنَّكَ عَلٰى كُلِّ شَىْءٍ قَدِيْرٌ ﴿٨﴾
০৯. হে নবী! জিহাদ করো কাফির এবং মুনাফিকদের বিরুদ্ধে এবং কঠোর হও তাদের প্রতি। তাদের আশ্রয় হবে জাহান্নাম এবং সেটা কতো যে নিকৃষ্ট প্রত্যাবর্তনের জায়গা!	يٰۤاَيُّهَا النَّبِىُّ جَاهِدِ الْكُفَّارَ وَ الْمُنٰفِقِيْنَ وَ اغْلُظْ عَلَيْهِمْ ؕ وَ مَاْوٰىهُمْ جَهَنَّمُ ؕ وَ بِئْسَ الْمَصِيْرُ ﴿٩﴾
১০. আল্লাহ্ কাফিরদের জন্যে মেছাল (দৃষ্টান্ত) দিচ্ছেন নূহের স্ত্রীর এবং লুতের স্ত্রীর। তারা ছিলো আমার দুই পুণ্যবান দাসের বিবাহাধীন। কিন্তু দুজনই তাদের প্রতি করেছিল খিয়ানত। ফলে নূহ এবং লুত তাদেরকে আল্লাহ্‌র পাকড়াও থেকে রক্ষা করতে পারেনি এবং তাদের বলা হয়েছিল: প্রবেশকারীদের সাথে দাখিল হয়ে যাও জাহান্নামে।	ضَرَبَ اللّٰهُ مَثَلًا لِّلَّذِيْنَ كَفَرُوا امْرَاَتَ نُوْحٍ وَّ امْرَاَتَ لُوْطٍ ؕ كَانَتَا تَحْتَ عَبْدَيْنِ مِنْ عِبَادِنَا صَالِحَيْنِ فَخَانَتٰهُمَا فَلَمْ يُغْنِيَا عَنْهُمَا مِنَ اللّٰهِ شَيْـًٔا وَّ قِيْلَ ادْخُلَا النَّارَ مَعَ الدّٰخِلِيْنَ ﴿١٠﴾
১১. আল্লাহ্ মুমিনদের জন্যে মেছাল দিচ্ছেন ফেরাউনের স্ত্রীর। সে ফরিয়াদ করেছিল: 'আমার প্রভু! তোমার সন্নিকটে জান্নাতে আমার জন্যে বানাও একটি ঘর, আর আমাকে নাজাত দাও ফেরাউনের কবল থেকে এবং তার দুষ্কর্ম থেকে, আর আমাকে নাজাত দাও যালিম কওমের কবল থেকে।'	وَ ضَرَبَ اللّٰهُ مَثَلًا لِّلَّذِيْنَ اٰمَنُوا امْرَاَتَ فِرْعَوْنَ ۘ اِذْ قَالَتْ رَبِّ ابْنِ لِىْ عِنْدَكَ بَيْتًا فِى الْجَنَّةِ وَ نَجِّنِىْ مِنْ فِرْعَوْنَ وَ عَمَلِهٖ وَ نَجِّنِىْ مِنَ الْقَوْمِ الظّٰلِمِيْنَ ﴿١١﴾
১২. তিনি তাদের জন্যে আরো মেছাল দিচ্ছেন ইমরানের কন্যা মরিয়মের, যে রক্ষা করেছিল নিজের সতীত্ব। ফলে আমরা তার মধ্যে ফুঁকে দিয়েছিলাম আমাদের রূহ থেকে। সে তার প্রভুর বাণী এবং তাঁর কিতাবকে সত্যায়ন করেছিল এবং সে ছিলো অনুগতদের একজন।	وَ مَرْيَمَ ابْنَتَ عِمْرٰنَ الَّتِىْۤ اَحْصَنَتْ فَرْجَهَا فَنَفَخْنَا فِيْهِ مِنْ رُّوْحِنَا وَ صَدَّقَتْ بِكَلِمٰتِ رَبِّهَا وَ كُتُبِهٖ وَ كَانَتْ مِنَ الْقٰنِتِيْنَ ﴿١٢﴾

রুকু ০২

সূরা ৬৭ আল মুলক

মক্কায় অবতীর্ণ, আয়াত সংখ্যা: ৩০, রুকু সংখ্যা: ০২

এই সূরার আলোচ্যসূচি (আয়াত ভিত্তিক আলোচ্য বিষয়)

০১-১২: সর্বময় কর্তৃত্ব আল্লাহ্‌র। আল্লাহ্‌র সৃষ্টি নিখুঁত। আল্লাহ্‌র প্রভুত্ব অস্বীকারকারীদের জন্য রয়েছে কঠোর আযাব। যারা আল্লাহ্‌র প্রভুত্ব স্বীকার করে তাদের জন্য রয়েছে ক্ষমা ও মহাপুরস্কার।

১৩-২৪: আল্লাহ্‌র একত্ব ও প্রভুত্বের যুক্তি ও প্রমাণ।

২৫-২৬: পুনরুত্থান ও বিচার অনিবার্য।

২৭-৩০: আল্লাহ্‌র একত্বের যুক্তি।

সূরা আল মুলক (সর্বময় কর্তৃত্ব) পরম করুণাময় পরম দয়াবান আল্লাহ্‌র নামে	سُوْرَةُ الْمُلْكِ بِسْمِ اللّٰهِ الرَّحْمٰنِ الرَّحِیْمِ
(পারা ২৯) ০১. মহা বরকতময় সেই সত্তা, সর্বময় কর্তৃত্ব যাঁর হাতে। আর সব কিছুর উপর তিনি সর্বশক্তিমান।	تَبٰرَكَ الَّذِیْ بِیَدِهِ الْمُلْكُ ۡ وَهُوَ عَلٰی كُلِّ شَیْءٍ قَدِیْرُ ۙ﴿۱﴾
০২. তিনি সেই মহান সত্তা, যিনি সৃষ্টি করেছেন মউত এবং হায়াত তোমাদের এই পরীক্ষা করার জন্যে যে, তোমাদের মাঝে আমলের দিক দিয়ে কে উত্তম? তিনি মহাশক্তিমান, অতীব ক্ষমাশীল,	الَّذِیْ خَلَقَ الْمَوْتَ وَ الْحَیٰوةَ لِیَبْلُوَكُمْ اَیُّكُمْ اَحْسَنُ عَمَلًا ؕ وَ هُوَ الْعَزِیْزُ الْغَفُوْرُ ۙ﴿۲﴾
০৩. যিনি সৃষ্টি করেছেন তবকায় তবকায় সাত আস্‌মান। দয়াময়-রহমানের সৃষ্টিতে কোনো খুঁত তুমি দেখতে পাবেনা। আবার তাকিয়ে দেখো, দেখতে পাও কি কোনো খুঁত?	الَّذِیْ خَلَقَ سَبْعَ سَمٰوٰتٍ طِبَاقًا ؕ مَا تَرٰی فِیْ خَلْقِ الرَّحْمٰنِ مِنْ تَفٰوُتٍ ؕ فَارْجِعِ الْبَصَرَ ۙ هَلْ تَرٰی مِنْ فُطُوْرٍ ﴿۳﴾
০৪. তারপর বার বার নজর করে দেখো, সেই নজর ব্যর্থ ও ক্লান্ত হয়ে ফিরে আসবে তোমার দিকে।	ثُمَّ ارْجِعِ الْبَصَرَ كَرَّتَیْنِ یَنْقَلِبْ اِلَیْكَ الْبَصَرُ خَاسِئًا وَّ هُوَ حَسِیْرٌ ﴿۴﴾
০৫. আমরা দুনিয়ার আসমানকে সৌন্দর্যমন্ডিত করেছি অনেক প্রদীপ দিয়ে এবং সেগুলোকে বানিয়েছি শয়তানদের দিকে নিক্ষেপের হাতিয়ার, আর তাদের জন্যে তৈরি করে রেখেছি জ্বলন্ত আগুনের আযাব।	وَلَقَدْ زَیَّنَّا السَّمَآءَ الدُّنْیَا بِمَصَابِیْحَ وَجَعَلْنٰهَا رُجُوْمًا لِّلشَّیٰطِیْنِ وَ اَعْتَدْنَا لَهُمْ عَذَابَ السَّعِیْرِ ﴿۵﴾
০৬. যারা তাদের প্রভুর প্রতি কুফুরি করে তাদের জন্যে রয়েছে জাহান্নামের আযাব; আর তা ফিরে যাবার কতো যে মন্দ জায়গা!	وَ لِلَّذِیْنَ كَفَرُوْا بِرَبِّهِمْ عَذَابُ جَهَنَّمَ ؕ وَ بِئْسَ الْمَصِیْرُ ﴿۶﴾
০৭. তাদেরকে যখন তাতে নিক্ষেপ করা হবে, তারা তখন শুনতে পাবে তার উত্থান পতনের বিকট শব্দ।	اِذَاۤ اُلْقُوْا فِیْهَا سَمِعُوْا لَهَا شَهِیْقًا وَّ هِیَ تَفُوْرُ ۙ﴿۷﴾

০৮. যেনো সে (জাহান্নাম) ক্রোধে ফেটে পড়বে। যখনই তাতে নিক্ষেপ করা হবে কোনো দলকে, তখনই তার রক্ষীরা তাদের প্রশ্ন করবেঃ তোমাদের কাছে কি আসেনি কোনো সতর্ককারী?	تَكَادُ تَمَيَّزُ مِنَ الْغَيْظِ ۖ كُلَّمَآ أُلْقِيَ فِيهَا فَوْجٌ سَأَلَهُمْ خَزَنَتُهَآ أَلَمْ يَأْتِكُمْ نَذِيرٌ ﴿٨﴾
০৯. তারা বলবেঃ 'হ্যাঁ, আমাদের কাছে একজন সতর্ককারী এসেছিল, কিন্তু আমরা প্রত্যাখ্যান করেছিলাম তাকে। আমরা বলেছিলামঃ আল্লাহ কিছুই নাযিল করেননি। তোমরা মহাভুল পথে আছো।'	قَالُوا بَلَىٰ قَدْ جَآءَنَا نَذِيرٌ ۙ فَكَذَّبْنَا وَقُلْنَا مَا نَزَّلَ اللَّهُ مِن شَيْءٍ ۚ إِنْ أَنتُمْ إِلَّا فِي ضَلَٰلٍ كَبِيرٍ ﴿٩﴾
১০. তারা আরো বলবেঃ 'আমরা যদি (তাদের আহবান-উপদেশ) শুনতাম এবং আকল খাটাতাম, তাহলে আজ আমরা সায়ীরের (জাহান্নামের) অধিবাসী হতাম না।'	وَقَالُوا لَوْ كُنَّا نَسْمَعُ أَوْ نَعْقِلُ مَا كُنَّا فِيٓ أَصْحَٰبِ السَّعِيرِ ﴿١٠﴾
১১. এভাবেই তারা স্বীকার করবে তাদের অপরাধ। ধ্বংস সায়ীরের অধিবাসীদের জন্যে।	فَاعْتَرَفُوا بِذَنۢبِهِمْ ۚ فَسُحْقًا لِّأَصْحَٰبِ السَّعِيرِ ﴿١١﴾
১২. নিশ্চয়ই যারা না দেখেও তাদের প্রভুকে ভয় করে, তাদের জন্যে রয়েছে মাগফিরাত আর মহাপুরস্কার।	إِنَّ الَّذِينَ يَخْشَوْنَ رَبَّهُم بِالْغَيْبِ لَهُم مَّغْفِرَةٌ وَأَجْرٌ كَبِيرٌ ﴿١٢﴾
১৩. তোমরা তোমাদের কথা গোপনে বলো, কিংবা প্রকাশ্যে, নিশ্চয়ই তিনি বিশেষভাবে জ্ঞাত অন্তরের খবর।	وَأَسِرُّوا قَوْلَكُمْ أَوِ اجْهَرُوا بِهِۦٓ ۖ إِنَّهُۥ عَلِيمٌۢ بِذَاتِ الصُّدُورِ ﴿١٣﴾
১৪. যিনি সৃষ্টি করেছেন তিনি কি জানবেন না? অথচ তিনি হলেন সুক্ষ্মদর্শী, সব অবগত।	أَلَا يَعْلَمُ مَنْ خَلَقَ ۖ وَهُوَ اللَّطِيفُ الْخَبِيرُ ﴿١٤﴾
১৫. তিনিই সেই সত্তা, যিনি এই পৃথিবীকে তোমাদের জন্যে বানিয়ে দিয়েছেন চলাচলের উপযোগী, সুতরাং তোমরা দিক দিগন্তে চলাচল করো এবং তাঁর দেয়া জীবিকা থেকে খাও। আর তাঁরই কাছে হবে হাশর-নশর।	هُوَ الَّذِي جَعَلَ لَكُمُ الْأَرْضَ ذَلُولًا فَامْشُوا فِي مَنَاكِبِهَا وَكُلُوا مِن رِّزْقِهِۦ ۖ وَإِلَيْهِ النُّشُورُ ﴿١٥﴾
১৬. যিনি আসমানে আছেন, তিনি তোমাদের নিয়ে পৃথিবীকে ধসিয়ে দেবেন আর তা আকস্মিক থর থর করে কেঁপে উঠবে- এ থেকে কি তোমরা নিরাপদ হয়ে গেছো?	ءَأَمِنتُم مَّن فِي السَّمَآءِ أَن يَخْسِفَ بِكُمُ الْأَرْضَ فَإِذَا هِيَ تَمُورُ ﴿١٦﴾
১৭. নাকি আকাশে যিনি আছেন তিনি তোমাদের উপর কংকরবর্ষী তুফান পাঠাবেন- সে ব্যাপারে তোমরা নিরাপদ হয়ে গেছো? অচিরেই জানতে পারবে কেমন ছিলো সতর্কবাণী।	أَمْ أَمِنتُم مَّن فِي السَّمَآءِ أَن يُرْسِلَ عَلَيْكُمْ حَاصِبًا ۖ فَسَتَعْلَمُونَ كَيْفَ نَذِيرِ ﴿١٧﴾

রুকু ০১

১৮. এদের পূর্বের লোকেরাও প্রত্যাখ্যান করেছিল। ফলে তাদের শাস্তিটাও হয়েছিল কেমন (কঠোর)?	وَلَقَدْ كَذَّبَ الَّذِيْنَ مِنْ قَبْلِهِمْ فَكَيْفَ كَانَ نَكِيْرِ ﴿١٨﴾
১৯. তারা কি তাদের উপরে পাখিদের প্রতি লক্ষ্য করেনা? তারা ডানা বিস্তার করে আবার গুটিয়ে নেয়। দয়াময়- রহমানই তাদের স্থির রাখেন। নিশ্চয়ই তিনি প্রতিটি বিষয়ে দৃষ্টিবান।	اَوَلَمْ يَرَوْا اِلَى الطَّيْرِ فَوْقَهُمْ صٰٓفّٰتٍ وَّ يَقْبِضْنَ ۘؕ مَا يُمْسِكُهُنَّ اِلَّا الرَّحْمٰنُ ؕ اِنَّهٗ بِكُلِّ شَيْءٍۭ بَصِيْرٌ ﴿١٩﴾
২০. দয়াময়-রহমান ছাড়া তোমাদের কোনো সেনাবাহিনী আছে কি, যারা তাঁর বিরুদ্ধে তোমাদের সাহায্য করবে? আসলে কাফিররা রয়েছে প্রতারণার মধ্যে।	اَمَّنْ هٰذَا الَّذِيْ هُوَ جُنْدٌ لَّكُمْ يَنْصُرُكُمْ مِّنْ دُوْنِ الرَّحْمٰنِ ؕ اِنِ الْكٰفِرُوْنَ اِلَّا فِيْ غُرُوْرٍ ﴿٢٠﴾
২১. এমন কে আছে যে তোমাদের রিযিক সরবরাহ করবে- যদি তিনি তাঁর রিযিক (সরবরাহ) বন্ধ করে দেন? বরং তারা অবাধ্যতা ও সত্য থেকে পালানোর উপর অবিচল রয়েছে।	اَمَّنْ هٰذَا الَّذِيْ يَرْزُقُكُمْ اِنْ اَمْسَكَ رِزْقَهٗ ۚ بَلْ لَّجُّوْا فِيْ عُتُوٍّ وَّ نُفُوْرٍ ﴿٢١﴾
২২. যে ব্যক্তি ঝুঁকে মুখের উপর ভর দিয়ে চলে সে-ই কি ঠিক পথে চলে, নাকি ঐ ব্যক্তি, যে সোজা হয়ে সরল পথে চলে?	اَفَمَنْ يَّمْشِيْ مُكِبًّا عَلٰى وَجْهِهٖۤ اَهْدٰۤى اَمَّنْ يَّمْشِيْ سَوِيًّا عَلٰى صِرَاطٍ مُّسْتَقِيْمٍ ﴿٢٢﴾
২৩. হে নবী! বলো: 'তিনিই তোমাদের সৃষ্টি করেছেন এবং তোমাদের দিয়েছেন শ্রবণশক্তি, দৃষ্টিশক্তি এবং হৃদয়। তবে তোমরা খুব কমই শোকর আদায় করে থাকো।'	قُلْ هُوَ الَّذِيْۤ اَنْشَاَكُمْ وَ جَعَلَ لَكُمُ السَّمْعَ وَ الْاَبْصَارَ وَ الْاَفْـِٕدَةَ ؕ قَلِيْلًا مَّا تَشْكُرُوْنَ ﴿٢٣﴾
২৪. হে নবী! বলো: 'তিনিই তোমাদের পৃথিবীতে ছড়িয়ে দিয়েছেন এবং তাঁরই কাছে করা হবে তোমাদের হাশর (একত্র)'।	قُلْ هُوَ الَّذِيْ ذَرَاَكُمْ فِي الْاَرْضِ وَ اِلَيْهِ تُحْشَرُوْنَ ﴿٢٤﴾
২৫. তারা বলে: 'তোমরা সত্যবাদী হয়ে থাকলে বলো কখন আসবে এই ওয়াদা করা সময়টি?'	وَ يَقُوْلُوْنَ مَتٰى هٰذَا الْوَعْدُ اِنْ كُنْتُمْ صٰدِقِيْنَ ﴿٢٥﴾
২৬. হে নবী! তুমি বলো: 'এর এলেম আল্লাহ্র কাছেই রয়েছে। আমি তো একজন স্পষ্ট সাবধানকারী মাত্র।'	قُلْ اِنَّمَا الْعِلْمُ عِنْدَ اللّٰهِ ۪ وَ اِنَّمَاۤ اَنَا نَذِيْرٌ مُّبِيْنٌ ﴿٢٦﴾
২৭. তারা যখন দেখবে তা (কিয়ামত) সম্মুখে উপস্থিত, তখন চেহারা ম্লান হয়ে যাবে কাফিরদের। তাদের বলা হবে: 'এটাই সেই জিনিস যা তোমরা দাবি করে আসছিলে।	فَلَمَّا رَاَوْهُ زُلْفَةً سِيْٓـَٔتْ وُجُوْهُ الَّذِيْنَ كَفَرُوْا وَ قِيْلَ هٰذَا الَّذِيْ كُنْتُمْ بِهٖ تَدَّعُوْنَ ﴿٢٧﴾

২৮. হে নবী ! তাদের বলো: তোমরা কি চিন্তা করে দেখেছো, আল্লাহ যদি আমাকে এবং আমার সাথিদেরকে হালাক করে দেন, অথবা আমাদের প্রতি রহম করেন, কিন্তু কাফিরদের রক্ষা করবে কে বেদনাদায়ক আযাব থেকে?	قُلْ اَرَءَيْتُمْ اِنْ اَهْلَكَنِيَ اللّٰهُ وَ مَنْ مَّعِيَ اَوْ رَحِمَنَا ۙ فَمَنْ يُّجِيْرُ الْكٰفِرِيْنَ مِنْ عَذَابٍ اَلِيْمٍ ﴿۲۸﴾
২৯. বলো: 'তিনি দয়াময়-রহমান, আমরা তাঁরই প্রতি ঈমান এনেছি এবং তাঁরই উপর তাওয়াক্কুল করেছি। অচিরেই তোমরা জানতে পারবে, কে নিমজ্জিত স্পষ্ট গোমরাহিতে?	قُلْ هُوَ الرَّحْمٰنُ اٰمَنَّا بِهٖ وَ عَلَيْهِ تَوَكَّلْنَا ۚ فَسَتَعْلَمُوْنَ مَنْ هُوَ فِيْ ضَلٰلٍ مُّبِيْنٍ ﴿۲۹﴾
৩০. হে নবী! তাদের জিজ্ঞেস করো: 'তোমরা কি চিন্তা করে দেখছো, ভূ-গর্ভের পানি যদি তোমাদের নাগালের বাইরে চলে যায়, তখন কে এনে দেবে তোমাদের বহমান পানি?'	قُلْ اَرَءَيْتُمْ اِنْ اَصْبَحَ مَآؤُكُمْ غَوْرًا فَمَنْ يَّاْتِيْكُمْ بِمَآءٍ مَّعِيْنٍ ﴿۳۰﴾ রুকু ০২

সূরা ৬৮ আল কলম

মক্কায় অবতীর্ণ, আয়াত সংখ্যা: ৫২, রুকু সংখ্যা: ০২

এই সূরার আলোচ্যসূচি (আয়াত ভিত্তিক আলোচ্য বিষয়)

০১-০৭ : মুহাম্মদ সত্য রসূল।

০৮-৩৩ : পাপিষ্ঠদের আনুগত্য করার নিষেধাজ্ঞা। বাগানের মালিকদের উপমা।

৩৪-৫০ : অনুগতরা আর অপরাধীরা এক নয়। অস্বীকারকারীদের প্রতি সতর্কবাণী। রসূলকে ধৈর্য ধরার পরামর্শ।

৫১-৫২ : কুরআন প্রত্যাখ্যানকারীদের দাম্ভিকতা। কুরআন বিশ্ববাসীর জন্যে উপদেশ।

সূরা আল কলম (কলম) পরম করুণাময় পরম দয়াবান আল্লাহ্‌র নামে।	سُوْرَةُ الْقَلَمِ بِسْمِ اللّٰهِ الرَّحْمٰنِ الرَّحِيْمِ
০১. নূন! কলমের শপথ আর শপথ সেগুলোর যা তারা (ফেরেশ্‌তারা) ছত্রে ছত্রে লিপিবদ্ধ করে।	نٓ وَ الْقَلَمِ وَ مَا يَسْطُرُوْنَ ۙ﴿۱﴾
০২. তোমার প্রভুর অনুগ্রহে তুমি পাগল নও।	مَاۤ اَنْتَ بِنِعْمَةِ رَبِّكَ بِمَجْنُوْنٍ ۚ﴿۲﴾
০৩. অবশ্যি তোমার জন্যে রয়েছে পুরস্কার অফুরান।	وَ اِنَّ لَكَ لَاَجْرًا غَيْرَ مَمْنُوْنٍ ۚ﴿۳﴾
০৪. অবশ্যি তুমি এক মহান চরিত্রের অধিকারী।	وَ اِنَّكَ لَعَلٰى خُلُقٍ عَظِيْمٍ ﴿۴﴾
০৫. অচিরেই তুমি দেখবে, আর দেখবে তারাও,	فَسَتُبْصِرُ وَ يُبْصِرُوْنَ ۙ﴿۵﴾
০৬. তোমাদের মধ্যে কে আপতিত ফিতনায়?	بِاَيِّكُمُ الْمَفْتُوْنُ ﴿۶﴾
০৭. তোমার প্রভুই সেই সত্তা, যিনি সর্বাধিক জানেন কারা তাঁর পথ থেকে বিচ্যুত এবং তিনিই তাদের সর্বাধিক জানেন, যারা হিদায়াত প্রাপ্ত।	اِنَّ رَبَّكَ هُوَ اَعْلَمُ بِمَنْ ضَلَّ عَنْ سَبِيْلِهٖ ۪ وَ هُوَ اَعْلَمُ بِالْمُهْتَدِيْنَ ﴿۷﴾

০৮. সুতরাং তুমি মিথ্যাবাদীদের আনুগত্য করোনা।	فَلَا تُطِعِ الْمُكَذِّبِيْنَ ٨
০৯. তারা চায়, তুমি যদি নমনীয় হও, তবেই তারা নমনীয় হবে।	وَدُّوْا لَوْ تُدْهِنُ فَيُدْهِنُوْنَ ٩
১০. তুমি আনুগত্য করোনা বারবার হলফকারী হীন ব্যক্তির,	وَلَا تُطِعْ كُلَّ حَلَّافٍ مَّهِيْنٍ ١٠
১১. যে পেছনে নিন্দা করে এবং একজনের কথা আরেকজনের কাছে লাগিয়ে বেড়ায়।	هَمَّازٍ مَّشَّآءٍ بِنَمِيْمٍ ١١
১২. সে ভালো কাজে বাধাদানকারী, সীমালংঘনকারী, পাপিষ্ঠ।	مَّنَّاعٍ لِّلْخَيْرِ مُعْتَدٍ اَثِيْمٍ ١٢
১৩. সে কর্কশ স্বভাবের, তারপর কুখ্যাত।	عُتُلٍّ بَعْدَ ذٰلِكَ زَنِيْمٍ ١٣
১৪. এর কারণ, তার অনেক মাল সম্পদ আছে এবং আছে অনেক সন্তান সন্ততি।	اَنْ كَانَ ذَا مَالٍ وَّبَنِيْنَ ١٤
১৫. তার কাছে যখন আমাদের আয়াত তিলাওয়াত করা হয়, সে বলে: 'এগুলো তো সেকালের কাহিনী।'	اِذَا تُتْلٰى عَلَيْهِ اٰيٰتُنَا قَالَ اَسَاطِيْرُ الْاَوَّلِيْنَ ١٥
১৬. অচিরেই আমরা দাগ লাগিয়ে দেবো তার শুঁড়ে (নাকে)।	سَنَسِمُهٗ عَلَى الْخُرْطُوْمِ ١٦
১৭. আমরা তাদের পরীক্ষা করেছি, যেভাবে পরীক্ষা করেছিলাম বাগানওয়ালাদের, যখন তারা কসম খেয়ে বলেছিল তারা সকালে বাগানের ফল পাড়বে,	اِنَّا بَلَوْنٰهُمْ كَمَا بَلَوْنَاۤ اَصْحٰبَ الْجَنَّةِ ۚ اِذْ اَقْسَمُوْا لَيَصْرِمُنَّهَا مُصْبِحِيْنَ ١٧
১৮. তারা ইনশাল্লাহ (আল্লাহ চাহেন তো) বলেনি।	وَلَا يَسْتَثْنُوْنَ ١٨
১৯. তারপর তোমার প্রভুর পক্ষ থেকে সেই বাগানের উপর দিয়ে বয়ে গেলো একটি ঝাপটা। তখন তারা ছিলো ঘুমে।	فَطَافَ عَلَيْهَا طَآئِفٌ مِّنْ رَّبِّكَ وَهُمْ نَآئِمُوْنَ ١٩
২০. ফলে সেই বাগান হয়ে যায় কালো বর্ণ (কয়লার মতো)।	فَاَصْبَحَتْ كَالصَّرِيْمِ ٢٠
২১. ভোরে তারা পরস্পরকে ডাকলো (বললো:)	فَتَنَادَوْا مُصْبِحِيْنَ ٢١
২২. 'যদি তোমরা সকাল সকাল ফল পাড়তে চাও, তবে সকাল সকাল বাগানে চলো।'	اَنِ اغْدُوْا عَلٰى حَرْثِكُمْ اِنْ كُنْتُمْ صٰرِمِيْنَ ٢٢
২৩. তারপর তারা (বাগানের দিকে) চললো নিচু স্বরে (এই) কথা বলতে বলতে:	فَانْطَلَقُوْا وَهُمْ يَتَخَافَتُوْنَ ٢٣
২৪. আজ যেনো তোমাদের কাছে বাগানে দাখিল না হয় কোনো মিসকিন (অভাবী)।	اَنْ لَّا يَدْخُلَنَّهَا الْيَوْمَ عَلَيْكُمْ مِّسْكِيْنٌ ٢٤

২৫. আর তারা ভোরে ভোরেই বাগানে রওয়ানা করলো (মিসকিন) প্রতিরোধ করতে সক্ষম মনে করে।	وَّ غَدَوْا عَلٰى حَرْدٍ قٰدِرِيْنَ ﴿٢٥﴾
২৬. তারপর যখন বাগানের অবস্থা দেখলো, বললো: "আমরা তো বিভ্রান্ত হয়ে পড়লাম।	فَلَمَّا رَاَوْهَا قَالُوْۤا اِنَّا لَضَآلُّوْنَ ﴿٢٦﴾
২৭. বরং আমরা বঞ্চিত হয়ে গেছি।"	بَلْ نَحْنُ مَحْرُوْمُوْنَ ﴿٢٧﴾
২৮. তাদের সবচে' ন্যায়পরায়ণ ব্যক্তি বললো: 'আমি কি তোমাদের বলিনি, কেন তোমরা তসবিহ করছোনা?'	قَالَ اَوْسَطُهُمْ اَلَمْ اَقُلْ لَّكُمْ لَوْ لَا تُسَبِّحُوْنَ ﴿٢٨﴾
২৯. (তারা বললো:) আমাদের প্রভুর পবিত্রতা ঘোষণা করছি, অবশ্যি আমরা ছিলাম যালিম।	قَالُوْا سُبْحٰنَ رَبِّنَاۤ اِنَّا كُنَّا ظٰلِمِيْنَ ﴿٢٩﴾
৩০. তখন তারা পরস্পরের প্রতি দোষারোপ করতে থাকলো।	فَاَقْبَلَ بَعْضُهُمْ عَلٰى بَعْضٍ يَّتَلَاوَمُوْنَ ﴿٣٠﴾
৩১. তারা বললো: "হায় ধ্বংস আমাদের, অবশ্যি আমরা ছিলাম সীমালংঘনকারী।	قَالُوْا يٰوَيْلَنَاۤ اِنَّا كُنَّا طٰغِيْنَ ﴿٣١﴾
৩২. হয়তো আমাদের প্রভু আমাদেরকে এর চাইতে উত্তম বদলা (বিনিময়) দেবেন, আমরা আমাদের প্রভুর অভিমুখী হলাম।"	عَسٰى رَبُّنَاۤ اَنْ يُّبْدِلَنَا خَيْرًا مِّنْهَاۤ اِنَّاۤ اِلٰى رَبِّنَا رٰغِبُوْنَ ﴿٣٢﴾
৩৩. আযাব এরকমই হয়ে থাকে। আর আখিরাতের আযাব অবশ্যি এর চাইতে অনেক জঘন্যতর, যদি তারা জানতো!	كَذٰلِكَ الْعَذَابُ ؕ وَلَعَذَابُ الْاٰخِرَةِ اَكْبَرُ ۘ لَوْ كَانُوْا يَعْلَمُوْنَ ﴿٣٣﴾ রুকু ০১
৩৪. নিশ্চয়ই মুত্তাকিদের জন্যে তাদের প্রভুর কাছে রয়েছে 'জান্নাতুন নায়ীম'।	اِنَّ لِلْمُتَّقِيْنَ عِنْدَ رَبِّهِمْ جَنّٰتِ النَّعِيْمِ ﴿٣٤﴾
৩৫. আমরা কি আত্মসমর্পণকারী-মুসলিমদের গণ্য করবো অপরাধীদের সমতুল্য?	اَفَنَجْعَلُ الْمُسْلِمِيْنَ كَالْمُجْرِمِيْنَ ﴿٣٥﴾ ؕ
৩৬. তোমাদের কী হয়েছে- তোমরা কিভাবে ফায়সালা করছো?	مَا لَكُمْ ۫ كَيْفَ تَحْكُمُوْنَ ﴿٣٦﴾ ۚ
৩৭. নাকি তোমাদের কাছে কোনো কিতাব রয়েছে যার মধ্যে (এসব) তোমরা পাঠ করছো?	اَمْ لَكُمْ كِتٰبٌ فِيْهِ تَدْرُسُوْنَ ﴿٣٧﴾ ۙ
৩৮. তাতে কি লেখা রয়েছে তোমাদের পছন্দসই কথা?	اِنَّ لَكُمْ فِيْهِ لَمَا تَخَيَّرُوْنَ ﴿٣٨﴾ ۚ
৩৯. নাকি আমার সাথে তোমাদের কোনো অংগীকার আছে যা কিয়ামতকাল পর্যন্ত বলবত থাকবে? নিশ্চয়ই তোমরা তাই পাবে, যা নিজেদের জন্যে ফায়সালা করবে।	اَمْ لَكُمْ اَيْمَانٌ عَلَيْنَا بَالِغَةٌ اِلٰى يَوْمِ الْقِيٰمَةِ ۙ اِنَّ لَكُمْ لَمَا تَحْكُمُوْنَ ﴿٣٩﴾ ۚ

৪০. তাদের তুমি প্রশ্ন করো, এ ব্যাপারে তাদের যিম্মাদার কে?	سَلْهُمْ اَيُّهُمْ بِذٰلِكَ زَعِيْمٌ ۚ ﴿٤٠﴾
৪১. নাকি তাদের শরিক করা (দেব দেবী) আছে? তবে তারা সেই শরিকদের নিয়ে আসুক যদি তারা হয়ে থাকে সত্যবাদী।	اَمْ لَهُمْ شُرَكَآءُ ۚ فَلْيَاْتُوْا بِشُرَكَآئِهِمْ اِنْ كَانُوْا صٰدِقِيْنَ ﴿٤١﴾
৪২. স্মরণ করো, যেদিন (আল্লাহ্‌র) পায়ের নলা উন্মোচিত করা হবে এবং তাদের ডাকা হবে সাজদা করতে, কিন্তু তাদের তা করার শক্তি থাকবে না।	يَوْمَ يُكْشَفُ عَنْ سَاقٍ وَّ يُدْعَوْنَ اِلَى السُّجُوْدِ فَلَا يَسْتَطِيْعُوْنَ ۙ ﴿٤٢﴾
৪৩. তাদের দৃষ্টি থাকবে অবনত, তাদের গ্রাস করে নেবে যিল্লতি। অথচ (পৃথিবীতে) যখন তাদের সাজদা করতে ডাকা হতো তখন তারা নিজেদের (তা থেকে) রাখতো দূরে।	خَاشِعَةً اَبْصَارُهُمْ تَرْهَقُهُمْ ذِلَّةٌ ؕ وَ قَدْ كَانُوْا يُدْعَوْنَ اِلَى السُّجُوْدِ وَ هُمْ سٰلِمُوْنَ ﴿٤٣﴾
৪৪. আমাকে ছেড়ে দাও আর যারা এই বাণীকে (আল কুরআনকে) অস্বীকার করে তাদেরকে। আমরা ক্রমান্বয়ে তাদেরকে এমনভাবে ধরবো যে, তারা জানতেও পারবেনা।	فَذَرْنِيْ وَ مَنْ يُّكَذِّبُ بِهٰذَا الْحَدِيْثِ ؕ سَنَسْتَدْرِجُهُمْ مِّنْ حَيْثُ لَا يَعْلَمُوْنَ ۙ ﴿٤٤﴾
৪৫. আমি তাদের অবকাশ দিই, আমার কৌশল মজবুত।	وَ اُمْلِيْ لَهُمْ ؕ اِنَّ كَيْدِيْ مَتِيْنٌ ﴿٤٥﴾
৪৬. তুমি কি তাদের কাছে পারিশ্রমিক চাইছো আর তারা সেটাকে মনে করছে দুর্বহ বোঝা?	اَمْ تَسْـَٔلُهُمْ اَجْرًا فَهُمْ مِّنْ مَّغْرَمٍ مُّثْقَلُوْنَ ۚ ﴿٤٦﴾
৪৭. নাকি তাদের কাছে গায়েবের জ্ঞান আছে আর তারা তা লিখে রাখছে?	اَمْ عِنْدَهُمُ الْغَيْبُ فَهُمْ يَكْتُبُوْنَ ﴿٤٧﴾
৪৮. তোমার প্রভুর হুকুমের অপেক্ষায় সবর করো, মাছওয়ালার (ইউনুসের) মতো (অধৈর্য) হয়োনা। সে চরম হতাশায় আচ্ছন্ন অবস্থায় (আমাকে বিনীতভাবে) ডেকেছিল।	فَاصْبِرْ لِحُكْمِ رَبِّكَ وَ لَا تَكُنْ كَصَاحِبِ الْحُوْتِ ۘ اِذْ نَادٰى وَ هُوَ مَكْظُوْمٌ ؕ ﴿٤٨﴾
৪৯. তার প্রভুর অনুগ্রহ তার কাছে না পৌঁছুলে সে চরম লাঞ্ছিত অবস্থায় নিক্ষিপ্ত হতো উন্মুক্ত প্রান্তরে।	لَوْ لَآ اَنْ تَدٰرَكَهٗ نِعْمَةٌ مِّنْ رَّبِّهٖ لَنُبِذَ بِالْعَرَآءِ وَ هُوَ مَذْمُوْمٌ ﴿٤٩﴾
৫০. তারপর তার প্রভু তাকে মনোনীত করলেন এবং তাকে তাঁর সালেহ্ বান্দাদের অন্তরভুক্ত করলেন।	فَاجْتَبٰهُ رَبُّهٗ فَجَعَلَهٗ مِنَ الصّٰلِحِيْنَ ﴿٥٠﴾
৫১. কাফিররা যখন আয যিক্‌র (আল কুরআন) শুনে, তখন যেনো তারা তাদের তীক্ষ্ণ দৃষ্টি দিয়ে তোমাকে আছাড় মারবে। তারা বলে: 'এতো এক পাগল।'	وَ اِنْ يَّكَادُ الَّذِيْنَ كَفَرُوْا لَيُزْلِقُوْنَكَ بِاَبْصَارِهِمْ لَمَّا سَمِعُوا الذِّكْرَ وَ يَقُوْلُوْنَ اِنَّهٗ لَمَجْنُوْنٌ ﴿٥١﴾

৫২. অথচ এ (কুরআন) তো জগতবাসীর জন্যে এক (কল্যাণময়) উপদেশ ছাড়া আর কিছুই নয়।	وَمَا هُوَ اِلَّا ذِكْرٌ لِّلْعٰلَمِيْنَ ﴿٥٢﴾

রুকু ০২

সূরা ৬৯ আল হাক্কাহ্

মক্কায় অবতীর্ণ, আয়াত সংখ্যা: ৫২, রুকু সংখ্যা: ০২

এই সূরার আলোচ্যসূচি (আয়াত ভিত্তিক আলোচ্য বিষয়)

০১-১৮ : অতীতে আখিরাত অস্বীকারকারী জাতিগুলো ধ্বংস হয়েছে। কিয়ামতের দৃশ্য।

১৯-২৪ : বিশ্বাসীরা আমলনামা পাবে ডান হাতে; তারা থাকবে মহাসুখে।

২৫-৩৭ : অপরাধীদের আমলনামা দেয়া হবে বাম হাতে; তাদের পরকালীন দুর্দশা।

৩৮-৫২ : কুরআন রাব্বুল আলামিন কর্তৃক অবতীর্ণ, অন্য কারো রচনা নয়। কুরআন কাফিরদের হতাশাগ্রস্ত করে দেয়।

সূরা আল হাক্কাহ্ (অবশ্যম্ভাবী ঘটনা) পরম করুণাময় পরম দয়াবান আল্লাহ্‌র নামে	سُوْرَةُ الْحَاقَّةِ بِسْمِ اللّٰهِ الرَّحْمٰنِ الرَّحِيْمِ
০১. অবশ্যি ঘটবে সে ঘটনা!	اَلْحَاۗقَّةُ ﴿١﴾
০২. অবশ্যি ঘটবে কী ঘটনা?	مَا الْحَاۗقَّةُ ﴿٢﴾
০৩. তুমি কিভাবে জানবে, অবশ্যি ঘটবে কী ঘটনা?	وَمَاۤ اَدْرٰىكَ مَا الْحَاۗقَّةُ ﴿٣﴾
০৪. আদ ও সামুদ জাতি অস্বীকার করেছিল সেই মহাদুর্ঘটনাকে।	كَذَّبَتْ ثَمُوْدُ وَعَادٌۢ بِالْقَارِعَةِ ﴿٤﴾
০৫. এর মধ্যে রয়েছে সামুদ জাতি, তাদের ধ্বংস করা হয়েছিল এক প্রলয়ংকর বিপর্যয় দিয়ে।	فَاَمَّا ثَمُوْدُ فَاُهْلِكُوْا بِالطَّاغِيَةِ ﴿٥﴾
০৬. এর মধ্যে রয়েছে আদ জাতি, তাদের ধ্বংস করা হয়েছিল প্রচণ্ড ঘুর্ণিঝড় দিয়ে।	وَاَمَّا عَادٌ فَاُهْلِكُوْا بِرِيْحٍ صَرْصَرٍ عَاتِيَةٍ ﴿٦﴾
০৭. আল্লাহ সেটি তাদের উপর প্রবাহিত রেখেছিলেন সাত রাত আট দিন অবিরাম। তুমি সেখানে উপস্থিত থাকলে দেখতে, পুরো জাতিটি সেখানে (মরে) লুটিয়ে পড়ে আছে উপড়ে পড়া খেজুর গাছের কান্ডের মতো।	سَخَّرَهَا عَلَيْهِمْ سَبْعَ لَيَالٍ وَّثَمٰنِيَةَ اَيَّامٍ ۙ حُسُوْمًا ۙ فَتَرَى الْقَوْمَ فِيْهَا صَرْعٰى ۙ كَاَنَّهُمْ اَعْجَازُ نَخْلٍ خَاوِيَةٍ ﴿٧﴾
০৮. তুমি তাদের কাউকেও অবশিষ্ট দেখতে পাচ্ছো কি?	فَهَلْ تَرٰى لَهُمْ مِّنْۢ بَاقِيَةٍ ﴿٨﴾
০৯. তারপর এসেছিল ফেরাউন, তার পূর্ববর্তীরা আর পাপাচারে লিপ্ত থাকা উল্টে দেয়া জনপদ (অর্থাৎ কওমে লুত)।	وَجَآءَ فِرْعَوْنُ وَمَنْ قَبْلَهٗ وَالْمُؤْتَفِكٰتُ بِالْخَاطِئَةِ ﴿٩﴾
১০. তারা তাদের প্রভুর রসূলকে অমান্য করেছিল। এর ফলে তিনি তাদের পাকড়াও করেন কঠোর পাকড়াও।	فَعَصَوْا رَسُوْلَ رَبِّهِمْ فَاَخَذَهُمْ اَخْذَةً رَّابِيَةً ﴿١٠﴾

১১. (এর আগে নূহের সময়) পানি যখন উথলে উঠেছিল আমরা তোমাদের তুলে নিয়েছিলাম নৌযানে,	إِنَّا لَمَّا طَغَا الْمَآءُ حَمَلْنٰكُمْ فِي الْجَارِيَةِ ﴿١١﴾
১২. এসব ঘটনাকে আমরা তোমাদের জন্যে বানিয়েছি শিক্ষার বিষয়। আর যেসব কান এগুলো শুনে তারা যেনো এগুলো সংরক্ষণ করে।	لِنَجْعَلَهَا لَكُمْ تَذْكِرَةً وَّتَعِيَهَآ أُذُنٌ وَّاعِيَةٌ ﴿١٢﴾
১৩. তারপর যখন শিঙায় ফুৎকার দেয়া হবে, একটি (প্রথম) ফুৎকার,	فَإِذَا نُفِخَ فِي الصُّوْرِ نَفْخَةٌ وَّاحِدَةٌ ﴿١٣﴾
১৪. এবং পৃথিবী ও পর্বতমালাকে উঠিয়ে নিক্ষেপ করা হবে, তখন এক ধাক্কায়ই সেগুলো হয়ে যাবে চুর্ণবিচুর্ণ।	وَّحُمِلَتِ الْأَرْضُ وَالْجِبَالُ فَدُكَّتَا دَكَّةً وَّاحِدَةً ﴿١٤﴾
১৫. সেদিনই সংঘটিত হবে ওয়াকিয়া (মহাদুর্ঘটনা)।	فَيَوْمَئِذٍ وَّقَعَتِ الْوَاقِعَةُ ﴿١٥﴾
১৬. তখন ফেটে চৌচির হয়ে যাবে আকাশ এবং তা পড়তে থাকবে ছিন্ন বিচ্ছিন্ন হয়ে।	وَانْشَقَّتِ السَّمَآءُ فَهِيَ يَوْمَئِذٍ وَّاهِيَةٌ ﴿١٦﴾
১৭. ফেরেশতারা অবস্থান করবে তার (আকাশের) প্রান্তে। সেদিন তাদের উপর আটজন (ফেরেশতা) ধারণ করবে তোমার প্রভুর আরশ।	وَّالْمَلَكُ عَلٰٓى أَرْجَآئِهَا ۚ وَيَحْمِلُ عَرْشَ رَبِّكَ فَوْقَهُمْ يَوْمَئِذٍ ثَمٰنِيَةٌ ﴿١٧﴾
১৮. সেদিন তোমাদের উপস্থিত করা হবে এবং তোমাদের কোনো কিছুই থাকবেনা গোপন।	يَوْمَئِذٍ تُعْرَضُوْنَ لَا تَخْفٰى مِنْكُمْ خَافِيَةٌ ﴿١٨﴾
১৯. তখন যার কিতাব (কৃতকর্মের রেকর্ড) দেয়া হবে তার ডান হাতে, সে বলবে: "নাও পড়ে দেখো আমার কিতাব (রেকর্ড),	فَأَمَّا مَنْ أُوْتِيَ كِتٰبَهٗ بِيَمِيْنِهٖ ۙ فَيَقُوْلُ هَآؤُمُ اقْرَءُوْا كِتٰبِيَهْ ﴿١٩﴾
২০. আমি বিশ্বাস করতাম, আমাকে অবশ্যি হিসাবের সম্মুখীন হতে হবে।"	إِنِّيْ ظَنَنْتُ أَنِّيْ مُلٰقٍ حِسَابِيَهْ ﴿٢٠﴾
২১. ফলে সে এমন জীবন যাপন করবে, যাতে সে রাজি খুশি ও সন্তুষ্ট থাকবে।	فَهُوَ فِيْ عِيْشَةٍ رَّاضِيَةٍ ﴿٢١﴾
২২. সে থাকবে মর্যাদাপূর্ণ জান্নাতে (বাগ বাগিচায়),	فِيْ جَنَّةٍ عَالِيَةٍ ﴿٢٢﴾
২৩. তার ফলরাশি নুয়ে থাকবে নাগালের মধ্যেই।	قُطُوْفُهَا دَانِيَةٌ ﴿٢٣﴾
২৪. (তাদের বলা হবে:) খাও, পান করো পরিতুষ্টির সাথে, সেই কাজের বিনিময়ে যা তোমরা করেছিলে অতীত দিনে (পৃথিবীর জীবনে)।	كُلُوْا وَاشْرَبُوْا هَنِيْٓـًٔا بِمَآ أَسْلَفْتُمْ فِي الْأَيَّامِ الْخَالِيَةِ ﴿٢٤﴾

২৫. কিন্তু যাকে তার কিতাব (রেকর্ড) দেয়া হবে তার বাম হাতে, সে বলবে: “হায়, আমার ধ্বংস, (কতো ভালো হতো) আমাকে যদি দেয়া না হতো আমার কিতাব!	وَ اَمَّا مَنْ اُوْتِیَ كِتٰبَهٗ بِشِمَالِهٖ ۙ فَیَقُوْلُ یٰلَیْتَنِیْ لَمْ اُوْتَ كِتٰبِیَهْ ۟﴿٢٥﴾
২৬. (হায়,) আমি যদি না জানতাম আমার হিসাব।	وَ لَمْ اَدْرِ مَا حِسَابِیَهْ ۟﴿٢٦﴾
২৭. (হায়,) আমার মৃত্যুই যদি হতো আমার শেষ ফায়সালা।	یٰلَیْتَهَا كَانَتِ الْقَاضِیَةَ ۟﴿٢٧﴾
২৮. আমার মাল-সম্পদ তো আমার কোনো কাজেই এলোনা।	مَاۤ اَغْنٰی عَنِّیْ مَالِیَهْ ۟﴿٢٨﴾
২৯. আমার সমস্ত ক্ষমতা-দাপটই তো আমার থেকে হয়ে গেছে হালাক।”	هَلَكَ عَنِّیْ سُلْطٰنِیَهْ ۟﴿٢٩﴾
৩০. (ফেরেশতাদের বলা হবে:) “একে পাকড়াও করো এবং বেড়ি লাগাও তার গলায়।	خُذُوْهُ فَغُلُّوْهُ ۟﴿٣٠﴾
৩১. তারপর নিক্ষেপ করো জাহিমে।	ثُمَّ الْجَحِیْمَ صَلُّوْهُ ۟﴿٣١﴾
৩২. অতপর তাকে বাঁধো সত্তর হাত লম্বা শিকল দিয়ে।”	ثُمَّ فِیْ سِلْسِلَةٍ ذَرْعُهَا سَبْعُوْنَ ذِرَاعًا فَاسْلُكُوْهُ ؕ﴿٣٢﴾
৩৩. সে ঈমান আনেনি মহান আল্লাহ্‌র প্রতি,	اِنَّهٗ كَانَ لَا یُؤْمِنُ بِاللّٰهِ الْعَظِیْمِ ۟﴿٣٣﴾
৩৪. (মানুষকে) উৎসাহ দেয়নি মিসকিনদের আহার করাতে।	وَ لَا یَحُضُّ عَلٰی طَعَامِ الْمِسْكِیْنِ ؕ﴿٣٤﴾
৩৫. তাই তার জন্যে আজ এখানে নেই কোনো সহমর্মী,	فَلَیْسَ لَهُ الْیَوْمَ هٰهُنَا حَمِیْمٌ ۟﴿٣٥﴾
৩৬. (তার জন্যে) নেই কোনো খাবার ক্ষতের পূঁজ ছাড়া,	وَّ لَا طَعَامٌ اِلَّا مِنْ غِسْلِیْنٍ ۟﴿٣٦﴾
৩৭. যা আর কেউই খাবেনা অপরাধীরা ছাড়া।	لَّا یَاْكُلُهٗۤ اِلَّا الْخَاطِـُٔوْنَ ۟﴿٣٧﴾ রুকু ০১
৩৮. আমি কসম করছি সেসবের, যা তোমরা দেখতে পাও,	فَلَاۤ اُقْسِمُ بِمَا تُبْصِرُوْنَ ۟﴿٣٨﴾
৩৯. আর সেসবের যা তোমরা দেখতে পাওনা।	وَ مَا لَا تُبْصِرُوْنَ ۟﴿٣٩﴾
৪০. নিশ্চয়ই এ (কুরআন) একজন সম্মানিত রসূলের কথা।	اِنَّهٗ لَقَوْلُ رَسُوْلٍ كَرِیْمٍ ۟ۙ﴿٤٠﴾
৪১. এটি কোনো কবি রচিত কথা নয়; তবে খুব কমই তোমরা বিশ্বাস করো।	وَّ مَا هُوَ بِقَوْلِ شَاعِرٍ ؕ قَلِیْلًا مَّا تُؤْمِنُوْنَ ۟﴿٤١﴾
৪২. এটি কোনো গণকের কথাও নয়, তবে খুব কমই তোমরা উপলব্ধি করো।	وَ لَا بِقَوْلِ كَاهِنٍ ؕ قَلِیْلًا مَّا تَذَكَّرُوْنَ ؕ﴿٤٢﴾

৪৩. এটি হলো রাব্বুল আলামিনের নাযিল করা (কিতাব)।	تَنۡزِيۡلٌ مِّنۡ رَّبِّ الۡعٰلَمِيۡنَ ﴿۴۳﴾
৪৪. সে (মুহাম্মদ) যদি আমাদের নামে কোনো কথা বানিয়ে নিয়ে চালাবার চেষ্টা করতো,	وَلَوۡ تَقَوَّلَ عَلَيۡنَا بَعۡضَ الۡاَقَاوِيۡلِ ﴿۴۴﴾
৪৫. আমরা অবশ্যি ধরে ফেলতাম তার ডান হাত,	لَاَخَذۡنَا مِنۡهُ بِالۡيَمِيۡنِ ﴿۴۵﴾
৪৬. তারপর কেটে ফেলতাম তার জীবন-ধমনী।	ثُمَّ لَقَطَعۡنَا مِنۡهُ الۡوَتِيۡنَ ﴿۴۶﴾
৪৭. তোমাদের মধ্যে এমন কেউই থাকতো না, যে রক্ষা করতে পারতো তাকে।	فَمَا مِنۡكُمۡ مِّنۡ اَحَدٍ عَنۡهُ حٰجِزِيۡنَ ﴿۴۷﴾
৪৮. নিশ্চয়ই এ (কুরআন) এক উপদেশ মুত্তাকি (সতর্ক) লোকদের জন্যে।	وَاِنَّهٗ لَتَذۡكِرَةٌ لِّلۡمُتَّقِيۡنَ ﴿۴۸﴾
৪৯. অবশ্যি আমরা জানি, তোমাদের মধ্যে রয়েছে মিথ্যাবাদীরা।	وَاِنَّا لَنَعۡلَمُ اَنَّ مِنۡكُمۡ مُّكَذِّبِيۡنَ ﴿۴۹﴾
৫০. অবশ্যি এ (কুরআন) কাফিরদের জন্যে এক অনুতাপের কারণ।	وَاِنَّهٗ لَحَسۡرَةٌ عَلَى الۡكٰفِرِيۡنَ ﴿۵۰﴾
৫১. নিশ্চয়ই এ (কুরআন) এক বাস্তব সত্য।	وَاِنَّهٗ لَحَقُّ الۡيَقِيۡنِ ﴿۵۱﴾
রুকু ০২ ৫২. সুতরাং তুমি তসবিহ করতে থাকো তোমার মহান প্রভুর নাম নিয়ে।	فَسَبِّحۡ بِاسۡمِ رَبِّكَ الۡعَظِيۡمِ ﴿۵۲﴾

সূরা ৭০ আল মা'আরিজ

মক্কায় অবতীর্ণ, আয়াত সংখ্যা: ৪৪, রুকু সংখ্যা: ০২

এই সূরার আলোচ্যসূচি (আয়াত ভিত্তিক আলোচ্য বিষয়)

০১-১৮ : কাফিররা কিয়ামত প্রতিরোধ করতে পারবে না। কিয়ামত ও হাশরের দৃশ্য।
১৯-৩৫ : মানুষের স্বভাব। মুসল্লিদের বৈশিষ্ট্য ও গুণাবলি।
৩৬-৪৪: কাফিরদের অবস্থা। পুনরুত্থান অবশ্যি ঘটবে।

সূরা আল মা'আরিজ (উচ্চ মর্যাদা) পরম করুণাময় পরম দয়াবান আল্লাহ্র নামে	سُوۡرَةُ الۡمَعَارِجِ بِسۡمِ اللّٰهِ الرَّحۡمٰنِ الرَّحِيۡمِ
০১. এক প্রশ্নকারী প্রশ্ন করলো অবধারিত আযাব সম্পর্কে,	سَاَلَ سَآئِلٌۢ بِعَذَابٍ وَّاقِعٍ ﴿۱﴾
০২. (যা অবধারিত) কাফিরদের জন্যে, যা প্রতিরোধ করার কেউ নেই,	لِّلۡكٰفِرِيۡنَ لَيۡسَ لَهٗ دَافِعٌ ﴿۲﴾
০৩. যা আসবে আল্লাহ্র পক্ষ থেকে, যিনি সর্বোচ্চ মর্যাদার অধিকারী।	مِّنَ اللّٰهِ ذِى الۡمَعَارِجِ ﴿۳﴾
০৪. ফেরেশতারা এবং রূহ (জিবরিল) তাঁর দিকে উঠে এমন একটি ক্ষুদ্র সময়ের মধ্যে (পৃথিবীর সময় অনুযায়ী) যার পরিমাণ পঞ্চাশ হাজার বছর।	تَعۡرُجُ الۡمَلٰٓئِكَةُ وَالرُّوۡحُ اِلَيۡهِ فِىۡ يَوۡمٍ كَانَ مِقۡدَارُهٗ خَمۡسِيۡنَ اَلۡفَ سَنَةٍ ﴿۴﴾

০৫. সুতরাং তুমি সবর করো সব্‌রে জামিল (সুন্দর সবর)।	فَاصۡبِرۡ صَبۡرًا جَمِيۡلًا ۟
০৬. তারা সেই (দিনটিকে) দেখে সুদূর,	اِنَّهُمۡ يَرَوۡنَهٗ بَعِيۡدًا ۟
০৭. আর আমরা দেখছি একেবারে অদূর।	وَّنَرٰىهُ قَرِيۡبًا ؕ۟
০৮. সেদিন আসমান হবে গলিত ধাতুর মতো,	يَوۡمَ تَكُوۡنُ السَّمَآءُ كَالۡمُهۡلِ ۟ۙ
০৯. পর্বতসমূহ হবে রঙ্গীন পশমের মতো।	وَتَكُوۡنُ الۡجِبَالُ كَالۡعِهۡنِ ۟ۙ
১০. সেদিন কোনো সহমর্মী বন্ধু কোনো খোঁজ খবর নেবেনা অপর সহমর্মী বন্ধুর।	وَلَا يَسۡـَٔلُ حَمِيۡمٌ حَمِيۡمًا ۟ۚ
১১. তাদেরকে পরস্পরের চোখের সামনেই রাখা হবে। অপরাধীরা সেদিনকার আযাবের বিনিময়ে দিয়ে দিতে চাইবে তার সন্তানদের,	يُّبَصَّرُوۡنَهُمۡ ؕ يَوَدُّ الۡمُجۡرِمُ لَوۡ يَفۡتَدِىۡ مِنۡ عَذَابِ يَوۡمِئِذٍۢ بِبَنِيۡهِ ۟ۙ
১২. তার স্ত্রীকে, তার ভাইকে,	وَصَاحِبَتِهٖ وَاَخِيۡهِ ۟ۙ
১৩. তার জ্ঞাতি-গোষ্ঠীকে যারা তাকে দিতো আশ্রয় ও নিরাপত্তা,	وَفَصِيۡلَتِهِ الَّتِىۡ تُـــْٔوِيۡهِ ۟ۙ
১৪. এবং পৃথিবীতে যারা আছে তাদের সবাইকে, যাতে করে তাকে নাজাত দেয় এসব মুক্তিপণ।	وَمَنۡ فِى الۡاَرۡضِ جَمِيۡعًا ۙ ثُمَّ يُنۡجِيۡهِ ۟ۙ
১৫. কখনো নয়, অবশ্যি তার জন্যে রয়েছে আগুনের লেলিহান শিখা,	كَلَّا ؕ اِنَّهَا لَظٰى ۟ۙ
১৬. যা খসিয়ে দেবে গায়ের চামড়া।	نَزَّاعَةً لِّلشَّوٰى ۟ۚ
১৭. জাহান্নাম ডাকবে ঐ ব্যক্তিকে, যে সত্যের আহবান থেকে পিছু হটে যায় এবং মুখ ফিরিয়ে নেয়,	تَدۡعُوۡا مَنۡ اَدۡبَرَ وَتَوَلّٰى ۟ۙ
১৮. যে (অর্থ সম্পদ) জমা করে রেখেছিল এবং সংরক্ষণ করেছিল।	وَجَمَعَ فَاَوۡعٰى ۟
১৯. নিশ্চয়ই মানুষকে সৃষ্টি করা হয়েছে অস্থির স্বভাবের করে,	اِنَّ الۡاِنۡسَانَ خُلِقَ هَلُوۡعًا ۟ۙ
২০. যখন কোনো মন্দ তাকে স্পর্শ করে, সে হা-হুতাশ করে।	اِذَا مَسَّهُ الشَّرُّ جَزُوۡعًا ۟ۙ
২১. যখন সে লাভ করে কোনো কল্যাণ, তখন সে হয় কৃপণ।	وَّاِذَا مَسَّهُ الۡخَيۡرُ مَنُوۡعًا ۟ۙ
২২. তবে, মুসল্লিরা এর ব্যতিক্রম,	اِلَّا الۡمُصَلِّيۡنَ ۟ۙ
২৩. যারা স্থায়ীভাবে নিয়মিত সালাত আদায়কারী,	الَّذِيۡنَ هُمۡ عَلٰى صَلَاتِهِمۡ دَآئِمُوۡنَ ۟ۙ
২৪. যাদের মাল সম্পদে নির্ধারিত হক থাকে	وَالَّذِيۡنَ فِىۡۤ اَمۡوَالِهِمۡ حَقٌّ مَّعۡلُوۡمٌ ۟ۙ

২৫. ভিক্ষুক এবং মাহরুমদের (বঞ্চিতদের) জন্যে,	لِّلسَّآئِلِ وَالْمَحْرُوْمِ ﴿٢٥﴾
২৬. যারা সত্য বলে স্বীকার করে প্রতিদান দিবসকে,	وَالَّذِيْنَ يُصَدِّقُوْنَ بِيَوْمِ الدِّيْنِ ﴿٢٦﴾
২৭. এবং যারা তাদের প্রভুর আযাব সম্পর্কে থাকে সব সময় ভীত-সন্ত্রস্ত।	وَالَّذِيْنَ هُمْ مِّنْ عَذَابِ رَبِّهِمْ مُّشْفِقُوْنَ ﴿٢٧﴾
২৮. নিশ্চয়ই তাদের প্রভুর আযাব নিরাপদ নয়।	اِنَّ عَذَابَ رَبِّهِمْ غَيْرُ مَاْمُوْنٍ ﴿٢٨﴾
২৯. তারা হিফাযতকারী তাদের যৌনাংগ।	وَالَّذِيْنَ هُمْ لِفُرُوْجِهِمْ حٰفِظُوْنَ ﴿٢٩﴾
৩০. তবে নিজেদের স্ত্রী (এবং স্বামী) এবং অধিকারভুক্ত দাসীদের ছাড়া, কারণ তারা নিন্দনীয় নয়।	اِلَّا عَلٰۤى اَزْوَاجِهِمْ اَوْ مَا مَلَكَتْ اَيْمَانُهُمْ فَاِنَّهُمْ غَيْرُ مَلُوْمِيْنَ ﴿٣٠﴾
৩১. কিন্তু কেউ এর বাইরে অন্য কাউকেও কামনা করলে তারা হবে সীমালংঘনকারী।	فَمَنِ ابْتَغٰى وَرَآءَ ذٰلِكَ فَاُولٰٓئِكَ هُمُ الْعٰدُوْنَ ﴿٣١﴾
৩২. (তাদের আরো বৈশিষ্ট্য হলো,) তারা তাদের আমানত ও প্রতিশ্রুতি রক্ষাকারী।	وَالَّذِيْنَ هُمْ لِاَمٰنٰتِهِمْ وَعَهْدِهِمْ رٰعُوْنَ ﴿٣٢﴾
৩৩. তারা মজবুতভাবে প্রতিষ্ঠিত তাদের সাক্ষ্যদানের উপর,	وَالَّذِيْنَ هُمْ بِشَهٰدٰتِهِمْ قَآئِمُوْنَ ﴿٣٣﴾
৩৪. এবং তারা হিফাযতকারী তাদের সালাতের,	وَالَّذِيْنَ هُمْ عَلٰى صَلَاتِهِمْ يُحَافِظُوْنَ ﴿٣٤﴾
৩৫. তারাই হবে জান্নাতে সম্মানিত।	اُولٰٓئِكَ فِيْ جَنّٰتٍ مُّكْرَمُوْنَ ﴿٣٥﴾
৩৬. যারা কুফুরি করেছে তাদের কী হলো যে, (তুমি কুরআন পাঠ করলেই) তারা তোমার দিকে তেড়ে আসে	فَمَالِ الَّذِيْنَ كَفَرُوْا قِبَلَكَ مُهْطِعِيْنَ ﴿٣٦﴾
৩৭. ডান দিক থেকে এবং বাম দিক থেকে দলে দলে?	عَنِ الْيَمِيْنِ وَعَنِ الشِّمَالِ عِزِيْنَ ﴿٣٧﴾
৩৮. তাদের প্রত্যেকেই কি আশা করে যে, তাকে নিয়ামতে ভরা জান্নাতে দাখিল করা হবে?	اَيَطْمَعُ كُلُّ امْرِئٍ مِّنْهُمْ اَنْ يُّدْخَلَ جَنَّةَ نَعِيْمٍ ﴿٣٨﴾
৩৯. কখনো নয়, আমরা তাদেরকে যা দিয়ে সৃষ্টি করেছি, তা তারা জানে।	كَلَّا ؕ اِنَّا خَلَقْنٰهُمْ مِّمَّا يَعْلَمُوْنَ ﴿٣٩﴾
৪০. না, আমি উদয়াচল এবং অস্তাচলসমূহের প্রভুর কসম খেয়ে বলছি, অবশ্যি আমরা সক্ষম,	فَلَاۤ اُقْسِمُ بِرَبِّ الْمَشٰرِقِ وَالْمَغٰرِبِ اِنَّا لَقٰدِرُوْنَ ﴿٤٠﴾

রুকু ০১

৪১. তাদের বদলে তাদের চেয়ে উত্তম (মানব দলকে) তাদের স্থলাভিষিক্ত করতে এবং একাজে কেউ পারবেনা আমাদের পরাস্ত করতে।	عَلٰۤی اَنۡ نُّبَدِّلَ خَیۡرًا مِّنۡهُمۡ ۙ وَ مَا نَحۡنُ بِمَسۡبُوۡقِیۡنَ ﴿۴۱﴾
৪২. সুতরাং তাদেরকে বাক-বিতর্ক আর খেলতামাশায় মত্ত থাকতে দাও যেদিনটি সম্পর্কে তাদের সতর্ক করা হয়েছিল সেই দিনটি আসার আগ পর্যন্ত।	فَذَرۡهُمۡ یَخُوۡضُوۡا وَ یَلۡعَبُوۡا حَتّٰی یُلٰقُوۡا یَوۡمَهُمُ الَّذِیۡ یُوۡعَدُوۡنَ ﴿۴۲﴾
৪৩. সেদিন তারা দ্রুত বেরিয়ে আসবে কবর থেকে, মনে হবে যেনো তারা উপাসনালয়ের দিকে দৌড়াচ্ছে।	یَوۡمَ یَخۡرُجُوۡنَ مِنَ الۡاَجۡدَاثِ سِرَاعًا کَاَنَّهُمۡ اِلٰی نُصُبٍ یُّوۡفِضُوۡنَ ﴿۴۳﴾
৪৪. তাদের দৃষ্টি থাকবে অবনত, তাদের আচ্ছন্ন করে রাখবে যিল্লতি। এটাই সেই দিন যার ব্যাপারে সতর্ক করা হয়েছিল তাদের।	خَاشِعَۃً اَبۡصَارُهُمۡ تَرۡهَقُهُمۡ ذِلَّۃٌ ؕ ذٰلِکَ الۡیَوۡمُ الَّذِیۡ کَانُوۡا یُوۡعَدُوۡنَ ﴿۴۴﴾

রুকু ০২

সূরা ৭১ নূহ

মক্কায় অবতীর্ণ, আয়াত সংখ্যা: ২৮, রুকু সংখ্যা: ০২

এই সূরার আলোচ্যসূচি (আয়াত ভিত্তিক আলোচ্য বিষয়)

০১-২৮: নিজ জাতির কাছে নূহ আ. কর্তৃক আল্লাহ্‌র ইবাদত করার, তাঁকে ভয় করার এবং রসূলের আনুগত্য করার মর্মস্পর্শী দাওয়াত। তাঁর দাওয়াতের বিভিন্ন পদ্ধতি। তাঁর জাতি কর্তৃক তাঁকে প্রত্যাখ্যান এবং তাঁর বিরুদ্ধে চরম ষড়যন্ত্র। অবশেষে জাতির উপর নূহের বদ দোয়া এবং তাদের ধ্বংস।

সূরা নূহ পরম করুণাময় পরম দয়াবান আল্লাহ্‌র নামে	سُوۡرَۃُ نُوۡحٍ بِسۡمِ اللّٰهِ الرَّحۡمٰنِ الرَّحِیۡمِ
০১. আমরা নূহকে পাঠিয়েছিলাম তার কওমের কাছে (এই নির্দেশ দিয়ে) যে, তোমার কওমকে সতর্ক করো তাদের প্রতি বেদনাদায়ক আযাব আসার আগেই।	اِنَّاۤ اَرۡسَلۡنَا نُوۡحًا اِلٰی قَوۡمِهٖۤ اَنۡ اَنۡذِرۡ قَوۡمَکَ مِنۡ قَبۡلِ اَنۡ یَّاۡتِیَهُمۡ عَذَابٌ اَلِیۡمٌ ﴿۱﴾
০২. সে (তাদের) বলেছিল: "হে আমার কওম! আমি তোমাদের জন্যে একজন সুস্পষ্ট সতর্ককারী!	قَالَ یٰقَوۡمِ اِنِّیۡ لَکُمۡ نَذِیۡرٌ مُّبِیۡنٌ ۙ﴿۲﴾
০৩. তোমরা এক আল্লাহ্‌র ইবাদত করো, তাঁকে ভয় করো (তাঁর প্রতি কর্তব্যপরায়ণ হও) আর আমার আনুগত্য করো।	اَنِ اعۡبُدُوا اللّٰهَ وَ اتَّقُوۡهُ وَ اَطِیۡعُوۡنِ ۙ﴿۳﴾
০৪. তাহলে তিনি ক্ষমা করে দেবেন তোমাদের পাপসমূহ এবং তোমাদের অবকাশ দেবেন একটি নির্দিষ্ট সময় পর্যন্ত। জেনে রাখো, আল্লাহ্‌র	یَغۡفِرۡ لَکُمۡ مِّنۡ ذُنُوۡبِکُمۡ وَ یُؤَخِّرۡکُمۡ اِلٰۤی اَجَلٍ مُّسَمًّی ؕ اِنَّ اَجَلَ اللّٰهِ اِذَا جَآءَ

নির্ধারিত সময় এসে পড়লে তা আর দেরি করা হয়না, যদি তোমরা জানতে!”	لَا يُؤَخَّرُ ۘ لَوْ كُنْتُمْ تَعْلَمُوْنَ ④
০৫. নূহ তার প্রভুর কাছে বলেছিল: “আমার প্রভু! আমি আমার কওমকে দাওয়াত দিয়েছি রাতদিন।	قَالَ رَبِّ اِنِّيْ دَعَوْتُ قَوْمِيْ لَيْلًا وَّ نَهَارًا ۙ⑤
০৬. আমার দাওয়াত তাদের কেবল পলায়নই বাড়িয়ে দিয়েছে।	فَلَمْ يَزِدْهُمْ دُعَآءِيْۤ اِلَّا فِرَارًا ⑥
০৭. আমি যখনই তাদের দাওয়াত দিয়েছি যেনো তুমি তাদের ক্ষমা করে দাও, তারা কানে আংগুল দিয়েছে, নিজেদের ঢেকে নিয়েছে কাপড় দিয়ে, তারা অনবরত জিদ ধরেছে এবং প্রকাশ করেছে অতিশয় দাম্ভিকতা।	وَ اِنِّيْ كُلَّمَا دَعَوْتُهُمْ لِتَغْفِرَ لَهُمْ جَعَلُوْۤا اَصَابِعَهُمْ فِيْۤ اٰذَانِهِمْ وَاسْتَغْشَوْا ثِيَابَهُمْ وَاَصَرُّوْا وَاسْتَكْبَرُوا اسْتِكْبَارًا ۚ⑦
০৮. তারপর আমি তাদের প্রকাশ্যে দাওয়াত দিয়েছি,	ثُمَّ اِنِّيْ دَعَوْتُهُمْ جِهَارًا ۙ⑧
০৯. অতপর তাদের এলান (ঘোষণা) করে ডেকেছি এবং গোপনে গোপনে উপদেশ দিয়েছি।	ثُمَّ اِنِّيْۤ اَعْلَنْتُ لَهُمْ وَ اَسْرَرْتُ لَهُمْ اِسْرَارًا ۙ⑨
১০. আমি তাদের বলেছি: তোমরা তোমাদের প্রভুর কাছে মাগফিরাত প্রার্থনা করো, নিশ্চয়ই তিনি মহান ক্ষমাশীল।	فَقُلْتُ اسْتَغْفِرُوْا رَبَّكُمْ ؕ اِنَّهٗ كَانَ غَفَّارًا ۙ⑩
১১. তিনি তোমাদের জন্যে আকাশ থেকে বর্ষণ করবেন প্রচুর বৃষ্টি।	يُّرْسِلِ السَّمَآءَ عَلَيْكُمْ مِّدْرَارًا ⑪
১২. তিনি তোমাদের মদদ করবেন মাল-সম্পদ ও সন্তান সন্ততি দিয়ে এবং তোমাদের জন্যে সৃষ্টি করে দেবেন বাগ বাগিচা ও নদনদী।”	وَّ يُمْدِدْكُمْ بِاَمْوَالٍ وَّ بَنِيْنَ وَ يَجْعَلْ لَّكُمْ جَنّٰتٍ وَّ يَجْعَلْ لَّكُمْ اَنْهٰرًا ⑫
১৩. তোমাদের হলোটা কি, তোমরা আল্লাহ্র জন্যে কোনো মর্যাদাই স্বীকার করছোনা?	مَا لَكُمْ لَا تَرْجُوْنَ لِلّٰهِ وَقَارًا ۚ⑬
১৪. অথচ তিনি তোমাদের সৃষ্টি করেছেন স্তরে স্তরে।	وَ قَدْ خَلَقَكُمْ اَطْوَارًا ⑭
১৫. তোমরা কি ভেবে দেখোনা, কিভাবে আল্লাহ স্তরে স্তরে সৃষ্টি করেছেন সপ্তাকাশ?	اَلَمْ تَرَوْا كَيْفَ خَلَقَ اللّٰهُ سَبْعَ سَمٰوٰتٍ طِبَاقًا ⑮
১৬. তাতে চাঁদকে রেখে দিয়েছেন আলো হিসেবে আর সূর্যকে রেখে দিয়েছেন আলোদানকারী প্রদীপ হিসেবে।	وَّ جَعَلَ الْقَمَرَ فِيْهِنَّ نُوْرًا وَّ جَعَلَ الشَّمْسَ سِرَاجًا ⑯
১৭. আল্লাহ তোমাদের সৃষ্টির সূচনা করেছেন মাটি থেকে।	وَ اللّٰهُ اَنْۢبَتَكُمْ مِّنَ الْاَرْضِ نَبَاتًا ۙ⑰

১৮. তারপর তিনি তোমাদের তাতেই (মাটিতেই) ফিরিয়ে নেবেন এবং সেখান থেকে আবার বের করে আনবেন।	ثُمَّ يُعِيدُكُمْ فِيهَا وَ يُخْرِجُكُمْ إِخْرَاجًا ﴿١٨﴾	
১৯. আল্লাহ্ই তোমাদের জন্যে বিছিয়ে দিয়েছেন পৃথিবীকে।	وَاللَّهُ جَعَلَ لَكُمُ الْأَرْضَ بِسَاطًا ﴿١٩﴾	
২০. যাতে করে তোমরা তাতে চলাফেরা করতে পারো প্রশস্ত পথে।	لِتَسْلُكُوا مِنْهَا سُبُلًا فِجَاجًا ﴿٢٠﴾	রুকু ০১
২১. নূহ আরো বলেছিল: 'আমার প্রভু! তারা (আমার কওম) আমাকে অমান্য করেছে আর অনুসরণ করেছে এমন লোকদের যাদের মাল সম্পদ এবং আওলাদ ফরজন্দ তাদের ক্ষতি ছাড়া আর কিছুই বাড়ায়নি।'	قَالَ نُوحٌ رَّبِّ إِنَّهُمْ عَصَوْنِي وَ اتَّبَعُوا مَن لَّمْ يَزِدْهُ مَالُهُ وَوَلَدُهُ إِلَّا خَسَارًا ﴿٢١﴾	
২২. তারা এঁটেছিল এক জঘন্য ষড়যন্ত্র।	وَمَكَرُوا مَكْرًا كُبَّارًا ﴿٢٢﴾	
২৩. তারা বলেছিল: তোমরা (নূহের কথায়) কখনো তোমাদের ইলাহ্দের (দেব দেবীদের) ত্যাগ করোনা। তোমরা ত্যাগ করোনা ওয়াদ্দা, সুয়াআ, ইয়াগুছ, ইয়াউক এবং নস্রকে।	وَ قَالُوا لَا تَذَرُنَّ آلِهَتَكُمْ وَ لَا تَذَرُنَّ وَدًّا وَّ لَا سُوَاعًا وَّ لَا يَغُوثَ وَ يَعُوقَ وَ نَسْرًا ﴿٢٣﴾	
২৪. (নূহ বলেছিল:) 'প্রভু! তারা অনেক মানুষকে পথভ্রষ্ট করেছে। তুমি এই যালিমদেরকে গোমরাহি ছাড়া আর কিছুই বাড়িয়ে দিয়োনা।'	وَ قَدْ أَضَلُّوا كَثِيرًا وَ لَا تَزِدِ الظَّالِمِينَ إِلَّا ضَلَالًا ﴿٢٤﴾	
২৫. তাদের অপরাধের জন্যে তাদের ডুবিয়ে দেয়া হলো পানিতে, অতপর তাদের দাখিল করা হবে জাহান্নামে। তারা আল্লাহকে ছাড়া আর কাউকে সাহায্যকারী পাবেনা।	مِمَّا خَطِيئَاتِهِمْ أُغْرِقُوا فَأُدْخِلُوا نَارًا فَلَمْ يَجِدُوا لَهُم مِّن دُونِ اللَّهِ أَنصَارًا ﴿٢٥﴾	
২৬. নূহ বলেছিল: "আমার প্রভু! এদেশে কাফিরদের কোনো ঘরবাসীকে তুমি ছেড়ে দিয়োনা।	وَ قَالَ نُوحٌ رَّبِّ لَا تَذَرْ عَلَى الْأَرْضِ مِنَ الْكَافِرِينَ دَيَّارًا ﴿٢٦﴾	
২৭. তুমি যদি তাদের রক্ষা করো, তারা তোমার বান্দাদের গোমরাহ্ করতে থাকবে এবং দুষ্কৃতকারী কাফিরই জন্ম দিতে থাকবে।	إِنَّكَ إِن تَذَرْهُمْ يُضِلُّوا عِبَادَكَ وَ لَا يَلِدُوا إِلَّا فَاجِرًا كَفَّارًا ﴿٢٧﴾	
২৮. আমার প্রভু! তুমি ক্ষমা করে দাও আমাকে, আমার বাবা-মাকে আর মুমিন হয়ে যারা আমার ঘরে প্রবেশ করবে তাদেরকে এবং সব মুমিন পুরুষ ও নারীকে। যালিমদের তুমি ধ্বংস ছাড়া আর কিছু বাড়িয়ে দিয়োনা।"	رَّبِّ اغْفِرْ لِي وَ لِوَالِدَيَّ وَ لِمَن دَخَلَ بَيْتِيَ مُؤْمِنًا وَّلِلْمُؤْمِنِينَ وَالْمُؤْمِنَاتِ وَلَا تَزِدِ الظَّالِمِينَ إِلَّا تَبَارًا ﴿٢٨﴾	রুকু ০২

সূরা ৭২ জিন

মক্কায় অবতীর্ণ, আয়াত সংখ্যা ২৮, রুকু সংখ্যা: ০২

এই সূরার আলোচ্যসূচি (আয়াত ভিত্তিক আলোচ্য বিষয়)

০১-১৯: একদল জিন রসূলের কাছে কুরআন শুনেছে বলে রসূলকে জানানো হয়েছে। তারপর জিনেরা তাদের জাতির কাছে গিয়ে ঈমান ও ইসলামের যে দাওয়াত দেয় তার বিবরণ।

২০-২৮: রসূলকে তাওহীদ ও আখিরাতের দাওয়াত দানের নির্দেশ।

সূরা জিন পরম করুণাময় পরম দয়াবান আল্লাহ্র নামে	سُوْرَةُ الْجِنِّ بِسْمِ اللّٰهِ الرَّحْمٰنِ الرَّحِيْمِ
০১. হে নবী! বলো: আমার কাছে অহি করা হয়েছে যে, একদল জিন মনোযোগ দিয়ে (কুরআন) শুনেছে। তারপর তারা (তাদের সম্প্রদায়ের কাছে গিয়ে) বলেছে: "আমরা শুনে এসেছি এক বিস্ময়কর কুরআন,	قُلْ اُوْحِیَ اِلَیَّ اَنَّهُ اسْتَمَعَ نَفَرٌ مِّنَ الْجِنِّ فَقَالُوْۤا اِنَّا سَمِعْنَا قُرْاٰنًا عَجَبًا ①
০২. সেটি হিদায়াত করে সঠিক পথের দিকে। তাই আমরা সেটির প্রতি ঈমান এনেছি। আমরা কখনো আমাদের প্রভুর সাথে কাউকেও শরিক করবোনা।	یَّهْدِیْۤ اِلَی الرُّشْدِ فَاٰمَنَّا بِهٖ ؕ وَلَنْ نُّشْرِكَ بِرَبِّنَاۤ اَحَدًا ②
০৩. নিশ্চয়ই অনেক উঁচু আমাদের মহান প্রভুর মর্যাদা। তিনি না কোনো স্ত্রী গ্রহণ করেছেন, না সন্তান।	وَّ اَنَّهٗ تَعٰلٰی جَدُّ رَبِّنَا مَا اتَّخَذَ صَاحِبَةً وَّ لَا وَلَدًا ③
০৪. আমাদের নির্বোধরা তাঁর সম্পর্কে অবাস্তব কথাবার্তা বলতো।	وَّ اَنَّهٗ كَانَ یَقُوْلُ سَفِیْهُنَا عَلَی اللّٰهِ شَطَطًا ④
০৫. আমরা মনে করতাম, মানুষ এবং জিন আল্লাহ্র প্রতি মিথ্যারোপ করেনা।	وَّ اَنَّا ظَنَنَّاۤ اَنْ لَّنْ تَقُوْلَ الْاِنْسُ وَ الْجِنُّ عَلَی اللّٰهِ كَذِبًا ⑤
০৬. আর মানুষের মধ্যে কিছু লোক কিছু জিনের আশ্রয় গ্রহণ করতো। এটা জিনদের দাম্ভিকতা বাড়িয়ে দিতো।"	وَّ اَنَّهٗ كَانَ رِجَالٌ مِّنَ الْاِنْسِ یَعُوْذُوْنَ بِرِجَالٍ مِّنَ الْجِنِّ فَزَادُوْهُمْ رَهَقًا ⑥
০৭. জিনেরা তাদের সম্প্রদায়ের কাছে আরো বলেছিল: "তোমাদের মতো মানুষও মনে করতো, আল্লাহ কাউকেও পুনরুত্থিত করবেননা।	وَّ اَنَّهُمْ ظَنُّوْا كَمَا ظَنَنْتُمْ اَنْ لَّنْ یَّبْعَثَ اللّٰهُ اَحَدًا ⑦
০৮. আমরা চেয়েছিলাম আকাশের খবর সংগ্রহ করতে, কিন্তু আমরা দেখতে পেলাম সেখানে কঠোর প্রহরীতে ভরা, আরো দেখতে পেলাম ব্যাপক উল্কা পিন্ড।	وَّ اَنَّا لَمَسْنَا السَّمَآءَ فَوَجَدْنٰهَا مُلِئَتْ حَرَسًا شَدِیْدًا وَّ شُهُبًا ⑧

০৯. ইতোপূর্বে আমরা আকাশের বিভিন্ন ঘাঁটিতে খবর সংগ্রহের জন্যে বসতাম। কিন্তু এখন কেউ সংবাদ শুনতে চাইলে নিক্ষেপের জন্যে প্রস্তুত উল্কাপিন্ডের সম্মুখীন হয়।	وَّ اَنَّا كُنَّا نَقۡعُدُ مِنۡهَا مَقَاعِدَ لِلسَّمۡعِ ؕ فَمَنۡ يَّسۡتَمِعِ الۡاٰنَ يَجِدۡ لَهٗ شِهَابًا رَّصَدًا ٩
১০. আমরা জানিনা, বিশ্ববাসীর মন্দই কি চাওয়া হচ্ছে, নাকি তাদের প্রভু তাদের সঠিক পথে আনতে চাইছেন?	وَّ اَنَّا لَا نَدۡرِىۡۤ اَشَرٌّ اُرِيۡدَ بِمَنۡ فِى الۡاَرۡضِ اَمۡ اَرَادَ بِهِمۡ رَبُّهُمۡ رَشَدًا ١٠
১১. আমাদের মধ্যে কিছু পুণ্যবানও আছে, কিছু আছে এর ব্যতিক্রমও। মূলত আমরা ছিলাম বহু পথের অনুসারী।	وَّ اَنَّا مِنَّا الصّٰلِحُوۡنَ وَ مِنَّا دُوۡنَ ذٰلِكَ ؕ كُنَّا طَرَآئِقَ قِدَدًا ١١
১২. এখন আমরা বুঝতে পেরেছি, বিশ্বের বুকে আমরা আল্লাহকে পরাভূত করতে পারবো না এবং তাঁকে আমরা ব্যর্থও করতে পারবোনা।	وَّ اَنَّا ظَنَنَّاۤ اَنۡ لَّنۡ نُّعۡجِزَ اللّٰهَ فِى الۡاَرۡضِ وَ لَنۡ نُّعۡجِزَهٗ هَرَبًا ١٢
১৩. আমরা যখন হিদায়াতের বাণী শুনলাম, আমরা তাতে ঈমান আনলাম। যে কেউ তার প্রভুর প্রতি ঈমান আনবে তার কোনো ক্ষতি বা অন্যায়ের আশংকা থাকবেনা।	وَّ اَنَّا لَمَّا سَمِعۡنَا الۡهُدٰٓى اٰمَنَّا بِهٖ ؕ فَمَنۡ يُّؤۡمِنۡۢ بِرَبِّهٖ فَلَا يَخَافُ بَخۡسًا وَّ لَا رَهَقًا ١٣
১৪. আমাদের মধ্যে মুসলিমও আছে, সীমালংঘনকারীও আছে। যারা মুসলিম (আত্মসমর্পনকারী) হয়েছে তারা স্বাধীনভাবে সঠিক পথ বেছে নিয়েছে।	وَّ اَنَّا مِنَّا الۡمُسۡلِمُوۡنَ وَ مِنَّا الۡقٰسِطُوۡنَ ؕ فَمَنۡ اَسۡلَمَ فَاُولٰٓـئِكَ تَحَرَّوۡا رَشَدًا ١٤
১৫. কিন্তু সীমালংঘনকারীরা তো হবে জাহান্নামেরই জ্বালানি।”	وَاَمَّا الۡقٰسِطُوۡنَ فَكَانُوۡا لِجَهَنَّمَ حَطَبًا ١٥
১৬. তারা যদি সত্য পথে কায়েম থাকতো, অবশ্যি আমরা প্রচুর বৃষ্টি বর্ষণ করে তাদের সমৃদ্ধ করতাম।	وَّاَنۡ لَّوِ اسۡتَقَامُوۡا عَلَى الطَّرِيۡقَةِ لَاَسۡقَيۡنٰهُمۡ مَّآءً غَدَقًا ١٦
১৭. তার মাধ্যমে আমরা তাদের পরীক্ষা করতাম। যে কেউ তার প্রভুর যিকির থেকে বিমুখ হবে, তিনি তাকে প্রবেশ করাবেন দুঃসহ আযাবে।	لِّنَفۡتِنَهُمۡ فِيۡهِ ؕ وَمَنۡ يُّعۡرِضۡ عَنۡ ذِكۡرِ رَبِّهٖ يَسۡلُكۡهُ عَذَابًا صَعَدًا ١٧
১৮. মসজিদসমূহ আল্লাহ্‌র, সুতরাং তোমরা আল্লাহ্‌র সাথে কাউকেও ডেকোনা।	وَّ اَنَّ الۡمَسٰجِدَ لِلّٰهِ فَلَا تَدۡعُوۡا مَعَ اللّٰهِ اَحَدًا ١٨
১৯. আল্লাহ্‌র দাস (মুহাম্মদ) যখন তাঁকে ডাকার জন্যে (সালাতে) দাঁড়ায়, তখন তারা তার কাছে ভীড় জমায়।	وَّ اَنَّهٗ لَمَّا قَامَ عَبۡدُ اللّٰهِ يَدۡعُوۡهُ كَادُوۡا يَكُوۡنُوۡنَ عَلَيۡهِ لِبَدًا ١٩
২০. হে মুহাম্মদ! বলো: ‘নিশ্চয়ই আমি আমার প্রভুকে ডাকি তাঁর কাছেই দোয়া করি, কিন্তু তাঁর সাথে কাউকেও শরিক করিনা।’	قُلۡ اِنَّمَاۤ اَدۡعُوۡا رَبِّىۡ وَلَاۤ اُشۡرِكُ بِهٖۤ اَحَدًا ٢٠

রুকু ০১

২১. বলো: 'আমি তোমাদের ক্ষতি বা লাভের মালিক নই।'	قُلْ اِنِّیْ لَاۤ اَمْلِكُ لَكُمْ ضَرًّا وَّ لَا رَشَدًا ﴿٢١﴾
২২. বলো: "আল্লাহ্‌র পাকড়াও থেকে কেউই আমাকে রক্ষা করতে পারবেনা এবং তাঁকে ছাড়া আমি কোনো আশ্রয়ও পাবোনা।	قُلْ اِنِّیْ لَنْ یُّجِیْرَنِیْ مِنَ اللّٰهِ اَحَدٌ ۙ۬ وَّ لَنْ اَجِدَ مِنْ دُوْنِهٖ مُلْتَحَدًا ﴿٢٢﴾
২৩. আল্লাহ্‌র বার্তা পৌঁছে দেয়াই কেবল আমার দায়িত্ব।" যে কেউ আল্লাহকে এবং তাঁর রসূলকে অমান্য করবে, তার জন্যে জাহান্নামই অবধারিত, চিরদিন চিরকাল তারা পড়ে থাকবে সেখানেই।	اِلَّا بَلٰغًا مِّنَ اللّٰهِ وَ رِسٰلٰتِهٖ ؕ وَ مَنْ یَّعْصِ اللّٰهَ وَ رَسُوْلَهٗ فَاِنَّ لَهٗ نَارَ جَهَنَّمَ خٰلِدِیْنَ فِیْهَاۤ اَبَدًا ﴿٢٣﴾
২৪. তারা যখন প্রতিশ্রুত শাস্তি দেখতে পাবে, তখনই জানতে পারবে সাহায্যকারী হিসেবে কে দুর্বল আর কে সংখ্যায় নগণ্য?	حَتّٰۤی اِذَا رَاَوْا مَا یُوْعَدُوْنَ فَسَیَعْلَمُوْنَ مَنْ اَضْعَفُ نَاصِرًا وَّ اَقَلُّ عَدَدًا ﴿٢٤﴾
২৫. হে নবী! বলো: "আমি জানিনা, তোমাদেরকে যে বিষয়ের ওয়াদা দেয়া হয়েছে তা কি নিকটে নাকি আমার প্রভু সেটার জন্যে দীর্ঘ সময় নির্দিষ্ট করবেন।	قُلْ اِنْ اَدْرِیْۤ اَقَرِیْبٌ مَّا تُوْعَدُوْنَ اَمْ یَجْعَلُ لَهٗ رَبِّیْۤ اَمَدًا ﴿٢٥﴾
২৬. তিনিই আলেমুল গায়েব- গায়েব-এর জ্ঞানী। তাঁর গায়েবি জ্ঞান কারো কাছে প্রকাশ করা হয়না।"	عٰلِمُ الْغَیْبِ فَلَا یُظْهِرُ عَلٰی غَیْبِهٖۤ اَحَدًا ﴿٢٦﴾
২৭. তবে তাঁর মনোনীত কোনো রসূলকেই তিনি তা অবহিত করেন। সেক্ষেত্রে ঐ রসূলের সামনে এবং পেছনে তিনি প্রহরী নিযুক্ত করেন,	اِلَّا مَنِ ارْتَضٰی مِنْ رَّسُوْلٍ فَاِنَّهٗ یَسْلُكُ مِنْۢ بَیْنِ یَدَیْهِ وَ مِنْ خَلْفِهٖ رَصَدًا ﴿٢٧﴾
২৮. রসূলরা তাদের প্রভুর বার্তা পৌঁছে দিয়েছে কিনা তা জানার জন্যে। তাদের কাছে যা আছে তা তাঁর জ্ঞানের পরিবেষ্টনেই রয়েছে। তিনি গুণে গুণে হিসাব রাখেন সব কিছুর।	لِّیَعْلَمَ اَنْ قَدْ اَبْلَغُوْا رِسٰلٰتِ رَبِّهِمْ وَ اَحَاطَ بِمَا لَدَیْهِمْ وَ اَحْصٰی كُلَّ شَیْءٍ عَدَدًا ﴿٢٨﴾

রুকু ০২

সূরা ৭৩ আল মুয্যাম্মিল

মক্কায় অবতীর্ণ, আয়াত সংখ্যা : ২০, রুকু সংখ্যা: ০২

এই সূরার আলোচ্যসূচি (আয়াত ভিত্তিক আলোচ্য বিষয়)

- ০১-০৯: রসূলকে আত্মগঠনের উদ্দেশ্যে রাত্রে সালাতে দাঁড়াবার এবং তারতিলের সাথে কুরআন পাঠের নির্দেশ।
- ১০-১৪: রসূলের দাওয়াত প্রত্যাখ্যানকারীদের উপেক্ষা করার জন্যে রসূলকে পরামর্শ এবং প্রত্যাখ্যানকারীদের ধমক।
- ১৫-১৯: আল্লাহ্‌র রসূলকে প্রত্যাখ্যান করায় ফিরাউনের চরম পরিণতি হয়েছিল। বিচার দিনকে ভয় করার আহ্বান।
- ২০: রসূল সা. ও তাঁর সাথিদের আত্মগঠন তৎপরতায় আল্লাহ্‌র সন্তোষ প্রকাশ।

সূরা আল মুয্যাম্মিল (বস্ত্রাচ্ছাদিত) পরম করুণাময় পরম দয়াবান আল্লাহ্‌র নামে	سُوْرَةُ الْمُزَّمِّلِ بِسْمِ اللّٰهِ الرَّحْمٰنِ الرَّحِيْمِ
০১. হে বস্ত্র আচ্ছাদিত!	يٰۤاَيُّهَا الْمُزَّمِّلُ ۙ﴿۱﴾
০২. রাতে দাঁড়াও, কিছু সময় বাদ দিয়ে।	قُمِ الَّيْلَ اِلَّا قَلِيْلًا ۙ﴿۲﴾
০৩. অর্ধেক রাত, কিংবা তার চাইতে কম।	نِّصْفَهٗۤ اَوِ انْقُصْ مِنْهُ قَلِيْلًا ۙ﴿۳﴾
০৪. অথবা তার চাইতে কিছু বাড়াও এবং কুরআন আবৃত্তি করো তারতিল করে করে।	اَوْ زِدْ عَلَيْهِ وَ رَتِّلِ الْقُرْاٰنَ تَرْتِيْلًا ؕ﴿۴﴾
০৫. আমরা তোমার প্রতি নাযিল করছি এক গুরুভার বাণী।	اِنَّا سَنُلْقِيْ عَلَيْكَ قَوْلًا ثَقِيْلًا ﴿۵﴾
০৬. নিশ্চয়ই রাতে জেগে উঠা কঠিন এবং প্রবৃত্তিকে নিয়ন্ত্রণ করতে অধিকতর কার্যকর আর আল্লাহ্‌র বাণী (কুরআন) বুঝার উত্তম সময়।	اِنَّ نَاشِئَةَ الَّيْلِ هِيَ اَشَدُّ وَطْاً وَّ اَقْوَمُ قِيْلًا ؕ﴿۶﴾
০৭. দিনের বেলায় তো থাকে তোমার দীর্ঘ ব্যস্ততা।	اِنَّ لَكَ فِي النَّهَارِ سَبْحًا طَوِيْلًا ؕ﴿۷﴾
০৮. যিকির করো তোমার প্রভুর নাম এবং তাঁর প্রতি মগ্ন হও বিশেষভাবে।	وَ اذْكُرِ اسْمَ رَبِّكَ وَ تَبَتَّلْ اِلَيْهِ تَبْتِيْلًا ؕ﴿۸﴾
০৯. তিনিই প্রভু মাশরিক ও মাগরিবের। কোনো ইলাহ্ নেই তিনি ছাড়া। সুতরাং তাঁকেই ধরো কার্যনির্বাহক- উকিল।	رَبُّ الْمَشْرِقِ وَ الْمَغْرِبِ لَاۤ اِلٰهَ اِلَّا هُوَ فَاتَّخِذْهُ وَكِيْلًا ﴿۹﴾
১০. তারা যা বলে তাতে তুমি সবর অবলম্বন করো এবং সৌজন্যের সাথে পরিহার করে চলো তাদের।	وَ اصْبِرْ عَلٰى مَا يَقُوْلُوْنَ وَ اهْجُرْهُمْ هَجْرًا جَمِيْلًا ﴿۱۰﴾
১১. আমাকে ছেড়ে দাও আর বিলাস সামগ্রীর অধিকারী মিথ্যাবাদীদের এবং স্বল্পকালের জন্যে অবকাশ দাও তাদের।	وَ ذَرْنِيْ وَ الْمُكَذِّبِيْنَ اُولِي النَّعْمَةِ وَ مَهِّلْهُمْ قَلِيْلًا ﴿۱۱﴾
১২. জেনে রাখো, আমার কাছে রয়েছে শিকল আর জাহিম (প্রজ্জ্বলিত আগুন)।	اِنَّ لَدَيْنَاۤ اَنْكَالًا وَّ جَحِيْمًا ۙ﴿۱۲﴾
১৩. আর রয়েছে গলায় আটকে যাওয়ার খাদ্য এবং বেদনাদায়ক আযাব।	وَّ طَعَامًا ذَا غُصَّةٍ وَّ عَذَابًا اَلِيْمًا ۟﴿۱۳﴾
১৪. সেদিন পৃথিবী এবং পর্বতমালা প্রচণ্ড কম্পনে দুলে উঠবে, আর পর্বতমালা পরিণত হবে বহমান বালুকারাশিতে।	يَوْمَ تَرْجُفُ الْاَرْضُ وَ الْجِبَالُ وَ كَانَتِ الْجِبَالُ كَثِيْبًا مَّهِيْلًا ﴿۱۴﴾
১৫. আমরা তোমাদের কাছে পাঠিয়েছি একজন রসূল তোমাদের জন্যে (সত্যের) সাক্ষী হিসেবে, যেমন পাঠিয়েছিলাম ফেরাউনের কাছে একজন রসূল।	اِنَّاۤ اَرْسَلْنَاۤ اِلَيْكُمْ رَسُوْلًا ۬ شَاهِدًا عَلَيْكُمْ كَمَاۤ اَرْسَلْنَاۤ اِلٰى فِرْعَوْنَ رَسُوْلًا ؕ﴿۱۵﴾

১৬. সে (ফেরাউন) অমান্য করেছিল সেই রসূলকে, ফলে আমরা তাকে পাকড়াও করেছিলাম কঠিন পাকড়াও।	فَعَصٰى فِرْعَوْنُ الرَّسُوْلَ فَاَخَذْنٰهُ اَخْذًا وَّبِيْلًا ﴿١٦﴾
১৭. তোমরা যদি কুফুরি করো তবে কেমন করে আত্মরক্ষা করবে সেদিন, যেদিনটি কিশোরদের বানিয়ে দেবে বৃদ্ধ?	فَكَيْفَ تَتَّقُوْنَ اِنْ كَفَرْتُمْ يَوْمًا يَّجْعَلُ الْوِلْدَانَ شِيْبَا ﴿١٧﴾
১৮. সেদিন আকাশ ফেটে যাবে। তাঁর প্রতিশ্রুতি অবশ্যি বাস্তবায়িত হবে।	السَّمَآءُ مُنْفَطِرٌۢ بِهٖ ؕ كَانَ وَعْدُهٗ مَفْعُوْلًا ﴿١٨﴾
১৯. নিশ্চয়ই এ (কুরআন) একটি উপদেশ। সুতরাং যে চায়, সে তার প্রভুর পথ ধরুক।	اِنَّ هٰذِهٖ تَذْكِرَةٌ ۚ فَمَنْ شَآءَ اتَّخَذَ اِلٰى رَبِّهٖ سَبِيْلًا ﴿١٩﴾

রুকু ০১

২০. তোমার প্রভু জানেন, তুমি দাঁড়াও রাতের প্রায় দুই তৃতীয়াংশ, কখনো অর্ধেক এবং কখনো এক তৃতীয়াংশ এবং তোমার সাথে দাঁড়ায় তোমার সাথিদের একটি দলও। আল্লাহ্ই নির্ধারণ করেন রাত এবং দিনের পরিমাণ। তিনি জানেন, এতোটা তোমরা পুরোপুরি পালন করতে পারবেনা। ফলে তিনি তোমাদের তওবা কবুল করে নিয়েছেন। কাজেই কুরআনের যতোটুকু আবৃত্তি করা তোমাদের জন্যে সহজ, ততোটুকু আবৃত্তি করো। আল্লাহ জানেন তোমাদের কেউ কেউ অসুস্থ হয়ে পড়বে। অপর কিছু লোক আল্লাহ্‌র অনুগ্রহ সন্ধানে জমিনে ভ্রমণ করবে। আর কিছু লোক লড়াই সংগ্রাম করবে আল্লাহ্‌র পথে। অতএব যতোটুকু সহজ কুরআন থেকে পাঠ করো এবং সালাত কায়েম করো, যাকাত প্রদান করো এবং আল্লাহকে করজ (ঋণ) দাও উত্তম করজ। তোমাদের নিজেদের কল্যাণে ভালো যা কিছু (আখিরাতের উদ্দেশ্যে) অগ্রিম পাঠাবে তা অবশ্যি আল্লাহ্‌র কাছে ফেরত পাবে। এটাই উত্তম এবং পুরস্কার হিসেবে বিরাট। তোমরা আল্লাহ্‌র কাছে ক্ষমা প্রার্থনা করো, নিশ্চয়ই আল্লাহ পরম ক্ষমাশীল, পরম দয়াময়।	اِنَّ رَبَّكَ يَعْلَمُ اَنَّكَ تَقُوْمُ اَدْنٰى مِنْ ثُلُثَىِ الَّيْلِ وَ نِصْفَهٗ وَ ثُلُثَهٗ وَ طَآئِفَةٌ مِّنَ الَّذِيْنَ مَعَكَ ؕ وَ اللّٰهُ يُقَدِّرُ الَّيْلَ وَ النَّهَارَ ؕ عَلِمَ اَنْ لَّنْ تُحْصُوْهُ فَتَابَ عَلَيْكُمْ فَاقْرَءُوْا مَا تَيَسَّرَ مِنَ الْقُرْاٰنِ ؕ عَلِمَ اَنْ سَيَكُوْنُ مِنْكُمْ مَّرْضٰى ۙ وَ اٰخَرُوْنَ يَضْرِبُوْنَ فِى الْاَرْضِ يَبْتَغُوْنَ مِنْ فَضْلِ اللّٰهِ ۙ وَ اٰخَرُوْنَ يُقَاتِلُوْنَ فِىْ سَبِيْلِ اللّٰهِ ۖ فَاقْرَءُوْا مَا تَيَسَّرَ مِنْهُ ۙ وَ اَقِيْمُوا الصَّلٰوةَ وَ اٰتُوا الزَّكٰوةَ وَ اَقْرِضُوا اللّٰهَ قَرْضًا حَسَنًا ؕ وَ مَا تُقَدِّمُوْا لِاَنْفُسِكُمْ مِّنْ خَيْرٍ تَجِدُوْهُ عِنْدَ اللّٰهِ هُوَ خَيْرًا وَّ اَعْظَمَ اَجْرًا ؕ وَ اسْتَغْفِرُوا اللّٰهَ ؕ اِنَّ اللّٰهَ غَفُوْرٌ رَّحِيْمٌ ﴿٢٠﴾

রুকু ০২

সূরা ৭৪ আল মুদ্দাস্‌সির

মক্কায় অবতীর্ণ, আয়াত সংখ্যা : ৫৬, রুকু সংখ্যা: ০২

এই সূরার আলোচ্যসূচি (আয়াত ভিত্তিক আলোচ্য বিষয়)

০১-০৭ : রসূলকে আত্মপ্রস্তুতির প্রক্রিয়া নির্দেশ।
০৮-১০ : কিয়ামতের দিনটি হবে বড় কঠিন।
১১-২৯ : রসূলের বিরোধীতাকারীর করুণ পরিণতি হবার ভবিষ্যতবাণী।
৩০-৩১ : জাহান্নামের ফেরেশতাদের সংখ্যা কাফিরদের জন্য একটি ফিতনা।
৩২-৩৭ : জাহান্নাম এক ভয়াবহ জিনিস।
৩৮-৫৬ : প্রত্যেক ব্যক্তি নিজের উপার্জনের কাছে বন্ধক। তারা কেন কুরআন থেকে মুখ ফিরিয়ে নিচ্ছে? কুরআন মানুষের জন্যে একটি স্মারক।

সূরা আল মুদ্দাস্‌সির (আচ্ছাদিত) পরম করুণাময় পরম দয়াবান আল্লাহ্‌র নামে	سُوْرَةُ الْمُدَّثِّرِ بِسْمِ اللّٰهِ الرَّحْمٰنِ الرَّحِيْمِ
০১. হে বস্ত্রাচ্ছাদিত !	يٰۤاَيُّهَا الْمُدَّثِّرُ ۝١
০২. উঠো, (মানুষকে) সতর্ক করো।	قُمْ فَاَنْذِرْ ۝٢
০৩. তোমার রব-এর শ্রেষ্ঠত্ব ঘোষণা করো।	وَرَبَّكَ فَكَبِّرْ ۝٣
০৪. তোমার পোশাক পরিচ্ছদ পবিত্র রাখো।	وَثِيَابَكَ فَطَهِّرْ ۝٤
০৫. আবিলতা (শিরকের অপবিত্রতা) পরিত্যাগ করো।	وَالرُّجْزَ فَاهْجُرْ ۝٥
০৬. বেশি পাওয়ার আশায় উপকার করোনা।	وَلَا تَمْنُنْ تَسْتَكْثِرُ ۝٦
০৭. আর তোমার প্রভুর উদ্দেশ্যে সবর অবলম্বন করো।	وَلِرَبِّكَ فَاصْبِرْ ۝٧
০৮. যখন ফুৎকার দেয়া হবে শিংগায়,	فَاِذَا نُقِرَ فِي النَّاقُوْرِ ۝٨
০৯. সেদিনটি হবে এক কঠিন দিন।	فَذٰلِكَ يَوْمَئِذٍ يَّوْمٌ عَسِيْرٌ ۝٩
১০. সেটি সহজ হবেনা কাফিরদের জন্যে।	عَلَى الْكٰفِرِيْنَ غَيْرُ يَسِيْرٍ ۝١٠
১১. আমাকে ছেড়ে দাও একাই আর যাকে আমি সৃষ্টি করেছি।	ذَرْنِيْ وَمَنْ خَلَقْتُ وَحِيْدًا ۝١١
১২. আমি তাকে দিয়েছি বিপুল মাল-সম্পদ।	وَّجَعَلْتُ لَهٗ مَالًا مَّمْدُوْدًا ۝١٢
১৩. দিয়েছি সংগে উপস্থিত থাকা পুত্রদের।	وَّبَنِيْنَ شُهُوْدًا ۝١٣
১৪. সরবরাহ করেছি স্বচ্ছন্দ জীবনের প্রচুর উপকরণ।	وَّمَهَّدْتُّ لَهٗ تَمْهِيْدًا ۝١٤

১৫. তারপরেও সে লোভ করে আমি যেনো তাকে আরো বেশি করে দেই।	ثُمَّ يَطۡمَعُ اَنۡ اَزِيۡدَ ۙ﴿۱۵﴾
১৬. কখনো নয়, সে তো আমাদের আয়াতের উগ্র বিরোধিতাকারী।	كَلَّا ؕ اِنَّهٗ كَانَ لِاٰيٰتِنَا عَنِيۡدًا ؕ﴿۱۶﴾
১৭. অচিরেই আমি তাকে চড়াবো এক কঠিন স্থানে (জাহান্নামের পাহাড়ে)।	سَاُرۡهِقُهٗ صَعُوۡدًا ؕ﴿۱۷﴾
১৮. সে চিন্তা করেছে এবং একটা চক্রান্তের সিদ্ধান্ত নিয়েছে।	اِنَّهٗ فَكَّرَ وَ قَدَّرَ ۙ﴿۱۸﴾
১৯. সে ধ্বংস হোক, কী করে সে এ সিদ্ধান্ত নিলো?	فَقُتِلَ كَيۡفَ قَدَّرَ ۙ﴿۱۹﴾
২০. সে আবারো ধ্বংস হোক, কী করে নিলো সে এ সিদ্ধান্ত!	ثُمَّ قُتِلَ كَيۡفَ قَدَّرَ ۙ﴿۲۰﴾
২১. সে নজর করে দেখেছে।	ثُمَّ نَظَرَ ۙ﴿۲۱﴾
২২. তারপর ভ্রুকুঞ্চিত করে মুখ বিকৃত করেছে।	ثُمَّ عَبَسَ وَ بَسَرَ ۙ﴿۲۲﴾
২৩. তারপর পেছনে গিয়ে দাম্ভিকতা প্রকাশ করেছে।	ثُمَّ اَدۡبَرَ وَ اسۡتَكۡبَرَ ۙ﴿۲۳﴾
২৪. সে বলেছে: "এ তো সমাজে চলে আসা প্রচলিত ম্যাজিক ছাড়া আর কিছু নয়।	فَقَالَ اِنۡ هٰذَاۤ اِلَّا سِحۡرٌ يُّؤۡثَرُ ۙ﴿۲۴﴾
২৫. এতো মানুষের কথা ছাড়া অন্য কিছু নয়।"	اِنۡ هٰذَاۤ اِلَّا قَوۡلُ الۡبَشَرِ ؕ﴿۲۵﴾
২৬. অচিরেই আমি তাকে নিক্ষেপ করবো সাকারে।	سَاُصۡلِيۡهِ سَقَرَ ﴿۲۶﴾
২৭. কিভাবে জানবে তুমি- সাকার কী?	وَ مَاۤ اَدۡرٰىكَ مَا سَقَرُ ؕ﴿۲۷﴾
২৮. (সেটা এমন জিনিস) যা বাকিও রাখেনা, ছেড়েও দেয়না।	لَا تُبۡقِيۡ وَ لَا تَذَرُ ۚ﴿۲۸﴾
২৯. সেটা মানুষের (গায়ের চামড়া) দগ্ধকারী।	لَوَّاحَةٌ لِّلۡبَشَرِ ۚۖ﴿۲۹﴾
৩০. সেটার তত্ত্বাবধানে আছে উনিশজন (ফেরেশতা)।	عَلَيۡهَا تِسۡعَةَ عَشَرَ ؕ﴿۳۰﴾
৩১. আমরা জাহান্নামের তত্ত্বাবধায়ক নিযুক্ত করেছি ফেরেশতাদের। আমরা কাফিরদের পরীক্ষার জন্যেই তাদের এই সংখ্যা উল্লেখ করেছি, যাতে করে ইতোপূর্বে যাদের কিতাব দেয়া হয়েছে তাদের একীন জন্মে এবং যেনো ঈমানদারদের ঈমান বেড়ে যায় আর কিতাবীরা এবং মুমিনরা যেনো সন্দেহে না পড়ে। আর যাদের মনে রোগ (মুনাফিকি) আছে তারা এবং	وَ مَا جَعَلۡنَاۤ اَصۡحٰبَ النَّارِ اِلَّا مَلٰٓئِكَةً ۪ وَّ مَا جَعَلۡنَا عِدَّتَهُمۡ اِلَّا فِتۡنَةً لِّلَّذِيۡنَ كَفَرُوۡا ۙ لِيَسۡتَيۡقِنَ الَّذِيۡنَ اُوۡتُوا الۡكِتٰبَ وَ يَزۡدَادَ الَّذِيۡنَ اٰمَنُوۡۤا اِيۡمَانًا وَّ لَا يَرۡتَابَ الَّذِيۡنَ اُوۡتُوا الۡكِتٰبَ وَ الۡمُؤۡمِنُوۡنَ ۙ وَ لِيَقُوۡلَ

কাফিররা যেনো বলে: 'আল্লাহ এই কথার মাধ্যমে কী বুঝাতে চেয়েছেন?' এভাবেই আল্লাহ যাকে চান বিপথগামী করেন এবং যাকে চান সঠিক পথ দেখান। তোমার প্রভুর বাহিনী সম্পর্কে একমাত্র তিনি ছাড়া কেউই জানেনা। জাহান্নামের এই তথ্য মানুষের জন্যে একটি সতর্কবাণী।	الَّذِيْنَ فِيْ قُلُوْبِهِمْ مَّرَضٌ وَّ الْكٰفِرُوْنَ مَا ذَآ اَرَادَ اللّٰهُ بِهٰذَا مَثَلًا ؕ كَذٰلِكَ يُضِلُّ اللّٰهُ مَنْ يَّشَآءُ وَ يَهْدِيْ مَنْ يَّشَآءُ ؕ وَ مَا يَعْلَمُ جُنُوْدَ رَبِّكَ اِلَّا هُوَ ؕ وَ مَا هِيَ اِلَّا ذِكْرٰى لِلْبَشَرِ ﴿۳۱﴾
৩২. কখনো নয়, শপথ চাঁদের,	كَلَّا وَ الْقَمَرِ ﴿۳۲﴾
৩৩. শপথ রাতের যখন তা পেছনে ফিরে (চলে) যায়,	وَ الَّيْلِ اِذْ اَدْبَرَ ﴿۳۳﴾
৩৪. শপথ ভোর বেলার যখন তা আলোকিত হয়ে উঠে,	وَ الصُّبْحِ اِذَآ اَسْفَرَ ﴿۳۴﴾
৩৫. নিশ্চয়ই এ (জাহান্নাম) গুরুতর বিপদ সমূহের একটি,	اِنَّهَا لَاِحْدَى الْكُبَرِ ﴿۳۵﴾
৩৬. মানুষের জন্যে সতর্ককারী।	نَذِيْرًا لِّلْبَشَرِ ﴿۳۶﴾
৩৭. তোমাদের মধ্যে যে এগিয়ে আসতে চায় কিংবা যে পিছিয়ে পড়তে চায় তার জন্যে।	لِمَنْ شَآءَ مِنْكُمْ اَنْ يَّتَقَدَّمَ اَوْ يَتَاَخَّرَ ﴿۳۷﴾
৩৮. প্রত্যেক ব্যক্তি নিজের অর্জনের কাছে আবদ্ধ।	كُلُّ نَفْسٍۭ بِمَا كَسَبَتْ رَهِيْنَةٌ ﴿۳۸﴾
৩৯. তবে ডান পাশের লোকেরা নয়।	اِلَّآ اَصْحٰبَ الْيَمِيْنِ ﴿۳۹﴾
৪০. তারা থাকবে উদ্যানসমূহে, তারা প্রশ্ন করবে	فِيْ جَنّٰتٍ ؕ يَتَسَآءَلُوْنَ ﴿۴۰﴾
৪১. অপরাধীদের বিষয়ে:	عَنِ الْمُجْرِمِيْنَ ﴿۴۱﴾
৪২. 'কোন্ জিনিস তোমাদের নিক্ষেপ করেছে সাকারে?'	مَا سَلَكَكُمْ فِيْ سَقَرَ ﴿۴۲﴾
৪৩. তারা বলবে: "আমরা মুসল্লিদের মধ্যে ছিলাম না,	قَالُوْا لَمْ نَكُ مِنَ الْمُصَلِّيْنَ ﴿۴۳﴾
৪৪. আর আমরা মিসকিনদের (অভাবীদের) খাবার দিতামনা,	وَ لَمْ نَكُ نُطْعِمُ الْمِسْكِيْنَ ﴿۴۴﴾
৪৫. আমরা মিথ্যা রটনাকারীদের সাথে মিথ্যা রটনা করতাম,	وَ كُنَّا نَخُوْضُ مَعَ الْخَآئِضِيْنَ ﴿۴۵﴾
৪৬. এবং আমরা প্রত্যাখ্যান করতাম প্রতিদান দিবসকে,	وَ كُنَّا نُكَذِّبُ بِيَوْمِ الدِّيْنِ ﴿۴۶﴾
৪৭. আমাদের কাছে একীন (মৃত্যু) এসে পৌছা পর্যন্ত।"	حَتّٰۤى اَتٰىنَا الْيَقِيْنُ ﴿۴۷﴾

রুকু ০১

৪৮. অতএব শাফায়াতকারীদের শাফায়াত তাদের কোনো কাজে আসবেনা।	فَمَا تَنۡفَعُهُمۡ شَفَاعَةُ الشّٰفِعِيۡنَ ؕ ٤٨
৪৯. তাদের কী হয়েছে, কেন তারা উপদেশ বাণী (কুরআন) থেকে মুখ ফিরিয়ে নিচ্ছে?	فَمَا لَهُمۡ عَنِ التَّذۡكِرَةِ مُعۡرِضِيۡنَ ۙ ٤٩
৫০. এরা যেনো পলায়নপর গাধার দল,	كَاَنَّهُمۡ حُمُرٌ مُّسۡتَنۡفِرَةٌ ۙ ٥٠
৫১. যারা দ্রুত পালাচ্ছে সিংহের সামনে থেকে।	فَرَّتۡ مِنۡ قَسۡوَرَةٍ ؕ ٥١
৫২. বরং তারা প্রত্যেকে চায়, তাকে একটি উন্মুক্ত সহিফা (বই) দেয়া হোক।	بَلۡ يُرِيۡدُ كُلُّ امۡرِیًٔ مِّنۡهُمۡ اَنۡ يُّؤۡتٰى صُحُفًا مُّنَشَّرَةً ۙ ٥٢
৫৩. কখনো নয়, বরং তারা আখিরাতকেই ভয় পায়না।	كَلَّا ؕ بَلۡ لَّا يَخَافُوۡنَ الۡاٰخِرَةَ ؕ ٥٣
৫৪. না, তা হবার নয়। নিশ্চয়ই এ কুরআন এক উপদেশ বাণী।	كَلَّاۤ اِنَّهٗ تَذۡكِرَةٌ ۚ ٥٤
৫৫. সুতরাং যার ইচ্ছা, সে এ থেকে উপদেশ গ্রহণ করুক।	فَمَنۡ شَآءَ ذَكَرَهٗ ؕ ٥٥
৫৬. তবে তারা আল্লাহ্‌র ইচ্ছা ছাড়া উপদেশ গ্রহণ করবেনা। একমাত্র তিনিই উপযুক্ত যাকে ভয় করা উচিত এবং একমাত্র তিনিই ক্ষমা করার অধিকারী।	وَمَا يَذۡكُرُوۡنَ اِلَّاۤ اَنۡ يَّشَآءَ اللّٰهُ ؕ هُوَ اَهۡلُ التَّقۡوٰى وَاَهۡلُ الۡمَغۡفِرَةِ ٥٦

রুকু ০২

সূরা ৭৫ আল কিয়ামাহ

মক্কায় অবতীর্ণ, আয়াত সংখ্যা: ৪০, রুকু সংখ্যা: ০২

এই সূরার আলোচ্যসূচি (আয়াত ভিত্তিক আলোচ্য বিষয়)

০১-৩০: কিয়ামতের ব্যাপারে মানুষের অবিশ্বাস। কিয়ামত অবশ্যি অনুষ্ঠিত হবে। সেদিন কারো মুখমণ্ডল হবে হাস্যোজ্জ্বল, আর কারো মুখমণ্ডল হবে মলিন।

৩১-৪০: তাওহীদ ও আখিরাতের যুক্তি।

সূরা আল কিয়ামা (কিয়ামত) পরম করুণাময় পরম দয়াবান আল্লাহ্‌র নামে	سُوۡرَةُ الۡقِيٰمَةِ بِسۡمِ اللّٰهِ الرَّحۡمٰنِ الرَّحِيۡمِ
০১. আমি শপথ করছি কিয়ামত কালের।	لَاۤ اُقۡسِمُ بِيَوۡمِ الۡقِيٰمَةِ ۙ ١
০২. আমি আরো শপথ করছি তিরস্কারকারী নফসের।	وَلَاۤ اُقۡسِمُ بِالنَّفۡسِ اللَّوَّامَةِ ؕ ٢
০৩. মানুষ কি ধারণা করে নিয়েছে যে, আমরা তার হাড়গোড় জমা (পুনর্গঠিত) করবোনা?	اَيَحۡسَبُ الۡاِنۡسَانُ اَلَّنۡ نَّجۡمَعَ عِظَامَهٗ ؕ ٣
০৪. হ্যাঁ, আমরা তার আংগুলের জোড়াগুলোও পুনর্গঠন করতে সক্ষম।	بَلٰى قٰدِرِيۡنَ عَلٰۤى اَنۡ نُّسَوِّىَ بَنَانَهٗ ٤

০৫. বরং মানুষ তার সামনের দিনগুলোতেও পাপাচারে লিপ্ত থাকতে চায়।	بَلْ يُرِيْدُ الْاِنْسَانُ لِيَفْجُرَ اَمَامَهٗ ٥
০৬. সে প্রশ্ন করে, কখন আসবে কিয়ামতকাল?	يَسْـَٔلُ اَيَّانَ يَوْمُ الْقِيٰمَةِ ٦
০৭. (হাঁ) তখনই আসবে, যখন মানুষের চোখ স্থির হয়ে যাবে,	فَاِذَا بَرِقَ الْبَصَرُ ٧
০৮. চাঁদ হয়ে পড়বে জ্যোতিহীন,	وَخَسَفَ الْقَمَرُ ٨
০৯. এবং যখন জমা (একত্রিত) করে দেয়া হবে সূর্য ও চাঁদকে।	وَجُمِعَ الشَّمْسُ وَالْقَمَرُ ٩
১০. তখন মানুষ বলবে: পালাবার জায়গা কোথায়?	يَقُوْلُ الْاِنْسَانُ يَوْمَئِذٍ اَيْنَ الْمَفَرُّ ١٠
১১. না, কখনো নয়, পালাবার কোনো জায়গা হবেনা।	كَلَّا لَا وَزَرَ ١١
১২. সেদিন তো কেবল তোমার প্রভুর কাছেই হবে ঠিকানা।	اِلٰى رَبِّكَ يَوْمَئِذِ ۨالْمُسْتَقَرُّ ١٢
১৩. সেদিন মানুষকে জানানো হবে, সে কী আগে পাঠিয়েছে, আর কী রেখে এসেছে পেছনে।	يُنَبَّؤُا الْاِنْسَانُ يَوْمَئِذٍۭ بِمَا قَدَّمَ وَ اَخَّرَ ١٣
১৪. বরং মানুষ নিজেই তার নিজের বিরুদ্ধে সাক্ষী।	بَلِ الْاِنْسَانُ عَلٰى نَفْسِهٖ بَصِيْرَةٌ ١٤
১৫. যদিও সে পেশ করে থাকে নানা রকম ওজর।	وَّلَوْ اَلْقٰى مَعَاذِيْرَهٗ ١٥
১৬. তুমি বারবার জিহ্বা নাড়বেনা তাড়াহুড়া করে অহি আয়ত্ত্ব করার জন্যে।	لَا تُحَرِّكْ بِهٖ لِسَانَكَ لِتَعْجَلَ بِهٖ ١٦
১৭. এর সংরক্ষণ করা ও পড়িয়ে দেয়ার দায়িত্ব আমাদের।	اِنَّ عَلَيْنَا جَمْعَهٗ وَقُرْاٰنَهٗ ١٧
১৮. সুতরাং আমরা যখন তা (কুরআন) পাঠ করি, তুমি তখন সেই পাঠের অনুসরণ করো।	فَاِذَا قَرَاْنٰهُ فَاتَّبِعْ قُرْاٰنَهٗ ١٨
১৯. তারপর তার বিশদ ব্যাখ্যা করে দেয়ার দায়িত্বও আমাদের।	ثُمَّ اِنَّ عَلَيْنَا بَيَانَهٗ ١٩
২০. কখনো নয়, বরং তোমরা দ্রুত পেতে (অর্থাৎ দুনিয়ার জীবনকে) পছন্দ করো।	كَلَّا بَلْ تُحِبُّوْنَ الْعَاجِلَةَ ٢٠
২১. এবং তোমরা উপেক্ষা করছো আখিরাতকে।	وَتَذَرُوْنَ الْاٰخِرَةَ ٢١
২২. সেদিন কিছু চেহারা হবে উজ্জ্বল,	وُجُوْهٌ يَّوْمَئِذٍ نَّاضِرَةٌ ٢٢
২৩. তারা তাকিয়ে থাকবে তাদের প্রভুর দিকে।	اِلٰى رَبِّهَا نَاظِرَةٌ ٢٣
২৪. আর কিছু চেহারা হবে মলিন,	وَوُجُوْهٌ يَّوْمَئِذٍۭ بَاسِرَةٌ ٢٤

রুকু	অনুবাদ	আয়াত
	২৫. তারা আশংকা করবে তাদের সাথে ধ্বংসকর আচরণের।	تَظُنُّ اَنْ يُّفْعَلَ بِهَا فَاقِرَةٌ ؕ ﴿٢٥﴾
	২৬. কখনো নয়, যখন প্রাণ হবে কণ্ঠাগত,	كَلَّاۤ اِذَا بَلَغَتِ التَّرَاقِيَ ۙ ﴿٢٦﴾
	২৭. এবং বলা হবে, ‘কে রক্ষা করবে তাকে?’	وَقِيْلَ مَنْ ٚ سكتة رَاقٍ ۙ ﴿٢٧﴾
	২৮. তখন সে বিশ্বাস করবে, তার বিদায়ের সময় উপস্থিত।	وَّظَنَّ اَنَّهُ الْفِرَاقُ ۙ ﴿٢٨﴾
	২৯. তখন পায়ের সাথে পা জড়িয়ে যাবে।	وَالْتَفَّتِ السَّاقُ بِالسَّاقِ ۙ ﴿٢٩﴾
রুকু ০১	৩০. সেদিন সব কিছু নিয়ে যাওয়া হবে তোমার প্রভুর কাছে।	اِلٰى رَبِّكَ يَوْمَئِذِ ِۨ الْمَسَاقُ ؕ ﴿٣٠﴾
	৩১. সে সত্য বলে মেনে নেয়নি এবং সালাতও আদায় করেনি।	فَلَا صَدَّقَ وَلَا صَلّٰى ۙ ﴿٣١﴾
	৩২. বরং সে সত্যকে মিথ্যা বলে প্রত্যাখ্যান করেছে এবং মুখ ফিরিয়ে নিয়েছে।	وَلٰكِنْ كَذَّبَ وَتَوَلّٰى ۙ ﴿٣٢﴾
	৩৩. তারপর সে ফিরে গেছে পরিবার পরিজনের কাছে দম্ভভরে।	ثُمَّ ذَهَبَ اِلٰۤى اَهْلِهٖ يَتَمَطّٰى ؕ ﴿٣٣﴾
	৩৪. (হে অবিশ্বাসী!) দুর্ভোগ তোর, দুর্ভোগ,	اَوْلٰى لَكَ فَاَوْلٰى ۙ ﴿٣٤﴾
	৩৫. আবারো দুর্ভোগ তোর, দুর্ভোগ,	ثُمَّ اَوْلٰى لَكَ فَاَوْلٰى ؕ ﴿٣٥﴾
	৩৬. মানুষ কি ধরে নিয়েছে যে, তাকে এমনিতেই ছেড়ে দেয়া হবে?	اَيَحْسَبُ الْاِنْسَانُ اَنْ يُّتْرَكَ سُدًى ؕ ﴿٣٦﴾
	৩৭. সে কি একটি নিক্ষিপ্ত নোতফা (শুক্রবিন্দু) ছিলনা?	اَلَمْ يَكُ نُطْفَةً مِّنْ مَّنِيٍّ يُّمْنٰى ۙ ﴿٣٧﴾
	৩৮. তারপর সে পরিণত হয় আলাকায় (একটি আটকানো জিনিসে)। তারপর তিনি তাকে দান করেছেন আকৃতি এবং করেছেন সুগঠিত।	ثُمَّ كَانَ عَلَقَةً فَخَلَقَ فَسَوّٰى ۙ ﴿٣٨﴾
	৩৯. তারপর তিনি তার থেকে সৃষ্টি করেছেন জোড়া- পুরুষ ও নারী।	فَجَعَلَ مِنْهُ الزَّوْجَيْنِ الذَّكَرَ وَالْاُنْثٰى ؕ ﴿٣٩﴾
রুকু ০২	৪০. তারপরও কি সেই মহান স্রষ্টা মৃতকে জীবিত করতে সক্ষম নন?	اَلَيْسَ ذٰلِكَ بِقٰدِرٍ عَلٰۤى اَنْ يُّحْيِۦَ الْمَوْتٰى ؕ ﴿٤٠﴾

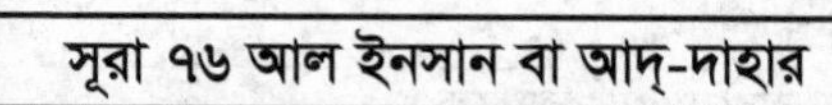

সূরা ৭৬ আল ইনসান বা আদ্-দাহার

মক্কায় মতান্তরে মদিনায় অবতীর্ণ, আয়াত সংখ্যা : ৩১, রুকু সংখ্যা: ০২

এই সূরার আলোচ্যসূচি (আয়াত ভিত্তিক আলোচ্য বিষয়)

০১-০৩: মানুষ সৃষ্টির উদ্দেশ্য হলো তাকে পরীক্ষা করা। মানুষকে দু'টি চলার পথ দেয়া হয়েছে। ১. আল্লাহ্‌র কৃতজ্ঞতার পথ, ২. আল্লাহ্‌র অকৃতজ্ঞতার পথ।

০৪: অকৃতজ্ঞদের অশুভ পরিণতি।

০৫-২২: আল্লাহ্‌র কৃতজ্ঞ বান্দাদের উত্তম গুণাবলি এবং তাদের পরকালীন অফুরন্ত পুরস্কারের বিবরণ।

২৩-৩১: কুরআন আল্লাহ্‌র অবতীর্ণ কিতাব। আল্লাহ্‌র হুকুমের উপর অটল থাকো এবং তাঁর প্রতি অবনত হও। কুরআন একটি স্মারক যার ইচ্ছা সে এটি আঁকড়ে ধরুক।

সূরা আল ইনসান বা আদ্-দাহার (মানুষ বা কাল) পরম করুণাময় পরম দয়াবান আল্লাহ্‌র নামে	سُوْرَةُ الْاِنْسَانِ/الدَّهْرِ بِسْمِ اللّٰهِ الرَّحْمٰنِ الرَّحِيْمِ
০১. মানুষের উপর কি কালের এমন অধ্যায় অতিবাহিত হয়নি, যখন উল্লেখযোগ্য কিছুই ছিলনা সে?	هَلْ اَتٰى عَلَى الْاِنْسَانِ حِيْنٌ مِّنَ الدَّهْرِ لَمْ يَكُنْ شَيْـًٔا مَّذْكُوْرًا ١
০২. আমরা তো মানুষকে সৃষ্টি করেছি ঘণীকৃত বীর্য নির্যাস থেকে, তাকে পরীক্ষা করার জন্যে। আর এ উদ্দেশ্যেই আমরা তাকে অধিকারী করেছি শ্রবণ শক্তি আর দৃষ্টি শক্তির (অর্থাৎ- জ্ঞান বুদ্ধি বিবেকের)।	اِنَّا خَلَقْنَا الْاِنْسَانَ مِنْ نُّطْفَةٍ اَمْشَاجٍ ۖ نَّبْتَلِيْهِ فَجَعَلْنٰهُ سَمِيْعًا بَصِيْرًا ٢
০৩. আমরা তাকে জীবন যাপনের সঠিক পথ দেখিয়ে দিয়েছি। এখন সে ইচ্ছে করলে আমার কৃতজ্ঞ হয়ে চলতে পারে, কিংবা হতে পারে অকৃতজ্ঞ।	اِنَّا هَدَيْنٰهُ السَّبِيْلَ اِمَّا شَاكِرًا وَّ اِمَّا كَفُوْرًا ٣
০৪. অকৃতজ্ঞদের জন্যে আমরা তৈরি করে রেখেছি শিকল, বেড়ি, আর জ্বলন্ত আগুন।	اِنَّآ اَعْتَدْنَا لِلْكٰفِرِيْنَ سَلٰسِلَاۡ وَ اَغْلٰلًا وَّ سَعِيْرًا ٤
০৫. সৎ-সত্যপন্থী (কৃতজ্ঞ) লোকেরা (জান্নাতে) এমন সব পান পাত্র থেকে (শরাব) পান করবে, যে পানীয় থাকবে (সুগন্ধ) কর্পুর মিশ্রিত।	اِنَّ الْاَبْرَارَ يَشْرَبُوْنَ مِنْ كَاْسٍ كَانَ مِزَاجُهَا كَافُوْرًا ۚ ٥
০৬. তা হবে এমন একটি ঝর্ণা, যা থেকে কেবল আল্লাহর প্রিয় দাসেরাই পান করবে। তারা যেদিকে ইচ্ছা প্রবাহিত করে নেবে এই ঝর্ণা।	عَيْنًا يَّشْرَبُ بِهَا عِبَادُ اللّٰهِ يُفَجِّرُوْنَهَا تَفْجِيْرًا ٦
০৭. (আল্লাহর এই প্রিয় দাসেরা হলো সেই সব লোক) যারা তাদের মানত (আল্লাহর অনুগত হয়ে থাকার অঙ্গীকার) পূর্ণ করে এবং এমন একটি দিনের ভয়ে ভীত-কম্পিত থাকে, যে দিনটির বিপদ ছড়িয়ে পড়বে সবখানে।	يُوْفُوْنَ بِالنَّذْرِ وَ يَخَافُوْنَ يَوْمًا كَانَ شَرُّهٗ مُسْتَطِيْرًا ٧
০৮. আল্লাহর ভালোবাসা পাওয়ার উদ্দেশ্যে তারা তাদের খাদ্য দান করে দেয় মিসকিন, এতিম ও বন্দিদেরকে।	وَ يُطْعِمُوْنَ الطَّعَامَ عَلٰى حُبِّهٖ مِسْكِيْنًا وَّ يَتِيْمًا وَّ اَسِيْرًا ٨
০৯. (খাদ্য দান করার সময়) তারা বলে (কিংবা এই মনোভাব পোষণ করে যে), "আমরা তোমাদের আহার্য দান করছি শুধুমাত্র আল্লাহর	اِنَّمَا نُطْعِمُكُمْ لِوَجْهِ اللّٰهِ لَا نُرِيْدُ

সন্তুষ্টির জন্যে। এর বিনিময়ে আমরা তোমাদের কাছে কোনো প্রকার প্রতিদান কিংবা কৃতজ্ঞতা আশা করিনা।	مِنْكُمْ جَزَآءً وَّلَا شُكُوْرًا ۝٩
১০. আমরা তো আমাদের মালিকের পক্ষ থেকে এক দীর্ঘ ভয়ংকর দিনের আশংকায় ভীত।”	اِنَّا نَخَافُ مِنْ رَّبِّنَا يَوْمًا عَبُوْسًا قَمْطَرِيْرًا ۝١٠
১১. ফলে, আল্লাহ তাদেরকে সেই দিনটির ক্ষতি ও অকল্যাণ থেকে রক্ষা করবেন এবং দান করবেন সৌন্দর্য-দীপ্তি (a light of beauty) আর আনন্দ প্রফুল্লতা (joy)।	فَوَقٰىهُمُ اللّٰهُ شَرَّ ذٰلِكَ الْيَوْمِ وَ لَقّٰىهُمْ نَضْرَةً وَّ سُرُوْرًا ۝١١
১২. তাছাড়া তাদের সবরের (আল্লাহর পথে ধৈর্য ও দৃঢ়তার সাথে চলার) বিনিময়ে তিনি তাদের প্রতিদান দেবেন জান্নাত, আর রেশমি পোশাক।	وَ جَزٰىهُمْ بِمَا صَبَرُوْا جَنَّةً وَّ حَرِيْرًا ۝١٢
১৩. সেখানে তারা সমাসীন হবে উঁচু উঁচু সুসজ্জিত আসনে। খরতপ্ত সূর্যতাপ কিংবা প্রচন্ড শীতে সেখানে তারা কষ্ট পাবেনা।	مُّتَّكِـِٕيْنَ فِيْهَا عَلَى الْاَرَآئِكِ ۚ لَا يَرَوْنَ فِيْهَا شَمْسًا وَّ لَا زَمْهَرِيْرًا ۝١٣
১৪. তাদের উপর বিস্তীর্ণ থাকবে জান্নাতের বৃক্ষরাজির ছায়া, আর ফলরাজি থাকবে সব সময়ই তাদের নাগালের মধ্যে।	وَ دَانِيَةً عَلَيْهِمْ ظِلٰلُهَا وَ ذُلِّلَتْ قُطُوْفُهَا تَذْلِيْلًا ۝١٤
১৫. তাদের মাঝে (খাদ্য ও পানীয়) পরিবেশন করা হবে রৌপ্য পাত্র আর স্ফটিক-স্বচ্ছ (crystal) পান পাত্রে।	وَ يُطَافُ عَلَيْهِمْ بِاٰنِيَةٍ مِّنْ فِضَّةٍ وَّ اَكْوَابٍ كَانَتْ قَوَارِيْرَاۡ ۝١٥
১৬. রজত স্বচ্ছ স্ফটিকের (crystal) পাত্রে পরিবেশনকারীরা পরিবেশন করবে পরিমাণ মতো।	قَوَارِيْرَاۡ مِنْ فِضَّةٍ قَدَّرُوْهَا تَقْدِيْرًا ۝١٦
১৭. সেখানে তাদের শরাব পান করতে দেয়া হবে জানজাবিল (মরহমবৎ) মিশ্রিত।	وَ يُسْقَوْنَ فِيْهَا كَاْسًا كَانَ مِزَاجُهَا زَنْجَبِيْلًا ۝١٧
১৮. আর (জানজাবিল মিশ্রিত) এই শরাব হবে মূলত জান্নাতের একটি ঝর্ণা, যার নাম হলো ‘সালসাবিল’।	عَيْنًا فِيْهَا تُسَمّٰى سَلْسَبِيْلًا ۝١٨
১৯. সেখানে তাদের সেবায় নিয়োজিত থাকবে এমনসব চিরবালক (boys of everlasting youth), যাদের দেখলে তোমার মনে হবে, ওরা যেনো ছড়ানো মুক্তা!	وَ يَطُوْفُ عَلَيْهِمْ وِلْدَانٌ مُّخَلَّدُوْنَ ۚ اِذَا رَاَيْتَهُمْ حَسِبْتَهُمْ لُؤْلُؤًا مَّنْثُوْرًا ۝١٩
২০. সেখানে গিয়ে যখন দেখবে, দেখতে পাবে নিয়ামত আর নিয়ামত (ভোগ বিলাসের সীমাহীন সামগ্রী), আর দেখতে পাবে (তোমাকে দেয়া হয়েছে) এক বিশাল সাম্রাজ্য (a great dominion)।	وَ اِذَا رَاَيْتَ ثَمَّ رَاَيْتَ نَعِيْمًا وَّ مُلْكًا كَبِيْرًا ۝٢٠

২১. তাদের পরিধানে থাকবে সবুজ রঙের সুক্ষ্ম-মিহি রেশমি পোশাক, আর সোনালি কিংখাবের বস্ত্ররাজি। তাদের অলংকৃত করা হবে রৌপ্য নির্মিত ব্রেসলেট দিয়ে আর তাদের প্রভু তাদের পান করাবেন শরাবান তহুরা (অনাবিল পানীয়)।	عٰلِيَهُمْ ثِيَابُ سُنْدُسٍ خُضْرٌ وَّ اِسْتَبْرَقٌ ۫ وَّ حُلُّوْٓا اَسَاوِرَ مِنْ فِضَّةٍ ۚ وَ سَقٰىهُمْ رَبُّهُمْ شَرَابًا طَهُوْرًا ﴿٢١﴾
২২. (তাদের বলা হবে) এগুলো তোমাদের জন্যে পুরস্কার (reward), কারণ তোমাদের সায়ী (চেষ্টা-সাধনা) কবুল করা হয়েছে।	اِنَّ هٰذَا كَانَ لَكُمْ جَزَآءً وَّ كَانَ سَعْيُكُمْ مَّشْكُوْرًا ﴿٢٢﴾
২৩. আমরাই পর্যায়ক্রমে তোমার প্রতি এ কুরআন নাযিল করছি।	اِنَّا نَحْنُ نَزَّلْنَا عَلَيْكَ الْقُرْاٰنَ تَنْزِيْلًا ﴿٢٣﴾
২৪. সুতরাং ধৈর্য ও দৃঢ়তার সাথে তোমার প্রভুর নির্দেশ পালন করে যাও। আর তাদের মধ্যকার কোনো পাপিষ্ঠ কিংবা অবিশ্বাসীর আনুগত্য করোনা।	فَاصْبِرْ لِحُكْمِ رَبِّكَ وَ لَا تُطِعْ مِنْهُمْ اٰثِمًا اَوْ كَفُوْرًا ﴿٢٤﴾
২৫. আর তোমার প্রভুর নাম স্মরণ করো সকাল-সন্ধ্যায়।	وَ اذْكُرِ اسْمَ رَبِّكَ بُكْرَةً وَّ اَصِيْلًا ﴿٢٥﴾
২৬. রাত্রি বেলায় তাঁর প্রতি সাজদায় অবনত হও এবং রাতে দীর্ঘ সময় তসবিহ করতে থাকো তাঁর।	وَ مِنَ الَّيْلِ فَاسْجُدْ لَهٗ وَ سَبِّحْهُ لَيْلًا طَوِيْلًا ﴿٢٦﴾
২৭. এই (অবিশ্বাসী) লোকেরা তো পছন্দ করে নিয়েছে এ পৃথিবীর জীবনকে, আর উপেক্ষা করছে পরবর্তী (পরকালের) কঠিন দিবসকে।	اِنَّ هٰٓؤُلَآءِ يُحِبُّوْنَ الْعَاجِلَةَ وَ يَذَرُوْنَ وَرَآءَهُمْ يَوْمًا ثَقِيْلًا ﴿٢٧﴾
২৮. আমরাই সৃষ্টি করেছি এদের, তারপর তাদের গঠন করেছি মজবুতভাবে। অতপর আমরা যখন চাইবো তাদের পরিবর্তে নিয়ে আসবো অনুরূপ কোনো জাতিকে।	نَحْنُ خَلَقْنٰهُمْ وَ شَدَدْنَآ اَسْرَهُمْ ۚ وَ اِذَا شِئْنَا بَدَّلْنَآ اَمْثَالَهُمْ تَبْدِيْلًا ﴿٢٨﴾
২৯. এটি (কুরআন) একটি উপদেশ বাণী। অতএব, যার ইচ্ছা সে তার প্রভুর (সন্তুষ্টির) পথ অবলম্বন করতে পারে।	اِنَّ هٰذِهٖ تَذْكِرَةٌ ۚ فَمَنْ شَآءَ اتَّخَذَ اِلٰى رَبِّهٖ سَبِيْلًا ﴿٢٩﴾
৩০. তোমাদের ইচ্ছায় কিছুই হয়না, যদি আল্লাহ ইচ্ছা না করেন। অবশ্যি আল্লাহ সর্বজ্ঞানী ও প্রজ্ঞাময়।	وَ مَا تَشَآءُوْنَ اِلَّآ اَنْ يَّشَآءَ اللّٰهُ ؕ اِنَّ اللّٰهَ كَانَ عَلِيْمًا حَكِيْمًا ﴿٣٠﴾
৩১. তিনি যাকে চান, নিজের অনুগ্রহের অন্তরভুক্ত করে নেন, কিন্তু যালিমদের কথা ভিন্ন। তাদের জন্যে তো তিনি তৈরি করে রেখেছেন যন্ত্রণাদায়ক শাস্তি।	يُّدْخِلُ مَنْ يَّشَآءُ فِيْ رَحْمَتِهٖ ؕ وَ الظّٰلِمِيْنَ اَعَدَّ لَهُمْ عَذَابًا اَلِيْمًا ﴿٣١﴾

রুকু ০২

সূরা ৭৭ আল মুরসালাত

মক্কায় অবতীর্ণ, আয়াত সংখ্যা : ৫০, রুকু সংখ্যা: ০২

এই সূরার আলোচ্যসূচি (আয়াত ভিত্তিক আলোচ্য বিষয়)

০১-১৯: কিয়ামত অবশ্যি অনুষ্ঠিত হবে। সেদিন প্রত্যাখ্যানকারীদের জন্যে হবে ধ্বংস।

২০-২৪: আল্লাহ্ মানুষ সৃষ্টি করেছেন সুষম করে।

২৫-২৮: পৃথিবী সৃষ্টি করেছেন মানুষের জন্যে উপযোগী করে।

২৯-৫০: কিয়ামতের দিনটি হবে কাফিরদের জন্যে বেদনাদায়ক। সেটি মুত্তাকিদের জন্যে হবে সুখকর।

সূরা আল মুরসালাত (প্রেরিত) পরম করুণাময় পরম দয়াবান আল্লাহ্র নামে	سُوْرَةُ الْمُرْسَلٰتِ بِسْمِ اللّٰهِ الرَّحْمٰنِ الرَّحِيْمِ
০১. শপথ একের পর এক প্রেরিত বাতাসের,	وَالْمُرْسَلٰتِ عُرْفًا ﴿١﴾
০২. শপথ প্রলয়ংকরী ঝড়ের,	فَالْعٰصِفٰتِ عَصْفًا ﴿٢﴾
০৩. শপথ (মেঘমালা) সঞ্চালনকারী বায়ুর,	وَّالنّٰشِرٰتِ نَشْرًا ﴿٣﴾
০৪. আর মেঘপুঞ্জ বিচ্ছিন্নকারী বাতাসের,	فَالْفٰرِقٰتِ فَرْقًا ﴿٤﴾
০৫. এবং শপথ তাদের যারা মানুষের হৃদয়ে পৌঁছে দেয় উপদেশ,	فَالْمُلْقِيٰتِ ذِكْرًا ﴿٥﴾
০৬. ওজর রহিত করা এবং সতর্ক করার জন্যে।	عُذْرًا اَوْ نُذْرًا ﴿٦﴾
০৭. তোমাদের যে বিষয়ের ওয়াদা দেয়া হয়েছে, তা অবশ্যি ঘটবে।	اِنَّمَا تُوْعَدُوْنَ لَوَاقِعٌ ﴿٧﴾
০৮. যখন তারকারাজির আলো নিভে যাবে,	فَاِذَا النُّجُوْمُ طُمِسَتْ ﴿٨﴾
০৯. যখন বিদীর্ণ হয়ে যাবে আকাশ,	وَاِذَا السَّمَآءُ فُرِجَتْ ﴿٩﴾
১০. এবং যখন পর্বতমালাকে উঠিয়ে বিক্ষিপ্ত করে দেয়া হবে,	وَاِذَا الْجِبَالُ نُسِفَتْ ﴿١٠﴾
১১. আর নির্ধারিত সময়ে হাজির করা হবে রসূলদের,	وَاِذَا الرُّسُلُ اُقِّتَتْ ﴿١١﴾
১২. সব কিছু বিলম্বিত করা হয়েছে কোন্ দিনটির জন্যে?	لِاَيِّ يَوْمٍ اُجِّلَتْ ﴿١٢﴾
১৩. ফায়সালার দিনের জন্যে।	لِيَوْمِ الْفَصْلِ ﴿١٣﴾
১৪. তুমি কী করে জানবে- ফায়সালার দিন কী?	وَمَآ اَدْرٰىكَ مَا يَوْمُ الْفَصْلِ ﴿١٤﴾
১৫. সেদিন প্রত্যাখ্যানকারীদের জন্যে হবে চরম দুর্ভোগ।	وَيْلٌ يَّوْمَئِذٍ لِّلْمُكَذِّبِيْنَ ﴿١٥﴾

১৬. আমরা কি পূর্ববর্তীদের হালাক করিনি?	أَلَمْ نُهْلِكِ الْأَوَّلِينَ ﴿١٦﴾
১৭. শেষের লোকদেরও আমরা ওদের অনুসারেই করবো।	ثُمَّ نُتْبِعُهُمُ الْآخِرِينَ ﴿١٧﴾
১৮. অপরাধীদের সাথে আমরা এভাবেই করে থাকি।	كَذَٰلِكَ نَفْعَلُ بِالْمُجْرِمِينَ ﴿١٨﴾
১৯. সেদিন হবে চরম দুর্ভোগ প্রত্যাখ্যানকারীদের জন্যে।	وَيْلٌ يَوْمَئِذٍ لِّلْمُكَذِّبِينَ ﴿١٩﴾
২০. আমরা কি তোমাদের সৃষ্টি করিনি একটি তুচ্ছ পানি থেকে?	أَلَمْ نَخْلُقكُّم مِّن مَّاءٍ مَّهِينٍ ﴿٢٠﴾
২১. তারপর সেটাকে আমরা রেখেছি একটি নিরাপদ অবস্থানস্থলে,	فَجَعَلْنَاهُ فِي قَرَارٍ مَّكِينٍ ﴿٢١﴾
২২. একটি নির্দিষ্ট সময় পর্যন্ত।	إِلَىٰ قَدَرٍ مَّعْلُومٍ ﴿٢٢﴾
২৩. এভাবে আমরা তাকে সুষম করে গঠন করেছি, কতো নিপুণ স্রষ্টা আমরা!	فَقَدَرْنَا فَنِعْمَ الْقَادِرُونَ ﴿٢٣﴾
২৪. ধ্বংস সেদিন প্রত্যাখ্যানকারীদের জন্যে।	وَيْلٌ يَوْمَئِذٍ لِّلْمُكَذِّبِينَ ﴿٢٤﴾
২৫. আমরা কি ভূ-পৃষ্ঠকে ধারণকারী বানাইনি,	أَلَمْ نَجْعَلِ الْأَرْضَ كِفَاتًا ﴿٢٥﴾
২৬. জীবিত ও মৃতদের জন্যে?	أَحْيَاءً وَأَمْوَاتًا ﴿٢٦﴾
২৭. তারপর আমরা তাতে স্থাপন করেছি সুদৃঢ় উঁচু উঁচু পর্বতমালা এবং তোমাদের পান করিয়েছি সুপেয় পানি।	وَجَعَلْنَا فِيهَا رَوَاسِيَ شَامِخَاتٍ وَأَسْقَيْنَاكُم مَّاءً فُرَاتًا ﴿٢٧﴾
২৮. ধ্বংস সেদিন প্রত্যাখ্যানকারীদের জন্যে।	وَيْلٌ يَوْمَئِذٍ لِّلْمُكَذِّبِينَ ﴿٢٨﴾
২৯. (সেদিন বলা হবে:) চলো তার দিকে যাকে (যে জাহান্নামকে) তোমরা অস্বীকার করতে।	انطَلِقُوا إِلَىٰ مَا كُنتُم بِهِ تُكَذِّبُونَ ﴿٢٩﴾
৩০. চলো, তিন শাখাওয়ালা ছায়ার দিকে।	انطَلِقُوا إِلَىٰ ظِلٍّ ذِي ثَلَاثِ شُعَبٍ ﴿٣٠﴾
৩১. যে ছায়া ঠান্ডা নয় এবং যা রক্ষা করেনা অগ্নিশিখা থেকে।	لَّا ظَلِيلٍ وَلَا يُغْنِي مِنَ اللَّهَبِ ﴿٣١﴾
৩২. সেটা উৎক্ষেপ করে বড় বড় স্ফুলিংগ অট্টালিকার মতো।	إِنَّهَا تَرْمِي بِشَرَرٍ كَالْقَصْرِ ﴿٣٢﴾
৩৩. সেগুলো যেনো হলুদ উট।	كَأَنَّهُ جِمَالَتٌ صُفْرٌ ﴿٣٣﴾
৩৪. ধ্বংস সেদিন প্রত্যাখ্যানকারীদের জন্যে।	وَيْلٌ يَوْمَئِذٍ لِّلْمُكَذِّبِينَ ﴿٣٤﴾

	৩৫. এটা হবে এমন একটা দিন যেদিন কেউ কথা বলবেনা।	هٰذَا يَوْمُ لَا يَنْطِقُوْنَ ﴿٣٥﴾
	৩৬. সেদিন তাদের অনুমতি দেয়া হবেনা ওজর পেশ করার।	وَلَا يُؤْذَنُ لَهُمْ فَيَعْتَذِرُوْنَ ﴿٣٦﴾
	৩৭. ধ্বংস সেদিন প্রত্যাখ্যানকারীদের জন্যে।	وَيْلٌ يَّوْمَئِذٍ لِّلْمُكَذِّبِيْنَ ﴿٣٧﴾
	৩৮. এটা হলো ফায়সালার দিন, আমরা (আজ) জমা (একত্র) করেছি তোমাদের এবং পূর্বের লোকদের।	هٰذَا يَوْمُ الْفَصْلِ ۚ جَمَعْنٰكُمْ وَ الْاَوَّلِيْنَ ﴿٣٨﴾
	৩৯. আজ যদি তোমাদের কোনো চক্রান্ত থেকে থাকে তবে তা প্রয়োগ করো আমার বিরুদ্ধে।	فَاِنْ كَانَ لَكُمْ كَيْدٌ فَكِيْدُوْنِ ﴿٣٩﴾
রুকু ০১	৪০. ধ্বংস সেদিন প্রত্যাখ্যানকারীদের জন্যে।	وَيْلٌ يَّوْمَئِذٍ لِّلْمُكَذِّبِيْنَ ﴿٤٠﴾
	৪১. মুত্তাকিরা থাকবে ছায়া আর ঝরণাধারা ওয়ালা জায়গায়।	اِنَّ الْمُتَّقِيْنَ فِيْ ظِلٰلٍ وَّ عُيُوْنٍ ﴿٤١﴾
	৪২. তারা পাবে প্রচুর ফলমূল যা চাইবে তাদের মন।	وَّ فَوَاكِهَ مِمَّا يَشْتَهُوْنَ ﴿٤٢﴾
	৪৩. তোমাদের আমলের পুরস্কার হিসেবে তোমরা খাও এবং পান করো তৃপ্তি সহকারে।	كُلُوْا وَ اشْرَبُوْا هَنِيْٓـًٔا بِمَا كُنْتُمْ تَعْمَلُوْنَ ﴿٤٣﴾
	৪৪. এভাবেই আমরা পুরস্কৃত করি কল্যাণপরায়ণদের।	اِنَّا كَذٰلِكَ نَجْزِى الْمُحْسِنِيْنَ ﴿٤٤﴾
	৪৫. ধ্বংস সেদিন প্রত্যাখ্যানকারীদের জন্যে।	وَيْلٌ يَّوْمَئِذٍ لِّلْمُكَذِّبِيْنَ ﴿٤٥﴾
	৪৬. তোমরা খাও এবং ভোগ করে নাও অল্প কিছু দিন। তোমরা অবশ্যি অপরাধী।	كُلُوْا وَ تَمَتَّعُوْا قَلِيْلًا اِنَّكُمْ مُّجْرِمُوْنَ ﴿٤٦﴾
	৪৭. ধ্বংস সেদিন প্রত্যাখ্যানকারীদের জন্যে।	وَيْلٌ يَّوْمَئِذٍ لِّلْمُكَذِّبِيْنَ ﴿٤٧﴾
	৪৮. তাদের যখন বলা হয় 'রুকু করো (নত হও)', তারা রুকু করেনা।	وَاِذَا قِيْلَ لَهُمُ ارْكَعُوْا لَا يَرْكَعُوْنَ ﴿٤٨﴾
	৪৯. ধ্বংস সেদিন প্রত্যাখ্যানকারীদের জন্যে।	وَيْلٌ يَّوْمَئِذٍ لِّلْمُكَذِّبِيْنَ ﴿٤٩﴾
রুকু ০২	৫০. সুতরাং তারা এর (কুরআনের) পরিবর্তে আর কোন্ বাণীর প্রতি বিশ্বাস স্থাপন করবে?	فَبِاَيِّ حَدِيْثٍۭ بَعْدَهٗ يُؤْمِنُوْنَ ﴿٥٠﴾

সূরা ৭৮ আন্ নাবা

মক্কায় অবতীর্ণ, আয়াত সংখ্যা: ৪০, রুকু সংখ্যা: ০২

এই সূরার আলোচ্যসূচি (আয়াত ভিত্তিক আলোচ্য বিষয়)

০১-২০: মানুষের প্রতি আল্লাহ্র অনুগ্রহ। বিচারের দিনটি অবশ্যি আসবে।
২১-৩০: আল্লাদ্রোহীদের পরকালীন দুর্দশা।
৩১-৩৬: মুত্তাকিদের পরকালীন পুরস্কার।
৩৭-৪০: কিয়ামতের দিন সুপারিশ করা তো দূরের কথা আল্লাহ্র সামনে টু শব্দটি করার সাহসও কারো হবেনা।

সূরা আন্ নাবা (মহাসংবাদ) পরম করুণাময় পরম দয়াবান আল্লাহ্র নামে	سُوْرَةُ النَّبَاِ بِسْمِ اللّٰهِ الرَّحْمٰنِ الرَّحِيْمِ
০১. এরা একে অপরকে জিজ্ঞাসা করছে কী বিষয়ে?	عَمَّ يَتَسَآءَلُوْنَ ۝١
০২. সেই মহাসংবাদ সম্পর্কে নাকি?	عَنِ النَّبَاِ الْعَظِيْمِ ۝٢
০৩. যে বিষয়ে তারা লিপ্ত রয়েছে ইখতিলাফে?	الَّذِيْ هُمْ فِيْهِ مُخْتَلِفُوْنَ ۝٣
০৪. কিছুতেই (এটা ইখতিলাফের বিষয়) নয়, অচিরেই তারা জানতে পারবে (এর সত্যতা)।	كَلَّا سَيَعْلَمُوْنَ ۝٤
০৫. পুনরায় বলছি, কিছুতেই (এটা ইখতিলাফের বিষয়) নয়, অচিরেই তারা জানতে পারবে।	ثُمَّ كَلَّا سَيَعْلَمُوْنَ ۝٥
০৬. আমরা কি পৃথিবীকে বানাইনি শয্যা?	اَلَمْ نَجْعَلِ الْاَرْضَ مِهٰدًا ۝٦
০৭. আর পাহাড়গুলোকে (গেড়ে দেইনি) পেরেকের মতো?	وَّ الْجِبَالَ اَوْتَادًا ۝٧
০৮. এবং আমরা কি তোমাদের সৃষ্টি করিনি জোড়ায় জোড়ায়?	وَّ خَلَقْنٰكُمْ اَزْوَاجًا ۝٨
০৯. আর তোমাদের নিদ্রাকে বানাইনি তোমাদের জন্যে বিশ্রাম?	وَّ جَعَلْنَا نَوْمَكُمْ سُبَاتًا ۝٩
১০. এবং রাতকে কি বানাইনি (অন্ধকার দ্বারা পোশাকের মতো) আবরণ?	وَّ جَعَلْنَا الَّيْلَ لِبَاسًا ۝١٠
১১. আর দিনকে কি বানাইনি তোমাদের জীবন-সামগ্রী উপার্জনের সময়?	وَّ جَعَلْنَا النَّهَارَ مَعَاشًا ۝١١
১২. এবং আমরা বানিয়েছি তোমাদের উপরে সাতটি মজবুত (আকাশ)।	وَّ بَنَيْنَا فَوْقَكُمْ سَبْعًا شِدَادًا ۝١٢
১৩. আর স্থাপন করে দিয়েছি একটি উজ্জ্বল উত্তপ্ত বাতি (সূর্য)।	وَّ جَعَلْنَا سِرَاجًا وَّهَّاجًا ۝١٣
১৪. আর বর্ষাধারী মেঘমালা থেকে বর্ষণ করেছি প্রচুর পানি।	وَّ اَنْزَلْنَا مِنَ الْمُعْصِرٰتِ مَآءً ثَجَّاجًا ۝١٤
১৫. তা দিয়ে উৎপন্ন করার জন্যে শস্য, শাক-সবজি,	لِّنُخْرِجَ بِهٖ حَبًّا وَّ نَبَاتًا ۝١٥
১৬. আর নিবিড় উদ্যান।	وَّ جَنّٰتٍ اَلْفَافًا ۝١٦

পারা ৩০

১৭. নিশ্চয়ই ফায়সালার দিনটি তো নির্দিষ্ট হয়েই আছে।	إِنَّ يَوْمَ الْفَصْلِ كَانَ مِيقَاتًا ﴿١٧﴾
১৮. সেদিন যেইমাত্র শিংগায় ফুঁক দেয়া হবে, সাথে সাথে তোমরা এসে হাজির হবে দলে দলে।	يَوْمَ يُنْفَخُ فِي الصُّورِ فَتَأْتُونَ أَفْوَاجًا ﴿١٨﴾
১৯. আর উন্মুক্ত করে দেয়া হবে আকাশ এবং তাতে তৈরি হয়ে যাবে অসংখ্য দরজা।	وَفُتِحَتِ السَّمَاءُ فَكَانَتْ أَبْوَابًا ﴿١٩﴾
২০. আর পর্বতসমূহকে স্থানচ্যুত করে চালিয়ে দেয়া হবে, ফলে সেগুলো পরিণত হবে মরীচিকায়।	وَسُيِّرَتِ الْجِبَالُ فَكَانَتْ سَرَابًا ﴿٢٠﴾
২১. অবশ্যি জাহান্নাম অতর্কিত আক্রমণের এক গোপন স্থান।	إِنَّ جَهَنَّمَ كَانَتْ مِرْصَادًا ﴿٢١﴾
২২. আল্লাহদ্রোহী সীমালংঘনকারীদের বাসস্থান।	لِلطَّاغِينَ مَآبًا ﴿٢٢﴾
২৩. যুগ যুগ ধরে (অনন্তকাল) তারা অবস্থান করবে সেখানে।	لَابِثِينَ فِيهَا أَحْقَابًا ﴿٢٣﴾
২৪. সেখানে তারা না ঠান্ডা, আর না পানযোগ্য কিছু আস্বাদন করবে।	لَا يَذُوقُونَ فِيهَا بَرْدًا وَلَا شَرَابًا ﴿٢٤﴾
২৫. তবে পান করবে শুধু ফুটন্ত পানি আর ক্ষত থেকে নির্গত পুঁজ।	إِلَّا حَمِيمًا وَغَسَّاقًا ﴿٢٥﴾
২৬. এ হবে তাদের কৃতকর্মের) উপযুক্ত প্রতিফল।	جَزَاءً وِفَاقًا ﴿٢٦﴾
২৭. কারণ, হিসাব দিতে হবে-এ দৃষ্টিভংগি তারা পোষণ করতো না।	إِنَّهُمْ كَانُوا لَا يَرْجُونَ حِسَابًا ﴿٢٧﴾
২৮. আর তারা মিথ্যা বলে পুরোপুরি প্রত্যাখ্যান করেছিল আমাদের আয়াত সমূহকে।	وَكَذَّبُوا بِآيَاتِنَا كِذَّابًا ﴿٢٨﴾
২৯. অথচ প্রতিটি জিনিসকেই আমরা লিখে রেখেছি গুণে গুণে।	وَكُلَّ شَيْءٍ أَحْصَيْنَاهُ كِتَابًا ﴿٢٩﴾
৩০. সুতরাং এখন আস্বাদন করো (তোমাদের আল্লাহদ্রোহী কৃতকর্মের প্রতিফল)। কেবলমাত্র শাস্তি ছাড়া তোমাদের জন্যে আমরা কোনো কিছুই বৃদ্ধি করবোনা। (হে আল্লাহ! আমাদেরকে জাহান্নাম থেকে রক্ষা করুন!)	فَذُوقُوا فَلَنْ نَزِيدَكُمْ إِلَّا عَذَابًا ﴿٣٠﴾
৩১. মুত্তাকিদের (যারা কঠিন হিসাবের ভয়ে আল্লাহর হুকুম অমান্য করা থেকে বিরত থেকেছিল, তাদের) জন্যে রয়েছে সাফল্য।	إِنَّ لِلْمُتَّقِينَ مَفَازًا ﴿٣١﴾
৩২. এবং উদ্যানসমূহ আর আংগুরের বাগান।	حَدَائِقَ وَأَعْنَابًا ﴿٣٢﴾
৩৩. আর সমবয়সী পূর্ণ যৌবনা তরুণী দল।	وَكَوَاعِبَ أَتْرَابًا ﴿٣٣﴾
৩৪. এবং (শরাব) ভর্তি পানপাত্র।	وَكَأْسًا دِهَاقًا ﴿٣٤﴾
৩৫. সেখানে তারা শুনবেনা কোনো বাজে কিংবা মিথ্যা কথাবার্তা।	لَا يَسْمَعُونَ فِيهَا لَغْوًا وَلَا كِذَّابًا ﴿٣٥﴾
৩৬. (এসবই দেয়া হবে) তোমার সেই মহান প্রভুর পক্ষ থেকে পুরস্কার আর হিসাব পরিমাণ দান হিসেবে,	جَزَاءً مِنْ رَبِّكَ عَطَاءً حِسَابًا ﴿٣٦﴾

রুকু ০১

৩৭. যিনি মহাবিশ্ব, এই পৃথিবী এবং এগুলোর মধ্যবর্তী সমস্ত কিছুর মালিক। পরম দয়াবান তিনি। তাঁর সম্মুখে কথা বলার শক্তি-সাহস কারোই থাকবেনা।	رَّبِّ السَّمٰوٰتِ وَالْاَرْضِ وَمَا بَيْنَهُمَا الرَّحْمٰنِ لَا يَمْلِكُوْنَ مِنْهُ خِطَابًا ﴿٣٧﴾
৩৮. সেদিন রূহ (জিবরিল) এবং ফেরেশতারা দাঁড়িয়ে থাকবে সারি বদ্ধ হয়ে। তারা কোনো কথা বলবেনা (বলার সাহস করবেনা); তবে দয়াময় রহমান কাউকেও অনুমতি দিলে (সে বলবে) এবং সে বলবে যথার্থ ও ন্যায়সঙ্গত কথা।	يَوْمَ يَقُوْمُ الرُّوْحُ وَالْمَلٰٓئِكَةُ صَفًّا ۙ لَّا يَتَكَلَّمُوْنَ اِلَّا مَنْ اَذِنَ لَهُ الرَّحْمٰنُ وَ قَالَ صَوَابًا ﴿٣٨﴾
৩৯. এই দিনটি (যে আসবেই তা অনিবার্য) এক মহাসত্য। সুতরাং যার ইচ্ছা সে তার মালিকের দিকে ফেরার জন্যে পথ ধরুক।	ذٰلِكَ الْيَوْمُ الْحَقُّ ۚ فَمَنْ شَآءَ اتَّخَذَ اِلٰى رَبِّهٖ مَاٰبًا ﴿٣٩﴾
৪০. অত্যাসন্ন আযাব সম্পর্কে আমরা তোমাদের সতর্ক করে দিলাম; সেদিন প্রতিটি মানুষই দেখতে পাবে তার দুই হাত কী কামাই করে (অর্থাৎ-সে কি কৃতকর্ম) সম্মুখে (বিচার দিনের জন্যে) পাঠিয়েছে? আর (তখন) কাফির বলবে: 'হায়, আমি যদি মাটি হতাম!'	اِنَّآ اَنْذَرْنٰكُمْ عَذَابًا قَرِيْبًا ۚۖ يَّوْمَ يَنْظُرُ الْمَرْءُ مَا قَدَّمَتْ يَدٰهُ وَ يَقُوْلُ الْكٰفِرُ يٰلَيْتَنِيْ كُنْتُ تُرٰبًا ﴿٤٠﴾

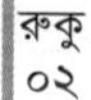
রুকু ০২

সূরা ৭৯ আন নাযিআত

মক্কায় অবতীর্ণ, আয়াত সংখ্যা : ৪৬, রুকু সংখ্যা: ০২

এই সূরার আলোচ্যসূচি (আয়াত ভিত্তিক আলোচ্য বিষয়)

০১-১৪: কিয়ামতের দৃশ্য।
১৫-২৬: ফিরাউনের কাছে মূসার দাওয়াত। ফিরাউনের দাওয়াত প্রত্যাখ্যান। দুনিয়া ও আখিরাতে ফিরাউনের কঠিন শাস্তি আল্লাহ্ ভীরুদের জন্যে একটি শিক্ষা।
২৭-৩৬: আল্লাহ্ মহাশক্তিমান। কিয়ামত সংঘটিত হবেই।
৩৭-৪১: কারা জাহান্নামি এবং কারা জান্নাতি?
৪২-৪৬: কিয়ামত কখন অনুষ্ঠিত হবে?

সূরা আন নাযিআত (যারা টেনে বের করে) পরম করুণাময় পরম দয়াবান আল্লাহ্‌র নামে	سُوْرَةُ النّٰزِعٰتِ بِسْمِ اللّٰهِ الرَّحْمٰنِ الرَّحِيْمِ
০১. শপথ সেই (ফেরেশতাদের), যারা অত্যন্ত কঠোর ও নির্মমভাবে টেনে হিঁচড়ে বের করে নেয় (কাফির ও দুষ্কৃতকারীদের প্রাণ)।	وَ النّٰزِعٰتِ غَرْقًا ﴿١﴾
০২. আর শপথ সেই (ফেরেশতাদের) যারা অত্যন্ত কোমলভাবে বের করে আনে (মুমিনদের আত্মা)।	وَّ النّٰشِطٰتِ نَشْطًا ﴿٢﴾
০৩. এবং শপথ সেইসব (ফেরেশতা, কিংবা গ্রহের) যারা সাঁতরে চলে।	وَّ السّٰبِحٰتِ سَبْحًا ﴿٣﴾
০৪. আর শপথ সেইসব (ফেরেশতা, নক্ষত্র, কিংবা ঘোড়ার) যারা নির্দেশক্রমে সবেগে ধাবিত হয়।	فَالسّٰبِقٰتِ سَبْقًا ﴿٤﴾
০৫. আর শপথ সেই (ফেরেশতাদের) যারা তাদের প্রভুর নির্দেশক্রমে কার্য সম্পাদন করে থাকে।	فَالْمُدَبِّرٰتِ اَمْرًا ﴿٥﴾

০৬. সেদিন যখন (প্রথমবার শিংগায় ফুঁ দেয়া হবে), তখন (পৃথিবী, পাহাড় সবই) প্রবল ধাক্কায় বিশৃংখল হয়ে পড়বে।	يَوْمَ تَرْجُفُ الرَّاجِفَةُ ۙ﴿٦﴾
০৭. প্রথমটিকে অনুসরণ করবে আরেকটি শিংগাধ্বনি (তখন পুনরুত্থিত হবে সব মানুষ)।	تَتْبَعُهَا الرَّادِفَةُ ؕ﴿٧﴾
০৮. কতো হৃদয় সেদিন কম্পমান হবে ভয়ে।	قُلُوْبٌ يَّوْمَئِذٍ وَّاجِفَةٌ ۙ﴿٨﴾
০৯. তাদের দৃষ্টি হবে (অপমানে) অবনমিত।	اَبْصَارُهَا خَاشِعَةٌ ۘ﴿٩﴾
১০. এরা বলে: "(মরার পর) আমাদের কি আবার পূর্বাবস্থায় ফিরিয়ে (জীবিত করে) আনা হবে?	يَقُوْلُوْنَ ءَاِنَّا لَمَرْدُوْدُوْنَ فِى الْحَافِرَةِ ؕ﴿١٠﴾
১১. আমাদের হাড়-গোড় পঁচে গলে (বিনাশ হয়ে) যাবার পরও?"	ءَاِذَا كُنَّا عِظَامًا نَّخِرَةً ؕ﴿١١﴾
১২. তারা বলে: 'তবে তো সেটা হবে এক বড় ক্ষতিকর ফিরে আসা।'	قَالُوْا تِلْكَ اِذًا كَرَّةٌ خَاسِرَةٌ ۘ﴿١٢﴾
১৩. আসল ব্যাপার হলো, ওটা হবে এক বিকট আওয়ায (দ্বিতীয় শিংগা ধ্বনি)।	فَاِنَّمَا هِىَ زَجْرَةٌ وَّاحِدَةٌ ۙ﴿١٣﴾
১৪. (সেই বিকট ধ্বনির) সাথে সাথেই তারা নিজেদেরকে জীবিত হাজির দেখতে পাবে এক উন্মুক্ত ময়দানে।	فَاِذَا هُمْ بِالسَّاهِرَةِ ؕ﴿١٤﴾
১৫. তোমার কাছে মূসার হাদিস (ইতিহাস, ঘটনাবলি) পৌছেছে কি?	هَلْ اَتٰىكَ حَدِيْثُ مُوْسٰى ۘ﴿١٥﴾
১৬. যখন তার প্রভু তাকে পবিত্র তোয়া উপত্যকায় ডেকে বলেছিলেন:	اِذْ نَادٰىهُ رَبُّهٗ بِالْوَادِ الْمُقَدَّسِ طُوًى ۚ﴿١٦﴾
১৭. ফেরাউনের কাছে যাও, সে লংঘন করেছে সমস্ত সীমা।	اِذْهَبْ اِلٰى فِرْعَوْنَ اِنَّهٗ طَغٰى ۖ﴿١٧﴾
১৮. তুমি গিয়ে তাকে বলো: তুমি কি (কুফর, শিরক ও সীমালংঘন থেকে) পবিত্র হবে?	فَقُلْ هَلْ لَّكَ اِلٰٓى اَنْ تَزَكّٰى ۙ﴿١٨﴾
১৯. আর আমি কি তোমাকে সঠিক পথ দেখাবো তোমার মালিকের দিকে, যাতে করে তোমার মধ্যে জাগ্রত হয় তাঁর ভয়?	وَاَهْدِيَكَ اِلٰى رَبِّكَ فَتَخْشٰى ۚ﴿١٩﴾
২০. তারপর সে (মূসা) তার (ফেরাউনের) কাছে গিয়ে তাকে অনেক বড় নিদর্শন দেখালো।	فَاَرٰىهُ الْاٰيَةَ الْكُبْرٰى ۖ﴿٢٠﴾
২১. কিন্তু সে মিথ্যা বলে প্রত্যাখ্যান করলো এবং অমান্য করলো।	فَكَذَّبَ وَعَصٰى ۖ﴿٢١﴾
২২. তারপর সে ষড়যন্ত্র আঁটার প্রচেষ্টায় পিছু হটলো।	ثُمَّ اَدْبَرَ يَسْعٰى ۖ﴿٢٢﴾
২৩. অতপর (জনতাকে) সমবেত করে ঘোষণা দিলো।	فَحَشَرَ فَنَادٰى ۖ﴿٢٣﴾
২৪. বললো: 'আমিই তোমাদের সর্বশ্রেষ্ঠ প্রভু।'	فَقَالَ اَنَا رَبُّكُمُ الْاَعْلٰى ۖ﴿٢٤﴾
২৫. সুতরাং আল্লাহ তাকে কঠিন শাস্তিতে পাকড়াও করলেন তার শেষ ও প্রথম সীমা লংঘনের জন্যে।	فَاَخَذَهُ اللّٰهُ نَكَالَ الْاٰخِرَةِ وَالْاُوْلٰى ؕ﴿٢٥﴾

রুকু ০১

২৬. অবশ্যি এ ঘটনার মধ্যে শিক্ষামূলক উপদেশ রয়েছে ঐ ব্যক্তির জন্যে, যে ভয় করে (আল্লাহকে)।	اِنَّ فِیْ ذٰلِكَ لَعِبْرَةً لِّمَنْ یَّخْشٰی ﴿۲۶﴾
২৭. তোমাদের সৃষ্টি করা বেশি কঠিন কাজ, না মহাকাশ সৃষ্টি করা? তিনিই তো সৃষ্টি করেছেন এই (মহাকাশ)।	ءَاَنْتُمْ اَشَدُّ خَلْقًا اَمِ السَّمَآءُ ؕ بَنٰىهَا ﴿۲۷﴾
২৮. তিনিই অনেক উপরে উঠিয়েছেন এর উচ্চতা, অতপর তাকে ভারসাম্যপূর্ণ ও সুবিন্যস্ত করেছেন।	رَفَعَ سَمْكَهَا فَسَوّٰىهَا ﴿۲۸﴾
২৯. আর রাতকে তিনি ঢেকে দেন অন্ধকার দিয়ে, আর দিনকে বের করে আনেন আলোকিত করে।	وَ اَغْطَشَ لَیْلَهَا وَ اَخْرَجَ ضُحٰىهَا ﴿۲۹﴾
৩০. এরপর তিনি বিছিয়ে দিয়েছেন পৃথিবীকে।	وَ الْاَرْضَ بَعْدَ ذٰلِكَ دَحٰىهَا ﴿۳۰﴾
৩১. তার (পৃথিবীর) মধ্য থেকেই বের করেছেন তার পানি ও তৃণ-লতা (উদ্ভিদ)।	اَخْرَجَ مِنْهَا مَآءَهَا وَ مَرْعٰىهَا ﴿۳۱﴾
৩২. এবং তার মধ্যে মজবুতভাবে গেড়ে দিয়েছেন পাহাড়-পর্বত।	وَ الْجِبَالَ اَرْسٰىهَا ﴿۳۲﴾
৩৩. (এসবই করেছেন) তোমাদের ও তোমাদের পশুদের কল্যাণার্থে।	مَتَاعًا لَّكُمْ وَ لِاَنْعَامِكُمْ ﴿۳۳﴾
৩৪. অতপর যেদিন ঘটে যাবে মহাবিপর্যয়,	فَاِذَا جَآءَتِ الطَّآمَّةُ الْكُبْرٰی ﴿۳۴﴾
৩৫. যেদিন মানুষ খুব করে স্মরণ করবে তার (পৃথিবীর জীবনের) সা'য়ীর (ব্যস্ততা ও কৃতকর্মের) কথা,	یَوْمَ یَتَذَكَّرُ الْاِنْسَانُ مَا سَعٰی ﴿۳۵﴾
৩৬. এবং যেদিন দর্শকদের সামনে খুলে ধরা হবে জাহিম (দোযখ),	وَ بُرِّزَتِ الْجَحِیْمُ لِمَنْ یَّرٰی ﴿۳۶﴾
৩৭. সেদিন (এই সিদ্ধান্ত ঘোষণা করা হবে যে,) পৃথিবীর জীবনে যারা সীমালংঘন করেছিল,	فَاَمَّا مَنْ طَغٰی ﴿۳۷﴾
৩৮. এবং (আখিরাতের চাইতে) অগ্রাধিকার দিয়েছিল দুনিয়ার জীবনকে,	وَ اٰثَرَ الْحَیٰوةَ الدُّنْیَا ﴿۳۸﴾
৩৯. তাদের আবাস হবে জাহিম (দোযখ)।	فَاِنَّ الْجَحِیْمَ هِیَ الْمَاْوٰی ﴿۳۹﴾
৪০. আর যে তার মহান প্রভুর সামনে দাঁড়াবার ভয়ে ভীত ছিলো এবং নিজেকে আত্মার দাসত্ব ও মন্দ কামনা-বাসনা থেকে বিরত রেখেছিল,	وَ اَمَّا مَنْ خَافَ مَقَامَ رَبِّهٖ وَ نَهَی النَّفْسَ عَنِ الْهَوٰی ﴿۴۰﴾
৪১. জান্নাতই হবে তাদের আবাস।	فَاِنَّ الْجَنَّةَ هِیَ الْمَاْوٰی ﴿۴۱﴾
৪২. (হে মুহাম্মদ!) এরা তোমাকে জিজ্ঞেস করছে সেই সময়টি সম্পর্কে -তা কখন অনুষ্ঠিত হবে?	یَسْـَٔلُوْنَكَ عَنِ السَّاعَةِ اَیَّانَ مُرْسٰىهَا ﴿۴۲﴾
৪৩. (কিন্তু) এ ব্যাপারে বলার কী জ্ঞান তোমার আছে?	فِیْمَ اَنْتَ مِنْ ذِكْرٰىهَا ﴿۴۳﴾
৪৪. এর জ্ঞান তো শুধুমাত্র তোমার প্রভুর নিকটই সীমাবদ্ধ।	اِلٰی رَبِّكَ مُنْتَهٰىهَا ﴿۴۴﴾

৪৫. তুমি তো একজন সতর্ককারী মাত্র, তাদের জন্যে যারা তাকে (কিয়ামতকে) ভয় করে।	اِنَّمَآ اَنْتَ مُنْذِرُ مَنْ يَّخْشٰهَا ۝٤٥
৪৬. যেদিন তারা সে দিনটিকে দেখতে পাবে, তারা অনুভব করবে, পৃথিবীতে তারা কাটিয়েছে একটি সন্ধ্যা, কিংবা একটি সকাল মাত্র।	كَاَنَّهُمْ يَوْمَ يَرَوْنَهَا لَمْ يَلْبَثُوْٓا اِلَّا عَشِيَّةً اَوْ ضُحٰهَا ۝٤٦

রুকু ০২

সূরা ৮০ আবাসা

মক্কায় অবতীর্ণ, আয়াত সংখ্যা: ৪২, রুকু সংখ্যা: ০১

এই সূরার আলোচ্যসূচি (আয়াত ভিত্তিক আলোচ্য বিষয়)

০১-১৬: দাওয়াতি কাজে কাদের প্রতি অধিক গুরুত্ব দিতে হবে? কুরআন একটি উপদেশগ্রন্থ, যার ইচ্ছা উপদেশ গ্রহণ করবে।

১৭-৩২: আল্লাহ্ মানুষকে সৃষ্টি করেছেন এবং তাকে জীবনোপকরণ দিয়েছেন।

৩৩-৪২: কিয়ামতের দিন পাপিষ্ঠরা আপনজন থেকে পালাবে। সেদিন কিছু মুখমন্ডল হবে উজ্জ্বল আর কিছু মুখমণ্ডল হবে কালো।

সূরা আবাসা (সে বিরক্তি প্রকাশ করলো) পরম করুণাময় পরম দয়াবান আল্লাহ্‌র নামে	سُوْرَةُ عَبَسَ بِسْمِ اللّٰهِ الرَّحْمٰنِ الرَّحِيْمِ
০১. সে বিরক্তি প্রকাশ করলো এবং মুখ (মনোযোগ) ফিরিয়ে নিলো,	عَبَسَ وَتَوَلّٰٓى ۝١
০২. এ কারণে যে অন্ধ লোকটি এসেছিল তার কাছে,	اَنْ جَآءَهُ الْاَعْمٰى ۝٢
০৩. তুমি কি করে জানবে, হয়তো সে শুদ্ধতা অর্জন করতো?	وَمَا يُدْرِيْكَ لَعَلَّهٗ يَزَّكّٰٓى ۝٣
০৪. কিংবা উপদেশ গ্রহণ করতো এবং সেই উপদেশ তার উপকার সাধন করতো?	اَوْ يَذَّكَّرُ فَتَنْفَعَهُ الذِّكْرٰى ۝٤
০৫. অথচ যে নিজেকে ভাবে মুখাপেক্ষাহীন,	اَمَّا مَنِ اسْتَغْنٰى ۝٥
০৬. তুমি মনোযোগ আরোপ করছো তার প্রতি।	فَاَنْتَ لَهٗ تَصَدّٰى ۝٦
০৭. তোমার কি আসে যায় যদি সে শুদ্ধতা অর্জন না করে?	وَمَا عَلَيْكَ اَلَّا يَزَّكّٰى ۝٧
০৮. কিন্তু যে ছুটে এসেছে তোমার কাছে,	وَاَمَّا مَنْ جَآءَكَ يَسْعٰى ۝٨
০৯. এবং সে (আল্লাহ ও তাঁর শাস্তিকে) ভয় করে,	وَهُوَ يَخْشٰى ۝٩
১০. তাকে তুমি অবজ্ঞা করলে এবং অন্যদের প্রতি মনোযোগী হলে।	فَاَنْتَ عَنْهُ تَلَهّٰى ۝١٠
১১. না (কখনো এমনটি করোনা); অবশ্যি এটি (এ কুরআন) একটি উপদেশ।	كَلَّآ اِنَّهَا تَذْكِرَةٌ ۝١١
১২. সুতরাং যার ইচ্ছে, সে এটি গ্রহণ করবে।	فَمَنْ شَآءَ ذَكَرَهٗ ۝١٢
১৩. (এটি সংরক্ষিত আছে) অতীব সম্মানিত সহীফা সমূহে (লওহে মাহফুযে)।	فِيْ صُحُفٍ مُّكَرَّمَةٍ ۝١٣
১৪. খুবই উঁচু মর্যাদা সম্পন্ন ও পবিত্র,	مَّرْفُوْعَةٍ مُّطَهَّرَةٍ ۝١٤

১৫. সেইসব লেখকদের (ফেরেশতাদের) হাতে,	بِاَيۡدِیۡ سَفَرَةٍ ﴿۱۵﴾
১৬. যারা সম্মানিত ও অনুগত।	كِرَامٍۭ بَرَرَةٍ ﴿۱۶﴾
১৭. ধ্বংস হলো (অবিশ্বাসী) মানুষগুলো। কতো বড় অকৃতজ্ঞ তারা!	قُتِلَ الۡاِنۡسَانُ مَاۤ اَكۡفَرَهٗ ﴿۱۷﴾
১৮. কোন্ জিনিস থেকে তিনি সৃষ্টি করেছেন তাকে (মানুষকে)?	مِنۡ اَیِّ شَیۡءٍ خَلَقَهٗ ﴿۱۸﴾
১৯. এক বিন্দু নোতফা (শুক্র) থেকে, তিনি তাকে সৃষ্টি করেছেন তারপর তাকে যথাযথভাবে গঠন করেছেন।	مِنۡ نُّطۡفَةٍ ؕ خَلَقَهٗ فَقَدَّرَهٗ ﴿۱۹﴾
২০. তারপর তিনি সহজ করে দেন তার জীবন চলার পথ।	ثُمَّ السَّبِیۡلَ یَسَّرَهٗ ﴿۲۰﴾
২১. তারপর তার মউত ঘটান এবং পৌঁছে দেন তাকে কবরে।	ثُمَّ اَمَاتَهٗ فَاَقۡبَرَهٗ ﴿۲۱﴾
২২. অতপর যখন চাইবেন , তখন আবার উঠিয়ে আনবেন তাকে।	ثُمَّ اِذَا شَآءَ اَنۡشَرَهٗ ﴿۲۲﴾
২৩. না, সে পালন করেনি তিনি যে নির্দেশ তাকে দিয়েছেন।	كَلَّا لَمَّا یَقۡضِ مَاۤ اَمَرَهٗ ﴿۲۳﴾
২৪. তবে, মানুষ তার খাবারের জিনিসগুলোর প্রতি নজর বুলিয়ে দেখুক (কে সৃষ্টি করেছে সেগুলো)।	فَلۡیَنۡظُرِ الۡاِنۡسَانُ اِلٰی طَعَامِهٖۤ ﴿۲۴﴾
২৫. আমরাই তো বর্ষণ করি প্রচুর পানি।	اَنَّا صَبَبۡنَا الۡمَآءَ صَبًّا ﴿۲۵﴾
২৬. তারপর শক্ত হয়ে এঁটে থাকা জমিনকে আমরা ফেঁড়ে দেই।	ثُمَّ شَقَقۡنَا الۡاَرۡضَ شَقًّا ﴿۲۶﴾
২৭. আর তাতে উৎপাদনের ব্যবস্থা করি শস্য,	فَاَنۡۢبَتۡنَا فِیۡهَا حَبًّا ﴿۲۷﴾
২৮. আংগুর, শাক-শবজি,	وَّ عِنَبًا وَّ قَضۡبًا ﴿۲۸﴾
২৯. যয়তুন, খেজুর,	وَّ زَیۡتُوۡنًا وَّ نَخۡلًا ﴿۲۹﴾
৩০. বিপুল বৃক্ষ-রাজির নিবিড় বন,	وَّ حَدَآئِقَ غُلۡبًا ﴿۳۰﴾
৩১. ফল-ফলারি এবং সেইসাথে অনেক ঘাস।	وَّ فَاكِهَةً وَّ اَبًّا ﴿۳۱﴾
৩২. (এভাবে আমিই ব্যবস্থা করি) তোমাদের ও তোমাদের গবাদি পশুর জীবন ধারণের সামগ্রী।	مَّتَاعًا لَّكُمۡ وَ لِاَنۡعَامِكُمۡ ﴿۳۲﴾
৩৩. অতপর যেদিন মহাধ্বনি (শিংগার দ্বিতীয় ফুৎকার) উচ্চারিত হবে,	فَاِذَا جَآءَتِ الصَّآخَّةُ ﴿۳۳﴾
৩৪. সেদিন মানুষ পালাবে তার ভাই থেকে,	یَوۡمَ یَفِرُّ الۡمَرۡءُ مِنۡ اَخِیۡهِ ﴿۳۴﴾
৩৫. তার মা থেকে এবং বাপ থেকে,	وَ اُمِّهٖ وَ اَبِیۡهِ ﴿۳۵﴾
৩৬. তার স্ত্রী ও সন্তানদের থেকে।	وَ صَاحِبَتِهٖ وَ بَنِیۡهِ ﴿۳۶﴾
৩৭. সে দিনটি হবে এতোই ভয়াবহ যে, সেদিন কেউই নিজের ছাড়া অন্য কারো ব্যাপারে ভাববারই চিন্তা করবেনা।	لِكُلِّ امۡرِیًٔ مِّنۡهُمۡ یَوۡمَئِذٍ شَاۡنٌ یُّغۡنِیۡهِ ﴿۳۷﴾

৩৮. সেদিন অনেক লোকের চেহারা হবে উজ্জ্বল,	وُجُوْهٌ يَّوْمَئِذٍ مُّسْفِرَةٌ ﴿٣٨﴾
৩৯. হাসি খুশি আর শুভ সংবাদে আনন্দ মুখর।	ضَاحِكَةٌ مُّسْتَبْشِرَةٌ ﴿٣٩﴾
৪০. আবার অনেক চেহারাই হবে সেদিন ধূলো-মলিন।	وَوُجُوْهٌ يَّوْمَئِذٍ عَلَيْهَا غَبَرَةٌ ﴿٤٠﴾
৪১. সেই চেহারাগুলোকে আচ্ছন্ন করবে কালিমা।	تَرْهَقُهَا قَتَرَةٌ ﴿٤١﴾
(রুকু ০১) ৪২. কারণ, তারা (হবে) অবিশ্বাসী-অমান্যকারী-কাফির এবং পাপিষ্ঠ-দূরাচারী।	أُولٰٓئِكَ هُمُ الْكَفَرَةُ الْفَجَرَةُ ﴿٤٢﴾

সূরা ৮১ আত তাকভীর

মক্কায় অবতীর্ণ, আয়াত সংখ্যা : ২৯, রুকু সংখ্যা: ০১

এই সূরার আলোচ্যসূচি (আয়াত ভিত্তিক আলোচ্য বিষয়)

০১-১৪: কিয়ামতের দৃশ্য।

১৫-২৯: কুরআনের সত্যতা। এটি বিশ্ববাসীর জন্য উপদেশ।

সূরা আত তাকভীর (গুটিয়ে নিয়ে আলোহীন করা) পরম করুণাময় পরম দয়াবান আল্লাহ্‌র নামে	سُوْرَةُ التَّكْوِيْرِ بِسْمِ اللّٰهِ الرَّحْمٰنِ الرَّحِيْمِ
০১. যখন গুটিয়ে নিয়ে আলোহীন করে দেয়া হবে সূর্যকে,	إِذَا الشَّمْسُ كُوِّرَتْ ﴿١﴾
০২. যখন বিক্ষিপ্ত হয়ে খসে পড়বে তারকারাজি,	وَإِذَا النُّجُوْمُ انْكَدَرَتْ ﴿٢﴾
০৩. যখন চালিয়ে দেয়া হবে পাহাড় পর্বত,	وَإِذَا الْجِبَالُ سُيِّرَتْ ﴿٣﴾
০৪. যখন উপেক্ষা করা হবে দশ মাসের পূর্ণ গর্ভবতী উটনীগুলোকে,	وَإِذَا الْعِشَارُ عُطِّلَتْ ﴿٤﴾
০৫. যখন সমবেত করা হবে বন্য পশুদের,	وَإِذَا الْوُحُوْشُ حُشِرَتْ ﴿٥﴾
০৬. যখন জ্বালিয়ে দেয়া হবে সমুদ্রগুলোতে আগুন,	وَإِذَا الْبِحَارُ سُجِّرَتْ ﴿٦﴾
০৭. যখন জুড়ে দেয়া হবে (দেহের সাথে) প্রাণগুলো,	وَإِذَا النُّفُوْسُ زُوِّجَتْ ﴿٧﴾
০৮. যখন জিজ্ঞাসা করা হবে জীবন্ত মাটি চাপা দিয়ে (হত্যা করা) মেয়েকে,	وَإِذَا الْمَوْءٗدَةُ سُئِلَتْ ﴿٨﴾
০৯. কী অপরাধের কারণে হত্যা করা হয়েছিল তাকে?	بِأَيِّ ذَنْۢبٍ قُتِلَتْ ﴿٩﴾
১০. যখন প্রকাশ করে দেয়া হবে সহিফা (কৃতকর্মের রেকর্ড) সমূহ,	وَإِذَا الصُّحُفُ نُشِرَتْ ﴿١٠﴾
১১. যখন আকাশের আবরণ খসিয়ে দিয়ে স্থানচ্যুত করা হবে তাকে,	وَإِذَا السَّمَآءُ كُشِطَتْ ﴿١١﴾
১২. যখন প্রজ্জ্বলিত হয়ে উঠবে জাহিম,	وَإِذَا الْجَحِيْمُ سُعِّرَتْ ﴿١٢﴾
১৩. এবং যখন নিকটে আনা হবে জান্নাত,	وَإِذَا الْجَنَّةُ أُزْلِفَتْ ﴿١٣﴾
১৪. তখন প্রত্যেক ব্যক্তিই জেনে যাবে- কী নিয়ে হাজির হয়েছে সে!	عَلِمَتْ نَفْسٌ مَّآ أَحْضَرَتْ ﴿١٤﴾

১৫. তাই, আমি নিশ্চিতভাবে শপথ করছি সেইসব গ্রহের, যেগুলো ফিরে যায়,	فَلَآ اُقۡسِمُ بِالۡخُنَّسِ ﴿١٥﴾
১৬. এবং সেইসব গ্রহের যেগুলো চলে এবং অদৃশ্য হয়ে যায়।	الۡجَوَارِ الۡكُنَّسِ ﴿١٦﴾
১৭. শপথ রাতের যখন তা বিদায় নেয়,	وَالَّيۡلِ اِذَا عَسۡعَسَ ﴿١٧﴾
১৮. শপথ প্রভাতের যখন তা হয়ে উঠে আলোকিত:	وَالصُّبۡحِ اِذَا تَنَفَّسَ ﴿١٨﴾
১৯. নিশ্চয়ই এটা (কুরআন) এমন একজন সম্মানিত বাণী বাহকের (জিবরিলের) আনীত বাণী,	اِنَّهٗ لَقَوۡلُ رَسُوۡلٍ كَرِيۡمٍ ﴿١٩﴾
২০. যে বড় শক্তিধর, এবং আরশের মালিকের কাছে মর্যাদার অধিকারী,	ذِىۡ قُوَّةٍ عِنۡدَ ذِى الۡعَرۡشِ مَكِيۡنٍ ﴿٢٠﴾
২১. সেখানে তাকে মান্য করা হয় এবং সে খুবই বিশ্বস্ত।	مُّطَاعٍ ثَمَّ اَمِيۡنٍ ﴿٢١﴾
২২. (হে লোকেরা!) তোমাদের সাথি (মুহাম্মদ) কোনো পাগল ব্যক্তি নয়,	وَمَا صَاحِبُكُمۡ بِمَجۡنُوۡنٍ ﴿٢٢﴾
২৩. সে বাণী বাহক (জিবরিল)-কে নিজের চোখে দেখেছে পরিষ্কার দিগন্তে,	وَلَقَدۡ رَاٰهُ بِالۡاُفُقِ الۡمُبِيۡنِ ﴿٢٣﴾
২৪. সে গায়েব-এর (জ্ঞানকে মানুষের কাছে প্রচার ও প্রকাশ করার) ব্যাপারে কৃপণ নয়।	وَمَا هُوَ عَلَى الۡغَيۡبِ بِضَنِيۡنٍ ﴿٢٤﴾
২৫. এবং এটা (এই কুরআন) অভিশপ্ত শয়তানের বক্তব্য নয়।	وَمَا هُوَ بِقَوۡلِ شَيۡطٰنٍ رَّجِيۡمٍ ﴿٢٥﴾
২৬. সুতরাং, কোন্ দিকে যাচ্ছো তোমরা?	فَاَيۡنَ تَذۡهَبُوۡنَ ﴿٢٦﴾
২৭. এটা (এই কুরআন) তো একটা উপদেশ সমগ্র জগতবাসীর জন্যে,	اِنۡ هُوَ اِلَّا ذِكۡرٌ لِّلۡعٰلَمِيۡنَ ﴿٢٧﴾
২৮. তোমাদের মধ্যকার এমন প্রত্যেক ব্যক্তির জন্যে, যে চলতে চায় সঠিক সরল পথে।	لِمَنۡ شَآءَ مِنۡكُمۡ اَنۡ يَّسۡتَقِيۡمَ ﴿٢٨﴾
২৯. আর তোমাদের চাওয়াতেই কিছুই হয়না, যদি আল্লাহ রাব্বুল আলামিন (তা) না চান।	وَمَا تَشَآءُوۡنَ اِلَّاۤ اَنۡ يَّشَآءَ اللّٰهُ رَبُّ الۡعٰلَمِيۡنَ ﴿٢٩﴾ রুকু ০১

সূরা ৮২ আল ইনফিতার

মক্কায় অবতীর্ণ, আয়াত সংখ্যা: ১৯, রুকু সংখ্যা: ০১

এই সূরার আলোচ্যসূচি (আয়াত ভিত্তিক আলোচ্য বিষয়)

- ০১-০৫: কিয়ামতের দৃশ্য।
- ০৬-১২: মানুষকে তার মহান স্রষ্টার ব্যাপারে কিসে প্রতারিত করছে। মানুষের কৃতকর্ম রেকর্ড করার জন্যে ফেরেশতা নিযুক্ত করা আছে।
- ১৩-১৯: পুণ্যবানরা থাকবে মহা অনুগ্রহরাজির মধ্যে। পাপিষ্ঠরা থাকবে জাহান্নামে। সেদিনকার নিরংকুশ কর্তৃত্ব থাকবে আল্লাহ্‌র হাতে।

সূরা আল ইনফিতার (ফেটে যাওয়া) পরম করুণাময় পরম দয়াবান আল্লাহ্‌র নামে।	سُوۡرَةُ الۡاِنۡفِطَارِ بِسۡمِ اللّٰهِ الرَّحۡمٰنِ الرَّحِيۡمِ
০১. যখন ফেটে যাবে আকাশ,	اِذَا السَّمَآءُ انۡفَطَرَتۡ ﴿١﴾

০২. যখন বিক্ষিপ্ত হয়ে খসে পড়বে নক্ষত্ররাজি,	وَاِذَا الْكَوَاكِبُ انْتَثَرَتْ ۝٢
০৩. যখন ফাটিয়ে ফেলা হবে সমুদ্রগুলো,	وَاِذَا الْبِحَارُ فُجِّرَتْ ۝٣
০৪. এবং যখন খুলে দেয়া হবে কবরগুলো,	وَاِذَا الْقُبُوْرُ بُعْثِرَتْ ۝٤
০৫. তখন প্রত্যেক ব্যক্তিই জানতে পারবে, সে কী পাঠিয়েছে সামনের জন্যে, আর কী রেখে এসেছে পেছনে?	عَلِمَتْ نَفْسٌ مَّا قَدَّمَتْ وَاَخَّرَتْ ۝٥
০৬. হে মানুষ! কোন্ জিনিস তোমাকে ধোকায় ফেলে রেখেছে তোমার মহান প্রভুর ব্যাপারে?	يٰۤاَيُّهَا الْاِنْسَانُ مَا غَرَّكَ بِرَبِّكَ الْكَرِيْمِ ۝٦
০৭. যিনি সৃষ্টি করেছেন তোমাকে, পূর্ণাংগভাবে সাজিয়েছেন, অতপর গড়ে তুলেছেন সুষম করে?	الَّذِيْ خَلَقَكَ فَسَوّٰىكَ فَعَدَلَكَ ۝٧
০৮. এবং যে সুরত-আকৃতিতে চেয়েছেন গঠন করেছেন তোমাকে।	فِيْۤ اَيِّ صُوْرَةٍ مَّا شَآءَ رَكَّبَكَ ۝٨
০৯. না, কখনো নয়, বরং তোমরা শেষ বিচার ও প্রতিদানকেই (শাস্তি আর পুরস্কারকেই) অস্বীকার করছো।	كَلَّا بَلْ تُكَذِّبُوْنَ بِالدِّيْنِ ۝٩
১০. জেনে রাখো, অবশ্যি তোমাদের উপর নিযুক্ত রয়েছে পরিদর্শক।	وَاِنَّ عَلَيْكُمْ لَحٰفِظِيْنَ ۝١٠
১১. তারা হলো মর্যাদাবান নিবন্ধনকারী (recorder)।	كِرَامًا كَاتِبِيْنَ ۝١١
১২. তারা জানে তোমরা যা-ই করো।	يَعْلَمُوْنَ مَا تَفْعَلُوْنَ ۝١٢
১৩. নিশ্চয়ই সৎ-সত্যপন্থী লোকেরা (সেদিন) থাকবে ভোগ-বিলাসে।	اِنَّ الْاَبْرَارَ لَفِيْ نَعِيْمٍ ۝١٣
১৪. আর সীমালংঘনকারী-পাপিষ্ঠরা থাকবে জাহিমে।	وَاِنَّ الْفُجَّارَ لَفِيْ جَحِيْمٍ ۝١٤
১৫. তারা প্রবেশ করবে তাতে প্রতিদান দিবসে।	يَّصْلَوْنَهَا يَوْمَ الدِّيْنِ ۝١٥
১৬. সেখান থেকে গর-হাজির থাকার কোনো সুযোগ তাদের থাকবে না।	وَمَا هُمْ عَنْهَا بِغَآئِبِيْنَ ۝١٦
১৭. তুমি কিভাবে জানবে, প্রতিদান দিবস কী?	وَمَاۤ اَدْرٰىكَ مَا يَوْمُ الدِّيْنِ ۝١٧
১৮. আবার বলছি তুমি কিভাবে জানবে, প্রতিদান দিবস কী?	ثُمَّ مَاۤ اَدْرٰىكَ مَا يَوْمُ الدِّيْنِ ۝١٨
১৯. এটা সেই দিন, যেদিন কোনো ব্যক্তির অপর ব্যক্তির জন্যে কিছু করার কোনো ক্ষমতা থাকবেনা। সেদিন সমস্ত কর্তৃত্ব থাকবে একমাত্র আল্লাহ্‌র হাতে।	يَوْمَ لَا تَمْلِكُ نَفْسٌ لِّنَفْسٍ شَيْـًٔا ؕ وَالْاَمْرُ يَوْمَئِذٍ لِّلّٰهِ ۝١٩

রুকু ০১

সূরা ৮৩ আল মুতাফ্‌ফিফীন

মক্কায় অবতীর্ণ, আয়াত সংখ্যা : ৩৬, রুকু সংখ্যা: ০১

এই সূরার আলোচ্যসূচি (আয়াত ভিত্তিক আলোচ্য বিষয়)

০১-১৭: ঠকবাজরা জেনে রাখুক কিয়ামত অবশ্যি অনুষ্ঠিত হবে। তারা সেদিন তাদের প্রভুকে দেখতে পাবেনা। তারা জাহান্নামে নিক্ষিপ্ত হবে।

১৮-৩৬: পুণ্যবানরা থাকবে উচ্চ মর্যাদায় নিয়ামতে ভরা জান্নাতে। সেদিন তারা কাফিরদের বিদ্রুপ করবে যেমন দুনিয়াতে কাফিররা তাদের নিয়ে বিদ্রুপ করে।

সূরা আল মুতাফ্‌ফিফীন (ঠকবাজ ব্যক্তিরা) পরম করুণাময় পরম দয়াবান আল্লাহ্‌র নামে	سُوْرَةُ الْمُطَفِّفِيْنَ بِسْمِ اللّٰهِ الرَّحْمٰنِ الرَّحِيْمِ
০১. যারা মাপে-ওজনে কম দেয় তাদের জন্যে ওয়াইল (ধ্বংস)।	وَيْلٌ لِّلْمُطَفِّفِيْنَ ۙ﴿١﴾
০২. মানুষের কাছ থেকে মেপে নেয়ার সময় তারা পুরো মাত্রায় দাবি করে,	الَّذِيْنَ اِذَا اكْتَالُوْا عَلَى النَّاسِ يَسْتَوْفُوْنَ ۖ﴿٢﴾
০৩. এবং যখন অন্যদের মেপে বা ওজন করে দেয়, তখন প্রাপ্যের চাইতে কম দেয়।	وَاِذَا كَالُوْهُمْ اَوْ وَّزَنُوْهُمْ يُخْسِرُوْنَ ؕ﴿٣﴾
০৪. এরা কি ভাবেনা যে, (মৃত্যুর পর) এদের পুনরায় উঠিয়ে আনা হবে,	اَلَا يَظُنُّ اُولٰٓئِكَ اَنَّهُمْ مَّبْعُوْثُوْنَ ۙ﴿٤﴾
০৫. এক মহা দিবসে?	لِيَوْمٍ عَظِيْمٍ ۙ﴿٥﴾
০৬. এটা হবে সেই দিন, যে দিন সমস্ত মানুষ দাঁড়াবে রাব্বুল আলামিনের সামনে।	يَّوْمَ يَقُوْمُ النَّاسُ لِرَبِّ الْعٰلَمِيْنَ ؕ﴿٦﴾
০৭. কখনো নয়, বরং সীমালংঘনকারী পাপীদের রেকর্ড রাখা হয় সিজ্‌জীনে।	كَلَّآ اِنَّ كِتٰبَ الْفُجَّارِ لَفِيْ سِجِّيْنٍ ؕ﴿٧﴾
০৮. তুমি কিভাবে জানবে, সিজজীন কী?	وَمَآ اَدْرٰىكَ مَا سِجِّيْنٌ ؕ﴿٨﴾
০৯. তা হচ্ছে খোদাই করা (তালিকার) রেকর্ড।	كِتٰبٌ مَّرْقُوْمٌ ؕ﴿٩﴾
১০. যারা অস্বীকার করে, সেদিন তাদের জন্যে হবে ওয়াইল (ধ্বংস),	وَيْلٌ يَّوْمَئِذٍ لِّلْمُكَذِّبِيْنَ ۙ﴿١٠﴾
১১. এরা তারা, যারা অস্বীকার করে বিচার ও প্রতিদান দিবসকে।	الَّذِيْنَ يُكَذِّبُوْنَ بِيَوْمِ الدِّيْنِ ؕ﴿١١﴾
১২. সীমালংঘনকারী পাপিষ্ঠ ছাড়া আর কেউ-ই অস্বীকার করেনা সেই দিবসকে।	وَمَا يُكَذِّبُ بِهٖٓ اِلَّا كُلُّ مُعْتَدٍ اَثِيْمٍ ۙ﴿١٢﴾
১৩. তাকে যখন আমার (কুরআনের) আয়াত শুনানো হয়, সে বলে: এ-তো সেকালের লোকদের উপকথা।	اِذَا تُتْلٰى عَلَيْهِ اٰيٰتُنَا قَالَ اَسَاطِيْرُ الْاَوَّلِيْنَ ؕ﴿١٣﴾
১৪. না, তা কখনো নয়, বরং তাদের হৃদয়গুলোতে জঙ ধরিয়ে দিয়েছে তাদের (মন্দ) কৃতকর্ম।	كَلَّا بَلْ ۜ سكتة رَانَ عَلٰى قُلُوْبِهِمْ مَّا كَانُوْا يَكْسِبُوْنَ ﴿١٤﴾

১৫. কখনো নয়, সেদিন অবশ্যি তাদেরকে তাদের প্রভুর দর্শন থেকে হিজাব করে (অন্তরালে) রাখা হবে।	كَلَّآ اِنَّهُمۡ عَنۡ رَّبِّهِمۡ يَوۡمَئِذٍ لَّمَحۡجُوۡبُوۡنَ ﴿١٥﴾
১৬. তারপর তারা অবশ্যি প্রবেশ করবে জাহিমে।	ثُمَّ اِنَّهُمۡ لَصَالُوا الۡجَحِيۡمِ ﴿١٦﴾
১৭. তখন তাদের বলা হবে: এটি সেই জিনিস, যা তোমরা অস্বীকার করতে।	ثُمَّ يُقَالُ هٰذَا الَّذِىۡ كُنۡتُمۡ بِهٖ تُكَذِّبُوۡنَ ﴿١٧﴾
১৮. কখনো নয়; অবশ্যি সৎ-সত্যপন্থী লোকদের রেকর্ড সংরক্ষিত থাকে ইল্লিয়্যিনে।	كَلَّآ اِنَّ كِتٰبَ الۡاَبۡرَارِ لَفِىۡ عِلِّيِّيۡنَ ﴿١٨﴾
১৯. তুমি কি জানো-ইল্লিয়্যিন কী?	وَمَاۤ اَدۡرٰكَ مَا عِلِّيُّوۡنَ ﴿١٩﴾
২০. তা হচ্ছে খোদাই করা (তালিকার) রেকর্ড।	كِتٰبٌ مَّرۡقُوۡمٌ ﴿٢٠﴾
২১. তার দেখাশুনায় নিয়োজিত আল্লাহর নিকটস্থ ফেরেশতারা।	يَّشۡهَدُهُ الۡمُقَرَّبُوۡنَ ﴿٢١﴾
২২. সৎ-সত্যপন্থী লোকেরা অবশ্যি থাকবে আনন্দ আর ভোগ বিলাসে।	اِنَّ الۡاَبۡرَارَ لَفِىۡ نَعِيۡمٍ ﴿٢٢﴾
২৩. সিংহাসনে উপবেশন করে তারা দেখবে (সবকিছু)।	عَلَى الۡاَرَآئِكِ يَنۡظُرُوۡنَ ﴿٢٣﴾
২৪. তুমি তাদের চেহারায় দেখতে পাবে আনন্দের উজ্জ্বলতা।	تَعۡرِفُ فِىۡ وُجُوۡهِهِمۡ نَضۡرَةَ النَّعِيۡمِ ﴿٢٤﴾
২৫. তাদের পান করতে দেয়া হবে সীল করা বিশুদ্ধ শরাব (পানীয়)।	يُسۡقَوۡنَ مِنۡ رَّحِيۡقٍ مَّخۡتُوۡمٍ ﴿٢٥﴾
২৬. পান শেষে তারা সৌরভ পাবে মিশ্‌কের। অতএব যারা প্রতিযোগিতায় অবতীর্ণ হয়, তারা এরি জন্যে অবতীর্ণ হোক প্রতিযোগিতায়।	خِتٰمُهٗ مِسۡكٌ ؕ وَفِىۡ ذٰلِكَ فَلۡيَتَنَافَسِ الۡمُتَنَافِسُوۡنَ ﴿٢٦﴾
২৭. সেই শরাব হবে তাসনিম মিশ্রিত।	وَمِزَاجُهٗ مِنۡ تَسۡنِيۡمٍ ﴿٢٧﴾
২৮. এটা (তাসনিম) হলো একটা ঝর্ণা, যা থেকে পান করবে আল্লাহর নৈকট্য লাভকারীরা।	عَيۡنًا يَّشۡرَبُ بِهَا الۡمُقَرَّبُوۡنَ ﴿٢٨﴾
২৯. (পৃথিবীর জীবনে) যারা অপরাধ করতো, তারা ঈমানের পথে চলা লোকদের হাসি-ঠাট্টা করতো।	اِنَّ الَّذِيۡنَ اَجۡرَمُوۡا كَانُوۡا مِنَ الَّذِيۡنَ اٰمَنُوۡا يَضۡحَكُوۡنَ ﴿٢٩﴾
৩০. এবং যখনই মুমিনদের নিকট দিয়ে গমনাগমন করতো, তাদের প্রতি (বিদ্রুপাত্মক) ইংগিত করতো।	وَاِذَا مَرُّوۡا بِهِمۡ يَتَغَامَزُوۡنَ ﴿٣٠﴾
৩১. এবং নিজেদের পরিবার-পরিজনের কাছে ফেরার সময় ফিরতো উৎফুল্ল হয়ে।	وَاِذَا انۡقَلَبُوۡۤا اِلٰٓى اَهۡلِهِمُ انۡقَلَبُوۡا فَكِهِيۡنَ ﴿٣١﴾
৩২. আর মুমিনদের দেখলে বলতো: এরা সব বিপথগামী।	وَاِذَا رَاَوۡهُمۡ قَالُوۡۤا اِنَّ هٰٓؤُلَاۤءِ لَضَآلُّوۡنَ ﴿٣٢﴾
৩৩. অথচ তাদেরকে এদের (মুমিনদের) উপর তত্ত্বাবধায়ক বানিয়ে পাঠানো হয়নি।	وَمَاۤ اُرۡسِلُوۡا عَلَيۡهِمۡ حٰفِظِيۡنَ ﴿٣٣﴾

৩৪. সুতরাং আজ মুমিনরা উপহাস করবে কাফিরদের সাথে।	فَالْيَوْمَ الَّذِيْنَ اٰمَنُوْا مِنَ الْكُفَّارِ يَضْحَكُوْنَ ﴿٣٤﴾
৩৫. সিংহাসনে বসে তারা দেখবে তাদের।	عَلَى الْاَرَآئِكِ ۙ يَنْظُرُوْنَ ﴿٣٥﴾
৩৬. কাফিরদেরকে তাদের কৃতকর্মের সওয়াব (পুরস্কার) কি (পুরোপুরি) দেয়া হলোনা?	هَلْ ثُوِّبَ الْكُفَّارُ مَا كَانُوْا يَفْعَلُوْنَ ﴿٣٦﴾

রুকু ০১

সূরা ৮৪ আল ইনশিকাক

মক্কায় অবতীর্ণ, আয়াত সংখ্যা: ২৫, রুকু সংখ্যা: ০১

এই সূরার আলোচ্যসূচি (আয়াত ভিত্তিক আলোচ্য বিষয়)

০১-০৫: কিয়ামতের দৃশ্য।

০৬-২৫: মানুষ এগিয়ে চলছে তার প্রভুর সামনে উপস্থিত হওয়ার জন্যে। যে তার আমলনামা ডান হাতে পাবে তার হিসাব নেয়া হবে সহজ। যার আমলনামা বাম হাতে দেয়া হবে সে ডাকবে মৃত্যুকে। মুমিনদের জন্যে থাকবে অফুরন্ত পুরস্কার।

সূরা আল ইনশিকাক (ফেটে চুর্ণ বিচুর্ণ হওয়া) পরম করুণাময় পরম দয়াবান আল্লাহ্‌র নামে	سُوْرَةُ الْاِنْشِقَاقِ بِسْمِ اللّٰهِ الرَّحْمٰنِ الرَّحِيْمِ
০১. যখন ফেটে (চুর্ণ বিচুর্ণ হয়ে) যাবে আকাশ,	اِذَا السَّمَآءُ انْشَقَّتْ ﴿١﴾
০২. এবং সে তার প্রভুর ফরমান পালন করবে, আর তা করাটাই তার জন্যে হক (বাস্তব)।	وَاَذِنَتْ لِرَبِّهَا وَحُقَّتْ ﴿٢﴾
০৩. এবং যখন পৃথিবীকে করে দেয়া হবে প্রসারিত।	وَاِذَا الْاَرْضُ مُدَّتْ ﴿٣﴾
০৪. আর তার ভেতরে যা কিছু ছিলো, সব বাইরে নিক্ষেপ করে সে খালি হয়ে যাবে।	وَاَلْقَتْ مَا فِيْهَا وَتَخَلَّتْ ﴿٤﴾
০৫. এভাবে সে তার রবের হুকুম পালন করবে, আর তা করাটাই তার জন্যে হক (বাস্তব)।	وَاَذِنَتْ لِرَبِّهَا وَحُقَّتْ ﴿٥﴾
০৬. হে মানুষ ! তুমি তোমার (ভালো-মন্দ) কৃতকর্মের বোঝা নিয়ে ফিরে চলছো তোমরা মালিকের দিকে। এ এক অবধারিত প্রত্যাবর্তন। সামনে এগিয়েই তাঁর সাথে মুলাকাত (সাক্ষাত) করবে।	يٰۤاَيُّهَا الْاِنْسَانُ اِنَّكَ كَادِحٌ اِلٰى رَبِّكَ كَدْحًا فَمُلٰقِيْهِ ﴿٦﴾
০৭. সেখানে যার কিতাব (কৃতকর্মের রেকর্ড বা আমলনামা) দেয়া হবে তার ডান হাতে,	فَاَمَّا مَنْ اُوْتِيَ كِتٰبَهٗ بِيَمِيْنِهٖ ﴿٧﴾
০৮. তার কাছ থেকে নেয়া হবে একটা সহজ হিসাব,	فَسَوْفَ يُحَاسَبُ حِسَابًا يَّسِيْرًا ﴿٨﴾
০৯. এবং সে তার পরিবার-পরিজনের কাছে ফিরে যাবে হাসি খুশি, আনন্দ উৎফুল্ল চিত্তে।	وَّيَنْقَلِبُ اِلٰۤى اَهْلِهٖ مَسْرُوْرًا ﴿٩﴾

১০. তবে যার কিতাব (কৃতকর্মের রেকর্ড বা আমলনামা) দেয়া হবে তার পেছন দিক থেকে,	وَ اَمَّا مَنْ اُوْتِیَ كِتٰبَهٗ وَرَآءَ ظَهْرِهٖ ۙ﴿۱۰﴾
১১. সে ডাকবে মৃত্যুকে,	فَسَوْفَ يَدْعُوْا ثُبُوْرًا ۙ﴿۱۱﴾
১২. এবং সে প্রবেশ করবে সায়ীরে (জলন্ত আগুনে)।	وَّ يَصْلٰى سَعِيْرًا ؕ﴿۱۲﴾
১৩. সে তো (দুনিয়ার জীবনে) তার পরিবার-পরিজনদের মধ্যে থাকতো আনন্দে মেতে।	اِنَّهٗ كَانَ فِیْۤ اَهْلِهٖ مَسْرُوْرًا ؕ﴿۱۳﴾
১৪. নিশ্চয়ই সে মনে করতো, তার কখনো ফিরে আসতে হবেনা (আমার কাছে)।	اِنَّهٗ ظَنَّ اَنْ لَّنْ يَّحُوْرَ ۚ﴿۱۴﴾
১৫. হ্যাঁ, অবশ্যি (তাকে ফিরে আসতেই হবে), কখনো তাকে দৃষ্টির আড়াল করেননি তার প্রভু।	بَلٰۤی ۚۛ اِنَّ رَبَّهٗ كَانَ بِهٖ بَصِيْرًا ؕ﴿۱۵﴾
১৬. আমি শপথ করছি অস্ত লালিমার,	فَلَاۤ اُقْسِمُ بِالشَّفَقِ ۙ﴿۱۶﴾
১৭. শপথ করছি রাতের, আর সে তার অন্ধকারে যা কিছুর সমাবেশ ঘটায় (সেগুলোর)।	وَ الَّيْلِ وَ مَا وَسَقَ ۙ﴿۱۷﴾
১৮. শপথ করছি চাঁদের, যখন সে উপনীত হয় পূর্ণিমায়।	وَ الْقَمَرِ اِذَا اتَّسَقَ ۙ﴿۱۸﴾
১৯. নিশ্চয়ই তোমরা আরোহণ করতে থাকবে এক তবকা (স্তর) থেকে আরেক তবকায়।	لَتَرْكَبُنَّ طَبَقًا عَنْ طَبَقٍ ؕ﴿۱۹﴾
২০. সুতরাং তাদের হলো কি যে, তারা ঈমান আনে না?	فَمَا لَهُمْ لَا يُؤْمِنُوْنَ ۙ﴿۲۰﴾
২১. এবং যখন তাদের কাছে কুরআন পেশ করা হয়, তখন সাজদা করেনা (অবনত হয়না)? (সাজদা)	وَ اِذَا قُرِئَ عَلَيْهِمُ الْقُرْاٰنُ لَا يَسْجُدُوْنَ ؕ۩﴿۲۱﴾
২২. বরং যারা কুফরির পথ অবলম্বন করে, তারা (এই কুরআনকে) অস্বীকার করে।	بَلِ الَّذِيْنَ كَفَرُوْا يُكَذِّبُوْنَ ۫ۖ﴿۲۲﴾
২৩. অথচ আল্লাহই অধিক জানেন (তারা তাদের আমলনামায়) কী জমা করছে?	وَ اللّٰهُ اَعْلَمُ بِمَا يُوْعُوْنَ ۫ۖ﴿۲۳﴾
২৪. সুতরাং তাদেরকে সংবাদ দাও যন্ত্রনাদায়ক আযাবের।	فَبَشِّرْهُمْ بِعَذَابٍ اَلِيْمٍ ۙ﴿۲۴﴾
২৫. তবে যারা ঈমান আনে এবং আমলে সালেহ্ করে, তাদের জন্য রয়েছে অফুরন্ত পুরস্কার।	اِلَّا الَّذِيْنَ اٰمَنُوْا وَ عَمِلُوا الصّٰلِحٰتِ لَهُمْ اَجْرٌ غَيْرُ مَمْنُوْنٍ ﴿۲۵﴾

রুকু ০১

সূরা ৮৫ আল বুরূজ

মক্কায় অবতীর্ণ, আয়াত সংখ্যা : ২২, রুকু সংখ্যা: ০১

এই সূরার আলোচ্যসূচি (আয়াত ভিত্তিক আলোচ্য বিষয়)

০১-১১: মুমিনদের নির্যাতনের জন্যে যারা গর্ত খুঁড়েছিল তাদের জন্যে রয়েছে ধ্বংস। মুমিনদের জন্যে রয়েছে মহাসাফল্য।

১২-২২: আল্লাহ্‌র পাকড়াও বড় কঠোর, তিনি মহান আরশের মালিক। ফেরাউন ও সামুদ জাতিকে তিনি ধ্বংস করে দিয়েছিলেন। কাফিররা কুরআনকে প্রত্যাখ্যান করছে অথচ আল্লাহ্ তাদের পরিবেষ্টন করে রেখেছেন।

সূরা আল বুরূজ (বিশাল বিশাল নক্ষত্র) পরম করুণাময় পরম দয়াবান আল্লাহ্‌র নামে	سُوْرَةُ الْبُرُوْجِ بِسْمِ اللّٰهِ الرَّحْمٰنِ الرَّحِيْمِ
০১. শপথ বুরূজ (বিশাল বিশাল গ্রহ-নক্ষত্র) ওয়ালা আকাশের।	وَالسَّمَآءِ ذَاتِ الْبُرُوْجِ ①
০২. শপথ ওয়াদাকৃত দিনটির।	وَالْيَوْمِ الْمَوْعُوْدِ ②
০৩. শপথ দ্রষ্টা এবং দৃশ্যের।	وَشَاهِدٍ وَّ مَشْهُوْدٍ ③
০৪. ধ্বংস হয়েছে সেই গর্তওয়ালা লোকেরা, (যারা গর্ত খনন করেছিল এবং সে গর্তে)	قُتِلَ اَصْحٰبُ الْاُخْدُوْدِ ④
০৫. জ্বালানি পূর্ণ করে জ্বালিয়ে দিয়েছিল আগুন।	النَّارِ ذَاتِ الْوَقُوْدِ ⑤
০৬. তখন গর্তের কিনারেই বসেছিল তারা।	اِذْ هُمْ عَلَيْهَا قُعُوْدٌ ⑥
০৭. এবং তারা মুমিনদের সাথে যা করছিল তা অবলোকন করছিল।	وَّ هُمْ عَلٰى مَا يَفْعَلُوْنَ بِالْمُؤْمِنِيْنَ شُهُوْدٌ ⑦
০৮. তারা তাদের (মুমিনদের) থেকে প্রতিশোধ নিয়েছিল শুধুমাত্র এই অপরাধে যে, তারা অসীম ক্ষমতাবান সপ্রশংসিত আল্লাহ্‌র প্রতি ঈমান এনেছিল,	وَمَا نَقَمُوْا مِنْهُمْ اِلَّاۤ اَنْ يُّؤْمِنُوْا بِاللّٰهِ الْعَزِيْزِ الْحَمِيْدِ ⑧
০৯. যিনি মহাকাশ এবং এই পৃথিবীর কর্তৃত্বের মালিক। আর আল্লাহ সব কিছুর সাক্ষী।	الَّذِيْ لَهٗ مُلْكُ السَّمٰوٰتِ وَ الْاَرْضِ ؕ وَ اللّٰهُ عَلٰى كُلِّ شَيْءٍ شَهِيْدٌ ⑨
১০. যারা মুমিন পুরুষ ও মুমিন নারীদের উপর যুলুম নির্যাতন চালিয়েছে, তারপর অনুতপ্ত হয়ে সেকাজ থেকে ফিরে আসেনি (আল্লাহর দিকে), তাদের জন্যে রয়েছে জাহান্নামের আযাব, আর জ্বালিয়ে-পুড়িয়ে যন্ত্রণা দেয়ার শাস্তি।	اِنَّ الَّذِيْنَ فَتَنُوا الْمُؤْمِنِيْنَ وَالْمُؤْمِنٰتِ ثُمَّ لَمْ يَتُوْبُوْا فَلَهُمْ عَذَابُ جَهَنَّمَ وَلَهُمْ عَذَابُ الْحَرِيْقِ ⑩
১১. নিশ্চয়ই যারা ঈমান এনেছে এবং আমলে সালেহ্ করেছে, তাদের জন্যে রয়েছে জান্নাত, সেসব বাগিচার নিচে দিয়ে বহমান থাকবে নদ-নদী-নহর। এটাই (মানব জীবনের) মহাসাফল্য।	اِنَّ الَّذِيْنَ اٰمَنُوْا وَ عَمِلُوا الصّٰلِحٰتِ لَهُمْ جَنّٰتٌ تَجْرِيْ مِنْ تَحْتِهَا الْاَنْهٰرُ ؕ۬ ذٰلِكَ الْفَوْزُ الْكَبِيْرُ ⑪

১২. নিশ্চয়ই তোমার প্রভুর গ্রেফতারি বড়ই শক্ত এবং কঠিন।	اِنَّ بَطۡشَ رَبِّكَ لَشَدِيۡدٌ ﴿۱۲﴾
১৩. নিশ্চয়ই তিনি সেই মহান সত্তা, যিনি সৃষ্টি করেন এবং পুনরায় (সৃষ্টি) করবেন।	اِنَّهٗ هُوَ يُبۡدِئُ وَ يُعِيۡدُ ﴿۱۳﴾
১৪. এবং তিনি পরম ক্ষমাশীল এবং প্রেম-ভালোবাসা ও মমতার সাগর,	وَ هُوَ الۡغَفُوۡرُ الۡوَدُوۡدُ ﴿۱۴﴾
১৫. মহিমান্বিত আরশের অধিপতি।	ذُو الۡعَرۡشِ الۡمَجِيۡدُ ﴿۱۵﴾
১৬. তিনি (যখন) যা চান তাই করেন।	فَعَّالٌ لِّمَا يُرِيۡدُ ﴿۱۶﴾
১৭. তোমার কাছে কি খবর পৌঁছেছে সৈন্যবাহিনীর,	هَلۡ اَتٰىكَ حَدِيۡثُ الۡجُنُوۡدِ ﴿۱۷﴾
১৮. ফেরাউন এবং সামুদের?	فِرۡعَوۡنَ وَ ثَمُوۡدَ ﴿۱۸﴾
১৯. কিন্তু যারা কুফরির পথ ধরেছে, তারা অস্বীকার করেই চলেছে,	بَلِ الَّذِيۡنَ كَفَرُوۡا فِيۡ تَكۡذِيۡبٍ ﴿۱۹﴾
২০. আর আল্লাহ পেছন থেকে (তাদের অজ্ঞাতেই) ঘেরাও করে রেখেছেন তাদের।	وَّ اللّٰهُ مِنۡ وَّرَآئِهِمۡ مُّحِيۡطٌ ﴿۲۰﴾
২১. (তোমাদের অস্বীকার করায় কিছুই যায় আসেনা) কারণ, এ এক মহিমা মন্ডিত কুরআন,	بَلۡ هُوَ قُرۡاٰنٌ مَّجِيۡدٌ ﴿۲۱﴾
২২. লওহে মাহফুযে (সুরক্ষিত ফলকে সংরক্ষিত)।	فِيۡ لَوۡحٍ مَّحۡفُوۡظٍ ﴿۲۲﴾

সূরা ৮৬ আত তারিক

মক্কায় অবতীর্ণ, আয়াত সংখ্যা: ১৭, রুকু সংখ্যা: ০১

এই সূরার আলোচ্যসূচি (আয়াত ভিত্তিক আলোচ্য বিষয়)

০১-১৭: প্রত্যেক ব্যক্তির পেছনে রক্ষী নিয়োগ করা আছে। মানুষকে প্রথমবার যিনি সৃষ্টি করেছেন তিনিই পুনর্জীবিত করবেন। প্রত্যাখ্যানকারীরা ষড়যন্ত্র করছে, আমিও কৌশল করছি।

সূরা আত তারিক (রাত্রে আত্মপ্রকাশকারী) পরম করুণাময় পরম দয়াবান আল্লাহ্‌র নামে	سُوۡرَةُ الطَّارِقِ بِسۡمِ اللّٰهِ الرَّحۡمٰنِ الرَّحِيۡمِ
০১. শপথ আকাশের আর রাত্রে আত্মপ্রকাশকারীর।	وَ السَّمَآءِ وَ الطَّارِقِ ﴿۱﴾
০২. তুমি কি জানো রাত্রে আত্মপ্রকাশকারী (বস্তু) কী?	وَ مَاۤ اَدۡرٰىكَ مَا الطَّارِقُ ﴿۲﴾
০৩. তা হলো উজ্জ্বল তারকা।	النَّجۡمُ الثَّاقِبُ ﴿۳﴾
০৪. এমন কোনো প্রাণ (মানুষ) নেই, যার উপর একজন হিফাযতকারী (পাহারাদার) নিযুক্ত নেই।	اِنۡ كُلُّ نَفۡسٍ لَّمَّا عَلَيۡهَا حَافِظٌ ﴿۴﴾
০৫. মানুষ নজর করে দেখুক, তাকে সৃষ্টি করা হয়েছে কোন্ জিনিস থেকে?	فَلۡيَنۡظُرِ الۡاِنۡسَانُ مِمَّ خُلِقَ ﴿۵﴾
০৬. তাকে সৃষ্টি করা হয়েছে পানি থেকে, যা নিঃসৃত হয়েছে প্রবল বেগে।	خُلِقَ مِنۡ مَّآءٍ دَافِقٍ ﴿۶﴾

০৭. যা নির্গত হয় মেরুদন্ড এবং পাঁজরের মধ্যখান থেকে।	يَّخْرُجُ مِنْۢ بَيْنِ الصُّلْبِ وَالتَّرَآئِبِ ﴿٧﴾
০৮. অবশ্যি তিনি সক্ষম তাকে পুনরায় জীবিত করতে।	اِنَّهٗ عَلٰى رَجْعِهٖ لَقَادِرٌ ﴿٨﴾
০৯. যেদিন পরীক্ষা করা হবে গোপন বিষয়সমূহ,	يَوْمَ تُبْلَى السَّرَآئِرُ ﴿٩﴾
১০. সেদিন তার কোনো শক্তিও থাকবেনা, সাহায্যকারীও থাকবেনা।	فَمَا لَهٗ مِنْ قُوَّةٍ وَّلَا نَاصِرٍ ﴿١٠﴾
১১. শপথ (বৃষ্টির মেঘধারী) আকাশের, যা পুন পুন বৃষ্টিপাত করে।	وَالسَّمَآءِ ذَاتِ الرَّجْعِ ﴿١١﴾
১২. শপথ পৃথিবীর, যা বিদীর্ণ হয় (উদ্ভিদ উঠার সময়)।	وَالْاَرْضِ ذَاتِ الصَّدْعِ ﴿١٢﴾
১৩. নিশ্চয়ই এ (কুরআন) এক সিদ্ধান্তকর বাণী।	اِنَّهٗ لَقَوْلٌ فَصْلٌ ﴿١٣﴾
১৪. এ (কুরআন) হাসি ঠাট্টার বিষয় নয়।	وَّمَا هُوَ بِالْهَزْلِ ﴿١٤﴾
১৫. তারা চক্রান্ত করছে একটা চক্রান্ত।	اِنَّهُمْ يَكِيْدُوْنَ كَيْدًا ﴿١٥﴾
১৬. আর আমিও তৈরি করছি একটা পরিকল্পনা।	وَّاَكِيْدُ كَيْدًا ﴿١٦﴾
১৭. তাই কাফিরদের কিছুটা অবকাশ দাও, কিছু কালের জন্যে দাও তাদের অবকাশ।	فَمَهِّلِ الْكٰفِرِيْنَ اَمْهِلْهُمْ رُوَيْدًا ﴿١٧﴾ রুকু ০১

সূরা ৮৭ আল আ'লা

মক্কায় অবতীর্ণ, আয়াত সংখ্যা: ১৯, রুকু সংখ্যা: ০১

এই সূরার আলোচ্যসূচি (আয়াত ভিত্তিক আলোচ্য বিষয়)

০১-১৯: যিনি মানুষ সৃষ্টি করেছেন তিনি তার গোপন ও প্রকাশ্য সবই জানেন। উপদেশ দিতে থাকো, যদি উপদেশ কাজে লাগে। যে আত্মোন্নয়ন করে সেই সফল। মানুষ দুনিয়ার প্রতি গুরুত্ব দেয়, অথচ আখিরাতই চিরস্থায়ী।

সূরা আল আ'লা (মহান) পরম করুণাময় পরম দয়াবান আল্লাহ্‌র নামে	سُوْرَةُ الْاَعْلٰى بِسْمِ اللّٰهِ الرَّحْمٰنِ الرَّحِيْمِ
০১. তসবিহ্ করো তোমার মহান প্রভুর নামের,	سَبِّحِ اسْمَ رَبِّكَ الْاَعْلَى ﴿١﴾
০২. যিনি সৃষ্টি করেছেন এবং সুষম করেছেন,	الَّذِيْ خَلَقَ فَسَوّٰى ﴿٢﴾
০৩. যিনি সামঞ্জস্যপূর্ণ অনুপাত নির্ধারণ করেছেন এবং পথ প্রদর্শন করেছেন।	وَالَّذِيْ قَدَّرَ فَهَدٰى ﴿٣﴾
০৪. এবং যিনি (জমিন থেকে) বের করে আনেন উদ্ভিদ।	وَالَّذِيْٓ اَخْرَجَ الْمَرْعٰى ﴿٤﴾
০৫. তারপর সেগুলোকে পরিণত করেন কালো আবর্জনায়।	فَجَعَلَهٗ غُثَآءً اَحْوٰى ﴿٥﴾
০৬. আমরা তোমাকে পড়িয়ে দেবো (কুরআন), তারপর তুমি আর তা ভুলবেনা।	سَنُقْرِئُكَ فَلَا تَنْسٰٓى ﴿٦﴾

০৭. তবে আল্লাহ যা ইচ্ছা করেন, নিশ্চয়ই তিনি জানেন প্রকাশ্য এবং গোপনীয় সবকিছু।	اِلَّا مَا شَآءَ اللّٰهُ ؕ اِنَّهٗ يَعۡلَمُ الۡجَهۡرَ وَ مَا يَخۡفٰى ؕ﴿۷﴾
০৮. আমরা তোমার জন্যে সহজ পথকে সহজ করে দেবো।	وَ نُيَسِّرُكَ لِلۡيُسۡرٰى ۚ﴿۸﴾
০৯. তাই তুমি (মানুষকে) উপদেশ দিতে থাকো, যদি উপদেশ তাদের উপকারে আসে।	فَذَكِّرۡ اِنۡ نَّفَعَتِ الذِّكۡرٰى ؕ﴿۹﴾
১০. ঐ ব্যক্তি অবশ্যি উপদেশ গ্রহণ করবে, যে ভয় করে (আল্লাহকে)।	سَيَذَّكَّرُ مَنۡ يَّخۡشٰى ﴿۱۰﴾
১১. আর তা উপেক্ষা করবে ঐ ব্যক্তি, যে বড়ই দুর্ভাগা,	وَ يَتَجَنَّبُهَا الۡاَشۡقَى ﴿۱۱﴾
১২. যে প্রবেশ করবে সাংঘাতিক আগুনে।	الَّذِىۡ يَصۡلَى النَّارَ الۡكُبۡرٰى ۚ﴿۱۲﴾
১৩. অতপর সেখানে সে মরবেওনা, বাঁচবেওনা।	ثُمَّ لَا يَمُوۡتُ فِيۡهَا وَ لَا يَحۡيٰى ؕ﴿۱۳﴾
১৪. নিশ্চয়ই সাফল্য অর্জন করবে ঐ ব্যক্তি, যে তাযকিয়া করবে,	قَدۡ اَفۡلَحَ مَنۡ تَزَكّٰى ﴿۱۴﴾
১৫. এবং তার প্রভুর নাম যিকির (উচ্চারণ, আলোচনা, স্মরণ) করবে, আর আদায় করবে সালাত।	وَ ذَكَرَ اسۡمَ رَبِّهٖ فَصَلّٰى ؕ﴿۱۵﴾
১৬. কিন্তু তোমরা প্রাধান্য দিয়ে চলছো দুনিয়ার হায়াতকে।	بَلۡ تُؤۡثِرُوۡنَ الۡحَيٰوةَ الدُّنۡيَا ۫ۖ﴿۱۶﴾
১৭. অথচ আখিরাত (-এর হায়াতই) হবে উত্তম এবং তা বাকি (স্থায়ী) থাকবে চিরকাল।	وَ الۡاٰخِرَةُ خَيۡرٌ وَّ اَبۡقٰى ؕ﴿۱۷﴾
১৮. নিশ্চয়ই এই উপদেশ পূর্বের সহিফাগুলোতেও (কিতাবগুলোতেও) রয়েছে,	اِنَّ هٰذَا لَفِى الصُّحُفِ الۡاُوۡلٰى ﴿۱۸﴾
১৯. ইবরাহিম এবং মূসার সহিফায়।	صُحُفِ اِبۡرٰهِيۡمَ وَ مُوۡسٰى ﴿۱۹﴾

রুকু ০১

সূরা ৮৮ আল গাশিয়া

মক্কায় অবতীর্ণ, আয়াত সংখ্যা: ২৬, রুকু সংখ্যা: ০১

এই সূরার আলোচ্যসূচি (আয়াত ভিত্তিক আলোচ্য বিষয়)

০১-১৬: পরকালে প্রত্যাখ্যানকারীদের দুরবস্থা এবং মুমিনদের সুখ ও আনন্দের বিবরণ।

১৭-২৬: আল্লাহ্‌র সৃষ্টি কৌশল। নবীর দায়িত্ব উপদেশ দিয়ে যাওয়া, বলপূর্বক ইসলামে প্রবেশ করানো নয়।

সূরা আল গাশিয়া (আচ্ছন্নকারী) পরম করুণাময় পরম দয়াবান আল্লাহ্‌র নামে	سُوۡرَةُ الۡغَاشِيَةِ بِسۡمِ اللّٰهِ الرَّحۡمٰنِ الرَّحِيۡمِ
০১. তোমার কাছে কি আচ্ছন্নকারী (কিয়ামত) দিবসের খবর পৌঁছেছে?	هَلۡ اَتٰٮكَ حَدِيۡثُ الۡغَاشِيَةِ ؕ﴿۱﴾
০২. সেদিন অনেক চেহারা হবে ভীত-নত অপমানিত,	وُجُوۡهٌ يَّوۡمَئِذٍ خَاشِعَةٌ ۙ﴿۲﴾
০৩. শ্রম-ক্লান্ত।	عَامِلَةٌ نَّاصِبَةٌ ۙ﴿۳﴾
০৪. তারা প্রবেশ করবে জ্বলন্ত আগুনে।	تَصۡلٰى نَارًا حَامِيَةً ۙ﴿۴﴾

০৫. তাদের পান করানো হবে তাপ-দাহে ফুটন্ত ঝর্ণার পানি।	تُسْقٰى مِنْ عَيْنٍ اٰنِيَةٍ ﴿٥﴾
০৬. তাদের জন্যে সেখানে বিষাক্ত কাঁটাদার শুকনো ঘাস-গুল্ম ছাড়া থাকবেনা আর কোনো খাদ্য,	لَيْسَ لَهُمْ طَعَامٌ اِلَّا مِنْ ضَرِيْعٍ ﴿٦﴾
০৭. যা তাদের পুষ্টিও যোগাবেনা, ক্ষুধাও মেটাবেনা।	لَّا يُسْمِنُ وَلَا يُغْنِيْ مِنْ جُوْعٍ ﴿٧﴾
০৮. (অপরপক্ষে) সেদিন অনেকের মুখমন্ডল হবে আনন্দে উজ্জ্বল।	وُجُوْهٌ يَّوْمَئِذٍ نَّاعِمَةٌ ﴿٨﴾
০৯. সেদিন তারা খুশি হবে তাদের (দুনিয়ার জীবনের) প্রচেষ্টার জন্যে।	لِّسَعْيِهَا رَاضِيَةٌ ﴿٩﴾
১০. তারা থাকবে অতি উন্নত জান্নাতে।	فِيْ جَنَّةٍ عَالِيَةٍ ﴿١٠﴾
১১. সেখানে তারা শুনবেনা কোনো ক্ষতিকর ও বাজে কথা।	لَّا تَسْمَعُ فِيْهَا لَاغِيَةً ﴿١١﴾
১২. সেখানে থাকবে ঝর্ণা বহমান,	فِيْهَا عَيْنٌ جَارِيَةٌ ﴿١٢﴾
১৩. থাকবে অতি উন্নত শয্যা,	فِيْهَا سُرُرٌ مَّرْفُوْعَةٌ ﴿١٣﴾
১৪. হাতের কাছেই রাখা হবে পানপাত্র সমূহ,	وَّاَكْوَابٌ مَّوْضُوْعَةٌ ﴿١٤﴾
১৫. সাজানো থাকবে সারি সারি (নরম) বিছানা,	وَّنَمَارِقُ مَصْفُوْفَةٌ ﴿١٥﴾
১৬. (সর্বত্র) বিছানো থাকবে উন্নত গালিচা।	وَّزَرَابِيُّ مَبْثُوْثَةٌ ﴿١٦﴾
১৭. তারা কি নজর করে দেখতে পারছেনা উটের দিকে, কিভাবে সৃষ্টি করা হয়েছে তাকে?	اَفَلَا يَنْظُرُوْنَ اِلَى الْاِبِلِ كَيْفَ خُلِقَتْ ﴿١٧﴾
১৮. এবং আসমানের দিকে, কিভাবে উপরে উঠিয়ে রাখা হয়েছে তাকে?	وَاِلَى السَّمَآءِ كَيْفَ رُفِعَتْ ﴿١٨﴾
১৯. আর পর্বতমালার দিকে, কিভাবে গেড়ে রাখা হয়েছে তাকে?	وَاِلَى الْجِبَالِ كَيْفَ نُصِبَتْ ﴿١٩﴾
২০. এবং পৃথিবীর দিকে, কিভাবে বিছিয়ে দেয়া হয়েছে তাকে?	وَاِلَى الْاَرْضِ كَيْفَ سُطِحَتْ ﴿٢٠﴾
২১. অতএব, তুমি তাদের উপদেশ দিয়ে যাও। কারণ, তুমি তো কেবল একজন উপদেশদাতাই।	فَذَكِّرْ اِنَّمَآ اَنْتَ مُذَكِّرٌ ﴿٢١﴾
২২. তুমি তাদের উপর শক্তি প্রয়োগকারী নও।	لَسْتَ عَلَيْهِمْ بِمُصَيْطِرٍ ﴿٢٢﴾
২৩. তবে যে (তোমার উপদেশ মেনে নেয়ার পরিবর্তে) মুখ ফিরিয়ে নেবে এবং অবলম্বন করবে কুফুরির পথ,	اِلَّا مَنْ تَوَلّٰى وَكَفَرَ ﴿٢٣﴾
২৪. আল্লাহ তাকে আযাব দেবেন, গুরুতর আযাব।	فَيُعَذِّبُهُ اللّٰهُ الْعَذَابَ الْاَكْبَرَ ﴿٢٤﴾
২৫. আমার কাছেই হবে তাদের প্রত্যাবর্তন।	اِنَّ اِلَيْنَآ اِيَابَهُمْ ﴿٢٥﴾
২৬. তারপর তাদের হিসাব নেয়ার দায়িত্ব আমারই।	ثُمَّ اِنَّ عَلَيْنَا حِسَابَهُمْ ﴿٢٦﴾

রুকু ০১

সূরা ৮৯ আল ফজ্‌র

মক্কায় অবতীর্ণ, আয়াত সংখ্যা: ৩০, রুকু সংখ্যা: ০১

এই সূরার আলোচ্যসূচি (আয়াত ভিত্তিক আলোচ্য বিষয়)

০১-১৪: আল্লাহ্‌র অবাধ্যতার কারণে অতীতে শক্তিশালী জাতিগুলোকে ধ্বংস করে দেয়া হয়েছে।

১৫-২০: পাপিষ্ঠদের স্বভাব বৈশিষ্ট্য।

২১-২৬: কিয়ামতের দৃশ্য।

২৭-৩০: প্রশান্ত আত্মার অধিকারীদের শুভ পরিণাম।

সূরা আল ফজ্‌র (ভোর) পরম করুণাময় পরম দয়াবান আল্লাহ্‌র নামে	سُوْرَةُ الْفَجْرِ بِسْمِ اللّٰهِ الرَّحْمٰنِ الرَّحِيْمِ
০১. শপথ ফজর (ভোর)-এর।	وَالْفَجْرِ ۙ﴿۱﴾
০২. শপথ দশ রাতের।	وَلَيَالٍ عَشْرٍ ۙ﴿۲﴾
০৩. শপথ জোড় ও বিজোড়ের।	وَّالشَّفْعِ وَالْوَتْرِ ۙ﴿۳﴾
০৪. শপথ রাতের যখন তা বিদায় নেয়।	وَالَّيْلِ اِذَا يَسْرِ ۚ﴿۴﴾
০৫. এগুলোর মধ্যে অবশ্যি বিবেক-বুদ্ধি ওয়ালা লোকদের জন্যে রয়েছে যথেষ্ট নিদর্শন।	هَلْ فِيْ ذٰلِكَ قَسَمٌ لِّذِيْ حِجْرٍ ۗ﴿۵﴾
০৬. তুমি কি দেখোনি তোমার প্রভু কি ধরণের আচরণ করেছেন আদ জাতির সাথে।	اَلَمْ تَرَ كَيْفَ فَعَلَ رَبُّكَ بِعَادٍ ۙ﴿۶﴾
০৭. ইরাম গোত্রের সাথে, যারা ছিলো খুঁটির মতো দীর্ঘকায়?	اِرَمَ ذَاتِ الْعِمَادِ ۙ﴿۷﴾
০৮. যাদের মতো কোনো জাতি সৃষ্টি করা হয়নি কোনো দেশে।	الَّتِيْ لَمْ يُخْلَقْ مِثْلُهَا فِي الْبِلَادِ ۙ﴿۸﴾
০৯. আর (কি আচরণ করেছিলেন) সামুদ জাতির প্রতি, যারা (গৃহ নির্মাণ) করেছিল পাহাড়ের পাথর কেটে?	وَثَمُوْدَ الَّذِيْنَ جَابُوا الصَّخْرَ بِالْوَادِ ۙ﴿۹﴾
১০. আর (কি আচরণ করেছিলেন) ফেরাউনের সাথে, যে ছিলো আওতাদওয়ালা?	وَفِرْعَوْنَ ذِي الْاَوْتَادِ ۙ﴿۱۰﴾
১১. এরা সীমালংঘন করেছিল নগরসমূহে,	الَّذِيْنَ طَغَوْا فِي الْبِلَادِ ۙ﴿۱۱﴾
১২. এবং সেসব স্থানে তারা সৃষ্টি করেছিল চরম অশান্তি ও বিপর্যয়।	فَاَكْثَرُوْا فِيْهَا الْفَسَادَ ۙ﴿۱۲﴾
১৩. সুতরাং তোমার প্রভু তাদের উপর আঘাত হেনেছেন বিভিন্ন প্রকার কঠিন আযাবের।	فَصَبَّ عَلَيْهِمْ رَبُّكَ سَوْطَ عَذَابٍ ۚۙ﴿۱۳﴾
১৪. অবশ্যি তোমার প্রভু ঘাঁটিতে আছেন।	اِنَّ رَبَّكَ لَبِالْمِرْصَادِ ۗ﴿۱۴﴾

১৫. তবে মানুষের অবস্থা এমন যে, তোমার প্রভু যখন তাকে পরীক্ষা করেন সম্মান আর নিয়ামতরাজি দিয়ে, তখন সে বলে : ‘আমার প্রভু আমাকে সম্মানিত করেছেন।’	فَاَمَّا الْاِنْسَانُ اِذَا مَا ابْتَلٰىهُ رَبُّهٗ فَاَكْرَمَهٗ وَ نَعَّمَهٗ ۙ فَیَقُوْلُ رَبِّیْٓ اَكْرَمَنِ ﴿۱۵﴾
১৬. আবার যখন তাকে পরীক্ষা করেন তার জীবন সামগ্রী সংকুচিত করে দিয়ে, তখন সে বলে : ‘আমার প্রভু আমাকে হীন করেছেন।’	وَ اَمَّاۤ اِذَا مَا ابْتَلٰىهُ فَقَدَرَ عَلَیْهِ رِزْقَهٗ ۙ فَیَقُوْلُ رَبِّیْٓ اَهَانَنِ ﴿۱۶﴾
১৭. না ব্যাপার এমনটি নয়; বরং তোমরাই এতিমদের প্রতি দয়া এবং সম্মান প্রদর্শন করোনা,	كَلَّا بَلْ لَّا تُكْرِمُوْنَ الْیَتِیْمَ ﴿۱۷﴾
১৮. এবং মিসকিনদের আহার প্রদানের জন্যে পরস্পরকে উৎসাহ উপদেশ দাওনা।	وَ لَا تَحٰٓضُّوْنَ عَلٰى طَعَامِ الْمِسْكِیْنِ ﴿۱۸﴾
১৯. অপরদিকে লোভ লালসায় তোমরা খেয়ে ফেলো ওয়ারিশদের সব অর্থ-সম্পদ।	وَ تَاْكُلُوْنَ التُّرَاثَ اَكْلًا لَّمًّا ﴿۱۹﴾
২০. আর প্রচন্ড ভালোবাসো মাল-সম্পদ।	وَّ تُحِبُّوْنَ الْمَالَ حُبًّا جَمًّا ﴿۲۰﴾
২১. না (তোমাদের এ নীতি সংগত নয়), পৃথিবীকে যখন চুর্ণ বিচুর্ণ করা হবে ধাক্কার পর ধাক্কা দিয়ে,	كَلَّاۤ اِذَا دُكَّتِ الْاَرْضُ دَكًّا دَكًّا ﴿۲۱﴾
২২. এবং তোমার প্রভু যখন উপস্থিত হবেন আর তাঁর সাথে থাকবে সারি সারি ফেরেশতা,	وَّ جَآءَ رَبُّكَ وَ الْمَلَكُ صَفًّا صَفًّا ﴿۲۲﴾
২৩. সেদিন জাহান্নামকে (সামনে) নিয়ে আসা হবে। সেদিন মানুষ (প্রকৃত ব্যাপার) উপলব্ধি করবে। কিন্তু তার সে উপলব্ধি কী কাজে আসবে?	وَ جِایْٓءَ یَوْمَىِٕذٍۭ بِجَهَنَّمَ ۙ یَوْمَىِٕذٍ یَّتَذَكَّرُ الْاِنْسَانُ وَ اَنّٰى لَهُ الذِّكْرٰى ﴿۲۳﴾
২৪. তখন সে বলবে: ‘হায়রে, আমার এ জীবনের জন্যে যদি (ভালো) কাজ করে পাঠাতাম!’	یَقُوْلُ یٰلَیْتَنِیْ قَدَّمْتُ لِحَیَاتِیْ ﴿۲۴﴾
২৫. সেদিন তিনি যে আযাব দেবেন, সে আযাব আর কেউ দিতে পারবেনা,	فَیَوْمَىِٕذٍ لَّا یُعَذِّبُ عَذَابَهٗۤ اَحَدٌ ﴿۲۵﴾
২৬. এবং তিনি যেভাবে (অপরাধীদের) শক্ত করে বাঁধবেন, সেরকম শক্ত বাঁধা আর কেউ বাঁধতে পারবেনা।	وَّ لَا یُوْثِقُ وَ ثَاقَهٗۤ اَحَدٌ ﴿۲۶﴾
২৭. (সেদিন মুমিনদের বলা হবে:) হে নফসে মুতমায়িন্না!	یٰۤاَیَّتُهَا النَّفْسُ الْمُطْمَىِٕنَّةُ ﴿۲۷﴾
২৮. ফিরে আসো তোমার প্রভুর কাছে সন্তুষ্ট চিত্তে এবং তাঁর সন্তোষভাজন হয়ে,	ارْجِعِیْۤ اِلٰى رَبِّكِ رَاضِیَةً مَّرْضِیَّةً ﴿۲۸﴾
২৯. প্রবেশ করো আমার (সম্মানিত) দাসদের মধ্যে,	فَادْخُلِیْ فِیْ عِبٰدِیْ ﴿۲۹﴾
৩০. আর প্রবেশ করো আমার জান্নাতে।	وَ ادْخُلِیْ جَنَّتِیْ ﴿۳۰﴾

রুকু ০১

সূরা ৯০ আল বালাদ

মক্কায় অবতীর্ণ, আয়াত সংখ্যা: ২০, রুকু সংখ্যা: ০১

এই সূরার আলোচ্যসূচি (আয়াত ভিত্তিক আলোচ্য বিষয়)

০১-২০: মানুষ সৃষ্টি। মানুষের জন্যে দুইটি চলার পথ প্রদান। মুমিনদের কর্মবৈশিষ্ট্য। পরকালে তারাই হবে ভাগ্যবান। কাফিররা হবে দুর্ভাগা।

সূরা আল বালাদ (নগরী) পরম করুণাময় পরম দয়াবান আল্লাহ্‌র নামে।	سُوْرَةُ الْبَلَدِ بِسْمِ اللّٰهِ الرَّحْمٰنِ الرَّحِيْمِ
০১. আমি শপথ করছি এই (মক্কা) নগরীর।	لَآ اُقْسِمُ بِهٰذَا الْبَلَدِ ①
০২. আর তোমাকে হালাল করে নেয়া হয়েছে এই নগরীতে।	وَ اَنْتَ حِلٌّۢ بِهٰذَا الْبَلَدِ ②
০৩. শপথ ওয়ালিদ (জনক)-এর এবং যা সে জন্ম দিয়েছে।	وَ وَالِدٍ وَّ مَا وَلَدَ ③
০৪. আমরা সৃষ্টি করেছি ইনসানকে কষ্ট ও শ্রমের মধ্যে।	لَقَدْ خَلَقْنَا الْاِنْسَانَ فِیْ كَبَدٍ ④
০৫. সে কি ধরে নিয়েছে, তার উপর কেউ জয়ী হবেনা?	اَیَحْسَبُ اَنْ لَّنْ یَّقْدِرَ عَلَیْهِ اَحَدٌ ⑤
০৬. সে (সদম্ভে) বলে : আমি প্রচুর অর্থ সম্পদ হালাক করেছি (উড়িয়েছি)।	یَقُوْلُ اَهْلَكْتُ مَالًا لُّبَدًا ⑥
০৭. সে কি ধরে নিয়েছে, কেউ তাকে দেখছেনা?	اَیَحْسَبُ اَنْ لَّمْ یَرَهٗۤ اَحَدٌ ⑦
০৮. আমরা কি তার জন্যে সৃষ্টি করিনি একজোড়া চক্ষু?	اَلَمْ نَجْعَلْ لَّهٗ عَیْنَیْنِ ⑧
০৯. একটি জিহবা আর দুটি ঠোঁট?	وَ لِسَانًا وَّ شَفَتَیْنِ ⑨
১০. আর তাকে দেখাইনি (ভালো আর মন্দ) দুটি পথ?	وَ هَدَیْنٰهُ النَّجْدَیْنِ ⑩
১১. কিন্তু সে কষ্টসাধ্য গিরিপথে অগ্রসর হতে উদ্যোগ নেয়নি।	فَلَا اقْتَحَمَ الْعَقَبَةَ ⑪
১২. তুমি কিভাবে জানবে, সেই কষ্টসাধ্য গিরিপথ কী?	وَ مَاۤ اَدْرٰىكَ مَا الْعَقَبَةُ ⑫
১৩. (তাহলো) গলা (দাস) মুক্ত করা,	فَكُّ رَقَبَةٍ ⑬
১৪. কিংবা দুর্ভিক্ষ বা অনাহারের দিনে আহার দান করা	اَوْ اِطْعٰمٌ فِیْ یَوْمٍ ذِیْ مَسْغَبَةٍ ⑭
১৫. এতিম আত্মীয়কে,	یَّتِیْمًا ذَا مَقْرَبَةٍ ⑮
১৬. কিংবা ধুলো মলিন (অভাব পীড়িত) মিসকিনকে,	اَوْ مِسْكِیْنًا ذَا مَتْرَبَةٍ ⑯

১৭. আর সেই সাথে সেইসব লোকদের অন্তরভুক্ত হওয়া, যারা ঈমান আনে এবং পরস্পরকে উপদেশ দেয় সবর করার আর রহমদিল হবার।	ثُمَّ كَانَ مِنَ الَّذِيْنَ اٰمَنُوْا وَ تَوَاصَوْا بِالصَّبْرِ وَ تَوَاصَوْا بِالْمَرْحَمَةِ ﴿١٧﴾
১৮. এরাই ডান পাশের লোক।	اُولٰٓئِكَ اَصْحٰبُ الْمَيْمَنَةِ ﴿١٨﴾
১৯. আর যারা কুফুরি করে আমার আয়াতের প্রতি, তারাই বাম হাতের লোক।	وَالَّذِيْنَ كَفَرُوْا بِاٰيٰتِنَا هُمْ اَصْحٰبُ الْمَشْئَمَةِ ﴿١٩﴾
২০. তারা থাকবে উপরে ঢাকনা এঁটে দেয়া আগুনের মধ্যে।	عَلَيْهِمْ نَارٌ مُّؤْصَدَةٌ ﴿٢٠﴾

রুকু ০১

সূরা ৯১ আশ শামস

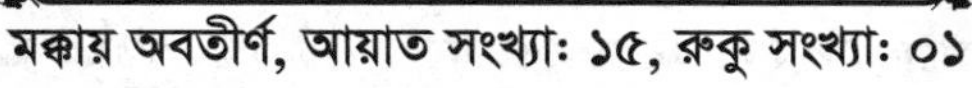

মক্কায় অবতীর্ণ, আয়াত সংখ্যা: ১৫, রুকু সংখ্যা: ০১

এই সূরার আলোচ্যসূচি (আয়াত ভিত্তিক আলোচ্য বিষয়)

০১-০৮: মহান আল্লাহ্‌র মহাবিশ্ব ও পৃথিবী পরিচালনা ব্যবস্থা। মানুষের মধ্যে সীমালংঘন ও সীমার মধ্যে থাকার প্রবণতা।

০৯-১৫: আত্মোন্নয়নকারী ব্যক্তিরাই সফল। সামুদ জাতিকে ধ্বংস করা হয়েছে রসূলকে প্রত্যাখ্যান করার কারণে।

সূরা আশ শামস (সূর্য) পরম করুণাময় পরম দয়াবান আল্লাহ্‌র নামে	سُوْرَةُ الشَّمْسِ بِسْمِ اللّٰهِ الرَّحْمٰنِ الرَّحِيْمِ
০১. শপথ সূর্যের এবং তার উজ্জ্বলতার।	وَالشَّمْسِ وَضُحٰهَا ﴿١﴾
০২. শপথ চাঁদের, যখন সে তিলাওয়াত করে তাকে (সূর্যকে)।	وَالْقَمَرِ اِذَا تَلٰىهَا ﴿٢﴾
০৩. শপথ দিনের, যখন সে প্রকাশ করে তার (সূর্যের) উজ্জ্বলতাকে।	وَالنَّهَارِ اِذَا جَلّٰىهَا ﴿٣﴾
০৪. শপথ রাতের, যখন সে ঢেকে দেয় তাকে (সূর্যকে)।	وَالَّيْلِ اِذَا يَغْشٰىهَا ﴿٤﴾
০৫. শপথ আকাশের এবং তাঁর, যিনি তা বানিয়েছেন।	وَالسَّمَآءِ وَمَا بَنٰىهَا ﴿٥﴾
০৬. শপথ পৃথিবীর এবং তাঁর, যিনি এটিকে বিছিয়ে দিয়েছেন।	وَالْاَرْضِ وَمَا طَحٰىهَا ﴿٦﴾
০৭. শপথ মানবের (মানব সত্তার) আর তাঁর, যিনি তাকে যথাযথভাবে গঠন করেছেন,	وَنَفْسٍ وَّمَا سَوّٰىهَا ﴿٧﴾
০৮. তারপর তার মধ্যে ইল্‌হাম করেছেন ফুজুর (সীমালংঘনের প্রবণতা) এবং তাকওয়া (সীমার মধ্যে অবস্থানের প্রবণতা)।	فَاَلْهَمَهَا فُجُوْرَهَا وَتَقْوٰىهَا ﴿٨﴾
০৯. নি:সন্দেহে সফল হলো সে, যে তাযকিয়া (পরিশুদ্ধ, উন্নত ও বিকশিত) করলো নিজেকে।	قَدْ اَفْلَحَ مَنْ زَكّٰىهَا ﴿٩﴾

১০. নি:সন্দেহে ব্যর্থ হলো সে, যে দুষিত ও কলুষিত করে ধসিয়ে দিলো নিজেকে।	وَقَدْ خَابَ مَنْ دَسّٰهَا ⑩
১১. সামুদ সম্প্রদায় নিজের তাগুতি আচরণ দিয়ে অস্বীকার করেছিল (আল্লাহর রসূলকে)।	كَذَّبَتْ ثَمُوْدُ بِطَغْوٰىهَآ ⑪
১২. তখন তাদের মধ্যকার সবচেয়ে বড় দুষ্ট হতভাগ্যটি (মুজিযার উটনীকে হত্যার জন্যে) তৎপর হয়ে উঠেছিল।	اِذِ انْۢبَعَثَ اَشْقٰىهَا ⑫
১৩. তখন আল্লাহর রসূল (সালেহ) তাদের বলেছিল: সাবধান! এটি আল্লাহর (পক্ষ থেকে আসা) উটনী (এটিকে মন্দ উদ্দেশ্যে স্পর্শ করোনা) এবং এটিকে পানি পান করতে বাধা দিওনা।	فَقَالَ لَهُمْ رَسُوْلُ اللّٰهِ نَاقَةَ اللّٰهِ وَ سُقْيٰهَا ⑬
১৪. কিন্তু তারা তাকে (রসূলকে) অস্বীকার করলো এবং হত্যা করলো উটনীকে। ফলে তাদের প্রভু তাদের উপর চাপিয়ে দিলেন ধ্বংস তাদের অপরাধের কারণে এবং ধ্বংস স্তুপের মধ্যে সমান করে রেখে দিলেন তাদেরকে।	فَكَذَّبُوْهُ فَعَقَرُوْهَا ۖ فَدَمْدَمَ عَلَيْهِمْ رَبُّهُمْ بِذَنْۢبِهِمْ فَسَوّٰىهَا ⑭
১৫. আর কাজের পরিণতির কোনো ভয় তাঁর (আল্লাহর) নেই।	وَلَا يَخَافُ عُقْبٰهَا ⑮

রুকু ০১

সূরা ৯২ আল লাইল

মক্কায় অবতীর্ণ, আয়াত সংখ্যা: ২১, রুকু সংখ্যা: ০১

এই সূরার আলোচ্যসূচি (আয়াত ভিত্তিক আলোচ্য বিষয়)

০১-২১: আল্লাহ্ সবকিছু জোড়ায় জোড়ায় সৃষ্টি করেছেন। মানুষের কর্মও ভালো-মন্দ দুই প্রকার। সত্যপন্থীদের সত্যপথে চলা সহজ, বাতিলপন্থীদের কঠিন পথে চলা সহজ। তাদের জন্য রয়েছে জ্বলন্ত আগুন। তা থেকে রক্ষা পাবে কেবল মুত্তাকিরা।

সূরা আল লাইল (রাত) পরম করুণাময় পরম দয়াবান আল্লাহ্র নামে	سُوْرَةُ الَّيْلِ بِسْمِ اللّٰهِ الرَّحْمٰنِ الرَّحِيْمِ
০১. রাতের শপথ, যখন সে ঢেকে যায়।	وَالَّيْلِ اِذَا يَغْشٰى ①
০২. দিনের শপথ, যখন সে উঠে উজ্জ্বল হয়ে।	وَالنَّهَارِ اِذَا تَجَلّٰى ②
০৩. এবং শপথ তাঁর, যিনি সৃষ্টি করেছেন পুরুষ আর নারী।	وَمَا خَلَقَ الذَّكَرَ وَالْاُنْثٰٓى ③
০৪. নিশ্চয়ই তোমাদের প্রচেষ্টাও (অনুরূপ বিপরীতধর্মী এবং) নানা রকমের।	اِنَّ سَعْيَكُمْ لَشَتّٰى ④
০৫. তবে (যার কর্ম প্রচেষ্টার ধরণ হলো এই যে) সে দান করে এবং মন্দ কাজ থেকে দূরে থাকে,	فَاَمَّا مَنْ اَعْطٰى وَاتَّقٰى ⑤
০৬. আর যা কল্যাণকর সেটাকে সত্য বলে গ্রহণ করে,	وَصَدَّقَ بِالْحُسْنٰى ⑥
০৭. আমরা তার জন্যে সহজ করে দেবো সহজ (কল্যাণের) পথকে।	فَسَنُيَسِّرُهٗ لِلْيُسْرٰى ⑦

০৮. কিন্তু যে বখিলি করে এবং নিজেকে মনে করে স্বয়ম্ভর,	وَاَمَّا مَنْۢ بَخِلَ وَاسْتَغْنٰىۙ ﴿٨﴾
০৯. আর যা কল্যাণকর সেটাকে করে অস্বীকার,	وَكَذَّبَ بِالْحُسْنٰىۙ ﴿٩﴾
১০. আমরা তার জন্যে সহজ করে দেবো কঠিন (অকল্যাণের) পথকে।	فَسَنُيَسِّرُهٗ لِلْعُسْرٰىؕ ﴿١٠﴾
১১. তার কী উপকারে আসবে তার মাল-সম্পদ যখন সে পতিত হবে (ধ্বংসের দিকে)?	وَمَا يُغْنِىْ عَنْهُ مَالُهٗۤ اِذَا تَرَدّٰىؕ ﴿١١﴾
১২. সঠিক পথ দেখানো তো আমাদের দায়িত্ব।	اِنَّ عَلَيْنَا لَلْهُدٰىؗ ﴿١٢﴾
১৩. আর আমরাই তো মালিক আখিরাত এবং ইহকালের।	وَاِنَّ لَنَا لَلْاٰخِرَةَ وَالْاُوْلٰى ﴿١٣﴾
১৪. তাই আমি তোমাদের সতর্ক করে দিচ্ছি জ্বলন্ত আগুন থেকে।	فَاَنْذَرْتُكُمْ نَارًا تَلَظّٰىۚ ﴿١٤﴾
১৫. তাতে কেউ প্রবেশ করবেনা দুর্ভাগা ছাড়া,	لَا يَصْلٰىهَاۤ اِلَّا الْاَشْقَىۙ ﴿١٥﴾
১৬. যে (সত্যকে) অস্বীকার করে এবং মুখ ফিরিয়ে নেয়।	الَّذِىْ كَذَّبَ وَتَوَلّٰىؕ ﴿١٦﴾
১৭. আর তা থেকে দূরে রাখা হবে অতীব মুত্তাকি (সদা সতর্ক) ব্যক্তিকে,	وَسَيُجَنَّبُهَا الْاَتْقَىۙ ﴿١٧﴾
১৮. যে তার মাল-সম্পদ দান করে নিজের পরিশুদ্ধি ও উন্নতির জন্যে,	الَّذِىْ يُؤْتِىْ مَالَهٗ يَتَزَكّٰىۚ ﴿١٨﴾
১৯. তার প্রতি কারো অনুগ্রহের প্রতিদান হিসেবে নয়,	وَمَا لِاَحَدٍ عِنْدَهٗ مِنْ نِّعْمَةٍ تُجْزٰٓىۙ ﴿١٩﴾
২০. বরং শুধুমাত্র তার মহান প্রভুর সন্তুষ্টির প্রত্যাশায়।	اِلَّا ابْتِغَآءَ وَجْهِ رَبِّهِ الْاَعْلٰىۚ ﴿٢٠﴾
২১. আর অচিরেই তিনি সন্তুষ্ট হবেন (তার প্রতি)।	وَلَسَوْفَ يَرْضٰى ﴿٢١﴾

রুকু ০১

সূরা ৯৩ আদ দোহা

মক্কায় অবতীর্ণ, আয়াত সংখ্যা : ১১, রুকু সংখ্যা: ০১

এই সূরার আলোচ্যসূচি (আয়াত ভিত্তিক আলোচ্য বিষয়)

০১-১১ : রসূল সা.-এর জন্যে সুসংবাদ এবং তাঁর প্রতি কতিপয় নির্দেশ।

সূরা আদ দোহা (পূর্বাহ্ন) পরম করুণাময় পরম দয়াবান আল্লাহ্‌র নামে	سُوْرَةُ الضُّحٰى بِسْمِ اللّٰهِ الرَّحْمٰنِ الرَّحِيْمِ
০১. শপথ আলোকময় দিনের (বা পূর্বাহ্নের)।	وَالضُّحٰىۙ ﴿١﴾
০২. শপথ রাতের যখন সে অন্ধকারের ছায়া বিস্তার করে নিস্তব্ধ হয়ে পড়ে।	وَالَّيْلِ اِذَا سَجٰىۙ ﴿٢﴾

০৩. তোমার প্রভু তোমাকে বিদায় (ত্যাগ) করেননি এবং অসন্তুষ্টও হননি (তোমার প্রতি)।	مَا وَدَّعَكَ رَبُّكَ وَمَا قَلٰى ۝٣
০৪. আর নিশ্চয়ই আখিরাত (শেষকাল) তোমার জন্যে উত্তম প্রথম কাল থেকে।	وَلَلْاٰخِرَةُ خَيْرٌ لَّكَ مِنَ الْاُوْلٰى ۝٤
০৫. শীঘ্রি তোমার প্রভু তোমাকে দান করবেন (বিপুল কল্যাণ), তাতে সন্তুষ্ট হয়ে যাবে তুমি।	وَلَسَوْفَ يُعْطِيْكَ رَبُّكَ فَتَرْضٰى ۝٥
০৬. তিনি কি তোমাকে এতিম পাননি, আর আশ্রয় দেননি?	اَلَمْ يَجِدْكَ يَتِيْمًا فَاٰوٰى ۝٦
০৭. তিনি কি তোমাকে (ঈমান এবং কিতাব) সম্পর্কে অনবহিত পাননি, অতপর সঠিক পথ দেখাননি?	وَوَجَدَكَ ضَآلًّا فَهَدٰى ۝٧
০৮. তিনি কি তোমাকে পাননি দরিদ্র, তারপর দান করেননি প্রাচুর্য?	وَوَجَدَكَ عَآئِلًا فَاَغْنٰى ۝٨
০৯. তাই, তুমি কঠোর আচরণ করোনা এতিমদের প্রতি,	فَاَمَّا الْيَتِيْمَ فَلَا تَقْهَرْ ۝٩
১০. এবং ভর্ৎসনা করোনা ভিক্ষুককে।	وَاَمَّا السَّآئِلَ فَلَا تَنْهَرْ ۝١٠
(রুকু ০১) ১১. আর তোমার প্রভুর নিয়ামতের (নবুয়্যত, ঈমান এবং কিতাবের) কথা প্রচার ও প্রকাশ করতে থাকো।	وَاَمَّا بِنِعْمَةِ رَبِّكَ فَحَدِّثْ ۝١١

সূরা ৯৪ ইনশিরাহ

মক্কায় অবতীর্ণ, আয়াত সংখ্যা: ০৮, রুকু সংখ্যা: ০১

এই সূরার আলোচ্যসূচি (আয়াত ভিত্তিক আলোচ্য বিষয়)

০১-০৮: আল্লাহ্ রসূলকে পরিচিত করেছেন সর্বত্র। কঠিন অবস্থার পরই আসে সহজ অবস্থা।

সূরা ইনশিরাহ (উন্মুক্ত করা) পরম করুণাময় পরম দয়াবান আল্লাহ্‌র নামে	سُوْرَةُ الْاِنْشِرَاحِ بِسْمِ اللّٰهِ الرَّحْمٰنِ الرَّحِيْمِ
০১. আমরা কি তোমার জন্যে তোমার শরহে সদর (বক্ষ উন্মুক্ত ও প্রশস্ত) করিনি?	اَلَمْ نَشْرَحْ لَكَ صَدْرَكَ ۝١
০২. আর তোমার থেকে অপসারণ করিনি তোমার সেই ভার,	وَوَضَعْنَا عَنْكَ وِزْرَكَ ۝٢
০৩. যা ভেঙ্গে দিচ্ছিল তোমার পিঠ?	الَّذِيْٓ اَنْقَضَ ظَهْرَكَ ۝٣
০৪. আর আমরা কি উঁচু করিনি তোমার যশ-খ্যাতি?	وَرَفَعْنَا لَكَ ذِكْرَكَ ۝٤
০৫. নিশ্চয়ই প্রতিটি কষ্ট-কাঠিন্যের সাথে আছে সহজ-স্বস্তির অবস্থাও।	فَاِنَّ مَعَ الْعُسْرِ يُسْرًا ۝٥

০৬. অবশ্যি সংকীর্ণতার সাথে আছে প্রশস্ততাও।	اِنَّ مَعَ الْعُسْرِ يُسْرًا ۝٦
০৭. সুতরাং যখনই তুমি ফারেগ (কর্ম শেষে অবসর) হবে, তখন নিজেকে নিবেদিত করো আল্লাহর ইবাদতে।	فَاِذَا فَرَغْتَ فَانْصَبْ ۝٧
০৮. আর (শুধুমাত্র) তোমার রবের কাছেই নিবেদন করো তোমার সমস্ত ইচ্ছা এবং প্রত্যাশা।	وَاِلٰى رَبِّكَ فَارْغَبْ ۝٨ রুকু ০১

সূরা ৯৫ আত তীন

মক্কায় অবতীর্ণ, আয়াত সংখ্যা: ০৮, রুকু সংখ্যা: ০১

এই সূরার আলোচ্যসূচি (আয়াত ভিত্তিক আলোচ্য বিষয়)

০১-০৮: মানুষকে সর্বোত্তম আকৃতিতে সৃষ্টি করা হয়েছে। তার কর্মফলে সে হয়ে যায় সর্ব নিকৃষ্ট, তবে মুমিনরা নয়।

সূরা আত তীন পরম করুণাময় পরম দয়াবান আল্লাহ্র নামে।	سُوْرَةُ التِّيْنِ بِسْمِ اللّٰهِ الرَّحْمٰنِ الرَّحِيْمِ
০১. শপথ তীন এবং যয়তুনের।	وَالتِّيْنِ وَالزَّيْتُوْنِ ۝١
০২. শপথ সিনাই পর্বতের।	وَطُوْرِ سِيْنِيْنَ ۝٢
০৩. এবং শপথ এই নিরাপদ (মক্কা) নগরীর।	وَهٰذَا الْبَلَدِ الْاَمِيْنِ ۝٣
০৪. নিশ্চয়ই আমরা সৃষ্টি করেছি মানুষকে সুন্দরতম গঠন-প্রকৃতিতে।	لَقَدْ خَلَقْنَا الْاِنْسَانَ فِيْٓ اَحْسَنِ تَقْوِيْمٍ ۝٤
০৫. তারপর তাকে আমরা পৌঁছে দিই নিচুদের চাইতেও নিচুতে।	ثُمَّ رَدَدْنٰهُ اَسْفَلَ سٰفِلِيْنَ ۝٥
০৬. তবে তাদের নয়, যারা ঈমান আনে এবং আমলে সালেহ্ করে। তাদের জন্যে তো রয়েছে এমন পুরস্কার, যা শেষ হবেনা কখনো।	اِلَّا الَّذِيْنَ اٰمَنُوْا وَعَمِلُوا الصّٰلِحٰتِ فَلَهُمْ اَجْرٌ غَيْرُ مَمْنُوْنٍ ۝٦
০৭. এর পরেও (হে অবিশ্বাসী!) কোন্ জিনিস তোমাকে অবিশ্বাসী বানায় (আখিরাতের) প্রতিদান সম্পর্কে?	فَمَا يُكَذِّبُكَ بَعْدُ بِالدِّيْنِ ۝٧
০৮. আল্লাহ কি সব বিচারকের বড় বিচারক নন?	اَلَيْسَ اللّٰهُ بِاَحْكَمِ الْحٰكِمِيْنَ ۝٨ রুকু ০১

সূরা ৯৬ আল আলাক

মক্কায় অবতীর্ণ, আয়াত সংখ্যা: ১৯, রুকু সংখ্যা: ০১

এই সূরার আলোচ্যসূচি (আয়াত ভিত্তিক আলোচ্য বিষয়)

০১-০৫: এই পাঁচটি আয়াত মুহাম্মদ সা.-এর প্রতি অবতীর্ণ সর্বপ্রথম অহি।

০৬-১৯: মানুষ নিজেকে স্বয়ম্ভর মনে করে, অথচ তাকে আল্লাহ্র কাছে ফিরে যেতে হবে। যে রসূলকে সালাতে বাধা দান করে, তাকে পাকড়াও করে হাজির করা হবে আল্লাহ্র কাছে।

সূরা আল আলাক (শক্তভাবে আঁটকানো বস্তু) পরম করুণাময় পরম দয়াবান আল্লাহ্‌র নামে	سُوۡرَةُ الۡعَلَقِ بِسۡمِ اللّٰهِ الرَّحۡمٰنِ الرَّحِيۡمِ
০১. পড়ো তোমার প্রভুর নামে, যিনি সৃষ্টি করেছেন,	اِقۡرَاۡ بِاسۡمِ رَبِّكَ الَّذِىۡ خَلَقَ ۚ‏ ①
০২. সৃষ্টি করেছেন মানুষকে ‘আলাক’ থেকে।	خَلَقَ الۡاِنۡسَانَ مِنۡ عَلَقٍ ۚ‏ ②
০৩. পড়ো, আর তোমার প্রভু অতিশয় মহিমান্বিত,	اِقۡرَاۡ وَرَبُّكَ الۡاَكۡرَمُۙ‏ ③
০৪. যিনি তালিম (শিক্ষা) দিয়েছেন কলমের সাহায্যে।	الَّذِىۡ عَلَّمَ بِالۡقَلَمِۙ‏ ④
০৫. তালিম দিয়েছেন ইনসানকে যা সে জানতোনা।	عَلَّمَ الۡاِنۡسَانَ مَا لَمۡ يَعۡلَمۡؕ‏ ⑤
০৬. না, মানুষ সীমালংঘন করেই চলেছে।	كَلَّاۤ اِنَّ الۡاِنۡسَانَ لَيَطۡغٰٓىۙ‏ ⑥
০৭. কারণ, সে নিজেকে মনে করে স্বয়ংসম্পূর্ণ।	اَنۡ رَّاٰهُ اسۡتَغۡنٰىؕ‏ ⑦
০৮. তোমার প্রভুর কাছে (তাদের) প্রত্যাবর্তন নিশ্চিত।	اِنَّ اِلٰى رَبِّكَ الرُّجۡعٰىؕ‏ ⑧
০৯. তুমি কি দেখেছো তাকে, যে বাধা দেয়,	اَرَءَيۡتَ الَّذِىۡ يَنۡهٰىۙ‏ ⑨
১০. (আমার) দাসকে (মুহাম্মদকে), যখন সে সালাতে দাঁড়ায়?	عَبۡدًا اِذَا صَلّٰىؕ‏ ⑩
১১. বলো দেখি, যদি সে (মুহাম্মদ) থাকে হিদায়াতের উপর,	اَرَءَيۡتَ اِنۡ كَانَ عَلَى الۡهُدٰٓىۙ‏ ⑪
১২. অথবা নির্দেশ দেয় আল্লাহকে ভয় করার!	اَوۡ اَمَرَ بِالتَّقۡوٰىؕ‏ ⑫
১৩. বলো দেখি, আর যদি ঐ (বাধাদানকারী) ব্যক্তি সত্যকে করে অস্বীকার এবং ফিরিয়ে নেয় মুখ?	اَرَءَيۡتَ اِنۡ كَذَّبَ وَتَوَلّٰىؕ‏ ⑬
১৪. সে কি জানেনা যে, আল্লাহ দেখেন (সে যা করছে)?	اَلَمۡ يَعۡلَمۡ بِاَنَّ اللّٰهَ يَرٰىؕ‏ ⑭
১৫. সাবধান, সে যদি (তার এ কাজ থেকে) বিরত না হয়, তবে আমি অবশ্যি তাকে নিয়ে যাবো তার কপালের দিকের চুল ধরে টেনে হেঁচড়ে,	كَلَّا لَٮِٕنۡ لَّمۡ يَنۡتَهِ ۙ لَنَسۡفَعًۢا بِالنَّاصِيَةِۙ‏ ⑮
১৬. মিথ্যাবাদী পাপিষ্ঠের কপালের দিকের চুল (ধরে)।	نَاصِيَةٍ كَاذِبَةٍ خَاطِئَةٍۚ‏ ⑯
১৭. তারপর সে তার চারপাশের সমর্থক-সহচরদের ডেকে আনুক।	فَلۡيَدۡعُ نَادِيَهٗۙ‏ ⑰
১৮. আমিও ডেকে আনবো জাহান্নামের প্রহরীদের (এবং তাকে সোপর্দ করে দেবো তাদের হাতে)।	سَنَدۡعُ الزَّبَانِيَةَۙ‏ ⑱
১৯. কখনো নয়, তুমি কিছুতেই তার কথা শুনোনা। (বরং) সাজদা করো এবং নিকটবর্তী হও আল্লাহর। (সাজদা)	كَلَّا ؕ لَا تُطِعۡهُ وَاسۡجُدۡ وَاقۡتَرِبْ ۩‏ ⑲ السجدة

রুকু ০১

সূরা ৯৭ আল কদর

মক্কায় অবতীর্ণ, আয়াত সংখ্যা: ৫, রুকু সংখ্যা: ০১

এই সূরার আলোচ্যসূচি (আয়াত ভিত্তিক আলোচ্য বিষয়)

০১-০৫: কুরআন নাযিলের রাতের মর্যাদা।

সূরা আল কদর (ফায়সালা) পরম করুণাময় পরম দয়াবান আল্লাহ্‌র নামে।	سُوْرَةُ الْقَدْرِ بِسْمِ اللّٰهِ الرَّحْمٰنِ الرَّحِيْمِ
০১. আমরা এ (কুরআন) নাযিল করেছি কদর রাতে।	اِنَّاۤ اَنْزَلْنٰهُ فِیْ لَیْلَةِ الْقَدْرِ ۚ﴿۱﴾
০২. তুমি কিভাবে জানবে কদর রাত কী?	وَمَاۤ اَدْرٰىكَ مَا لَیْلَةُ الْقَدْرِ ؕ﴿۲﴾
০৩. কদর রাত উত্তম হাজার মাসের চেয়ে।	لَیْلَةُ الْقَدْرِ ۬ۙ خَیْرٌ مِّنْ اَلْفِ شَهْرٍ ؕ﴿۳﴾
০৪. নাযিল হয় ফেরেশতাকুল এবং রূহ (জিবরিল) সে রাত্রে, তাদের প্রভুর অনুমতিক্রমে সকল নির্দেশ নিয়ে,	تَنَزَّلُ الْمَلٰٓئِكَةُ وَ الرُّوْحُ فِیْهَا بِاِذْنِ رَبِّهِمْ ۚ مِنْ كُلِّ اَمْرٍ ۙ﴿۴﴾
০৫. শান্তিময় পুরো সে রাত ফজর তুলু (উদয়) হওয়া পর্যন্ত।	سَلٰمٌ ۛ هِیَ حَتّٰی مَطْلَعِ الْفَجْرِ ۠﴿۵﴾

রুকু ০১

সূরা ৯৮ আল বাইয়্যেনা

মক্কায় মতান্তরে মদিনায় অবতীর্ণ, আয়াত সংখ্যা: ৮, রুকু সংখ্যা: ০১

এই সূরার আলোচ্যসূচি (আয়াত ভিত্তিক আলোচ্য বিষয়)

০১-০৫: সুস্পষ্ট প্রমাণ আসার পর আহলে কিতাবরা সত্য পথ থেকে বিচ্ছিন্ন হয়েছে।
০৬: আহলে কিতাব ও মুশরিকদের মধ্যে যারা কুফুরি করবে, তারা সৃষ্টির অধম।
০৭-০৮: যারা ঈমান আনবে এবং আমলে সালেহ্ করবে তারাই সৃষ্টির সেরা।

সূরা আল বাইয়্যেনা (সুস্পষ্ট প্রমাণ) পরম করুণাময় পরম দয়াবান আল্লাহ্‌র নামে	سُوْرَةُ الْبَیِّنَةِ بِسْمِ اللّٰهِ الرَّحْمٰنِ الرَّحِيْمِ
০১. আহলে কিতাবদের (ইহুদি-খৃষ্টানদের) যারা কুফুরিতে নিমজ্জিত ছিলো তারা এবং মুশরিকরা তাদের (কুফুরি এবং শিরকে) অবিচল ছিলো, যতোক্ষণ না তাদের কাছে এসেছে সুস্পষ্ট প্রমাণ।	لَمْ یَكُنِ الَّذِیْنَ كَفَرُوْا مِنْ اَهْلِ الْكِتٰبِ وَ الْمُشْرِكِیْنَ مُنْفَكِّیْنَ حَتّٰی تَاْتِیَهُمُ الْبَیِّنَةُ ۙ﴿۱﴾
০২. (সে হলো) আল্লাহর পক্ষ থেকে আসা এক রসূল (মুহাম্মদ), সে তিলাওয়াত করে পবিত্র সহিফা (আল কুরআন)।	رَسُوْلٌ مِّنَ اللّٰهِ یَتْلُوْا صُحُفًا مُّطَهَّرَةً ۙ﴿۲﴾
০৩. তাতে রয়েছে (আল্লাহর পক্ষ থেকে) সরল সঠিক সুদৃঢ় বিধান।	فِیْهَا كُتُبٌ قَیِّمَةٌ ؕ﴿۳﴾

০৪. যাদের কিতাব দেয়া হয়েছিল (অর্থাৎ ইহুদি-খৃষ্টান), তারা তো বিভক্ত হলো তাদের কাছে সুস্পষ্ট প্রমাণ আসার পর।	وَ مَا تَفَرَّقَ الَّذِيْنَ اُوْتُوا الْكِتٰبَ اِلَّا مِنْۢ بَعْدِ مَا جَآءَتْهُمُ الْبَيِّنَةُ ﴿٤﴾
০৫. তাদেরকে তো এ ছাড়া আর কোনো নির্দেশ দেয়া হয়নি যে, তারা নিজেদের দীনকে (আল্লাহর জন্যে) নিবেদিত করে একনিষ্ঠভাবে শুধুমাত্র আল্লাহর ইবাদত করবে, সালাত কায়েম করবে, যাকাত দিয়ে দেবে, আর এটাই সত্য-সঠিক-সুদৃঢ় দীন।	وَ مَاۤ اُمِرُوْۤا اِلَّا لِيَعْبُدُوا اللّٰهَ مُخْلِصِيْنَ لَهُ الدِّيْنَ ۙ۬ حُنَفَآءَ وَ يُقِيْمُوا الصَّلٰوةَ وَ يُؤْتُوا الزَّكٰوةَ وَ ذٰلِكَ دِيْنُ الْقَيِّمَةِ ﴿٥﴾
০৬. আহলে কিতাবদের মধ্যে যারা কুফুরি করবে তারা এবং মুশরিকরা থাকবে জাহান্নামের আগুনে। স্থায়ীভাবে থাকবে তারা সেখানে। সৃষ্টির অধম তারা।	اِنَّ الَّذِيْنَ كَفَرُوْا مِنْ اَهْلِ الْكِتٰبِ وَ الْمُشْرِكِيْنَ فِيْ نَارِ جَهَنَّمَ خٰلِدِيْنَ فِيْهَا ؕ اُولٰٓئِكَ هُمْ شَرُّ الْبَرِيَّةِ ﴿٦﴾
০৭. তবে যারা ঈমান আনে এবং আমলে সালেহ্ করে, তারা হলো সৃষ্টির সেরা।	اِنَّ الَّذِيْنَ اٰمَنُوْا وَ عَمِلُوا الصّٰلِحٰتِ ۙ اُولٰٓئِكَ هُمْ خَيْرُ الْبَرِيَّةِ ﴿٧﴾
০৮. তাদের প্রভুর কাছে তাদের পুরস্কার রয়েছে চিরস্থায়ী জান্নাত (বাগ-বাগিচা), যেগুলোর নিচে দিয়ে বহমান থাকবে বিপুল নদ নদী নহর। চিরদিন চিরকাল থাকবে তারা সেখানে। আল্লাহ সন্তুষ্ট হয়েছেন তাদের প্রতি আর তারাও সন্তুষ্ট হয়েছে তাঁর প্রতি। -এসব কিছু ঐ ব্যক্তির জন্যে যে ভয় করে চলে তার প্রভুকে।	جَزَآؤُهُمْ عِنْدَ رَبِّهِمْ جَنّٰتُ عَدْنٍ تَجْرِيْ مِنْ تَحْتِهَا الْاَنْهٰرُ خٰلِدِيْنَ فِيْهَاۤ اَبَدًا ؕ رَضِيَ اللّٰهُ عَنْهُمْ وَ رَضُوْا عَنْهُ ؕ ذٰلِكَ لِمَنْ خَشِيَ رَبَّهٗ ﴿٨﴾

রুকু ০১

সূরা ৯৯ যিলযাল

মদিনায় অবতীর্ণ, আয়াত সংখ্যা: ৮, রুকু সংখ্যা: ০১

এই সূরার আলোচ্যসূচি (আয়াত ভিত্তিক আলোচ্য বিষয়)

০১-০৮: কিয়ামত ও বিচারের দৃশ্য

সূরা যিলযাল (ভূ-কম্পন) পরম করুণাময় পরম দয়াবান আল্লাহ্‌র নামে	سُوْرَةُ زِلْزَالٍ بِسْمِ اللّٰهِ الرَّحْمٰنِ الرَّحِيْمِ
০১. যখন কাঁপিয়ে দেয়া হবে পৃথিবীকে তার চূড়ান্ত ঝাঁকুনিতে,	اِذَا زُلْزِلَتِ الْاَرْضُ زِلْزَالَهَا ﴿١﴾

০২. এবং যখন খারিজ (বের) করে দেবে পৃথিবী তার বোঝাসমূহ,	وَاَخْرَجَتِ الْاَرْضُ اَثْقَالَهَا ۝٢
০৩. তখন মানুষ বলে উঠবে: এর (পৃথিবীর) কী হলো?	وَقَالَ الْاِنْسَانُ مَا لَهَا ۝٣
০৪. সেদিন সে (পৃথিবী) বলে দেবে (তার বুকের উপর কৃত মানুষের) সমস্ত তথ্য-বৃত্তান্ত-খবরসমূহ।	يَوْمَئِذٍ تُحَدِّثُ اَخْبَارَهَا ۝٤
০৫. কারণ, তোমার প্রভু তাকে (সব কথা বলে দেয়ার) নির্দেশ দেবেন।	بِاَنَّ رَبَّكَ اَوْحٰى لَهَا ۝٥
০৬. সেদিন মানুষ দলে দলে সামনে বেরিয়ে আসবে, যেনো তাদের দেখানো যায় তাদের আমলসমূহ।	يَوْمَئِذٍ يَّصْدُرُ النَّاسُ اَشْتَاتًا ۙ لِّيُرَوْا اَعْمَالَهُمْ ۝٦
০৭. সুতরাং, যে-ই আমল করবে অণু পরিমাণ ভালো, সে তা দেখতে পাবে।	فَمَنْ يَّعْمَلْ مِثْقَالَ ذَرَّةٍ خَيْرًا يَّرَهٗ ۝٧
০৮. আর যে-ই আমল করবে অণু পরিমাণ মন্দ, সেও তা দেখতে পাবে।	وَمَنْ يَّعْمَلْ مِثْقَالَ ذَرَّةٍ شَرًّا يَّرَهٗ ۝٨

রুকু ০১

সূরা ১০০ আল আদিয়াত

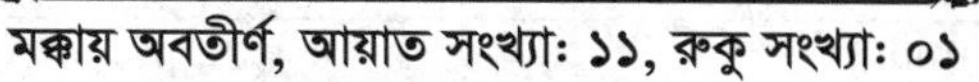

মক্কায় অবতীর্ণ, আয়াত সংখ্যা: ১১, রুকু সংখ্যা: ০১

এই সূরার আলোচ্যসূচি (আয়াত ভিত্তিক আলোচ্য বিষয়)

০১-১১: মানুষ আল্লাহ্‌র প্রতি অকৃতজ্ঞ, অথচ তাকে পুনরুত্থিত হতে হবে এবং বিচারের সম্মুখীন হতে হবে।

সূরা আল আদিয়াত (যারা উর্ধ্বশ্বাসে দৌড়ায়) পরম করুণাময় পরম দয়াবান আল্লাহ্‌র নামে	سُوْرَةُ الْعٰدِيٰتِ بِسْمِ اللّٰهِ الرَّحْمٰنِ الرَّحِيْمِ
০১. শপথ (সেই সব ঘোড়ার) যারা দৌড়ায় উর্ধ্বশ্বাসে,	وَالْعٰدِيٰتِ ضَبْحًا ۝١
০২. আর (ক্ষুরার আঘাতে) ঝরায় আগুনের ফুলকি,	فَالْمُوْرِيٰتِ قَدْحًا ۝٢
০৩. এবং আক্রমণ চালায় একেবারে ভোর-সকালে,	فَالْمُغِيْرٰتِ صُبْحًا ۝٣
০৪. এসময় ধূলায় ধুসরিত করে বাতাস,	فَاَثَرْنَ بِهٖ نَقْعًا ۝٤
০৫. এবং এমনি করে তারা ঢুকে পড়ে কোনো (শত্রু) জনবসতির মাঝে।	فَوَسَطْنَ بِهٖ جَمْعًا ۝٥
০৬. নিশ্চয়ই (অবিশ্বাসী) মানুষ অকৃতজ্ঞ তার প্রভুর প্রতি,	اِنَّ الْاِنْسَانَ لِرَبِّهٖ لَكَنُوْدٌ ۝٦
০৭. এবং সে নিজেই এর (তার এ অকৃতজ্ঞতার) সাক্ষী।	وَاِنَّهٗ عَلٰى ذٰلِكَ لَشَهِيْدٌ ۝٧

০৮. আর সম্পদের মোহে সে প্রচন্ড (উগ্র)।	وَاِنَّهٗ لِحُبِّ الۡخَیۡرِ لَشَدِیۡدٌ ؕ﴿۸﴾
০৯. সে কি জানেনা, কবরে যা কিছু (দাফন করা) আছে সবই বের করে আনা হবে?	اَفَلَا یَعۡلَمُ اِذَا بُعۡثِرَ مَا فِی الۡقُبُوۡرِ ۙ﴿۹﴾
১০. এবং মানুষের অন্তরে যা কিছু আছে সেসবও প্রকাশ করে দেয়া হবে?	وَحُصِّلَ مَا فِی الصُّدُوۡرِ ۙ﴿۱۰﴾
১১. অবশ্যি সেদিন তাদের রব তাদের বিষয়ে থাকবেন সম্যক অবহিত।	اِنَّ رَبَّهُمۡ بِهِمۡ یَوۡمَئِذٍ لَّخَبِیۡرٌ ﴿۱۱﴾

রুকু ০১

সূরা ১০১ আল কারিয়া

মক্কায় অবতীর্ণ , আয়াত সংখ্যা: ১১, রুকু সংখ্যা: ০১

এই সূরার আলোচ্যসূচি (আয়াত ভিত্তিক আলোচ্য বিষয়)

০১-১১: কিয়ামতের দৃশ্য। হিসাব এবং হিসাবের ভিত্তিতে মানুষের পরিণতি।

সূরা আল কারিয়া (প্রচণ্ড দুর্ঘটনা) পরম করুণাময় পরম দয়াবান আল্লাহ্‌র নামে।	سُوۡرَةُ الۡقَارِعَةِ بِسۡمِ اللّٰهِ الرَّحۡمٰنِ الرَّحِیۡمِ
০১. প্রচন্ড দুর্ঘটনা!	اَلۡقَارِعَةُ ۙ﴿۱﴾
০২. কী সেই প্রচন্ড দুর্ঘটনা!	مَا الۡقَارِعَةُ ۚ﴿۲﴾
০৩. তুমি কিভাবে জানবে, কী সেই প্রচন্ড দুর্ঘটনা!	وَمَاۤ اَدۡرٰىكَ مَا الۡقَارِعَةُ ؕ﴿۳﴾
০৪. (এটা হলো সেইদিনের ঘটনা) যেদিন মানুষের অবস্থা হবে বিক্ষিপ্ত পতংগের মতো,	یَوۡمَ یَكُوۡنُ النَّاسُ كَالۡفَرَاشِ الۡمَبۡثُوۡثِ ۙ﴿۴﴾
০৫. আর পাহাড়-পর্বতের অবস্থা হবে ধূনা রংগীন পশমের মতো।	وَتَكُوۡنُ الۡجِبَالُ كَالۡعِهۡنِ الۡمَنۡفُوۡشِ ؕ﴿۵﴾
০৬. সেদিন যার (ভালো কাজের) পাল্লা হবে ভারি,	فَاَمَّا مَنۡ ثَقُلَتۡ مَوَازِیۡنُهٗ ۙ﴿۶﴾
০৭. সে থাকবে সুখ-সম্ভোগ আর আনন্দের জীবনে।	فَهُوَ فِیۡ عِیۡشَةٍ رَّاضِیَةٍ ؕ﴿۷﴾
০৮. কিন্তু যার (ভালো কাজের) পাল্লা হবে হালকা,	وَاَمَّا مَنۡ خَفَّتۡ مَوَازِیۡنُهٗ ۙ﴿۸﴾
০৯. তার মা হবে হাবিয়া।	فَاُمُّهٗ هَاوِیَةٌ ؕ﴿۹﴾
১০. তুমি কি জানো, সেটা (হাবিয়া) কী?	وَمَاۤ اَدۡرٰىكَ مَا هِیَهۡ ؕ﴿۱۰﴾
১১. সেটা হলো জ্বলন্ত আগুন।	نَارٌ حَامِیَةٌ ﴿۱۱﴾

রুকু ০১

সূরা ১০২ আত তাকাসুর

মক্কায় অবতীর্ণ, আয়াত সংখ্যা: ০৮, রুকু সংখ্যা: ০১

এই সূরার আলোচ্যসূচি (আয়াত ভিত্তিক আলোচ্য বিষয়)

০১-০৮: অধিক পাওয়ার জন্যে মানুষের প্রতিযোগিতা। কিয়ামত অবশ্যি হবে এবং তাকে বিচারের সম্মুখীন হতে হবে।

সূরা আত তাকাসুর (প্রাচুর্য লাভের প্রতিযোগিতা) পরম করুণাময় পরম দয়াবান আল্লাহ্‌র নামে	سُوْرَةُ التَّكَاثُرِ بِسۡمِ اللّٰهِ الرَّحۡمٰنِ الرَّحِیۡمِ
০১. বেশি বেশি প্রাচুর্য লাভের প্রতিযোগিতা তোমাদের মোহগ্রস্ত করে রেখেছে (এবং তোমরা এ মোহ ত্যাগ করবেনা),	اَلۡهٰکُمُ التَّکَاثُرُ ۙ﴿۱﴾
০২. যতোক্ষণ না তোমরা কবর যিয়ারত (মৃত্যু বরণ) করবে।	حَتّٰی زُرۡتُمُ الۡمَقَابِرَ ؕ﴿۲﴾
০৩. না (এ কাজ সংগত নয়), তোমরা শীঘ্রি জানতে পারবে!	کَلَّا سَوۡفَ تَعۡلَمُوۡنَ ۙ﴿۳﴾
০৪. আবার বলছি, না (এ কাজ সংগত নয়), সহসাই তোমরা জানতে পারবে!	ثُمَّ کَلَّا سَوۡفَ تَعۡلَمُوۡنَ ؕ﴿۴﴾
০৫. না (এটা সংগত নয়), যদি তোমাদের নিশ্চিত এলেম থাকতো (তবে তোমরা এমনটি করতে না)	کَلَّا لَوۡ تَعۡلَمُوۡنَ عِلۡمَ الۡیَقِیۡنِ ؕ﴿۵﴾
০৬. তোমরা অবশ্যি দেখতে পাবে জাহিম (জ্বলন্ত আগুন),	لَتَرَوُنَّ الۡجَحِیۡمَ ۙ﴿۶﴾
০৭. আবার বলছি, তোমরা অবশ্যি তা দেখতে পাবে নিশ্চিত নজরে।	ثُمَّ لَتَرَوُنَّهَا عَیۡنَ الۡیَقِیۡنِ ۙ﴿۷﴾
০৮. সেদিন তোমাদের অবশ্যি জিজ্ঞাসা করা হবে (দুনিয়ার জীবনে প্রদত্ত) অনুগ্রহ রাজি সম্পর্কে।	ثُمَّ لَتُسۡـَٔلُنَّ یَوۡمَئِذٍ عَنِ النَّعِیۡمِ ٪﴿۸﴾ রুকু ০১

সূরা ১০৩ আল আসর

মক্কায় অবতীর্ণ, আয়াত সংখ্যা: ৩, রুকু সংখ্যা: ০১

এই সূরার আলোচ্যসূচি (আয়াত ভিত্তিক আলোচ্য বিষয়)

০১-০৩: মানুষের ধ্বংস থেকে রক্ষা পাওয়ার উপায়।

সূরা আল আসর (সময়) পরম করুণাময় পরম দয়াবান আল্লাহ্‌র নামে	سُوْرَةُ الْعَصْرِ بِسۡمِ اللّٰهِ الرَّحۡمٰنِ الرَّحِیۡمِ
০১. সময়ের শপথ।	وَ الۡعَصۡرِ ۙ﴿۱﴾
০২. অবশ্যি মানুষ রয়েছে নিশ্চিত ক্ষতির মধ্যে।	اِنَّ الۡاِنۡسَانَ لَفِیۡ خُسۡرٍ ۙ﴿۲﴾

০৩. তবে তারা নয়, যারা ঈমান আনে, আমলে সালেহ্ করে, একে অপরকে সত্যের প্রতি অসিয়ত করে (উপদেশ দেয়) এবং (সত্যের উপর) ধৈর্যের সাথে অটল থাকার অসিয়ত করে।	اِلَّا الَّذِيۡنَ اٰمَنُوۡا وَ عَمِلُوا الصّٰلِحٰتِ وَتَوَاصَوۡا بِالۡحَقِّ ۙ وَتَوَاصَوۡا بِالصَّبۡرِ ﴿۳﴾

রুকু ০১

সূরা ১০৪ আল হুমাযা

মক্কায় অবতীর্ণ, আয়াত সংখ্যা: ০৯, রুকু সংখ্যা: ০১

এই সূরার আলোচ্যসূচি (আয়াত ভিত্তিক আলোচ্য বিষয়)

০১-০৯: সম্পদ পুঞ্জীভূতকারীদের কঠিন শাস্তির একটি দৃশ্য।

সূরা হুমাযা (অপবাদ রটনাকারী) পরম করুণাময় পরম দয়াবান আল্লাহ্‌র নামে	**سُوۡرَةُ الۡهُمَزَةِ** بِسۡمِ اللّٰهِ الرَّحۡمٰنِ الرَّحِيۡمِ
০১. ধ্বংস-দুর্ভোগ এমন প্রতিটি ব্যক্তির জন্যে, যে মানুষকে (সামনে) বিদ্রুপ করে এবং (পেছনে) নিন্দা করে,	وَيۡلٌ لِّكُلِّ هُمَزَةٍ لُّمَزَةِ ۙ ﴿۱﴾
০২. যে মাল-সম্পদ জমা করে এবং বার বার তা গণে।	الَّذِىۡ جَمَعَ مَالًا وَّ عَدَّدَهٗ ۙ ﴿۲﴾
০৩. তার ধারণা, তার মাল-সম্পদ চিরজীবি করে রাখবে তাকে।	يَحۡسَبُ اَنَّ مَالَهٗۤ اَخۡلَدَهٗ ۚ ﴿۳﴾
০৪. না (তা কখনো হবেনা), তাকে অবশ্যি নিক্ষেপ করা হবে 'হুতামায়'।	كَلَّا لَيُنۡۢبَذَنَّ فِى الۡحُطَمَةِ ۖ ﴿۴﴾
০৫. তুমি কি করে জানবে 'হুতামা' কী?	وَمَاۤ اَدۡرٰٮكَ مَا الۡحُطَمَةُ ؕ ﴿۵﴾
০৬. (তা হলো) আল্লাহর আগুন, যা (দাউ দাউ করে) জ্বালিয়ে রাখা হয়েছে,	نَارُ اللّٰهِ الۡمُوۡقَدَةُ ۙ ﴿۶﴾
০৭. তা গ্রাস করবে হৃদয় সমূহকে।	الَّتِىۡ تَطَّلِعُ عَلَى الۡاَفۡـِٕدَةِ ؕ ﴿۷﴾
০৮. তা (সে আগুন) তাদের উপর (ঢাকনা দিয়ে) বন্ধ করে দেয়া হবে,	اِنَّهَا عَلَيۡهِمۡ مُّؤۡصَدَةٌ ۙ ﴿۸﴾
০৯. উঁচু উঁচু থামে।	فِىۡ عَمَدٍ مُّمَدَّدَةٍ ﴿۹﴾

রুকু ০১

সূরা ১০৫ আল ফীল

মক্কায় অবতীর্ণ, আয়াত সংখ্যা: ০৫, রুকু সংখ্যা: ০১

এই সূরার আলোচ্যসূচি (আয়াত ভিত্তিক আলোচ্য বিষয়)

০১-০৫: আল্লাহ্ কর্তৃক আল্লাহ্‌দ্রোহীদের পাকড়াও করার ঐতিহাসিক উদাহরণ।

সূরা আল ফীল (হাতী) পরম করুণাময় পরম দয়াবান আল্লাহ্‌র নামে	**سُوۡرَةُ الۡفِيۡلِ** بِسۡمِ اللّٰهِ الرَّحۡمٰنِ الرَّحِيۡمِ
০১. তুমি কি দেখোনি (হে মুহাম্মদ!) তোমার প্রভু হাতীওয়ালা বাহিনীর সাথে কী আচরণ করেছেন?	اَلَمۡ تَرَ كَيۡفَ فَعَلَ رَبُّكَ بِاَصۡحٰبِ الۡفِيۡلِ ؕ ﴿۱﴾

০২. তিনি কি তাদের চক্রান্ত ব্যর্থ করে দেননি?	أَلَمْ يَجْعَلْ كَيْدَهُمْ فِي تَضْلِيلٍ ۝٢
রুকু ০৩. তিনি তাদের উপর পাঠিয়েছিলেন ঝাঁকে ঝাঁকে পাখি।	وَأَرْسَلَ عَلَيْهِمْ طَيْرًا أَبَابِيلَ ۝٣
০৪. তারা তাদের উপর পাকা মাটির পাথর নিক্ষেপ করেছিল।	تَرْمِيهِمْ بِحِجَارَةٍ مِّنْ سِجِّيلٍ ۝٤
০৫. এভাবে তিনি তাদের করে দিয়েছিলেন চিবানো ভূষির মতো।	فَجَعَلَهُمْ كَعَصْفٍ مَّأْكُولٍ ۝٥ রুকু ০১

সূরা ১০৬ কুরাইশ

মক্কায় অবতীর্ণ, আয়াত সংখ্যা: ০৪, রুকু সংখ্যা: ০১

এই সূরার আলোচ্যসূচি (আয়াত ভিত্তিক আলোচ্য বিষয়)

০১-০৪: কুরাইশদের উচিত এক আল্লাহ্‌র দাসত্ব করা, যিনি তাদের জীবিকা, মর্যাদা ও উন্নতির উসিলা কাবার মালিক।

সূরা কুরাইশ (কুরাইশ বংশ) পরম করুণাময় পরম দয়াবান আল্লাহ্‌র নামে	سُورَةُ قُرَيْشٍ بِسْمِ اللّٰهِ الرَّحْمٰنِ الرَّحِيْمِ
০১. যেহেতু কুরাইশদের পরিচিত করানো হয়েছে,	لِإِيلَافِ قُرَيْشٍ ۝١
০২. (অর্থাৎ) শীতকালের ও গরমকালের সফরে তাদেরকে পরিচিত করানো হয়েছে।	إِيلَافِهِمْ رِحْلَةَ الشِّتَاءِ وَالصَّيْفِ ۝٢
০৩. (সেজন্যে) তাদের উচিত (শুধুমাত্র) এই (কাবা) ঘরের মালিকের ইবাদত করা,	فَلْيَعْبُدُوا رَبَّ هٰذَا الْبَيْتِ ۝٣
০৪. যিনি (তাঁর এই ঘরের উসিলায়) আহার যুগিয়ে তাদের ক্ষুধা নিবারণ করেছেন এবং তাদের নিরাপদ করেছেন ভয়ভীতি থেকে।	الَّذِي أَطْعَمَهُمْ مِّنْ جُوعٍ ۙ وَآمَنَهُمْ مِّنْ خَوْفٍ ۝٤ রুকু ০১

সূরা ১০৭ আল মাউন

মক্কায় অবতীর্ণ, আয়াত সংখ্যা: ০৭, রুকু সংখ্যা: ০১

এই সূরার আলোচ্যসূচি (আয়াত ভিত্তিক আলোচ্য বিষয়)

০১-০৭: প্রতিদান দিবসকে অস্বীকারকারীদের মন্দ বৈশিষ্ট্যসমূহ ও মন্দ পরিণতি।

সূরা আল মাউন (ক্ষুদ্র সহযোগিতা) পরম করুণাময় পরম দয়াবান আল্লাহ্‌র নামে	سُورَةُ الْمَاعُونَ بِسْمِ اللّٰهِ الرَّحْمٰنِ الرَّحِيْمِ
০১. তুমি কি দেখেছো ঐ ব্যক্তিকে, যে (পরকালের) প্রতিদানকে করে অস্বীকার?	أَرَأَيْتَ الَّذِي يُكَذِّبُ بِالدِّينِ ۝١
০২. এই ব্যক্তিই ধাক্কা দিয়ে তাড়িয়ে দেয় এতিমকে,	فَذٰلِكَ الَّذِي يَدُعُّ الْيَتِيمَ ۝٢

০৩. এবং (সে) খাওয়াতে উৎসাহ দেয়না মিসকিনকে।	وَلَا يَحُضُّ عَلٰى طَعَامِ الْمِسْكِيْنِ ۞
০৪. সুতরাং ঐ মুসল্লিদের জন্যে রয়েছে ধ্বংস,	فَوَيْلٌ لِّلْمُصَلِّيْنَ ۞
০৫. যারা গাফলতি করে তাদের সালাতে,	الَّذِيْنَ هُمْ عَنْ صَلَاتِهِمْ سَاهُوْنَ ۞
০৬. যারা (ভালো) কাজ করে লোক দেখানোর জন্যে,	الَّذِيْنَ هُمْ يُرَآءُوْنَ ۞
০৭. এবং ছোট খাটো জিনিস (যেমন- লবন, পেয়াজ, পানি, বাটি) পর্যন্ত দিতে মানা করে।	وَيَمْنَعُوْنَ الْمَاعُوْنَ ۞

রুকু ০১

সূরা ১০৮ আল কাউসার

মক্কায় অবতীর্ণ, আয়াত সংখ্যা: ৩, রুকু সংখ্যা: ০১

এই সূরার আলোচ্যসূচি (আয়াত ভিত্তিক আলোচ্য বিষয়)

০১-০৩: নবীর নিন্দুকরাই লেজ কাটা।

সূরা আল কাউসার (জান্নাতের নহর) পরম করুণাময় পরম দয়াবান আল্লাহ্র নামে	سُوْرَةُ الْكَوْثَرِ بِسْمِ اللّٰهِ الرَّحْمٰنِ الرَّحِيْمِ
০১. (হে নবী!) নিশ্চয়ই আমরা তোমাকে দান করেছি আল কাউসার।	اِنَّآ اَعْطَيْنٰكَ الْكَوْثَرَ ۞
০২. সুতরাং তুমি সালাত আদায় করো এবং কুরবানি করো তোমার প্রভুর উদ্দেশ্যে।	فَصَلِّ لِرَبِّكَ وَانْحَرْ ۞
০৩. আসলে তোমার শত্রুই শিকড় কাটা।	اِنَّ شَانِئَكَ هُوَ الْاَبْتَرُ ۞

রুকু ০১

সূরা ১০৯ আল কাফিরুন

মক্কায় অবতীর্ণ, আয়াত সংখ্যা: ০৬, রুকু সংখ্যা: ০১

এই সূরার আলোচ্যসূচি (আয়াত ভিত্তিক আলোচ্য বিষয়)

০১-০৬: নবীর দীন এবং কাফিরদের দীনের মধ্যে সংমিশ্রণ চলতে পারেনা। দু'টির কেন্দ্র সম্পূর্ণ আলাদা।

সূরা আল কাফিরুন (কাফিররা) পরম করুণাময় পরম দয়াবান আল্লাহ্র নামে	سُوْرَةُ الْكٰفِرُوْنَ بِسْمِ اللّٰهِ الرَّحْمٰنِ الرَّحِيْمِ
০১. (হে নবী!) বলে দাও: ওহে কাফিররা!	قُلْ يٰۤاَيُّهَا الْكٰفِرُوْنَ ۞
০২. তোমরা যাদের ইবাদত করো, আমি তাদের ইবাদত করিনা।	لَآ اَعْبُدُ مَا تَعْبُدُوْنَ ۞
০৩. আর আমি যাঁর ইবাদত করি, তোমরা তাঁর ইবাদতকারী নও।	وَلَآ اَنْتُمْ عٰبِدُوْنَ مَآ اَعْبُدُ ۞

রুকু ০১

০৪. আর তোমরা যাদের ইবাদত করছো, আমি তাদের ইবাদতকারী নই।	وَلَآ اَنَا عَابِدٌ مَّا عَبَدْتُّمْ ۝٤	
০৫. আর আমি যাঁর ইবাদত করি, তোমরা তাঁর ইবাদতকারী নও।	وَلَآ اَنْتُمْ عٰبِدُوْنَ مَآ اَعْبُدُ ۝٥	
০৬. তোমাদের জন্যে তোমাদের দীন, আর আমার জন্যে আমার দীন।	لَكُمْ دِيْنُكُمْ وَلِيَ دِيْنِ ۝٦	রুকু ০১

সূরা ১১০ আন নাস্‌র

মদীনায় অবতীর্ণ, আয়াত সংখ্যা: ৩, রুকু সংখ্যা: ০১

এই সূরার আলোচ্যসূচি (আয়াত ভিত্তিক আলোচ্য বিষয়)

০১-০৩: বিজয় আসার পর নবীর কর্তব্য।

সূরা আন নাস্‌র (সাহায্য) পরম করুণাময় পরম দয়াবান আল্লাহ্‌র নামে	سُوْرَةُ النَّصْرِ بِسْمِ اللّٰهِ الرَّحْمٰنِ الرَّحِيْمِ	
০১. যখন এসেছে আল্লাহর সাহায্য ও বিজয়,	اِذَا جَآءَ نَصْرُ اللّٰهِ وَالْفَتْحُ ۝١	
০২. এবং তুমি দেখতে পাচ্ছো, লোকেরা দলে দলে প্রবেশ করছে আল্লাহর দীনে,	وَرَاَيْتَ النَّاسَ يَدْخُلُوْنَ فِيْ دِيْنِ اللّٰهِ اَفْوَاجًا ۝٢	
০৩. তখন তোমার প্রভুর প্রশংসা ও কৃতজ্ঞতা প্রকাশ করো এবং ক্ষমা প্রার্থনা করো তাঁর কাছে, নিশ্চয়ই তিনি তওবা কবুলকারী।	فَسَبِّحْ بِحَمْدِ رَبِّكَ وَاسْتَغْفِرْهُ ۚ اِنَّهٗ كَانَ تَوَّابًا ۝٣	রুকু ০১

সূরা ১১১ আল লাহাব

মক্কায় অবতীর্ণ, আয়াত সংখ্যা : ০৫, রুকু সংখ্যা: ০১

এই সূরার আলোচ্যসূচি (আয়াত ভিত্তিক আলোচ্য বিষয়)

০১-০৫: নবীর নিকৃষ্ট শত্রু আবু লাহাব ও তার স্ত্রীর চরম মন্দ পরিণতি।

সূরা আল লাহাব (অগ্নিশিখা) পরম করুণাময় পরম দয়াবান আল্লাহ্‌র নামে	سُوْرَةُ اللَّهَبِ بِسْمِ اللّٰهِ الرَّحْمٰنِ الرَّحِيْمِ	
০১. ধ্বংস হোক আবু লাহাবের দুই হাত, ধ্বংস হোক সে।	تَبَّتْ يَدَآ اَبِيْ لَهَبٍ وَّتَبَّ ۝١	
০২. তার ধন-সম্পদ এবং তার উপার্জন তার কোনো কাজেই আসলোনা।	مَآ اَغْنٰى عَنْهُ مَالُهٗ وَمَا كَسَبَ ۝٢	
০৩. অচিরেই তাকে পোড়ানো হবে আগুনের লেলিহান শিখায়।	سَيَصْلٰى نَارًا ذَاتَ لَهَبٍ ۝٣	
০৪. এবং তার স্ত্রীকেও (পোড়ানো হবে), যে (নবীকে কষ্ট দিতে) ঘাড়ে করে কাঠ কেটে আনে (নবীর পথে ফেলে রাখে)।	وَّامْرَاَتُهٗ ۚ حَمَّالَةَ الْحَطَبِ ۝٤	রুকু ০১

রুকু	অনুবাদ	আয়াত
রুকু ০১	০৫. (সেদিন) তার গলায় থাকবে খেজুরের আঁশের পাকানো রশি।	فِيْ جِيْدِهَا حَبْلٌ مِّنْ مَّسَدٍ ﴿٥﴾

সূরা ১১২ আল ইখলাস

মক্কায় অবতীর্ণ, আয়াত সংখ্যা: ০৪, রুকু সংখ্যা: ০১

এই সূরার আলোচ্যসূচি (আয়াত ভিত্তিক আলোচ্য বিষয়)

০১-০৪: তাওহীদের ঘোষণা।

রুকু	অনুবাদ	আয়াত
	সূরা আল ইখলাস (নিষ্ঠা) পরম করুণাময় পরম দয়াবান আল্লাহ্‌র নামে	سُوْرَةُ الْإِخْلَاصِ بِسْمِ اللّٰهِ الرَّحْمٰنِ الرَّحِيْمِ
	০১. (হে নবী!) বলে দাও : তিনি আল্লাহ, তিনি এক ও একক।	قُلْ هُوَ اللّٰهُ اَحَدٌ ﴿١﴾
	০২. আল্লাহ স্বয়ং সম্পূর্ণ মুখাপেক্ষাহীন।	اَللّٰهُ الصَّمَدُ ﴿٢﴾
	০৩. তিনি জন্ম দেন না এবং তাঁকেও জন্ম দেয়া হয়নি।	لَمْ يَلِدْ ۙ وَلَمْ يُوْلَدْ ﴿٣﴾
রুকু ০১	০৪. কেউ নেই তাঁর সমকক্ষ সমতুল্য।	وَلَمْ يَكُنْ لَّهٗ كُفُوًا اَحَدٌ ﴿٤﴾

সূরা ১১৩ আল ফালাক

মক্কায় অবতীর্ণ, আয়াত সংখ্যা: ০৫, রুকু সংখ্যা: ০১

এই সূরার আলোচ্যসূচি (আয়াত ভিত্তিক আলোচ্য বিষয়)

০১-০৫: কতিপয় অনিষ্ট থেকে আল্লাহ্‌র আশ্রয় প্রার্থনার নির্দেশ।

রুকু	অনুবাদ	আয়াত
	সূরা আল ফালাক (ভোর) পরম করুণাময় পরম দয়াবান আল্লাহ্‌র নামে।	سُوْرَةُ الْفَلَقِ بِسْمِ اللّٰهِ الرَّحْمٰنِ الرَّحِيْمِ
	০১. (হে নবী!) বলো : আমি আশ্রয় চাই ভোরের প্রভুর কাছে	قُلْ اَعُوْذُ بِرَبِّ الْفَلَقِ ﴿١﴾
	০২. সেইসবের অনিষ্ট থেকে, যা তিনি সৃষ্টি করেছেন,	مِنْ شَرِّ مَا خَلَقَ ﴿٢﴾
	০৩. আর অন্ধকার রাতের অনিষ্ট থেকে, যখন তার অন্ধকার ছেয়ে যায়।	وَمِنْ شَرِّ غَاسِقٍ اِذَا وَقَبَ ﴿٣﴾
	০৪. আর সেই সব নারী (বা) পুরুষদের অনিষ্ট থেকে, যারা গিরায় ফুঁ দেয়।	وَمِنْ شَرِّ النَّفّٰثٰتِ فِى الْعُقَدِ ﴿٤﴾
রুকু ০১	০৫. আর হিংসুকের অনিষ্ট থেকে, যখন সে হিংসা করে।	وَمِنْ شَرِّ حَاسِدٍ اِذَا حَسَدَ ﴿٥﴾

সূরা ১১৪ আন নাস

মক্কায় অবতীর্ণ, আয়াত সংখ্যা: ০৬, রুকু সংখ্যা: ০১

এই সূরার আলোচ্যসূচি (আয়াত ভিত্তিক আলোচ্য বিষয়)

০১-০৬: মানুষ ও জিন খান্নাসের অস্অসা থেকে আল্লাহ্‌র আশ্রয় প্রার্থনার নির্দেশ।

সূরা আন নাস (মানবজাতি) পরম করুণাময় পরম দয়াবান আল্লাহ্‌র নামে	سُوۡرَةُ النَّاسِ بِسۡمِ اللّٰهِ الرَّحۡمٰنِ الرَّحِيۡمِ
০১. (হে নবী!) বলো : আমি আশ্রয় চাই মানবজাতির প্রভুর কাছে,	قُلۡ اَعُوۡذُ بِرَبِّ النَّاسِۙ ①
০২. মানবজাতির সম্রাটের কাছে,	مَلِكِ النَّاسِۙ ②
০৩. মানবজাতির ত্রাণকর্তার কাছে,	اِلٰهِ النَّاسِۙ ③
০৪. কুমন্ত্রণাদাতা খান্নাসের অনিষ্ট থেকে,	مِنۡ شَرِّ الۡوَسۡوَاسِ ۙ الۡخَنَّاسِۙ ④
০৫. (সেই খান্নাস থেকে) যে কুমন্ত্রণা দেয় মানুষের মনে,	الَّذِىۡ يُوَسۡوِسُ فِىۡ صُدُوۡرِ النَّاسِۙ ⑤
০৬. সে জিন হোক আর মানুষ।	مِنَ الۡجِنَّةِ وَ النَّاسِ ⑥

রুকু ০১

. . . .

কুরআন মজিদের

অনুবাদ সমাপ্ত